The New Encyclopædia Britannica

in 32 Volumes

FOUNDED 1768
15TH EDITION

ENCYCLOPÆDIA
Britannica

Encyclopædia Britannica, Inc.
Jacob E. Safra, Chairman of the Board
Jorge Aguilar-Cauz, President

Chicago

London/New Delhi/Paris/Seoul

Sydney/Taipei/Tokyo

The information on this page refers to
The New Encyclopædia Britannica.

First Edition	1768 – 1771
Second Edition	1777 – 1784
Third Edition	1788 – 1797
Supplement	1801
Fourth Edition	1801 – 1809
Fifth Edition	1815
Sixth Edition	1820 – 1823
Supplement	1815 – 1824
Seventh Edition	1830 – 1842
Eighth Edition	1852 – 1860
Ninth Edition	1875 – 1889
Tenth Edition	1902 – 1903

Printed in U. S. A.

Library of Congress Control Number: 2006921233
International Standard Book Number-10: 1-59339-292-3
International Standard Book Number-13: 978-1-59339-292-5

Britannica may be accessed at http://www.britannica.com on the Internet.

不列颠百科全书

国际中文版

修订版

Encyclopædia Britannica
International Chinese Edition

2

中国大百科全书出版社

《不列颠百科全书》国际中文版

associative law **结合律** 数学中,关于数的加法和乘法运算的两条规律。用符号表示为:

$$a+(b+c)=(a+b)+c, a(bc)=(ab)c$$

就是说,项或因子可以按任一种所要求的方式结合。尽管结合律对于正数或负数,整数或分数,有理数或无理数,实数或虚数都成立,然而有一定的例外——例如在非结合代数里,以及发散级数的不可加性中。参阅 **commutative law; distributive law**。

associative learning **联想学习** 一类动物行为:新的应答与特定刺激物联系起来的学习过程。广义上,该术语事实上一直用来描述除简单习惯化(**habituation**)以外的一切学习。狭义上仅指通过经典性及工具性条件作用(**conditioning**)完成的学习。

assonance **母韵** 在韵律学中,指具有不同子音语尾的语词中重读母音的重复,如 quite like 这一词组押的就是母韵。它和同韵词不同。在同韵词中,首音不同,但母音和词尾子音的发音相同,如 quite right。许多普通成语,如 mad as a hatter, free as a breeze 或 high as a kite,其感染力都是由于母韵所致。作为一种诗的手法,行内的母韵通常同头韵和子韵结合在一起,以丰富诗句的结构。有时诗句中是单母音的重复,例如 T.胡克的《秋》的起始句:

I s*aw* old *Au*tumn in the misty m*or*n

有时重复的是双元音或更多的元音,例如雪莱的《印度小夜曲》开头的两句就用长 i 和长 e 造成音乐上的对位效果:

I ar*i*se from dr*ea*ms of th*ee*
In the first sw*ee*t sl*ee*p of n*i*ght

在句尾出现母韵,产生不纯的或变格的韵,这种母韵在 12 世纪纯正的韵引入法国诗歌之前,出现在《罗兰之歌》和大多数法国诗篇里。母韵现在仍是西班牙和葡萄牙诗歌的一个特点。在英语诗中,母韵常见于传统谣曲之中,因为使用它可能是不经心的或不可避免的。直到 19 世纪末和 20 世纪,才有人把母韵当做一种审慎的诗技巧来使用,在此之前很少有人使用。

assortative mating **同型婚配** 人类遗传学中关于相似表型或不同表型的人们婚配出现率的一种论述(参阅 **phenotype**)。指人类婚配模式中有关表型随机率程度。按其特定意义说,这个名词可以理解为,以表型为基础,或以之为主要基础,进行婚配选择。例如在美国,大多数人不愿和异族人结婚,此例说明,从一般意义说,同型婚配并不是随意的;而从特定意义说,同型婚配实际上是存在的。人们选择与自己表型相似的人结婚,就是正向同型婚配,或叫做同配生殖;这种选择方式很普遍。负向同型婚配是指相反的情形,即人们避免与自己表型相似的人结婚。

Assos (ancient city) 参阅 **Assus** 阿苏斯。

Assouan (Egypt) 参阅 **Aswān** 阿斯旺。

assumpsit **追偿诉讼** 在普通法中,指因对方违约而追索损害赔偿金的诉讼。这种诉讼最初在 14 世纪是对不履行所承担义务的行为实行追偿的一种方式,以后逐渐扩大到适用于为商业和技术发展所需要的多种契约。这一概念首先用于被告人损坏原告人托付的货物这一类的案件,例如被告人承担运送原告人的马匹过河,由于疏忽大意造成翻船,将马匹淹死。以后由于有了以下两点改变:①着重点从被告人的过失行为转向被告人不遵守自己的诺言;②诉讼是作为在被告人的行为失当或者出于疏忽未完成自己许诺的事的情况下的一种救济措施;追索损害赔偿金的诉讼才成为现代意义的违约救济办法。

Assumption **圣母升天** 天主教和东正教教义,谓耶稣的母亲马利亚在结束在世生命之后灵、体一齐被接进天堂。1950 年 11 月教皇庇护十二世宣布,圣母升天是天主教的确

提香绘《圣母升天》(1516～1518)
美国不列颠百科全书公司供图

定教义。东正教会不承认它是上帝所启示的教义。基督教(新教)许多派别认为天主教这项教义妨碍它同新教关于建立普世教会的对话。圣母升天从中世纪之初就是基督教艺术题材,13 世纪以后,普遍用于教堂装饰。典型艺术形式是圣母作祈祷状,破墓而出,由众天使承托冉冉上升,众使徒惊讶仰视。

Assurbanipal (Assyrian king) 参阅 **Ashurbanipal** 亚述巴尼拔。

Assus **阿苏斯** 希腊语作 Assos。古希腊特洛亚特的城市,在今土耳其西北部沿海,南距岸边的莱斯沃斯岛 11 千米。公元前 1 千纪时由莱斯沃斯岛移民建立,筑在台地上,海拔 200 米。它拥有埃德雷米特湾北海岸的唯一良港,紧扼沿海一带的交通。曾先后受波斯和雅典帝国的统治,又曾相继落入亚历山大大帝、马其顿将军、帕加马国王和罗马之手。亚里士多德曾来此城创办一所柏拉图学园(公元前 348～前 345)。斯多葛派哲学家克莱安西斯生于此城。19 世纪曾有施工队在此采石,但古城的许多遗迹仍得以保留,包括古代港口的防波堤、部分城防工事和雅典娜神庙的残迹。

Assyria **亚述** 美索不达米亚北部的王国,古代中东的一个伟大帝国的核心。在今伊拉克北部和土耳其东南部。在公元前 2 千纪的大部分时间里,先后为巴比伦和米坦尼的属国;公元前 14 世纪成为独立国家,此后一段时期(旧亚述帝国时期)成为美索不达米亚、亚美尼亚,一度包括北叙利亚的主要强国。在约公元前 1208 年后力量衰落。公元前 11 世纪一度中兴。公元前 9 世纪,亚述诸王开始了新的扩张时期,公元前 8 世纪中叶至前 7 世纪后期,历代强有力的亚述国王把从埃及到波斯湾的大部分近东地区统一起来。公元前 612～前 609 年终为迦勒底-米底联军摧毁。亚述人不仅以残忍和勇敢著称,在尼尼微、亚述城、尼姆鲁得等地的考古发掘证明,他们还是大型工程的建筑者。

Assyro-Babylonian language **亚述-巴比伦语** 参阅 **Akkadian language** 阿卡德语。

Astaire, Fred **阿斯泰尔**(1899-05-10,美国内布拉斯加奥马哈～1987-06-22,加利福尼亚洛杉矶) 原名 Frederick Austerlitz。美国著名舞台和电影舞蹈家,由于和 G.罗杰斯合演音乐喜剧影片驰名于世。许多人认为他是历史上最伟大的通俗音乐舞蹈家。他从 4 岁开始学舞蹈。1906 年和姐姐阿德尔一起创造了一种后来成为引人入胜大受欢迎的歌舞表演演出形式。从 1917 年起,阿斯泰尔姐弟在百老汇演出。他们的演出极为轰动,享有国际声誉,主要剧目包括《看在上帝面上》(1922)、《滑稽面孔》(1927)和《乐队车》(1931)。阿德尔于 1932 年退出舞台,阿斯泰尔无舞伴,决定一试电影表演。他在电影中扮演的第一个角色是《跳舞太太》(1933)中的一个小角色,同年在《飞向里约》中他与 G.罗杰斯第一次合作。随后他们合演了一批影片,包括《快乐

阿斯泰尔在《大礼帽》中的表演
美国不列颠百科全书公司供图

的离婚者》(1934)、《罗伯塔》(1935)、《大礼帽》(1935)、《摇摆时代》(1936)、《弗农和艾琳·卡斯特尔的故事》(1939)。罗杰斯-阿斯泰尔主演的影片以其老练而亲切的舞蹈风格、优雅和卓越的技巧,以及情节与音乐的融合一体,革新了音乐喜剧电影的体裁。阿斯泰尔于1946年暂时辍演,但不久重返银幕上演《复活节的游行》(1948)、《百老汇的巴克利斯》(1949)、《长脚蜘蛛》(1955)、《滑稽面孔》(1957)和《长统丝袜》(1957)等。他在银幕上的主要舞伴有E.鲍威尔、R.海华丝、J.嘉兰和A.赫伯恩等。由于对歌舞影片所做的贡献,1949年被授予学院特别奖。《弗雷德·阿斯泰尔表演晚会》(1958)电视专辑使他9次荣获"埃米"奖。1971年阿斯泰尔正式退出舞台,但在70年代和80年代初继续上演电影及电视片。其舞蹈特色是动作利落协调、潇洒自如和轻快优美。

aṣṭamaṅgala 八吉祥 印度耆那教(包括白衣派和天衣派)宗教仪式中象征吉祥的8件物品。这些物品见于1世纪的还愿碑和微型画,在今日耆那教仪式上仍然使用。八吉祥物

15世纪的八吉祥细密画
美国不列颠百科全书公司供图

通常是:①宝镜,②宝座,③粉瓶,④满水盂,⑤双鱼,⑥胸前卷毛相,⑦喜旋相,⑧卐字。

Astana 阿斯塔纳 哈萨克斯坦共和国首都。参阅 **Aqmola**。

aṣṭāṅgika-marga(Buddhism) 参阅 **Eightfold Path** 八正道。

Astarte 阿斯塔特 古代中东地区所崇拜的重要女神。地中海主要海港提尔、西顿和埃拉特等地以之为主神,即《圣经·旧约》所称亚斯他录。据《列王纪上》第11章第5节载:以色列国王所罗门与异族女子结婚,"他随从西顿人的女神亚斯他录"。后来,阿斯塔特的神坛被犹大国王约西亚所毁。另据《耶利米书》第44章载,迦南人称阿斯塔特为"天后",向她烧香祭酒。阿斯塔特司爱情和战争。她

青铜器时代晚期陶饰板上的阿斯塔特浮雕像
美国不列颠百科全书公司供图

和她的姊妹安娜特有许多共同之处,因此有人认为她们本是同一女神。

astatine 砹(At) 周期表Ⅶa族放射性化学元素,最重的卤族元素。砹没有稳定同位素。1940年加利福尼亚大学D.R.科森、K.R.麦肯齐和E.塞格雷首次合成制得砹。他们用加速的α粒子(氦核)轰击铋获得砹和一些中子。随后,在3个天然放射性衰变系的次要分支中发现少量的天然砹同位素,即铀系中的砹218、钍系中的砹216、锕系中的砹215及砹219。已知砹有约20种同位素。其中寿命最长的砹210半衰期为8.3小时。由于砹同位素半衰期短,仅能获得极少量砹供研究用。应用砹210、砹211和放射化学示踪法,已经确定了砹的一些化学性质。总的来说,砹类似碘(像碘一样浓集于高等动物的甲状腺中)。砹稍溶于水,易溶于苯和四氯化碳。砹能被还原为砹离子At^-,也可被氧化为正氧化态即+1(AtO^-)和+5(AtO_3^-)。砹原子序数85。最稳定同位素砹210。氧化态-1、+1、+3(?)、+5、+7(?)。电子组态2,8,18,32,18,7或$(Xe)4f^{14}5d^{10}6s^2 6p^5$。

Astbury, John 阿斯特伯里(1688,英格兰~1743,斯塔福德郡谢尔顿) 绰号谢尔顿的阿斯特伯里。英国制陶工艺的先驱,斯塔福德郡最早的陶艺名师。虽然自1720年起就有阿斯特伯里家族的若干成员在斯塔福德郡工作,但是阿斯特伯里家族重要的发现与创新则是由约翰·阿斯特伯里作出的。据传他曾化装成白痴,以便从1688年由荷兰移民到英国的两位制陶同行处偷学手艺。18世纪早期,阿斯特伯里在谢尔顿开设一家工厂,成功地制成黄釉红色陶器,表面缀以白色陶土装饰(是他首先从德文郡引进),他的这种装饰方法叫做粘贴浮雕装饰法。斯塔福德郡最早涂铅釉的棕色和白色塑像据信均属其所制(保留至今的作品之一是表现海军上将弗农在贝洛港的胜利,其年代为1739年,现存伦敦维多利亚与阿尔贝特博物馆)。他是斯塔福德郡最早(1720)把燧石搀入陶泥,改进泥料质量使之变得更白的人。从现存传为出自他手的塑像可看出当时使用的不同色调的黏土和各种装饰色彩。受人喜爱的教友群像很可能是由他源起,群像由两个或多个盐釉炻器塑像组成,塑像神态拘谨,身着传统风格的服装,坐在教堂靠背长椅上,有些还在从事各种活动,如吹奏风笛等。一些类似的群像则只有乐师,据传也是他的作品。其另一组典型作品是士兵和骑士群像,外表相当粗糙,是用简单的模子铸造后再用手捏成型的。所制实用品有大酒杯、各种造型的碗和茶壶等。此外还制作玛瑙纹和大理石纹的陶器。阿斯特伯里之子托马斯试制成功了铅釉陶器,以后称为奶油色陶器。经著名的韦奇伍德加以改进,后改名为女王陶器,系由早期的白炻器经过改进并在坯体上覆以铅釉而成。20世纪中叶斯塔福德郡陶瓷复兴时期,阿斯特伯里制作的塑像售价高昂,尤以教友群像为甚,有的价值数千英镑。

Astbury ware 阿斯特伯里陶器 约翰·阿斯特伯里和他的儿子托马斯于约1725年开始生产的一种英国陶器。1760年前,此词亦指18世纪斯塔福德郡的精陶。约翰·阿斯特

约1740年的阿斯特伯里陶器——龙骑兵
美国不列颠百科全书公司供图

伯里于1725年在谢尔顿设立了一家单窑制陶厂,据认为,在许多产品方面他都遥遥领先于其他陶器厂。这种陶器在车床上进行最后加工,造型好,表面光洁,且涂有一层白色陶土。由于坯体中搀进了煅烧后的燧石,故而较硬,较轻。其红色或浅黄色陶器常饰以白色浮雕的船舰、塑像和城堡等。阿斯特伯里的产品包括玛瑙纹饰陶器和玳瑁纹饰陶器;带有白色浮雕装饰的黑陶器;用白色陶土压印装饰在各色(棕色、淡黄褐色和淡黄色)阴影上的釉陶;盐釉炻器;白色和奶油色陶器;红泥陶,一种无釉而坚硬的红色陶,上面带有车床切成的几何形雕刻纹饰;刮花陶器以及带图案的陶器。阿斯特伯里图案由单个的或群体的人物和鸟兽组成,图案先由黏土成型,再敷以化妆土,然后用着色化妆土彩饰,后来着色化妆土被金属氧化物颜料所取代。棚架群像(树下的对对情侣),由单个演奏者组成

的乐师群像，骑士群像以及中国人像等，在阿斯特伯里的作品中都有所表现。

Astbury-Whieldon ware　阿斯特伯里-惠尔登陶瓷　一种带贴花装饰的英国陶瓷器，以陶器为主；1730～1745年间由两名斯塔福德郡的陶工，J.阿斯特伯里和T.惠尔登制作。

约1740年的阿斯特伯里-惠尔登陶瓷茶壶
美国不列颠百科全书公司供图

他们不用当时更为通行的压印浮雕装饰法，而是将预先模塑好的花式贴附在陶器表面，然后用黏土搓成细条，做成卷曲的枝茎，将花式连成一体。这种工艺叫做黏结装饰法。

Aṣṭ chāp　八印章　16世纪印度一批印地语诗人的称号。其中4人是毗湿奴派领袖伐拉彼的门生，另4人是伐拉彼之子兼继承人毗陀罗的门生。这些诗人中最伟大的是盲歌手苏尔达斯，他在诗集《苏尔诗海》中对大神黑天少年时功绩的描绘是其中最精彩的部分。这部诗集在北印度印地语地区受到普遍赞赏。八印章中的其他成员是：波罗摩南德达斯、南德达斯、克里希纳达斯、戈宾德斯瓦米、鸠般达斯、吉陀斯瓦米和遮杜尔普达斯。

aster yellows　紫苑黄化病　一种植物病害。大部分世界上气温超过32 ℃时间不长的地方均可发现，初以为病原系病毒，今已证实为菌质体。许多野生及栽培植物（包括蔬菜和花卉）均能感染。典型症状包括嫩枝黄化（失绿）、挺直及成束状生长，花略呈绿色、变形或变小，植株生育受阻或矮化。叶蝉在受侵染植株上取食后转移至健株上取食时便会传播此病。叶蝉卵或植物种子无传病作用。菌质体在越冬杂草及作物植株、繁殖器官（鳞茎、球茎、块茎）以及叶蝉体内（温暖气候中）保存。植株及叶蝉体内的菌质体于38～42℃经两三周即受破坏，因此该病在许多热带区域罕见或未见。有效防治法是驱除叶蝉，迅速去除受病作物及杂草植株和越冬的易感染杂草，用接触杀虫剂喷雾或喷粉。土霉素族抗生素可消除新出现的症状。

Asterābad（Iran）　**阿斯泰拉巴德**　参阅 **Gorgān** 戈尔甘。

Asterales　菊目　显花植物的一目。仅菊科（Asteraceae或Compositae）一科，是显花植物最大的科，1 100多属，约2万种，种数之多仅兰科可与相比。菊目的最显著特点是头状花序，每个花序看似一朵花。花序托以许多苞片组成的绿色总苞。花为完全花或单性花，无梗，有时托以小苞片，整齐或不整齐，各部多为5的倍数，合瓣及子房下位（这两个特征并存十分罕见）；花萼高度变态，呈鳞片状、芒状、刷状，称为冠毛。雄蕊与花冠裂片互生，花丝附于花冠管下部，花药延长，连合成管状，花粉暴露于花序表面；子房一室，由二心皮组成，胚珠一，直立，花柱穿过花药管，两裂。多为虫媒花。头状花序的形状有舌型、辐射型、盘型和圆型等类型。最简单的是盘型，见于蓟和胜红蓟，全部花都有整齐、管状的花冠，通常都是两性，称为盘花。辐射型头状花序见于菊属、大丽花属，盘花（完全花，有时在功能上为雄蕊花）在中央、边缘有一或几轮辐射花（边花），辐射花花冠不整齐，舌状，只有雌蕊或中性（只有退化的无功能的子房）。有时辐射型头状花序的大部或全部盘花也转化为辐射花，这种“重瓣花”常在栽培的菊花和大丽花中见到。圆型头状花序似盘型头状花序，边缘亦无辐射花，但边缘的花为雌蕊花，花冠管状，非常纤细（见于蒿属等少数几个属中）。舌型头状花序几乎仅见于莴苣属（*Lactuca*），只有舌状花，外形似辐射花，但为两性花。蒲公英属（*Taraxacum*）亦具舌型头状花序。有时舌状花一词也包括辐射花

一种牛蒡属植物（*Arctium pubens*）
美国不列颠百科全书公司供图

在内。菊目头状花序的一个奇特现象是辐射花的数目和叶序一样，符合菲博纳奇氏级数（1，1，2，3，5，8，13，21，34，……序列中每一个数是前两个数之和）。许多属（如蝶须属[*Antennaria*]）和某些种可行无融合生殖。果实是瘦果，葵花子实为瘦果。许多菊目植物的瘦果一端有绒毛，靠风散布。另外还有种种其他散布方式，例如金鸡菊属（*Coreopsis*）的瘦果边缘扩展成翅；牛蒡属（*Arctium*）及苍耳属（*Xanthium*）植物的瘦果具钩或刺，借风或动物散布。蒲公英的瘦果有冠毛，借风散布。而在鬼针草属（*Bidens*）等瘦果的冠毛具倒钩，可扎入皮毛和衣服，借助动物散布。菊目的习性和生境要求多样。多为一至多年生草本，生长于温带和亚热带的向阳处，许多多年生草本种具根状茎，少数为木本（如三齿蒿[*Artemisia tridentata*]）。分布范围从北极到南极，从海岸到树木线以上的高山。各种土质均见本目植物，少数水生，还有的生于热带林中。菊目植物种类最多的地区是墨西哥高原及地中海-近东地区，其次是南非。在温带，10%以上的被子植物属菊目，在热带百分比略低。

菊科的最大经济意义是用作花园观赏植物，实例如紫菀（*Aster tataricus*）、雏菊（*Bellis perennis*）、翠菊（*Callistephus chinensis*）、菊花（*Dendranthema morifolium*）、大波斯菊（*Cosmos bipinnata*）、大丽花（*Dahlia pinnata*）、向日葵（*Helianthus annuus*）、金光菊（*Rudbeckia laciniata*）、金盏花（*Calendula officinalis*）、百日菊（*Zinnia elegans*）、胜红蓟（*Ageratum conyzoides*）、香青（*Anaphalis sinica*）、矢车菊（*Centaurea cyanus*）、泽兰（*Eupatorium japonicum*）等。最重要的食用植物是原产欧洲的莴苣（*Lactuca sativa*）和原产美国的向日葵。向日葵种子用作家禽饲料，所提炼的油用于烹调，制色拉油、人造黄油、肥皂、涂料、清漆，油渣饼可作家畜饲料。红花（*Carthamus tinctoris*）的花可作红色和黄色染料，种子炼油可供食用和制造肥皂、油漆、清漆等。由茼蒿属（*Chrysanthemum*）一些种的花提取的除虫菊是一种不引起环境污染的农药。蒿属（*Artemisia*）一些种，特别是中东的山道年草（*A. cina*）可提取驱肠虫药。灰白银胶菊（*Parthenium argentatum*）和俄罗斯蒲公英（橡胶草，*Taraxacum koksaghyz*）可提取橡胶。豚草属（*Ambrosia*）、蓟飞廉属（*Carduus*）、蓟属（*Cirsium*）、大翅蓟属（*Onopordum*）及蒲公英是杂草。

关于菊目的进化，由于没有可靠的化石证据，只能靠推测。但一般认为菊目的祖先类型是木本，大概是小乔木。在菊目中，叶对生和在营养器官中有树脂道系统（后来由顶端向下退化或消失）是较原始的特征，乳汁系统则是次生的。头状花序的进化趋势是由少到多，但头状花序中小花的数目由多到少，最后每个花序仅剩单朵花，而多个单花、单苞的头状花序集成复头状花序（如蓝刺头属[*Echinops*]和*Lagascea*属）。花托上有膜片存在是原始性状。辐射花由盘花演化而来。菊科植物花中色素的衍化顺序是从黄色到红色的类胡萝卜素到花黄色素（黄色到鲜红色的类黄酮色素），再到花青苷（蓝色到紫或绯红的类黄酮色素）。在现存的菊目各族中，向日葵族有最多的原始特征。菊目最可能由茜草科或忍冬科进化而来，后两个科有密切的亲缘关系，均为木本，叶对生，子房下位。菊目的祖先可能是生于干燥的墨西哥高原或其附近的一种小至中型的乔木。菊目仅含菊科，下分：①菊亚科（Asteroideae）。共11个族：向日葵族（Heliantheae）、菊族（Astereae）、春黄菊族（Anthemideae）、牛蒡族（Arctotideae）、旋覆花族（Inuleae）、千里光族（Senecioneae）、金盏花族（Calenduleae）、泽兰族（Eupatorieae）、斑鸠菊族（Vernonieae）、菜蓟族（Cynareae）及帚菊木族（Mutisieae）。②菊苣亚科（Cichorioideae）。仅山莴苣族（Lactuceae或菊苣族[Cichorieae]）一族。

asterism　星彩　又称星芒。矿物学中，指某些晶体在反射光或透射光中所显现的星状形象。由星彩蓝宝石、某些金云母、蔷薇石英以及石榴子石等所呈现的星芒，是由于矿物内部含有定向排列的微小晶体（常为金红石）造成的；存在着好几组包裹体，每一组都显示出自己的光芒。在具有六方对称或假六方对称的矿物中，3条这种光芒造成一个六射的

星，而在具有等轴对称的矿物中，则是两条这种光芒造成一个四射的星。

asteroid　小行星　又作 minor planet，planetoid。主要位于火星和木星的轨道之间的为数众多的岩石状小天体。到 20 世纪 90 年代，已观测到两次冲或两次以上冲的小行星超过 7 000 颗，其中已测定精确轨道根数的 5 000颗有了正式编号。

小行星比太阳系八大行星中的任何一个都小，仅有为数很少的几颗大型小行星。约有 30 颗直径超过 200 千米。已知最大的一颗是谷神星，直径约 935 千米，第二大的是智神星，直径仅 535 千米。约有 250 颗小行星的直径大于 100 千米。估计太阳系内有几百万颗巨砾规模的小行星。这些小型小行星或许是大型小行星相互碰撞时形成的，其中少数一些以*陨石*（**meteorite**）形式撞击到地球表面。

最大的小行星的质量才大到足以使它们在形成之际在自身引力作用下塑造成球形。小行星的亮度缺少有规律变化的事实支持上述假设，因为只有对称形态的天体才能产生有规律的光变。小行星的自转总是呈现出多种多样的反光表面面积。小型小行星可以有多种形状的外形。例如，小行星伊卡鲁斯几乎近于球形，直径仅 2 千米。爱神星则是一个扁长体，其尺寸约为 10 千米 × 15 千米 × 30 千米。

1993 ～ 1994 年，"伽利略"号航天器在通往木星的途中经过小行星带，所得图像显示一颗小行星有自己的小卫星。这颗小行星爱达呈长约 56 千米的土豆状，在距离约 100 千米处有一直径约 1.5 千米的岩块，这是已知的太阳系的最小的天然卫星。

称为阿波罗型小行星的轨道几乎不断地和地球的轨道交叉。已确认的这种类型的小行星已有 91 颗。一些天文学家意欲全力搜索这类小行星，其部分原因是唯恐它们可能会和地球相撞。了解这类小行星的存在并计算出它们的轨道，就可能找出方法去改变其轨道，使之远离地球而去。地球和大型小行星的碰撞是罕见的，但与小型小行星的碰撞则较为多见。据估算，在 100 万年内，可能会有几个直径 1 千米的小行星与地球碰撞。如果一个这样大小的小行星撞上地球，产生的爆炸威力相当于几个氢弹，碰撞会形成直径 13 千米左右的陨石坑，还会造成全球性气候的短期失调。撞击点若在海洋，也会产生灾难性后果。一些科学家确信，在白垩纪末期（距今约 6 500 万年前），一个直径约 10 千米的小行星或陨石撞击了尤卡坦半岛北部，致使恐龙以及其他多种陆地和海洋的动物绝灭。

从 20 世纪 70 年代起，天文学家开始应用先进的分析技术研究小行星的反射光谱以弥补实验室的陨石化学分析之不足。这种努力的结果是对小行星的成分有了较好的理解。小行星也和陨石一样，由不同比例的石质物质和金属物质（主要是铁）组成。许多这两类不同成分的天体都含有大量的碳，所以颜色发黑，反照率低。它们称为碳质球粒天体。可以认为这种天体是从诞生太阳系的原始星云中聚合而成的第一批物质。它们没有经受随后的任何变异（例如，年轻小行星内部的放射性致热所引起的熔融，或陨石撞击所引发的结构性变态）。

木星是太阳系的最大行星，它更像是一个恒星而不像是行星，在它的引力影响下，在木星和火星之间的区域内不可能形成任何行星。在太阳系形成过程中，木星的引力作用干扰了小行星带内的行星前物质，促使它们裂碎并破坏，而不是将之聚合并形成一个行星规模的天体。计算研究表明，假如将所有的小行星聚合成为一个天体，也只能形成一个类似于太阳系中较大的卫星那样大小的小天体，例如，像月球或木星的一个伽利略卫星一类的天体。

由于木星的引力影响，在从太阳到小行星的轨道处，有一些空隙，称为柯克伍德空隙。它们是木星轨道周期的简单分数，即1/3 和1/2。这一共振现象使得行星按照所在的空隙，每 2 或 3 个小行星年，在柯克伍德空隙内的任一小行星旁通过。不断重复的拖拉作用，促使一个小行星进入越来越大的轨道而趋近木星。最后，随着一个小行星轨道的增大，它和木星的共振消失。

由于*波得定则*（**Bode's law**）已问世，所以 1801 年第一颗小行星谷神星的发现并未出乎意料之外。波得定则是用一个数字序列模拟行星之间的间距的法则（但后来发现的外行星破坏了定律所示的数字序列）。定则中的一个数字对应的是从太阳到火星和木星之间的轨道距离，但该处并没有大行星。后来，谷神星的发现看来是证实波得定则，因为它的轨道就在没有大行星存在的数字序列所指示的距离处。随后的发现，1802 年智神星、1804 年婚神星，以及 1807 年灶神星，反倒将事态弄混了。天文学家曾断定，这些天体乃是一个大行星裂碎的残片。如今，已公认这个观点不足信，理由有三：首先，前面已讲过，全部小行星都加在一起也不足以构成一个大行星那样大小的天体；其次，木星的引力阻碍一个行星大小的天体形成；第三，天文学家已发现了和太阳距离不同、成分和密度互异的小行星，而且，随着离开太阳系中心的距离增大，有从石质-金属质物质向水质、碳质 - 石质物质的过渡，并有密度递减的趋势。上述种种情况表明并非一个大行星裂碎或爆发的结果，因为这类事件必然导致密度和成分的随机分布。按照现行理论，正好相反，上述情况看来符合太阳系形成的过程，也和观测到的大行星的趋向一致。

asthenia　衰弱　全身或部分身体无力的状况。全身衰弱发生于许多慢性消耗性疾病，如贫血、癌症，但可能在患肾上腺疾病时尤为突出。衰弱可只限于某些器官或系统，如视力疲劳和进行性加重的重症肌无力。神经性循环衰弱是一种综合征，特点为：呼吸困难、心悸、气短或眩晕、失眠。神经衰弱指的是一种精神疾病，症状特点是易于疲劳、对事物缺乏兴趣，而且无精打采。

asthma　哮喘　一种以阵发性呼吸急促、喘鸣和咳嗽为特征的慢性病。其病理基础是支气管黏膜及其周围组织慢性炎症和支气管平滑肌的收缩。病因有变态反应、感染和植物神经功能障碍等三类。有家族倾向，但无种族和性别差异。发病时，在病因作用下，支气管平滑肌收缩伴黏膜水肿、黏膜腺体分泌大量黏液，支气管腔被程度不等地堵住。支气管哮喘的各种症状都是源于这些病变，医生从听诊器听到的肺喘鸣音就是空气通过狭窄气道时发出的风声。因组织胺和乙酰胆碱能刺激支气管平滑肌收缩，故它们可能在哮喘发作上发挥着重要作用；而肥大细胞大量释放组织胺则是变态反应中关键的一种病理表现。因此，虽然哮喘有一定的遗传倾向，但实际上几乎都和接触变应原有关。发作通常持续半小时至数小时。哮喘发作时，吸入肾上腺素气雾吸入剂可舒张支气管平滑肌、抑制黏膜腺体分泌。肌肉注射肾上腺素亦可奏效。持续发作而药物治疗无效者称为哮喘危象。持续时间长或发作频率高的哮喘病人很危险，因为他们很容易因疲劳和营养不良而变得十分虚弱，也因为他们的氧摄入量长期严重不足，还因为肺气肿是哮喘病人最常见的合并症。最佳预防措施是弄清变应原并尽可能与之脱离接触。外源性哮喘常于 30 岁前发病，内源性哮喘发病较晚。变应原如花粉、霉菌孢子、羽毛、动物皮屑及食物；温度、湿度或两者突然变化、劳累、情绪紧张、恶劣气味或烟雾均可引起复发。青春期症状好转或继续恶化的患儿几乎各占 35% ～ 40%，故对患儿均应治疗。

Asti　阿斯蒂　意大利西北部城市，皮埃蒙特区阿斯蒂省省会。位于塔纳罗河和博尔贝拉河汇流处，离都灵 45 千米。公元 932 年为主教管辖区中心。13 世纪成为独立市镇后进入鼎盛期。1575 年归属萨伏依王室。著名古迹有大教堂（1309 ～ 1348）、13 世纪的圣塞孔多教堂和特洛伊塔、10 世纪的圣皮耶特罗洗礼堂，以及许多中世纪和文艺复兴时期的教堂和宫殿。现为农业市场。以出产优质葡萄酒、阿斯蒂冰淇淋和水果著称。有罐头食品、冶金、玻璃、制砖和化工等工业。人口：城市区约 73 159（1998）。

astigmatism　散光　一种屈光不正，因角膜的曲度不对称（偶因晶状体的曲度不对称），造成视网膜上的物像模糊不清。晶状体的中心与角膜的主经线不在一直线上也可以引起散光。为矫正视力需戴用和散光角膜曲度精确互补的透镜。

āstika　正统派　在印度哲学中，指任何正统的思想流派。其特点是：承认吠陀（古印度的圣书）的权威；承认解释正法（达摩）的婆罗门（僧侣阶级）的优越地位；承认由四个传统等级"种姓"构成的社会。六个正统的哲学流派是：数论派、瑜伽派、正理派、胜论派、弥曼差派和吠檀多派。正统派一词来自梵语 asti，意为有。与之相对照的流派称为非正统派 nāstika（梵语 na asti，意为没有）。非正统派的个人和流派不承认吠陀的权威、四个等级的制度和婆罗门的优越地位。属于非正统派的有佛教徒、耆那教徒、苦行的生活派和唯物主义的斫婆伽派。

Astilbe 泡盛草属 又称红升麻属、落新妇属。虎耳草科的一属,约 14 种,原产东亚与北美,多年生草本。于仲夏至夏末,由似蕨叶的叶丛中生出白、黄、粉红、紫红或紫色羽状花穗,甚美观,常栽于庭园中。中国泡盛草(*A. chinensis*,落新妇)株高可达 60 厘米,有些杂种矮生,花色较深。单叶泡盛草(*A. simplicifolia*)株高不及 30 厘米,花穗细长,花白色,星状。日本泡盛草(*A. japonica*)品种颇多,或具斑叶,花朵大而密生。

Astipálaia 阿斯蒂帕莱阿岛 希腊爱琴海佐泽卡尼索斯群岛中最西端的岛屿。在阿莫尔戈斯岛与科斯岛中间,面积 97 平方千米,包括由一条狭窄的地峡连接的两个山体,古代曾借以避开罗马舰队。西部丘陵高约 450 米,东部约 365 米。海岸多锯齿形,多陡崖绝壁。首府阿斯蒂帕莱阿(也叫卡斯泰洛),与马尔特扎纳湾西海岸的港口佩里伊阿利翁构成一个行政区。在公元前 1400 年也许是克里特领地,该岛是来自东伯罗奔尼撒(阿尔戈利斯)半岛埃皮达鲁斯的多里安人的殖民地,今天该地的方言还反映出是阿尔戈利斯起源的。该岛先后属雅典、马其顿和埃及,但在罗马统治时期,仍有很大程度的独立。1207 ～ 1522 年属于威尼斯一家族,后落入土耳其手中。除两个时期(1648 ～ 1668 和 1821 ～ 1828)以外,它一直属于土耳其,直至 1912 年被意大利人占领为止。第二次世界大战后,被希腊收回。人口:全岛 1 073;城镇 824(1991)。

Astley, Philip 阿斯特利(1742-01-08,英格兰斯塔福德郡纽卡斯尔安德莱姆～ 1814,巴黎) 英国马术师和剧院经理。1770 年在伦敦创建第一座现代马戏场——阿斯特利圆形

美国不列颠百科全书公司供图

剧场。初为圆形剧场独一无二的演员,擅长一只脚立在马鞍上,另一只脚蹬着马头,同时挥舞长剑。后来他逐渐接纳其他马术骑士、杂技演员、走钢索演员、高空杂技演员、丑角等艺人,以及最早见于记载的畸形人。阿斯特利圆形剧场曾几次毁于火灾,最后于 1794 年在威尔士亲王和约克公爵的赞助下,改建成皇家艺术圆形剧场。他曾多次到欧洲各城市作巡回演出,并曾在巴黎为法国国王和朝臣表演。他还建造了巴黎的阿斯特利圆形剧场(1782)和其他 18 个遍布欧洲的永久性马戏场。

astome 无口虫 无口目(Astomatida)原生动物,纤毛均匀布满体表,见于环节动物及其他无脊椎动物体内。无胞口,故名。靠吸盘、各种类型的钩或倒刺附着于寄主身上。借横分裂进行无性繁殖。有时细胞重复分裂但不分离,若干个体连成链条状。也有有性接合现象(个体间进行核交换)。代表属为细片虫属(*Cepedietta*,生活在两栖类消化系统中)和寄生于各种寡毛类的伴体虫属(*Radiophrya*,体长形)。

Aston, Francis William 阿斯顿(1877-09-01,英国伯明翰哈博恩～ 1945-11-20,剑桥郡剑桥) 英国物理学家,因研制质谱仪并用以准确测量原子及分子质量以及发现大量核素,获 1922 年诺贝尔化学奖。他原来研究化学,随着 1895、1896 年 X 射线和放射现象相继发现而带来的物理学复兴后,他于 1903 年用电流通过充气管来产生 X 射线。1910 年在剑桥大学作 J.J.汤姆孙爵士的助手,研究气体放电中发出的带正电的射线。在他的协助下,汤姆孙用氖作实验,首次发现非放射性元素有同位素存在。第一次世界大战后,他制成新式质谱仪,测出其他许多元素都有同位素。他发现了天然存在的 287 种核素中的 212 种。

Astor FAMILY 阿斯特家族 美国的豪富家族,其敛自毛皮贸易的财富集中投向纽约市的房地产业。该家族财富的奠基人是 J.J.阿斯特(1763 ～ 1848;参阅 **Astor, John Jacob**)。其子 W.B.阿斯特(1792 ～ 1875)继承其父的大部产业,继续投资曼哈顿房地产并大大扩展了阿斯特图书馆。他死时家族财产增加一倍,达 5 000 万美元。W.B.阿斯特之子 J.J.阿斯特(1822 ～ 1890)又把家族财产增值到 7 500万～1 亿美元,他是一个更加活跃的慈善家。他的儿子 W.W.阿斯特(1848 ～ 1919)素有政治抱负,曾担任纽约州议员和驻意大利公使,1890 年移居英格兰,1899 年加入英国籍,1917 年受封为子爵。W.W.阿斯特的堂弟 J.J.阿斯特(1864 ～ 1912)是一位发明家和科学幻想小说家,他在纽约建起几座大饭店,又是几家美国大公司的董事长,后死于沉没在大西洋的"泰坦尼克"号客轮上。W.阿斯特(1879 ～ 1952)及其妻南希(1879 ～ 1964)本书列有专条。参阅 **Astor(of Hever Castle), Waldorf Astor, 2nd Viscount; Astor(of Hever Castle), Nancy Witcher Astor, Viscountess**。J.J.阿斯特之子 V.阿斯特(1891 ～ 1959)较为开明,他把一些房产卖给市政府用以解决平民住房困难。此外,他还支持新政和其他社会改革,后任《新闻周刊》董事长。W.阿斯特的幼弟 J.J.阿斯特(1886 ～ 1971)受封男爵。参阅 **Astor (of Hever, of Hever Castle), John Jacob Astor, 1st Baron**。

Astor, Brooke Russell 阿斯特(1902-03-31,美国新罕布什尔朴次茅斯～) 原名 Roberta Brooke Russell。美国社会活动家、慈善家和作家,以其地位、财产与精力致力于丰富文化和帮助贫穷人。幼年随父在夏威夷、巴拿马和中国的海军基地度过,主要受女家庭教师教育,钟情于自幼见到的艺术和各种文化。后到华盛顿,入马迪拉学校学习,未毕业。16 岁结婚。开始为《时装》和《绘画评论》写稿,并主动参加慈善组织。24 岁生一女。1930 年离婚后定居纽约。1932 年与文森特·阿斯特结婚,1959 年丈夫死后,成为文森特·阿斯特基金会主席。其后几乎每年都向各慈善组织、市民活动和文化机构捐赠近百起,包括救助无家可归者的组织、住宅项目中的公园建设,以及纽约市公共图书馆、布朗克斯动物园和大都会艺术博物馆等单位。在基金会 1997 年停办之前的 35 年间,她主持的捐赠约达 1.95 亿美元。著有两本描绘上流社会生活以及回顾个人经历的小说《蓝鸟之家》(1965)和《李树的最后一次开花》(1986)。她的两本自传体著作《童年杂忆》(1962)和《足迹》分别回忆她的幼年情趣和作为社会活动家与慈善家的一生。

Astor, Caroline Webster Schermerhorn 阿斯特(1830-09-22,美国纽约州纽约～ 1908-08-30,纽约) 婚前名 Caroline Webster Schermerhorn。19 世纪后半叶美国上流社会资格最老的妇女。荷兰贵族后裔,富商之女,1853 年与 J.J.阿斯特之孙 W.阿斯特结婚。19 世纪 60 年代后期经济的工业化产生了许多暴发户,都渴望进入上流社会,阿斯特决心成为这个社会的权威,保持在这个家族和豪门中的首位。出于这种野心,她首先设法得到了 W.麦卡利斯特的支持。麦卡利斯特是著名的社会活动家,一个养尊处优的势利小人;可以决定谁能成为这个上层社会的"名流"。由于她每年 1 月举行的舞会和各种盛大的晚宴,再加上她十足的个人魅力,她得以如愿。在整个 80 和 90 年代,她都使这个上层社会保持住过去的气派。1890 年 J.J.阿斯特第三去世之后,她坚持被尊为家族之长,这在很大程度上就是 W.W.阿斯特夫妇迁往英国的原因。她有骄人的珠宝收藏,常常戴上炫耀。她在美国贵族社会中的贵妇人派头,在这种社会消失之后也还存留在人们的记忆之中。患病两年后死于纽约市第五大道的家中。

Astor, John Jacob 阿斯特(1763-07-17,德国瓦尔多夫～ 1848-03-29,纽约市) 美国毛皮业大亨和著名的盎格鲁-美国资本家、商界领袖与慈善家家族的始祖。阿斯特于1786年

美国不列颠百科全书公司供图

开始经营毛皮业,迄1800 年已聚资 25 万美元。1800 ～1817 年在中国经营皮货,又获暴利。同时,他对纽约市地产业进行投资,打下家业的基础。去世时已成美国首富,遗赠 40 万美

元兴建纽约阿斯特图书馆。

Astor (of Hever, of Hever Castle), John Jacob Astor, 1st Baron **阿斯特**(1886-05-20,美国纽约州纽约～1971-07-19,法国戛纳) 英国新闻记者,美国毛皮业大亨J.J.阿斯特的玄孙;作为伦敦《泰晤士报》主要股东(1922～1966),他保持了该报在英国新闻界的重要地位。阿斯特在伊顿公学毕业。1906年参加第一禁卫骑兵团,1911～1914年任印度总督副官,并参加第一次世界大战。1922年以保守党中赞成英格兰与爱尔兰合并的支

美国不列颠百科全书公司供图

持者的身份进入议会,直至1945年。1922年购入《泰晤士报》9/10的股份,并使之成为政治见解独立的报纸。1953年当选为议会为监督新闻记者的录用、道德和退休金等问题而成立的英国出版业管理委员会的主席。

Astor, Mary **阿斯特**(1906-05-03,美国伊利诺伊昆西～1987-09-25,加利福尼亚伍德兰希尔斯) 原名Lucille Vasconcellos Langhanke。美国演员,以其娴雅古典的美而闻名;善于饰演从女流氓、女英雄到家庭主妇等各种角色,从默片时代一直演到20世纪60年代。14岁参加选美比赛,一年后拍摄第一部电影《多愁善感的汤米》。后被J.巴里莫尔选中出演了《漂亮的布鲁梅尔》。在银幕外,18岁的阿斯特和40岁的巴里莫尔陷入爱河。艳史结束后,又合演了默片《剑侠唐璜》。她是一位性格演员,聪颖、自然,能够将毫无光彩的角色塑造得栩栩如生。尽管她塑造了各种不同类型的角色,但人们总是把她定型为年轻貌美的女郎或富于同情心的主妇。塑造的最著名角色是J.休斯顿的黑色影片《马耳他之鹰》(1941)中的蛇蝎美人奥肖内西。同年,在《情谎记》中将一个自私的钢琴家塑造得邪恶无比,从而获得奥斯卡最佳女配角奖。她的私生活丑闻不断,曾结婚四次,离婚三次,酗酒,自杀未遂,还闹出了好莱坞最大的一次性丑闻。尽管这些丑闻影响了她的演艺生涯,但在后来的几年中还是扮演了许多成功角色。撰写了回忆录《我的故事》和《我的电影生涯》以及几部小说。

Astor (of Hever Castle), Nancy Witcher Astor, Viscountess **阿斯特子爵夫人**(1879-05-19,美国弗吉尼亚丹维尔～1964-05-02,英国林肯郡格里姆斯索普城堡) 英国下院第一位女议员,以在公益和个人生活中精力过人和才智出众闻名。母家姓朗荷恩,1906年与沃尔多夫·阿斯特结婚。沃尔多夫袭其父子

美国不列颠百科全书公司供图

爵爵位后退出下院议席。她替代丈夫成为普利茅斯选区保守党议员候选人,1919年11月28日当选,直到1945年退休,历届大选中均当选为该选区议员。除了妇女问题而外,她在议会的主要工作是争取进步的教育政策、禁酒以及扩大劳资协商委员会法的范围。她还不断宣传改善批发商和饮食业某些部门的条件。她在白金汉郡的乡间别墅中有一个沙龙,该沙龙对许多领域(特别是外交事务)发生过很大影响。

Astor (of Hever Castle), Waldorf Astor, 2nd Viscount, BARON ASTOR OF HEVER CASTLE **阿斯特子爵(第二)**(1879-05-19,美国纽约～1952-09-30,英国白金汉郡克莱夫登) 英国议员(1910～1919),农业专家。他的乡间别墅是张伯伦首相和绥靖政策的支持者们聚会

美国不列颠百科全书公司供图

的场所。他是美国毛皮大王约翰·雅各布·阿斯特之玄孙。于1910年进入议会。1917年给劳合·乔治首相当秘书。1919年退出公职,其议员席位由他的夫人取代。1919～1945年成为伦敦《观察家报》的所有人。1936年担任后来成为联合国粮食及农业组织的一个委员会的主席。

Astorga **阿斯托加** 西班牙西北部卡斯蒂莱-莱昂自治区莱昂省城市。位于图埃尔托河左岸,曼萨纳尔山系的山嘴上。初由罗马人建立,为一重要的行政和军事中心。公元3世纪以后为主教驻地。约860年起成为路站、中世纪朝圣中心和商业中心。名胜古迹有罗马时代城墙、1471年建大教堂、18世纪市政厅和主教宫等。现为农贸中心和马拉加托人(可能为日耳曼人后裔,多世纪来实行同族通婚)地区中心。有面粉、锯木、制革和肉类加工业。人口:市区12 564(1996)。

Astoria **阿斯托里亚** 美国俄勒冈州西北部城市克莱索普县县城(1844)。在哥伦比亚河口南岸,为一深水港。其西南7.5千米处为刘易斯和克拉克远征时期所建克莱索普堡(1805～1806,现为国家纪念地)。当地自然资源曾吸引了移民前来从事渔业和木材工业。有鲑鱼及金枪鱼等罐头厂;生产面粉、木材、铝和乳制品。可狩猎、钓鱼,海滨有娱乐场。1922年一场火灾使经济受损。耸立于科克斯科姆山上的阿斯托圆柱建于1926年,高38米,用以纪念太平洋西北地区的开发和移民。建于1810～1811年的太平洋皮毛公司贸易点阿斯托里亚堡几易其主,1818年重归

阿斯托里亚市哥伦比亚河上的州际大桥
美国不列颠百科全书公司供图

美国,并于19世纪40年代修复。1962年哥伦比亚河海洋博物馆被俄勒岗州指定为官方海洋博物馆。史蒂文斯堡从南北战争到第二次世界大战期间为美国军事基地,现为州立公园。阿斯托里亚沿河地带经修缮成为受欢迎的胜地。市内有克莱索普社区学院(1958)。1865年建市。人口9 813(2000)。

Astoria Canyon **阿斯托里亚海底峡谷** 位于美国俄勒冈州岸外。太平洋大陆边缘的海底峡谷和扇形谷系。峡谷谷首在哥伦比亚河口以西18千米的水下100米深处。峡谷向西横穿大陆架向海的半部,延伸到大陆坡麓和2 085米深度处的阿斯托里亚海底扇形地顶部,再从该处穿入一条扇形谷地-阿斯托里亚海槽。阿斯托里亚海底峡谷长约121千米。其横剖面在上游段呈U形,但在大陆架坡折处呈V形。那里的峡谷最大起伏达900米,宽度在2.4～13.3千米之间。有13条支谷。据认为海底峡谷是由于哥伦比亚河沉积物向阿斯托里亚海底扇下移时切割而成。沉积物通过这个低起伏的、长度至少113千米并有数条分支的阿斯托里亚海底槽沟散布在海底扇上。阿斯托里亚海底槽沟与其他扇形谷地相似,可能随着时间推移而向侧方迁移;它现在的位置是这个扇的东边部分,它的走向是朝南的。

Astrakhan **阿斯特拉罕** 俄罗斯一州。位于伏尔加河下游。面积4.41万平方千米。伏尔加河及支流阿赫图巴河流经中部。河口有三角洲。人口集中在三角洲上阿斯特拉罕市(州首府)周围地区。伏尔加河冲积平原上广种蔬菜和水果。沿河及里海沿岸渔业兴旺,但河水污染和里海水位下降影响渔业发展。三角洲设有自然保护区。冲积平原和三角洲以外地区是有沙丘盐土和盐湖的干旱草原及半荒漠区,只适于放牧牛羊和采盐。人口约1 007 276(2002)。

Astrakhan　阿斯特拉罕　原名哈吉-塔尔汉。俄罗斯西南部阿斯特拉罕州首府。在伏尔加河三角洲。距里海100千米。市区坐落在伏尔加河最西的主航道左侧的几个岛屿

阿斯特拉罕市的圣母升天大教堂
美国不列颠百科全书公司供图

上。市内多桥梁和水道。为伏尔加河重要港口。因里海北部水浅，海轮必须在离市区200千米以外经陆路转运。阿斯特拉罕通人工航道。为大型捕鱼船队基地，重要的鱼罐头及鱼子酱加工中心。另外还有服装、鞋靴及船舶修理业。毛皮业亦盛。设有医学院、师范学院。人口约509 000(1987)。

astringent　收敛药　使组织绉缩，并使分泌物干燥的药物。通常依其作用方式分为三类：①收缩小血管而降低血流量的药物(肾上腺素、可卡因等)；②吸收用药部位水分的药物(甘油、酒精等)；③凝固创伤表层使之结痂的药物(金属性收敛药炉甘石、硫酸铝铵等)。鼻腔、消化道及泌尿道黏膜发炎肿胀时，常用收敛药以减少分泌物及制止渗血。

astrobiology　天体生物学　参阅exobiology外空生物学。

astrobleme　古陨击坑　又称古陨石坑。来自希腊文“astron”和“blema”，意思是“星”和“创痕”。地球表面上古代陨石冲击构造的遗迹，一般为由被压碎变形的基岩构成的环形痕迹。由于环形坑壁、熔凝石英玻璃以及陨石碎片之类标志特征都被风化、侵蚀作用改变了，所以对古陨石坑的鉴定主要是根据震裂锥(地面以下的冲撞构造)的存在。震裂锥是直接在冲击点下面形成的圆锥形构造。震裂锥自冲击点以特殊的形式向外放射，甚至在钻孔岩心的样品中也可以识别出来。震裂的突然性和猛烈性，不可能是任何其他天然方式所能产生的，所以它是识别陨石冲击痕迹的有效标志。根据这种证据，加纳的阿散蒂陨击坑和南非的弗里德堡环形构造都被认为很可能是古陨石坑。

Astrodome　天穹体育场　1965年建于美国休斯敦市的现代穹顶结构体育场。过去的有顶体育场面积有限，座位不超过2万。天穹体育场利用穹顶原理，能覆盖整个棒球和橄榄球场，6层看台可容纳66 000名观众，用塑

美国休斯敦市的天穹体育场
休斯敦体育协会供图

料板覆盖在钢桁架结构上的穹顶跨度达196米。所有内部照明设备和保持恒温23 °C的空调设备均由自备发电系统供电。

astrogeology　天体地质学　研究太阳系中所有的固态天体，其中包括大行星及其卫星、小行星、彗星和陨石的地质问题的一门学科。天体地质学的研究还延伸到陨石的类地结构方面。例如，陨石坑和玻璃陨石，即陨石撞击所产生的微小的玻璃态物体。顾名思义，天体地质学乃是天文学和地质学两个领域的边缘学科。20世纪60年代末以来，航天器已能使科学家收集到更有价值的地球物理和地球化学的资料，不仅有关于月球和内行星的，还有外行星如木星、土星和天王星的大个卫星的资料。此外，航天器拍摄的高分辨率照片使之有可能测定这些天体的表面形态，并推求出它们的地质史。详尽地分析在地球表面上搜寻到的陨石的化学成分、物理性质以及同位素年龄，还能得到许多有关太阳系早期历史的信息。

astrolabe　星盘　一种用来推算时间和天文观测的古代科学仪器。其中最常用的一种是平面星盘，古代天文学家们用其可计算出太阳和其他亮星相对于地平和子午圈的方位。

星盘
美国史密森学会供图

若是将其与一个天球的平面投影以及一套圆环连用，即可代表黄道、赤道、北回归线和南回归线。由于有了这些功能，平面星盘就成为一种原始的模拟计算器。虽然星盘的出现可以一直上溯到6世纪，但它们的广泛应用则始于中世纪的欧洲和伊斯兰世界。约在15世纪中叶，星盘才为海员认可并用之于天文导航。这种航海用星盘后来又为六分仪所取代。中世纪天文学家们使用的典型的平面星盘的大小从8到46厘米不等，通常为铜制或铁制。平面星盘共有几个主要部件：一块基板，其上的刻线网络为天球坐标；一块绘有星图的带孔圆盘，附有前面所述的一套圆环，可绕基板上代表北天极的钉柱旋转；一个用来瞄准天体的称为照准器的直尺。这个照准器使星盘可用于勘测，即测量一座山的高度。大多数的平面星盘还附有不同纬度地区的坐标网络的一个或多个地区盘，用时置于基盘和星盘之间。

astrology　占星术　以解释行星和恒星对地上事物的影响而预告或左右个人、群体或民族之命运为内容的一种占卜。

占星术约在公元前3千纪源起于美索不达米亚，过了许多世纪才在希腊化时代作为希腊文明的一部分进入西方世界而发扬光大。它以美索不达米亚旧形式传入印度。伊斯兰文化把它当作希腊文化传统吸收进来。后来，在中世纪，西欧受到伊斯兰科学的强烈影响，欧洲占星术也感受到了东方的影响。埃及人也比较间接地促进占星术的兴起。埃及人制订的历法每年12个月，每月30天，年末附加5天，后来希腊人把这部历法接过去，当做占星术观测的标准参照材料。在建成帝国以前的中国，人们相信，既然超感觉的宇宙秩序的若干片面是已知的，就可以据以推论出相关的未知片面，这种信念体现在图表上，这些图表并列自然现象与人的活动和人的命运。从这种信念转化为真正星象学观念，相信星体直接影响人间事物，这种过渡是缓慢的，观测体系和解说方法纷纷涌现，瓦釜共鸣。在蒙古人统治时代，中国人受阿拉伯人的影响，知道了西方天文学和占星术，这种西方资料融入了中国占星术的主体。在中华帝国其后若干世纪，新生儿出生以及人生重要转折点照例都要卜以星象。占星术的因果观一经在古典世界奠定基础，就进入一切科学，尤其是医学及有关学科。希腊斯多葛派哲学家认为，由于无所不在的“和应”作用，人体微观世界与大自然宏观世界互相关联，他们通过占星术所发现的，实际是这样一份宇宙图。古罗马人自有种种占卜术，因而不急于吸收希腊占星术；但是，到了奥古斯都时代，占星术已成为皇家所独享，而且也在向民众发挥影响，阻止无效。在基督教兴起以前的古代，天文学与占星术一直是同义，在公元最初几个世纪里，两词才逐渐区别。基督教宣传，星体并非万能，万能的是创造星体的上帝。但是，即使是在基督教历史的核心，也有波斯博士(Magi)根据天象到耶稣诞生之地朝拜的事迹。基督教多次会议谴责占星术，但是，占星术所暗示的世界观仍然有人相信，并未严重动摇。16世纪哥白尼的新发现才使占星术的地心世界观遭到粉碎。

但是，作为一种民间消遣或迷信，占星术一直存在到现代而不泯，并且仍然受到上百万人的注意；20世纪的报纸文章、专门手册和占星指南投其所好，继续宣传占星术。

astronaut 航天员 经过训练能驾驶航天器或在航天飞行中从事科学研究的人。astronaut一词通常只用于美国航天员，而苏联航天员则用cosmonaut。美国国防部对驾驶喷气式飞机达到80千米以上高度的军队试飞员亦授予航天员等级。A.B.谢泼德是美国第一名航天员，他在1961年5月5日驾驶"水星"号飞船进行15分钟的亚轨道飞行，比苏联的Y.A.加加林(1961-04-12)稍迟。1959～1980年负责美国航天员计划的国家航空和航天局共选拔了127名航天员，分成9组。头3组的成员都是军队飞行员，他们主要担任"水星"号、"双子座"号和早期的"阿波罗"号飞行。从第4组以后，选入的人有许多并无飞行经验，但在物理、化学和地球科学方面曾获得高级学位。在选拔航天飞机的航天员时这一点尤为重视，其中包括选拔了第一批6名妇女参加航天员训练。这类人员是作为专家参加的，他们的主要任务是在航天飞行中进行科学工作。航天员要接受内容广泛的训练，除了课堂教学外，多数训练在计算机控制的模拟器与真正航天器大小一样的模型中进行。让他们习惯于在失重环境中生活和工作，熟悉控制、通信和生命保障系统等。凡没有受过飞行训练的，还需用1年学习飞行高性能喷气式飞机，以便掌握飞行安全的基本技能。

astronomical map 天文图册 用各种方式的图像表现恒星、星系或行星表面和月面的图册。现代天文图册都附在类似于地理经纬度的坐标网络上。大多数现代版本都是根据用地面设备或空间飞行器运载的仪器的照相观测资料汇编而成。

长久以来，反映天区形象的图册兼供航海运作和科学研究之用。最早的类型有星图、天球仪和天体绘画等，将星空的天体按星群划分为星座，按星座中亮星构成想象中的图像，冠以与图形相似的传说中或神话中的神和物之名。古代希腊天文学家已在使用绘制有星座的天文图和天球仪，但没有实物保存下来。亚历山大的天文学家托勒玫(活动时期127～145)将古代的传统汇入他的著作《天文学大成》之中，书中载有48个星座中的1 022个恒星的星等和黄道坐标。在随后的1 400多年间，伊斯兰世界的和欧洲的天文学家一直沿用托勒玫著作中的星表和天文用表。

在古代文明社会还独立地发展了其他的天文参考体系，例如在中国和印度，在星空中划分出反映月球运行的28个星宿；而埃及则有十分度，即环天空到黄道之南，划出36个恒星组态。不过，现代天文学家所使用的体系仍是由托勒玫首创的体系演进而来的。由于中世纪欧洲从未试图改进和增添新的信息于古代的星座传统，所以在此历史时期所绘制的星图几乎全部都以托勒玫星表为依据。

文艺复兴时期的科学进展以及印刷业的发展，从15世纪末到16世纪，星图、天球仪和天文书籍在欧洲大部分地区广泛印制流传。德国画家和出版商A.丢勒于1515年出版了第一部重要的印刷体星图。它是一幅描绘古典星座图像的两个平面天球图。A.皮科洛米尼的著作《恒星》(1540)是第一本不仅只载有星座图像的星图，还刊有表示恒星的字符体系的书籍。G.P.加鲁奇于1588年出版的星图则第一次刊上坐标。直到16世纪末，问世的星图都只有《天文学大成》中所刊载的48个星座。在此之后，在天球仪上和星图中，才增补了40个星座，它们大多数都得见于南半天。国际天文学联合会于1930年确立了88个星座的确认文本，并划定了星座的边界。

早在1887年，就提出建立全天照相天图的设想，但直到1914年才完成了这一计划方案。这一建树就是《富兰克林-亚当斯星图》，它共有206幅照相复印件，极限星等为15照相星等。从20世纪50年代起，拍摄星图的装备和技术的进步，促使多种高质量的星图问世。其中最著名的，是美国地理学会和帕洛马天文台摄制的《帕洛马天图》和《诺顿星图》。

60年代以来，环地轨道天文台、威力强大的射电望远镜、电子检测设备(即电荷耦合器件[CCD]和电荷增强器件[CID])以及计算机图像处理技术的出现，天文学家得以备制极其精确和高度详尽的星系图、宇宙红外源、射电源和X射线源的表册。此外，根据高分辨照相资料和雷达观测数据，还制作了月球以及内行星，即水星、金星和火星的地形地貌图。

astronomical observatory 天文台 拥有观测天体的望远镜及其附属设备的机构。可以根据所要观测的电磁波谱来划分天文台。大多数天文台都是光学天文台，即它们是用来观测电磁波谱中人眼可见的波段及其附近波段的辐射。有些天文台则是专门设置来发现那些能发出射电波的天体，而另一些设置在人造地球卫星上的所谓轨道天文台，则配备有各种特殊的望远镜和检测器，专门在地球大气以外研究发射像γ射线和X射线这种高能辐射的天体发射源。

光学天文台有悠久的历史。其前身是一些用石头砌成的建筑物，其中最著名的当推英国在公元前2500～前1700年间建成的"巨石阵"。实际上，这些都不是真正的天文台，它们的主要职能无非是为宗教目的而编历。太阳和月亮的运动都是用设置在适当方位的石头来跟踪的。大约与此同时，巴比伦的一些占星僧们也在他们塔庙的平顶上观测太阳、月亮和行星的运动。他们似乎还没有使用天文仪器，在墨西哥尤卡坦半岛上印第安人也在埃尔卡罗卡科的一个类似近代光学天文台圆顶建筑物中进行同样的观测。但也没有证据证明他们曾使用过任何科学仪器，哪怕是很原始的仪器。第一个使用仪器来精测天体方位的天文台可能是基督教兴起前的天文学家喜帕恰斯于公元前150年建成于罗得岛的天文台。他在那里发现了岁差并创立了表征天体亮度的星等系统。在望远镜出现前的另一些著名天文台是：由蒙古帖木儿帝国创立者帖木儿的孙子兀鲁伯于公元1420年前后建于撒马尔罕的天文台和由丹麦王腓特烈于1576年在汶岛为第谷所建的天文台。第一架用来研究天体的望远镜是伽利略于1609年制造的。他从荷兰发明透镜的人那里获得了资料。第一所大型天文研究中心所用的望远镜只能在一个平面(即当地子午面)内活动。在18、19世纪，格林尼治、巴黎、开普敦和华盛顿都建成了这种研究中心。通过记录恒星由于地球自转通过当地子午线的时间，测量天体方位的精度由(望远镜出现前的)几角秒提高到1/10角秒。

W.赫歇尔(在他妹妹C.L.赫歇尔的帮助下)建于英国斯劳的天文台是一座由私人建造和管理的著名天文台。这座闻名的天文台的最大设备是一架直径122厘米、焦距17米的由金属制成的反射望远镜。这架完成于1789年的望远镜成为18世纪的技术奇迹之一。

现在世界上最大的光学望远镜群位于美国亚利桑那州南部，靠近塔克森的基特峰顶上。其中大部分望远镜是基特峰美国国立天文台的设备，其余的属于亚利桑那大学的斯图尔特天文台和其他几个天文台以及美国国立射电天文台。在这些设备中，最著名的有4米望远镜和一架太阳望远镜，后者是世界上这类望远镜中最大的。最大的现代望远镜是位于苏联高加索帕斯图霍夫山上的6米反射镜和美国加利福尼亚州圣地亚哥附近的帕洛马山上的5米望远镜。值得一提的还有，安装在亚利桑那州南部，靠近塔克森的霍普金斯山上的多镜面望远镜，这是一种新型望远镜，直径为4.5米。在射电波段上研究宇宙是在20世纪30年代中发展起来的。美国工程师K.央斯基于1931年用一个旋转天线阵发现了来自银河中心的射电讯号。紧接着，美国工程师和业余天文爱好者G.雷伯制造出一架直径9.4米并具有碗状天线的原始射电望远镜。现今的射电望远镜已能观测波长从几毫米到大约20米的大部分波段的射电。虽然它们都具有可移动的巨大盘状天线，但在结构上还是有变化的。世界上最大的可跟踪射电望远镜之一，是位于英国柴郡焦德雷尔班克的76米射电望远镜。最大的单具射电望远镜则位于波多黎各的阿雷西博。这架射电望远镜平置于群山环绕的盆地之中，主天线直径达304米。通过地球的运动和适当移动悬于顶部的天线，望远镜具有一定的指向能力。另一闻名的射电望远镜是美国国立射电天文台设在新墨西哥州索科罗附近的极大天线阵(VLA)。VLA是由27面直径各为25米的射电望远镜组成的。这些望远镜不仅是可跟踪的，而且还可在"Y"形的铁轨上移动。"Y"形的每条臂长达21千米。建立VLA的目的在于获得分辨率极高的宇宙射电源的图像。不论是射电还是光学望远镜，其分辨率都随直径的增大而提高。VLA的各面天线在使用时步调严格一致，因而可相当于一架有效直径为27千米的大型射电望远镜。

随着航天时代的到来，天文仪器可以设置在位于有吸收和歪曲作用的地球大气以外的轨道天文台上。这样，天文学家就可以制造一些能接收除可见光以外的电磁波的望远镜。从1960年起，已发射了能观测γ射线("轨道太阳观测台"和"小型天文卫星"2号)、X射线("自由"号和"高能天文台")、紫

外辐射（“国际紫外探测器”）和红外辐射（“红外天文卫星”）的各种轨道天文台。1990年发射上天的哈勃空间望远镜（HST）兼有在光学、紫外和红外波段观测的功能。

astronomical unit（AU） **天文单位** 地球绕太阳旋转的椭圆轨道半长轴的长度，其值为149 597 870千米。通常则指地球到太阳的平均距离。求出这一数值一种最明显的方法似乎是，从地球上不同的两地同时测量太阳相对于遥远背景恒星的位置。两个地点应分居地球相对的两端，以便获得最大的视差。我们把地球半径在太阳处的张角称为太阳视差，其值约为8.794″。由于地球半径的千米数是已知的，从原理上讲可求出地球到太阳的距离。但这种办法实际上行不通，因为太阳的光辉会把太阳周围的背景恒星全都淹没。有一种办法可以克服这一困难。根据行星和太阳在万有引力定律作用下的几何位置和运动，我们可以找出无须知道尺度的行星的位置和运动的几何关系。若对于某一时刻我们能确定地球到某一行星（或小行星）的距离，则整个太阳系的尺度也就确定了，即定出了天文单位。人们开始是用火星，但后来发现火星太大和多山，难以获得精确结果。小行星爱神星在距地球最近时不超过1/7个天文单位，是从事这种观测的一个理想对象。对爱神星在1932年靠近地球所得出的以千米数表示的天文单位，在当时是一个非常精确的数值。从1958年起，利用雷达反射测时技术（用于金星最为有效）和对月球作“激光测距”，已获得天文单位十分精确的数值。现在已经能够通过美国天文学家安放在月球上的后向反射装置接收激光回波。回波讯号的时刻非常精确，以致于所求得的从发射讯号的天文台到月面反射地点的距离，误差不超过2.5厘米。

Astronomische Gesellschaft Katalog（in astronomy） 参阅 **AG catalog**《德国天文学会星表》。

astronomy **天文学** 研究宇宙内所有天体和散布其中的一切物质的起源、演化、组成、距离和运动的科学。它还包括研讨各种宇宙物质的物理性质和结构的天体物理学。

天文学是一门最古老的科学，它出现于有记录的文明建立之初。许多最早关于天体的知识往往被认为源出巴比伦人。早在公元前3000年，他们就确立了一些有特征的星座，并根据若干世纪累积下来的某些天文事件的规律性建立了历法。古希腊人提出了多种对后世有影响的宇宙学概念。公元前6世纪，毕达哥拉斯提出地球是一球体的思想和宇宙由其运动受自然定律的协调关系支配的天体构成概念。后来的希腊哲学家认为天是一个环绕地球的水晶球，群星像宝石那样镶嵌在球的内表面上。天支撑在贯穿于地球的一根轴上，天每日在轴上向西回转，于是致使天体升起和下落。在公元2世纪，古希腊最著名的天文学家托勒玫致力传播宇宙地心说，这一天文思想影响了1 300多年。在托勒玫体系中，每一个行星都沿一个称为车轮的小圆轨道运行，其周期就是相对于太阳的方位环绕星空一周的时间。同时，车轮的中心围绕地球沿一个更大的圆轨道自西向东运行，其周期为行星相对于恒星的公转一周的时间。

16世纪，波兰天文学家哥白尼认为若将太阳置于中心位置，则可排除托勒玫体系的许多复杂性。在这个革命性的体系中，地球连同月球成为环绕太阳运转的一个行星。哥白尼还提出，地球绕轴每日从西向东自转，天体环绕地球周日运行乃是地球视运动的结果。哥白尼的日心说载于《天体运行论》（1543）中，它标志现代天文学时代的开端。17世纪出现的几项重大进展导致天文学获得巨大成就：开普勒发现行星运动原理，伽利略应用望远镜于天文观测，牛顿建立运动定律和引力定律。在快速进展中，随之而来的是另外一些重要贡献：1750年，T.赖特提出宇宙是由为数众多的星系构成的看法。18世纪末，另一位英国天文学家W.赫歇尔首先进行了用望远镜的巡天观测，奠定了现代恒星天文学的基础。

19世纪，分光方法和照相术都用于天文研究，使天文学家得以定性地和定量地测量恒星以及由星际气体和尘埃组成的星云的光，并从而能够研究这些宇宙天体的亮度、温度和化学组成。从此认识到，包括太阳系的行星在内的所有天体的性质，只有在了解了它们的大气和内部的物理性质才能知晓。在20世纪20年代初，运用物理定律去解释观测资料的趋势得到迅猛推动，许多天文学家开始自称为天体物理学家。这一趋势一直持续到今日。

X射线天文学、γ射线天文学、红外天文学和射电天文学是当前引人关注的重大领域，它们与物理学和工程技术有密切关系。这些学识对建造观测仪器和附属设备至关重要。诸如，电子雷达、射电器件、高速计算机、电子辐射检测器、环地轨道观测台、长期运作的行星空间探测器等，大大地拓宽了对天文现象的理论性和实测性研究的天地。

astronomy, infrared 参阅 **infrared astronomy** 红外天文学。

astronomy, radio and radar 参阅 **radio and radar astronomy** 射电和雷达天文学。

astronomy, ultraviolet 参阅 **ultraviolet astronomy** 紫外天文学。

astrophysics **天体物理学** 天文学的一个分支，主要研究包括作为整体的宇宙在内的各种天体的性质和结构。参阅 **astronomy**。

Astruc of Lunel **阿斯特鲁（吕内勒的）**（1250?，法国蒙彼利埃附近吕内勒～1306以后） 又名亚雷阿赫。反对理性主义的犹太教狂热人士，他怂恿西班牙巴塞罗那地区拉比阿德雷特限制犹太人研究科学和哲学，几乎使欧洲犹太社会陷于分裂。犹太哲学家迈蒙尼德试图调和亚里士多德哲学同犹太教义，阿斯特鲁却抨击迈蒙尼德的门生，认为他们以索隐法解经，从根本上动摇犹太教义。经过阿斯特鲁屡次写信怂恿，阿德雷特于1305年宣布禁止25岁以下的犹太人学习或传授科学和哲学，违者将开除教籍。另一派领导人则宣布不许信徒遵从阿德雷特的禁令。于是法兰西和西班牙境内的犹太人濒于分裂。1306年法兰西国王腓力四世将犹太人逐出法国，分裂未及发生。其后阿斯特鲁定居于马霍卡王国大陆京城佩皮尼昂。

Asturias **阿斯图里亚斯** 全称阿斯图里亚斯公国，西班牙语作 Principado de Asturias。西班牙的一个自治区和有历史意义的地区，其范围与本国西北部阿斯图里亚斯省相同。该自治区根据1981年的自治法建立。面积10 565平方千米。718～910年曾为一独立的基督教王国，是在穆斯林入侵西班牙之后，由逃亡的西哥特贵族和官吏建立起来的。西哥特人拥立佩拉约为国王，建都于坎加斯德奥尼斯。8世纪末以前，该王国版图已经扩大，包括西南方的加利西亚和东方的坎塔夫里亚。约780年迁都普拉维亚，9世纪又迁都到有战略意义的新城奥维耶多。阿方索三世在位时期（866～910），将疆界向南推进到杜罗河，从大西洋到奥斯马镇。到10世纪，王国的版图已大到无法从山区首都奥维耶多进行有效控制的程度。910年加西亚一世把都城迁至南方的莱昂。加西亚的继承人自封为莱昂王和阿斯图里亚斯王，此后遂称莱昂王（参阅 **Leon**）。1230年以后莱昂与卡斯蒂利亚合并为一个地区。1388年，卡斯蒂利亚约翰一世为其长子亨利（后来的国王亨利三世）建立阿斯图里亚斯公国领地。其后，在西班牙实行君主制的年代里，“阿斯图里亚斯亲王”成为王储称号。

阿斯图里亚斯4/5以上地区是山地，与四周各省之间为山峦阻隔。东面是桑坦德省，南面是莱昂省，西面是卢戈省。该地区可以分成几个东西向区域。由北向南包括大西洋沿岸的平原和丘陵；大西洋沿岸先是一条狭长的地带，渐渐进入沿海丘陵地带。丘陵地带环抱的中央走廊，即纳隆河谷地，阿斯图里亚斯大部人口和工业都集中在这里。在地理结构上，它是一个两大中心之间的纵向凹地，东面是坎加斯德奥尼斯，西面是奥维耶多。坎塔夫里亚山脉耸立于南，冰封雪盖的欧罗巴峰为国家公园。河谷呈南北走向，但莱塔列戈斯山口是进入邻近的莱昂省的唯一易于穿行的通道。年降雨量大，超过1 000毫米，冬季大部分地区被雪覆盖。该地区属于海洋性气候，年降水量分布相对平均。气候温和，季节变化不大。自1900年以来，阿斯图里亚斯人口增加一倍，但在西班牙总人口中的比例逐步下降。由于向外移民，剩下者趋向老龄化。人口流向西班牙工业化地区和其他西欧国家，使该地区人口增长低于全国平均数字。农业衰落导致农村人口外流，日益向奥维耶多、阿维莱斯和希洪3个工业城市集中。该地区农业发展缓慢，传统作物有小麦、小米和菜豆。18世纪以来，玉米和马铃薯等作物实行轮种。阿斯图里亚斯农业传统上倾向于集体化，直到20世纪初期山区的广大牧场为公共所有。自那时起，牧草和饲料种植得到大力发展，使畜牧业成为农业主要项目。1885 年引进的瑞士牛为主要牧场牲畜，已逐步取代了羊和马。然而阿斯图里亚斯的财富在于遍及整个纳隆盆地的煤田，面积达 2 600 多平方千米。阿斯图里亚斯为西班牙最重要的采矿和冶金省。阿维莱斯已建起大型工业综合体，因此人口大量增加。米耶雷斯为繁忙的采矿冶炼中心。希洪的穆塞尔港为西班牙最重要的原煤出口港。特鲁维亚建有军火工厂。首府奥维耶多为文化交通中心。该地区亦是锌的主要产地，但 19 世纪中叶以来产量大幅度下降。水泥、玻璃、食品、饮料、烟草、皮革和纺织品生产有所提高，但工业部门还不太多样化。基础设施不发达已影响了该地区工业的发展。公路和铁路线多南北走向，主要集中在奥维耶多、阿维莱斯和希洪三角地带，一般不经过东面和西面的小城镇。河流航运有所增加，促进了阿维莱斯、希洪和穆塞尔三个港口的发展。阿斯图里亚斯的传统农庄村舍为木石结构，通常有阳台、游廊和连拱门廊。天主教活动不如卡斯蒂利亚频繁。民间传说保留有很多迷信，例如相信有模仿嘲弄人的妖怪和冤魂夜游。人口约 1 134 772(1988)。

Asturias, Miguel Ángel　阿斯图里亚斯　(1899-10-19，危地马拉市～ 1974-06-09，西班牙马德里)　危地马拉诗人、小说家和外交官。1967年获诺贝尔文学奖，1966年获苏联

美国不列颠百科全书公司供图

列宁和平奖。他的作品混合了马雅人的神秘主义和进行社会抗议的巨大冲动，概括了本国人民在社会和道德上的追求。1923 年，阿斯图里亚斯移居巴黎，当时曾受到超现实主义的影响。他的第一部重要作品《危地马拉传说》(1930)，描写西班牙人来到之前马雅人的生活和文化。回国后发表几本诗集，第一本是《十四行诗》(1936)。第一部小说作品是《总统先生》(1946)，强烈谴责危地马拉独裁者 M. 埃斯特拉达·卡夫雷拉。《玉米人》(1949)被认为是他的杰作，描写印第安农民似乎难以改变的惨状。印第安人在香蕉种植园中所受的剥削，出现在史诗般的三部曲小说中：《强风》(1950)、《绿色教皇》(1954)和《被埋葬者的眼睛》(1960)。1966 ～ 1970 年任危地马拉驻巴黎大使。

Astyages　阿斯提亚格斯(活动时期公元前 6 世纪)　阿卡迪亚语作 Ishtumegu。米底帝国最后一代国王(公元前585～前550在位)。根据希罗多德的记载，他是居鲁士大帝的外祖父。公元前 553 年，安申国(在今伊朗西南部)王对他发动战争。公元前550年，他

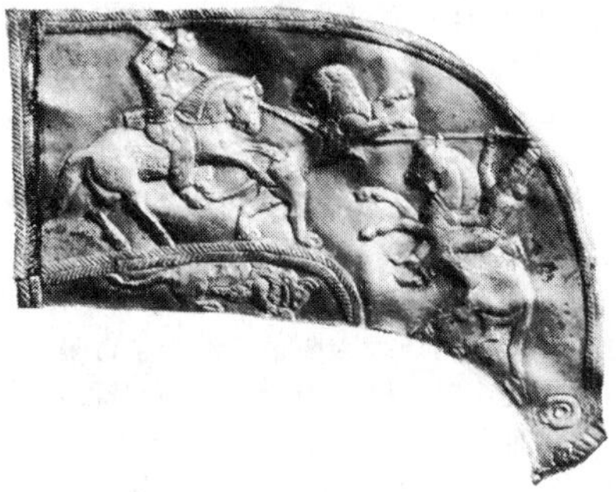

金剑鞘上的浮雕：阿斯提亚格斯(左)用长矛刺杀狮子

美国不列颠百科全书公司供图

自己的部队叛变，将他囚禁。居鲁士占领并且劫掠米底王国都城。

Astyanax　阿斯堤阿那克斯　希腊传说中特洛伊王子赫克托耳与妻子安德洛玛刻所生的儿子，又名斯卡曼德里俄斯，得名于特洛伊附近的斯卡曼德洛斯河。特洛伊城被攻陷时，他被希腊战士涅俄普托勒摩斯从城垛上掼下摔死。据中世纪传说，他在战争中幸存下来，并在西西里建立墨西拿王国，家系一直传至查理大帝。

Asuka period　飞鸟时代　日本历史和美术的一个时代(552 ～ 645)，自佛教从朝鲜传入日本开始，到采用中国政治制度达到顶峰。佛教最初被保守派反对，后来得到在 587 年皇位继承斗争中的胜者苏我氏的支持。圣德太子正式尊崇佛教，604 年颁布的《十七条宪法》主要以佛儒思想为基础。佛教艺术表现在飞鸟时代的寺庙建筑中，最重要的据信是苏我氏发起修建的飞鸟寺。圣德太子在奈良城外兴修法隆寺，寺中有早期佛像雕刻精品。

Asunción　亚松森　巴拉圭首都。位于皮科马约河与巴拉圭河汇合处附近树木茂密的岬角上。海拔 53 米。1537 年 8 月 15 日圣母升天节在此建成围栏居民点，故名。1541 年南美大草原上的印第安人攻陷了布宜诺斯艾利斯之后，其居民逃往亚松森。布宜诺斯艾利斯重建前的约半个世纪中，亚松森为南美东部西班牙殖民活动的中心。印第安人和西班牙人通婚在很大程度上形成了现代巴拉圭人的混血特征。1811 年 5 月 14 日或 15 日，巴拉圭宣告脱离西班牙和阿根廷而独立。因该

亚松森市的恩卡纳西翁教堂

美国不列颠百科全书公司供图

市地处连接阿根廷、巴西和乌拉圭大河系的源头，战略位置重要，在三国同盟战争(1864 ～1870)中被阿根廷、巴西、乌拉圭三国联军占领，由巴西统治到 1876 年。临河地区的建筑是殖民时期风格(有院的平房)，市中心则是现代高层建筑。著名建筑物有 19 世纪建造的大教堂、总统府和英雄殿。作为政府所在地、巴拉圭大主教驻地，对全国社会、文化和经济生活起支配作用。有国立亚松森大学(1890)、圣母升天公教大学(1960)等高等院校。全国人口最稠密地区的主要集散和出口中心。加工内地富庶农牧区的棉花、甘蔗、玉米、烟草、水果和牲畜产品。生产纺织品、植物油、靴鞋、小型船只、香烟等。江轮为主要货运工具。为洛佩斯总统铁路(通阿根廷铁路网)的终点站。有渡口连接通布宜诺斯艾利斯的公路干线。有一国际机场。人口：市区 510 741；大都会区 639 000 (2002)。

Asunción, La　拉亚松森　委内瑞拉东北部新埃斯帕塔州首府。位于加勒比海的玛格丽塔岛东部的肥沃山谷中。1524 年西班牙人最早在这里定居。现存的圣罗莎城堡和大教堂反映出当时的繁荣。出产棉花、甘蔗、木薯和椰子；为商业和制造业中心。主要工业有轧棉、玉米和蔗糖加工及酿酒等。人口 16 552 (1990)。

asura　阿修罗　伊朗语拉丁字母转写作 ahura。印度教神话中的一批恶魔，与神和人为敌。在吠陀时代，阿修罗和提婆都被认成是天神，但逐渐形成互相对立的魔与神。这种变化与伊朗情况相反，在伊朗，阿胡拉(阿修罗)成为至高神，而提婆则成为恶魔。根据印度教神话，阿修罗和提婆共搅乳海，希望取得长生不老药甘露。双方为夺取甘露而争斗不息。参阅 **deva**。

Asurbanipal (Assyrian king)　参阅 **Ashurbanipal 亚述巴尼拔**。

Aśvaghoṣa　马鸣(公元 80?，印度阿约提亚～150?，白沙瓦)　又拼 Ashvaghosa。迦梨陀娑(5 世纪)以前印度最伟大的诗人、哲学家、梵文戏剧的创始人。他使被称为**宫廷史诗体**(**kavya**)的梵文诗体普及化。出生于婆罗门家族，在与一位著名佛教学者就吠檀多(印度教)宗教与中道(佛教)的是非问题热烈辩论之后，他接受了佛教教义并成为辩论对手的弟子。马鸣还是一位才华横溢的雄辩家，在他协助组织的第四次佛教集会上，充分阐明了大乘佛教的教义。他的名声主要在于他解释大乘佛教各复杂概念的才能。归在他名下的著作有《佛所行赞》等。

aśvamedha　马祭　又拼 ashvamedha。古代印度吠陀时代最隆重的宗教典礼。各类吠陀文献，特别是《百道梵书》对这种典礼有详细记载。先选骏马，由王室扈从一名护卫漫游一年。此马进入某国，该国国主必须迎战纵马之国或者称臣。如果此马在一年内未被人掳获，便由所到之国的君主送回该国国都，然

后在盛大的仪式上当作牺牲杀掉，同时大摆喜宴。据说此马象征在世界上空运行的太阳，从而象征其国国王将主宰整个大地。一旦马祭成功，其国王就可号称王中之王。这种典礼不仅使其国国王增光，还可以确保该国繁荣富饶。

Aswān 阿斯旺 上埃及一省。包括尼罗河泛滥平原及其附近地区。面积679平方千米。省会阿斯旺城。其短短的南部边界形成与苏丹的国界。尼罗河在阿斯旺城和瓦迪哈

阿斯旺省内的努比亚人村落
美国不列颠百科全书公司供图

勒法处形成急流和险滩，为河上通航形成障碍。城南有旧阿斯旺坝，在其南面约6千米建有阿斯旺高坝(1970)，为全世界最大工程之一。原来夏季灌溉的土地已改为全年灌溉。阿斯旺城以北种植甘蔗、扁豆、玉米和小麦。工业集中在高坝附近和考姆翁布和伊德富两城。早期在阿斯旺城附近开采花岗岩，现开采大理石。有许多名胜古迹，旅游业发达。20世纪60年代各国考古学家曾设法将受纳赛尔水库威胁的埃及庙宇迁往高地。人口约796 000(1986)。

Aswān 阿斯旺 又拼 Assuan、Assouan。希腊语作 Syene(赛伊尼)。埃及阿斯旺省省会。位于尼罗河第一大瀑布下游东岸。为法老时代埃及的南部边境。后成为罗马人、土耳其

尼罗河畔的阿斯旺
美国不列颠百科全书公司供图

人和英国人的边界据点。现为行政、贸易和工业中心及冬季游览胜地。有铜、钢生产联合企业，化肥厂、水泥厂、制糖厂以及生产花岗岩和大理石的采石场。城南5千米处有1902年建成的旧阿斯旺坝，城南11千米处有1970年建成的阿斯旺高坝。设有高等工业学院。1980年开办渔业培训学校。埃利潘蒂尼博物馆藏有本省历史文物。作为开罗至阿斯旺铁路线的南部终端站，有一国际机场。人口约195 700(1986)。

Aswān, Jazīrat(Egypt) **阿斯旺岛** 参阅 **Elephantine** 埃利潘蒂尼。

Aswān High Dam 阿斯旺高坝 横跨埃及尼罗河的填石坝，位于埃及阿斯旺市附近，1970年竣工，耗资约10亿美元。坝高111米，顶长3 830米，体积4 430万立方米，水库(纳赛尔水库[**Nasser, Lake**])容量为1 690亿立方米。埃及和苏丹协议把尼罗河年总流量约740亿立方米的水由两国分享，其中500亿归埃及，余下归苏丹。纳赛尔水库拦蓄尼罗河回水约至埃及境内320千米并上溯至苏丹境内160千米处。为建设水库，不惜巨资迁移了阿布辛拜勒古庙，并迁徙了9万埃及农民和苏丹努比亚牧民。5万埃及人被迁移到阿斯旺北部50千米处的考姆温布河谷，形成努巴里耶新农业区。大多数苏丹人则在苏丹的吉尔巴台地安家。水坝给埃及经济带来巨大利益。历史上首次由人控制住了尼罗河每年的洪水泛滥。水坝拦蓄洪水，需要时把水放出灌溉土地以取得最好效果，使千万亩田地得以灌溉，改善了阿斯旺上下游的通航条件，同时水坝上的12台涡轮机每年可发电100亿千瓦时。水库深90米，平均宽22千米，可发展为养鱼区，将最终补偿水坝对埃及地中海沿岸捕鱼区造成的不利影响。

然而阿斯旺高坝也产生了几种不利的影响，其中主要问题在于尼罗河两岸农田肥力的逐年减退及沿河地带的农业减产。这是由于水库完全控制河水每年泛滥后，水中肥沃的淤泥都留在水库及沟渠内，不复随漫流的河水沉淀在农田中了。埃及如今每年使用约100万吨的化学肥料，不足以代替原先每年由河水带来的4 000万吨淤泥。

asylum 庇护 在国际法上，指一个国家对一个反对其本国的外国公民给予的保护。受庇护者并无要求给予庇护的法律权利，而给予庇护的国家虽然有给予庇护的法律权利，但无承担给予庇护的义务。因此，庇护权属于国家，而不属于个人。

在国际法中，庇护权基本上分为三类：域内庇护，域外庇护和中立国庇护。域内庇护是在提供庇护的国家的领土范围内给予的庇护，不受引渡程序的限制。它主要用于保护被指控犯有叛国、叛逃、煽动、间谍等政治罪的人；但此类人不包括被指控犯有谋杀国家元首、暴乱、战时通敌、反和平罪、战争罪以及反人道罪等罪行的人，这已成为广泛通行的做法。域外庇护是指驻在外国领土上的使馆、领事馆以及停泊在外国水域上的军舰和商船所给予的庇护。这等于是在被要求提供保护的国家的领土范围内给予的庇护。大使馆或公使馆内给予的庇护，即一般所称的外交庇护，是一个最有争议的问题。发生战争时，中立国有权在自己的领土范围内向交战国的军队提供庇护，条件是该军队在战争期间必须接受拘留。

asymmetric synthesis 不对称合成 改变一种化合物分子中结构对称性的化学反应，使这种化合物转变为不等量的、受影响中心的结构具有不同的不对称性的化合物。这种反应通常发生在具有一个碳原子和另外四个(其中两个是相同的)原子或原子基团相连结这种对称结构特点的有机化合物中。在不对称合成中，相同的基团之一优先地发生改变或被取代，产物是两种不对称化合物的混合物，其中之一占优势。不对称反应是反应体系中存在有某些不对称因素所引起的，这些因素有：分子中存在不对称中心、不对称溶剂或催化剂、圆偏振光(它的电磁场振动平面既可向右又可向左旋转)。常常把不对称合成称为立体选择性合成。如果反应只生成一种产物，则把这种反应称为立体专一性反应。

asymmetrical parallel bars 参阅 **uneven parallel bars** 高低杠。

Asyūṭ 艾斯尤特 又拼 Asiut，Assiout。尼罗河沿岸上埃及地区一省。面积1 553平方千米。艾斯尤特的历史可追溯至以拜达里命名的史前时期，王朝前文化时期的遗物是最初在拜达里挖掘出来的。在第10王朝和第11王朝之间的第一中间时期(公元前约2130～前约1939)，该地区曾为战场。艾斯尤特省的经济以农业为主。主要作物有棉花、谷物和蔬菜。除省会艾斯尤特(**Asyūṭ**)城以外，无重要城镇。尼罗河支流优素福河在艾斯尤特城北面流入一古河道，灌溉两岸农田。全省居民有相当大一部分为科普特人。人口约2 843 000(1995)。

Asyūṭ 艾斯尤特 又拼 Asiut，Assiout。埃及艾斯尤特省省会。上埃及最大的居民区。位于尼罗河西岸，几乎正当开罗和阿斯旺中间。古称斯尤特，是胰拜豺头神万沃韦特的中心。亦是新柏拉图学派哲学家柏罗丁(约205～269或270)的出生地。继承古老传统，以制造镶银补花围巾、精美陶器、镶嵌细木工和地毯著称。有纺织厂和化肥厂。城北横跨尼罗河的水坝，引水灌溉埃及中部土地。20世纪80年代改建了艾斯尤特堰，新增一水力发电站。有一所大学(1957创办)及师范学院。艾斯尤特是重要的科普特天主教中心。城西南的石灰岩丘陵上有许多第12王朝(公元前1938～前1756)的石墓。人口约321 000(1992)。

AT&T 参阅 **American Telephone & Telegraph Company** 美国电话电报公司。

Atacama 阿塔卡马人 又称阿塔卡梅诺人或昆萨人。属于智利北部和阿根廷西北部安第斯沙漠绿洲已消亡的南美印第安文化。最后幸存的居民集团已为西班牙和艾马拉文化所同化。阿塔卡马人居住分散，种植玉米、豆类、昆诺阿苋及南瓜。他们放牧美洲驼和羊驼，并在海岸与内陆之间广大地区进行交易。气候干旱使阿塔卡马人的村落聚在小块孤立的绿洲之内。其村庄由若干有亲缘关系的家庭组成，由头人管理。房屋用石头筑成。考古发掘显示阿塔卡马人好战。阿塔卡马人的语言被称为昆萨语或林坎安泰语，约有1 100个词流传下来。

Atacama 阿塔卡马 智利北部一个区。东与阿根廷接壤，西临太平洋。1843年建省。1974年建区。面积75 573平方千米，包括查尼亚拉尔、科皮亚波、瓦斯科三省和圣费利克斯、圣安布罗西奥两个太平洋岛。大片地区为沙漠。首府科皮亚波(**Copiapó**)北面有沿海山地和安第斯火山间谷地；南为一系列山间盆地，东侧安第斯山的山峰高耸入云，终年积雪。气候属沙漠性，南部偶有降雨。沿海台地、科皮亚波河谷和瓦斯科河谷经灌溉种植水果、橄榄树和苜蓿。从18世纪起，金、银、铜、铁矿开采即为当地主要经济项目。有铁路和泛美公路穿经。人口约202 259(1994)。

Atacama Desert 阿塔卡马沙漠 智利北部的干寒地区。南北长1 000～1 100千米，绝大部分在安托法加斯塔和阿塔卡马两个行政区境内。主要包括西边海岸山脉的山麓盆地和东边安第斯山脉底部的冲积扇。边缘界线不很清楚。沿海山脉高1 500米，个别山峰高达2 000米。无沿海平原。在智利东北与阿根廷和玻利维亚交界处为阿塔卡马高原，高达4 000米。这个地区是世界上最干旱地区之一。沿岸由秘鲁寒流带来南极冷水，使空气下冷上暖，造成逆温层，亦不利于成雨。在一个世纪中，伊基克和安托法加斯塔只下过2～4次大雨。温度较低，安托法加斯塔平均夏温18 °C。19世纪智利、玻利维亚和秘鲁三国为争夺此地资源经常发生冲突。1879～1883年的太平洋战争，智利获胜，遂永久占有这沙漠地区。从19世纪中叶以后开采硝石。第一次世界大战前智利硝石垄断世界市场，有些年份产量达300万吨。其出口税为政府收入的一半。自从人工合成氮出现后，硝石市场大为缩小。现在主要财源是安第斯山区丘基卡马塔和沿海帕波索的铜矿。

Atacama Plateau 阿塔卡马高原 安第斯山脉气候寒冷的荒芜台地。跨阿根廷西北部和智利毗邻地区。南北长320千米，东西宽240千米。平均海拔3 300～4 000米。与西面的阿塔卡马沙漠有多梅伊科山相隔。该高原东科迪勒拉山脉的群峰间有山间盆地，盆地中多盐碱滩，较大的有安托法亚、翁布雷穆埃尔托、阿里萨罗等，最大的是智利的阿塔卡马盐碱滩。阿卡塔马高原的东侧被河流切割成深谷。较宽山谷历史上曾为深入阿根廷境内安第斯山脉的殖民通道。该高原大部分地区生长着稀疏的灌木丛，仅东侧有一条很窄的阔叶林带。平均温度8.5～9.5 °C。人烟稀少，有印第安人和印欧混血人居住，种植玉米和小麦，北端出产盐和皮毛。1948年起阿根廷的萨尔塔和智利阿塔卡马沙漠的硝石矿区间通铁路。

Atacama Trench (Pacific Ocean) **阿塔卡马海沟** 参阅 **Peru-Chile Trench 秘鲁-智利海沟**。

atacamite 氯铜矿 绿色闪亮的卤化物矿物——碱式氯化铜[$Cu_2(OH)_3Cl$]。是一种次生矿物，由其他铜矿物氧化而成，特别是在干

产自南澳大利亚沃拉鲁的氯铜矿
美国不列颠百科全书公司供图

旱条件下。呈脆性的透明至半透明的晶体，广泛分布于智利的阿塔卡马省、墨西哥的博莱奥以及南澳大利亚。有关详细物理性质，参阅 **halide mineral**(表)。

Atahuallpa 阿塔瓦尔帕(约1502～1533-08-29，印加帝国卡哈马卡) 秘鲁印加帝国末代皇帝。他是瓦伊纳·卡帕克的幼子，深得父皇宠信。父皇死(约1527)后，帝国分裂为两部分，他在基多统治帝国北部的疆域，其兄瓦斯卡尔在帝国都城实施统治。阿塔瓦尔帕很快就为争夺帝位而与兄瓦斯卡尔开战。1532年初在印加历史上最大的一次战斗中，瓦斯卡尔军队战败，瓦斯卡尔及其家人被处死。同年11月西班牙人入侵后，他因拒绝皈依基督教和不承认西班牙国王为最高统治者而被西班牙征服者F.皮萨罗监禁起来。他答应向皮萨罗交出满满一房间的金银珠宝作为赎金。但西班牙人在得到24吨金银财宝赎金后，于1533年8月29日下令将他焚死。他的处决标志着印加帝国的结束。

Atakpamé 阿塔帕梅 多哥高原区城镇。在洛美—布利塔铁路线上。建于19世纪。最初有埃维人和约鲁巴人居住。曾为南北商队通道上的商业中心，遭受过达荷美王国多次破坏性进犯。现为棉花、可可和咖啡集散地。人口约21 800(1977)。

Atalanta 阿塔兰忒 希腊神话中一位善疾走的女猎手，可能是阿耳忒弥斯女神的伙伴。传说她是比奥蒂亚的斯科耶涅欧斯的女儿，或是阿卡迪亚的伊阿索斯和克吕墨涅的女儿。关于她的传说众说纷纭，包括如下事件：她生下来由于她父亲的请求而被弃待死，但受到一只母熊哺育；她参加过狩猎卡利敦的野猪；她提出愿嫁给任何比她走得快的人，但是如对手比赛失败，就要被她刺死。在一次比赛中，阿佛罗狄忒女神给了希波墨涅斯(或弥拉尼翁)3个赫斯珀里得斯(**Hesperides**)的金苹果；他把金苹果丢下时，阿塔兰忒停下来弯身拾取，结果她竞赛失败。他们的儿子是

古希腊的阿塔兰忒大理石雕像
美国不列颠百科全书公司供图

帕耳忒诺派俄斯，即国王俄狄甫斯死后攻打第比斯的七将之一。她和她的丈夫由于对阿佛罗狄忒忘恩负义，竟然亵渎赛比利女神(一说主神宙斯)的殿堂，为此赛比利(或宙斯)把他们变成狮子。

Atami 热海 日本本州静冈县城市。在伊豆半岛东北海岸，东临相模湾，地当热海死火山口。气候温和，海景优美，温泉众多，5世纪以来一直为游览胜地。明治维新后为

相模湾畔的热海市
美国不列颠百科全书公司供图

美术家和作家的聚会地。1934年接通东海道铁路后迅速发展成为娱乐区。由于侵占山地建筑过度已造成滑坡以及交通问题。热海热带公园有数百种热带植物和鱼；日本杏园每年举办节庆活动；居山顶而俯临该市的美术馆展出大量日本雕塑、绘画。人口47 291(1990)。

Atar 阿塔尔 毛里塔尼亚中西部城镇。在通向首都努瓦克肖特的公路线上，是一绿洲和商队驻地。产椰枣、谷物；饲养牛、山羊

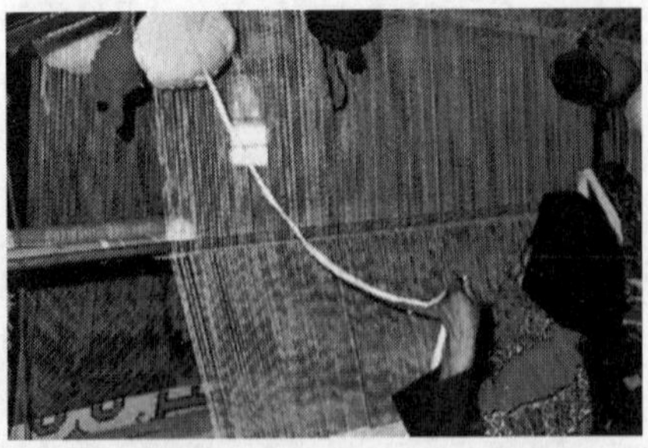

阿塔尔的传统织毯工艺
美国不列颠百科全书公司供图

和绵羊。有一简易机场。设有传统的纺织学校。以织造地毯闻名。人口16 326(1977)。

Atargatis 阿塔迦蒂斯 古代叙利亚北部地区居民所崇奉的女神。在阿勒颇东北希拉波利斯(今曼比季)她的主要庙宇中，她与其配偶哈达德共受奉祀。此庙曾于公元前300年前后由马其顿王后斯特拉托尼丝(塞琉古一世之妻)重建。由于斯特拉托尼丝鼓励以及其他原因，奉祀此女神的习俗随希腊商人和士兵传遍希腊文化所及之地，人们认为此女神是阿佛洛狄忒的化身。

ʻAtāsī, Hāshim al- 阿塔西(1875，叙利亚霍姆斯～1960-12-05，霍姆斯) 叙利亚民族主义政治家，3次任总统。早期为奥斯曼帝国治下叙利亚政府官员。1919年当选国会议员。20年代领导反对法国占领和托管的民族主义运动，曾任立宪议会议长。议会坚持1920年的宣言，1930年5月被法国当局解散。1936年率代表团去巴黎，谈判承认叙利亚独立的《法叙条约》，回国后当选共和国总统。由于法国政府拒不批准这一条约，他在1939年辞职。经过一年的武装起义，他应邀于1949年组织临时政府，主持立宪议会选举。1950年12月立宪会议根据新宪法选他为总统。翌年辞职。1954年政变后再度出山。1955年大选后退隐霍姆斯。

Atatürk, Kemal 阿塔图尔克，凯末尔(1881，希腊萨洛尼卡[今塞萨洛尼基]～1938-11-10，土耳其伊斯坦布尔) 原名Mustafa Kemal。20世纪的伟人之一，他拯救了第一次世界大战结束时战败了的奥斯曼帝国幸存的土耳其残余部分。他激励他的人民起来反抗企图将协约国的意志强加给厌战的土耳其人而入侵土耳其的希腊军队，并打退了英、法、意军队的进攻。经过这些斗争，他建立了现代土耳其共和国，为此他迄今仍受到土耳其人的尊敬。他成功地使人民恢复了作为土耳其人的骄傲；并使他们对他们的祖国从落后走向现代世界产生新的成就感。在此后的20年间，阿塔图尔克创造了一个现代国家，这个国家在他的继承者们的领导下，发展成为一个具有生命力的民主国家。

早年生活和教育 凯末尔原名穆斯塔法。其父阿里·里扎在1877～1878年的俄土战争中曾任地方民兵部队中尉，这表明他的血统多少属于奥斯曼统治阶级的范畴。穆斯塔法的母亲祖贝伊代·哈尼姆，来自萨洛尼卡西部的农村。

穆斯塔法7岁时，其父去世了，但他对其子个性的成长具有重大的影响。当穆斯塔法出生时，阿里·里扎把他的剑挂在他儿子摇篮的上方，希望他长大后从军。而最重要的是，阿里·里扎决意让其子在现代世俗学校完成早期教育，而不像哈尼姆那样宁愿把他送进宗教学校。在这点上，穆斯塔法总是十分感激他的父亲。

阿里·里扎死后，哈尼姆移居到萨洛尼卡郊外她继兄的农场。担心穆斯塔法长大而得不到教育，她将他送回萨洛尼卡，他在那里进入一所世俗学校，为他走上仕宦之途作准备。他迷恋所在地区军校学员所穿的制服，决定开始其从军的生涯。他违背其母的愿望，参加了少年军事学校的入学考试。

在少年军事学校时，穆斯塔法从他的数学老师那里得到了凯末尔的称号，意思是“完美的一员”，从此他就叫穆斯塔法·凯末尔。1895年凯末尔升入莫纳斯提尔(今马其顿的比托拉)军事学校。在那里，他结识了几个新朋友，包括阿里·费特希(奥克亚尔)在内，他们后来同凯末尔一起缔造和发展土耳其共和国。

在莫纳斯提尔完成学业之后，凯末尔于1899年3月进入伊斯坦布尔军事学院学习。通过他的新朋友、同学阿里·福阿德(杰贝索伊)的介绍，他欣赏这个城市的自由和教养。

在军事学院里存在着大量的政治上的不同意见，都针对苏丹阿卜杜勒-哈米德二世的专制政府。凯末尔对此保持疏远的态度，直至三年级时才参加编写一份秘密报纸。他的活动被发现了，但仍被允许完成学业。1902年凯末尔毕业，获少尉军衔，在全班450多名学员中名列前10名。接着他进入参谋学院学习，1905年毕业，在全班57人中名列第5，获上尉军衔，成为帝国主要的青年军官之一。

军事生涯 凯末尔的军事生涯在他毕业后不久几乎告终。他和几个朋友集会正在阅读和讨论有关帝国内部的政治弊端时被发现了。一个政府的密探混进了他们的小组并告发了他们。怀疑的阴云笼罩在他们头上，好几年后才解除。小组被解散了，小组成员被发送至帝国边远地区。凯末尔和福阿德被送至驻大马士革的第5军团，在那里，腐败的官员对待当地老百姓的所作所为激怒了凯末尔。他重又参加反政府活动，协助建立了名叫“祖国和自由协会”的短暂的秘密组织。

虽然如此，1907年9月凯末尔被宣布为是忠诚的，重被分配至萨洛尼卡，那里充满颠覆活动。他加入了有势力的反政府组织——统一与进步委员会，它与民族主义者和改良主义者的青年土耳其党人运动有联系。

1908年7月马其顿爆发起义。苏丹被迫恢复1876年宪法，该宪法限制苏丹的权力，并重建一个代议制政府。这次“青年土耳其党革命”的英雄人物是恩维尔。他后来成为凯末尔最大的对手，两人彻底地互相厌恶。

1909年革命运动内部两派惹人注目。一派主张随着穆斯林和非穆斯林之间的和谐与合作，将权力分散。另一派以统一与进步委员会为首，主张中央集权和由土耳其人控制。1909年4月12日深夜，以反动军队为先锋的叛乱发生了。1908年恢复宪法的革命处于危险之中。萨洛尼卡的军队官兵向伊斯坦布尔进军，在他们中间，恩维尔充当领导的角色。4月23日他们到达首都，到第2天即已掌握局势。统一与进步委员会执政，阿卜杜勒-哈米德二世被迫让位。

美国不列颠百科全书公司供图

恩维尔就这样上了台。凯末尔认为军队在达到其政治目的后，不得干预政治。他强烈要求那些想进入政界的军官辞去他们的军职，这增加了恩维尔和统一与进步委员会的其他领导人对他的敌意。凯末尔将其注意力从政治转向军事。他将德国步兵训练手册译成土耳其文。他从参谋的立场出发，批评军队的训练状况。他在军队重要军官中的声誉日增。这一活动并使他得以与上升的青年军官接触。他同这些军官中的一些人建立了互相尊敬的感情，这些人后来都成为他缔造土耳其共和国的支持者。

尽管这样，统一与进步委员会仍对他感到厌烦，将他调至野战军区，接着派他去皮卡第观察法军演习。虽然始终得不到提拔，但凯末尔对自己没有失去信心。1911年末意大利军队进攻当时是奥斯曼帝国一个省的利比亚，凯末尔立即前往那里参加战斗。疟疾和眼病迫使他离开前线，到维也纳治疗。

1912年10月，第一次巴尔干战争爆发，此时凯末尔正在维也纳。他被派去防守对达达尼尔海峡来说至为重要的战略地区加利波利半岛。不到两个月的时间，奥斯曼帝国就失去了它在欧洲的大部分领土，包括莫纳斯提尔和萨洛尼卡。对这两个地方，凯末尔有着特殊的感情。在涌入伊斯坦布尔的难民中，有他的母亲、姐妹和继父。

在时间不长的第二次巴尔干战争(1913年6～7月)中，奥斯曼帝国收复了它失去的部分领土。与保加利亚的各种关系恢复了。凯末尔以前的同学费特希被任命为大使，凯末尔作为陆军武官陪同他前往索非亚。他在那里被晋升为中校。

凯末尔不满恩维尔与德国的密切关系，并预言德国在国际冲突上将要失败。第一次

世界大战爆发后，奥斯曼帝国站到同盟国一边。凯末尔请求指挥军队。恩维尔故意让他在索非亚久等，最后将正在加利波利半岛组编的第19师的指挥权交给他。正是在这里，协约国企图实现他们注定要失败的登陆，给凯末尔以机会阻止他们，挫败他们夺取达达尼尔海峡的企图（1915年2月～1916年1月）。在战斗中，凯末尔被炮弹弹片击中，但正好打在他放在胸袋里的怀表上，使他免受重伤。凯末尔在加利波利的胜利将他推上了世界舞台。他被尊称为“伊斯坦布尔的救星”，并于1915年6月1日晋升为上校。

1916年凯末尔被派往俄国前线，晋升为将军，获得帕夏头衔。他是在东线与俄军作战获得胜利的唯一的一位土耳其将军。同年晚些时候，他接管了驻安纳托利亚东南部第2军团的指挥权。他在那里结识了伊斯麦特（伊诺努）上校，他后来成为他建立土耳其共和国的最亲密的伙伴。

1917年3月俄国革命爆发，这使得有可能将凯末尔调至奥斯曼伊拉克省和叙利亚省，当时英军正从他们在埃及的基地向那里进发。凯末尔被任命指挥驻叙利亚的第7军团，但军队的悲惨状况把他吓坏了。他辞去职务，未经允许便返回伊斯坦布尔。他获假3个月，接着派他陪同王储穆罕默德·瓦希代丁对德国作国事访问。

回到伊斯坦布尔时，凯末尔得了肾病，很可能与淋病有关，据认为他早先就患有这种病。（后来在他担任共和国总统期间，他的健康状况需要有一位私人医生对他进行长期护理。）他前往维也纳治疗，接着去卡尔斯巴德休养。当他在卡尔斯巴德时，苏丹穆罕默德五世去世，瓦希代丁即位为穆罕默德六世。1918年6月，凯末尔被召回伊斯坦布尔。

由于恩维尔的诡计，苏丹派凯末尔指挥崩溃中的奥斯曼驻叙利亚军队。他发现那里的情况比他想象的还要坏，遂向北撤，以拯救尽可能多的士兵的生命。

由于穆德洛斯停战协定的签署（1918年10月30日），战斗停止了。不久，恩维尔和统一与进步委员会的其他领导人逃往德国，由苏丹领导政府。穆罕默德六世为了保住他的统治地位，愿与已经控制政府的协约国合作。

民族主义运动与独立战争 协约国不等和平条约签订就开始索取奥斯曼领土。1918年12月初，协约国军队占领伊斯坦布尔各区，建立了协约国军政府。1919年2月8日，法国将军德斯佩雷模仿1453年征服者穆罕默德进入该城的样子，骑着白马进城，这表明奥斯曼对这个帝国城市的统治权已经一去不复返了。协约国制定计划，将安纳托利亚东部各省合并组成一个独立的亚美尼亚国。法国军队进驻东南部的西利西亚。希腊和意大利竞相提出了争夺安纳托利亚西南部的要求。意大利军队占领了马尔马里斯、安塔利亚和布尔杜尔。1919年5月15日，希腊军队在伊兹密尔登陆，并向安纳托利亚内地进军，劫掠村庄，屠杀土耳其居民。协约国的政治家们似乎在背弃威尔逊的十四点原则，赞成那些在秘密条约中所制定的和在他们的秘密野心中所包含的老牌帝国主义观点。

与此同时，凯末尔的军队被解散了。1919年11月13日他返回伊斯坦布尔，正值协约国舰队驶进博斯普鲁斯海峡。这一情景，以及英、法、意军队对这座城市的占领，给凯末尔留下了终身难忘的印象。他决心驱逐他们。他开始同经过选择的朋友们开会制定拯救土耳其的政策。在这些朋友中有阿里·福阿特和奥斯曼海军英雄拉乌夫（奥尔巴伊）。福阿特驻在安纳托利亚，对那里的情况了如指掌。他和凯末尔一起制定了以安卡拉为中心的安纳托利亚民族主义运动的计划。

在安纳托利亚许多地区，土耳其人已经把命运掌握在自己的手里，称他们自己为护权协会，并组织起准军事性的部队。他们开始同地方非穆斯林发生武装冲突，显示出他们也许不久也会这样地来反抗占领军。

由于害怕出现无政府状态，协约国敦促苏丹在安纳托利亚恢复秩序。首相推荐凯末尔，说他是一位忠诚的官员，可被派往安纳托利亚任第3军团监察长。凯末尔设法取得了授予他特别广泛权力的委任状。这些权力包括授权他在全安纳托利亚颁布命令，并下令各省总督必须服从。

现代土耳其史可以说是从1919年5月19日晨凯末尔在安纳托利亚黑海沿岸的萨姆松登陆开始的。这一天对凯末尔来说在心理上有着深远的意义，后来当有人为编写百科全书而问起他的生日时，他说是1919年5月19日。他背弃他去安纳托利亚的官方理由——恢复秩序，而径直前往内地阿马西亚。他在那里告诉欢呼的群众苏丹是协约国的囚徒，他来是为了阻止国家从人民的手中滑落。这是他给安纳托利亚的土耳其人的信息。

协约国对苏丹施加压力，要他召回凯末尔，但凯末尔对从伊斯坦布尔发来的一切公文置之不理。苏丹解除了他的职务，并致电各省总督，指示他们不要听从凯末尔的命令。同时发出了帝国对凯末尔的拘捕令。

凯末尔为了避免被开除军籍，乃于7月7日深夜正式辞职。他以平民的身份与他的侍从急速从锡瓦斯前往埃尔祖鲁姆，拥有18 000人的第15军军长卡齐姆·卡拉贝基尔将军的总部设在那里。在凯末尔既无军队支持又无官方身份的紧要关头，卡齐姆将自己的命运与凯末尔拴在一起，把军队交给凯末尔指挥。这是独立斗争中决定性的转折点。

卡齐姆号召于1919年7月23日在埃尔祖鲁姆举行全部护权协会的代表大会。凯末尔被选为埃尔祖鲁姆代表大会主席，从而获得了官方身份。大会起草了一份关于帝国东部6个省的文件，这就是后来被叫做《国民公约》的文件，它确认了奥斯曼“边界”（即《穆德洛斯停战协定》签署时由土耳其人居住的所有奥斯曼领土）的不可侵犯性。大会还建立了一个临时政府，废除了奥斯曼帝国少数民族的特殊地位的安排条款，并建立指导委员会，凯末尔当选为主席。

凯末尔力求将《国民公约》推广至帝国的全体奥斯曼-穆斯林居民。为达到这一目的，他在锡瓦斯召开全国代表大会，批准了这一公约。他揭露了苏丹政府逮捕他和分裂锡瓦斯大会的企图。首相在伊斯坦布尔被逐出办公室，同情民族主义运动的新政府恢复了凯末尔的军衔和勋章。

凯末尔不相信苏丹有能力使国家摆脱协约国的占领，于是将临时政府设在离伊斯坦布尔480千米处的安卡拉。他在那里较为安全，免受苏丹和协约国的伤害。这是个明智的决定。1920年3月16日，协约国在伊斯坦布尔逮捕了包括拉乌夫在内的主要的民族主义的同情者，把他们送往马耳他。

调和的伊斯坦布尔政府垮台了，它为反动分子所取代。他们解散议会，迫使宗教界显要人物宣布凯末尔及其同伙为异教徒，应该一见到就击毙。死亡是注定的了，但不是苏丹政府，就是凯末尔政府。

许多著名的土耳其人士从伊斯坦布尔逃往安卡拉，其中包括伊斯麦特，之后是苏丹的军事大臣费夫齐（恰克马克）。费夫齐成为凯末尔的总参谋长。举行了新的选举，名为大国民议会（GNA）的新的议会于1920年4月23日在安卡拉召开。议会选凯末尔为其主席。

1920年6月，协约国向苏丹递交了《塞夫尔条约》，苏丹于1920年8月10日在条约上签字。根据条约规定，奥斯曼国家的面积被大大地减少了，希腊成为主要的受惠者之一。亚美尼亚宣告独立。凯末尔拒绝接受这一条约。在从苏联获得军事援助后，他开始将希腊军队从安纳托利亚和色雷斯赶走，并开始征服新亚美尼亚国家。

由于凯末尔的军队在反对希腊的战争中进展顺利，法国和意大利在安卡拉与民族主义政府举行谈判。他们从安纳托利亚撤回他们的军队。这使得亚美尼亚在安纳托利亚的东南部失去法军的保护。随着法、意军队的消失，卡齐姆于是向亚美尼亚国进发。他得到了布尔什维克的援助，他们已同大国民议会的政府建立了关系。俄国人背弃了他们的亚美尼亚被保护者，向民族主义者提供武器弹药，并一起进攻他们自己创建的亚美尼亚社会主义共和国。这一联合进攻使亚美尼亚难以招架，他们于1920年10月和11月被打垮了，11月初他们投降。根据《亚历山德罗波尔条约》（1920年12月3日）和《莫斯科条约》（1921年3月16日），民族主义者收回了东部省份，以及卡尔斯市和阿达汉市，苏联成为第一个承认安卡拉民族主义政府的国家。土耳其东部边界固定在阿尔帕河和阿拉斯河。

对希腊军队则难以取胜，他们向安卡拉进犯。战斗于1920年6月开始，到7月底，他们攻占了布尔萨，并向安卡拉推进。福阿德被解除前线司令官的职务，由伊斯麦特接替。土耳其军队在屈塔希亚以北的伊诺努河坚守阵地。在第一次伊诺努战役中，他们于1921年1月10日将希腊军队击退。

1921年3月希腊军队重又进攻。伊斯麦特在伊诺努河再次同他们交战，战斗从3月27日持续至4月1日。1921年4月6～7日晚，希军停止战斗并撤退。1934年当土耳其人依照法律的需要取姓时，伊斯麦特就取伊诺努为姓，以纪念这两次重大的胜利。

希军没有气馁，他们于1921年7月13日又一次发动进攻。伊斯麦特后退至萨卡里亚河，那里离安卡拉很近，安卡拉都能听到炮声。在大国民议会里，以卡齐姆为首的反对党的声势日增，这时卡齐姆已生嫉妒之心。

反对党要求削减凯末尔的权力，以便制定一项新的政策。此外，他们企图让凯末尔亲自指挥这场抵抗希腊的战争，他们预计希腊将会取胜，这样就会使凯末尔的完美形象和领袖魅力化为乌有。8月4日，凯末尔同意了，条件是授予他大国民议会所拥有的一切权力。这个条件也被接受了。于是他出任拥有全部权力的总司令。在萨卡里亚战役中（1921年8月23日～9月13日），他打败了希军，并发起进攻（1922年8月26日～9月9日），在伊兹密尔将希军赶下海。

随着大部分协约国军队被赶出安纳托利亚，大国民议会在凯末尔的紧急要求下，于1922年11月1日投票废除苏丹统治。不久，苏丹穆罕默德六世于11月17日逃亡国外。接着协约国要求与安卡拉政府举行谈判，结果于1923年7月24日签署了《洛桑条约》。该条约将土耳其在欧洲的边界确定为色雷斯以东的马里查河。

10月2日民族主义者占领了伊斯坦布尔。安卡拉被定为首都，10月29日土耳其共和国宣告成立。至此，土耳其已全部控制了它的领土和主权。

土耳其共和国 凯末尔于是着手国家的改革工作，他的目标是将国家带进20世纪。他的工具是人民共和党，它于1923年8月9日成立，以代替护权协会。他的纲领具体表现为党的“六箭头”：共和主义、民族主义、平民主义、国家主义（国有和国营工业化，旨在使土耳其成为一个20世纪的工业化国家，以实现自给自足），世俗主义和革命。其指导原则是建立一个长期革命的国家，意即实行国家和社会的持续变革。

1924年3月3日废除了哈里发制度（从16世纪初期起，奥斯曼苏丹即要求拥有穆斯林哈里发的称号），同时宗教学校也被解散。接着于4月8日废除了宗教法庭。1925年禁止戴费兹帽——从此土耳其人戴西式帽子。凯末尔去安纳利亚作巡回演讲时，戴了一顶欧式帽子，为土耳其人民树立了一个榜样。在伊斯坦布尔和其他各地，人们竞相购买做帽子的料子。同年，宗教兄弟会这个保守主义的堡垒被宣布为非法。

妇女的解放受到凯末尔婚姻的鼓舞，他于1923年与一位受西方教育的女子莱蒂芙·哈尼姆结婚（1925年两人离婚），同时通过某些法律加以推进。1934年12月妇女被授予选举国会议员的权利，自己也能被选为国会议员。

几乎一夜之间，伊斯兰教的整个法律制度被抛弃了。1926年2～6月，瑞士的民法、意大利的刑法、德国的商法全部地被采用。结果是，废除了一夫多妻制，这使妇女的解放得到了加强，结婚成为民事婚约，而离婚则被公认为民事诉讼。

一项具有真正革命意义的改革是，用拉丁字母代替阿拉伯字母（奥斯曼土耳其语言用阿拉伯字母书写已有好几个世纪了）。这于1928年11月正式开始，使土耳其走上了成为中东识字率最高的国家之一的道路。凯末尔一而再地下乡，带着粉笔和黑板，向土耳其人民示范新的文字，并讲解各个字母应如何发音。教育从这一改革中得益，使土耳其青年得以与过去强调教育重点是宗教的做法隔绝，鼓励他们利用新教育的机会来接触西方科学和人文主义传统。

另一项重要的改革措施是采用姓，这由大国民议会于1934年以法律规定。议会授予凯末尔以阿塔图尔克（意“土耳其之父”）为姓。

在使土耳其在其境内获得稳定并踏上现代化道路之后，凯末尔采用相似的方式来制定国家的外交政策。首先，他决定，除亚历山大勒塔外（他认为《国民公约》将其划在土耳其边界之内），土耳其将不再追求实现任何领土收复主义者的要求。他与英国于1926年6月5日签署了一项条约，使问题获得了解决。该条约规定，土耳其放弃对摩苏尔的要求，作为回报，土耳其从那里生产的石油中提取10%的收入。阿塔图尔克并寻求与希腊达成和解，通过于1930年12月30日签署的友好条约做到了这一点。双方交换了少数民族，确定了边界，诸如在东地中海保持平等的海军力量等军事问题也都得到了解决。

这一雄心勃勃的、迫切需要的现代化计划，不经过奋斗和流血是无法实现的。1925年2月，安纳托利亚东南部的库尔德人以伊斯兰教的名义竖起了叛乱的旗帜。用了两个月的时间才把叛乱平息下去，叛乱首领赛义德被绞死。1926年6月，几个心怀不满的政客暗杀凯末尔的阴谋败露，13个头目受到审判，并被处以绞刑。

虽然还有其他的审讯和死刑，但在阿塔图尔克的领导下，这个国家沿着成为一个现代化国家的道路坚定不移地前进，而镇压则是最少数的。在统治精英中，对社会的目标有着高度的一致。尽管许多目标已经实现，但许多土耳其人仍希望看到一个更民主的政权。1930年阿塔图尔克甚至尝试了建立一个由他的长时间的伙伴费特希领导的反对党，但它很快取得了压倒性的胜利，遂使阿塔图尔克加以压制。

阿塔图尔克的晚年更为远离土耳其人民。他将以前苏丹的主要住处多尔马巴切宫整修一新，更多的时间呆在那里。他总是饮酒过量而吃得很少，以致健康状况日益变坏。当确诊他患肝硬化时已为时过晚。在他生命的最后几个月里，他以极大的毅力和尊严忍受病痛，于1938年11月10日上午9时5分在多尔马巴切宫去世。他的国葬成为土耳其人民倾吐巨大悲痛的时刻。他的遗体通过伊斯坦布尔运至安卡拉，在那里等待适合的墓地。数年后墓地建成：安卡拉的一座壮丽的陵墓，其中安放阿塔图尔克的石棺，并包括一座纪念他的博物馆。

在土耳其，阿塔图尔克无处不在。家家户户、各家商店，以及邮票上和钞票上都有他的肖像。他的话被镌刻在主要的建筑物上。他的雕像很多。土耳其的政治家们，无论属于哪个党派，都宣称是阿塔图尔克的继承者，但无人可以同他的高瞻远瞩、奉献精神和忘我无私相比。

Ataturk Dam　阿塔图尔克水坝　土耳其东南部地区幼发拉底河的水坝，安纳托利亚东南部开发计划的核心工程。是20世纪80～90年代在幼发拉底与底格里斯两河兴建22座水坝和19座水电站系列工程中的最大水坝，该计划的目标是给干旱的土耳其东南部地区提供灌溉用水和电力。阿塔图尔克水坝已于1990年完成，它是世界上最大的土石坝，堤高184米，长1 820米。供水给装机容量2 400兆瓦的乌尔法电站发电，再从乌尔法以重力下泻流入哈兰平原及附近地区的一片庞大灌溉网。

Ataulphus　阿陶尔夫（?～415，巴塞罗那［西班牙］）　西哥特人首领（410～415）。其内弟阿拉里克的继承人。412年率领洗劫罗马的哥特人退出意大利，在高卢南部定居下来。后来，他被赶出高卢，415年初退到西班牙，在巴塞罗那遇刺身亡。

ataxia　共济失调　不能协调自主横纹肌的运动，表现为步态不稳的神经系统症状。大多数神经源性共济失调起因于脊髓小脑束、皮质脊髓束及后柱的变性。最常见者为弗里德赖希氏共济失调，其遗传传递方式不详。3～5岁之内可仅见骨骼畸形（如锤状趾）。到青春期出现步态不稳，但常被视为笨手笨脚，随着病情进展，行走时两腿距离很宽，步态蹒跚，突然转身很难不摔倒。上肢及头部出现震颤。言语缓慢，含糊不清而语音单调。骨骼畸形及肌肉力弱均常见。本病病程缓慢，但为进行性。自发缓解罕见，通常在20岁时几乎完全病废。无特效疗法，常因其他并发病或心力衰竭而死亡。

Atayal　泰耶尔族　中国台湾现存土著民族之一，人口仅次于阿眉斯族。语言属南岛语系印度尼西亚语族台湾语支。分布于台湾北

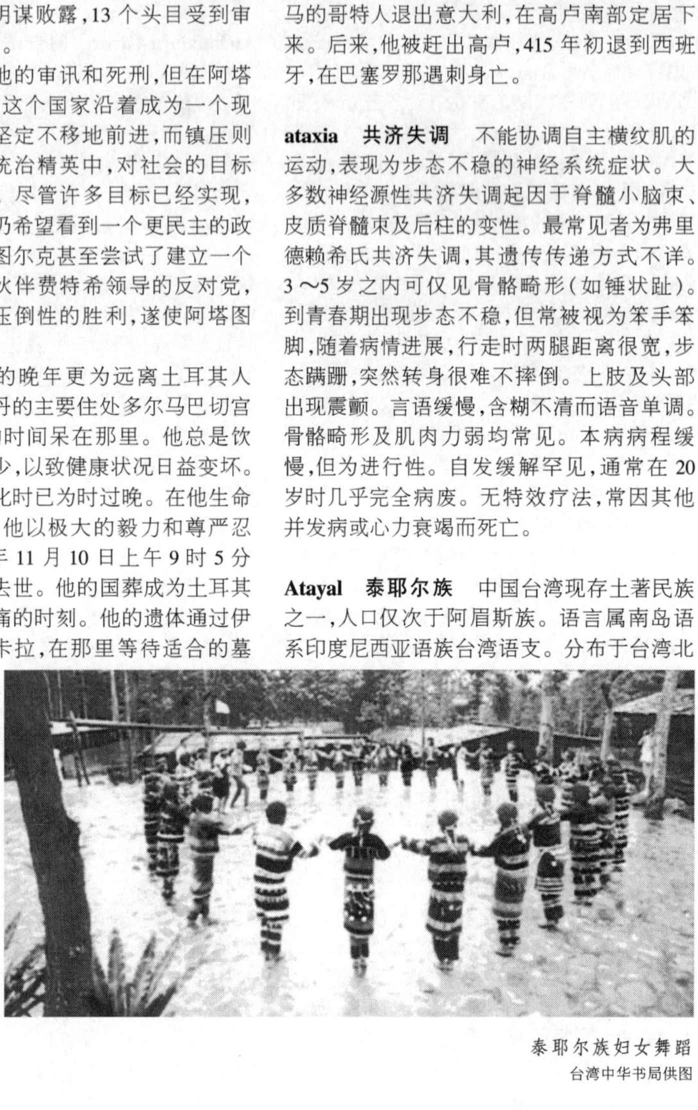

泰耶尔族妇女舞蹈
台湾中华书局供图

部,旧称“北番”。现多聚居于南投县下埔里以北山区及宜兰县南澳一带,部分散居于北部各县山地乡。人口78 300(1993)。泰耶尔族传统上以山田烧垦及狩猎为生,亦从事溪河捕鱼及家畜养殖,少数部落种植水稻,一般还种植旱稻、粟、花生、甘薯、烟草以及蔬菜、水果、槟榔等,亦产简易手工编织品及机织布料。泰耶尔族的社会组织通常由10户左右聚集而成一个同族系的部落;以核心家庭为主体,采取一夫一妻制(妻从夫居);同一家系分户另立的血族团体称为GaGa,并推举同族中声望最大的族长为头目。GaGa成员均为男性,系一具有共同祭祀、狩猎及分担牺牲的宗教性农业祭团;其宗教信仰即以此为基础,形成一种崇拜祖灵的超自然信仰。巫医为泰耶尔族传统特色,且多系女性世袭(母女或婆媳相传)。较重要的祭典有播种祭、收获祭及祖灵祭三种。

Atayal language 泰耶尔语 中国台湾省高山族语言之一。属南岛语系印度尼西亚语族台湾语支。主要分布在台湾北部的桃园、台北、新竹、苗栗、台中、南投、花莲、宜兰等县的部分乡镇,使用人口为7.6万。分赛考利克和泽敖利两个方言,前者内部差别较小,后者内部差别较大,又可分为大隘、四季、码伦、汶水、洗水、大兴、中兴、万大等土语。泰耶尔语(宜兰县南澳)的语音特点是:有19个辅音音位,塞音分清浊,但浊塞音经常弱化为同部位的擦音;有小舌音;x、w、j不出现在词首,b、r、z、g、ts不出现在词尾。有6个元音音位;有重音,多音节词的重音一般落在最末一个音节上。有脱落、弱化、交替、同化、脱漏、换位等丰富的语音变化现象。词汇以双音节和多音节为主。有丰富的黏附性构词前缀、中缀和后缀;词干重叠也是构词的重要手段;借词主要来源于汉语闽南话和日语。词类有名词、代词、数词、动词、形容词、副词、连词、助词等8类。名词和代词有“格”语法范畴。名词分主格、属格、宾格、位置格4种。人称代词有单数和复数,复数分包括式和排除式,各有主格、属格和宾格,均用黏附性词缀表达。动词有“时”、“态”、“式”等语法范畴。时分现在、过去、将来3种;态有主动和被动;式分陈述和祈使。形容词有“级”,分普通和比较两种,用词干加前缀表示。助词分结构助词和语气助词。句子的基本语序为:谓语—主语—宾语;主语和宾语的位置由于有结构助词而变得比较灵活;定语除数词外,多数放在中心词之后。

Atbara River 阿特巴拉河 尼罗河最后一条支流,在苏丹阿特巴拉城汇入干流。源出塔纳湖以北的埃塞俄比亚高原,向西流入苏丹境内,向北接纳安格勒卜河和塞提特河,再折向西北流入尼罗河,全长805千米。在阿拉吉尔拜角急滩处建有蓄水和灌溉水坝。在急滩以下因蒸发作用流量大减。枯水期河床上形成一个个水塘。洪水期可通航,占尼罗河全部流量的20%以上。含沙量大,两岸土地贫瘠。

ʿAṭbarah 阿特巴拉 苏丹东北部城镇。濒尼罗河。为通向喀土穆的公路和铁路枢纽。重要商业和农业中心。设有苏丹政府铁路管理局和修理厂。有机场。南郊有大水泥厂。人口73 009(1983)。

Atbasar 阿特巴萨尔 哈萨克斯坦中北部城市。濒临扎拜河。1846年建立时为哥萨克人村落。后以年度集市闻名。现为地方农牧产品加工中心和铁路枢纽。人口约40 000(1991)。

ʿAtbāy (Egypt-The Sudan) 参阅 **Itbāy** *阿特巴伊*。

Atbo (Egypt) 参阅 **Idfū** *伊德富*。

Atchafalaya Bay 阿查法拉亚湾 墨西哥湾内海湾,沿美国路易斯安那州南岸向东南延伸,自谢夫勒伊角至铁角岛上的铁角长34千米。该湾宽16千米,而福利格湾又向东南延伸18千米。尤金岛坐落在铁角西北的延伸40千米的一条壳质礁脉上。阿查法拉亚河下游连接该湾和24千米以北的摩根市,使海湾沿海水道与普拉克明-摩根市水道相接,进而与密西西比河水系沟通。该湾的礁石含有牡蛎壳,可作为铺路材料和沿岸各工厂生产石灰和水泥的原料。该湾区内多石油和天然气田。

Atchafalaya River 阿查法拉亚河 美国路易斯安那州境内雷德河与密西西比河的汊河。也就是在该州中东部奥德河(长约11千米)连接雷德河与密西西比河的附近,阿查法拉亚河从雷德河向西南分岔而出;它大体上向南流经225千米到达**阿查法拉亚湾**(**Atchafalaya Bay**)。阿查法拉亚河的排水面积246 300平方千米。密西西比河的主要流量有通过奥德河流入阿查法拉亚河的危险,但自20世纪中叶建成具有水坝、水闸和护堤的航运系统以来,流水量已得以控制。在一般情况下,约25%的密西西比河的流量可导入阿查法拉亚河和阿查法拉亚盆地泄洪道。流经格兰德湖后,阿查法拉亚河在摩根市和墨西哥湾沿海水道相交。“阿查法拉亚”是乔克托印第安语,意为“长河”。

Atchison 艾奇逊 美国堪萨斯州东北部城市,艾奇逊县县城(1855)。临密苏里河。1854年美国密苏里州参议员艾奇逊率一批奴隶制的拥护者前来定居,1855年设市。后发展成为铁路和河运中心。有综合性工业,转运当地农产品。1971年当地圣本笃学院(1858)和圣绍拉斯蒂卡山学院(1863)合并成本笃会学院。人口约10 232(2000)。

Atchison, Topeka and Santa Fe Railway Company 艾奇逊-托皮卡-圣菲铁路公司 别名圣菲铁路公司。从前是美国最大的铁路系统之一。1859年在堪萨斯州经特许成立,当时叫圣路易斯-托皮卡铁路公司,1863年易名,1895年取名艾奇逊-托皮卡-圣菲铁路公司。创建人C.K.霍利德,他打算沿圣菲小道修建铁路。圣菲小道是19世纪从密苏里州的独立城到新墨西哥州的圣菲的通商要道。1872年铁路干线修成通至科罗拉多州。19世纪80年代铁路延长。1890年收购了圣路易斯—旧金山和科罗拉多—米兰德两条铁路,延长到14 480千米。但1893年因金融危机铁路改组,缩减里程很多。1896～1920年,在总经理E.P.里普利的管理下,公司兴旺起来,铁道里程增长到17 700千米以上。到1941年总里程达21 000多千米,但自此以后一直在减缩。1968年该公司成为一家持股公司——圣菲工业公司的子公司。经过周折,1989年该公司的母公司改为圣菲-太平洋公司。当时铁路覆盖美国中西和西南部12个州。运输的货物主要是农产品、食品、化工产品和工业原料。1971年已将其客运业务经营权售给全国客运铁路公司。1995年伯灵顿-北方公司收购圣菲-太平洋公司,结果成立伯灵顿-北方-圣菲公司。

Ate 阿忒 希腊神话人物,她引诱神和人干出鲁莽和破坏性行动。她使宙斯仓促发誓,结果使希腊英雄赫拉克勒斯听命于迈锡尼统治者欧律斯透斯。宙斯为此把她驱出奥林波斯山后,她就留在地上作坏事和恶作剧。宙斯又跛又老的女儿们,即利塔伊(意为祈求者)跟在她后面,专门修复她造成的损害。

atelectasis 肺不张 一类呼吸系统疾病,表现为新生儿的肺脏未完全张开,或一侧肺脏由于某些呼吸道病变而部分或全部失去膨胀能力。主要分3型:①先天性肺不张,见于死产的新生儿、只存活数日的呼吸困难的婴儿(这些婴儿常患吸收性肺不张,其肺泡内的表面张力增高,使空气不断从肺泡壁逸出,致肺泡经常处于萎陷状态)。婴儿肺透明膜综合征就是吸收性肺不张的典型例证。②压迫性肺不张,因某种外力作用于肺脏并将空气逐出所致。若外力均匀地作用于肺部,就造成全侧肺不张,若外力为局限性(如肿瘤、心脏扩大或膈肌升高),就造成部分肺不张。支气管及细支气管受压,管腔消失,肺泡内原有的空气缓慢地被血液所吸收。③阻塞性肺不张,可由落入某主要支气管内的异物引起,亦可能并发于腹部手术后。肺内的气道通常分泌一种黏液物质,能把随空气吸入的尘埃、烟灰和细菌粘住。手术时,所用的麻醉药会使支气管分泌增加,若分泌物过多,可通过咳嗽排出。腹部手术后呼吸一般变浅(因为呼吸运动会引起锐痛),膈肌运动亦减弱;这样就会出现黏液塞,从而引起肺不张。术后数小时至数天肺部即可发生大面积萎陷。重症肺不张的临床表现包括呼吸费力、胸痛、发绀、患侧呼吸运动缺失、心脏向患侧移位、患肺体积缩小、叩诊呈浊音或实音等。久之萎陷的肺组织为纤维性疤痕组织所代替,呼吸功能即不能恢复。治疗在于去除阻塞、控制感染、排除积液和重建失去的压力。

Atellan play 参阅 **fabula Atellana** *阿特拉笑剧*。

Aten (Egyptian god) 参阅 **Aton** *阿吞*。

Aterian industry 阿泰尔文化期工艺 旧石器时代中期和晚期的一种石器工艺传统，曾在更新世晚期遍布北非。阿泰尔文化期的居民是弓箭的最早使用者。阿泰尔石器实质上是欧洲勒瓦娄哇文化传统的一种非洲改进型，适用于沙漠地区。其显著特征是石器有铤，便于装柄，矛头、箭头、刮削器均如此制作。两面加工的矛头用压剥法精致修整。叶形石叶可以同梭鲁特石叶相比。一般认为其居民在梭鲁特文化期曾进入伊比利亚半岛。

Ateso（people） **阿特索人** 参阅 **Teso 特索人**。

Ateste 阿泰斯特 意大利北部古城，现代**埃斯特**（**Este**）城的前身。古时雄踞于阿迪杰河岸，一度为维内蒂人的都城。阿泰斯特城系铁器时代早期入侵此地的民族所建，优越的地理位置使其成为波河以北的意大利东部主要文明中心。其考古遗存可分为4期：第1期的遗物很少，面貌模糊；最丰富最具特征的是第2、第3期的遗物，两期年代为公元前7世纪早期到公元前4世纪中期；在第4期中，当凯尔特人入侵意大利北部之后，维内蒂人政治上仍然处于独立地位，但其独特风格和地方特色多有丧失。前罗马时期阿泰斯特的物质遗存的显著特征是将死者火化，葬于瓮棺墓地，这是当时意大利中部诸文化的共同特点（参阅 **Urnfield culture**）。墓地中发现的大部分器物为陶器和青铜制作的装饰品。高卢人入侵意大利北部标志着维内蒂人衰落的开端，大约在公元前200年维内蒂人被罗马人所同化。3世纪之后，此城湮没无闻。

Atget,（Jean-）Eugène（-Auguste） 阿特热（1857-02-12，法国波尔多附近利布尔讷～1927-08-04，巴黎） 法国摄影家，以拍摄巴黎的景色和人物照片成为20世纪最有影响的摄影家之一。曾经是轮船服务员和演员，不久他爱上了年龄比他大许多的女演员，一同随巡回演出团到法国各省城演出。他笨拙的外表使他只能扮演次要角色，所得工资也很低。40岁时，夫妇二人已不能靠演戏维持生计，大约在1898年决定改行做摄影师。此后他以后半生精力拍摄他认为有艺术价值的巴黎景色。内容包括铁栅栏、喷泉、雕塑和树木、商店外景（如《篮子扫帚店，巴黎》，1910）、商店橱窗（如《制服店，中央菜市场》，约1910）和穷困的商人（如《灯罩小贩》，约1910）。其作品很少流于单调或平凡，在《圆厅咖啡馆，巴黎蒙帕尔纳斯林荫大道》（约1920）的画面上，虽然悄无一人，却具有一种抒情的气质和人情味。《巨人，加冕节日，巴黎》（约1910）显示了他对新奇的变化无常的形象的洞察力。博物馆和历史学会购买了他拍摄的历史建筑物和纪念碑照片。1921年他接到任务去拍摄巴黎的妓院。为此创作了许多优秀的作品，如《凡尔赛妓院》（约1921）。1926年住在巴黎的美国艺术家和摄影家曼·雷（1890～1976）看到了阿特热的作品，如《橱窗里的时装模型人》（约1910）和《理发师，巴黎天文台路》（约1920），对他利用橱窗的反射光获得异乎寻常的混合形象感到非常惊奇。因此在《超现实主义革命》上刊登了其4幅作品，这是他的作品在生前唯一得到的社会承认。在去世前最后几年很少创作。去世后，作品被美国摄影家艾博特和纽约的艺术商利维买下（现藏纽约市现代艺术博物馆）。

阿特热摄《制服店》（约1910）
美国不列颠百科全书公司供图

Athabasca, Lake 阿萨巴斯卡湖 在加拿大境内，跨艾伯塔和萨斯喀彻温两省边界，在西北地区南界附近。长335千米，宽约51千米，面积7 936平方千米，最深124米。有皮斯河和阿萨巴斯卡河从西南注入。湖水经奴河从西北导出，经大奴湖和马更些河注入北冰洋。沿湖重要居民点有奇普怀恩堡和产黄金与铀的铀城，两地之间，6～10月通汽船。湖上有商业性渔业。该湖1771年由S.赫恩发现，名之为山湖。西北公司1788年建奇普怀恩堡时改用今名。此名为印第安克里族语，可能意为“芦苇丛生之地”。

Athabasca River 阿萨巴斯卡河 加拿大马更些河水系最南部河流。在艾伯塔省北部。源出加拿大落基山区的哥伦比亚冰原，流经贾斯珀国家公园（内有壮观的阿萨巴斯卡瀑布），继而向东北穿艾伯塔省，注入阿萨巴斯卡湖。长765英里（1 231）千米。沿河多湍流，仅麦克默里堡以上河段可通航。主要支流有麦克劳德河、彭比纳河、小奴河和克利尔沃特河。麦克默里堡附近70英里长沿河含油砂地带石油藏量丰富。

阿萨巴斯卡河的急流
Shostal 供图

Athabaska, District of 阿萨巴斯卡区 加拿大原西北地区一部分，1882年建立，1895年向东扩展。包括今艾伯塔和萨斯喀彻温北部及马尼托巴西北一部分。1905年撤销建制。

Athaliah 亚他利雅 《圣经·旧约》中人物，以色列国王亚哈与王后耶洗别之女，犹大国王约兰之妻。她在自己的儿子犹大国王亚哈谢死后篡夺王位，统治7年；杀害犹大国王室所有成员（《列王纪下》11章1～3节），仅约阿施一人幸免。后来发生政变，支持约阿施的人们杀死亚他利雅。法国剧作家拉辛所著悲剧《亚他利雅》（又译《阿达莉》）即以她为主人公。

Athamas 阿塔玛斯 希腊神话中古比奥蒂亚地方奥尔霍迈诺斯城史前的米尼亚斯人的国王。他的第一个妻子是云神涅斐勒。但后来他恋慕卡德摩斯的女儿伊诺，对涅斐勒冷淡。涅斐勒愤而出走。他和伊诺惹起赫拉女神的愤怒，因为伊诺曾抚育**狄俄尼索斯**（**Dionysus**）神。阿塔玛斯变疯，并杀死自己的一个儿子勒阿尔科斯；伊诺为了逃脱，就和另一个儿子墨利凯尔特斯投入大海。后来他们被当作海神崇祀：伊诺被奉为琉科忒亚，墨利凯尔特斯被奉为帕莱蒙。阿塔玛斯从比奥蒂亚逃跑，最后定居色萨利的弗西奥蒂斯。该传说可能反映了米尼亚斯人的人祭习俗。

Athanaric 阿塔纳里克（？～381） 西哥特人首领（364～376）。369～372年在达契亚

地区(大约相当于今罗马尼亚)残酷迫害基督教徒。376 年被匈奴人打败,率其部下逃往特兰西瓦尼亚,但其大部分人民由弗里蒂根领导逃往罗马帝国。381 年他前往君士坦丁堡避难,不久去世。

Athanasian Creed 《亚大纳西信经》 基督教信经之一,其权威性得到天主教、基督教新教一些派别的承认。信经共 40 节,分两部分,一部分讲三位一体,另一部分讲道成肉身。《亚大纳西信经》开头和结尾 1 部分都附有庄严警告,谓人如要得救,必须恪守本信经。自 17 世纪以来,学者公认这部拉丁文信经并非亚大纳西(373 年卒)所作。1940 年发现了莱兰的樊尚(活动时期 440)所著《选录》的散失手稿,其中包含大量《亚大纳西信经》所用词句。可见这部信经的作者可能是樊尚或崇拜他的人。

Athanasius I 阿塔纳修斯一世(1230,阿德里安堡～1310-10-28,君士坦丁堡) 拜占廷修士、君士坦丁堡牧首。反对 1274 年第二次里昂公会关于希腊教会和罗马教会重新联合的决议。他为改革希腊正教会而努力,遭到各级教士的反对。1289 年,反对东西方教会统一的皇帝安德罗尼卡二世即位,阿塔纳修斯被选任君士坦丁堡牧首,随即着手整顿教会。他为神职人员规定严格纪律,不许各主教擅离职守,禁止修士四出游荡。这种严厉措施引起教士反对。1310 年初,主张东西方教会联合的一派终于迫使他引退。

Athanasius, Saint 亚大纳西,圣(约293,亚历山大～373-05-02,亚历山大) 基督教神学家、教会政治家、埃及民族领袖。当时出现的阿里乌派异端认为,圣子是受造的,其质与圣父相似而不相同;圣亚大纳西是批判这种

美国不列颠百科全书公司供图

异端的主要人物。圣亚大纳西在亚历山大学习哲学和神学,325 年曾以助祭身份随同亚历山大大主教亚历山大参加尼西亚会议,328 年亚历山大死,他以众望所归,继承其位。他发挥政治影响,打击利科波利斯主教梅勒蒂乌斯所领导的分裂派。335 年,敌对派主教在提尔(今黎巴嫩境内)开会,指责圣亚大纳西对阿里乌派和梅勒蒂乌斯处置不当,圣亚大纳西一一予以驳斥。336 年,双方到君士坦丁堡觐见罗马帝国皇帝君士坦丁,敌对派指责他曾以不许埃及出口粮食进行要挟,因此,君士坦丁将其流放到莱茵兰。337 年君士坦丁死后,圣亚大纳西返回亚历山大,但君士坦提乌斯继东罗马帝国皇帝之位后再次将他放逐。圣亚大纳西逃到罗马,受到君士坦提乌斯之弟西罗马帝国皇帝君士坦斯的保护。346 年,由于君士坦斯的影响,圣亚大纳西返回埃及。350 年,君士坦斯死,经过内战,君士坦提乌斯重新统一罗马帝国,恢复亲阿里乌派政策,圣亚大纳西再受惩治,最后逃往上埃及,辗转于各隐修院和友人住所之间。他在流亡期间完成神学著作《四驳阿里乌派》、《向君士坦提乌斯陈词》、《为逃亡辩护》以及《阿里乌派史》。361 年君士坦提乌斯死,不久新任亚历山大大主教阿里乌派乔治被暗杀,圣亚大纳西胜利返回主教座。362 年,他召集亚历山大会议,在会上要求信仰相同而用词歧异的各派求同存异,从而为日后三位一体教义的确立铺平道路。皇帝尤里安(叛教者)登位后,又将圣亚大纳西逐出亚历山大,他被迫再次前往上埃及。363 年尤里安死后方始返回。365 年,皇帝瓦林斯登位,左袒阿里乌派,又对他下流放令;但圣亚大纳西只迁到亚历山大郊外,皇帝在地方当局请求下收回成命。

Athanasius the Athonite, Saint 亚大纳西(圣山的),圣(约920,小亚细亚特拉布宗～约 1000,希腊圣山) 拜占廷修士。963 年在东罗马帝国皇帝的支持下将散居在圣山中的独修士组成大隐修院。由于教会内和政界都有人反对他对隐修院所进行的革新,亚大纳西于 969 年皇帝尼斯福鲁斯二世死后避往塞浦路斯,后返回圣山。继尼斯福鲁斯登位的皇帝约翰一世给予他资助,并于 971 和 972 年间颁布圣山隐修院章程,结束一切争论。

Atharvaveda 《阿闼婆吠陀》 颂诗和咒语集,是印度古代经籍吠陀的一种。参阅 **Veda**。

atheism 无神论 以否定上帝为第一原则的一种哲学。它是有神论的对立面。无神论和无神论者这两个词最早见于柏拉图的著作。

无神论又分为理论的无神论和实践的无神论。理论的无神论对上帝的否定以排除上帝存在的可能性这种思想体系为基础。实践的无神论者对上帝的否定反映在指导个人的公、私生活方式中,他不考虑上帝的问题,而完全根据有限的价值决定自己的行为。理论的无神论可以是否定的,也可以是肯定的。明确的否定的理论无神论毫不含糊地否定上帝的存在,在提出世界和人的命运概念时完全排除超验的第一原则或灵魂不朽说。含蓄的否定的理论无神论又称隐蔽无神论;相信这种理论的人虽然肯定上帝的存在,但却使他失去了某些基本属性。在近代思想中占统治地位的是肯定的理论无神论。它是一种人学的无神论,以人取代了上帝。

无神论有它的历史发展,它是文明和思考的成果。在古希腊、罗马和早期基督教时代,态度明确的无神论者是很罕见的。现代国家的无神论概念是由意大利政治家马基雅弗利创立的。他的原则是只要目的正当,可以不择手段,从而肯定政治独立于一切道德准则,说到底也就是独立于任何宗教形式。笛卡儿确立了无神论的现代的肯定形式,他将他的思想建立在“我思故我在”这一命题上,因而把真理的基础建立在证据和思维主体的自由上。笛卡儿的哲学体系曾被谴责是无神论的,因为它用机械论的观点对一切自然现象都以物质、运动及其规律加以解释。

18 世纪是法国启蒙运动的无神论胜利进军的时代。启蒙思想家把英国的自然神论和经验主义以及笛卡儿的机械论熔于一炉。P.-H.T.霍尔巴赫男爵认为无神论者是“摧毁了对人类有害的迷梦和幻象,使人类成为能够重新回到自然,回到经验,回到理性去的人”。德国启蒙运动加剧了与超自然主义的对抗,以便肯定理性的必然性和自然界的自足自给能力,而反对任何超经验的观念。马克思主义的无神论把费尔巴哈的无神论推进到它的极端,谴责宗教是“人民的鸦片”,是人类产生异化和剥削的主要原因。

20 世纪无神论的主要形式是“激进的人本主义”,它完全在人类行为或科学的范围内解释人的存在。根据心理分析学的创始人S.弗洛伊德的理论,宗教完全是神经受挫的结果。逻辑实证主义也激烈地否定上帝,他们认为上帝是一个没有意义的、不可知的概念。德国的存在主义者 K.雅斯贝斯和 M.海德格尔强调宗教超验的含糊不清的性质,但不否定它对人类的重要性。法国的存在主义者 J.-P.萨特却更为激进,指出上帝的观念是自相矛盾的;而 A.加缪则认为对上帝的肯定就是对人类理性的否定。1933 年美国发表的《人本主义宣言》,根据进化论的观点阐明人学无神论的精义。无神论在西方世界的发展使人的地位上升,以求实现人间的理想,而把人自己看作价值的主体、根源和根本对象。

无神论在不同的文化中有不同的形式。印度的数论派、佛教和耆那教都承认一种泛灵论的无神论;关于涅槃的佛教学说也暗含了对神人格化的否定。古代中国的无神论是以孔子的绝对道德主义和孟子的性善论为依据的。无神论的状况在古代的希腊罗马世界是极其模糊不清的,但柏拉图和亚里士多德曾因批判了通俗宗教的多神论,赞同超验原则的一神论,而被指控为无神论者。早期基督教徒由于不承认国家宗教而被指控为无神论者,并受到罗马皇帝的迫害;在基督教内部,异教徒也曾被攻击为无神论者。

Atheling (Old English title) 参阅 **Aetheling 艾特尔英**。

Athelney 阿塞尔内 英格兰一排干沼泽中的小高地。在萨默塞特行政、历史郡托恩和帕雷特两河汇流处附近。原为小岛。公元 878 年国王阿尔弗烈德躲避丹麦人到此,在高地建立要塞。阿尔弗烈德逃脱后在埃丁顿获得决定性胜利,在此建立隐修院以示纪念。1693 年在此发现刻有阿尔弗烈德名字的宝石饰物。

Athelstan(Danish king of East Anglia) **艾特尔斯坦** 参阅**Guthrum**格思鲁姆。

Athelstan **艾特尔斯坦**(?～939-10-27) 又拼 Aethelstan。第一位有效地统治整个英格兰的西撒克逊国王。其父"大爱德华"在924年去世后,他被选为韦塞克斯和麦西亚国王。

美国不列颠百科全书公司供图

925年9月4日在金斯顿被立为整个英格兰的国王。937年苏格兰的康斯坦丁、斯特拉斯克莱德的奥文和要求继承约克王国王位的O.格思弗里思逊合兵侵犯英格兰,但在布鲁南堡被击溃。他的6个现存法规表明他严禁偷盗和惩治腐化行为。这些法规以救济贫民和减轻对青少年犯罪的惩罚等条款著称。他的许多文件格式和措词使人感到当时已有一批干练的录事(或许是最早的英国文官)。

Athena **雅典娜** 又拼Athene。古希腊宗教所崇奉的城市保护女神,战争、工艺和明智的女神,罗马人把她视为密涅瓦(**Minerva**)。她主要是城市与文明的女神。在许多方面,同她对立的是野外女神阿耳忒弥斯。雅典娜可能是希腊时期以前的女神,后来才被希腊人接受过来。在荷马史诗《伊利亚特》里,作为女战神的雅典娜激励希腊英雄并同他们一起战斗。在同一史诗中,主神宙斯把作战事务委托给战神阿瑞斯和雅典娜。在《奥德赛》里,她是国王的保护神,而后来的神话又说她帮助过珀尔修斯和赫拉克勒斯(赫丘利)。在迈锡尼时期以后,她的住所不是王宫而是城市,特别是卫城。她受到广泛的崇拜,但在现代,人们主要把她同雅典联系起来,雅典就源自她的名字。在从君主政体向民主政体过渡的时期,作为城市女神的雅典娜·波利亚斯在雅典出现。她同鸟类(特别是猫头鹰)和蛇都有联系。在帕台农神庙的山墙上就有描绘她的出生,以及她和波塞冬争夺城市宗主权的故事。赫西奥德在《神谱》里记述说,她没有母亲,是从宙斯的前额中跳出来的。品达罗斯还说是赫菲斯托斯用斧头劈开宙斯的头生出她来。庆祝她生日的节日,即泛雅典娜节,同植物的生长有关。人们认为,在雅典首创对雅典娜崇拜的是埃里赫托尼欧斯。神话传说赫菲斯托斯有一次想强奸处女雅典娜未成,却使大地怀孕,结果生赫托尼欧斯。有两个雅典人,即菲迪亚斯和埃斯库罗斯,对于她的艺术形象的演变做过重要的贡献。菲迪亚斯有以她为题材的三个雕刻杰作,说明她从战士向城市保护神发展的过程。在埃斯库罗斯的悲剧《报仇神》里,她创建了雅典裁判所,并投票打破审判官的僵局,挽救了被告俄瑞斯忒斯。

约130年古罗马的雅典娜大理石雕像

美国不列颠百科全书公司供图

Athenaeus **阿特纳奥斯**(活动时期约公元200年,生于埃及诺克拉提斯) 希腊语法家,《欢宴的智者》的作者,这是一部以贵族酒会形式写成的作品,叙述了许多知识渊博的人在一次宴会上相遇,其中一些人具有真名实姓,例如加伦。他们讨论了饮食等问题。作品分15卷,其中10卷完整地保存下来,其他几卷是摘要。这部作品的价值,部分地在于保存了来自已散佚的古代作品的大量引文,征引范围广泛,多达800位作家;部分地在于提供了古代希腊罗马社会生活一切方面多种多样不寻常的资料。

Athenagoras **阿特那哥拉斯**(活动时期公元2世纪) 希腊基督教哲学家和护教士。据早期史料载,他生于雅典,信仰柏拉图主义。后来皈依基督教,并前往亚历山大创办学校,该校日后发展成为基督教教理学院。原来在古典时期希腊人指责犹太人不敬神、在宴席上煮食婴儿、乱伦,到了公元2世纪,这种指责就移到基督教徒身上。阿特那哥拉斯在177年前后著《护教篇》,共30章,呈交罗马皇帝马可·奥勒利乌斯和皇子康茂德,应用新柏拉图主义概念,向具有希腊和罗马文化背景的人们解释基督教教义,驳斥这种指责。同时他宣称基督教所敬畏的是完美和永恒的上帝,他说三位一体并不是多神,三位具有不同的位格,但具有单一的本性和能力。他说基督教徒性关系严谨,而且遵守有时是十分严格的道德准则,禁戒邪念、重婚和堕胎,不看斗士角斗,坚持公民应尽本身义务,追求来生荣耀。

Athenagoras I **阿特那哥拉斯一世**(1886-03-25,希腊约阿尼纳附近瓦西利孔～1972-07-07,土耳其伊斯坦布尔) 原名阿里斯托克莱斯·斯皮鲁。1948～1972年任希腊正教牧首兼君士坦丁堡(今伊斯坦布尔)大主教。1922年任科孚都主教,1930年任北美洲和南美洲希腊正教会大主教,统辖教徒195万人。在他指导下,美洲希腊正教会开创许多教区,开办多处学校,包括神哲学院一处。1948年当选牧首。1964年主动与教皇保罗六世在耶路撒冷会见,这是自1439年以来天主教和希腊正教领导人第一次会晤。1965年两领导人同意取消1054年的双方互相绝罚处分。

Athene (goddess) 参阅 Athena 雅典娜。

Athenodorus CANANITES **雅典诺多罗斯(加纳那的)**(约公元前74,西利西亚塔尔苏斯附近的卡纳那[今在土耳其]～约公元7) 希腊斯多葛派哲学家,奥古斯都大帝青年时代的教师,对大帝有过长期影响。可能在公元前44年随大帝去罗马,后又回塔尔苏斯,修改城邦宪法,建立由有产者领导的亲罗马政府。他的著作没有一篇传世。在斯特拉博和西塞罗的著作中有关于他的资料。

Athenry **阿森赖** 爱尔兰戈尔韦郡的集镇。建于13世纪。保存有许多中世纪城墙(1211)的残垣和城堡的高楼(1235)以及多明我会隐修院(1241)的部分建筑。人口1 642(1986)。

Athens **雅典** 希腊语作Athínai。希腊共和国首都,一般被视为西方文明的摇篮。地处干燥的山间盆地中,距爱琴海水湾法莱雷奥湾5英里(8千米)。雅典港口比雷埃夫斯位于湾内。大雅典面积165平方英里(427平方千米),盆地被一系列小山自南向北划分为东西两部分:西部有基菲索斯河(夏季仅为涓涓细流)流过;东部有伊利索斯河(时常干涸)穿过。周围群山-帕尔尼斯山高4 636英尺(1 413米),彭特利库斯山高3 631英尺,伊米托斯山高3 365英尺,艾加莱奥斯山高1 535英尺-使人产生荒凉的感觉。不过若与雅典留给世界的丰富遗产如哲学、建筑、文学、政治理想等相比较,则可知这种想法是极其肤浅的。

自然地理和人文地理

景观 气候 雅典气候温和,很少霜冻(最低温度0 °C),偶见降雪;然而夏季炎热(最高温度37 °C)、干燥,白天常有清新的东北风。夜间凉爽,城市内气候宜于常年进行室外活动,这不仅对建筑风格和市民生活,而且对政治机构和制度都有重大影响。

城市规划 1833年雅典几乎已不复存在。在争取独立的过程中,1827年雅典已被撤离一空,6年以后可能仅有4 000人居住在卫城下方北坡上零星散乱的小房子里。希腊人刚迎入的外籍国王,巴伐利亚路德维希一世的18岁的儿子奥托,在仅有两层楼的石头房屋内即位,这时其德国建筑师们才带着将出现在田野远方的王宫和新雅典的设计图纸匆忙赶来。

在地点适中但朴实无华的王宫下方建起一个花园般的广场——宪法广场。如今在旅游季节,广场上装点着一些欧洲最豪华的咖啡座,而广场一年四季都在高大的新式大楼和老式豪华宾馆的重重包围之中。过去建起的宽广的大道,现在仍然是城市中心的通衢——斯塔迪奥大街和帕尼匹斯蒂米奥大街,两条大街之间建起了整齐有序的方格形的狭窄的小街。住房大多是仿照维多利亚时期的伦敦建造的,坚实、有门廊而且相当庄严;但后期的仿制品却粗俗而单调。在雅典,这一时期的建筑被称作奥托式;不过由于中心区蚕食和侵占古老的住宅区,现在奥托式建筑已所剩无几。

沿帕尼匹斯蒂米奥大街,雅典科学院拔地而起,它是用彭特利库斯山大理石建造的,山花和柱廊都镀了金。其邻近的建筑物是雅典大学(1837年重建,柱廊用绘画装饰)和国家图书馆。所有这些都是希腊复兴式建筑,出自王室德国建筑师们之手。1891～1897年建成一座新王宫(现在的总统府),位于赫罗底斯·阿提库斯街,距东南方的旧王宫(现在的国会大厦)不远。这条街可通向有7万个座位的泛雅典娜节体育场,这是一位移居国外的希腊百万富翁为及时恢复1896年奥林匹克运动会而重新建造的。

1921年雅典中断了井然有序的建设进程,开始了无计划的发展,因为希腊与土耳其之间交换少数民族,大约有150万希腊人(大多是身无分文)来自小亚细亚。尽管政府努力在其他地方安置他们,可是许多人还是蜂拥进入雅典和比雷埃夫斯周围一带的棚户区,这一地区的人口从473 000猛增至718 000。此后,雅典市开始向两个方向扩张,南面向比雷埃夫斯,北面向基菲夏村。公元前1世纪H.阿提库斯在基菲夏村建造别墅时,它就开始成为美丽的郊区了。

20世纪40年代雅典骇人听闻的事件连续发生。在德国占领期间,许多人饥饿而死,该市因缺少给养而濒于崩溃。当德国人撤离时,因同盟国装备起来的部分抵抗力量拒绝放下武器而爆发内战。短时间内,政府仅占据国会大楼、邻近的大使馆和宪法广场的一部分,而王宫花园被用作公共坟地。

①住宅。20世纪50年代开始了建设高潮。新的公寓如雨后春笋,到处兴建,旧的社会界线消失(尽管利卡维托斯山东南坡上的科罗纳基区仍然是体面有钱人的聚居地),以往扩大城市范围中所附加的居民村已丧失它们自然和政治的特征。基菲索斯河畔具有历史意义的橄榄林的西侧被砍光,山坡上葱绿的草木在建房中开始消失,这些住房都是未经批准或通过政治诈骗使之合法兴建的。空旷的场地没有建造公园、游乐场,甚至学校已无踪影;雅典延伸到格利法扎海岸,与比雷埃夫斯连成一片。比雷埃夫斯本身则从世界一个著名的遍布低级娱乐场所的港口改变成为一个清洁的、崭新的、有鲜花点缀的城市。

为与城市扩建保持同步,雅典的总体设计已扩大了好几倍,到1964年已达到75平方英里,以及计划之外的建成区共17平方英里。由于国际旅游业的发展,雅典市以南的埃利尼科机场已扩大和现代化。

作为该市水源的马拉松人工湖已不能满足新建设的需要,城西北110英里的莫尔诺斯河现已筑起拦河坝,可以供水。现代化的排污系统已启用;当大雨倾泻在裸露的山区时,洪水滚滚流入雅典,排污系统以及控制设备就起着防洪作用。

②传统景象。在这些喧闹、混乱之中,旧时代的雅典并未完全消失。老雅典占有莫纳斯蒂拉基广场侧面的6条街道,靠近发掘出来的亚戈拉广场旁边。正面敞开的小商店中,悬挂着饰以金银丝箔的民族服装和用铜、熟石膏、塑料、涂料等复制的各式各样的雅典纪念物品。这里有古董商胡同、铁匠铺街、五金商店路,也有其他杂七杂八、种类繁多的杂品巷。

靠近这生气盎然地段的是普拉卡,它位于卫城的北坡。约在独立时期建造的小平房聚集在半山腰,颇具简朴的田园气息。

卫城 卫城是雅典的天然中心,许多雅典给予全世界的精神财富都展示在卫城及其周围。从最早的时代起,显然卫城就被选作城堡和圣所,它海拔约500英尺,靠近基部有淙淙泉水和唯一的进道。卫城更重要的价值在于帕台农神庙,它不仅是雅典而且是人类宝库中最灿烂的明珠之一。1987年卫城被列为世界遗产。

正如苏格拉底的谈话那样简单明了、易于令人相信一样,这一有圆柱的长方形神殿,就是人类理想的明晰和统一的表现-丝毫没有牵强附会或龃龉抵触。建筑师的才华集中体现在神殿的外部,因为内部仅为供奉雅典娜(庇护女神,雅典因之得名)女神的场所,而不是群众礼拜的地方。神庙的精神气质——虚无缥缈的感觉——由于四周的列柱廊没有任何一根垂直的线条而得以加强;每根竖线都是在几乎不能察觉的情况下变为从理论上在空中约11 500英尺处相交的曲线。所有的圆柱,其粗细程度,向列柱廊中心的方向递减,相互间的距离逐渐缩小,圆柱也逐渐向中心靠拢,所有这些差异对于观看者实际上是看不见的。工艺上连最简单的细部都完美无瑕,甚至每根圆柱的20个沟槽也都愈升高而宽度愈小。

在神庙内部东北隅,尚有形象模糊的基督教壁画,壁画是从神庙当作圣马利亚教堂之日起就有的;门廊的西南角有阶梯通向一座尖塔,该尖塔是神庙用作土耳其清真寺时所增建的。

山门过去是围墙中唯一的豁口,是通向卫城独一无二的入口。就在它的前方,左边现有一个27英尺高的向阿格里帕供献谢恩礼品台的底座。雅典曾支持过安东尼,阿格里帕在亚克兴战役中打败安东尼,却为雅典求情;右边是奈克雅典娜(胜利女神)的神庙。它在1686年前曾完好无损;1686年土耳其人为了抵抗威尼斯人要利用石块做防御工事而拆除了这座神庙。1836年修复此神庙时工程低劣;而100年之后,地基开始滑向以前未曾发现的土耳其水塘,显露出公元前6世纪庇西特拉图早期供奉塔上的阿耳忒弥斯的神龛的地基。于是神庙得以更精确地修复。山门的北翼匹纳科特喀被法兰克君主们占用,他们修建了内部,使其成为两层的楼房。12世纪希腊正教主教们住在匹纳科特喀;14世纪佛罗伦萨的雅典君主王朝将山门改建成一座带有托斯卡纳式塔的、筑有防御工事的城堡。该城堡1875年被德国考古发掘家谢里曼(他发现过特洛伊城遗址)拆除,后来他为此付款赔偿损失。

自1456年起土耳其占领雅典。当其离开时,纪念建筑物成为一片废墟,地面上留下了庭园遗址和数百间简陋的小屋。希腊赢得独立后,希腊人的第一位国王奥托将古典时期以后的所有纪念建筑物一扫而空,并让学者辨认遗迹的真伪,促进某些古建筑的重建。

根据公元2世纪希腊旅行家和地理学家保萨尼阿斯说,巨大的30英尺高的"战斗在最前列的雅典娜"坐着的铜像(公元前5世纪雅典雕塑家菲迪亚斯的作品)就矗立在山门后方的空地上,苏尼翁角以外30英里的海员们都能见到雅典娜闪耀发光的盔和矛。正如他从帕台农神庙窃走菲迪亚斯用象牙和黄金制作的雅典娜塑像一样,6世纪的拜占廷皇帝查士丁尼也将这尊雅典娜的坐像带到君士坦丁堡(今伊斯坦布尔)。这两件杰作,在1204年十字军劫掠君士坦丁堡时又被其他强盗掠夺而去。其他塑像过去在一些小神庙中甚多,如:雕塑家米隆的"玛息阿与雅典娜"的组像、"帕尔修斯"和"女人";菲迪亚斯的"利姆诺斯的雅典娜"和"伯里克利";还有特洛伊木马的巨大青铜像,另有健康女神雅典娜的祭坛,供奉布劳伦的阿耳忒弥斯(女神塑像来自布劳伦镇故名)女神的圣堂,潘德罗索斯堂(潘德罗索斯是神话中与雅典娜有关的女孩,堂内生长有雅典娜橄榄圣树),在帕台农神庙的那边还有雅典娜的大祭坛。

其他著名建筑物 在卫城圣地下方的西南山坡上,一位罗马富翁阿提库斯在公元161年为纪念其妻建筑了一所5 000个座位的演奏场。它除了半圆形的听众席是将岩石挖空外,就是一所常见的罗马剧院;剧院有雪松木铺盖的屋顶,正面是三层的拱门。剧院现经翻修而没有屋顶,供雅典夏季音乐戏剧节演出之用。早在建造演奏场之前300年左右,已建有一座长300码的门廊伸向狄奥尼索斯剧场。此剧场本身是早在公元5世纪从南山坡挖空而成的,它代替了亚戈拉广场舞台成为戏剧中心,并代替普尼克斯成为群众聚会的场所。这座坍塌的剧场经多次重建,现在所能见到的大多是罗马时期的建筑,最后一次舞台修建工作或许是在公元3世纪初。春天的酒神节在此举行,剧场有67排、13 000个座位,它从希腊各地、小亚细亚和意大利各殖民地吸引来许多群众。评奖团占有前排较大的座位,教会知名人士占有较小的石造神座,现在石座上仍可看到他们的称号。三大悲剧和四大喜剧都在此演出、参赛、评奖。演出费用由私人主办者负担。当主办者的剧团获得三足鼎奖时,他便将其置于剧场

现代雅典及雅典卫城远眺
美国不列颠百科全书公司供图

东侧三足鼎街上一所精美的纪念馆中展览。这些纪念馆中,现在仍保存的唯一的一座是利西克拉蒂斯于公元前334年建造的21.5英尺高的圆形小庙,它的6根圆柱是早期科林斯柱式的范例。这座小庙由于并入一所女隐修院(英国诗人拜伦曾在此研读)而得以保存下来;它通过爱丁堡艺术家"雅典人"斯图尔特的雕刻影响了英国乔治和摄政时期的建筑。再往东是伯里克利演奏场;西边是医神阿斯克勒庇俄斯圣地的遗迹(公元前420年),圣地的形式是医院供病人用的门廊和饰以感恩浮雕的殿堂。

在战神阿瑞斯山上,山门向下坡道的右边,有神话中司审判的众神,他们宽恕阿瑞斯,他因杀害海神波塞冬之子本应被处死。过了许多年代都继续在此小山上审判杀人罪犯,迄今希腊最高法院的机构名称仍来源于此。

穿过使徒保罗大道是尼姆夫斯山、缪斯山和中间的普尼克斯山。在尼姆夫斯山上,一位奥地利-希腊人巴伦·西奈于1842年建筑了一座天文台。缪斯山顶上有纪念菲洛巴卜斯(叙利亚人,他是公元2世纪罗马执政官)的大理石建筑的遗物。普尼克斯("簇拥在一起"之意)山是市民会议的集会处,在此曾聚集有18 000市民倾听伟大雅典演说家们的演讲。

①亚戈拉广场。沿大道下去就是亚戈拉广场。1931年美国古典研究学校开始修复亚戈拉广场,给居住在这里的几百户人家偿付了250万美元。此外,还有洛克菲勒基金会、马歇尔计划、希腊政府等部门提供的财政援助,修复工作持续到1960年为止。修复的项目中有人们称为"公元前2世纪有180根圆柱的柱廊的一丝不苟的复制品",它现用作博物馆。

在亚戈拉广场的入口处,是希腊神庙中保存得最好的忒修斯神庙(公元前5世纪)。尽管它实际上完好无损,绝对真实,然而它现在所有的只是近代复制品的死气和呆气。从忒修斯神庙建筑师和工匠们的身上,找不到任何那些令帕台农神庙光彩熠熠的美妙、神秘和才华。

②钟塔和正教教堂。另一个纪念建筑物是42英尺高的八角形大理石钟塔。因为它每一边都有一个表示从这一特定罗盘方位来风的气象标帜,通常称为风塔。它原来还有一个日晷、一个阴天报时的水钟和一个风向标。土耳其人信其为当地两个先知苏格拉底和柏拉图的坟墓,便让它原样未动。

在19世纪的新拜占廷式希腊正教教堂附近是12世纪的艾约斯埃利夫特里奥教堂,它是现存的3座真正拜占廷式教堂之一,它像其他两座教堂一样,是红砖砌成的小教堂。它的彭特利库斯山大理石,由于年长日久现已变红;它的外墙,巧妙地——如果是偶然地——用古典希腊的小件(如嵌板、还愿匾额和零星的壁缘)装饰。这座废置的教堂,也像它的两个姐妹教堂一样,富于魅力、朴实无华并令人赏心悦目。

人民 19世纪30年代初独立战争后,大雅典的人口增加相当快。后来人口的迅速增长主要是由于20世纪20年代初期来自小亚细亚的难民大量涌入、第二次世界大战和共产党叛乱(1946～1949)期间乡村各地居民的迁入。到20世纪60年代,雅典已成为熙熙攘攘的世界性大城市。现在几乎所有的希腊人信奉(希腊)东正教。人口:市745 514(2001)。

经济 *工业与贸易* 自第一次世界大战以来,雅典已成为所有商业——出口和进口的中心。它同比雷埃夫斯加在一起是希腊最重要的制造业城市。雅典的工业和手工业就业人数占全国的一半,收入大大高于全国平均数。这里有棉纺织厂、酿酒厂、啤酒厂、陶瓷厂、面粉厂、肥皂厂、制革厂、化工厂和毛毯厂。出口有橄榄油、西红柿制品、葡萄酒、水泥、铝土矿和纺织品。出版业也很重要。

灿烂的雅典式灯光现在已被笼罩在该市上空阴森森的空气污染得黯淡无光了。为了不使新的工厂进一步增加问题的严重性,并促使其他地区的经济发展,雅典地区已征收工业工资税,其他地区则对新建的工厂以赋税形式进行鼓励。

运输和航运 雅典的车辆占全国所使用的小汽车、卡车和公共汽车的一半以上。而且在希腊(大多在该国最大的港口比雷埃夫斯)注册的商船数已有增加,因为自20世纪60年代末期以来希腊船主响应政府的号召将其在外国注册的船只转到国内(虽然许多

希腊船只仍悬挂他国的国旗)。数十家航运办事处已在整修后的比雷埃夫斯开业;而航运巨头却在周末驾着镶铬的豪华游艇(悬挂巴拿马和利比里亚国旗)驶向附近的伊兹拉岛和斯派采岛。

大都会区的公共交通运输系统有电气化的铁路、公共汽车和无轨电车。电气化的铁路南接比雷埃夫斯,北接基菲夏郊区,而通过雅典市区时却在地下行驶。主要的铁路站拉里萨可将雅典市与全国和全欧洲的其他地方连接起来。

历史

早期 *引诱移民定居的因素* 雅典自新石器时期(公元前3000年以前)以来就有人居住。有来自卫城及其周围所发现的陶器可资证明,尤其是在卫城西北坡、紧靠克勒普西德拉泉的下方的一组大约20口浅井(或土坑)中发现的陶器。这些井内有一些质量极优的磨光的陶罐,这些陶罐说明,就在远古时代的雅典的居民已有了很高的技艺水平。同时也发现了在青铜器时代初期和中期(公元前3000～前1500)有人居住的类似迹象。

青铜器时代末期最早的建筑物,尤其是大约公元前1200年当卫城还是城堡的时候,在其顶部周围建有用巨石堆积的厚实城墙(不用灰浆垒砌巨大石块的一种建筑)。现在虽然没有什么雅典远古时期建筑物的遗迹,然而当时雅典的财富和繁荣从稍后的迪比隆门和伊利门地区所发现的几何图形的坟墓可以推知。这些坟墓中有很大的陶瓶(有时高达5英尺以上),瓶上饰以几何图形和战争、队列、葬礼等场景。

雅典的扩大 公元前6世纪,尤其是庇西特拉图及其诸子专政时期(约公元前560～前510)是雅典的惊人发展时期。卫城上老的原始的神龛开始被大型石头神庙所代替。约在公元前580年,一座供奉雅典娜的称为赫卡托姆庇敦(或有柱基)的神庙,建立在后来由帕台农神庙地基上。其山花(形成山墙的三角形空间),用色彩鲜艳的多孔性石灰岩制作的大型雕塑作装饰,雕塑表现狮子制服公牛的群像,夹角中嵌有长着蛇尾的怪物。现在这些雕塑都在卫城博物馆陈列展出。公元前566年庇西特拉图为崇敬雅典娜以每4年一次重新组织了泛雅典娜节运动会。约公元前530年,一座供奉卫神雅典娜的大型圆柱式神庙(四边都有一排圆柱)在卫城的中心附近、破旧的青铜器时代王宫的遗址上建立起来。庙内有表现众神与巨人战斗的大理石山花雕塑。除了这两座大神庙之外,还有5座小型库房之类的小建筑物以及许多大理石、青铜和赤陶制造的还愿供品。这样,卫城就成为颇具规模的圣地。

这种从城堡到圣地的变化,也从西边入口的布置上得到反映。从前适合防御的蜿蜒小道,约自公元前6世纪中叶起,已由一条专为礼仪行列行进的通向大门的广阔的坡道所取代。这种通向卫城方式的根本改变,肯定表明下边的整个城镇已筑有防御性的围墙,而卫城已不再有进行防御的必要了。古代历史学家希罗多德和修昔底德提到过这一围墙,而迄今尚未发现其踪迹,围墙的走向和修筑日期也不能确定。

对于下边的城镇,公元前6世纪也是个发展和变化时期。位于卫城西边入口下方的老亚戈拉广场,当时已不够应用,因而在其西北部低地上建起一个新亚戈拉广场。为了拓建一个广阔的露天广场,拆除了房屋,填平了水井和沟渠,广场用于政治、司法、宗教和商业等各式各样的集会。在建成一座单独的剧场之前,戏剧比赛也在此广场举行。在广场周围矗立有各种公共建筑物和神龛,其中有王家柱廊、老市政厅和一大片圈地(100平方英尺)。柱廊内设有执政官巴西柳斯(雅典市主要行政官之一)的总部。圈地内很可能建有最大的公众法院赫利亚亚法院。广场的东南角有泉水房,它通过赤陶管道从城外引来泉水。

公元前480年波斯人攻占并摧毁了这座欣欣向荣的城市。卫城的建筑物被焚毁,下边城镇的房屋除少数留作波斯人首领的住房外,大多已毁坏。

雅典的全盛时期 公元前479年雅典人重返故土,立即重建一座更大的城堡。大约20年后,雅典人建起著名的长墙,将雅典同4英里以外的港口比雷埃夫斯连接起来。长墙在古典时期的雅典历史中发挥了极其重要的作用,因为有了长墙,即使敌军在阿提卡乡村游荡时,也能将雅典强大的船队运来的给养平安地输送到城内。

在波斯人摧毁雅典后的30年间,雅典人仅在亚戈拉广场筑起防御工事和一些世俗的建筑物;值得注意的有彩绘柱廊,内有波利格诺托斯和米康的著名的绘画,其中一幅表现了马拉松战役。作为市政会执行委员会总部的圆形建筑托洛斯也在这一时期建成。雅典人之所以不重视卫城的建设,部分原因是由于公元前479年普拉蒂亚战役之前,他们曾发誓说野蛮人所摧毁的圣殿、圣堂等将不予修复,而留作他们邪恶行为的纪念。然而,公元前449年雅典终于同波斯正式确立了和平,誓言也就被取消。

在40年的期间内,整个卫城都用城北10英里彭特利库斯山开采出来的闪烁发光的白色大理石予以重建。第一件伟大工程是帕台农神庙,公元前447年开工,公元前438年(除若干细部外)竣工。建筑师是伊克蒂诺和卡利克拉特,菲迪亚斯负责整个艺术设计。这座神庙比一般神庙大得很多;它的两端之间有8根圆柱,长边有17根圆柱;而一般神庙,两端之间只有6根圆柱,长边13根圆柱。帕台农神庙用雕刻装饰得富丽堂皇,在整个内殿(在柱廊之内有内壁的房间)墙外顶部的周围都有连续的壁缘,还有雕刻的排挡间饰和雕刻的山花,内殿之中竖立有受人崇拜的塑像——巨大的黄金和象牙制作成的雅典娜神像,这是菲迪亚斯的作品。帕台农神庙的主要工程刚完成,就开始了山门的建筑。这是入口前端有5个门的纪念性通道,由建筑师姆奈西克里设计,山门的宽大外门厅的大理石顶棚,由自由跨度18英尺的大理石横梁支持。公元前432年,山门的工程快要完成时,伯罗奔尼撒战争爆发,工程停止了;然而,由于战况开始对雅典有利,奈克雅典娜小神庙,可能在公元前425年在山门前面棱堡之上建立起来了。在公元前421年签订《尼西亚斯和约》前后,厄瑞克忒翁神庙也开始建筑。这是平面布置极不规则的爱奥尼亚式小神庙,其中陈设有各种早期的宗教崇拜偶像和神圣的纪念品。当建筑大致进行到一半时,可能由于雅典对西西里的灾难性远征(公元前415～前413),工程突然停止,不过又于公元前409年复工,于公元前406年竣工。两年后雅典最终被战败,使所有的建筑工程打上了句号;不过卫城业已建成,在以后的几个世纪内仅增建了次要的建筑物和纪念碑等。

在公元前5世纪后半叶,在山下城镇中也有些建筑活动。甚至在建造帕台农神庙之前,供奉火神赫菲斯托斯的忒修斯神庙的工程业已开始;现在这座神庙仍矗立在一座矮山之上。在亚戈拉广场,建造了一所新市政厅,还建成两处柱廊——宙斯柱廊和南柱廊。在卫城南坡剧场的旁边,伯里克利建成一座演奏场,它是一所封闭式的大音乐厅,屋顶由许多圆柱支撑。关于剧场本身,无遗迹可资考证,不过其布局无疑是十分简单的;现在知道从公元前6世纪末这一地点就有一所剧场存在,因为附近的迪奥尼苏斯(酒神)旧神庙乃建自同一时期。公元前420年在卫城南坡建立了一座阿斯克勒庇俄斯圣堂。

雅典正缓慢地从伯罗奔尼撒战败中恢复过来,公元前394年海军将领科农在小亚细亚西海岸的尼多斯赢得了对斯巴达的决定性的海战胜利。结果,科农修复了长墙,斯巴达人在10年前深信他们在为希腊开创自由而在长笛乐曲声中拆毁了长墙。比雷埃夫斯城墙也得到修复,雅典的城墙在公元前4世纪中多次加固,值得注意的是为了防御围攻机械而增筑了壕沟或护城河。

公元前4世纪的雅典,除军事工程外没有甚么建筑;直至公元前338～前322年演说家科库尔戈斯管理国家财政时才大兴土木。在卫城以西顶部宽阔的尼克斯小山上(公元前6世纪克利斯提尼改革以后,民众的集会都在此召开)建成一座很大的会堂。同时,在上方台地上又开始修建两处很大的柱廊。迪奥尼苏斯剧场得以重新修复并大大扩充,设有容纳观众的石头座位。利库尔戈斯为剧场做了另一件好事,就是使其得到古剧的最权威的抄本。大约就在那时,还建成泛雅典娜节体育场,部分由城邦提供资金,部分由私人捐款;地基是由名叫德尼亚斯的人捐献的,普拉蒂亚的欧德摩斯提供了1000对挽畜来平整土地。这是一个在其他领域内私人也极尽铺张浪费的时期。在合唱比赛中所获得的奖品三足鼎放在华丽的纪念馆内展出。这类纪念馆有时甚至可同小型神庙媲美,其中保存得最好的是利西克拉蒂斯纪念馆(公元前334),它是一个有6根科林斯式圆柱的小型圆形建筑物。坟墓也日渐华美,时常用深浮雕描绘全家。公元前315年德米特里的法莱雷奥斯的节约法令杜绝了一切铺张浪费的行为。

与此同时,哲学流派盛极一时。柏拉图(约公元前428～前348或347)在学园建立自己的学派。学园至少从公元前6世纪起就是雅典城以西约1英里的大橄榄林中一个运动场。柏拉图在附近有一所房子和花园。亚里士多德及其逍遥派弟子们占据另一个运动场吕刻昂学府，它位于雅典市以东的近郊；亚里士多德的继承人泰奥弗拉斯托斯就住在附近。安提西尼和犬儒学派信徒在市东南的塞诺萨吉运动场活动。芝诺在市中心亚戈拉广场上的彩绘柱廊滔滔不绝地演说；因此他的弟子们被称为斯多葛（Stoic——柱廊）派。伊壁鸠鲁及其弟子们在城内拥有一所住房和花园。

除了神庙、公共建筑和大街之外，雅典给人的印象似乎并不美好。公元前3世纪的一位游客抱怨：雅典市干燥，供水不足；雅典非常古老，因此布局不善；房屋大多低劣。实际上街道狭窄而弯曲。房屋面街的部分，除供人出入的门外，就是一堵单调的墙壁；房屋是环绕一个中心庭院而建筑的，各个房间通向中心庭院。房子常有上层，庭院内有水井。由管道输入的水是含有镁盐或钙盐的硬水，并不算好，能导致风湿病。废水从街道下面复杂的地下排污系统流走。

希腊化时代和罗马时代 希腊化时代和罗马时代的雅典，与其说是靠自己的资源，不如说靠国外君主的乐善好施来美化城市的。有一位埃及托勒密王朝的君主捐赠一所运动场，将其建在忒修斯圣殿附近；这些托勒密王朝的君主们可能在建立供奉埃及神祇伊希斯和萨拉匹斯的圣殿中发挥了重要作用。帕加马（在小亚细亚）阿塔罗斯王朝的君主们的捐赠更加重要。欧迈尼斯二世（公元前197～前159）捐款，在卫城南坡剧场附近建起一座两层的大柱廊。其弟阿塔罗斯二世（公元前159～前138）曾在雅典新学园派的领袖、哲学家卡涅阿德斯指导下学习过；他同样也捐赠一所柱廊。这是一所大型的、精心建造的二层建筑物，长350英尺有余，后部设有一排商店。它位于亚戈拉广场东侧，曾在现代（1953～1956）重建过，以用作博物馆陈列亚戈拉广场发掘的文物，在大规模重建亚戈拉广场中，首先建成阿塔罗斯柱廊，紧接着中柱廊、东大厦和南柱廊相继建成，这3座建筑在一起构成一个单独的南广场。

公元前86年罗马将领苏拉攻占雅典，随之而来的是大规模的屠杀和大量私人房屋被毁；但是公共建筑物被毁坏的仅有一所，那就是伯里克利演奏场，它是雅典卫士担心木材被敌人利用而故意焚毁的。数年后，该演奏场由于卡帕多西亚国王阿里奥巴尔赞的慷慨捐款而得以重建。

在罗马帝国统治下，雅典倍受青睐。为销售油及其他商品在老亚戈拉广场以东建筑一个广阔的市场，先由凯撒筹建，后由奥古斯都皇帝完成。皇帝的女婿阿格里帕及其一名主要副官在老亚戈拉广场的中央建起一座新演奏场或音乐厅。在东北角也建起一所大建筑物，或许是法院。在亚戈拉广场东南角，约在公元100年建起一所漂亮的图书馆，它是某位潘特努斯及其家人的捐赠物。图书馆内装饰有表现荷马的大理石群雕，两侧是《伊利亚特》和《奥德赛》。在卫城之上，竖立起一所供奉女神罗马和奥古斯都皇帝的小圆庙。

哈德良（117～138）皇帝完成奥林匹亚宙斯大神庙的建设，这项工程在600多年以前是由庇西特拉图集团开始的。这座神庙成为雅典新的东部郊区的主要名胜。哈德良给这一地区修建了一座纪念性的大门，大门一面刻写着"这是忒修斯的雅典，旧城市"，而另一面镌刻着"这是哈德良的城市，不是忒修斯的城市"。哈德良还建成一座图书馆、一座运动场和一座万神庙。哈德良的输水管道（从山区引向城北）现已修复，仍在为现代的雅典市服务。

雅典的城墙自公元前86年苏拉攻占雅典后就一直不被重视，成为一片废墟。在瓦莱里安在位期间（253～260），城墙得到修复，城圈扩大到包括奥林匹雍东北的新郊区。这样做是由于当时已有野蛮人入侵的威胁。不过当公元267年入侵真的来到时，城墙却毫无作用；来自北欧的日尔曼民族赫鲁利人轻而易举地攻占了雅典。下边的城镇被洗劫一空，亚戈拉广场所有的建筑物都被焚毁；不过卫城可能坚持了抵抗，至少现在没有证据说明那时曾有过广泛毁坏。

这次雅典所遭受的劫掠，仅有公元前480年波斯人的劫掠能与之相比。可是这次雅典人的反应却十分不同。雅典人放弃了外城圈，并在卫城以北修筑了一个新的、小得多的城圈，甚至让亚戈拉地区也处在城墙之外。从考证钱币得知，这座新城墙建于普罗布斯在位期间（276～282），建筑材料是从下边城镇坍塌的建筑物中取来的。

雅典好几代人都被限制在狭小的城圈之中，但在4和5世纪雅典获得复兴。旧的外城圈修复了，许多新建筑物也建立起来了。这时的雅典仍然是希腊世界的文化首都和异教的堡垒。雅典的哲学学派，虽然观点可能已有所不同，但仍保留其古代的名称；它们从各地吸引来学生，盛极一时。学生之中有背教者尤里安皇帝和基督教教会的两位神父纳济扬奏斯的巴西尔和格列高利。当这些学派存在时，雅典是个颇具影响的地方，而当529年它们被查士丁尼皇帝查禁时，雅典降低到一个地方性小城镇的水平。权力和财富早已转移到希腊世界新的中心君士坦丁堡去了。

拜占廷时期和土耳其时期 随着公元51年使徒保罗的来访和丢尼修大法官的入教，基督教很早就在雅典开始传播。丢尼修是前任执政官，也是听取保罗讲道答辩的最高法院法庭成员之一。不过雅典这个基督教小社区并没有兴盛与扩大，雅典仍旧是古老生活和思想方式的堡垒。5和6世纪，在正式确立基督教而废除异教崇拜之后，便开始设立教堂。不过这些教堂往往都是古代神庙改作基督教礼拜堂的，例如帕台农神庙、厄瑞克忒翁神庙和供奉赫菲斯托斯的忒修斯神庙都是如此。新建的教堂平面都呈长方形，木制屋顶，不过这些教堂现在除地基外已荡然无存。已知这一时期总共约有22座教堂。

7～10世纪是雅典的黑暗时代。在这一时代的历史中，几乎从未提及该城市，而且考古遗迹也几乎全无。在11和12世纪雅典恢复了一定程度的繁荣。当时雅典人的审美观仍可以现存的、用石头砖瓦建造的小教堂的式样中感觉出来，这些教堂诸如卡普尼卡里亚教堂、圣狄奥多尔教堂和神圣使徒教堂都是按拜占廷式的在方形的周边内主体建筑呈十字形的平面设计建造的。

1204年雅典被十字军攻陷后，处于拉丁人统治下达250年。除了帕台农神庙（它已不是东正教堂而是天主教堂）新建钟塔之外，城镇的外观无甚变化。

雅典经过1456～1458年土耳其人围攻之后，帕台农神庙于1460年改成清真寺，钟塔也改成尖塔。在下边城镇还建筑有其他清真寺。不过，总的说来，应用火药的年代对雅典尤其是卫城的建筑才是灾难性的；实际上这些建筑迟至17世纪中叶还是完好无损的，只是在以后的战争中被炮火所摧毁。

希腊独立后的雅典 1821年希腊起义军突然袭击了雅典市，1822年攻占了卫城；可是1826年雅典又陷落到土耳其人手中，次年土耳其人炮轰并夺取了卫城，厄瑞克忒翁神庙损失严重，色拉西洛斯纪念建筑物被摧毁。在1833年雅典被选作希腊王国首都之前，卫城一直被土耳其人占领。以后雅典的历史就是希腊王国的历史。

在第一次世界大战中，雅典发生了1916～1917年事件，这导致了协约国胁迫康斯坦丁国王逊位。第二次世界大战期间，雅典被德国军队占领，但幸免于空中轰炸。

Athens 阿森斯 美国亚拉巴马州北部城市，莱姆斯通县县城（1818）。在田纳西河流域。1810年建居民点。1818年设镇。1915年设市。阿森斯市为农业和木材业中心。1822年建州立阿森斯学院（原为一女子学院）。1934年以前经济以棉花业为主。后利用田纳西流域管理系统提供的电力发展多种工业。棉花仍是该市经济的重要组成部分，制造业（汽车配件和办公设备）和禽类加工业也十分重要。田纳西山谷怀旧小提琴大会于每年的10月份举办。该市西南16千米处有核电站。人口18 967（2000）。

Athens 阿森斯 美国佐治亚州东北部城市，克拉克县县城（1871）。濒临奥科尼河。1801年始建，1806年设镇，1872年设市。该城是随着佐治亚大学同时发展起来，并成

阿森斯市的泰勒-格雷迪大厦
美国不列颠百科全书公司供图

为附近一带富饶农业地区的贸易中心，经销奶牛、肉牛和家禽。有家禽加工和服装、纺织品、钟表、电动机及变压器等制造业，以及旅游业。市内有许多南北战争前的著名建筑，如露西科布学院、泰勒-格雷迪大厦以及约瑟夫·亨利·伦普金大厦等。设有美国海军后勤

部学校。人口:统一都会区 100 266;阿森斯都会统计区 153 444(2000)。

Athens 阿森斯 美国俄亥俄州东南部城市,阿森斯县县城(1805)。濒临霍金河,位于哥伦布东南 117 千米处。1800 年在阿森斯建美国西部大学(1804 年改名称为俄亥俄大学)。1881 年建村,1912 年设市。该市随教育研究机构的增多而发展起来,工业亦随之有计划地发展。生产汽车配件、压缩机、胎具模型和工具等。有煤矿开采业。阿森斯市位于韦恩国家森林区。该市以西 23 千米处有霍普湖。人口21 342(2000)。

Athens 阿森斯 美国田纳西州东南部城市,麦克明县县城。位于田纳西河流域,在大雾山脉和坎伯兰高地之间。诺克斯维尔西南 89 千米处。1821 年初建时为一法律机构所在地,后有法院迁入。1829 年设市。原为农业社区。现制酪、肉牛和家禽养殖、烟草仍十分重要。工业是该城经济的重要组成部分,生产新闻用纸、汽车配件、家具、纺织和电子产品。设有田纳西卫斯利安学院(1857)。城市东部有大烟山国家公园。人口 13 220(2000)。

atheriniform 银汉鱼类 银汉鱼目(Atheriniformes)硬骨鱼的统称。该目包括飞鱼等为人熟知的海鱼和许多淡水种类。①飞鱼亚目(Exocoetoidei)包括飞鱼、鱵鱼、腭针鱼和竹刀鱼类;体细长,长度不足 1 米。大多数种类的卵具黏性的丝条,用以附着在水生植物上。背鳍与臀鳍相对,均在身体的靠后部。②鳉亚目(Cyprinodontoidei)包括许多喜栖于水面的杂食性小型鱼类,具复杂的求偶行为和产卵方式。适应能力极强,能忍受极端的炎热、干旱和盐度。这些鱼类,如鳉鱼有时称为顶游米诺鱼或尖牙鲤(因腭部有细齿)。寿命一年,成体于夏季死亡前产卵,将卵埋在沙中。雨季到来时幼鱼孵出,生活史重复进行。四眼鱼属于鳉亚目,有两种,具独特的构造以适应水体表面的生活。其眼分为上下两叶,每叶各有其自己的角膜和视网膜,所以能分别看到水面上的和水面下的事物。无论雌体和雄体,生殖器官或位于身体的左侧,或位于身体的右侧。生殖器官位于身体左侧的雄体职能与生殖器官位于身体右侧的雌体交配,繁殖亦然。在鳉亚目的胎生种类中,雄体的臀鳍变形为交接器官,称为生殖肢。许多种类,包括虹鳉、帆鳉和剑尾鱼,为胎生。③银汉鱼亚目(Atherinoidei)的种类形小,体细长,眼大,具二背鳍。本亚目包括银边鱼,此类鱼的特征是具银色大鳞,成群在海洋和湖泊的近岸处游动。本亚目最为人熟知的种类之一是加利福尼亚滑皮银汉鱼(*Leuresthes tenuis*)。每年春季以及入夏相当时间,加利福尼亚滑皮银汉鱼在满月之夜离水产卵,高潮时,滑皮银汉鱼类将卵产于海滩的沙中。到下一个高潮时(约二周后)幼鱼被冲入大海。

atherosclerosis 动脉粥样硬化 动脉硬化的一种类型,特征为动脉内膜有脂质沉积和纤维斑块形成。参阅 **arteriosclerosis**。

Atherton 阿瑟顿 英格兰大曼彻斯特都会自治市(属兰开夏历史郡)城镇。13 世纪初至 1738 年为阿瑟顿家族的采邑。长老制的早期中心。初期工业有棉纺和制钉,晚近有纱厂、煤矿、铸铁厂以及螺母和螺栓的生产。人口 21 696(1991)。

Atherton, Gertrude Franklin 艾瑟顿(1857-10-30,美国加利福尼亚圣弗朗西斯科~1948-06-14,圣弗朗西斯科) 美国女小说家,以写传记小说和历史作品著称。为逃避令人窒息的婚姻生活的狭隘天地,艾瑟顿开始了她多产的创作生涯。第一部著作《红树林的伦道夫一家》(约 1882)匿名发表于《淘金者》杂志。它是以当地的一个故事为背景,讲述一个很有教养的女子如何变成酒鬼。它的出版得罪了艾瑟顿的家庭。艾瑟顿游历很广,旅途见闻使她的写作生动有趣。人们对她的作品毁誉参半,只有《征服者》(1902)例外,使人交口称誉。这是一部小说体作品,描述 A.汉密尔顿的平生事迹。为了写这部书,艾瑟顿进行了广泛的研究。书成后,获得评论界一致赞赏并成为畅销书。1923 年她出版了一部有争议的小说《黑牛》,以她自己的经历为基础,描述一个妇女通过使用激素而恢复生殖能力。这部小说是她的最成功之作。她共写有 40 多部小说以及许多非小说类作品。也许由于她的写作速度太快,作品质量良莠不齐,不过她的最佳作品写得刚劲有力,显示了作者的妙笔生花。

Atherton Plateau 阿瑟顿高原 又称阿瑟顿台地。在澳大利亚昆士兰州东北部。界于帕默河(北)与伯德金河(南)之间。面积3.1 万平方千米。平均海拔 600 ~ 900 米。雨量充沛。土壤肥沃,富火山灰。19 世纪 70 年代始有人定居。1890 年前以采矿为主。后转向发展农业。出产牛肉、花生、玉米和乳品。以阿瑟顿、赫伯顿和马里巴等主要城镇为集散地。牛乳远销至东南 1 330 千米以外的汤斯维尔。有伊查姆和巴林两个深火山口湖。巴伦、赫伯特、约翰斯通和塔利等河发源于此。

阿瑟顿高原牧场
美国不列颠百科全书公司供图

Athesis(Italy) **阿塞西斯河** 参阅 **Adige River** 阿迪杰河。

athetosis 手足徐动症 一种神经病的症状,表现为手、足缓慢的,无目的的不随意运动。起因于大脑基底神经节的机能障碍。手指完全无规律地各自屈曲或伸直。手的其他部分为一个整体移动。臂、足、趾亦可受累。症状在睡眠时可继续存在或消失。症状仅为意志力抑制片刻,而且为随意运动所加重。参阅 **cerebral palsy**。

Athínai(Greece) 参阅 **Athens** 雅典。

Athis-Mons 阿蒂斯蒙斯 法国北部埃松省巴黎南郊的城镇。临近奥尔日与塞纳两河汇合处。古名阿特盖,后名奥尔日河上阿蒂斯。1305 年法国国王与佛兰德领地伯爵在此签订一项以此地名为名的条约。仍存有一座建于 12 世纪圣但尼隐修院中的罗马式钟楼。有多种工业,如冶金业和食品加工业。奥利国际机场即在本镇附近。人口 29 427(1999)。

athletics 田径运动 又作 track-and-field sports 或 track and field。包括跑、走、跳、投等多项运动的比赛。田径是最古老的一种有组织的运动。从公元前 776 年左右至公元 393

在 1979 年的世界杯锦标赛中,E.阿什夫(左)在 100 米短跑比赛中夺冠
美国不列颠百科全书公司供图

年举行的奥林匹克运动会，以及其他一些古代运动会，都有田径比赛。起初奥运会只有赛跑项目，后来加上拳击和摔跤。古代五项除摔跤外还有赛跑、跳远、铁饼和标枪等田径项目。

从4世纪到12世纪奥运会停办期间，没有关于田径比赛的报道。从这一时期直至16世纪，田径和其他一些运动经常为皇家圣旨所禁止，因为据认为这些运动干扰了至关重要的军事活动——射箭。19世纪下半叶，有组织的田径运动才开始在英格兰复苏。在北美洲则发展较慢。1868年成立的纽约田径俱乐部对美国的田径运动产生很大的推动作

1982年美国A.萨拉查（左）第三次夺得纽约马拉松冠军
美国不列颠百科全书公司供图

用，它在创建美国第一个全国田径协会中起了带头作用。1880～1920年，世界各国先后成立了全国性田径协会。国际业余田径联合会（IAAF）成立于1912年，从此它负责管理国际比赛和批准世界纪录。女子田径运动作为全国性活动是在1917年开始组织起来的。国际女子田径联合会（FSFI）成立于1921年，创始国为英国、捷克斯洛伐克、法国、意大利、西班牙和美国。1922年起举行世界锦标赛。1936年国际业余田径联合会成为女子田径运动的管理机构，国际女子田联同时解散。在国际比赛方面，除了定期举行泛美运动会和亚洲运动会等众多洲级比赛外，从1977年起每4年举行1次有代表国家、半球和洲的运动队参加的世界杯决赛。首届正式的世界田径锦标赛于1983年举行。赛跑即径赛包括100米、200米、400米等短跑项目；800米和1 500米等中距离赛跑项目；只有男子参加的3 000米障碍赛跑；女子3 000米、男子5 000米、10 000米、20 000米、25 000和30 000米等长跑项目。长跑比赛还包括马拉松。越野赛跑一般被认为是在赛季外举行的辅助性田径运动。竞走比赛的赛程是20公里和50公里。接力赛包括4×100米和4×400米赛跑。跨栏赛有男子110米、200米和400米以及女子100米和400米等项目。田赛包括跳高、跳远、三级跳远、撑竿跳高等跳跃项目，以及铅球、铁饼、链球和标枪等投掷项目。所有的世界室外田径纪录都由国际田联批准。没有正式的世界室内纪录。从1913年起（有些是远自1896年起）所留下的纪录不断被刷新。到80年代，没有一个在50年代仍继续存在的纪录还能保持不破。

Athlone　阿斯隆　爱尔兰韦斯特米斯郡市郊区。位于香农河上一个重要的东-西向渡口处，一直是一座重要的要塞城镇，也是这个地区重要的集市中心和旅游中心。阿斯隆的

香农河畔的阿斯隆
美国不列颠百科全书公司供图

工业有毛纺、棉纺、机器、电缆和塑料等制造业。当地还有一座地区性工学院。人口8 170（1991）。

Athlone, Godard van Reede, 1st earl of, BARON OF AGHRIM, HEER (Lord) VAN GINKEL　**阿斯隆伯爵（第一）**（1644-06-14[旧历06-04]，荷兰乌得勒支～1702或1703-02-11，乌得勒支）　在英国军队中服役的荷兰军人，效忠英格兰国王威廉三世（联合省执政，奥兰治的威廉），击败1688年革命后被废黜的国王詹姆斯二世的军队，完成了对爱尔兰的征服。1683年，威廉三世任命他为骑兵中将。1688年他随威廉从荷兰前往英国，协助镇压苏格兰某团的哗变。威廉在博因河战役（1690-07-01）中战胜爱尔兰的詹姆斯党的军队以后，就返回英格兰，把阿斯隆留在爱尔兰统率全军。1691年6月30日，他攻克威廉早些时候围困未破的阿斯隆镇。同年7月12日他在阿格里姆战役中彻底击溃詹姆斯党人，随后戈尔韦投降。阿斯隆乘胜采取一系列大胆的行动，攻占爱尔兰骑兵的大本营利默里克市以及托蒙德桥上的堡垒。他对爱尔兰的征服以1691年10月3日签订《利默里克条约》而告完成。他于1691年2月入爱尔兰籍，1691或1692年3月4日因军功封阿斯隆伯爵和阿格里姆男爵，二者均为爱尔兰的贵族爵位。

Athol　阿瑟尔　美国马萨诸塞州中北部伍斯特县镇区，濒米勒斯河。1735年有人定居，1762年设建制。原为一工业中心，有木材、纺织及皮革业。现经济以旅游和制造业为主。地处莫霍克小道，为通向山区游览点的门户。面积85平方千米。人口11 299（2000）。

Atholl　阿瑟尔　又译阿索尔。苏格兰泰赛德行政区珀斯-金罗斯区的多山地区。面积约1 165平方千米。境内有海拔457米的阿瑟尔盆地，四周环绕海拔900米以上山

阿瑟尔的湖光山色
美国不列颠百科全书公司供图

峦，南北有两个通道。境内还有两个主要峡谷和两个主要湖泊。当地的农、牧业分布在较低山谷地区。阿瑟尔的人口集中在布莱尔阿瑟尔和皮特洛赫里。布莱尔阿瑟尔在加里河滨，是布莱尔城堡（1269）的所在地，亦为古代阿瑟尔公爵府所在地。

Atholl, EARLS, MARQUESSES, AND DUKES OF　**阿索尔伯爵、侯爵和公爵**　苏格兰封爵贵族，属斯图尔特和默里家族。其成员按年代顺序排列，并以●为标记。

● **Atholl, John Stewart, 4th Earl of　阿索尔伯爵（第四）**（?～1579-04-24或25，苏格兰珀斯希尔奥赫特拉德附近金卡丁城堡）　即J.斯图尔特。信奉天主教的苏格兰贵族。第3代阿索尔伯爵约翰·斯图尔特之子，1542年继承其父爵位。他深受玛丽·斯图亚特的信任。但在1567年玛丽的丈夫达恩利伯爵被杀害后，他伙同新教贵族反对女王。女王退位后，他成为女王幼子詹姆斯六世的摄政会议的成员。1578年任大法官。因反对莫顿伯爵，他与阿盖尔伯爵一起求助于西班牙，率7 000军队进军斯特灵。后3人和解，均加入政府。1579年4月20日参加庆祝和解的宴会后突然患病，可能是中毒而亡。

● **Atholl, John Murray, 2nd Earl and 1st Marquess of,** EARL OF TULLIBARDINE, VISCOUNT OF BALQUHIDDER, LORD MURRAY, BALVANY, AND GASK　**阿索尔伯爵（第二）和侯爵（第一）**（1631-05-02～1703-05-06）　苏格兰保皇党领袖。从英国内战（1642～1651）起直到1689年威廉和玛丽即位，一直在保卫斯图亚特王室。第1代阿索尔伯爵之子。1653年格伦凯恩伯爵起义的主要支持者，但一年后向共和军在苏格兰的总司令乔治·蒙克投降。王政复辟（1660）后又在苏格兰任许多要职。1676年封侯爵。1680年任苏格兰海军副大臣。1681年当选为议会议长。1684年任阿盖尔代理总督，1685年成为正式总督。同年6月在英钦南俘获入侵苏格兰的阿盖尔伯爵。在1688～1689年革命中，他虽支持宣布威廉和玛丽在爱丁堡为国王，但并不坚决。邓迪起义期间采取逃避态度，卷入詹姆斯党人的阴谋活动，1691年获赦。他和第7代德比伯爵詹姆斯·斯坦利的女儿阿米莉亚结婚。通过

阿米莉亚的关系，以后的各代阿索尔公爵世袭马恩岛的领地。

● **Atholl, John Murray, 2nd Marquess and 1st Duke of,** MARQUESS OF TULLIBARDINE, EARL OF STRATHTAY AND STRATHARDLE, VISCOUNT OF BALWHIDDER, GLENALMOND, AND GLENLYON, LORD MURRAY, BALVENIE, AND GASK **阿索尔侯爵(第二)和公爵(第一)**(1660-02-24,英格兰兰开夏克诺斯利～1724-11-14,苏格兰珀斯亨廷托尔) 苏格兰支持威廉和玛丽以及汉诺威家族继承权的主要人物。第1代阿索尔侯爵之子。他支持威廉和玛丽在1689年即位。1703年封阿索尔公爵。1705～1707年猛烈反对英格兰和苏格兰联合，但未参加1708年詹姆斯党人的入侵。1710年托利党人当权后，他于1712～1714年任苏格兰地方长官。1714年乔治一世即位后被撤职。

Athos, Mount 圣山 又作 Holy Mountain。希腊北部一山，希腊正教修士一个半自治共和国所在地。修士居住在这一地区的20所隐修院及附属地内。该地区包括哈尔基季基半岛由马其顿向爱琴海呈扇状伸展的3个岬角，中东端的岬角圣山海岬长50千米，最宽处达10.5千米。岬角北部山岭森林茂密，南端的圣山(海拔2 033米)高耸入云。圣山区方圆336平方千米，首府卡里埃是唯一城市。公元前5世纪，波斯王薛西斯一世为使其舰队不必绕道经过危险的圣山海岬，叫人在海岬的最窄处开凿一条2.4千米长的运河，这条古运河的遗迹至今仍然可见。早在公元850年以前圣山上就有隐士居住。在拜占廷皇帝尼斯福鲁斯二世的资助下，修士圣亚大纳西创建了第一座隐修院——大劳拉隐修院。1430年土耳其人侵占塞萨洛尼基州之后，此地隐修院处于破落境地。至16世纪，首次建立了修士居住区。1821～1829年希腊独立战争期间，圣山区遭到土耳其人的洗劫，所有藏书付之一炬。该地区现在的体制建立于1924年。1975年得到希腊宪法的保证。希腊政府由一名外交部任命的长官作为代表，以强调圣山的半自治地位。但是，这一地区实际上的行政权掌握在由20个隐修院各推举一名代表组成的神职会议手中。具体的事务管理责成每年改选的四人委员会负责。多数隐修院临海建立，教堂被长方形建筑群所围绕。教堂中藏有拜占廷时期极为珍贵的艺术品、雕像及珍宝。残存下来的藏书中包括古代及中世纪手稿，目前已将大部分手稿详细分类。人口1 536(1991)。

圣山的格列高利隐修院
美国不列颠百科全书公司供图

Athyr (Egyptian goddess) **阿锡尔** 参阅 **Hathor** 哈托尔。

Atīśa 阿底峡(殊胜)(982～1054,中国西藏聂塘寺) 又名燃灯，印度佛教改革家。他所提出的学说，日后成为他的弟子仲敦巴所创藏传佛教噶当派的教义基础。于1038年(一说1042年)从印度那烂陀寺前往西藏，创建寺院，著书立说，强调佛教3个部派即上座部、大乘和金刚乘是前后相承的3个阶段，信徒必须依此顺序行持。聂塘寺中有他的坟墓。

Atitlán, Lake 阿蒂特兰湖 危地马拉西南部湖泊。位于中央高地。海拔约1 563米。深320米，长19千米，宽10千米。面积127.7平方千米。在火山灰拦蓄之山谷中。

阿蒂特兰湖
美国不列颠百科全书公司供图

湖岸有3座锥形火山：阿蒂特兰、托利曼和圣佩德罗。沿岸多印第安人村落。沿湖一些主要城镇为旅游业服务。该湖在距离危地马拉城以西的公路约145千米处。

Atjeh (Indonesia) 参阅 **Aceh** 亚齐。

Atjehnese (people) 参阅 **Achinese** 亚齐人。

Atka mackerel 单鳍六线鱼 六线鱼(**greenling**)的一种。

Atkins Museum of Fine Arts 阿特金斯美术馆 参阅 **Nelson-Atkins Museum of Fine Arts** 纳尔逊-阿特金斯美术馆。

Atkinson, Sir Harry (Albert) 阿特金森 (1831-11-01,英格兰柴郡布罗克斯顿～1892-06-28,新西兰惠灵顿) 新西兰政治家，19世纪80年代萧条时期任总理，实行经济上自力更生和紧缩政府开支的政策。1853年移居新西兰塔拉纳基省。在1860和1863年的毛利战争中立下战功。1864～1865年任国防部长，鼓吹依靠殖民地自身的军队同毛利人作战。1872年成为沃格尔(**Vogel, Sir Julius**)"连续内阁"中的主要人物。1876～1877年任总理。后两度任殖民地财政部长(1879～1882,1882～1883)和两度任总理(1883～1884,1887～1890)，与持续的萧条进行斗争，并实行保护关税(1888)和鼓励拓地务农以促进国内工业。1890年12月竞选失败后任立法议会议长。1888年封爵士。

Atl, Doctor 阿特尔(1875,墨西哥瓜达拉哈拉～1964-08-15,墨西哥城) 原名吉拉多·莫利罗，墨西哥画家、作家和革命者。墨西哥民族主义艺术运动和壁画复兴的先驱者之一。他在墨西哥城、罗马和秘鲁受过教育，1913年在巴黎创办《艺术行动》杂志，担任3年的编辑工作。1916年回到墨西哥又创办《世界行动》，自任主编。1923年任墨西哥文物考古局局长，1930年任美术事业局局长。从在墨西哥城的圣卡洛斯学院读书时起，就对墨西哥土著艺术和本土的现代艺术风格怀有浓厚兴趣。他所描绘的墨西哥风景中最有名的油画和版画均以墨西哥河谷、波波卡特佩特火山和伊斯塔西瓦特尔火山为题材。阿特尔是他的阿兹特克名字(纳瓦特尔语，即"水"的意思)。他采用这个笔名是对西班牙血统的否定，而以继承墨西哥印第安人的祖先和文化引以自豪。阿特尔发明并使用一种由蜡、树脂、油和颜料混合的色粉笔，其色彩在他的版画和壁画上得到了创造性的运用。

Aṭlāl Bābil (city) 参阅 **Babylon** 巴比伦。

Atlanta 亚特兰大 美国城市，佐治亚州首府(1868)，富尔顿县县城(1853)，为全州最大的城市。位于查特胡奇河南面的兰岭山麓。因铁路修筑而建。1845年建市，称亚特兰大。南北战争期间，亚特兰大为南部邦联的主要补给站，因此成为W.T.谢尔曼将军的主攻目标。重建后为北方联邦政府活动中心。1877年通过公民投票被选为州首府。战后，亚特兰大作为"新南方"的代表努力同北方修好，以利恢复经济。这种精神在1881、1887和1895年三次亚特兰大博览会上得以体现。B.T.华盛顿在最后一次博览会上发表了其著名的"亚特兰大妥协"演讲。地处交通要冲，为美国东南部金融、商业的中心，也是重要的销售业、制造业、教育和医疗的中心。可口可乐总公司设在此地，公司创始人药剂师阿萨·G.坎德勒也是该城的创建者之一。该市设有许多全国工业的地区总部，联邦政府在东南部的活动中心，第六联邦储备区总部也设在该市。其他机构还有疾病防治中心(美国公共卫生署的一个部门)、麦克弗森要塞、多宾斯空军基地以及一座联邦监狱。亚特兰大哈茨菲尔德国际机场位于闹市西南13千米处。有40多所授予学位的高等学府和机构，其中有亚特兰大大学(1865)、克拉克学院(1869)、埃默里大学(1836)、佐治亚理工学院(1888)、佐治亚州立大学(1913)、莫尔豪斯学院(1867)以及奥格尔索普大学(1835)等。著名建筑有州议会厅(1889)、圆形画廊(位于格兰特公园内，收藏描绘亚特兰大战役的巨幅油画)、"鹪鹩之巢"(民间传说人物雷默斯大叔的塑造者乔尔·钱德勒·哈里斯的故居)、亚特兰大艺术纪念中心(1968,内设有博

亚特兰大市的皮奇特里中心
美国不列颠百科全书公司供图

物馆、音乐厅、美术学校和剧场)。市内有为1996年夏季奥运会而建的世纪奥林匹克公园。以前的奥林匹克体育场,现称泰纳球场,是该市职业棒球队勇士队的主场。亚特兰大还有职业橄榄球队、篮球队和冰球队。亚特兰大历史中心有一座博物馆和两座历史故居,每年2月在此举行故事节。吉米·卡特图书馆和博物馆展示卡特总统任内的一些手工艺品,相邻的卡特中心是人权组织。小说家玛格丽特·米切尔(《飘》的作者)的故居依然保存着。州议会大楼附近的亚特兰大地下城有重建的部分19世纪建筑。其他文化机构还有科学和自然历史博物馆;芭蕾舞团、歌剧团和戏剧团以及交响乐团。每年举行的活动有山茱萸节(4月)、爵士节(5月)和艺术节(6月)。社会风尚是在南部保守主义的基础上倾向于自由化。具有地方传统特色,风俗一直受在南部《圣经》地带占主导地位的基督教新教教会传统的影响。小马丁·路德·金(遭暗害的南方基督教领袖会议的负责人,该会总部也设此)安葬在埃比尼泽基督教浸礼会教堂墓地内。1973年,成为南部大城市中第一个黑人当选为市长的城市。人口:市423 019;亚特兰大都会区约4 610 032(2003)。

Atlanta Campaign 亚特兰大战役 美国南北战争中,1864年5～9月在佐治亚州进行的多次重要战斗。亚特兰大是南方邦联军的铁路、供应和工业基地,由南方邦联军的J.B.胡德中将守卫。经过几个月的拉锯战之后,北方联邦军的W.T.谢尔曼将军终于迫使南方邦联军撤出亚特兰大(8月31日～9月1日)。联邦军的胜利对林肯再次当选总统产生重要影响。

Atlanta Compromise 《亚特兰大种族和解声明》 19世纪末美国黑人教育家B.T.华盛顿在亚特兰大展览会(1895-09-18)上提出的关于种族关系的经典性声明。声明说:职业教育使黑人得到经济保障,这比向黑人提供社会福利或政治职位更加宝贵。该声明受到南北方白人领袖的热烈欢迎,但黑人知识分子担心这种哲学必然使黑人永远沦为白人的奴隶,因而兴起尼亚加拉运动(**Niagara Movement**),建立了全国有色人种促进会。

Atlanta Constitution 《亚特兰大宪法报》 美国佐治亚州亚特兰大市发行的日报,因相继任用著名的社论撰写人而被公认为"新南方之音",这些人是:H.格雷迪、C.豪厄尔和R.麦吉尔。《宪法报》通常被视为美国的大报之一。该报创办于1868年,即重建时期之初,由于采取总的平衡方针,很快就居于南方各报之首。19世纪70年代后期和80年代,《宪法报》以格雷迪的社论和报道的广泛性而闻名。同一时期,该报建立了一支杰出的记者队伍。从格雷迪时代起,该报在编辑方针方面奉行自由主义,不过在C.豪厄尔任编辑期间,该报在1898年西-美战争爆发前,确曾支持美国干涉古巴。C.豪厄尔之父是1876～1897年该报社长兼主编E.P.豪厄尔,他本人的事业又由其子C.豪厄尔(小)于1938年继承。20世纪初期,C.豪厄尔(老)赢得了广泛的政治影响,该报的J.C.哈里斯获得了政治专栏作家的全国声誉。1938年,麦吉尔任执行社论撰写人,1942年任社论撰写人。在麦吉尔任职期间,《宪法报》于50年代初期与麦卡锡主义进行斗争,并在其后的20年里,与反黑人的种族偏见进行斗争。1950年J.M.考克斯买下该报,这时他已拥有《亚特兰大日报》(1883创办)晚报版和其他报纸。《宪法报》继续排除对地方新闻、全国新闻和国际新闻作耸人听闻的报道,并继续刊载富有远见卓识的编辑部评论文章。

Atlantic, Battle of the 大西洋战役 第二次世界大战时,英国(1941年12月以后还有美国)和德国之间为控制海上通路而进行的一场争夺战。大西洋战役的第一阶段持续到1940年6月法国陷落。在此期间,英法联合舰队将德国商船逐出大西洋面,保持了一条十分有效的远程封锁线。1940年5～6月间低地国家为德军占领,法国全境沦陷,意大利参战,情况急转直下。英军因撤离挪威和敦刻尔克大撤退而遭受严重损失,英国海上力量大为削弱,其时又失去了法国海军的支援。意大利海空力量在德军增援之下,威胁直通苏伊士运河的海路,最后终将其切断,迫使英国船只绕道好望角远航。德国夺取英吉利海峡和法国西海岸的海空军基地后,对北部海运构成更大的威胁,这使英国商船的货运能力几乎下降一半。美国尽管尚未宣战,也积极参与了大西洋战役,美国向英国提供了50艘驱逐舰,以补充英国的损失。作为回报,美国获得了在纽芬兰、百慕大和加勒比海地区长期租用海空军基地的特权,并在冰岛和格陵兰部署了部队。1942年初,美国正式参战之后,轴心国对美国近海海运进行大规模潜艇袭击。德国潜艇在通向印度和中东地区的南大西洋航道上也频频出击。盟军重新打通地中海的战役(1942～1943),几乎全部依靠海运补给,而海运补给则须通过潜艇出没的海域。盟军护航舰队在驶近英伦三岛和驶向俄国摩尔曼斯克、阿尔汉格尔斯克等港口时,必须迎击来自空中和水下的狂袭,夺路而行。据估计,1942年底盟国海运损失主要来自空袭和潜艇袭击,超过了1917年损失最严重的时期。另外,盟军必须在北部海面经常部署一支庞大的海军,以防德国水面舰只,特别是超级战列舰"提尔皮茨"号突破大西洋航线。另一方面,盟军对轴心国的欧洲部分加强封锁,对付轴心国海运作战的效果逐步明显,护航系统由于获得更多、更精良的装备而大为加强。造船速度空前加快(以美国为最),不但弥补了船只的巨大损失,而且产量开始超过损失量。对轴心国港口和工业中心的空袭,使德国制造、维修潜艇和飞机的能力逐渐降低。盟军占领包括卡萨布兰卡及达喀尔法军海军基地在内的全部西非港口之后,轴心国战舰在南部水域已失去最后可以使用的港口。由于采用这些和别的一些措施,盟国在大西洋挫败了轴心国阻挠美军及物资进入欧洲和北非、阻止补给品运往英国和苏联以及打破对欧洲轴心国封锁的企图。

Atlantic, The 《大西洋月刊》 波士顿出版的文学与评论月刊,美国最老和最权威的评论刊物之一。1857年由波士顿的M.D.菲利普斯创办,一贯以刊登高质量的小说和文章著称,拥有杰出的编辑与写作阵容,其中有J.R.洛威尔、R.W.爱默生、H.W.朗费罗和O.W.霍姆斯。1869年该刊因刊登H.B.斯托夫一篇关于拜伦及其放荡的私生活的文章而造成了一起轰动一时的事件。她的文章原意是要"扼止拜伦对年轻人的影响",但该文却使一些年轻读者神魂颠倒,家长们一怒之下取消订阅该杂志达1.5万份。20世纪20年代初,《大西洋月刊》将其选材范围扩展到政治问题,发表过T.罗斯福、W.威尔逊、B.T.华盛顿等人物撰写的特稿。其优秀的文学作品和文学评论使它始终保持具有温和观点的生气勃勃的文学刊物的声誉。70年代因出版和邮寄费用上涨,远远超过订阅费和少得可怜的广告收入,使该刊几乎停刊。1980年由M.B.朱克曼买下。

Atlantic Charter 《大西洋宪章》 第二次世界大战期间,英国首相丘吉尔同美国总统罗斯福在北大西洋军舰上举行5天会议之后,于1941年8月14日发表的联合声明。当时美国尚未参战。宪章声称:①两国均不奉行扩张政策;②两国希望,不经有关民族之自由同意,不作领土改变;③两国尊重每个民族选择自己政府形式的权利,并希望被剥夺主权和自治权的民族应恢复其权利;④两国将努力促使所有国家享有国际贸易和获得原料的同等机会;⑤两国希望加强世界范围的合作,以提高劳动标准,促进经济进步和社会安全;⑥"纳粹暴政"覆亡之后,两国将寻求一个国际和平环境,使所有民族都能在其疆域内安居乐业,既无恐惧,也无贫困;⑦在上述和平环境中,公海上应能自由航行;⑧在摈弃暴力、实现普遍安全以前,必须解除潜在的侵略者的武装。《大西洋宪章》的要点后载入《联合国宣言》(1942-01-01)。

Atlantic City 大西洋城 美国新泽西州东南部大西洋县游览胜地。濒大西洋。位于狭长、低平、多沙滩的阿布西肯岛上。气候温和,四季宜人。1854 年设市。为坎登——大西洋铁路东部终点站。1877 年建成另一条"窄轨铁路"。宽 8 英尺(2 米)的第一条海滨木板人行道于 1870 年建成(后拓宽为 60 英尺并加长到 5 英里)。其他吸引游客的措施包括摇椅(1884)、美术明信片(1895)、咸味太妃糖。由海滨木板人行道延伸到海中的一些游乐码头(其中最大的"钢码头"长 700 米)以其自动售货机、娱乐节目和展览为该城带来欢乐气氛。1929 年建成、1972 年扩建的拥有 4.1 万个座位的会议大厦,使该城成为一个著名的集会地点。从 1921 年开始每年 9 月在此举行美国小姐赛美会,曾一度中断,于 1935 年恢复。第二次世界大战后该城游览业一蹶不振。为恢复萧条的城市经济,1976 年全州公民投票通过开办赌场的决议。1978 年 5 月除内华达州以外的美国第一个合法赌场在该城海滨开张营业。为农产品和水产品的贸易中心,有纺织、糖果、玻璃制品及瓷器等轻工业。附近设有州立阿布西肯灯塔(1857～1933 使用)古迹保护区。城西 7 英里处的史密斯维尔古城重建后恢复了 18 世纪的建筑风貌。人口:市 40 517;大西洋城-开普梅主要都会统计区 354 878;费城-威尔明顿-大西洋城联合都会统计区 6 188 463(2000)。

Atlantic Coast Conference(ACC) **大西洋海岸联合会** 美国各大学的体育组织。1953 年脱离南方联合会而成立。会员有波士顿学院、克莱姆森大学、杜克大学、佐治亚理工学院、马里兰大学、北卡罗来纳大学、北卡罗来纳州立大学、弗吉尼亚大学和韦克福雷斯特大学。南方联合会是为了促进和管理院际体育而于 1921 年成立的。至 1953 年,有些会员学校认为南方联合会太庞大,不便于计划体育比赛。在当年春季的一次会上,有 7 所学校退出南方联合会以成立大西洋海岸联合会。原先不是南方联合会会员的弗吉尼亚大学最后参加了 ACC,而 ACC 的原始会员南卡罗来纳大学则于 1971 年退出。

Atlantic Intracoastal Waterway 大西洋沿岸水道 与美国东海岸平行,连接波士顿和佛罗里达州基韦斯特之间各港口。为沿海水道(**Intracoastal Waterway**)的一段。

Atlantic languages 大西洋诸语言 前称西大西洋诸语言。尼日尔-刚果语系的语支,主要通行于塞内加尔、冈比亚、几内亚、几内亚比绍、塞拉利昂和利比亚。约有 45 种,使用者有3 000万人。其中富拉语(又称富拉尼语)占总人口的一半以上,在非洲分布最为广泛。从塞内加尔到苏丹几乎所有的热带地区,以及尼日利亚北部和喀麦隆有大量的操富拉的人。其分布广泛的原因在于富拉人为饲养牛群的游牧民族。除富拉语外,其他大西洋语言主要通行于从塞内加尔河到利比里亚的大西洋沿岸。大西洋诸语言可分为北部语支和南部语支。北部语支包括富拉语(15 000 000 人)、沃洛夫语(5 000 000 人)、塞雷尔语(9 000 000人)、迪奥拉语(500 000人)、巴兰塔语(350 000人)和满加库语(250 000人)。南部语支包括滕内语(1 250 000 人)、基西语(500 000人)和林巴语(350 000人)。

Atlantic Ocean 大西洋 约占地球表面1/5的咸水水域,其东为欧洲和非洲大陆,西为美洲。连同其边缘属海总面积 106 460 000 平方千米,是世界第二大洋,仅次于太平洋。大西洋本身为 82 440 000 平方千米。因北有广阔大陆架和较浅的属海,平均深度 3 300 米,浅于太平洋及印度洋。其属海东有波罗的海、北海、黑海及地中海;西有巴芬湾、哈得孙湾、圣劳伦斯湾、墨西哥湾和加勒比海。赤道以南,洋面辽阔,海岸线平直,几无岛屿。突出的洋底地貌特点是一条纵贯南北、自中部将大洋一分为二的构造和火山活动带——大西洋中脊。中脊两侧有一些较小的海盆,彼此以大陆架、大洋隆起或海脊等相隔。东侧诸海盆自北而南为罗弗敦、挪威、西欧、加那利、佛得角、几内亚、安哥拉、开普和厄加勒斯;西侧为拉布拉多、纽芬兰、北亚美利加、圭亚纳、塞阿拉、巴西和阿根廷诸海盆。中大西洋诸岛受大西洋中脊的影响,多为火山成因的岛,其中有冰岛、亚速尔群岛、亚森松岛、圣赫勒拿岛、特里斯坦-达库尼亚群岛、戈夫岛和布韦岛;纯大陆岛屿为包括斯匹茨卑尔根岛在内的斯瓦尔巴群岛、不列颠群岛、纽芬兰岛和福克兰群岛。大西洋中的海山较少,沿漫长的海岸极少珊瑚礁;四周大陆坡多水下峡谷。洋底大部覆盖有单细胞生物残骸形成的石灰质沉积物,5 000 米以下海底则为红黏土。非洲西海岸外积聚有来自非洲沙漠的风移物质,而在高纬度沉积物的重要成分则是冰携碎屑。由于过度蒸发,洋面盐度在北大西洋为最高,而在降水量高和有大量河流淡水掺入的波罗的海及其他海域则最低。大西洋的表层洋流既与当令风系相适应,又受洋底与潮汐摩擦、地球自转、过度的区域蒸发和降水以及地区冷暖差异等因素的制约。北大西洋的信风造成一股较为稳定的、自东向西的赤道洋流。这股洋流携带的海水大部继续北流,进入加勒比海,并穿过尤卡坦海峡进入墨西哥湾,从而在美国东海岸外形成较快的墨西哥湾暖流。北大西洋洋流是墨西哥湾暖流的直接延伸,并分为冰岛以南的伊尔明厄海流,东格陵兰海流和介于亚速尔群岛与西班牙之间的加那利海流。加那利海流向西南与北赤道海流汇合。南大西洋的东南信风则造成南赤道洋流,其大部分沿南美洲海岸转而向北,南大西洋的洋流不如墨西哥湾暖流强大。

Atlantic Richfield Company(ARCO) **大西洋里奇菲尔德公司** 美国石油公司,1966年合并里奇菲尔德石油公司和大西洋炼油公司而成。1969 年又并入了辛克莱石油公司。现在,大西洋里奇菲尔德公司石油业务已遍及美国各地,在印度尼西亚、北海、中国南海也有业务机构。它还拥有和经营石油运输设施,如石油管道和油轮;生产和销售化学品、煤和五金产品;从事太阳能产品的开发并参加其他与能源有关的业务活动。总公司设在洛杉矶。1977 年,收购了从事开采和加工铜、铝、铀以及制造铜、铝产品的阿纳康达公司,使其成为全资拥有的子公司。大西洋炼油公司是 1870 年成立的;里奇菲尔德石油公司是 1911 年正式开始炼油的。

Atlantic salmon(species *Salmo salar*) **大西洋鲑** 鲑科珍贵垂钓鱼。平均重约 5.5 千克。体被圆点或十字形斑。栖大西洋两岸,秋季溯溪产卵,产卵后的成鱼可继续存活至再次产卵。幼鱼约2岁入海,约4岁

大西洋鲑(*Salmo salar*)
美国不列颠百科全书公司供图

成熟。加拿大河鲑(*Salmo salar ouananiche*)与湖鲑(锡巴戈湖鲑,*S. salar sebago*)为其陆封型,体较小,亦属钓鱼珍品。大西洋鲑现已成功地引入美国五大湖。参阅 **salmon**。

Atlántico 大西洋省 哥伦比亚西北部省份。位于加勒比海沿海平原,东临马格达莱纳河。1905 年建省。面积3 388平方千米。因位于南美大陆的一条大河河口而具有战略意义。全省人口几乎有 3/4 住在省会巴兰基亚(**Barranquilla**)。棉花和芝麻为主要经济作物,养牛业和渔业占重要地位。人口 1 478 213(1985)。

Atlantis 大西岛 又拼 Atalantis、Atlantica。传说中大西洋的一个岛,位于直布罗陀海峡以西。传说的主要来源是柏拉图的两篇对话,即《蒂迈欧篇》和《克里蒂亚篇》。在前一篇对话中,柏拉图叙述埃及僧侣们在与雅典立法者梭伦谈话时怎样谈到大西岛,说该岛比小亚细亚和利比亚加起来还大,与赫耳枯勒斯石柱(即指直布罗陀海峡)遥遥相对。据僧侣们说,大约在梭伦出生 9 000 年以前,大西岛是一个物产丰富的海岛,岛上有权势的王公曾经征服地中海的许多地区,直至最后被雅典人及其同盟军打败。大西岛人终于成为恶人,且不敬神。由于几次地震,他们的岛屿被海水吞没。在《克里蒂亚篇》中,柏拉图提供了大西岛人理想国的历史。大西岛可能只是一个传说,但是,从阿拉伯地理学家获得这个故事的中世纪欧洲作者们则信以为真,后来的一些作者又试图证明它就是一个实有地区。例如,在文艺复兴以后,他们试图证明大西岛就是美洲、斯堪的纳维亚和加那利群岛。如果柏拉图不是杜撰的话,大西岛的故事实际上可能是古代埃及关于公元前约 1500 年锡拉岛上火山喷发的记载的转述。这次喷发是有史以来最惊人的一次大喷发,伴有一系列的地震和海啸,将克里特岛的文明完全摧毁,因而可能引起大西岛的传说。

Atlas 阿特拉斯 希腊神话中的提坦巨人伊阿珀托斯和居于山林水泽的仙女克吕墨涅

(或亚细亚)之子,普罗米修斯(人类的创造者)的兄弟。在荷马的作品中,他似乎是一个海中人物,支撑着那使天地分离的柱子。人们认为这些柱子立在紧挨着最西端地平线外的海中,但后来阿特拉斯的名字却用来指西北非洲的山脉。此后阿特拉斯又被表述为该地的国王。英雄珀尔修斯把他变成一座大山,因为珀尔修斯为了惩罚阿特拉斯的怠慢,让他看了戈耳工的头,任何人只要一看到这个头,就会变成石头。据希腊诗人赫西奥德的说法,阿特拉斯是提坦巨人之一,曾参加过反宙斯的战争,为此他受到惩罚,被判将天空高高举起。在艺术作品中,他被描绘成肩负着天空或天球仪的形象。

atlas 男像柱 复数作Atlantes。在建筑中用作柱子以支承檐部、阳台或其他突出部分的男子雕像,表现出承担巨大重量的姿态,源于古代的古典建筑,古罗马建筑中也有实例。最

意大利斯波莱托市 1198 年的男像柱
美国不列颠百科全书公司供图

早的实例见于西西里岛阿格里真托的古希腊宙斯神庙(约公元前 500)。中世纪时很少使用,但在风格主义和巴罗克时期又重新出现。

atlas 地图集 地图或航图的集成,通常都装订成册。此词源自 16 世纪时 G.墨卡托首创的习惯做法——用肩负地球的提坦巨人阿特拉斯的图案作为地图集的卷首插图。除了地图和航图外,地图集通常还附有图片、表格式资料、各地实况及注有经纬度的地名索引,或用定位方格在图边用数字和字母标明经纬度以确定各地坐标。通用地图集强调各地所在位置、各地间的联结和被标出的地点的相对大小及重要性。主题地图集或专用地图集主要涉及单一问题,如某一地理区域的农业、地质、气候、历史、工业、语言、人口、宗教、资源或其他特征。国家地图集则通常由政府机构出版,用图表标明一特定国家的全部显著的特征:自然、历史、经济、社会、文化和行政管理。人们通常认为 A.奥特利乌斯所著的《世界概观》(1570)是第一本现代的地图集。16 世纪制图学的另一不朽著作便是《拉弗雷里地图集》,内为天才的意大利制图学家在 1556 ～1575 年间编制的地图。17 世纪在生产高质量地图集方面,荷兰人占尽优势,墨卡托的著作便可证明。18 世纪法国出的地图集不如荷兰和意大利出的地图集装订华丽,但是和它们一样准确,内容同样丰富。同时期德国出的地图集却过于繁琐:大量细节、许多插页、图片和注解。在现代最广泛使用的大地图集中,地名索引达 25 万条到 50 万条的,有安德烈著的《普通袖珍地图集》(1881 ～ 1930)、苏联出的《世界地图集》(1954 第 1 版)和伦敦泰晤士图书公司出版的《世界地图集》(5 卷本,1955 ～ 1959)。

Atlas, Charles 阿特拉斯(1893-10-30,意大利卡拉布里亚阿克里～ 1972-12-24,美国纽约长滩) 原名安杰洛·西西利亚诺(Angelo Siciliano)。意大利出生的美国健美师和体育家。他伙同 C.P.罗曼创造并销售一种颇受欢迎的邮购健身课程。阿特拉斯 10 岁时随双亲自意大利移民去美国。他后来在广告中使用的一段踢沙土的传奇式情节曾发生在科涅岛,当时他还是那个名叫 A.西西利亚诺的瘦子,一个体格强壮的救生员朝他身上踢沙土并夺去了他的女友。此后,他锻炼身体,博得了在 20 世纪 20 年代著名的杂志出版者 B.麦克法登的赞赏,于 1922 年在原麦迪逊广场公园举行的一次体育表演中称他是"美国身体发展最完美的人"。西西利亚诺见到阿特拉斯的人像之后也把自己的名字改为阿特拉斯。1929 年他与一位年轻的广告业者罗曼合作,决定建立一种把健身操同营养须知结合在一起的自修课程。在他的全盛时期,连环画册上都刊登他的广告——一个体格异常健壮、胸部宽厚、咧嘴微笑的人。

Atlas Mountains 阿特拉斯山脉 非洲西北部山脉,东北-西南走向,穿过摩洛哥、阿尔及利亚和突尼斯。阿特拉斯山脉为一拉长的椭圆形,内有平原和高地。分南北两支,即泰勒阿特拉斯山脉和撒哈拉阿特拉斯山脉。山脉沿摩洛哥东部和阿尔及利亚北部的高原边缘延伸。在突尼斯东部,并入泰贝萨和迈杰尔达山,在摩洛哥西部与中阿特拉斯山和大阿特拉斯山的高峰汇合。小阿特拉斯山从大阿特拉斯山向西南延伸至大西洋。阿特拉斯山总长 2 000 千米,最高峰为图卜卡勒峰(4 165 米)。从北方吹来的湿冷气团和从南方吹来的干热气团在阿特拉斯山相遇。冬季寒冷。居民主要是柏柏尔人,保持着他们自己的语言、传统和信仰。植被稀少,水土流失。阿尔及利亚和摩洛哥已推行植树造林计划,以制止伐木现象。矿产丰富,有铝、锌、铜、铁、锰和磷酸盐等。

Atlas rocket "宇宙神"火箭 用于发射航天器,特别是美国"水星"号飞船系列的运载工具,最初是作为洲际弹道导弹设计的。"宇宙神"火箭装有 3 台发动机,其中两台是助推器,发射后约 2.5 分钟即投弃,另一台主发动机工作到航天器达到轨道速度为止。它能把重约 2 600 千克的载荷送上 560 千米左右的轨道。它同"阿金纳"火箭接在一起,合成"宇宙神-阿金纳"火箭,用来发射月球探测器、行星探测器和地球轨道卫星(例如海洋探测卫

1963 年 5 月 15 日发射的"宇宙神"D 型火箭
美国不列颠百科全书公司供图

星)。"宇宙神-半人马座"火箭是由用煤油作燃料的"宇宙神"火箭作为第一级,与用液氢作燃料的第二级组合而成。这是最先用液氢作燃料的火箭。

Atli, Lay of 《阿特利之歌》 古代北欧"诗体埃达"(参阅 **Edda**)中的一首英雄史诗,有关残杀与复仇故事的一个较古老的异文。仇杀和报复是德国英雄史诗《尼贝龙根之歌》的主题,但此诗在某些方面与之有所不同。在古代北欧诗中,阿特利(即匈奴王阿提拉)是个坏蛋,被妻子谷德伦所杀,以报其兄弟之仇。在《阿特利之歌》中,阿特利将谷德伦的兄弟巩纳尔、何尼诱至宫廷,以便探悉他们的财宝秘密,但巩纳尔与何尼拒不吐露。在巩纳尔的嘲笑声中,阿特利将何尼的心挖出。巩纳尔则被掷入蛇窟,然后处死。谷德伦为报仇,向杀人凶手们进以佳肴美食(实则为经过烤炙的阿特利儿子们的心)。然后她刺死酒后醉倒的阿特利,放火烧掉他的邸宅,仅让几条狗逃脱。

Atlixco 阿特利斯科 墨西哥中南部普埃布拉州西南部城市。海拔 1 881 米。位于富饶谷地。始建于 1579 年。商业和工业中心。附近产小麦、玉米、豆、水果等,在该城加工和分销。有纺织(棉、毛)、酿酒和软饮料等工厂。普埃布拉—瓦哈卡公路干线及墨西哥城—里奥巴尔萨斯窄轨铁路从该市通过。该市亦有机场。人口:城市区 117 019(2000)。

atman 我 梵语作ātman。印度哲学中最基本的概念之一,指人本身的永恒核心。它在人死后继续存在,并且转移到一个新生命里去或者从生存的羁绊中获得解脱。在早期吠陀经文里,这个词大多用为反身代词(自我),而在较晚的《奥义书》里,它越来越明显地表现为一个哲学论题:"我"是使其他器官和官能发生作用的因素,并且它们确实是为这一因素才发生作用的;"我"是人的一切活动的基础,正如梵(绝对)是宇宙活动的基础一样;

认识“我”会给人带来幸福；“我”是梵的总体的一部分，它可以同这一总体相通甚或融合。在印度哲学的不同流派（见）中，数论派和瑜伽派（他们用“原人”这个词表达“我”的概念）和正统的吠檀多派都特别重视“我”的概念，不过对于这一概念的解释则按照每派的一般世界观而有所不同。

atmosphere 大气 围绕地球和太阳系其他行星的气圈。外行星的少数几个大卫星如土星的卫星土卫六（提坦）也有大气。临近地球表面，大气有确定的化学成分，即分子氮（78%，按体积）、分子氧（21%）和氩（0.9%）。大气还含有少量二氧化碳和水蒸气以及微量甲烷、氨、氧化亚氮、硫化氢、氦、氖、氪、氙和各种其他气体，也有一些悬浮的固态与液态颗粒。地面大气密度为 1.2 千克/米^3，但它随高度增加而迅速下降。

大气科学家根据温度的垂直分布，通常将大气分为 5 层或 5 个区域。对流层是直接接触地面的一层，这里有天气现象发生，其特征是温度随高度增加而降低。对流层高度在极地大约为 6 ～ 8 千米，在赤道约 17 千米。对流层上面是平流层。平流层中，温度随高度增加（约至 50 千米）而升高。对流层和平流层有不同的大气环流。对流层中经常发生垂直方向的大气运动，而平流层中则主要限于水平方向的大气运动。50 千米以上是中间层，其特征是温度急剧降低。类似对流层，这里的温度在高纬度地区有很强的季节变化。中间层外面是热层，那里温度急剧升高，在约 400 千米高度达到超过 1 000 ℃的最高值，然后停止升高。在这个高度以上是外层，即大气的最高层。这一层的密度非常低，分子很难有碰撞的机会，温度的概念已经失去了它通常的意义。在外层中，如氢和氦那样的轻原子，可以获得足够的速度逃脱地球的引力。

在对流层、平流层和中间层，上面提到的分子氮和分子氧的混合物占优势，它们构成通常称为的混成层。在平流层，太阳的紫外线辐射使一部分氧分子（O_2）分解，而氧原子（O）又与其余的氧分子（O_2）结合为臭氧（O_3）。平流层中较高的臭氧浓度有助于防止大量波长较短的紫外线（它对于动植物都是有害的）直接辐射到地面。通过火山爆发和温泉作用，经常有挥发性气体进入大气。然而，远比这些自然来源更值得注意的是工业活动，尤其是矿物燃料（即石油、天然气和煤）的燃烧。燃烧过程会产生许多有害气体，如一氧化碳、氯化氢、二氧化硫、一氧化氮等，后两者在形成酸雨的过程中起主要作用，而酸雨已成为主要的环境问题。矿物燃料的燃烧还会向大气中释放大量二氧化碳，这将影响地球的热平衡，称之为温室效应。

大气绝大部分由中性原子和分子组成，但在海拔很高的地方由于光致电离而产生显著的荷电份额，这个区域称为电离层。它开始于平流层顶部附近，向上延伸贯穿中间层和热层，但在 80 千米以上的高度最为明显。

磁层是大气中由一些参量（不是温度梯度）标记的另一个区域。磁层非常宽，其中带电粒子的能量比相当于粒子热运动速度的能量为高，而且带电粒子沿地球磁场的磁力线运动。

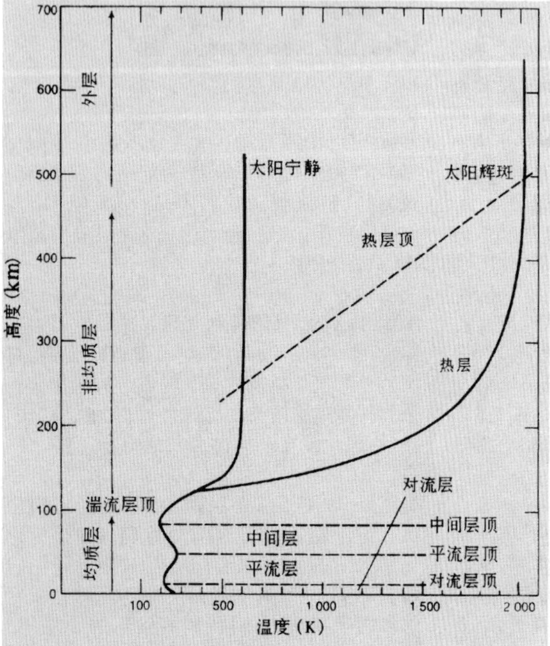

图 1 根据温度的垂直分布，将大气分为五层

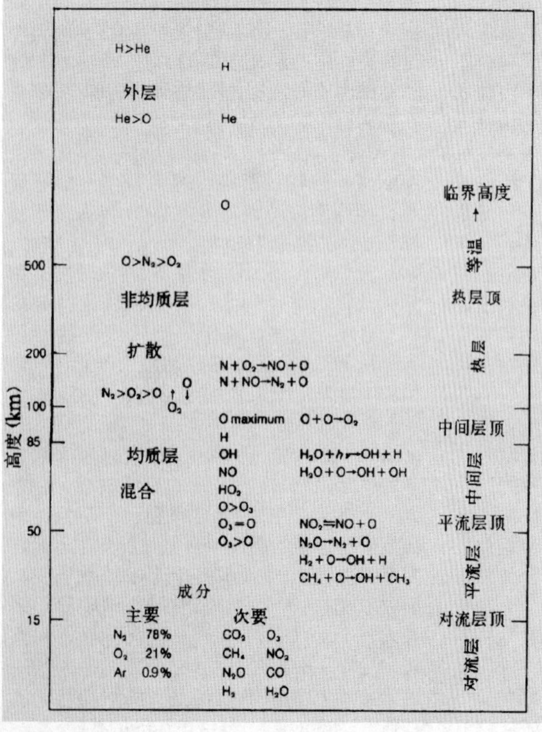

图 2 各大气层中化学成分的变化

atmosphere 大气压 又称标准大气压。压强单位，约等于地球上海平面的平均大气压；或气象学上用的 760 毫米汞柱高的压强。大气压定义为 101 325 帕斯卡（牛顿/米^2）。参阅 **millibar**。

atmospheric circulation 大气环流 围绕地球的几条呈东西向带状排列的大尺度风系。在南北纬 30°（副热带无风带）附近的副热带高压带内空气下沉，并引起地表向西和赤道方向吹的信风。信风在赤道附近的热带辐合带中汇聚上升，在 2 ～ 12 千米的高度上形成向东和极地吹的反信风。反信风气流一部分在副热带高压带中下沉，另一部分在高空与北面的中纬度西风带汇合。在南北纬 15°之间离地面 20 ～ 40 千米高度上，有一层速度甚大的风，称为喀拉喀托风。副热带高压带的下沉空气在近地面辐散；没有流向赤道的那部分空气，向东和极地方向流动成为中纬度西风。中纬度西风带伸展甚高，在 10 千米高度上出现速度甚大的急流。从南北纬 60°分别到两极地区是极地东风带，风是向西和赤道方向吹的。在北极地区，海陆分布交错，夏季极地东风变成方向不定的风。南半球纬向风带比北半球均匀稳定，因其陆地面积小，环流很少受到陆地的干扰。在北半球，在大陆和海洋上空不同季节内有许多大范围的半永久性高低压中心。在这些高低压区域内的风，破坏了围绕地球的纬向风带。

atmospheric corona 大气华 透过水滴组成的薄云，有时可看到紧靠太阳或月亮的一组或几组彩色光环。光环的形成是由于光围绕水滴边缘衍射所致。当每一种颜色的光以不同的微小角度偏离时,便使光环分成各种颜色。华的色纯度不如虹,因为华的衍射过程不像虹那样将各种颜色均集中在狭窄的方向上。此外,水滴直径范围愈宽,颜色分离得愈差。在水滴大小相差很大的情况下,各种颜色彼此完全重叠,形成华盖。华的颜色排列为内蓝外红。参阅 **halo**。

atmospheric perspective(visual arts) **大气透视法** 参阅 **aerial perspective** 空气透视法。

atmospheric pressure 气压 又作barometric pressure。又称大气压强。大气柱施加于单位面积上的力。通常用水银气压表量度,在水银气压表中水银柱高度所表示的重量同大气柱的重量正好相平衡。也可用空盒气压表量度,表中的感应元件是一个或几个部分真空的波纹金属空盒,并用内部或外部弹簧固定。当空盒因气压变化而产生形变时由笔臂和自记滚筒记录下来。大气压强可用几种不同的单位制表示:水银柱高度(英寸或毫米)、磅每平方英寸、达因每平方厘米、毫巴(mb)、大气压或千帕。按照规定,标准海平面的气压等于 29.92 英寸(760 毫米)水银柱高,14.70 磅每平方英寸,1 013.25 × 10^3 达因每平方厘米,1 013.25 毫巴或 1 大气压。曾经记录的最高和最低的海平面气压分别为 32.01 英寸水银柱高(在西伯利亚中部)和 25.90 英寸水银柱高(在南太平洋台风中)。大气压强的微小变化在很大程度上决定地球的各种风型和风暴型。地表附近气压随高度增加而递减,每 100 英尺约减小 3.5 毫巴。885 830 英尺左右高度上的气压(10^{-6}毫巴),相当于人造精密真空装置中可能达到的气压。在 5 000 ~ 10 000英尺高度上,除非谨慎地采取适应环境的措施,会因气压过低产生高山病和严重生理问题。

atmosphericrefraction 大气折射 大气中电磁辐射或声波传播方向的改变,是由空气密度的梯度造成的。参阅 **refraction**。

atmosphericscience 大气科学 系统地研究地球大气的成分、结构和动力过程的科学。大气科学传统上分为气象学、气候学和高层大气物理学 3 个课题领域。气象学主要研究对流层和低平流层每日甚至每小时的天气变化。气候学是对大气层某一区域长期(1 个月至数百万年)的天气状况的统计描述。高层大气物理学主要研究高层大气的物理状态及支配过程,高层大气是指低平流层以上的大气区域。参阅 **climatology**; **meteorology**。

atmosphericturbulence 大气湍流 风速和风向经常改变的不规则的空气运动。其重要性在于湍流能使大气搅动、混合,并使水汽、烟、其他物质以及能量分布在所有的高度上。地表面附近的大气湍流与较高高度的大气湍流不同。在近地面数百米的范围内,湍流有明显的日变化,在中午前后达到最大值。当太阳辐射使地表面变热,地表面又使空气增暖,暖而轻的空气上升,由冷而重的空气下降填充。空气的这种运动加上地面障碍物周围的扰动,使低层风变得极不规则。夜间,地面迅速冷却,靠近地面的空气变冷;当地面空气变得比它上面的空气更冷时,便形成稳定的逆温。在这样的情况下,风速和阵风的发生率都急剧减小。阴天,低层空气的温度从白天到夜间变化很小,湍流几乎保持不变。数千米高度以上,地形对风的摩擦效应大大减小,低层大气所特有的那种小尺度湍流就不存在。尽管高空风通常是比较规则的,但它们有时也出现足以影响飞行的湍流。参阅 **clear-air turbulence**。

atoll 环礁 环绕潟湖的珊瑚礁。环礁由带状礁组成,它们虽并不总是呈圆形,但其边界轮廓是封闭形的,其直径可达数万米,它所环绕的潟湖深度大约可达50米或更多。大多数礁体本身具有海底特征,从大洋的深海底隆起,一直达到刚好在高潮面以下。沿着礁体顶部的边缘周围,通常有低矮平坦的群岛或较连续的一串低矮平地。这些群岛中有些在很多个世纪以来为大洋人类,如马尔代夫人、波利尼西亚人和密克罗尼西亚人所居住。环礁的起源问题一直吸引着海员和博物学家,他们很早就懂得,虽然造礁生物只栖居在海的最浅处(深度约为 100 米),但礁体却从更深的海底向上隆起。环礁的现代解释与C.达尔文的理论相符合,达尔文推测环礁代表礁体围绕沉没的死火山岛连续向上生长的最终阶段,这死火山岛从视线中消失已有很长时间了。从裙礁阶段开始,礁体为获得开阔水体的较好条件而向外生长,如果下面基底沉陷,礁体也向上生长。若干千年之后,强烈生长的礁体构造,就被插入的潟湖水带将它与火山岸线分隔开。这就是堤礁阶段。火山岛最终沉没不可见,留下的礁体之最上部像一浅盆,其盆边达到海平面以上,其较深的中心区就是潟湖。礁体与火山岛屿之不同类型一起发现于热带海洋,彼此有必然的联系,即可以被解释为代表由下沉学说所假定的渐进性阶段。下沉学说的更强有力的直接证据是来自环礁的地质钻探(首次是 1952 年在埃尼威托克环礁上进行的),它揭示出在现代礁顶之下约 1 400 米处火山岩的存在。海平面变化使沉陷模式复杂化了。在近 200 万年或更多的期间,这种变化是较经常的,大多是由冰川作用旋回引出的结果。参阅 **coral reef**。

所罗门群岛瓜达尔卡纳尔岛东端的环礁
美国不列颠百科全书公司供图

atom 原子 元素的特征性质保持不变的最小物质单元。它也是在不释放带电粒子的情况下物质能够分割的最小单元。公元前 5 世纪,希腊哲学家提出原子概念:原子是自然界的坚实和不可分割的基本粒子。这个观点一直统治到 1900 年前后,那时现代的科学实验和数学推导终于引出了物质结构单元的更准确的新概念。如今,已经知道原子主要是由真空区和不同组分的粒子构成。在原子的中心附近有一个由质子和中子组成的密实的核或*原子核*(**nucleus, atomic**)。这些称为核子的质子和中子,尺度小而质量大,因此原子核的质量占整个原子的 99.9%,而体积只占原子的百万亿分之一(10^{-14})。核子所以能黏结成原子核,是因为核子紧密接近时相互间有引力作用,这种力称为核力或强力。由于质子带有一个单位正电荷,而中子不带电荷,所以原子核带有正电荷。质子和中子都很小,均由称为*夸克*(**quark**)的更小粒子组成。每个核子都含有 3 个夸克。原子核被弥散的电子云所环绕,电子是带负电的几乎没有质量的粒子。由于正负电荷间的吸引而使带负电的电子受带正电的原子核约束。在中性原子中,电子数和原子核的正电荷数(也就是核内的质子数)相等,但一些原子可以拥有比原子核的正电荷更多或更少的电子,从而原子就带上负的或正的电荷。这类带电的原子称为离子。在每个原子或离子中,电子并不静止,而是循复杂的轨道绕原子核运转。原子的大小以及原子对其他原子、粒子和电磁辐射的响应都取决于轨道电子的排布。原子通过转移电子或共享电子互相结合形成较大的结构,例如分子。受自身原子核吸附的电子与邻近原子的原子核间的吸引力(称为范德瓦耳斯力)可解释液体和固体的许多形成机制。原子的最重要的特征是它的原子序数,也就是原子核内的质子数。这个特征的重要性在于全都具有相同原子序数的原子都有几乎完全一致的化学性质,因此组成同一种元素。同一种元素的所有原子的原子核并不都有相同数目的中子。原子序数相同而中子数不同的原子是元素的同位素。同位素有相同的化学性质,但原子核性质(包括质量、磁性和在核反应中变为放射性的趋势)可以很不相同。

atomic bomb 原子弹 又作 atom bomb。由某些重元素,如钚或铀的原子核裂变突然释放能量而产生巨大爆炸威力的武器。当中子轰击同位素铀235或钚239的原子核时,会

1945 年 7 月 16 日在美国新墨西哥州进行的首次原子弹试爆

美国不列颠百科全书公司供图

使原子核分裂成两个新的核碎片,它们每一个的质子和中子数约为原核的一半。在裂变过程中,释放大量的热能、γ 射线和两个或更多个中子。在某些情况下,产生的中子轰击其周围的铀原子核,释放出更多的中子并引起更多的核裂变。一系列快速增殖裂变以链式反应而达到顶峰,消耗几乎所有可裂变物质,在这一过程中,产生所谓原子弹的爆炸。

许多铀同位素都能产生裂变,但是在天然铀 238 中只占 1/139 的铀 235,与其他同位素相比,裂变速度快,每次裂变释放的中子数多。钚 239 也有同样的性质。它们都是原子弹用的基本裂变材料。少量铀 235,如 1 磅(0.45 千克),尚不能进行链式反应,这称之为亚临界质量,因为在一般情况下,裂变释放的中子很可能没有轰击到原子核并引起其裂变而逃逸出装置。如果在一个装置内放入更多的铀 235,一个释放的中子引起另一个核裂变的机会就会增大,因为逃逸的中子必须穿过更多的铀原子核,这样一来中子撞击另一个原子核并使之裂变的机会增大。铀 235 达到临界质量时,裂变产生的中子又能引起另一次裂变,就可产生链式反应,进而发生原子爆炸。事实上,裂变物质的装置必须在瞬间由亚临界状态转变为临界状态。达到这一目的的一种方法是使两个亚临界质量合在一起,达到某一程度,这一结合的质量就变成临界质量。实用上的做法是用高爆炸药射击两个在空心管中的亚临界状态裂变物质的小块。第二种方法是内爆法,将裂变物质芯突然压缩成小体积,即增大其密度。由于其密度增大,原子核更紧密地靠在一起,释放的中子轰击原子核的机会增大。内爆型原子弹的弹芯是一个包有高爆炸药外套的裂变物质圆球或若干个同心壳体,它们同时起爆,引起裂变材料内爆,在巨大压力下增加材料密度,迅速达到临界状态。达到临界状态的重要辅助手段是使用反射层,这是一层包在裂变物质外面的氧化铍或其他物质,它能将某些逃逸的中子反射到裂变材料中去,引起更多的裂变。此外,"增强裂变"装置将诸如氘或氚这一类聚变材料加进裂变芯。由于提供了过剩的中子,聚变材料就加强了裂变爆炸效果。

与裂变物质所含的材料量相比,裂变释放出巨大的能量。在完全裂变的情况下,2.2 磅(1 千克)铀 235 能释放出相当于 1.7 万吨 TNT 的能量;原子弹爆炸时释放出巨大的热能,炸弹本身温度可达数百万度。这热能形成一个巨大的火球,其热量足以将一个小城市化为灰烬。爆炸引起的对流将尘土和其他地面物质吸入火球,形成原子弹爆炸时特有的蘑菇云。爆炸也立即产生强大的冲击波,从爆心向外传播出数英里,沿途强度逐渐减弱。冲击波可以摧毁距爆心数英里远的建筑物。爆炸同时释放出大量中子和 γ 射线,致命辐射作用距离为距爆心约为 1.5 或 3 千米。在火球中蒸发的物质凝结成微粒,这些放射性的尘埃被称为放射性坠尘,随风带入对流层或平流层。由于放射性沾染物中含有诸如锶 90 和钚 239 那样的长寿命的放射性同位素,因而原子弹爆炸后数周内还能产生致命的作用。

第二次世界大战期间,美国通过实施"曼哈顿工程"制造出第一批原子弹。1945 年 7 月 16 日在新墨西哥州阿尔伯克基以南 193 千米处成功地试爆了一枚钚弹。在实战中使用的第一枚原子弹是铀弹,1945 年 8 月 6 日,美国将该弹投于日本广岛,该弹爆炸力相当于 1.5 万吨以上的 TNT,它立即完全摧毁了这座 34.3 万人口的城市中心 4 平方英里的地区,造成 6.6 万人立即死亡,6.9 万人受伤,该城 67% 以上的建筑物遭到摧毁或破坏。第二枚原子弹是钚弹,1945 年 8 月 9 日投于日本长崎,爆炸力相当于 2.1 万吨 TNT。长崎的地形加上面积较小,减少了对生命财产的破坏与损失,但仍造成 3.9 万人死亡,2.5 万人受伤,该城 40% 的建筑物被毁或严重破坏。第二天日本提出投降谈判。

战后,美国在太平洋上的埃尼威托克环礁和内华达州进行了数十次原子弹爆炸试验。随后,苏联、英国、法国、中国、印度、巴基斯坦相继试验了各自的裂变武器。裂变爆炸产生的高温高压也能用来引起聚变反应,进而引爆*热核弹*(**thermonuclear bomb**)。参阅 **nuclear weapon**。

atomic clock 原子钟 利用原子的一定共振频率而制造的精确度非常高的计时仪器。原子钟的电子元件被某种原子或分子在量子跃迁(能级改变)时发射或吸收的电磁波辐射的频率所调制。在原子钟里,这种量子跃迁产生极有规律的电磁辐射波。像其他类型的钟表计数周期性发生的事件一样,原子钟为这些波计数。铯束原子钟是*原子时*(**atomic time**)和频率的最精确的标准。1967 年第 13 届国际计量大会将时间的国际单位(SI unit)秒按铯原子标准重新定义,使之与*历书时*(**Ephemeris Time**)的秒相等。大会提出的定义是:1 秒等于地面状态的铯 133 原子对应于两个超精细能级之间跃迁的 9 192 631 770 个辐射周期的持续时间。

atomic energy 原子能 参阅 **nuclear energy** *核能*。

Atomic Energy Commission(AEC) 原子能委员会 经美国国会通过,1946 年 8 月 1 日由杜鲁门总统签署法令建立的文官机构,任务是管制核武器的发展与制造,指导和平使用核能的研究与发展。它于 1946 年 12 月 31 日代替第二次世界大战期间研制成原子弹的美国陆军工程兵的曼哈顿工程特区。根据 1974 年的能源改组法令,原子能委员会被解散。1975 年,它的职能移交给两个新机构:一个是能源研究和开发管理局(1977 年能源部成立时解散);一个是核管理委员会。

atomic mass 原子质量 元素的一个原子所含物质的量,采用碳 12 原子的质量 1.9924×10^{-23} 克的 1/12 作为单位来表示。规定碳 12原子为 12 个单位原子质量。在这种标度中,1 原子质量单位相当于 1.6603×10^{-24} 克。观测到的原子质量略小于构成该原子的全部质子、中子与电子的质量总和。这一差额称为质量亏损,原因是这些粒子结合过程中,部分质量转化为结合能。参阅 **atomic weight**。

atomic number 原子序数 化学元素在周期表内的序号,在周期表内元素按其原子核内的质子数增加的次序而排列。因此,在中性原子内,质子数总是与电子数相等,质子数也就是原子序数。铁原子的核内有 26 个质子,因此铁的原子序数是 26。在表示某特定核或原子的符号中,原子序数可用左下角标示,例如铁(化学符号 Fe)的原子或原子核可以写作 ${}_{26}Fe$。

atomic physics 原子物理学 研究原子结构、原子能态及原子同其他粒子和场相互作用的学科。原子物理学已证明是非常成功地应用量子力学(近代物理学的基础之一)的学科。物质是由基本结构单元构成的思想可上溯至古希腊人,他们猜测土、风、火和水是构成自然界的要素。直到 17 世纪,才提出物质可能由微粒构成的思想。英国物理学家 I.牛顿在他的《数学原理》(1687)中提出,如果假定气体是由粒子组成的,则玻意耳定律(它阐明,在相同温度下气体的压强和体积的乘积为常量)就可以得到解释。1808 年,英国物理学家 J.道尔顿提出,每个元素都是由原子组成,不同元素的原子互不相同。1811 年,意大利物理学家 A.阿伏伽德罗假设诸元素的粒子可能由粘在一起的两个或两个以上的原子构成,并将这种堆集体称作分子。他根据实验结果猜测氢气或氧气中的分子是由一对原子结合而成的。

19 世纪期间,出现有限数目元素的思想,每种元素含有特定类型的原子,这些原子可以通过几乎无限多种组合方式形成各种化

合物。中世纪,气体动理论把诸如气体的压强和黏性之类的现象成功地归因于原子和分子诸粒子的运动。到1895年,由于化学上的证据与日俱增的影响和气体动理论的成就,使人们不再怀疑原子和分子是真实存在的。但是,由于英国物理学家E.卢瑟福和其学生的研究成果,人们才得以在20世纪初弄清原子的内部结构。在卢瑟福取得这一成就之前,英国物理学家J.J.汤姆孙曾提出一种流行的所谓"葡萄干-布丁"式原子模型。该模型认为,每个原子由若干电子(葡萄干)埋置在正电荷凝胶(布丁)中而构成;电子的总负电荷正好同总正电荷相等,从而使原子不带电。卢瑟福所做的一系列散射实验对汤姆孙模型提出了异议。他观测到,当一束α粒子(即现今知道的氦原子核)撞击金属薄片时,一些粒子会向后偏转。这样大的偏转角是同葡萄干-布丁式模型不相符的。

卢瑟福的研究成果导致近代对原子的新认识:在原子中有一个带正电荷的重核,周围环绕着轻的电子云。原子核由带正电荷的质子和不带电的中子组成,每个质子和中子的质量约为电子质量的2000倍。每种化学元素的原子能够发射反映其独特原子结构的具有特殊波长的光谱。原子十分微小,所以必须通过间接的实验技术来推断它们的性质。其中最主要的是光谱学技术,用它可以测量和阐明当原子从一个能态跃迁到另一能态时所发出或吸收的电磁辐射。通过波动力学的步骤,不同能态下的原子的能量和特征波长可以从某些基本的原子常量(即电子的质量和电荷、光速、量子论的基本特征常量——普朗克常量)计算出来。依据这些基本常量,原子的量子论的数值预测可以解释大部分观测到的不同原子的性质。尤其是量子力学对周期表中元素的排列提供深一层的认识,例如指示出周期表中同列元素应具有类似的性质。

atomic radius　原子半径　两相邻全同原子的核间距离的一半。原子没有刚性球面边界,但可认为是由弥散的负电子云包围着密实的微小的带正电的核所构成。原子半径的大小取决于该原子涉及的化学键的种类(金属键、离子键或共价键)。如果相邻原子不是同种的,例如氯化钠,测得的两原子间距的一部分归其中一种原子,剩余部分归另一种原子。在金属钠中钠原子的半径大于化合物氯化钠中钠离子的半径。在氯化钠中每个钠原子失去一个电子成为钠离子,带有1单位正电;每个氯原子得到一个电子而成为氯离子,带有1单位负电。氯离子的半径几乎是中性氯原子半径的两倍。氯分子中一对氯原子间的键以及金刚石中碳原子间的键,都是共价键,有共价键的原子半径称为共价半径。原子和离子间的距离可由晶体的X射线衍射分析精确测定,标准的原子半径值约为1至2埃(Å,1埃等于10^{-10}米)。

atomic time　原子时　由原子钟建立的时标,它比从前用各种天文学手段(测量地球自转和它绕太阳的公转)所能达到的精度都更高。现在全世界约有6个由实验室建造的主要的铯射束原子钟和许多由厂商制造的辅助的铯原子钟组成一系统,国际原子时(TAI)即以这系统为基础。这些原子钟向巴黎的国际时间局发送时间信号,时间局据此确定国际原子时。据估计,国际原子时的秒与国际单位制(SI)的秒相差在十万亿分之一以内。两台原子钟的走时速度有这样大小的差别时,则每经1 000年,其时间相差仅为3毫秒。参阅 **atomic clock; Coordinated Universal Time**。

atomic weapon　原子武器　参阅 **nuclear weapon** 核武器。

atomic weight　原子量　原子的相对质量,即某一元素原子的平均质量与某一"标准"的比值。从1961年开始,将一个同位素碳12的原子质量的1/12定为原子质量的标准单位(同位素是同一种化学元素而原子质量不同的一类原子)。碳的原子量为12.011,这是一个平均值,它反映了碳同位素的典型的天然丰度比。由于大多数化学反应都是按原子间简单的数量关系进行反应,因此,原子量的概念是化学的基础(因为几乎不可能直接计量原子的个数,化学家是通过称量反应物及其产物的重量,通过计算从原子量求得原子数)。

最初的原子量标准(氢的原子量定为1)是在19世纪建立的。大约从1900年起直至1961年,氧曾作为原子量的参考标准。那时指定氧的原子量为16,因而原子质量单位定义为氧原子质量的1/16。1929年发现天然氧中含有少量的比丰度最大的同位素稍重的另外两种同位素,于是16便代表自然界存在的氧的三种同位素原子质量的平均值。此后不久,又建立起了第二个标度,它规定氧的主要同位素的原子量为16。物理学家们比较喜欢使用这个标度,这就是所谓的原子量物理学标度。而早先的原子量化学标度也继续被化学家们采用,因为化学工作者一般接触的是天然同位素混合物,而很少是纯同位素。虽然这两个标度差别不大,但两者之间的比率并不固定,因为天然氧的来源不同,其同位素组成也稍有不同。同时由于使用两套数据也不大方便,于是化学家和物理学家在1961年建立了以碳12作标准的新的标度。依据这个新标度,原先的化学原子量数值只需作很小的变动。

原子量的测定方法分为化学方法和物理方法。直接测定一个元素对氧的重量比率从而求出另一元素的原子量是化学方法测定原子量的一个好例子。1912年两个美国化学家在氢气流中还原一经过准确称量和细心制备的氧化铁,然后称量所得的纯铁,从而求得铁的原子量为55.845 6,这跟目前采用的铁的原子量55.847±0.003非常接近。制备高纯的银是比较容易的,而且氯化银、溴化银又较稳定,因此不少研究者致力于测定各种可溶性氯化物、溴化物跟银及其相应的银盐的当量比。他们测得银对氯、溴和氧的比例,其误差分别不超过0.001%、0.002%和0.003%。物理测定方法在精确性和多样性方面都在迅速发展,也许有逐渐取代化学测定方法之势,但却很难预言究竟哪种物理方法最为精确。有两种物理方法较为常用,其中最有前途的方法是X射线衍射法。在理想的情况下,此法是将一个纯净完美的晶体的宏观密度,跟作为原子尺度的晶胞单位的密度(由X射线衍射测得)作比较而求得其原子量。第二种方法是通过质谱法很精确地测量核素的原子质量。对于只含一种核素的元素,其原子量可非常精确地直接测出。然而对于大多数其他元素,则必须先测定元素同位素的组成,然后由核素质量计算出原子量。对于由两个或最多三个同位素组成的元素,质谱法尤其优于化学法或其他物理方法。国际纯粹化学和应用化学联合会原子量委员会根据最准确的测量结果每两年修订和重新公布一次国际原子量表。

附原子量表,见34页。

atomism　原子论　"原子论"一词来源于希腊字 *atoma*,原意是"不可再分割的东西"。广义地说,"原子论"这个词是指一种用固定不变的粒子(或单元)组成的集合体的观点来解释复杂现象的学说,因而实质上是一种分析的学说。原子论用于自然科学中获得了最大成功,它借助整体的各个组成部分之间的差异和它们的位形来解释该整体的可观测的性质。原子论的历史大致可分为哲学时期和科学时期,17～19世纪是它们之间的过渡时期。

在哲学原子论时期,人们注意具体现象的基本的普遍性方面以及根据怎样的一般线索使这些普遍性得到合理的解释。古希腊的一些哲学家,其中包括巴门尼德、安那克萨哥拉、恩培多克勒、柏拉图等都有各自不同的原子论的思想,但影响最深远的是留基伯和德谟克利特的原子论。德谟克利特认为存在着无限多个不可见的原子。原子不可再分割,原子之间仅在大小、形状和运动方面有定量的不同。日常所见的物质性质的变化只是原子组合的改变,原子本身则永远不变。原子要运动因而必定存在真空。古原子论有个兴旺的开端,但在古希腊思想界并没有赢得突出的地位,主要是由于柏拉图和亚里斯多德拒绝将实在的整体(包括人在内)说成人所不能感知的原子组成的系统。但古希腊的原子论却通过罗马诗人卢克莱修的长诗《物性论》传播到拉丁语世界。

由于伽桑狄的努力,德谟克利特的原子论在17世纪复活。17世纪的原子论者感兴趣的是能否和如何在原子论的基础上建立物理和化学理论。笛卡儿否认原子的不可分性,他认为原初的宇宙由大小相同的粒子组成,这些粒子沿封闭曲线形成旋涡,结果造成今天的宇宙基本上由三种不同的粒子组成,这些粒子的性质可由质量、速度和运动的量等进行定量的描述;博斯科维奇(1711～1787)则试图以原子的点粒子模型(原子没有大小,只是力的作用点)来说明所有已知的物理现象。科学家们对原子论的主要兴趣是在化学方面。17世纪大多数原子论者认为原子不可改变,原子在纳入更大的单元时,只采取简单的并列方式。塞诺特(1572～1637)已经清楚地区分了基本原子和经组合而成的原子。玻意耳(1627～1691)遵循同样的思路认识到组合而成的原子是以化学意义上的基本

原 子 量 表

对于无稳定同位素的元素的原子量,则以其最稳定的同位素的质量数表示于括号中

名称	符号	原子序数	原子量	名称	符号	原子序数	原子量	名称	符号	原子序数	原子量
锕	Ac	89	227.028	铪	Hf	72	178.49	钷	Pm	61	(145)
铝	Al	13	26.981 5	𬭶	Hs	108	…	镤	Pa	91	231.035 9
镅	Am	95	(243)	氦	He	2	4.002 60	镭	Ra	88	226.025 4
锑	Sb	51	121.75	钬	Ho	67	164.930	氡	Rn	86	(222)
氩	Ar	18	39.948	氢	H	1	1.007 9	铼	Re	75	186.207
砷	As	33	74.921 6	铟	In	49	114.82	铑	Rh	45	102.905 5
砹	At	85	(210)	碘	I	53	126.904 5	铷	Rb	37	85.467 8
钡	Ba	56	137.33	铱	Ir	77	192.22	钌	Ru	44	101.07
锫	Bk	97	(247)	铁	Fe	26	55.847	𬬻	Rf	104	(261)
铍	Be	4	9.012 18	氪	Kr	36	83.80	钐	Sm	62	150.36
铋	Bi	83	208.980 4	镧	La	57	138.905 5	钪	Sc	21	44.955 9
𬭛	Bh	107	(264)	铹	Lr	103	(260)	𬭳	Sg	106	(263)
硼	B	5	10.81	铅	Pb	82	207.2	硒	Se	34	78.96
溴	Br	35	79.904	锂	Li	3	6.941	硅	Si	14	28.085 5
镉	Cd	48	112.41	镥	Lu	71	174.967	银	Ag	47	107.868
钙	Ca	20	40.08	镁	Mg	12	24.305	钠	Na	11	22.989 77
锎	Cf	98	(251)	锰	Mn	25	54.938 0	锶	Sr	38	87.62
碳	C	6	12.011	鿏	Mt	109	…	硫	S	16	32.06
铈	Ce	58	140.12	钔	Md	101	(258)	钽	Ta	73	180.947 9
铯	Cs	55	132.905 4	汞	Hg	80	200.59	锝	Tc	43	(98)
氯	Cl	17	35.453	钼	Mo	42	95.94	碲	Te	52	127.60
铬	Cr	24	51.996	钕	Nd	60	144.24	铽	Tb	65	158.925 4
钴	Co	27	58.933 2	氖	Ne	10	20.179	铊	Tl	81	204.383
铜	Cu	29	63.546	镎	Np	93	237.048 2	钍	Th	90	232.038 1
锔	Cm	96	(247)	镍	Ni	28	58.69	铥	Tm	69	168.934 2
𬭊	Db	105	(262)	铌	Nb	41	92.906 4	锡	Sn	50	118.69
镝	Dy	66	162.50	氮	N	7	14.006 7	钛	Ti	22	47.88
锿	Es	99	(252)	锘	No	102	(259)	钨	W	74	183.85
铒	Er	68	167.26	锇	Os	76	190.2	110 号元素	Uun	110	…
铕	Eu	63	151.96	氧	O	8	15.999 4	铀	U	92	238.029
镄	Fm	100	(257)	钯	Pd	46	106.42	钒	V	23	50.941 5
氟	F	9	18.998 4	磷	P	15	30.973 76	氙	Xe	54	131.29
钫	Fr	87	(223)	铂	Pt	78	195.08	镱	Yb	70	173.04
钆	Gd	64	157.25	钚	Pu	94	(244)	钇	Y	39	88.905 9
镓	Ca	31	69.72	钋	Po	84	(209)	锌	Zn	30	65.39
锗	Ge	32	72.59	钾	K	19	39.098 3	锆	Zr	40	91.224
金	Au	79	196.966 5	镨	Pr	59	140.907 7				

… 资料尚有争议。

粒子的方式起作用。

道尔顿(1766～1844)通常被看作是科学原子理论之父。他把拉瓦锡(1743～1794)的研究成果(即"化学元素是那种用已知的化学方法不能进一步分析的物质")同原子论观点结合起来。他提出:有多少种不同的化学元素,就有多少种不同的原子;同一种元素的原子在重量、形态等方面完全相同。他还强调查清原子的相对重量以及组成一个化合物"原子"的基本原子的数目极为重要。关于原子组成化合物的方式,道耳顿认为这是诸原子在牛顿万有引力作用下简单地并列在一起形成的。在化学反应后,原子仍保持自身不变。

19 世纪末 20 世纪初的物理学成果揭示出原子是可变的,可以分割的。到 20 世纪 30 年代,已经认识到原子是由质子、中子、电子等更基本的粒子组成的。不过科学家们又认为基本粒子不可分割,因而古原子论的基本轮廓仍未改变:物质世界是由最小的粒子组成的,这些粒子性质不同并能相互结合组成比较稳定的结构(原子),原子通过交换一定的组分(如电子)形成分子,这些过程都受着已知的力学和电磁定律的支配。在现代原子论中,基本粒子不变的思想已被抛弃:基本粒子可以转变为辐射,反之亦然;在组成更大的单元时,基本粒子也不一定保持自身不变。关于宇宙中基本粒子的数目,20 世纪 30 年代有的科学家根据物质使空间弯曲的观点,估算出约为 10^{79} 个。

原子论在物质结构研究中的成功鼓舞科学家们将原子论观点推广到其他现象和研究领域。在电现象研究中,它启发人们假定存在着同基本的物质粒子相联系的基本的带电粒子,19 世纪末终于发现了电子。20 世纪初能量量子的发现是它的又一个成果。原子论的思想还在关于引力的量、甚至时间的量的研究中得到应用,不过至今尚未获得引人注目的成果。原子论的观点甚至应用到心理学以及逻辑和语言的研究中,例如哲学家和逻辑学家罗素和语言哲学家维特根斯坦就创立了所谓的"逻辑原子论"。

Atomism, Logical (philosophy)　参阅 **Logical Atomism 逻辑原子论**。

Aton　阿吞　又拼 Aten。古代埃及宗教所信奉的太阳神。其像为一轮日盘,光芒四射,末梢呈人手状。对阿吞的崇拜一度为埃及国教。法老**阿肯那顿**(**Akhenaton**,公元前 1353～前 1336 在位)重新确立太阳神(参阅 **Re**)的至尊地位,宣布阿吞是唯一的神,是不可捉摸的神。阿肯那顿为了反对底比斯的阿蒙-瑞神祭司集团(参阅 **Amon**),建阿海塔吞城(今特勒·埃尔-阿马尔纳)作为阿吞崇拜的中心。阿肯那顿一心崇拜阿吞,无暇顾及朝政和边防,以致丧失大片领土。而新宗教过

阿肯那顿(左)、其妻(右)及三个女儿在阿吞神的沐浴之下,公元前 14 世纪中叶的祭坛浮雕
美国不列颠百科全书公司供图

于新奇而复杂，不易为一般人接受。因此阿肯那顿死后，往日所奉诸神再兴，新城废弃。

atonality 无调性 不以功能和声作为基本结构因素的音乐。第一次世界大战前，在A.勋伯格及其学派的"表现主义"作品中，重新出现单纯以旋律-节奏力量作为音乐形式的主要决定因素。这是19世纪的后浪漫主义音乐中削弱调性中心做法的合乎逻辑的后果。例如R.瓦格纳创作《特里斯坦和绮瑟》时，由于强调半音阶的表现力，接连出现的和弦彼此的关系比它们与断断续续的和声终止式牢固建立起来的共同主调音之间的关系更为密切。终于，由12个等距离音程构成的半音音阶取代了自然音阶这个与功能和声形影不离的伙伴，导致用旋律-节奏的紧张度和解决的办法来取代数百年来决定西方音乐结构的和声终止及转调等技巧。无调性虽适用于表达具有感情饱和度的乐曲，但却不能支承大规模的音乐进程。实际上无调性只是相对的，因为一首无调性乐曲可能包含具有调性中心的片段。勋伯格的声乐套曲《月光下的彼埃罗》(1912)和A.贝尔格的歌剧《沃采克》(1925)均为无调性代表作。参阅 **chromaticism; polytonality; twelve-tone music**。

atonement 赎罪 宗教史和神学朗上多次出现的主题，指人排除障碍而与上帝和好的过程。大多数宗教，无论是原始宗教或发达的宗教，都有赎罪的仪式，借以表明信徒恢复或巩固他与神的关系。赎罪礼往往包含献祭，其中的净化礼往往表示清心和取得接近神灵的资格。根据基督教正统教义，必须由基督流血牺牲，人的罪才得赎免(《希伯来书》9章26节)。犹太教不太讲究代赎，犹太教传统派认为，人必须为自己的罪孽进行自赎，才能获得上帝的宽恕。为此，他可以采取各种措施，如进行忏悔、补偿错误行为、行善、经受苦难及从事祈祷等。教徒每年有十天的反省，然后在赎罪日进行以认罪悔改为中心的活动。

Atonement, Day of (Judaism) 参阅 **Yom Kippur** 赎罪日。

Atoni 阿托尼人 印度尼西亚小巽他群岛极东部帝汶岛上的主要民族。住在该岛中部和西部的平原和山区。人口约53万。属原始马来人种及类梅拉人种。操马来-玻利尼西亚语系的方言帝汶语。种玉米、稻谷，养猪，采集蜂蜜、蜂蜡及檀香木出售。在农事上，男女分工严格。实行父系制，每家由夫妻、未婚子女、已婚儿子及男方未付清聘礼的已婚女儿组成。由村社头人行使地方政权。1910年后传入基督教，但传统的泛灵信仰及宗教的过渡礼仪仍受重视。阿托尼人崇奉天神、地祇、祖灵及冥界诸灵。

atopic dermatitis 异位性皮炎 皮炎(**dermatitis**)的一种类型。

atopy 特应性 一种速发型超敏反应。特征为接触抗原后体液立即从血管渗入组织。多见于有变态反应性疾病家族史者，其血清及皮肤中有反应型抗体。与此相对应的是迟发性超敏反应，一般在接触抗原后几个小时到几天才出现症状。参阅 **allergy**。

ATP 参阅 **adenosine triphosphate** 三磷酸腺苷。

Atrato River 阿特拉托河 哥伦比亚西北部河流。源于安第斯山脉西科迪勒拉山西坡。大致向北流，注入加勒比海的乌拉瓦湾。全长仅670千米，但流量很大，不少于5 000米^3/秒。夹带大量泥沙，沉积在乌拉瓦湾。小船可上溯航行至基布多。下游已考虑用作穿越地峡的运河河道。

atresia and stenosis 闭锁及狭窄 中空脏器管腔短缺或通道变窄的病理现象。闭锁及狭窄常系先天性畸形，多需生后即行处理。几乎所有中空脏器均可受累，较多见者如下：①肛门闭锁。肛门及直肠下端的先天性短缺(美国新生儿的发病率为1/6 000)，程度不等，常伴其他畸形。需行肛门重建术。②食管闭锁。食管发育不完全，常与气管相通，可行手术矫治。③胆管闭锁。常伴严重黄疸及脂肪消化障碍。可望存活数年，个别病例可经手术治愈，手术成功率近年来日益提高。④小肠闭锁。尤其多见于十二指肠。发病率为小肠狭窄的2倍，新生儿发病率为1/3 000，主要症状为呕吐及肠梗阻。应尽早手术治疗。⑤主动脉弓及心脏瓣膜闭锁。初生时即显严重症状，有时可行手术矫治。⑥输尿管及尿道的闭锁及狭窄。致梗阻部位以上的尿路扩张，肾功能受损，常伴感染。⑦幽门狭窄。一种较常见的新生儿疾病，男孩发病率为女孩的4倍，白人多于黑人，胃出口部呈痉挛性狭窄，应及早进行手术。⑧主动脉、肺动脉及心脏瓣膜狭窄。初生时即致轻度至重度的循环障碍，可用手术矫治。参阅 **agenesis**。

Atreus 阿特柔斯 希腊传说中迈锡尼的珀罗普斯和他的妻子希波达弥亚的儿子，提厄斯忒斯的哥哥和迈锡尼王。在古代，这一家族的历史就其复杂和腐败而论，实际上是独一无二的。死于珀罗普斯之手的对手弥耳提罗斯发出了一个咒诅，这个咒诅降灾于珀罗普斯的后人。珀罗普斯的儿子阿尔卡苏斯、阿特柔斯和提厄斯忒斯从谋杀珀罗普斯和一个仙女所生的异母兄弟克律西波斯开始，走上血腥的道路。犯罪之后三兄弟逃离故乡比萨城；阿尔卡苏斯去迈加拉，阿特柔斯和提厄斯忒斯去迈锡尼，阿特柔斯在迈锡尼当了国王。提厄斯忒斯或因与阿特柔斯争夺统治权，或因勾引阿特柔斯的妻子埃洛珀，被赶出迈锡尼。提厄斯忒斯为了报复，派普勒斯忒涅斯(阿特柔斯的儿子，由提厄斯忒斯当作养子抚育成人)去杀阿特柔斯，但是，这个孩子没有被他父亲认出，他自己反而被杀死。后来阿特柔斯知道了真相，就把提厄斯忒斯召回，表面上为了和解，并在一次宴会上，用提厄斯忒斯自己儿子的肉款待他(儿子被阿特柔斯杀死，以报复普勒斯忒涅斯之死)。提厄斯忒斯毛骨悚然，逃到西塞昂，在那里他使自己的女儿珀洛皮娅怀孕，打算再生一子为自己报仇。阿特柔斯接着同珀洛皮娅结婚；她生下提厄斯忒斯的儿子埃癸斯托斯，但阿特柔斯却相信这孩子是他所亲生。后来，阿伽门农和墨涅拉俄斯(阿特柔斯和埃洛珀的两个儿子)找到提厄斯忒斯，把他囚禁在迈锡尼。埃癸斯托斯被派去谋杀提厄斯忒斯，但是他们却因埃癸斯托斯的一把刀而彼此相认，这是珀洛皮娅过去从她父亲身上取下送给她儿子的。父子二人遂杀死阿特柔斯，夺取了王位，并把阿伽门农和墨涅拉俄斯赶出国土。

Atreus, Treasury of 阿特柔斯宝库 又称阿伽门农墓、蜂箱墓或圆顶。约公元前1300～前1250年建于古希腊迈锡尼城。这个迈锡尼文化遗迹为尖穹窿顶建筑，用挑出的石块砌成，并加以打凿和磨光，使之如真拱顶一般。墓的直径约15米，高度略小于直径。墓门上巨大的整石过梁重120吨，长9米，宽5米，高0.9米。过梁顶上加有三角形辅助拱，并附有浮雕饰板。在主墓室侧面从天然岩石中凿出一间较小的墓室，是埋葬死者的地方，而主墓室可能是作祭堂用。墓门正面砌有两根米诺斯式的半露壁柱(现藏伦敦不列颠博物馆)，墓门前有露天墓道，两边用巨石作护墙。

Atri 阿特里 意大利中部阿布鲁齐区泰拉莫省城镇。在佩斯卡拉西北面。坐落在俯瞰亚得里亚海的山丘上。该镇的著名建筑有13世纪的大教堂和15世纪的阿夸维瓦大公宫殿。阿特里的经济以农业为主，包括牛的饲养和生产葡萄酒、橄榄油、谷类、鸡蛋、面粉、干酪、通心粉和赤陶器等。人口：城市区约11 118(1991)。

Atria (Italy) **阿特里亚** 参阅 **Adria** 阿德里亚。

atrial fibrillation 心房纤颤 最常见的主要的心律失常。为心房肌肉无规则不协调的颤搐。可阵发于胸外科手术时，肺血管被血块或其他栓子栓塞后或发生于严重感染及高热之时。多见于心脏有器质性病变的患者，如二尖瓣病变严重到足以引起充血性心力衰竭时。持续性心房纤颤时心房内可形成血块，脱落后进入循环，阻塞血管，引起重要脏器的组织坏死。心房纤颤伴有阵发性室性心率过速时常用洋地黄治疗，以减慢心室率。有时心房纤颤可用电转复终止。参阅 **ventricular fibrillation**。

atrial septal defect 房间隔缺损 一种先天性心脏病，左右两心房的间隔上存在先天性的孔隙。最常见的类型是卵圆孔未闭。胎儿期房间隔上正常存在有卵圆孔，出生时或出生后不久即关闭。房间隔缺损时，左心房的血液经缺损流入右心房，使右心房、右心室及主肺动脉扩大。房间隔缺损的治疗通常为手术闭合缺损，但肺血管病变严重时，手术危险性很大。

Atriplex **滨藜属** 藜科的一属。草本或灌木,约100种,遍及世界温带和亚热带的盐碱土地区。许多种的叶白色,似覆有糠秕或粉层。产于北美西部的一些种,特别是灰毛滨

滨藜属植物

美国不列颠百科全书公司供图

藜(*A. canescens*)和密叶滨藜(刺滨藜,*A. confertifolia*)是耐盐性灌木。法国菠菜(*A. hortensis*)的嫩叶可作蔬菜食用。平俯滨藜(*A. patula*)亦称藜,是一种生长于干旱土壤的苍绿色杂草。

atrium **中庭** 古罗马住宅中央的露天庭院。古罗马时炉灶设于中庭,随着住宅形式的发展,厨房和炉灶移到他处,中庭成为正式的会客地点并成为家庭生活的中心。罗马共和国末期,大型住宅里增加了带柱廊的庭院,从而消除了中庭里家庭生活的最后痕迹。罗马帝国时,中庭实际成了主人的办公室。传统上在中庭里供奉着家神。无论中庭有无柱廊,庭中央房顶洞之下普遍地设有大理石蓄水池。在罗马,中庭也指神殿前带门廊的开敞庭院。早期基督教徒也采用中庭,基督教的巴西利卡(**basilica**)前往往建有带柱廊或拱廊的庭院。罗马的圣克雷芒教堂、米兰的圣

意大利庞培古城约公元1世纪的中庭,带水池及天井

美国不列颠百科全书公司供图

意大利米兰市圣安布罗焦教堂内的中庭

美国不列颠百科全书公司供图

安布罗焦教堂和伊斯特拉半岛(克罗地亚)波雷奇的攸夫拉西阿长方形教堂都一直保留着门前的中庭。20世纪时该词又用以指居住和商业建筑中的中庭。

atrium **心房** 接受回心血液并将其送入心室的心腔。见于脊椎动物及较高级的无脊椎动物。鱼类仅有单一心房,两栖类、爬行类、鸟类、哺乳类则有两个。人类的心房居心脏上部,略呈立方形,并有一耳状突出部,称为心耳(心耳一词曾被误用于称呼整个心房)。右心房接受来自静脉的低氧、高二氧化碳血,将其送入右心室,然后泵入肺内;左心房则接受来自肺的高氧、低二氧化碳血,将其送入左心室,进行体循环。右心房壁的主要开口有:①上、下腔静脉,冠状窦(心脏静脉,携带心肌本身的静脉血)的终末膨大部分的心房入口;②右心房通右心室的出口。左心房则有肺静脉的入口及通左心室的出口。参阅**ventricle**。

atrophy **萎缩** 一种病理现象,表现为细胞、组织、器官或身体某一部分体积的缩小。可能是实质细胞数量减少和(或)体积缩小的结果。萎缩只是一个相对的概念,参照指标是相同年龄、环境和性别条件下的相同组织和器官的大小。生理性萎缩指某些细胞和器官于一定年龄或生理条件下自然发生的萎缩,例如人的胚胎结构大都是一过性的,人出生时就已经萎缩了。生后,肾上腺皮质内层细胞发生萎缩,并导致整个肾上腺体积的减小。青春期前后发生萎缩的器官有胸腺和松果体,前者是以脂肪结缔组织,后者是以钙化结节分别取代萎缩部分。在完全成熟发育过程中出现的年龄性萎缩虽不平衡,但却更为广泛,并受营养和血液循环等多种因素的影响。女性生殖器官随正常月经周期而出现的变化中,也有许多生理性萎缩现象,如排卵而未受孕,卵巢黄体就会萎缩成白体;哺乳期后的乳液分泌腺体的萎缩;胎儿娩出后妊娠子宫迅速萎缩;妇女绝经期后卵巢、子宫及乳腺萎缩。

全身性萎缩 因不能获得食物或因病不能摄取及消化食物所造成的饥饿状态能导致身体各种组织与器官的普遍萎缩,称全身性萎缩。不能摄取或利用某些必需的蛋白质成分及维生素即可造成代谢紊乱,导致某些细胞与组织的萎缩。在蛋白饥饿状态下,体内蛋白质分解为氨基酸以提供能量,帮助维持身体最重要器官(脑、心、肺等)的结构与功能。因此,对于一个全身萎缩者来说,他的心、脑、肾因血供丰富,受饥饿状态的影响最小;肾上腺、甲状腺、垂体、性腺和肾的萎缩程度轻于平均水平;而脂肪组织、肝、脾、淋巴结的萎缩重于平均水平。和蛋白饥饿性全身萎缩有关的另一类萎缩是因缺乏维生素所致的组织萎缩,例如缺乏维生素A促进皮肤萎缩、缺乏维生素E促使肌肉萎缩。当人的发育性生长停止后新陈代谢渐进性衰退,机体缓慢地出现一些非一般伤病所致的全身形态变化,称老年性萎缩。老年性萎缩几乎累及所有组织与器官,但某些部位变化更为明显和重要。例如动脉管壁增厚与硬化减少了组织血供并促进衰老过程。老年性皮肤萎缩最为直观,因真皮纤维结缔组织、汗腺、皮脂腺的萎缩,而使皮肤表面十分光滑、板平、易起皱。老年性肌肉萎缩导致肌肉强度和灵活性降低。因萎缩的心肌细胞内有大量脂褐素沉积,故老年性心脏素有"褐色萎缩"之称;心肌间纤维组织增生、脂肪浸润;冠状动脉内膜纤维化、弹力板断裂并被纤维组织取代;心肌间质淀粉样变性。肝萎缩是肝细胞内也有大量脂褐素沉积。老年性骨萎缩表现为进行性的骨质疏松、重量减轻。这种变化以长骨两端的疏松骨和内层骨皮质最为明显。此外,骨细胞数量和钙盐沉积量也明显减少,骨质变脆。老年性萎缩脑的脑回变窄、蛛网膜下腔液量增加、神经细胞萎缩、数量减少、细胞内脂褐素沉积。神经纤维变性,间质淀粉样变性(老年斑)。所有这些和阿尔茨海默氏病相似的脑病变是老年性痴呆的病理基础。脑动脉硬化可能是老年性脑萎缩的一个原因,也可能仅是它的一个合并症。西蒙兹氏病(慢性垂体功能不全)可导致多种内脏萎缩,如心、肝、脾、肾、甲状腺、肾上腺和性腺等。它们之间是激素和效应器的关系。如果直接效应器是内分泌腺,那么第二级效应器官也会发生萎缩。

肌肉和骨骼萎缩 "废用"可致局部肌肉和骨骼的萎缩。废用性萎缩的准确机制尚不明确,但肯定和废用组织的血液供应减少、营养不足有关。去神经性萎缩是指因运动神经元发生病变而出现的效应肌群萎缩,如脊髓灰质炎病人的下肢麻痹和肌肉萎缩。有人认为去神经性萎缩也是一种废用形式。从去神经性肌肉麻痹到肌细胞开始萎缩之间,大约有几周的时间;再过几个月,肌细胞开始破裂、消失,所留空间被脂肪结缔组织填充;肢体长度也开始挛缩。肌肉废用,骨骼也就因此而被同时废用,几周之内,X射线就可显示出骨质疏松、长骨皮质变薄、钙盐沉积减少。由于疼痛性关节病变(如类风湿性关节炎)可引起该关节周围的肌肉及骨骼的废用性萎缩。营养障碍(如严重、长期的低血糖)也可导致神经细胞功能下降,引起相应的肌肉、骨骼废用。单纯废用,如肢体被长期石膏固定并用吊带挂住,肢体肌肉也会萎缩。所致病变虽相似,但程度要轻得多。持久的压迫可致受压细胞、组织、器官产生压迫性萎缩。例如肿瘤压迫造成周围正常组织萎缩;升主动脉瘤压迫表面的胸骨,使之萎缩;腰椎间盘突

出压迫邻近神经引致下肢肌肉萎缩。压迫性萎缩的压力无需大,但要有持续性,甚至肝脏间质的淀粉样变性物质都可以压迫肝细胞,使之萎缩。持续的压迫干扰了正常的营养代谢过程,因而造成了受压组织的萎缩。有些肢体肌肉萎缩是由于遗传原因,如夏-马-图氏病(进行性神经性腓肠肌萎缩)。此病主要累及儿童,病变是外周神经纤维脱髓鞘、轴索变性、脊髓薄束和前角运动神经元变性。遗传性腓肠肌萎缩还见于弗里德赖希氏共济失调(遗传性脊髓小脑性共济失调),主要病变是脊髓和小脑皮层神经元的变性和萎缩。

神经组织萎缩　脑、脊髓的萎缩可源于直接损伤或供血不足。华勒氏变性指的是离断的周围神经纤维发生变性、萎缩。如果周围神经纤维的损伤未能得到及时的救治,则损伤远端的神经纤维只有萎缩一种归宿;而损伤近端连同支配神经元也会因废用而萎缩。持续的压迫如脑膜瘤、脑积水等也会使脑、脊髓出现萎缩。颅内压升高会把脑组织挤向颅腔唯一的骨性开口　颅底的枕骨大孔,并可嵌顿形成一个压迹(即"脑疝")。在这种情况下,常常是还没有来得及出现压迫性脑萎缩,患者就已经死亡。脑慢性炎症到了晚期,脑萎缩常是特征性病变,如神经梅毒麻痹性痴呆患者的脑,尤其是额叶皮层萎缩极具特征性。

脂肪组织萎缩　多属因长期营养不良而致全身萎缩的一种主要表现。损伤可造成局部脂肪萎缩,又称脂肪营养不良,如反复注射胰岛素的部位的皮下脂肪组织就会发生萎缩。进行性脂肪营养不良是一种病因未明的少见病,脂肪组织萎缩仅累及患者身体的局部,如面部、上肢或躯干等处。女性多见,儿童期发病。

皮肤萎缩　皮肤萎缩是老年性萎缩的主要表现之一,也见于长期受日光暴晒者。但很多皮肤病都有皮肤萎缩性表皮和真皮病变,而且是主要的病变成分,如硬皮病(限局性和弥漫性)。重者可累及皮肤附件、皮下脂肪,甚至肌肉。红斑狼疮也常伴有皮肤萎缩。

腺体萎缩　某一内分泌腺的萎缩程度和该种内分泌激素的血液浓度有直接关系。如一侧肾上腺发生功能性皮质细胞瘤,就可导致另一侧肾上腺皮质萎缩。这种现象的发生可能和垂体功能有关。除肾上腺外,由垂体控制的内分泌腺还有甲状腺、性腺等。故垂体功能障碍会引起多种内分泌功能紊乱;一旦出现垂体功能衰竭,就会引起多种内分泌腺萎缩,这就是西蒙兹氏病。二级效应器(如生殖器)的功能障碍也是垂体疾病的重要表现。外分泌腺(如唾液腺、胰腺)可因导管堵塞而致萎缩。类似的情况还见于因输尿管堵塞而出现的肾萎缩。

中毒性萎缩　因化学性损伤所致的萎缩少见。例如慢性砷或铅中毒产生周围神经变性,引致小腿或前臂肌肉无力及萎缩。

atropine　阿托品　有毒的结晶性药用生物碱。主要用于眼科,局部应用有散瞳作用,可用以检查眼底及剥离或预防晶状体与虹膜粘连。可抑制鼻腔腺体及泪腺的分泌,故可用于对症治疗枯草热及头伤风。可缓解因副交感神经兴奋而致的肠痉挛,亦常用于多种泻药配方中。可用于治疗儿童遗尿症,偶用于缓解输尿管和胆管痉挛。现已不用作呼吸兴奋药,其缓解支气管痉挛的作用已多为肾上腺素所代替。其作用包括抑制汗腺、黏液腺及唾液腺分泌,抑制迷走神经从而加快心率,散大瞳孔、麻痹晶状体的调节功能,以及松弛支气管、肠道和其他平滑肌。对中枢的作用为先兴奋、谵妄,继之延髓抑制、麻痹。因其作用复杂多样,对临床应用极为不利,所以人们合成了多种更有特效的代用药。如后马托品对眼的作用时间短暂而对中枢几无作用;解痉素及辛托潘能解痉而无散瞳、口干或心率加快等作用。阿托品在自然界的含量不多,由提自茄科植物颠茄、天仙子、曼陀罗以及赛莨菪等的左旋莨菪碱衍生而成,尤以得自埃及天仙子(*Hyoscyamus muticus*)者为最佳。易与酸类形成晶形盐类,而医药上主要用其硫酸盐。阿托品和莨菪碱均由托品合成。

Atrypa　无洞贝　腕足动物的绝灭属。分布的时限长,化石大量出现在海相的中志留统直到下密西西比统(志留纪始于43亿年前,密西西比纪终止于3.25亿年前)。无洞

中泥盆统无洞贝(*Atrypa spinosa*)
美国不列颠百科全书公司供图

贝的许多种已有描述。因与众不同的同心生长线和壳上独特的附生物而易辨认。奇特的是某些泥盆系露头中只出现大量的腹瓣遗体,背瓣很少或没有,显然是因某种选择性的洋流作用而造成的。

'Atshanah(Turkey)　**阿特尚纳赫**　参阅 **Alalakh** 阿拉拉赫。

Atsina　阿齐纳人　又称草原格罗斯文特人。操阿尔冈昆语的北美印第安阿拉帕霍部落的一个支系。大约早在1700年时,就已同阿拉帕霍人分开,到有史期晚期,住在现在的蒙大拿北部和与之毗邻的加拿大地区,在文化上与其他平原印第安人相似。阿齐纳人与阿西尼博因人一起居住在蒙大拿州的贝尔科纳普堡保留地,20世纪后期,两个部落的总人数不足2 000人。参阅 **Arapaho**。

Atsumi, Kiyoshi　渥美清(1928-03-10,日本东京～1996-08-04,东京)　日本喜剧演员。在东京贫民窟长大,曾到剧院打杂,1968年首次在电视影片中演出寅次郎的角色。后在48集系列电影《男人真命苦》中扮演这个角色到1996年为止,该片成为播出最久的同一演员扮演主角的系列电影。剧中寅次郎为中年小贩,是迷人而不负责任的无赖,卖廉价饰物给路人,并徒劳地追求漂亮女子。渥美清把风趣诙谐的俏皮话及庶民的真诚融入角色中。

Atsunobu(Japanese philosopher)　**笃信**　参阅 **Kaibara Ekiken** 贝原益轩。

Atsuta　热田　日本本州爱知县名古屋市一个港口区。早期曾是宗教中心。德川时代是东海道上京都和东京之间的重要驿镇。1907年并入名古屋,1937年成为港口区。第二次世界大战前以军火工业为基础,现生产汽车、玻璃、乐器、橡胶及松木制品等。当地名胜榛东热田祠有自古供奉的一把宝剑。人口65 055(1995)。

attachment　扣押令　在美国的法律上,指由法院签发的扣押被告人人身或财产的法律文书。在美国,有几个历史比较长的州,为了确保所作出的有利于原告人的判决得到执行,可以从诉讼开始就签发财产扣押令;但在其他各州,只有对非本州居民的财产或者根据与欺骗等有关的法定理由才能在判决前签发扣押令。在上述情况下,通常要求原告人提交赔偿保证金。扣押令亦可在判决之后发布。这个术语常用来指扣押债务人的银行存款、工资或其他无形财产。参阅 **garnishment**。

attack aircraft　强击机　又称对地攻击机或近距支援机。一种通过对敌地面部队、坦克及其他装甲车辆、地面设施进行扫射和低空轰炸的方式支援地面部队作战的军用飞机。强击机一般不似战斗机速度大、机动性能好,但能大量携带各种武器(自动火炮、机枪、火箭、导弹和炸弹),而且,能贴近地面低飞。第一次世界大战中,德国和英国各用双翼机低空扫射对方的战壕。但是,真正的强击机直至第二次世界大战中才出现。那时,强击机被赋予一项新的重要任务,即摧毁坦克和其他装甲车辆。这些新型的装甲单翼机能在近距离攻击坦克和部队人员时承受猛烈的高射炮火。当时最重要的强击机有苏联的伊尔-2和美国的A-20。这些飞机装有20毫米机关炮和0.30或0.50英寸的机枪。另两种美国20世纪40年代和50年代的强击机是B-26和A-1。所有这些类型的飞机都采用活塞引擎和螺旋桨驱动。第二次世界大战后研制出速度更快的喷气式飞机用于执行强击任务。美国的强击机有:A-6,于1960年首次试飞;美国海军A-4,于1954年首次试飞;A-7,于1965年首次试飞。A-10A是一种双座双发动机强击机,于1972年首次试飞,70年代中期成为美国空军主要的近距支援强击机,主要装备为一门安装在机头上的7管30毫米机关炮,这是一种极为有效的"坦克杀手"。苏联强击机的改进始自苏-7(北大西洋公约组织称之为"装配匠"),是一种单座单发动机飞机,50年代后期服役,并开始逐步改进,至70年代后期以至于80年代发展成米格-27和苏-25。此外,常规战斗机和战术战斗轰炸机也用作强击机,借助于使用精密的电子瞄准系统和精确的制导导弹以完成强击任务。还有装有机关枪、自动

火炮以及反坦克火箭、导弹的攻击型直升机，也可用来执行固定翼强击机的近距支援任务。

Attaignant, Pierre 阿泰尼昂（约1480～1552,法国巴黎） 欧洲文艺复兴时期杰出的音乐印刷商和出版商。最早使用一次完成印刷法的人之一（早些时候，印刷工人把谱表和音符分别印刷）。1527年以前，他开始使用新发明的活动音乐铅字，即将一段谱表同一个音符合刻在一个模子中。他用这种新模子印刷了一本《新歌曲集》(1528)。1538年，成为国王的音乐印刷匠和书商。他印制了当时150多名杰出作曲家的作品，其中有歌曲、舞蹈曲集、弥撒曲、经文歌、诗篇歌和受难曲等。所存111种由他出版的乐谱，为了解16世纪早期音乐提供了丰富的资料。

attainder 剥夺权利 在英国法上，指因叛国罪或者重罪而被判处死刑或宣布不受法律保护时所导致的对其公民权利和政治权利的剥夺。剥夺权利最重要的后果是没收财产和中断血统。如果是叛国罪，罪犯的土地没收归国王。如果是重罪，土地没收归国王一年零一天，以后再转归罪犯的领主。原因是重罪被认为是对封建领主权利的侵犯。到《大宪章》时，国王宣布放弃重罪案中没收财产的权利。更为严酷的是所谓中断血统，就是被宣告剥夺权利的人没有资格继承或转让财产，他的后裔永远不能继承他的任何称号。19世纪后，除因叛国罪而没收财产外，其他形式的剥夺权利一概废除。根据英国的经验，美国宪法的起草人在宪法(第3条第3款)中规定："国会有权宣布对叛国罪的刑罚，但是宣布对叛国罪剥夺权利时，除非在剥夺权利终身的情况下，不得包括中断血统或没收财产。"

Attalia（Turkey） 参阅 **Antalya 安塔利亚**。

Attalus 阿塔罗斯 希腊语作Attalos。帕加马王国三位统治者之名，按年代序分列于后，并各以●为标记。

● **Attalus I Soter 阿塔罗斯一世**（公元前269～前197） 帕加马统治者（公元前241～前197），约公元前230年后拥有国王的头衔。继承其叔欧迈尼斯的王位，并以其卓越的军事与外交才能建立了强大的帕加马王国。其母安条奇斯是叙利亚塞琉古王朝的一位公主。公元前230年前不久，由于阿塔罗斯拒绝按习惯纳贡，帕加马曾遭到加拉西亚人的进攻。他在帕加马城外打垮了敌人，为了纪念这次胜利，他采用了国王的头衔和神圣的称号索泰尔（"保护人"）。随后他在3次战斗中打败了塞琉古国王安条克·希莱克斯，从而控制了（公元前228）安纳托利亚塞琉古王朝所控制的全部领土（只有东南部的西利西亚是例外）。但是在公元前222年，塞琉古王朝又收复了几乎全部失地。此后，阿塔罗斯又转而着手阻止马其顿国王腓力五世的扩张野心。在未能解决问题的第一次马其顿战争（公元前214～前205）中，他在罗马和南中部希腊的埃托利亚人的帮助下同腓力作战。公元前201年他站在罗得岛居民的一边对腓力作战，并且和这些居民一道通过在罗马的外交活动，使得罗马对马其顿进行新的干涉（公元前200～前196年的第二次马其顿战争）。在腓力最后战败之前不久，阿塔罗斯去世。他还是一位著名的艺术的慷慨赞助人。

● **Attalus II Philadelphus 阿塔罗斯二世**（公元前220～前138） 安纳托利亚西北部的帕加马国王（公元前159～前138）。国王阿塔罗斯一世的次子，继其兄欧迈尼斯二世为王。即位前任军队统帅，忠心辅佐其兄长。在加拉提亚战役（公元前189）和希腊战役（公元前171）中，他和罗马人并肩作战。阿塔罗斯经常出使罗马，在那里颇负盛名；继位后仍同罗马人保持密切的联系。在对抗安纳托利亚北部比希尼亚的咄咄逼人的国王普罗西亚斯二世的斗争（公元前156～前154）中，罗马人帮助他立于不败之地。公元前150年，罗马人又和他同谋帮助觊觎王位的亚历山大·巴拉斯推翻塞琉古国王德米特里一世。

● **Attalus III Philometor Euergetes 阿塔罗斯三世**（约公元前170～前133） 帕加马国王（公元前138～前133）。由于把自己的领土送给罗马，而结束了作为一个独立的政治实体的帕加马的历史。他是欧迈尼斯二世之子，阿塔罗斯二世之侄。有关他的统治我们一无所知。据说他行为残暴，但后来他显然定下心来过安静的书斋生活。他把帕加马遗赠给罗马，动机不明。前129年罗马将帕加马并入亚细亚行省。

Attalus, Priscus 阿塔罗斯（活动时期5世纪初） 409～410年间西罗马帝国的篡位皇帝，系由蛮族拥立登基的第一人。异教徒出身，后由一位阿里乌派主教施行浸礼。当阿拉里克第二次围攻罗马城时，他为元老院议员。409年罗马城投降后，哥特人任命他为西罗马皇帝。随后，他要求合法的皇帝霍诺留退位。但由于他拒绝成为阿拉里克的傀儡，不久便与之疏远。410年，阿拉里克废黜了自己推举的皇帝。414年，继阿拉里克任哥特人首领的阿陶尔夫又把阿塔罗斯拥上帝位，但不久就被他的支持者遗弃，并落入霍诺留之手，被放逐到利帕拉岛。

ʿAṭṭār, Farīd od-Dīn (Moḥammad ebn Ebrāhīm) 阿塔尔（约1142?，伊朗内沙布尔～约1220，麦加） 又称法里德·奥丁·艾布·哈米德·穆罕默德。波斯诗人，最伟大的穆斯林神秘主义诗人和思想家之一，写过不下4.5万对句以及许多精湛的散文作品。青年时期曾周游埃及、叙利亚、阿拉伯半岛、印度和中亚各地，最后定居故乡波斯东北部的内沙布尔，多年从事收集苏菲派名士的诗篇和格言。著名的《百鸟朝凤》是阿塔尔的杰作。这是一首寓言诗，描写百鸟（借喻为苏菲派信徒）寻找一只神话中的凤凰，意欲立她为王（借喻为上帝）。这位多产诗人的其他重要作品还有《神记》和《苦难记》，两者均为神秘主义寓言，在教诲和形式上类似《百鸟朝凤》。其他作品尚有《诗歌》和著名的散文作品《长老传》，后者为研究早期苏菲派的宝贵史料。从思想、文学主题和风格上说，阿塔尔的强烈影响不仅在波斯文学，而且在其他伊斯兰文学中，都可以感觉到。

attar of roses 玫瑰油 又作otto of rose、essence of rose、rose oil。从大马士革玫瑰、法国玫瑰及蔷薇科各品种的新鲜花瓣蒸馏得到的无色或淡黄色芬芳的液体香精油，是优质香水和甜烈酒的贵重成分，也用于药片的调味，香软膏及盥洗用品的加香。在保加利亚，玫瑰是在湿润的谷地上种植的，玫瑰油的蒸馏已成为国家重要的现代化企业。土耳其的安纳托利亚也生产玫瑰油。在法国南部和摩洛哥，玫瑰油一部分是用蒸馏法从百叶玫瑰的花瓣蒸得的，但主要是用适当的溶剂浸提而得。生产1盎司浓郁的玫瑰油，大约需要250磅玫瑰花。玫瑰水是蒸馏后的副产品，主要的芳香成分是香叶醇和香茅醇。参阅 **essential oil**。

Attell, Abe 阿特尔（1884-02-22，美国加利福尼亚旧金山～1970-02-07，加利福尼亚新帕尔茨） 别名the Little Champ。美国职业拳击运动员，1906～1912年为无可争议的世界次轻量级拳击冠军。出身于一个贫穷的犹太人家庭，15岁时开始拳击生涯。在开始的32场比赛中，胜31场（有24场是将对手击倒获胜），平1场。1901年10月28日，在经过15回合比赛在点数上超过G.狄克逊之后，阿特尔首次声称拥有这个空缺的次轻量级拳击冠军头衔，尽管他的冠军头衔并没有被普遍接受。在这场比赛的前8天，阿特尔和狄克逊曾在一场冠军赛20回合中战平。当阿特尔在1904年2月1日的比赛第5回合击倒H.福布斯时，他一度被认为是世界最优秀的次轻量级拳击选手，但同年10月阿特尔在第5回合比赛时却被T.沙利文击倒，胜者获世界冠军头衔（然而，对沙利文的冠军地位也存在争议，因为他在这一级别中超重）。最终，在1906年一场比赛的第8回合击倒J.沃尔什之后，阿特尔被确认为次轻量级拳击冠军。他随后进行了破级别记录的21场冠军卫冕赛。阿特尔的两个兄弟（西泽和蒙蒂）同样也是拳击运动员。1909年当蒙蒂赢得最轻量级拳击冠军时，阿特尔兄弟成为同时拥有世界冠军称号的亲兄弟。1912年2月22日阿特尔与J.基尔巴尼在一场比赛中大战20回合，最后因点数负于对手而失去次轻量级冠军头衔。这是他的最后一场冠军比赛，但他继续拳击比赛至1917年。在其拳击生涯中，阿特尔为了增加收入定期在自己身上下注，这是当时的一种普遍做法。退役之后成为赌徒A.罗思坦的跟班之一。后因涉嫌操纵比赛受审，但由于证据不足未被法院起诉。1955年入选《拳坛》杂志的拳击名人堂。

Attenborough, Sir David (Frederick) 阿滕伯勒（1926-05-08，伦敦～ ） 英国广播事业家和作家，以其创新性的教育电视节目而闻名。阿滕伯勒自幼即对自然发展史抱有强烈兴趣。毕业于剑桥克莱尔学院（文学硕士，1947），1949年就职于一家教育出版社。1952年为英国广播公司(BBC)制作了一套教学节目,并成为该公司的电视制片人。1954年,他在爬行动物饲养者J.莱斯特的协助下制作了表现野生动物和动物园中的动物的电视系列片《动物探秘》,受到广泛欢迎并扩大了BBC的教育节目范围。1965年任BBC新辟的第二电视频道BBC-2的主管,任职期间协助制作了戏剧性电视系列片《福赛特长篇故事》以及一些重要的文化教育系列片,如J.布洛诺夫斯基的《人类的发展》和K.克拉克的《文明》。阿滕伯勒自1968～1972年任BBC电视节目主任,但后来辞职,以自由作家身份编写和制作电视系列片。他后来制作(并担任解说)的3部关于人类学和自然发展史的获奖系列片《部落的眼睛》(1976)、《地球上的生命》(1979)和《有生命的行星》(1984),全都在国际上大受欢迎。阿滕伯勒于1985年被封为爵士。他是演员兼电影制片人理查·阿滕伯勒爵士的兄弟。

attention 注意 集中于某些现象而排除其他现象的意识指向。每天在清醒状态下的注意都是不连续的,经常因走神而中断。注意是有选择性的,意识只集中指向大范围刺激中的一小部分。注意的选择性部分地由个体的动机状态所决定,如在战斗的紧要关头或英勇行为中可能会忽视剧痛。

早期概念 19世纪心理学的先驱之一W.冯特对Blinkfeld和Blinkpunkt进行了区分,前者指宽阔的觉察野,后者指集中的注意点。W.詹姆斯认为,注意需要意识对特定刺激进行积极的选择,从而使这些刺激清晰地处于意识之中。19世纪末和20世纪初的一些注意理论注重行为研究。I.巴甫洛夫在其著名的实验中记录了狗在注意时的行为表现以及在狗身上建立条件反射过程中注意所起的作用。在巴甫洛夫工作的基础上,J.B.沃森(又译华生)试图取消注意的概念,他的行为主义对导致注意的内部意识状态是否存在提出了质疑,取而代之的是对感官刺激的行为反应。这样,在行为主义看来,注意就不是一种意识的集中指向,而是对少数特定刺激的反应。由于行为主义不能解释存在刺激竞争的情境,因而研究者们转而建立更丰富的注意理论。

现代概念 现代注意理论在"前注意过程"的背景下研究注意。所谓前注意过程就是虽然现时处于意识指向之外,但在需要时可以处于意识之中的过程。人在学习一项任务时,如学习编织,需要非常地注意。但是能熟练编织后,遇到其他需要同时进行的活动,就可以轻易地转向其他活动,如看电视节目或和别人说话;只有在出现特殊情况时,比如需要换线或织错了,才又注意编织活动。这说明,一旦学会了某项技能,它就可在前注意状态下进行。

注意的可检测生理指标通常只能从大脑上获取。任何感官刺激都会在大脑皮层的不同区域引发神经脉冲发放。由这些感觉信号所诱发的皮层电反应,可通过脑电图(EEG)进行检测。实验表明,若一个刺激的出现可标志另一个刺激不久就会出现,那么人接收第一个刺激后,EEG会记录到大脑皮层上的缓慢负电位变化。这种变化称为伴随负变化(CNV)。它被认为是与注意相关的、最明确的生理指标。

计算机的发展促使研究者们提出了注意同计算机处理信息之间的模拟。此法称为信息理论,其核心是研究将输入信息流有序化,并能选择性地使用所依赖的神经系统机制。这些机制根据不同的选择标准处理许多类型的信息,并可能定位于不同的脑区。有假设认为,从效能上看,大脑中有一个"过滤"系统,它将具有高优先性的信息与具有低优先性的信息区分开。D.F.布罗德本特1958年指出,许多信号进入大脑后可在一个"缓冲区"中保留非常短的时间,并在其中受到各种分析,然后经过过滤,进入适当的通道。

Atterbom, Per Daniel Amadeus 阿特博姆(1790-01-19,瑞典奥斯特博～1855-07-21,斯德哥尔摩) 瑞典浪漫主义文学运动的领袖,诗人、文学史家及哲学、美学、现代文学教授。

美国不列颠百科全书公司供图

青年时曾和友人创立穆西斯·多友社(1807);1808年改名为曙光同盟。他常在该社刊物《磷》和《瑞典文学动态》上发表作品,成为瑞典新派作家中主要的诗人和散文家。他也为斯德哥尔摩浪漫主义作家的喉舌《波吕弗姆》期刊撰写论战文章批判过时的伪古典学派。他最出色的诗作是童话剧《极乐岛》(2卷,1824～1827);其他重要作品有一组向往来世永生的诗《花》(1812);未完成的《青鸟》(1814)及6卷的《瑞典的先知和诗人》(1841～1855)。后者出版后,使他赢得瑞典第一位大文学史家的称誉。

Atterbury, Francis 阿特伯里(1663-03-06,英格兰白金汉郡米尔顿～1732-03-04,巴黎) 英国圣公会主教、杰出的时事评论作家、演说家。安妮女王在位时期托利党高教会派领袖;后成为支持斯图亚特家族王位权的著名詹姆斯党人。牛津大学毕业。1687年当牧师,曾领导争取恢复教士会议(英国圣公会教徒的集会)的运动,使该会议于1701年得到恢复。1704年任卡莱尔教长。1710年曾为被议会指控破坏1688～1689年英国革命原则的高教会派牧师H.萨谢弗雷尔进行辩护。1713年安妮女王任命他为罗切斯特主教。但是,由于他同情詹姆斯派,从而失去了安妮的汉诺威家族继承人乔治一世的欢心。1717年他与流亡在外的斯图亚特家族的老王位觊觎者詹姆斯·爱德华有书信往还。5年后以参与反对乔治的阴谋被捕,后被流放。他与同时代英国许多大作家交好,其中包括诗人A.蒲柏、讽刺作家J.斯威夫特。他本人写时事评论文章。

aṭṭhakathā 释论 指解释巴利文佛经的论著。最早的巴利文释论可能在公元前3世纪时即已随同经典一起传入锡兰(今斯里兰卡)。5世纪注释家觉音(亦称佛音),整理大部分早期资料以及达罗毗荼文论著和僧伽罗文传说,用巴利文重写。其后一二百年内,其他注释家,特别是法护,也撰有同类作品。早期释论已失传,觉音及其后继者的作品大大有助于今日了解上座部佛教徒的生活情况与观念,同时也提供大量世俗资料和传说资料。

attic 顶楼 建筑中紧接坡屋顶的楼层,全部或部分处于顶结构之中。此词原指主檐口以上的一部分墙身,古罗马人主要在其上进行装饰或铭刻题词,例如在凯旋门上加以

罗马市公元81年建提图斯凯旋门上的铭刻顶楼
美国不列颠百科全书公司供图

使用。它成为文艺复兴式建筑立面上的重要部分,常在内设一附加楼层,其窗户也成了装饰的一部分。

Attica 阿提卡 希腊语作Attikē,今作Attikí。希腊中东部古代地区,雅典为其主要城市,东、南均濒海。远古时这一地区有几个独立的移民点,分别以埃莱夫西斯、雅典和马拉松为中心。雅典在迈锡尼时代可能已臻全盛,但是直到公元7世纪才完全控制阿提卡。阿提卡现为希腊的阿提卡州,行政中心设在雅典,地界比古代旧区向西扩展一些,把科林斯地峡上的迈加拉并入。

Atticus, Herodes 阿提库斯 参阅**Herodes Atticus 希罗德·阿提库斯**。

Atticus, Titus Pomponius 阿提库斯(公元前109,罗马～前32) 罗马骑士,伊壁鸠鲁信徒和文艺赞助者,与西塞罗过从甚密。原名提图斯·庞波尼乌斯,后因长期居住于雅典城(公元前88～前65)和对希腊文学和语言

的深入了解，故改名为阿提库斯。公元前88年，为逃避内战，阿提库斯携带财产只身迁往雅典。他过着恬静的生活，悉心学习，专事商业，返回罗马时，始终回避政治。虽然阿提库斯用希腊文写过一部西塞罗任执政官期间的历史，但他的著作几乎无一存留。他最重要的著作是经整理出版的西塞罗给他写的一些信札。

Attikē（ancient Greek district） 参阅**Attica**阿提卡。

Attikí 阿提卡 希腊中东部一州。西北接维奥蒂亚，西连科林斯，南濒科林斯湾和萨罗尼克湾，东及北临爱琴海。面积3 375平方千米（雅典除外）。行政中心雅典。另管辖埃伊纳、伊兹拉和凯西拉诸岛。包括4个可耕平原。附近有山溪可资灌溉。从地形看，阿提卡平原位于由海岸构成的三角地内，并终止于苏尼翁角。海运发展很早，以埃莱夫西斯、雅典和马拉松等为中心。雅典于公元前13世纪居各沿海城市之首。公元前5世纪控制全州。地处希腊历史的中心，多古迹。中部盛产橄榄、葡萄、无花果、棉花、花卉。矿藏有银、锌、铁、铅和铝等。埃莱夫西斯为重工业中心。伊米托斯山和彭代利孔山中产大理石。雅典附近饲养奶牛、家禽，种植蔬菜。山麓草地放牧牛羊。人口450 485（1991）。

Attila 阿提拉（?～453） 绰号“上帝之鞭”。匈奴王（434～453在位，与兄布莱达共治至445），进攻罗马帝国的最伟大的蛮族统治者之一。匈奴是来自中亚北部的一支游牧民族，自4世纪起征服了欧洲的大片地区。阿提拉与其兄布莱达所继承的帝国似乎已经从西方的阿尔卑斯山和波罗的海延伸至东方的里海沿岸。435～439年阿提拉的活动不甚了解，但他大概一直在对北方或东方的邻族进行征伐。441年，当东罗马帝国的军队忙于边界战事而无暇他顾的时候，阿提拉对东罗马帝国的多瑙河一线发起大规模的进攻。他攻占了包括辛吉杜努姆（今贝尔格莱德）在内的许多重要城市，将其夷为平地。443年阿提拉再次发起进攻，首先占领和摧毁多瑙河上的一些城镇，然后长驱直入帝国腹地，直至纳伊苏斯（尼什）和塞迪卡（索非亚），将两地化为废墟。此后，阿提拉挥师指向君士坦丁堡，占领了菲利普波利斯。他击溃东罗马帝国的主力军，兵临君士坦丁堡南北两面的海岸。匈奴的弓箭手对君士坦丁堡的高大城墙无能为力。因此，阿提拉回过头来，把撤到加利波利半岛的东罗马帝国的残军全部歼灭。随后订立和平条约，强迫东罗马帝国支付所拖欠的贡金6 000磅黄金，并将每年贡金增加到2 100磅黄金。445年前后，阿提拉害死兄长布莱达，成为匈奴帝国的独裁君主。447年，他再度大举入侵东罗马帝国，挥师直指欧洲东南部的下西徐亚和莫西亚两省，比第一次进攻更加深入东方。他在乌图斯（维德）河上击败东罗马帝国的军队，然后洗劫巴尔干省，南进希腊，一直打到温泉关。此后，他与东罗马皇帝狄奥多西二世的外交代表进行谈判，经过3年才签订停战条约。这个条约比443年的条约更加苛刻，东罗马人不但要割让多瑙河以南的大片领土，而且还要继续向匈奴帝国纳贡。451年阿提拉入侵高卢。这时，罗马大将埃提乌斯与西哥特国王狄奥多里克一世达成合兵抗击匈奴的协议。阿提拉与联军的决战是在卡塔洛尼平原进行的。经过激烈战斗，西哥特国王阵亡，阿提拉后撤不久即退出高卢。这是阿提拉唯一的一次失败。452年匈奴人入侵意大利，劫掠包括阿奎莱亚、帕塔维乌姆（帕多瓦）、维罗纳、布雷西亚、贝加莫、梅迪奥拉农（米兰）在内的许多城市。只是由于这一年意大利大闹饥荒和瘟疫，匈奴的军队才没有踏平整个亚平宁半岛。453年阿提拉准备再次进攻东罗马帝国，但他在新婚之夜突然死去。那些埋葬他的遗体和财宝的人都被匈奴人处死，因此始终不知他的陵墓所在。他的帝国由诸子分割继承。

Attis 阿提斯 又拼Atys。古罗马宗教所奉之神，是众神之母（**Great Mother of the Gods**）赛比利的配偶。对此神的崇拜源出于古代小亚细亚的弗里吉亚地区，后来传到罗马帝国各地，2世纪成为太阳神，每年庆祝春回大地的活动，就是崇拜此神及众神之母的仪式之一。阿提斯基本上是司掌草木之神，他自戕，死亡而后复活，象征地上的果实冬死春生。阿提斯之形象常为青年男子，戴弗里吉亚帽，着弗里吉亚裤。

attitude 态度 社会心理学名词，指人们分辨事物及事件并以或多或少可以鉴别出的一致性作出反应的一种倾向。从逻辑上讲，诸态度都是假设的各种概念，也就是说，它们可以被推知但不能客观地观察到；不过，它们却可以在感知经验、口头报道、粗鄙行为以及生理征候上显示出来。

态度这一概念，产生于人们试图以个人行为来解释那些察觉到的常规现象。一个人总想把他周围的人划分为若干具有共性的类型。他可以把某一肤色的人们归成一类，并以相似的举止对待他们。在这种场合，可以说，他对那个种族集团抱有一种明确的态度。他可以把富人或虔诚的人或残废人各凑为一类，因之可以设想，他对每一群人都有一种特定的态度。人们也把诸如绘画之类的物品或诸如战斗之类的事件进行分类，因而这可以被看成是对抽象艺术品或是对战争所持有的特别态度。

一个人各种态度的性质，可以根据他所要作出的反应来判断，而反应必须是能够观察到和能够进行评估的。他很可能对每一个同他有着同一种族背景的人，出以憎恶的表态，作为反应，对他们的诚实和智慧予以贬低；或者，他也许要倡导各种具有震慑作用和排斥性的政策来反对他们。根据这种消极反应，就可以证明他对那个种族集团持有否定的态度。另外，如果有人对于抽象派的绘画作品一贯地赞不绝口，经常到展览这类作品的博物馆参观，而且把这类作品的复制件悬挂在自己住室的墙上，这个人就被认为对于抽象派艺术怀有肯定的态度。

别人所抱的各种态度，并不能直接观察出来；他们的态度必须从其行为上推论而得知。一个人也许可以参考其内心的诸种经验作为形成他个人态度的根据，但只有他的公开行为才能够得到客观上的评价与检查。这样一来，调查者们便要大大依靠有关态度的行为指标了，例如：要看人们所说的内容，要看他们对一组问题是怎样回答的，或是要看诸如心率变化之类的生理征象。

专家们认为，态度与许多其他术语之间的关键性差别存在于它们相对的内涵之中。态度可以按照其特殊性或排他性的程度而排列在一个层系中。“价值”在此层系中据说所示倾向范围最广，“利益”次之，“情愫”则又次之；“态度”被视为范畴包容更狭的心向，而“信仰”与“意见”在层系中依次成为内涵最狭的、专有所指的素质。因而按照这种命名法所产生的诸术语，其不同之处与其说是类别上的问题，毋宁说仅为一种程度上的问题罢了。

另一部分研究者们认为，所谓某个人对任何一个类型的群体所持的态度，即是他对该群体为其个人诸价值提供服务时他所怀有期望值的大小。例如：他可能被要求来评定他对某些已知价值的重视程度，像健康、安全、独立、公正等，尔后他再对某一群体（比如说政客们）是促进还是妨碍这些价值之实现的程度进行评估。这两方面的鉴定之和即是此人对该群体所持态度的一个判断标准。因此，假如他是高度重视公正而又认为那些政客们严重地妨害公正的话，那么，他对这个群体的态度就被认为是否定的。

有时人们把态度视为潜在的倾向，而把意见看成是态度的公开表现方式。一种较为罕见的区分方法是把态度与一些下意识的及无理性的倾向性予以等同起来，而把意见看成是有意识的与理性的一种活动。另一些区分法是把态度看作富有意义而且切中要害的一种心向，而意见则是比较不太深入而且无关宏旨的。此外，一种普遍流行的区分法是把态度划入情趣的范畴（例如：喜欢某个国家或某种音乐），而把意见纳入事实的范畴（例如：是否真有宙斯这个神之类的问题）。

有些人把“认识”这个术语用于“凡已确知者”这一范畴，“态度”用于“尚未确知者”的范畴，甚至进而用它们分别意指“真”信仰与“假”信仰。另一种说法是：态度是指足以驱遣行动的信念，而认识便是更为理智和被动的一些想法。

如何把态度同与之相关的一些概念如价值、意见及认识等加以区别的惯例，可供选择者甚多，但往往混淆不清，令人无所适从，因而易于产生不必要的争辩，只会造成语言上的繁琐现象。普遍接受的术语是缺乏的，研究人员经常各依所需以定他们对某些划分标准的取舍。

Attius, Lucius 参阅**Accius, Lucius**阿克齐乌斯。

Attleboro 阿特尔伯勒 美国马萨诸塞州东南部布里斯托尔县城市。位于罗得岛州波塔基特和普罗维登斯东北部。1643年始建。1694年设镇。1914年设市。1780年后相继发展珠宝首饰业、制革业和纺织业。1836年通铁路后发展迅速。现经济仍以珠宝首饰业为主。另有机床和电子元件等轻工业。人口:市 42 068(2000)。

Attlee, Clement (Richard), 1st Earl Attlee of Walthamstow, Viscount Prestwood **艾德礼**(1883-01-03,伦敦帕特尼~1967-10-08,伦敦威斯敏斯特) 英国工党领袖(1935~1955),

美国《生活》杂志社供图

首相(1945～1951)。他领导了在英国建立福利国家,以及将英帝国转变为英联邦的最重要步骤——允许印度独立。律师之子。在牛津大学毕业后曾短期操律师业,但很快便专注于社会改革。1907～1922 年除在第一次世界大战中服兵役外,居住在贫穷的伦敦东区。1907 年加入费边社,次年加入独立工党。1919 年任斯特普尼市市长。1922 年当选为下院议员。在第一届工党政府(1924)中任陆军部次官。在第二届工党政府(1929～1931)中历任兰开斯特公爵郡大臣和邮政大臣。1931 年成为工党副领袖。1935 年继乔治·兰斯伯里任工党领袖。他拒绝在 N.张伯伦政府中任职。第二次世界大战期间在丘吉尔战时内阁中历任掌玺大臣(1940～1942)、副首相(1942～1945)、自治领事务大臣(1942～1943)和枢密院院长(1943～1945)。1945 年 5 月率领工党退出联合政府。同年 7 月丘吉尔的保守党人在大选中遭到决定性的失败后,他出任首相,并接替丘吉尔参加同盟国在战时最后一次会议(波茨坦会议)。他接受美国提出的欧洲复兴方案(马歇尔计划),使英国加入北大西洋公约组织(1949)和欧洲委员会(1949)。他严格执行经济紧缩计划,对英国大工业(包括煤炭、钢铁、铁路、民用航空、电报和英格兰银行)实行国有化。他的政府创办国民保健事业,并推行经济学家 W.H.贝弗里奇所倡导的大规模的福利计划。在艾德礼任期内,印度得到在英联邦内独立的地位,巴基斯坦也建立起单独的国家。另外,英国允许缅甸和锡兰独立,并放弃了对埃及和巴勒斯坦的控制。1951 年 10 月保守党在大选中以微弱多数获胜,艾德礼辞去首相职。1955 年 12 月放弃工党领导职位。封伯爵。著有《工党展望》(1937)和回忆录《事出偶然》(1954)。

Attock 阿托克 旧称坎贝尔布尔。巴基斯坦旁遮普省拉瓦尔品第专区一县。面积10 743 平方千米。为干旱多岩石的山区,仅北部富饶的杰奇平原和中部平原的南部得到灌溉。主要作物为小麦、玉米、甘蔗等,普遍养马。有毛纺厂和油田。人口约1 140 000(1981)。

attorney, power of 代理权 指为他人作法律代理人或诉讼代理人的权限。普通法法系和民法法系在代理权方面有很大的不同,即使在民法法系各国间也有很大的差异。许多在民法法系国家中很重要的一般代理权,在普通法法系的国家中归入信托权。例如在英国,可以授予某人以从事某一类型行为的一般代理权,诸如经营原所有人死后的业务;也可以授权某人实施某项特定的行为。在法国,授予一般代理权时必须具体指明代理人可以经办的业务;而德国则没有这种限制。登记的条件和手续方面的要求,各国也不一样。例如,在意大利,代理权必须经专门手续加以核实,而在法国,只要口头协议即可授予。

attorney general 总检察长 在根源于英国法律制度的各国,通常指州或国家的首席法律官员或首席行政官员的法律顾问。

总检察长这一职位起始于中世纪,但在 16 世纪以前不是采取现在这种形式。起初,仅为特定事务或特定的案件或法庭而任命国王的检察官,但是到 15 世纪,王室总检察长已成为一固定的职位。后来,由于中世纪制度的崩溃及新的法院和政治机构的产生,总检察长获得任命代表的权力,变成了有影响的人物。

今天,总检察长与其副手副检察长是王室在法院的代表,也是君主和大臣的法律顾问、政府的成员,但不是内阁成员。他充当起草所有政府法案的顾问,就有关法律问题向政府各部门提供意见,并在法院享有极广泛的职权。总检察长凭借他的王室法律官员的身份,以王室为其唯一的当事人,继续执行律师业务,因而被律师协会公认为该行业的首领。他掌管着对刑事起诉提供意见并经常提起刑事诉讼的检察机关。某些犯罪只有经过总检察长或地方检察长同意才能起诉。总检察长也有权在高级法院延缓刑事诉讼程序。

美国总检察长的职务是根据 1789 年的《联邦法院组织法》设立的。该法将全国分成若干地区,在每个地区设立一个法院和若干检察官,负责该地区的民事和刑事诉讼。总检察长是内阁成员,也是司法部长。因此,他的主要精力放在行政管理方面。美国的副总检察长负责代表政府在最高法院进行诉讼。他在与总检察长磋商之后,可以决定是否将政府在下级法院败诉的案件提请上一级法院进行复审。但是,什么样的重要案件应在哪个地区起诉,什么案件应当上诉,未经总统批准不能作出决定;美国总检察长没有像英国总检察长那种不受政治影响的自由。美国每个州都有一名总检察长,他是由选举产生的官员,其职责与联邦总检察长的职责相似。参阅 **prosecutor**。

Attucks, Crispus 阿塔克斯(1723?～1770-03-05,马萨诸塞波士顿[美国]) 美洲殖民地人民反英斗争的领袖和烈士。生平不详。一说是黑人,也有人说他是黑人与印第安人的混血儿。1750 年秋,马萨诸塞弗雷明汉的一个居民刊登广告,找寻一个叫阿塔克斯的逃亡奴隶,一般认为就是这个阿塔克斯。1770 年 3 月 5 日晚,他在波士顿率领约 50～60 名抗议者,从码头广场走向国王街英军驻地。据 J.亚当斯的证词说,他想用长棍去打一名上尉,然后又抓住一个英国兵的刺刀。但是,S.亚当斯则认为阿塔克斯并未挑衅。英国士兵开枪打死 3 人,其他 2 人重伤。阿塔克斯第一个倒下。1888 年他的纪念像在波士顿公园举行揭幕典礼。

Attwood, Thomas 阿特伍德(1783-10-06,英格兰伍斯特郡黑尔斯欧文～1856-03-06,伍斯特郡大莫尔文) 英国经济学家,选举改革运动领袖。1800 年在伯明翰进入其父的金融公司。1811 年当选为该城行政官后,对货币问题十分关心,并致力于使中等和低收入者

美国不列颠百科全书公司供图

在议会下院中享有较平等的代表权。1830 年 1 月创立伯明翰政治联盟,促使政府通过了 1832 年改革法案。该法案通过后,阿特伍德当选为代表伯明翰区的议员,担任此职直到 1839 年。

Atum 阿图姆 又称特姆或图姆。古代埃及宗教所信奉的创造万物的太阳神的多种表现之一。他原是赫利奥波利斯的地方神,后来在神话中与太阳大神瑞融为一体,成为阿图姆-瑞。作为区别于瑞的神,阿图姆是造物主的原始形象,存在于混沌漫水之中。在创

戴双冠的阿图姆像(左)
美国不列颠百科全书公司供图

世时,阿图姆自生而生众神,其像为老者,代表偏西下落的太阳,夜间再生,黎明升起于海普里,至天顶即为瑞,其象征物一般为蛇和鳗。

Atwater, Wilbur Olin 阿特沃特(1844-05-03,美国纽约约翰斯堡～1907-09-22,康涅狄

格米德尔敦） 美国农业化学家。在米德尔敦的卫斯理大学修业期满后入耶鲁大学继续学习。他在耶鲁的博士论文最先讨论了如何才能把化学技术应用于食品的问题。在德国深造后终身任卫斯理大学化学教授。1875 年力促康涅狄格州议会在米德尔敦设立美国第一个国立农业研究站；1887 年又促使国会通过为全国各州的农业实验站提供资金的《哈奇法案》。1888 年任全国实验站办公室的第一任主任。后研究量热学，同卫斯理大学物理学教授 E.B.罗莎制成阿特沃特-罗莎量热计（1892 ～ 1897），用以证实能量守恒定律亦适用于人体，并使计算不同食物的热值成为可能。他在 1896 年编造的热值表至今仍在全世界使用。

Atwood，Margaret（Eleanor） 阿特伍德（1939-11-18，加拿大安大略渥太华～ ） 加拿大女诗人、小说家、批评家。她是加拿大的文化传统和女权的维护者。父亲是位昆虫学家。小时经常随家迁徙，在人烟稀少的北部丛林地区生活。在早期出版的诗集《双重的普西芬尼》（1961）、《圆圈游戏》（1964）、《那个国家的动物》（1968）里，她探索了人的行为，歌颂自然世界，谴责唯利主义。角色转换和新的开始是她小说中反复出现的主题，全都集中写妇女探索她们与世界和她们周围的个人的关系。这些超现实的小说是《可以吃的女人》（1969）、《浮升》（1972）、《女预言家》（1976）、《生活先于男人》（1979）、《肉体伤害》（1981）、《女仆的故事》（1985）、《猫眼》（1988）和《强盗新娘》（1993）。故事集《旷野秘诀》出版于 1991 年。从 1964 至 1972 年，她先后在加拿大几所大学教过英国文学，还担任过多伦多大学的住校作家（1972 ～ 1973）。

Atyrau 阿特劳 1992 年前称古里耶夫（Guryev）。又拼 Gurev，Guriev 或 Gurjev。哈萨克斯坦西部城市。乌拉尔河注入里海河口处的港口市。17 世纪中叶由渔业家 M.古里耶夫建为渔村。不久成为乌拉尔哥萨克人控制的乌拉尔设防线上的要塞。苏维埃政权建立前的主要经济活动是渔业和商业。现在除大规模的鱼品罐头业外还有炼油、石油化工、金属加工和建材工业以及食品包装厂和修船厂。市内有哈萨克斯坦科学院分院，研究地区自然资源，还有师范学院、博物馆和剧院。人口约 156 700（1991）。

Atys（ancient deity） 参阅 **Attis** 阿提斯。

Atzcapotzalco 阿茨卡波察尔科 又拼 Azcapotzalco。墨西哥中部联邦区西北部的一个行政分区。该地区是联邦区的家畜和乳品的主要产地，产品主要供应墨西哥市。由于首都的扩大，阿茨卡波察尔科现已成为墨西哥城都会区的一部分。该地区有多种工业，其中包括纺织厂、汽车和公共汽车装配厂以及炼油厂。纸张、火柴、钢制家具以及唱片在当地也有生产。墨西哥城距该区南东南 15 千米，有公路和铁路与之相接。自治都会大学的一个校园位于阿茨卡波察尔科。人口 601 524（1980）。

Atzcapotzalco 阿茨卡波察尔科 又拼 Azcapotzalco。墨西哥中部联邦区西北部城市。位于墨西哥谷地。海拔约 2 240 米。12 世纪建城。因人口众多而得此阿兹特克语名称（意为“蚂蚁山”）。曾以奴隶市场和贵金属工艺而驰名。后来 H.科尔特斯在此建立熔炉将墨西哥财宝熔为金条。西班牙人还毁坏了阿兹特克神殿。现在神殿遗址有一座多明我会女隐修院，院内有一座 17 世纪教堂和一座 18 世纪玫瑰经小教堂。人口：都市区约 474 905（1990）。

Aubagne 欧巴涅 法国东南部普罗旺斯山-蓝岸大区罗讷河口省城镇。位于马赛东约 16 千米处。为高卢-罗马时代的卢克拉蒂区所在地。现为农产品集市贸易中心。18 世纪建起砖厂和陶瓷场，专门生产普罗旺斯风格的彩色小泥人（民间和宗教人物）。1895 年，法国作家 M.帕尼奥尔在此出生。当地建有法国外籍军团纪念馆。人口 42 638（1999）。

Aube 奥布 法国中北部香槟-阿登大区的一个省。在巴黎东南的前香槟省境内。面积 6 004 平方千米。白垩土带经农业改良变得肥沃，然而居民稀少。大部分人口住在水源充足的谷地。12、13 世纪，香槟酒贸易尤其在特鲁瓦很有名。除奥德地区外，原有养羊和纺毛业已被种植业和人造纤维纺织业所取代。针织业分布广泛，主要厂家建在特鲁瓦。主要城镇和专区有特鲁瓦（省会）、奥布河畔巴尔和塞纳河畔诺让。省东南角的奥布河谷是历史上克莱尔沃隐修院所在地。人口 289 300（1982）。

Aube River 奥布河 法国中北部河流。为塞纳河可通航的支流。与其支流欧容河均源出朗格勒高原，向西北沿 248 千米长壕沟状峡谷穿过干燥石灰岩区，进入奥布省后在克莱尔沃汇合，流过布列讷后又接纳许多支流，最后汇入塞纳河。

Auber，Daniel-François-Esprit 奥柏（1782-01-29，法国卡昂～ 1871-05-12，巴黎） 作曲家，在发展既有歌唱又有说白的歌剧（喜歌剧）方面起过重大作用。其作品之所以在当

美国不列颠百科全书公司供图

时获得成功，一是由于 E.斯克里布的裁剪巧妙的台本，二是由于奥柏受罗西尼的影响并投法国观众所好的生气勃勃的配乐。用这种通俗而且浪漫主义风格写成的最成功且至今家喻户晓的作品之一是《魔鬼兄弟》（1830）。1823 ～ 1864 年与斯克里布合作，写出 38 部歌剧。《波蒂奇的哑女》（又名《马萨尼洛》，1828）被认为是大型歌剧的原始模型。R.瓦格纳深受其影响，《黎恩济》就是以《马萨尼洛》为蓝本而创作的。奥柏从童年凭直觉开始作曲，后来师从 L.凯鲁比尼。一生几乎全部献身歌剧。1829 年入选法兰西学院，1842 年任巴黎音乐学院院长，1857 年成为拿破仑三世的教堂唱诗班指挥。一般认为，他的音乐对 R.施特劳斯、C.古诺和 J.马斯内都产生过影响。

aubergine 参阅 **eggplant** 茄子。

Aubert，Étienne（pope） **奥贝尔** 参阅 **Innocent VI** 英诺森六世。

Aubignac，François Hédelin，abbé d' 奥比尼亚克（1604-08-04，巴黎～1676-07-25，法国内穆尔） 即 F.埃德兰。法国政治家黎塞留枢机主教的合作者、剧作家、评论家。他写过

美国不列颠百科全书公司供图

剧本和小说，曾翻译荷马和奥维德的作品。早年受律师训练，后给黎塞留的侄子当家庭教师。在黎塞留的鼓励下，他写过一些散文悲剧，现存的著作有：《西曼德》（1642）、《奥尔良的姑娘》（1642）和《泽诺比亚》（1647）。他写过 4 篇评论 P.高乃依剧本的文章及一些其他评论文章，其中有些触怒了法兰西学院成员，因而未能参加该学院；1654 年他设立了自己的学院。尽管他有广泛的政治渊源关系，却未获得国王支持。他死后不久，该组织解散。另外著有《戏剧的实践》（1657）和《改组法国戏剧刍议》。

Aubigné，Françoise d' 奥比涅 参阅 **Maintenon，Françoise d'Aubigné，marquise de** 曼特农侯爵夫人。

Aubigné，Théodore-Agrippa d' 奥比涅（1552-02-08，法国蓬斯～ 1630-04-29，日内瓦） 16 世纪末法国重要诗人，法国胡格诺派教徒著名首领、雄辩家和历史学家。曾就学于巴黎、奥尔良、日内瓦、里昂，后参加胡格诺派军队。宗教战争期间，始终活动于战场与会议室。亨利四世未即位时，曾在其手下任职，即位后（1589）亨利四世宣誓与新教断绝关系，奥比涅便退隐于普瓦图的庄园。玛丽·德·美第奇摄政期间，奥比涅坚决不妥协，胡格诺派教友遂与之疏远。1620 年被放逐，流亡于日内瓦直至去世。他的散文著作《天主教徒桑西的自白》于 1660 年出版，题献给迪佩龙枢

机主教而实意含讥刺。当时胡格诺派教徒纷纷追随亨利四世,声称脱离该派,并为自己的行为辩解。这一作品是挖苦这类辩解的仿作。他对当时生活与风习的广泛议论散见于

美国不列颠百科全书公司供图

《费纳斯特男爵奇遇记》(1617)一书中。《世界史》记叙了1553～1602年间的历史,并有一附录,记载1610年亨利四世之死;后又开始增补截至1622年的史事,但未完成。该书的主要价值在于作者对其中所目击的事件的第一手叙述以及文字的跌宕有致。其主要诗作《悲剧》(1616),分7个篇章,始作于1577年,内容颂赞上帝主持正义-在最后审判日为殉教圣徒复仇。其作品虽含宗派偏见,且结构和文字上瑜瑕互见,然而其中许多篇章有强烈感人的诗意,语言古朴而饱含情致,即抨击亦见其义愤填膺;其构想之宏伟赋予这部诗作以史诗般的气魄。现代对巴罗克文学的研究唤起人们对奥比涅少年时所作情诗的兴趣,这些诗均收于《春天》一书中(1570～1573,未出版),直至1874年始出版。

Aubigny, Louise-Renée de Kéroualle, duchesse d'(duchess of) **欧比尼女公爵** 参阅 **Portsmouth, Louise-Renée de Kéroualle, Duchess of** 朴次茅斯女公爵。

Aubray, Marie-Madeleine-Marguérite d' 奥布雷 参阅 **Brinvilliers, Marie-Madeleine-Marguérite d'Aubray, marquise de** 布兰维利耶侯爵夫人。

Aubrey, John 奥布里(1626-03-12,英格兰威尔特郡伊斯顿皮尔西～1697,牛津) 文物研究者、作家,以为同时代人撰写生动、亲切、有时也颇尖刻的传记小品而闻名。受教育于牛津大学三一学院,并在伦敦的中殿律师学院学法律;早年即呼吁人们注意威尔特郡埃夫伯里的史前石柱,显示出对历史文物的关心。1663年成为皇家学会会员。1667年,与历史学家、文物研究家A.伍德相遇,开始为他准备编纂的牛津作家和牧师词典《牛津学苑》收集资料。生前发表的唯一作品《杂记》(1696)是一本荒诞离奇的故事集。死后,一部分文物研究材料被收进《萨里郡博物学及古文物》(1719)和《威尔特郡博物学》(1847)中。他的传记最先以《杰出人物传》(1813)为名出版。但他的传记手稿最后出版时题为《小传集》(1898)。它是根据个人观察和道听途说写成的人物简介,因叙述生动、细节新奇而深为后人喜爱。

美国不列颠百科全书公司供图

Auburn 奥本 美国亚拉巴马州东部利县城市。与欧佩莱卡毗邻。1836年始建。受O.哥尔德斯密斯诗作《荒村》中"美妙的奥本"的启发而命名。1839年设市。奥本大学(1856,原为东亚拉巴马男子学院)的建立对当地发展有重要作用。市西南有州立切瓦克拉公园和塔斯基吉国家森林。人口:市区42 987;奥本-欧佩莱卡都会统计区115 092(2000)。

Auburn 奥本 美国缅因州西南部城市,安德罗斯科金县县城(1854),刘易斯顿-奥本都会区的一部分。临安德罗斯科金河,与刘易斯顿隔河相望。1786年建立。据信以O.哥尔德斯密斯诗作《荒村》中的奥本命名。1842年设镇,1869年设市。曾以制鞋业为主要产业。现有多种工业,生产塑料板、汽车产品和电子组件。市内有安德罗斯科金历史图书馆和博物馆(展出当地历史文物)。附近有奥本湖等游览地。人口:市23 203;刘易斯顿-奥本都会统计区90 830(2000)。

Auburn 奥本 美国纽约州中西部城市,卡尤加县县城(1805),在奥沃斯科湖北端,在锡拉丘兹西南35千米处。建于1793年。1815年设村,围绕奥本州立监狱(1816)和奥本神学院(1821)发展起来。1848年设市。利用丰富的水力及当地廉价劳力(犯人)发展工业。生产钢铁、柴油机、电线、玻璃瓶、喷气飞机火花塞、空调和汽车零件。卡尤加县社区学院建于1953年。林肯和约翰逊两位总统时代的国务卿W.H.西沃德的故居(1816～1817)现辟为博物馆。历史和艺术博物馆存有西沃德的手迹、书籍及印第安人遗物。废奴主义者和过去的奴隶哈丽特·塔布曼1913年死于此地,市内有其故居。人口28 574(2000)。

Auburn 奥本 美国华盛顿州中西部金县城市。地处怀特河谷。在塔科马东北16千米处。1887年始建。1893年据O.哥尔德斯密斯《荒村》中的诗句"奥本这块土地最美丽的村庄"改称今名。1914年设市。曾为农产品销售中心和北太平洋铁路分段站。工业以生产飞机部件为主。1962年建联邦空运控制中心。是分配海外货运的联邦勤务总署地区总部所在地。附近有州立鲑鱼鱼苗场。设有格林河社区学院(1967)。1855年10月28日怀特河大屠杀案(3个拓荒家庭的9名成员被印第安人杀死)纪念碑矗立在城北。附近有格林河(鲑鱼)孵卵场和芒特雷尼尔国家公园。人口40 314(2000)。

Auburn system 奥本制度 19世纪对犯人的一种管理方法。规定犯人白天劳动,晚上单独监禁,并强迫他们一直保持安静,禁止作声。于19世纪20年代在纽约州奥本的奥本监狱开始使用,是对宾夕法尼亚单独监禁制度的一种替代或改进。后在全美国范围逐步代替了后者。后来在奥本的新发明是连锁步伐(右手搭在前人肩上、面向看守员、步伐一致地前进),以及宽条囚服、两英尺厚的监房隔墙和吃饭时特别编排座次等,一切都是为了确保严格的缄默。奥本制度及宾夕法尼亚制度都是基于相信罪犯的习惯是从其他罪犯学来的并且越来越受其他罪犯的影响。参阅 **Pennsylvania system**。

Aubusson 欧比松 法国中部利穆赞大区克勒兹省城镇。位于利摩日东北米勒瓦什高原北缘的克勒兹河畔。中世纪时为一子爵领地;该领地统治者的后代欧比松是耶路撒冷圣约翰医院骑士团团长和抵抗土耳其人的罗得岛保卫者。至少从16世纪起,欧比松便以制造地毯和挂毯闻名。1869年,欧比松建立起国立装潢艺术学校,以维持当地高水平的手工织布技术。手工织布至今仍然是欧比松镇的主要行业,也有其他小型工业,生产农业机械和办公设备。该地是周围乡村地区的集镇。人口4 662(1999)。

Aubusson, Pierre d' 欧比松(1423,法国蒙泰伊奥·维孔特～1503-07-03,罗得岛) 耶路撒冷圣约翰骑士团团长,以保卫罗得岛抗击土耳其而闻名。法国贵族出身。约1453年参加圣约翰骑士团。骑士团总部设在罗得

美国不列颠百科全书公司供图

岛,利用该岛作为遏止土耳其人在爱琴海上进行扩张的屏障。1476年任团长。1480年因在罗得岛击退苏丹穆罕默德二世的舰队,驰誉欧洲。1489年成为枢机主教。他重组骑士团,加强其在罗得岛的地位。他赶走成年犹太人,迫使他们的孩子接受洗礼,以消灭犹太教。死前两年,曾打算组织一支反对土耳其的国际十字军,但未能成功。

Aubusson carpet 欧比松地毯 法国中部克勒兹省的欧比松村和费勒坦村的手织铺地用品,尺码通常很大。地毯工场建立于1743

年，主要织栽绒地毯供得不到王室专用的萨伏纳里地毯的贵族用，也供王家府邸用。许多早期的欧比松地毯采用修改了的东方图案，有些和乌沙克奎心图案地毯相似。不久变为文艺复兴时期的彩花和建筑花饰图案，与萨伏纳里使用的图案类同。

Aucassin et Nicolette　《奥卡森和尼克莱特》 13世纪初的法国叙事诗（以韵文和散文交替叙述的故事，前者可唱，后者可朗诵）。奥卡森（"禀备美德"）是博卡尔伯爵的儿子，和一个本是萨拉森人俘虏后改信基督教的尼克莱特相爱。这对恋人曾受监禁，但又设法脱逃，在历尽沧桑之后（包括流浪、被俘和船难），终得结成良缘。该诗的作者可能是一个来自法国东北部的职业吟游诗人，这部作品就是用他家乡的方言写成的。他虽然生动地描绘了年轻恋人的热情，但故事的叙述技巧较差。中世纪时代，本作品虽不受欢迎，但13世纪的武功歌《波尔多的于翁》的续篇《修女与弗洛朗》被认为有剽窃其内容之嫌。

Auch　欧什　法国西南部米迪比利牛斯大区热耳省城镇和省会。位于图卢兹西面，热耳河西岸山丘上。732年由于穆斯林的袭击，城市迁至河对岸现址上。中世纪时是阿马尼亚克诸公爵的驻地，18世纪成为加斯科涅的首府。城镇上、下区由几段阶梯连接。当地圣马利亚大教堂（1489～1662）是法国南部最精致的哥特式建筑，其主要特点是用橡木雕成的113个文艺复兴风格的唱诗班席位和文艺复兴风格的着色玻璃窗。其古典式门面可追溯至16～17世纪。其17世纪的大管风琴是世界上演奏巴罗克音乐的最佳乐器。在大教堂旁有18世纪大主教邸宅和一座14世纪楼塔。还有一座美术和考古学博物馆，

欧什的雄伟阶梯，通向阿马尼亚克楼塔和欧什旧城区

美国不列颠百科全书公司供图

内藏有热耳省的历史档案，连同一座大图书馆和大量的手稿。有印刷、制砖瓦和烟草加工业。当地著名食品如家禽、肥鹅肝、葡萄酒和阿马尼亚克白兰地酒在贸易中占主要地位。农业也十分重要（特别是家禽业）。是商业和行政中心。人口21 911（1999）。

Auckland　奥克兰　新西兰北岛西北部一行政区。包括奥克兰市及其都会区。周围有良港，其中凯帕拉在北，马努考在南。当欧洲人于19世纪初抵达时，该地有众多的毛利居民。欧洲人定居地主要在豪拉基湾沿岸或在奥克兰市现址附近。1853年建奥克兰省，当时有定居的欧洲人近1万人，该市不久就成为整个内地农业区的行政、军事、贸易中心。1876年废省。该区大部分已开发成农业区，但奶品制造业与绵羊饲养业也很重要。制造业包括锯木、食品加工、炼钢及相关工业。人口约1 173 639（2001）。

Auckland　奥克兰　新西兰最大城市和最大海港。在北岛怀特马塔港和马努考港之间的狭窄地峡上。1840年始建，1851年设为自治镇，1871年成为市。是新西兰土著毛利人最集中的地方，也有大量从南太平洋各岛来的波利尼西亚人。为公路和铁路运输枢纽。在芒厄雷有全国最大的国际机场。怀特马塔港湾既广且深，可供外洋和沿海船只出入停泊。主要出口钢铁、乳品、肉类和皮革；进口石油、钢铁制品、食糖、小麦和磷酸盐。有机械和金属贸易。有纺织、服装、皮革、木材及相关制品，汽车装配、油漆、鞋袜 、水泥、酿酒、玻璃、塑料、化工、食品加工、制糖和造船等工业。亦有渔业。奥克兰海港桥把市区与北岸近郊住宅区和德文波特（主要海军基地和船坞）连接起来。1977年建成通毛伊油田的天然气管道。市区主要文化机构有战争纪念博物馆、运输与工程博物馆、奥克兰市美术馆、公共图书馆、奥克兰大学、市政厅和师范学院等。天空之城是综合性的娱乐场所，包括多个赌场和一座高达328米的塔，成为奥克兰一个主要旅游景点。有供游泳和冲浪运动的海滩、高尔夫球场、体育场、公园和保护地，以及几处火山锥。人口：市371 313；城市区1 087 152（2001）。

怀特马塔港沿岸的奥克兰市市中心远眺

美国不列颠百科全书公司供图

Auckland, George Eden, Earl of, 2ND BARON AUCKLAND, 2ND BARON AUCKLAND OF AUCKLAND, BARON EDEN OF NORWOOD　**奥克兰伯爵**（1784-08-25，英格兰肯特郡贝肯纳姆附近伊登农场～1849-01-01，汉普郡阿尔斯福德附近格兰奇）　即G.伊登。英国驻印度总督（1836～1842）。1814年继承父亲的男爵爵位。曾任贸易委员会主席和海军部大臣。1835年任驻印度总督。次年1月到加尔各答。他为扩大英国在中亚的贸易和影响，谋求与阿富汗的统治者多斯特·穆罕默德订立通商条约。由于俄国人和波斯人的阻碍，他改而起用多斯特的对手，投靠英国的沙阿·苏查。奥克兰牢牢掌握阿富汗，到1839年苏查已控制了喀布尔和坎大哈。1839年封伯爵。他削减对部族首脑的补贴，引起骚乱。到1841年冬英军从喀布尔撤退时，被击毙和被俘虏者达5 000名。1842年奥克兰被召回国。他虽在阿富汗遭失败，但作为印度总督，扩大灌溉、救济饥荒、发展教育和职业训练，不失为优秀的行政官员。1846年再度出任海军大臣。

Auckland Islands　奥克兰群岛　新西兰在南太平洋的群岛。北距南岛467千米。原是火山。由6个岛屿和几个小岛组成。陆地总面积606平方千米。最大的岛为奥克兰岛（463平方千米）。气候凉爽、潮湿、多风。土地贫瘠，较低的高地上覆盖着灌木林。动物有野牛、海豹、海狮和海象。有大群鸟类栖息，海燕和企鹅尤多。目前无居民。

auction　拍卖　用公开出价的方式买卖动产和不动产。传统拍卖程序是由潜在的买主连续提高出价，以拍卖者（通常是卖主的代理人）接受其最高价格而成交。在所谓"荷兰式拍卖"中，由卖主喊价，逐步降低，直至某一买主接受时为止；有时卖主因价格过低而被迫撤回所售物品，中止拍卖。通常允许未来的买主在拍卖前查看待售的物品。通过查验，买主可评估各个不同批号的货物，决定其比较等级或品质，并确定可在拍卖时提出之合理价格。在拍卖之前，卖主可定出"保留价"，即最低价；低于此价，物品可不出售。如买主的出价达不到保留价格，则拍卖者可撤销此物品而不接受最高的出价。在许多国家农业市场中，拍卖是销售业务活动的重要部分，因为拍卖是处理货物——尤其是鲜活产品——的一种迅速而有效的传统方式。例如，在美国拍卖活页烟叶一直都是买卖烟草的颇为固定不变的方式。在拍卖中经常出售的其他项目有：旧的家用物品、使用过的农业机械、艺术品与古董、邮票与古币、珍本书籍和珠宝首饰。有时，拍卖可用于出售诸如被金融机构或政府收回的农场和楼房之类的不动产；拍卖还用于股票和大宗商品的交易。除了大宗商品和不动产之外，历史上还将拍卖用作买卖奴隶的手段。有证据表明，远至荷马时期的古代希腊历史中曾有过奴隶拍卖。这种交

易经过罗马帝国、延续到基督教初期，而在欧洲中世纪末期农奴制衰亡之后还得以死灰复燃。在18和19世纪奴隶还经常被运到美洲殖民地拍卖给种植园主。在20世纪末期，因艺术价格奇涨，艺术制品和古董都是拍卖之中最突出和赢利的商品。世界上两家最大的艺术拍卖行是克里斯蒂公司（Christie's）和索思比拍卖行（Sotheby's）。

auction bridge 竞叫桥牌 一种纸牌游戏。历史上先有惠斯特牌戏，然后发展成为惠斯特式桥牌、竞叫桥牌和定约桥牌。竞叫桥牌是这一发展过程中的第三步。参阅 **bridge**。

Audaghost 奥达果斯特（兴盛时期9～11世纪） 又拼 Awdaghost。前柏柏尔人城镇，在撒哈拉沙漠西南部、廷巴克图西北。为中世纪穿越撒哈拉沙漠商路的一个重要终点站。北非商人可在此向古加纳国王购买黄金。它原是一个独立的贸易集镇，后为加纳所属卫星城镇。穆斯林穆拉比运动的桑哈杰派在1054～1055年夺取该城镇，此后其重要性下降。该城位置并不确定，或许在今毛里塔尼亚泰格达乌斯特附近。

Aude 奥德 法国南部朗格多克-鲁西永大区的一个省。1790年由朗格多克省部分地区组成。面积6 139平方千米。东濒地中海利翁湾。全省大部分处于奥德河流域，西部有

奥德省卡尔卡松市的12世纪城堡
美国不列颠百科全书公司供图

部分地区属加龙河盆地。低地区冬季温和，夏季干热，生产大量廉价葡萄酒。矿物稀少，马勒韦西开采少量硫矿，沿海的勒卡特有铁矿。西南部的基扬有重要的塑料工业。省会卡尔卡松有景色如画的城堡和中世纪要塞及建筑物。其他主要城镇有纳博讷和利穆。人口约297 500（1990）。

Auden, W(ystan) H(ugh) 奥登（1907-02-21，英格兰约克郡约克～1973-09-29，奥地利维也纳） 英国出生的美国诗人，是继T.S.艾略特之后，正如艾略特是继W.B.叶芝之后，最重要的英语诗人。他的诗以当代社会和政治现实为题材，描写公众关心的理性和道德问题，描写人们的内心世界。晚年他把所有诗篇收集在两个集子里：《短诗结集1927～1957》（1967）和《长诗结集》（1969）。父祖籍冰岛，父母亲均从事医学工作，自幼对科学感兴趣，专攻生物学。1922年始写诗，1925年入牛津大学，渐获诗人和哲人的声誉。他的创作可分4个阶段。第1阶段（1927～1932）。在牛津大学文艺青年中形成一个"奥

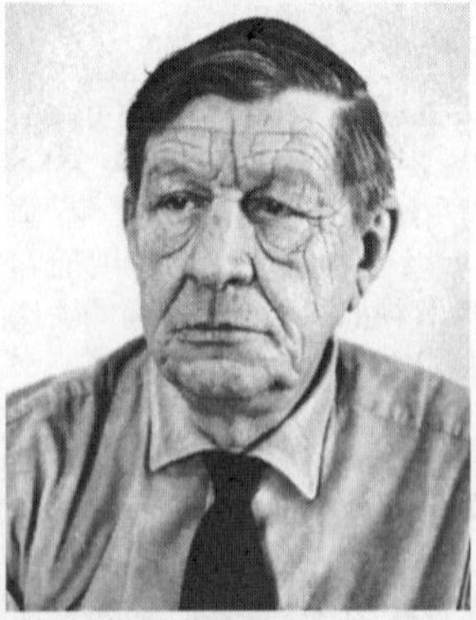

美国不列颠百科全书公司供图

登派"，或称之为"奥登的一代"。他对C.戴·刘易斯、L.麦克尼斯和S.斯彭德等有强烈的影响，这个时期的作品质量不匀，有不少晦涩难懂之处，作品有成名作《双方付钱》和《诗集》（1930）、《雄辩家》（1932）等。内容广泛，材料选自冰岛萨迦、古英诗、英国公学故事、K.马克思、S.弗洛伊德及其他心理学家，以及学生幽默，可说是五光十色的大杂烩。他认为诗与精神分析学类似，能起治疗作用，这一直是奥登诗的基本概念。在第2阶段（1933～1938），奥登思想激进，具有鲜明的左翼政治观点。继续对资本主义社会的弊端进行分析并对极权主义的出现提出了警告，主要作品有《看吧，陌生人》（1936）、《死之舞》（音乐宣传剧）以及与C.衣修午德合写的三部诗剧《皮下之狗》（1935）、《攀登F6》（1936）和《在边界上》（1938）。还写了不少散文、书评和报告文学，其中最著名的是游历冰岛时写的《冰岛书简》（1937）和与衣修午德同访中国后所写的《战地行》（1939）。1937年对西班牙作短暂旅行后又写了《西班牙》（1937）。1937年后思想开始从左倾回到基督教。1939年定居美国。在第3阶段（1939～1946），奥登加入美国籍，思想观点和宗教观经历了重大变化。《另一次》（1940）包括了他的一些最好的歌曲和现实诗；《双重人》（1941）描写了他皈依基督教的思想转变。三首长诗包括《暂时》（1944）、《海与镜》（1944）和《忧虑的时代》（1947），各自从宗教、美学和社会心理学的角度说明了奥登1940年之后所有作品的基本信仰和态度。第4阶段从1948年开始。较长的诗作有《阿喀琉斯之盾》（1955）、《无城墙的城市》（1969）等。还与他人合作写了几个歌剧剧本，主要有《浪荡子的历程》（1951）、《青年恋人们的哀歌》（1961）和《巴萨里德一家》（1966）。出版了一部文学批评集，《染匠的手》（1962）。1953年获博林根诗歌奖，1956年获全国图书奖。1956～1961任牛津大学诗学教授。

Audenarde（Belgium） 参阅**Oudenaarde 奥德纳尔德**。

Audiberti, Jacques 奥迪贝蒂（1899-03-25，法国昂蒂布～1965-07-10，巴黎） 法国诗人、小说家，尤以戏剧创作见称。他的诗在用词和押韵上都过分讲究，显然受象征主义和超现实主义的影响。奥迪贝蒂最初在昂蒂布做法院录事，后当记者，1925年移居巴黎，为《日报》和《小巴黎人报》撰稿，后写了20部描写善与恶斗争的剧本。他的剧作常常描写超自然的神力。《科亚特-科亚特》（1946）写一个在开往墨西哥的法国船上的年轻人宁愿接受死亡而不愿失去身份的故事。《坏事行千里》（1947）是一部以18世纪童话为背景，描写天真无邪受阅历腐蚀的故事。《燕隼》（1956）是一部攻击宗教的剧本。奥迪贝蒂诗集有《人种》（1937）、《成吨种子》（1941）；小说有《作护身符用的宝石》（1938）、《屠杀》（1942）、《单轨》（1964）等。

audiencia 检审法院 中世纪末期西班牙诸王国中为掌管王国的司法而设立的法院，也是西属美洲殖民地最重要的政府机构之一。从腓力二世在位时期（1556～1598）起，检审法院的判决是终审判决，只有在判处死刑，或在民事案件中涉及的金钱总数超过一定金额时例外。遇有上述例外情况，可向高一级的法庭——大法官法庭上诉。在16世纪，西属美洲各行政区（总督辖区，都督辖区）均设有检审法院，检审法院有权听取人们对总督和都督（执行官员）的控诉，并采取适当措施制止滥用权力的现象。西班牙王国政府还责令检审法院负责保护印第安人的权利，规定每周有两天听取与他们有关的案件。新大陆第一所检审法院于1511年在圣多明各建立，管辖加勒比地区各岛屿。墨西哥检审法院管辖包括今墨西哥共和国大部分地区和墨西哥湾沿海地区及佛罗里达。利马和危地马拉的检审法院分别建立于1542和1543年。到1550年左右又建立3个。殖民时期结束的时候，在4个总督辖区内共有13个检审法院。参阅 **Indies, Laws of the; residencia**。

audion 三极管 由美国的L.德福雷斯特于1906年所发明的一种初始的电子管（1907年专利）。是第一个由一个控制栅极、一个阴极和一个阳极组合起来的真空管。20世纪20年代多栅极管发明后，audion这名词不再使用而代之以更明确的术语。参阅 **triode; tetrode; pentode**。

audiovisual education 直观教育 使用录音广播、唱片、录音带，电影、录像带，收音机、电视及计算机等教学辅助工具以改进学习的教育方式。20世纪20年代以来，由于采用新的交流技术，尤其是近来电子计算机的应用，直观教育有了很快发展。历史表明，图片、标本、演示及其他视听手段是有效的教学工具。波希米亚教育家J.A.夸美纽斯（1592～1670）就是首先提出直观教育系统方法的人之一。包括J.-J.卢梭、J.洛克和J.H.裴斯泰洛齐在内的其他大教育家追随夸美纽斯，主张使用视听材料以增强教学效果。在第二次世界大战期间和战后，军事勤务广泛应用直观工具，教育工作者从中吸取了经验，战争以来对各种直观教具的效能进行了大量研究。研究表明，只要善于应用，直观教具对于回

忆、思考、兴趣、和想象都有很大益处。

audit 审计 会计专家对企业账册和报表的审查。此处所指会计专家不包括负责编制以上账表的人。由独立会计师承担的公共审计已成为一种专业，并且随着大企业的增多及所有权与管理权的分离而愈加普遍。公共会计师通过审核确定企业报表是否根据可接受的会计原则编制的，是否如实反映财务状况和经营成果。这样经独立会计师鉴定的企业经营管理报表，对实际和未来的股东、银行、供货部门、租赁单位以及政府机构都很重要。内部审计比较新，它是为评价企业的会计制度的效果而设计的。或许最为人们熟知的是行政审计（经营管理审计）或称事前审计，按这种审计，个别的传票、发货票或其他单证在付款或登账之前都得审查其准确性及有无适当的授权。

auditorium 观众厅 专供演出的建筑中设置的观众席部分，以别于进行表演或从事观众注意的其他活动的舞台部分。大型剧院中，观众厅包括若干楼层，常设计成池座、包厢、楼座、廊台等形式。观众厅的地面有坡度，以便观众能清楚地看到舞台上的演出。墙壁和天花板上常设有暗藏的灯光和音响设备以及空调通气口，还可有华丽的装修。该词又指学院中的大讲堂、隐修院的接待室，偶尔也指宗教建筑的听众区。

auditory meatus, external 外听道 参阅 **external auditory canal 外耳道**。

auditory nerve 听神经 参阅 **vestibulocochlear nerve 前庭耳蜗神经**。

auditory ossicle 听小骨 中耳内的三块小型骨。参阅 **ear**。

auditory tube 听管 参阅 **eustachian tube 咽鼓管**。

Audley (of Walden), Thomas Audley, Baron 奥德利(沃尔登的)(1488，英格兰埃塞克斯厄尔斯科恩～1544-04-30，伦敦) 英格兰大法官(1533～1544)，辅佐亨利八世国王与教廷决裂，使国王自己成为英国教会首

美国不列颠百科全书公司供图

领。原习法律。后在政界步步高升。1529年已成为下院议长。他使议会接受亨利的反教廷政策，亨利于1532年任命他为掌玺大臣，1533年任大法官。他主持了对约翰·费希尔主教和托马斯·莫尔爵士的审判，以拒绝放弃支持教皇罪将二人处决。他虽与托马斯·克伦威尔一道在英国确立成文法的权威，却在剥夺克伦威尔(1540)和亨利第5位妻子凯瑟琳(霍华德)(1542)的权力方面起了重要作用。1538年封男爵。4年后创建剑桥大学马格达伦学院。

Audubon, John James 奥杜邦(1785-04-26，西印度圣多曼格岛莱凯[今在海地]～1851-01-27，美国纽约州纽约) 美国鸟类学家、画家和博物学家。以绘制北美洲鸟类图而闻名。奥杜邦是兼营种植园和奴隶贸易的法国商人与西印度群岛圣多曼格岛的克里奥尔女人的私生子。在父亲返回法国5年后，他同他的一位私生同父异母姊妹(也出生于西印度群岛)于1794年正式被收养。少年时期在法国养成了画鸟的爱好。18岁时赴美国经商，此时开始研究北美的鸟类。他同F.罗泽尔曾尝试经营矿场；随后又经营百货店，先在肯塔基州的路易斯维尔，后在该州的亨德森，因经营完全失败而散伙。以后他又同姻亲兄弟合伙经营商业，但也以失败告终。1820年，奥杜邦开始从事能提供生计的职业，并全神贯注于画鸟的爱好。他做过一段时间制造动

美国不列颠百科全书公司供图

物标本的工作，后来又以画肖像和教绘画为业。此时他的妻子在担任家庭女教师。1824年，他开始考虑出版自己多年所画的鸟类图，他接受建议在欧洲寻找出版商，那里有更好的雕刻师，人们对他的作品会有更大兴趣。1826年，动身赴欧，寻找赞助人和出版商。他在爱丁堡受到很好接待，国王预购了他的画册后，在伦敦也受到同样接待。伦敦的雕刻师R.哈夫尔同意出版他画的《美洲鸟类图谱》(4卷，附435幅手绘彩图，1827～1838)。W.麦吉利夫雷协助编写《鸟类生活史》(5卷，8开本，1831～1839)以及索引《北美鸟类概要》(1卷，1839)。直到1839年，他往来于欧美之间，采集资料，完成画稿，并收取书籍订金作为出版经费。他有了声望，便在纽约城定居下来，并着手编写另一较小版本的《美洲鸟类图谱》(7卷，8开本，1840～1844)和《北美胎生四足动物》(3卷，附图150幅，1845～1848)及说明文字(3卷，1846～1853)，并在他的儿子们和博物学家J.巴克曼的协助下完成。评论家们多认为奥杜邦所画的鸟的姿态有些想象成分(甚至是不可能的)，细节也不准确，但是很少有人对他的绘画是艺术精品持有异议。在许多人看来，奥杜邦的作品远远高于同时代的(更为科学的)同事鸟类学家A.威尔逊的作品。

Auenbrugger von Auenbrugg, Leopold 奥恩布鲁格(1722-11-19，奥地利格拉茨～1809-05-17，维也纳) 奥地利医师。发明叩诊技术。他经过7年研究之后，于1761年发表《新

美国不列颠百科全书公司供图

发明》一书，描述了叩诊法，但直到拿破仑的私人医生让-尼古拉·科维札尔·德马雷的法文译本在1808年出版后，这个方法才得到世界的承认。奥恩布鲁格的叩诊法至今仍然是诊断的基本程序。

Auer, Carl 奥尔 参阅 **Welsbach, Carl Auer, Freiherr von 韦耳斯拔**。

Auer, Leopold 奥尔(1845-06-07，匈牙利维斯普雷姆～1930-07-15，德国德累斯顿附近洛奇维茨) 小提琴家、著名教师。学生有著名小提琴家M.埃尔曼、J.海费兹、E.津巴里斯特、N.米尔斯坦。师从驰名演奏大师J.约阿希姆。自1868年起任圣彼得堡音乐学院教授。1883年人俄国籍。卜居圣彼得堡时亦在伦敦与德累斯顿执教。1918年定居纽约。P.I.柴可夫斯基原考虑将其小提琴协奏曲题献给奥尔，但因奥尔认为此曲不宜演奏而感到失望，于是他改变初衷。但奥尔后来又改变了想法，这首协奏曲在他的众多演奏曲目中占有突出地位。著有《小提琴教学法》(1921)、《我漫长的音乐生涯》(1923)和《小提琴名曲及其演奏》(1925)。

Auerbach, Berthold 奥尔巴赫(1812-02-28，符腾堡霍尔布附近北施泰滕[德国]～1882-02-08，法国戛纳) 德国小说家，主要以描写农村生活而闻名。原准备做犹太教拉比，由

美国不列颠百科全书公司供图

于研究了17世纪荷兰哲学家B.de斯宾诺莎的哲学而脱离正统的犹太教，转向文学。斯宾诺莎的生平形成了他第一篇小说的基础(1837)；1841年发表斯宾诺莎著作的德文译本；1843年，开始发表《黑森林乡村故事集》，

后又发表一些同类小说,其中有《赤脚的小孩》(1856)和《鼠麴草》(1861)。他的作品虽非农村生活的现实描写,但因作者的哲学思想和浪漫主义倾向而备受欢迎。

Auerbach, Erich **奥尔巴赫**(1892-11-09,德国柏林～1957-10-13,美国康涅狄格沃灵福德) 罗曼语文学与语言教育家和学者。1921年在格赖夫斯瓦尔德大学取得语文学博士学位,此后任普鲁士国立图书馆馆员。1927～1947年任德国马尔堡大学和土耳其国立伊斯坦布尔大学罗曼语语文学教授。1947年任教于耶鲁大学,1956年任该校罗曼语文学斯特林讲座教授。1949～1950年他是普林斯顿高级研究院研究员。著有《模仿:西方文学中的现实的表现》(1953,1946年德文原版的英译本),此书按照每一时代的历史特点来叙述西方文学的发展。

Auerbach, Red **奥尔巴克**(1917-09-20,美国纽约布鲁克林～) 美国职业篮球教练。所训练的全国篮球协会(NBA)波士顿凯尔特人队获9次全国篮球协会冠军。曾在华盛顿州奥尔本预备学校(1940)和罗斯福中学(1940～1943)任教练。第二次世界大战期间在美国海军服役(1943～1946),战后任美国篮球协会华盛顿首都人队和三城队教练。1950年任凯尔特人队教练。1966年退休。每逢他认为他的球队胜利在握之时,他总是点燃雪茄,此为他的标志。1968年入选篮球名人堂。

Auersperg, Adolf (Karl Daniel), Prince (Fürst) **von**, DUKE (Herzog) VON GOTTSCHEE **奥尔斯佩格侯爵**(1821-07-21,奥地利帝国布拉格[今在捷克共和国]～1885-01-05,奥地利施洛斯戈尔德埃格) 戈特舍公爵,哈布斯堡帝国(1871～1879)西半部的首相。奥尔斯佩格充任帝国现役骑兵军官14年之后,作为大贵族立宪党党员,1860年被选入波希米亚邦议会。1867年任波希米亚邦最高指挥官。1870年任萨尔茨堡邦总督。他是一个中央集权主义者,在K. von 霍恩瓦尔特的扩大斯拉夫人自治权计划失败(1871)之后,接替霍恩瓦尔特出任帝国西半部的首相。奥尔斯佩格内阁发布选举改革法(1873),提出反教权主义立法纲领,均有一定成效,但是完全逆行前任政府的与捷克人和解的政策。各种政治丑闻和党内关于奥地利占领波斯尼亚问题的争吵终于迫使他于1879年辞职。奥尔斯佩格的辞职标志着在帝国整个余年德意志自由主义在奥地利政治中的终结。

Auersperg, Anton Alexander, Count (Graf) **von** **奥尔斯佩格伯爵** 参阅 **Grün, Anastasius** 格律恩。

Auerstädt, Battle of **奥尔施泰特战役**(1806) 参阅 **Jena, Battle of** 耶拿战役。

Auerstedt, Louis-Nicolas Davout, Duke (duc) **d'** **奥尔施泰特公爵** 参阅 **Davout, Louis-Nicolas** 达武。

Aufbau principle **构造原理** 原子基态(最稳态)中电子在各能级的合理化分布。这一原理在1920年前后由N.玻尔正式提出,它是量子力学定律在原子内电子性质上的应用。原子内的电子是处在原子核的正电荷和核外其他电子的负电荷形成的电场作用下。由这一原理的名称表示的所谓"构造"是一个假设的过程,认为全部电子是一个一个地依次进入电场,并假设对电场而言它们处于最稳定的状态。参阅 **electronic configuration**。

Aufklärung **启蒙运动** 17～18世纪间,德国一种强调理性主义的哲学运动。参阅 **Enlightenment**。

Aufwuchs **周丛生物群落** 又译底层水生生物。附着在沉没水下的茎、叶、岩石、枝棒、碎砾的表面上,或在其周围活动,但不长入其表面的植物和动物群落。有时用水生附着生物一词来表示附着在沉没水下的植物叶茎上的生物。

Augeas **奥吉亚斯** 又拼 Augeias 或 Augias。希腊传说中伊利斯的埃佩安人的国王,太阳神赫利俄斯的儿子之一。他拥有大群牲畜,国王欧律斯透斯命希腊英雄赫拉克勒斯独自在一日之内把奥吉亚斯的全部厩房洗扫干净。赫拉克勒斯使阿尔菲奥斯河水流过厩房,按期完成清扫任务。奥吉亚斯曾许诺把牲畜的十分之一送给赫拉克勒斯。后来他却以赫拉克勒斯此举实乃为欧律斯透斯效劳为借口而食言。于是赫拉克勒斯率领一支军队前来讨伐,杀死了他和他的儿子们。

auger **木螺钻** 又称螺旋钻。装于木工手摇钻上的刀具,用于木材钻孔。它看起来像开软木塞的螺丝起子,由六部分组成:螺丝头、刀尖、切削刃、麻花状部分、柄部和扁尾。螺丝头像木螺钉,直径小而短,位于头部中心,靠它旋入工件。麻花状部分的顶端有两个锋利的刀尖,用来刻划出一圆形划痕,该圆等于所钻孔的大小;还有两条径向切削刃在该圆形划痕内钻削。麻花状部分呈螺旋状,用于从钻中排出刮屑。扁尾为带锥度的矩形,正好装在手摇钻的夹头中。扩孔木螺钻的切削刃和刀尖均可调节,钻大孔时能在径向扩大。金属切削用的螺旋钻也能钻木材孔,但所钻的孔不如木螺钻所钻孔那样平滑干净,也不能钻出扩孔钻那样大的孔。许多大的地螺钻用来在地面上钻孔,以埋置防护桩、电话线杆等。直径达244厘米的卧式钻机,用于煤矿开采。

Auger effect **俄歇效应** 原子物理学中的一种自发过程,即当原子的最内的K壳层有一电子空位时,原子不是辐射单个X射线光子而是发射出一个或多个电子,使它自身重新调整到较稳定状态。此内光电效应由法国物理学家P.-V.俄歇于1925年发现而得名。所有原子都由一原子核和运行在若干同心壳层的电子组成。如果某内壳层一个电子或因受到电子轰击而离失,或被原子核吸收,或由其他方式形成空位,则一个电子会从另一壳层跃迁入该空位,并立即释放能量,该能量或产生X射线或经由俄歇效应耗散能量。在俄歇效应中,资用能量将一个电子从一个壳层中排斥掉,其结果使该原子有了两个电子空位。随着新空位的被填充,这个过程将重复下去。否则,将发射X射线。发射俄歇电子的概率称为该壳层的俄歇电子产额。它随原子序数递减,原子序数为30的锌,从最内的K壳层发射X射线和发射俄歇电子的几率大约相等。俄歇效应在研究元素、化合物、原子核以及μ子等的性质时都很有用。

auger mining **钻采** 又称螺旋钻开采。在经挖掘露出的地层底部煤层中进行钻进采煤的方法。一般地说,它是成本最低的采煤方法之一,限用于被地质侵蚀所暴露的平煤层或微倾斜煤层。螺旋钻开采通常与露天开采有关联;在超过某一点,由于煤层处于地表之下太远,以致露天开采成为不经济时,可采用螺旋钻法在该点下进行有限深度的采煤。

Augereau, Pierre-François-Charles, DUKE (duc) DE CASTIGLIONE **奥热罗**(1757-10-21,法国巴黎～1816-06-12,拉马赛) 法国陆军军官。在拿破仑的指挥下,他卓越的军事才能

美国不列颠百科全书公司供图

在意大利作战中为法国赢得一系列光辉胜利。出身寒门,17岁开始在外国军队中当兵。1792年回国。1793年在东比利牛斯省任师长。1795年在意大利战役时任中将。次年在卡斯蒂廖内战役中获胜,得到拿破仑的器重。他举行果月18日政变(1797-09-04),1799年当选为议员,兼任议会秘书。他反对拿破仑的雾月18日政变(1799-11-09),1800～1805年降任次要职务,但1804年被任命为元帅。1806年在耶拿战役中指挥一个军。艾劳战役(1807-02)中因雪暴他的军队损失过半。1808年封卡斯蒂廖内公爵,任西班牙加泰罗尼亚军区司令。1810年召回法国,1812年调往俄罗斯前线,次年又在德意志作战,莱比锡战役(1813-10-16～19)失利后返回法国。1814年里昂战役失败后猛烈抨击拿破仑。1814年波旁王朝第一次复辟后,他自称保皇党。路易十八因他反对拿破仑而予以奖励。1815年他却又表示要为拿破仑效劳,因而遭到冷漠。他在滑铁卢战役后退隐。

Aughrabies Falls (South Africa) 参阅 **Aughrabies Falls** 奥赫拉比斯瀑布。

Augier,(Guillaume-Victor) Émile **奥日埃**(1820-09-17,法国瓦朗斯～1889-10-25,塞纳

河畔克罗瓦西） 法国受欢迎的戏剧家。所写喜剧赞扬了第二帝国（1852～1870）中产阶级生活的种种美德，与小仲马和V.萨尔都一起，同为法国舞台剧大师。其剧作多带有训世目的，诗剧《嘉布里埃尔》（1849）抨击了情欲具有神圣权利这种荒诞的信念；《奥兰珀的婚礼》（1855）则反对小仲马在《茶花女》中所表达的爱情可以使妓女洗心革面的看法。他提倡道德，坚决维护婚姻制度。著名剧作《普瓦里埃先生的女婿》（1854，与J.桑多合写）鼓吹中产阶级新富与破落贵族的融合。

augite 普通辉石 最常见的辉石矿物，一种含钙、镁、铁、钛和铝的硅酸盐。它主要以粗的板状晶体出现在玄武岩、辉长岩、安山岩及其他各种深色火成岩中。它也是月球玄武

产自安大略的普通辉石
美国不列颠百科全书公司供图

岩及富含玄武岩质的陨石之常见成分。含有与*透辉石*（**diopside**）相似成分的普通辉石可能在某些变质岩中，特别是大理岩中发现。因为在透辉石-钙铁辉石系列和普通辉石间存在连续的化学变化，这些矿物彼此之间甚至用光学方法也难以区分。因此，普通辉石这一名称有时用来表示具单斜对称（3个不等的结晶轴中有一个倾斜交叉的轴）的任何辉石。普通辉石的化学式及详细的物理特性，参阅 **pyroxene**（表）。

Augmentations, Court of 增收法院 指英国亨利八世统治下宗教改革期间建立的一批财政法院中最重要的一个法院，其余的是总检查官法院、初税和什一税法院，监护和让与法院。所有这些法院与不依靠公认的普通法程序办事的都铎王朝的特权法院（例如星法院）不同，实质上都是普通法法院。设置上述这些普通法法院是为了王室能够对它的土地和财政实行更加有组织的控制。增收法院是为了处理亨利与罗马教廷破裂后解散隐修院而带来的各种财政、财产问题而于1535年设置的：将修士在各处安置或发给养老金，偿还隐修院的欠债，对隐修院的财产进行估计并予出售或出租。该法院的组织结构是以兰开斯特公爵领地法院为模式，而兰开斯特的领地是与王室的土地分开单独管理的。这样，增收法院既是法院，又是税收部门，和其他财政法院是一样的。这些财政法院的设立应归功于亨利的大臣托马斯·克伦威尔，他是创立依靠文官进行现代国家行政管理以代替中世纪王室行政管理的最主要的人物。增收法院有一名大法官兼财政大臣以及若干律师兼审计官；此外，还设有负责管理特定郡内隐修院土地的人员，他们主要的职责是收租。1547年，增收法院与总检查官法院合并。总检查官法院是在1542年建立的，它产生于原王室检查部，负责管理王室的土地、处理案件及登记租约。其余的财政法院都有很专门的职能。初税和什一税法院是1540年建立的，用以向牧师俸地征收以前送往罗马的某几种税款。初税是指俸地新所有主应当付出的第一年收益；什一税是每年岁入中应纳的百分之十的税。监护法院是1540年建立的（1542年成为监护和让与法院），它负责处理封建领主按其地位应向国王缴纳的款项，另外还有权保护某些婚姻权利和监护权利。到了玛丽女王在位时期的1554年，增收法院、总检查官法院以及初税和什一税法院的职能统统并入了财政部，只有监护和让与法院单独保留下来，直至1660年才废除。

Augrabies Falls 奥赫拉比斯瀑布 又拼 Aughrabies Falls。南非开普省西北部奥兰治河上的一系列间断沟槽形成的奔流和湍滩。为1966年建立的奥赫拉比斯国家公园的主要风景点。最大垂直落差93米；总落差约191米。底部水潭深逾43米。洪水季节，瀑布宽达数英里，有19处瀑布，汇入18千米长的山涧。

Augsburg 奥格斯堡 德国南部巴伐利亚州城市。位于韦尔塔赫河和莱希河汇流处，范围扩展到两河之间的高原地区。当地发现有青铜时代早期居民点遗迹。原为古罗马殖

奥格斯堡市的罗特塔及部分旧城墙
美国不列颠百科全书公司供图

民点。1276年成为帝国自由城市。15～16世纪为欧洲主要的金融和商业中心，促进了艺术和科学的发展。大、小H.霍尔拜因及H.布克迈尔等艺术家均出生于此。“三十年战争”（1618～1648）中衰落。1806年并入巴伐利亚。虽然第二次世界大战中破坏严重，但是该市很多有历史意义的建筑幸存下来。现存古建筑有大教堂的西侧和地下室（994～1065），还有哥特式的附加部分（1331～1432）；其不朽之作是11世纪的铜门、中殿上的5个罗马式彩色玻璃窗、主教宝座以及大霍尔拜因和C.安贝格所绘的祭坛画。还有市政厅（1615～1620）和一些教堂。其他名胜有16世纪喷泉、市博物馆、美术馆、市图书馆、作曲家W.A.莫扎特之父L.莫扎特的故居（现为莫扎特纪念馆）等。有奥格斯堡大学（1970）、鲁道夫·狄塞耳工业学校（以柴油机的发明者命名）和三所音乐学院。1974年与附近城市格京根和豪恩施泰滕合并。作为重要交通枢纽和工业中心，有机械和电子设备等制造业。人口约259 217（2003）。

Augsburg, Peace of 《奥格斯堡和约》 神圣罗马帝国议会1555年9月25日颁布的和约。它是基督教新教信义宗和天主教共同存在于德意志的第一项永久性法律根据。这次议会是由皇帝查理五世于1555年2月5日在奥格斯堡召开的。议会决定：神圣罗马帝国境内各诸侯邦之间不得因宗教原因互相争战。在两派和好归一以前，本和约持续有效。议会仅承认天主教和《奥格斯堡信纲》派（即信义宗）两派。各邦只承认一个教派，因此，各邦统治者所选定的宗派，其臣民必须信奉。臣民中凡信奉另一宗派者，可变卖其产业后，移居认可该宗派的地区。关于信义宗从非皇帝直属封臣的高级天主教士手中所征用之土地，如能证明确属自1552年8月2日《帕绍条约》签订之日起一直占有，即不再归还。天主教会为了保证现有教产不致丧失，经过努力，使议会规定：尔后凡领有教产的诸侯，如改信新教，即应放弃其职位、土地和俸禄。这一条是皇帝斐迪南一世亲自提议加进的，他还附加说明，指出该条款并未达成协议。事实上，新教在许多情况下完全无视这一条款。

Augsburg, War of the League of 奥格斯堡联盟战争 参阅**Grand Alliance, War of the 大同盟战争**。

Augsburg Confession 《奥格斯堡信纲》 拉丁语作 Confessio Augustana。基督教信义宗（路德宗）的基本信仰纲要。1530年6月25日由信奉信义宗的7个邦和两个自由市在奥格斯堡议会上以德文和拉丁文两种文本呈交神圣罗马帝国皇帝查理五世。主要执笔人是宗教改革家P.梅兰希顿，此纲要是他根据信义宗早期各项信仰声明写成的，目的在于为信义宗辩护而驳斥种种曲解，并用神圣罗马帝国境内天主教徒所能接受的语言申明教义理论。《奥格斯堡信纲》原本共28条。前21条全面阐明信义宗的教义，以证明该宗根本不是在信仰上背离天主教。其余的7条历述宗教改革运动爆发以前的几个世纪中西方教会的弊端。

Augsburg Interim 《奥格斯堡临时敕令》 德意志天主教和基督教新教之间的临时教义协定。1548年5月由在奥格斯堡召开的神圣罗马帝国议会宣布，1548年6月30日作为帝国法律颁行。这项法律是在神圣罗马帝国皇帝查理五世的坚持下拟订而通过的，目的在于在德意志建立临时的宗教联合，分歧则留待日后解决。《奥格斯堡临时敕令》共分26条，主要反映天主教会的观点。1548年12月基督教新教在莱比锡帝国议会上另行通过坚

持基督教新教教义的《莱比锡临时敕令》。

augury 观兆卜 一种占卜术。其法为观察自然现象,特别是禽兽动态和禽兽内脏及肢体,有时也观察人造物品或人为事态。观兆卜之名源于古罗马之占卜官,其职司并非预卜未来而是观察神明对某项行动是否赞同,尤其是政治或军事行动。有两种征兆可作认证:其中最重要的是仔细观察诸如闪电、雷声及鸟飞鸟鸣,或观察灵雏的啄粟行为;次要者是偶发现象,如与神有关的兽类忽然出现或其他世俗征象的显示,其中前者有熊(阿耳忒弥斯)、狼(阿波罗)、鹰(宙斯)、蛇(阿斯克勒庇俄斯)、枭(密涅瓦),后者则有食盐洒落,家具忽然作响、震颤或有辗轧声。观兆卜由来已久,基督教《圣经》中有记载。公元前44年西塞罗所著《论占卜》一书,是有关古代占卜术的最佳资料。他和柏拉图都把占卜术分为师徒相授及神灵感召两类。在中国,几千年间许多人在重大举措之前先查《易经》。此书解释蓍草占卜所得卦象。各种观兆卜都有各自的术语和礼法,使用不同方法:观看天空(气象卜)、摆列纸牌(牌卜)、掷骰掣签(签卜)、点画白纸(地卜)、观火察烟(火卜)、测视兽胛骨(胛骨卜)、察看祭牲内脏(脏卜)特别是所谓生命所在的肝脏(肝卜)。

August 八月 格雷果里历(**Gregorian calendar**)的第8个月份。参阅**month**。

Augusta 奥古斯塔(1811-09-30,萨克森-魏玛魏玛～1890-01-07,柏林) 全名Maria Luise Augusta Katharina。1861年起为普鲁士王后,1871年起为德意志皇后,威廉一世妻。她是萨克森-魏玛-爱森纳赫大公查理·腓特烈的幼女。1829年6月11日与未来国王和皇帝结婚。因俾斯麦劝说其丈夫放弃普鲁士王位的继承权,她对俾斯麦非常不满,但对自由主义者和天主教徒都很友好。

Augusta 奥古斯塔 意大利西西里岛锡拉库萨省城镇。在东南岸外一长形沙岛上,有桥与西西里相连。建于1232年。1693年地震后重建。著名建筑有萨比亚恩城堡(今为监狱)、大教堂(1769)及科穆纳莱宫(1699)。居民主要从事农业(谷物、橄榄、葡萄和蔬菜等)。有采盐业、渔业和鳀鱼加工等。现为该岛主要商港。广阔的沿海区工业发达,有炼油和大型化工综合企业,但也造成环境的严重污染。人口:城市区约34 196(1999)。

Augusta 奥古斯塔 美国佐治亚州东部城市,里士满县县城(1777),内河港口。濒临萨凡纳河,在皮德蒙特高原与海岸平原交界处的瀑布线上。1540年H.德索托即来此探险,但直到1735年J.奥格尔索普才建起毛皮交易站。其后,居民点以英格兰乔治三世的母亲奥古斯塔命名。独立战争时期,奥城经历了残酷的战争和血腥的报复,几次被英美双方交替占领,并两度成为佐治亚州临时首府。1788年1月2日美国宪法在此批准生效。1789年设镇,1798年设市。南北战争时期的南部邦联最大弹药厂就设在此,该厂高达54米的烟囱保留至今,作为纪念南北战争中阵亡将士的纪念碑。许多保存完好的乔治时代和文艺复兴式古老建筑如今依然屹立在林荫大道两旁,著名的有麦凯大厦(约1760)、韦尔大厦(1818)等。该市是美国南部早期的棉纺村镇之一,现仍为棉花贸易中心,亦是重要纺织工业中心。当地出产优质瓷土,用于制造耐火砖和其他耐火材料。制造业种类繁多,与农业有关的工业也占重要地位。克拉克山大坝是奥古斯塔上游一带供发电和控制洪水的11座水坝之一。设有奥古斯塔学院(1925),佐治亚医学院(1828)和佩恩学院(1882)。是全国高尔夫球俱乐部所在地,一年一度的高尔夫球优秀选手锦标赛就在此举行。城西南18千米为戈登堡军事区。人口:奥古斯塔-里士满统一都会区199 775;奥古斯塔-艾肯都会统计区477 441(2000)。

Augusta 奥古斯塔 美国缅因州首府(1832)、肯纳贝克县县城(1799)。在肯纳贝克河航线上端,波特兰东北57英里(92千米)处。1628年,马萨诸塞普利茅斯移民区商人

肯纳贝克河畔的奥古斯塔市
美国不列颠百科全书公司供图

到此经商,促进城镇的建立和早期繁荣,在考西诺克建立贸易站。1754年建韦斯滕堡。1797年设镇。1849年设市。轻工业和公用事业是主要经济来源。生产纸张、纺织品、食品和皮鞋。州议会大厦(1829～1832)185英尺(56米)高的穹顶上有智慧之神塑像。市中心有2 100英尺长的桁架悬臂桥(1950)横跨肯纳贝克河。从市区往北15英里处有一组湖泊,经肯纳贝克河往南可通大西洋。该市是本州度假胜地之一。人口18 560(2000)。

Augusta, Julia 奥古斯塔 参阅**Livia Drusilla 利维娅·德鲁西拉**。

Augustan Age 奥古斯都时代 拉丁文学史上最为光辉灿烂的时代之一,约于公元前43～公元18年;它和以前的西塞罗时期(**Ciceronian period**)一起构成拉丁文学的黄金时代(**Golden Age**)。这一时代以国内和平与繁荣为标志,在诗歌方面取得了最高成就,这种精美纤巧的诗歌通常是献给一位保护人或皇帝奥古斯都的,主题多为爱国、爱情与自然。仅在公元前29～前19年,维吉尔就发表了《农事诗》,并完成《埃涅阿斯纪》;贺拉斯发表了《歌集》的前3卷和《书札》的第1卷;普罗佩提乌斯发表了哀歌的1～3卷;提布卢斯发表了他的哀歌的前2卷。也是在这期间,李维开始撰写他的巨著《罗马史》,另一位历史学家波利奥则正在撰述他的一部记述当时事件的重要史著,但已失传。奥维德是黄金时代的最后一位伟大作家,写有《变形记》,这是一部从创世一直叙述到奥古斯都时代的神话历史。公元17年他在流放中死去,标志了这一时代的结束。

Augustan History 《罗马帝王纪》 拉丁语作Historia Augusta。历史学家对一部有关罗马皇帝(从哈德良到努梅里安,117～284)的传记集的称呼。该书是罗马帝国历史的重要史料。它的现存本残缺不全,书名已不可考。对该书的作者和写作时期,人们也有争论。抄本本身有4世纪初期6位作者的名字,但某些学者认为这些名字是伪托的,他们相信该书写于4世纪后期,持有明确的异教观点。该书的第一部分(从哈德良到卡拉卡拉)被认为是依据可靠史料写成的,有重大的历史价值。其余部分则被认为不大可信。

Augustana Evangelical Lutheran Church 奥古斯塔那福音信义会 美国基督教信义宗组织,是1860年由挪威裔和瑞典裔信徒在威斯康星州杰斐逊草场所成立的教会联会。原名斯堪的纳维亚奥古斯塔那福音信义会。1962年该会(拥有60多万信徒)与美国联合信义会、美国福音信义会和芬兰福音信义会(索米信义联会)合并,组成美国信义会。

Augustine, SAINT 奥古斯丁,圣(354-11-13,努米底亚塔加斯特～430-08-28,希波勒吉乌斯) 又称希波的圣奥古斯丁。拉丁文原名作Aurelius Augustinus。在公元396～430年间

美国不列颠百科全书公司供图

任罗马帝国非洲希波主教,是当时西派教会中举足轻重的人士,公认为古代基督教的最伟大的思想家。他的头脑是一个熔炉,把《新约》所揭示的信仰最完美地与希腊的柏拉图哲学熔在一起,这种熔合产物又通过他的思想传输给中世纪的天主教和文艺复兴时代的基督教(新教)。假如奥古斯丁不撰写他的著名的《忏悔录》,上述的独特的重要性他本来

当之无愧。他在大约45岁写的这部书历述他青年放荡不羁，越海飘泊，直到写书前12年，据说才加入天主教会，结束了这种生涯。直等到他的《忏悔录》中所述的最后一段经历已经过去而仅存于他的记忆中时，他一生的真正活动才开始，而这一点人们常常忘记。不但如此，《忏悔录》很难说是自传，它更多地是出于宗教虔诚而吐露悔改谢恩之心。奥古斯丁的追述发自内心良知，一般可以相信确属叙实：他的反思是作为一位主教跪在上帝面前祈祷时所作。这并不是说，如要了解或评估这位主教的思想可以不顾《忏悔录》。然而，要了解全貌必须区别主次轻重，必须避免过分重视背景材料。

青年时代和改信基督教 希波勒吉乌斯即今阿尔及利亚滨海城市安纳巴，当时属罗马帝国努米底亚省。奥古斯丁原名奥勒利乌斯·奥古斯提努斯，生于希波勒吉乌斯以南约72千米的小镇塔加斯特，父母为中产户。其父巴特里修斯信奉异教，一直到晚年才改变信仰；其母莫尼卡是笃诚纯朴的基督教徒，奥古斯丁自幼受慈教，崇敬“基督之名”而始终不渝。但是他并未受婴儿洗礼。他受过初等及中等教育，不久他的智力初露锋芒，家境虽不宽裕，但父母节衣缩食，供他深造，希望他学成之后为官。他19岁在迦太基求学时阅读西塞罗的论文《霍滕修斯》（今佚），大为所动，产生了学习哲学的热情，所谓哲学，不仅是追求真理的诚心，也是以这种追求为超越世俗欲念的一种信念。在他心目中，天主教的信仰过于缺乏哲学性而无法挽救，有教养之人无法接受；他一经接触摩尼教，就发现它是自称不依靠权威而依靠哲理的一种宗教。

摩尼教对奥古斯丁的影响 在西罗马帝国范围内流传的摩尼教体系是一种唯物二元论，它认为万物产生于光与黑暗物质的斗争，人的灵魂是光明的物质而纠缠于黑暗之中。摩尼教自称真正的基督教，谓基督是救赎者，他使得光子逃出黑暗的禁锢重返光明之域。在摩尼教会中，较高的品级称为“选民”，他们修习严格的禁欲主义，禁绝婚姻，认为肉体传代是完全黑暗之域的事。奥古斯丁的青春时代的所作所为，在彼时彼地或许是普通之事，不足以斥为放纵。其后他与一个出身卑微的女子有关系，该女为他生有一子，在他信奉摩尼教的9年期间两人关系一直未断，因此他在教内仅仅是“听道徒”，该教念及人类的软弱，容许这一较低品级的人嫁娶。奥古斯丁对于这种“启蒙宗教”的热情并不持久，因为摩尼教内的教义专家在学识上居于二流，对于奥古斯丁向他们提出的问题往往张口结舌。奥古斯丁日益失望，大约在28岁已全面陷入不可知论的泥潭，抛弃在迦太基设馆教授修辞学的生涯，到罗马寻找更为满意的学生。他在罗马结识了一些人，经他们介绍到米兰任官聘教授，当时西罗马皇帝驻在米兰。米兰的主教安布罗斯是当时最著名的教会要人，奥古斯丁经人介绍认识了他，但并未有深交。但是他聆听安布罗斯讲道，使他第一次接触基督教知识人士的思想，这种接触足以动摇他对天主教教义所抱有的偏见。虽然他当时已扬弃摩尼教的教义，但仍保有摩尼教的唯物主义假说，他最终在这个问题上找不到足以取代摩尼教教义的理论，思想上怀疑重重。在他心中，上帝的存在、罪恶的性质和根源，仍然一如既往，悬而未决。

新柏拉图主义的影响 奥古斯丁偶然地从新柏拉图主义的著作中找到了上述两个问题的答案——安布罗斯有时在讲道中援引这类著作，这或者对他有所启发。新柏拉图主义在3世纪的最伟大的阐述者是哲学家和神秘主义者柏罗丁，他笔下的新柏拉图主义是唯心主义一元论。这种哲学理论认为：只有一个实在，宇宙是从绝对统一体中不断溢出、不断蜕化出来的。由超然存在者产生自觉的心灵，亦即灵；由心灵产生魂亦即生命，魂是灵界与感界间的媒介。物质是至高统一体所产生的最低级、最终的产物；既然独一体又是真实的、善的，因此，罪恶的潜势即是未成形的物质，亦即背离独一体的极端偏移点。因此，罪恶本身即是万物中最不真实者，它无非是善的丧失，亦即善的不在。新柏拉图神秘主义所依据的理论是：内心优于外形：为求达到真实的善，必须“返归”自我；因为，把人与终极的统一体连在一起的，乃是人的最内部的核心中的灵。奥古斯丁在《忏悔录》第7卷中叙述，他在这种内省中找到了上帝，上帝是“不变之光”，他同时既无所不在又超然于万物。人们对于真与善的直觉认识，无不以上帝为源。这种对于上帝的发现，不仅是推理的结论，也是神秘主义的体验，是来去的幽灵或接触。但是，它所遗留下来的，是对于奥古斯丁久思不得其解的问题的答案。上帝是光，罪恶是黑暗，此点正是摩尼所云。但是，两者都不是物质：上帝的不变之光是纯一的灵体；罪恶不成其为实体，因为黑暗无非是光的不在。

改信基督教 奥古斯丁的神秘主义体验，他对于上帝的察觉，都是昙花一现，一闪而过。他认为，这只能有一个原因：必须做到的完全把至高的价值与灵融为一体，他还没有做到；他自己仍然纠缠在肉体之中。事实上，新柏拉图强化了摩尼教的理论；即人必须逃离肉体才能回归于上帝，奥古斯丁认为，其主要而直接的含义即是逃脱性欲的牵累。《忏悔录》第8卷有 一段不朽的故事：奥古斯丁了解了东方和西方基督教苦修人士的英勇成就，自愧不如而自惭形秽，最后在米兰的一所花园中，听到有儿童的声音说：“tolle, lege; tolle, lege.”（“拿起来读；拿起来读。”）他打开《新约书信》，竟是《保罗致罗马人书》中这样一段话：“总要披戴主耶稣基督，不要为肉体安排；去放纵私欲。”（《罗马书》第13章14节）；此时他再也无力抗拒上帝。此事发生在386年夏末。假期临近，奥古斯丁撤帐，偕同一些青年学生、其子阿德奥达图斯、其母莫尼卡前往友人借住的乡村住宅，共同读书。他们在该处研究所读，议论哲理；现存奥古斯丁的最早著作《对话》即是产生于这种研究和议论。这些《对话》对于奥古斯丁改变宗教信仰过程中的精神激荡和痛苦表现甚少，对于具体的基督教义问题语焉不详，因而考证家怀疑其后多年所写的《忏悔录》中那一段故事是否准确。可以肯定，奥古斯丁为了挣脱性欲的控制而进行的斗争，是他自从读了西塞罗的《霍滕修斯》以后而开始的摇摆不定的追求“哲学生活”的过程的最终阶段。387年他接受安布罗斯所授洗礼，没有理由怀疑当时他真心想当信仰纯正的基督徒。三四年后，当他撰写《论真宗教》时，他仍然在按照新柏拉图主义的思路理解基督教。他在这篇论文中指出，存在于基督里面的真道（拉各斯），正是柏罗丁所说的心亦即灵，它标彰显理，通过这个理人的魂才能与上帝发生联系。他认为，基督作为人的一生是人类的表率，表明禁欲战胜肉体的苦与乐。基督教的道德规范只是要净化灵魂以适应思辨生活。基督教作为宗教，就是要承认教会在这种初期修习阶段中的必不可少的权威。

主教和基督教哲学家 奥古斯丁受洗礼以后不久，偕同其母和几位友人离米兰返非洲。在罗马的奥斯蒂亚（Ostia）港，其母逝世；在母子二人最后一次谈话中，奥古斯丁根据新柏拉图主义关于自今世“升”入另一世界的学说，向母亲介绍他对于永生的体验，奥古斯丁后来把这段谈话记录了下来。回到塔加斯特，友人们组成小团体，进行思辨修习，过宗教生活。391年，奥古斯丁访问希波，被迫接受神职，受祝圣而成为年迈的主教瓦勒里乌斯的助理司铎，于是平静的修习生活结束。5年后瓦勒里乌斯卒，奥古斯丁继任主教，鞠躬尽瘁，直到离世。罗马帝国阿非利加领地的主教不仅要抚育信徒，忙于传授教义和布道，还要主持许多民事案件的审讯，作出即决裁判。奥古斯丁一向并不健壮，幸有速记员随身伺候，加之他有即席议论井井有条的惊人能力，他身后遗留下来大量著作，现在至少400多篇布道词即是明证。奥古斯丁并不是有系统的神学家。多数著作只是由于他在基督教世界内声望日隆，人们向他请教时他就众多问题发表的意见。现存有他的200多封书信，其中不少堪称短篇论文。他坚持不懈地同各种异端［摩尼派、多纳图斯派（Donatists）、贝拉基派（Pelagians）］争论。但是，他的最深入的思想，亦即真正的奥古斯丁主义，却体现在他的经文评注和布道词中，特别是关于《诗篇》的阐释和对于《约翰福音》和《约翰一书》的评注。他给基督教神学确立的模式并不是论争的产物。

他一旦受神职而成为司铎，不再能过静思的生活，不得不处理世事，他的学术活动也从哲学转回《圣经》，这是他的思想的决定性的转折点。希波这个非洲海港，居民虽信奉基督教但信仰大为不纯，他在他们中间作教牧工作体验良多；同时，《圣经》教义的众多范畴注入他的头脑，使他不得不注意区分新柏拉图主义与保罗传授的基督教义。自从他受洗以来，他所注意的唯一问题就是如何认识上帝，如何认识人的灵魂。柏罗丁过去教导他，要想发现上帝必须深入自我去求索，柏罗丁并不谬误，因为《圣经》上也说，人的灵魂上印有上帝的形象。然而，新柏拉图主义认为，人的灵魂之所以像上帝，是因为它可以说是沦落的神性，而基督教则认为，它是“永生不易的一位”在现世的可变形象。奥古斯丁确信，基督教哲学的任务在于：根据经文中所载的上帝启示，通过上帝在人的灵魂中的形象去认识上帝；在他的伟大论文《论三位一体》

中,他所遵循的就是这条道路。他坚持人必须直接意识到自觉性的存在才能真正认识灵魂的性质;而灵魂的自我认识即是三位一体统一于一身,它如同"暗镜"一样,反映创造灵魂的那一位的性质。他指出,人能够认识自己的本质、自己的思想、自己的意志,这是毫无疑问的;有一个自我,它存在,有认识力,而且有意志。但是,自我在上述各个方面都不能满足自己,不能独立:它不能维持自己的存在、产生自己的知识或满足自己的欲望。奥古斯丁自信,他从柏拉图主义者学会了发现上帝,知道上帝是"万物的创造者、一切真理的彰显者、一切福祉的颁赐者"(《论上帝之城》第8章第4节)。但是,奥古斯丁关于宇宙、知识和伦理的理论却是他所独创的。以下三段综述这些理论。

宇宙论 柏罗丁认为,万物是上帝的自我思辨,为无动机、无目的、自然而然出现的副产物;而奥古斯丁则认为:万物的根源是"圣善的上帝所怀有的意志,即:应当有善良的万物"(《论上帝之城》第9章第21节)。上帝创造之爱产生能量,这是奥古斯丁的全部神学的基本原理。假如没有上帝的这种创造意志,任何事物都不可能产生,也不能继续存在,因而一切存在之物都是善的,"因为具有存在性"。善显然有不同程度,因而存在性也有不同程度。然而,即使最接近"不存在"的不成形物质在本质上也是善的,因为它是上帝所造;罪恶的根源不应在物质世界中寻找。奥古斯丁坚定地认为,人类的邪恶,其责任不在于人类生活的物质条件。

知识论 奥古斯丁追随柏拉图,提出:真正判断力决不可能自外界植入人的头脑。人间的师长充其量只能帮助生徒自行看到已知而不自觉其已知之事。对于这种直觉判断,奥古斯丁常举的实例是数学命题和对于道德价值的理解;它们都不是某一个人头脑所构造而成,因为每当正当地制订出来便被一切人的头脑所承认接受。思想家个人不能制造真理,他只是发现真理而已,而他能发现真理是因为具有启发力的上帝之道,基督是"内心导师",当他在聆听基督的教诲时,基督使他看见真理。

伦理学 有一条自古传授下来的伦理学基本假说,谓人类的普遍愿望是幸福和福利,人类的行为如以求得这种愿望的满足为目的,即是正确;奥古斯丁接受了这种假说。奥古斯丁认为,宇宙是一个有秩序的结构,在其中,存在的品位就是价值的品位。根据宇宙的秩序,存在品位低者从属于高者,因而,肉体从属于灵魂,灵魂从属于上帝。人必须自知在宇宙秩序中的地位,而且,既然知道自己的地位,就必须自愿地接收它;换言之,他在确定自己的适当的相对价值时,必须考虑自己和其他一切事物。关于影响人的行为的伦理估价,奥古斯丁用的词是"爱"。爱是促使人采取行动的伦理动力。人假如正当地决定何所爱,就不会以品位低者为高。一切较小的善行都应当加以"利用",作为达到更高的善行的手段;只有至高的善才可以当作终极目的而予以"享受",人心要定位在其上。奥古斯丁认为,人要达到纯全,唯有求得至善,而至善即是上帝,上帝的性质就是《新约》中所说的爱。假如人的爱升高,得以享有上帝的性质,那就是参与神性的爱。上帝甘心把自己交给人类,人们分享上帝的爱,就会像上帝爱人类那样彼此相爱,从上帝获得把他们自己交给别人的力量。

与多纳图斯分裂主义的斗争 奥古斯丁在任主教的最初15年间,无论是在日常教牧工作上还是在写作方面,必须分出一部分精力进行艰苦的斗争,争取结束已拖延近一个世纪的非洲教会分裂状态。基督教内的多纳图斯派(其首领之一为多纳图斯,故名)人数众多,在乡村地区和许多市镇超过公教会。他们自称唯一真正教会,理由是:在始于罗马皇帝戴克里先在位期间的303～313年大迫害中,他们一派的各届神职人员无一叛教者。罗马帝国当局力图镇压,结果反而助长了非洲基督教会所特有的殉教精神,更有一些土著强大势力,他们的郁愤本来主要是在社会和经济问题而不是宗教问题,此时也纷纷支持多纳图斯派。该派频频采取暴力活动,分裂局面持久;奥古斯丁坚持通过和平讨论解决问题,结果徒劳无功。最后,罗马帝国政府确信,多纳图斯派危及非洲的安全。多纳图斯派的各主教被迫于411年在迦太基与公教各主教会谈,由政府派员任仲裁。公教会获得胜利,自不必论。

多纳图斯派和公教会同意:圣灵的能力是通过圣事传导给信徒的,而圣事是由教会通过神职人员主持的。但是多纳图斯派声称:主持圣事的必须是未经染有严重罪行的人,否则圣事无效,因为圣灵抛弃了犯罪的人,犯罪的人无法"传输他所不具有之物"。奥古斯丁的答复是:圣事传输圣灵,仅仅是依靠基督的安排,这种有效性不因担任神职的人有无资格而受影响。教会的统一决定于圣灵所赐的最高奖赏——信徒相互之间的爱,而分裂教会正是否定这种爱。不幸,长期反对使用说服以外的任何方式结束教会分裂的奥古斯丁,终于改变初衷,赞成依法惩治分裂派,他认为这样做有利于因为恐惧多纳图斯派暴力而不敢重返公教会的许多人。他有一句名言:"只要有爱心,那你就可以为所欲为"。此语事实上是在为以维护信徒间之爱的名义使用强迫手段的做法进行辩解。

对贝拉基主义异端的斗争 多纳图斯派一波未平,贝拉基主义一波又起,它危及西派教会关于罪与救赎的传统教义。贝拉基以抵制基督教道德标准松弛为己任。许多人说,人之所以有过失,是因为人本身脆弱,贝拉基针对这种说法指出:上帝使每一个人享有选择善和行善的自由;犯罪在实质上是自愿做上帝所禁止、而罪人本身有自由可以避免的事;假如这种自由并不真实存在,那么,上帝惩恶赏善就毫无公正可言。贝拉基的这种说法把基督教贬低成单纯的道德主义,不可避免地与教会对圣事和崇拜礼仪所提出的平易解释发生冲突。按照传统的说法,洗礼是"为了免罪",婴儿需要受洗,因为婴儿继承亚当的罪愆所造成的罪恶性,正如圣保罗所说,死是从罪来的,于是死就临到众人。关于原罪的教义早在奥古斯丁之先即已根深蒂固于西派教会;贝拉基的门徒塞莱斯蒂乌斯公然批驳这条教义,因而贝拉基主义难逃被打成异端。贝拉基主义原曾受教皇英诺森一世的谴责,而贝拉基其人长于指鹿为马,推诿搪塞,竟然说服了后继的教皇索西穆斯撤销这项谴责。但是,418年春,非洲各主教说服罗马帝国皇帝洪诺留发布敕令,禁止异端,索西穆斯也只好依从。

奥古斯丁是教会抵制贝拉基主义斗争中的核心人物,他一开始就看出:贝拉基主义不仅否定了基督教洗礼的作用,而且还从根本上曲解上帝与人之间的关系。因为,假如说人能够通过自己的努力而成为义,那就是反对关于上帝是万善的恩赐者这样一条根本真理。在争论尚未爆发之前,奥古斯丁早已就原罪与上帝的恩惠这一条教义提出理性化的解释,但是教会不甘心全部接受。传统的信仰是亚当有了罪愆,受了惩罚,奥古斯丁承认这种事实和后果,他认为,事实是人拒绝接受人在受造秩序中的地位,而后果则是人自己性质中的颠倒错位,即肉体背叛灵魂。他提出,一方面一切人都牵涉到亚当的罪与罚之中,另一方面,这种牵涉还体现在:人类的生殖必须依赖性欲,而性欲则露骨地体现灵魂无力控制肉体。奥古斯丁把原罪与人的性生活联系起来,这一点在他的晚年被贝拉基派的主教朱利安(埃克拉农的)抓住,对他发动了最具有破坏力的批评。朱利安理直气壮地说,人在受造时所获得的本能在道德是中性的,并指责奥古斯丁既然说人势必要战而胜之的任何冲动必然万恶,就已经退回到摩尼教去了。

奥古斯丁认为,人既然堕落了,这就是说,对一切人来说,爱的真正次序乱了。人背离了在人之上的上帝的爱而转趋对一己之爱,同时屈从于低于人的事物。人是通过自己的意志活动而堕落的。人没有能力照样运用意志扭转堕落的后果。灵魂屈从肉体,错乱了的意志无力摆脱这种奴役状态,因为它没有能力作出这种决断。需要一种重心颠倒,用上提的爱取代下坠的爱。奥古斯丁认为,要实现这一点,只有由上帝恩降他的爱,使之长存于罪人心中,这就是关于造成肉身和圣灵降临的福音。

另一方面,贝拉基则指出:一切人在受造之后都有按照自己的看法做正确之事的自由,而基督徒则通过基督的教诲和表率领受了必要的启发。奥古斯丁知道:贝拉基主义谓自由是不受环境影响的固有而绝对的选择能力,这种想法是不真实的。他指出,行动主体的一切道德活动都不免要受到条件影响,不由行动主体控制的,一般不仅有客体的呈现,还有客体呈现所激起的感觉类型。不但如此,意志的运作既决定于认识,也决定于感觉。奥古斯丁说:"人不做正确的事,如不是因为正确的事隐而不见,就是因为人在其中没有发现乐趣。但是,隐者可以变为显,无乐趣者可以变为温馨,这属于上帝的恩惠。"(《罪、功与赦免》)奥古斯丁坚定地指出:假如没有这种行义的乐趣,也就没有真正的行善自由,有的仅仅是俯首帖耳地服从律法。作为基督徒生活的动力,上帝之爱是无代价的。但是,正如圣保罗所说,上帝之爱是藉着圣灵的恩赐进入人心的,而奥古斯丁日益感到难以在他提出的关于恩宠的教义中植入人真正有自由回应圣灵恩赐这样一点。他未经研究而提出假说，谓人的生活中的一切事物，不是来自上帝就是来自人为，这样，他就不得不提出，只有上帝才是人的一切向善行为的动因。奥古斯丁在任主教的第一年研究圣保罗在《罗马书》第 9 ～ 11 章的论述，得出结论：在时间过程中，任何事件都不能改变上帝对任何一个人的灵魂的既定意志：蒙他所选中的人是在世界奠基之前选定的。上帝知道——不是在时间过程开始之前，而是完全超然于时间之外——在时间过程中的每一个人如何回应上帝恩宠临到他身上的特殊形式；只有蒙他选中的人才会领受受到他们接受的恩宠。虽然受到贝拉基主义的挑战，奥古斯丁并没有在这条教义上软化。在《论上帝之城》中，他描绘出一派宏大而惊人的景象，写蒙选者与受咒诅者这两个无形社会中的"起始、经历和注定的结局"。在同贝拉基主义进行论战的整个过程中，他都在写这部巨著。公元 410 年，西哥特人攻陷罗马城，震撼罗马帝国，《论上帝之城》的腹稿或许在此事之前即已打好，但是，该书在形式上却是一篇护教著作，它针对异教人士所谓此次灾难是罗马背叛祖教所致的说法，进行驳斥。奥古斯丁所写的两城并不是指基督教会与异教、世俗国家。两城分别象征两种精神力量，它们自从天使堕落以后一直在上帝所创造的宇宙中争夺人，这两种精神力量分别是信与不信，亦即"爱己乃至藐视上帝与爱上帝乃至藐视自我之心"。在地上一切体制中这两种势力都不是纯粹出现的，在今世，天城与地城是不可避免地混在一起的。在《论上帝之城》中，如果说有历史哲学，那就是得救预定论这样一种宗教哲学。

在奥古斯丁的一部分门人看来，导师似乎是在讲，人在道德上用功夫是没有用的，毁誉两无根据，奥古斯丁晚年难以对这些门人作出肯定的答复。但是他丝毫不退让。他在最后写成的几篇论文中把得救预定论的逻辑发挥得淋漓尽致。虽然他这种学说的最终形式从未为教会所接受，但是它实际上原封不动地重现于后世圣托马斯·阿奎那和加尔文的著作中，两人都是卓越的思想家，前者代表经院哲学，后者代表宗教改革运动。的确可以认为：这种学说之所以产生，是由于受时间所限的人类头脑妄图与永在的上帝的灼见互相探讨存在这样一个问题。

奥古斯丁的影响 奥古斯丁在希波逝世时，非洲的罗马文化即将结束，汪达尔军队正围困该城。没过多年，樊尚(莱兰的)给正统公教教义下了著名的定义："普世的、永久的、一切人信奉的"(Quod ubique quod semper quod ab omnibus creditum est)。他讲了许多话，没有敢于称奥古斯丁为异端，然而，他这条定义的矛头所指，正是他在奥古斯丁的学说中正确地觉察到了的过度之论。这种过度之论虽有害而为后世神学所继承，不可否认的是由于奥古斯丁的权威。但是，奥古斯丁许多世纪以来对基督教思想的贡献不容否认，西派教会中各派无不受到他的影响，这种影响有朝一日或许还会使各派和解。这种影响的秘密，主要并不在于他学识卓越高深，不在于他文笔具有奇妙的魅力，也不在于他立论如何有据，而在于他的不同凡响的宗教才能。圣安塞姆(坎特伯雷的)、圣伯尔纳(明谷的)、《公祷书》的执笔人、圣弗朗西斯(塞尔的)、B.帕斯卡、J.-B.波舒哀、J.巴特勒、J.马利丹、R.尼布尔和 P.蒂利希都曾以不同方式从奥古斯丁得到启发，并且不得不承认，只有通过他，他们才认识到"问题的核心"。"唯真哲学家为爱上帝者"(Verus philosophus est amator Dei)，奥古斯丁《论上帝之城》中的这句话正是他本人的最佳写照，也是对他一生工作的最充分的肯定。圣奥古斯丁自中世纪初期即被尊为教会博士。他的瞻礼日是 8 月 28 日。

Augustine OF CANTERBURY, SAINT **奥古斯丁(坎特伯雷的)，圣**(?，罗马?～604或605-05-26，英格兰肯特坎特伯雷) 又称奥斯丁。英格兰坎特伯雷首任基督教大主教。可能是罗马贵族出身，曾任罗马本笃会圣安得烈隐修院院长。奉教皇格列高利一世派遣，率领由 40 名修士组成的空前庞大的传教团，于 597 年到达英格兰，受到肯特国王艾特尔伯赫特一世款待，住在坎特伯雷和圣马丁大教堂。他们的传教工作进展顺利，包括国王在内的许多人改信基督教。同年圣奥古斯丁任英格兰主教。他首建坎特伯雷基督堂作为主教座堂，创立在全欧本笃会隐修院名列第二的圣彼得圣保罗隐修院(在他死后改名为圣奥古斯丁隐修院)，自此坎特伯雷遂成为全英格兰大主教驻地。

Augustinian 奥古斯丁会 又称奥斯丁会。天主教内一修会名称。广义指遵循圣奥古斯丁所制订的隐修规章的各男女修会，但通常专指奥古斯丁会吏会和奥古斯丁隐修会。奥古斯丁会吏会于 11 世纪首先提倡神职人员过完全的共同生活，这在天主教各修会中是创举。在 1059、1063 年两次罗马会议和格列高利改革精神的鼓舞下，许多会吏放弃私产，根据隐修院的原则过集体生活。到了 1150 年，奥古斯丁规章已普遍为许多会吏所采纳。奥古斯丁会吏会兴旺发达，但在宗教改革时期，许多组织受挫，后来又受到法国大革命的摧残。该会目前的重点在于传教、教育和医疗工作。奥古斯丁隐修会是中世纪四大托钵修会之一。16 世纪宗教改革家路德可算是该会最著名的修士。该会修士目前从事传教、教育和学术研究等活动。该会的一个分支是奥古斯丁住院会，16 世纪由希望遵守更加严格的纪律并加强默念静修的托钵修士组成。奥古斯丁第二修会由受奥古斯丁会修士指导的修女组成。

Augustinus, Aurelius 参阅 **Augustine, Saint 奥古斯丁，圣**。

Augustulus, Romulus 参阅 **Romulus Augustulus 罗慕路斯·奥古斯图卢斯**。

Augustus 奥古斯特 又译奥古斯都。统治者之名，按国别分列于后，并各以●为标记。

与此相等之外语：

德语	August
拉丁语	Augustus
波兰语	August

波 兰

● **Augustus I 奥古斯特一世** 参阅 **Sigismund** (Poland) **西格蒙德**(波兰)项下的 **Sigismund II Augustus 西格蒙德二世**。

● **Augustus II 奥古斯特二世**(1670-05-12，萨克森德累斯顿～1733-02-01，华沙) 波兰国王和萨克森选侯，虽重得波兰前省份波多利耶和乌克兰，但其统治却标志着波兰作为

波兰克拉科夫市瓦韦尔国家艺术馆供图

欧洲强国已开始走向衰落。萨克森选侯约翰·乔治三世的次子，1694 年继兄选侯位(称腓特烈·奥古斯特一世)。1696 年波兰国王约翰三世索别斯基死后，他成为 18 名谋求波兰王位的选侯之一。1697 年加冕为国王。1699 年与奥斯曼帝国签订《卡尔洛夫奇条约》，他使波兰取得波多利耶以及第聂伯河西部的卡缅涅茨和乌克兰。为了夺回利沃尼亚省，他与俄国和丹麦结盟共同反对瑞典，1700 年进攻利沃尼亚，引起北方战争(1700 ～ 1721)。1702 年 7 月他的军队被瑞典国王查理十二世打败。1704 年 7 月波兰的反对派逼他退位，他逃到萨克森。1706 年瑞典向萨克森进攻，查理十二世逼他签订《阿尔特兰施泰特条约》。他正式退位，并承认瑞典的候选人斯坦尼斯瓦夫·莱什琴斯基为波兰国王(参阅 **Altranstädt, treaties of**)。1709 年俄国在波尔塔瓦战役中大败瑞典，他宣告《阿尔特兰施泰特条约》无效。沙皇彼得大帝促使波兰议会恢复他的王位。1720 年俄国吞并利沃尼亚时，他才发现俄国日益控制波兰的危险性。在他统治末期，波兰已由一个欧洲强国沦为俄国的保护国。

● **Augustus III 奥古斯特三世**(1696-10-17，萨克森德累斯顿～1763-10-05，德累斯顿) 波兰国王、萨克森选侯(称腓特烈·奥古斯特二世)，在其治理下，波兰经历了极为混乱的时期之一。他贪图安逸，不理朝政，把大权授给首席顾问 H.von 布吕尔。后来，大权又落入有权势的恰尔托雷斯基家族之手。他是波兰国王奥古斯特二世的独生子，于 1712 年信奉天主教。1719 年与神圣罗马帝国皇帝约瑟夫一世的女儿玛丽亚·约瑟夫结婚。1733 年 2 月父死，他成为萨克森选侯，取得查理六世皇帝和俄国女皇安娜的支持，1733 年 10 月当选为波兰国王，1734 年 1 月 17 日在克拉科夫加冕。在 1742 年的奥地利王位继承战争中，他支持奥地利，反对普鲁士。在七年战争

波兰克拉科夫市瓦韦尔国家艺术馆供图

(1756)中,他到华沙避难。他在位的最后几年,恰尔托雷斯基和波尼亚托夫斯基家族的影响不断增大,俄国女皇叶卡捷琳娜对波兰国内事务的干预也日益加强。

罗马帝国

● **Augustus, Caesar** **奥古斯都**(公元前63-09-23～公元14-08-19,那不勒斯附近诺拉)本名盖尤斯·屋大维努斯(又译屋大维),后称盖尤斯·尤利乌斯·凯撒·屋大维努斯,更晚一些时候称奥古斯都或凯撒·奥古斯都,是古罗马帝国第1代皇帝。古罗马帝国是在他的舅公和养父尤利乌斯·凯撒的独裁终于将共和国摧毁后建立的。他的专制政权称作元首制,因为他是第一公民,位于表面恢复的共和体制各种机构之首,而只有这类机构才能使他的专制制度被人们接受。他以无限的耐

美国不列颠百科全书公司供图

心,巧妙的手腕和效能彻底检查了罗马生活的各个方面,给希腊-罗马世界带来了持久的和平与繁荣。

屋大维出身于一个长期定居在罗马东南的韦莱特里的富裕家庭。他的父亲是这个家庭第一个担任罗马元老院元老的人,并任每年选出的军事执政官,这个显要官职在政治等级制度中仅次于帝国执政官,他于公元前59年去世。屋大维的母亲阿提娅是尤利乌斯·凯撒的姐姐朱莉亚之女,而将年轻的屋大维引进罗马社会生活的则是凯撒。12岁时,屋大维在外祖母朱莉亚葬礼上致悼词,第一次在公众场合露面。三四年后,他成为令人羡慕的大祭司团成员。公元前46年,他陪同已成为独裁者的凯撒在非洲战胜其内战的对手后参加凯旋游行。翌年,尽管健康状况不佳,他在西班牙与独裁者会合。公元前44年,当他在阿波罗尼亚(今阿尔巴尼亚境内)完成其学术和军事学习时,获悉尤利乌斯·凯撒已被杀害。

掌握政权 回到意大利后,他得知凯撒在遗嘱中收他为养子并让他成为主要继承人。年仅18岁的屋大维不顾继父和其他人的忠告,决定接受这个危险的遗产,前往罗马。凯撒的主要副将马可·安东尼已占有凯撒的文件和资财并且指望他本人能成为主要继承人,因此拒不移交凯撒的任何资金,迫使屋大维筹措他所能获得的资金以偿付已故独裁者给予罗马大众的遗赠。杀害凯撒的凶手布鲁图和卡修斯对他不予理睬而撤退到东方。著名的演说家西塞罗是罗马主要的资深政治家之一,他想利用屋大维,但却低估了后者的能力。

对于凯撒设立的公众体育比赛,屋大维举行庆祝以博得城市群众的好感,结果赢得独裁者的很大一部分军队对他效忠。元老院在西塞罗的怂恿下和安东尼决裂,向屋大维求援(尽管屋大维年轻,仍授予他元老等级)并参加反对安东尼的穆蒂纳战役,安东尼被迫撤到高卢。指挥元老院军队的执政官们阵亡,屋大维的士兵们强迫元老院将一个空缺的执政官职位授给他。在盖尤斯·尤利乌斯·凯撒的名义下,他继而获准官方承认他是凯撒的养子。虽然正常的做法是在名字后增加“屋大维努斯”(指他原来的姓氏),但他宁愿不这样做。然而,今天,人们习惯于称他屋大维(直到他接受奥古斯都称号时止)。

屋大维不久同安东尼和凯撒的另一个主要支持者并继凯撒任主祭司的李必达达成了协议。公元前43年11月27日,3人正式被任命为任期5年的独裁执政以重建国家(第2次三头执政——第1次三头执政是庞培、克拉苏和尤利乌斯·凯撒之间缔结的非正式契约)。东方被布鲁图和卡修斯占领,但这个三头执政将西方在他们之间瓜分。他们拟定了一份“公布处罚”的政敌名单,后来被处决者包括300名元老(其中之一是安东尼的仇人西塞罗)和2 000名元老以下阶层的特权市民或骑士。公元前42年1月,凯撒被承认为罗马国家之神,从而增加了屋大维作为神之子的威望。

他和安东尼渡过亚得里亚海,而在安东尼的领导下(屋大维患病),赢得了反对布鲁图和卡修斯的两次菲利皮战争的胜利。后两人均自杀身亡。安东尼是地位较高的合伙者,获得帝国的东方(和高卢),屋大维返回意大利。由于安置他的老兵引起的困难,将他卷入反对安东尼的兄弟和妻子的佩鲁西亚战争(在佩鲁西亚即今佩鲁贾取得了对他有利的结果)。为了安抚另一个潜在的敌人庞培·马格努斯·庇护(庞培之子,当时已占领西西里岛和海上通道),屋大维和他的亲戚斯克里博尼亚结婚(但不久又因彼此不合离婚)。这些亲属关系并没有阻止庞培·马格努斯·庇护在佩鲁西亚战争后向安东尼表示友好姿态;但安东尼对此予以拒绝,并在《布伦迪休姆条约》中和屋大维达成新的谅解。根据这个条约的规定,屋大维将获得整个西方(除了非洲仍让李必达控制外)和意大利。意大利虽然假定为中立地带,实际上由屋大维控制。东方各行省重又划归安东尼。根据安排,安东尼应当和屋大维的妹妹屋大维娅结婚,尽管头一年他和克娄巴特拉女王一同在埃及过冬。帝国的各族人民为此条约欢欣鼓舞,看来它保证将结束延续多年的内战。公元前38年,屋大维和利维娅·德鲁西拉结婚,这就和贵族形成了一个重要的新结合。

但是同庞培·马格努斯·庇护的和解终于失败,不久双方展开激战。当第一次攻打庞培·马格努斯·庇护的西西里岛基地的作战行动证明是灾难性的时候,他感到有必要在公元前37年和安东尼在塔兰托缔结一个新条约。安东尼向屋大维提供船只以换取安东尼为进行未来反对帝国东邻安息及其米底盟国所需的军队。安东尼交来了船只,但屋大维始终未派军队。上述条约还规定第2次三头执政再延续5年,直到公元前33年底。

军事胜利 翌年,力量对比开始发生变化:安东尼的东征失败了,但屋大维的舰队由他以前的同学马库斯·阿格里帕指挥。阿格里帕虽然在有权势的贵族中间不受欢迎,却是一位天才的海军将领。这支舰队在西西里岛的瑙洛丘斯角(韦内蒂科)海上彻底击败了庞培·马格努斯·庇护。在这个关键时刻,第3个执政李必达企图以武力来争夺屋大维在西方的霸权地位,结果被屋大维解除武装,剥夺了三头执政职位,被迫引退。屋大维不顾安东尼在意大利安置自己的退役军人和征募军队的权利,解散了许多军团,为他们建立了居留地。他有意同安东尼抗衡以夺取罗马世界的最后主宰地位,这已变得日益明显。屋大维两年前举行的婚姻已开始赢得了一些以前曾支持安东尼的贵族。屋大维还发动精心策划的宗教和爱国的宣传活动,集中宣传古典的秩序之神阿波罗。这同安东尼的更为非罗马的守护神狄奥尼索斯(酒神)形成了对照。此外,屋大维开始在他的名字前面增加了“凯旋将军”称号以表示他是最杰出的指挥将领;现在虽然他继续使用他的三头执政的权力,他从其钱币上略去一切有关痕迹,逐渐集中使用平常的表现感情的名字“神之子凯撒”。

屋大维要同安东尼在军事上的资深地位一比高低,就有必要在对外战争中取得胜利。公元前35～前33年,屋大维在伊利里亚和达尔马提亚(今在斯洛文尼亚和克罗地亚)3次作战,均获得胜利,以保护意大利的东北通道。在阿格里帕的帮助下,他还挥霍大量钱财来装饰罗马。当屋大维煽动公众大声疾呼地反对安东尼将领土赠给克娄巴特拉时,两人之间的冲突一触即发。

公元前32年,三头执政正式结束。屋大维和安东尼不同,宣称不再使用执政的权力。经过相互间的恶毒宣传后,安东尼与屋大维娅离婚了,因此她的兄弟屋大维攫取了安东尼的遗嘱,声称从中发现了有关克娄巴特拉拥有控制安东尼的权力的不利证明。双方领

袖各自劝诱自己控制的人民对其本人的事业宣誓效忠。然后,屋大维不顾他在意大利的勒索引起的严重不满,向克娄巴特拉而不是安东尼宣战。

在克娄巴特拉的陪同下,安东尼派出他的舰队和军队防卫沿希腊西部海岸的要塞。公元前31年初,屋大维派遣阿格里帕去夺取位于希腊西南端的迈索尼。他的敌人遭到突然袭击。在屋大维本人抵达后(他让他的伊特拉斯坎朋友和顾问梅塞纳斯负责看管意大利),他和阿格里帕不久就将安东尼的舰队封锁在安布拉基亚湾(阿尔塔)内。在亚克兴角战役中,安东尼试图将其船只解救出来,希望在其他地方继续作战。虽然克娄巴特拉和安东尼稍后都得以逃脱,但他们的舰队只有1/4追随着他们。她和安东尼逃往埃及,屋大维翌年攻占埃及后,两人自杀。屋大维将克娄巴特拉之子托勒密十五世(据她说其父是凯撒)处死,合并了埃及,直接加以统制。

屋大维夺得克娄巴特拉的财富后,偿清他的退役军士们的军饷,使自己最后成为整个希腊-罗马世界的主宰。从此时起,通过长期地、逐步地采取一系列尝试性的和有耐心的措施,他建立了罗马的早期帝政。这种政体使他能够在一切基本方面保持绝对的控制。他逐渐将他的60个军团削减到28个,保留大约15万军人,其中大部是意大利人,并从各行省征募大约同样数目的后备军。他还建立一支由早期将领的警卫组成的永久性警卫队(禁卫军),部分驻守罗马,部分驻守在意大利的其他城市。他兴建了道路网以维持内部秩序和促进商业,组织了舰队以维持地中海的治安。公元前28年,屋大维和阿格里帕对平民进行了一次人口普查。这是他统治时期的3次调查中的第1次。他们还将元老院从大约1 000人削减到800(后来为600)名温顺的成员,由屋大维任元老院主席。

政府与行政 回想凯撒由于诉诸赤裸裸的权力而遭杀害,屋大维认识到只有将他的专制主义隐藏在公开声称恢复共和传统的条文下面,统治阶级才会把他当作内战的结束者而予以欢迎。公元前31～前23年,他的权力的宪法基础仍然是连续不断的执政官权力,但在公元前27年1月,他"将国家转给元老院和人民自由处理",赢得了令人误解的但表面上似乎可信的颂扬:他已恢复了共和体制。同时,他被授予任期10年的官职,统治地区包括西班牙、高卢和叙利亚,这3个地区拥有军队的大部分兵力。其余行省则由元老院按原来的共和方式任命的地方总督统治。屋大维相信,他的至高无上的威望——集中体现在富有意义的名词auctoritas中——保证他能反对上述这些人物的任何对抗;而且事实上多少能够间接地影响他们的任命,正如他能够影响执政官和其他继续以共和方式存在的官职的任命一样。(这种情况比较罕见,只有他认为有必要时方才如此。)采取这些措施后4天,他按尤利乌斯的遗嘱被收养而获得的名字凯撒又补充了"奥古斯都"。这个称号带有古代宗教意味,据信在词源上与auctoritas以及古代的占卜术有关。奥古斯都一字往往与humanus一字相对比;采取这个字作为代表新秩序的名称,则以一种超宪法的形式聪明地表明了他凌驾于其余人类的优越地位。维吉尔、李维、贺拉斯这些作家都有同样的思想,只是表现的方式不同。在他们的帮助下,奥古斯都表现出他对古老的意大利信仰的一种爱国主义的崇敬,因为他恢复了许多这方面的仪式和修缮了无数的寺庙。

军事行动继续在许多边境地区进行着。公元前25年,桀骜不驯的阿尔卑斯山部落被降服,加拉提亚(小亚细亚中部)被并吞。另一方面,毛里塔尼亚从罗马帝国行省的地位转变为一个受保护的王国,因为这类从属的君主国如后来在共和体制下的情况那样,承担帝国防务的很大部分负担。奥古斯都本人访问了高卢,指挥了在西班牙的部分战役,直到他的健康不支。公元前23年,他又病倒,似乎即将死去。在接到有关阴谋活动的报告后,他感到有必要采取新的宪法步骤。他着手结束他的一系列执政官权力,主张实行一种与官职及其具体的不便完全分开的权力(imperium majus)。这种权力使他凌驾于地方总督之上。这权力在官方词语和奥古斯都的政治声明中从未提及,但其用意是主要在紧急局势下或个人访问中加以使用。他还被授予终身保民官的权力。在更早时候,他接受了保民官的某种特权。他现拥有的充分权力带有具体利益,特别是召开元老院会议的权利。但是,更为特殊的是,保民官职位由于它作为平民保护者而每年被选出的这一古老的特性,使他周围出现一种"民主"气氛。这种气氛变得更加必要,因为奥古斯都本人(虽然公认他大大地扩大了司法申诉权,从而支持了贫苦人民的利益)倾向于支持统治阶级作为他的体制的基石。

阿格里帕也被授予高于地方总督的优势地位,估计其目的在于保证:奥古斯都一再重犯的疾病如果证明是致命的话,军队仍留在可靠的人手中。然而,下一个将要去世的人是皇帝年轻的外甥马塞卢斯。马塞卢斯曾和皇帝之女朱莉亚结婚,而且可能最后被视为他的继位人。公元前23年,阿格里帕作为代理元首被派遣到东方。两年后,他成为朱莉亚的第二个丈夫。在此期间,奥古斯都本人在西西里岛、希腊和亚洲旅行(公元前22～前19)。凡他到达的地方都实施了重要的重建工作。公元前20年与安息达成的协议带来了巨大的满足。根据这项协议,安息人承认罗马对亚美尼亚的保护关系,归还了33年前从克拉苏那里缴获的军团军旗。公元前19年,阿格里帕完成了对西班牙的征服。在这一年,屋大维的权力有了一些调整,以便他在意大利能更自由地行使权力。嗣后两年出现了社会立法,试图鼓励结婚,规定对通奸的惩罚和削减浪费。公元前17年举行了称作"世俗竞赛"的古老典礼,庆祝场面灿烂辉煌,以洗刷罗马人民过去的罪恶并规定新时代的重大的宗教开端。虽然元首制不是一个能自动传给后代的职位,但当奥古斯都收养了他女儿朱莉亚的两个分别为3岁和1岁的儿子(分别叫盖尤斯·凯撒和卢西乌斯·凯撒)时,他似乎表明了关于他的最后继承人的看法。他们的父亲阿格里帕的权力随着其首脑的权力一同加强,现在他已返回东方。但这时奥古斯都也给其他继子们——他的妻子利维娅与前夫所生之子——提比略和大德鲁苏斯以重要的工作。他们越过阿尔卑斯山脉,并吞了包括今瑞士、奥地利、巴伐利亚的大部分地区的诺里库姆和腊埃提亚(Raetia),将帝国的边界从意大利扩张到上多瑙河(公元前16至前15年)。

也许在这些年中建立了一个元老院执行或起草委员会以帮助奥古斯都准备元老院的事务。他的行政重担由于扩大了他自己的班底(由现时也能升到一些重要职位的骑士和自由民组成)以形成文官制的开端因而有所减轻。文官制以前从未有过,但却命定要成为帝国制度一个基本特征。逐渐地,罗马、意大利和整个帝国的一个经过彻底改革的行政结构发展起来了。财政制度使这种情况变为可能,它比帝国直到当时所见到的任何财政制度显然更为有效得多。这个制度以中央财政部门作为基础,但它和各行省的、特别是奥古斯都管辖地区的财政部门的关系中的细节仍然没有被全面理解。部分原因是皇帝骄傲地记录了他赠给中央财政部门的礼品,但却不报告对方给予他什么经费。

提供这些资财的税收显然包括两种主要的直接税:人头税,在一些行省中所有成年人均需缴纳,而在其他行省只限成年男子。另一种是土地税。此外尚有间接税。这种税收如以往那样都包给承包人,因为他们的收益难以预言,而尚未发达的文官制缺乏资金来经管他们。共和制关税继续征收,但税率很低以免妨碍商业。在奥古斯都创造的和平环境中,商业空前未有地繁荣起来。工业的规模并不很大,但贸易由于罗马钱币的彻底改革和扩充而大大地振兴起来。金银钱币由一些广泛分布的造币厂大量发行,其图案反映帝国宣传的许多方面。大约从公元前20年起,罗马造币厂就为此目的重新开业。青铜钱币几十年来一直稀少。为了补救它的短缺,铸造了大量的黄铜和赤铜钱币。在西方诸行省,铸造这类钱币的主要造币厂,除罗马以外,是卢格杜努姆(里昂)。它铸造的钱币刻有罗马祭坛和奥古斯都的图像,成为其他行省铸造的样板。在西方的罗马公民居留地中,许多是奥古斯都为了安置退役士兵建立的,那里用当地钱币来作补充;而在东方各行省,特别是小亚细亚和叙利亚以及许多希腊城市都获准发行小钱币。

帝国的扩张 公元前12年李必达去世。这使奥古斯都最终能成为罗马宗教的正式领袖大祭司。同年,阿格里帕也去世了。奥古斯都强迫其遗孀朱莉亚和提比略结婚。这违反了他们的意愿。在以后的3年期间,提比略在外作战,攻陷潘诺尼亚直到中多瑙河,而他的兄弟德鲁苏斯渡过莱茵河边界,入侵德意志一直打到易北河。公元前9年他死于当地。翌年,奥古斯都失去了另一个密友梅塞纳斯。梅塞纳斯是他早年的顾问,并且是杰出的学术界保护人。

提比略在德意志取代了德鲁苏斯,公元前6年得到提升,分享其继父的保民官权力。但是不久以后,他退隐到罗得岛。这是由于他的姻侄盖尤斯·凯撒的嫉妒。翌年,盖尤斯经过大肆吹嘘的宣传被引进公共生活。公元2年,他的兄弟卢西乌斯也获得了同样的颂扬。在这一年,奥古斯都获得了最高尊称"祖国之父"。盖尤斯被派往东方,卢西乌斯被派往西方。然而两人不久死去,提比略于公元2年返国。公元4年,他被奥古斯都收为养子,而他本人又必须收养他的兄弟德鲁苏斯之子格马尼库斯。提比略被授予的权力使他除了威望,几乎在一切方面都与奥古斯都并驾齐驱。

提比略的下一任务是巩固对德意志的人侵及该省组建事宜(公元4～5)。曾策划人侵波希米亚并从两个方向着手进行,但公元6年消息传来,说潘诺尼亚和伊利里亚发生叛乱。平定这次叛变费时3年。此事刚结束,阿米尼乌斯唤起德意志人反对他们的罗马总督瓦鲁斯,将他和他的3个军团消灭。由于奥古斯都不能及时更换军队,因此,对西德意志和波希米亚的兼并便无限期地延迟;提比略和格马尼库斯被派去加强莱茵河边境。

虽然奥古斯都现在感到自己年迈,但这些年与提比略的联合在行政上显然有所创新:公元6年,并吞了犹太(其受保护的国王希律一世已在10年前去世);在罗马建立了一个负有警察职责的消防队,7年后又以正规的警察部队予以增补;建立一个军队财政部门,以便从税收中支付士兵们的退伍补助金;将以往偶尔任命的城市长官改为一种永久性官职(公元13年)。同年,奥古斯都的权力又延长了10年,而提比略则在各个宪法方面处于与奥古斯都的同等地位,4月,奥古斯都将其遗嘱存放在罗马的女灶神维斯太神殿。它包括帝国军事与财政资财概述和名为《神圣的奥古斯都的成就》的政治遗言。后一文件保存最好的副本是在土耳其安卡拉的罗马与奥古斯都圣堂的墙上。公元14年,提比略正要前往伊利里亚,但因奥古斯都病重被召回。奥古斯都逝世后,元老院将他尊为罗马国家之神。提比略已继位为第2代罗马皇帝,但继位所涉及的礼节对他本人和元老院都很难堪,因为奥古斯都的"最高权力"从宪法上说是不能继承或延续的。像其他皇帝一样,提比略采用了"奥古斯都"称号,作为自己的附加名。阿格里帕·波斯图穆斯曾被指定为他的共同继位人,后被放逐,终被处死。将他处死的命令可能是奥古斯都作出的,但这点难以肯定。

个性与成就 奥古斯都是历史上伟大的行政天才之一。他在罗马生活的每个领域和整个帝国全境所开展的规模巨大的重建工作,不仅将正在衰败的共和国改变成一个具有许多世纪的生存前景的新的君主制政权,而且创造了一个以便利的交通和繁荣的商业作为基础的持久的罗马和平时期。正是"罗马和平"保证了希腊和罗马的古典遗产的幸存和最后的传播,并为犹太教和基督教的传布提供了手段。虽然他的政权是专制主义的,但奥古斯都作为一个机智的和充满想象力的进行多种宣传的能手,知道怎样使用能够使厌战的一代感到满意的传统主义形式来掩盖他的专制主义,也许最重要的是,满足仅次于实行统治的贵族阶级的上层资产阶级,因为他们从新秩序中所获利益比任何人都多。他还能通过梅塞纳斯的赞助博得了一些世界所知的最伟大的作家的称颂,其中包括维吉尔、贺拉斯和李维。

他们的热情部分是由于奥古斯都的信念,即罗马和平必须在西方的意大利的控制之下。这和安东尼与克娄巴特拉的见解形成对照,他们预见到的希腊-罗马的合作关系只是在3或4个世纪以后才开始盛行。奥古斯都的比较狭隘的见解,虽然由于对希腊文明的明智赞赏而有改变,但是却以他的意大利小城镇出身作为基础的。这种出身也导致他对古老的宗教产生爱国主义的、好古的眷恋以及他的清教主义的社会政策。

奥古斯都是一个有修养的人,撰写了一些著作(全部散失):反对布鲁图的小册子,对哲学的劝勉,早年生活自述,德鲁苏斯传,诗歌和警句集。对他的性格的传统看法将他早年的残暴与他后半生表现的宽大温和区分开来。但是他后来已不再如此需要采取残暴手段了。在需要的时候(特别是在镇压尚未证实的阴谋时),他仍然积极地加以使用。也许,如果没有这种程度的政治残酷手段,就不能取得如此巨大的成果。然而,他的家庭生活是很简朴的。在他的家庭以内,他所指定作为其继位者或助手的那些人相继去世,使他深感悲伤和失望。他对其妻利维娅·德鲁西拉的爱情始终不渝,但像其他罗马人一样,他是不忠实的。他遗留下来的信件表明他对他的亲属是仁慈的。然而,他因其女朱莉亚违反他的公共伦理观念而将她放逐,为了同样原因放逐了她和阿格里帕生的女儿;他还流放了阿格里帕和朱莉亚生的儿子阿格里帕·波斯图穆斯。虽然人们怀疑他后来将波斯图穆斯处死,但未证实。至于奥古斯都的一些担任其助手的男亲戚,他对待他们很忠诚,但像强迫自己那样强迫他们拼命工作。他需要他们,因为他的负担十分沉重,并且在军事领域内特别需要他们,因为他不是一个伟大的指挥将领。他找到了阿格里帕、提比略和一些其他人士,他们补足了这个缺陷。虽然据说他在临终前提出反对帝国的进一步扩张,但他本人在上述人士的协助下,却在许多方向扩张了帝国的边界。

他的身体受许多病痛折磨并且虚弱,而且一再重犯。事实上,特别是在其早年生活中,只是由于他的坚强不屈的意志才使他幸存下来-对于一件史无前例的、无与伦比的毕生事业来说,这是一个奇异的开端。他的外表据其传记作者苏埃托尼乌斯描述如下:

在其一生的各个时期,他的外貌异常英俊,举止特别优雅,尽管他不事修饰。他的表情不论在谈话或沉默时都很平静和蔼……他有一双清澈明亮的眼睛,喜欢使人感到眼中射出神权的光芒。每当他以炯炯目光审视别人,如果能使对方像面对不可逼视的灿烂阳光那样低下头去,他就十分高兴。他的牙齿稀松,小而有黄垢;他的头发微卷,近乎金黄色;他的眉毛连在一起……他的肤色介乎黑白之间。他身材短矮,但由于他的体型极为匀称而被掩盖起来,只有在一个身材较高的人站在他的身旁,相比之下才能被人发觉。

奥古斯都的面容对于作为当时最杰出的雕塑家的一些希腊人和希腊化的东方人来说,是一个天赐的理想模型,因为他们将他的面貌提高到一种动人的永远难忘的帝王脸型。这是拿破仑的艺术家们和其他人竭力摹仿的。复制在他的钱币上的奥古斯都的古代半身雕像形成了一种艺术的重要复兴的组成部分,在这种艺术中,意大利的和希腊的风格严谨地、出色地融为一体。至今犹保存在罗马的"和平祭坛"的朴素而雅致的浮雕,描述了一个有国家领袖们参加的宗教行列;还有取自罗马神话的图景。这个祭坛是在公元前13年由元老院和罗马人民为纪念平定高卢和西班牙而奉献的。

当时的建筑杰作也是众多的;它们的宏伟气派和纯真的古典风格今天可以从罗马的马塞卢斯剧院和规模宏大的奥古斯都广场的遗址中窥见一斑。在广场西侧有柱廊,最终通往复仇者战神神殿——尤利乌斯·凯撒的复仇者。在罗马郊外也有丰富的奥古斯都时代的纪念物。在阿尔卑斯山脉两侧,举例来说,就有庆祝当地部族表示臣服和效忠的纪念碑。在塞古西奥(苏萨)有一个精致的拱门。在拉蒂尔比有一个方形石碑,顶上是一个圆鼓。在罗马郊外的普里马波尔塔的利维娅宅邸,提示人们并非所有当时的艺术都是正规的和宏伟的,因为有一个房间内的装饰壁画表现了一个神话似的花园:在棚架那边是果园和花坛,鸟和昆虫栖息在绿荫丛中。奥古斯都本人对个人的奢华生活毫无兴趣。然而,如果他或他的同僚们能有空闲时,这些就是他们消磨时光的场合。

萨 克 森

● **Augustus 奥古斯特**(1526-07-31,萨克森弗赖贝格～1586-02-12,萨克森德累斯顿)萨克森选侯,德意志新教领袖。1553年继萨克森选侯位。成为德意志新教诸侯的领袖。

美国不列颠百科全书公司供图

1555年接受奥格斯堡和约,该和约结束德意志天主教和路德宗诸侯间由于宗教原因形成的敌对。他在领地内经常开展纯洁宗教信仰的斗争。他在妻子丹麦公主安娜的积极支持下,将萨克森改造成为模范邦。他鼓励生产和贸易,进一步增加了萨克森财富。

Augustus' altar of peace 奥古斯都和平祭坛 参阅**Ara Pacis** 和平祭坛。

Auhausen, Union of(Germany) **奥豪森联盟** 参阅 **Protestant Union** 新教联盟。

Aujeszky's disease 奥耶斯基氏病 参阅 **pseudorabies** 假狂犬病。

auk 海雀 鸻形目海雀科22种鸟(现存21种)的统称,尤指其中3种:大海雀(**great**

auk，1844 年后已绝灭）、短翅小海雀（dovekie）和刀嘴海雀（razor-billed auk）。海雀是北方海洋中的潜鸟，体长 15～40 厘米，但大海雀的体长达 75 厘米。翅短，腿矮，脚有蹼。分布限于北极、亚北极及北温带地区（少数种向南至下加利福尼亚半岛）。成群于近海陡崖突出处及岩石裂缝中或海边的洞穴中营巢。许多远离陆地度过暴风雪严寒的冬天。食物全部来自海洋，以鱼、甲壳类、软体动物和浮游生物为食。大海雀不能飞行，其他现存种类能飞行。真正的海雀都是黑白相间，像南极的企鹅那样直立地上。体型较小的小海雀（**auklet**）是其亲缘种。参阅 **guillemot；murre；murrelet；puffin**。

auklet　小海雀　又作 sea sparrow。鸻形目海雀科 6 种小型海鸟的总称。主要繁殖于白令海和北太平洋，有些向南远至日本和墨西哥越冬。其婚羽不同于有亲缘关系的小海鸦之处为：其羽毛及头部装饰性构造（包括鲜艳的

冠毛小海雀（*Aethia cristatella*）
美国不列颠百科全书公司供图

喙）与其近缘的海鹦相似。营巢于海边石缝里，每窝产一卵。幼鸟在羽毛丰满之前不出鸟巢。海雀科最小的种是稚海雀（*Aethia pusilla*），体长约 15 厘米，越冬于极北方的狂涛骇浪中。颜色最暗最灰的种是卡辛氏小海雀（*Ptychoramphus aleuticus*），为阿留申群岛至下加利福尼亚一带常见的留鸟。

Aukrust，Olav　艾于克鲁斯特（1883-01-21，挪威居德布兰河谷～1929-11-03，居德布兰河谷）　挪威地方诗人。初为民众中学教师，后任校长。年轻时就热衷于研究乡村语言，并得到政府资助来研究居德布兰河谷地区的方言，他的诗都是用这种方言写成。他从民间传说、自然环境和家乡农民生活中汲取灵感。所著神秘诗《天国的圆锥形石堆》（1916）被认为是他最重要的作品。

aula regis　国王法院　参阅 **curia** 库里亚。

Aulacorhynchus（bird）　**小巨嘴鸟属**　参阅 **toucanet** 小巨嘴鸟。

Aulard，François-Alphonse　欧拉尔（1849-07-19，法国蒙布龙～1928-10-23，巴黎）　研究法国大革命的主要历史学家之一，以把历史批判主义法则应用于大革命时期而闻名。他的著作扫除了围绕法国大革命的许多神话。1877 年获得博士学位，迄 1884 年止曾在几个外省大学教授法国文学。1879 年开始研究法国大革命，最初的出版物有：《制宪议会的演说家》（2 卷，1882）和《立法议会和国民公会的演说家》（1885）。1887 年担任巴黎大学新设的法国大革命史讲座，专门对大革命时期的文件进行科学的研究。主编过许多大型文件集，其中有《救国委员会法令集》（16 卷，1889～1904）和《热月反动和督政府时期的巴黎》（5 卷，1898～1902）等。重要的期刊《法国革命》是在他指导下出版的。他所著的《法国大革命政治史 1789～1804》（1910），分析当时的舆论、叙述党派组织和阐明政府机构，故而特别有价值。《泰纳，法国大革命的历史学家》（1901）则是对泰纳的著作的批判。欧拉尔在政治上也很活跃，担任过德雷福斯事件时期成立的人权同盟的主席。曾任法国革命历史协会主席（1904）和国际联盟在柏林召开的国际大会主席（1927）。

Aulis　奥利斯　古代比奥蒂亚的希腊城镇，隔埃维亚海峡与哈尔基斯遥遥相望。据传这里是希腊舰队出发去围攻特洛伊的启航港口，也是传说迈锡尼王阿迦门农长女伊菲革涅亚献身的地方。

Aulne，Anne-Robert-Jacques Turgot，baron de l'　欧讷男爵　参阅 **Turgot，Anne-Robert-Jacques** 杜尔哥。

Aulnoy，Marie-Catherine Le Jumel de Barneville，comtesse d'　奥尔努瓦（1650 或 1651，法国翁弗勒尔附近～1705-01-14，巴黎）　Aulnoy 又拼 Aunoy。法国女作家。写有童话和宫廷阴谋小说。她本人策划的阴谋与她书中所描写的也不相上下。1666年与一位中年

美国不列颠百科全书公司供图

金融家结婚，不久即与生母及她们母女的两个情人共谋，诬陷她自己的丈夫叛国。事败后，被迫漂泊异国 15 年，去过西班牙、荷兰和英国。1685 年返回巴黎，开始文学生涯。最为人所知的作品《童话集》（1697）、《新故事，又名时髦的仙女》（1698），具有佩罗童话的风格，也交织着她的讽刺笔触。她的拟历史小说在欧洲各国深受读者欢迎，有《希波吕托斯，道格拉斯伯爵》（1690）、《西班牙宫廷故事》（1690）、《西班牙游记》（1691）等。

aulos　奥洛斯管　古罗马语作 tibia。古希腊音乐中一种单簧片或双簧片的管乐器。古典时期用双管，后古典时期用单管。有多种名称，是古代中东大多数民族使用的一种主

约公元前 520～前 510 年基里克斯陶杯上的奥洛斯管演奏者（左）
美国不列颠百科全书公司供图

要管乐器，在欧洲一直用到中世纪早期。成双吹奏时，两个管（竹制、木制或金属制）分别持于两手，同时吹奏。在古典时期，两管的长度相等，每管有 3 或 4 个指孔。后来两管长度不一，指孔也有增加。古希腊人常用竹制的双簧放在管内鳞茎状的插座上，并用一条皮带把两管捆在一起吹。

Aulus　奥鲁斯　古罗马人名或第一名：见氏族或家族名或尊称条。如 Aulus Vitellius，则参阅 **Vitellius，Aulus**。

AUM Shinrikyo　奥姆真理教　日本的佛教教派，成立于 1987 年，教主原名松元智津夫，信徒则称其为“麻原彰晃大师”。奥姆真理教引起公众注意是在 1995 年，当时该教的几名高层领导在东京地铁散布神经毒气，导致 12 人死亡，数千人受伤。该教因此声名狼藉。麻原彰晃对日本传统佛教不满而创立奥姆真理教。在他看来，藏传佛教和上座部的教谕要比占主导地位的日本佛教更为吸引人，因而试图创立一种不同于日本佛教的教派。他自称新辟一条精神道路，其目标是在今生修得正果。信徒中有许多人受过良好教育，他们受教诲要完全忠于教主。后麻原彰晃开始对预言感兴趣，他研读了基督教的《启示录》，于 20 世纪 90 年代初预言日本会遭到一连串灾难，包括第三次世界大战。麻原彰晃认定在战后的混乱中奥姆真理教将取代日本政府，所以其组织是仿照政府构建的。1995 年 3 月 20 日毒气事件发生时，奥姆真理教自称已有大约 5 万信徒，其中绝大部分住在俄罗斯。自教主和数百名领导被捕（其中许多因地铁毒气事件和众多其他暴力事件受审）后，该教众叛亲离，其财产也被日本政府扣押。1999 年 12 月，奥姆真理教的新首领们为该组织成员犯下的罪行表示歉意，并保证要赔偿 1995 年毒气事件的受害者。2000 年 1 月他们将该组织改名为“阿雷夫”。2004 年麻原彰晃

被判处死刑。

Aumann, Robert J.　奥曼（1930-06-08，德国美因河畔法兰克福～　　）　以色列数学家，与托马斯·谢林共同获得2005年诺贝尔经济学奖。奥曼对经济学的贡献主要在博弈论方面。两位经济学家通过博弈论分析加强了人们对冲突和合作的理解。1938年，奥曼移民美国，1955年在麻省理工学院获博士学位，然后在普林斯顿大学从事博士后工作。1956年移民以色列，在耶路撒冷希伯来大学数学系任教，直到2000年退休。为《国际博弈理论杂志》、《数学经济学杂志》、《博弈经济行为》等学术杂志的编辑委员会和顾问委员会成员。他使用非合作性对策论来显示长期社会互动关系。还通过研究博弈论的认知基础进一步扩展了该理论。他指出，即使合作各方之间有严重的短期利益冲突，和平合作往往是反复博弈中的平衡解，因此，合作并不一定依赖于善意或外部仲裁者。奥曼将此理论命名为"无名氏定理"。

Aung San　昂山（1914?缅甸纳茂～1947-07-19，仰光）　缅甸民族主义领袖，遭暗杀的英雄，在反对英国殖民统治，争取缅甸独立的斗争中发挥了重要作用。第二次世界大战前积极参与抗英运动；第二次世界大战中先联合日本，后投向同盟国。战后领导了缅甸的自治运动。出身于从事反英运动的著名家庭。在仰光大学求学时期，任学生联合会主席，1936年2月与吴努一起领导学生罢课。其后参加我缅人党，1939年任总书记。1940年为缅甸独立而寻求外国的支持，曾与日本人接触。日本人协助他建立缅甸独立军。这支军队跟随日军前进，接管占领区的地方行政。1943～1945年昂山在巴莫傀儡政府中任国防部长。1945年3月率缅甸国民军协助盟国作战，直至日本投降。1946年任缅甸行政委员会副主席，实际等于总理。1947年1月去伦敦，与英国首相C.艾德礼进行谈判，签订关于缅甸独立的协定。同年4月选举制宪会议，他的反法西斯人民自由同盟在202个席位中赢得196席。同年7月19日，当行政委员会在仰光开会期间，昂山总理和6位同事在会议室内遭人刺杀。事后，昂山的政敌，战时被拘禁在乌干达的吴苏，因参与暗杀事件被处以死刑。

Aung San Suu Kyi　昂山素季（1945-06-19，缅甸仰光～　　）　缅甸反对派领袖，为缅甸独立而献身的民族英雄昂山和缅甸杰出的外交家金季（Khin Kyi）的女儿，1992年诺贝尔和平奖获得者。昂山素季2岁时，当时任即将独立的缅甸事实上的总理的父亲遭暗杀。1960年其母亲任驻印度大使前，她在缅甸上学。在印度继续学习后，赴牛津大学就读，在那里认识她未来的丈夫。生有2个孩子，在1988年回缅甸照料其病危的母亲之前，过着相当平静的生活。在缅甸，对抗议军事独裁者奈温的残暴、无情统治的人所进行的大规模屠杀促使她公开发表讲话，勇敢地表示对奈温政权的不满，并发起一场争取民主和人权的非暴力斗争。从1989年7月起昂山素季遭软禁，并被禁止与外界接触。军事当局提出如果她离开缅甸即可获得自由，但她拒绝这样做，直到国家恢复文职政府和政治犯获得释放。在1990年的议会竞选中，她所属的新成立的团体全国民主联盟赢得80%以上的席位，但选举结果被军政府否决。昂山素季于1995年7月被解除软禁，但军事当局还是不断袭扰她和她的政党。以后的多年里，虽几次遭到软禁，但仍继续呼吁民主改革。

Aungerville, Richard　昂格维尔　参阅 **Bury, Richard de** 伯里。

Aungzeya（Burmese king）　参阅 **Alaungpaya** 雍笈牙。

Aunis　欧尼斯　法国西部的古代省，相当于今滨海夏朗德省的北部和德塞夫勒的南部。从10世纪起，欧尼斯归普瓦捷伯爵管辖，其政治命运与邻近的普瓦图相同。在法国大革命前，欧尼斯和雷岛、奥莱龙岛一起，构成一个军区，总部设在拉罗谢尔。

Aunoy, Marie-Catherine Le Jumel de Barneville, Countess（comtesse）**d'**　参阅 **Aulnoy, Marie-Catherine Le Jumel de Barneville, Countess d'** 奥尔努瓦。

Aurangābād　奥兰加巴德　印度中西部马哈拉施特拉邦城镇。傍考姆河。古称卡德基，始建于1610年。莫卧儿皇帝奥兰则布将该城改称现名。以艺术丝织品著称。为著名

奥兰加巴德附近库尔达巴德的奥朗则布皇陵
美国不列颠百科全书公司供图

教育中心，有马拉特瓦达大学及其分校。旅游业占重要地位。人口：城镇573 272；都会区592 709（1991）。

Aurangzeb　奥朗则布（1618-11-03，印度马尔瓦多德～1707-03-03）　又拼 Aurangzib。阿拉伯语作 Awrangzīb。本名穆希-乌德-丁·穆罕默德。印度莫卧儿帝国最后一位伟大的皇帝（1658～1707在位）。沙·贾汉的第3子，早年即显示出军事和行政才能。他的权力欲使他

美国不列颠百科全书公司供图

同已经立为王储的长兄达罗·悉乔对立。他1636年起历任很多要职，干得都很出色。1646～1647年率兵与乌兹别克人和波斯人作战，军功卓著。后任德干诸省总督。1657年沙·贾汉重病，他与长兄展开夺权斗争。1658年5月他在萨穆加尔大败达罗。为了巩固权力，他囚禁父亲，杀死兄弟3人和一子一侄。他在位期间可以分为两个阶段。在第一阶段（约迄1680）中，他是印度教徒和穆斯林混居的大帝国的君主，因残暴凶狠而为人民憎恶。他主要忙于防止波斯人和中亚土耳其人进犯西北地区，曾应付两度劫掠苏拉特港的马拉塔酋长西瓦吉。他袭用曾祖阿克巴的故技，在击败敌人之后，授以高官厚禄。1680年以后，他的政策有所改变：印度教徒和穆斯林不再是杂居共处，而是把印度教徒降低一等。1679年向非穆斯林征收人头税。1686～1687年他征服德干的比贾布尔王国和戈尔孔达王国，但随后出现的动荡不安引起一场长期的经济危机。1689年马拉塔人在整个南印度展开游击战争，使奥朗则布脱身不得，难以保住他原来在北方的稳固地盘。1675年奥朗则布处死锡克人的宗教领袖得格·巴哈都尔，从此，锡克人公开抗命。另外还有农民起义，如贾特人的起义等。奥朗则布统治将近49年后死去。奥朗则布使他的帝国疆域向南扩至坦焦尔和特里奇诺波利，但只是表面强大，内部却极其虚弱。他死后留下一个虽非将亡但已百孔千疮的帝国。其子嗣穷于应付，乃于18世纪中叶灭亡。

Aurasius Mons（mountains, Africa）　参阅 **Aurès** 奥雷斯。

Auratus 参阅 **Dorat, Jean**多拉。

Auray 欧赖 法国西北部布列塔尼大区莫尔比昂省城镇。位于雷恩西南，濒欧赖河口湾，距大西洋12千米。当地城堡曾是历代布列塔尼公爵的住地（1558年被毁）。1364年

欧赖的圣安娜大教堂
美国不列颠百科全书公司供图

布雷东王位继承战争在该镇城墙外以孟福尔的胜利而结束；战争中出现两名法国民族英雄盖克兰和克利松。孟福尔在战场上建立的教堂现为聋哑学校。1776年本杰明·富兰克林作为美国使团成员住在该镇的圣古斯坦区。欧赖的哥特-文艺复兴式圣安娜大教堂是布列塔尼的著名朝圣地。现主要行业为家具制造。其牡蛎养殖场甚为著名。人口10 911(1999)。

Aurelia 海月水母属 刺胞动物门钵水母纲旗口水母目的一属，多见于北美洲和欧洲沿岸的水域。其成体直径可达400毫米。钟形，体盘下方有一短管，末端为口，管边向外延伸形成四条褶边状的口腕。在胶质盘中央附近有四个新月形到圆形的生殖腺，呈粉红色到洋红乃至蓝色。下伞面边缘多短触手。其幼体要经过固着期再发育成为自由游泳的水母体。

Aurelian 奥勒利安（约215～275，拜占廷附近［今土耳其伊斯坦布尔］） 拉丁文全名为Lucius Domitius Aurelianus。罗马皇帝（270～275）。由于使四分五裂的帝国重获统一，他赢得自封的“世界光复者”的称号。原籍大概在巴尔干半岛。约260年成为军官，统帅加列努斯皇帝的骑兵。268年加列努斯遇刺，克劳狄成为罗马皇帝。但在位仅18个月即去世，由昆提卢斯继帝位。昆提卢斯在位3个月又突然死去。因此，在270年5月，奥勒利安成为罗马皇帝。他迅速着手恢复罗马在欧洲的统治权。他把入侵者逐出潘诺尼亚（在今中欧地区），并赶走了意大利北部的朱吞格人。为了阻挡蛮族入侵，他为罗马修建了一道新城墙。271年大举东征，在多瑙河畔击败了哥特人。为了收复落入巴尔米拉国王手中的东方诸行省，他围攻巴尔米拉，俘获女王芝诺比阿。273年巴尔米拉城再次叛乱时，被夷为平地。274年，经过一番周折，他打败了另一位敌对皇帝泰特里库斯，重新统一整个帝国。

Aurelian Wall 奥勒利安壁垒 罗马帝国修建的壁垒，公元3世纪下半叶由奥勒利安皇帝开始建造，由其继位者普罗布斯完成。5世纪初期，由洪诺留皇帝加以改建，6世纪的

罗马附近的奥勒利安壁垒
美国不列颠百科全书公司供图

狄奥多里克大王和中世纪几位教皇都曾加以改建修复。壁垒原由石灰岩混凝土建造，外加三角形砖的面墙，约长20千米，厚4米。原高7.2米，洪诺留皇帝的大将斯提利科又将壁垒加高到10.6米，还增建了380座塔，每隔30米一座。沿路还建有城门16座。

Aurelianus, Caelius 参阅 **Caelius Aurelianus** 塞利乌斯·奥雷利安努斯。

Aurelianus, Lucius Domitius 参阅 **Aurelian** 奥勒利安。

Aurelius, Lucius Aelius 奥勒利乌斯 参阅 **Commodus** 康茂德。

Aureol, Peter 参阅 **Petrus Aureoli** 彼得（奥雷奥里的）。

aureole 华盖 光通过含有比其波长大的粒子或小水滴的介质时，出现的围绕大气光源（如太阳）的明亮区域。因可见光波长约为0.000 05厘米（0.5微米），若粒子的直径稍大于0.000 1厘米（1微米），便会有华盖形成。从物理学上解释，华盖是由于大量入射光在稍偏于光源的方向上从粒子边缘衍射所致。太阳或月亮与观测者之间有薄云时，如果云由直径大小不同的小水滴组成，就能观测到华盖。华盖一般呈白色，有时外圈呈棕色，内缘呈蓝色。大气浓霾也会产生太阳华盖，紧贴太阳周围的明亮区随着太阳角的增加，亮度逐渐减弱。

Aurès 奥雷斯 拉丁语作Aurasius Mons。阿尔及利亚东北部撒哈拉阿特拉斯山脉的一部分。最高峰包括谢利亚山（海拔2 328米，为阿尔及利亚北部最高点）和迈赫米勒山（海拔2 320米）。高坡上有松、雪松以及栎树林。低坡生长旱生植物。铁路和公路经坎塔拉山

奥雷斯山崖壁
FPG供图

口越过山脉。塔祖勒特-朗贝塞和提姆加德保存有大量古罗马遗迹。柏柏尔人长期在此居住，后又从撒哈拉迁来阿拉伯游牧民。

aureus 奥里斯 古罗马和罗马帝国的基本的金质货币单位。1奥里斯金币等于25德纳列斯银币；1德纳列斯银币等于10阿斯铜币。在公元312年君士坦丁大帝改革中，苏勒德斯代替奥里斯作为基本货币单位。

Aurgelmir 奥尔盖尔米尔 又称伊米尔。古斯堪的纳维亚神话中的第一个生物，一个从水滴创造出来的巨人，而水滴则是尼夫勒海姆的冰遇到穆斯佩尔海姆的热而形成的。奥尔盖尔米尔是所有巨人之父。自他的臂下生出一男一女，他的双腿生出一个长有6个头的儿子，母牛安德胡姆拉用自己的奶哺育他；而安德胡姆拉自己则靠舔覆盖着白霜的咸石头活命。她把石头舔成一个男子的形状，就是布里，也就是大神奥丁和他的兄弟们的祖父。这些神后来杀死奥尔盖尔米尔，而他流出的血又淹死了所有的人，仅一个冰霜巨人除外。3位神把奥尔盖尔米尔的身体放到虚空（金侬伽裂缝）之中，用他的肉造地，血造海，骨头造山，牙造石头，头盖骨造天，脑造云。4个矮子支撑着他的头盖骨。他的睫毛（或眉毛）变成篱笆，围着米德加尔德，即中原，人类居住的地方。

Auric, Georges 奥里克（1899-02-15，法国洛代沃～1983-07-24，巴黎） 法国作曲家，其电影和芭蕾舞音乐最有名。反对C.德彪西印象派。在巴黎师从V.丹第及A.鲁塞尔，是法国“六人团”成员。曾为《巴黎之夜》及《新文艺界》等杂志撰写音乐评论，还在巴黎歌剧院和巴黎喜歌剧院任艺术总监（1962～1968）。作品以音乐讽刺为特色，既有流行曲调，又有复杂的和声。最有名的作品有：芭蕾舞音乐《水手》（1925），为影片《给我们自由》（1931）、《红风车》（1952）配乐，其中包括流行歌曲《你的心在何方》。其他作品有为S.佳吉列夫、J.-L.巴劳尔和科克托的芭蕾舞所配制的音乐以及管弦乐曲《序曲》（1938）等。

aurichalcite 绿铜锌矿 由锌和铜的氢氧化物碳酸盐组成的矿物$[(Zn,Cu)_5(OH)_6(CO_3)_2]$。通常与孔雀石一起产于锌和铜矿床的氧化带中，如在西伯利亚的托木斯克、西班牙的桑坦德以及美国亚利桑那州的比斯比。它那淡蓝绿色的羽毛状的形态，使它有

产自美国新墨西哥州的绿铜锌矿
美国不列颠百科全书公司供图

别于孔雀石。由于它是富锌矿石的风化产物,所以可以作为锌矿床的找矿标志。

auricle　耳廓　又作pinna。外耳的外露部分,人与哺乳动物耳部区别最突出的部分。人的耳廓明显退化,紧贴头部两侧,一般不能活动。由黄色纤维软骨薄片构成,外覆皮肤,皮肤与软骨相连甚紧。软骨片形状复杂,由一定形状的沟、窝和嵴形成一个不规则的浅漏斗状。耳廓上凹陷最深的部位称为耳甲,由此通入外耳道。耳廓的下部柔软无软骨,称耳垂。耳廓周围有几条小肌肉使之与颅骨和头皮相连。人类的外耳部肌肉多已丧失功能,仅某些人的耳廓尚能作有限的活动。

auricular style　耳形图案　又称Knorpelwerk(软骨图案)。17世纪应用于家具上的一种以人体解剖部分为主的装饰图案。17世纪初期由荷兰银匠鲍罗斯·范菲亚嫩在布拉格

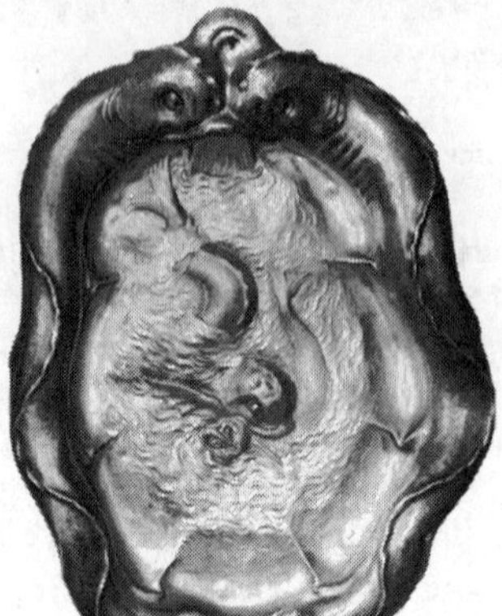

1635年C.范菲亚嫩制作的耳形图案银盘
美国不列颠百科全书公司供图

上解剖课时受到启发而创造,为荷、比、卢森堡和德国的家具和雕刻工匠所采用。这一由骨、膜和软骨的形状构成的奇异的曲线花纹,组成阿拉伯式图案,特别像人耳的形状,故名。这种装饰应用于椅背、框架、橱柜和其他家具上。

Aurignacian culture　奥瑞纳文化　欧洲旧石器时代晚期的一种石器工艺传统和艺术传统。继穆斯特工艺之后,与佩里戈尔文化同时存在而为梭鲁特文化所继承。奥瑞纳文化的特点是石器的多样和专用,由于雕刻器的发明,许多艺术品遂得以产生。奥瑞纳石器工艺与旧石器时代晚期其他石器工艺的区别,主要在于它以石片工具而不是以石叶工具为主。经过修整的石片可以制成楔状刮削器、脊状刮削器,以及端刮器。石叶和雕刻器都是用间接的冲压技术制成,器形大小各异。还有以兽骨和鹿角作原料,用劈裂、锯断和磨光等办法制作的尖状器和骨锥。劈开的基部和双锥形的尖端都说明骨器已经装柄。奥瑞纳文化的艺术代表着艺术史上第一个完美的传统,由原来粗劣的尝试之作,转变成为一种完美的、成熟的艺术风格。这个时期制作的最早而轻巧的艺术品,是在西欧发现的一些刻有简单动物形象的砾石。后来,发展到在骨片和象牙上雕刻动物的形象。同时,在东欧产生了真正圆雕的传统,创造出造型简单但栩栩如生的小型泥塑动物,以及高度程式化的孕妇小雕像,即所谓维纳斯雕像,可能是丰产之神。奥瑞纳文化的后期,在西方产生了一种由东欧雕塑与西欧线条相结合的艺术风格,创作出高度写实的小型作品。线刻的细节表现出按照透视法缩小和用交叉线条镌刻出阴影的尝试。洞穴艺术几乎仅产生于西欧,在奥瑞纳文化期的末期,石灰岩洞穴里的壁上、顶上甚至地上,创作了数以百计的绘画、线刻以及浮雕。把手掌贴在洞穴石壁上,用颜色勾划出轮廓,可能就是最早的绘画。由这类勾模画发展成为形象绘画。奥瑞纳文化期这类早期绘画的特征,就是"扭曲透视"画法,例如动物头为侧视,而两角却为前视。

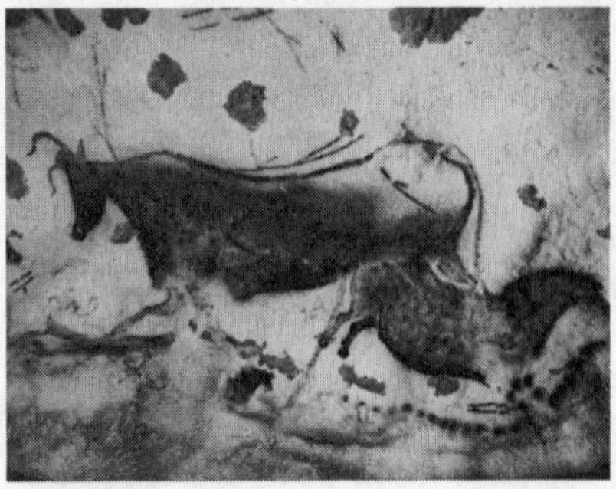

法国拉斯科奥瑞纳文化洞穴壁画——牛和马
美国不列颠百科全书公司供图

动物画是奥瑞纳艺术精品之一,例如法国西南部拉斯科洞穴石壁和洞顶上的野马和野牛壁画,即是这方面的代表作。这些令人惊叹的动物形象,是红、黄、褐、黑多种颜色构成的生动彩绘,轮廓完整而细致,表现了强烈的写实手法,也说明绘画者对自然界有深入细致的观察,采用线性的、一度空间的画法——这些都是成熟的奥瑞纳文化的艺术的特征。

Aurigny(Channel Islands)　**奥瑞尼**　参阅**Alderney** 奥尔德尼。

Aurillac　欧里亚克　法国中南部奥弗涅大区康塔勒省省会。位于克莱蒙费朗西南,濒临茹尔丹河,海拔622米。第一位法国教皇热贝尔(西尔维斯特二世)出生于该城镇并在当地圣热罗隐修院(894年建)受教育。16世纪宗教战争期间胡格诺派教徒普遍遭屠杀,作为报复,他们劫掠和焚烧欧里亚克并对罗马天主教徒进行杀戮。现代城市围绕古城镇狭窄曲折的街道发展起来。在主要广场上有哥特式的圣母教堂(1339)。带11世纪塔楼的城堡现为一所中学。该城为上奥弗涅地区的商业和旅游中心。作为牲畜和奶品市场,经销两种特产乳酪:圆柱形干酪和霉干酪。轻工业有家具生产、制伞、食品加工和制药业。人口29 704(1982)。

Auriol, Pierre　参阅**Petrus Aureoli** 彼得(奥雷奥里的)。

Auriol, Vincent　奥里奥尔(1884-08-25,法国勒韦～1966-01-01,巴黎)　法兰西第四共和国第一任总统,1947～1954年主持危机四伏的联合政府。早年在图卢兹大学学习法

美国不列颠百科全书公司供图

律。1914年选入法国众议院。不久成为社会党的杰出人物,1919～1935年为社会党议会党团领袖。1936～1937年在莱昂·布鲁姆内阁任财政部长。1940年投票反对赋予维希政权首脑贝当元帅以行政全权。1940～1943年被囚禁。1945年在戴高乐内阁中任国务部长,以善于调解左右翼间的分歧著称。他任总统期间继续奉行妥协政策。然而,经济衰退、政派纷争以及印度支那战争成为共产党人和戴高乐主义者攻击的根据。1954年拒绝重新竞选,1960年完全退出政治舞台。

Aurobindo, Śrī　奥罗宾多(1872-08-15,印度加尔各答～1950-12-05,本地治里)　本名室利·奥罗宾多·高斯。印度教先知、诗人和民族主义者。是通过精神进化使宇宙得救的哲学的创始者。曾就学于大吉岭某基督教会学校,幼年即被送往英国深造,入剑桥大学。1892年返回印度,先后在巴罗达和加尔各答担任行政和教学工作。转而认真研究瑜伽和印度诸语言,包括梵文。1902～1910年从事反对英国统治而争取自由的斗争。1908年因政治活动与革命文学作品被捕。两年后逃离,在避居地从事哲学研究终生。按照奥罗宾多关于人与宇宙结合以得救的理论,人与梵结合的途径有来有往:教化自上而下及于人,人的灵智通过瑜伽的启发自下而上。上下、梵人两种力量一旦结合,便是灵知之人。

aurochs(species *Bos primigenius*)　**原牛**　又拼auroch。绝灭的欧洲野牛,偶蹄目牛科动物,可能是现代牛的祖先。直到1627年在波兰中部还有幸存者。为大型黑色动物,肩高1.8米,角展开向前弯曲。有些德国育种工作者宣称,他们自1945年以来用西班牙斗牛与长角牛及其他品种的牛杂交,重新创出欧洲野牛,但可能不具备与原牛类似的遗传成分。英语中aurochs一词有时被错误地用于指称欧洲野牛(*Bison bonasus*)。

Aurora（Roman mythology） **奥罗拉** 参阅 **Eos** 厄俄斯。

Aurora **奥罗拉** 美国科罗拉多州中北部亚当斯县、阿拉珀霍县和道格拉斯县城市。为丹佛市东部郊区。21 世纪初城市人口数在科卡拉多州位列第三。占地 725 平方千米。1891 年始建，名弗莱彻。1902 年亚当斯设县，由阿拉珀霍县分出，其分界线穿过市区，故属于两个县。1907 年设市，改名奥罗拉。现主要为住宅区，有轻工业，生产渔具、体育用品、电子设备、皮箱和精密金属制品等。设有巴克利空军国民警卫队基地。一个前军事医疗中心（1996 年关闭）被改造为卫生研究园区。有科罗拉多大学的一个分校。人口276 393（2000）。

Aurora **奥罗拉** 美国伊利诺伊州东北部城市。临福克斯河。1834 年建立。1857 年设市。现为住宅和工业区。市民多在该城东 63 千米的芝加哥市工作。有拖拉机、铺路机、输送带、钢家具、滚珠轴承和电话设备等制造业。设有奥罗拉学院（1893）和沃邦西社区学院（1966）。市内历史学会博物馆陈列当地出土的乳齿象骨化石。设在巴达维亚的费来国家实验室位于该城的北面。人口 142 990（2000）。

Aurora（Vanuatu） **奥罗拉岛** 参阅 **Maéwo** 迈沃岛。

aurora **极光** 常出现在地球两半球的高纬地区的高层大气中的发光现象。北半球的极光称为北极光，南半球的叫南极光。产生极光的原因是来自大气外的高能粒子（电子和质子）撞击高层大气中的原子的作用。这种相互作用常发生在地球磁极周围区域。在太阳活动盛期，极光有时会延伸到中纬地带，例如，在美国，南到北纬 40°处还曾见过北极光。极光有发光的帷幕状、弧状、带状和射线状等多种形状。发光均匀的弧状极光是最稳定的外形，有时能存留几个小时而看不出明显变化。然而，大多数其他形状的极光通常总是呈现出快速的变化。弧状的和折叠状的极光的下边缘的轮廓通常都比上端更明锐。绿色的辉线能够笼罩磁天顶的极向大部分天空。磁天顶往往是一片弧状极光的终端，弧状物通常呈折叠形，有时其下部镶上红边，像布帐似地飘逸。极光最后朝地极方向退去，辉光射线逐渐消失在弥漫的白光天区。造成极光动态变化的机制尚不完全明了，现只知，作为太阳风的一部分荷电粒子在到达地球附近时，被地球磁场俘获，并使其朝向磁极下落。它们和氧和氮的原子碰撞，击走电子，使之成为激发态的离子。这些离子发射不同波长的辐射，产生出红、绿或蓝等色的极光特征色彩。

aurresku **奥列斯库** 法国表示求爱的巴斯克民间舞蹈。其中男演员为女伴表演热烈的特技动作，它是欧洲同类民间舞蹈中最讲究技巧的一种。开始由男演员拉成圈跳舞，接着领头人和末尾者松开手，表演竞技性的舞

C. 略韦特绘《奥列斯库》（1929）局部
美国不列颠百科全书公司供图

蹈，然后再拉成圈。顺次下一个男伴在自己女伴面前跳舞，最后所有男伴带着女伴进入队列，以男女成对地跳"方丹戈舞"结束。

Aurunci **奥隆奇人** 古意大利坎帕尼亚部落，居住在沃尔图努斯河和利里斯河间的一块滨海狭长地带（在今卡塞塔省），建都于粟萨（今塞萨奥伦卡）。公元前 295 年为罗马所灭。

Auschwitz（Poland） 参阅 **Oświęcim** 奥斯威辛。

Auschwitz **奥斯威辛** 又作 Auschwitz-Birkenau（奥斯威辛-比克瑙），Birkenau（比克瑙）。纳粹德国最大的集中营（**concentration camp**）和灭绝营（**extermination camp**），在波兰加利西亚奥斯威辛附近。1940 年 4 月 27 日，希姆莱下令建立第一个集中营，6 月 14 日把第一批波兰政治犯运到这里。这个"奥斯威辛一号"集中营始终关押政治犯，主要是波兰人和德国人。1941 年 10 月增设"奥斯威辛二号"或比克瑙集中营，在布热津卡（即比克瑙）村外。党卫军在那里建立大规模的综合灭绝设施，包括用毒气杀人的"浴室"，储放尸体的"尸窖"以及焚尸炉，用于消灭欧洲的犹太人。在德沃雷村附近的另一集中营（后来称为"奥斯威辛三号"）于 1942 年 5 月变成苦役集中营，为附近的法本公司的化学与合成橡胶工厂提供劳动力。1940 ～ 1945 年党卫军突击队长赫斯任奥斯威辛集中营总司令。犹太人被用货车运到以后进行"挑选"，有劳动力的男女青年被送入强迫劳动营，年老体弱者、儿童和母亲被杀害。对受强迫劳动者也定期进行"挑选"，把由于过度劳累、疾病或饥饿而身体衰弱的人淘汰出去。有些犯人被选来进行医学试验，如试验便捷的绝育方法，对孪生子女实行活体或尸体解剖，以寻找增加雅利安人种的方法。在奥斯威辛集中营内惨死的人，一般估计为 100 万～ 250 万名，有人认为高达 400 万名。

auscultation **听诊** 通过听取体内发生的声音以发现某种病变（如心脏瓣膜的功能障碍）或状态（如妊娠）的一种诊断手段。早先是直接将耳朵贴在胸壁或腹壁上，但 1819 年发明听诊器之后，多已采用听诊器进行。听诊主要是听取一些特征性的声音：在头部及其他部位听血液异常流动产生的声音；在关节处听粗糙表面产生的声音；在前臂听脉搏；在腹部听胎儿活动或肠功能紊乱产生的声音等。但最常用于诊断心脏和肺部疾患。心音主要指心脏两组瓣膜分别关闭时产生的两个声音。心脏瓣膜口狭窄或关闭不全而致血液逆流，都会引起血液湍流而产生杂音。在某些先天性心脏病和胸部血管畸形病例，可听到持续性的杂音。杂音对心脏各个瓣膜的疾病常有特异性的诊断意义，亦即有时可根据杂音性质确定病变在哪个瓣膜。心音性质的改变也能表明心肌的病变。听诊亦有助于确定心律失常的类型和发现心包炎时特有的摩擦音，还能发现气管和肺泡疾病时所产生的呼吸音变。

Auseklis **奥塞克利斯** 波罗的海地区宗教所崇奉的晨星和黎明之神。拉脱维亚的奥塞克利斯是男神，同一神在立陶宛称奥斯林纳，却是女性。根据拉脱维亚关于太阳的神话，奥塞克利斯与月神美尼斯和太阳女神少勒有关。他是美尼斯的下属，与美尼斯竞相追求少勒之女索勒斯美达。根据立陶宛传说，奥斯林纳与月神门努俄私通，门努俄为此受到雷神柏勒库纳斯的惩罚。

Ausgleich **《奥匈协约》** 1867年2月8日缔结的协约，其中规定奥地利、匈牙利两国间的关系和建立双重君主政体－奥匈帝国（**Austria-Hungary**）。

Ausi（king of Israel） 参阅 **Hoshea** 何细亚。

Auslander, Joseph **奥斯兰德**（1897-10-11，美国宾夕法尼亚费城 ～ 1965-06-22，佛罗里达科勒尔盖布尔斯） 美国小说家和抒情诗人，以战争诗闻名。1917 年从哈佛大学毕业。在哈佛大学授课数年，后获帕克奖学金赴巴黎大学从事研究。1929 年前往哥伦比亚大学当诗歌讲师。1924 年第一部诗集《日出号角》出版。1929 年和 F. E. 希尔合编的《双翼飞马诗选》成为各学校喜欢采用的读物。第二次世界大战期间他的诗歌常用来推销美国战时公债。献给被纳粹占领国家的诗集《不可被征服的人们》（1943）尤为著名。他与第二任妻子曾获普利策诗歌奖的 A. 乌尔德曼合作写了《我的奢大叔》（1948）和《岛民》（1951）等长篇小说。1937 ～ 1941 年间任美国国会图书馆诗歌首任顾问，此一职位后来成为美国桂冠诗人的职位。

Ausonius, Decimus Magnus **奥索尼乌斯**（约 310，高卢布迪加拉［今法国波尔多］～约 395，布迪加拉） 拉丁诗人兼修辞学家。生于高卢。主要因写高卢的地方风光而引人注意。执教于布迪加拉的几所著名学府，因成绩卓著，罗马皇帝瓦伦提尼安一世特召他赴特里尔当格拉提安的教师。格拉提安即位后，擢升他为非洲、意大利和高卢的行政长

官，并于379年任执政职。383年格拉提安被害后，奥索尼乌斯回到在加龙河的田庄修习文学，通过频繁的信件往来广结名流。尽管他是基督徒，但他主要仍以异教徒传统方式写作，不过从保存下来的极少的卷帙看，他不失为基督教拉丁文学和其本国文学的先驱之一。奥索尼乌斯未留下什么有影响的著作。他的长诗描绘莫萨拉河，有些地方与华兹华斯对自然的描写几乎相似，着意刻画河水蜿蜒流过乡间时的景致变化。

Aušrinė (Baltic deity) **奥斯林纳** 参阅 **Auseklis** 奥塞克利斯。

Aust-Agder 东阿格德尔 挪威南部一郡。面积9 212平方千米。从斯卡格拉克海峡沿岸向西北至山区，绵延190千米。地形崎岖不平。旅游业发达。有很多石器时代、铁器时代和海盗时期的墓葬和遗迹。开采镍和低品位铁矿。内地经济以园艺和林业为主。塞特斯达尔谷地有畜牧业。首府阿伦达尔(**Arendal**)。其他重要城镇有里瑟尔、格里姆斯塔和利勒桑。人口约95 475(1986)。

austausch coefficient 交换系数 在流体力学、特别是在气象学和海洋学的应用中，也称涡流系数或涡动扩散率。它等于湍流的某一组分的迁移率与该组分的梯度之比。在这里，组分这个术语不仅仅指组成流体的物质，如溶解物质和悬浮物质，也包括流体能量的组成，如热和动量。如果层流可对流体施加机械应力，则相邻各层相对错过的剪切运动，就会受到来自不同层之间部分分子移动所产生的摩擦的阻碍。也就是说，运动较快的一层由于较慢一层分子的介入，速度会减慢下来，反之亦然。这种内部分子摩擦的大小，叫做黏度，可以用剪应力的大小同相邻层间动量(在垂直于应力和流动的方向上)的迁移率之比来表示。如果应力超过一定限度，流动就会变成湍流，各层会由于涡流的形成而遭到破坏，因为此时有流体的大规模的、多分子集团的不规则运动叠加在流体的运动之上。在这种条件下，动量和其他组分的迁移率大大超过由黏度值计算出的数值，而动量迁移率同剪应力的比值就称为交换系数。

Austen, Jane 奥斯汀(1775-12-16，英格兰汉普郡史蒂文顿～1817-07-18，汉普郡温切斯特) 英国女作家。她是第一个通过描绘日常生活中的普通人，使小说具有鲜明现代性质的小说家。她针对当时英国中产阶级习俗创作的喜剧性作品有：《理智与情感》(1811)、《傲慢与偏见》(1813)、《曼斯菲尔德花园》(1814)、《爱玛》(1815)、《诺桑觉寺》和《劝导》。最后两部作品于作者死后1817年出版。

家庭与教养 简·奥斯汀生于汉普郡的史蒂文顿村，父乔治·奥斯汀为该村教区长，生有六男二女，简排行第七。她的最亲密伴侣是她的姊姊卡桑德拉。姊妹二人一生未嫁。简的正规教育大约开始于1782年，与其姊同受教于在牛津居住的考莱夫人。1783或1784年入雷丁的寺院学校求学，直至1787年左右。此后，她们在家中继续受教育。她们的父亲在就神职之前为一学者，曾是牛津圣约翰学院的评议员，他始终鼓励子女深造。他的妻子卡桑德拉(娘家姓利)才思敏捷，以能即兴赋诗和演说故事著名。全家最喜作戏剧表演以自娱。

美国不列颠百科全书公司供图

简的早年生活平静无事，远离当时社会政治动乱，她的活跃友爱的家庭为她提供了一个有利的写作背景。此外，她的广泛的戚友关系网也使她的切身体验远不止限于史蒂文顿一地。她的小说中的背景、人物和题材的来源便是这个由本村的和邻近乡镇的小地主乡绅和乡村教区人员(这些人偶尔也去巴斯和伦敦旅行)组成的世界。

文学生涯 据现在所知，她的最早的作品写成于大约1787年。在1787～1795年间，她所写的大量文稿相当工整地抄缮留存在3本笔记本中，卷1、卷2和卷3共存21篇作品，有剧本、诗、中短篇小说和散文，都是一个善于分析的头脑模仿时下文体，尤其是感伤小说的产物。《苏珊姑娘》是一篇大约写成于1793～1794年的书信体中篇小说，它最终宣布了她从早期作品中那种虚饰渲染、华而不实的作风向更为严肃的生活态度的过渡。小说写一个女人一心要发挥自己聪颖过人的头脑和个性，结果落得身败名裂。它实际上探究了一个不需要女性的非常的、堪与男性媲美的才能的社会中妇女命运的坎坷与失意。

她的有文字可考的初次与男性交往早在1796年，带有逢场作戏的性质。她的男友为一名叫汤姆·勒弗罗埃的爱尔兰英俊青年，邻村教区长的侄子。在1798或1799年，她可能拒绝了赛缪埃尔·勃莱克尔的求婚。勃莱克尔为剑桥爱麦虞限学院的评议员，当时寄居勒弗罗埃家。1802年11月，她似乎已同意与汉普郡一大家子弟，这一家庭的法定继承人，21岁的哈利斯·毕格-威瑟结婚，但次日早晨她改变了心意。随后有一些彼此矛盾的关于她已爱上某人的说法(一说是一海军军官，一说为一陆军军官，一说是牧师)，但此人不久即死去。

由于奥斯汀的小说情节以爱情与婚姻为主，因此努力澄清有关她的这些关系的事实有其一定意义。不幸的是所得证据不能令人满意，亦不完全。卡桑德拉对其妹的私生活多所监护，简死后她(还有另一些家人)检查了她留下的信件，销毁其中许多封，另有一些作了处理。家人的回忆录和文件所载颇为混乱，她本人在信中提及这方面事情时总是闪烁其词或以讽嘲出之。然而她的小说提供了无可辩驳的证据，说明她对恋爱与失恋有亲身的感受。这一说法最明显地适用于她的最后一部小说《劝导》，但也不同程度地适用于以前她在有文字可查的各次恋爱时创作的小说。最早的《理智与情感》开始写作于大约1795年，当时是书信体小说，以小说中两位女主人公命名为《艾莉诺和玛丽恩》。从1796年10月～1797年8月，她完成了《傲慢与偏见》的初稿，当时名《最初的印象》。1797年11月，她的父亲写信给伦敦出版商托玛斯·卡台尔询问有无出版这部小说的可能，但没有得到回答。前期小说中最后一部《诺桑觉寺》，大约写于1798年或1799年，当时大概题为《苏珊》。

到那时为止，斯蒂文顿教区的生活方式对作为小说家的简·奥斯汀的成长颇为有利。一家人就是她的知音读者。邻里街坊形形色色。在访问戚友以及成了家分居的弟兄后，回到自己所热爱的家。这种安稳的生活格局到1801年告一结束。那一年，年已70的乔治·奥斯汀将其教区职务交付给长子詹姆斯，退休后和他的妻子及二女到巴斯定居。简·奥斯汀不得不一再改变居处或寄住亲戚家，从巴斯到伦敦、克利夫顿、沃里克郡，最后到奥斯汀弟兄们1805～1809年间居住的南安普顿，前后长达8年之久。

1803年，《苏珊》小说稿本以十镑之微售予出版商里查·克罗斯比，随即付印。尽管已登出广告，但不知何故，始终没有问世。1804年，她开始写《沃森一家》，不久即将其放弃。它是一部令人不快的作品。它所描绘的社会场景一片黑暗，它的主人公是她笔下的女主人公中最受摧残的一个。它的讽刺尖刻到近乎残酷。它显示了作者气度有欠宽洪，似乎失却了创造才力，可能这是由于情场失意以及有其他伤心事的缘故。1804年12月，她的挚友安·勒弗罗埃夫人突然死去，1805年1月21日，她的父亲在巴斯逝世。

批评界的赞誉 1809年，她的哥哥爱德华终于能在离史蒂文顿不远、在汉普郡的产业焦顿村拨一宽大村舍作为其母与两妹安身之所。在焦顿定居下来的前景使简·奥斯汀有了一种重新安心写作的目的感。4月，她写信给克罗斯比，探听他对出版《苏珊》心意如何？而在焦顿村安顿下来之后，她即着手为《理智与情感》及《傲慢与偏见》的出版作准备。两年后，托玛斯·埃杰顿同意出版《理智与情感》，但要作者保证他不致亏蚀为条件。1811年11月小说出版时，未署作者真名。当时两家最有影响的评论刊物《文学批评》和《评论季刊》，赞赏作者那种寓教于乐的写法。1811年2月，她开始写《曼斯菲尔德花园》，1813年夏写成。小说于1814年出版。至此，她已成为地位巩固(虽然其作品仍未署真名)的作家。埃杰顿于1813年1月出版了《傲慢与偏见》；11月，《傲慢与偏见》和《理智与情感》都出了第二版。1814年1月～1815年3月间，她写成了《爱玛》，小说于1815年12月问世。1816 年 2 月,《曼斯菲尔德花园》出第二版。此书与《爱玛》均由拜伦的出版人约翰·默里印行。《劝导》(写于 1815 年 8 月～1816 年 8 月之间)与《诺桑觉寺》则于她死后 1817 年 12 月出版。

1811 年以后可说是她一生中功成名就的时期。她能看到自己的作品成书发行,获得好评,而且知道这些小说拥有广大读者而深感满足。英国王储(后来的乔治四世)酷爱她的作品,以至他的各地宫室都备有一套。在得悉王室私下旨意之后,她将《爱玛》"敬献给"王储。文评家们称誉她的小说寓道德教喻于怡情悦性之中,赞赏她对人物性格的刻画,喜爱她的现实主义的家庭生活描写,认为这对当时流行的浪漫色彩很浓的闹剧式作品来说是一种使人耳目一新的变革。

在她一生最后的 18 个月中,她一直忙于写作。1816 年初,她写下了游戏之作:《一部小说的计划,根据来自各方的提示》(最早出版于 1871 年)。直至 1816 年 8 月,她一直在写《劝导》。然后她对《苏珊》(后改名《诺桑觉寺》)作又一次推敲。

1817 年 1 月,她动手写她的最后一部作品(她的家人题为《山迪顿》)。在不到 8 周时间中写写改改了 24 000 余词。3 月 18 日,她终于不得不将它搁置一边。这也许是在与时间赛跑,因为她的健康状况从 1816 年初起日趋衰弱。她自以为这是自己脾气乖戾的缘故,但从现代临床诊断来看,她的那些症状说明她得的是艾迪生氏病(肾上腺皮质功能不全)。她的病情时好时坏。在写作《山迪顿》时,她的创作精力有了一次回光返照式的迸发,她对疗养地和长年病号作了有力的自嘲式的讽刺。4 月,她立了遗嘱。5 月,她被移送温切斯特由当地一位外科专家治疗。7 月 18 日晨 4 时 30 分终于谢世。6 日后,葬于温切斯特大教堂。

之后,她的哥哥亨利向全世界宣布了那些脍炙人口的小说作者的真名。亨利并主持了《诺桑觉寺》和《劝导》的出版,并为两书写了《作者小传》,文中推崇他的妹妹的才思品格,转述了她的最后遗言。当被问到她有无最后要求时,她作了得体而又简洁的回答:"除死亡之外,我别无他求。"

她的辞世使摄政时期的英国失去了一位最敏锐的观察家和最犀利的分析家。这位"小幅画家"(她自称如此,别人也这样认为)和"家庭小说"家竟能如此关心社会动向及其文化兴衰。对这两点,当时的人并无认识,更无人把她看作记录摄政时期社会进入现代世界情状的史家。在她生前仅有一人对她的成就的性质作了较为充分的估价。瓦尔特·司各特爵士在 1816 年 3 月号的《评论季刊》上发表他对《爱玛》的评论,盛赞"这位匿名作者"是一位才艺超群的新的现实主义"现代小说"的倡导者。在她死后一个长时期内,仅有神学家、伦理学家、政治经济学家,后来任都柏林大主教的理查·惠特利一人在《评论季刊》(1821 年 1 月号)上发表了一篇颇有分量的评《诺桑觉寺》和《劝导》的文章。两位大家的文评综合起来为后来对简·奥斯汀的郑重周全的评论奠定了基础:他们的见解为整个 19 世纪的批评家们所采纳。

英国小说诞生于 18 世纪前叶丹尼埃尔·笛福、赛缪埃尔·理查森和亨利·菲尔丁的作品中,然而只有到了简·奥斯汀手下,小说在现实主义地描写日常生活的平凡境遇中的平凡人物上获得了鲜明的现代性。在她的于 1811 ～ 1817 年间出版的 6 部小说(《理智与情感》、《傲慢与偏见》、《曼斯菲尔德花园》、《爱玛》、《诺桑觉寺》和《劝导》)中,她写出了针砭当时英国中产阶级生活习俗的喜剧,显示了"写家庭"文学可能达到的境界。她着眼于生活中一些人人熟悉的环节,一再用寓言形式指出年轻女性通过爱情而结婚的经历犹如一次最终发现自我的航行。正是她的着力刻画人物性格和个性,表现她笔下的女主人公与她们的社会之间的摩擦,使她的小说离开了 18 世纪的传统而接近现代世界。正是这现代性以及她的风趣、现实主义和她的历久常新的文字风格,她的机智、自得其乐的同情心、她的高超的讲故事的本领和精巧的情节结构使她在各个不同的读者中具有同样经久不衰的魅力。她的小说组织结构的天衣无缝以及得心应手的技巧使作家得以在极平常的事件中与极局促的背景上揭示生活的悲喜剧直至今天仍然赢得批评家的赞赏。

austenite　奥氏体　碳和其他组分溶于γ铁所形成的固溶体。这是当铁加热到 910 °C以上时形成的面心立方结构,温度高于 1 390 °C时,γ 铁就变得不稳定。奥氏体是用于制造刀剑、医疗设备和食品业服务设备以及餐具所用的不锈钢的一种组分。

Austerlitz, Battle of　奥斯特利茨战役(1805-12-02)　第 3 次反法联盟战争的首次交锋,拿破仑以 6.8 万之师击败库图佐夫统率的 9 万俄奥联军,是他最辉煌的胜利之一。是役迫使奥地利与法国缔结《普雷斯堡和约》,使普鲁士仍置身于反法联盟之外。1805 年 11 月 13 日法军开入维也纳。然后追击俄奥联军,进入摩拉维亚。此次战役就是在摩拉维亚的奥斯特利茨(今捷克共和国布尔诺附近的斯拉夫科夫)的附近进行的。俄皇亚历山大一世到达后,实际上剥夺了库图佐夫的最高统率权。反法联盟的军队决定在奥斯特利茨以西攻打拿破仑,并占领普拉岑高地。拿破仑故意撤出高地,设置陷阱。于是,盟军发动主攻,以 4 万大军进攻法军的南翼,企图切断他们与维也纳的联系。正当盟军对拿破仑北翼的进攻被击退的时候,拿破仑命令苏尔特元帅率领步兵 2 万冲上斜坡,直捣普拉岑高地。苏尔特攻占高地以后,盟军多次试图夺回,都没有成功。盟军死伤达 1.5 万人,被俘 1.1 万人,而拿破仑仅损失 9 000 人。两天后,奥地利的弗兰茨一世同意停战并设法使亚历山大一世将军队撤回俄国。

Austin　奥斯丁会　参阅 **Augustinian** 奥古斯丁会。

Austin　奥斯汀　美国明尼苏达州东南部城市,莫韦尔县县城(1856)。临锡达河。为一农牧中心。1853 年设居民点。1873 年设市。设有奥斯汀社区学院(1940)和莫韦尔县历史中心。经济以肉类和食品加工为主,亦生产纸板箱、水泥制品和载重车身。1960 年建立霍梅尔研究所(研究脂肪、油类与心脏病的关系)。每年举行数次农产品交易会。人口约 23 314(2000)。

Austin　奥斯汀　美国得克萨斯州首府,特拉维斯县县城(1840)。位于科罗拉多河畔,原为滑铁卢村,1839 年被选为得克萨斯共和国首府,改现名。1842年墨西哥入侵,政府迁

奥斯汀市的邦联纪念碑
美国不列颠百科全书公司供图

出,奥斯汀人民英勇奋战保护政府档案。1845 年得克萨斯成为美国一邦,政府回迁。仿美国国会大厦所建的粉色花岗岩州议会大厦(1888),内有得克萨斯邦联和共和国博物馆。1871 年休斯敦和得克萨斯中央铁路通车后,渐趋繁荣,成为农牧产品的贸易中心。20 世纪初,科罗拉多河上兴建防洪发电工程后,工业开始发展。由于技术产业的推动,20 世纪 90 年代,奥斯汀的经济显著增长。现已成为国防和消费品工业的研究和发展中心。市内有得克萨斯大学奥斯汀分校(1881)、休斯敦-提洛孙学院(1875)、圣爱德华兹大学(1885)、康科狄阿·路德兰学院(1926)与奥斯汀社区学院(1972)。奥斯汀-伯格斯特罗姆国际机场于 1999 年开放。有奥·亨利博物馆和伊丽莎白·奈博物馆及法国公使馆(1841),约翰逊图书博物馆、得州历史博物馆、奥斯汀艺术博物馆、墨西哥艺术博物馆等。市内有交响乐团、剧团和芭蕾舞团。奥斯汀以其活跃的音乐而闻名,如乡村音乐、蓝调音乐、摇滚乐、民间音乐、爵士乐和拉丁音乐。现场音乐表演主要集中在仓库区和第六街区。同时,该城还是一个受欢迎的电影制作中心。奥斯汀国会大道的大桥在夏季是百万只墨西哥无尾蝙蝠的栖息地。泽克公园沿河而建,此地的巴顿泉水池是一个天然游泳池。城西山乡为旅游区,有一连串高地湖泊。市东南有伯格斯特罗姆空军基地。人口:市约 656 562;奥斯汀-圣马科斯都会统计区约 1 249 763(2000)。

Austin of Canterbury, Saint　奥斯丁(坎特伯雷的),圣　参阅 **Augustine of Canterbury, Saint** 奥古斯丁(坎特伯雷的),圣。

Austin, Alfred **奥斯汀**(1835-05-30,英格兰约克郡利兹～ 1913-06-02,肯特郡阿什福德) 桂冠诗人。他歌颂英国和意大利的田园美景,也表达人民群众的感情,但可惜缺乏真正的诗才。

Austin, Herbert Austin, Baron **奥斯汀**(1866-11-08,英格兰白金汉郡小米森登～ 1941-05-23,伍斯特郡布罗姆斯格罗夫附近) 英国奥斯汀汽车公司的创办人和第一任董

美国莱兰汽车公司供图

事长,该公司生产的奥斯汀 7 型汽车对英国和欧洲轻便汽车的设计有重大影响。1895 年他设计了第一辆沃斯利三轮汽车,1900 年制造成功由他设计的沃斯利四轮汽车,1906 年在伯明翰的朗布里奇工厂生产奥斯汀型汽车。1917 年封爵士,1919 ～ 1924 年任英国下议院保守党议员,1936 年册封男爵。

Austin, John **奥斯汀**(1790-03-03,英格兰萨福克克里廷米尔～ 1859-12,萨里韦布里奇) 又译奥斯丁。英国法学家,对英国的法理学和法学教育有较深影响。他对法律和法律术语的分析,准确而鲜明,有助于对法理学基本概念的理解。他在军队服役 5 年后于 1812 年开始研习法律。1818 ～ 1825 年在大法官法庭实习。1826 年在伦敦大学学院充任第一个法理学教授。随后有 2 年在德国研究罗马法和德国学者论现代民法的著作。他和他的妻子萨拉都是积极的功利主义者,关注法律的改革。1833 年任职于刑法委员会,但因其主张得不到支持而辞职。1834 年因讲学失败而放弃法理学的教学工作。1836 年任马耳他事务专员,以后在巴黎居住多年。1848 年回国到萨里定居直至去世。奥斯汀的名著是《法理学范围》(1832)。他认为法律和道德的区分被自然法的原理所模糊了,必须加以澄清。他提出法律是一种命令,而命令是表达一种要他人必须从事或不从事某些行为的意愿,同时附有对不遵守者惩罚的威胁。当命令规定行为路线而不是具体行为,同时又是"主权者"所定时,命令"就可说是简单和恰当的"法律。这就是把"实在法"和"基本道德准则('上帝的法律')"以及"实在道德"区别开来的标志。《法理学范围》还阐述了功利主义,称"功利"就是上帝命令的标志,是一般行为规则而不是特定行为的道德品质的检验标准。奥斯汀认为《法理学范围》中的理论"仅仅是"他所说的"一般法理学"的"开端":这种法理学是要阐明和分析所有成熟的法律体系的结构的基本概念。他把他的讲义的主要部分(1863 年发表)用于分析权利、义务、人、身份、犯罪和法律渊源等"普遍的概念"。他把这种一般的或分析的法理学与对法律制度的批评加以区分,把后者称为"立法的科学";他认为二者都是法律教育的重要部分。他的见解虽然遭到很多人的批评,但是他所做的工作还是很有价值的。他的分析严谨而透彻地说明了许多重要的法律和政治概念的复杂性,表明了他所提出的分析研究是长期需要的。他所做的不懈努力正好表明,他简单地区别法律和道德虽有错误,但也加深了对两者的认识。

Austin, John Langshaw **奥斯汀**(1911-03-28,英格兰兰开夏兰开斯特～ 1960-02-08,牛津) 英国哲学家。对日常语言进行详细研究,从而对人类思维能作出独特分析,由此而出名。早年受教于什鲁斯伯里学校和牛津的巴利奥尔学院。后为万灵学院(1933)和马格达伦学院(1935)的研究员,研读传统的希腊-罗马经典著作,并受其影响。第二次世界大战期间,在英国情报部队服役。战后回到牛津,成为怀特道德哲学讲座教授(1952 ～ 1960)和"日常语言运动"的重要指导者。奥斯汀确信语言分析能解答哲学上的疑难,他不赞成形式逻辑的语言,认为它矫揉造作,常常不如日常语言复杂微妙。遗著有理论论文和演讲集《哲学论文集》(1961);《理智和情感》(1962)以及《如何用言语办事》(1962)等。

Austin, Louis Winslow **奥斯汀**(1867-10-30,美国佛蒙特奥韦尔～ 1932-06-27,华盛顿[哥伦比亚特区]) 美国物理学家,以研究远距离无线电发射而著名。曾就读于佛蒙特州米德尔伯里学院和德国斯特拉斯堡大学。1904 年为美国标准局从事无线电发射工作。1908 年任标准局的海军无线电报实验室(后来改为海军研究实验所)主任;1923 ～ 1932 年任标准局的无线电物理实验室主任。他曾多次进行远距离发射实验,最著名的一次是 1910 年的在美国和利比里亚间航行的舰船之间试验无线电联络。这次试验有助于他和工作伙伴 L.科恩创立用于预测远距离无线电信号强度的奥斯汀-科恩公式。他晚年的工作集中于大气对无线电干扰的研究。

Austin, Mary **奥斯汀**(1868-09-09,美国伊利诺伊卡林维尔～ 1934-08-13,新墨西哥圣菲) 母家姓亨特。小说家、随笔作家。主要从事以美国印第安文化和社会问题为内容的写作。1888 年毕业于伊利诺伊州卡林维尔的布莱克本学院,一度当过教师,后移居加利福尼亚州,成为附近印第安部落的朋友和编年

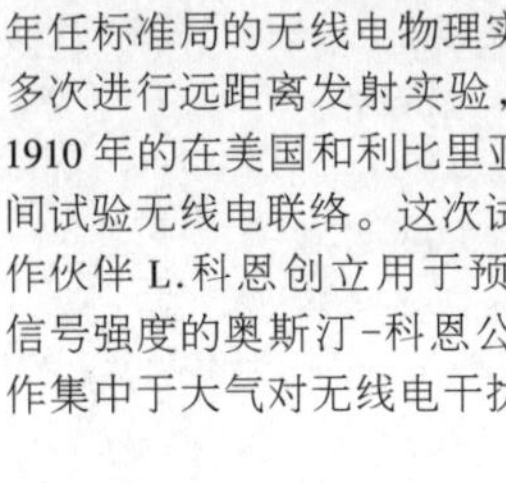

美国不列颠百科全书公司供图

史作者。她的第一部著作《少雨之国》(1903)是她的成名作,描写美国西部的沙漠生活。随后出版了两部短篇小说集《编筐女》(1904)、《失去的边界》(1909)及一部剧本《造箭者》(1911)。她是一位多产作家,一生共发表了 32 部著作和约 200 篇文章。她的"问题小说"包括《一个天才女子》(1912)。她在随笔中,论述了社会主义,女权运动以及各种社会问题。

Austin, Stephen **奥斯汀**(1793-11-03,美国弗吉尼亚奥斯汀维尔～ 1836-12-27,得克萨斯奥斯汀) 19 世纪 20 年代北美得克萨斯操英语居民的殖民点的创建者。当时,得克萨斯地区还属于墨西哥。他在密苏里边境地区长大,曾在肯塔基列克星敦的特兰西瓦尼亚大学就读。1814 ～ 1819 年在密苏里地方立法机关任职。1821 年去得克萨斯,继承父亲的开拓计划。翌年,在布拉索斯河畔建立有数百户居民的殖民点。他成为美国和墨西哥之间争夺得克萨斯地区所有权的中心人物。1835 年 10 月得克萨斯发生革命,他去美国寻求援助。1836 年 6 月重返得克萨斯。得克萨斯共和国成立后,他竞选总统未成。后任国务卿,不久去世。

Austral Islands **南方群岛** 又称土布艾群岛。法属波利尼西亚最南部的火山群岛。为太平洋中南部一庞大下沉山系(可能是库克群岛向东南延伸部分)的一部分。由赖瓦瓦埃

南方群岛的拉帕岛风光
美国不列颠百科全书公司供图

(16 平方千米)、拉帕(39 平方千米)、里马塔拉(8 平方千米)、鲁鲁土(29 平方千米)和土布艾(47 平方千米)5 个有人居住的及 2 个无人居住的岛组成,分布在 1 300 千米长的海域中。1880 ～ 1889 年成为法国保护地。主要资源有鱼、咖啡、芋头、椰干和柑橘。居民多为基督教新教徒。由于与外界隔绝,岛上完好地保持着波利尼西亚人的传统习俗。人口约 6 509(1988)。

Australia **澳大利亚** 全称澳大利亚联邦。地球上最小的洲,同时也是世界上最大的国家之一。位于南半球太平洋和印度洋之间。首都堪培拉。该洲的界线为南纬 10°～ 44°(北到约克角半岛,南到塔斯马尼亚,约 3 940 千米),东经 112°～ 154°(约 4 350 千米)。西北与印度尼西亚有帝汶海和阿拉弗拉海相隔;东北隔托雷斯海峡与巴布亚新几内亚相望;东北又隔大堡礁与珊瑚海群岛区相对;东南与新西兰有塔斯曼海相隔;南隔印度洋与南极洲相对。面积(包括塔斯马尼亚)

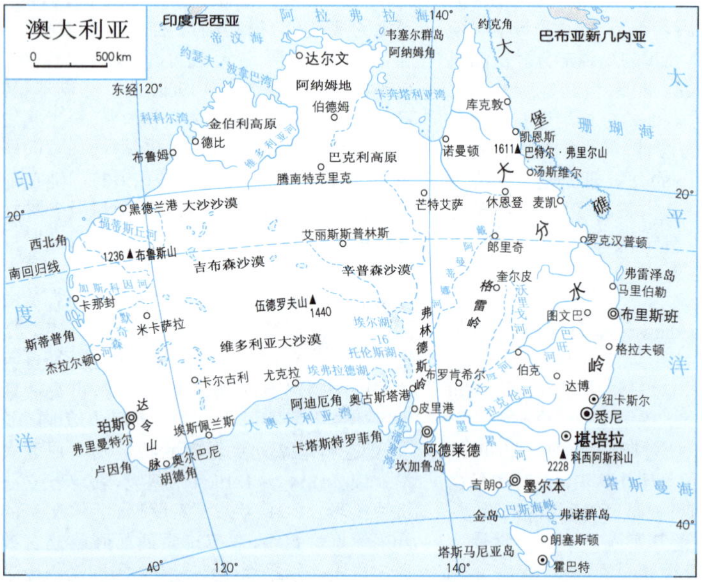

美国不列颠百科全书公司供图

7 692 208平方千米，人口约 20 345 000（2005）。

土地 可分为4个自然地理区：①西澳大利亚地盾区，为澳大利亚4大自然地理区之一，占其陆地总面积一半以上。该区海拔平均为400～600米，地势比较平缓，其间亦有海拔约1 500米的高地。最明显的几处露头是西北部的阿纳姆地和金伯利地块，西部的皮尔巴拉和东部的麦克唐奈山脉。②第2大区为大自流盆地，位于地盾区以东，从北部的卡奔塔利亚湾延伸至南部的墨累河口。这一地台区域包括3个较小的盆地：北部沿海的卡奔塔利亚盆地，靠近该国中部的艾尔盆地（面积最大）和最南端的墨累盆地。③第3大区为东高地，包括大分水岭，为一系列由高山脊、高平原、高原和盆地形成的复杂地形区，北起约克角半岛，南至巴斯海峡并延伸至塔斯马尼亚。澳大利亚的地势普遍较低，其最高峰科西阿斯科山（2 228米）同最低点埃尔湖（海平面以下15.5米）之间仅相差2 244米。④第4区介于西澳大利亚地盾区与南部沿海盆地区之间，称弗林德斯-洛夫蒂山脉，为南部的墨累河盆地与北部的埃尔湖之间的小分水岭。该国火山已不再活动，但在东部和西部的高地区时有地震发生。

西澳大利亚地盾区及大自流盆地的大部分地区年降雨量不足425毫米，内陆沙漠则低于250毫米，沙漠占国土面积的1/3以上。在西南端、塔斯马尼亚的西部以及东、北部沿海一带则雨量充足，平均年降雨量多达2 000毫米。在内陆极干旱区与水源充足的沿海区之间有一年均降雨量约760毫米（每年雨量不等）的宽阔地带。由于东南流向的斯诺伊河改为西北流向并注入墨累河，1974年墨累一达令盆地的汇水面积和灌溉水源大为增加。在大自流盆地区，当地用水主要依靠数以千计的水井。

在冬季，塔斯马尼亚和科西阿斯科山区有雪原。该国其他地区则一年到头气候温和；夏季（12～2月）常有热浪，白昼气温超过38 °C。可耕地主要在东部沿海地区（种植甘蔗和棉花）、西南和东南地区（主要种植小麦）。森林覆盖率仅为14%，且主要集中在降雨量多而稳定的地区。澳洲的许多动物独具特色，其中以有袋动物最为著名，如考拉、袋鼠，以及该国更为特别的单孔目动物（产卵的哺乳动物），如鸭嘴兽和针鼹。

澳大利亚有多种丰富的矿藏，其铝土矿和高品位的铁矿储量均属世界储量最多的国家之列。能源资源包括煤（半数以上为优质黑煤）、石油、天然气和铀。1979年在西澳大利亚的金伯利地区发现大型金刚石矿床。

人民 由于早期的限制非欧洲移民的政策，澳大利亚的人口到20世纪晚期仍非常单一。60和70年代此项限制政策逐渐放宽，来自欧洲以外的移民，尤其是亚洲移民，开始大量进入澳大利亚。最大的非白人少数民族仍为土著居民。官方的政策是要帮助土著居民融入澳大利亚的社会生活。然而多数土著人仍缺乏训练和教育，处于该国社会和经济地位的最底层。在20世纪末，公众舆论愈加关注土著人境况，联邦和州政府从60年代中期开始也采取了一些措施，其中包括承认土著人享有澳大利亚公民的一切权力并改善教育设施，使其境况的改善有了较大希望。主要宗教为基督教，包括天主教和安立甘宗。英语为官方语言。

第二次世界大战结束后澳大利亚的人口激增，主要是外来移民增长较快。同其他发达国家相比，该国人口出生率和死亡率均很低，对人口自然增长作用不大。平均预期寿命男性73岁，女性79岁，位居世界前列。85%以上人口为城市居民。

经济 澳大利亚的经济结构基本上属自

澳大利亚历届总理

	党 派	任 期
巴顿（Edmund Barton，自1902年起为男爵）		1901～1903
迪金（Alfred Deakin，第一次）	自由-工党	1903～1904
瓦斯顿（John Christian Waston）	工党	1904
里德（George Houston Reid，自1909年起为男爵）		1904～1905
迪金（Alfred Deakin，第二次）	自由-工党	1905～1908
费希尔（Andrew Fisher，第一次）	工党	1908～1909
迪金（Alfred Deakin，第三次）	自由-保守	1909～1910
费希尔（Andrew Fisher，第二次）	工党	1910～1913
库克（Joseph Cook，自1918年起为男爵）	自由	1913～1914
费希尔（Andrew Fisher，第三次）	工党	1914～1915
休斯（William Morris Hughes，第一次）	工党	1915～1916
休斯（William Morris Hughes，第二次）	民族主义	1916～1923
布鲁斯（Stanley Melbourne Bruce，自1947年起为第一子爵）	民族主义-乡村	1923～1929
斯卡伦（James Henry Scullin）	工党	1929～1932
莱昂斯（Joseph Aloysius Lyons）	澳大利亚联合	1932～1939
佩奇（Earle Page，自1938年起为男爵）	乡村-澳大利亚联合	1939
孟席斯（Robert Gordon Menzies，第一次）	澳大利亚联合	1939～1940
孟席斯（Robert Gordon Menzies，第二次）	澳大利亚联合-乡村	1940～1941
法登（Arthur William Fadden）	乡村-澳大利亚联合	1941
柯廷（John Curtin）	工党	1941～1945
福德（Francis Michael Forde）	工党	1945
奇夫利（Joseph Benedict Chifley）	工党	1945～1949
孟席斯（Robert Gordon Menzies，自1963年起为男爵，第三次）	自由-乡村	1949～1966
霍尔特（Harold Holt）	自由-乡村	1966～1967
麦克尤恩（John McEwen）	自由-乡村	1967～1968
戈顿（John Grey Gorton，自1977年起为男爵）	自由-乡村	1968～1971
麦克马洪（William McMahon）	自由-乡村	1971～1972
惠特拉姆（Gough Whitlam）	工党	1972～1975
弗雷泽（Malcolm Fraser）	自由-国家乡村	1975～1983
霍克（Robert Hawke）	工党	1983～1991
基廷（Paul Keating）	工党	1991～1996
霍华德（John Howard）	自由-国家	1996～

澳大利亚国家与州的象征

地 点	花	兽	鸟
澳大利亚	密花金合欢 (*Acacia pycnantha*)	红袋鼠 (*Megaleia rufa*)	鸸鹋 (*Dromaius novaehollandiae*)
新南威尔士	特洛皮 (*Telopea speciosissima*)	鸭嘴兽 (*Ornithorhynchus anatinus*)	笑翠鸟 (*Dacelo gigas*)
北部地方	美丽耀花蔷薇 (*Gossypium sturtianum*)	红袋鼠 (*Megaleia rufa*)	楔尾雕 (*Uroaëtus audax*)
昆士兰	石斛兰 (*Dendrobium bigibbum*)	树袋熊 (*Phascolarctos cinereus*)	
南澳大利亚	美丽耀花豆 (*Clianthus formosus*)	毛鼻袋熊 (*Lasiorhinus latifrons*)	哰鸣伯劳或喜鹊 (*Gymnorhina leuconota*)
塔斯马尼亚	塔斯马尼亚蓝桉 (*Eucalyptus globulus*)		
维多利亚	石南 (*Epacris impressa*)	铅匠袋貂 (*Gymnobelideus leadbeateri*)	盔凤冠吸蜜鸟 (*Meliphaga cassidix*)
西澳大利亚	红和绿袋鼠爪 (*Anigozanthos manglesii*)	袋食蚁兽或斑纹食蚁兽 (*Myrmecobius fasciatus*)	黑天鹅 (*Cygnus atratus*)

由企业制,主要由金融、制造、服务及贸易业构成。国民生产总值的增长速度远远超过人口增长,人均国民生产总值与其他工业化国家相近。

可耕地约占总面积的6%,其中1/3需要灌溉。农业占国内生产总值的4%,占用几乎同等比例的劳动力。主要农作物为小麦和甘蔗,其次为大麦、燕麦、稻米、马铃薯、棉花、葵花籽和蕃茄。水果有葡萄(主要用于酿酒)、柑橘、苹果、菠萝和香蕉。牧区和草原占总面积的55%,绵羊的饲养量居世界第一位,羊毛产量亦居世界首位。其他牲畜有牛(1/12供应乳制品)和猪等。牛肉及牛皮为重要产品。

澳大利亚的木材生产可以自给。多数圆木产自阔叶林,人造林的木材产量约占总产量的1/5。

澳大利亚的捕鱼业多属海洋渔业,3/5捕自印度洋,2/5捕自太平洋 。甲壳类占年捕捞量的2/3以上,金枪鱼亦占重要地位。

矿业及采石业约占国内生产总值的4%,雇用了近1%的劳动力。主要的能源矿有沥青煤、褐煤,其次为石油和天然气。澳大利亚铝土矿,工业用金刚石及铅产量居世界之首。其他金属矿有铁、锰、氧化钛、锌、铜、镍、锡、银、金、铂、钴、镉、锑、锆、铋和钨。非金属矿有石灰岩、沙石、黏土、页岩、盐和硫。

制造业多种多样,占国内生产总值的17%以上,从业人员约占劳动力总数的15%。主要生产水泥、粗钢、生铁、金属制品、精炼石油产品、化学品、面粉、塑料、新闻纸、牛肉、羊肉及纺织品。热电厂供应4/5以上电力,其余来自水电站。这里的海滩和深海垂钓、大堡礁沿岸的潜水运动及冬季高山运动对游客都颇具吸引力。

在20世纪末,澳大利亚的劳动力还不足其人口的一半。80年代后期失业率上升到7%,但据报道,某些行业仍缺少熟练技术工人。按行业组成的工会大多数隶属澳大利亚工会理事会。

除部分铁路系统外,澳大利亚的产业均为私人所有,该国许多大公司为跨国公司的子公司。政府主要通过货币政策和税收调节经济。继70年代的赤字之后,政府通过削减开支于1981年实现预算平衡,80年代末更实现预算赢余。主要岁人来源包括所得税、货物和消费税以及公司税,亦有非税收入。主要开支则为社会保险金和福利、州政府划拨款、卫生保健、公债利息和国防开支。

位于悉尼的澳大利亚储备银行为中央银行,下设商品市场金融分部。联邦银行控制着其成员的开发银行、储蓄银行及贸易银行。全国各地皆有分行。位于悉尼的澳大利亚证券交易所在6个州的州府均有会员交易所。

澳大利亚国有铁路委员会合并了联邦铁路、南澳大利亚(非都市铁路)及塔斯马尼亚州铁路;其他铁路则由州政府负责经营。约有2/5的公路铺有路面。主要港口包括阿德莱德、布里斯班、达尔文、弗里曼特尔、格拉德斯通、戈夫(梅尔维尔湾)、朗塞斯顿、墨尔本、纽卡斯尔、悉尼、汤斯维尔和西港。国内多数内陆河道只能行驶小型吃水浅的船只。最繁忙的国际机场位于悉尼、墨尔本、布里斯班和阿德莱德。

主要出口商品为金属矿、废金属、小麦、煤、肉和羊毛,大多运往日本、美国、韩国和新西兰;从美、日、英、德、中国等国主要进口机械、各种制成品(纺织品、纸和有色金属)、运输设备及原油。20世纪的最后十年中,澳大利亚的外贸略有赤字。

政体与社会状况 澳大利亚为联邦议会制国家,1900年通过的宪法赋予中央政府行使国防、外交、外贸、移民、海关和货物税以及邮政的权力,其余权力则留给各州和地方政府。英王有象征性的执行权,由澳大利亚总督代为执行。最高政治权力机构为通过民主选举产生的议会(包括148名议员的众议院和76名议员的参议院)。在议会中赢得多数的政党或多党联盟的领袖即为总理,负责组阁。总理及内阁均要对议会负责。议会选举通常由三大政党控制:澳大利亚工党、自由党和国家党。由7位法官组成的澳大利亚高等法院是该国的最高司法机构,有根据宪法进行审议的权力。

澳大利亚的社会福利制度包括家庭补助、工伤及失业救济、养老金、残疾和寡居补贴等。此外,联邦政府还为该国全体居民提供健康保险。与多数西方发达国家比较,澳大利亚的卫生状况仍然相当令人满意。高水平的营养、环境卫生、疾病防治和医疗技术杜绝了各种传染病的发生和流行。该国的医生和医院病床与人口的比例一直很高,婴儿死亡率极低。教育主要由各州政府负责,国家直属区的教育由联邦政府管理。公立的中、小学实行免费教育(亦有很多教会学校和私立文法学校),6～15岁的少年儿童要接受义务教育。澳大利亚有许多大学,其中最著名的有墨尔本大学、新南威尔士大学、悉尼大学和昆士兰大学。

澳大利亚新闻出版不受政府的直接检查。然而,宪法并不保障新闻自由,联邦以及州政府均制订了一些管理澳大利亚新闻业的法规,有时可迫使报刊、杂志进行自我审查。

文化生活 在澳大利亚随处可见古代土著艺术的人物造型及花饰,土著说书人的口述艺术可追溯至白人到来之前的遥远的"梦想"时代。澳大利亚有一些国际著名的艺术家。S.诺兰、R.德赖斯代尔和A.博伊德因发展出一种新的澳大利亚绘画学派而闻名。主要作家包括T.基尼利、C.约翰逊及诺贝尔奖获得者P.怀特,分别著有《沃斯》(1957)、《活体解剖者》(1970)、《暴风眼》(1973)。70年代末至80年代初,澳大利亚跻身世界级艺术家行列的几位制片人是P.韦尔、B.贝雷斯福德、G.阿姆斯特朗、G.米勒和F.斯凯皮希。澳大利亚的音乐史中亦出现过世界著名人物,如N.梅尔巴、P.格兰杰和J.萨瑟兰等。举世闻名的悉尼歌剧院是一座引人注目的音乐艺术纪念碑,为悉尼市的标志。虽然澳大利亚人对体育运动,包括足球、马术、游泳、冲浪和网球极为热衷,但成为职业化和赌博性质的运动很少。这种对体育运动的热衷虽然十分普遍,但对长期形成的体育仅仅是为了健身的传统影响甚微。

历史 澳大利亚土著人在该地定居至少有4万年或6万年之久。他们从东南亚迁移至此,估计1788年欧洲人到达此地时土著人数为30万～100万人以上。有证据表明1432年中国人曾在达尔文登陆,望加锡海员在18世纪之前的某个时期即开始在阿纳姆地的近海捕鱼。欧洲人对澳大利亚的广泛认识则仅始于17世纪的探险。

荷兰人于1616年在澳大利亚登陆,在A.塔斯曼等人的率领下探险队在该地持续至1644年,将当时的这片土地称为"新荷兰"。英国人W.丹皮尔于1688年率队到达该地,但他们并未对澳大利亚进行大规模的勘测,直到1770年J.库克领导的一次历史性航行,英国政府据此宣布对澳大利亚拥有主权,并于1788年在杰克逊港建起一小块殖民地——"悉尼港湾",表明正式占有新南威尔士。从一开始这里便成为英国囚犯的遣送地。早在1803年,第二个殖民点塔斯马尼亚便有来自悉尼的定居者。1827年西澳大利亚亦有殖民者到来。到1859年,澳大利亚6个州的殖民中心均已形成。遣送囚犯一直持续至19世纪。1842年该地发现铜矿,1851年又发现有利可图的金矿并刺激了经济的发展。牧羊业的发展有助于澳大利亚羊毛织物业的建立，但却剥夺了土著人世代赖以生存的土地。出于对国防和各殖民地之间自由贸易的考虑，以及想对来自欧洲和亚洲的移民加以控制(1901年在澳大利亚出生的人口已占总人口的64.5%)，19世纪末期发起了一场联邦运动。1898～1899年举行全民公决，1901年1月1日澳大利亚联邦宣布正式成立。1908年堪培拉被定为首都。第一次世界大战期间，澳大利亚同英国并肩作战，特别是澳大利亚和新西兰军团参加了1915年的达达尼尔战役；4月25日该军团在加利波利半岛的登陆日于1920年被定为公休日。战后数年经济曾一度繁荣，30年代的经济大萧条又造成贸易的不景气。这一时期建立了土著人保留区。第二次世界大战使澳大利亚与美国的关系更加密切，与英国的关系则较疏远。1942年以后，英国皇家海军中止对澳大利亚的保护。1949年工党政府下台，自由党与乡村党继之组成联合政府。1972年工党再次执政。1975年试图强行举行新的选举，参议院表示反对并冻结了政府的预算计划，因而导致一场宪法危机。总督遂出面干涉，解散了工党政府，任命一位自由党人为首相。1983年工党东山再起，并在1984、1987和1990年举行的大选中保持多数票地位。自第二次世界大战以后，澳大利亚在亚太地区的事务中一直发挥着重要的作用。从60年代开始，土著居民的运动发展势头强劲，其间虽屡经挫折，但最终还是获得了一些部族土地的所有权。环境保护主义者亦开始施加更为强大的政治影响。

Australia, Church of England in 参阅 **Anglican Church of Australia** 澳大利亚圣公会。

Australia Day 澳大利亚国庆日 1788年1月26日A.菲利普押运罪犯在今悉尼湾登陆，升起英国国旗。1836年起每年在悉尼港举行澳大利亚国庆日帆船比赛。1838年为定居50周年第一次正式公开庆祝。1888年整个大陆举行100周年庆典。1938年为150周年，宣布该日为官方节日。1988年将1月26日定为全国的公共节日。20世纪40年代起，由于移民日增，国庆日成为举行入籍仪式之日。运动会包括赛马和赛船，一直是节日庆祝的重头戏，并且最后以燃放焰火结束。

Australian Aboriginal languages 澳大利亚土著语言 谱系上有关联的200多种语言组成的语群。使用者分布在整个澳洲大陆以及托雷斯海峡西部诸岛，但塔斯马尼亚岛除外。据认为它们几乎全都源于单一的澳大利亚原始母语。这些语言跟外界任何一种语言都没有谱系关系，其中大多数在20世纪末叶已经消亡或正在接近消亡。多数仍继续存活的语言每种只有几百人使用。使用者最多的是托雷斯海峡西部诸岛的马布扬语和西部沙漠语。澳大利亚诸语言的最新分类将其分为28个语系，其中27个分布于北部和西北部约占该大陆1/8的地带，而澳大利亚其余7/8的面积却只有一个语系，即帕马-纽恩干语系。这种非对称的分布可能是共同澳大利亚语(约5 000～6 000年前)自西北某处向大陆(北部和西北部除外)多数地区传播的结果。这种分类常常是暂时的。澳大利亚诸语言的特点是它们的语音系统极其相似，语法相当一致，但词汇上相似之处往往很少。尽管如此，在整个大陆许多语言中仍可找到一些共同词语。这说明存在着共同的澳大利亚语成分。澳大利亚诸语言的语法一般都相当复杂。主要靠词缀进行屈折变化。在澳洲北部和西北部使用前缀和后缀，其他大部地区都使用后缀。许多语言都有一个显著特点，即把后缀标志附在句中首词上或附在与动词并无联系的特殊助词上，以此表明动词的主语和宾语。另一个更普遍的特点是以动者格或施事格后缀附于名词或代词后，表示及物动词动作的施动者。有些语言，主要是北部诸语言有性和名词类的系统，并有表示每类名词(也常表示这些名词的数)的特殊形式的形容词、数词和指示词。澳大利亚诸语言的语音系统彼此极为相似，大多数语言有并列的塞辅音和鼻辅音系列，约有4～6个不同的发音部位。此外，大多数语言的塞音不分清浊，没有擦音，通常都有三元音(a, i, u)系统。

Australian Aborigine 澳大利亚土著民族 又称Aboriginal。澳大利亚和塔斯马尼亚岛上的澳大利亚地理人种之总称，其人数在18世纪末欧洲人殖民期间据认为有30万到100万以上。分属于约500个部落，各有其疆土，各有其语言或方言。由于同欧洲人的接触，澳大利亚土著民族的传统文化大部产生了深刻变化。

澳大利亚的考古资料证明，人类在该地居住的时间约有4万年之久，有些学者认为已有6万年。现称土著民族是在一个或几个时期进入该地的。他们或是从现在已沉入海底的莎湖陆架迁来，或是在陆路交通不便时，取道海上来坐木筏或独木舟到达的。

一种澳大利亚野犬在3 000～4 000年前已出现在澳大利亚。大约在同一时期，土著人开始使用一些小的石片工具。在过去的1 500～3 000年中，发生了一些其他的重要变化：人口增加了，开辟了新的栖息地，采用了开发资源的更有效的方法，在广大地区交换物品的活动增加了。

尚不清楚的是进入澳大利亚的大批移民是一次，还是许多次。西南部发现的头骨提示：曾有过两种不同的人种分别来自中国南方和印度尼西亚；但这种说法有争议，理由甚多。

这些土著民族不懂种植，而澳大利亚又无适于他们放牧的牲畜，因此他们只得以采集食物和狩猎为生；同时，他们的活动也要受到淡水水源远近的限制。随着人口的增长，有些部落的支系他迁，另觅水源：当地神话中所说的古代英雄觅水之"路"以及"交易"之途可以说明这些迁徙活动的方向。

一个土著部落或一个由语种命名的集团由几个地方性宗族组成，在觅食条件许可的条件下，多可常年聚集一起。每个宗族各有其疆土，宗族成员依男性继承，以水源为中心而居住。水源则为宗族远祖最初定居之所，而且人们相信，水源还是宗族中早期成员的灵魂停留之地，灵魂在那里等待转世或再转世。宗族分支所建第二层聚落的奠基人及其子孙，永远是头一层聚落及其子孙的亲族，不管彼此间在地点、时间及风习上相差有多么遥远。划定人与人亲属关系的一套方法确定彼此之间相互行为的模式，其根据有四方面：①如有旁系亲属关系，则以公认的此种关系为准；②依据明显的辈分；③依据个人在宗族内的地位；④依靠礼仪宗教方面的联系。

在澳大利亚的大部地区，土著民族之间的亲属关系都分为二、四或八个宗族；在一般情况下都实行族外婚。

土著民族因所处地区不同而将一年分为5或8个季节。他们面对干旱和饥荒重复出现的年景，也只是把自然物种和降雨视作社会道德秩序之一部分，从而对自然顶礼膜拜以求保护。

一个传统"部落"中所属的各个宗族不仅包括男人和妇女，也包括几个物种，因之人与物都是亲属关系。宗族即以一个物种命名，物种即成为全族之图腾。此外，男人被划入若干住所之中，掌管神话传说、祭祀仪式、祭祀地点以及与某些自然物种和前辈英雄人物有关的各种标志。通过宗教仪式的活动场面，可以收到"古往今来，生生不已"的效果，物种和人的生命，均可得到保持。神话和宗教仪式组成梦想或黄金时代(Dreamtime)之全部内容，表明生命常存，不受时、空之限制。只有年老人才掌握梦想的全部知识，因而他们是举行宗教仪式的权威，也是社会行为规范的宗师。

神话与宗教仪式可用艺术、诗歌、音乐及舞蹈等形式表现出来。神话多以吟唱赞颂的方式出之，语词富有诗意，结构具有节奏感，而所用语言和音乐又颇为复杂难辨。圣物乃至诸如回飞镖之类的武器，均涂以彩饰，雕以花纹，以表示神话之内容。举行仪式时，歌者、舞者要着彩纹身，而神话图案则彩绘或雕刻于石上、树上和地上，同时彩绘及雕刻本身也是宗教仪式。有时彩绘仅为赏心悦目而施，歌舞则在社交夜宴及秘密场地举行。各个地区都拥有自己的艺术和音乐学校，而圣物或武器的形式和装饰也因地区而异。有些主要宗教的祭祀仪式和崇拜内容也有地区差别。

澳大利亚土著民族与欧洲人的接触——从19世纪的血腥的"武力安抚"到今日都市的同化——彻底改变了其原始的土著文化。为防止人们所认为的土著民族解体的可能性，澳大利亚政府于20世纪20年代末和30年代初为土著民族设置了若干保留地。可是没有任何土著人有生以来从未与澳大利亚现代社会接触过，现在他们都是澳大利亚公民。第二次世界大战以后，澳大利亚南部曾出现更多的有明显特征的、有部分土著民族血统的人们集团。这些人坚持整合、反对同化，也就是要保持土著民族的同一性，以此作为一种独特的身份标志而与其他澳大利亚人区别开来。在北部，焦点曾集中在土地的所有权及支配权这些问题上，包括在土著民族保留地的矿山开采项目中的土地价格之补偿(不仅仅是使用费)以及物产收益之分享等。

根据1986年6月人口调查的结果，澳大

利亚土著民族已不足228 000人,是现代澳大利亚全人口的2%弱。土著民族人数锐减之原因不外流离失所、贫困、文化传统中断和疾病这四者。土著人的失业率是澳大利亚全国平均失业率的6倍多,而土著人的平均工资却是全国平均工资的一半。

Australian Alps　澳大利亚阿尔卑斯山　在澳大利亚东南角,为大分水岭(东部高原)之一部。跨维多利亚和新南威尔士两州。澳大利亚阿尔卑斯山一名在当地更多用于指州界上构成墨累河水系(向西流)和斯诺伊河等东南流河流之间分水岭的山脉。该山脉在澳洲大陆为最高,最高点科西阿斯科山高2 228米。由于当地强烈的陆地垂直运动,山中河流冲蚀出"谷中谷"地形。谷地、盆地和低高地用于放牧。高地有分散的小规模矿井。近年山区旅游业和冬季体育运动得到发展。

Australian Antarctic Territory　澳大利亚南极洲领地　位于南极洲的澳大利亚海外领地。参阅 **Australian External Territories**。

Australian ballot　秘密投票　又作 secret ballot。一种投票制度,即投票人在政府统一印发的选票上秘密地作出选择,或以其他秘密方式表明其选择。维多利亚州和南澳大利亚州是最先实行秘密投票的两个州(1856),因而秘密投票被称为澳大利亚式投票。这个制度后推广到欧洲和美洲,以适应公众和国会日益高涨的对投票人加以保护的要求。保守秘密的方式各有不同。秘密投票通常以规定的方式进行。要求票箱具有一定的尺寸,并且是封闭的,唯一的隙缝是票箱顶部的一个小的狭长切口。在开始投票前须检查票箱,待计算票数时方得开启。投票人常常站在一种特设的投票间里在选票上作出记号,投票人在投票权被核实后,将选票投入票箱。在英国,《1872年投票法》终于使秘密投票在所有的议会和市政选举中得以推广。在美国,1884年总统选举后,广泛采用了秘密投票制。

Australian Capital Territory　澳大利亚首都直辖区　原称亚斯-堪培拉。澳大利亚联邦的单独政区。由首都堪培拉及其周围地区组成。位于新南威尔士州境内南台地地区。大部为波状平原,高580米,称堪培拉盆地。四面为澳大利亚阿尔卑斯山(高约1 800多米)所环抱。马兰比吉河从东南向西北流贯本区。产蔬菜、乳品、小麦、羊毛和肉牛。但农业在本区经济中所占比重很小。城市人口占98%以上。设有皇家军事学院和澳大利亚皇家海军学院。人口约308 400(1998)。

Australian Christmas tree(species *Nuytsia floribunda*)　**澳大利亚圣诞树**　桑寄生科寄生乔木,原产澳大利亚西部,高达10米以上。以吸器连接其他小植物(如禾草类)的根,吸取水和养料。花多,橙黄色,在圣诞节期间开放。干果,有3枚革质宽翅。新苗可

澳大利亚圣诞树(*Nuytsia floribunda*)
美国不列颠百科全书公司供图

从远离母株的根上发出。吸器在地下能在电缆周围形成环状,从而破坏电缆。

Australian Colonies Government Act　《澳大利亚殖民政府法案》(1850-08)　正式名称为《改善女王陛下澳大利亚殖民地政府法案》。英国下院关于将澳大利亚东南部菲利普港地区从新南威尔士划分出来,另外成立维多利亚殖民区的法令。菲利普港移民认为他们在新南威尔士立法议会(1842年起自治)中没有足够代表权,并对他们的收入流入新南威尔士地区表示不满,为此通过此法令。1851年7月生效。其中规定:立法议会有20名议员经选举产生,10名由总督任命,立法议会在殖民区(除皇家土地外)拥有一切司法权,并可通过与英国法律不相抵触的法规。该法令还承认澳大利亚其他地区实行自治的要求。类似规定适用于塔斯马尼亚和南澳大利亚。

Australian Council of Trade Unions(ACTU)　**澳大利亚工会理事会**　简称澳工会。澳大利亚工会运动中居统治地位的联盟和执行机构。1927年5月成立。澳大利亚工人联合会于1967年加入澳工会后,会员显著增长。后又合并两大白领工会联合会;1979年接纳澳大利亚职员协会理事会,1981年接纳澳大利亚政府雇员组织理事会。这使澳工会拥有约250万会员,即澳大利亚3/4以上的工会会员。澳工会在澳大利亚政治中一直扮演着一个主要角色。在与企业和联邦政府进行统一工资谈判时澳工会是公认的有组织工人的代表。澳工会一直和澳大利亚工党有密切的联系,虽然并没有实际加入工党。霍克是1970～1980年澳工会主席,1983～1991年出任澳大利亚总理。两年一次的大会是其决策机构,由各州的工会分会(称作手工业及劳工公会)及各附属工会的代表约800人组成。澳工会的执行机构由17人组成,所通过的决定必须经大多数州工会分会的批准方能生效。1993年澳大利亚的劳资关系改革法确立,简化了带资双方就工资等问题谈判的过程,导致澳工会的会员减少。

Australian Democrats　澳大利亚民主党　澳大利亚中间派政党,成立于1977年,为不满澳大利亚两大主要政党(右翼的自由党和左翼的工党)的人士所支持。自由职业者和小企业家对该党的支持最为强烈,他们担心通货膨胀、劳动力成本上涨、环境恶化和澳大利亚向左右两极分化。该党最有争议的立场是反对铀的出口。其创始人D.L.奇普原是自由党部长,1975年自由党和国家党政府拒绝任命他在政府中担任职务后,他脱离该党。1977年澳大利亚民主党赢得9%的选票,在参议院中获得两个席位。1980年有5人当选参议员。从1980年到21世纪初,他们常能拥有足够的席位,在参议院中保持势力均衡。

Australian Encyclopaedia, The　《澳大利亚百科全书》　悉尼出版的全国性百科全书。着重介绍澳大利亚特征,特别是地理、博物学和土著民族。该书最初是安格斯和罗伯逊出版的两卷本(1925),1958年出第二版时扩大到10卷。1962年澳大利亚格罗利埃协会购得该书版权。此后至1972年,稍作修改,再版5次。接着出了第三版(6卷,1977)、第四版(12卷,1983)。第五版(9卷,1988)系由澳大利亚地理出版公司为澳大利亚地理学会出版的。这套百科全书阐述澳大利亚生活的各个方面,包括了近几十年间对这个国家及其人民的研究成果。书中有1 800多条澳大利亚名人的传记,其中明显地反映了澳大利亚妇女日益增长的作用;此外,还广泛论述澳大利亚的地理特征和矿产资源。

Australian External Territories　澳大利亚海外领地　澳大利亚的非自治属地群。除要求拥有主权的南极洲领地外,澳大利亚联邦的海外领地均为海岛。包括昆士兰的大堡礁与东经157°10′之间的无数个小暗礁、岩礁和环礁,以及几个远在太平洋和印度洋的形形色色的岛屿。这些大洋中较远的岛屿是淹没在水中的山脉的顶部,许多由火山爆发形成。那些位于热带地区的往往支撑着珊瑚裙礁或环礁,那里的海平面对作为礁基的岩石来说有足够的高度。英国最初兼并澳大利亚时,其各海外领地尚无居民。澳大利亚海外领地包括澳大利亚南极洲领地(**Australian Antarctic Territory**),由南纬60°以南、东经45°至160°之间的所有岛屿和大陆构成,但阿黛利土地除外(澳大利亚南极洲领地尚未得到大多数国家承认);圣诞岛(**Christmas Island**),一度出产高品位磷酸盐;科科斯群岛(**Cocos Islands**),由两个环礁组成,共27个岛屿;诺福克岛(**Norfolk Island**),以本地的松树(南洋杉属)而著名;赫德与麦克唐纳群岛(**Heard and McDonald Islands**),1947年由英国转给澳大利亚;珊瑚海群岛(**Coral Sea Islands**),分布在超过1 000 000平方千米的海域。只有圣诞岛、诺福克岛和科科斯群岛有永久性居民。现已独立的瑙鲁和巴布亚新几内亚也曾是澳大利亚海外领地的一部分。联邦内政部负责诺福克岛、科科斯群岛、圣诞岛、珊瑚海群岛和阿什莫尔-卡捷群岛的行政管理,防卫和民航则由其他相应的部负责。主要产业部负责海外领地捕鱼权的管理。这种独占的权力扩展到周围约370千米的海域,使这些领地的经济利益颇有增长。对有居民的领地,由澳大利亚总督任命一位行政官或正式代表指导当地政府的工作。联邦科学与环境部负责管理澳大利亚在南极的利益,并在《南极条约》(1959)、《澳大利亚南极条约承诺法》(1933)以及同赫德与麦克唐纳群岛有关法律的限定内制定法令。科学与环

境部通过其在南极的机构,监督澳大利亚南极科学站的年度后勤供应工作(国家发展部等为其提供某些科学技术人员),并负责这些站的一般运作和管理。

Australian Labor Party(ALP) **澳大利亚工党** 澳大利亚的主要政党之一。19世纪90年代劳工界第一次有了自己的有影响的政治代表。1891年,得到悉尼商业和劳工理事会赞同的候选人在新南威尔士州议会141个席位中获得86席。1901年,随着第一次联邦选举的举行,工党进入全国政坛,当时工党候选人加入松散的联合组织,获得16个众议院议席和8个参议院议席,使工党在议会中与其他政党的势力达到均衡。1918年,各州的党组织最后同意澳大利亚工党这一名称。早期的工党实行温和的社会主义政策,号召进行改革,包括取消关于选举权的财产资格、取消对工会活动的法律制约、确立工伤事故和疾病的雇主责任,以及实行强制劳资仲裁。他们纪律严明,组织良好,成为政党组织的榜样,在某种程度上,迫使其他政治团体效法。1910年第一届工党多数派联邦政府成立。到1915年年中,除维多利亚州外,工党在其他所有各州执政。但是,在第一次世界大战期间,工党在征兵问题上分裂,直到1929年,工党一直在野。许多赞成征兵的工党党员以战时国民党党员的身份继续执政了几年。国民党是由赞成征兵的工党党员和自由党人联合组成的。尽管工党在1929年的选举中取得压倒的胜利,但在对付大萧条的经济政策问题上产生分裂,因而在1931年12月大选以后的10年内均未能执政。1944～1949年,工党使有关福利的重要立法得到通过。从1949年选举失败到1972年选举G.惠特拉姆担任总理之前,工党一直没有执政。工党在惠特拉姆领导下开始大规模改革运动,涉及澳大利亚经济制度、外交政策和社会结构。但是,1975年12月,工党却落选下台。两年后在选举中再次失利,惠特拉姆辞去议会党团领袖职务,由不热心改革的领导取代。1983年,在R.J.L.霍克的领导下,工党重又执政。工党政府在1984、1987和1990年的选举中都胜出,1991年霍克在党魁选举中输给P.基廷,于是被迫辞职,而工党仍保持执政地位。1993年基廷领导工党取得了连续第5次大选胜利,但是到1996年,由J.霍华德领导的澳大利亚自由党在选举中获胜,结束了工党长达13年的执政党地位。澳大利亚工党是一个中间偏左的政党,它承诺要保护并提高工人及社会弱势人群的权利。然而,它与某些社会民主党派不同,该党历来以务实的作风取信于澳大利亚各个阶层的民众。它认为在保障公共福利方面政府必须发挥重要作用,它坚决支持性别和种族平等,以及土著居民的权利。该党还主张更加独立的外交政策,支持澳大利亚成为一个共和国的想法。

Australian literature **澳大利亚文学** 澳大利亚的口头和书写文学的总称。现知的澳洲大陆的最早居民——澳大利亚土著——没有书写文学,他们的"口头文学"过去和现在都只是一些歌谣、唱词和口传的故事。这一口头流传下来的文学主要是些关于"梦时"创造世界的神话。所谓"梦时"是指过去和现在自然环境被创造出来以及为神话人物即"先人"所人化的光景。孩童时期即在各种正式和非正式场合听人一再复述这些故事,越接近成人,听到的故事越复杂,及至成人,则意味着一个人不但已获得神话文化的知识,且已通过唱本地区的歌,从而能回溯"先人们"在这片土地上流徙的足迹,得知何处能获得食物与水以及何处有危险,何处安全,这实质上就是本地区的谣曲内容。这类口述的故事和吟唱的歌谣传遍了澳洲大陆。

在澳大利亚殖民时期的最初100年(1788～1880)中,书写文学有回忆录、记叙文和小说,旨在使英国本土了解这片新疆土以及它所提出的挑战。H.萨弗里的《昆塔斯·塞文顿》(1831)为澳大利亚出版的第一本小说,写一个囚犯如何徙入澳洲的经过,是根据萨弗里本人的经历写成的。M.克拉克的《终身监禁》(1874)则猛烈谴责囚犯屯垦地的恶劣状况。R.博尔德雷伍德(托玛斯·布朗的笔名)写的《武装抢劫》(1888)则将盘踞丛林的盗匪和金矿矿工的生活加以浪漫化,他的通俗小说由此可见一斑。H.金斯利在《哈姆林回忆录》(1859)以及其他小说中描写了澳大利亚拓荒人的艰苦生活。

1880～1940年,趋于成熟的澳大利亚民族主义产生了更为鲜明的本土小说。这一时期最值得注意的小说家为H.H.理查森。她创作了出色的三部曲:《理查德·马奥尼的命运》(1917～1929),极为真实地描写了澳大利亚城镇中移民的惨淡生活。这一时期文学所关注的还有土著居民的想当然的消失和民族性格的确定。富兰克林在他的《我的辉煌历程》(1901)中颂扬澳大利亚的拓荒历史,表达了日益成熟的澳大利亚人的民族自豪感和对乡间生活的尊崇。

澳大利亚最早的诗人如A.L.戈登和H.坎德尔都模仿英国浪漫派诗歌传统沿袭下来的风格。戈登的《丛林歌谣与奔放的旋律》(1870)中出现了一种鲜明的澳大利亚风格。19世纪90年代,A.B.帕特森的通俗的谣曲体诗歌和H.劳森写工人阶级的短篇小说往往发表在当时著名的期刊《公报》上。

第二次世界大战后,文坛更见活跃。P.怀特成了迄今为止澳大利亚产生的最重要、最有影响的作家。他的作品如《人类之树》(1955)、《沃斯》(1957)和《乘车的人》(1961)受到广泛好评。1973年,怀特获诺贝尔文学奖。C.斯特德是旅澳作家,其小说以澳大利亚和欧洲为背景,故事围绕着经济困难条件下国内不稳定形势而展开。其他较为著名的作家有M.博伊德、R.斯托和T.金纳利。20世纪70和80年代较为有名的小说家则有T.阿斯特利、E.乔莱、S.哈扎德、C.J.科赫和D.马劳夫。

战后活跃的澳大利亚文坛上,诗歌与戏剧也很繁荣。J.赖特将澳大利亚传统意象与现代主义诗歌技巧结合起来,与A.D.霍普和D.斯图尔特同被誉为20世纪杰出诗人。戏剧在澳大利亚各文学体裁中民族特色出现得最晚。20世纪50年代后,怀特、R.劳勒、斯图尔特和A.西摩创作出了一些写澳大利亚社会冲突以及澳大利亚社会特有的寻求民族本性的悲剧。土著人中产生的作家有O.努纳克尔(凯斯·沃克)、M.纳罗琴(考林·约翰逊)和J.戴维斯,他们在当代澳大利亚文学史上亦占有一定地位。

Australian National University **澳大利亚国立大学** 设在澳大利亚堪培拉的一所国立大学,建于1946年。该校原来仅限于招收研究生。1960年堪培拉大学学院(1929)成为该大学的一部分时,第一次招收本科生。该校附设负责授予博士学位的高等学科研究所与医学、物理学和生物学、社会科学及太平洋问题等研究院。

Australian Open **澳大利亚网球公开赛** 世界重大网球锦标赛之一("大满贯"四项赛事之一),每年在澳大利亚墨尔本的墨尔本公园的全国网球中心举行。其前身为澳大利亚网球锦标赛(Australian Championships)。锦标赛系由澳大拉西亚(后称澳大利亚)草地网球协会发起。1905年举办了第一届男子比赛,1922年首次举办了女子比赛。原来在墨尔本、悉尼、布里斯班和阿德莱德等地之间轮流举办比赛,到1988年才把弗林德斯公园(1996年更名为墨尔本公园)定为永久性赛址。虽然澳大利亚选手经常在国际赛场上占优势,但是有很多年澳大利亚锦标赛不太兴旺,因为外国选手对于要长途跋涉去澳大利亚,并且要适应那里的水土有所顾虑。后来有了喷气式飞机旅行,这种情况便有所改善。于是,澳大利亚锦标赛在1969年成为公开赛。现在每年的比赛于元月举行。

Australian Patriotic Association(APA) **澳大利亚爱国协会**(1835～1842) 新南威尔士一批有影响的澳大利亚人的组织,它要求英国下院准许新南威尔士殖民区成立代议制政府。其活动有力地促成通过1842年《宪法法案》,并将悉尼作为享有广泛选举权的都市区并入新南威尔士。该组织致力于保卫不富裕的人和刑满释放的前罪犯(争取公民权者)的权利。领导人有母亲是罪犯的《澳大利亚人报》发行人W.C.温沃思、农学会创始人约翰·贾米森爵士和曾为罪犯的著名人士W.布兰德医师。1842年达到目的后解散。

Australian pitcher plant **澳大利亚瓶子草** 参阅 **fly-catcher plant** 土瓶草。

Australian region **澳大利亚区** 根据动物区系特征划分的世界六个大陆区之一。与南界相当,包括澳大利亚及其外围的塔斯马尼亚诸岛、新几内亚、新喀里多尼亚、新西兰、美拉尼西亚、密克罗尼西亚和波利尼西亚。澳大利亚区的动物包括极乐鸟、鸭嘴兽、针鼹等;该区也是有袋目哺乳类的集中地。与澳大利亚区动物地理区大致相当的植被区称为澳大利亚界。该植物区系中的著名代表有桉树、桃金娘、金合欢和木麻黄。

Australian rules football **澳大利亚规则足球** 澳大利亚式足球运动。约于1858年由

H.C.A.哈里森(1836～1929)在维多利亚州墨尔本首创,为英式足球、橄榄球和盖利克足球的混合体。比赛用球椭圆形,周长分别为57和74厘米;场地亦为椭圆形,最宽处约110～155米,长135～185米。每队18人,其中3人可在场上自由活动,其他人各守一区防御对方一名球员。以踢球或用拳击球为主,球员抱球跑不得超过9.1米。掷球为违例,无越位规定。场地两端各设4根6.09米高的球门柱,排成直线,柱间距6.4米。可抛球凌空踢球射门,亦可定位射门或反弹球射门。球未触及守方球员而由两根内柱之间通过为射中,得6分;球由内柱和外柱之间通过或接触守方球员后由两根内柱之间通过得1分。整场比赛100分钟,分四节进行,每节25分钟。

Australian terrier 澳大利亚㹴狗 育成较晚的㹴狗品种之一。1885年初次在澳大利亚展出,由已绝灭的黑色与黄棕色相间的老英格兰㹴狗培育而来,并包括其他一些㹴狗(可能有丹迪·丁蒙㹴狗、斯凯㹴狗、苏格兰㹴狗、

澳大利亚㹴狗
美国不列颠百科全书公司供图

凯恩㹴狗及约克郡㹴狗等)遗传特性。体高约25厘米,体重约5～7千克。体较长,被毛粗糙,顶毛松软。毛色铁青或银黑,头和腿部带棕黄色。也有沙色或红棕色的。

Australopithecus 南方古猿 化石人科的一个属,发现于非洲南部和东部,年代上自早上新世(始于约530万年前),下迄更新世的开端(约160万年前)。多数古人类学家认为

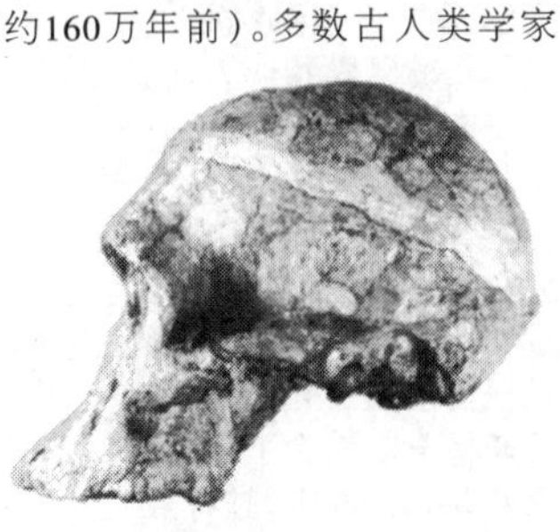

南方古猿头骨(侧面)
美国不列颠百科全书公司供图

这个属是现代人类的祖先。南方古猿直立行走,脑量与现代猿类相差不大,但牙齿与人类相似。

20世纪80年代根据化石资料推测,南方古猿与猿类的分化约在800万年前。约1990年,对现代人类和黑猩猩细胞中提取的脱氧核糖核酸所作的分子比较研究表明,人科与猿类之间的分化约发生在600万年前至450万年前。但过去没有比375万年前更早的人科遗骸化石记录,直到1994年才宣布发现了一个人科新种,叫做南猿始祖种,是1992～1993年在埃塞俄比亚中北部阿拉米斯发现的。这些遗骸的年代约为440万年前,它代表一种直立的、至少部分地两腿行走的动物(与黑猩猩以膝关节行走不同)。其牙齿的特征比较接近黑猩猩,而与其后继种阿法南猿相距较远。

阿法南猿是根据坦桑尼亚莱托利遗址和埃塞俄比亚哈达尔遗址发现的化石遗存,D.约翰松和T.怀特于1978年提出的。这个种已能完全直立行走;身高约100～150厘米,重约20～50千克;头骨与猿类较为相似,颅腔约400～500立方厘米,仅稍大于黑猩猩;颌骨向前突出;犬齿和门齿颇大。其年代约375万年前。

非洲南猿起初是1924年R.达特在南非的塔翁发现的。塔翁化石据鉴定是一个未成年人或青少年的遗骸。其后30年间,南非其他许多遗址都出土了这种身材轻巧的人科遗骸,因而最终名之为非洲南猿。这些化石包括R.布鲁姆在斯泰克方丹和克罗姆德莱发现的遗骸(1936、1938)、达特在马卡潘斯盖发现的一个矮小纤细型南猿(1948);在坦桑尼亚、肯尼亚和埃塞俄比亚,也新发现有与此关系密切的种。非洲南猿可能是阿法南猿的后代,约300万年前至200万年前住在南非。其颅腔较小(430～450立方厘米)。身高约150厘米,体重35～60千克。其面骨、颅腔和牙齿与阿法南猿相比,都明显地与猿类相距较远,而具有较多的人类特征。

人类学家将身材矮小轻巧,即所谓"纤细的"南方古猿与较笨重较"粗壮的"形态区分开来,前者包括阿法南猿和非洲南猿,后者包括粗壮南猿和鲍氏南猿;后者系从前者进化而来。

粗壮南猿首先是1938年和10年以后布鲁姆在南非克罗姆德莱和斯瓦特克朗发现的人科标本。布鲁姆起初称之为傍人,后来发现更多化石,据此布鲁姆将傍人标本改订为南方古猿的一个种,即粗壮南猿。他估计其体重约68千克。其年代比非洲南猿大约晚100万年。最初出现于非洲南猿中的齿型和择食特点在粗壮南猿中更为突出。其臼齿和前臼齿变得颇大,形成一组平整的咀嚼器官,而犬齿和门齿则仅为平常大小。这个特征表明粗壮南猿适应于吃食体积大而营养低的粗糙植物。而阿法南猿的较为锐利的牙齿则表明其杂食的性质,包括食肉。

鲍氏南猿原先称为鲍氏东非人,其标本是1959年M.利基和L.利基在坦桑尼亚奥杜威发现的一块化石。在东非的其他地方,还发现很多遗骸。年代被推断为175万年前。鲍氏南猿与能人属同一时期,后者是人属的头一个种、现代人类的直接祖先,其遗骸已在非洲撒哈拉以南150万年前至250万年前的不同遗址中发现。

一般认为粗壮型南猿的两个种是从纤细种进化而来的,后来终于灭绝,没有进化的后代。现在还不知道到底是纤细型南猿的哪个种发展成为人属,虽然现有证据表明这应是两个种中较早的阿法南猿。参阅**Homo erectus**;**Homo habilis**。

Austrasia 奥斯特拉西亚 欧洲中世纪初期(6～8世纪)的东法兰克王国。领域相当于今法国的东北部和德国西部与中部。561～613年由西吉贝尔特一世及其后裔统治。7世纪初一度与其他法兰克王国合并。634年起,奥斯特拉西亚在梅斯建都。687年奥斯特拉西亚宫相丕平二世在特尔特里击败纽斯特里亚人(西法兰克王国),从此确立对其他法兰克王国的支配地位。751年矮子丕平三世废黜墨洛温朝的末代国王,取而代之。

Austria 奥地利 德语作Österreich。全称奥地利共和国。欧洲中南部的内陆国家,境内多山,南北长300千米,东西宽约560千米。东邻匈牙利,西与瑞士和列支敦士登交界,北与捷克共和国接壤,东北与斯洛伐克相连,西北毗德国,东南与斯洛文尼亚交界,西南与意大利为邻。首都维也纳。面积83 871平方千米。人口约8 168 000(2005)。

土地 奥地利可分为3个地理区域。阿尔卑斯山区约占该国领土的2/3,使奥地利成为欧洲最多山的国家之一。有几座山的高度均在海拔3 000米以上,其中大格洛克纳山高达3 798米,为奥地利最高峰。波希米亚森林是一高地区,约占陆地总面积的1/10,为向北伸入捷克共和国境内的广大高地区的一部分,海拔一般不超过1 200米。奥地利低地区,包括维也纳盆地在内,几乎全在该国东部1/4地区之内,虽大多为海拔150～400米之间的丘陵地带,却是该国主要农业区。

多瑙河及其支流几乎贯穿该国全境。众多的溪流和陡峭的地形为奥地利提供了巨大的水电发展潜力。

奥地利东北部属湿润的大陆性气候,冬季寒冷,夏季湿热;南部和西部山地则属阿尔卑斯山脉气候。西部湿度较大地区年降雨量约为1 000毫米,东部农业区降雨较少。低地区及东部丘陵地带平均气温在-1 °C(1月)和20 °C(7月)之间。3 000米以上高山终年积雪。奥地利东部可耕地土质异常肥沃,有很厚的黑钙土。

奥地利牧场(占陆地总面积1/4)和林地(占总面积2/5)的分布主要取决于高度。此外温暖干燥的南风亦影响山谷植被与土地的利用:南面山坡大多有人定居开垦,种植作物和辟作牧场,而北面山坡则仍为林地。

奥地利是中欧森林密度最高的国家。林木以云杉为主,间有一些落叶松、山毛榉和橡树。野生动物包括平原和低丘地带的獐,较高地区的红鹿。一度很多的野生羊与小羚羊几乎被捕杀殆尽,但现在受到保护,数量开始有所增加。

奥地利为世界上镁的原料碳酸镁的主要生产国。石油、天然气和褐煤蕴藏量不多。铁矿生产不敷国内钢铁工业之需。其他多种工业所需的矿产原料均赖进口或尽可能回收。

人民 人口中有98%的人讲德语;一般来说,奥地利人讲的德语较德国人讲的德语更加轻柔、悦耳。约84%的人信奉天主教,

约6%的人信奉新教。奥地利的人口年增长率为零，人口老化为该国一大特征。有不到1/5的人口年龄在15岁以下，有略多于1/5的人口在60岁以上。

第二次世界大战后的数十年间，奥地利人口明显地由东向西迁移。在二战后的动荡岁月中向外移居造成国家人口减少，但是大批东欧流亡者，其中包括1956年逃离匈牙利的难民的涌入，则有助于弥补奥地利人口的短缺。城市人口不断增加，现已达到人口总数的2/3。

经济 奥地利经济以制造业和商业为基础，发达的自由市场经济与公营经济兼而有之。国民生产总值的增长率属中等水平，而人均国民生产总值则与其他西欧国家相近。国内生产总值主要来自制造业，其次为金融、商业和行政管理及国防。

农业在国内生产总值中仅约占3%。耕地主要用于种植谷物，特别是小麦和大麦，但也有甜菜、玉米、马铃薯、裸麦和燕麦。牲畜以猪、牛为主，包括相当数量的奶牛。奥地利有多种农业，可满足90%以上的国内需要，乳制品可供出口。葡萄种植为酿酒业提供了原料，产品亦出口国外。奥地利东部为开放牧场，西部为高山牧场。

除天然气、石油、锌、铅、铁、褐煤与镁外，奥地利还开采粗矿石和砾石、石英砂、石墨、石膏和无水石膏、黏土（伊利石和高岭土）以及钨。该国有70%以上的电力来自水力发电，其余来自热电厂。

制造业是该国经济的主体，涉及范围广泛，在国内生产总值中约占26%。主要产品包括机器（包括电器）、金属制品（包括钢）、化学品、饮料和烟草、运输设备及食品。

建筑业占国内生产总值的7%左右，承担住房、公路建设及工业厂房等工程项目。

旅游业是经济中的一个重要部门，具有减低外贸赤字影响的作用。奥地利西部建有完善的滑雪设施，而维也纳的文化特色对观光客更具吸引力。

奥地利的工业大约有1/4属国营，其中包括采矿、能源生产和大部分重型制造业。自1970年以来，这些部门均由奥地利工业公司控制。国有企业的产出在工业总产量中的比例为1/4。

美国不列颠百科全书公司供图

奥地利的预算收入主要来自间接所得税、直接所得税及公司税。支出项目主要为社会保障（占总额的2/5），其次为卫生、教育及公共设施和国债利息。奥地利是欧洲自由贸易联盟成员国，并于1995年成为欧盟正式成员国。

奥地利运输网络颇为发达。铁路大多为国家所有。公路全部铺有路面。该国拥有多瑙河畔两个重要港口：维也纳和林茨，并建有6个国际机场。

出口货物主要有机器及运输设备、化工产品、钢铁、纸张和纸制品，主要销往德国，其次为意大利和瑞士。进口多于出口，主要有机器、运输设备、化学品及相关产品、服装、食品和原油，大多来自德国。

政体与社会状况 奥地利是一个民主联邦共和国，由国家一级的两院制联邦议会治理。下院为国民议会，有183个议席，代表按比例由普选产生。上院为联邦议会，有63个议席，由联邦9个州的议会选出。联邦议会的权力限于审查或在某些情况下，推迟国民议会通过的立法。奥地利总统为该国元首，由普选产生，任期6年，其职能主要是礼节性的。总统从国民议会中最具代表性的政党中任命总理（部长会议首脑）。奥地利社会党（社会民主党）是该国主要政治组织；奥地利人民党（基督教民主党）是主要反对党。1920年通过、1929年修改的宪法，将司法权分别划归3个最高法庭。

社会福利制度对养老、工伤、疾病、残废、生育及死亡均按收入规定相应的福利待遇。专门的福利计划还提供家庭津贴、失业保险及对战争受害者的抚恤。奥地利大部分地区的医疗条件良好，除阿尔卑斯山区外，医生人数很多。男性平均预期寿命73岁，女性79岁，与多数其他发达国家相同。最普遍的死亡原因是心脏病、循环系统疾病和癌症。

奥地利对6～15岁的未成年人实行免费义务教育，最初4年在公立学校接受小学教育。毕业后，根据将来是接受职业训练或大学教育而在两种不同的中学之间作出选择。奥地利最古老的大学是维也纳大学，建于1365年。

奥地利的新闻媒介不受政府的新闻检查或其他限制。维也纳的几份日报，如《新皇冠报》和《信使报》以及在格拉茨出版的《小报》，在全国报纸销量中占绝对多数。广播和电视由国营的奥地利广播公司负责。专门的广播法规禁止对广播电视节目进行政治干预。

文化生活 当代奥地利的文化环境有着丰富的遗产；其建筑及诗歌作品可追溯至中世纪，医药和科学则源自18和19世纪。维也纳的美术馆同样因藏有许多古代大师的作品而在欧洲负有盛名。奥地利在文化方面为世人所公认的最大贡献莫过于音乐领域，这一传统至今尚在延续。奥地利伟大的作曲家包括海顿、莫扎特、舒伯特和施特劳斯家族。勋伯格、贝尔格和韦伯恩则是现代音乐奠基人中的几位。虽然奥地利文学一般被认为是德国文学的余脉，但仍出现了不少具有奥地利特色的作家，如19世纪后古典时期的格里尔帕策、内斯特罗伊和雷蒙德以及20世纪初的霍夫曼斯塔尔和施尼茨勒。在20世纪稍后时期享有国际声誉的作家包括茨韦格、穆西尔和汉德克等。奥地利最杰出的现代绘画创作者有K.考考斯卡和A.库宾。第二次世界大战后全部重建的维也纳国家歌剧院可与米兰的拉斯卡拉歌剧院以及汉堡和慕尼黑的歌剧院相媲美。维也纳爱乐乐团经常在世界各地的音乐都会演出。

历史 今奥地利境内的居民点可追溯至旧石器时代初期。哈尔施塔特附近就有铁器时代早期的遗址，该地名已成为距今大约3 000年前中欧和西欧铁器时代文化的统称。当时居民可能大多为伊利里亚人。约公元前400年，凯尔特人入侵奥地利，建立起诺里库姆王国。公元前200年之后，罗马人受奥地利铁矿蕴藏的吸引来到这里，并于公元前15年占领整个地区，建立起腊埃提亚、诺里库姆和潘诺尼亚3个行省。此后当地逐渐繁荣，居民亦渐渐罗马化。公元167～180年，多瑙河北面的日耳曼人不断来犯，但均被罗马皇帝马可·奥勒利乌斯击退。公元5世纪时罗马灭亡，许多日耳曼部族侵入该地区，6世纪巴伐利亚人和斯拉夫阿瓦尔人在此定居时，当地民族构成已经确立。巴伐利亚人和斯拉夫人并不一定互为敌手，但法兰克人却认为阿尔瓦人对其构成危险。查理曼首先将有独立思想的巴伐利亚人征服，继而又消灭了阿瓦尔人，此后该地区便完全为信奉基督教的日耳曼民族所统治。

经过半个世纪与东方马扎尔人的争战，一个完全不同的、后来演变为奥地利的政治实体于976年出现，由巴奔堡王室的利奥波德一世任奥地利侯爵。到1156年，奥地利已成为巴奔堡王室统治下的公国，经济与文化均日臻繁荣。1246年，腓特烈二世公爵死后无嗣，奥地利贵族推举波希米亚诸侯，普热美斯家族的鄂图卡二世为奥地利公爵。1278年，哈布斯堡家族的鲁道夫四世（后为神圣罗马帝国皇帝鲁道夫一世）将其击败，开始了哈布斯堡家族对奥地利的统治，并一直持续到1918年。数百年间，哈布斯堡家族建立起一个以奥地利、波希米亚、匈牙利为中心的中央王国。他们镇压了境内的基督教改革运动，对土耳其人的入侵进行了坚决抵抗。

19世纪初的拿破仑战争导致神圣罗马帝国的瓦解和奥地利帝国的建立。首相梅特涅试图确保奥地利的地位凌驾于其他日耳曼国家之上,但他思想保守,一心维护旧秩序,笃信独裁,做法极不民主,致使1848年爆发革命。此次革命虽然时间不长,却足以动摇奥地利帝国的根基。普鲁士势力日益增强,奥地利帝国内部各少数民族对已无法适应一个现代多民族国家的挑战的政府形成巨大压力。1866年奥地利在与普鲁士的一场小规模战争中败北,普鲁士遂确立了其成为主要日耳曼国家的地位,而奥地利则被迫将其帝国一分为二。1867年成立了一个二元制君主政体的*奥匈帝国*(**Austria-Hungary**)。

日益高涨的民族主义情绪继续在这个王国蔓延。1914年,斐迪南大公在萨拉热窝被塞尔维亚民族主义分子刺杀,第一次世界大战爆发,奥地利帝国因此崩溃。

第一次世界大战后,奥匈帝国被分割为几个独立国家,奥地利成为一个独立的共和国。尽管有些奥地利人希望与德国合并,但遭到国际联盟禁止。其后20年间,虽有来自德国纳粹党的不断威胁,奥地利仍在努力保持其独立地位。1938年希特勒吞并了奥地利。

1945年第二次世界大战结束后,奥地利恢复为共和国,但盟军占领仍持续到1955年,在奥地利承诺保持中立,不与东德或西德任何一方结盟,而且不恢复哈布斯堡王朝后,方始撤离。战后各届政府由社会党和保守的人民党联合执政,在不同时期由两党轮流掌权。在此时期,奥地利举国上下发展生产,经济一直保持繁荣稳定。1989年冷战结束后,奥地利开放东部边境,并于1995年加入欧盟,奥地利的经济面临着新的压力。社会民主党和人民党共同执政的局面于2000年结束。人民党同J.海德尔领导的自由党组成了一个备受争议的联合政府。海德尔曾为纳粹的行为和政策辩护,而且他的政党反对外来移民进入,因此在国内和国际上招致广泛的抗议。新政府紧缩社会支出,并减少经济干预。

Austria, House of **奥地利王朝** 参阅 **Habsburg, House of** *哈布斯堡王朝*。

Austria, Lower 参阅 **Niederösterreich** *下奥地利*。

Austria, Upper 参阅 **Oberösterreich** *上奥地利*。

Austria-Hungary **奥匈帝国** 英语又作 Austro-Hungarian Empire。又称二元制王朝。奥地利和匈牙利两国根据1867年协约所成立的哈布斯堡王朝帝国,1918年告终。奥地利帝国从1804年开始由哈布斯堡王朝统治,神圣罗马帝国末代皇帝弗兰茨二世自称奥皇。两年后,神圣罗马帝国瓦解。1814～1815年拿破仑垮台,奥地利再度成为日耳曼族各邦的首领。1866年发生普奥战争,奥地利脱离德意志邦联。在战争以前,弗兰茨二世就认为必须同匈牙利人合作。经过多次谈判,1867年2月8日缔结了《奥匈协约》。协约规定匈牙利实行完全内部自治,并成立责任内阁,只是战争和外交由奥匈帝国统一掌握。弗兰茨放弃对匈牙利内政的干预,以维护哈布斯堡王朝在国外的威信。奥匈帝国除皇帝及其宫廷外,设外务大臣和军事大臣。两国没有共同的首相和内阁。两国共同事务由两国议会代表共同商定。1867年3月经匈牙利议会批准后,协约开始生效。根据协约成立的国家的正式名称是奥地利-匈牙利。其中一半为匈牙利王国,有国名,有国王,也有自己的历史。帝国另一半则没有固定名称,有人称奥地利,有人称奥地利本部,有人称小奥地利,严格说来,这些名称都不正确。直到1915年才确定奥地利帝国的名称。

Austrian Hunting Carpet **奥地利狩猎地毯** 16世纪后半叶伊朗卡尚生产的一块丝织波斯铺地用品,饰以金线和银线。其图案系仿著名细密画家的图画,有逐鹿骑手和展翅飞翔的神追逐狮子和水牛等形象。其大边图案为天堂里的天使,以不同于任何其他古典波斯地毯而著称。该毯系彼得大帝赠送给奥地利皇帝的礼物,现陈列于维也纳奥地利实用美术博物馆。

Austrian Netherlands **奥属尼德兰**(1713～1795) 指低地国家南部省份,大致相当于今比利时和卢森堡。在西班牙王位继承战争结束以后,根据1713年的《乌得勒支和约》,*西属尼德兰*(**Spanish Netherlands**)归神圣罗马帝国皇帝查理六世所有,迄1795年称奥属尼德兰。1744年法国入侵,除林堡和卢森堡外,奥属尼德兰皆落入法国人之手。1748年复归奥地利。在玛丽亚·泰蕾莎统治时期,奥属尼德兰又开始繁荣起来。1787年以后发生由布拉邦特领导的革命,宣布成立共和国。但它无法应付内部冲突与外部压力,一年内垮台。1792年法国革命党人乘虚而入。1795年将奥属尼德兰并入法国。1815年这个地区与荷兰各省合并为尼德兰王国。1831年建立独立的比利时。

Austrian school of economics **奥地利经济学派** 又称"奥地利学派"。由一批奥地利经济学家于19世纪末期所创建的经济理论。他们强调,产品价值决定于它对消费者最终的效用。C.门格尔于1871年发表了这一新价值理论,同年W.S.杰文斯在英国独立发表了相似的理论。门格尔的价值观念是完全主观的:产品的价值来源于它能满足人类欲望的能力。产品实际的价值,决定于消费者能从它的最不重要的用途中所得到的效用(边际效用)。如果产品充足,它就可能用于较不重要方面;当它变为稀缺时,就不会用于不重要的方面,而它在新的最不重要的用途中所产生的效用也会增加。边际效用理论不仅用于消费,也用于生产。边际效用的分析,在冯·维塞尔著作中得到最充分的阐述。冯·柏姆-巴维克把边际效用分析运用到价格理论之中。他在关于资本与利息的著作中强调时间在评价商品中的重要作用。他把利息看成是资本的使用费;是资本所有者舍弃当前消费的一种补偿费。

Austrian Succession, War of the **奥地利王位继承战争**(1740～1748) 若干次相关战争的总称。其中两次是由神圣罗马皇帝查理六世之死直接引起。他是哈布斯堡家族的奥地利分支的族长,死于1740年10月20日。主要的一次战争是有关奥地利王位继承本身的。当时法国支持巴伐利亚、萨克森、西班牙三方对哈布斯堡的部分领土的含混要求,以及支持巴伐利亚选侯C.阿尔贝特对帝国皇位的要求,这些活动总的目标是将法国在大陆上的宿敌奥地利削弱或摧毁。另两次战争是第1次(1740～1742)和第2次(1744～1745)西里西亚战争。当时普鲁士的腓特烈大帝与法国结盟,从奥地利手中夺得西里西亚省据为己有。第3次战争是围绕英法两国为争夺印度和北美殖民地而进行的一系列战争(参阅 **Jenkins' Ear, War of; King George's War**)。战争开始于1740年12月16日,当时普鲁士国王腓特烈二世入侵西里西亚,西里西亚是哈布斯堡王朝最富庶的省。1741年4月普军击败奥军于墨尔维茨,长驱直下西里西亚。腓特烈的胜利在欧洲引起人们对哈布斯堡王朝领土的自卫能力的怀疑,这势必将酿成全面战争。一个月之内法国的C.-L.-A.富凯(贝尔岛伯爵,后封元帅、公爵)就与巴伐利亚、西班牙缔结同盟,其后又与萨克森和普鲁士联合,共同反对奥地利。奥地利统治者玛丽亚·特蕾西亚(查理六世之女)主要从英国得到外交支持,因为英国害怕一旦法国在欧洲称霸,那么英国的商业帝国和殖民帝国就将保持不住。因此,奥地利王位继承战争在某种程度上也是法英两国从1689年开始延续到1815年的斗争的一个侧面。法国和巴伐利亚军队对奥地利和波希米亚的入侵,由于缺乏共同目标和军力不足,而陷于土崩瓦解。1742年7月,奥地利使普鲁士暂时保持中立,答应让它占有西里西亚。从而于1742年将法国和巴伐利亚联军逐出波希米亚,并横扫巴伐利亚。奥地利的盟国英国、汉诺威、黑森三方在巴伐利亚的代廷根一役将法军击溃(1743-06-27)。1743年9月,萨伏依公国也参加奥地利一方,迫使法军向本国边境后撤。1745年1月要求继承奥地利王位的主要人物查理七世国王(即巴伐利亚的C.阿尔贝特)去世。查理的儿子马克西米连三世约瑟夫宣布放弃王位要求,并保证在皇帝选举中支持F.史蒂芬,交换条件是,奥地利将其占领的地方退还巴伐利亚。腓特烈这时又害怕奥地利势力日益增长,于是再度参战。第2次西里西亚战争在1745年12月以签订《德累斯顿条约》而结束。条约规定普鲁士占有西里西亚。法国最后一场胜仗是1745～1746年萨克森元帅征服奥地利领地尼德兰。这是在1745年5月11日丰特努瓦大捷之后的又一场胜仗。从1746年到1748年战争陷于僵持状态。英国为了反对法国支持的王位觊觎者年轻的C.爱德华,使斯图亚特得到苏格兰与英格兰王位宝座,便将英军撤回本国。沉重的财政负担终于迫使各国回到谈判桌上来。1748年10月签订的*《艾克斯拉沙佩勒条约》*(**Aix-la-chapelle, Treay of**),保留了玛丽亚·特蕾西亚继承大部分奥地利世袭领地，但也批准了普鲁士占领西里西亚。至于法英之间有关殖民地和其他权益争端，则依然未得到解决。

Austric languages 南方诸语言 一个假设的语言超系，包括南亚语系和南岛(马来-波利尼西亚)语系。这两个语系的语言通行区域西起马达加斯加岛，东至复活节岛，北达喜马拉雅山区。南方语系的说法是1906年由德国天主教司铎兼人类学家W.施密特提出的，但尚未得到普遍承认。

Austroasiatic languages 澳斯特罗亚细亚诸语言 又拼Austro-Asiatic。一个语言超系，包括通行于东南亚、印度东部的150多种语言。越南语、高棉语、孟语是其中文化上最重要并有最悠久历史记载的语言。高棉语主要通行于柬埔寨，孟语通行于泰国和缅甸。越南语和高棉语使用者最多，分别为越南和柬埔寨的国语。

澳斯特罗亚细亚语系有2个主要语系：通行于印度东部的蒙达语和通行于东南亚的孟-高棉语。通行于安达曼海尼科巴群岛的尼科巴诸语言，以前曾被学术界认为是澳斯特罗亚细亚语系的第3个独立语族，但晚近资料表明，这些语言构成孟-高棉语系的一个语支。澳斯特罗亚细亚诸语言差异很大。孟-高棉语系有12个语支，蒙达语系有2个亚语系。尽管有如许差异，现代研究证明，澳斯特罗亚细亚诸语言的根本一致性已经确立。这两个语系从原始母语分化出来的日期则很难推断。语言年代学统计资料表明，孟-高棉诸语言约在3 000～4 000年前分化成12个语支。

许多学者曾试图将澳斯特罗亚细亚诸语言归入其他语系。1906年W.施密特首次提出，把澳斯特罗亚细亚诸语言和澳斯特罗尼西亚诸语言并为一个南方诸语言的超系。这一理论远溯至史前期，其确切程度难以证实。澳斯特罗亚细亚诸语言的详细分类经过多次讨论。施密特未将越南语归入这个语系；另一些人则不认为蒙达诸语言属于这个语系。但现代研究的结果证明，两者均属澳斯特罗亚细亚语系的语言。许多澳斯特罗亚细亚语言从前只按照地理分布来分类，这种做法难以揭示出其间的系谱关系。现代通行的分类法是根据历史-比较方法而确定的。

许多通行不广的语言从来都没有文字；另一些只是到20世纪最后几十年内才有文字记载。孟-高棉诸语言的字形和书写规则从前曾借自印度诸字母表。各字母表根据不同语言的特殊需要而略作改变。最早的铭刻文字可追溯至公元7世纪初的古高棉语和古孟语。有数百块使用古高棉语镌刻的大型石碑曾在柬埔寨境内以及泰国及越南的部分地区被发现。高棉书写系统后来由泰人引人其本国，孟语书写系统则由缅人采用，分别用作各自语言的书写体系。越南语最初采用略加改变的汉字书写。17世纪50年代葡萄牙传教士创制一种类似拉丁字母的文字体系来书写越南语，到1910年，这种文字就由越南境内的法国统治当局明令推行，现在称为“国语”，通行于越南全境。蒙达语与越南语又分别受到印度诸语言和汉语的强烈影响，使它们获得各种与其他澳斯特罗亚细亚语言大不相同的特征。因之，在进行澳斯特罗亚细亚语言结构的一般论述时，这两种语言将不予论列。

澳斯特罗亚细亚诸语言的语音系统异于寻常，包括大量主要元音。一种语言可以有30～35个元音。这些元音长短上有显著区别，也就是相同音质的一般元音与较短元音形成对比。这些语言的另一典型性特征是，两组元音在音质或音域上形成对比。某个元音可以处于吱嘎音域、呼气音域或正常音域。有些语言有成系列的送气辅音。孟-高棉语有内破裂音，即纳入气流产生内吸而发音。还有处于喉塞音后的鼻音和流音。

澳斯特罗亚细亚诸语言前缀和中缀极为丰富，除尼科巴诸语言外，没有后缀。同一前缀可有许多功能。澳斯特罗亚细亚语系还有一类特殊的词，称为“表述词”，用做句中状语性成分，描述感官印象和不同情感，常具有一种象征性质，是以引起伴生感觉(即由某一刺激所产生的某种知觉会引起另一种知觉的现象)。微妙的双关语使这种易于引起泛泛印象的语言在用法上更趋多样化。

每种语言的词汇都反映其历史。大量借词除了那些最孤立的语言之外可说比比皆是。越南语从汉语借词，孟语和高棉语从梵语和巴利语借词，同时却失去大量原始澳斯特罗亚细亚语词汇。这些原始词汇多保存于偏僻丛林和山区语言中，但这些语言却照常变化着。双关语和表述词的派生词语扩大了词汇量，而自邻近多数语言借入新词的现象就出现了。词汇由于种种禁忌也会出现相应变化。昵称和比喻经常使用。例如谈及一种动物而不直接说出其真名。这种新表述形式最后变成一种记号，于是就再次发明一个新名词。这就导致关系相近的语言，如尼科巴诸语言更广泛产生不同的词汇。

Austro-Hungarian Empire 参阅 **Austria-Hungary 奥匈帝国**。

Austro-Prussian War (1866) 奥普战争 参阅 **Seven Weeks' War 七周战争**。

Austronesian languages 澳斯特罗尼西亚诸语言 澳斯特罗尼西亚语系(南岛语系)也称马来-波利尼西亚语系。该语系的语言通行于马来西亚、印度尼西亚群岛大部地区、菲律宾全境、越南、柬埔寨、中国台湾省、马达加斯加部分地区以及南、中太平洋诸主要岛屿(澳大利亚和新几内亚大部地区除外)。澳斯特罗尼西亚语系通常分为两个主要语族：西澳斯特罗尼西亚语族(或称印度尼西亚语族，包括约200种语言)和东澳斯特罗尼西亚语族(或称大洋洲语族，包括约300种语言)。在哥伦布以前的时代澳斯特罗尼西亚诸语言是通行范围最广的语系，从马达加斯加的马达加斯加语至复活节岛的拉帕努伊语。现今大多数操该语系语言者都在菲律宾和印度尼西亚，爪哇岛就有一半以上的人说这种语言。有4个国家以马来-波利尼西亚语作为官方语言或官方语言之一：马来西亚的马来语，印度尼西亚共和国的印度尼西亚语，菲律宾共和国的菲律宾语，马达加斯加共和国的梅里纳语。澳斯特罗尼西亚诸语言曾经是单一语言，原始未分化语言就地域而分化，结果出现数百种语言。具有原始语言特征者叫原始澳斯特罗尼西亚语，仅可在与现代形式的比较中推断得知。虽然语系诸语言的分类仍有争议，但关系紧密程度似仍可观察出来。菲律宾诸语言大多显出相互关系紧密。西印度尼西亚诸语言(如马来语、亚齐语、米南卡保语、托巴-巴塔克语、巽他语、爪哇语、巴厘语和婆罗洲某些语言)似乎相互关系接近，和越南南部占语诸语言以及马达加斯加语也很近，语言学家根据上述两个语族的共有特征将之归人西澳斯特罗尼西亚语族。另一个语族是东澳斯特罗尼西亚(大洋洲)语族，包括美拉尼西亚、密克罗尼西亚以及波利尼西亚诸岛和新几内亚部分地区的语言。其分类也是有争议的。东印度尼西亚及新几内亚的语言并不明显地归入任一语族，上述广大岛屿地区，并非所有的语言都属澳斯特罗尼西亚语。新几内亚的大多数语言不属该语系。新几内亚岛上的澳斯特罗尼西亚语通行区域，只限于连接西北半岛与新几内亚本土的地峡附近一大片地带，还有新几内亚的北部(西北半岛与本土)沿海地区和东部沿海一带。非澳斯特罗尼西亚语通行于哈尔马赫拉岛北部2/3地区、印尼的帝汶岛、美拉尼西亚的所罗门群岛。目前还没有普遍接受的澳斯特罗尼西亚诸语言来源的假说，但不断增加的证据指出，它属印度尼西亚和新几内亚。马达加斯加语可能来自婆罗洲。

Autant-Lara, Claude 欧唐-拉腊(1903-08-05，法国卢扎什～2000-02-05，安提比斯) 法国电影导演。以其影片《情魔》(1947)赢得国际声誉。这部据R.拉迪盖小说改编的叙述一个少年和一位军人之妻的风流韵事的影片，以其反战和反正统的倾向而大受欢迎。早年曾在伦敦上学。任导演R.克莱尔助手时，拍摄他的第一部先锋派短片《社会新闻》(1923)。随后，应聘到好莱坞从事美国影片的法语版译制工作。直至1933年才导演第一部故事片《香葱》。1942年导演的《情书》等两部影片加强了他作为法国电影“质量传统”的代表人物的地位。当50年代法国新浪潮出现时，他偏爱改编文学作品，强调心理上的真实，仔细地避免过时的对话。不过，他仍然执导电影，他导演的最后一部影片是《赞乐》(1977)。

autecology 个体生态学 又作species ecology。又称物种生态学。研究生物个体或单一物种与其环境的生物和非生物因素间相互作用的学科。主要是进行实验性研究，探讨易于测定的变量，如光、湿度和可用的营养物，并了解生物体或物种的需求、生活史和行为。参阅 synecology。

auteur theory 电影导演作者论 又译作者电影论。电影制作理论，认为导演在影片中是主要的创造力量。20世纪40年代后期出现在法国并经美国电影评论家A.萨里润色的电影导演作者论源出于A.巴赞和A.阿斯特鲁的电影理论。作为称之为新浪潮的法国电影运动的基础，电影导演作者论主要在巴赞的杂志《电影手册》上提出。它的两名理论家F.特吕福和J.-L.戈达尔后来成为新浪潮的主要导演。主要由特吕福的"摄影机之笔"的概念衍生出的电影导演作者论认为，执掌"摄影机之笔"的导演监督着整个摄影棚和所有的视觉因素，因此应被视为比脚本作者更为重要的作者。换言之，诸如摄影机位置、镜头布局、照明、镜头长度等这些基本视觉因素比情节对话更能表现电影的寓意。电影导演作者论的支持者们进一步认为，拍摄最成功的影片具有明显的导演个人的印记。

authoritarianism　权力主义　盲目屈从于权力，并反对个人思想与行动自由的原则。在政治学上，它指一种权力集中于一个领导人或一小群精英之手，且不向人民承担宪法责任的政治制度。权力主义者的领导人通常独断专行地行使权力，无视现存的法律与法典，他们通常不能由公民在竞选者中的自由选择所取代。在权力主义制度下，建立反对党或其他与执政集团竞争权力的政治团体的自由，或受到限制，或根本不存在。因此，权力主义与民主是截然不同的。然而，权力主义也不同于极权主义，因为权力主义者的政府通常没有高度发展的指导思想，能容忍社会组织中的多元性，也缺乏为了实现民族目的动员全体民众的能力，并在相对墨守成规的范围内行使权力。

Authorized Version　参阅 **King James Version** 钦定本英文圣经。

autism　自闭症　又译孤独症。一种影响躯体、社交及语言技能的神经生物学性障碍。该词于20世纪40年代为莱奥·坎纳首先使用，用以描述一类表现极端孤独、自我沉缅的儿童。本综合征通常于两岁半前出现，但早期征象不易觉察。自闭症儿童对人们表现出的爱悦之情或身体接触均无动于衷，但以后会对父母或某些成人产生依恋。语言能力发展很慢或不正常(不成调或无节奏)或根本无语言能力。可表现为无意义的无上下文的模仿语言(不断地重复别人说过的话)，或不成其为语言，只是机械的离奇古怪的声音。可出现不适当的对物件的依恋。可能对声响反应不强，对疼痛无反应，或对明白无误的危险不能认识，但自闭症患儿极为敏感。通常本综合征伴有不顾环境有何改变的强迫性欲望，常伴有节律性的身体动作，如摇摆或拍手等。约25%的自闭症患儿到青春期后期出现抽搐发作。估计自闭症的发生率是每一万名儿童中有1～15例。约15%～20%的患者以后在社会生活或职业方面能够独立。本综合征在男性中的发病率较女性高3～4倍。自闭症仍有许多问题未搞清。从前认为是后天因素，如父母与儿童间的行为交感的结果，可导致本综合征。现在用磁共振成像(MRI)技术进行研究，发现患者的脑结构，尤其是小脑及边缘系统，存在异常，这些异常很可能发生于脑发育阶段的早期。研究者也注意到称为普尔基涅氏细胞的大型神经细胞数量不足，而5-羟色胺(一种神经递质)含量过多。自闭症的治疗方法仍处于实验阶段。

Autlán　奥特兰　墨西哥中西部哈利斯科州西南部城市。在西马德雷山脉西部丘陵地带。海拔1 003米。地区商业、农业(柑橘、柠檬、番石榴和其他水果)、畜牧业和矿业中心。殖民时期建城。位于自太平洋港口拉巴拉德纳维达通往州首府瓜达拉哈拉的公路上。人口约46 624(1990)。

auto-da-fé　宗教公判大会　西班牙异端裁判所的公判大会，其判决由市俗当局执行。第一次这种公判大会于1481年举行于塞维利亚，最后一次于1850年举行于墨西哥。其礼仪日益繁复，声势日益宏大；通常在城市广场举行，有王室人员在场。大会程序通常包括长途游行、弥撒、宣誓服从裁决、讲道和宣判，受迫害者大多是犹太人和穆斯林改信天主教以后又叛教者、光照派分子、新教徒，偶尔还有重婚者和巫术家。异端裁判所有权判处无期徒刑，死刑须由世俗司法当局判处。一般这种公判大会并不惩处被告，也不将被告向世俗司法当局引渡。

auto sacramental　圣礼剧　一种西班牙戏剧类型，又译圣事剧。17世纪剧作家P.卡尔德隆·德·拉·巴尔卡写的圣礼剧使该类剧达到顶峰。圣礼剧作为基督圣体节节日庆祝的一部分在户外演出，是宣传圣体的密义的短小诗体寓言剧；圣体是基督圣体节节日庄严庆祝的对象。演员乘上轮车，在大城市里选择演出地点，连续上演圣礼剧。它们与中世纪荷兰和北英格兰在流动表演车上演出的依据《圣经》写的剧本十分相似。这些圣礼剧布景壮丽，服装华贵，费用均由市政当局支付。这种小型戏剧于16世纪晚期开始出现，起初显得原始和粗糙，是一种虔诚的朴素娱乐形式。在它们向优美艺术作品发展的过程中，书商J.de蒂蒙内达和剧作家J.de巴尔迪维耶索及L.de维加均起过重要作用。然而却是卡尔德隆·德·拉·巴尔卡抓住了时机，把讽喻扩大到非圣礼题材的较宽广的范围，使圣礼剧的艺术成就达到新的高度。18世纪，这种演出被认为对圣礼不虔诚，1765年受到王室法令的指控而被禁演。20世纪又有一些诗人模仿其形式将一些旧圣礼剧改写成世俗化的剧本。

autoantibody　自身抗体　抗自身组织抗体(**antibody**)。正常机体的免疫系统有一种自我调节机制，能通过自身抗体诱导淋巴细胞来中和未成熟的自身抗体，从而消灭有害的自身抗体。若此机制失调，则有害自身抗体增加。自身抗体损害健康细胞的方式主要是吞噬和溶解。血液红细胞最常受到自身抗体的侵害。如自家免疫性溶血性贫血，就是因为自身抗体和红细胞结合激活补体系统导致溶血。自身抗体还干扰正常器官功能，如凸眼性甲状腺肿的病因是自身抗体和甲状腺细胞的受体结合，刺激分泌过量的甲状腺素，导致甲状腺功能亢进。参阅 **autoimmunity**。

autocephalous church　自治教会　按现代东正教教会法，指在教会法和教会行政方面享有充分独立权并自行选举首脑及主教的教会。现代东正教的自治教会大多是民族教会，有一些自治教会的活动范围不限于一个国家，各自治教会保持教会法上的法律关系，并在信仰和圣事上彼此一致。各自治教会之间传统先后有序，君士坦丁堡牧首为众自治教会之首。自治教会的首脑称号不一，君士坦丁堡、亚历山大、安提阿、耶路撒冷、莫斯科、格鲁吉亚、塞尔维亚、罗马尼亚、保加利亚等各正教会称牧首；雅典和塞浦路斯正教会称大主教；波兰和美洲正教会称都主教。

Autocephalous Orthodox Church of Poland 波兰自治正教会　参阅 **Orthodox Church of Poland** 波兰正教会。

autoclave　高压釜　耐高温高压的反应容器，通常为钢制的。化学工业在制造染料和在其他要求高压的化学反应中根据工艺要求，需要使用各类高压釜。在细菌学和医学中，要求将器械放入高压釜内的水中，将水在压力下加热到沸点以上进行消毒。1679年D.帕潘发明的蒸煮锅是高压釜的原型，目前仍用于烹调，称为高压锅。高压釜名称虽指靠内压密封接口的自密封式容器，但还有许多是用外部机械方法保持密封的。

autogiro　自转旋翼机　一种旋翼机，第二次世界大战后已被效率更好的直升机所取代。它用螺旋桨作前进运动，而用无动力的自由旋转的旋翼产生升力。1923年，J.谢尔

约1935年制造的英国小型自转旋翼机
美国不列颠百科全书公司供图

伐发明了旋翼桨叶用活节与桨毂连接的方法，解决了旋转中气动力和离心力的差动问题，第一次使自转旋翼飞行成为可能，导致以后直升机的发展。自转旋翼机必须滑跑起飞。因为需要前进的空速来推动旋翼。而用发动机带动旋翼的直升机却可以垂直起落。自转旋翼滑翔机是没有动力装置的自转旋翼机，它从拖曳飞行中脱钩后用旋翼自由滑翔。

autograph　手稿　作者以文字或音乐符号手写的稿本。亦指亲笔签名。手稿具有古文物及相关的价值，它又可以是一件文稿的早期或经过改正的草稿，为创作的各个阶段或作品的"确凿无误"的定稿提供有价值的证明。

古希腊或罗马作者的手稿无一留存至今，他们的作品的稿本极少有早于6世纪的，

大多属于9和10世纪。欧洲中世纪时期，印刷术尚未发明前，神学、历史和文学著作皆由专司缮写的僧侣用正规的"书缮体"抄写，因此很难说是中世纪的手稿，尽管有些纪事看来是由编纂者亲自书写的。1096年西班牙军事统帅熙德的签名可能是欧洲非教会人士留下的最早的签字真迹；中世纪早期，国王的官方文书一般加盖印玺以示生效。爱德华三世(1327～1377)虽非第一位有学识的英格兰君主，但他是第一位留下手书文字的国王。欧洲中世纪末期写作风气渐盛。印刷术的发明结束了大规模的由不留姓名的人氏手抄文稿的工作。代表个人的标志开始受到重视。文艺复兴时期诸如达·芬奇、米开朗琪罗、阿里奥斯托、丢勒之类的伟人，大多有手迹保存于国立图书馆。这些手书真迹多为私人或官方函牍，其文学或历史的意义大于手迹本身的价值。18世纪以后，几乎艺术、科学及社会各界的知名人士皆有手稿留存，数量亦越来越大。名人的私人和半官方文稿皆由档案馆和图书馆大量搜集收藏，也包括几乎所有名人的亲笔签名样本。现代文件多用打字机打成，但亲笔签名仍是证实的正常方式。

乐谱手稿一如文书手稿，由私人或由图书馆收藏，因其有为音乐学者提供研究资料这类价值。不列颠博物馆珍藏的J.S.巴赫的48首序曲和赋格曲的部分手稿和贝多芬的速记本、歌剧《菲岱里奥》的手稿，可以有力地说明作曲家原来创作意图以及修改情况。乐谱手稿同时也能校正抄录者在节拍和强弱记号上的错误，而在作者是谁有争议时可以提供证据，确认原作者。例如，一首巴赫的乐曲，曾长期被误为其子威廉的作品，而细察手稿，发现系其子在巴赫原作上署名所致。有鉴于此类手稿之重要性，A.范霍博肯自1927年起开始在维也纳不仅收集原作手稿，同时也收集抄本的直接影印制品；后来O.E.阿尔布雷希特在美国也开展了类似的手稿收藏工作。

Autoharp　自动竖琴　德语作Akkordzither。类似齐特琴的弦乐器，常在民间音乐、乡村音乐与西方音乐中用于伴奏。演奏者一面拨弹弦线，一面操作由按钮控制的横杆以抑止琴弦(除选定的和弦所需的那几根弦线外，其余均被抑止)。和弦的数量可少至5个，多至15个。这一乐器一直用于教授简单和声。自动竖琴是德国马克诺伊基尔兴的C.A.居特尔所发明。1881年美国授予德国移民C.F.齐默尔曼以自动竖琴专利权；其产权后为纽约一钢琴设备制造商A.多奇(1848～1922)购得，19世纪90年代通过送货上门和邮购等措施进行促销，销售量大增。20世纪20年代，斯通曼创造阿巴拉契亚民间弹拨风格，并开始录制唱片。第二次世界大战后与田纳西州纳什维尔的大奥普里音乐关系密切的M.卡特使这一乐器更为大众化。

autohelmsman　参阅**automatic pilot自动驾驶仪**。

autoimmunity　自身免疫　一种异常的状态：机体自己的免疫系统对自身的正常组织产生反应，从而导致疾病或功能异常。人体免疫系统具有监测功能，能识别并处理抗原——被免疫系统认出为异物的毒素、感染性微生物之类的物质。这种监测功能主要由称为淋巴细胞的白细胞来完成，淋巴细胞能认出异体抗原，并直接攻击抗原或产生抗体以对付抗原。用以对付抗原的抗体种类极多，并处于不断的循环之中，不可避免会产生一些抗体，会与自身抗原(健康的细胞或无害的物质)产生反应，将其视若异物。正常情况下，这些会引起对机体自身组织的免疫反应的淋巴细胞，在成熟以前即被消灭。这种情况如何发生，则尚未完全弄清。有证据表明，自身反应T淋巴细胞(T细胞)在胸腺内被杀死，而会产生自身抗体的B淋巴细胞(B细胞)离开骨髓后，不能成熟。上述消灭过程有时会出现故障，从而导致自身免疫性疾病。出现故障的原因所知甚少，对此已提出几种假设。一些化学、物理或生物因子会改变自身组织的成分，淋巴细胞在正常情况下将这些自身组织视为安全的物质，此时则将它们视为异物而与之产生反应。感染性因子也会产生一些与健康细胞内成分十分相似的抗原，淋巴细胞或抗体就会不加区别地与两者产生反应(这种现象称为交叉反应)。自身抗原(如晶体)正常情况下不会与循环的免疫物质相接触，但在感染或损伤时便与免疫物质接触，从而引起反应。有一种用以解释自身免疫的假说认为，能遏制产生抗体的B淋巴细胞的活动的淋巴细胞——抑制性T细胞因某种原因而不能发挥功能。也有证据表明，某些自身免疫性疾病有遗传的易感性。女性的自身免疫性疾病发病率较高，这可能表明性联或激素的影响。虽然自身免疫性疾病的最终病因可能搞不清楚，但许多自身免疫性疾病的发展和病程已在很大程度上得到阐明。自身免疫发作经多种途径。途径之一是循环的抗体与细胞结合，然后破坏细胞或影响其功能。另一途径是抗原抗体复合物在血液及淋巴系统中循环，并停留在各种组织中，损伤细胞。还有一个途径是能杀伤细胞的淋巴细胞直接攻击健康组织。自身免疫性疾病分为两大类：器官特异性的及系统性的。在器官特异性自身免疫性疾病中，免疫应答直接指向一个器官内的抗原。例如艾迪生氏病，自身抗体攻击肾上腺皮质；重症肌无力，自身抗体攻击神经肌肉细胞。在系统性自身免疫性疾病中，免疫系统攻击多个器官的自身抗原。例如，系统性红斑狼疮以皮肤、关节、肾脏和其他器官的炎症为特征。因为免疫系统功能障碍的原因不明，自身免疫性疾病的治疗围绕着缓解症状，如炎症。在器官特异性自身免疫性疾病中，人们试图纠正具体缺陷。例如，给重症肌无力患者投用胆碱酯酶抑制药。阻遏抗体生成的药物必须慎用，以免降低机体对感染的抵抗力。

autokinetic effect　游动效应　将单个静止的物体视为正在运动的一种错觉。一般在生理学暗室实验中用静止的光点进行测试。当一个人目不转睛地盯着看一个光点时，时间一长，就会产生视力疲劳和轻微眼动。在日常生活环境中，当没有客观参照物时，人们常会把视网膜上成像的运动误认为是成像实体的空间运动。

Autolycus　奥托吕科斯　希腊神话中安提克勒亚(英雄奥德修斯之母)的父亲。古代作家后来把他说成是赫耳墨斯神的儿子。人们认为他居住在帕尔纳索斯山麓，是一个出名的窃贼和骗子。一次，西绪福斯(埃俄罗斯之子)拜访奥托吕科斯，认出他被偷的牛。据说那次西绪福斯勾引了他的女儿安提克勒亚，因而奥德修斯实际上是西绪福斯的儿子，而不是后来娶安提克勒亚为妻的拉厄耳忒斯的儿子。这个故事的目的也许是要确立盗窃和狡诈之神赫耳墨斯和体现了那种实践和品质的三个人物(西绪福斯、奥德修斯和奥托吕科斯)之间密切联系。

Automat　自动餐馆　全名为霍恩与哈达特自动餐馆(Horn & Hardart Automat)。美国纽约市和费城连锁自助餐馆的泛称。从这些餐馆，尤其是从餐馆中的投币橱柜，人们可以获得廉价的准备好的食品和饮料。1888年J.V.霍恩和F.哈达特在费城开设了他们第一家午餐馆，10年后将其组建成一家饮食服务公司。1902年他们在费城的切斯纳特街818号开设了他们的第一家自动餐馆，使用他们从柏林(当地的自动餐馆已证明很成功)进口的"无侍者餐馆"设备。第一家纽约市霍恩与哈达特自动餐馆是1912年在时代广场开设的。1924年公司开设了首批外卖的食品店，销售包装好的自动食品。自动餐馆在20世纪的前半个世纪兴旺发达，后来其盈利逐渐衰减，坐落在纽约市东42街200号的最后一家自动餐馆于1991年4月9日关闭。

automata theory　自动机理论　构成任何机电装置(按确定程序将一种形式的信息转换为另一种形式信息的自动机)运作基础的物理原理和逻辑原理的主体。各种不同复杂程度的真实的或理想的自动机已成为研究和实现特定系统(该系统具有适合于数学分析的结构)程序的不可缺少的工具。简单说，自动机代表一组计算规则的形式化，而作为部分数学基础来研究的自动机理论，被用来制造通用计算机这类机器。摆钟是一种典型的自动机，钟摆每摆动一次，钟内齿轮传动装置只呈现出某一有限位置或状态。通过擒纵机构的控制，每一状态除了离散输出外，还显示指针离散位置的下一状态。更通用的自动机(如恒温器、飞机自动驾驶仪、导弹制导系统和电话网络等)能反应外界条件变化或其他输入信息。这些装置的内态像摆钟一样，不仅取决于初始状态，而且还取决于来自操作人员、其他自动机和各种环境因素的输入信息。现代电子计算机的内态决定于所输入的数据，经运算产生某种输出。自动机元件包括像电线、晶体管、杠杆、继电器和齿轮之类的专用器材和装置。它们以一系列离散状态工作的原理，与其元件的特性和布置无关。这样，可抽象地把自动机看成是一组物理上未确定的状态、输入和输出，以及运算规则。这种抽象方法产生的数学体系在某些方面与逻辑体系相似。因此，自动机既含有物理意义，又含有逻辑意义。

1936 年，英国数学家 A.M.图灵设想了一种逻辑机，其输出能用来确定可计算数字。该机把时间看成是不连续的，在某一给定瞬间，其内部结构被简单地描述成一组有限状态之一。它借在分成许多方格的无限长带子上扫描的办法，执行运算功能。每个方格或含有以有限数目符号中的一个符号表示的特定信息，或为空格。带子每次允许向前或退后一格，抹去符号，在空格上录印新符号，以及改变其本身的内态。它计算的数目，取决于带子上提供的符号和运算法则。输出数可从停机后留在带上的符号译出。许多涉及可计算性的数学定理是在图灵最初设想的框架范围内被证明的。

属纯数学研究领域的部分自动机理论，通常基于生物的部分神经系统模型，基于这部分神经系统是如何借助神经元复体、神经末梢和神经键发生、编排、存储和利用信息的原理。神经元兴奋阈的“全有或全无”这一固有特性，在制订纯逻辑图或制造实际的计算机电子门时常常涉及到。关于自动机理论中的神经生理学方面的原始工作，早在 20 世纪 40 年代，美国学者 W.S.麦卡洛克和 W.皮茨就已着手进行，他们从研究感觉接受器官、体内神经结构和动物效应器官着手，提出神经学模型，用纯数学术语描述神经网络及其对输入信息的反应。

神经网络可以用一种几何构形来描述，该构形提出部分脑子的结构。神经网络几何结构的各组成部分称为神经元。构形中的某些神经元数学上代表生理接受器，它们在外部环境影响下，可处于兴奋状态或保持沉寂，这些神经元称为输入神经元。其他神经元在时间延迟 t 之后，记录整个构形的逻辑值（兴奋的或沉寂的）并向外部环境传递效应，称为输出神经元。假如一个神经元在一瞬时只有兴奋态和静止态中的一个，当外界信息在时间 $t-1$ 传输到两个输入神经元时可用下列 4 种数码(0,0)、(0,1)、(1,0)、(1,1)中的任一种来表达，其中二进制数“1”表示兴奋态，二进制数“0”表示静止态。析取式自动机必须使在时间 t 单输出神经元计数的响应为 0,1,1,1；而合取式自动机必须使在时间 t 单输出神经元计数的响应为 0,0,0,1。“非”自动机的两个输入神经元，其中一个总是兴奋态，在输出神经元上与外界信息(1,0)和(1,1)分别响应为 1,0。这就是自动机的逻辑运算基础。

朝着通用化方向迈出的第一步是规定与命题运算的 n 个可变数的形式表达式相对应的神经网络。逻辑语句由 n 支命题组成，每一命题都可假定有不是真就是假的真值。因此，自动机与逻辑语句可通过输出神经元的响应同刺激构形与支命题的真值构形一致的 2^n 个事件中的每个事件的语句真值来进行比较。若自动机的功能响应与多项式逻辑语句的函数值一致，则说自动机是计算语句的，或说语句是可以计算的。实际上通用机广泛采用可计算语句。通用化的第二步是从单输出自动机转到超过一个输出神经元且内部联系可以包括反馈的神经网络。这样的构造称为通用自动机。曾认为图灵机是这种通用机，因它有无界存储带，并采用了图灵创制的一种指令表，给机器规定任务非常有效。这个指令表便等价于图灵机，并产生了所有图灵机都可列表计数的观念。事实证明，在通用机带子上打印图灵机的代码，通用机就能像图灵机一样工作。由此可见，通用机能复制所需用的图灵机。传统上，自动机理论的早期论述等同于具有算法的自动机或计算法则，认为自动机的输出是一种逻辑上决定输入的显函数。

从 13 世纪末发明摆钟时起，直到 1936 年具有逻辑定义的现代图灵机问世，自动机上从未采用过概率元件。20 世纪中期以后，数学家们明确地研究了一些关于自动机组成中包含概率观念的问题，有 4 种主要设想：①1948 年，N.维纳提倡用计算机预测未来，如天气预报。他认为解某些数学方程，数据可从长期自然形成的时序用外推法读出，辅以数学计算，可使误差减至最小。1931 年，他与美国数学家 E.霍普夫共同研究出维纳-霍普夫积分方程式，以求外推值，曾用于天文和电信等方面。第二次世界大战时，公认该方程的高速计算可以从活动目标得到输入信息，通过预测或外推法提供输出数据，以校正其路线。实际上这是导弹和雷达等测距概念的萌芽。维纳在有关概率的论文中指出，为了全面了解包括随机过程在内的预测情况，数学是必要的。②德国数学家 J.冯·诺伊曼注意到多元件大型计算机的可靠性，探索多路传输组合设计法，以减少概率计算机的误差。他认识到，自动机理论与实际的计算机制造及运算不一致，是因为理论未考虑机件失效引起的实际概率，如有一个执行逻辑析取的元件失灵，一个复杂运算的总输出就会出错。他建议模仿平行通信信道的冗余结构，指出单线路输送脉冲信息，不如用一组并行线路保险。③各种科研人员的主张，给自动机增设随机元件，扩大计算类别，或改进图灵机，在整机运算工序中插进输出随机数发生器，促其发挥潜能。④把自动机看成既是具有输出随机数列的图灵机，又是一种测定随机现象的数字发生器。根据前述有关自动机与神经网络学说，可以看出自动机的特征在于预测性，即逻辑必然性，甚至误用了不可靠的输入，虽得不到预测效果，但仍不失其运用价值。使计算机与有意插入的随机数据联合运算的这类方法，称为计算的蒙特-卡罗法，它有时比纯确定性方法能更有效地得出正确答案。这表明未经改进的自动机，也能计算易受环境影响的随机数。偶然事情难免，概率问题常在。

automatic pilot　自动驾驶仪　又作 autopilot 或 autohelmsman。无需人力驾驶即可操纵飞机或其他飞行器的装置。最早的自动驾驶仪通过控制飞机的俯仰、偏转和滚转运动只能保持飞机直线平飞，这种自动驾驶仪现在仍广泛使用，以便在航线巡航时减轻飞行员的负担。然而，现代自动驾驶仪能完成复杂的机动动作或飞行计划，引导飞机进入进场和着陆航线，或能够控制固有不安定的飞机（如某些超音速飞机）以及能够垂直起降的飞机。自动驾驶仪也用于操纵水面舰船、潜艇、鱼雷、导弹、火箭和航天器。自动驾驶仪主要由 4 部分组成：①操纵指令源（如计算机制导程序或无线电接收机）；②运动及位置传感器（如陀螺仪、加速度计、高度表和空速表）；③一台将制导程序中的参数同飞机实际的位置与运动参数加以对比的计算机；④为了变换飞行状态，需要加以修正或改变时，改变发动机工作状态并控制操纵面的伺服电动机。有人驾驶飞机的自动驾驶仪在设计上就具有故障自动防护的特性，也就是说，自动驾驶仪发生故障不会妨碍使用手控。自动驾驶仪通过许多回授电路可以防止过载过大。利用沿跑道方向发射的微波束并由适当的机载接收机接收便可实现自动进场着陆。用于航天器上时，自动姿态稳定与控制系统修正由于微陨星、太阳辐射压力引起的微量偏差，以及修正从行星附近飞过时重力场的微量紊乱。航天器上的自动驾驶仪并不是采用地球大气层中飞行器使用的气动操纵面，而是利用反作用控制喷气发动机，与行星磁场交联的电磁体或陀螺仪等手段来控制航天器的方向。

automatic pistol　自动手枪　每次射击后利用后座力或后泄气体来退壳、装弹和使击锤呈待发状态的手枪。自动手枪源于 19 世纪末期，当时弹药的发展已可造出在自动装弹过程中不会变形的子弹壳和弹头，同时燃烧均匀的无烟火药能使子弹的动作平稳。虽然

0.45 英寸口径自动手枪
美国不列颠百科全书公司供图

只有少数自动手枪是全自动的，但是，自动手枪一词通常是指半自动的或自动装弹的手枪，每次扣压扳机只能发射一发子弹。相反，全自动手枪只要压住扳机就能连续射击。与自动步枪和猎枪不同，自动手枪实际上不用燃气工作。在威力较小的手枪上可能采用后泄气体工作的模式。在这种系统中，弹丸离开枪管之前，枪机不锁定在发射位置，但在推动弹丸前进的同一能量的作用下，将枪机向后推动。由于枪机比弹丸重数倍，故后移速度很慢。向后的推力将弹壳推出弹膛抛掉，同时将能量储存于弹簧中；弹簧再将枪机向前推，将新子弹装入弹膛。后座力工作过程中，在发射瞬间，枪机锁定于枪管上。所以，枪的后座力推动枪管向后移动时，枪机与枪管一起运动。当枪管内的气体压力减小至安全程度，枪机便不再锁定于枪管上，并继续向后移动，同时，枪管停止移动。枪机的后退运动将弹壳退出并压缩弹簧，然后弹簧将枪机向前推，完成装弹、打开击锤和闭锁动作，准备再次射击。自动手枪因其弹匣内装的子弹比左轮手枪弹巢内装的多，而且射速快而受到重视。但是，除了打靶手枪外，对多数人来说，其射击精度都明显不及左轮手枪。而且

它也不能像左轮手枪那样一眼就能看出子弹是否上膛。自动手枪的口径通常为0.22～0.45英寸及相应公制不等。

automatic rifle 自动步枪 利用后座力或推进射弹的部分气体进行退弹壳、装弹并准备再次射击的步枪。自动步枪(和自动手枪)称为自动装弹的枪,实际上是半自动的,因为通常每扣压扳机一次,只能射击一发子弹。冲锋枪(参阅 **assault rifle**)和轻机枪(参阅 **submachine gun**)才能进行全自动射击,也就是说,只要扣住扳机不放,就能连续射击,直到弹匣内子弹耗尽。只要扳动冲锋枪上的一个开关,就能从全自动射击转换成单发射击。同样,半自动步枪只需进行一下调整(对枪械工来说程序很简单)就能具有全自动射击功能。大多数现代步兵用的枪都是冲锋枪,都能进行全自动射击。

automatic transmission 自动变速器 能自动改变汽车发动机和驱动轮之间速比的机构,由齿轮、制动器、离合器、液压传动装置和控制机械组成。自从1939年采用以来,全自动变速器已成为大多数客车的选配设备或标准设备。当变速器处于驾驶位置时,驾驶员只需踩下加速器踏板,在客车逐渐启动之后,变速器就会在其整个范围内由低速到高速自动向前换挡,直至驱动轴与发动机轴通过液压传动装置的油而直接连通为止。液压传动装置可以是由2个元件组成的液压联轴器,也可以是由3个元件组成的液压变矩器。当客车减速时,变速器由高速到低速自动反向换挡。液压联轴器具有2个面对面安装的带叶片的涡轮。当受发动机驱动的涡轮旋转时,在两个涡轮之间流动的剧烈翻腾的油就把扭矩传给对面的涡轮。在汽车中,当发动机低速运转时,液压油可以容许液压联轴器轻易地滑动(因而也容许在刹车的情况下空转)。在高速时,滑动几乎全被消除,液压联轴器的作用犹如刚性联轴器一样。液压变矩器与液压联轴器相类似。二者都是用油传送动力。在低速下,泵的叶轮把油推向定子的叶片。定子叶片使油转而流向一个涡轮,从而加大扭矩。在高速时则与液压联轴器的情况一样,油、定子、泵和涡轮成为整体而一起旋转。在液压变矩器的不同部件中,油的运动方向不同。泵把油转着向外抛出。包着泵和涡轮的环形外壳则迫使油流向涡轮。油冲击涡轮叶片后,向内滑向涡轮叶毂,再经过定子回流。定子装有超速离合器,它的作用是让定子在低速时可用来使油转向,而在高速时则与泵和涡轮一起运动。这里所述只是最简单的系统。系统中经常有更多的元件来改变油的流向,并且变矩器还往往与齿轮变速箱结合使用。所有的换挡动作都是由一套行星齿轮和速度传感控制装置的组合系统来完成的,它可以改变有关阀门的位置,从而控制液压油的流动。

automatic writing 人手自动写字 招魂术用语,指受术者的注意力从表面上看来集中于他物而不由自主地书写。这种现象可能发生在受术者清醒状态下,也可能发生在催眠状态(通常是入定状态)之下。写出来的可能是互不相关的单词、诗歌片断、绰号、双关语,也可能是有条有理的狂言。19世纪末,这种现象轰动一时,人们大多认为其动因来自外力或超自然力。1900年前后出现了关于有意识和无意识动机的人格理论,于是人们设想这种现象完全出于内在动力。参阅 **automatism**。

automation 自动化 将机器应用于过去曾一度由人去完成的任务,或者越来越多地应用于其他方法所不可能完成的任务。虽然往往用机械化一词来表示机械对人类劳动的简单代替,但是自动化通常则意味着由若干机器一体化而形成的一套自动管理系统。自动化被引进哪个领域,就会在那个领域中引起革命性的变化。现代生活中罕有哪个方面未曾受到自动化的影响。虽然在实践中可能难以划定自动化与机械化的差别,然而自动化社会与机械化社会之间的区别却已更清楚地被人们所领会。由于发展了自动化,工业文明已进入了一个崭新的截然不同的阶段。人类在其工作中一向都在争取把一些劳动重担转移给机械装置。已发现了一些滑轮、绞盘和提升装置的遗迹,其时代可上溯到公元前3000年。但是直到18世纪工业革命时期,广泛的机械化和由机器初步组合而成的系统才开始出现。为步枪等产品生产可互换零件的工厂的发展为此铺平了道路;与之相辅而发展的劳动分工也起了同样的作用。在分工劳动中,每个劳动力的活动都只限于周而复始地去完成某项特定的任务。于是,一个简单的步骤就是研制一些机器,在当时刚刚完善起来的蒸汽机(后来又有电力)推动下去完成这些任务。装配线则代表朝着自动化迈出的另外一步。19世纪70年代,芝加哥的肉类打包商率先大规模使用装配线。在装配线上,一条传送带或类似的装置按工序把加工对象从一个工人或班组传送到另一个工人或班组。把装配线与机械化结合起来的自动传送系统是在第二次世界大战期间发展起来的。这种系统由几组机器组成,彼此之间有传送带相联系;一个工件经过加工之后无需人的介入即可传送到后续工序。与机械化截然不同的真正的自动化直到开发出反馈系统之后才得以实现。两者之间的区别全在于是否有反馈系统,而不在于任何其他方面。反馈指的是机器进行自我调整的能力。通过一套反馈系统或回路,机器监测它自己的输出,将该输出与事先存储的一套标准以及由控制程序下达的指令相比较,并对它自己的运转特性进行相应的调整。

每个自动化的机器或系统需有4个基本组成部分:①动力源,②传感机构,③决策单元,④控制单元。动力源(例如电池或发电机)向自动化系统提供为完成其指定任务所需的能量。传感机构使系统能够检测输出的某种性能。光电管、温差电偶、X射线机和各种电表都是典型的传感机构,它们所能检测的性能有尺寸、重量、温度、压力、颜色或电阻。决策单元将传感元件所提供的数据与存储在程序中的标准进行比较,这一步往往是由计算机来完成的。如有偏差,则决策单元生成适当的命令去激发控制单元。控制单元就行动起来,将系统的运转特性调整得与程序设定值一致。控制单元可由开关、阀门等机构组成。当动力源、传感机构、决策单元和控制单元均正常运转时,一套自动化系统将能在变化多端的环境下调整其性状而无需预见到环境的详情。飞机自动驾驶仪是自动调整装置的一个经典的例证。它从飞行仪表获取信息,利用这些信息不断地调整控制,使飞机保持在预定的航线上。一家自动化工厂可能有数百个乃至数千个彼此相互联通的反馈回路。

自动化的应用领域十分广泛,化学工艺、通信和家用电器(例如可编程序的洗衣机、微波炉和盒式录像机)等无所不包。自动化最重要的进展之一是计算机辅助设计/计算机辅助制造(CAD/CAM)。这种技术可以利用计算机协助完成和优化设计,并且控制和监测按照该设计制造某种产品所涉及的各种过程。CAD/CAM技术已被许多工业部门所采用,特别是那些从事电子设备和机械部件制造的部门。在某些领域,自动化的进展比其他领域慢得多。有些行动对于人类是容易的,例如形状辨别、两个不同物体的匹配和字词识别,但是却已证明是出乎意料地复杂,因而难以把它们分解成一系列可由机器完成的简单动作。尽管如此,在这些领域也已取得了明显的进展,有在人工智能和机器人学方面的新进展为证(参阅 **artificial intelligence; robot**)。工厂对自动化日益增长的应用使许多工业部门提高了生产率。同等重要的是,它还有利于工人的安全。在危及人身的场合的一些复杂任务,例如处理放射性材料和有毒化学物质,可以用自动化机械去完成而无受伤的危险。自动化不仅提高了工业生产率,也影响到社会本身。早期关于自动化导致失业率增长的预测并未言中。然而,自动化却使社会所提供的职业在性质和种类方面发生了巨大变化:它用许多在计算机化或自动化装置的制造和维修方面的技术性或半技术性职业取代了非技术性职业。对计算机程序设计员的大量需求就是一例。由于自动化已使一些异常复杂的项目成为可能,因此它的另一个作用就是促进了控制这些项目的新一代管理方法的诞生。

automatism 自动主义 超现实主义(参阅 **Surrealism**)画家和诗人自1924年以来在艺术中为表现无意识的创造力而运用的方法。19世纪20年代,超现实主义诗人A.勃勒东、P.艾吕雅、R.代斯诺斯、L.阿拉贡和P.苏波尝试在催眠或出神状态下写作,在没有潜意识抑制力或进行有条理阐述之意图的情形下记录心理联想的一系列过程。这些诗人受弗洛伊德心理分析学说的影响,认为在这种状态下产生的信号和形象,虽然在清醒的头脑看来显得古怪或不合理,但却是人类无意识的精神力量的真实记录,因而具有先天的艺术意义。不过,超现实主义者的“自动”写作尝试并未留下什么持久的价值。

自动主义曾是超现实主义画家更有成效的创作方法。特别是A.马松(**Masson, André**)、A.高尔基(**Gorky, Arshile**)和M.恩斯特(Ernst,Max)运用自发记录下来的幻想或色情的想象进行实验,在不受艺术家有意识抑制的情况下进行一种视觉的自由联想。这些形象如果不是画家原先所设想,就是画家

A.马松绘《自动主义素描》(1924)
美国不列颠百科全书公司供图

的精心制作。与此相关的还有恩斯特在作画时偶然发明的一些方法。其中有"摩拓法",把画布或画纸置于木材之类的材料上,用石墨摩擦,使之产生纹理痕迹;"擦刮法",在画好的画布上,用尖利的器具擦刮,使画面更具有实体感;以及"移画印花法",将两块油彩未干的画布对合挤压,然后猛然撕开,使画面的油彩产生隆起的脊纹和气泡。用这类方法造成的偶然性形状,可以产生一些不完全的、有暗示性的形象,或再由画家根据自己的本能反应加以完整。

1946～1951年期间一些加拿大画家-包括P.-É.博尔迪阿、A.迪穆谢尔、J.P.穆索和J.-P.里奥佩列——奉行"自动主义",以"自动主义画家"著称。约自1950年起,一些名为行动画派(参阅 **Action painting**)的美国画家采用自动主义方法作画,有些人直接受马松、高尔基和恩斯特的影响。他们为逃避第二次世界大战均迁往美国。为寻求相当于创作抽象画的精神状态,J.波洛克、W.德·库宁、F.克兰、J.特沃科夫和B.W.汤姆林以各种方式进行尝试,在画布上任意泼洒油彩,并且运用冲动性的狂放笔触。这种画法被认为是可以排除造作、开启画家个性深处基本创作本能的一种手段。从此自动主义遂成为现代绘画技艺总汇的一部分。不过它的声望已和行动绘画本身一起日见衰落。

automatism 自发动作 招魂说名词,指无意识的、自发的人体动作,如在昏迷中讲话、不自觉地写字和扶乩。这种传达的信息似乎是来自灵界,但招魂术者也承认,自发动作可能产生于在适当条件下诱发并充分表露出来的阈下意识或感情。参阅 **automatic writing; medium; Ouija board; séance**。

automaton 自动机 开动后能(在相对的意义上)自动运转的机械装置。有一类机电装置(理论的或真实的)能够按照预定的指令和步骤将一种形式的信息变换为另一种形式,也称为自动机(参阅 **automata theory**)。一般说来,设计自动机的目的,一是要通过它们的视觉感染力来激起人们的兴趣,二是要以它们看似自发的动作所显示的魔力来使人惊奇和敬畏。大部分自动机都是对动植物和自然现象中运动情景的直接表现。例如用多根盘绕的玻璃棒可模拟流水和瀑布等自然景象。有的机械装置则可以模拟花朵绽放或使人物来回踱步。有些纯属虚幻的自动机是由一些完整的场景构成,让一些漫画式的人物

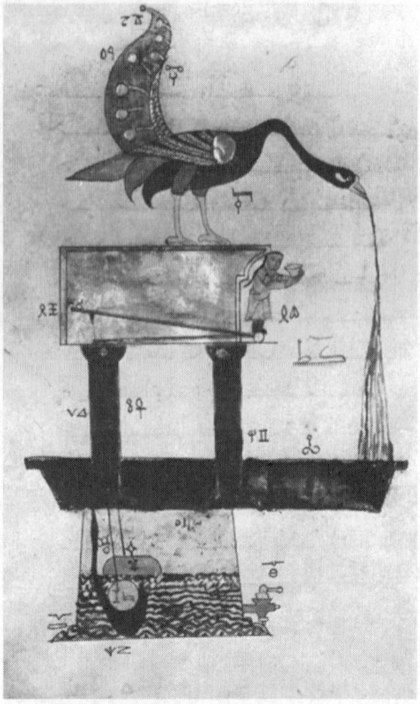

13世纪的机动孔雀
美国不列颠百科全书公司供图

以滑稽的方式进行表演。不过,也并非所有的自动机都是模仿型的,有的只是显示视觉的魅力,例如用一组镶有宝石的圆圈疾速旋转以形成色与光的闪烁图案。

自动机可分为两类:一类是实用物品的附属品,另一类则是纯供装饰和玩赏的精巧物件。本身就能够显示动作的钟表是最常见

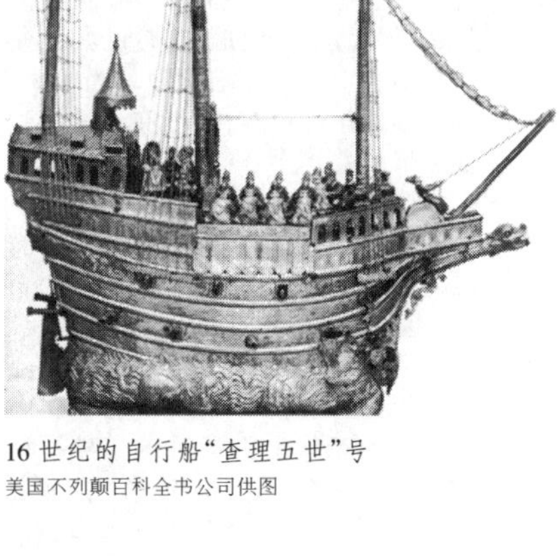

16世纪的自行船"查理五世"号
美国不列颠百科全书公司供图

的一类带有自动机的物品。多年以来,大多数自动机从构思到功能都属于纯供装饰用的精巧物件。最复杂的一种是机器人,即能够来回走动、奏乐、书写或绘画的人形雕像。这些机器人多数尺寸颇大,意在供公开展出。小尺寸的自动机则是精工细作的袖珍物品,例如魔术手枪就是罗沙兄弟的专长,他们都是19世纪最优秀的自动机设计师和工匠。

16世纪以前制造的自动机已罕有存世者,但有众多文献记载了它们的一度存在。最早的是关于一只模型木鸽的记载,它是柏拉图的希腊朋友阿契塔(活动时期公元前400～前350)建造的。这只鸟似乎是装在一根铰支杆的端部,整个装置被一股喷射的蒸汽或压缩空气推着转动。有关其他装置的更完整的资料见于希罗(活动时期公元1世纪)的著述,他描述了一些靠水、落锤和蒸汽驱动的装置。中国早在公元前3世纪的汉代就有自动机的记载,当时为皇帝制造了机器人乐队。到隋代(公元6～7世纪)时自动机已很普遍,并出版了《水饰图》二十卷。唐代(公元7～10世纪)时自动机在皇室中仍很流行。文献记载的有飞鸟、水獭捕鱼,以及从僧人化缘到少女唱歌等各种动作的人物。元代(1279～1363)以后自动机的制造似乎就已衰落了。伊斯兰世界从约9世纪起就有许多

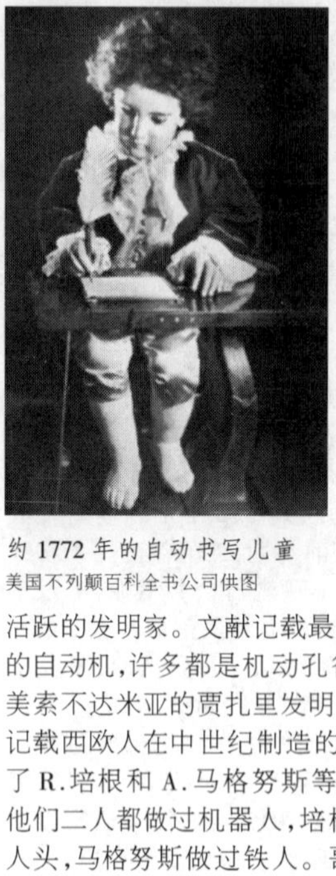

约1772年的自动书写儿童
美国不列颠百科全书公司供图

活跃的发明家。文献记载最多的是水力驱动的自动机,许多都是机动孔雀,是13世纪由美索不达米亚的贾扎里发明和制造的。文献记载西欧人在中世纪制造的自动机时,提到了R.培根和A.马格努斯等杰出人物,据传他们二人都做过机器人,培根做过会说话的人头,马格努斯做过铁人。哥特式建筑师维拉尔·德·奥内库尔在他著名的速写簿(1235)中就图示了许多供教会用的装饰性机械制品。16世纪初,由于与东方的贸易使东方的样品得以输入欧洲,又由于公元1世纪希罗关于机械制品的希腊文著述有了译本,欧洲对制造自动机表现了新的兴趣。以变幻莫测的惊人效果见长的复杂的人造喷泉在富人当中蔚为时尚。著名的有16世纪中叶为罗马附近蒂沃利的一座花园建造的喷泉和供水系统。15世纪中叶开始使用的钢发条,是出现于文艺复兴时期的真正便携式的动力源。例如在一些帆船式的摆设中就使用了钢发条。这些自行船的制作年代大多在16世纪后半期,可能是发源于德国的两个金银器制造中

心:奥格斯堡和纽伦堡。著名的机械制造和珠宝匠师有 H.施洛特海姆。最著名的自行船有“查理五世”号。

最复杂的自动机出现于 18 世纪晚期和 19 世纪初,以擅长制造唱歌小鸟的罗沙兄弟的制品为代表。这种机械的唱歌小鸟做得能从鼻烟盒顶部的铰接盖板下面突然出现,或是能在吊挂起来的笼中表演,笼底下则能看到一只钟表。最引人好奇的小型自动机或许当推所谓的魔术师盒。当往盒子上的狭缝里塞进一块刻有问题的圆片时,一个魔术师的小雕像就会动作起来,用他的魔杖指向出现答案的部位。流行于 18 世纪的较精巧的机械装置是机动画。这是一种带框架的风景画,其中暗藏的钟表机构可以使一些人物雕像和风车等活动起来;其流行持续于整个 19 世纪。这类自动机的一个主要实例是为蓬巴杜夫人设计的一个戏剧场面(1759;现藏巴黎国立工艺美术学院)。与机动画密切相关的是机动舞台,最奢华的一座机动舞台建于奥地利萨尔茨堡附近的赫尔布伦花园内,由 113 个液压操纵的人物雕像组成,组装于 1748 ~ 1752 年间。

至 19 世纪末和 20 世纪初,由于熟练工匠和庇护、资助他们的富豪日益减少,除了 P.C.法贝热(卒于 1920)尚有少数作品外,昂贵的艺术性自动机的生产实际上已经停止。目前还有一些商人在侦猎日益稀有的自动机历史珍品,来为这一奢侈的癖好服务;并由一些索价高昂的能工巧匠来维持这些物品的正常运转。

automobile　汽车　别名作auto,又作motorcar 或 car。一种主要为客货运输设计的自动推进车辆,一般为 4 轮,通常由使用挥发性燃料的内燃机驱动。15 世纪后半期就有人将自动推进车辆的设想付诸实践,然而第一辆真正的汽车则是法国的 N.-J.居纽于 1769 年制成的。该车是按炮车设计的蒸汽动力三轮汽车,可载 4 人以每小时 3.6 千米的速度行驶 20 分钟。19 世纪前半期,英国曾在几条路线上用蒸汽推动的车辆进行公共运输,不过车的噪声大,气味难闻,并且因锅炉可能爆炸而具有危险性。尽管德国工程师 N.A.奥托于 1876 年就做出了四冲程汽油机,但是直至 20 世纪初,用得最广泛的汽车动力仍然是蒸汽和电力。不过,汽油机最终还是占了上风,因为与蒸汽机和电机相比,它能使车辆的速度更快,行程更长;另外,它还比蒸汽机更安全,故障也更少。欧洲的汽车制造先驱者是德国的 G.戴姆勒和 C.本茨,他们分别独立地于 19 世纪 80 年代开始制造汽车。后来两家公司合而为一。在美国,R.E.奥尔兹和 A.温顿及 J.帕卡德属于最早的汽车制造者之列。1898 年美国有 50 家汽车制造厂,1908 年增至 241 家。

在 1908 年,H.福特用他的装配线式的生产对汽车制造进行了一次革命,并且推出了 T 型汽车,其特点是价廉、灵巧、易维修保养。T 型汽车的问世使汽车从富人的玩物变成了中产人士也享用得起的东西。到 20 世纪 20 年代后期,汽车在现代工业化国家已经司空见惯。在 20 世纪 30 至 40 年代期间,在福特等先驱者的原则基础上,汽车制造业得到了改进。当时的汽车一般都是大型的,许多车仍然极其昂贵和豪华;许多最有收藏价值的都是这一时期的产品。第二次世界大战之后,美国因财力雄厚而发展耗费燃料的大型汽车,而许多欧洲国家则生产燃料消耗少的小型车。20 世纪 70 年代以来,油料涨价刺激了对这种小型车的需求,日本、欧洲国家和美国争相生产。

一辆中常的汽车是由 14 000 个左右的零件组成的,它们可以分为几个结构和机械子系统。最基本的是车身,其中有容纳客货的空间,还有发动机舱。车身由模压钢材制成,并经过油漆和防腐蚀处理,其分类常以车门数和车顶类型为准(例如双门硬顶车等)。车身坐在底盘上。底盘是一个钢框架,它还支承着发动机、车轮、车轴组件、变速箱、驾驶机构、制动器和悬吊件。

四冲程活塞往复式汽油机用得最广泛。20 世纪 40 年代,美国的发动机在尺寸和设计上都有所发展,从四缸发展到功率更大的成 V 字形排列的八缸。不过,20 世纪 70 年代以来的趋势则是追求功率较小而效率更高的发动机。变速箱由轴、齿轮和离合器组成,装在发动机和驱动轮之间,以便在发动机启动和空转时使之与驱动轮脱开,并可使发动机功率在不同的负载下得到最有效的利用。变速箱有两种类型:一种的齿轮是人工换挡的,另一种是用液压变矩器等装置自动换挡的。汽车设有转向驾驶系统和制动系统。转向驾驶系统利用一系列连杆和齿轮将方向盘的运动传给前轮。在制动系统中,每个车轮处有两个半圆形的“闸瓦”。受到激发时,闸瓦向外压在每个车轮轮鼓的内表面上。近年来则改用圆盘制动器,是用压板去挤压连接在车轮上的制动圆盘。汽车具有复杂的电气系统。它由蓄电池、交流发电机、发动机启动装置、车辆运行装置(如前灯和风挡雨刷等)以及取暖器和收音机等附件组成。电池为启动电机和点火系统提供足够的电能。发动机一旦启动之后,发电机就不断地给电池充电并向其他电器设备供电。

汽车还有另外一些重要的系统。燃料系统为燃料提供储备空间,将燃料输送给发动机并将其与空气混合,以备在发动机中燃烧。排气系统通过消音器排出废气,以减少发动机噪声。润滑系统可防运动件因摩擦而磨损;发动机使用较轻质的润滑油,变速箱和车轮轴承等处则用较重的润滑油和润滑脂。冷却系统防止发动机过热;通常用液体冷却剂,不过也有许多发动机是风冷的。悬吊系统由盘簧或片簧以及减振器组成,与轮胎共同作用以减少车辆在崎岖路面上行驶时的振动。外胎还制成各种花纹图案,以便在各种行驶条件下提供牵引力。

汽车制造是一套复杂的过程,它涉及多道分部组装工序,例如发动机和变速箱的制造、车身部件的冲压成形、蓄电池和轮胎的采购,最后在生产线上装配成车。通常有车身和底盘两条生产线。首先将冲压好的车身部件焊接在一起并上漆,然后安装车窗和仪表盘等。在底盘生产线上则同时进行悬吊系统、离合器、排气系统、动力机组(发动机、变速箱、驱动轴和差速器)和轮胎的安装。然后将车身与底盘装在一起,再做安装座位和电路接线等收尾工作。经一系列调试后,成品汽车即可发货。

automobile club　汽车俱乐部　汽车所有主的组织。起初为爱好驾驶汽车和赛车的人士的联谊团体,后来发展为服务性机构,为成员抢修汽车,辅助成员设计驱车旅行路线,办理预定住处,代办汽车保险等事。一些俱乐部经常主办机动车运动竞赛。1895 年第一个汽车俱乐部成立于法国巴黎,到 20 世纪 70 年代全世界有 100 多个全国性汽车俱乐部和附属机构,互相订有协定。第二次世界大战后保险公司、石油公司和全国性零售商均纷纷组织汽车俱乐部。拥有各种类型汽车的人也分别成立俱乐部。

automobile racing　汽车比赛　又称 motor racing。普及于全世界的一种职业或业余的汽车比赛运动。比赛有多种形式,可在公路、场地车道或封闭的环形公路上进行。包括大奖赛(**Grand Prix racing**)、赛车跑道比赛(**speedway racing**)、普通型汽车赛(**stock-car racing**)、运动汽车赛(**sports-car racing**)、减重短程高速汽车赛(**drag racing**)、微型汽车赛(**midget-car racing**)与微型汽车运动(**karting**),还有爬山赛和试车赛(参阅 **hill climb; rally driving; gymkhana**)。地方性、全国性和国际性的管理团体,特别是国际汽车联合会,把赛车分成各个级别,对其实行监督。

早期历史　19 世纪 80 年代,在人们发明了用汽油作燃料的内燃机之后不久,就开始了汽车比赛。1894 年从法国的巴黎到鲁昂举行了首次有组织的汽车比赛。这是一次对汽车进行可靠性测验的比赛,行程约 80 公里,优胜者以每小时 16.4 公里的平均速度获胜。1895 年在法国巴黎-波尔多之间举行了一次真正的汽车赛,来回行程 1 178 公里。优胜者以每小时 24.15 公里的平均速度取胜。1895 年感恩节那天,美国首次从伊利诺伊州的芝加哥到埃文斯顿之间组织了一次来回 87 公里的汽车赛。这两次早期的汽车赛都是新闻报纸为了推广目的而举办的。在欧洲,法国城镇之间的车赛或法国与其他国家之间的车赛成为汽车比赛的规范。直到 1903 年,由于发生了大量事故,当局才在波尔多中止了巴黎—马德里汽车赛。1898 年首届封闭式环形公路赛在(法国)佩里格赛车道上举行,每一圈路程为 145 公里。这种由法国汽车俱乐部(1895 年成立)管辖的汽车赛在欧洲普及开来,只有英格兰、威尔士和苏格兰是例外。至 1900 年,比赛用汽车的速度已达到每小时 80.46 公里以上。这对于在不适合行驶汽车、更不适合举行汽车比赛的公路上的观众、参赛者和牲畜构成了危险,因而公路赛逐步减少。**一千英里赛**(**Mille Miglia**)是一个令人注目的例外,它直到 1957 年才停止进行。

最早的现代国际汽车比赛是由《纽约先驱报》的业主 J.G.贝内特提供奖品的,这种比赛每年举行一次,有不同国家的全国性汽车俱乐部参加，每一个俱乐部出3辆用本国生产的零件组装起来的汽车。法国汽车俱乐部于1901、1902和1903年举行了最初几届贝内特奖比赛。这一活动后来于1903年在爱尔兰的环形路、1904年在德国陶努斯山的伦德斯特莱克、1905年在法国的奥弗涅环形路上举行。由于法国的制造商不愿受3辆汽车的限制，他们在1906年抵制了贝内特奖比赛，同年在勒芒举行了首届法国大奖赛，由制造商们组成的队伍驾车比赛。这一年在西西里举办了首届塔尔加·弗洛里奥比赛，以后除战时外每年都举行，赛程从72公里到1 049公里不等。

纽约运动员范德比尔特于1904～1909年（1907年除外）为在长岛进行汽车比赛设奖，赛程从450公里到482公里不等。此后这一比赛在佐治亚州的萨凡纳、密尔沃基、加利福尼亚州的圣莫尼卡和旧金山举行，直到1916年才中断。以后范德比尔特杯赛又于1936和1937年在纽约长岛罗斯福赛车道上举行。

1906年的范德比尔特杯汽车赛
美国不列颠百科全书公司供图

早年在欧洲和美国汽车比赛中，参赛的汽车通常是来年式样的模型。第一次世界大战之后，比赛变得太专门化，无法使用生产用的汽车，尽管偶尔把高性能的旅行车去掉车身，装上专门的车座、油箱和轮胎然后参加比赛。后来，到1939年，开始用改装过的标准车进行跑车赛。

赛车道比赛 1906年英国在萨里郡靠近韦布里奇的布鲁克兰兹建起了第一条赛车道。车道呈环形，长4.45公里，宽30米，有两个弯道，两旁筑起8.5米高的倾斜面。1932年在这里进行了短距离冲刺、接力赛、耐力赛、障碍赛和长距离（1 600公里）比赛。1929～1931年举办过多次24小时比赛。1939年布鲁克兰兹车道被关闭。在英国，第一次被允许举行的公路赛1932年在兰开夏的多宁顿公园里进行。但是这条环形赛道在第二次世界大战中遭到破坏。在欧洲大陆上有一些具有倾斜面的椭圆形赛车道，其中包括蒙扎（1922年建于米兰市外）和蒙特埃莱（1924年建于巴黎市外）。这两条赛车道均与环形公路相连，只有一半车道供大奖赛的部分比赛用。蒙特埃莱也是创造许多长距离高速纪录的地方。

可能最著名的赛车道是印第安纳州的印第安纳波利斯附近高速车道上4公里长的印第安纳波利斯汽车比赛跑道。1909年它作为一条未铺路面的车道开放使用，1911年为举行第一届**印第安纳波利斯五百英里赛**（**Indianapolis 500**），路面才铺上了砖。此后比赛一直进行下去，战争年代除外。20世纪20年代，在美国普遍使用第一次世界大战前用过的一种有木板倾斜面的椭圆形车道。在20年代以前和以后则使用未铺砌的泥面车道，长度有半英里和1英里两种。

美国、欧洲和国际比赛 1906年在法国举行的首届大奖赛和1911年的首届印第安纳波利斯五百英里赛之后，欧洲同北美的汽车赛基本上不一样，一直到50年代才在世界范围举办大奖赛。美国的比赛主要在高速车道上进行。使用的车道从半英里长的泥面车道到印第安纳波利斯五百英里赛所用的2½英里长的车道，情况不等。20世纪30年代，在佛罗里达州代托纳比奇的沙滩上出现了普通型汽车赛。以后把比赛挪到车道上进行。其主要管理机构全国汽车比赛协会成立于1947年。轻型旧汽车赛，特别是短程高速赛于20世纪30年代发源于美国加利福尼亚州南部的沙漠。这是一种在1/4英里狭长地带进行的快加速比赛。轻型旧汽车原先是经改装的比赛用跑车，但是如同其他赛车那样，最后成了结构十分特殊的赛车。轻型旧汽车赛在第二次世界大战后迅速传播开，1951年成立了全国轻型旧汽车协会。这项运动传播到澳大利亚、新西兰、加拿大、英国、德国、意大利、日本和瑞典，并于1965年得到国际汽车联合会的承认。20世纪40年代，美国开始举办小型赛车比赛，到50年代用更小的微型赛车进行比赛。后来在英国和其他欧洲国家，以及在澳大利亚、新西兰和日本都举行过微型赛车比赛，60年代开始还进行了国际比赛。在20世纪30年代后期，业余和职业的赛车比赛在美国盛行，最早用的是欧洲生产的车。美国管理机构——美国赛车俱乐部（成立于1944年）和加拿大汽车运动委员会（成立于1951年）有密切的合作关系。业余会员们主要参加地方的汽车拉力赛和汽车超越障碍等技艺的运动会，但是一般公众主要对职业汽车赛感兴趣。从20世纪60年代起在美国西部沙漠地带举行了荒野汽车赛，在墨西哥的下加利福尼亚州也举行过。这种比赛以巴加五百英里赛和墨西哥一千英里赛最为著名。

与多数欧洲及其他国家不同，美国没有单独的汽车比赛机构。上面提到的那些管理机构都是国际汽车联合会美国汽车竞赛委员会的会员，这个委员会基本上是一个咨询和联络组织。

大奖赛 1906年在勒芒举行首届法国大奖赛之后，勒芒经常成为早年汽车比赛的地点，从1923年起举行的勒芒24小时耐力大奖赛就在那里举行。1907年和1908年都举行了法国大奖赛，以后有几年没有举行，直到1912年才得以恢复。意大利首届大奖赛于1908年举行。第一次世界大战后恢复汽车比赛时，法国和意大利都于1921年举办了大奖赛。比利时的大奖赛始于1925年，德国始于1926年，摩纳哥始于1929年。各个全国性俱乐部在1904年成立了一个管理机构，称做国际特许汽车俱乐部协会，1946年改名为国际汽车联合会。为便于辨认，每个国家的所有赛车都涂上一种颜色：法国是蓝色；意大利红色；德国白色；英国绿色。由制造商报名参赛。通常派2～3辆车。驾驶员全部是职业运动员。在封闭的环形路线上进行比赛，每圈5～6公里，全程为250～650公里。在1934年一年中法国和意大利制造商频频获胜。但是在整个30年代占统治地位的是德国制造商。1947年恢复比赛。从50年代后期起，英国生产的车辆占优势。1950年为驾驶员设立了世界锦标赛。通常用各参赛者在大约15个大奖赛中的累计积分来决定名次，这些大奖赛包括摩纳哥、比利时、荷兰、法国、英国、德国、意大利、墨西哥、南非、加拿大和美国的大奖赛。1955年为一级方程式汽车制造商发起了锦标赛。

拉力赛 1907年举行了路程约为12 000公里的北京—巴黎的汽车赛，这种比赛按规定路线进行。驾驶员从一个检查站到另一个检查站依靠导航仪指示方向前进。1911年开始举行蒙特卡洛汽车拉力赛，以后除战时中断外，一直不断地举行，但每次比赛的起点都不一样。第二次世界大战后，拉力赛在欧洲等地十分普及。由国际汽车联合会发起举办了欧洲锦标赛和国际锦标赛。周末拉力赛在世界各地都很普遍，有由地方汽车俱乐部主办的，也有由较大的团体操持的。

速度 几乎在所有各种比赛中，速度是最重要的目标，尽管有关管理机构出于对安全的关心，防止不断加快速度。即使是这样，赛车速度还是从1911年印第安纳波利斯五百英里赛的每小时120.04公里提高到70年代后期的接近每小时260公里。在大奖赛中，由于地势和弯道数量的差异，速度稍低一些。20世纪20年代，由于人们力求创造陆上行车的速度纪录，因而放弃了特殊沙漠车道或沙滩地带的比赛路线，而一味为了创纪录去设计汽车。后来使用了喷气引擎，有一次一辆三个轮子的汽车创造了一项新纪录，国际汽车联合会对此拒不发给证件，结果只得由国际摩托车联合会加以批准。

关于重大比赛和锦标赛的优胜者以及驾驶员和制造商的情况，参阅 **Sporting Record**：

Automobile racing。

automorphism **自同构** 数学中,一个集合到它自身上的一一映射 σ,并且它保持这个集合的运算。如果这个集合有加法和乘法运算,则 $\sigma(a+b)=\sigma(a)+\sigma(b)$ 和 $\sigma(ab)=\sigma(a)\cdot\sigma(b)$ 对于这个集合中的任意元素 a、b 成立。

autonomic nervous system **自主神经系统** 又作 visceral nervous system、vegetative nervous system。又称内脏神经系统或植物性神经系统,脊椎动物神经系统的一部分。能在无主观感觉情况下也不需主观努力就可以调节控制内脏器官的活动,由两组互相拮抗的神经系统(交感和副交感神经系统)所组成。交感神经系统借脊神经将内部器官与脑相连,受刺激时,即促使机体准备应激,表现为心率增加、肌肉的血流量增加、皮肤的血流量减少。副交感神经系统的神经纤维有脑神经(主要是迷走神经)和腰脊神经;受刺激时则增加消化液的分泌和使心率减慢。

autopilot 参阅**automatic pilot** *自动驾驶仪*。

autopsy **尸体剖检** 又作 necropsy 或 post-mortem。对尸体及其器官进行的解剖和检查。目的是明确死因、观察致病因素的作用、确定各种病变发生的顺序,以便了解疾病的机制及其规律。古埃及人也进行解剖,但不是为了解疾病却是为了保存尸体而摘除其内部器官。古希腊人与印度人将死者直接火葬。古罗马人、中国人及穆斯林全都禁忌解剖人体。为研究疾病而进行的第一例解剖是公元前300年亚历山大医生赫罗菲卢斯和埃拉西斯特拉图斯完成的。但是第一位把尸检所见和临床体征联系起来的是公元2世纪的希腊医师加伦。这是打破旧观念的束缚,并向现代尸体剖检技术发展迈出的重要一步。欧洲文艺复兴时期,人体解剖学得到了蓬勃的发展。其代表人物 A.维萨里的主要贡献是主张在解剖时应确定哪些器官是正常的,哪些是异常的。达·芬奇解剖过30具尸体,并注意到异常解剖结构。米开朗琪罗也解剖过好多尸体。13世纪初,腓特烈二世下令每两年需向医学校送去两具被处决犯人的尸体。萨莱诺医科学校用这些尸体做"解剖教学演示",医生必须参加。世界第一例法医解剖是1302年应博洛尼亚市政当局的要求做的。15世纪的佛罗伦萨医生 A.贝尼维耶尼为明确病人死因,曾做了15例尸检,并从中找到了主要症状的尸检证据。日内瓦医生 T.博内特曾对3 000例文献尸检材料进行临床、尸检对照研究。应该说,现代病理学的大门是经过所有这些先驱者几个世纪的艰苦努力才被打开的。现代病理学的标志是 G.莫尔加尼的长篇巨著《疾病病变和病因的解剖学研究》(1761)。他把他亲自做过的700例尸体解剖的临床、病理情况做了认真的对照研究。这本书就是他多年研究的总结。莫尔加尼之所以被称为现代病理学之父,是因为他的所有材料都是实实在在的第一手资料。病理学是一门实践科学,不是谁说得有理没理的问题。不能从书本到书本,也不能用评论比评论。维也纳医生 K.V.罗基坦斯基(1804～1878)是一位体液论者,主张不用显微镜,但他把肉眼观察技术发展到了现代水平。法国解剖生理学家 M.F.X.比沙(1771～1802)在研究疾病时强调不同系统和组织之间的相互作用。德国病理学家 R.菲尔绍(1821～1902)提出了病理和尸体解剖的细胞学说,主张细胞病变是一切疾病的病理基础。他还反对那种认为病理解剖学只是一门研究病变结构的学科的说法,主张未来的病理学应该是一门以研究病变器官功能为主的学科,他称之为病理生理学。现代病理学是一门综合性基础学科,学科内容涵盖了几乎所有的医学学科领域,研究手段包括了从分子生物学到电子显微镜的几乎所有现代高科技技术。

尸体剖检程序 20世纪的尸体剖检是一门成熟技术,对程序本身,没有任何流派之争。大家都遵循着同一个原则:从体表到内脏、从宏观到微观。Y字形躯干主切口包括两部分:第一切口是经胸骨体、连接两肩的横向弧形切口;第二切口是从第一切口中点到耻骨联合的纵向直线切口。打开胸、腹腔后,沿真皮基底层向上剥离至口腔底,打开口腔。再从咽后壁剥离,将体腔脏器(上起舌、喉,下至肛门)连同甲状腺、颈部大血管整个取出,按系统进行检查,或将每个器官分别摘出(罗基坦斯基氏法)。切开头皮,摘除颅顶骨,取出大脑及小脑。详细检查每个脏器的表面及切面,包括血管、淋巴管、筋膜及神经。将组织或器官取块并包埋在石蜡等物质内,进行切片染色作显微镜下检查。尸检完毕即将各脏器送回体内,仔细缝合皮肤切口,并将外表整理干净。尸体剖检及其他检验工作结束后,病理医生应根据肉眼检查结果,按照对死亡影响的重要性顺序写出初步病理诊断报告。临床方面很少要求病理医师为尸检初步诊断报告出具快速冰冻切片诊断结果。正式的尸检报告不仅有严格的格式要求,而且必须改正临时诊断中的错误,给出最终的(组织学、化学、毒理学、细菌学及病毒学检验)病理解剖诊断及死因。再将尸检结果与临床所见综合分析,写出临床病理分析结果以结束报告。

法医解剖 在现代社会中法医解剖也是不可缺少的专业。法医解剖不仅要确定死因,还必须确证与诉讼有关的致死性或非致死性的全部事实。但也不是说"打开体腔,死因自现"。刑事死亡原因是一种概念,一种"看法",而不是"1+1=2",争论是常有的事。因此,法医解剖的原则是过细的观察、详细的测量和严密的证据。现场的勘查、照相、取证是法医业务的重要内容,因为死亡现场常常是判断死亡方式的关键环节。如自杀或他杀的结论常常不是来自尸检,而是来自现场勘查。因为刑事致死常有伪装,故法医尸检绝不能以偏盖全。此外,重要的法医程序还有:死亡鉴定、在尸体上发现的各种标本的鉴定、血型鉴定、确定死亡时间等。病理医生在尸检时所做口述的记录是重要的医疗文件;在法医,则是重要的法律文件。

尸检的目的 尸体解剖是确定特殊个案诊断的根据,是纠正误诊的武器,是确立新分类疾病的理论依据,也是明确某种疾病有不同表现形式的物证。依据尸检结果所做的发病率和死亡率最具科学价值和统计学意义。尸检还常常提示有某些传染病和流行病的发生。尸体剖检在医学教育方面有着无可取代的重要地位。以它为基本技术的病理解剖学是连接基础医学和临床医学的桥梁学科,是通向未来医学的必经之路。

autostrada **意大利高速公路** 意大利国有收费高速公路网,始建于1924年。最早建成从威尼斯到都灵的一段,至80年代初仍在继续建造中。三车道路面宽33英尺(10米),路肩宽3英尺。该路禁止货车行驶。

autotelism **作品即目的论** 一种观点,认为艺术品,尤其是文学作品,本身就是其创作的目的,或本身就是其创作的理由,而不是为了进行道德教育或说教。该观点与19世纪末唯美主义运动的"为艺术而艺术"的学说相似。

autotomy **自残** 又作 self-amputation。又称自我截肢。某些动物被外物抓住身体一部分时能自行将其放弃的现象。如蜥蜴被捕食者捉住时能自行折断尾巴。自残亦见于某些蠕虫、蝾螈及蜘蛛。弃掉的部分有时能再生。

autumn **秋季** 一年中介乎夏季和冬季之间、气温逐渐下降的季节。美国常称之为 fall ("下落"之意),因为这是树木落叶的时期。通常在北半球规定为从秋分(昼夜等长)即9月22或23日到冬至(一年中白昼最短)即12月22或23日;在南半球则定为从3月20或21日到6月21或22日。从夏热到冬冷的温度过渡仅出现在中、高纬度地区;在赤道地区,一年中气温通常变化很小。在极地,秋季非常短。关于季节变化的自然原因,参阅**season**。在欧洲语言中,秋季的概念与农作物的收获相联系。动物在秋季搜集食物准备过冬,有皮毛的动物往往长出更厚密的皮毛,许多鸟类逃避正在下降的气温而向赤道迁移。在美国中部和东部以及欧洲,有一个共同秋季现象称*印第安夏*(**Indian summer**),即一段时期内出现的不合季的温暖天气,有时出现在10月末或11月。

Autumn Harvest Uprising **秋收起义** 1927年9月中国共产党发动的一次全国性农民起义。1927年4月12日和7月15日蒋介石、汪精卫先后背叛革命,转向反共。针对当时的严重形势,中国共产党中央8月7日在汉口举行紧急会议,确定了实行土地革命和武装起义的方针,并决定在秋收季节发动农民起义。此后湖南、湖北、江西、广东等省的农民在共产党领导下,从9月开始先后发动了数十次武装起义。其中毛泽东和中共湖南省委于9月9日在湘赣边界领导原武昌国民政府警卫团和平江浏阳农军、安源工人武装举行的起义,规模最大,影响最深。这支起义部队合编为工农革命军第一军第一师,冲破国民

《秋收起义》(油画)
中国大百科全书出版社供图

党军的堵截,于10月到达江西永新县的三湾村进行了改编,在部队中建立了共产党的各级组织,确立了党对军队的绝对领导。随后转战到井冈山地区,创建了第一块农村革命根据地。

Autun 欧坦 法国中部勃艮第大区索恩-卢瓦尔省城镇。位于第戎西南,阿鲁河畔。早年为一座重要的罗马城市,以语言修辞学校闻名。至今仍然保存着大部分罗马时代的城墙和两座3世纪城门以及罗马大剧场。1130年建的圣拉扎教堂曾是勃艮第各代公爵的小礼拜堂,以其罗马雕刻而闻名,尤其是吉斯勒贝尔的作品更为出色,对后世有极大的影响。欧坦是莫尔旺高地的牲畜市场,还生产纺织品、电线、金属和电子器材等。人口16 419(1999)。

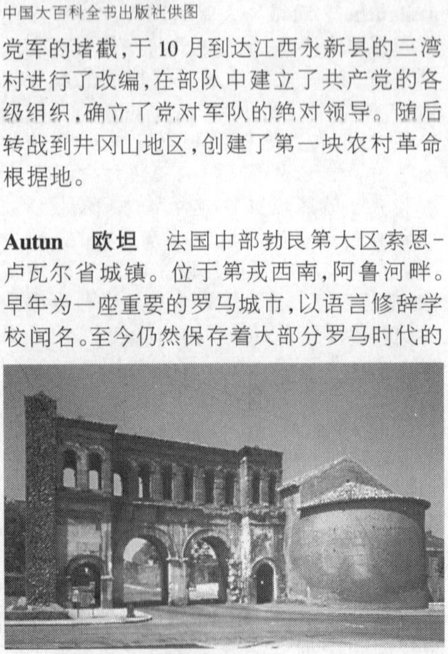

欧坦的3世纪圣安德雷门
美国不列颠百科全书公司供图

autunite 钙铀云母 含水的钙铀磷酸盐矿物[$Ca(UO_2)_2(PO_4)_2 \cdot 10-12H_2O$]。一种铀矿石。晶体半透明至透明,黄色至淡绿色,呈鳞状块体或皮壳,产于热液矿脉和伟晶岩中,是晶质铀矿的蚀变产物。在英国的康沃尔、刚果(金)的加丹加以及美国西北部都曾发现。

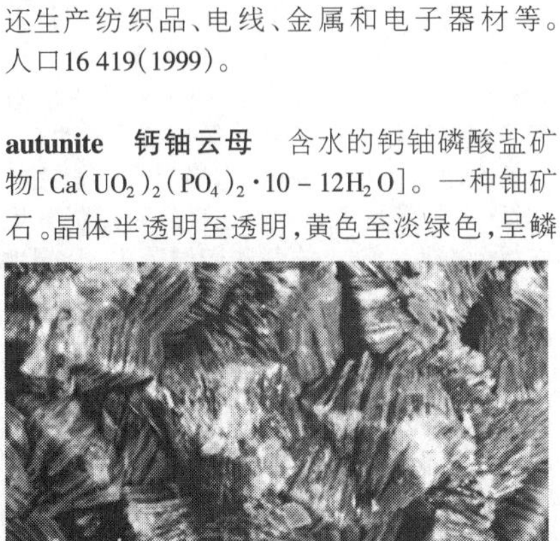

产自美国华盛顿州斯波坎的钙铀云母
美国不列颠百科全书公司供图

Auvergne 奥弗涅 法国行政、历史区。包括今法国中部的阿列、多姆山、康塔尔和上卢瓦尔各省。省会克莱蒙费朗。北邻中央省和勃艮第省,东与罗讷-阿尔卑斯省毗邻,南与朗格多克-鲁西永省和南部-比利牛斯省相连,西面是利穆赞省。

在凯撒(卒于公元前44年)时期,该地阿维尔尼人组成强大联盟,其首领韦辛格托里克斯是凯撒在高卢最强悍的对手。后罗马人将阿弗尼亚归入阿奎丹尼亚-普里马。加洛林王朝时代,此地为一伯爵领地。虔诚的威廉(吉尔赫姆)从886到918年为伯爵,势力强大。在他之后,克莱蒙(今克莱蒙费朗)子爵篡夺了奥弗涅伯爵的世袭领地。

阿奎丹的埃莱亚诺与英格兰安茹王朝的亨利二世结婚后,伯爵遂臣属于英国。但威廉伯爵第七(年少的,1145～1168)的大部分领地转入得到亨利二世支持的他的叔父威廉第八(年长的)之手,他本人仅保有以阿列河和库克斯山为界的部分。这个地区从13世纪末年起称为奥弗涅王储领地。1195年法国的腓力二世奥古斯都介入家族冲突,占据该地区一大部分,并入王室版图,称之为奥弗涅领地。克莱蒙主教罗伯尔一世(1195～1227)因在此事上和他合作,被授予克莱蒙城领主身份。这块领地后来又称为克莱蒙伯爵领地,以示与克莱蒙-昂博韦伯爵领地有所区别。上述就是奥弗涅四大贵族领地的历史渊源。

1360年法国的约翰二世将奥弗涅领地作为公爵领地封给其子让(贝里公爵,卒于1416年),最后传给著名的法国王室总管查理,他于1503年受封波旁公爵后,将公爵领地与王储领地合并起来。但他后来发动叛乱,国王弗兰西斯一世将波旁领地追回转封给自己的母亲萨伏依的路易丝作为终身封地,1532年路易丝死后,封地复归国王。

但奥弗涅伯爵领地于1422年转属拉图尔家族,又传给梅迪契的卡特琳,1551年克莱蒙亦归她所有。这些领地在卡特琳之女瓦卢瓦的玛格丽特死后,于1615年都并入王室。1577年设立里永财政区,区内的行政官员以克莱蒙为其驻地。

奥弗涅属中央高原,巴黎盆地延伸入阿列省。西部受大西洋影响,气候常年湿润;东部为大陆性气候。

该区人口稀少,1946年以来略有增加。居民日益集中于阿列省的平原地带,多是由南面山区迁移过去的。康塔尔和上卢瓦尔两省仍以农业为主,人口半数以上为城市居民。青、壮年多迁居外省,因此本地居民年龄大,出生率低于全国水平。

山区以畜牧业为主。上卢瓦尔和多姆山两省中利马涅富饶的平原生产小麦和饲料。葡萄种植业日见衰落。东部晶岩山地中的小农庄出产裸麦。迁往外地的原本地居民及城市的投资有助于植树业的发展。

旧工艺大抵已失传,但多姆山省的梯也尔仍然制造刀、剑、叉、剪等利器。地区制造业集中在克莱蒙费朗,19世纪末,此地成为工业中心。阿列省因地近巴黎,工业也很发达。克莱蒙费朗的米什兰厂是法国最大的轮胎工厂。阿列省的蒙吕松-科芒特里综合企业生产轮胎、计算机和机器等。该地有多处温泉:维希、内里莱班、波旁拉尔尚博、鲁瓦亚等温泉和其他许多城镇吸引大量游客。面积26 013平方千米。人口1 308 878(1999)。

Auwers, (Georg Friedrich Julius) Arthur von 奥威尔斯(1838-09-12,德国汉诺威格丁根～1915-01-24,德国柏林) 德国天文学家,因编制星辰表而闻名。在获柯尼斯堡大学天文学博士学位(1862)以后,奥威尔斯赴哥达天文台任职。1866年成为柏林科学院天文学家并从1878年起任常任秘书。在1881～1889年间任德国天文学会会长。他还被选为法国科学院院士。奥威尔斯通过观测和计算编制了精度很高的星辰表。在从事这项工作过程中,他研究了太阳和恒星的视差并将J.布拉得雷所作的观测和恒星距离的测量结果重新进行归算。奥威尔斯还以观测双星,尤其是以精确算出天狼星和南河二旁边两颗伴星的轨道而闻名。该两颗伴星在望远镜改进以后才能被看到。

Aux Cayes(Haiti) **奥凯** 参阅 **Les Cayes 莱凯**。

Auxerre 欧塞尔 法国中部勃艮第大区约讷省城镇及省会,临约讷河。罗马以前和罗马时期一度繁荣兴旺。公元3世纪成为主教驻地和省会。15世纪被路易十一并入法国。圣艾蒂安大教堂(13～16世纪哥特式)是欧塞尔最著名的地标性建筑,有三座雕刻的门,西边正面有一扇圆花窗。西北角耸立一座大楼塔。早期哥特式唱诗班席位和半圆式的小礼拜堂都有一些法国13世纪最佳的着色玻璃。圣尤塞布教堂(7世纪建)建筑风格在12～16世纪流行。为工商业和行政中心。有多种工业,生产机械、电子设备、医药品、包装物、食品和饮料(如葡萄酒、利口酒等)。还是约讷河谷和沙布利等产酒地区的服务中

约讷河畔的圣艾蒂安大教堂
美国不列颠百科全书公司供图

心。人口37 790(1999)。

auxiliary 助动词 语法上的辅助成分,常为动词或动词词组,可增加句中主动词和其他述语的基本含义。助动词可表时态、语气、人称和数,多与不定式或分词形式的主动词或动词词组连用。英文有丰富的助动词系统。英文助动词包括表示可能性(如 may, might, can, could)及表示必要性(如 must)的两类情态动词。在"Sam should write to his mother"(山姆应该给他母亲写信)一句中,情态动词"should"将"义务"之意加于主动词"write"之上。其他英语助动词"will"和"shall"通常表示未来,而"would"则表示愿望或意向。有些助动词会组成被动语态,有些助动词能制约主动词内的或外加的相关变化,如"Mary is washing her hair now"(玛丽正在洗头)一句中,其助动词"is"与主动词的现在分词形式"washing"连用。另一个例子是法文的复合过去时(past indefinite)形式,如"*il a donné*"及其英文的对应语"he has given",句中不仅有一个独立的助动词(法文的 *avoir*, 英文的 have),还要把主动词变成过去分词的形式。

auxin 植物生长素 调节植物生长,尤其能刺激茎内细胞纵向生长并抑制根内细胞纵向生长的一类激素。例如,植物生长素可影响茎的向光性和背地性生长。又如,植物生长素在细胞分裂和分化、果实发育、插条时根的形成、抑制侧枝(顶端优势)和落叶过程中也起作用。最重要的天然存在的植物生长素为β-吲哚乙酸。

auxochrome 助色团 能改善邻近发色团对光线的吸收,从而增强和改变物质颜色的原子与电子集团,构成有机分子的一部分。氨基、卤原子、羟基和烷氧基是最强的助色团,不过单有这些基团并不能使化合物具有颜色。助色团的主要组成至少要有一对未参与共价键的非共用电子,通常由氮、氧、硫或一个卤素等电负性原子提供。助色团与发色团的结合,构成一个比发色团单独吸光量更大的电子体系,并吸收波长更长的光,结果使颜色更强,色调更深。过去认为助色团一词还包括磺酸基($-SO_3H$)和羧基($-CO_2H$),现在认为这两个基团只影响染料的溶解性或对纺织纤维的亲合性,不影响染料的颜色。

Av, Ninth Day of(Judaism) 参阅 **Tisha be-Av** 阿布月初九。

AV-8(aircraft) 参阅**Harrier**鹞式飞机。

Ava 阿瓦 中缅甸古都。在伊洛瓦底江左岸与密埃河汇合处。有公路铁路桥通实皆市。继承蒲甘王朝的掸族人在1364年选择了这个地方作为首都。1527年毁于敌族。1634年东吁王朝重立为首都,后被孟族人占领。雍笈牙创建贡版王朝时又定为首都(1765～1783和1823～1837)。现除一寺院外其他遗迹已荡然无存。

ava(ritual beverage) 参阅 **kava**卡瓦酒。

Avadāna 出曜经 佛教文献,记载许多传说,主要是佛陀评述人的前生善行。这些故事散见于律藏和其他经集。在散见于其他经籍的出曜经中,最著名而且篇幅最大的当推《大事》,是大众部所编纂,记佛陀释迦牟尼本身在世和前生的神迹。

avadavat (species *Amandava*, or *Estrilda*, *amandava*) **梅花雀** 又作 red avadavat、red munia 或 lal。又称红梅花雀、红文鸟。蜡嘴鸟(**waxbill**)的一种。体长8厘米,体丰满。为受人喜爱的笼鸟。南亚的沼泽和草地上很多,已引入夏威夷。雄鸟在繁殖期羽衣鲜红,有褐斑和白点,故又称草莓雀。

梅花雀(*Estrilda amandava*)
美国不列颠百科全书公司供图

avahi(*Avahi laniger*) **绒毛狐猴** 长腿的树栖灵长类动物,属大狐猴科,产于马达加斯加。浅灰褐色,手脚淡红色,体长约28厘米,尾长39厘米,尾毛厚而呈淡红色。前肢短、吻短、头圆、耳小,隐没于毛丛中。夜间活动,以植物为食。成小群栖息于雨林,常竖直地依附于树上。妊娠期约5个月,每产一仔。有两个亚种,分别栖于马达加斯加东部和西部森林,西部亚种由于栖息地的破坏而濒临绝灭。

avalanche 崩塌 大量岩石碎片或雪顺山坡向下急剧运动,所过之处将一切扫荡和碾碎净尽。当一堆物质超过了坡面的摩擦阻力时,崩塌就开始了,常在其基底为春雨所松动之后,或为焚风(温暖干燥的风)迅速化冻之后。由炮火、雷霆、人工爆炸之类巨大声响引起的震动能使这堆物质开始运动。大规模的岩石崩塌可以堵塞河流,掩埋村镇。岩崩一般由直径几厘米的基岩碎块组成,并包含有大量土壤和尘埃。岩石崩塌是设想为漂浮在压缩空气的气垫之上,使岩崩得以作长距离的运行。碎屑崩塌常发生在经潮湿松解的未固结的各种土质中。有些雪崩是在特大雪暴中产生的,当雪还在下时就滑动了,但常见的是发生在雪已经聚积于一定地点之后。雪崩的原因之一是在雪堆下面缓慢地形成了深部"白霜"(在地平面上开始形成的冰的六角形杯状晶体)。其晶体由原始雪粒的蒸发,以及同时在地面附近以蒸汽凝结成为较大较致密的冰的晶体,而形成松散的阵列,这样就在地面附近雪堆内部形成了一个软弱带,带中的"白霜"颗粒当上层的雪开始顺山坡下滑时,起着润滑作用。湿雪崩也许是最危险的,因为它重量大,质地沉,一旦停止运动,往往立即固结。干雪崩也很危险,因为它夹带的大量空气使它像流体一般,这种干雪崩可以爬到峡谷的对面坡上。雪崩携带着大量和雪在一起的岩石碎屑。雪崩对登山运动员、滑雪者、旅行家以及山地的居民们带来的危险已引起了很大的注意。在瑞士雪与雪崩研究所里已进行了很多开拓性的研究和保护设施的试验。尽管在瑞士大部分地区,雪崩保护的建设都在运作,但是紧接着大雪之后的时期仍发生破坏性雪崩。瑞士的某些老城镇里,开阔地区容易遭受雪崩扫荡的建筑物,都造得像海船的尖头那样,以便使流来的雪改变方向。在美国,雪崩危险由该国农业部森林司监测,因为山区里的大多数滑雪区都位于国有森林内。专门训练来作雪崩预报与控制的巡林官监控着滑雪胜地及雪崩能够威胁公路或其他建筑结构物的山坡。目前对雪崩的控制,大部分在于将炸药高抛到雪崩带的上段里去爆炸,故意在雪的堆积量还不是太大之前,就使雪滑动。易遭受危险的最大滑雪场,现在多数都由雪崩专家不断巡视。

avalanche effect 雪崩效应 在物理学中指对非导体或半导体加上足够强的电场时，流过它的电流突然增大。大部分非金属固体载运寻常电流的能力受限于能够在外电场中自由运动的电子的不足。足够强的电场能从构成固体的原子中释放出大量电子，从而在材料中形成大的电流。这种效应导致绝缘体和半导体的击穿现象。半导体中这一效应称为齐纳效应。由于每一类物质的雪崩效应都需要特定的电场，它可用于精确地控制电路中的电压，这种器件称为齐纳二极管。室温下，即使绝缘体也有少数自由电子，强电力使这些电子快速通过固体，如果这些自由电子运动得足够快，它就能从固体的原子中击出电子。这些出射电子（也属于受激电子）可以在固体中自由运动，并以同样的方式激发其他电子，这种过程类似于雪崩，每个滚动着的石块使别的也跟着滚动。撤去电场的同时，这些新生的自由电子又被固体的原子所俘获，此时固体再次变成电的不良导体。这种突然产生的大电流会改变甚至熔化固体。

Avalokiteśvara 观世音 佛教徒普遍爱戴的大慈大悲菩萨。菩萨有先拯救世间一切众生然后成佛的决心，观世音就是这种决心的最高体现。观世音是自生不灭的阿弥陀佛在人世间的表现，因此观世音冠上有阿弥陀佛之像。他在作为历史人物的乔答摩佛陀（释迦牟尼）逝世以后、弥勒佛出世以前守护世界。观世音保护人不遭受毁船、失火、暗杀、匪盗和野兽袭击等灾难。他是现世即第四世界的创造者。据传说，观世音察知世界上如此众多的罪人有待拯救，深感悲伤，致使头颅破碎。阿弥陀佛将每一碎片变成一完整的头，把这些头全部安放在他的儿子身上，排成三行，每行三头，将第十头置于上端，再将他本人的形像置于顶端。这种十一面观世音像有时有一千只手，如孔雀开屏一般展开。观世音画像肤色白（在尼泊尔则肤色红）。度母是他的配偶。相传他的居所在普陀洛山，他的像往往供在山顶。印度北方观世音崇拜的鼎盛时期是公元

印度9世纪的观世音铜像
美国不列颠百科全书公司供图

3～7世纪。公元1世纪，观世音崇拜传入中国内地，到6世纪各寺庙都供有观世音像。北宋（960～1127）以前的观世音像都是男性，以后的观世音像则带有双重性别特征。观世音的崇拜中心是浙江省宁波市附近的普陀岛。祈求往生阿弥陀佛之西方极乐世界的净土宗信徒，以观世音、阿弥陀佛和大势至菩萨为统治极乐世界的三圣，将三圣像安置在一起。在画像中，观世音作接引亡者往生西方极乐世界之状。观世音崇拜原出于公元3～5世纪译成汉文的净土宗经典。观世音菩萨于7世纪传入西藏，很快就成为藏传佛教香火最盛的菩萨，他转世化身为历代达赖喇嘛。在大乘佛教诸菩萨中，观世音是唯一受上座部佛教各国崇拜的一位。在锡兰，观世音被称为守护神，往往与弥勒佛相混。观世音崇拜大概是在佛教传入日本以后不久通过朝鲜引入日本的。日本的观世音像，与中国的一样，性别也是时男时女。

Avalon 阿瓦隆 岛名。不列颠传说中的亚瑟王在最后一次战斗中受伤后被送到该岛治疗。蒙茅斯的杰弗里所著《不列颠诸王纪》（约1136）首次提及该岛，同一作者在《墨林传》（约1150）里把该岛描绘为“苹果岛”，即“幸运岛”。它由熟谙医术的女巫摩根及其八姐妹进行统治。

Avalon Peninsula 阿瓦隆半岛 在加拿大纽芬兰省东南部。有一条6千米宽的地峡（在普拉森舍湾和特里尼蒂湾之间）连纽芬兰主岛；半岛外伸177千米，最大宽度97千米。最高点海拔约300米，在大西洋岸圣约翰斯

阿瓦隆半岛一角和岸外岛屿
Shostal 供图

之南，康塞普申湾和圣玛丽湾分别从北、南两面插入半岛深处。半岛可能是航海家J.卡伯特1497年发现的，1623年乔治·卡尔弗特（后为巴尔的摩勋爵）获得其上部分地区，以亚瑟王的阿瓦隆岛命名半岛。1866年铺成的第一条大西洋海底电缆在特里尼蒂湾的哈茨康坦特上岸。临普拉森舍湾的阿真舍曾是罗斯福和丘吉尔在1941年签署《大西洋宪章》之地。半岛是该省人口最稠密的地区，占省人口40%以上。经济主要依靠捕鱼、伐木和制造业。主要城镇在北部沿岸，有圣约翰斯（省会）、沃巴纳、格雷斯港、卡伯尼尔等。

Avalonian orogeny 阿瓦隆造山幕 前寒武纪（39.6亿年前至5.4亿年前）晚期影响美国阿巴拉契亚地槽东部的造山事件。证据有：纽芬兰阿瓦隆半岛、加拿大滨海诸省东部以及美国新英格兰区的东南沿海地区的火成岩侵入、地层褶皱和角度不整合的发育等。阿巴拉契亚山脉中部和南部的蓝岭区和皮德蒙特区前寒武纪晚期的巨厚沉积岩系，可能也是阿瓦隆造山幕在这些地区的反映。

Avalos, Fernando Francesco de 阿瓦洛斯 参阅 **Pescara, Fernando Francesco de Avalos, marchese di** 佩斯卡拉侯爵。

Avanti 阿槃提 古印度王国，在今中央邦，曾是历史上的马尔瓦省的一部分。公元前600年左右首都在马希斯马蒂（可能即今讷尔默达河畔戈德尔布尔），但不久即迁至邬阇衍那（今乌贾因附近）。王国位于连接南北印度的商道上。佛陀在世时（约公元前6～前4世纪），阿槃提是北印度的4大强国之一；一度成为摩揭陀帝国的劲敌。约与此同时，还有一个南槃提（可能即今尼马尔），马希斯马蒂可能是其首府。公元前4世纪，摩揭陀孔雀王朝的旃陀罗笈多灭阿槃提，把它并入自己的版图。邬阇衍那成为早期佛教和耆那教的7圣城之一。公元前50年以后，摩揭陀帝国衰落，巽伽王朝、安度罗人、塞种人为争夺阿槃提而发生混战。公元2世纪，邬阇衍那成为塞种统治区西部的繁荣首府。公元390年左右，旃陀罗笈多二世赶走塞种人，在邬阇衍那设立宫廷。后来摩腊婆部族（迁入阿槃提的年代不详）的名字逐渐代替阿槃提成为当地地名。

Avar 阿瓦尔人 其起源和语言均未确定的一个民族。6～9世纪在东欧起过重要作用，曾在亚得里亚海与波罗的海、易北河与第聂伯河之间的地区建立一个帝国（6～8世纪）。原居高加索，后来介入日耳曼人的部落战争。6世纪末臻于鼎盛。7世纪初参加反拜占廷战争，626年几乎占领君士坦丁堡。7世纪下半叶发生内讧，约9 000名反对派被赶出帝国。后来又发生起义，使帝国更加衰落。805年被查理曼大帝征服。

Avar-Ando-Dido languages 阿瓦尔-安迪-迪多诸语言 通行于俄罗斯达吉斯坦共和国中部、西部及阿塞拜疆部分地区，包括阿瓦尔语、安迪诸语言（安迪语、博特利赫语、戈多贝里语、查马拉尔语、巴古拉尔语、廷迪语、卡拉塔语、阿克瓦克语）及迪多诸语言（迪多语或策兹语、克瓦尔希语、希努克语、别日塔语、洪齐布语或卡普查语）。只有阿瓦尔语有文字，使用安迪和迪多诸语言的土著居民，也以阿瓦尔语为部落间交际语。阿瓦尔-安迪-迪多诸语言常与拉克-达尔格瓦语族及莱兹基语族诸语言共同划为达吉斯坦诸语言（**Dagestanian languages**）。

Avataṃsaka-sūtra 《大方广佛华严经》 简称《华严经》，是卷帙浩繁的大乘佛教经典。此经最明显地表现原始佛教发展成为大乘佛教的教义演变过程。据此经记载，佛陀讲论众生皆具佛性，一切现象互生互依，最后成佛。《华严经》汉文译本于公元400年前后出现于中国。特别信奉《华严经》的华严宗于6世纪在中国兴起，8世纪传入日本。

avatar 化身 印度教名词。指神为了抵制世上某一种邪恶而化作人形或兽形。这个词

通常指毗湿奴的10次下凡救世的化身，即麻蹉（鱼）、俱利摩（龟）、筏罗诃（公猪）、那罗希摩（人狮）、筏摩那（侏儒）、持斧罗摩、罗摩、黑天、佛陀和迦尔吉。

Ave Maria (Roman Catholic prayer) 参阅 **Hail Mary** *万福马利亚*。

Avebury 埃夫伯里 英格兰威尔特郡肯尼特区的一个教区。位于莫尔伯勒丘陵脚下，临肯尼特河。其部分地区处在欧洲最大和最著名的史前遗址区内。当地新石器时代遗迹有环形白垩石砌坑壁、带天然孔的环石和有成对石块排列的“肯尼特街道”等。埃夫伯里村和一座博物馆现由文物保护机构全国托管协会管理。人口555(1981)。

Avedon, Richard 艾夫登（1923-05-15，美国纽约州纽约～2004-10-01，得克萨斯圣安东尼奥） 20世纪中期主要的摄影家之一，以拍摄肖像照和时装照著名。10岁开始摄影，很快就对肖像照感兴趣。拍摄的第一个人是俄国钢琴家和作曲家拉赫玛尼诺夫。那时拉赫

美国不列颠百科全书公司供图

玛尼诺夫和艾夫登的祖父母住在纽约市的同一幢公寓楼里。他在美国商船队和社会研究新学院学习摄影。1945年成为一名职业摄影师，一年后成为时装杂志《哈珀市场》的经常投稿人（1946～1965），以后又成为《时装》杂志的摄影师（1966～1990）和《纽约人》杂志的摄影师（从1992起）。其时装照片，以强烈的黑白图形为特征，创造了朴实而精致的效果。其名人肖像照，以生动的造型效果突出了人物个性。他的许多摄影作品收集在《观察资料》（1959，并由T.卡波特撰文）、《并非个人的》（1974，并由J.鲍德温撰文）、《人物肖像》（1976）、《艾夫登：摄影作品，1947～1977》（1978）、《在美国西部》（1985）、《自传》（1993）以及《光彩的奴隶》（1995）等照片集中。

Aveiro 阿威罗 葡萄牙西北部阿威罗区首府和港口。位于沃加河口环礁湖畔。为捕捞金枪鱼、鲐鱼、沙丁鱼、鳕鱼和鲷鱼的渔港。生产鞋靴、家具和番茄酱。环礁湖产盐，有部分围垦农地。原耶稣会现为地区博物馆，藏有中世纪珍贵艺术品。设阿威罗大学。阿威罗区面积2 708平方千米。出产农产品、葡萄酒、盐和松木材，开采煤和铅矿。人口：市35 246(1991)；区约658 400(1992)。

Avellaneda 阿韦利亚内达 前称南巴拉卡斯（Barracas al Sur）。阿根廷大布宜诺斯艾利斯的都市区和行政区。临拉普拉塔河河口湾。在19世纪末和20世纪初为工业贫民窟。早期居民为西班牙、意大利和波兰移民。建于1852年。1914年为纪念阿总统N.阿韦利亚内达重新命名。面积55平方千米。东南连基尔梅斯行政区、西南邻拉努斯行政区。除首府阿韦利亚内达外，主要城镇有萨兰迪、维尔德和赫尔利。20世纪，因皮革、羊毛和肉类的加工与销售，该市商业迅速发展起来。40年代中期，这里是庇隆主义者的活动中心。该区港口设施为沿海和河道贸易服务。主要销售羊毛、皮革和其他畜产品。居住密度在大布宜诺斯艾利斯行政区中居第5位。人口总数自1960年后基本未变。人口：行政区342 193(1999)。

Avellino 阿韦利诺 意大利南部城市。坎帕尼亚区阿韦利诺省省会。临萨巴托河。四周为亚平宁山，位于那不勒斯东面。1860年成为意大利王国一部分。历史上地震频繁，最近一次地震发生于1980年。著名建筑有12世纪大教堂（1868年重建）、省立考古博物馆和伦巴底式城堡遗迹。韦尔吉内山附近有本笃会隐修院和蒙泰韦尔吉内圣殿（1119年建，每年来朝圣者多达数千人）。现为农贸中心。生产食品、葡萄酒、毡帽和羊毛衫。有硫磺矿。人口：城市区约56 166(1999)。

Avempace 阿文帕塞（约1095，西班牙萨拉戈萨～1138或1139，摩洛哥非斯） 又称伊本·巴贾赫，全名艾布·伯克尔·穆罕默德·伊本·叶海亚·伊本·萨伊格赫·图吉比·安达卢西·萨拉库斯蒂。西班牙哲学家，该国宗奉亚里士多德-新柏拉图主义的阿拉伯哲学传统中可考的第一位代表人物，为博学的学者伊本·图菲勒和哲学家阿威罗伊的前驱。似乎可以断定，他的一种重要哲学思想是，相信人的灵魂可以与真主融合。许多穆斯林传记作者认为他是无神论者。其最重要著作是《独居养生法》，未完成。还著有诗歌多首及植物学论文一篇。据说他兼通天文、医学和数学。

Aven, John Hamilton, Lord 艾文勋爵 参阅 **Hamilton, John Hamilton, 1st marquess of** *汉密尔顿侯爵（第一）*。

Avenarius, Richard (Heinrich Ludwig) 阿芬那留斯（1843-11-19，巴黎～1896-08-18，苏黎世） 德国哲学家。曾在苏黎世执教，并创立一种认识论，通称为经验批判论。阿芬那留斯认为哲学的主要任务是提出以纯粹经验为基础的一种“自然的对世界的概念”。传统的形而上学家认为有内外两种经验，外部经验适用于提供思想原料的感觉，内部经验适用于发生于头脑内部的各种过程，诸如概念化和抽象化。而阿芬那留斯在其最著名的著作《纯粹经验批判》（2卷，1888～1900）中认为，内部经验和外部经验并无区别，只有纯粹经验。

Avencebrol (Hebrew poet) **阿维丝布鲁勒** 参阅 **Ibn Gabirol** *伊本·盖比鲁勒*。

Avennasar (Muslim philosopher) **阿文纳萨尔** 参阅 **Fārābī, al-** *法拉比*。

avens 水杨梅 蔷薇科水杨梅属（*Geum*）各种多年生植物。约50种，多分布于南、北温带或北极。有些开白色、红色、橙黄色或黄色花的种被栽培观赏。通常不高于60厘米；叶

水杨梅（*G. turbinatum*）
美国不列颠百科全书公司供图

多基生，复叶，深裂或具缺刻；花径约2～3厘米，单生或聚生成小簇。

Aventinus 阿文提努斯（1477-07-04，巴伐利亚阿本斯贝格～1534-01-09，雷根斯堡） 原名Johannes Turmair。人文主义者和历史学家，有时被称为“巴伐利亚的希罗多德”。他曾在因戈尔施塔特、维也纳、克拉科夫和巴黎各大学求学，后来他是巴伐利亚公爵威廉四

美国不列颠百科全书公司供图

世诸弟的导师（1509～1517）。在这期间，他发表了一部拉丁文法，还著有巴伐利亚公爵世系史。在其名著《巴伐利亚编年史》（1517～1521）中，曾明确表现他的反教权和亲神圣罗马帝国的观点。

Aventis 安万特 法国制药公司，1999年由赫希斯特公司和罗纳-普朗克公司合并而成。总部设在法国斯特拉斯堡。安万特是第一个跨国并购形成的公司，合并了法国和德国的两大竞争对手。公司产品包括疫苗、抗过敏药物、化疗药剂、胰岛素、抗生素和动物保健产品。

aventurine 砂金石 又拼avanturine。斜长石和石英两种矿物的宝石级变种中的任何一种。两者都由于含有呈定向排列的云母或赤铁矿微小包裹体，因而产生闪光反射。大部分的砂金石石英呈银色、黄色、淡红褐色或绿色。俄罗斯乌拉尔有云母片岩中延伸很广的砂金石层。由于含有铬云母而呈绿色的砂金

石产于印度的泰米尔纳德(以前的马德拉斯)、中国以及美国佛蒙特州的拉特兰。砂金石石英用来作珠宝、瓶、碗(有时很大)以及其他装饰品。

aventurine(Japanese lacquerwork) 参阅**nashiji** 梨子地。

Avenzoar 参阅**Ibn Zuhr** 伊本·祖尔。

'avera 越轨行为 又拼averah。犹太教名词,指侵犯上帝或人的不道德行为。越轨行为有轻重不同。拜偶像、流无辜者之血、奸淫乱伦是3大越轨行为,犹太教教导信徒宁死也不可自愿采取这类行为;但是,为了保存人命,信徒却可以采取轻微越轨行为,例如不守安息日等。

average 海损 在海事法上,指海上财产(船只或所载货物)由于海上的风险而蒙受的低于总值的损失或损坏。海损分单独海损和共同海损两种。单独海损指遭受损失或损坏的财产主人所承担的损失(除非他投了风险保险)。共同海损指加入航行的全部财产的不同物主所共同承担的损失。共同海损的基本概念(比较重要的形式)涉及为了使其余的财产免遭毁灭而自愿地牺牲的财产(例如为了在风暴中保住一艘船而将货物扔入水中或砍断桅杆);被保住财产的主人应向牺牲财产的主人支付补偿,其数额应达到使所有人按比例分摊损失的财产的价值总额。这样分摊损失的习惯在公元6世纪的罗马法中已有明确规定。因此,现在所谓的共同海损法有它古老的渊源,各航海国家都接受这一法理,把它当作本国海事法的一部分。但至今尚无关于共同海损的国际协定。

averah (Judaism) 参阅**'avera** 越轨行为。

Averescu, Alexandru 阿韦雷斯库(1859-04-22,奥斯曼帝国摩尔达维亚比萨拉比亚伊兹梅尔～1938-10-03,布加勒斯特) 罗马尼亚军人、政治家,3度出任罗马尼亚首相,为官方镇压1907年农民起义的主要执行者。早年参加罗马尼亚独立战争。战后去意大利接受军事训练。1907年任陆军大臣,镇压1907年农民起义。第二次巴尔干战争(1913)中,指挥军队进攻保加利亚。第一次世界大战期间,他在莫勒谢什蒂狙击德军成功。1918年3月出任首相,与同盟国议和。但在同年5月签订《布加勒斯特条约》前去职。后来创立人民党,再次出任首相(1920～1921),实行重新分配土地政策。1926年第3次组阁,对内倾向保守,对外亲意大利。

Averlino, Antonio di Pietro 阿韦利诺 参阅**Filarete** 菲拉雷特。

Averno, Lake of 阿韦尔诺湖 意大利南部坎帕尼亚区那波利省火山口湖。在坎皮-弗莱格雷火山区、那不勒斯的西面。该湖海拔2米,深36米,周长逾3千米,无天然排水口。其希腊名"阿奥诺斯"意为"无鸟类"。源自传说由于该处的有毒硫磺雾气,无鸟类能飞越之。古时四周为浓密森林,诗人维吉尔曾将此地比作地狱的入口处。古罗马政治家阿格里帕于公元前37年将该湖变为军港,称伊乌利乌斯港,建运河与海连接,并有一条800多米长的隧道通往库迈,是世界第一条大公路隧道。由于海岸上升,运河堵塞。今称科切伊奥洞的原隧道一直使用到第二次世界大战期间被毁为止。有浴池、寺庙和别墅等古罗马遗迹。

Averroës 阿威罗伊(1126,科尔多瓦[今在西班牙]～1198,阿尔摩哈德帝国马拉喀什[今在摩洛哥]) 又称伊本·路世德。有影响的伊斯兰宗教哲学家,曾将伊斯兰传统与希腊思想融合为一体。他应哈里发伊本·图菲勒的要求,于1162～1195年间对亚里士多德的大部分作品及柏拉图的《共和国》作出一系列的提要和评注,在其后数百年间曾产生相当大的影响。1179～1180年所写的《关于宗教法则与哲学之间一致性的论文》、《关于宗教教义论证方法的考查》和《矛盾的矛盾》均是反对教义学家们而努力保卫对宗教进行哲学研究的作品。

早年生活 阿威罗伊出身于科尔多瓦的一个著名的法学家家庭。他精通传统的穆斯林学科(尤其擅长对伊斯兰教圣典《古兰经》和《圣训》的诠释以及法律),又学过医,在哲学方面很有造诣。官至科尔多瓦(即古儿土拜)大法官。哲学家伊本·图菲勒去世后,阿威罗伊继其后任,先后任哈里发艾布·耶古卜·优素福和艾布·优素福·耶古卜的御医。1169年伊本·图菲勒引阿威罗伊去见艾布·耶古卜。艾布·耶古卜本人是一个热心研究哲学的人,他提出众天神是否是创造的这样一个问题,使阿威罗伊十分惊恐。哈里发本人对问题作了回答。在后来表明对阿威罗伊的前程起决定性作用的这次长谈之后,哈里发赠他以珍贵的礼品。不久,阿威罗伊即得到统治者的请求,要他对希腊哲学家亚里士多德的哲学作出急切需要的正确注解。在作为法官的忙碌生涯中,他曾多年专心从事这项任务,最初在塞维利亚,后来在科尔多瓦继续不辍。阿威罗伊任科尔多瓦大法官的精确年代不详。

亚里士多德著作评注 1169～1195年间,阿威罗伊对亚里士多德的大部分著作(如《工具论》、《论灵魂》、《物理学》、《形而上学》、《动物构造》、《自然功能》、《气象学》、《修辞学》、《诗学》和《尼可马亥伦理学》)写了一系列的评注(有提要,有中篇和长篇的评介)。阿威罗伊感到亚里士多德的《政治学》难以理解,因此他写了一篇对柏拉图的《共和国》的评注(在形式上既是意译,又是中篇评介)。阿威罗伊的所有评注均被编入亚里士多德全集的拉丁文版。这些评注现存于阿拉伯原文或希伯来译文中,或者二者均存世;有几篇希伯来译文代替估计已经失传的阿拉伯原文,例如对亚里士多德的《尼可马亥伦理学》和柏拉图的《共和国》的重要评注。阿威罗伊的评注在以后数百年对犹太教徒和基督教徒均产生巨大影响。他具有敏锐的洞察力,因而能够充分表达亚里士多德的思想,并使人们很容易理解这一思想。他善于批判地利用古典注释家忒米提乌斯和阿弗罗狄西亚的亚历山大、穆斯林哲学家法拉比、阿维森纳(即伊本·西拿)和他的同胞阿文帕塞(即伊本·巴杰)的作品。在评释亚里士多德有关自然科学的论著时,阿威罗伊显示出很敏锐的观察力。

阿威罗伊保卫哲学的斗争 他本人的第一部著作是1162～1169年间写成的《医学通则》。他的法学著作有一小部分存世,教义学著作则全部失传。毫无疑问,他的最重要著作是1179～1180年完成的3篇具有密切联系的宗教-哲学论战文章:《关于宗教法则与哲学之间一致性的论文》及其附录《关于宗教教义论证方法的考查》和《矛盾的矛盾》。在上述的前两篇论文中,阿威罗伊提出一个大胆的要求:只有形而上学家运用某种证据(演绎推理)才能够而且有资格(并有义务)解释预言性教律(即伊斯兰教法)中所包含的教义,而依靠辩证论点的穆斯林辩证教义学家们既无能力也无资格这样做。哲学寻求真理的目的是确定宗教信仰和信念的真正的、内在的意义。这种内在的意义不得向群众透露,他们必须接受在故事、明喻和隐喻中所包含的圣典的简明的、外在的意义。阿威罗伊把亚里士多德的3个论证(指示的、辩证的和诱导的即修辞的和诗学的)应用到哲学家、教义学家和群众身上。第3篇论文为保卫哲学的专著,反对他的前辈加扎利明目张胆地把攻击的矛头特别指向阿维森纳和法拉比。阿威罗伊的辩护文字坚强有力,大为成功。在法律体系中,当时已不再绝对强调遵循以前的判例实际运用穆斯林法规,也同样强调研究它的原理,并以伊本·图迈尔特的教导为依据恢复独立的法律裁定。伊本·图迈尔特认为要向迄今一无所知的群众讲解伊斯兰教教法的明确意义,使他们能够懂得律例,这一思想大概更具有深远的重要性。与这些进展同时产生的是,阿威罗伊在《关于宗教法则与哲学之间一致性的论文》中所讲"那些遵循思辨的道路并急欲懂得真理的人"——即穆斯林哲学家们极力鼓吹用示范的证明解释伊斯兰教教法的理论教导。但是,尽管法学家们和教义学家们都是如此地大力支持,阿威罗伊保卫哲学的斗争依然是在一种逆风中进行的。

阿威罗伊本人对于艾布·耶古卜的支持表示感谢,把所著《柏拉图共和国评注》呈献给他。穆斯林辩证教义学家们与法学家一起占有重要地位,对狂热的群众发生巨大影响。阿威罗伊尽管遭到他们的强烈反对,仍然从事自己的哲学研究。这可以说明他为什么突然失宠,艾布·优素福借着一次反基督教西班牙的圣战机会免去他的高级官职,并于1195年将他放逐到卢塞纳。据阿拉伯的资料称,大概是在法学家和教义学家们的唆使下,暴民对阿威罗伊进行袭击,然而,更有说服力的理由似乎是:当哈里发需要人民忠心耿耿一致支持他的时候,他以这种方式来安抚教义学家们。阿威罗伊失宠还只是暂时性的,因为哈里发在他回马拉喀什之后立即召见他。伊斯兰教历史中不乏这样的情况:帝王本身爱好哲学并与哲学家们为友，而在同时，官方不赞成哲学，迫害哲学的拥护者，并焚毁他们的哲学著作，禁止研究奉行教律所需之外的任何世俗学术。如果没有哈里发的鼓励，阿威罗伊就几乎不可能整个一生坚持不懈地为保卫哲学而进行反对教义学家的斗争。他的两位主子和资助者逐渐脱离伊本·图迈尔特的教义学而全神贯注于伊斯兰教教法，对他也可能有所帮助。在散见于他的评注（如对亚里士多德《动物构造》的评注）中的寥寥数语中，阿威罗伊暴露出他已感到从事哲学研究和勤恳执行公务很难两全。

著作的内容和重要性 为了对阿威罗伊的思想作出公正的评价，必须考察一下他的全部著作。特别是把他的宗教-哲学论文与他的《柏拉图共和国评注》加以比较，就显示出他对于伊斯兰教规定的教法的态度基本上是一致的，从而决定他对哲学更精确地说是他对诺莫斯（柏拉图的哲学家王的法律）的态度。这样一来就会领会：对于阿威罗伊来说只有一个真理，那就是宗教法的真理，亦即形而上学家所寻求的那个真理。双重真理的学说肯定不是阿威罗伊提出的，而是拉丁的阿威罗伊派一手炮制的。说哲学是供形而上学家的而宗教是供群众的，这样讲也不正确。阿威罗伊叙述得十分明确：宗教是供所有3个阶级的；伊斯兰教教法的内容是所有信徒的全部的和唯一的真理；上流社会必须与群众同样按照明白无误的意义接受关于赏罚和来世生活的宗教教义。哲学家必须选择最好的宗教，对于一个穆斯林来说，最好的宗教是最后一位先知穆罕默德所宣讲的伊斯兰教，正如基督教是耶稣时代最好的宗教和犹太教是摩西时代最好的宗教一样。

意味深长的是：阿威罗伊在他的《柏拉图共和国评注》中能够说宗教法和哲学具有同一目标，而在《关于宗教法则与哲学之间一致性的论文》中能够说"哲学是伊斯兰教教法的同伴和义姊妹"。他接受亚里士多德把哲学区分为理论的（物理学和形而上学）和实践的（伦理学和政治学）两类的主张，认为伊斯兰教教法教导二者都达到完善的地步：抽象知识如上帝的洞察一切的能力一样指挥一切，而实践即伦理道德则由法律主管。在《矛盾的矛盾》中，他断言"宗教法符合真理，给予使所有创造物都能得到幸福的那些行动的知识。"作为一位穆斯林，阿威罗伊坚决主张所有的信徒在今世和来生都要得到幸福。不过，他是柏拉图的崇拜者，对此作了修正，说知识的最高完美境界是专为形而上学家准备的，如在柏拉图的理想国里一样。然而，穆斯林的理想国也为群众的幸福作好准备，因为它有由先知启示的法律，而从这一点来看，此法比希腊的诺莫斯（法规）略胜一筹。阿威罗伊区分幸福的等级，并向每个信徒分配与其知识水平相应的幸福。他指责柏拉图忽视第三等级，因为他认为每个人都有权分享自己的一份幸福。只有伊斯兰教教法关怀所有的信徒。它承认思辨为合法，因为它要求信徒必须认识真主。素朴的信徒从隐喻中可以得到这种知识，只有形而上学家才能借助论证理解奥妙的意义。所有的穆斯林哲学家在这一点上意见一致，他们全都承认伊斯兰教教法因其天启性质而具有的优越性。但是，只有阿威罗伊坚持说它比诺莫斯优越。

他坚持形而上学家有以正确的信条和信念的方式解释宗教教义（如柏拉图的哲学家王）的特权，认为这是真主让他承担的一种义务。他承认伊斯兰教教法中包含有令人难以理解的教义，但是所有的信徒必须接受，因为其中有真主启示的真理。哲学家肯定受到宗教法规的约束，其程度与群众以及站在两者中间某个位置的教义学家们完全相同。在探求真理时，形而上学家受阿拉伯习俗的约束，正如法学家在解释法律时一样，不过，与形而上学家的确切证明截然不同，法学家只用主观的推理。这意味着哲学家没有义务去接受被论证驳倒的东西。阿威罗伊用如下的事实说明这一看法是正确的，即：一个穆斯林只受精通与现行法规有关的严密法律文件的学者公议的约束。可是，由于一些理论性的陈述（如创世）没有公议，那他就不是非遵守不可。同样，拟人化是不能接受的，圣典中用人体名词描写真主的那些段落必须当作隐喻来解释。阿威罗伊完全回避真主是否只知道普遍的事物而不知道特殊事物这一问题，他说真主有对特殊事物的知识，但是他的知识与人类的知识不一样。这两三个例子足以说明在阿威罗伊的陈述中不是没有模棱两可和前后矛盾的地方。

《柏拉图共和国评注》揭示出阿威罗伊的在他的其他一些评注中见不到的一面。当他把试图综合宗教法和希腊哲学的长期传统继续进行下去的时候，尽管大规模地依赖先辈，但是远远超出了前人。他将经过亚里士多德修正的柏拉图政治哲学看作自己的东西，认为它对伊斯兰教国家同样有效。结果，他把柏拉图的概念应用于当时的阿尔莫拉维人和阿尔摩哈德人的国家，持续不断地以柏拉图的思想方法发表评论，坚决认为如果哲学家不能当政，他应该竭力按照理想国的方向对政策施加影响。因为，尽管伊斯兰理想国以伊斯兰教教法为理想的宪法，把它作为基础和核心，但是柏拉图的理想国是最佳者。例如，与柏拉图的《共和国》中的妇女为平等公民相比，他对伊斯兰教中的妇女地位感到遗憾。他说只用妇女生孩子和养育子女对经济不利，这正是国家贫困的原因。这是最离经叛道的言论。

更重要的是，他接受理想的、完美的国家转化变质成为4个不完美国家这一柏拉图的理念。在穆斯林的传说中，穆阿威叶一世破坏了最初4代哈里发的理想国，将它变成一个王朝统治的强权国家。阿威罗伊依照柏拉图的见解，认为他是把理想国转化为荣誉至上政府即以热爱荣誉为基础的政府。同样，阿威罗伊指明阿尔莫拉维人和阿尔摩哈德人的国家是从类似最初的完美的伊斯兰教教法国的国家堕落成了荣誉至上政治、寡头政治、民主政治和僭主政治。在这一点上，阿威罗伊把伊斯兰教的观念与柏拉图的哲学思想结合到一起了。

尽管阿威罗伊坚信伊斯兰教教法比诺莫斯优越，但在伊斯兰教教法和借助亚里士多德所解释的柏拉图的一般法之间看到有很多共同基础。他采纳法拉比所讲柏拉图的哲学家王等于伊斯兰教的伊玛目（领袖和立法者）的公式，但是对于理想的统治者是否也必须是先知这一问题并未作最后决定。其原因很可能是这样：作为一个忠实的穆斯林，阿威罗伊相信穆罕默德是"先知的封印"，一劳永逸地颁布了真主启示的伊斯兰教教法。另外，阿威罗伊不把穆罕默德放在一般先知的行列，从而明确地拒绝用其他穆斯林哲学家所采取的流溢说对预言作心理的解释。可以说，阿威罗伊的宗教-哲学著作与他对《共和国》的评注中观点的一致使他的政治哲学具有明显的伊斯兰教性质和情调，从而增加了他作为一位宗教哲学家的重要性。

Averroism, Latin 参阅 **Latin Averroism** *拉丁阿威罗伊主义*。

Aversa 阿韦尔萨 意大利南部坎帕尼亚区卡塞塔省城镇和主教区，地处那不勒斯北部肥沃的坎帕尼亚平原。1030年由诺曼人建立，后成为意大利第一个诺曼行政区首府，并成为文化中心，以其拉丁语文法学校著称。1860年成为意大利王国的一部分。著名建筑有11世纪的大教堂和诺曼式城堡，两者均于18世纪重建。1749年作曲家D.契玛罗萨诞生于此。现为重要的铁路枢纽。主要有制鞋业、农业和葡萄种植业。销售葡萄酒、莫泽雷勒干酪和乳制品。人口：城市区约55 856（1999）。

aversion therapy 厌恶疗法 又译反感激发疗法。一种心理治疗方法：通过在令人不愉快的刺激与患者的不良行为之间建立条件反射而使患者减少或避免这种不良行为。主要使用电和化学药剂作为治疗的刺激物。电治疗可用以治疗性偏离。每当患者要出现不良行为，就会受到一次伴有轻微疼痛的电击。化学治疗时，给患者某种药物，当他有不良行为时该药便产生效应（如恶心）。厌恶疗法广泛用于治疗酒精中毒，药物与酒精合在一起便产生恶心感觉。

Averulino, Antonio di Pietro 阿韦鲁利诺 参阅 **Filarete** *菲拉雷特*。

Avery, Byllye 艾弗里（1937，美国佛罗里达迪兰～ ） 全名Byllye Yvonne Avery。美国保健事业活动家，通过自助小组和互助网络为改善低收入黑人妇女的福利进行不懈的努力。曾获塔莱德加学院心理学学士（1959），佛罗里达大学特殊教育硕士（1969）。从事情绪失常孩子的教育工作，先后做过教师和佛罗里达州顾问。丈夫33岁去世后她便投身于改善黑人妇女健康状况的事业，帮助遭受贫穷、犯罪、暴力和种族主义威胁的黑人妇女建立自助小组。1974年与他人共同创建盖恩斯维尔女子保健中心，并任总裁兼执行董事。四年后又与人在盖恩斯维尔创建非传统分娩中心。1983年设立全国黑人妇女保健项目，任执行董事（1982～1990），后发展成为在美国22个州和其他6个国家拥有2 000多单位参加的国际网络。在她的努力下，成千上万的美国黑人妇女得到保健护理，1989

年因此获麦克阿瑟奖。

Avery, John 阿弗里(约1653,英格兰普利茅斯卡特唐～1696以后,德文郡比迪福德)英国17世纪末著名海盗。1720年出版的D.笛福的小说《辛格尔顿船长》中主人公的原型。1691年当海盗前,曾在皇家海军服役,并在商船、海盗船和奴隶船上当过水手。1694年他策划一西班牙船的水兵哗变,被推举为这艘新海盗船船长,取名"幻想"号。次年在红海口对过往船只,特别是印度莫卧儿帝国和东印度公司的船只强收通行税。后驶往西印度群岛,据传船被出售,另说毁于风暴,海盗四散,有的被抓住绞死。他本人回英国后受商人诓骗,死时一贫如洗。

Avery, Milton (Clark) 艾弗里(1893-03-07,美国纽约阿尔特马～1965-01-03,纽约市)美国画家。曾在艺术学生联合会短期学习,靠自学成才,1928年在纽约市举行首次作品

美国不列颠百科全书公司供图

展。画过很多风景画,多以海滨为题材。人物形象主要以他的女儿为模特儿。在主题处理、色彩运用、芟除细节和将人物与风景作为平面形象等方面,酷似法国画家H.马蒂斯。

Avery, Oswald (Theodore) 艾弗里(1877-10-21,加拿大新斯科舍哈利法克斯～1955-02-20,美国田纳西纳什维尔) 细菌学家。他对肺炎球菌的研究使他成为免疫化学的奠基人之一,并为以后创立分子遗传学的种种发现奠定基础。他于1913年到纽约市洛克菲勒研究所医院,开始参加对大叶性肺炎的研究。发现肺炎球菌会产生荚膜(后证明其成分为多糖)。他证明多糖荚膜依细菌的毒力及免疫特异性而异。这项研究证实,了解细胞的生物化学成分便可以分析其毒力及免疫性,从而奠定免疫化学的基础。以后他研究转化现象:无荚膜的细菌接触到来自有荚膜细菌的微量物质后会转变为具荚膜的类型。而且这种改变可以遗传。艾弗里与其同事于1944年报告说导致转化现象的物质是脱氧核糖核酸(DNA),这意味着DNA就是基本的遗传物质,而在这以前大部分权威都认为遗传物质是蛋白质。他的发现开启了阐明遗传密码的门。

Avery, Samuel Putnam 艾弗里(1822-03-17,纽约市～1904-08-11,纽约市) 美国艺术家、鉴赏家和艺术经纪人。最初为美国钞票公司刻铜版,后来成为技巧高明的木刻家,给许多书籍作过插图。1865年开始经营美术品,两年后在巴黎国际博览会任美国专员。在哥伦比亚大学创设艾弗里建筑图书馆和师范学院图书馆。他还是纽约大都会艺术博物馆的创始人之一,并为纽约公共图书馆捐献版画藏品。哥伦比亚的艾弗里纪念馆藏有许多建筑和装饰艺术的珍品。

Avery, Tex 艾弗里(1908-02-26,美国得克萨斯泰勒～1980-08-26,加利福尼亚伯班克)Frederick Bean Avery的别名。美国有影响的动画片导演。20世纪20年代末曾在芝加哥艺术学院受过三个月美术培训。自1929年起在环球电影公司从事动画创作6年。1936年受雇于华纳兄弟电影公司,带领一批动画家进行创作。由于华纳在技术力量上无法与迪斯尼公司抗衡,因此艾弗里着力于创作出情节精彩、生动有趣的动画片。他加快了动画片的节奏并在影片中增加了大胆的滑稽场面。他重新设计了动画中的明星角色猪小弟,并创造了疯疯癫癫的达菲鸭。最重要的是,他在第5部影片《一只野兔》中塑造了一只个性鲜明的兔八哥。1941年,与L.施莱辛格就《淘气的兔子》一片的剪辑问题发生激烈争吵,离开了华纳。1942年开始为米高梅电影公司工作。1942～1954年为米高梅创作了67部动画片,其中包括著名的《谁杀了谁?》、《疯狂的棒球》、《古怪的松鼠》和《巨大的金丝雀》。在他的动画中,有身材优美的女艺人(《热辣小红帽》)、偏执的狼(《哑狗警探》和《幸运的白琪》)和笨狗德菲(《西北追捕特警》和《德菲的善行》)。他的许多动画都表现生存、支配、恐惧等主题。他对动画片的看法与迪斯尼相反,迪斯尼喜欢直截了当地讲故事、一流的制图、实际的叙述,以及接近于真人实景的舞台动作。相反,艾弗里认为动画片就是动画片。他的影片以极快的速度和荒诞的插科打诨体现了他对夸张的喜爱。其大多数作品都违背了电影惯例,如角色对周围的事件加以评论或者直接对观众说话。他的现代主义手法强调滑稽和讽刺,他的插科打诨在银幕上以疯疯癫癫的形式展示出来,也为成年人带来欢乐。1954年米高梅取消了艾弗里的动画部。他晚年主要导演电视广告。在美国动画制作方面,艾弗里的影响仅次于W.迪斯尼。

Aves 鸟纲 参阅**bird**鸟类。

Aves Island (Caribbean Sea) **阿韦斯岛** 参阅**Bird Island**伯德岛。

Avesta 阿沃斯塔 瑞典中部科帕尔贝里省东南部工业城镇。临达尔河。位于贝里斯拉根矿区内。1636年即有炼铜厂。1644年在该镇建立的造币厂,生产瑞典全部铜币直到1831年。第一个炼铁厂于1823年开工,随后炼钢业迅速取代炼铜业成为主要工业。所产不锈钢闻名世界。人口23 688(1996)。

Avesta 《波斯古经》 即《阿维斯陀》,琐罗亚斯德教的经典。其内容有,宇宙起源传说、法律和礼拜仪式以及先知琐罗亚斯德的教诲。现存的《波斯古经》是残存部分,原书显系琐罗亚斯德根据古老的传说改写而成。原作手稿据说毁于亚历山大征服波斯之时。现有的《波斯古经》是在萨珊王朝(3～7世纪)期间搜集辑订而成的。

Avestan alphabet 阿维斯塔字母 参阅**Pahlavi alphabet**钵罗钵字母。

Avestan language 阿维斯陀语 又名禅德语。琐罗亚斯德教经典《阿维斯陀》所用东部伊朗语言。《阿维斯陀》经文分为两种。较古老者名为"加塔",其年代(始于公元前约600年)与印度吠陀梵语相近;《阿维斯陀》大部分所用语言较晚近者其语法形式已简化。公元4～6世纪《阿维斯陀》定型时,已是死语言,仅为祭司所通晓。阿维斯陀语在日常应用中消失在公元前约400年,而注书语词却通过口头流传下来。所用字母为钵罗钵字母,后者又来源于阿拉米字母。

Aveyron 阿韦龙 法国南部米迪比利牛斯大区省份。范围包括中央高原西南部。由前吉耶讷省组成。面积8 736平方千米。地形为一系列结晶质和石灰岩高原,从塞文山脉向西延伸到阿基坦低地,东北以欧布拉克火山高原为界。高原海拔750～1 200米,有洛特、阿韦龙和塔恩河冲蚀成的深谷。高地潮冷,适于放牧。较低高原传统上适于种植业,

阿韦龙省境内的石灰岩峡谷

美国不列颠百科全书公司供图

种植栗子树至裸麦。小范围农田养牛,种饲料和马铃薯。干燥、贫瘠的科斯地区种植少量小麦,经济以养羊为主,羊奶在石灰岩洞里捂熟后制成罗克福尔干酪。米约是手套产地。欧班和德卡兹维尔附近有小煤矿和铁、锌、玻璃、化工厂。特吕耶尔山谷有水电站。塔恩峡谷为旅游地。本省境内多罗马时代安放的石桌状墓标。北部有作为法国建筑瑰宝的隐修院和罗马式的孔克教堂。主要城镇有罗德兹(省会)、米约和鲁埃格自由城。人口约268 000(1992)。

Avezzano 阿韦扎诺 意大利中部阿布鲁齐区阿奎拉城镇。建于排干湖水的富齐诺盆地(**Fucino Basin**)。1915年毁于地震,后重建,第二次世界大战期间又受到严重破坏。只有15世纪奥尔西尼家族的城堡遗址尚存。现为农业中心,生产木材和食品。人口:城市区约37 447(1993)。

avian pneumoencephalitis(bird disease) **鸡肺脑炎** 参阅 **Newcastle disease** 鸡新城疫。

aviary 鸟舍 饲养捕来的鸟类的一种结构,其大小足够养禽者进入。小至1米见方的小围笼,大至长30米以上、高达15米的大型飞笼。用以喂养那些很少飞行或飞行力较弱的鸟类(如秧鸡、雉类)的围笼,通常只有1米高。私人鸟舍通常是一个房间或走廊,留出来供饲鸟用。天冷时,鸟舍常加以遮围或供暖,这取决于所养的鸟的种类,有时只需到晚上将鸟赶到较小的、有供暖的围笼内。虽然铁丝网不如玻璃美观,但仍常用于鸟舍的侧面,有时还用在围笼顶部,以避免鸟类撞击玻璃后受伤。大多数野鸟养殖者更喜欢把鸟放在栽有植物的自然环境里。根据鸟的种类来选择与之相适的植物。主要决定于鸟的数量和类型。大型树栖鸟类可因其体重而折断树枝,另一些种类食树叶从而毁坏植物。鸟粪对大多数植物的危害是毁灭性的,但小心地布置栖木可避免鸟粪伤害叶子。多数鸟舍为野鸟养殖者私人所有,用以自娱。其他一些,尤其是大型者,见于动物园(主要用于展览鸟类)或研究机构。

aviation 航空 重于空气的航空器的研制与操作。"民用航空"一词指的是由航空公司向公众提供空中运输,而"军用航空"则指军用航空器的研制与使用。最初的人造飞行器是法国人蒙戈尔费埃兄弟于1783年率先推出的气球。重于空气的飞行基本科学原理是19世纪初由英国的乔治·凯莱爵士奠定的。19世纪90年代,德国人O.利林塔尔是第一个研制和飞行滑翔机成功的人。在这个德国人的激励下,1902年,美国人W.莱特和O.莱特兄弟研制出一架完全可以实际放飞的双翼滑翔机,其航向能够操纵。另一架双翼机装上一台小型发动机和两只推进器以后,莱特兄弟于1903年12月17日在北卡罗来纳州海岸基蒂霍克附近的一个地方,成功地进行了世界上第一次有人驾驶、引擎驱动、重于空气的航空器飞行。莱特兄弟的成功,很快鼓励了飞机的设计以及其他人的飞行。第一次世界大战(1914～1918)加速了航空的发展。尽管飞机最初只是用于区域侦察,但不久就装上机枪射击其他飞机,载有炸弹投向地面目标。负有这类任务并装备这类武器的飞机分别称为战斗机和轰炸机。到20世纪20年代,第一批从事商业运输的小航空公司开始运送邮件。加大飞行速度和航程,使得世界上的飞机第一次不着陆飞越大洋、南北极和各大陆成为可能。20世纪30年代,更有效率的单翼飞机以机身全部由金属构成并带有能伸缩的起落架为其规范。飞机在第二次世界大战(1939～1945)中扮演了极其重要的角色,在大小、重量、速度、动力装置、航程和武器装备等方面都有重大发展。第二次世界大战标志活塞引擎飞机的发展所达到的高度,同时也推出了装有能够飞得更快的喷气引擎的飞机。喷气引擎飞机到40年代才成为战斗机的规范。而证明喷气式飞机在商业运输中的优势地位则在50年代才开始。喷气式飞机的高速度和低运营成本,在20世纪后半叶导致商业性的空中旅行的巨大发展。

Avicebron(Hebrew poet) **阿维丝布龙** 参阅 **Ibn Gabirol** 伊本·盖比鲁勒。

Avicenna 阿维森纳(980,伊朗布哈拉～1037,哈马丹) 阿拉伯语名称伊本·西拿。穆斯林哲学科学家中最有影响的波斯人。在亚里士多德哲学和医学方面有卓越贡献。因其在学术上的巨大影响和权威,东方尊之为"卓越的智者",西方则尊之为"最杰出的医生"。幼承家教,10岁时能记诵《古兰经》和大量阿拉伯诗。自学至18岁,精通伊斯兰法律、医学和玄学。因将萨曼王朝努哈·伊本·曼苏尔亲王的病治愈,被特许使用皇家图书馆。21岁时在各门学科均有成就,并成为杰出的医生。一度在政府中任职。不久生活上发生重大变化。父亲去世;土耳其首领加兹尼的马哈茂德取代萨曼王朝。从此在各地流浪,仍一直坚持其学术工作。曾在呼罗珊各城镇暂住,后到哈马丹,成为宫廷医师,并两度出任大臣。为躲避政治陷害而一度隐居,还曾被监禁。在此期间已着手撰写两部名著:①《治疗论》,一部哲学和科学百科全书,包括逻辑学、心理学、几何、天文、算术、音乐等自然科学和玄学。这部著作中的思想大部分源于亚里士多德,同时也受到其他希腊思想和新柏拉图主义的影响。②《医典》,为东、西方医学史上之名著,大部分系以罗马帝国时代之希腊医生的成就和阿拉伯的医学著作及其自身经验为基础。1022年,经历一段困难时期后逃至伊斯法罕,平静地度过一生中最后14年,完成其两部主要著作并写出近200篇论文中的大部分。用波斯语写出论亚里士多德哲学的第一部著作;对《治疗论》又作出提要。同时,还完成最后一部重要哲学著作《指导和评论》,在这部著作中,他描述了"个人"的思想发展历程,由对真主的信仰以达于与真主相通。其《阿拉伯语言》仅有初稿,未能成书。作为穆斯林的亚里士多德学派大师,他晚年又致力于一种"东方哲学"。其《治疗论》有一部分在12世纪时被译成拉丁文。而《医典》则全部出版,此书在医学方面享有权威地位达数百年。他在东方之医学、哲学和神学界长期具有重大影响,这种影响在伊斯兰思想界至今仍然存在。

aviculture 野鸟养殖 为繁育猎禽原种、挽救濒危种类或为展览和教育,在圈养条件下饲育和照料野生鸟类的措施。养鸟者有必要仿造自然环境,以便研究在野外不易观察到的交配和繁殖行为。由于这些研究,一些珍稀或濒危的野生种类得以在圈养条件下繁殖,免遭绝灭。有些种类,如夏威夷雁(*Branta sandvicensis*)和美洲鹤(*Grus americana*)已在圈养条件下繁殖并被放回野外以建立其原产地种群。其他稀有珍贵种类,如金鸡(*Chrysolophus pictus*)和中国银鸡(白鹇[*Lophura nycthemera*]的一个亚种),主要饲养在鸟舍和动物园里,在那里数量很多。

Avidius Cassius, Gaius 阿维狄乌斯·卡修斯(?,叙利亚～175-07) 僭称罗马皇帝(3个月)。他是哈德良皇帝手下高级文官的儿子,曾在罗马讨伐安息人的战争(161～165)中指挥过多次战役。164～165年进兵美索不达米亚,围攻安息首都泰西封以及塞琉西亚。不久,他被任命为统率东方诸行省全部罗马军队的司令官,并于172年镇压了埃及的一次农民暴动。175年4月,他听到皇帝奥勒利乌斯去世的谣传,便自立为皇帝。奥勒利乌斯立即出兵东征,但未及交战,阿维狄乌斯便被部下刺杀。

avidyā 无明 梵语,佛学名词,指分为"十二缘起"的发展过程中的一个阶段,即无知状态,它使人不能脱离轮回转世。参阅 **pratītya-samutpāda**。

Avignon 阿维尼翁 法国东南部普罗旺斯山-蓝岸大区沃克吕兹省城市和省会。在尼姆东北,罗讷河东岸。早为高卢人要塞和罗马城市(称阿维尼奥)。1309年成为教皇都城后开始居重要地位。1791年前该市一直不属

阿维尼翁的教皇宫
美国不列颠百科全书公司供图

于法国领土，直到这一年法国国民议会占取此城，才结束了教皇对该市的统治。法国经过流血才占领该市，教皇宫内部遭到严重破坏。教皇宫建在高出城市58米的岩石山上，为带有8个城楼的城堡。1822～1906年曾被用作兵营。其中最大的一个城堡保存至今。山上还有许多小教堂，3个大教堂，均装饰有14世纪壁画。山下城内有16～17世纪房屋和14～17世纪建的6座教堂。教皇修建的城墙仍环绕着城镇。总长5千米，有城垛、堞眼和城门。圣贝内泽四拱桥为当地名胜之一。阿维尼翁有活跃的地方贸易集市和各种行业，生产葡萄酒、面粉、油、皮革、肥皂和纺织品等。1756年引进的作染料用的茜草，至今仍种植，是重要的经济作物。当地夏季艺术节内容包括教皇皇宫的露天剧和再现阿维尼翁历史场面的声光表演。人口75 178(1982)。

Avignon papacy　阿维尼翁教廷　在天主教历史上，1309～1377年，各代教皇主要迫于政治形势，不驻在罗马而驻在阿维尼翁，称为阿维尼翁教廷。第一代迁往阿维尼翁的教皇是克雷芒五世。当时阿维尼翁并非法兰西领土而为教廷藩属，1348年又正式成为教廷直属领地。阿维尼翁教廷中法兰西人占绝对优势，7代教皇以及当时所封134名枢机主教中的111名均为法兰西人，但教廷并未如当代人以及后世论者所云那样俯就法兰西。教皇格列高利十一世重新在罗马建立教廷，枢机主教团另选一位教皇充阿维尼翁的空缺，于是天主教会大分裂开始，这种另选"敌对教皇"的大分裂局面，一直延续到1417年始告结束。

Avignon school　阿维尼翁画派　后期哥特式画派，14世纪下半叶至15世纪下半叶形成于法国东南部阿维尼翁城及其附近地区。阿维尼翁艺术和附近普罗旺斯地区艾克斯以及普罗旺斯周围地区其他中心的艺术，兼受意大利和佛兰德斯的影响——与当时法国北部完全佛兰德斯性质的艺术形成对照，代表了法国哥特式绘画的最有活力的演变。该画派始于"巴比伦之囚"时期(1309～1377)，当时，罗马教廷设于阿维尼翁。该地教皇宫殿以及附近城镇的一些世俗建筑物都用壁画作装饰，这些壁画在普罗旺斯牢固地确立了意大利的、特别是锡耶纳的绘画传统：轮廓和细节具有装饰美，对大量造型严谨而优美的人物作了娴熟和谐的处理，最重要的是人物处理上具有脱胎于古典主义的纪念碑式风格。完全不同于当时的法国绘画。1377年罗马教皇撤离后，阿维尼翁和艾克斯依然保有其作为重要艺术中心的地位。15世纪阿维尼翁画派最著名的艺术家有E.夏龙通、S.德·夏隆和N.弗罗芒。画派的代表作是未署名画家的《阿维尼翁哀悼基督图》(现存巴黎罗浮宫)，1457年前作于阿维尼翁，有人认为是夏龙通所作。这幅具有高度创造性的作品是纪念碑式风格与深刻写实主义完美的融合。15世纪下半叶，日益增长的精湛技巧取代了这一画派最初的活力。阿维尼翁的艺术成果对15世纪后期至16世纪的法国绘画主流产生了影响。

《阿维尼翁哀悼基督图》
美国不列颠百科全书公司供图

avijjā　无明　巴利语，佛学名词，指分为"十二缘起"的发展过程中的一个阶段，即无知状态，它使人不能脱离轮回转世。参阅**pratītya-samutpāda**。

Ávila　阿维拉　西班牙中部卡斯蒂尔-莱昂自治区省份。位于旧卡斯蒂尔高原，面积8 048平方千米。东与马德里省以瓜达拉马山脉为界，南与托莱多省隔格雷多斯山脉。北部地势平坦；南部有被纵向山谷分隔的阶梯形高原，其间有阿达哈和铁塔尔等谷地。工业落后，经济以农业为主。出产美利奴绵羊，林业和小麦种植也重要。还出产裸麦、大麦、燕麦、玉米和烟草。农业广泛采用现代方法，谷类产量超过消费，剩余产品输出到西班牙其他地区。农产品加工业集中在省会阿维拉。主要集镇有阿雷瓦洛。人口约185 026(1986)。

Ávila　阿维拉　西班牙中部卡斯蒂尔-莱昂自治区阿维拉省省会。位临阿达哈河，海拔1 132米。东南分别以瓜达拉马山脉和格雷多斯山脉为屏障。初由罗马人建立。714年前后为摩尔人占据。1088年被阿方索六世收复。阿维拉的城墙为多边形，周长2 500米，建于12世纪，围绕全部古代城区。该市的现代部分位于城外。1607～1610年随着摩尔裔居民的被驱逐，该城的商业衰落。阿维拉曾被称为"西班牙最佳的中世纪遗物"。现为著名旅游中心。保存有13～15世纪大教堂、罗马式王宫和隐修院等古迹。有制革、面粉、酿酒、软饮料和肉加工等行业。人口约49 712(2001)。

临阿达哈河的阿维拉城墙
美国不列颠百科全书公司供图

Ávila Camacho, Manuel　阿维拉·卡马乔　(1897-04-24，墨西哥特休特兰～1955-10-13，墨西哥城)　墨西哥军人、温和的政治家，在任总统期间(1940～1946)巩固了墨西哥革命的社会改革，并开始了与美国友好的时期。1914年参加V.卡兰萨的军队，很快逐级晋升。由于具备出色的组织和管理才能，A.罗德里格斯总统任命他为陆海军部长。1937年L.卡德纳斯总统任命他为国防部长。1940年由执政的墨西哥革命党提名，他当选为总统。在任职期间，他与天主教会和解，推行温和的对内政策；增建学校和医院，倡议制定社会安全法，支持有限的土地改革。他与美国建立友好关系，使两国长期争执的美国石油财产问题得到解决。他于1942年对轴心国宣战，甚至派遣飞行员前往太平洋服役。阿维拉·卡马乔于1946年引退，但在余生中仍是一位重要的政界人士。

Avilés　阿维莱斯　西班牙西北部阿斯图里亚斯自治区及阿斯图里亚斯省城市。濒临比斯开湾阿维莱斯河口。为海滨避暑胜地。有钢铁业和渔船队，输出产自阿斯图里亚斯矿的煤。保存有圣尼古拉和圣弗朗西斯科教堂等许多中世纪建筑。人口86 584(1981)。

Avinu Malkenu　我父，我王　犹太教祷词开端语。犹太教历每年年初有"十天忏悔节"(安息日不计在其中)，每天会众都要在会堂中诵乞恩之词，其中每段都以这几个字开始。改革派犹太教徒仅在这10天的首尾两天诵读这种祷文。

avionics　航空电子系统　英文名来源于aviation electronics。航空和航天用电子仪器的开发与生产，同时也指这些仪表本身。包括驾驶仪表、飞行数据仪表和无线电导航设备和系统。驾驶仪表包括陀螺地平仪和各种发动机工作仪表，如螺旋桨飞机上的转速表、涡轮螺桨飞机上的扭矩计和涡轮喷气飞机上的排气压比指示器等。飞行数据仪表包括高度表、马赫数表、转弯侧滑仪以及指示空速、铅垂速度和迎角等的仪表。无线电导航设备包括雷达和仪表着陆系统等。

Avison, Charles　阿维森（1709-02-16受洗，英国诺森伯兰泰恩河畔纽卡斯尔～1770-05-09，泰恩河畔纽卡斯尔）　英国作曲家、管风琴家和音乐美学评论家。早年生活鲜为人

美国不列颠百科全书公司供图

知。1736年在纽卡斯尔圣约翰教堂与圣尼古拉斯教堂任管风琴师。同时教拨弦键琴、小提琴和长笛，并在英国最早的预订票音乐会担任指挥。1752年所著《论音乐的表现》曾引起牛津大学音乐教授W.海斯的争议。毕生寓居纽卡斯尔，不接受约克、都柏林、爱丁堡和伦敦方面的聘请。1757年协助作曲家J.加思在英国出版B.马尔切罗的《诗篇歌》。作为作曲家，他是晚期巴罗克风格最后阶段的代表人物。写有钢琴作品和弦乐四重奏以及为2把小提琴和拨弦键琴写的奏鸣曲。所著《论音乐的表现》和其他著作使人们对18世纪的演奏方法有了广泛的了解。

Avitus　阿维图斯（?～456）　西罗马皇帝（455～456在位）。生于高卢的显贵家庭，基督教作家阿波利那里斯的女婿。公元451年，阿维图斯说服高卢国王狄奥多里克一世与罗马将军埃提乌斯合兵击退阿提拉率领的匈奴人对高卢的入侵。455年，阿维图斯被西罗马皇帝马克西穆斯任命为海陆两军统兵官。马克西穆斯被杀后，哥特人拥立阿维图斯为皇帝，但不久即被迫退位，成为普拉森蒂亚主教。

AVNOJ　参阅**Anti-Fascist Council of National Liberation of Yugoslavia** 南斯拉夫反法西斯民族解放委员会。

avocado（*Persea americana*）　**鳄梨**　又作alligator pear。樟科乔木，原产西半球大陆从墨西哥向南至安第斯山脉地区。植株高大或树冠开展。叶椭圆形或卵形，长10～30厘米。总状花序，花小而密集，淡绿色，花被片6枚；雄蕊9，排成3轮，子房1室。果的大小、形状、颜色各异。墨西哥的品种小如鸡蛋；大的重达1～2千克；形状圆形至梨形，有一长颈；颜色绿至暗紫色。种子大，单生，圆形至圆锥形。外果皮有的不比苹果厚，有的粗糙并木质化。果肉淡绿色或淡黄色，似黄油一样黏稠，具浓烈坚果味。有些品种的果肉含不饱和油达25%，常用于沙拉，故又称沙拉果。鳄梨泥是一种独特的墨西哥食品鳄梨沙拉的主要配料。鳄梨含维生素B_1、B_2和维

鳄梨（*Persea americana*）
美国不列颠百科全书公司供图

生素A。西班牙人征服美洲前，鳄梨在热带美洲广泛单株种植，直到1900年以后园艺学家发现鳄梨很容易嫁接，使得改良品种成为可能，才建立了鳄梨果园。加利福尼亚、佛罗里达、南非种植极多，智利、巴西、夏威夷、澳大利亚、某些太平洋岛屿亦有种植，规模稍小。在墨西哥鳄梨种植极为普遍，年产量极高。以色列的鳄梨生产也已商业化，其他地中海沿岸国家也多有种植。园艺上把鳄梨分为墨西哥宗、西印度群岛宗和危地马拉宗。有些植物学家认为墨西哥宗是不同的种，定名为*Persea drymifolia*，原产墨西哥，其特征是叶有茴芹味，果小，90～240克，皮薄，香味浓，质量好，也最耐寒，可种植于其他种类不能生长的寒冷地区。危地马拉宗原产中美高原地区，抗霜力略弱于墨西哥宗，果实中至大型（240～1 000克），特征是皮厚，木质化，成熟期与其他宗不同。西印度群岛宗在美国仅种于佛罗里达州南部。

avocet　反嘴鹬　反嘴鹬科反嘴鹬属（*Recurvirostra*）几种大型海滨鸟类。具有颜色对比鲜明的羽衣。淡蓝的长腿，黑色的长嘴，嘴尖向上翘。栖息于有开阔浅滩和泥滩的淡水

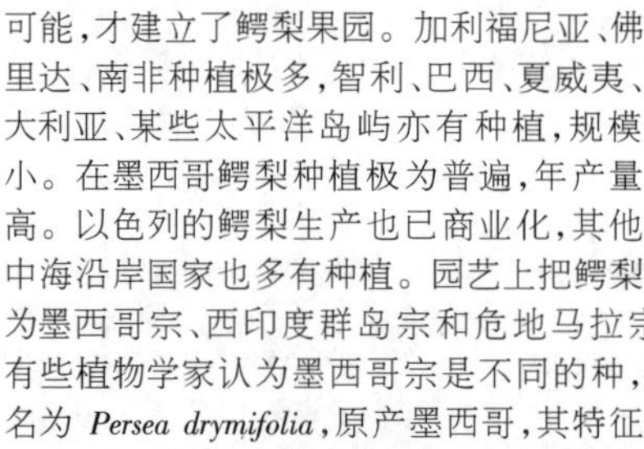

美洲反嘴鹬（*R. americana*）
美国不列颠百科全书公司供图

或咸水沼泽地。走在浅滩上，用部分张开的嘴前后扫动取食。常排成行，一起涉水捕捉小鱼和甲壳动物。能在深水中像鸭一样倒立身体。

有4种分布于全世界温带和热带地区，分布地带并不连续。旧大陆反嘴鹬（*R. avosetta*）头顶和后颈黑色，翅黑白相间。繁殖于中亚和欧洲一些分散的地区，许多越冬于非洲的裂谷。体型稍大的美洲反嘴鹬（*R. americana*），体长（包括嘴）约45厘米，主要的不同点为：头和颈在繁殖期呈淡红褐色，冬季呈白色。繁殖于北美西部，越冬自加利福尼亚和得克萨斯至危地马拉。安第斯反嘴鹬（*R. andina*）体羽主要为白色，背和翅黑色，仅分布于安第斯高地咸水湖。红颈反嘴鹬（*R. novaehollandiae*）又称澳大利亚反嘴鹬，体羽黑白相间，头和颈红褐色。

Avogadro's law　阿伏伽德罗定律　在相同的温度和压强下，等体积的各种气体含有相同的分子数。意大利物理学家A.阿伏伽德罗于1811年提出此定律。1858年意大利化学家S.坎尼扎罗建立了基于本定律的化学逻辑系统后，阿伏伽德罗定律才被普遍接受。在理想气体的假定下，可由气体分子运动论导出此经验式。在足够的低压和高温下，此定律对真实气体近似正确。1摩尔分子的物质含有的分子数为$6.022\,136\,7\times10^{23}$，此数称为阿伏伽德罗常数。例如氧的分子量为32.00，所以1摩尔分子的氧的质量32.00克，含有$6.022\,136\,7\times10^{23}$个分子。在标准温度和压强（0 °C，1大气压）下，1摩尔分子气体占有的体积约22.4升，并且根据阿伏伽德罗定律，1摩尔的一切气体都具有这一相同体积。

avoidance, zone of　隐带　银河系的银道面附近观察不到星系的区域。形成隐带的原因是星际尘埃的遮光效应。该名称是美国天文学家E.P.哈勃取的。只有在电磁波谱的远红外波段的观测才能穿透隐带。它完全是银河系的局域效应，在隐带之后还有以百万计的河外星系。

avoidance behaviour　回避行为　各种动物遇到有害刺激时产生的反应性行为。回避行为多以逃跑或防卫性动作为主（如躲藏或全身战栗），而很少主动出击。视觉是导致动物回避行为最常见的原因。很多小型鸟类只要一看到猫头鹰，尤其是看到它那双极富特色的大贼眼时，马上就会飞得无影无踪。这种反应是一种天性，野生鸟类如此，实验室养的鸟类也如此，而且还不一定非要看到真的猫头鹰不可，只要有一架画有大贼眼的猫头鹰模型即可。很多人怕蛇也是一种天性。鸣叫示警也是导致动物回避行为的方式之一。当一只动物发现有它的天敌时就会鸣叫示警，那些根本还没看到天敌影子的同类或杂居动物，就都会跟着一哄而散。这些杂居动物因为一声示警鸣叫而同时四散奔逃的现象，显然说明这其中存在着杂居动物之间互相学习的成分。有些种属的动物以其特殊的化学分泌物示警，如蚂蚁就是通过向周围空气中释放一种激素样物质告警同胞，或防卫，或逃跑。回避行为的方式多种多样，从逃跑到装死都有，因为有些食肉动物只对活物感兴趣。

有时，猫为了逃避危险，竟然跑到最高的树枝上，结果，连下来都费劲了。穴居动物的活动特点是两眼不停地东张西望，而且从不远离家门半步，一看不好，赶紧钻地洞。蜘蛛结网的中间部位网络致密，可供其藏身。墨鱼在逃离危险时会排放出大量墨汁样黑色液体，以迷惑它的天敌。动物逃生时还会把它有特色的形体器官藏起来，也不发出任何声响；而在平时，这些形体视听特点则是它们之间的联络信号。"夹着尾巴逃跑"是羚羊逃跑时的形体特点。如果逃跑不成，动物就会转而摆出打架的架式，表现出一副像猴子那样的呲牙咧嘴、愁眉苦脸的样子，浑身的毛也会竖立起来，以增加其形体尺寸，再把背弓起来（如猫）……所有这些都是一种色厉内荏的威胁。黄鼠狼的御敌技术是放屁，其屁之臭足以使其天敌泄气。还有些无一技之长的动物，就只有顺其自然了：像贝壳、乌龟壳、犰狳的板和刺猬的刺等。

avoidance relationship　回避关系　在人类社会中，人与人之间存在着一种习以为常的正式的回避关系，通常是有明确亲戚关系而性别不同的两个人。一个典型的、而且见于许多不同社会的例证，就是女婿要回避岳母。此外，在兄妹、父女、翁媳之间也有类似的回避方式。人类学家通常将这些正式的回避规矩解释为一种尊敬的表示，而不是嫌恶。不过，在凡是造成紧张的可能性明显的场合，避免接触有助于防止或者至少减少社交上令人不愉快的事件或局面发生。因此，在许多群体中，对禁止婚媾或性关系的异性之间都实行回避规则。参阅 **joking relationship**。

avoirdupois weight　英制常衡　源自法语 avoir de pois（货物的重量计量）。传统的欧洲衡制，采用于英国法定度量衡制和美国习用度量衡制中。1 常衡磅分为 16 盎司，1 盎司又分为 16 打兰；1 常衡磅相当于 7 000 格令，因此约等于 1.22 药衡磅或金衡磅。自 1959 年起，在大多数讲英语国家中定 1 常衡磅为 0.453 592 37 千克。常衡磅及其下设单位起源于中世纪，用于称量贵金属（使用金衡制）和药物、药剂（使用药衡制）以外的货物。

Avola　阿沃拉　意大利西西里岛东南锡拉库萨省城镇。在省会锡拉库萨西南。1693 年地震后重建，有几座 18 世纪的教堂。主要工业有制糖和杏仁加工。人口：城市区约31 629（1993）。

Avon　埃文　英格兰西南部的一个地区，原为行政郡。濒临布里斯托尔海峡和塞文河口湾。包括格洛斯特历史郡和萨默塞特历史郡的部分区域。分为以下几个单一政区：巴斯-东北萨默塞特、布里斯托尔、北萨默塞特和南格洛斯特郡。

Avon,（Robert）Anthony Eden, 1st Earl of　埃文伯爵　参阅**Eden, Anthony** 艾登。

Avon, River　埃文河　又称东埃文河或汉普郡埃文河。发源于英格兰威尔特郡迪维齐斯以东 5 千米，皮尤西谷的北侧，南流 77 千米，注入英吉利海峡。该河流域面积2 932平方千米，河水落差 150 米。埃文河从阿佩文向南蜿蜒流至索尔斯堡，经索尔斯堡平原一

威尔特郡唐顿的埃文河
美国不列颠百科全书公司供图

狭窄峡谷中的草地，峡谷中有许多村庄和古居民点遗迹。在索尔斯堡以下，峡谷开阔，多处有小河流，但河边鲜有城镇。克赖斯特彻奇港几乎在陆地包围之中，埃文河穿过此港口注入英吉利海峡。主要支流有伯恩河（从东面注入）、索尔斯堡的怀利河（从西面注入）以及克赖斯特彻奇正北的斯陶尔河（从西面注入）。该河流至索尔斯堡可通航，可能在史前时期已是良好航道。产大麻哈鱼和各种杂鱼。

Avon, River　埃文河　又称下埃文河或布里斯托尔埃文河。发源于英格兰科茨沃尔德山东南坡，流经格洛斯特、威尔特和埃文 3 郡。全长 120 千米，落差 150 多米，流域面积 2 308 平方千米。自东向南呈一大弧状，穿过一宽广河谷，又经奇彭纳姆和梅尔克舍姆后，突向西折至埃文河畔布拉德福德，然后进入峡谷，转向西北流经科茨沃尔德和巴斯。在布里斯托尔处有通海运河（19 世纪开通）。在布里斯托尔下游，该河切割石灰岩山岭，形成了美丽的克利夫顿峡谷，最后在埃文茅斯注入塞文河港湾。重要的支流有萨默塞特-弗洛姆和布里斯托尔-弗洛姆。

Avon, River　埃文河　又称上埃文河（upper Avon）或沃里克郡埃文河。塞文河东部支流。源出英格兰中部的内斯比附近，西南流经北安普敦、莱斯特、沃里克和赫里福德-伍斯特等 4 郡，全长 154 千米，总落差约 150 米。该河河谷在伊夫舍姆以下展宽，经沃里克郡后，两岸为广阔的肥沃农区。该河以景色秀丽著称，伊夫舍姆河谷尤佳。沿河重要城镇有拉格比、利明顿矿泉疗养地、沃里克、斯特拉特福和伊夫舍姆。莎士比亚在该河河畔的斯特拉特福镇出生和去世。

Avraham（Jewish patriarch）　参阅 **Abraham** 亚伯拉罕。

Avranches　阿夫朗什　法国西北部下诺曼底大区芒什省城镇和港口。位于塞河河口湾旁 104 米高的小山上。海湾中岩石上有著名的圣米歇尔山（**Mont-Saint-Michel**）神殿。罗马和诺曼公爵统治时期地位重要。1639 年为农民反盐税"赤脚"起义的中心。当地博物馆藏有古版书和 8、15 世纪手稿。1944 年 7 月巴顿将军在此指挥美国第 3 军突破诺曼底包围圈。现立有巴顿纪念碑。集散本地区出产的牛、羊、鱼，生产针织品和铜器。人口 8 500（1999）。

avunculate　舅甥关系　男子与其姐妹的孩子特别是她的儿子的特殊关系。舅甥关系在许多社会中都很普遍，尤其以母系继嗣社会中更为明显。此词源于拉丁语 **avunculus**，意为"舅（伯、叔）父"。舅父由于对外甥的抚养成长、进入社会和婚姻等负有特殊责任，故对外甥有一定程度的权威。至于外甥，则常常享有取得舅父财产的特权，往往在继承上比舅父的孩子有优先权。较为常见的情形是，外甥有娶舅父女儿的义务或优先权——一种交错从表婚姻形式。在许多母系社会中，一种名为"从舅居"（"avunculocal vesidence"）的安排方式，使男孩们在青年时期就离开自己出生的家庭，迁入舅家生活。女孩们则留在自己出生的家内，到结婚时再迁往夫家。所以在一个长期形成的从舅居的联合家庭中，其成员便是夫妻及其未婚女儿和青年期前的儿子，还有男子之姊妹的已届青年期的儿子以及其姊妹的已婚儿子和儿媳，再加上后者的青年期前的儿子和未婚女儿等。

Avvakum Petrovich　阿瓦库姆·彼得罗维奇（1620 或 1621，俄罗斯格里戈罗沃～1682-04-14，普斯托列茨克）　俄罗斯正教会大司铎、旧礼仪派领袖。他脱离俄国正教会，支持包括许多地方教派的旧礼仪派引发了俄国教会史上最严重的危机之一。阿瓦库姆·彼得罗维奇又被公认为现代俄罗斯文学的先驱。他最后被监禁在普斯托列茨克，在押期间写出他的大部分著作，其中最伟大的是《人生》，是俄语中第一部自传。

AWACS　机载警戒与控制系统　AWACS 是 Airborne Warning and Control System 的缩写。防空用的机动远程雷达和控制中心。美国空军研制时装在经特殊改装的波音 707 飞机上。该系统的主雷达天线装在直径为 9 米的圆形旋转雷达天线罩内。罩的剖面为椭圆形，中心高 1.8 米。其雷达系统可探测、跟踪和识别距离 370 千米的低空飞机和更远的高空目标，还可跟踪海上船只，并在任何地形上空和各种气象条件下工作。该系统的机载计算机可估量敌机的行动，并保持跟踪我机、敌机或未识别的飞机的位置。其控制我机追击敌机用的通信系统用单频道工作，以防止敌方截听，同时因为控制速度很快，比较不容易受到干扰。第一架机载警戒与控制系统飞机于 1977 年服役。美国空军的机载警戒与控制系统的型号为 E-3，被用作战术空军司令部的指挥与控制中心，也被用作北美防空司令部的指挥与控制中心。北大西洋公约组织也用这种系统。

Awadh（India）　**阿瓦德**　参阅 **Ayodhyā** 阿约提亚。

Awaji Island　淡路岛　在日本濑户内海东端，属兵库县，面积 593 平方千米。淡路岛的

地形以低山为主。岛上大部分人口和耕地以及主要城市洲本和铁路均在中部平原。该岛所产乳品、蔬菜、鲜花、水果、陶瓦等供应大阪、神户。淡路岛的东西沿岸原来渔业发达，后因捕获过度而衰落。现代之以淡水养殖。与神户有水翼船相通。多历史古迹和神话传说；据认为是日本木偶戏的发源地。人口171 213(1995)。

ʻAwālī　阿瓦利　巴林国城市。位于波斯湾巴林岛中部。20世纪30年代由巴林石油公司建立，位于巴林油田的北面和炼油厂的西南。该炼油厂为世界最大炼油厂之一。该市

沙漠城市阿瓦利一角
FPG供图

主要为公司办公室、外国办事机构提供场所，并为总部职员和公司雇工安排食宿。原设计模仿西方小城镇的格局，在荒芜的沙漠中植树造园。但保持这种环境的费用巨大，全部用水须从几英里外用水管引来，又因住宅建在岩石上，种树十分困难。20世纪60年代和70年代初，公司以居住在别处的巴林人代替住在本地的外国人，使阿瓦利的人口急剧下降。人口1 769(1981)。

Awan　阿旺　埃兰(**Elam**)古代城市和地区。在公元前30世纪下半叶美索不达米亚的初期历史中占有显著地位。确切位置不详，可能位于伊朗西南部的苏萨附近。由阿旺国王领导的波斯西南部的4个统治者的同盟坚决抗击阿卡得的国王萨尔贡(公元前2334～前2279在位)的入侵。然而，联盟终于被击败。可能在这个时候，埃兰的政权中心由阿旺移到苏萨。

Awangarda Krakowska　克拉科夫先锋运动　1922年在克拉科夫发起的一场波兰先锋派文学运动。这次先锋运动的结果是导致波兰诗歌创作技巧的更新，重新激发人们对于波兰民间故事和17世纪前波兰文学的兴趣。克拉科夫先锋运动受诗歌创作方面革命趋势的影响，特别是受到法国、意大利和西班牙未来派的影响，反对当时斯卡曼德尔诗社提出的过分强调诗歌的抒情性及反唯理智论的主张。

Awash River　阿瓦什河　前称哈瓦什河。埃塞俄比亚东部河流。源出大裂谷陡峭的北部悬崖，接纳沙拉、阿巴伊塔、兰加诺和济瓦伊湖湖水。流域土壤肥沃，出产棉花。沿河有多座水电站。附近有阿瓦什国家公园和阿瓦什西部野生动物保护区。河水最后注入达纳基勒沙漠上的几个盐湖内。全长约1 200千米。

Awdaghost(ancient Africa)　参阅**Audaghost 奥达果斯特**。

awdl　奥德尔　威尔士韵文中的一种长篇颂诗。以"辛哈内德"(一种由头韵和行内韵组成的复合体系)和24个严格的吟唱韵律中的一个或一个以上写成，但一般多使用吟唱韵律中的4个。到15世纪，"奥德尔"成为许多优秀威尔士诗歌的表现形式。它始终是被允许参加凯尔特吟唱诗人与吟游诗人的例年赛会的主要形式；自1887年以来，获胜的奥德尔的作者被奖给一张木椅(它被认为是威尔士吟唱诗人的最高荣誉)。尽管有人批评这种形式陈旧，不时仍有人写出具有高度诗歌价值的奥德尔。

Awe, Loch　奥湖　苏格兰最长的湖泊(39千米)。在斯特拉斯克莱德行政区。海拔36米。北端景色粗犷壮观，以本克鲁亨山

奥湖风景
美国不列颠百科全书公司供图

(1 126米)最为突出；南端以秀丽见称。沿岸有造林区和水电站。

Awemba(people)　**阿温巴人**　参阅**Bemba 本巴人**。

Awka　奥卡　尼日利亚阿南布拉州城镇。公路通奥韦里、乌穆阿希亚、奥尼查和埃努古。地处多树草原。原为伊博人炼铁之乡。附近有早期青铜器出土。现仍以金属制品和木雕艺术著称。农产品(薯蓣、木薯、芋、玉米、棕榈油和棕榈仁)销售中心。镇内有师范学院、阿南布拉州立理工大学分院、中学和公立医院。人口约104 682(1991)。

Awolowo, Obafemi　阿沃洛沃(1909-03-06，南尼日利亚殖民地和保护国伊凯内[今属尼日利亚]～1987-05-09，伊凯内)　尼日利亚民族主义政治家，国内3个主要种族之一——约鲁巴人的领袖。农民家庭出身。师范学校毕业。当过教士、商人和新闻记者，做过工会工作。1944年赴伦敦学习法律，创建奥杜杜瓦后裔协会(日后成为约鲁巴人政党行动派的基础)。著有《尼日利亚自由之路》(1947)。1947年回伊巴丹执律师业。1950～1951年间建立行动派，任主席。1951年任西部地区(约鲁巴)地方政府部长，负责筹组民选议会。1954～1959年任西部地区总理，致力于教育、社会服务和发展农业。他力使行动派成为全国性的政党。在1959年选举中失败后，他成为联邦众议院的反对党领袖。1960年尼日利亚独立以后，他转向社会主义，主张采取中立外交政策。1963年以阴谋推翻政府罪被处10年徒刑。1966年7月军事政变后获释。最后转而支持联邦政府反对东南部的伊博人。在比夫拉战争期间，他任联邦财政专员和联邦执行委员会副主席。1978年成为统一党领袖。1979和1983年竞选总统失败。1983年12月31日军事政变后，统一党被取缔。新政府收缴了他的护照。

Awoonor, Kofi　阿伍诺(1935-03-13，黄金海岸韦塔～　)　加纳小说家和诗人。其诗作已被译成多种文字并编纂成集。主要主题通过诗行和短语的重复以及使用延长的韵律在一首接一首诗中不断展开，基督教和死亡在其中占重要地位。在《再次发现及其他诗歌》(1964)中，每一首诗都是一项较大认识和再发现的一瞬间的记录，这一瞬间有时壮丽非凡，有时却平淡无奇。随后的作品有《我的生命的黑夜》(1971)和《海滨的那所房子》(1978)等。就学于加纳大学学院(文学士，1960)、伦敦大学学院(文学硕士，1970)和斯托尼布鲁克纽约州立大学(哲学博士，1972)。曾在加纳大学讲授英国文学和非洲文学，创办和领导过加纳剧院，并曾应中国作家协会的邀请访问过中国。在奖学金的资助下(1967～1969)曾到伦敦大学和加利福尼亚大

学攻读英语和语言学。70年代初期，在斯托尼布鲁克纽约州立大学开设非洲文学课程，后任该校比较文学系主任。1975年8月回到加纳，任教于海岸角大学学院。他对非洲方言传统与现代文体相结合的重要性深信不疑，这一点在其诗作中显而易见。写过一部小说《这个世界，我的兄弟》(1971)，并与人合编了一部诗集《通讯集——来自加纳的诗》(1970)。《大地的怀抱：撒哈拉以南非洲历史、文化、文学概观》问世于1975年。

Awrangzīb(emperor of India)　参阅**Aurangzeb** 奥朗则布。

ax　斧　砍、劈、削和穿刺的手执工具。石器时代的手斧，至公元前3万年前后已有安装木柄的。约公元前4000年在埃及已有红铜斧，随后出现了青铜斧，最后出现铁斧。斧安装把柄的方法很多，如插入套筒式木柄中再用绳子捆好，或者夹在劈开的木头裂口中再捆好，或者嵌插在骨銎里。中世纪时期由于砍伐树木的铁斧的发展，人们才有可能把西北欧广阔的森林开辟出来，使中世纪的农业得以发展。在开发东欧、斯堪的纳维亚半岛、北美洲和南美洲，以及世界其他地区的土地的过程中，斧都发挥过同样的作用。现代的斧具有钢刃，也有双刃的斧。由于有了利用动力操纵的锯和其他机器，斧已经大大失去了它的历史作用，但仍不失为一种用途广泛的常用工具。

Axelrod, Julius　阿克塞尔罗德(1912-05-30，纽约市～2004-12-29，马里兰罗克维尔)　美国生化药理学家，因鉴定了一种抑制神经冲动的酶而与英国生物物理学家B.卡茨和瑞典生理学家U.von奥伊勒-凯尔平共获1970年诺贝尔生理学或医学奖。1933年毕业于纽约市学院，获理科学士学位；1941年获纽约大学理科硕士学位；1955年获乔治·华盛顿大学博士学位。1935～1946年任纽约卫生局工业卫生实验室化学师。1946年人戈德华特纪念医院研究部，1949年到马里兰州贝塞斯达国立心血管研究所研究化学萤理学。1955年到国立心理卫生研究所主持临床科学研究室药理学组。奥伊勒发现了去甲肾上腺素，他在此基础上发现、分离并命名了能灭活去甲肾上腺素的酶。该酶能对抗某些亲精神药的作用，亦能用于研究高血压和精神分裂症。

Axelrod, Paul　参阅**Akselrod, Pavel Borisovich** 阿克谢利罗德。

Axholme, Isle of　阿克斯霍姆岛　英格兰亨伯塞德郡布斯费里区特伦特河西地区之一部分，约210平方千米。1974年以前属林肯郡。为海拔不到30米的低平地。早先为沼泽环绕地。排水工程始于17世纪，现已改造成为土地肥沃的高产地区。主要居民点为埃普沃思，卫理公会派创始人J.卫斯理和C.卫斯理的出生地。

axinite　斧石　硼硅酸盐矿物，常产于接触变质岩中，也产于基性火成岩中。特别漂亮的晶体产于法国伊泽尔的瓦桑堡和美国加利福尼亚州的圣迭戈县。普通丁香棕色的透明斧石有时可琢磨成宝石。关于化学式和详细的物理特性，参阅**silicat mineral**(表)。

axiology　价值学　对于最为广义的善或价值的哲学研究。它的重要性在于：①扩充了价值一词的意义；②对于经济、道德、美学以至逻辑方面的各种各样的问题提供了统一的研究，这些问题以往常常是被孤立开来考虑的。价值一词最初的意义是某物的价值，主要指经济上的交换价值，18世纪政治经济学家亚当·斯密的著作中即有如此提法。19世纪时，在若干思想家和各种学派的影响下，价值的意义被延伸至哲学方面更为广泛的领域，这批思想家中有新康德主义者R.H.洛采和A.里敕尔；提出重新估价一切价值学说的尼采；A.迈农和埃伦费尔斯；还有无意识哲学家爱德华·冯·哈特曼，他所写的《价值学纲要》(1911)，首次把这个词用于书名中。H.明斯特尔贝格和W.M.乌尔班将这个运动引入美国。明斯特尔贝格常被认为是应用心理学的创始人，乌尔班的《评价的性质和法则》(1909)是第一篇阐释这个问题的英文论文。R.B.佩里的《一般价值论》(1926)被称为新立场的杰作。他认为价值是"任何有益的事物"。以后他还探讨了价值的8个"领域"：道德、宗教、艺术、科学、经济学、政治、法律和习俗。人们通常区分工具价值和固有价值，亦即作为方法的善和作为目的的善。J.杜威在《人性与行为》(1922)和《评价论》(1939)中提出了对于价值的实用主义的解释，试图打破这种方法和目的的区分，不过他的做法更像是在强调人类生活中的许多实际事物——例如健康、知识、美德——在两种意义上都是善的。C.I.刘易斯、格奥尔格·亨利·冯·赖特、W.K.弗兰肯纳等哲学家作了更多的区分，例如区分工具价值(即为某一目的是善的)和技术价值(即在做某事时是善的)，还区分贡献价值(即作为整体的部分是善的)和终极价值(即作为整体是善的)。由于"事实"代表着客观性，"价值"暗示着主观性，在形成任何关于价值和价值判断的客观性的理论时，价值与事实的关系就是至关紧要的了。社会学、心理学、人类学和比较宗教这类描述性科学全都试图既对实际评价的事物作出事实的描述，也对各种评价的异同提出因果的解释，而哲学家的任务则是探讨各种评价的客观正确性。哲学家要问：某事物之有价值是因为它被想望，还是某事物之被想望是因为它有价值。佩里等主观主义者持前一看法，穆尔和N.哈特曼等客观主义者持后一看法。在这两种立场中，价值判断都被认为本身是一种认识，两种立场的区别仅在于价值究竟是作为不以人类对其兴趣为转移的某事物的性质而存在，还是作为对该事物的想望而存在。另一方面，非认识主义者否认价值判断是认识。他们或是主张价值判断主要是一种感情作用，或是主张是一种描述作用。前者以实证主义者A.J.艾尔为代表，后者以分析主义者R.M.黑尔为代表。J.P.萨特等存在主义者强调的是自由、决定和对自己价值的选择，看来也否认价值与事实间具有逻辑的或本体论的联系。

axiom　公理　按照亚里士多德的意见，公理是不可论证的第一原理，一切论证性科学都必须从这一原理开始。此外，每门具体科学都有自己特定的第一原理。在其他场合，公理被表征为一切论证所由出发的公论，也表征为凡是想学些什么的人所必须掌握的情况。一个例子是："任何事物都不可能在同一时候和同一方面既存在又不存在。"在欧几里得的《几何原本》中，第一原理列为公设和常用概念。前者是几何学的原理，似乎一直被认为是所需的假设，因为它们的表述都从"设需要"开始。常用概念显然与亚里士多德的公理相同；实际上，普罗克洛斯这位最后一个重要的希腊哲学家明确指出(《论欧几里得的原本》)，这两个名词是同义词。然而，区分公设和公理的原则看来是捉摸不定的。普罗克洛斯讨论了有关各种解释，其中有一个是：公设是几何学所特有的，而公理则是一切同量有关的科学或一切科学所共有的。在现代，数学家往往把公设和公理这两个词作为同义词使用。有人建议将公理这个术语用于逻辑的公理，而将公设用于据以定义特定数学学科的逻辑原理以外的那些假设或第一原理。

axiomatic method　公理方法　逻辑学中的一种程序。通过这种程序，一个完整体系(例如：一门科学)按照特定规则形成。这些特定规则是从某些基本命题(公理或公设)出发，以逻辑演绎法制定的。这些基本命题由几个基本词构成。对于这些词和公理可以任意地下定义和构词；否则，也可以按照一种模式来产生，这种模式中存在着对于它们真实性的直观证明。公理化体系最早的例子是亚里士多德的三段论和欧几里得的几何学。20世纪初，罗素和怀特海试图以公理的方式使所有的数学形式化。学者们甚至用这种方法来处理经验科学，如J.H.伍杰的《生物学中的公理方法》(1937)及心理学方面的克拉克·赫尔的《行为的原理》(1943)。

axis　晶轴　晶体学中用于描述晶体的原子有序排列的任一组线。如果每个原子(或原子团)都用一点表示，并把这些点连起来，那么得出的点阵可以分成若干全同的结构单元，即晶胞。其中每一个晶胞的各个截棱都可以选为晶轴，这些晶轴的长度就是点阵常量。固体可按这些棱的相对长度和棱间夹角归入七种晶系之一(参阅**crystal**)。晶胞中原子的位置由各晶轴给定，晶体的各平面也由各晶轴描述。

axis deer　参阅**chital** 斑鹿。

Axis Powers　轴心国　第二次世界大战期间，以德、意、日3国为首的军事联盟，与同盟国抗衡。源出德意之间的一系列协议，继而两国于1936年10月25日宣布组成罗马和柏林"轴心"，同年11月25日德日缔结反对苏俄的《反共产国际协定》。这种关系因德意之间全面的军事和政治联盟(1939年5月22日《钢铁盟约》)和3国于1940年9月27日签订的《三国公约》而被强化。

Axis Sally（propagandist） **阿克塞斯·莎莉** 参阅 **Gillars，Mildred** 吉拉斯。

axle 轴 参阅**wheel and axle** 轮轴。

Axminster 阿克斯明斯特 英格兰德文行政、历史郡东德文区的一个教区城镇。濒临阿克塞河。约建于公元 705 年，为德文郡最早撒克逊居民点之一。当地有名的织毯业始于 1755 年。人口 3 472(1991)。

Axminster carpet 阿克斯明斯特地毯 1755 年由织布工 T. 惠蒂在英国德文郡的阿克斯明斯特兴建的一家工厂织制的铺地用品。和法国生产的萨伏纳里地毯有些相似，拴土耳其吉奥迪斯式扣，毛经麻纬。图案为

1765～1770 年的阿克斯明斯特地毯
美国不列颠百科全书公司供图

文艺复兴时代的建筑花饰或彩花。1835 年随着机织地毯的出现，惠蒂工厂关闭。但阿克斯明斯特这个名字作为机织地毯的一般名称而保存下来，其毯面工艺类似丝绒或绳绒。

axolotl（*Ambystoma*，or *Siredon*，*mexicanum*） **美西螈** 有尾目(Caudata)钝口螈科蝾螈类动物。因永久保留其幼体阶段的特征(如外鳃)而著称。产于墨西哥城附近的湖泊，为当地人所食用。美国螈一名也指钝口螈属(*Ambystoma*)动物中任何一种仍具外鳃但已充分发育的幼体。美西螈体长约25厘米，深

美西螈(*A. mexicanum*)
美国不列颠百科全书公司供图

棕色带黑色斑点。白化体、白色突变体以及其他颜色的突变体均常见。肢和足甚小，但尾颇长。背鳍由头背向后延伸于尾端。腹鳍从两个后肢中间延伸到尾末端。实验室饲养的有时可无外鳃而形似虎纹钝口螈(*A. tigrinum*)的成体。

axon 轴突 又作nerve fibre。神经细胞(神经元[**neuron**])用以向外传导神经冲动的突起。一个神经元一般只有一根轴突。轴突很少分支。运动神经元的轴突可以很长，例如从骨髓到脚趾。脊椎动物的多数轴突包在髓鞘内，以增加冲动传递的速度。大而有髓鞘的轴突每秒可将冲动传递 200 米，但小而无髓鞘的神经纤维每秒只传递几毫米。

Axum（Ethiopia） 参阅**Aksum**阿克苏姆。

Ay 阿伊（活动时期公元前14世纪） 埃及国王(公元前 1323～前 1319 在位)。第 18 王朝末代国王图特安哈门去世后，他由高级军政官员上升为国王。他是阿孟霍特普三世之妻泰伊王后父母的儿子，他的妻子是阿肯那顿的王后奈费尔提蒂的保姆，同王室关系密切，因而飞黄腾达。他是阿肯那顿的朝臣，并在军队中担任重要职务。阿肯那顿去世后，他成为图特安哈门国王最亲密的顾问，权势不断扩大。但他仍对王室忠心耿耿，没有例证说明他是图特安哈门的共同摄政王。然而这位年轻国王突然夭折后，他作为继承人主持葬礼。图特安哈门的遗孀安海塞纳曼本想嫁给安纳托利亚的赫梯王子并使他登上王位，然而这位不幸的王子被人截击杀害了。1932 年在开罗发现了一枚戒指，上刻有阿伊和安海塞纳曼的姓名，因而推测阿伊因为同女继承人结婚而成为国王。然而从阿伊的王墓上看到他的结发妻子仍是王后。阿伊继承王位时年事已高，在位仅 4 年，因无子嗣，由霍伦希布将军继承了王位。

Ayacucho 阿亚库乔 秘鲁省份(建于 1822 年)。在中南部高原。面积 43 814 平方千米。有阿普里马克河及其支流流过。广泛经营自给性农牧业。北部种植甘蔗、棉花等经济作物。矿产有银、镍、钴、铜、锰、硫磺和沥青。工业集中在省会和最大城市**阿亚库乔**(**Ayacucho**)。在 20 世纪 70 和 80 年代遭恐怖活动破坏。公路通往一些主要的高地和沿海城市。人口约 593 754(1992)。

Ayacucho 阿亚库乔 秘鲁阿亚库乔省省会。在安第斯山区东坡肥沃的谷地。海拔 2 746米。气候宜人。1539 年由西班牙人建立。现名来自四周的阿亚库乔(印第安语，意为"死者之角")平原。1824 年革命者在这里击败保皇军，取得独立。市内多殖民时期建筑。有17世纪大教堂。设有瓦曼加圣克里

阿亚库乔的大教堂和瓦曼加圣克里斯托瓦尔大学
美国不列颠百科全书公司供图

斯托瓦尔大学(1677)。经济以农业、轻工业为主。生产纺织品、陶器、皮货和金丝饰品。有公路和航空线通利马和库斯科。人口约 101 600(1990)。

Ayacucho，Battle of 阿亚库乔战役（1824-12-09） 拉丁美洲独立战争期间，革命军在

秘鲁阿亚库乔附近的高原战胜保皇派的战役。它解放了秘鲁，并保证了各新生的南美共和国脱离西班牙取得独立。革命军约6 000人（其中有委内瑞拉人、哥伦比亚人、阿根廷人、智利人和秘鲁人），由S.玻利瓦尔的著名副手苏克雷指挥。西班牙军约9 000人，其枪支10倍于对方。在进攻开始时，苏克雷命令哥伦比亚人J.M.科尔多瓦率领精锐骑兵出击，保皇军迅即溃败，约死亡2 000人。西班牙总督及其将领均被俘。投降条款规定：西班牙军队全部撤出秘鲁和查尔卡斯（玻利维亚）。1826年1月最后一批西班牙军队撤出利马的港口卡亚俄。

Ayala, Francisco　阿雅拉（1906-03-16，西班牙格拉纳达～2009-11-03，马德里）　西班牙小说家，社会学家。1929年获马德里大学法学士学位时，已经出版小说《一个没有精神的人的悲喜剧》（1925）。该书显示出他善于描写心理活动和运用隐喻，但对故事的叙述缺乏兴趣。1929～1930年在柏林学习，1931年获马德里大学法学博士学位。1933年人该校法律系任教。西班牙内战时期（1936～1939）流亡国外。内战结束后，到阿根廷教书，并出版社会学教科书。中篇小说《着魔的人》（1944）写17世纪的西班牙帝国的一场大屠杀和它的虚弱的统治者查理二世。短篇小说集《羔羊的头》（1949）写西班牙内战时期的事情。1950年赴波多黎各大学任教。1958年到美国任教授，继续以西班牙文写作，在《技术和自由》（1959）中，发挥了他关于使个人意识与社会相调和的思想，以及关于古代道德价值观念对于现代仍然有用的思想。他的长篇小说《狗之死》（1958）、《杯底》（1962）以社会道德沦丧和人在社会中的绝境为题材。此后的短篇小说集有《快乐的花园》（1971）和《怨恨的花园》（1988）。

Aybak　艾拜克（?～1257-04-10）　土耳其（或巴赫里）血统的埃及马木路克王朝第一代苏丹（1250～1257）。阿尤布王朝最后一位伟大的苏丹萨利赫去世后，他的儿子继承王位，但被其父的奴隶卫队或称马木路克人杀害（1250-04-30）。萨利赫的遗孀沙贾尔·杜尔遂自封为"穆斯林的王后"，并获得埃及的承认，但叙利亚的埃米尔们拒绝臣服于她。哈里发支持叙利亚人，要求埃及埃米尔们另择新主。埃及埃米尔们没有听从这一要求，任命艾拜克为总司令。艾拜克立即同杜尔结婚。埃及埃米尔们为了抚慰叙利亚人，选择了叙利亚家系的穆萨为共同苏丹，但艾拜克掌握实权。他虽有粗犷的魄力，但缺乏较高的品质掌握马木路克王朝的形势。他和埃米尔们对抗，并在1254年9月18日杀了曾在埃及中部成功地镇压了一次阿拉伯人叛乱的将官。许多马木路克人（包括未来的苏丹拜巴尔斯一世在内）逃往叙利亚。他的妻子杜尔出于妒忌设下阴谋将他杀害。数日后，艾拜克第一个妻子的女仆把她打死。艾拜克的儿子阿里继位为苏丹。

Aydın　艾登　土耳其西南部的城市及艾登省省会。位于门德雷斯河附近。系阿菲永卡拉希萨尔至伊兹密尔的公路和铁路线上重要贸易中心。附近有据传为阿格韦人所建的特拉莱斯古城旧址。1922年9月希腊军败退时，纵火焚烧了该城。城内历史建筑现有清真寺、神学校等。特拉莱斯古城遗迹仅存罗马竞技场（公元前4世纪）、大理石圆柱和剧场各一。人口107 011（1990）。

Aydın DYNASTY　艾登王朝　统治安纳托利亚西部艾登-伊兹密尔地区的土库曼人王朝（约1308～1425）。艾登公国位于繁荣的沿海地区，活跃于地中海贸易中。它介于衰落中的拜占廷帝国和正在兴起的奥斯曼国家之间，它垄断着向拜占廷敌对派系间供应雇佣军，并向游荡在拜占廷国土上的穆斯林勇士们提供领导。穆罕默德贝伊（约1308～1334在位）在他征服的爱琴海地区建立艾登王朝，统治着比尔吉、阿雅索鲁克（今土耳其的塞尔丘克）、提尔和伊兹密尔。其子和继承人乌穆尔贝伊（称乌穆尔一世，1334～1348在位）组织一支舰队，远征爱琴群岛、巴尔干半岛各国和黑海沿岸，支持约翰六世坎塔库泽努斯而卷入拜占廷帝国的王朝斗争。教皇克雷芒六世组织十字军（包括威尼斯、热那亚和塞浦路斯国王）征讨乌穆尔。1334年乌穆尔丢失了舰队和伊兹密尔要塞，1348年乌穆尔阵亡，标志着艾登王朝的衰落。1348年8月乌穆尔的继承人签署条约，给十字军参加国以商业特权。艾登公国失去了作为奥斯曼人边境国的政治意义，1390年为奥斯曼苏丹巴耶塞特一世所兼并。1402年中亚征服者帖木儿恢复了它的独立。艾登王朝的末代君主库奈德（1405～1425在位）由于不断干预奥斯曼帝国的王朝斗争而被苏丹穆拉德二世捕获并处死。艾登公国遂被永远兼并。

Aydingkol Lake　艾丁湖　中国最低的湖泊。在新疆维吾尔自治区吐鲁番盆地南部。维吾尔语意为月光湖，以湖中盐结晶晶莹洁白得名。又因南侧有觉洛塔格（意为草木不长的荒山），亦名觉洛浣。湖水面低于海平面155米，是中国陆地的最低点。湖盆东西长约40千米，南北最宽8千米，面积150多平方千米。湖水主要由火焰山的泉水、坎儿井水以地下水形式补给，地表径流主要来自白杨河经托克逊灌区后的余水。因此在冬季灌溉需水量不多，蒸发量减少时入湖水量增加，水位升高。夏季灌区用水量多，入湖水量减少。湖水位年最大变幅在45厘米左右。由于蒸发强烈，夏季湖水矿化度高达200克/升。目前湖盆大部已干涸，残留大片盐壳。随着河流上游兴建水库，农田冬灌普遍推广，湖水补给来源将日趋减少。

aye-aye（*Daubentonia madagascariensis*）　**指猴**　稀有的形似松鼠的灵长类动物，指猴科唯一的现存种，大多栖于马达加斯加雨林，最近在马达加斯加西部的干旱森林也发现指猴。体长约40厘米；蓬松的尾长55～60厘米。被毛粗长，深褐或黑色。头宽而圆，面短，眼大，具有像啮齿类动物那样的不断生长的切牙。手大，指细长，尤以第三指更长。各指均具尖锐的爪，足趾亦然，但拇趾大，具扁平的趾甲，能作对掌动作。夜间活动。独居，树栖，在树杈上用树叶筑一球形巨巢。主要以昆虫和果实为食。用细长的第三指轻扣树干，寻找钻树的昆虫幼虫，然后用该指把昆虫

指猴（*Daubentonia madagascariensis*）
美国不列颠百科全书公司供图

挖出。也用第三指挖食果肉。雌体一胎产1仔。《红皮书》中列为濒危动物，已受法律保护。

Ayer, Sir A(lfred) J(ules)　艾尔（1910-10-29，伦敦～1989-06-27，伦敦）　英国教育家和哲学家，逻辑实证主义的倡导者。其基本著作《语言、真理与逻辑》（1936）拥有大量读者，并引起广泛争论。毕业于伊顿公学和牛津大学基督堂学院（1932年获文学士学位，1936年获文学硕士学位），1932年在基督堂学院任哲学讲师，第二次世界大战期间服役，担任军事情报工作。1944年膺选为牛津大学沃德姆学院研究员，翌年升任教务长。1946年转伦敦大学学院担任精神哲学和逻辑学教授，以及文学系主任；1959年返回牛津任逻辑学教授和新学院研究员直至1978年；1978～1983年任沃尔夫森学院研究员。艾尔于1936年因其第一部著作《语言、真理与逻辑》（1946修订版）而为国际所注目。他吸收**维也纳学派**（**Vienna Circle**）的观点，并以D.休谟、J.S.穆勒和G.E.穆尔等的英国经验主义哲学理论为基础。他认为，凡无事实根据和逻辑结构的任何论述，均为毫无哲学意义的"胡说"。他提出，语言分析是阐明经验主义真理的方法。他感兴趣的问题反映在他的著作的书名上：《经验主义的基础》（1940）、《知识问题》（1956）、《实用主义的起源》（1968）、《罗素与穆尔：分析论传统》（1971）、《哲学的中心问题》（1973）和《维特根斯坦》（1985）。另有自传两卷：《我的一部分生活》（1977）和《我的另一部分生活》（1984）。1952年被任命为不列颠研究院的研究员。1970年受封为爵士。

Ayers Rock　艾尔斯岩　澳大利亚北部地方西南部巨大的独体岩。很可能是世界上最大的独体岩。由砾岩构成。能随太阳照射角度不同而变色。傍晚落日余晖将其染成火焰般的橙红色，最为壮观。呈椭圆形，长3.6千米，宽2千米。高出周围荒漠平原335米。在乌卢鲁国家公园（建于1958年，初称艾尔斯岩-奥尔加山国家公园）内。底部有一些浅洞穴，被某些土著部族视为圣地，洞内有雕刻和绘画，1985年艾尔斯岩的正式所有权授与土著人，土著人则将该岩石及其周围的乌卢鲁国家公园租借给政府，为期99年。参观者

艾尔斯岩
美国不列颠百科全书公司供图

可通过东北面450千米处的艾丽斯斯普林斯乘汽车到达该地。

Aylesbury 艾尔斯伯里 英格兰白金汉行政、历史郡艾尔斯伯里谷区城镇。地处一富庶泥谷中心。曾为鸭子和奶制品贸易的重要集镇。现为发展中工业中心，有印刷、食品加工和轻机械制造等行业。15世纪时的文法学校现为郡立博物馆的一部分。现艾尔斯伯里为白金汉郡的郡首府。人口58 058(1991)。

Aylesbury Vale 艾尔斯伯里谷 英格兰南部白金汉行政、历史郡北部一区。地名源于艾尔斯伯里泥谷。该区位于科茨沃尔德与奇尔特恩丘陵之间。面积904平方千米。包括艾尔斯伯里(郡首府)、白金汉及其周围乡村。人口约157 900(1998)。

Ayllón, Lucas Vázquez de 艾利翁（约1475，西班牙托莱多～1526，今南卡罗来纳）西班牙探险家，为现称南卡罗来纳州的地方的第一个欧洲殖民者。他于1502年去西印度群岛，任伊斯帕尼奥拉岛(圣多明各)殖民政府法官。1520年去墨西哥，调停西班牙将领H.科尔特斯与D.贝拉斯克斯之间的纷争。1522年他派出一个探险队，由F.戈迪略任队长，在今北卡罗来纳州费尔角附近发现陆地。次年，神圣罗马帝国皇帝查理五世(即西班牙国王查理一世)授权他探查该地区，特别是寻找一个通往香料群岛的海峡。1526年初夏，他从伊斯帕尼奥拉岛乘船，很可能是行驶到今南卡罗来纳州的皮迪河河口处(温约湾)，并且在那里建立一个叫做圣米格尔-德瓜达卢佩的殖民区。但数月后，艾利翁及其他许多人死于传染性热病，该殖民区即遭弃置。一说圣米格尔-德瓜达卢佩殖民区在英国人到达那里以前81年建于弗吉尼亚州詹姆斯敦，但不足信。

Aylmer, John 艾尔默(1521，英格兰诺福克提维茨霍尔圣玛丽～1594-06-03，伦敦) 英格兰基督教圣公会教士。女王伊丽莎白一世在位期间任伦敦主教。他严格执行1559年的教会统一法，粗暴处置在教会问题上同他意见相左的清教徒和天主教徒。他原于1553年任会吏总，在玛丽女王复辟天主教时期，他反对有关圣餐礼的变体论，因而被撤职，亡命国外。比至信奉新教的女王伊丽莎白一世即位后才返回英格兰。1562年任林肯郡会吏总，参加教士会议，参与改订圣公会的教义教规。1577年受按立为伦敦主教。

Aymara 艾马拉人 南美印第安庞大的居民集团。居住在今秘鲁和玻利维亚安第斯山脉中部多风而辽阔的高原。操艾马拉语组(族)诸语言。殖民地时期，艾马拉部落有坎奇人、科拉人、卢帕卡人、科拉瓜人、尤比纳人、帕卡萨人、卡朗加人、查尔卡人、奎拉卡人、奥马苏约人和科拉华亚人等。此外，艾马拉语古代也曾通行于今玻利维亚南部、智利北部及秘鲁南部若干地区。至21世纪初，约有300万艾马拉人。居住在此土地贫瘠、气候恶劣地区的基本上是农民和牧民。他们在低质的牧场上放牧美洲驼和羊驼。主要作物包括马铃薯、块茎酢浆草、块茎落葵、昆诺阿藜、玉米、豆类、大麦和小麦。使用巨大的香蒲-芦苇筏捕鱼。

的的喀喀湖畔制作芦苇船的艾马拉人
美国不列颠百科全书公司供图

艾马拉人在被印加人征服以前，有许多独立的小邦，其中以科拉国和卢帕卡国最重要。约1430年，印加皇帝维拉科查·印加开始南征，最后把艾马拉疆土并入其帝国，成为其主要部分；但此举遭到艾马拉人的不断反抗。艾马拉人1535年又被西班牙征服，引来淘金者和寻找印第安劳力的人，随之而来的是多明我会和耶稣会的修士。殖民地的农业经营是建筑在对艾马拉人一贯剥削基础上的，这些人务农、采矿、当佣人，劳动在热带植丛中的可可种植园里。1780年开始起义，直到1821年秘鲁宣布脱离西班牙王国而独立方告平息，其间大批西班牙人被杀。

艾马拉人至今保持着多神信仰，有各种术士、占卜者、巫师和巫婆，但对来世采取基督教的信仰。艾马拉人服装以手工粗布为料，仿殖民时期的西班牙人服饰。住宅为带山墙的矩形单屋结构，面积约为2.5米×3米，以草泥筑成，顶部以野草覆盖立柱上的木椽。基本社会单位是大家庭，包括兄弟、妯娌、各支的儿子和未婚女儿，住在围墙内的一簇房舍里。随着越来越多的艾马拉人移居城市，这一社会结构也在发生变化。

Aymaran languages 艾马拉诸语言 一组南美印第安语言，通行于秘鲁南部高地大部地区及其毗邻的玻利维亚一些地区。有些学者把艾马拉语群和克丘亚语群放在一起算作克丘马拉语超系。参阅 **Quechuan languages**。

Aymé, Marcel 埃梅(1902-03-29，法国茹瓦尼～1967-10-14，巴黎) 法国小说家、小品文作家和剧作家。因作品荒诞不经，故未受重视，曾长期被认为是二流作家，迟迟才被公认为轻松讽刺文和小说的大师。成长于乡里村民之中，邻里关系密切，活动不出仓前场院和农村校舍之间。笔下人物大多取自这一背景。曾当新闻记者，经过短暂尝试之后，投身于写作。早期小说《烧焦的木头》(1926)、《死者的高地》(1929，获勒诺陀奖)都是描写农村生活的喜剧。又写有《绿色的母马》(1933)，书中表现的高卢式的粗野风趣，也贯穿在后来几部小说之中，如《蛇女》(1943)和《小学生之路》(1946)。这种奇想与现实的对照，在短篇小说里臻于完善境界。《侏儒》(1934)描写一个30岁才开始发育的侏儒；《穿墙人》叙述一个胆怯的职员，他能穿墙而行，使警察莫名其妙；《捉猫游戏故事》(共3集，1939，1950，1958)，里面有张口说话的家畜，包括上学念书的牛，自以为是孔雀的猪，使得广大的4～75岁的读者听之有味。埃梅后期写有剧作《吕西安娜和肉店老板》(1947)。《克莱昂巴尔》(1950)以阿西西的圣方济各向一个乡绅显圣开始。剧本严格按照荒诞派戏剧的逻辑发展。《别人的脑袋》(1952)，充满野性的幽默。他的短篇小说笔调风趣，富有才智，立意劝善，堪称与拉封丹寓言和佩罗的童话一脉相承。

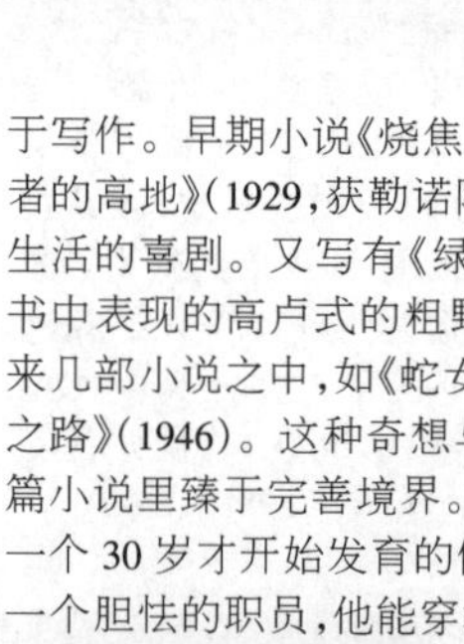

美国不列颠百科全书公司供图

ʿayn 阿因 阿拉伯语“名人”之意。在伊斯兰教各国,指出类拔萃的人物。奥斯曼帝国时代(约1300～1923),此词最初指省或地方知名之士,18世纪～19世纪初则指有官爵的地主。17世纪时,许多阿因要求终身免除赋税。1768～1774年俄土战争期间,奥斯曼政府求助于阿因们的军事、财政支持,又承认他们是民众的代表。1786年,中央政府因对阿因们日益增长的权势感到疑惧,试图把他们从省政府排挤出去。但是1787年再次对俄国作战时,中央政府又求助于阿因,后来恢复他们在各省的权力(1790)。谢里姆三世和马哈茂德二世在位期间(1789～1839),鲁梅利亚的阿因们在帝国的事务中举足轻重,常常公开反抗中央政府。首席大臣拜拉克达尔曾在伊斯坦布尔召集阿因和迪尔贝(安纳托利亚封建领主)开会,承认并巩固他们的地位。但为时不久,马哈茂德就摧毁阿因和迪尔贝的权势,在帝国大部分地区确立自己的统治地位。

ʿAyn, al- 艾因 又拼al-Ain。阿拉伯联合酋长国阿布扎比酋长国东南部布赖米绿洲的主要城镇。该绿洲镇由坐落于大棕榈园中的土房构成,并有一现代化的清真寺和许多花园。在哈菲特山脚沃土带上。当地一些古墓地保存有公元前约2700年的石刻动物和人像。隔沙漠有1910年建的城堡,其附近有博物馆。农业为传统经济活动,生产饲料和蔬菜。1967年建立畜牧业实验农场,致力于牲畜饲养,并从沙漠开垦480多公顷土地。商业性家禽饲养亦重要。与首都阿布扎比通公路。建有飞机场。工业产品有水泥、电线电缆、金属箔、玻璃和陶瓷器等。1976年建立一所大学。人口225 970(1995)。

ʿAyn Jālūt, Battle of 艾因扎鲁特战役 (1260-09-03) ʿAyn Jālūt又拼Ain Jalut。埃及马木路克人抗击蒙古人侵者取得决定性胜利的战役,挽救了埃及和伊斯兰教,制止了蒙古帝国向西扩张。1258年伊儿汗旭烈兀率蒙古人攻陷阿拔斯哈里发王朝都城巴格达。1259年基督教徒突厥人怯的不花率蒙古军进入叙利亚,并到达地中海岸。1260年蒙古人遣使到开罗要马木路克苏丹忽秃思投降,苏丹杀掉使者。马木路克王朝的12万军队把怯的不花的1万名蒙古军队诱至巴勒斯坦的拿撒勒附近艾因扎鲁特(歌利亚特温泉),把蒙古人全部消灭,怯的不花被擒,后被处死。随后叙利亚将其蒙古驻军赶走。旭烈兀陷于蒙古帝国内部的权力斗争,不得不把大部分军队调回亚洲,无力反击。因而蒙古帝国局限在伊朗和美索不达米亚,埃及则仍牢牢掌握在穆斯林马木路克人手中。

Ayodhyā 阿约提亚 又称奥德或阿瓦德。印度北部市镇,位于北方邦中南部法扎巴德县附近,傍卡克拉(即戈格拉)河。古城阿约提亚为印度七大圣地之一。在印度史诗《罗摩衍那》中,它与罗摩之诞生及其父达萨拉塔之统治有关,因而受到世人敬仰。据说该镇当年经济繁荣,防御坚固,人丁兴旺。历史上曾为科萨拉王国早期首都,但在僧侣时代(公元前6～前5世纪),斯拉瓦斯蒂成为该王国主要城市。学者普遍认为阿约提亚就是婆枳多城,佛陀曾在此住过。据5世纪中国僧人法显称,该地有寺庙100座,显然是个佛教中心。还有其他一些文物,包括一座佛塔(神殿),传说乃阿育王(公元前3世纪)所建。11至12世纪,卡瑙杰王国在此兴起,当时称奥德。该地区其后并入江布尔王国的德里苏丹领地,16世纪又成为莫卧儿帝国的苏丹领地。18世纪初奥德获得一定程度的独立,但1764年成为不列颠东印度公司的属地。奥德地区于1856年被英国并吞。英国的并吞及随后世袭地租收益人权利的丧失,引发了1857年的印度暴动。1877年与阿格拉行政区合并成为西北省,后改称阿格拉与奥德联合省,现属北方邦。该市虽历史悠久,但现存古迹极少。巴伯尔清真寺为莫卧儿国皇帝巴伯尔于16世纪初所建,位于传说中罗摩出生之处及古印度教寺庙罗摩庙所在地。该地因对印度教徒及穆斯林教徒均具有意义,故常常引发争端。1990年,武装印度教徒急于在该址建庙而引起清真寺风波,随后形成印度北部骚乱,接下来危机又使政府倒台。两年后即1992年12月6日,一群印度原教旨主义者于数小时内拆毁了这座3层高的清真寺,骚乱席卷全国,估计有1 000余人丧生。众多毗瑟拿教神庙及浴场的历史并不久远。在现代的市区附近有若干土丘,表明是古阿约提亚城遗址,但尚未得到考古学家的充分勘测。人口约40 642(1991)。

Ayr 艾尔 澳大利亚昆士兰州东北部城镇。地处伯德金河三角洲。位于北部沿岸铁路线和布鲁斯公路线上。下伯德金灌溉区(产甘蔗、稻米、玉米、肉牛)的中心。有几座糖厂。1882年建镇。人口8 697(1996)。

Ayr 艾尔 苏格兰艾尔郡政务会辖区港口城市,属艾尔历史郡。郡首府。城镇位于艾尔河南岸。1202年设为自治市(原特许状现存于市政厅)。中世纪时期曾是苏格兰西海岸主要港口,后被北面克莱德河沿岸各港口所取代。许多重型机械制造业、金属加工业和纺织业多建于19世纪,因1840年建成通往格拉斯哥的铁路而发展。现艾尔最重要的工业有轻型机械、电子器件、肥料制造业以及食品加工业。是闻名的度假胜地,有定期赛马大会。亦为重要的地区性商业中心,每周有牲畜集市。除为渔港外,还经北海海峡向附近的北爱尔兰输出煤炭并输入磷酸盐和木材。最著名的教育机构有艾尔学校(建于1233年)。后开办了克雷吉教育学院(1965)和艾尔工学院。杰出诗人R.彭斯生于阿洛韦(城南5千米,现为艾尔的郊外居民区),每年数千游客前往瞻仰。为南艾尔郡行政中心。人口47 962(1991)。

ayre 埃尔 又拼air。16世纪末、17世纪初英国流行的一种独唱歌曲体裁,由诗琴伴奏。当时这一体裁的杰出作曲家有:诗琴演奏家J.道兰德和诗人作曲家T.坎皮恩。前者的《我哀泣泪下》曾广泛流传,欧洲大陆和英国都有很多根据这首歌曲的旋律而改编的器乐曲。一般来说,埃尔优美、雅致、精练,往往是分节歌曲,以爱情主题为主。有许多是生动活泼、热烈欢快的,具有微妙细腻的节奏变化;另一些则是感情丰富的歌曲,因采用大胆而富于表情的和声及动人的旋律谱线而取得效果。

Ayrer, Jakob 艾雷尔(1543-03?,弗兰科尼亚[德国]～1605-03-26,纽伦堡) 德国剧作家,他把伊丽莎白时代的戏剧要素(如惊人的舞台效果、猛烈的动作、装腔作势的舞台语言、经常保留的丑角角色)纳入自己的戏剧,尤其是那些在忏悔节演出的狂欢节滑稽戏剧。他的职业是律师,逝世前12年间在纽伦堡担任市政委员和帝国公证人。在纽伦堡目睹16世纪末17世纪初英国巡回剧团在德国的演出。他虽然不像老师汉斯·萨克斯那样有才气,但作品却很多,写出100多部喜剧、悲剧、历史剧、忏悔节笑剧和用传统歌曲填上新词的轻松歌剧。后者是他最先推广的,也是他最大的艺术成就。他的66个剧本保存在他的《戏剧集》(1618)里,其中《美国的西迪娅的喜剧》(约1600),因与莎士比亚的《暴风雨》类似,常常被人提到。

Ayres, Anne 艾尔斯(1816-01-03,伦敦～1896-02-09,纽约市) 美国基督教圣公会第一名修女。1836年随家人迁居美国,不久开始任家庭教师。1845年为圣公会教士穆伦贝尔格讲道所感动,决心献身于宗教,后成为修女。自16世纪宗教改革运动废除妇女隐修制度后,在美国和英国没有修女。1852年成立与主相通修女会,她是第一名成员。该会主持教区学校和诊疗所,后来从事纽约州长岛圣约翰兰修会的教务及慈善工作。与主相通修女会于1940年解散。

Ayrshire 艾尔郡 又称Ayr(艾尔)。苏格兰西南部历史郡。根据它的历史郡首府艾尔而命名。除了南部的一小部分区域(属邓弗里斯政务会辖区和加洛韦政务会辖区)外,艾尔郡分为南艾尔郡、东艾尔郡和北艾尔郡3个政务会辖区。西部海岸线呈凹形,东部的南部高地海拔约600米。内陆地势较高,为受大风侵袭的高沼地,年降雨量为1 500～2 500毫米,有贫瘠的泥炭土和石楠属植被。沿海地形起伏,约在30～300米之间覆盖煤矸石层。气候温暖潮湿(年降雨量1 020～1 270毫米),牧草繁茂。沿海地带适于耕作,产早熟马铃薯和草莓。1780年建成苏格兰第一批采煤深井,随后钢铁工业和纺织业迅速发展。与此同时,农业革命带来了圈地排灌和轮作,成为重要的高度发展的农业区。低地部分,青草繁茂,为苏格兰最优良的牧场。欧文和基尔马诺克为主要工业区,生产各种纺织品。20世纪末,纺织业和金属加工业走向衰落,工程和电子工业得以发展。

Ayrshire 艾尔郡牛 适应性强的奶牛品种。18世纪后叶起源于苏格兰的艾尔郡。据认为是唯一起源于英伦诸岛的奶牛品种。毛色由几乎纯白到近于全部樱桃红或褐色而杂有上述这些毛色。黑色或有斑纹者不受欢迎。肉用价值较为次要。分布广泛，已输出到许多国家，其中英国、加拿大、美国最多。

Ayrshire whitework　艾尔郡白色绣制品　一种绣制品。19世纪时因在白色面料上以白线绣制而得名的一种抽纱制品。虽然在更早并在其他纺织中心（例如在13、14世纪的

19世纪初期的艾尔郡白色绣制品
美国不列颠百科全书公司供图

德国）也生产类似的制品，但在1780年苏格兰的艾尔郡成为生产细平布的中心后，白色绣制品便同艾尔郡联系在一起。细平布是这种制品的最好材料。配上枝叶型花纹和传统的染色装饰花边，用各种各样抽纱针法结合其他针法在细平布上绣制而成。

Aysén（Chile）　参阅**Aisén** 艾森。

Aytmatov, Chingiz　艾特马托夫（1928-12-12，吉尔吉斯苏维埃社会主义自治共和国舍克尔［今在吉尔吉斯斯坦］～2008-06-10，德国纽伦堡）　Aytmatov又拼Aitmatov。作家、翻译家、新闻工作者。1952年开始从事文学创作，1959年任《真理报》驻吉尔吉斯特派记者。短篇小说集《群山和草原的故事》（1963）是其成名作，获1963年度列宁奖金。主要作品包括：《困难的航渡》（1956）、《面对面》（1957）、《第一位教师》（1961）、《别了，古里萨雷！》（1967）、《白轮船》（1970）。虽然他能同时用俄语和吉尔吉斯语创作，但他的大多数作品（较长的短篇和中篇小说）最初还是用吉尔吉斯语写成的。主题主要是爱情和友谊、战时的考验和英雄主义，以及吉尔吉斯青年怎样摆脱习俗和传统的束缚。1966年为苏联最高苏维埃代表。1967年任苏联作家协会理事。1968年获苏联国家文学奖。他后来的长篇小说基本上是用俄语写的，有《一日长于百年》（1980）、《断头台》（1986）。

Ayton, Sir Robert　艾顿（1570，苏格兰法夫基纳尔迪～约1638-02-28，伦敦）　最早以标准英语写作的苏格兰诗人之一。艾顿曾在法夫郡的圣安德鲁斯大学接受教育。詹姆斯六世（苏格兰的）登上英国王位（称詹姆斯一世）时，他因呈献拉丁文颂词而受到宫廷的赏识。1612年受封为爵士，后曾任詹姆斯一世和查理一世两位国王王后的私人秘书。艾顿虽曾以英文、拉丁文、希腊文和法文等写诗，并享有相当高的文学家的声誉，但他从未把自己看作是一位诗人。

Aytoun, William Edmondstoune　艾通（1813-06-21，苏格兰爱丁堡～1865-08-04，马里埃尔金）　以仿作的讽刺诗文和轻松诗句闻名于世的苏格兰诗人，极大地影响了后来苏格兰的幽默讽刺风格。出生于文人家庭。曾在爱丁堡大学和德国受教育，1840年取得律师资格。同年与T.马丁合作为《布莱克伍德杂志》写幽默讽刺文章，后来以《邦·高尔蒂尔谣曲》集出版（1845），其中艾通写的《王后在法国》和《麦克弗森大屠杀》成了后来写作者的范本。1844年正式成为《布莱克伍德杂志》编辑部成员，次年被聘为爱丁堡大学修辞学和文学教授。不久出版《苏格兰骑士短歌集》（1849），深受欢迎。1854年改写轻松诗篇，发表《菲尔米利昂，或巴达霍斯的学生，一部痉挛派的悲剧》，对痉挛派作品作了绝妙的讽刺。1858年出版了《苏格兰民歌》两卷。他的《诺曼·辛克莱》（1861）描绘了19世纪早期的苏格兰风俗。

ayu　参阅 **sweetfish** 香鱼。

Ayub Khan, Mohammad　阿尤布·汗（1907-05-14，印度赫扎拉～1974-04-19，巴基斯坦伊斯兰堡附近）　巴基斯坦总统（1958～1969），他的当政标志着该国现代发展的一个重要

巴基斯坦新闻部供图

时期。曾就学于印度北方邦阿里格尔穆斯林大学和英国桑德赫斯特皇家军事学院。1928年任印度陆军军官。第二次世界大战时在缅甸当营长。1947年印巴分治后在巴基斯坦陆军中迅速晋升，从少将（1948）晋升到总司令（1951）。1954年任国防部长。由于国内持续数年的政治动乱，1958年米尔扎总统在陆军支持下，废除宪法，任命他为军事管制法首席执行官。不久，他自己宣布担任总统，并流放米尔扎。阿尤布·汗改组政府，通过农业改革与刺激工业以恢复经济。外国投资也受到鼓励。1960年实行“基本民主”体制。这种体制有一个地方自治体网，负责政府与人民间的联系。同时建立基层政府机构管理地方事务，其成员由选举产生。这些当选人举行全国复决，确认阿尤布·汗为总统。1965年，他在反对派的猛烈攻击下再度当选总统。1962年，美国开始重新武装印度；这时，阿尤布·汗同中国建立友好关系，并从中国得到大量军事援助。与此同时，巴基斯坦与印度间关于查谟和克什米尔的争执趋于恶化，终于在1965年爆发战争。交战两周后，双方接受联合国停火呼吁并达成边界协议。由于未能获得克什米尔以及学生反对选举限制而掀起的骚动加剧了国内政局的混乱，以致阿尤布·汗在1968年底宣布他将不参加竞选。骚动继续不停，他在1969年3月26日辞职，由陆军总司令叶海亚·汗将军继任。

Ayurparibhadra　爱育黎拔力八达　参阅 **Yuan ——**：元朝帝王序列下 **Yuanrenzong Ayurparibhadra** 元仁宗爱育黎拔力八达。

Ayutthaya　阿瑜陀耶　全名帕那空·希·阿瑜陀耶。又拼Ayudhya，Ayuthia或Ayuthaya。也译作犹地亚，华人通称“大城”。泰国故都，在泰国中部，曼谷以北89千米。有许多具有重要历史意义和建筑学意义的庙宇和建筑物遗址，该城1991年被联合国教科文组织列为世界遗产。该城大约于1350年由拉玛铁菩提一世建成，位于华富里河形成的一座洲岛上，当巴塞河口。据说泰国（暹罗）这个国家始于这座城市的创建，因为阿瑜陀耶（大城）王朝的帝王们扩展其势力直至最后成为东南亚最强大的国家之一，王国获得了相当于现在泰国全部领域内各邦的效忠，只有边远的北方和毛淡棉以南的地方向缅甸效忠。阿瑜陀耶城常被称作Krung Kao，意即“古都”，繁荣过400多年。大量建筑、艺术品和文学作品毁于1767年缅甸侵犯阿瑜陀耶的浩劫中，政府也往南迁移72千米到曼谷。现今的阿瑜陀耶城，宁静地躺在她的一片壮丽的废墟中，有河流、公路和铁路联系曼谷，该城也是阿瑜陀耶农学院所在地。城市有许多运河交织如网，水面上集聚着船上人家和小艇商店。旅游业是主要的收入来源，游客们经常参观城市的无数神殿和庙宇。曾甲森寺是皇家寺院，苏里约泰塔是为纪念一位著名的苏里约泰皇后建立的，她为了救援丈夫在战斗中牺牲。蒙空母碧寺有尊世界最大的坐佛。人口约57 327（1993）。

Ayyūbid DYNASTY　阿尤布王朝　萨拉丁建立的逊尼派穆斯林王朝，12世纪末至13世纪初统治整个埃及、现伊拉克北部、叙利亚大部和也门。萨拉丁为著名家族首领阿尤布之子。阿尤布出身库尔德军人家庭，曾任大马士革总督，与其弟希尔库赫联合叙利亚，准备对十字军作战。萨拉丁创建的王朝以其父名字命名。1173年阿尤布死，萨拉丁取代什叶派的法蒂玛王朝，号召穆斯林建立反十字军的联合阵线，同时把埃及建成当时世界上最强大的穆斯林国家。1193年萨拉丁去世时，他领导下的团结已经消失，阿尤布政权成为分散的半封建的家族联盟。耶路撒冷重归基督徒之手。1238年后家族内讧重起。1250年王朝权力落入马木路克人之手。阿尤布王朝把宗教学校马德拉沙（**madrasah**）引入埃及和耶路撒冷，他们在文化上继承和发展了法蒂玛王朝。他们还是伟大的军事工程家，修建了开罗城堡和阿勒颇的防御工程。

ʿAyzarīyah, Al-（Jerusalem）　**艾扎里艾赫**　参阅 **Bethany** 贝瑟尼。

Azad Kashmir 自由克什米尔 印度次大陆西北部克什米尔巴基斯坦控制区的地区。建于1947年。面积约1 680平方千米，呈弧形。东为印控区，南为巴基斯坦旁遮普省，西南为西北边境省，北为巴基斯坦辖区吉尔吉特和伯尔蒂斯坦。北部自由克什米尔包括喜马拉雅山山麓丘陵地带，有海拔4 734米高的贾姆格尔峰。南部是比尔本贾尔岭的西北段，平均峰线3 800米。杰赫勒姆河及其上游支流深切入这些山脊形成深壑的阶梯状的河谷；该河还构成了自由克什米尔的西部边界；河下游人口较密，种植小麦、大麦、玉米、小米。矿藏有大理石、石墨、铝矾土、硅石、白垩、锆石和煤。首府穆扎法拉巴德。

Azaïs, Pierre-Hyacinthe 阿扎伊斯（1766-03-01，法国索莱兹～1845-01-22，巴黎） 法国哲学家。他的乐观精神源于这一思想：即人的经验浸透了欢乐与悲哀之间自然与和谐的平衡，在这一平衡中才能发现人生的意义。他在其成名之作《人类命运中的补偿》（3卷，1809）中提出了这一思想。在下一部著作《宇宙体系》（8卷，1809～1812）中，进一步发挥了同一观点，并把它同某些宇宙论的概念联系起来。这一巨著的核心具有这一想法，即全部经验（过去的、现在的和未来的）都可以根据扩张的和压缩的力量之间的相互作用而被理解。后来他投身政界，在法国担任过小官吏。波旁王朝在法国复辟后，他被免职，陷入贫困。若干年后获得政府养老金。

Azak（Russia） **阿扎克** 参阅 **Azov** 亚速。

azalea 映山红 杜鹃花科杜鹃花属（*Rhododendron*）的某些种的统称，曾划为独立的属映山红属（*Azalea*）。这两个类群有一些不同的特征：映山红是典型落叶树，花筒状，略呈双唇形，通常芳香，雄蕊5枚，突出。杜鹃花常绿，花钟状，无香味，雄蕊10枚或更

映山红
美国不列颠百科全书公司供图

多。但两者间存在中间类型。两者间的差异不恒定，还不足以将它们列为两个属。原产北美和亚洲丘陵地区的映山红经人工杂交而育出许多栽培变种。著名的北美映山红种类有乔木状映山红（*R. arborescens*），开白花，芳香，灌木，高3～6米；金盏花样映山红（*R. calendulaceum*），灌木，高0.5～2米；似极著名映山红（*R. periclymenoides*），灌木，高1～2米，花粉红色至白色。此外，还由根特映山红（*R. gandavense*）、羊踯躅（*R. molle*）、江户映山红（定川映山红，*R. yedoense*）和火炬映山红（肯普弗氏映山红，*R. kaempferi*）等培育出数以百计的园艺类型。

Azalī 阿扎尔派 1863年巴布教派发生分裂后忠于巴布学说并拥护其选定的继承人米尔扎·叶海亚的教派。尊称其新教主为苏贝赫·阿扎尔。阿扎尔派坚持巴布的《默示录》原有的教旨，并补充以苏贝赫·阿扎尔的训示。在人数上，阿扎尔派远逊于巴哈教派。参阅 **Bāb, the**。

Azamgarh 阿泽姆格尔 印度北方邦东部城镇。傍卡克拉河支流栋斯河。始建于1665年。主要工业为制糖与织布。通铁路。位于农业区，雨量充沛，土地肥沃。出产稻米、小麦和甘蔗。人口：城镇78 600（1991）。

Azaña y Díaz, Manuel 阿萨尼亚（1880-01-10，西班牙埃纳雷斯堡～1940-11-04，法国蒙托邦） 西班牙部长和第二共和国总统。他试图组成温和的自由主义政府，但因西班牙

美国不列颠百科全书公司供图

内战爆发而受阻。曾在马德里学习法律，做过文官、新闻记者和作家。他曾翻译博罗的《圣经在西班牙》，1926年因写小说家巴莱拉的传记而获得国家文学奖。他的长篇小说《僧侣的花园》（1927）表达了他强烈的反教权主义的观点。

1930年阿萨尼亚组织共和行动党反对德里维拉将军的独裁统治，并且在圣塞巴斯蒂安公约（1930-08）上签了名，这是共和党人、社会党人和加泰隆左派的联盟，要求国王阿方索十三世退位。阿方索在1931年4月市政选举后出走，该联盟成立临时政府，阿萨尼亚出任陆军部长。在起草新宪法时，他是制定限制牧师权力、建立世俗教育、允许重新分配土地和给予妇女充分的选举权等条款的幕后推动力量。在萨莫拉总理于1931年10月辞职后，阿萨尼亚继任总理，直至1933年9月。他力求实施新宪法的进步条款，通过严厉的《保卫共和国法》（1931），残酷地对待来自牧师、军队、君主主义者和无政府主义者的反对。阿萨尼亚对持不同政见者的严酷处理，使他的名望不断下降。1933年秋，中间政党和右翼政党联合把他赶下台。他因涉嫌唆使加泰罗尼亚暴动被中右翼政府逮捕，但在审讯中被宣判无罪。1935年阿萨尼亚组成"人民阵线"，在1936年2月的选举中获胜，他再度组阁。在议会决定免去萨莫拉的总统职务后，1936年5月阿萨尼亚被选为总统。他对公共秩序的恶化无能为力，这种恶化导致1936年7月爆发内战。他任命巴里奥为总理，企图扩大对共和政府的支持，但遭失败，很快便失去对政策的控制，成为有名无实的总统。1939年佛朗哥取得胜利后，阿萨尼亚逃亡法国，在法国去世。

Azande 阿赞德人 又拼Asande或Zande。又称尼安-尼安人。中非民族，操尼日尔-刚果语系阿达马瓦东部语支语言。分布在苏丹、扎伊尔和中非共和国。居住区北部是热带草原，南部是热带雨林，大都适于农耕和打猎，精于制作铁、泥、木制手工艺品。过去曾以食人著称。

阿赞德人民种族成分混杂。18世纪时，有一个民族自称安博姆人，居住在姆博穆河沿岸，由他们的统治宗族阿旺加拉族领导，向南向东占领大片土地，征服许多民族，其中有些民族曾保存了本族语言，另一些则完全受到同化。这种民族大混合的结果，便产生了今天的阿赞德人。长期以来分散居住，实行一夫多妻制。过去许多人（尤其是贵族）妻妾众多，以致青年难找配偶。通奸罪要受到严厉惩罚。婚姻要纳彩礼，男家以20支长矛赠给女家。女子早婚，有时甚至初生之后即已许配人家。平民不愿与本氏族人结婚，而贵族则常娶亲属甚至与其同父异母的姐妹及亲生女儿结婚。父系氏族多而分散。宗族都有图腾。崇尚祭祖，神的概念模糊，但巫术魔法比祭祖更重要。

Azarbaijan（Iran） 参阅 **Azerbaijan** 阿塞拜疆。

Azare 阿扎雷 尼日利亚包奇州城镇和世袭酋长国名。居民多为豪萨、富拉尼和贝里贝里人。棉花和花生产区。是首任联邦总理A.T.巴勒瓦的出生地。有几所师范学院和一家医院。人口27 445（最新统计）。

Azariah（king of Judah） **亚撒利雅** 参阅 **Uzziah** 乌西雅。

Azariah, The Prayer of 《亚萨利亚祷言》 被插入《七十子希腊文本圣经》《但以理书》之内的外典，因而被收进通俗拉丁文本和天主教正典。据《但以理书》第3章载，巴比伦国王尼布甲尼撒命令哈纳尼亚、米撒、亚萨利亚3位犹太少年拜偶像，3人不从，因而被捆绑投入火窑。《亚萨利亚祷言》和《三童歌》是这一章的一部分，作为上述故事的陪衬。祷言是亚萨利亚一人所发，它是一段哀歌，体裁循流行于公元前4世纪的崇拜礼文：开始是赞美上帝的颂词，其后依次为以色列人认罪词、乞求怜悯词、荣耀颂。上帝救这3位少年出火窑，其后3人齐唱感恩颂诗，即《三童歌》，它的结构类似《诗篇》第136篇的反复重唱段落。其礼仪词句采自《诗篇》第148篇。

azathioprine 硫唑嘌呤 用于治疗白血病、风湿性关节炎及其他全身性炎症的免疫抑制剂。能减少参与炎症反应的单核细胞和粒性白细胞的数目。硫唑嘌呤及其代谢物6-巯基嘌呤对维持移植肾及其他移植组织有效。本药可能引起贫血和出血，但其主要的副作用是白细胞减少。本药口服后易被吸收，与

别嘌呤醇合用可增强其药理作用。

Azay-le-Rideau 阿宰勒里多 法国中部中央大区安德尔-卢瓦尔省城镇和城堡。临安德尔河，在图尔西南约24千米处。早为罗马人别墅。12世纪起名阿扎姆。城镇建于河

安德尔河畔阿宰勒里多的城堡
美国不列颠百科全书公司供图

边丘陵脚下，狭窄、弯曲的街道像迷宫一样。1518～1529年建造的壮观的城堡，现辟为文艺复兴博物馆，其四周为树木繁茂的公园，是一座极为优雅的文艺复兴风格的建筑。该城堡是法国16世纪建筑的最佳代表作，1905年起归属国家所有。旅游业在当地经济中发挥着重大作用。人口3 100(1999)。

Azazel 阿撒泻勒 犹太教传说中的一个邪灵。犹太人古俗，赎罪日要挑选两只公羊，经抽签决定一只归给上帝，另一只归给阿撒泻勒(《利未记》16:8)。归给阿撒泻勒的羊，身上背负犹太人所犯的罪，为他们作替罪羊。阿撒泻勒象征污秽，后世拉比著作有时称他为堕落的天使。

Azcapotzalco (Mexico) 参阅 **Atzcapotzalco 阿茨卡波察尔科**。

Azeglio, Massimo Taparelli, marchese d' 阿泽利奥(1798-10-24，皮埃蒙特都灵[意大利]～1866-01-15，都灵) 意大利贵族，画家、作家和政治家，民族复兴运动领袖之一，主张

美国不列颠百科全书公司供图

将所有外国势力从当时还是四分五裂的意大利各邦驱逐出去。他的政治影响远胜于其艺术成就。早年醉心于绘画，后来在社会上层活动，写过政治小说《威吓者菲拉莫斯卡》(1833)和《尼科洛·戴·拉皮》(1841)，从而成为复兴运动的温和派领袖。《罗马涅的最后机会》(1846)是抨击教皇的犀利文章。1848年参加反对奥地利的意大利解放运动。1849年任首相。他最重要的立法是1851年的《西卡迪法》，废除教会法庭和豁免权。由于同财政大臣加富尔意见分歧，1852年10月辞职，退出政治舞台。晚年写有回忆录《我的经历》(1867)。

azeotrope 共沸物 又称共组成混合物。化学术语。一种因气相与液相的组成相同而具有恒定沸点的液体混合物。共沸物的沸点可能高于或低于任一组分的沸点。不能用简单的蒸馏方法分离共沸物的组分。

Azerbaijan 阿塞拜疆 又拼Azarbaijan或Azarbayjan，波斯语作Āzarbāyjān。伊朗最西北的地区。北以阿拉斯河为界，与阿塞拜疆共和国和亚美尼亚共和国相接，东临里海并接伊朗吉兰省，南接伊朗赞詹和库尔德斯坦两省，西邻伊拉克和土耳其。面积约10万平方千米。伊朗阿塞拜疆为一些古代文化的中心。它是乌拉尔图和后来的米底王国的一部分。公元前4世纪为亚历山大大帝所征服。亚历山大的一名将军阿特罗帕坦内在该地建立小王国，并以自己名字命名。公元3世纪该地重归波斯萨珊王朝统治。自7世纪阿拉伯人控制阿塞拜疆。11世纪，土耳其游牧部族占领阿塞拜疆；此后当地居民即讲土耳其语。13世纪蒙古人侵入该地区，阿塞拜疆成为旭烈兀统治下的西起叙利亚，东至奥克苏斯河(今阿姆河)的一个蒙古帝国的中心。该地区最大城市大不里士为文化和商业中心。后来土库曼黑羊王朝和白羊王朝(1378～1502)的首都也建于大不里士。16世纪初期，阿塞拜疆为萨非王朝的发源地。其后奥斯曼土耳其人和伊朗人为争夺该地区多次进行战争，直至18世纪40年代纳迪尔·沙阿赶走了土耳其人。18世纪俄国人渐渐侵入该地区，但伊朗人设法保持了对该地区的控制。20世纪初期阿塞拜疆成为伊朗革命运动发源地，这次运动导致伊朗在1906年制定了宪法。第一次世界大战期间该地区短时期为土耳其人占领，第二次世界大战期间又为苏联占领。1945年苏联人先后在阿塞拜疆西部建立了历时不久的库尔德共和国和共产党统治的阿塞拜疆独立共和国。但1946～1947年苏联军队一经撤回其边界以内时，伊朗军队即恢复对该区的控制。伊朗阿塞拜疆系由海拔1 500～1 800米的高原和平均海拔900～1 500米的低洼地构成。有扎格罗斯山脉东段南北向贯穿全区，地形呈阶梯状，断层崖使得一些盆地和低洼地轮廓分明。大火山锥星罗棋布，如萨巴兰(4 812米)和萨汉德(3 710米)。该地区属地震易发区。大部高原区的降雨量相当大。长年不断的水流冲刷而成的、呈峡谷状的河谷处处可见。年平均降水量300～900毫米，因而是伊朗能够得到充分降雨量无需灌溉即可耕种的少数几个地区之一。该区主要河流：北部有阿拉斯河及其支流加雷河，东部有克孜勒乌尊河及其两条支流加兰古河和艾杜米什河以及焦加图河。气候属极端型，夏季炎热、干燥；冬季寒冷多雪。阿塞拜疆西部有乌尔米耶湖，为一高盐浅湖，面积为4 500～6 000平方千米，视季节不同而大小不一。

居民主要是使用阿拉伯字体操突厥语的阿塞拜疆人，他们是什叶派穆斯林。其次还有一些库尔德人和亚美尼亚人。库尔德人属逊尼派穆斯林，而亚美尼亚人是基督教徒。居民主要从事农业生产。乌尔米耶湖四周土地最为肥沃。作物有大麦、小麦、水稻、木蓝、马铃薯、甜菜、胡桃、杏仁、水果和蔬菜；还饲养绵羊和山羊。工业主要集中在大不里士市。工业产品有拖拉机、工厂机械、水泥、纺织品、电气设备和工具、牲畜饲料、涡轮机、摩托车、钟表、加工的食品和农具。其他各地有榨糖厂、纺织厂和食品加工厂。此外还有粗毛地毯和挂毯以及少量的金属器具。开采铜、砷、陶土、煤、岩盐、铅和建筑石料等矿物。该地区公路网连接大不里士、奥卢米耶、阿尔达比勒、马哈巴德和马拉盖等主要城市。另有一条从大不里士到德黑兰的输油管道。

Azerbaijan 阿塞拜疆 全称阿塞拜疆共和国。外高加索东部一国家，前苏联的一个加盟共和国。位于高加索山脉东南侧，东濒里海。领土包括有争议的纳戈尔诺-卡拉巴赫飞地，及在地理上不相连的纳希切万地区。首都巴库。阿塞拜疆是高加索山脉南侧3个国家中位于最东部的一个，其余2个是亚美尼亚和格鲁吉亚。阿塞拜疆南部与伊朗的阿塞拜疆地区相连。面积86 600平方千米，人口约8 381 000(2005)。

自然地理和人文地理 阿塞拜疆有多种不同地形，境内40%以上为低地，其中约一半海拔在400～1 500米之间。高于1 500米的地区占总面积的10%以上。山坡为山毛榉、橡树和松林所覆盖。东部和中部为干燥的亚热带气候，冬天温暖，夏季长达4～5个月，并且非常炎热。

苏联时期该国特别重视重工业，石油与天然气生产发展很快，但机械与设备制造业、食品加工业亦日趋重要。20世纪初，俄罗斯帝国和苏联的绝大部分石油产自阿塞拜疆油田。以后该地在石油生产上的作用逐步缩小，但年产油量仍相当可观。电力主要依靠热电厂提供。

阿塞拜疆的工业具多样性，电力生产、制造业和化学品生产是其中最主要的。巴库是该共和国最大城市，也是一个主要工业中心，苏姆盖特是冶铁中心。炼油工业生产的产品包括无机肥、燃料、除草剂、工业用油、人工合成橡胶和塑料等。轻工业制造有棉花和毛织品、靴鞋以及一些其他消费品。

阿塞拜疆的耕地不到全国总面积的1/5，但产量很大。该国是一个重要的产棉国，烟草、酿酒用葡萄和茶在当地亦很重要。国内很少有可通航河流，运输主要依靠铁路和卡车。位于里海沿岸的巴库是一繁忙的海港城市。

20世纪80年代末，苏联政府开始进行政治改革，1990年阿塞拜疆首次实行多党候选人选举。1989年成立的阿塞拜疆人民阵线成为阿塞拜疆共产党有组织的反对派。1991年苏联解体使更重要的改革成为可能，但阿塞拜疆政府及其他原与政府密切合作的组织

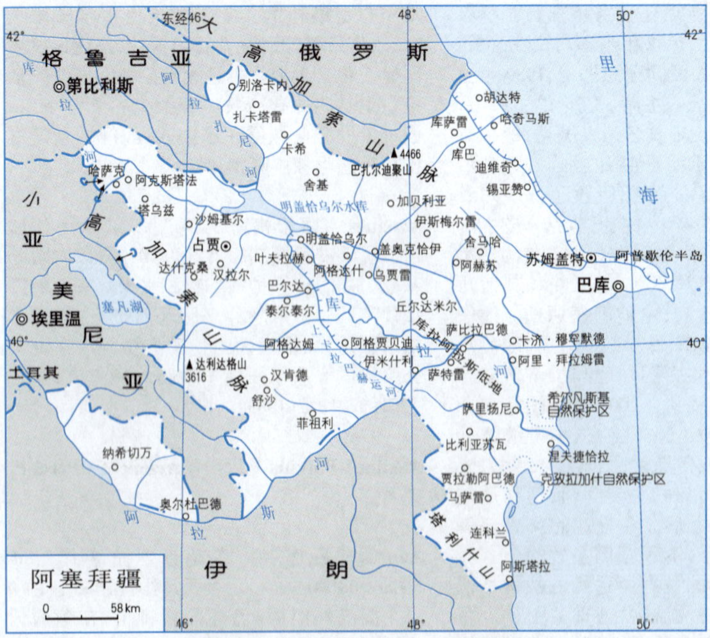

美国不列颠百科全书公司供图

（如工会）如何进行改组仍不十分明确。

阿塞拜疆人具有突厥血统，最早可追溯至11世纪乌古思-塞尔柱人的移民，也有些人是当地更早期的居民的后裔，包括伊朗人和自古以来就住在外高加索的其他民族。纳希切万的居民基本上是阿塞拜疆人，而纳戈尔诺-卡拉巴赫的居民中4/5以上是亚美尼亚人。俄罗斯人是阿塞拜疆最大的少数民族，约占人口的10%。

当地人的健康状况良好，居民大多长寿，尤其是亚美尼亚人，据说有许多人的年龄超过100岁。全国基本上没有文盲，国内建有许多高等教育机构。各级教育全部实行免费。

历史 阿塞拜疆与伊朗的阿塞拜疆地区相邻，两地居民原为同一民族。现在的阿塞拜疆共和国居民原为波斯人（伊朗人），但到9世纪便被突厥族同化。在后来数个世纪中，阿拉伯人、土耳其人、蒙古人和伊朗人曾先后夺取该地区。经多次战争之后，俄罗斯于19世纪初从波斯人手中夺得现在独立的阿塞拜疆中的绝大部分土地，从那时起阿塞拜疆地区便一分为二，沿现在两国边界分属俄罗斯和伊朗。

与相邻的基督教国家亚美尼亚和格鲁吉亚不同，阿塞拜疆居民主要为讲土耳其语的什叶派穆斯林。1917年10月俄国革命后，阿塞拜疆于1918年5月宣布独立，但1920年4月苏联红军入侵，同月成立阿塞拜疆苏维埃社会主义共和国。从1922～1936年阿塞拜疆一直是外高加索苏维埃联邦社会主义共和国的一部分，但后来单独成为苏联的一个加盟共和国。1991年8月30日，阿塞拜疆正式宣布独立。

阿塞拜疆在地理上有两个特点：纳希切万在行政上隶属于阿塞拜疆，居民大多数为阿塞拜疆人，但在地理上却被从亚美尼亚伸入的一狭长地带分隔开。另一方面，纳戈尔诺-卡拉巴赫全部在阿塞拜疆境内，并在行政上隶属于该国，但居民却是信奉基督教的亚美尼亚人。上述后一个反常情况促使亚美尼亚人在20世纪80年代后期和90年代为争取纳戈尔诺-卡拉巴赫在行政上归属亚美尼亚本土进行鼓动，而这正是阿塞拜疆人所反对的。该地区的亚美尼亚人和阿塞拜疆人为此冲突不断，1992～1993年演变成一场全面的战争。阿塞拜疆人失去了对纳戈尔诺-卡拉巴赫的控制，将该地让给了亚美尼亚人，同时受战争的影响，出现了政治骚乱和经济严重衰退。1994年虽然宣布停火，但政治问题仍未解决。

Azerbaijani　阿塞拜疆人　主要住在阿塞拜疆共和国和伊朗西北部阿塞拜疆地区的突厥人。21世纪初，阿塞拜疆共和国及其毗邻地区住有阿塞拜疆人750万，在伊朗约有阿塞拜疆人1 500万。虽然住在阿塞拜疆共和国的有些人已在工业中就业，但绝大多数是定居的农民和牧民。多数人是什叶派穆斯林；使用突厥诸语言西南语支的一种土耳其方言，名为阿塞里语。阿塞拜疆人族源混杂，最早成分是东高加索地区的土著人，也可能是波斯北部的米底人。公元3～7世纪伊朗萨珊王朝期间，这部分人受到波斯人的同化；11世纪该地被塞尔柱突厥人征服，随之他们又受到突厥人同化，其后数世纪内进一步加深了突厥化。

Azevedo, Aluízio　阿塞维多（1857-04-17，巴西马拉尼昂圣路易斯～1913-01-21，阿根廷布宜诺斯艾利斯）　巴西小说家，巴西自然主义小说的倡导人，社会抗议小说家的先驱。在里约热内卢学习美术后，成为新闻记者。他的作品以左拉的自然主义小说为楷模，充满反对奴隶制度、反对教会和反对资产阶级的感情，如实记录了当时巴西生活的一些侧面。第一本获得成功的作品《混血儿》（1881），写的是种族偏见。另外两本重要小说《寄宿舍》（1884）和《经济公寓》（1890），对里约热内卢的中产阶级社会作了批评性的详细描绘。

Azhar University, Al-　爱资哈尔大学　世界伊斯兰学和阿拉伯学主要研究中心。位于开罗中世纪区爱资哈尔清真寺内，公元970年由法蒂玛王朝创办，988年正式建成。基础课程有伊斯兰律法、神学、阿拉伯语，迄今仍为研习的主要内容。中世纪晚期，研究课程增设哲学和医学。但因爱资哈尔的正统学术界对于开创性的独立思维持有怀疑态度，这两种课程很快就被取消。只有到19世纪时，由于伟大教育改革家哲马鲁丁·阿富汗尼的努力，才恢复了哲学课。20世纪爱资哈尔大学推行现代化，在奈斯尔城新建的分校内增开了社会科学方面的课程。爱资哈尔大学附设科研机构11所，学生来自中国、印度尼西亚、摩洛哥、索马里等国。自1962年起开始招收女生。

Azharī, Ismāʿīl al-　爱资哈里（1900-10-30，苏丹恩图曼～1969-08-26，喀土穆）　苏丹政治家、总理（1954～1956），对国家获得独立起了促进作用。在喀土穆的戈登纪念学院和贝鲁特的美国大学受教育。1940年任大学毕业生全国大会主席。1943年组织阿希加（兄弟）党，反对英国所提出的苏丹自治的建议。1948年12月被捕。1952年任民族联合党主席。1953年民族联合党在选举中获得压倒性胜利，爱资哈里于1954年1月出任苏丹首任总理。1956年1月1日苏丹独立，此后不久，他由于党内派别斗争而失去权势。1958年军政府接管。1964年爱资哈里重任民族联合党领袖，1965年任苏丹最高委员会主席（即国家元首）。1969年5月25日发生军事政变，他被推翻。

azide　叠氮化物　含有3氮原子基团（以—N_3表示）的一类化合物。叠氮化物可看作是叠氮酸（HN_3）的衍生物，一类是无机盐，如叠氮化钠（NaN_3）；一类是有机衍生物，叠氮酸中氢原子被烃基所取代（RN_3），如烷基叠氮化物、芳基叠氮化物或被酰基（羧酸）所取代（如酰基叠氮化物）。大多数叠氮化物是不稳定的物质，对震动很敏感。一些无机叠氮化物和烷基叠氮化物已用作引爆剂和雷管的起爆药。叠氮化物在化学上与卤素化合物相似，能迅速与其他物质反应，反应中叠氮基被取代，生成多种类型的化合物。酰基叠氮化物可用亚硝酸与酰基肼反应或用酰氯与叠氮化钠反应来制备。酰基叠氮化物一般比无机和烷基叠氮化物稳定。加热时会发生分子重排（库齐提乌斯重排），生成异氰酸酯。在水存在下，异氰酸酯转变为比酰基叠氮化物少一个碳原子的有机胺。

Azīdī（religious sect）　参阅 **Yazīdī** 亚齐德派。

Azikiwe, Nnamdi　阿齐克韦（1904-11-16，尼日利亚宗盖鲁～1996-05-11，埃努古）　尼日利亚总统（1963～1966），或许是最能体现南尼日利亚（当然是伊博人）民族主义的人物。1925～1934年在美国受教育和工作。1944年创建了尼日利亚和喀麦隆国民议会。两年后当选为尼日利亚立法委员会成员。1953年担任东区首席部长，后成为总理。他领导尼日利亚和喀麦隆国民议会参加独立之前的1959年联邦选举。他成功地与强有力的北方人民大会党组成临时政府，但后者的领导人阿布巴卡尔·塔法瓦·巴勒瓦取得了总理这一重要职位。他得到的大部分是荣誉职位，先是议会议长，然后是总督，最后是总统。在比夫拉内战（1967～1970）中，他首先支持他的伊博族人，在1968年周游各国，争取其他非洲国家承认比夫拉并给予支持。但在1969年转而支持联邦政府，遭到批评。此后，成为反对执政党的领导人之一。1979年作为新成立的尼日利亚人民党候选人竞选总统失败。

Azilian industry　阿齐利文化期工艺　欧洲旧石器时代晚期和中石器时代早期的石器传统，尤以法国和西班牙为著。晚于较为丰富和复杂的马格德林文化期工艺，与塔德努瓦、马格勒莫瑟、埃尔特博尔和阿斯图尔诸文化期工艺大致同时。阿齐利石器多数形体很小，称为细石器，适于嵌入骨质或角质柄里。这个时期也使用曲背的投掷尖状器和短刮器。阿齐利骨器则包括骨锥、"骨棒"（用途不明）以及通常用赤鹿角制成的扁平鱼叉。阿齐利艺术品仅限于在砾石上用红、黑颜料绘制的几何图形。第四冰期的大猎物已经绝迹，阿齐利居民及其同时代人食用软体动物、鱼类、鸟类以及可能是用索套或陷阱捕获的小哺乳动物。

azimuth　地平经度　参阅**altitude and azimuth** 地平纬度和地平经度。

'Azīz, al-　阿齐兹（955-05-10～996-10-14，埃及比勒拜斯）　法蒂玛王朝的哈里发，法蒂玛王朝第一个统治埃及的君主。在他统治下，法蒂玛帝国的疆土达到最大规模。975年继承父位。他野心勃勃，想攫取拜占廷帝国和阿拔斯哈里发国家的领土，长期在叙利亚北部进行军事冒险，同拜占廷皇帝巴西尔二世相对峙。他开创使用土耳其雇佣兵的先河，后来，这些人统治了埃及。他在准备对拜占廷进行大规模军事行动时死去。

azlon　阿捷纶　由天然蛋白质制成的纺织纤维。与其他合成纤维的生产一样，先把原料制成溶液，再将溶液从喷丝孔中喷出，经过抽伸以改善纤维中分子链的排列。它可用动、植物蛋白作原料，包括脱脂牛奶的副产品酪蛋白，从玉米中提取的玉米醇溶蛋白，从鸡毛中提取的角蛋白，从制革废料中提取的胶原，鸡蛋粉的副产品卵清蛋白，以及棉籽、花生、大豆的蛋白质等。阿捷纶由于湿强度特别低、伸长程度大、拉伸回复性能差，在商业上销路不广。它虽比羊毛易燃，但比人造丝或醋酸纤维难燃，用来做衣服，穿着柔软暖和，而且吸湿、不积聚静电、也不会黏结。主要用于和其他纤维混纺，制作外衣、衬衫和针织品，使织物具有柔软的手感。

Aznar, José María　阿斯纳尔（1953-02-25，西班牙马德里～　　）　全名José María Aznar López。西班牙律师和政治家，政府总理（1996～2004）。1975年获马德里康普鲁滕塞大学法学学士，毕业后任税务稽查员。积极参加人民同盟活动，1982年当选众议院议员。1982～1987年任人民同盟总书记，1989年当选副主席，1991年当选主席。在他的主持下，人民同盟于80年代末改名为人民党，缓和原有政纲，放弃许多佛朗哥主义主张，在大多数问题上采取中间偏右立场，吸收了许多妇女和青年入党。1995年4月在巴斯克分离主义组织埃塔的一次爆炸中受伤。1996年的选举中人民党虽未获绝对多数，但已能和其他几个小党组织联合政府，由他担任总理。他任职期间加强经济改革，减少政府开支，随后几年经济稳步增长；并力图加强与拉美国家的关系，拒绝与埃塔妥协。2000年人民党在众议院赢得压倒多数。恐怖主义（埃塔继续从事暴力行动并出现伊斯兰恐怖主义组织）成为他第二个任期面临的主要问题，特别是在2001年9·11事件之后。在全球的反恐斗争中与美国密切配合，不顾压倒多数的公众反对，参加美英领导的推翻萨达姆的战争。他还着重于促进经济发展，并处理关于几个西班牙控制地区与摩洛哥的争端以及与英国的直布罗陀问题。他履行只任两任总理的诺言，于2004年大选后退休。

Azo dei Porci　参阅**Azzone dei Porci** 阿佐内。

azo compound　偶氮化合物　分子结构中含有偶氮基（—N═N—）的一类有机化合物。与氮原子相连的原子基团可以是任何有机基团，但工业上的重要偶氮化合物，有一半以上是染料，其分子中与氮相连的基团是苯基或苯的衍生物（芳香偶氮化合物）。多数芳香偶氮化合物由重氮盐与含有易被取代的氢原子的有机物反应制备。另一方法的实例是由硝基苯与某种脱氧剂反应，适用于合成对称偶氮化合物。连接基团为脂肪族基团的偶氮化合物，是由相应的氢化偶氮苯（含—HN—NH—，由肼 N_2H_4 制得）脱氢制备。脂肪族偶氮化合物的重要反应是加热分解成氮气和游离基，后者常用于引发聚合反应。

azo dye　偶氮染料　一大类合成有机染料的总称，其分子结构的一部分为含氮偶氮基—N═N—。大部分工业染料属于此类。根据其他一些化学特性、与纤维的亲合性或使用方法，这些染料可分成几类。偶氮染料用于棉布的最早的方法是：将棉布依次用两种溶液（含不同化学组分）处理，两者反应后在纤维内部或表面形成染料。采用这种方法的染料称为显色染料。对位红和樱草红是19世纪80年代开始采用的这种染料。使用最方便的是定名为直接染料的偶氮染料，含有一种能使染料溶于水的化学取代基，所以能被棉布从溶液中吸收。最早用的直接染料是1884年发现的刚果红，现已大部分被更好的耐酸、不退色的染料所代替。酸性偶氮染料对毛、丝具有亲合性，基本上和直接染料所用的染色工序相同。酒石黄为1844年发现的黄色酸性偶氮染料，现仍在使用。还有一些偶氮染料含有能与金属离子结合的官能团，和这类染料一起使用的许多金属盐中最常用的是铬和铜。金属离子也常与纤维结合，改善染料的耐洗性，但有时会使色调发生明显变化。少数几种蒽醌瓮染料和一些分散染料也是偶氮化合物。分散染料不溶于水，但可借助肥皂悬浮在水中，醋酸纤维素纤维便可从悬浮液中吸附染料。

Azogues　阿索格斯　厄瓜多尔中南部城市。位于安第斯高原谷地。其经济以农贸为基础。周围地区种植谷物和水果。有面粉厂和鞣革厂。城市名称来源于西班牙文"阿索格"，意为"水银"，为当地矿产资源。在泛美公路和瓜亚基尔一基多铁路的南方支线上。人口约19 317（1989）。

Azolinus Porcius　参阅**Azzone dei Porci** 阿佐内。

Azores　亚速尔　葡萄牙语全名作Arquipélago dos Açores。北大西洋中的群岛。由9个主要岛屿组成，为葡萄牙领土，在葡萄牙大陆以西约1 600千米处。面积共2 322平方千米。群岛分为3组相距甚远的岛群：东部包括圣米格尔、圣玛利亚及福米加什3岛；中部包括法亚尔、皮库、圣若热、特塞拉及格拉西奥萨诸岛；西北部包括弗洛里斯岛和科尔武岛。首府为圣米格尔岛上的蓬塔德尔加拉。离群岛最近的大陆陆地为葡萄牙罗卡角，该角在圣玛利亚岛以东1 400千米处。亚速尔群岛为东部大西洋岛屿中距欧洲大陆最远的岛屿。各岛具有大致相同的特点：海岸陡峭，多岩石和卵石岩屑（岩屑堆或山麓碎石堆）。皮库岛最高点达2 351米。频繁的地震和火山喷发表明这些岛屿地质性质不稳定。1522年，当时圣米格尔的首府坎波自由镇在一次强烈的地震中被埋没；1957～1958年，卡佩利纽什的火山喷发扩大了法亚尔岛的面积。亚速尔群岛属亚热带气候，非常潮湿。有大量欧洲及地中海种的植物，山坡上仍有许多混合林。集约农业生产粮食（小麦和玉米）、蔬菜和水果（有菠萝和葡萄）。据说约1427年，葡萄牙国王的领航员塞尼尔（即塞维拉）发现亚速尔群岛，未见以前有人居住或到过该岛任何地方的痕迹。约1432年，葡萄牙官员卡布拉尔及其随从在圣玛利亚岛开始建立居民点，1444年圣米格尔岛有人落户，几年之后特塞拉岛亦有居民。到15世纪末，所有岛屿均有人居住，并与葡萄牙建立了良好的贸易关系。1580～1640年，亚速尔群岛与葡萄牙其他地方一样，曾隶属西班牙，群岛曾是西班牙运载财宝的船队从西印度群岛返航途中的集结地，因而成为伊丽莎白一世统治下的英国与西班牙和葡萄牙两个半岛强国之间海战的战场。1766年蓬巴尔侯爵任命一名总督兼提督管辖整个群岛。在此之前，除了西班牙占领时期以外，亚速尔群岛没有统一的政府机构。1832年建立新政体，1895年各区被给予有限的行政自治权。当今的亚速尔群岛组成一个自治区，具有与葡萄牙本土行政区同等的地位，但由选举产生的地区议会行使特别自治权。长期以来，亚速尔群岛贸易由葡萄牙垄断；然而后来在第二次世界大战之前,与英国、美国和德国亦有贸易往来。出口商品有手工绣制品、菠萝、鱼类罐头和酒。居民多为葡裔,主要宗教是天主教。主要海港有英雄港、蓬塔德尔加达和奥尔塔。第二次世界大战期间,拉日什和圣玛利亚曾是重要的空军基地和美国与欧洲之间的交通中心。根据与葡萄牙的协议,美国自1951年起在拉日什保留一个北大西洋公约组织的空军基地。气象卫星问世之前,从亚速尔群岛收集和传送的气象资料对欧洲的气象预报至关重要。人口约240 565(2001)。

Azorín　阿索林(1874-06-08或11,西班牙莫诺瓦尔～1967-03-02,马德里)　西班牙作家、文学评论家。原名何塞·马丁内斯·鲁伊斯。作品以句子简短、明晰、敏锐为特点;文学评论抛弃了19世纪富丽堂皇的修辞。小说三部曲《意志》(1902)、《安东尼奥·阿索林》(1902)以及《小哲学家的自白》(1904),突破了传统小说的形式,实际上仅仅是用对话写成的印象主义散文。这套三部曲对"九八年一代"起到了统一力量的作用。在深刻的爱国主义激励下,他通过作品无休止的探求,以表现西班牙文化中的永恒精神。他的作品精细地再现了西班牙生活的精神,用散文中的暗示来指导读者的感觉。他的文学评论,例如《古典作品的眉批》,帮助读者开辟了文学欣赏的新路,在大部分西班牙文学作品到不了读者手里的时代,鼓起他们对西班牙古典文学的热情。

美国不列颠百科全书公司供图

Azov　亚速　前称阿扎克或塔纳。俄罗斯西南部罗斯托夫州城市。位于顿河下游左岸,距亚速海7千米。公元前6世纪即有居民点。由于港区淤塞,已失去港口职能。工业有鱼类加工、木材加工和轻型制造业。人口约80 900(1994)。

Azov, Sea of　亚速海　乌克兰和俄罗斯南部海岸外的内陆海。向南通过刻赤海峡与黑海相连,形成黑海的向北延伸。亚速海长约340千米,宽135千米,面积约37 600平方千米。流入亚速海的河流有顿河、库班河和许多较小的河流,如米乌斯河、别尔达河、奥比托奇纳亚河和叶亚河。西部有阿拉巴特沙嘴,是一片113千米长的沙洲,将亚速海与锡瓦什(即普特里海)隔开。锡瓦什是将克里米亚半岛和乌克兰大陆隔开的沼泽水湾。亚速海最深处只约14米,是世界上最浅的海。由于顿河和库班河夹带大量淤泥,致其东北部塔甘罗格湾水深不过1米。这些大河的流入确保海水盐分很低,在塔甘罗格湾处几乎是淡水。然而,锡瓦什处的海水盐分很高。亚速海的西、北、东岸均为低地,其特征是漫长的沙洲、很浅的海湾和不同程度淤积的潟湖。南岸大都是起伏的高地。海底地形普遍平坦。亚速海属温带大陆性气候。时而严寒,时而温和,经常有雾。正常情况下,沿北岸海面通常于12月至3月结冰。海流以逆时针方向沿海岸环流。由于每年河水注入量不同,亚速海的年平均水平面差别高达33厘米。潮汐时水平面上下波动可达5.5米。由于海水浅,混合状态极佳,甚至温暖,以及河流带入大量营养物质,因而海洋生物丰富。动物有无脊椎动物300多种,鱼类约80种,其中有鲟、鲈、鲷、鲱、石斑鱼、鲻、鲦、欧拟鲤和鮰等。沙丁鱼和鳀鱼格外多。亚速海货运量和客运量都很大,尽管某些地方因太浅影响了大型远洋航业的发展。冬天用破冰船助航。主要港口有塔甘罗格、马里乌波尔、叶伊斯克和别尔汀斯克。

Azov Upland　亚速高地　乌克兰东南部丘陵区。位于扎波罗热州和顿涅茨克州,从第聂伯河向东南延伸160千米至顿涅茨山。为乌克兰结晶岩地盾的一部分,乃一剥蚀山区;最高点为顿涅茨克西南105千米处的莫吉拉别利马克山,海拔324米。土壤属黑钙土,普遍开垦为耕地。山坡上有优质牧草,别尔达河、莫洛奇纳亚河和奥比托奇纳亚河发源于此。

Aztec　阿兹特克人　又译阿兹台克人。操纳华特尔语的民族。15世纪和16世纪初,曾在今墨西哥中、南部建立帝国。其名称源于其发源地阿兹特兰(意为"白地"),此地位于墨西哥北部。他们也根据其远祖特诺奇一名而称为特诺奇卡人;也可能根据墨茨利阿潘(意为"月湖")一名,而称做墨西卡人。墨茨利阿潘为特斯科科湖的带有神秘色彩的名称。由特诺奇卡人一名,派生出特诺奇蒂特兰这个著名城市的名称;由墨西卡人一名,派生出取代阿兹特克首府之城市及其周围谷地的另一名称,此后又泛指整个墨西哥国家。阿兹特克人自称库尔华-墨西卡人,把自己族名与科尔华坎这一地名联系在一起。科尔华坎是墨西哥谷地文明最先进的一个民族的中心。

阿兹特克人族源不明,根据其本族传说,他们在12世纪以前是墨西哥平原北部一个狩猎兼营采集的部落,后来才出现于中美洲。他们可能属于大南移的民族之一,这次大南移伴随有或许有助于引起托尔特克文明的消失。阿兹特克人定居于特斯科科湖上诸岛并于1325年筑起特诺奇蒂特兰城,此城一直是他们的主要活动中心。阿兹特克人能够建成国家并最终形成帝国,主要依靠其著名的农业制度,使全部可用土地深耕细作,灌溉系统纵横交错,并垦殖沼泽地成为良田,以是生产力甚高,国富民丰。伊兹科阿图统治期间(1428～1440),特诺奇蒂特兰与其邻邦特斯科科及特拉科潘结盟,成为墨西哥中部霸主。后来又以商贸及征服为手段,发展成为帝国,辖有400～500个小邦;1519年前后,人口约达500万～600万,幅员207 200平方千米。特诺奇蒂特兰鼎盛时期,本城占地13平方千米,居民14万人,成为中美洲文明中人口空前稠密之地。阿兹特克国家实行专制体制,军队发挥主导作用。事实上,战争中的骁勇是阿兹特克社会中最可靠的晋升途径。这个社会尽管等级森严,阶级明显,但个人地位甚易升迁。祭司与官僚阶级参与帝国政务,社会底层是农奴、契约奴仆及不附加条件的奴隶。阿兹特克宗教是融合性的,吸收了许多其他中美洲文化的因素。他们的信仰,本质上与更早的部落——主要是马雅人——的宇宙观点有很多共同之处,如:现在的地球是一连串创世活动中最后一次的产物;地球的位置,介于13重上天及9重地狱之间。阿兹特克人的主神有战神维齐洛波奇特利,太阳神托纳蒂乌,雨神特拉洛克,羽蛇神魁扎尔科亚特尔。人祭之风盛行,常以受害人之心或血献祭太阳神。与阿兹特克宗教密切相连的是历法,祭司所掌管的繁缛的祭祀和庆典的周期,即以历法为据。*阿兹特克历*(**Aztec calendar**)为大多数中美洲民族所习用,由一个365天的太阳年及一个260天的神圣年所组成;两个年度周期平行运转,产生一个52年的大周期。1519年西班牙探险者到达美洲时,阿兹特克帝国仍在扩张,社会仍在进化发展,但被外来者所遏止。阿兹特克末代皇帝蒙提祖马二世(1502～1520在位)被俘,死于囚禁之中。帝国迅速为装备精良的欧洲人所征服。

Aztec calendar　阿兹特克历　又译阿兹台克历。一种把260日的宗教周期(托纳尔波瓦利历)和365日的太阳年协调起来的历法。它同它的渊源马雅历相似,阿兹特克历的宗教周期分成13个时期,每期20天。而民用周期则分成18个月,每月20天,另加一个只有5个"无名日"的月。此外,阿兹特克历也和马雅历相同,每隔52年,宗教周期和民用周期又回复到原来的顺序,要举行"升火仪式"来庆祝。在仪式准备期间,所有寺庙和家庭可把火种烧尽。在仪式高潮时,祭司们重新点燃寺庙中的火种,随后阿兹特克人也重新燃起他们家庭中的火种并开始欢宴。1790年在墨西哥城挖掘出一个重25吨、直径3.7米的圆形"历石",现陈列在墨西哥城的国立人类博物馆中。历石的正面有阿兹特克人的太阳神托纳蒂乌的像,周围四个方形内的画代表太阳神的前身,在它们的外圈是代表阿兹特克历每月20天的象形文字符号。

Aztec City(plant)　参阅**tiger-flower** *老虎花*。

Aztec language　阿兹特克语　参阅**Nahua language** *纳瓦语*。

Aztec Ruins National Monument　阿兹特克遗址国家保护地　又译阿兹台克遗址国家保护地。美国新墨西哥州西北部一考古场地。在阿尼马斯河畔阿兹特克城正北。1923

保护地内的普韦布洛印第安人的地下礼堂遗址
美国不列颠百科全书公司供图

年设立，面积 11 公顷。出土有一 12 世纪砖石木结构印第安村镇的废墟。参观中心展出许多印第安历史文物。

Azteco-Tanoan languages　阿兹特克-塔诺诸语言　美洲印第安语的一个主要的语言分类范畴(超系)。包括大语系犹他-阿兹特克语系和较小的新墨西哥州及俄克拉何马州的基奥瓦-塔诺语系。犹他-阿兹特克诸语言广泛通用于墨西哥、危地马拉北部，少数也通行于加利福尼亚、大盆地和亚利桑那。基奥瓦-塔诺诸语言分为 4 种：基奥瓦语、蒂瓦语、特瓦语和托瓦语。

Azua　阿苏阿　多米尼加共和国西南部城市。1504 年建在加勒比海海岸。旧镇毁于地震，新镇重建于奥科阿山山麓。当地主要城市之一，主要经营甘蔗、咖啡、稻米、木材等贸易。在圣多明各至科门达多尔的公路上。人口56 453(2002)。

Azuchi-Momoyama period　安土桃山时代　(1574 ～ 1600)　又称桃山时代。日本历史上，大名织田信长和丰臣秀吉当政的国家统一时期。对比此前室町或足利时期(1338 ～ 1573)的拘谨，这是一个豪华和铺张的时期，宏大的城堡和府邸代替了寺院建筑。该时代因织田信长在琵琶湖畔建安土城堡、丰臣秀吉在京都建桃山城堡而得名。城堡内有狩野派大师的大型隔扇画和屏风画。这个时代以德川家康建都江户(今东京)而告终。

Azuela, Mariano　阿苏埃拉(1873-01-01，墨西哥拉戈斯-德莫雷诺～ 1952-03-01，墨西哥城)　墨西哥作家。他的 20 本小说几乎记录了墨西哥革命的每一个方面。著名作品《在底层的人们》(1916)描写了革命的恐怖，是 1915 年他在潘乔·比利亚的军队里任军医时，强行军期间在营火旁边写的，它广泛地影响了墨西哥的社会抗议小说家。1916 年后，对革命斗争的幻想破灭，写了许多批评新政权的小说，如《苍蝇》(1918)、《财阀》(1917)、《一个体面家庭的灾难》(1918)等。后期作品被归入"新小说"一类的有《厄运》(1923)、《清算》(1925)和《萤火虫》(1932)。

Azuero Peninsula　阿苏埃罗半岛　在巴拿马西南部。介于巴拿马湾(东)和蒙蒂霍湾(西)之间，向南伸入太平洋。该半岛东西长 100 千米，南北长 90 千米。半岛上以卡纳贾瓜山为最高，海拔 935 米。阿苏埃罗半岛的主要城镇有奇特雷和拉斯塔布拉斯，两镇均有公路与泛美公路相连。

azulejo　小花砖　14世纪以来先在西班牙，后在葡萄牙生产的小瓷砖。最初，只指北非的镶嵌砖(马赛克)，后来则泛指 13 ～ 15 平方厘米的彩饰瓷砖。在 15 和 16 世纪，这种小瓷砖广泛地使用于宗教建筑和民间建筑，尤其是贴在房屋的正面外墙上。1690～1750

16 世纪晚期塞维利亚生产的小花砖
美国不列颠百科全书公司供图

年的盛行时期，葡萄牙许多房屋的外墙和内墙都用小花砖拼成大片图案进行装饰。

azurite　蓝铜矿　又作 chessylite。又称石青，是碱性铜碳酸盐[$Cu_3(OH)_2(CO_3)_2$]。蓝铅矿常与孔雀石一起产于铜矿脉的氧化带中。著名矿床有纳米比亚的楚梅布、法国的谢西以及美国亚利桑那州的比斯比。蓝铜矿在古代东方被用作壁画的蓝颜料，而15 ～ 17 世纪中期，欧洲也用它作绘画颜料。有关蓝铜矿详细的物理性质，参阅 **carbonate mineral** (表)。

ʻAzza (Gaza Strip)　参阅**Gaza** *加沙*。

ʻAzza, Rez̲uʻat　参阅**Gaza Strip***加沙地带*。

Azzone DEI PORCI　**阿佐内**　(约 1150，意大利博洛尼亚或卡萨尔马焦雷～ 1230)　拉丁语作 Azolinus Porcius。Azzone 又拼 Azo。博洛尼亚法学派领导人，是在拜占廷查士丁尼一世皇帝(6 世纪)指示下编纂的《罗马法》正文注释之外撰写系统摘要的几位作者之一。从1190年起，阿佐内在博洛尼亚任民法教授。他是著名的法学家 J. 巴西亚努斯的学生，后又成为另一位法学家阿库修斯的老师。英国法学家布雷克顿(1268 卒)在他的《论英国法律和习惯》一书中所引用的很多罗马法的材料都来自阿佐内撰写的摘要。法制史学家 F. W. 梅特兰编辑了《布雷克顿和阿佐内著作选编》(1895)。

B

B－1　B－1 战略轰炸机　美国的变后掠翼战略轰炸机，1986年开始服役，用来作为B－52"同温层堡垒"的后继机。B－1的设计是用低空飞行突破对方有雷达引导的对空防御。罗克弗尔国际公司制造的B－1有两种改型：B－1A，1974年首飞，设计用于在高空达到两倍音速，携带核炸弹和近程对地攻击导弹(SRAM)；B－1B，将基本机体加以改进，使其具有隐形特性，例如采用均匀过渡的融合体外形和雷达波吸收材料，这样虽然降低了飞机的飞行速度，但雷达反射能力却减小到只有B－52飞机的1%。第一架B－1B于1984年首飞，到1988年有4个联队总数100架这种轰炸机在美国本土的若干空军基地上使用。

B－1B长44.8米，机翼全部张开时，翼展约42米。飞机上4台通用电气公司的涡轮风扇发动机能使飞机加速到超过音速，实用升限为12 000米，但它的额定巡航速度是亚音速。B－1B在机翼完全后掠时，可以下降到离地面60米的高度上，以0.9马赫数的速度飞行。该机可携带8枚空射巡航导弹或24枚近程对地攻击导弹。它也可以携带多达24枚核炸弹或84枚227千克的常规炸弹。B－1B在武器载荷16 800千克时可飞行7 400千米而毋须空中加油。

B－17　B－17 轰炸机　又称flying fortress(飞行堡垒)。美国在第二次世界大战中使用的重型轰炸机。1934年由波音公司开始设计。1935年试飞原型机，1937年投产。第7次

飞行堡垒
美国不列颠百科全书公司供图

改型的B－17G装有增压器，能在10 670米高度上巡航。最大速度为462千米/小时。飞机共装有13挺口径0.50(英寸)的机枪，并可自由转动。炸弹舱内可携带2 720千克炸弹，翼下弹架上还可加挂。美国总共生产了12 731架B－17轰炸机，几乎全被用来在欧洲进行昼间高空轰炸。

B－24　B－24 轰炸机　又称liberator(解放者)。第二次世界大战中，美、英航空兵使用的远程重型轰炸机。它是大战中美国生产最多的一种飞机，共生产了1.9万架。1939年首飞，1941年在英国皇家空军服役。它能有效地用于反潜战(投深水炸弹)和高空轰炸。航程2 560千米，比B－17大40%，最大速度475千米/小时，升限8 540米。飞机外形有明显特征：是双尾翼机，箱形机身低悬在高单翼之下。有可收放的前三点式起落架。机上乘员组通常为10人。10挺口径0.50(英寸)的机枪，前炮塔、尾炮塔、上炮塔和机腹炮塔各两挺，中部两侧舷窗各有一挺。炸弹舱内可容纳4枚907千克的炸弹，机翼两边各挂一枚1 814千克的炸弹。机翼翼展34米，翼内有18个隔开的自封燃油箱。B－24轰炸机曾在欧洲、北非和太平洋战区服役，由于其航程远，实际上已替代了B－17轰炸机。

B－29　B－29 轰炸机　又称superfortress(超级空中堡垒)。美国在第二次世界大战中使用的重型轰炸机。1945年8月6日和9日B－29轰炸机在日本广岛和长崎投掷了原子弹。B－29于1942年9月首飞后，两年内就有500架这种飞机在太平洋战区作战。机上军械有10挺口径0.50(英寸)的机枪和一门20毫米口径的机关炮。有4座炮塔可从5个不同的瞄准点进行遥控操作。载弹量10吨，机组人员10～14人。到1946年停产前，共生产了3 970架B－29轰炸机，其中有许多后来改为空中加油机。

B－52　B－52 重型轰炸机　又称stratofortress(同温层堡垒)。美国远程重型轰炸机，1948年设计，1952年首次试飞。虽然B－52原设计为一种能到达苏联的原子弹载机，但它确实可适于执行多种任务，所以有些B－52飞机可望在20世纪剩余岁月中仍将继续服役。B－52翼展为56米，机长49米。动力装置为8台喷气发动机，安装在翼下4个双联装吊舱中。高度1.7万米上最大速度相当于0.9马赫数；在离地面很近的几百英尺高度上速度相当于0.5马赫数。机组乘员为6人，唯一的防御武器为机尾有一遥控炮塔。

1952年至1962年，波音公司共生产8个型号744架B－52飞机。其中最重要的改型是D、G和H型。越南战争期间，将B－52D改装，在弹舱和翼下挂架携载1.8万千克炸弹。B－52G也用于袭击北越，该机带有附加油箱，使其航程大于1.6万千米。B－52H将涡喷发动机换装更好的涡扇发动机。G和H型作为核武器载机在20世纪80年代装备了空中发射的巡航导弹，同时B－52G还装备了反舰导弹用于执行海上巡逻任务。B－52机体庞大，因而可以用非常先进的导航、武器控制和电子对抗系统对其进行改进。

B-film　B 级影片　又称B-movie或B-picture。制作成本低廉、内容俗套的影片，最初是作为双片制的第二部影片制作的。B级影片通常和投资巨大、名气更大的A级影片一起放映。其特点是拍摄周期短，放映时间也短。B级影片的产生是由于在经济大萧条时期，观众人数减少，为了吸引观众看电影，影院通常放映两部标准长度的故事片。到1935年，85%的美国电影院都放映两部故事片，放映时间至少为3小时。在全盛时期，大电影公司发现最佳的盈利组合是把一部成本低、制作周期短的影片和A级影片一起放映。A级影片能够吸引观众，B级片作为搭配。大电影公司，如米高梅、雷电华都有单独的机构专门制作B级影片。B最初并不代表质量低劣，一些后来被认为很有影响的影片和黑色电影经典都是B级影片。由于40年代影片制作成本上涨，大影片公司开始放弃B级影片的制作。1948年后，美国最高法院颁布了"派拉蒙法令"，使大影片公司被迫卖掉影院，B级影片进一步衰落。电视的竞争和观众趣味的变化，导致了双片制的结束。但是，低成本影片的生产和放映并未停止。50年代，一些电影公司开始针对特定的观众群或租金较低的影院制作成本低廉的影片，虽然不与A级影片同时放映，但仍被称作B级影片。此后，B级影片逐渐被视为低级平庸、制作粗糙的影片。

Ba　巴　又拼Pa。中国古代民族名和地区名。分布在今四川东部、湖北西部。传说巴氏首领务相曾被五氏族推为共主，号为廪君。周以前称廪君蛮，为南蛮的一支。周初封为子国，称巴子国。公元前316年为秦所并，称为巴郡。后族人分散。东汉时巴郡、南郡一带的廪君蛮诸部又称"巴郡南郡蛮"。

ba　身魂　古埃及宗教教义中灵魂的主要一面(另两面是善魂和护卫灵)。身魂形如鸟，象征人死后其灵魂的活动性。此词埃及

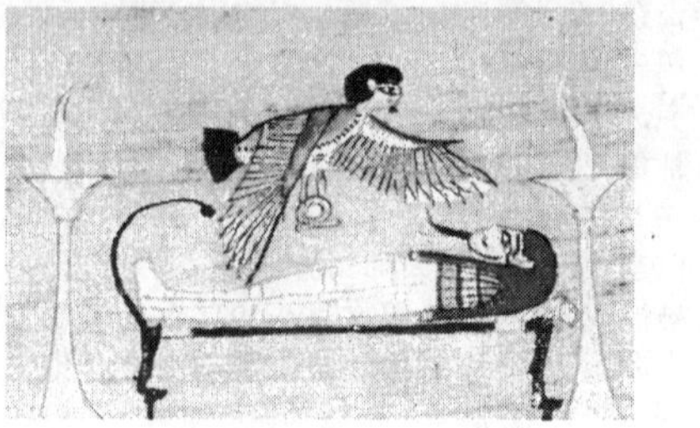

《死者书》中所绘的荫蔽干尸的身魂
美国不列颠百科全书公司供图

文象形为鹳，后来绘成人头鹰身，张两翼以荫蔽国王的干尸和人群。

Ba Jin　巴金(1904-11-25～2005-10-17)　又拼PaChin。中国作家。原名李芾甘。四川成都人，出身于一封建官僚大家庭。五四运动爆发后接受民主和科学的思想，并受无政府主义者巴枯宁、克鲁泡特金的影响。1923年到南京、上海求学。1927年赴法国。1928年写成第一部小说《灭亡》，在上海发表。同年底回国，从事著译，并参加世界语运动。1931年写《灭亡》的续篇《新生》。1933年同靳以、郑振铎创办《文学季刊》，后任文化生活出版社总编辑，主编《文学丛刊》、《文化生活丛刊》。30年代至40年代初创作极多，先后有《海的梦》(1932)、《春天里的秋天》(1932)、《砂丁》(1933)、《萌芽》，爱情三部曲：《雾》(1931)、《雨》(1933)、《电》(1935)和激流三部曲：《家》

(1931)、《春》(1938)、《秋》(1940)等,还有《复仇集》、《将军集》等10部短篇小说集和《海行杂记》(1935)、《旅途随笔》(1939)等散文集。激流三部曲根据作家早年生活感受,反映五

中国大百科全书出版社供图

四运动时期封建大家庭内部新旧势力的斗争,表现青年一代的挣扎、觉醒和反抗。其中《家》对当时青年读者影响极大。抗日战争爆发,巴金辗转于华南、西南各地,继《春》、《秋》之后又创作长篇小说《火》(1940)和短篇小说《还魂草》(1942),散文集《控诉》、《感想》、《龙·虎·狗》(1941)等,翻译出版屠格涅夫的《父与子》、《处女地》等。1941年创作了中篇小说《憩园》和《第四病室》。1945年到上海,次年创作长篇小说《寒夜》,这是他小说创作的又一高峰。1949年后巴金曾两度赴朝鲜战地体验生活,写了许多通讯、散文和短篇小说,结集出版的有《生活在英雄们中间》(1953)、《英雄的故事》(1953)等。1957～1961年出版14卷本《巴金文集》。"文化大革命"中巴金受到批判与残酷迫害。1973年重译《处女地》,翻译了赫尔岑的《往事与随想》第一卷。1978年开始写《随想录》,至1985年完成5集,主旨是说真话,极有影响。1980年他倡议建立中国现代文学资料馆,捐赠大量书刊和手稿。巴金是位勤奋的多产作家、中国当代语言艺术大师和文学巨匠。他的作品被译成20多种外国文字。1982年4月获意大利但丁国际奖,1983年法国总统授予他法国荣誉军团勋章,称他为"大师","不朽作家"。曾任中国文联副主席、中国作家协会主席、中国笔会中心会长。1986～1991年出版了17卷《巴金全集》。

Ba Maw　巴莫(1893-02-08,缅甸马乌宾～1977-05-29,仰光)　缅甸政治家。曾在仰光学院、加尔各答大学、剑桥大学和法国波尔多大学求学。1924年获波尔多大学博士学位。同年进入英国律师界。1931年为起义领袖萨雅山进行辩护,名声大振。20世纪30年代初,英国计划将缅甸脱离印度总督管辖,他曾积极反对。1934年,他改变主张,在联合政府中支持分离论者。同年任缅甸教育部长。1937年4月1日,确定缅甸脱离印度的新宪法生效,巴莫任首届总理,至1939年2月为联盟击败。后与缅甸其他领袖结盟,组成"自由集团",反对缅甸在第二次世界大战中参加同盟国。1940年8月因煽动叛乱被捕入狱。日本占领期间(1943～1945),他曾出任名义上独立的缅甸国家元首。盟军收复缅甸时,他逃往日本。日本投降后,他在盟国监狱中度过一短时期。后来回国,企图以大缅甸党领袖身份重返政坛,未获成功。不久隐退。

Ba Xian　八仙　又拼Pa Hsien,英语作Eight Immortals。中国神话传说中道教八仙,即钟离权(汉钟离)、李铁拐、张果老、何仙姑、蓝采和、吕洞宾、韩湘子、曹国舅。八仙之说始于唐宋(618～1126),唐代有《八仙图》、《八仙传》;到明代固定为以上八人。八仙各个神通广大,其形象常见于绘画、雕刻、戏曲、小说。"八仙过海"、"八仙庆寿"的故事在民间广泛流传,一般以八仙为长寿、吉祥的象征。

Baader, Franz Xaver von　巴德尔(1765-03-27,巴伐利亚慕尼黑[德国]～1841-05-23,慕尼黑)　天主教在俗人士、神秘主义神学家、普世教会运动家。巴德尔原是采矿工程师,收入颇丰,1820年放弃事业而研究政治与宗教。他曾谋求普世教会归一,欧洲政治统一,这种努力有助于1815年俄国、奥地利、普鲁士和法国缔结神圣同盟。经过进修神学,巴德尔于1826年任新成立的慕尼黑大学哲学和思辨神学教授,他同组成"慕尼黑小集团"的其他天主教人士一起共同创办《黎明》杂志。巴德尔往往用隐晦的格言和符号阐述神秘主义哲学,这种哲学的宗旨是把理性境界同上帝之权威与启示的境界结合起来。他在经济和政治问题上持保守态度,认为理想的国家是由普世教会,即公教会所统治的社会,虽然他并不认为教皇制是教会统治权的必要内容。

Baader-Meinhof Gang　巴德尔-迈因霍夫帮
参阅 **Red Army Faction 红色军团**。

Baal　巴力　古代近东许多民族特别是迦南人所崇奉的司生养化育之神,是众神中最重要的神灵。根据迦南神话所述,巴力与司死亡和不育之神莫特为死敌。巴力胜则将连续7年丰收,莫特胜则将连续7年干旱饥馑。巴力是众神之王,据说此王位原为海神雅木所据,巴力击败雅木而取得此位。在以色列历史早期,巴力还不甚受重视。巴力崇拜,从公元前1400年左右的埃及新王国后期到公元前1085年新王国衰亡之时,流行于埃及。后来由阿拉米人传到希腊,阿拉米人从巴比伦习俗称之为贝勒,希腊人则称之为贝洛斯,将他与宙斯融合为一。巴力又是许多地方的地方神。《圣经·旧约》中经常提到某地的巴力神,有时其名用复数,可见各地有各自的巴力神。

baʿal shem　美名大师　又拼balshem。犹太教称号,指知晓上帝的秘名而行神迹治病的人。11世纪犹太诗人便雅悯·本·齐拉等人首先在诗歌中使用上帝的秘名,其后某些拉比和喀巴拉派人士也认为使用这种秘名有效验,通称美名大师。17、18世纪在东欧出现大量美名大师。最著名的美名大师是哈西德派的创始人以色列·本·以利撒。他与其他美名大师不同,不仅能行法术驱鬼,而且是卓有功绩的宗教领袖。

Baʿal Shem Ṭov　美名大师托夫(约1700,可能在波兰波多利亚特武斯特～1760,梅吉博日)　原名以色列·本·以利撒。又名贝什特。18世纪犹太人宗教运动哈西德派的创始人。哈西德派的特征是神秘主义及反对世俗研究和犹太教的理性主义。同富足的学者以法莲之女结婚后,即退隐于喀尔巴阡山中从事神秘主义探索,靠掘石灰为生。此时许多地方盛传他能用草药和符咒治病。后经营酒店兼按宗教习俗屠宰牲畜。约于1736年定居波多利亚的梅吉博日村,专心从事宗教修养。经常着朴素服装在集市与人攀谈。他后来不再主张进行严格的禁欲修养,据其孙巴鲁克拉比记载,他曾说:"我到世上来指示新道,劝说人们依照以下3条生活:爱上帝、爱以色列、爱律法,无须折磨肉体。"美名大师鼓起社会激变和宗教激变,从根本上扭转传统的习尚。他使会堂以外的祈祷所有了新的宗教气氛。他从未到达以色列,也无作品流传后世,但他所创的哈西德主义丰富了犹太教的内容,流传至今。

Baalat　巴拉特　此词常泛指西闪米特某一地区的主要女神,又专指比布鲁斯城(在今黎巴嫩境内)的主要女神。关于此女神史料甚少,但知由于比布鲁斯与埃及关系密切,故此

巴拉特铜像

美国不列颠百科全书公司供图

女神之像多随埃及习俗梳妆。到了埃及第12王朝(公元前1991～前1786),她与埃及女神哈托尔融为一神。希腊人认为她是阿斯塔特神的化身之一。

Baalbek　巴勒贝克　阿拉伯语作Baʿlabakk,希腊语拉丁字母转写作Helioplis(赫利奥波利斯,意为太阳城)。黎巴嫩贝卡省主要城镇和农业中心。亦为罗马城镇遗址所在地。早期的历史不详。公元前323年亚历山大大帝死后归托勒密王朝。公元前200年转属塞琉西

王朝。公元前64年隶属罗马。公元637年受阿拉伯人统治。此后直至20世纪一直由叙利亚各穆斯林君主管辖。第一次世界大战后经法国委任统治当局划入黎巴嫩。1898～1903年德国考古队在此发掘出两座巨大罗马神殿,经法国托管当局和黎巴嫩政府进行大规模的修整和重建。但20世纪70年代中叶,该地成为巴勒斯坦及叙利亚军

巴勒贝克公元3世纪建成的朱庇特神殿遗迹
美国不列颠百科全书公司供图

队在黎巴嫩的据点。遗址以朱庇特神殿为主。该神殿供奉3位神灵:叙利亚的雷神哈达德(相当于朱庇特);叙利亚的自然女神阿塔迦蒂斯(相当于维纳斯);掌管草木的少年神(相当于墨丘利)。遗址中的其他古迹有巴克斯神殿、圆形维纳斯神殿、古城墙、赫耳墨斯神殿、清真寺和阿拉伯式城防工事。人口约14 000(1982)。

Baarle-Hertog 巴勒海托赫 法语称巴勒迪克。比利时安特卫普省城市。面积7平方千米。是位于荷兰南部北布拉班特省的一块飞地,在比利时边境以北6千米。其地位在比利时独立后,经《比利时-荷兰分离条约》(1839)确定。该飞地在第一次世界大战中,由于距被占领的比利时很近,成为协约国重要情报中心,第二次世界大战期间遭破坏。为周围农业地区集市贸易中心。人口:城市区约2 101(1983)。

Baʻath Party 参阅**Baʻth Party 复兴党**。

Bāb, the 巴布(1819-10-20或1820-10-09,伊朗设拉子～1850-07-09,大不里士) 米尔扎·阿里·穆罕默德的称号。商人之子,自称是通向隐遁的伊玛目(伊斯兰教信仰的完美化身)的巴布(意为"门"),创立巴布教派,并成为巴哈教派3个中心人物之一。自幼熟悉伊斯兰教什叶派谢赫教派及其领袖赛义德·卡齐姆·拉西提。在拟订自己的教义过程中,从赛义德·卡齐姆·拉西提的学说中吸收很多内容。根据什叶派传统,巴布是9世纪隐遁的该派领袖第12代亦即末代伊玛目的代言人。1844年5月23日,他得到灵感,即席草成并诵读《古兰经》中《优素福》章的诠注。此后大为自信,宣布自己是巴布。同

以色列海法市的巴布庙
美国不列颠百科全书公司供图

年,凑集门人18人,连同他自己共19人,正符该教派尊为神圣的19之数。这些人成为该教派的使徒,分驻伊朗若干省内。他受到许多人拥护,6年间力争获得官方承认,多次被囚禁,本人既蒙煽动暴乱之嫌,其信徒也确有发动流血暴乱的情事。因此,他所派出的传教人员被捕并被逐出设拉子,本人也在德黑兰附近被捕,1847年囚于马赫库城堡,1848年转解到切里克直至被处决。1848年他的门人在巴达什开会,宣布正式脱离伊斯兰教。他在世最后时期已放弃"巴布"称号,转而自命为末代伊玛目本人。其后又自称为努克塔,最终乃自称真主化身。巴布有大量著作,兼用波斯文和阿拉伯文撰述。其中最重要的是《白彦》,波斯文本较阿拉伯文本为长。

Bāb-ilim (city) 参阅 **Babylon 巴比伦**。

Baba, Meher (Indian religious leader) 参阅 **Meher Baba 梅赫尔·巴巴**。

Baba-Jaga 参阅 **Baba-Yaga 巴巴-亚加**。

Bābā Ṭāher 巴巴·塔赫尔(约1000,伊朗洛雷斯坦或哈马丹～1055后,哈马丹) 最受人崇敬的波斯早期诗人之一。可能居住在哈马丹。他的绰号阿里扬(意为"赤身者")暗示他是个伊斯兰神秘教派游方托钵僧,他用波斯方言写诗,以双联对句最为闻名,诗句流畅悦耳,显示出诚挚和高尚,含有深邃的哲理。巴巴·塔赫尔至今仍深为伊朗人民所崇敬,他们在哈马丹为他修建了宏大的陵寝。他的许多诗歌已被译成英文,如《巴巴·塔赫尔的悼词》(1902)、《一个波斯苏菲派信徒的诗歌》(1937)、《赤身者巴巴·塔赫尔的四行诗》(1967)。

Baba-Yaga 巴巴-亚加 又拼Baba-Jaga。俄罗斯民间传说中的女妖。经常偷走儿童而煮食之。她是生命之泉的守护者,她和她的两三个姐妹(都叫巴巴-亚加)一同住在一间森林茅屋里,茅屋靠下面的鸟腿四处兜游;她的篱笆上插着人的头颅骨。她可以乘铁锅或石臼凌空而行,以杵为"桨"划行前进,呼风唤雨,并常与死神结伴同游,捕噬新魂。

Babahoyo 巴巴奥约 厄瓜多尔中西部洛斯里奥斯省省会。位于巴巴奥约河南岸。为稻米、甘蔗、水果、轻木和象牙椰子(植物象牙)集散地。有碾米厂和糖厂,还有一政府经营的酒厂。1971年创办一所技术大学。人口约42 583(1983)。

Babalola, S(olomon) Adeboye 巴巴洛拉(1926-12-17,尼日利亚～2008-12-15) 尼日利亚诗人和学者。以对约鲁巴语"伊贾拉"(一种口头诗歌形式)卓有成效的研究以及翻译大量民间故事而闻名。多年致力于收集和整理故乡的民间口头传说。曾就学于尼日利亚、加纳以及英国剑桥等地,并在伦敦大学获得博士学位。返回尼日利亚后,历任伊费大学非洲研究所讲师、拉各斯伊博比学院院长和拉各斯大学非洲语言文学教授。所著《约鲁巴"伊贾拉"的内容和形式》(1966),对这种口头诗歌形式既作了评介,也进行了编选和注释,并附有英文译文。其著作被誉为是近年来有关学者在收集整理非洲口头传说工作中所取得的最卓越的成就之一。

Babangida, Ibrahim 巴班吉达(1941-08-17,尼日利亚明纳～) 尼日利亚军事领袖,国家元首(1985～1993)。行伍出身。1975年M.穆罕默德军政府首脑时他出任最高军事委员会委员。在M.布哈里推翻S.沙加里文官政府的政变中起重要作用。1976年赤手进入叛乱者控制的无线电台平息政变。1985年8月取代布哈里后,他放宽对新闻的控制,释放许多被关押的人,不过仍面临经济问题和国内不满。他从世界银行获得新贷款,但货币奈拉贬值,引起社会骚动。他承诺成立文官政府,但一再推迟,只允许两个政党参加竞选,由他的政府成立全国共和大会党和社会民主党。为牢固控制政局,他解散了武装部队管理委员会。1990年4月,遏制由代表北部穆斯林各州的G.奥卡尔企图发动的政变,宣布暂停参加伊斯兰会议组织。文官政府的选举终于在1993年举行,富商M.阿比奥拉获胜。但巴班达吉宣布选举无效,将政权交给商人E.匈内坎领导的过渡政府。后退出政界。

Bābar (emperor of India) 参阅 **Bābur 巴伯尔**。

Babar Island 巴巴岛 印度尼西亚马鲁古省在班达海中的岛屿和岛群。位于西面的帝汶和东面的塔宁巴尔群岛之间。岛群由最大的岛屿巴巴岛和环绕该岛的5个小岛韦坦、达伊、达韦拉、达韦洛尔和马塞拉组成,6个岛面积共为822平方千米。巴巴岛的形状大体上是圆的,直径约32千米,大部分是丘陵,岛中央海拔约833米。雨量充沛,但不均匀,有显著的旱季。山坡覆盖着柚木和藤本植物。一些溪流经过肥沃的沿海地带流向大海。岛群的各岛屿人口稀少。主要农产物是西米和玉米。主要城镇为巴巴岛的特帕和图图瓦旺。

babassu palm (*Orbignya martiana*, *O. oleifera* or *O. speciosa*) **巴西棕榈** 一种具

羽状叶的高大棕榈树，野生于巴西东北部热带地区，坚果外壳坚硬，核仁可制巴巴苏油。巴巴苏油质量和用途与椰子油相似，并逐渐成为椰子油的代用品。可用于烹调，作燃

巴西棕榈

美国不列颠百科全书公司供图

料、润滑油或用以制肥皂和化妆品。榨油后的残渣可作饲料。因为巴西棕榈生长在密林里，所以坚果的采集和运输都很困难。但巴西棕榈仍被开发利用，原本大面积的天然森林被砍伐殆尽。设计了用以打开坚果取出核仁的机器，但大部分取核仁的工作仍是手工操作。

巴西棕榈有许多用途。当果实尚为绿色时，可用于熏制橡胶，成熟时可以食用，营养十分丰富。茎可供材用。叶在当地用于建屋顶，做隔板，又可编制家用的篮筐。果柄内含液汁，发酵后是当地人爱饮的酒精饮料。外果皮的纤维有多种用途；中果皮可制取类似有巧克力的饮料；内果皮可制钮扣。坚果长圆形，呈锈黄色，长达 15 厘米，聚生成串，每串多达 600 个。每个有 2 ～ 6 个核仁，核仁重量不到坚果重量的 10%，含油量为 65% ～ 68%。

Babbage, Charles　巴贝奇（1791-12-26，英国伦敦～1871-10-18，伦敦）　英国数学家和发明家，据信是第一台自动数字计算机的设计者。1812年他协助建立了分析学会，其宗旨

美国不列颠百科全书公司供图

是向英国介绍欧洲大陆在数学方面的成就。1816 年当选为英国皇家学会会员。他曾协助建立皇家天文学会（1820）和皇家统计学会（1834）。1812 或 1813 年他初次想到用机械来计算数学用表；后来，制造了一台小型计算器，能进行 8 位数的某些数学计算。1823 年得到政府的支持，设计一台容量为 20 位数的计算机。它的制造要求机械工程技术的发展，巴贝奇不得不专心致志于这项研究。1828 ～ 1839 年在剑桥大学任卢卡斯数学教授。19 世纪 30 年代中期发明了分析机（现代电子计算机的前身）的原理，在这项设计中，他曾设想根据穿孔卡片上的指令进行各种算术运算的可能性，设想在穿孔卡片上存储数据、顺序控制和现代计算机的大多数其他基本要素。但巴贝奇的计算器未能完成。巴贝奇的设计被人遗忘了。直到 1937 年，才发现了他的未出版的笔记。1991 年，英国科学家制成了差分机 2 号，精确度达到 31 位数字，达到了巴贝奇设计的技术要求。巴贝奇在其他领域也做出了重要的贡献。他协助建立了英国的现代邮政系统、编辑了第一本可信赖的保险统计员用表，还发明了一种速度计和机车排障器。

Babbitt, Irving　白壁德（1865-08-02，美国俄亥俄代顿～1933-07-15，马萨诸塞剑桥）　美国评论家、教师，“新人文主义”文学批评运动的领袖。就学于哈佛大学和巴黎大学，从 1894 年起在哈佛大学教法语和比较文学直至去世。他是浪漫主义及其流派以及现实主义和自然主义的坚决反对者。早期追随者包括 T. S. 艾略特和 J. 桑塔亚那，但他们后来都转而对他采取批判态度。他的主要反对者是 H. L. 门肯。他发展了他的观点，使它们超出了文学批评的范围：《文学与美国学院》

美国不列颠百科全书公司供图

（1908）反对强调职业教育，呼吁回到古典文学的研究中去。《新拉奥孔》（1910）探讨了浪漫主义在艺术领域造成的混乱。在《卢梭与浪漫主义》（1919）中抨击了卢梭思想在 20 世纪所起的作用；《民主和领导》（1924）研究了社会和政治上的一系列问题；《论具有创造力》（1932）把浪漫主义的自发性概念和古典理论的模仿性作了对比。

Babbitt, Isaac　巴比特（1799-07-26，美国马萨诸塞汤顿～1862-05-26，马萨诸塞萨默维尔）　广泛用于轴承的锡基合金（现称巴比特合金）的美国发明者。他受过金匠训练，1824 年首先在美国制造不列颠锡铜锑合金，与进口的这种合金（与白镴相似，当时很流行）器皿竞争。10 年后到波士顿，任南波士顿制铁公司的负责人，制造了美国第一门黄铜炮，并于 1839 年首先生产了巴比特合金。他发明的合金由软的锡基质（可磨出输送润滑剂的通道）和铜、锑等硬质颗粒（可承受负载）所组成。美国国会因为这项发明奖给他 2 万美元。后来，巴比特成为这种合金和肥皂的制造商。

Babbitt, Milton　巴比特（1916-05-10，美国宾夕法尼亚费城～2011-01-29，新泽西普林斯顿）　美国作曲家、音乐理论家，整体序列主义音乐的主要提倡者。这种音乐不仅事先

美国不列颠百科全书公司供图

对半音音阶中的 12 个音按一定次序进行排列（如 12 音体系作品中那样），而且还对力度、时值、音品（音色）、音区的次序进行排列。曾在纽约大学和普林斯顿大学学习。教师中有美国作曲家 R. 塞欣斯。1938 年成为普林斯顿大学音乐系教师，同时教授数学，这一兴趣在他的复杂作曲理论和作品本身中均有明显表现。又在伯克希尔音乐中心和德国达姆施塔特国际讲习班任教。1959 年被选为全国文学艺术学会会员。他对电子音乐有研究，因此就任哥伦比亚-普林斯顿电子音乐中心的主任。所作《电子合成器曲》表明他十分注意对创作的全部因素进行精确控制。合成器主要用于做到这样的控制，而不仅是发出新的音响。《夜莺》（1964）结合运用合成器与现场演唱的和录音的女高音。1957 年的《钢琴总谱》采用了比较传统的手法。尚作有室内乐、电影歌曲等，还发表许多论 12 音音乐与电子音乐的文章。

babbitt metal　巴比特合金　以1839年I. 巴比特发明的蒸汽机用锡合金为基础的用作轴和曲轴的轴承材料的锡基合金或铅基合金。现代巴比特合金可用作铸铁、钢或青铜等较硬金属所制轴瓦的低摩擦衬里。可由下列材料制成：①含少量锑和铜的高锡合金；②含锑、砷和锡的高铅合金；③含锑和铜的中间锡-铅合金。在锡和铅这类软基质中加入少量硬质金属所构成的合金，其强度足以承受高速和重载，但其柔软性又足以嵌入灰尘或其他外来物，而不致在润滑失效时抱轴。锡巴比特合金比起价格较低的铅合金可耐较高的温度，但是大多数巴比特合金不能在高效能内燃机中长期使用，因此目前的轴承用带有铜和铝合金的衬里制成。

babbler　画眉　又作 chatterer。雀形目画眉科（Timaliidae）的 250 多种旧大陆鸣禽，许多权威把画眉科作为**鹟科**（**Muscicapidae**）的一个亚科。以鸣声连续而快速著称。英语中 babbler 一词用作复合词的一部分，与表示生境、外形或行为的词一同组成鸟类的名称，如**幽鹛**（**jungle babbler**）、**木鸫**（**rail-babbler**）、钩嘴鹛（scimitar-babbler）、**歌鹛**（**song-babbler**）、**雀鹛**（**tit-babbler**）、**鹪鹛**（**wren-babbler**）。

Babcock, Harold Delos 巴布科克(1882-01-24,美国威斯康星埃杰顿～1968-04-08,加利福尼亚帕萨迪纳) 美国天文学家。1951年同其子H.W.巴布科克一道发明太阳磁象仪,使以后的天文学家能详细观测太阳磁场。利用这仪器,父子俩证实了太阳普遍存在磁场并发现了磁变星。1959年巴布科克宣布发现太阳磁场的极性有周期性的转换。从1909年起,他在加利福尼亚州威尔逊山天文台工作,1948年后过半退休生活。

Babcock, Horace Welcome 巴布科克(1912-09-13,美国加利福尼亚帕萨迪纳～2003-08-29,圣巴巴拉) 美国天文学家,同其父H.D.巴布科克一道发明太阳磁象仪。他曾在麻省理工学院和位于帕萨迪纳的加利福尼亚理工学院工作。1946年转到威尔逊山和帕洛马山天文台,1964～1978年任两台台长。他的研究工作包括恒星磁场、夜天光和星系自转以及望远镜设计。

Babcock, Stephen Moulton 巴布科克(1843-10-22,美国纽约布里奇沃特附近～1931-07-02,威斯康星麦迪逊) 美国农业化学家。因发明巴布科克检验法——一种测定牛奶脂肪含量的简易方法,被称为科学乳品业之父。

美国威斯康星大学新闻与出版中心供图

1890年此法被采用后,防止了牛奶掺假,促进了乳品生产的改良,并有助于乳酪和奶油的工厂化生产。1879年在美国和德国获哲学博士学位。在纽约任教与从事化学工作后又在威斯康星大学任教43年。他在该校建立的实验室对营养学和维生素化学作了开拓性的研究。

Babel, Isaak Emmanuilovich 巴别尔(1894-07-13[旧历07-01],俄罗斯帝国乌克兰敖德萨～1941-03-17) 苏联短篇小说家,以写战争小说和关于敖德萨的故事著称。被认为是苏联早期的革新者,20世纪30年代初声望卓著。生于犹太人家庭,在受迫害的环境中长大,故他的短篇小说也反映出过分敏感、悲观主义和病态情绪。早期作品1916年发表于高尔基主编并在圣彼得堡出版的一个月刊上。沙皇检查官认为它们粗劣、诲淫;高尔基则赞赏这位青年作者简练的文笔和写实的风格,同时也劝告他"面向社会"。为此,他在以后7年中先后从事多种职业,如参加过哥萨克第一骑兵队和政治警察(巴别尔的女儿对此否认),为报纸写稿等。参加对波战争使他创作出一系列短篇小说,总称《骑兵队》(1926)。这些短篇通过一个未经涉世的犹太知识青年的所见所闻描写了战争的不同侧面。小说中虽然时常充满失去理性的残酷,但它们仍表现出一种信念,即欢悦和幸福必然存在,即使只存在于想象中。《敖德萨的故事》于1931年以文集形式出版。这一组关于摩尔达万卡(敖德萨市郊犹太人居住区)的现实主义和幽默风趣的特写,生动地描绘了一群以传奇式的"大王"克里克为首的犹太盗匪及歹徒的生活方式和粗野语言。巴别尔还写了其他一些短篇小说和两个剧本(《晚霞》,1928;《玛丽雅》,1935)。20世纪30年代初,他在苏联文学界声望很高。但后来共产党的批评家们开始对他的作品是否和官方的文学教义一致提出疑问。30年代中期以后,他不再发表作品,处于隐退状态。他在苏联发表的最后一篇作品是1938年对高尔基的一篇简短的颂文。1939年5月被捕,死于西伯利亚狱中。1953年斯大林去世后,他被恢复名誉,他的小说在苏联重新出版。

Babel, Tower of 巴别塔 《圣经》载,大洪水后人们在巴比伦的示拿所建造的塔。这段神话见《创世记》第11章1～9节,其本旨似乎是说明人类语言纷杂的原因。据载,巴比

P.勃鲁盖尔(老)绘《巴别塔》(1563)

美国不列颠百科全书公司供图

伦人想建造一座巨城和"塔顶通天"的高塔以扬名。上帝变乱了工人的语言,使之互不相通,结果塔未能建成。这座城也终未完成,而人类则分散到世界各地。巴比伦城马尔杜克神庙之北有塔形庙宇,在巴比伦语中称巴比卢,意为"神门",或谓即这一神话的源起。

Babelthuap 巴伯尔图阿普岛 又称帕劳或阿雷西福斯岛。西太平洋加罗林群岛和帕劳共和国(1994年成为独立的主权国家)的最大岛屿。在菲律宾以东885千米。长43千米,宽13千米,面积370平方千米。该岛部分为隆起的石灰岩,部分为火山成因的。土质肥沃,森林覆盖。经济活动以自给农业为主,亦曾试图种植可可以供出口。有锰、铁、铝矾土和低品位煤矿藏。岛上有古代石建筑遗址、古代雕塑和第二次世界大战中日军占领时的废墟。帕劳国际机场在该岛的南端。连接巴伯尔图阿普岛和科罗尔岛的一座混凝土悬臂桥在1996年倒塌,使国家的运输、交通和水网陷入瘫痪。后来在此处临时修建了一座浮桥。2002年,临时浮桥被一座吊桥所取代。人口4 867(2000)。

Babemba (people) **巴本巴人** 参阅**Bemba 本巴人**。

Babenberg, House of 巴奔堡王室 10～13世纪奥地利的统治家族。976年巴奔堡的利奥波德一世成为奥地利侯爵。最初权势不大,自从12世纪开始支配奥地利贵族以后,情况有所改变。1246年腓特烈二世公爵死后,男系绝嗣,家族权势迅速衰落。

Babenco, Hector 巴本科(1946-02-07,阿根廷布宜诺斯艾利斯～) 巴西电影导演,其影片以探究被排除在社会之外的人的生活、具有社会意识而闻名。青年时代曾学习存在主义哲学并周游世界,1971年定居巴西。70年代初期开始拍摄短片和广告。第一部故事片是《黑夜之王》。第一部成功作品是《卢西奥·弗拉维奥》,在巴西大受欢迎,有助于振兴巴西萎顿不前的电影业。《街童》是第一部获得国际声誉的经典影片。该片描写流浪儿童的悲惨生活。他在美国拍摄的第一部故事片《蜘蛛女之吻》是一部超现实主义的喜剧,讲述关在同一间牢房中的鸡奸者和政治犯的故事,获得奥斯卡最佳影片和最佳导演提名。后来拍的著名影片有《紫苑草》和《在上帝赐予的土地上游玩》。90年代因身体状况欠佳以及对好莱坞电影业的不满,一度停止拍片。1998年在巴西拍摄《愚蠢的心》。

Bāber (emperor of India) 参阅 **Bābur 巴伯尔**。

Babergh 巴伯 英格兰萨福克行政、历史郡南部一区。面积595平方千米。区内的一些小城镇是随中世纪毛纺业的发展而建立的,现仍有许多中世纪教堂和房舍。名画家J.康斯太布尔(1776～1837)诞生于此。区内有许多地点因在他的画内而出名。现哈德利(行政中心)和萨德伯里是该区最大的城镇。人口约79 500(1998)。

babesiosis　巴贝斯虫病　又称梨浆虫病。由巴贝斯虫引起的家畜蜱传疾病。巴贝斯虫可破坏红细胞，从而引起贫血。牛蜱热由二联巴贝斯虫引起，见于黄牛、水牛、瘤牛。其他巴贝斯虫可感染黄牛、绵羊、马、驴、猪、狗。病死率取决于病原体种类及宿主的抵抗力。治疗为药疗及支持疗法。灭蜱有助于预防。

Babeuf, François-Noël　巴贝夫（1760-11-23，法国圣康坦～1797-05-27，旺多姆）　法国大革命的早期政治宣传家和鼓动家，其善于机变的策略为19世纪的左派运动提供了一个

美国不列颠百科全书公司供图

模式。他是包税人之子。曾任土地测量员。1788年开始从事政治宣传活动。1789年协助三级会议起草鲁瓦的陈情表，要求废除封建特权。1790年一度被捕。获释后创办《皮卡第通讯》，提倡激进的土地改革纲领（包括废除封建税赋，重分土地）。1792年任索姆省蒙迪迪耶区行政官。1793年2月重返巴黎，又一度被捕。1794年7月在罗伯斯比尔的雅各宾政权垮台后获释，创办《人民论坛》。起初维护热月派，攻击雅各宾派；后来开始攻击热月派，因而于1795年被捕。他在狱中提出平分土地和平均分配收入的学说。获释后从事革命活动，领导"平等会"。1796年策划起义，但因事泄被捕。经审判后，与奥古斯坦·达尔泰一起被处死。

Babi Yar（Nazi persecution）　参阅 **Baby Yar 巴比沟**。

Babia, Mount　巴比亚山　斯洛伐克-波兰边界贝斯基德山脉最高山峰，海拔1 725米，为波兰最高山峰之一。西南距斯洛伐克的纳梅斯托沃19千米，东北距波兰的贝斯基德地区苏哈19千米。17平方千米山区已辟为波兰国家公园，有成千上万观光客前来贝斯基德地区苏哈旅游。

Babington, Anthony　巴宾顿（1561-10，英格兰德比郡德蒂克～1586-09-20，伦敦）　英格兰阴谋家。未成功的"巴宾顿阴谋案"的主谋。他企图暗杀女王伊丽莎白一世，把被伊丽莎白囚禁的信奉天主教的苏格兰女王玛丽·斯图亚特扶上英格兰王位。德比郡的亨利·巴宾顿之子。早年给玛丽·斯图亚特的监护人施鲁斯伯里伯爵当侍从。1580年前往伦敦，在伊丽莎白一世的宫廷中服务，加入支持耶稣会的秘密会社。1582年回德比郡，后来又去国外，在巴黎参加拥护玛丽的一派，企图利用西班牙的支援使玛丽获释。1586年教士约翰·巴拉德参加他暗杀伊丽莎白的阴谋。此次阴谋总目的在于推翻政府，参加者有许多罗马天主教徒并牵连到全国各地。西班牙国王腓力二世许诺在暗杀成功后，立即派远征军前去支援。巴宾顿在写给玛丽的信中说明了他的计划。但他的信和玛丽的复信都被伊丽莎白的大臣弗朗西斯·沃尔辛厄姆爵士截获。同年8月4日巴拉德被捕，供出同谋。巴宾顿逃往圣约翰森林，乔装后到达哈罗，8月末被抓获，关入伦敦塔。9月13～14日与巴拉德等6人一起受审，他极力把全部责任推给巴拉德。9月19日写信给伊丽莎白请求宽恕，同日又提出愿出1 000英镑赎得赦免。但次日即被处决。玛丽·斯图亚特于1587年2月8日亦被处死。

babirusa（*Babirousa babyrussa*）　**东南亚疣猪**　西里伯斯和摩鹿加群岛的偶蹄目猪科野生的东印度猪类。体短肥，尾短，肩高65～80厘米，皮肤粗糙，浅灰色，几乎无毛。最显

东南亚疣猪（*Babirousa babyrussa*）
美国不列颠百科全书公司供图

著的特点是雄体有极长的上下犬牙（獠牙）。上颚的獠牙从牙根往上生长，结果刺穿吻部的皮肤，向后弯曲，几乎触及前额。栖于密林中，性孤独驯良，夜间觅食。跑动迅速，善游泳，在河边和沼泽里用鼻拱动软土寻食。其肉味美，当地人常捕猎之。

Bābism　巴布教　伊朗一种宗教。米尔扎·阿里·穆罕默德于1844年宣称他自己是巴布（阿拉伯语意为"门"），即为通向救世主的媒介。根据这一说法而建立起巴布教。参阅 **Bāb, the**。

Babits, Mihály　鲍比契（1883-11-26，奥匈帝国匈牙利塞克萨德～1941-08-04，布达佩斯）　匈牙利诗人、小说家、小品文作家和翻译家。1909年发表第一部诗集以来，即在匈牙利文学界发挥重要作用。他与常在《西方》杂志发表作品的奥第、莫里兹、科斯托拉尼等人同属一个流派，他们的作品发表在《西方》杂志（创刊于1908年）上，1929年鲍比契任该刊编辑。他的诗艰涩难懂，早期以自我为中心，不问世事，后来转向当代社会问题。长篇小说《死亡之子》（1927）同情衰落的中产阶级，写得很出色。曾翻译过索福克勒斯、但丁、莎士比亚和歌德等人的作品。

Babiy Yar（Nazi persecution）　参阅 **Baby Yar 巴比沟**。

Bābol　巴博勒　又拼Bābul。旧称巴尔富鲁什。伊朗北部县城，人口稠密，临巴博勒河，距里海约24千米。阿拔斯一世（1629年卒）曾在此建游乐花园和夏宫，但在法塔赫·阿里·沙阿统治时期（1797～1834）才变得重要。有铺设的街道，市集宽敞热闹，房屋建筑精致，有伊斯兰教寺院和塔楼。本城有一些加工业，但大工厂都在附近的沙希。麦什德萨尔（现称巴博勒萨尔）以前是巴博勒在里海边的港口，后因水位下降失去作用，现在是避暑胜地，有机场。人口158 346（1996）。

baboon　狒狒　猴科中一类大型强健的动物。分布于阿拉伯半岛和非洲撒哈拉沙漠以南地区。狒狒属（*Papio*，有人用 *Chaeropithecus* 一名）通常有5种。用四足行走。头大，有一大颊囊，吻长而裸露，鼻孔似狗位于吻顶部。依种类不同，体重约14～40千克不等，体长约50～115厘米；尾长45～70厘米，常弯成具特征性的拱形。雄体比雌体约大一倍。多栖于干燥的稀树草原和岩石地区，在地面和树上活动。食各种植物和动物，偶也吃小兽、鸟类和鸟卵。对庄稼破坏严重。由于长有巨大的犬牙和有力的四肢，尤其是常集成大群对人有危险。群中组成紧密的社会，由一个或更多占统治地位的雄狒狒保卫，雌性和雄性一样排列成不同的社会等级。狒狒是喧闹的动物，可以发出带有一定意义的声调。例如似犬吠的叫声就是报警。个体间以作姿态和以尾发信号来传递信息。狒狒智力高，可以训练。毛色不一，质地粗糙。成年雄体往往有长毛披于肩上。腹、掌、脚、脸和臀部（颜色常很鲜艳）裸露。每窝产一仔，妊娠期为7个月。已知最

狒狒（*Papio anubis*）
美国不列颠百科全书公司供图

大的是灰中带黑的普通狒狒（大狒狒，*P. ursinus* 或 *P. comatus*）；最小的是淡红色的几内亚狒狒（*P. papio*）。最美丽的是**阿拉伯狒狒（hamadryas）**。英语中baboon一词又包括其亲缘动物**黑脸山魈（drill）**和**山魈（mandrill）**，也适用于**西里伯斯黑猴（Celebes black ape）**、某些**猕猴（macaque）**和**狮尾狒（gelada）**。在圭亚那，baboon一词亦是红吼猴的俗称（参阅 **howler monkey**）。

Babrius　巴布里乌斯（活动时期可能是公元2世纪）　现存最古老的希腊寓言集的作者。生平不详。作品大都根据伊索寓言改写而成，寓言大多是作为这一门类特点的动物故事，语言和风格非常简洁。但是讽刺的性质则表明故事是深于世故的城市社会的产物。

Bābul（Iran） 参阅 **Bābol** 巴博勒。

Bābur 巴伯尔（1483-02-15，费尔干纳公国～1530-12-26，印度阿格拉） 又拼 Bāber。原名查希尔-乌德-丁·穆罕默德。印度皇帝，莫卧儿王朝的创建人。祖籍为蒙古的巴尔拉

巴伯尔视察花园
美国不列颠百科全书公司供图

斯部落，是帖木儿的第5代直系后裔，也是成吉思汗的母系第13代后裔。1494～1504年力求收复帖木儿的故都撒马尔罕，1497和1501年两度占领该城。但由于在萨尔波勒彻底战败，他不但丧失撒马尔罕，连费尔干纳公国也丢失。1504年又攻占喀布尔，在当地站稳脚跟。因攻取撒马尔罕的最后一次努力未能得逞（1511～1512），于是集中力量向别处扩张。1519年开始袭击印度。1522年夺取通往信德的战略要点坎大哈。迄1524年已侵入旁遮普3次以上，但未能完全控制旁遮普和德里错综复杂的政治局势。他向德里苏丹国发起全面进攻后，又因乌兹别克人进攻他的喀布尔王国而回师御敌。1526年对德里苏丹国进行第5次袭击时，于4月21日在德里以北80千米处的巴尼帕德与德里苏丹易卜拉欣对阵。他的军队估计不超过1.2万人，但都久经沙场，深谙骑兵战术，并有土耳其人新式炮队的支援。易卜拉欣率兵10万，并有大象百头，但因战术陈旧，加之内讧，结果被杀。3天后，巴伯尔从容占领德里，5月4日抵达阿格拉。他在那里的头一件大事是在亚穆纳河畔精心营造一座花园。但是，他的部队苦于印度天气炎热，远在其基地喀布尔1 300千米以外，又为强敌所包围，因而一心想返回自己的家园。巴伯尔采取威逼利诱等各种手段，使他们安定下来，这在他的回忆录中有很生动的记述。当强大联盟首领拉那·桑伽率拉杰普特人和10万匹马、500头大象前来进攻时，巴伯尔身陷重围，四面受敌。他将美酒倾入水井，以求神佑。1527年3月16日，他的部队在阿格拉以西60千米的坎奴阿坚守阵地，他用炮兵驱散大象，从侧翼进行冲锋，把拉杰普特人打得晕头转向，10小时后溃不成军。这时，东面的阿富汗人已经攻占勒克瑙，另一批阿富汗人则为易卜拉欣之弟马哈茂德·洛提效劳，攻占比哈尔。1528年1月巴伯尔于夺取金代里后，挥戈东进，渡过恒河，将占领勒克瑙的阿富汗人赶入孟加拉。次年5月6日在卡克拉河与恒河汇合处击败洛提的部队。这是他所取得的第3次伟大胜利。他的王朝的版图从坎大哈一直伸展到孟加拉边境，南部则以拉杰普特沙漠和伦滕波尔、瓜廖尔、金代里等要塞为界。但帝国刚刚草创，他便在阿格拉病逝。巴伯尔是一位天才的军事冒险家，也是一位颇有才华的诗人。他热爱自然，每至一处都要建造花园，举行盛会以流连美景。他的《自传》是世界自传的经典之作。

Baburen, Dirck van 巴比伦（约1595，尼德兰乌得勒支～1624-02-21，乌得勒支） 荷兰画家，他是受意大利画家卡拉瓦乔影响的乌得勒支画派的主要画家。巴比伦早年在乌得

巴比伦绘《老鸨》（1622）
美国不列颠百科全书公司供图

勒支师从某肖像及历史画家学画，1612年左右到罗马。曾为罗马蒙托里奥圣彼得教堂内的小教堂作装饰（1615～1620），其中包括作品《安葬基督》（1617）。1620年巴比伦返回乌得勒支。1622～1623年间和H.泰尔布吕亨共用一个画室。他喜爱世俗景象或日常生活方面的绘画题材。构思粗略，布局不求匀称，气氛性较差。

Babuyan Islands 巴布延群岛 菲律宾吕宋海峡内的一组岛屿。在巴坦群岛和巴林塘海峡以南，是菲律宾群岛的向北延伸部分。位于吕宋以北32千米处，与吕宋岛隔巴布延海峡相望。总面积600平方千米，由24个火山珊瑚岛组成。主要岛屿有巴布延、甘米银、加拉鄢、富加和达卢皮里。居民为渔民和农民。由于缺少耕地且常刮大风不宜种植水稻和玉米。岛上普遍种植番薯。卡拉鄢为最大城镇，是阿帕里与马尼拉之间定期通航的唯一港口。出口货物有牛、山羊、猪、木材等。人口11 222（1990）。

Baby Yar 巴比沟 Baby又拼Babiy或Babi。乌克兰基辅北郊的万人坑，它是第二次世界大战期间纳粹对犹太人大屠杀的象征。在第二次世界大战中，党卫军于1941年9月19日攻入基辅，把犹太人作为消灭的对象。在9月29～30日的36个小时内，将近34 000名犹太人赶到万人坑中，用机枪扫射，有些进行活埋。在此后两年中，有成千上万的犹太人和苏联共产党官员及战俘在这里惨遭杀害，被害者总共约10万名。1943年8～9月，德军从苏联撤退时，为了隐匿罪证，纳粹分子命令奴隶劳工掘出尸体并加以焚毁。纳粹分子的这次大屠杀，在苏联文学作品（如爱伦堡的《暴风雨》）中有真实的反映。诗人Y.A.叶夫图申科写下了撼人心弦的诗篇《巴比沟》，肖斯塔科维奇为该诗谱了曲，并作为他《第13交响乐》的合唱部分。1966年在巴比沟上建立了一座小方尖碑，1976年又为一座15米高的纪念像揭了幕，但无论是方尖碑还是纪念塑像都未提到死难的犹太人。

Babylon 巴比伦 古巴比伦语作Bāb-ilim，希伯来语作Bavel或Babel，阿拉伯语拉丁字母转写作Aṭlāl-Bābil。上古时代最著名的城市之一，公元前2千纪初到前1千纪初曾经是南美索不达米亚（巴比伦尼亚）王国的都城，公元前7到前6世纪又是新巴比伦尼亚（迦勒底）王国的都城，巴比伦此时处于其历史辉煌的顶峰，它的范围广大的废墟位于幼发拉底河畔，在巴格达以南约88千米，现今伊拉克希拉城附近。

历史 巴比伦拥有史前时代的人类定居遗迹，按美索不达米亚王国时代标准发展为重要城市已很迟了，在公元前2300年未闻其存在。当乌尔第3王朝统治时，巴比伦是一个省的中心。王朝覆灭后，巴比伦成为公元前1894年阿莫里特人苏木阿布国王建立的小王国的核心，国王的继承者们加强了它的地位。出名的阿莫里特第6代国王汉穆拉比（公元前1792～前1750）征服周围的城邦国家后，将巴比伦升格为帝国的首都，该帝国拥有南美索不达米亚的全部土地和亚述（今伊拉克北部）的一部分。由于政治上的重要地位，加上优良的地理位置，使它从此成为巴比伦尼亚主要的商业和行政中心，由于它的财富显赫和声誉卓著，成为外族侵略者掠夺的目标。公元前1595年赫梯人开始入侵，约在公元前1570年城市又转到喀西特人控制下，喀西特人建立了统治王朝长达4个多世纪。

巴比伦古城遗址
中国大百科全书出版社供图

在这个阶段的后期，巴比伦是文学与宗教的中心，它的威望从其主神马尔杜克在美索不达米亚被奉为至尊反映出来。公元前1234年亚述的图库尔蒂·尼努尔塔一世占领巴比伦，但喀西特人王朝再度宣称拥有统治权，如此直到公元前1158年巴比伦城被埃兰人洗

劫。巴比伦被公认的政治上至高无上地位可从尼布甲尼撒一世(公元前1124～前1103)王朝在此定都上表现出来,虽然他们并非起源于巴比伦。这个王朝持续了一个多世纪。恰在公元前1000年前,从叙利亚北方来的阿拉米人移民压力给巴比伦内部带来了管理上的混乱。从这时起直到公元前7世纪后期亚述的衰落,陆续发生着长期绵延的斗争,即阿拉米人或联合的加勒底部落民与亚述人争夺对巴比伦城政治统治权力的斗争。巴比伦城的公民要求享有一些特权,如免除强迫劳动、某些税务及监禁等,对于这些要求具有相同背景的亚述人比移民入境的部落民容易理解。另外,公民们因商业而致富,得益于帝国的权力能够保障其国际贸易,但经济上受到破坏性部落民族的损害。这种环境使巴比伦总是喜欢亚述人统治,而不大喜欢阿拉米人或加勒底人统治。从公元前9世纪到前7世纪末,巴比伦几乎继续在亚述人宗主权的统治下,经常通过本地人土王们进行治理,但有时亚述国王们也亲自实行统治。亚述人直接统治巴比伦始自提革拉·帕拉萨三世(公元前744～前727),原因是加勒底部落民进入城市领域并多次篡夺王位。部落民日益侵占及随之而来的混乱终于提醒了西拿基立(公元前704～前681)和平控制巴比伦已不可能,他于公元前689年下令摧毁了城市。以撒哈顿(公元前680～前669)废除了西拿基立的政策,于驱逐部落民之后归还了巴比伦人的财产,对城市进行修复,但被西拿基立移走的马尔杜克神像在他在位期间一直留在亚述,可能是为了防止任何潜在的夺权篡位者利用神像要求王权。公元前7世纪中叶,亚述王亚述巴尼拔和他的兄弟(统治巴比伦尼亚的藩王)发生了内讧,亚述巴尼拔围困城市,城内发生饥馑,导致守城者发生食人惨祸后,于公元前648年城市被攻占。亚述巴尼拔死后,一位加勒底人领袖那波帕拉萨尔于公元前626年定巴比伦为一个王国的首都,该王国在他儿子尼布甲尼撒二世统治下成为强大的帝国。尼布甲尼撒对巴比伦进行大规模修复并加强了防卫,从各地来的劳工队伍增加了居民的混杂。尼布甲尼撒最重要的继承人拿波尼度出征阿拉伯达十年之久,把他的儿子伯沙撒作为摄政王留在巴比伦。拿波尼度未能保住首都的财产权或宗教传统,试图在别处建造工程来和马尔杜克大神庙埃萨吉拉寺媲美。当居鲁士率领的波斯人于公元前539年来进犯时,首都几乎没有抵抗就陷落了。有个传说(有些人认为是史实)认为居鲁士把幼发拉底河改了道,才得以进入城市,这个传说未得到同时代资料的证实。在波斯人统治下,巴比伦恢复了大部分机构,成为波斯帝国最富裕的行省之首府,据希罗多德记载,巴比伦是世界上最辉煌的城市。公元前482年反抗薛西斯一世的一次叛乱,摧毁了城市的防卫设施和庙宇,也把金铸的马尔杜克神像熔化了。公元前331年,巴比伦降服于亚历山大大帝,亚历山大加强了城市的特权,下令修复庙宇。亚历山大认识到该城市的商业重要性,允许地方总督发行货币,并着手修建一座港口以促进贸易。公元前323年亚历山大在尼布甲尼撒的宫中逝世,他曾计划将巴比伦定为他的帝国都城。亚历山大的占领使巴比伦进入希腊文化的轨道,巴比伦在天文学上的贡献也大大丰富了希腊化时代的科学。在亚历山大的部将们之间一场权力角逐后,巴比伦于公元前312年落入塞琉西王朝之手,底格里斯河畔另建一个新都塞琉西亚,巴比伦城的重要地位大大降低,公元前275年巴比伦的一部分居民迁居新都。

古城　巴比伦古城的地形由发掘、楔形文本及公元前5世纪希腊历史学家希罗多德和其他经典作家的记述而得到证实。尼布甲尼撒的大规模重修工程,给城市中部留下的早于尼布甲尼撒时期的考古资料很少,其他地方又因地下水位限制了对早年文化层的发掘工作。希罗多德的报道大部分都是有关尼布甲尼撒修建的巴比伦。尼布甲尼撒的巴比伦是世界上最大的城市,面积10平方千米,幼发拉底河改道后即穿城而过,老城区在河东岸,其中央部位是马尔杜克大神庙埃萨吉拉寺和与它相关的几层高的大塔埃特梅南奇,后者就是著名的巴别塔,该塔一条底边即长达91米,具有7层,最上层是座碧琉璃的神庙,高出地面91米。该城东半部中其他4座神庙是由发掘而发现的,文献记载的神庙数目则更多。沿幼发拉底河岸,特别在埃萨吉拉寺附近,是一些商船码头,文献指出有许多货栈,证明巴比伦是个转口港,与南方巴比伦尼亚进行贸易。横跨河上有一座桥,桥墩用砖砌成,桥面铺以块石,通往西半城。街道布局呈网格状,主轴大街与河流平行。从埃萨吉拉寺往北,穿过路面砌有石料的游行大道,城墙上装点着珐琅狮子。通过装饰有珐琅牛和龙的伊什塔尔城门到达阿吉多厅,这是城外一座小庙,新年节庆时马尔杜克神驾临此地。8座城门之一的伊什塔尔门以西有两处殿堂建筑群,包括城堡在内,面积共约16公顷。游行大道以东有一个地区,自汉穆拉比时代以来即有许多私人住宅环绕着中央庭院而建。有道坚实的夹墙,又有一条濠沟加强防卫,在幼发拉底河两侧环卫着城市。城墙外以东,有座3倍面积的外廓,长18千米,在城的南北两头与幼发拉底河相遇,其在城北的交会点环绕着另一座殿堂。在内外防卫设施之间是一片网状渠系的灌溉地,一部分沟渠还是汉穆拉比时代修建的。希腊传说中所提到的空中花园是建筑在拱形地基上的花木覆盖的一层层平台,类似一座小山,希腊化时代被称为世界七大奇观之一。20世纪初德国考古学家R.科尔德威认为这个地基就是古殿堂建筑群的一部分,虽然这种传说可能是从塔基上生长有树木而来。

今址　现今的遗址是片广泛的废墟,有一些高高的丘墩。主要丘墩是:①巴比尔,位于外廓北隅,是尼布甲尼撒宫殿的遗址;②卡斯,包括一组殿堂建筑群(波斯人统治时期又增建了一座)、伊什塔尔城门和埃玛克庙;③阿姆兰·伊本·阿里即埃萨吉拉寺的遗址;④默尔凯兹,是埃萨吉拉寺以东的古代住宅区;⑤洪若,藏有亚历山大从塔上拆下而运来的块石准备重建之用,有座他以大塔材料修建的剧院;⑥伊兴·阿斯瓦,那里还有两座寺庙。称做散的一块洼地标志着埃特梅南奇大塔的原址。一头比真兽还大的玄武岩狮子,可能来自赫梯人,古时运到巴比伦来,耸立在伊什塔尔城门的北面。

考古　英国学者C.J.里奇(1811,1817)、英国外交官A.H.莱亚德(1850)、法国东方学家F.弗雷内尔、德国亚述学家J.奥佩特(1852～1854)以及其他人等从事少量的调查与发掘之后,1899年在德国东方学会的科尔德威领导下进行了大规模的考古工作,一直持续不断地进行到1917年。在发掘上述建筑群过程中,科尔德威还发现了楔形文字碑铭、神像、柱子、琉璃瓦浮雕、圆筒印章、陶瓷、玻璃器皿和珠宝。后来又进行几次短暂的调查:1956年在H.J.伦生领导下,德国考古研究所对希腊剧院进行调查;1966年在H.J.施密特领导下,对埃特梅南奇遗址的调查。1958年伊拉克文物部开始对埃玛克庙、伊什塔尔城门的局部、游行大道以及殿堂群进行修复工作,并在遗址入口处建造了相当于原物一半大的伊什塔尔城门模型。

Babylon　巴比伦　美国纽约州东南部萨福克县城镇(镇区),在长岛南部,弗里波特之东,濒大南湾。1872年由亨廷顿分出设立。G.马可尼在此建立美国第一个无线电台(1902,现保存于罗基岬角);L.斯佩里1918年在阿米蒂维尔村作过初期导弹试验。为夏季赛艇胜地。第二次世界大战后各种工业和人口迅速发展。经济以服务业为主。面积136平方千米。人口211 792(2000)。

Babylonia　巴比伦尼亚　古代文化地区,在美索不达米亚东南部、底格里斯与幼发拉底两河之间(即今伊拉克南部,从巴格达周围直到波斯湾)。公元前4000年左右开始有人定居。由于巴比伦城一直是这一地区的首府,所以人们通称这一地区的文化为"巴比伦文化"。不过,在公元前约1850年巴比伦崛起之前,这一地区原来分成两个部分,一是东南部的苏美尔,一是西北部的阿卡得。苏美尔与阿卡得的历史是战乱频仍的历史。苏美尔各城邦相互争雄,连年混战,以致国力衰败,无力抵御阿卡得和东邻埃兰的入侵。苏美尔人和阿卡得人曾经创造出灿烂的文明,如发明楔形文字,制订最早的法典,发展城邦,发明陶轮、帆船、耕犁等。他们创造的文学、音乐和建筑式样影响了整个的西方文明。约公元前1900年,从西方来的闪米特族部落阿莫里特人征服了整个美索不达米亚,继承了苏美尔人和阿卡得人的文化遗产。在阿莫里特人统治期间(公元前1900～前1600),巴比伦城成为底格里斯河和幼发拉底河流域的政治与商业中心。巴比伦尼亚成为一个强盛的帝国,其版图包括整个美索不达米亚南部地区和北部亚述的一部分。巴比伦第一王朝的第6代国王汉穆拉比(约公元前1792～前1750)统一了分散的城邦,提倡科学,奖励学术,颁布了著名的汉穆拉比法典。汉穆拉比逝世后,帝国开始衰落。公元前1595年赫梯入侵者穆尔西里一世废黜了巴比伦国王萨姆苏地塔那,让来自巴比伦尼亚以东山区的喀西特人掌握政权,建立一个延续400年的王朝。在喀西特人统治的最后几个世纪,巴比伦的宗教和文学十分繁荣,最重要的文学作品是史诗《埃努玛·埃立什》。与此同时，亚述摆脱了巴比伦的控制，发展成独立的帝国，对巴比伦喀西特王朝构成威胁。埃兰也逐步强大，最终征服了巴比伦尼亚的大部分地区，推翻了喀西特王朝（约公元前1157）。经过一系列战争，在巴比伦建立起一个新的王朝，即伊辛第二王朝，最杰出的国王是尼布甲尼撒一世（公元前1124～前1103）。他战胜了埃兰，阻止了亚述的扩张。尼布甲尼撒一世以后的几个世纪，亚述人、阿拉米人和迦勒底人为争夺巴比伦尼亚展开一场三角斗争。从公元前9世纪起到公元前7世纪下半叶亚述帝国灭亡止，统治巴比伦尼亚的多半为亚述国王。最后一位亚述国王亚述巴尼拔逝世后，迦勒底人的领袖那波帕拉萨尔定都巴比伦。从此，巴比伦尼亚进入最后的鼎盛时期。那波帕拉萨尔的儿子尼布甲尼撒二世（公元前605～前562年在位）曾征服叙利亚和巴勒斯坦，并于公元前587年洗劫犹大王国和耶路撒冷，接着演出“巴比伦囚虏”一幕。他还大兴土木，在巴比伦修筑了奇异的空中花园，改建了马尔杜克神庙和通天塔。公元前539年波斯居鲁士大帝从尼布甲尼撒最后一个继承人那波尼德手中夺取了巴比伦尼亚。从此，巴比伦尼亚丧失独立。公元前331年亚历山大大帝占领巴比伦尼亚，他定都巴比伦，并死于尼布甲尼撒的宫中。后来塞琉西人放弃巴比伦，这个历史上最大的帝国就此解体。

Babylonian calendar　巴比伦历　古代美索不达米亚使用的纪年系统。1年有12个朔望月，即12个完整的月相周。它用设置闰月的方法，使大约为354日的太阴年同太阳年或季节年保持大体一致。大约从公元前380年起，这一历法用一种规则的闰月周期（类似希腊的默冬周），使每年的1月1日保持在春季开始前后。

Babylonian Exile　巴比伦囚虏　又作Babylonian Captivity。犹太教名词，指犹大王国先后在公元前598或597和公元前587或586年被征服后犹太人被大批掳往巴比伦国之事。公元前538年，波斯居鲁士大帝征服巴比伦，准许犹太人返回巴勒斯坦，此次囚虏乃宣告结束。史学家认为，犹太人是分批被掳走的，每次都是在巴勒斯坦举行暴乱的结果；并非所有犹太人都被掳，而且不时有犹太人从巴比伦返回家园；有些犹太人留居巴比伦，成为最早的海外犹太人。犹太人在异邦苦难深重，而且承受强大文化压力，但是保持了自己的民族精神和宗教特色。

Babylonian Talmud　《巴比伦塔木德》　又称《巴夫利塔木德》（Talmud Bavli）。犹太教教义和注解的两套汇编之一。先经过许多世纪口传，然后由留居巴比伦的犹太教学者编纂而成。另一套在巴勒斯坦编纂，称为《耶路撒冷塔木德》。参阅 **Talmud**。

baby's breath　满天星　石竹科丝石竹属（*Gypsophila*）两种开多数小花的草本植物，即一年生的缕丝花（丝石竹，*G. elegans*）和多年生的满天星（锥花丝石竹，*G. paniculata*）。原产欧亚大陆。缕丝花高达50厘米，多分枝，叶狭，蓝绿色；广泛栽培，常见品种有“胭脂红”（花深玫瑰红色）、“大白花”（花大，白色）及“玫瑰红”（花浅玫瑰色）。满天星高达1米，外形似缕丝花，但具粗壮的根状茎，花白色至淡粉红色；常见的品种有“密聚花”（枝叶繁茂）、“重瓣花”（花重瓣）和“大花”（花大）。

Bac Lieu　薄寮　越南南部城镇，明海省省会，位于金瓯半岛。有医院和机场。有公路与东北195千米的胡志明市相通。出产稻米、海盐，有编席业和渔业。政府从胡志明市和堤岸向该地区移民。人口约65 678（1971）。

Bac Thai　北太　越南北部省份。1976年以前为越北自治区一部分。面积6 530平方千米。有求江流经。境内多山。出产林木，有一座造纸厂和铁矿。亦生产蔬菜和茶叶。省会太原是工业中心，建有钢铁联合企业。有水、陆运输干线；前者通海防，后者通河内。人口约1 119 000（1992）。

Bacab　巴卡布神　马雅神话中的四神，据信这四神均为兄弟，站在各自指定的方位上，以手托多重天，不使其坠地。此神也可能是一个神的4个化身。每一个巴卡布神各主持4年循环中的一年。

Bacan　巴占　又拼Bachan。印度尼西亚北马鲁古县岛屿。是摩鹿加群岛北部的一个小岛。和西北方的卡西鲁塔群岛、西面的曼迪奥利岛以及其他约80个小岛组成巴占群岛，面积约1 800平方千米。巴占岛南部多山，最高达2 111米，中部比较低平，北部有火山和一些硫磺泉。岛上有金、铜和褐煤矿，出产香料、椰干、木材和珍珠母，种植烟草和稻米。拉布哈是主要城镇和港口，有一机场。巴占人被认为来自哈马黑拉岛，其他居民有塞拉尼人（信基督教，有葡萄牙血统）、望加锡人和马来人。葡萄牙人曾在岛上建一小型要塞，后被荷兰人占领（1609）。第二次世界大战期间被日本人占领。人口约29 137（最新统计）。

Bacău　巴克乌　罗马尼亚东部一地区。面积6 606平方千米。居民点散布在东喀尔巴阡山脉和外喀尔巴阡山脉山间谷地和低地。东南流向的锡雷特河及其支流流经境内。过去属摩尔多瓦公国。首府**巴克乌**（**Bacău**）市的制造业有军用飞机、五金、纺织品和木材。位于特罗图什河谷的乔治·乔治乌-德治市1955年被划为工业区，有炼油、化工和人造橡胶厂。阿格什和科默内什蒂是木材工业中心。莫利内什蒂、泽梅什、索隆茨和卢克切什蒂有油井。科默内什蒂和阿瑟乌镇附近有煤矿。特尔古-奥克纳附近有盐矿。博尔泽什蒂村为斯特凡大公诞生地；他于1503年曾宣告摩尔多瓦脱离土耳其独立。巴克乌市设有地方博物馆，展出周围地区发现的新石器时期偶像和达契亚陶器、货币。市北面的比斯特里察河上建有几座水电站。铁路和公路大多沿河而行，县城附近有机场。人口约708 751（2002）。

Bacău　巴克乌　罗马尼亚东部巴克乌地区的首府，在布加勒斯特东北240千米比斯特里察河和锡雷特河汇合处。最重要工业为制造战斗机，其他有造纸、制鞋、纺织、木材加工等，还生产食品和建筑材料。为文化中心，有国家剧院、交响乐团和博物馆。为公路和铁路交通枢纽，位于布加勒斯特至乌克兰切尔诺夫策的铁路干线上。人口约175 921（2002）。

Baccarat　巴卡拉牌　源起于意大利的一种纸牌戏，流行于欧洲各地赌场。使用3～6副52张纸牌，洗在一起，置于发牌盒中，从其中分发。各家都希望手中两三张牌总点数为9或接近9。K、Q、J和10都计为零，其他牌按牌面计点。计算时，各家将自己手中的牌值相加，但只取总和的最后一位数字。比方说，如果手中两张牌是8和5，那么计算是3而不是13。当场付赌金最多者为庄家。庄家从发牌盒中取3把牌，各2张，面朝下，其中一把发给右家，一把发给左家，一把留给自己。其他各家则把赌注押在庄家左右两家中的任一家或两家。随后各家检视自己手中的牌，总点数为8或9者当然赢，除非庄家也当然赢。庄家和对垒者牌点计数相同时，各自收回赌金。如果某一家手中牌点计数少于8或9，可不抓牌，亦可再抓1张牌，明放。庄家左右家手中牌点计数为6或7时必须停抓；如果为4或少于4可抓1张牌；若是5，则可停可抓。对庄家无此限制。比较各家手中的牌以后，由庄家算输赢帐。

Baccarat glass　巴卡拉玻璃制品　1765年在法国巴卡拉建立的一个大型玻璃工厂生产的玻璃器皿。该厂最初生产窗、餐具和工业用钠玻璃制品。1817年从比利时制造商获得铅水晶玻璃的制造法，从此专门生产这种玻璃制品。1823年在国际玻璃展览会上获得第一枚金质奖章，1925年又在装饰艺术展览会上展出它的产品，逐步形成独特的艺术风格。生产出许多有艺术价值的作品，其中有**E.加莱**（**Gallé, Émile**）的作品。1846年开始生产镇纸，虽然采用了多种装饰玻璃工艺包括千花玻璃、浮雕玻璃宝石、雕刻、雕花和套色，由于价格较廉，为收藏家所喜爱。现在巴卡拉制造多种古色古香的餐具。

Bacchanalia　酒神节　又称狄俄尼索斯节。指在希腊罗马宗教中，为酒神巴克斯（狄俄尼索斯）举行的任何一个节日。它们最初可能是为丰产之神举行的祭仪。这个节日从意大利南部传入罗马后，起初秘密举行，共3日，只有妇女参加。后来男子也被允许参加，举行的次数多达一个月5次。这种成了狂欢酒宴的节日使罗马元老院于公元前186年发布命令在全意大利禁止酒神节。但多年来庆祝这一节日的活动在意大利南部一直在继续。

Bacchelli, Riccardo　巴凯利（1891-04-19，意大利博洛尼亚～1985-10-08，蒙扎）　意大利诗人、剧作家、文学评论家、小说家。他拥护文艺复兴及19世纪文学大师的文艺风格，反对意大利实验主义派作家的创新。1914年出版著名诗集《抒情诗》。为贬低同时代先锋派作家，极力主张以文艺复兴大师以及 19 世纪作家莱奥帕尔迪及曼佐尼等为典范。后任米兰《文汇》周刊戏剧评论员。他的第一部作品《长桥上的魔鬼》(1927)写的是意大利一次社会主义革命的尝试。其杰出历史小说为《波河上的磨房》(1938～1940)，被称为“普通人的史诗”，它的极大价值在于它的不偏不倚的人文主义和对小人物陷于政治事件的罗网之中所受苦难的怜悯之情。晚期的杰出历史小说为《凯撒的三个奴隶》(1958)。

Bacchus　巴克斯　参阅 **Dionysus** 狄俄尼索斯。

Bacchus，SAINT　巴克乌斯，圣　参阅 **Sergius and Bacchus，Saints** 塞尔吉乌斯和巴克乌斯，圣。

Bacchus Marsh　巴克斯马什　澳大利亚维多利亚州南部城镇，在墨尔本西北 51 千米，韦里比河东岸。1838 年威廉·亨利·巴克斯兴建此镇。后为由墨尔本去巴拉腊特金矿的科布公司马车驿站。1856 年设农村行政区。该镇位于水果种植、畜牧业和农业地区，为轻型制造业中心，盛产褐煤。人口 7 640(1986)。

Bacchylides　巴克基利得斯(活动时期公元前 5 世纪)　希腊爱琴海希俄斯岛抒情诗人。诗人西摩尼得斯的侄子，与维奥蒂亚诗人品达罗斯同时代，但年纪略小。他的颂诗是应大型竞技活动的优胜者的委托而作，可与品达罗斯相抗衡。他的作品在埃及纸草书残片上被发现之前，很少为人所知。1896 年这些片断归不列颠博物馆所有，次年出版。在全部或部分整理出来的 21 首诗中，14 首是上述这类颂诗，其余是合唱的酒神颂歌。这种颂歌是雅典酒神节合唱比赛的题目。后来发现的纸草书增补的其他片段，包括太阳神和其他神的赞歌和对名人的颂歌(作为饭后余兴演出的)的段落。品达罗斯有关作为对手的诗人的那些带有贬损味道的话，据信指的便是巴克基利得斯和西摩尼得斯。巴克基利得斯的风格同品达罗斯的相比如果说庄严不足的话，却更为朴实。他长于叙事，表达得也十分清楚。他和西摩尼得斯一样，也为雅典的酒神节写赞歌，特别是那无与伦比的《第 18 赞歌》，这首诗是半戏剧的，它采取忒修斯的父亲埃吉乌斯同答话的随从合唱队之间对话的形式。这种文学形式同雅典戏剧的发展关系如何，文学史家有不同看法。

Baccio D'AGNOLO　巴乔达尼奥洛(1462-05-15～1543-03-06，佛罗伦萨[意大利])　即 B. d'阿尼奥洛。意大利木雕师、雕塑家、建筑师，对佛罗伦萨的文艺复兴式建筑的发展，具有重大的影响。1491～1502 年，他为佛罗伦萨新圣马利亚教堂和韦基奥宫作了大量雕饰。1506 年设计菲奥雷的圣马利亚教堂圆顶下的鼓形座，因遭米开朗琪罗的反对而未实现。他还设计了博盖塞别墅、巴托利尼府邸和圣斯皮里托教堂的钟塔。到他工作室访问的客人，有米开朗琪罗、桑索维诺、拉斐尔及当时其他的著名艺术家。

Baccio DELLA PORTA　巴奇奥　参阅 **Bartolomeo，Fra** 巴托洛米奥。

Bach，Carl Philipp Emanuel　巴赫(1714-03-08，萨克森-魏玛公国魏玛[德国]～1788-12-14，汉堡)　J.S.巴赫的次子，先古典主义时期最重要作曲家。是其父的真正接班人。在自传中写道：“除父亲外，我在作曲与键盘乐器方面从未有过别的老师”。初学法律，1735 年在法兰克福获学位，但他可能从未打算从事音乐以外的职业。巴赫于 1740 年受命担任普鲁士腓特烈二世拨弦键琴师，国王要求他唯命是从，使他不胜其烦。但他直到 1767 年才得以辞去柏林之职而在汉堡就任音乐总监。1753～1762 年出版《论键盘乐器演奏艺术的真谛》一书，作为作曲家、演奏家与教师，声誉鹊起，令人羡慕。在巴罗克音乐的雄伟性格为活泼多变的浪漫主义所取代的过程

美国不列颠百科全书公司供图

中，巴赫成为这一运动的领导者之一。所作大量音乐包括宗教作品(如《尊主颂》、22 首受难曲)、交响曲、协奏曲、管风琴奏鸣曲、室内乐和歌曲等。柏林时期的音乐因皇室雇主的偏爱而显得比较老式；在汉堡时形成开拓性风格。尤以其交响曲、协奏曲和键盘奏鸣曲对古典奏鸣曲快板曲式的发展有重大影响。他对海顿、莫扎特甚至贝多芬的影响是公认的，有趣的是他先影响了海顿，后来又受到这位年轻作曲家的影响。作为演奏家，以技巧准确、音色优美和感情强烈而著称。《论键盘乐器演奏艺术的真谛》一书无与伦比的影响延续达两个世纪之久。海顿称之为“教材的教材”；莫扎特说，“他是父亲，我们是孩子”；贝多芬在教年轻的车尔尼时写道，“一定得弄到埃马努埃尔·巴赫的论文”。这确实是了解 18 世纪音乐风格及其表演的重要原始资料之一。

Bach，Johann Christian　巴赫(1735-09-05，德国莱比锡～1782-01-01，英国伦敦)　作曲家，被称为“英国巴赫”。J.S.巴赫之幼子，先古典主义时期表现杰出人物。幼时由其父教授音乐。20 岁时赴意大利，1756 年在博洛尼亚师承 P. 马蒂尼。作品虽不成熟但风格严谨，大多为宗教礼仪音乐。皈依天主教后于 1760 年被任命为米兰大教堂管风琴师。后兴趣转向歌剧。1762 年成为伦敦国王剧院作曲家，并为之创作了不少成功的意大利歌剧。还作有很多管弦乐、室内乐及键盘乐曲，以及几首康塔塔。两年后，与著名低音维奥尔琴师 K.F.阿贝尔举行了一系列音乐会，颇受欢迎。他的音乐反映出具有动人旋律的洛可可音乐风格。其意大利式的优美雅致，对古典时期的作曲家，尤其是莫扎特，具有重大影

美国不列颠百科全书公司供图

响。他的交响乐与同时代海顿的交响乐一起，对早期古典交响乐的形成有巨大贡献；他的奏鸣曲和键盘乐器协奏曲亦发挥同样的作用。

Bach，Johann Christoph Friedrich　巴赫(1732-06-21，莱比锡～1795-01-26，普鲁士比克堡)　J.S.巴赫的寿命最长的儿子。可能随其堂伯 J.E.巴赫学习音乐。1750 年在比克堡任威廉伯爵室内乐师，约 1758 年任乐队首席小提琴手。在创作风格上，他从后期巴罗克过渡到先古典主义。作品获得好评，虽然不算出类拔萃，但却与当时的优秀作品并驾齐驱。晚期几部交响乐最为杰出，风格近似海顿。他还写了一些经文歌、清唱剧、钢琴奏鸣曲、室内康塔塔以及室内器乐作品等。

Bach，Johann Sebastian　巴赫(1685-03-21，恩斯特萨克森公国图林根爱森纳赫～1750-07-28，莱比锡)　虽然约翰·塞巴斯蒂安·巴赫在他的同时代人中主要是作为一位出类拔萃的拨弦键琴家、管风琴演奏和制作专家而备受赞佩，时至今日他已被公认为有史以来最伟大作曲家之一，以创作《勃兰登堡协奏曲》、《平均律钢琴曲集》、《B 小调弥撒曲》以及其他大量教堂音乐与器乐杰作而著称。巴赫出生在音乐史上一个有利时机，得以全面概括前几代人发展的一些主要风格、形式和民族传统，集各家之大成，并通过综合使之更为丰富多彩。巴赫是一个不同凡响的音乐家家族中的成员，这些音乐家均以家族的成就而自豪。约 1735 年他绘制了家谱《巴赫音乐家庭起源》，寻根溯源至太曾祖法伊特·巴赫；法伊特是一位信奉路德教的面包师(或磨坊主)，16 世纪末因受宗教迫害从匈牙利被驱逐到位于德国历史名区图林根的韦希玛，1619 年去世。在那以前，这一地区已住有姓巴赫的人；因此，法伊特迁居韦希玛，很可能是回归故土。他去磨坊时常随身携带西特琴，一边磨粉，一边拨弄乐器。约翰·塞巴斯蒂安说过：“这两者结合，声音想必妙不可言！不管怎么说，他学会了打拍子，这显然是我们家族出现音乐之始。”在约翰·塞巴斯蒂安出生以前，他那一支系是这个家族中最不突出的；它的成员中有过一些称职而有实际经验

的乐师，但不是作曲家，例如约翰·克里斯托夫和约翰·路德维希。在约翰·塞巴斯蒂安以后，家族中最重要的音乐家是其子威廉·弗里德曼、卡尔·菲利普·埃马努埃尔和约翰·克里斯蒂安（人称"英国巴赫"）。

生平　早年　J.S.巴赫于1685年3月21日出生于图林根的爱森纳赫，是约翰·安布罗西乌斯·巴赫（Johann Ambrosius Bach）和伊丽莎白·勒默希特的幼子。安布罗西乌斯是一位受雇于爱森纳赫市议会和公爵府的弦乐器演奏者。约翰·塞巴斯蒂安于1692或1693年开始入学，尽管常常缺课，但是成绩优良。关于他在这一时期的音乐教育，人们知之不详。他可能跟父亲学了一些弦乐器演奏的基本知识，并去乔治教堂做礼拜，约翰·克里斯托夫·巴赫任该教堂管风琴师（至1703年）。及至1695年父母双亡，他于是由又名约翰·克里斯托夫（1671～1721）并在奥尔德鲁夫任管风琴师的长兄抚养。克里斯托夫曾师从有影响的键盘乐器作曲家J.帕黑尔贝尔，他给约翰·塞巴斯蒂安上了最早的正式键盘乐器课。小巴赫在学校中仍然成绩优异，至1700年，他的嗓音为他在吕讷堡米夏埃尔斯教堂附属学校的要求严格的贫困男童唱诗班中获得一个席位。此后不久他即变声，但仍在吕讷堡逗留一段时间。学校图书馆收藏着大量最新的教堂音乐，他在那里学习过。他可能听过约翰尼斯教堂管风琴师G.博姆的演奏；又到汉堡去听著名管风琴师兼作曲家J.A.莱因肯在卡塔琳尼教堂的演奏，还设法听了冯·采勒公爵所供养的法国乐队的演奏。他大概是1702年夏末回到图林根的。此时他已是一位相当不错的管风琴能手。在吕讷堡的经历使他脱离了他祖先的世俗弦乐演奏传统；从那以后他成为一位键盘音乐和宗教音乐的作曲家和演奏家。1703年3月4日他已是魏玛公爵约翰·恩斯特所雇用的一名乐队队员。约翰·恩斯特是巴赫于1708年开始为之效劳的威廉·恩斯特的兄弟。这一职务只是一个权宜之计；他的目光可能已经瞄准正在阿恩施塔特新教堂安装的管风琴；刚安装完，他就协助测试，1703年8月年仅18岁的他应聘担任管风琴师。阿恩施塔特的文献暗示，他在这以前曾在魏玛任宫廷管风琴师，但此话不足信；若说他偶尔在那里演奏，却是相当可能的。

阿恩施塔特时期　阿恩施塔特位于图林根森林北部边缘，巴赫一直逗留到1707年，悉心从事键盘音乐，特别是管风琴音乐。在吕讷堡时，他显然未曾有机会直接了解D.柏格兹特胡德这位德国北方管风琴乐派最重要倡导人的绚丽壮观的演奏和作品。1705年10月，他获得一个月的假期步行至300千米以外的吕贝克，从而弥补了自己知识上的这一缺陷。这次访问对他来说大有裨益，因此延误归期，直到1706年1月中旬左右才回到吕讷堡。2月份，雇主埋怨他不该缺勤，还埋怨他别的事情：他为赞美诗曲调所配和声处理得过于自由，以致会众无法在他伴奏下咏唱；更有甚者，他一首康塔塔也没有创作。他玩忽职守的真正原因也许是由于他暂时沉迷于管风琴，而且他与当地歌手和乐器演奏者关系又不好，因为他们不听他支配，达不到他的要求。早在1705年夏，他就曾对一位大管演奏者出语冲撞，在街上引起一场不得体的扭打。对雇主的这些责难，他的答复不能令人满意，甚至不是与人为善的。他之所以未被立即解雇，想必是因为他的雇主们也像他自己一样意识到他的杰出才华，不愿失掉他。

在青年时代的这几年中，巴赫继承了图林根地区的音乐文化，通晓正统的路德教礼拜仪式中的传统形式和赞美诗（众赞歌），而在键盘音乐中（通过其兄约翰·克里斯托夫）则可能接受了对南方的形式主义风格的偏好。不过，他也热切地向北方的狂想曲派，首先向柏格兹特胡德学习。至1708年，凡是他的德国先辈所可能传授的，他可能已全部了如指掌，并最早将北、南德国风格综合为一体。他还独自并在可能去过的采勒之行中熟悉了一些法国管风琴音乐和器乐。可以确凿无疑地归于这一时期的作品为数不多，包括《送别最亲爱的哥哥随想曲》（1704，BWV 992）、众赞前奏曲《多么灿烂》（约1705，BWV 739），以及《G小调管风琴前奏与赋格》（作于1707年以前，BWV535a）的早期片段。这里所用的BWV编号是德国音乐学家W.施米德尔编纂的《巴赫作品目录》中的巴赫作品标准编号。

美国不列颠百科全书公司供图

米尔豪森时期　1707年6月巴赫在坐落于图林根地区米尔豪森的布拉西乌斯教堂获得一个职位，不久便迁居该地，并于10月17日与堂妹玛丽亚·巴尔巴拉·巴赫在多恩海姆结婚。在米尔豪森，情况好像一度比较顺利。他写了几首教堂康塔塔，均属保守模式，取材于圣经或众赞歌台本，未见他后来的康塔塔中所出现的"新式"意大利歌剧形式的影响。采用北方狂想曲风格的著名管风琴曲《D小调托卡塔与赋格》（BWV 565）和《D大调前奏与赋格》（BWV 532）可能均作于米尔豪森时期；为管风琴所作的《C小调帕萨卡利亚》（BWV 582）亦是如此，巴赫对于大型结构有着天赋的才能，此曲是一早期范例。1708年2月4日创作的康塔塔No.71《上帝是我王》由市议会出资印刷，是巴赫的第一首出版的作品。在米尔豪森时期，巴赫誊抄乐谱以扩充唱诗班的资料，努力在周围乡村赞助音乐，并且由于非常得宠，得以使他的雇主同意了一项改建管风琴的规划（1708年2月）。他于1708年6月25日辞职，真正的原因不详。他本人的说法是，他为"井井有条的教堂音乐"所定的规划受到米尔豪森的条件的阻碍，而且他的薪水也不相称。人们普遍猜测他卷入了本堂牧师弗罗内和马利亚教堂副主教艾尔马之间的一场神学论争。无可否认的是，他与艾尔马友情甚笃，艾尔马给他提供台本，并是其长子的教父；而他与弗罗内则似乎很不投契，弗罗内是一位虔诚派信徒，不赞成精美的教堂音乐。不过，也有可能是因为米尔豪森的音乐生活死气沉沉，才促使巴赫想另觅高就。辞职后不久即迁居位于伊尔姆河畔在耶拿以西数英里的魏玛。但他与米尔豪森的一些头面人物继续保持良好关系，因为他监督着管风琴的重建工作，据信1709年10月31日的落成典礼也由他主持，并为1709年2月4日创作康塔塔一首，该曲虽经印行，但现已佚失。

魏玛时期　在魏玛，巴赫一开始就担任宫廷管风琴师和乐队队员。在威廉·恩斯特鼓励下，他在任期的前几年中集中精力于管风琴方面。间或去魏森费尔斯访问；1713年2月在那里参加一次宫廷庆祝会，演奏他的第一首世俗康塔塔《何事使我愉快》（或称《狩猎康塔塔》，BWV 208）。1713年末，巴赫本来有机会可以在哈雷的圣母教堂接替察豪，但公爵给他加薪，他便继续在魏玛留任。1714年3月2日升任乐队长，职责是每月创作一首康塔塔。他与亲戚J.G.瓦尔特友好相处。瓦尔特是一位音乐辞典编纂者、作曲家和市镇教堂管风琴师。像瓦尔特一样，巴赫也参加在当时由威廉公爵的侄子恩斯特·奥古斯特和约翰·恩斯特（二人均为巴赫的学生）占用的"黄色城堡"中举行的音乐活动。约翰·恩斯特是一位天才作曲家，曾以意大利风格创作协奏曲，1715年19岁时去世；巴赫将他的某些协奏曲改编为键盘乐曲。遗憾的是，在生机勃勃的1708～1714年间，正当他的风格发生深刻变化的时候，关于他的发展的细节现已无法查考。可以确定创作年代的作品太少。不过，从作于1714～1716年的康塔塔系列可以明显看出，他肯定受到当时意大利歌剧的新风格和新形式以及诸如维瓦尔第一类意大利协奏曲作曲家的革新手法的影响。这种影响的结果可见之于1714年的康塔塔No.182、199、61；1715年的No.31、161；1716年的No.70、147。在袭用的意大利形式中，他最喜欢的是以迭歌（即"里托奈罗"）或返始布局为依据的那些；一首乐曲中整段整段的重复——照式照样或有更动——使他得以创造出一些连贯的音乐形式，其规模远远胜过在那以前所可能有的。这些新学到的技巧从此支配了巴赫大量的咏叹调和协奏曲乐章以及他的许多大型赋格（尤其是为管风琴写的几首成熟作品），而且对他处理众赞歌的手法影响深刻。另外一些作品也几乎可以肯定是在魏玛创作的，包括《管风琴小曲集》中的大部分乐曲、18首所谓"大"众赞前奏曲中的前17首、最早的几首管风琴三重奏以及大部分管风琴前奏与赋格。《G大调管风琴"大"前奏与赋格》（BWV 541）于1715年修改定稿；《F大调托卡塔与赋格》（BWV 540）可能曾在魏森费尔斯演出。

1716年12月1日，魏玛的乐正J.S.德雷泽去世，由他的碌碌无闻的儿子继任。巴赫未得提拔，估计一定心存芥蒂，因此，过了不久他便应聘担任克滕的利奥波德亲王的乐正；这一任命于1717年8月确认。但威廉公爵拒绝接受他的辞呈——原因之一可能是巴赫与公爵的两个侄子情投意合，而公爵与他们则关系极为不和。9月前后在德累斯顿组织了一场巴赫和著名法国管风琴家L. 马尔尚的比赛。马尔尚在比赛举行前几小时离开德累斯顿表示弃权，不言而喻，巴赫获胜。这事也许使他鼓起勇气再次提出离开魏玛的请求，但条件是公爵把他监禁了一个月（11月6日～12月2日）。释放后，巴赫移居到哈雷以北约30英里的克滕。

克滕时期 在克滕，他作为乐正，所关心的主要是室内乐和管弦乐。虽然有些作品可能是以前创作而后来修改的，但是那些为小提琴与键盘乐器和为低音古提琴与键盘乐器而作的奏鸣曲，以及没有伴奏的小提琴和大提琴乐曲都是在克滕时期即已初具规模。《勃兰登堡协奏曲》完成于1721年3月24日；在创作第六首协奏曲时——有人这么认为——巴赫对于会拉低音古提琴的亲王在技术上的局限性是心中有数的。巴赫自愿拉中提琴；他喜欢“在和声的中央”。他也为亲王诞辰和其他类似场合写过几首康塔塔，这些作品中大多数好像只以后来配上更通用唱词的版本留存至今。他还腾出时间编纂键盘乐曲教材：为W.E.巴赫而写的《键盘乐器小曲集》（始于1720年1月22日）、《法国组曲》中的几首、《创意曲》（1720）以及《平均律钢琴曲集》上卷（1722）；该曲集最终编成两卷，各收前奏与赋格24首，用遍所有调性，总称“48曲”。这一不同凡响的曲集系统探讨一种新建立的调音程序的潜在可能（这一程序在键盘音乐史上首次使所有的调同样便于使用）和“功能调性”体系所可能提供的各种音乐结构（这一体系是在前一代意大利协奏曲作曲家的音乐中形成的一种音乐句法，它在其后200年中风靡一时）。同时，《平均律钢琴曲集》也是当时最流行曲式与风格的一个梗概：各类舞曲、咏叹调、经文歌、协奏曲等等，均以单独一种作曲技巧的统一形式——逻辑严密的神圣的赋格——加以表达。

玛丽亚·巴尔巴拉·巴赫突然去世，于1720年7月7日入葬。约11月，巴赫访问汉堡。妻子的死可能曾使他心绪不宁，并导致他对雅各比教堂一个空缺发生兴趣。此事未有任何结果，但他曾在卡塔琳尼教堂为莱因肯演奏。在听了巴赫根据一个众赞歌曲调即兴弹奏变奏曲后，这位老者说：“我原来以为这一艺术已经死亡，但现在我看到它仍存活于你身上。”1721年12月3日，巴赫与魏森费尔斯一名小号手的女儿安娜·玛格达勒娜·维尔肯结婚。要不是第一个妻子去世，在克滕的这最初4年也许是巴赫一生中最幸福的时光。他和亲王关系十分融洽，亲王的音乐天赋确实很高。1730年巴赫说他曾希望在那里终其天年。但亲王于1721年12月11日结婚后，情况急转直下。王妃——巴赫说她是一个“反对缪斯的人”——要求丈夫对她体贴入微，于是巴赫开始觉得自己受到冷落。他还必须考虑出生于1710和1714年的两个大孩子的教育问题。当J. 库瑙于1722年6月5日去世而使指挥一职空缺时，他即想迁往莱比锡。他于12月份提出申请，但这一职位在遭到巴赫的朋友G.P. 泰勒曼的谢绝后已提供给当时的另一位杰出作曲家、在达姆施塔特任乐正的C. 格劳普纳。由于格劳普纳尚未肯定是否能接受这一聘任，巴赫便于1723年2月7日举行一次试演，演出了康塔塔No.22《耶稣召唤十二门徒到身边》。当格劳普纳宣布放弃（4月9日）时，巴赫正一心热衷于去莱比锡，因此，虽然王妃已于4月4日去世，他还是提出了离开克滕的申请。4月13日获准，5月13日便在莱比锡宣誓就职。他被任命为克滕名誉乐正，和安娜二人还不时应邀去那里，直到1728年11月19日亲王去世为止。

在莱比锡的年代 作为莱比锡城教堂音乐的乐正，巴赫必须为四所教堂提供演奏（唱）家。在彼得斯教堂，唱诗班只领唱赞美诗。新教堂、尼古拉教堂和托马斯教堂要求有多声部合唱；不过巴赫只在后两座教堂指挥，他自己的教堂音乐也只在那里演出。第一次正式演出是在1723年5月30日，即三一节后的第一个星期日，演出曲目为康塔塔No.75《穷人嗷嗷待哺》。这一年上演的新作包括康塔塔多首和《圣母尊主颂》的第一稿。《约翰受难曲》于1724年上半年演出，后又经修改。这一宗教年中上演的康塔塔总数约为62首，其中约39首为新作。1724年6月11日，即三一节后的第一个星期日，巴赫开始新一轮的全年康塔塔创作，一年写了52首所谓众赞康塔塔（曾被认为作于1735～1744年）。《B小调弥撒曲》的“圣哉经”在圣诞节上演。在莱比锡的最初两三年中，巴赫创作了大量新康塔塔；据调查研究所示，有时速度为一周一曲。这一惊人速度使人对巴赫的作曲方法产生了疑问。巴赫及其同时代人为了应付紧张的创作速度，不得不迅速创造或发现新的乐思，而不是坐待不知何时才有的“灵感”。当时的音乐传统和技巧以及普遍的理性主义观点，只要作曲家愿意接受，都不要求灵感。服从于这一体制的巴罗克作曲家不可避免地是欣然墨守成规的传统主义者。

①象征主义。有一些旋律类型，譬如说，是由明确的“修辞格主义”产生的，这一主义创造了修辞艺术中的“修辞格”在音乐上的对应体。同这些“修辞格”紧密相关的是一些描绘性象征手法的例子，当歌词表达“死而复活”内容时，作曲家就配以上行的音阶，而忧伤的歌词则配以下行的半音音阶（刻画痛苦的哀号）。这类描绘性象征手法只在与歌词有关时才出现——在声乐中或是在众赞前奏曲中（在那里，众赞歌的歌词铭刻在听众心中）。在《平均律钢琴曲集》中寻找复活主题是没有意义的。视觉形象的运用，即使尚未系统化为一种学说，看来总是一种基本的音乐本能；从实质上看，又是一种表情手法。不过，它可能变得比较抽象，例如像在数字象征手法中所见的那样；这种现象在巴赫的作品中屡见不鲜，不能等闲视之。数字象征手法有时是描绘性的；在《马太受难曲》中，“主，是我吗”？这一问题竟然问了11次（忠实的门徒每人各问一次），这是合情合理的。但是，处心积虑地在巴赫作品中寻索这类象征手法，却可能走得太远。几乎任何数字都可视为“象征性”（3、6、7、10、11、12、14和41不过是少数几个例子）；此类数字的任何倍数本身也是象征性的。调号中的升号数、旋律中的音符数、作品中的小节数，都可认为是意味深长。这样一来，象征性数字似乎无往而不在，但是，如果认为这类发现必然都有一定意义，则是荒谬可笑的。除旋律类型外，关于如何将这些主题进一步发展为完整的作品，巴罗克作曲家们手头也有一些类似的刻板模式，因此，康塔塔的咏叹调与合唱几乎仿佛是“自动”编出来的。我们不禁想起巴赫那句纯真可爱的话：“我曾不得不努力工作；凡像我一样努力的人，都能取得像我一样的成就。”他的言外之意是，在音乐这门“手艺”中一切都是可以传授可以学会的。事实上，与巴赫的成就相比，在这一时期的作曲家中，无人可望其项背（韩德尔可能是例外）；这一事实清楚地说明，“机械性”程序的应用并非真的是“自动化”，而是自始至终受到别的因素的控制，这就是艺术鉴赏力，或说艺术趣味。“趣味”这一在18世纪文化中备受重视的特性完全是属于个人的，由天资、想象力、心理素质、判断力、技巧与经验组成。

巴赫在莱比锡的最初三年中紧张地从事康塔塔的创作，所作教堂音乐已足以供应未来常规的主日和节日礼拜仪式之需。因此，1726年以后，他的注意力便移向其他方面。不过，1729年他还是写了《马太受难曲》，从而在30年代中期重新开始对声乐作品发生兴趣（规模比康塔塔大），例如现已佚失的《马可受难曲》（1731）、《圣诞清唱剧》（BWV 248, 1734）和《耶稣升天清唱剧》（即康塔塔No.11《上帝在天堂赞美》，1735）。

②非音乐职务。除担任教堂乐正的职责外，巴赫作为托马斯教堂附属学校的主管，还有形形色色的非音乐职务。他讨厌这些职务，因此常常擅离职守，去演奏或检查管风琴，或带儿子弗里德曼到德累斯顿歌剧院去听他所谓的“美妙曲调”，还要履行他千方百计终生保持着的那些宫廷荣誉职位的义务。在某种程度上他因钱而接受了一些聘约；这些职务使他的日常工作明显受到影响。于是在他和雇主之间几乎很快就发生了摩擦。一方面，关于他的职位——特别是在莱比锡大学圣保罗教堂负责音乐活动的工作——所能提供的酬金和特权问题，巴赫最初的理解同市议会和大学管风琴师J.G. 格纳有差距。另一方面，在他的雇主心目中，巴赫是他们为这一职位所作的第三（而且是热情不高的）选择，排在泰勒曼和格劳普纳之后。不仅如此，有关当局坚持学校招收一些没有乐感的男生，这就使巴赫难以保证他的教堂能招到合格的歌手；当局又拒绝拨款维持一个像样的乐队。至1730年，双方的嫌隙严重恶化。接着新校长J.M. 格斯纳上任，他在魏玛即与巴赫相识，对他景仰已久；由于他的斡旋，矛盾暂时消除。但格斯纳只供职到1734年，接替他的是一位具有新式教育思想的青年J.A. 埃内斯蒂，他的教育思想中有一条就是：音乐不是一种人文学科，而只是一种浪费时间的副业。1736年7月双方关系重新剑拔弩张，

这次的表现形式为争论巴赫是否有权指派教务长，结果引起一场轩然大波。对巴赫来说，幸运的是他于1736年11月成为萨克森选帝侯的宫廷作曲家。经过若干时间的耽搁以后，他便得以以这一身份说服他在宫廷中的朋友们举行一次官方调查，而他和埃内斯蒂的争论于1738年得到解决。在那以后巴赫就按照自己的意愿行事。

③器乐作品。1726年，在完成了绝大部分康塔塔之后，巴赫开始单独出版他的键盘帕蒂塔，1731年结成一集，目的也许是为了在莱比锡以外获得赏识，从而在别处找到一份有职有权的差事。《键盘曲集》的第二部分包括《意大利风格协奏曲》和《B小调法国序曲(帕蒂塔)》，于1735年问世。第三部分为包括《降E大调前奏与赋格(即圣安妮赋格)》(BWV 552)的《管风琴弥撒曲》，1739年问世。约1729～1736年巴赫任魏森费尔斯名誉乐正，自1729～1737年、然后又自1739年起有一两年时间，他主持莱比锡大学音乐社。他将自己的某些早期协奏曲改编为拨弦键琴协奏曲供这些音乐会演出，从而成为最早为键盘乐器和乐队写作协奏曲的作曲家之一(就算不是唯一最早的)，同时，他也是最早使拨弦键琴演奏者用右手在室内乐中弹奏真正的旋律声部的人之一。人们正在越来越认识到，基本上是因循守旧的巴赫，在某些方面也是一位重要革新者；上述两点便是其中的两个方面。

1733年左右，巴赫开始为萨克森选帝侯及其一家创作康塔塔，目的显然是为了他后来于1736年获得的那一宫廷任命；这些世俗乐章中，有许多配上宗教歌词而重新用在《圣诞清唱剧》中。作于1733年的《B小调弥撒曲》中的“慈悲经”和“荣耀经”两章也是题献给选帝侯的，但《弥撒曲》的其余部分直到巴赫晚年才汇总在一起。在访问德累斯顿时，巴赫曾得到俄罗斯特命全权公使冯·凯泽林克伯爵的器重，伯爵委托他创作了所谓《戈德堡变奏曲》，约于1742年作为《键盘曲集》的第四部分出版，而“48曲”的第二集似乎亦汇编于同一时期。此外，他还写了几首康塔塔，修改了魏玛时期的几首管风琴曲，并于1746年或其后出版《许布勒众赞前奏曲》。

晚年 1747年5月，他去波茨坦看望儿子埃马努埃尔，并为普鲁士腓特烈大帝演奏。7月，根据国王提供的主题而即兴演奏的音乐定型为《音乐的奉献》。1747年6月他参加由他从前的学生L.C.米茨勒创办的“音乐科学协会”，并将根据《从天堂我来到人世》而作的卡农式变奏曲的手稿交给协会，旋即出版。关于巴赫最后的病，人们知之不详，只知道他缠绵病榻数月之久，并因而未能完成《赋格的艺术》一书。一个英国江湖医生J.泰勒为他做的两次不成功的眼科手术导致他的体质下降(此人的失败病例中还包括韩德尔)，1750年7月28日他在莱比锡与世长辞。他的雇主们如释重负，着手选派继任者；市长施蒂格利茨指出：“学校需要一位主管，而不是一位乐正，虽然他肯定应该懂音乐。”安娜·玛格达勒娜生活十分困顿。她于1760年2月27日去世，殡葬简薄如丐人。

未完成的《赋格的艺术》于1751年出版，没有引起注意；1752年重新发行，由柏林著名音乐家、后来主持皇家彩票事业的F.W.马尔普格作序加以赞扬。尽管有马尔普格的序以及汉堡有影响的评论家兼作曲家J.马特森的一些好评，至1756年仅售出约30本，于是埃马努埃尔提出将铜版出售。据目前所知，这些铜版是按废铜烂铁作价的。埃马努埃尔·巴赫和管风琴家兼作曲家J.F.阿格里科拉(塞巴斯蒂安的学生)写了一篇讣文；米茨勒加了几句结束语，一起发表在他的协会刊物上(1754)。在《巴赫选集》中有一篇英文译文。这一讣文虽然不完整也不精确，作为一个第一手的资料来源却是极其重要的。

巴赫看来是一位好丈夫，好父亲。事实上，他是20个孩子的父亲，其中活到成年的仅10人。有些有趣的迹象说明他颇为节俭——这是一个必要的美德，因为他的家境从来不过是可以达到温饱而已，而且他又殷勤好客。他生活在一个音乐正开始被认为不是上等人职业的时代，偶尔不得不站出来维护他作为一个人和一名音乐家的权利；在这种情况下他是宁死不屈的。但雇主如能体贴下情，和巴赫相处绝不会有什么困难；对那些同行挚友们他表现得谦恭友好。他又是一位良师，从米尔豪森时代开始，从未停止教学。

声誉与影响 巴赫去世后的大约50年间，他的音乐无人问津，这是很自然的。在海顿和莫扎特的时代，不可能希望人们对一位甚至在生前就被认为是守旧的作曲家有极大兴趣——尤其因为他的音乐并非随手可以弄到，而其中有一半(那些教堂康塔塔)又因为宗教思想的改变而很快变得无用了。然而，18世纪晚期的音乐家们既不像某些现代作家所说的那样对巴赫的音乐一无所知，也不是对巴赫音乐的影响那么麻木不仁。埃马努埃尔·巴赫受惠于父亲之处是巨大的；巴赫对海顿、莫扎特和贝多芬有着深刻而公认的直接影响。

音乐的复兴 1800年之后，巴赫音乐的复兴，其势如火如荼。德国作家J.N.福克尔于1802年发表《生平，天才与作品》一书，并担任出版商霍夫迈斯特和屈内尔的顾问，他们于1801年开始出版全集，但因拿破仑的活动而中辍。及至1829年一个具有代表性的键盘音乐选集问世，虽然声乐作品出版得极少。同年，德国音乐家E.德弗里恩特和作曲家F.门德尔松着手筹备下一步庆祝《马太受难曲》100周年的演出活动。此曲与《约翰受难曲》均于1830年出版，接着是《B小调弥撒曲》(1832～1845)。莱比锡出版商彼得斯于1837年开始出版钢琴与器乐曲全集；管风琴作品接着于1844～1852年问世。在舒曼鼓励下，巴赫协会(简称BG)于百年祭的1850年成立，旨在出版他的全部作品。至1900年时，所有已知的作品均已印行，巴赫协会由新巴赫协会(简称NBG)接替，该协会至今仍存在，组织音乐节和出版通俗版；其出版物以研究性刊物《巴赫年鉴》为主(自1904年起)。至1950年，BG版的不足之处已明显得令人厌烦，于是创建巴赫学院(总部在格丁根和莱比锡)以出版新的标准版，即“新巴赫版”(简称NBA)，估计共84卷。事后看来，始于1800年的巴赫复兴可说是慎重发掘旧音乐(并伴以传记性和评论性研究)的第一个值得注意的例子。这一复兴也是后来的类似工作的一个启迪，并提供了一个样板。在有关巴赫的传记性和评论性著作中，最重要的是德国音乐学家P.斯皮塔的不朽巨著《约翰·塞巴斯蒂安·巴赫》(共2卷，莱比锡，1873～1880)，该书不仅包含巴赫的生平和作品，而且涉及当时大量历史背景材料，虽然在细节上颇多谬误，但仍不失为巴赫研究者的必备佳作。

巴赫作品的各种版本 德语Urtext(意为“原始文本”)一词可能会使不谙内情的人误以为他们拿到的是巴赫所写音乐的精确复制品。必须看到，许多重要作品的手迹已经佚失。因此，巴赫的意图常常必须把多达20种不同来源的资料拼拼凑凑才能得知。甚至初版和手稿摹本也未必是巴赫意图的绝对可靠的指导。事实上，它们往往有使人误入歧途的危险。有头脑的音乐家在查阅这些版本之前应该先征求专家的意见。在1752至约1840年间出版的版本不过是一些古董，其主要意义只在于使人们对巴赫复兴的全过程有所了解。综合性的版本中没有一套是从头到尾绝对可靠的，彼得斯版、BG版，甚至连NBA版都不是。

Bach, Wilhelm Friedemann 巴赫(1710-11-22，萨克森-魏玛魏玛～1784-07-01，柏林) J.S.巴赫的长子。巴罗克风格向洛可可风格过渡时期的作曲家。主要向父亲学习音乐

美国不列颠百科全书公司供图

(J.S.巴赫曾在他10岁时专门为他写了一些动听的键盘乐器乐曲)，还学过小提琴。1729年入莱比锡大学。1733年被任命为德累斯顿圣索非亚教堂管风琴师。1746年转入哈雷圣母马利亚教堂。1753和1758年申请转换职位未成。1764年辞去哈雷旧职后在将近20年中，一直为获得稳定的职位而奔波，但未成功。1774年迁居柏林，靠举行独奏会与教学勉强度日。他的作品中键盘乐曲与康塔塔占很大比重，也写过几首交响乐、室内乐作品及一部歌剧。他的音乐既有其父的巴罗克风格又有较新的洛可可风格。作品不多，但常充满激情，并在运用旋律、和声及节奏上具有创造性。

Bach Long Vi 白龙尾 越南北部岛屿。位于北部湾，在红河口与中国海南岛之间。该岛从海中突起，海拔58米。岛的四周为悬崖峭壁。附近海域渔业资源丰富。

Bachan（Indonesia） 参阅 **Bacan** 巴占。

Bachchan, Amitabh 巴禅（1942-10-11，印度阿拉哈巴德～ ） 印度电影演员。第一部成功的电影是《禅吉儿》（1973）；到了 20 世纪 70 年代末，他已经成为印度某种文化现象，并被认为是印度电影史上最受欢迎的明星。虽然他在歌唱、舞蹈以及喜剧方面也很有天分，却常被人们拿来和 C.伊斯特伍德等美国动作片明星相提并论。80 年代中期受到政治因素的短暂限制之后，巴禅在 90 年代以电视游戏节目"Kaun bandga crorepati"（美国与英国热门节目《谁想当百万富翁?》的印度版）受到了许多新一代影迷的欢迎。

Bachčisaraj（Ukraine） 参阅 **Bakhchysaray** 巴赫奇萨赖。

Bachelet, Michelle 巴切莱特（1951-09-29，智利圣地亚哥～ ） 全名 Verónica Michelle Bachelet Jeria。智利政治人物，总统。智利第一位女总统，也是南美第一位政治生涯独立于丈夫的民选女总统。其父为智利空军的一名将军，其母是考古学家。1973 年，父亲因为反对使 A.皮诺切特掌握政权的军事政变而被捕入狱，遭受数月的酷刑后因心脏病发作于 1974 年死于狱中。当时正就读于智利大学医学系的巴切莱特同母亲也被逮捕，送入秘密监狱，遭受了各种酷刑。1975 年释放，流放海外。先后生活在澳大利亚和东德。在东德期间，成为社会主义政治活动家，并就读于柏林洪堡大学。1979 年，回到智利，完成了医学学位。家庭背景使她很难在皮诺切特统治的智利找到工作，但她最终加入了一家治疗酷刑受害者的门诊部。1990 年，皮诺切特下台，巴切莱特开始活跃于政界，特别是在医学界和军队。1994 年，被任命为智利卫生部的顾问，随后在智利国家战略和政策学院以及华盛顿哥伦比亚特区美洲国家防御学院学习军事。2000 年，社会党人里卡多·拉戈斯·埃斯科瓦尔出任智利总统，巴切莱特被任命为卫生部长。2002 年，成为第一位女国防部长。2005 年被社会党选举为总统候选人，她的竞选纲领集中在满足穷人的需求，改革养老金系统，促进女权和实现土著马普切人的宪法权利。同时，她也承诺实施连贯一致的外交政策，特别关注智利与美国和其他拉美国家的密切关系。在天主教势力强大的智利，她的不可知论观点和作为离异的单亲母亲的身份为她的竞选带来了阻力。2005 年 12 月的第一轮投票中她未能获得多数票。在 2006 年 1 月 15 日的决定性选举中，她战胜保守党候选人，赢得了 53% 的选票，同年 3 月宣誓就任总统。

Bacheller, Irving (Addison) 巴切勒（1859-09-26，美国纽约皮尔庞特～ 1950-02-24，纽约怀特普莱恩斯） 美国新闻记者、小说家。巴切勒的著作一般以上纽约州为背景，文体幽默，对人物的描写，特别是对农村人物的描写，十分深刻。1882 年毕业于纽约州坎顿的圣劳伦斯大学并成为记者。1883 年在纽约布鲁克林创办第一个现代报业辛迪加，除小说

美国不列颠百科全书公司供图

题材外还通过这家辛迪加发行了 J.康拉德、R.吉卜林及 S.克莱恩等作家的小说。因出版《埃本·霍尔登：北国的传说》（1900）而享有盛名。这部关于一个雇农的小说，描绘了一幅 19 世纪上纽约州的农场生活和人物的真实图景。《德利和我》（1901）是一部关于 1812 年战争中伊利湖战役的小说，也颇受欢迎。他自己特别喜爱的作品有《旷野之光》（1917）、《不朽的人：民主制度创建者的故事》（1919）、《一个快乐的美国人的意见》（1926）、《走上大路——北国童年的回忆》（1928）。

Bachman, John 巴克曼（1790-02-04，美国纽约莱茵贝克～ 1874-02-24，南卡罗来纳哥伦比亚） 美国博物学家，基督教信义会牧师。长期醉心于博物学。曾发表关于南方动物研究及植物学、农学等方面的著作。1831 年与奥杜邦相识，1840 ～ 1844 年曾协助他写成《美洲鸟类图谱》一书。1838 年到柏林大学访洪堡后著述甚多。1845 ～ 1849 年编写了奥杜邦的 3 卷本《北美的胎生四足动物》。1850 年著《人种的统一性》，正确地坚持人类只有一种。又曾建立信义会南卡罗来纳州大会并任首届会长，并创办该州的信义会神学院。

Bachofen, Johann Jakob 巴霍芬（1815-12-22，瑞士巴塞尔～ 1887-11-25，巴塞尔） 瑞士法理学家和人类学家。所著《母权》（1861）一书被认为是现代社会人类学的奠基作品。1841 ～ 1845 年任巴塞尔大学罗马法史教授，1842 ～ 1866 年任巴塞尔的刑庭法官。1847 ～1848 年间写了两部有关罗马民法的著作，之后去意大利和希腊旅行，并开始钻研古墓中各种象征性的符号或标记，从而对原始人类及其法律和宗教深有领悟。在《母权》中，巴霍芬第一个试图把家庭作为一种社会组织，科学地写出它的历史，并提出母权先于父权的看法。虽然他根据希腊罗马古典论著来提出自己的理论，但从他以前未发表的《论著汇编》（10 卷；1943 及以后出版）手稿中可以看出，他在 1869 年即曾计划修订《母权》并早在 15 年前即已开始研究了几乎每一种已知文化，获得更多的资料和证据。从 1872 年开始，他越来越接受美国人类学家 L.H.摩根关于亲属关系的观点。

bachubaijia 罢黜百家 参阅 **Hanwudi Liu Che** 汉武帝刘彻。

Bacia do Cabo Verde（Atlantic Ocean） 参阅 **Cape Verde Basin** 佛得角海盆。

Baciccia 巴奇恰（1639-05-08，热那亚[意大利]～ 1709-04-02，罗马） 原名 G.B.高利。17 世纪后半叶罗马重要的巴罗克画家。他是 L.博尔佐内的学生，但同时也受到 A.凡·戴克和 B.斯特罗齐作品的影响。约 1660 年赴罗马并于 1669 年游历帕尔马，学习柯勒乔的壁画，但主要的影响来自友人 G.L.贝尔尼尼，后者还介绍他加入自己的艺术赞助人圈子。其主要作品为罗马圣阿格尼斯教堂（1668 ～ 1671）、耶稣教堂（1684 完成）和使徒教堂（1707）的壁画。他把贝尔尼尼的宗教人物画法、柯勒乔的头像处理和自己组织明暗、活泼运笔的卓越手法融在一起。他同时也作祭坛画，还是罗马教廷著名的肖像画家。

Bacillariophyta 硅藻门 藻类的一门，其种类称为硅藻。参阅 **diatom**。

bacillite 杆雏晶束 在地质学上，是雏晶（**crystallite**）的一种类型。

bacillus 芽孢杆菌 芽孢杆菌属（*Bacillus*）的杆状、革兰氏阳性、需氧或（在某些情况下）厌氧性细菌，广泛存在于土壤及水中。英语中 bacillus 又泛指所有圆筒状或杆状的细菌，即杆菌。最大的芽孢杆菌直径约 2 微米，长 7 微米，常连成链状。芽孢杆菌于不利的环境条件下形成休眠孢子（内生孢子），内生孢子能存活很长时间。内生孢子对热、化学药品和阳光有抵抗力，广泛分布于自然界，主要见于土壤中，并由此侵入尘粒中。蜡样芽孢杆菌（*Bacillus cereus*）有时可使罐头食品腐败。枯草芽孢杆菌（*B. subtilis*）亦分布广泛，是实验室培养物的常见杂菌（L.巴斯德的许多实验即受枯草芽孢杆菌的侵扰），也常见于人类皮肤上。多数芽孢杆菌不使人类致病，仅作为土壤微生物偶然感染人体；炭疽芽孢杆菌（*B. anthracis*）是一个显著的例外，可致人类和家畜的炭疽（**anthrax**）病。苏云金芽孢杆菌（*B. thuringiensis*）能使昆虫致病，苏云金芽孢杆菌杀虫剂对脊椎动物无害，但能控制农作物的害虫。医药上用枯草芽孢杆菌生产杆菌肽，用多黏芽孢杆菌（*B. polymyxa*）生产多黏菌素 B。

Back, Sir George 贝克（1796-11，英国柴郡斯托克波特～ 1878-06-23，伦敦） 英国海军军官，曾帮助探索北美的北极海岸线，又曾两

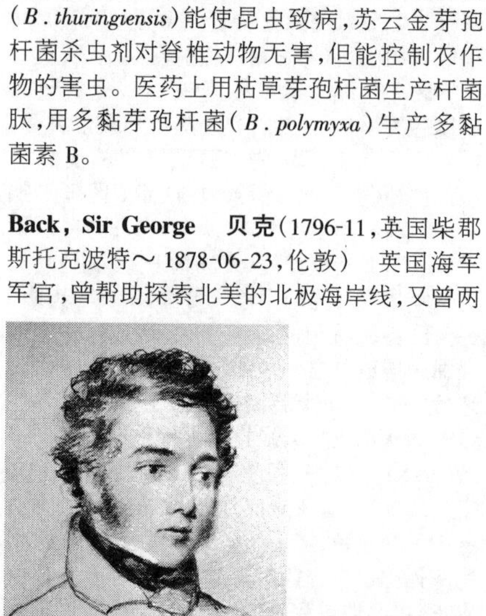

美国不列颠百科全书公司供图

次伴随英国探险家约翰·富兰克林去加拿大西北地区(1819～1822和1825～1827)。稍后,自己又对同一地区进行了两次探险。第一次在1833年,是为了找寻1829年在北极航行中失踪的英国探险家罗斯,结果考察了现在称为巴克河的大鱼河。1836年,转而考察了巴克河口以东的海滨地区。1839年被封为爵士。

back swimmer 仰泳蝽 异翅目仰泳蝽科近200种。长度一般不到15毫米,世界性分布。头卵形,体长。游泳时背朝下,背部隆起似船底;足长,划水如桨。背面色浅,从下面看与水面和天空不分;其余部分色暗,从上面看与水底不分。这是隐匿色的一个类型(逆向着色)。体比水轻,一放开抓住的水底植物就可浮上来。到了水面,就能跳出水面而飞走,或在翅下方和身体周围贮存空气后再沉入水中。浮在水面时,足伸展,便于受惊时立即划水。捕食昆虫、蝌蚪和鱼,捕获物通常比本身体大,以强壮的口器吸猎物的体液。仰游蝽属(*Notonecta*)广布世界,为害鱼苗及蝌蚪,被人捕捉时也叮人,被叮的感觉有如蜂螫;卵产于水生植物的表面或组织中。黑白背仰游蝽(*N. undulata*)见于北美,冬季常于冰下游泳。*Buenoa* 属常在水面下游或浮一段距离;体内某些细胞中含血红蛋白,色似浅红或粉红。*Plea* 属体长不足3毫米,见于纠结的水生植物中,食小型甲壳动物。

backbone 参阅 **vertebral column** 脊柱。

Backbone Mountain 巴克本山 美国马里兰州最高点,海拔1 024米,在阿勒格尼山脉和阿巴拉契亚山脉的脊上,位于奥克兰以南19千米的加雷特县境内。岭长56千米,向西南伸入普雷斯顿塔克县境内。

backcross 回交 杂种生物体与亲本或遗传上同亲本相似的生物体间进行的交配。在有关动物或植物群中进行分离某些性状的遗传学研究时回交非常有用。在动物育种过程中,回交常称为顶交。级进杂交指使普通的或“级进杂种”的雌性个体与良种雄性个体交配,然后使杂种子代的雌性个体与同一良种雄性个体或相似的雄性个体回交。

backgammon 十五子棋戏 一种在棋盘或桌子上走棋的游戏。靠掷两枚骰子决定走棋的步数。比赛的目的是要使自己的棋子先到达终点。这种棋戏把运气和技术结合在一起,两者通常对取胜都不可缺少。此类棋戏从20世纪后期开始风靡于世。十五子棋戏的前身早在公元前3000年就跻身于各种最古老的游戏行列之中。古罗马人玩一种称做“十二条线”的游戏,它和现代的十五子棋戏近似或相同,至今在地中海东部国家仍盛行。十五子棋戏供两人玩。棋盘分为4部分,或称4大区。每部分或大区用黑、白颜色交替标出6个楔形狭长区或小据点。有一根称作边界的垂直线把棋盘分成内区和外区。比赛时一方使用15枚白棋子,另一方使用15枚黑棋子。双方根据其所投骰子上显示的点数,从各自的内区(亦称本区)向相反方向从一个据点到另一个据点移动自己的棋子。两枚棋子显示的点数可分别用来移动两枚棋子,也可以把它们加起来去移动一枚棋子。出现对么(骰子显示两个相同的数字)时,加倍计算,例如两个6点应按4个6点计算。一个据点由同一颜色的两枚或两枚以上棋子占领时,该点即被“占满”,此时对方不能进子。在一个据点上如只有单个棋子,这棋子便是一枚“暴露的棋子”,会受到落在该据点内的敌对棋子的“攻击”。如果受到攻击,须将“暴露的棋子”取出,放在边界上,轮到该方走棋时,要先把该棋“放回”才能走其他棋子。所谓“放回”,即按骰子掷出的点数把棋子放回到对方内区的空据点。

任何一方把所有15枚棋子都送到本区后,即可按骰子滚出的点数把棋子移至棋盘边界外的虚设据点,这叫做“离盘”。先把全部15枚棋子离盘者胜。如果输方至少有一枚棋子离盘,这盘棋即为单胜局;如果输方一枚棋子也未离盘,对方即为大胜,加倍计分;如果输方还在胜方的本区留下棋子,对方即为全胜,需3倍计分。

Backhaus, Wilhelm 巴克豪斯(1884-03-26,德国莱比锡～1969-07-05,奥地利菲拉赫) 德国钢琴家,以表演贝多芬作品而著名。曾在莱比锡和美因河畔法兰克福学习钢琴。8岁首次登台演奏。1905年在巴黎获鲁宾斯坦奖。此后在皇家曼彻斯特音乐学院(1905)、松德斯豪森(1907)、费城柯蒂斯音乐专科学校(1925)任教。第二次世界大战后定居瑞士,但仍到各地巡回演出并灌制唱片。演奏风格严肃、清晰,但并非没有热情,而且读谱一丝不苟。

backpacking 背包徒步越野 背着衣服、食品和野营装备作徒步旅行的一项运动。始于20世纪初,那时人们在杳无人烟的荒野背包徒步行走,以进入那些汽车难以到达或者白天徒步走不到的地方。背包徒步越野运动要求具有强健的体格和经常的训练,具备野营知识和求生技巧,并选择舒适安全的轻型装备。进行此项运动的人在筹划一次远足时,必须把食物、水、地形、气候和天气考虑在内。背包可挂在双肩上,或者用若干根带子绕过双肩、腰部或臀部把它兜着。衣服须能经得起日晒雨淋并能绝缘,其中有风雪大衣、绝缘内衣裤、羽绒服、防风裤、雨披、一种装有能经受最大附着摩擦力的鞋底的结实的防水靴子和厚袜子。帐篷可由简单的油布、塑料挡板和管子支撑,或者是一顶供两人用的尼龙登山帐篷。睡袋由泡沫塑料、涤纶或羽绒制成。床垫可以是充气或用泡沫制成。轻型的壶、锅和炉子都是专为背包徒步旅行设计的。用一个壶可将脱水食品炖成一份菜。进行此项运动的人必须会看地形图和使用指南针。他们还必须携带应急食品和急救器材,同时要熟悉求生方法。到20世纪后叶,背包徒步越野成为一种野外旅行活动,在学生中尤为流行。

Bacolod 巴科洛德 菲律宾内格罗斯岛西北部城市。位于吉马拉斯海峡沿海平原上。因地处国内最重要的产糖区中心,素有“菲律宾糖都”之称。自1800年成为通往班乃岛伊洛伊洛的交通枢纽后开始发展,后成为内格罗斯人口最稠密的都市和贸易中心。南面的普卢潘丹为其外港,也是一大渔港。有一主要机场和省立医院。市内有西内格罗斯-雷科莱斯托斯私立大学(1941)和省议会大厦。富有的种植园主的豪华住宅建在市郊。1938年设市。人口约364 000(1990)。

bacon 培根肉 腌熏猪肉。用整侧猪肉,去肋骨后腌渍或烟熏而成,有些制法如加拿大培根肉,是从猪腰部取肉,肉较瘦。数世纪来,培根肉一直是西欧农村的主要肉食。品种因肉的部位及腌制方法而异。现在若干国家和地区已实行培根肉标准化,如爱尔兰或意大利。培根肉可储存较长时间,因而19世纪后期,在世界商品贸易中,它成为唯一重要的肉制品。20世纪美国市场的培根肉分为5种标准型式:厚块、正规肉片、薄片、厚片和碎片或零头。厚块培根肉取自冷藏腌制10～14天后的猪腹部或整侧猪肉,然后煮和熏,是肥瘦五花肉,通常带皮。切片培根肉取自厚块,去皮,切齐包装。培根肉脂肪含量高,就营养而言并不理想。按重量计算,美国产的生培根肉只含8.5%蛋白质。此外,培根肉还含添加物亚硝酸钠,可能是致癌物,70年代曾引起争论。人们喜欢欣赏培根肉的烟熏香味,常和鸡蛋一起食用,并作为各种不同菜肴的配料。

Bacon, Albion Fellows 培根(1865-04-08,美国印第安纳埃文斯维尔～1933-12-10,埃文斯维尔) 婚前名 Albion Fellows。美国改革家、作家。卫理公会牧师之女、女作家A.F.约翰斯顿之妹,主要因其积极推动改善公共住房标准而为世人所怀念。高中毕业后一直从事秘书工作,1888年与银行家、商人H.E.培根结婚。1897年与其姐合作出版诗集。一日偶见埃文斯维尔河边贫民窟,忽生恻隐之心,随即访贫问苦投身慈善事业。认为简陋住房实为其所见一切社会垢病之源,于是试图将住房条例纳入新的城市建筑法规,未果。1908年,决定争取在上一级政府解决此问题,遂起草全州法律。经过一年的努力,该法案于1909年为印第安纳州议会通过。但是,修正案将该法适用范围仅限于埃文斯维尔及印第安纳波利斯。于是1911年她参与成立印第安纳住房协会,1913成功年通过全州适用的新法律,并以《废墟之美》一书(1914)记录自己为改善公共住房所作的努力。1917年的授权征用不安全不卫生住所法律的通过,培根亦功不可没。晚年仍然活跃,担任印第安纳州儿童福利协会执行委员会主席,并参与州儿童福利委员会事务,为建立青少年缓刑制、通过童工法及就学法进行努力。

Bacon, Delia Salter 培根(1811-02-02,美国俄亥俄托尔马吉～1859-09-02,康涅狄格哈特福德) 美国女作家,认为人们普遍认可的W.莎士比亚作品的真正作者是F.培根等人,这一观点至今仍为一些人所称道。1826～1832年任教于多所学校,后又试图自建学校,但未获成功,遂转向写作,著有《清教徒故事》(1831)及戏剧《爱德华堡》(1839),还讲授文学和历史课。1850年前后因与年轻牧师有染蒙羞退隐。培根逐渐形成一种理论,认为世人公认的莎士比亚作品实出于以F.培根为首包括E.斯宾塞及W.雷利爵士等人之手。这一作家圈子主要出于政治原因而将其归于无名演员与剧院经理莎士比亚名下。培根对此坚信不疑,1853年赴英国,寻找证据。但并不着意于原始材料,而独出心裁,凭借从戏剧中发现的"隐含意义"形成其论点。在N.霍桑的资助下,出版《解读莎士比亚戏剧哲学》一书(1857)。该书刚一问世,培根即陷于精神崩溃。1858年回到美国。

Bacon, Francis 培根(1909-10-28,爱尔兰都柏林～1992-04-28,西班牙马德里) 英国画家,主要以运笔有力的人物形象表现孤独、野蛮和恐怖。培根为一赛马场驯马师的儿子,所受教育主要来自家庭私人教师。16岁时被父母赶出家门,据说因为搞同性恋成癖。

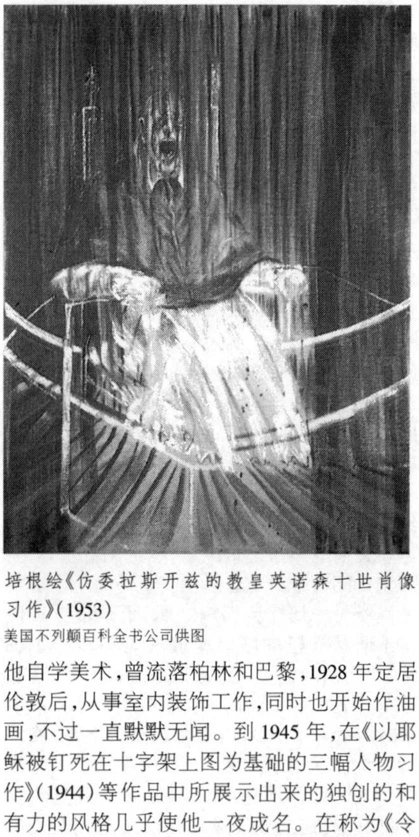

培根绘《仿委拉斯开兹的教皇英诺森十世肖像习作》(1953)

美国不列颠百科全书公司供图

他自学美术,曾流落柏林和巴黎,1928年定居伦敦后,从事室内装饰工作,同时也开始作油画,不过一直默默无闻。到1945年,在《以耶稣被钉死在十字架上图为基础的三幅人物习作》(1944)等作品中所展示出来的独创的和有力的风格几乎使他一夜成名。在称为《令人吃惊的教皇们》(1949～约1955)的系列作品中,他的风格已经完全成熟,D.委拉斯开兹的名画《教皇英诺森十世肖像》被他改成一幅极端恐怖令人胆战心惊的圣像图。他的早期绘画有许多是以其他艺术家所创作的形象为基础,改头换面以达到自己的表现目的。这类题材的例子有:从S.爱森斯坦的影片《波将金号》取材的滑稽的奶妈;19世纪摄影家E.迈布里奇所拍的活动人体照片。培根的大部分画描绘孤立的人物形象,往往采取几何结构,施以大块浓重颜色。人们称赞他运用油色的技巧,他利用油色的流动性和神秘性表达愤怒、恐怖和堕落的形象。他的后期肖像画和人物画用色较轻,人的面部和身体歪歪扭扭达到极端的程度。培根热心从事自己的艺术,这与他的题材以及他个人生活的异常丑恶形成奇妙的对比。由于他毁掉许多早期作品,只有少数可以见到,主要藏在欧美一些博物馆里。

Bacon, Francis, VISCOUNT SAINT ALBAN (or ALBANS), BARON OF VERULAM **培根**(1561-01-22,英格兰伦敦约克大厦～1626-04-09,伦敦) 弗朗西斯·培根是法学家,政治家、哲学家和英国语言大师,其所以深受后世景仰,可证于以下几个方面:自文学观点来看,他的数十篇散文文字犀利,多为警喻处世之作;宪法史学者则赞扬他的议会发言和一些庭讯中的著名辩词以及他任詹姆斯一世的大法官时所显示的才能;而在学术探索方面,他是一位把全部知识都作为研究领域的学者,并在经过权威性的考察以后,就迫切提出新的方法,以使人们建立起对于自然界的合理制衡,以改善人类现状。

经历

培根的早年时期 培根是掌玺大臣尼古拉斯·培根爵士再婚后所生两个儿子中的次子。尼古拉斯·培根出身寒微,但一跃而为英国掌玺大臣。弗朗西斯母系的表兄弟是罗伯特·塞西尔,即后来的索尔兹伯里伯爵和伊丽莎白一世晚期和詹姆斯一世初期的首相。1573～1575年,培根就读于剑桥大学三一学院,但在校期间因体质孱弱,常有疾患之苦。他之厌恶他所谓的"没有成果的"亚里士多德哲学,便开始于剑桥。1576～1579年,培根作为一名英国大使的随行人员住在法国。在他父亲突然去世后,他被急速召回。他父亲没有留给他多少钱财。培根终其一生手头并不宽裕。

早年法律界的生涯和政治抱负 1576年,培根被伦敦实施法学教育四大律师学院之一的格雷律师学院接纳,成为一名"元老"(高级理事)。1579年他在那里定居,并在1582年成为一名高级律师之后,通过担任讲师(在学院里讲课)、资深法官(学院高级法官)以及女王(1603后的国王)的法律顾问等职而终于升任副检察长和总检察长。但即使在法律界获得如许成就,也并没有满足他在政治和哲学方面的抱负。

1582年,培根撰写了《伟大时刻》一文,这篇文章没有留存下来。1584年就任多塞特郡迈尔科勒雷吉斯的议员。随后成为陶顿、利物浦、米德尔塞克斯郡、南安普敦、伊普斯威奇以及剑桥大学的代表出席议会。1589年,他写给女王的一封"谏议书"和《为英格兰教会论争进一言》一文,以其头脑冷静和充满调解的意向表明了他的政治兴趣并显示了无限的政治潜能。1593年,他在政治上遭受挫折:他采取反对政府强求弥补对西班牙战争费用的立场,从而触怒了伊丽莎白。在随后关键的几年里,尽管在法律界不乏晋升机会,培根却受到冷遇。

同埃塞克斯伯爵的关系 与此同时,1591年7月以前某一天,培根结识了年轻的埃塞克斯伯爵罗伯特·德弗罗。此人是女王的亲信,尽管因未经准许就和菲利普·锡德尼爵士的遗孀结婚而多少有点失宠。培根把伯爵看做是"最佳济国良材",并作为一位睿智而有远见的长者向他提出友善的建议。埃塞克斯伯爵竭力劝慰女王,当总检察长一职空缺时,他热心支持培根的申请,但没有成功。伯爵也曾推荐培根担任其他高级职务,但都失败了。

1598年,埃塞克斯伯爵对西班牙珠宝船只的一次远征的失败使他更加难于控制愤恨之情;虽然培根努力使他的精力转向发生了叛乱的爱尔兰,但这番努力证明未免超乎其预期的效果,埃塞克斯伯爵在形势恶化时竟然失去理智,抗命回国。培根当然尽力进行调解,却得罪了双方。1600年6月间,他发觉自己已成为女王的法律顾问,参加对他的恩主的非正式审判。埃塞克斯伯爵并不责怪他,在被赦免后不久又和他言归于好。但当埃塞克斯伯爵于1601年企图扣押女王迫使她把他的对手免职失败以后,对此一无所知的培根把这位伯爵视作叛逆,并就此事件起草了一份公报。不过,这份公报在公布以前被人大加删改。

在埃塞克斯伯爵被处死以后,培根于1604年发表了《对已故埃塞克斯伯爵某些指控的自我申辩》一文,为他自己的行为辩护。这是一篇一气呵成的文章,但对于后人来说并不完全令人信服,特别是因为文章内容并没有表现出个人沉痛之情。

培根在詹姆斯一世执政期间的经历 当伊丽莎白于1603年去世时,培根的写信才能便主要用在为自己找到一个职位,并为报效詹姆斯一世施展其才能这一方面。他表明他关心爱尔兰问题、英格兰与爱尔兰两王国联盟问题以及与教会的和解问题,以证明他对新国王所能贡献者甚多。

凭借他的表兄弟罗伯特·塞西尔的权势,培根于1603年成为新授勋的300名爵士之一。次年他被确定为法律顾问,并在新国王执政伊始第一届议会第一次会议上参加辩论。他还是商讨与苏格兰合并问题的高级专员之一。1605年秋,他发表了《学术的进展》一文奉献给英王,并在第二年夏天和一位伦敦市参议员的女儿艾丽斯·巴恩哈姆结婚。但是效忠王室仍未得到提升。直到1607年6月,他才获得副检察长的职位。他提出请求并力图说服下议院接受英王有关与苏格兰联合的建议,虽未成功,但获高位。即使这时候,他在政治上的影响仍然微不足道,然而他将这种状态归咎于塞西尔的专权与嫉妒,塞西尔这时是索尔兹伯里伯爵和王国的首相。1609年,他的《论古人的智慧》一书出版,此书成为在他有生之年继《散文集》之后最受欢迎的著作。在这部作品里,他阐述了他认为是包含在古代神话里的一些隐蔽的现实意义。1614年,他的具有先见之明的科学乌托邦作品《新大西岛》似乎已经脱稿,但直到1626年方才出版。

1612年索尔兹伯里伯爵去世以后,培根重又试图对国王施加影响,撰写了许多好文章纵论国是,尤侧重于国王与议会之间的关系。国王采纳了他的建议,免去科克民事法庭首席法官的职务,改任他为王座法院法官,并于1613年任命培根为总检察长。在随后几年里，培根所持的关于皇家特权的观点促使他这位总检察长和那位不成文法与独立审判的维护者科克之间的矛盾越来越深。埃德蒙·皮杰姆牧师因在一篇未发表的文章中为那些反抗压迫、发动叛乱的人们进行辩护而被指控犯有叛国罪。审理这一案件过程中，国王命令对各法官分别进行询问，审查科克的正是培根。培根因参与对皮杰姆严刑拷打而审问毫无结果受到指摘。培根还建议科克和其他几位法官，在他们未向国王呈报以前不要审理代领圣俸案件。1616年11月科克因拒不执行这一命令而被免职，培根则很快于1617年3月被任命为掌玺大臣。次年又被任命为大法官并加封为费鲁拉姆男爵，1620或1621年受封为圣奥尔本斯子爵。

这次晋升的主要原因是他在议会和法院工作勤奋，加之他又一再上书自荐。但是，据说他的提升还借助于国王宠臣乔治·维利尔斯的举荐，此人后来被封为白金汉公爵。培根到后来似乎真诚爱戴维利尔斯，他的许多信件流露出一种热切之情，而非一般阿谀奉承之词。

在培根的文件中，留下一册笔记本，题名《杂记》，其中颇多生活纪实，对研究培根的生平十分有用。这是一本用作备忘录的便条本，“就像一个商人的流水账，举凡一切可资记忆的物品、性状、事件、思考、感受、公务以及其他等等，或零星着录，或列为条款、纳入表格、范围无限”。这本书揭示了培根提醒自己去奉承一位恩主，去思考一名对手的弱点，去安排聪明的贵族成员在伦敦塔里进行有助于司法审讯业务的实验。这本书册表明他关心的事情非常多，有他的收入和债务，皇家事务，他自己的花园和住宅计划，哲理思考，他的健康及他的症状和药剂，还有告诫自己如何学会控制呼吸以免打断别人谈话。在1608年到1620年之间，他为他那部最著名的著作《新工具论》至少易稿12次之多，还撰写了几本小型的哲学著作。

在这几年里，他的主要工作一定是詹姆斯的内廷事务管理，常常间接或直接涉及王室财产。国王信赖他的大法官，但不总是听从他的意见。与他的同龄人比较，培根看得更远，并似乎已经意识到宪法问题必将导致内战；他害怕革新，并尽其所能维护王室特权，有时也许未免过分。不管他的政策是否正确，显然正像他后来所说的那样，他“效力王室，绝非诈骗之流”。

培根的失势 1621年以前，培根的地位似乎不可动摇。这是因为他的得宠不是由于他的魅力（尽管他诙谐而具有一种毫无表情的幽默感），而是由于他对他的君主绝对忠诚并有用；因为他对在公用开支上慷慨大方（曾单独出资举办宫廷假面舞会）；因为他豪富而受尊敬，家庭气氛祥和；同时也因为他是1620年出版的《新工具论》的作者和《伟大的更新》的设计人而博得国外学者的重视。《更新》系他的一项全面写作计划，其宗旨在于重新组建各个学科并恢复人类对自然的主宰，他认为这种主宰能力曾随亚当的堕落而失掉。不过培根也有敌人。1618年，当他试图干预他的宿敌科克的女儿和乔治·维利尔斯的弟弟的婚事时，他终于和维利尔斯发生冲突。1621年，在一次由他自己主持的申诉委员会上，有人对他提出两项受贿指控。这使他大为震惊，因为对于钱财的收支一向不关心的培根，没有注意任何由此招致攻击的弱点，也

美国不列颠百科全书公司供图

未意识到这两个人虽送礼贿赂法官而仍遭败诉所引起的愤恨。这个打击恰恰发生在他生病之时，他要求给予时间来对付指控，声称他之所以提出这个要求，是因为他真的有病而不是胆怯。与此同时，上议院也收集了另外十几份指控材料。培根承认收受过礼物，但否认曾因此影响到他的审判工作。他对有关案件作了记录，要求晋见国王，但遭拒绝。由于无法辨别各种指控或盘诘而为自己辩护，他决定悔过认罪，辞去官职，以为这样就可了结。但是处罚是严厉的，包括罚款4万英镑，按国王的意愿关入伦敦塔，不得担任公职，不得担任议员，不得涉足王室所在地的边缘以内（其范围是以王室为中心半径达12英里的一片地方）。培根向白金汉公爵致函对此加以评论：“我以自尼古拉斯·培根爵士时代迄今5度更迭中最公正的大法官的资格，承认判决公正，利于改过自新。”由于培根此语坦荡自若，机敏警辟，使他的案件在最后裁定上越出常规，处罚减轻。

培根被禁于伦敦塔的时间并不一定很长，但他发现，不准他到一位英国作家查尔斯·科顿的图书馆去，也不准向他的医生咨询的禁令更为可恨。他碰上一位不友好的财政大臣，迟迟不发他的养老金。他一度失欢于白金汉公爵，并通常不得不丢脸地采取兜圈子的方法来对付其他贵族和那位西班牙大使贡多马尔伯爵；只是在经历一次次苦恼和失望之后才得到赦免。尽管如此，他没有失去勇气，而且他的晚年工作对于整个人类来说，远比他身居高位时所做的任何事情都来得更有价值。培根仕途绝望之后，运用他的文学才能为国王提供了一套法规汇编，一部大不列颠史以及都铎王朝历代君主的传记。他草拟了若干份奏议，讨论有关高利贷问题和西班牙战争的前景；他对教育改革提出了自己的意见；他甚至似乎由于习惯成自然而又对国王或对白金汉公爵提出了建议书，同时还撰写了一些从未使用过的发言稿。他的这些计划有的已告完成，但他的能量并未耗尽。他写道：“如果由我作主，我愿意‘咀嚼’有关自然的理论而使之‘结果’。”在计划写的6本独立的自然历史中，他写成了两本《论风》，发表于1622年，第二年发表了《论生与死》。在1623年又出版一本增补的《学术的进展》的拉丁文译本，改题名为《论诸学科之价值及其发展》。他也和意大利的一些思想家通信，并向他们推荐自己的作品。1625年，他的《散文集》第3版增订本出版。

培根处逆境而不动心，智力不衰，而且坚韧不拔。体弱多病使他痛苦，但他最伤心的是失去恩宠。直到1622或1623年1月20日，他才被允许去吻国王的手；完全宽恕是绝不可能了。最后，在1626年3月的一天，他驱车来到伦敦北部的海格特区，忽然心血来潮，决定要看一看雪是否会延缓腐烂的过程。他停下马车，买了一只母鸡，在它肚里塞满了雪。一阵寒气突然袭来，使他得了气管炎。1626年4月9日，他在附近阿伦德尔伯爵的寓所里逝世。

思想与著作

学术背景 培根之成为一位卓越的思想家而能独辟蹊径，有几个原因。首先，他在17世纪初即已从事撰述就英格兰而论是属于某种哲学真空的事物。在培根之前，英国最伟大的一位哲学家是奥康姆，卒于1347年，那正是《学术的进展》一书发表前两个半世纪；而前此一位真正重要的哲学家是威克里夫，于1384年去世，略晚于威廉。

15世纪的学术界拘谨迂腐，了无生气。由一些有教养的业余爱好者如格洛斯特公爵普朗塔热奈和伍斯特伯爵蒂普脱夫特等人首次引入少量的意大利人文主义思想而产生一些影响。16世纪初，文艺复兴时期的基督教柏拉图主义，在伊拉斯谟的英国朋友即所谓牛津改革派——约翰·科利特、威廉·格罗辛和托马斯·莫尔——中间得以确定。但这一新的开端却被这个年代的基督教会的狂热所压制。理查德·胡克于16世纪90年代以伊丽莎白时代教会和解论的形式，发表他那温和的圣公会模式的托马斯主义唯理论，哲学才得以复苏。这就是培根开始写作前几年的情况。

16世纪晚期，英国存在3种思想体系：亚里士多德的经院哲学，学院式的和美学的人文主义，以及神秘论。在特伦特议会和反改革运动把权威赋予16世纪西班牙神学家和哲学家弗朗西斯科·苏亚雷斯的大量著作之后，亚里士多德正统学说曾在罗马天主教占优势的欧洲重新活跃起来。在英格兰，学术一般掌握在正统的亚里士多德学派的学者手中，不过当16世纪70年代中期培根尚在剑桥就读时期，有些对亚里士多德逻辑学的批评已经传到那里。但这种批评只讲求修辞效果而强调文字上的简洁质朴，不像培根的批判那样注重对自然界的实质性的，尤其是在实践中十分有用的认识。

彼特拉克、洛伦佐·瓦拉以及更为晚近的伊拉斯谟的基督教人文主义的传统是一种积极的力量。对照正统的苦行主义，这种人文

主义传统在某些方面倾向于颂扬这个世界和世界上的各种享乐，赞成艺术、语言和自然的美，而对宗教上的空想则持冷漠态度。但是自然美的吸引力如果说没有导致对自然知识的忽略和蔑视，至少是与之有关的。在教育方面，这种吸引力促使自然科学与人文学科截然分开，并且如此一直保持下去。在哲学方面，这种吸引力是怀疑主义的，而且是以1562年重新发现的塞克斯都·恩披里柯对亚里士多德之后希腊怀疑主义所作的广泛探索为其营养资源的，在这方面，明显的例子便是蒙田。

培根所处时代的第三种世界性重要思潮是属于神秘主义或奥秘论的，那就是寻求人类和宇宙之间种种神秘的类似之处，或是探索超越自然作用的魔力，如炼金术以及长生不老药和万灵丹的调制等等。虽然这种思潮的最著名的倡导者帕拉切尔苏斯是德国人，神秘论却深深根植于英国，确实迎合了英国人轻于置信的个人主义风格。英国主要的神秘论者罗伯特·弗卢德和培根大致为同代人。培根本人则经常被看做某一类的神秘主义者，而更有问题的是，被看做是玫瑰十字会的一分子，但他所信仰宣传的那种“自然魔法”却和奥秘论哲学家的全然不同。

在英国以外，还有一种文艺复兴思潮的第四种模式，培根的思想与之有些相近。正像一些人文主义者的思想一样，它受到柏拉图的启发，至少在一定程度上是如此，但还受他的另一部分思想的启发，即它的宇宙论。这就是库萨的尼古拉斯的富有想象力和体系化的自然哲学，而且这种自然哲学也为许多意大利学者所提倡，其中尤以特勒肖、弗朗西斯科·帕特里齐、康帕内拉和布鲁诺等为最著。库萨的尼古拉斯和布鲁诺完全是纯理论的，但是特勒肖肯定了感觉第一的概念，而康帕内拉在一定程度上也是这样。从某一方面说，他们认为对自然的认识是一个对根据感觉所发现的事物加以推测的问题（培根后来对此也正式地有系统地进行了研究）。在培根的作品里并没有提到这些思想家，不过，尽管他不像他们那样喜欢形而上学的冒险，但却和他们一样确信，人类的头脑是适合于对自然的认识的，而这种认识必须来自观察而不是来自抽象的推理。

培根的计划 培根提出一项雄心勃勃的计划，要撰写一部包罗万象的题为《伟大的更新》的著作，但这和他的许多写作计划一样一直没有完成。这个计划的第一部分《论诸学科之价值及其发展》于1623年问世。这是他的一部1605年出版的早期作品《学术的进展》的增订本和拉丁文译本，而《学术的进展》一书则是第一部以英文写成的真正重要的哲学著作。《论诸学科之价值及其发展》包含诸多学科的分类。这是一项自亚里士多德以来从未有过任何伟大成果的计划。在较小的规模上说，也是自斯多葛学派以来从未实现过的。培根计划的第二部分是1620年已经问世的《新工具论》，此书提出“有关阐释自然的确切指导”，换句话说，记述了获得自然知识的正确方法。培根自信这就是他自己最大的贡献，这也是和培根的名字联系最紧密的一组观念。《论诸学科之价值及其发展》列出了能构成知识体系的各个领域，开发这些领域的正确方法则记载在《新工具论》一书中。

培根计划的第三部分，是记录已观察到的自然事实之诸项问题的所谓自然历史。这是归纳法不可或缺的原材料。根据这一观念，培根写出了有关风、有关生与死、有关密与疏的各种“历史”。当他的生命接近结束时，他仍在写作《林中林：或自然历史》，实际上这是一部文集总汇，一部类乎兼收并蓄的杂著。

培根计划的第四部分是所谓“才智的阶梯”，包括一些精心设计的培根哲学方法的应用实例，其中最成功的一例是在《新工具论》中叙述的他运用归纳法所列出的诸“表”中如何说明热就是一种分子运动。计划的第五部分是所谓的诸“先导性知识”，或前培根时期以常识的方法得到的科学知识的片断。第六部分也是最后一部分计划是写一种新哲学，或科学本身。培根认为这是对后人的一种责任，即以他的方法武装后人，他们将把这些方法运用到他在《学术的进展》一书中所说的可能被发现的一切领域中去。培根并未完成这项巨大的计划，但他已经获得相应的成果，这点并不奇怪。

认识上的谬误 在《新工具论》第一卷中，培根探讨了人类在求知过程中导致错误的各种原因。亚里士多德曾讨论过在人们推理过程中常见的逻辑谬误，但培根的创新之处是注意了在推理的形式背后那些内在的心理原因。他创造了“心灵的偶像”这一比喻，用以指称这些导致人类错误的原因。

培根列举出4类“偶像”或导致错误的主要倾向。种族性偶像是举世皆然的人类理性错误，至少是很常见的。例如一种是过分简单化的倾向，亦即为求整齐就设想在所探究的领域内存在着比实际更多的秩序。另一种是易为特殊的但在实际上又没有代表性的突发事件所影响的一种习性。

环境性偶像是个人理解上的各自不同。在诸多事物中，有人着眼于相似的地方，有人则着眼于不同的地方。有人可能侧重细节，有人则专看整体。

市场性偶像产生于语言的歧异。英国哲学的显著特征是一直强调语言的不可靠性，语言往往被唯名论者看做是即兴之作。唯名论者认为，即使讲话的权力是上帝所赋予的，但为野兽命名并使这种权力得以具体实施的却是亚当。不过，语言正如人类其他成就一样，也带有人类的缺陷。培根特别注意到日常语言所显示的区别十分肤浅，而正是由于这种肤浅，有些根本不同的东西被列为一类（如鲸和各种鱼类都被说成是鱼）；有些根本上是相同的东西则被加以区别（如冰、水和蒸汽）。但正如后来的一些语言评论家一样，培根也注意到词语使人们卷入无聊论争（例如在讨论命运之神时）的能力。培根思想的这个方面几乎和他对自然知识的论述一样具有影响，激励了从启蒙运动到19世纪孔德的实证论和20世纪逻辑实证论这一漫长时期中的怀疑论者的理性主义传统。

第四类也是最后一类偶像是戏剧性偶像。这里指的是错误的哲学体系，这是按照这一术语的广义即培根哲学涵义而言，其中包括对任何程度的概括性所持的一切信念。在讨论戏剧性偶像时，培根批判性的论争是有活力的，但从哲学上看却不很深刻。例如他谈到人文主义者虚夸做作，但这些就他的批判而言却并不是一个十分中肯的主题。人文主义者确实是伪哲学家，他们着意于非哲理的事物并非毫无道理，因为哲学家显然无力获得或是为大家赞同或是有益的结论。关于人文主义者感到需要时所求助的怀疑论哲学，培根是言之成理、持之有故的。只要是怀疑论涉及对于演绎推理的种种怀疑，他并无异议。只要是怀疑论不应用于推理而应用于为推理提供起作用的确切前提所需的诸种辨识能力，他就会轻易地加以扬弃。

培根对经院正统观念的攻击是雄辩性的，达到了令人惊讶的程度。这可能是因为他认为，这种繁琐哲学由于其本身无法改变的好争论或爱强辩的特性已经足以引起人们怀疑了。在他看来，这大半是一种用词遣字上的技巧，目的在于通过描绘一些虚假的特征来无限拖延一场莫衷一是的论争。他多少意识到亚里士多德学派的主要弱点在于，这个学派企图从直觉上可以证明的一些前提推导出一些实质性的结论，他争辩说，有些看似很清楚的原理却是既不明确又不是无可争辩的。也许培根哲学和经院哲学之间最有益的争论在于，他相信自然知识是累积起来的，是一个不断发现的过程，而不是什么保存的过程。生活在地球上已发现新世界的时代，他是有可能把自己从下述这样一种观点中解放出来的，即人们需要知道的任何东西都已在《圣经》和亚里士多德那里获得启示了。

针对神秘主义者诡异的学说，培根指出，个别人的报告不足为凭，特别是因为人们往往感情上易于相信感兴趣的新奇事物。足以证实理论的有价值的观察必须是可以重复进行的。培根为研究自然进行辩护，指责那些把研究自然看做是邪恶或危险的人。他赞同采取一种协作的有条理的步骤，反对个人主义和凭直觉行事。

学科分类 《学术的进展》卷二和《论诸学科之价值及其发展》卷二至卷九包含了对人类全部知识所作的一种前所未有的完整而详细的分类的体系。培根从区分记忆、想象和推理这3种功能入手，并分别将历史、“诗歌”和哲学归于这3种功能。历史具有范围极广的意义，意即包括所有单一的个别事实的知识。“诗歌”是“虚构的历史”，是完全不可以认知的，因而确实是与知识毫不相干的。培根把诗歌草率地再分为叙事的、描写的（或戏剧的）和比喻的（或寓言的）形式之后，未作进一步的探讨。

历史被划分为自然史和文明史。文明史范畴也包括基督教会史和文学史（这对培根来说就是观念的历史）。历史为哲学提供了资料，换言之，即为与之有渊源的一般知识提供了资料。虽然培根主张普遍应用归纳法，他自己却几乎只把它用来处理自然知识而忽视它在文明的（或社会的）知识方面的应用。

有两点更为普遍的区别应该一提。第一点是神俗之间的区别。大部分神学知识必然来自启示，推理与之无关。确是有所谓神（的哲)学一说(即后来所说的理性神学或自然神学),但它的唯一任务和作用只在于证明有一个上帝。第二点,也是更为普遍的一点是理论学科和实践学科之间的区别,亦即科学本身和技术或技艺之间的区别。

培根承认他称之为第一哲学的某种学科。这种学科是世俗的,但不限于自然或社会。它涉及到为一切学科所共有的一些普遍原理。自然哲学可分为两个方面:一方面是作为理论的自然科学,另一方面是把自然科学的发现应用于"改善人类现状"的各种实践学科。前者在于"探究原因",后者在于"产生结果"。然而培根却把后者错误地说成是自然魔法。

培根认为还可以再进一步划分,把自然科学看做是由物理学和形而上学构成的。按照他的说法,物理学是一门探讨那些可观察的事物相互关系的学科;形而上学是比较倾向于理论方面的学科,它阐明可观察的诸法则的基础结构因素。两者各有其实践上的或工艺上的对应内容。对应于物理学的是机械,对应于形而上学的是自然魔法。人们必须向自然魔法去寻求如何通过科学进步以达到真正改变人类环境的目的。机械只是杠杆和滑轮。

培根把数学看做是自然科学的辅助学科。后来许多科学理论家也都同意培根的说法,认为数学是解释科学命题的内容或是推论命题的部分内容所需的一种逻辑手段。但培根并不清楚数学是如何用来为科学服务的,也未认识到伽利略在他有生之年发展起来的物理学在形式上完全是以数学来表现的。尽管培根的3项归纳表中的一项涉及程度上的相应变化(另两项涉及种类上的相似和差异),但他确实并不了解已在科学上确立的精确数值测量的作用。

培根并不重视"关于人类的哲学"。约有四种与人体有关的古怪学科只是被简单一提:内服药剂、化妆品、运动练习和"色情技术"。培根所说的心智的学科——逻辑学和伦理学——是注重实践的,包括一系列用以正确支配推理或行为的准则,而未提出与之相应的理论。培根对于道德原则采取轻率而保守的态度,满足于依赖道德家们长期以来的劝善规过,而对他们之间相互矛盾之点则漠然置之。

培根以同样不作深究的实用方法来阐述关于文明的哲学。文明的哲学不仅包括管理的技巧,也包括"谈话"或说服的技巧,以及"谈判"或深谋远虑的技巧。文明的哲学也包括箴言这个主题,而且在很大程度上也包括他自己的《散文集》这一主题。

大体上培根持有这样的观点:人类和社会同样适于进行归纳的研究,用20世纪的术语来说,人类和社会都与自然界一样,都适于进行科学的研究。可是他把人类和社会的研究说成是并不比一般常识更为细致的一些领域。当然,使人类和社会由宗教解脱出来是一项成就,而且这样做也并没有引起不必要的麻烦。但是在他的观念中,人类和社会的研究只是实践上的技艺,无需科学理论的支持加以证明。这样一来,提出人类和社会科学完整体系的任务,就留给霍布斯了,后者一度是培根的抄写员。但培根的实践胜过了他的计划。在他的历史和法律著作中,他超越简单的历史记述和惯例,而是作出了阐释和理论分析。

新方法 培根的科学理论的核心是在《新工具论》卷二中所说的归纳法推理。他认为,所有以前有关自然的信念体系之不足之处,在于对从中作出推论的一般命题处理不当。它们或者是凭一两件事情匆匆作出判断的结果,或者是根据它们的众所周知和普遍认可而不加鉴别地被认为是不证自明的。

为避免匆促作出论断,培根竭力主张采取一种"逐步提高"的方法,那就是说,对于事物不断增进的普遍程度所作的合理概括加以耐心积累的方法。这个方法会收到良好效果,能使人的头脑减轻日常构成的诸错误概念之负担,以避免重要的区别之处随意被抹掉,而重要的相似之点却未能得到记录。

培根认识到,关键在于,归纳法必须通过淘汰的方法,而不是像它在日常生活中和不完善的科学传统中那样通过简单的列举方式来运作。因而他强调"反证的巨大力量",例如当"凡A皆B"只是非常软弱地用"此A是B"所印证时,则通过"此A非B"就足以表明它肯定是虚假的。他设计了以之展示单个例证的表格或形式图表,以便及时发现谬误的判断。培根认为,这种经过淘汰筛选的东西,就可以被认为是真实的。

培根提供了现有项目表、短缺项目表和程度项目表。现有项目表包含所收集到的从中可以发现一项特定特征的事例。然后将它们相互比较,看一看有哪些其他特征经常出现。其中任何一项特征,哪怕只是在这样收集到的一个事例中未发现,就不能成为正在调查中的该特征的必要条件。其次是短缺项目表,它列举除正在调查中的特征外尽可能同现有项目表中类似的事例。从第二种事例中发现的任一特征,不可能是原有特征的充分条件。最后,在程度项目表中,把两种特征成比例的诸变化进行比较,看一看这个比例是否保持下来了。

在达到他为自己规定的目标时,培根自然显得有些犹豫,那个目标就是建立一种能够得出关于那些确证无疑的自然界实在物质的一般命题的方法。但他之犹豫不决还有其不太充足的第二种理由。他说,因为自然史所具的缺点也就是构成证据时所难免的缺点,把他的项目表应用于大批单个的证据只能得出"初步成果",暂时接近于真实。

然而,还有更多需要认真对待的难点。显而易见的一点是,培根认为,自然科学可以实际查验的任何特性,实际上都具有某种其他特性,而这另一性能又是原特性所赖以存在的必要和充分的条件(一种非常强烈的决定论看法),同时他还认为,每种情况下的具有制约作用的特性是容易被发现的。他对他所理解的形而上学(即20世纪所说的理论自然科学)所定的任务,亦即发现那些能解释所观察事物的各种隐"形"这个任务,就确定了,他的项目表不可能为该种任务提供帮助,因为它们只限用于可以观察得到的有待解释的诸附属物。一些评论家利用这一点指责培根未能承认假设在科学上不可或缺的作用。一般而言,培根对各种原因的性质采取一种幼稚而不加考虑的观点,忽略了它们可能的复杂性和多样性(为J.S.穆勒所指出),也忽略了从实际效果看它们在时间和空间上存在着某些差异的可能性。

另一个没有十分引起人们注意的弱点是培根对于静止状态的偏重。在他那个世纪已开始进入光辉的成熟阶段的科学,已着意于变化,特别正如20世纪的自然科学那样,已着意于运动。数学已开始富有成果地认真处理自然世界的这一方面,但培根并未看到数学的作用。

培根在他的乌托邦小说《新大西岛》一书中所提出的科学研究机构的概念,对于科学的贡献可能比他的归纳法的理论更为重要。在这本书里,科学是一种协作事业,是一种以客观的有条理的方式展开的事业,因意在给予人类以物质利益而生气勃勃,这种想法以一种文学的说服力表达了出来。

关于人类的哲学 如上所述,虽然培根关于"人类和文明的哲学"(即人文和社会科学)的纲领性陈述是把它作为一种实践技术或方法问题来看待的,但他自己对于历史和法学的研讨显然是属于理论性的。他的《亨利七世时代》是一部阐释性的历史著作,根据亨利七世谨慎、俭约和守口如瓶的性格来说明他的政策。同样,培根对法律的思考,表现在《论诸学科之价值及其发展》和《法律箴言》(《英格兰习惯法要义》第一部分)中,是真正的法理学,而不是那种根据当时大部分法官都满意的判例所作的一种评论。在政治方面,培根切望国家和宗教分开,正像他主张科学摆脱宗教一样。尽管人们惯于引用他对宗教事务表示深切敬意的一些声明,这两种想法可以表明他对宗教并不太感兴趣。他赞同都铎王朝,为之辩护,反对科克以法律手段阻挠议事,因为王朝是开明的、有行政效率的。他对詹姆斯一世迷恋神权的愚蠢感到不能容忍。培根在教育方面论述不多,但是他那引人注目的对烦琐哲学家着迷于言词——这种着迷于言词的做法,大体上为人文主义者所继承,并引伸到着迷于不同的词汇——的抨击,在夸美纽斯的教育理论中产生了成果,夸美纽斯承认自己的论点曾受到培根的影响,那就是儿童应该学习现实事物,也要学习书本知识。

评价和影响 通常认为培根的性格并不令人喜欢:他心肠冷淡,趋炎附势,收受贿赂,还厚颜无耻地说他并没有受到贿赂的影响。我们没有理由从根本原则上对这种评价予以质疑。在那个时代,人们处在他的位置上要想塑造一个好的形象是不容易的,而他并没有这样去做。

他坚决务实的风格反映在他所能为人们提供的那种特殊服务上,也就是,他表现出以一颗纯然世俗而又充满最高智慧力量的心灵在为人类的进步而工作着。没有一个如此擅长写作的人会对艺术不感兴趣。然而在他以前却无一人曾如此坚决地把艺术排除在认识领域之外。

培根深得皇家学会奠基人罗伯特·胡克和罗伯特·玻意耳的崇拜。达朗伯在《百科全书》中为科学分类时,对培根表示礼敬。如此着急于限制科学以便为宗教信仰留有余地的康德，令人惊异地曾把他的《纯理性批判》一书题献给培根。由于把人类的悲惨作为理由反对上帝，培根受到迈斯特尔的攻击，但却受到孔德的赞扬。

有人曾提出，培根的思想只是同19世纪的生物学一起得到正确承认。因为生物学和数学物理学不同，它确实是在其发展过程中受到培根学说的影响的。达尔文无疑就是这样想的。培根相信，一门新学科将有助于改善人类境况，但这也必须等待它的时机。在17世纪，来自科学的主要发明是仪器方面的，从而促使科学得以向前发展。今天，培根在哲学家们当中以“科学是归纳的”这一概念的代表著称，这一概念被广泛地认为是错误的。虽然对他的思想来说，还有比这一概念更多的东西，然而这个概念的确是他一个中心思想；不过，即使说这个概念是错误的，它还是被大胆而堂皇地提出来了。

Bacon, Henry **培根**（1866-11-28，美国伊利诺伊沃齐卡～1924-02-16，纽约市） 美国建筑师，以设计华盛顿市林肯纪念堂而著名。1884年曾就读于厄巴纳的伊利诺伊大学，不久离校作绘图员，后任职于当时最著名的纽约市麦金、米德和怀特建筑事务所。当时培根的作品具有晚期希腊复古式与巴黎美术学

培根于1911年设计的林肯纪念堂
美国不列颠百科全书公司供图

校古典风格及该事务所创新的形式。比较重要的作品有新泽西州帕特森城的丹福思图书馆(1908)、康涅狄格州诺格塔克的火车站、卫斯理大学的天文台以及纽约市的联合储蓄银行等。培根曾设计许多纪念性建筑及雕像的底座，他与雕刻家A.圣高登斯及D.C.弗伦奇合作，后者雕刻了巨大的林肯像，竖立在培根设计的最著名的林肯纪念堂（1922年5月30日举行落成典礼）内。

Bacon, John (theologian) **培根** 参阅 **Baconthorpe, John 培根索普**。

Bacon, John **培根**（1740-11-24，伦敦～1799-08-04，伦敦） 英国新古典主义雕刻家，曾使某些雕刻技巧臻于完善。1754年在伦敦兰贝斯一家瓷器厂当徒工，学徒期间曾改进人造石雕像的方法，后又使这一工艺达到完善地步。1763年左右开始尝试用大理石雕刻，并改进了照模型雕刻大理石的方法，为此发明了一种比较完善的仪器，这种仪器比较精确，能准确衡量各个方向的尺寸，装在小罗盘内，既可用于模型，又可用于大理石。1769年荣获皇家学院为雕刻颁发的第一枚金质奖章，获奖作品是描绘埃涅阿斯逃出特洛伊城的浅浮雕。1770年展出战神雕像，荣获美术协会的金质奖章，并当选为皇家学院的非正式院士。威斯敏斯特大教堂中的一些纪念碑也是他的优秀作品。

Bacon, Nathaniel **培根**（1647-01-02，英格兰萨福克～1676-10，弗吉尼亚殖民地） 美洲弗吉尼亚种植园主，培根反叛事件的首领。移居北美后，在弗吉尼亚詹姆斯河沿岸置地

美国不列颠百科全书公司供图

两处，不久在W.伯克利的总督府任职。他主张无限制地扩张领土，与伯克利的对印第安人政策发生分歧。1676年培根开始对印第安人进行征伐。伯克利害怕战争扩大，斥责培根的行为为反叛行动。培根转而率军反对伯克利，一度曾控制整个弗吉尼亚。他在权力达到顶峰时去世，反叛遂告失败。

Bacon, Sir Nicholas **培根**（1510，英格兰萨福克德林克斯通～1579-02-20，伦敦） 英格兰女王伊丽莎白一世政府的高级官员，著名哲学家弗朗西斯·培根之父。1533年获得律

美国不列颠百科全书公司供图

师资格。1546年任监护及让与事务法庭检察官。伊丽莎白即位后任掌玺大臣。1559年开始行使大法官的全部司法职权。他一方面与伊丽莎白的首席大臣威廉·塞西尔一道保持比较温和的新教主张，一方面推行以摧毁欧洲天主教势力为目标的政策，极力反对玛丽·斯图亚特重新登上苏格兰王位。

Bacon, Roger **培根**（约1220，英格兰萨默塞特伊尔切斯特或格洛斯特比斯利？～1292，牛津？） 英国方济各会修士、哲学家、科学家和教育改革家。在从事实验科学方面表现了巨大的热情。熟悉古典著作，早年即学习4个高级学科（几何、算术、音乐、天文），并自称经常“阅读”亚里士多德著作和参加有关这方面的听课。约1241年在巴黎获文学硕士学位。早年即在文学院讲学，讲述亚里士多德哲学，并没有表现出对科学的热忱。约在1247年，培根的智力发展方向开始有了较大变化。从那时起，他在实验研究上投入大部分时间、精力和资财。这一变化是由他回到牛津而引起的。1247～1257年，培根将全部精力投入新的学科的发展上，包括语言学、光学、炼金术，还进一步研究天文和数学。他怀疑推理演绎法，坚持实验经验的可靠性。有一完整的炼金术实验室；对光的性质的研究和虹的研究颇有独到之处。绘制了眼镜的制作，不久即付之使用；阐述了反射、折射、球面光差的原理和机械推进船只和车辆的原理。用针孔暗箱观察日蚀。他是西方最早提出制造火药的精确方法的人士。1257年培根的生活中又发生一次显著变化。由于健康不佳以及他参加小兄弟会，培根感到近乎与世隔绝。大学与写作生涯似已结束。求助于教皇克雷芒四世，按照教皇的指示，培根写出《大著作》、《小著作》和《第三部著作》。培根原拟使科学在大学课程中占其应有地位。但克雷芒于1268年去世，这一打算便告落空。后来他又计划另一部百科著作，但只有部分出版：《自然哲学总则》和《数学科学总则》（均约1268）、《哲学纲要》(1272)。在哲学上他是亚里士多德信徒。1277～1279年间培根被方济各会监禁，主要因他有“标新立异之嫌”，猛烈攻击神学家并轻信炼金术和占星术。

Baconian method **培根法** 以对事实的有条不紊的观察作为研究和解释自然现象的手段。这种本质上是经验性的方法，是17世纪早期由英国哲学家F.培根提出的，意在用它作为一种科学的替代物来取代当时盛行的各种思想体系。在培根看来，这些思想体系只是依赖空幻的猜想和仅靠引经据典来建立科学真理。按照《新方法》(1620)一书的解释，在首先排除一切偏见和预想之后，培根法是由三个主要步骤组成：第一，描述事实。第二，将事实列表或分类成为3个范畴：①具有所要调查的特点的事例，②不具备该特点的事例，③在不同程度上具有该特点的事例。第三，以这些表为依据，屏弃任何看起来与所调查的现象无关的东西，确定什么是与该现象有关的。从本质上认识一致法、共有法和相伴变化法的功绩应归之于培根。然而，他所强调的对事实包罗万象的分类编目后来被其他科学方法所取代；因为它既没有提供办法使调查研究得以终结，又没有提供办法以便通过创造性地使用假说对问题做出有洞察力的界定。

Baconthorpe, John **培根索普**（约1290，英格兰诺福克培根斯索普～1346?，伦敦） 又名约翰·培根、约翰内斯·德·安格利库斯。神学家和哲学家，先后就学于牛津和巴黎，在剑桥任教，也可能曾在牛津任教。1329～1333年任加尔默罗会英格兰分会会长，此后致力于研究。他抨击托马斯·阿奎那、司各脱以及亨利（根特的）等神学家，但未能定出建设性的作品以申明自己的主张。对亚里士多德和穆斯林哲学家阿威罗伊的著作十分熟悉，而且，尽管不赞成他们提出的基本原则，在评注这些作品时有所赞誉。阿威罗伊主张理性和哲

学高于信仰和以信仰为根据的知识,这种主张后来受到基督教正统思想家的攻击,但在意大利北方仍为许多人所坚持。培根索普对阿威罗伊作品的注释为文艺复兴时期阿威罗伊派所珍视。培根索普的思想在200年间对加尔默罗会发挥重大影响。

Bács-Kiskun 巴奇-基什孔 匈牙利中南部一州;为该国最大的州,从多瑙河向东直至蒂萨河,面积8 362平方千米。全州广泛种植小麦、玉米和蔬菜,首府凯奇凯梅特(**Kecskemét**)周围种植水果(桃、樱桃、葡萄和杏)。其他主要城镇有包姚、基什孔豪洛什、基什孔费莱吉哈佐(有一大矿山机械厂)。西北角的陶什是多瑙河上的渔业和水上运动中心;考洛乔以传统民间艺术和文化著称。人口约544 785(1990)。

bacteremia 菌血症 血液循环中出现细菌的现象。可能致病亦可能不致病。拔牙后或外科手术后 时的菌血症,对于身体其他部位正常并有良好免疫功能的人来说,无关紧要;然而菌血症严重时,细菌毒素释放入血循环(败血症),病情将十分紧急,会导致细菌性休克,最终造成循环衰竭。对于那些在体内装置假体(可形成感染灶)或身体衰弱、对细菌侵入异常敏感的人,即使一时的菌血症也将是一个十分严重的问题。菌血症通常来源于原发感染灶,也可在高风险手术后发生。手术过程中从身体某部位如尿道或消化道释放细菌进入血液,从而造成身体远位感染。菌血症可在高风险手术过程中出现。抗生素的预防性治疗可以阻止大量细菌进入血液循环。尽管有预防措施,然而20世纪60年代后期以来先进的医疗技术和耐抗生素菌株的不断涌现,已经使严重菌血症发生率大大增高。

bacteriology 细菌学 微生物学的分支学科,以细菌为研究对象。细菌学于显微镜出现后创立,随显微镜的发展而发展。最早见到微生物的人可能是荷兰博物学家A.范列文虎克,1683年他描述了用放大约100～150倍的显微镜在水、唾液及其他物质中看到的当时所称的"微动物"。这些"微动物"可能相当于今天确定为细菌的极大型种类。1762年人们首次认为每种疾病均由具体的微生物引起;微生物能在寄主体外繁殖,能由空气从一个地方携带到另一处。19世纪中叶,细菌仅为少数专家所认识,而且仅知几种形态,主要因其形小又能活动被视为显微镜下罕见的小玩意。现代对细菌形态的认识可追溯到F.科恩杰出的分类体系,其主要结果在1853～1872年陆续发表。在科恩和其他人在细菌形态学方面做出贡献之时,另一些研究者,如L.巴斯德,在扬弃自然发生说和在医学治疗中改进防腐法的过程中证明细菌与发酵过程和疾病有关系。1870～1885年,采用了染色方法,发现了在含固体化明胶和琼脂营养培养基的平皿内将混合物中的微生物分离的方法,从而开始了现代的细菌学技术。1880和1881年,巴斯德成功地使动物免受两种细菌所致疾病的侵害,这些都是重要的发现。受他的研究的启示,人们开始研究用疫苗和抗血清来预防和治疗疾病(此医学分支学科今称免疫学)。还有一些科学家认识到细菌在农业和乳品业方面的重要性。随着人类历史的发展,人们从许多完全不同的方面研究了细菌,结果细菌学出现许多分支学科,包括农业细菌学(土壤细菌学)、临床诊断细菌学、工业细菌学、海洋细菌学、公共卫生细菌学、卫生细菌学和系统细菌学(研究细菌的分类)。

bacteriophage 噬菌体 又作phage或bacterial virus。又称细菌病毒。一类侵染细菌的病毒。广泛用于遗传化学的研究。常根据其分离的先后或某些生长特性而采用实验室编号命名法,其名称由数字及罗马或希腊字母等组成,如T1、T3、T7、λ、MS2、φX174、fd等。

bacterium 细菌 复数为bacteria。显微镜下才可见的原核生物,即缺乏核膜及细胞器的生物。细菌为单细胞生物,可为圆形(球菌)、杆状(杆菌)或弯曲形(弧菌、螺菌和螺旋体)。各种细菌生存于几乎一切环境,包括土壤、水、有机物质,以及真核生物(多细胞动物)体内。有些细菌已知对人类和高等动物有益,但其他许多种则有害;细菌是人类传染病的主要原因。细菌平均长约1微米,直径约0.5微米。所有细菌都包有一层脂质膜,负责调节物质流的进出。在膜之外还有一层刚性的细胞壁,将细菌完全包住。革兰氏阳性细菌用革兰氏染剂染色时着蓝色,这是因为它们的壁较厚,且其网眼结构可将染剂拢住。革兰氏阴性细菌的细胞壁比较薄,用乙醇溶液很易将染剂洗走。有几种细菌在细胞壁之外还有一层被膜,是由多糖组成。被膜有多种功能,包括保护细菌免被吞噬或干燥。许多细菌借鞭毛游动,鞭毛是一种毛样结构,借其鞭打样动作推动菌体向前。

大多数细菌的脱氧核糖核酸(DNA)组成一个单一的环状染色体,并且是分布在整个细胞质中,而不是封闭在核膜内。细胞质中还有一些较小的环状辅助DNA链,称为质粒。此外还有一些其他结构在胞质中,包括核糖体。增长是指细菌的种群增长而不是个体微生物的增长。细菌常借二分裂方式繁殖,这是一种无性过程,只是母细胞增大直至最后分为两个相同的子细胞。也有细菌借芽生、孢子链以及基本单位的分节等方式繁殖。细菌不进行有性生殖,但细菌可借几种方式将DNA单向传给另一细菌。所有细菌都需要碳、氮、硫、磷、无机盐和微量营养素。使用有机化合物作为碳源的细菌称为异养菌,而使用无机化合物的称自养菌。此外,有些细菌利用光合作用来获取能量并将其存储于三磷酸腺苷(ATP)中;这些细菌称光合菌。有些细菌为寄生性,只能在某一活寄主细胞内生存;这包括立克次氏体(*Rickettsia*)和衣原体(*Chlamydia*)两个属,两者都寄生于真核生物细胞内。需要氧气的细菌如芽孢杆菌属(*Bacillus*),称需氧菌;厌氧菌如梭菌属(*Clostridium*),则在有氧气时不能存活。存在于水中的多种细菌可以造成人类疾病,净水工厂的设立就是要杀死这些微生物。工业废物中的细菌也可成为病原体。反过来说,有些细菌也可作为水的清洁剂,污水处理工厂正是利用这类细菌来分解污水中的有机物质。有多种细菌可以污染食物,造成人类的食物中毒。例如人们就常规使用巴氏消毒法来消灭奶中的细菌。其他灭菌方法还有:高温、辐射、氧化乙烯,以及其他杀菌防腐药物。细菌致病能力称为毒力。细菌所有的被膜类型就是决定毒力大小的一个因素。有些细菌对身体内的不同部分有特异的亲合力:脑膜炎球菌感染脑膜,而结核菌则感染肺。有些菌则感染更广泛一些:葡萄球菌可感染皮肤形成疖子;感染血流造成败血症;感染骨头造成骨髓炎。虽说人类对细菌的兴趣常常集中在细菌的有害作用上,但大多数细菌对人类无害,而其中有许多反而有益。例如腐生菌所起的作用在生态方面是不可缺的,因为它们将死体和有机废物分解;如果没有这些负责分解的因子,则活生物所必需的各种元素(包括氮、碳和磷)在生物圈中的循环就会停止。细菌还和动物之间组成许多有益的联合关系。例如反刍胃中的常驻菌可分解纤维素,这就使牛、羊和其他反刍动物能以消化牧草。人体内也有有益细菌,如存于下部肠道中能合成维生素K的细菌。细菌还用于各种工业过程中,特别是食品工业;酪乳、酸奶、干酪、酸菜和泡菜都依赖细菌的作用。细菌的科学分类在转变中,特别是在较高的分类阶层。细菌组成唯一的原核生物的界,即原核生物界。在这个界中至少可分出两大类,即真细菌和古细菌。对细菌核糖体的核糖核酸(RNA)进行DNA杂交研究可用来鉴定这不同的类。

Bactria 大夏 古代国名。在兴都库什山与阿姆河之间,即今阿富汗、乌兹别克斯坦、塔吉克斯坦一部分。大夏所在的地区在公元前600～公元600年间特别重要,是东、西方商贸、宗教、艺术思潮的交汇点。首都巴克特拉(可能是今天的巴尔赫)。该地区可能在公元前6世纪由居鲁士二世征服。此后200年间,始终为阿契美尼德王朝的一个行省。当亚历山大大帝击败大流士三世的时候,大夏总督贝苏斯企图在东方进行抵抗,但没有成功。亚历山大死后,大夏归塞琉古·尼卡托管辖。公元前3世纪下半叶,狄奥多托斯在这里建立独立王国。王国鼎盛时期领有今阿富汗的绝大部分、中亚的一部分和巴基斯坦的大片土地。公元前128年后不久为月氏所灭。大夏的艺术、建筑、钱币和文字等深受希腊文化的影响。公元1世纪大夏的新统治者把势力范围扩展到印度西北部。此后大夏成为佛教的一个中心。565年西突厥人统治这一地区。7世纪中叶大夏被穆斯林征服。

Bactrites 杆石属 头足动物的绝灭属。是与现代的鱿鱼、章鱼、鹦鹉螺相关的动物。化石见于奥陶纪到二叠纪(5.05亿年前至2.45亿年前)的海相地层中。壳由线状串联的壳室组成,动物体相继居住每个壳室。以触手捕动物为食。以后地质时代出现的更加进化的头足动物,如著名的菊石和箭石,可能由它发展而来。

Baculites 旋杆菊石属 头足纲的绝灭属。是与现代的鱿鱼、章鱼和鹦鹉螺相关的动物。化石见于上白垩统(白垩纪始于距今1.44亿

采自美国南达科他州的旋杆菊石(*Baculites*)
美国不列颠百科全书公司供图

年前,共延续7 700万年)海相岩层。因延续时间短暂,故是上白垩统的极好标准化石。壳的特征:开始为紧卷段,以后伸直,具有复杂的菊石式缝合线。

baculum 阴茎骨 又作os penis或os priapi。某些哺乳动物阴茎内的骨。一种不与身体其他骨骼相连的异向性骨骼。见于所有食虫动物(如鼩鼱、猬)、蝙蝠、啮齿类、食肉类动物和除人类以外的灵长类动物。其分布之广泛表明它在哺乳类进化的早期即已出现。

Bad Dürkheim 巴特迪克海姆 又称迪克海姆。德国中西部莱茵兰-普法尔茨州城市。在哈尔特山东坡,伊塞纳赫谷口,曼海姆西21千米处。市西南有林堡隐修院遗迹。古城堡遗址上有市政厅和娱乐场。城堡教堂保存至今。作为疗养胜地,该市有含砷和盐的温泉。有一个制盐厂和兴旺的葡萄酒交易。人口约17 982(1995)。

Bad Gandersheim 巴特甘德斯海姆 又称甘德斯海姆。德国西北部下萨克森州城市。在莱讷河谷地。以当地11世纪建隐修院教堂和隐修院闻名。后成为神圣罗马帝国属地,当地女隐修院长在帝国议会有选举权。1803年并入不伦瑞克公爵领地后这种选举权才被取消。10世纪诗人、剧作家、历史学家赫罗斯维塔为该地妇女会成员。甘德斯海姆的埃伯哈特韵诗体编年史可能是以低地德语写的最早历史著作。城东北盐浴场及其诊疗所吸引了游人和患者。生产玻璃、电子器件和小型发动机。人口约11 377(1999)。

Bad Godesberg 巴特戈德斯贝格 德国西部北莱茵-威斯特法伦州波恩市南区,在莱茵河西岸,与风景如画的天然公园七峰山隔河相望。在1210年所建城堡四周发展起来。19世纪末成为现代矿泉疗养地。1935年设市。1969年连同其他7个郊区并入波恩。历史建筑有城堡遗迹、拉里多特宫(一座洛可可式大厦,原为矿泉水饮用处,现为联邦政府外交招待会举行地)等。沿着莱茵河有一条9千米长的散步大道。当波恩是西德首府时,在巴特戈德斯贝格驻有许多政府机构、外交使团以及科学和专业学会的总部。是一个经常举行各种会议的胜地。

Bad Harzburg 巴特哈尔茨堡 德国下萨克森州城市。位于上哈茨山北坡,不伦瑞克南40千米处。在亨利四世于1066年所建城堡四周发展起来。城堡遗迹保存至今。现为冬季运动和矿泉疗养胜地,生产医药、纺织品、玩具、皮革制品和木制品等。人口约23 784(1995)。

Bad Homburg 巴特洪堡 德国中西部黑森州城市。位于陶努斯山麓,美因河畔法兰克福的北面。12世纪始见记载。数易人手,1521年传至黑森家族,旋即成为黑森-洪堡伯爵领地的独立城市。1834年重新发现早为罗马人所知的伊丽莎白矿泉等泉水后,于1841年建起娱乐场,后兴起新城,成为国际著名的矿泉疗养地。主要建筑有地伯(贵族)宫(带12世纪塔楼)和现代娱乐场等。附近有19世纪发掘和修复的罗马时代边防要塞。1918年后发展成为住宅镇。有一些高科技公司,生产计算机软件和硬件。1972年与邻近两个城镇合并,扩展了的城市成为上陶努斯县的县府所在地。人口约52 171(2003)。

Bad Ischl 巴特伊施尔 又称伊施尔。奥地利中部上奥地利州城镇。在萨尔茨堡东南约42千米,特劳恩河和伊施勒阿赫河汇合处。1262年首见记载。1940年设市。有含盐、碘、硫的矿泉,1822年起为温泉疗养地。从1854～1914年为奥皇弗兰西斯·约瑟夫一世的夏宫。作曲家P.莱哈尔、J.勃拉姆斯、A.布鲁克纳和R.施特劳斯当年常在此居住。皇家别墅已向公众开放,莱哈尔故居辟为博物馆。现为萨尔茨卡默古特疗养区中心。生产滑雪板、服装和金属器具。人口13 887(1991)。

Bad Kreuznach 巴特克罗伊茨纳赫 又称克罗伊茨纳赫。德国中西部莱茵兰-普法尔茨州城市。濒临莱茵河支流纳厄河,在美因茨西南约32千米处。曾先后为罗马要塞和加洛林王宫(819)所在地。1290年获准设市,1565年成为帕拉蒂纳特的一部分,经历三十年战争的苦难,1689年受到法国破坏,1815年割让与普鲁士。有含盐温泉,为著名矿泉疗养地。名胜古迹有斯邦海姆城堡遗迹和13世纪圣尼古拉教堂等。古雅的15世纪房屋,其中有一座被认为是浮士德博士的故居亦保留至今。为葡萄酒贸易中心,生产光学仪器、机械和皮革制品等。人口约42 487(1995)。

Bad Mergentheim 巴特梅根特海姆 德国中南部巴登-符腾堡州城市。濒临陶伯河,在纽伦堡西约100千米处。古时为居民点。1219年为条顿骑士团所有,1525～1809年为条顿骑士团大团长的住地。1340年获准设市。保存有巴罗克式骑士城堡、两座14世纪教堂和许多中世纪房屋。发展为矿泉疗养地。人口约22 306(2003)。

Bad Reichenhall 巴特赖兴哈尔 德国南部拜恩州城市。在阿尔平萨拉赫河谷,奥地利萨尔茨堡西南14千米处。为著名温泉疗养和冬季运动胜地。群山环抱,其中普雷迪希施图尔峰海拔1 650米(通缆车)。罗马时代和中世纪为重要产盐中心。查理曼时代(公元800年)尤为繁荣。1834年大火后几乎全部重建。人口约16 742(2003)。

Baḍaga 巴达加人 印度南部泰米尔纳德邦尼尔吉里丘陵地带的民族。人口增长速度很快,1871年不足2万人,到20世纪末即达14万人。语言是达罗毗荼方言,与其北邻卡纳塔克邦尼尔吉里斯县以北使用的建纳陀语非常相似。巴达加一名意为"北方人",显然说明巴达加人是由北方迁来尼尔吉里斯的。迁徙大概是经济或政治压力所致。巴达加人的迁徙时间约在12世纪林加印度教派出现之后至1602年之前这一阶段。巴达加人分为6个根据宗教仪式划分的族内婚群体。上层两个群体是印度教徒及素食者;最低一层为其他5个群体提供仆人。巴达加人多从事农作,兼营其他行业。除谷物外,还种植马铃薯和蔬菜。多数人现已改变了传统的宗教信仰及社会习俗。

Badagara 伯德格拉 印度西南部喀拉拉邦北部港市,傍阿拉伯海。位于科泽科德西北40千米处。为渔港与胡椒、椰子、木材及其他产品的贸易中心。有沿海公路和一条铁路线。人口72 434(1991)。

Badagry 巴达格里 尼日利亚拉各斯州城镇和潟湖港。位于波多诺伏河北岸。公路枢纽。18世纪20年代末由波波人创建。尔后的一个世纪中成为向美洲贩卖奴隶的输出港。19世纪20年代英国人在此建商埠后,为北部埃巴兰德棕榈油输出港及欧洲纺织品输入港。1842年是全国最早有欧洲传教士的地点。在1851年受到拉各斯军队进攻以前,一直是主要的港口和传教中心。由于这次进攻及丰人的威胁和土地贫瘠,该城镇的商人、传教士和农民大批外流。19世纪80年代附近始有椰子种植业。现出口椰子、椰干和椰壳纤维、鱼、蔬菜和木薯。60年代中期兴办生产农产品包装用麻袋的工厂。亦成为当地农产品贸易中心。居民主要为波波人和贡人(即埃贡人,为约鲁巴人的一个分支)。1976年通拉各斯—巴达格里高速公路后,迅速发展成拉各斯的市郊住宅区。有汽车装配厂、学院、中学和医院。为地方政府参议会所在地。人口约10 648(1972)。

Badain Jaran Desert 巴丹吉林沙漠 中国第三大沙漠。在内蒙古自治区西部,雅布赖山以西,北山以北,弱水以东,面积44 300万平方千米。地处阿拉善荒漠中心,气候干旱,年降水量为50～60毫米,流动沙丘占全部沙漠面积的83%。中部有密集的高大沙山,一般高200～300米,最高的达500米,占沙漠总面积的61%。高大沙山的周围为沙丘链,一般高20～50米。沙丘和沙山上长有稀疏植物,主要有沙拐枣、沙竹、霸王等。高大沙山间有144个内陆小湖,主要分布在沙漠的东南部。由于蒸发强烈,湖泊积聚大量盐分,湖水大多不能饮用或灌溉。东南部

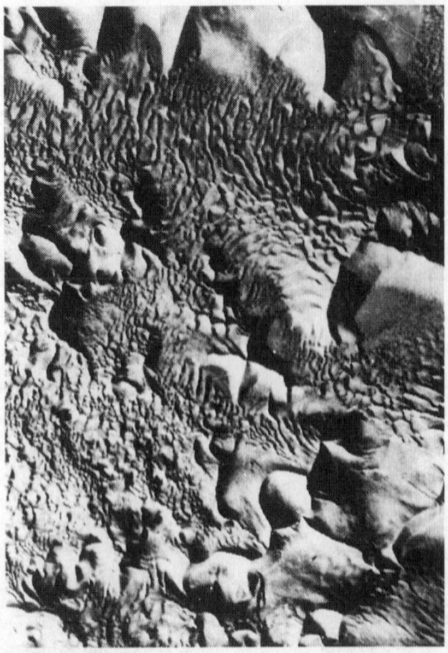

巴丹吉林沙漠鸟瞰
中国大百科全书出版社供图

雅布赖盐湖盛产食盐。中部和东北部为无水区。沙漠内无固定道路。

Badajoz 巴达霍斯 西班牙最大省份，属埃斯特雷马杜拉自治区。与葡萄牙接壤。面积21 657平方千米，占全国面积4.3%。气候夏季漫长，炎热干燥。绝大部分地区地势平坦，南和西南近莫雷纳山地区较高，北与托莱多山麓地区相连。有瓜迪亚纳河和其主要支流流经。中部平原是本省所在埃斯特雷马杜拉地区最大谷物、葡萄酒和食油产地。其他地区的羊毛和畜牧业亦重要。工业以农产品加工为主，集中在巴达霍斯(Badajoz，省会)、梅里达、阿尔门德拉莱霍和塞雷纳新镇。本省广袤森林仅有少量开发。1952年西班牙政府实行巴达霍斯计划，提高了该地区农业生产和生活水平，加速了工业化发展。利用瓜迪亚纳与苏哈尔河水进行灌溉，促进建立新的以农业为基础的工业，主要生产面粉、棉花、橄榄油和加工蔬菜。电气化和交通也有所增长与改进。人口约664 625(1999)。

Badajoz 巴达霍斯 西班牙西南部埃斯特雷马杜拉自治区巴达霍斯省省会。位于瓜迪亚纳河南岸邻近葡萄牙边境，在一处不高的丘陵上，有摩尔人堡垒遗迹。初为罗马城镇。摩尔人占领期间臻于繁荣。1229年被莱昂的

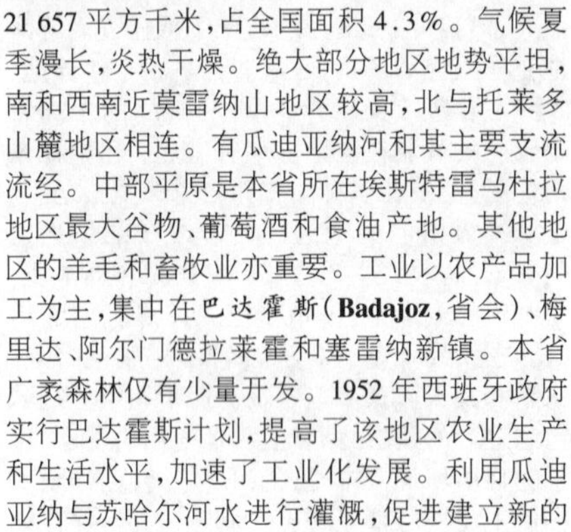

巴达霍斯市的古城门
美国不列颠百科全书公司供图

阿方索九世收复。1811～1812年半岛战争和1936～1939年西班牙内战中地位重要。被护城河和外围工事环绕的筑有棱堡的城墙及建在周围高地上的堡垒，使该城显得坚不可摧。现与葡萄牙之间有大量过境贸易。有食品加工、造酒、编织和织毯业。人口133 519(2001)。

Badakhshān 巴达赫尚 阿富汗东北部历史地区，大致包括兴都库什山脉北部山嘴，主要属高格杰河流域。高海拔处有高山冰川和冰川湖。巴达赫尚这一名称首次出现于7～8世纪的中国文献，在此以前，该地先后受赫甫塔人、突厥人与阿拉伯人的统治。从13世纪起，经过几次外族占领以后，一个自称为亚历山大大帝后裔的当地王朝统治该地，直到15世纪帖木儿夺取该地为止。嗣后乌兹别克人于1584年征服巴达赫尚，直到1822年该地被昆都士的莫拉德贝格所侵占。巴达赫尚于1859年向喀布尔纳贡，1881年终止自治。英、俄一项协定(1895)规定以喷赤河作为阿富汗巴达赫尚与俄国巴达赫尚在帕米尔的界河。俄国革命(1917)后，成为戈尔诺-巴达赫尚自治州，为苏联塔吉克加盟共和国(1991年后为塔吉克斯坦)一部分。在1979年苏联军事干涉下，从阿富汗游击队手中夺取了阿富汗的费扎巴德和埃什卡尚镇。经济以农业为主，亦有一些矿藏。

Badaling 八达岭 中国军都山山峰之一。位于北京市西北延庆县南部，南口西北的居庸关附近。层峦起伏，群峰叠嶂，雄伟壮丽的八达岭万里长城屹立在丛山峻岭上。中国长城最早修筑于公元前7世纪的春秋时代，后历代都有增建。目前八达岭地带的长城建于明代，是长城保存最完整的一段，现为举世闻名的游览胜地，也是中国重点文物保护单位。墙体由巨大整齐的条石筑成外壁，平均高7.8米，宽5.8～6.5米。城上有砖砌女墙和垛口，每隔半里至一里，设有敌楼、烽火台。

Badalona 巴达洛纳 西班牙东北部加泰罗尼亚自治区巴塞罗那省城镇，为巴塞罗那市东北工业郊区。濒临地中海沿岸贝索斯河口。有化工、纺织、汽车、制革、酿酒和香水等工业及一些农产品加工业。当地名胜有15世纪的修道院，博物馆内保存有罗马时代遗物。人口约206 585(1991)。

Bādāmi 巴达米 印度西南部卡纳塔克邦北部市镇。古称伐泰比。是遮娄其诸王的第一座都城。有6～7世纪婆罗门教与耆那教的洞穴庙宇。人口约19 919(1991)。

Badarian culture 拜达里文化 埃及前王朝时期的一个文化阶段，首先在它的典型遗址拜达里发现。拜达里在上埃及艾斯尤特省，位于尼罗河东岸。20世纪20年代经英国人发掘，出土物中有一些约公元前4000年的村落和墓地。拜达里人虽然继承塔西人(参阅 Tasian culture)的农牧传统，但在工艺和技术方面大有进步(有些学者认为塔西人是拜达里人的祖先)。该文化的陶器一般黑顶，壁

约公元前4000年的拜达里文化工具与器皿
美国不列颠百科全书公司供图

极薄，烧得透，常饰以波纹。其他遗物有象牙梳子和羹匙、调色石板、女性小雕像以及铜质和石质的珠子。

Badashanren 八大山人 参阅 Zhu Da 朱耷。

Badā' ūnī, 'Abd al-Qādir 拜达欧尼(1540，印度多达～约1615，印度) 印度的波斯籍历史学家，是关于莫卧儿历史的最重要作家。1574年在莫卧儿帝国宫廷中管理宗教事务。著作很多，最受重视者为经莫卧儿皇帝阿克巴授权撰写的《先知书》和《千年记》。另一重要著作《历史摘要》因对阿克巴有訾议，在17世纪初以前一直被列为禁书。

Baddeck 巴德克 加拿大新斯科舍省东北部未建制之地，维多利亚郡行政中心。位于布雷顿角岛中央，在悉尼西面43千米，18世纪后期始有人定居。现多垂钓泛舟胜地，有农业和伐木业。英国飞机首次试飞地(1909)。在横贯加拿大公路线上。为卡伯特山道起点。该山道长296千米，沿途风景秀丽，穿过马加里谷，部分环绕布雷顿角高地国家公园(950平方千米)，在艾奥纳连接加拿大国家铁路终点站。北13千米的圣安斯设有美洲唯一的盖尔学院(专门研究盖尔艺术)。人口1 064(1991)。

Baden 巴登 原为德国西南角莱茵河东岸的一个邦，现为德国巴登-符腾堡州的西部。原巴登邦包括莱茵河流域东半部以及毗连的山，特别是黑林山，填充了莱茵河在沙夫豪森与斯特拉斯堡之间的大夹角。它最初的居民是凯尔特人，其后为日尔曼人，公元1世纪罗马人征服了这一地区，然而到3世纪，罗马人把它给了阿勒曼尼人。到8世纪法兰克人完全征服这一地区。巴登侯爵的封号始于1112年。1218年，策林根家族诸侯爵得到部分布赖斯高伯爵领地，继而又获莱茵河以西的其他领地。1535年，全部领土分属巴登-巴登及巴登-杜拉赫两侯爵领地。巴登-巴登侯爵威廉一世1677～1707年在位，在反对土耳其和法国的战争中是出色的指挥官，他建立了拉施塔特宫。巴登-杜拉赫侯爵查理·威廉三世1709～1738年在位，定都于卡尔斯鲁厄。查理·威廉之孙查理·腓特烈1738～1811年为巴登-杜拉赫侯爵。巴登-巴登一支于1771年绝嗣，由他继承，巴登从此统一。1796年巴

登成为法国的附庸。1803 ～ 1806 年法国将其领土向北扩展到美因河，向南延伸至康斯坦茨湖（博登湖）。该侯爵领地因此扩大了4 ～5 倍。1803 年，巴登为神圣罗马帝国选侯的领地，1806 年帝国解体，巴登成为大公国，并加入拿破仑的莱茵联盟。在 1814 ～ 1815年维也纳会议上，巴登成为新建立的德意志邦联的主权成员国。1836 年参加普鲁士关税同盟。1818 年大公发布宪法，巴登因此成为最早建立代议制议会的德意志诸邦之一。腓特烈一世大公（1852 ～ 1907）与普鲁士结盟，帮助创建了德意志帝国。根据 1919 年宪法，巴登由大公国成为德意志帝国的一个州。第二次世界大战后建立巴登-符腾堡州。

Baden　巴登　奥地利施韦夏特河畔的矿泉疗养地。在下奥地利州，维也纳南面，维也纳森林东缘。史前就有人定居，曾为罗马人的汲水地。869 年记载中为法兰克皇宫所在地。1529 年和 1683 年两度被土耳其人摧毁。以当地含有硫和氯的温泉闻名。奥皇弗兰西斯·约瑟夫一世每年夏天到此。作曲家贝多芬、莫扎特、舒伯特、J.施特劳斯等当年都在此居住和创作过。1945 ～ 1955 年曾是苏联占领区总部所在地。保存有 15 世纪哥特式教堂和 1815 年建市政厅。有纺织工业。人口 23 488（1991）。

Baden　巴登　瑞士北部阿尔高州城市，临利马特河，在苏黎世西北。早在 1 世纪被罗马历史学家塔西佗提到的此地的热硫磺矿泉，每年吸引着大批旅游者。该城始建于

巴登市利马特河上的廊桥
美国不列颠百科全书公司供图

1291 年，1415 年被瑞士联邦征服。巴登曾经是前巴登州的首府（1798 ～ 1803）。城市西部主要是坍圮的施泰因城堡（前哈布斯堡要塞）。在温泉浴场的西北是一个现代工业区，有电机厂和其他工厂。居民主要讲德语，信奉天主教。人口约 14 015（1984）。

Baden, Treaty of（Sept.7,1714）　**《巴登条约》**　参阅 **Rastatt and Baden, treaties of**《拉施塔特和巴登条约》。

Baden-Baden　巴登-巴登　德国西南部巴登-符腾堡州城市。濒临奥斯河。为世界最大的矿泉疗养地之一。有卡拉卡拉在位时期（211 ～ 217）建的罗马式浴池（部分遗迹尚在）。19 世纪为欧洲贵族和上流社会的疗养胜地。名胜有娱乐场、现代化浴池、7 世纪施蒂夫茨教堂和 15 世纪学校（原为伯爵城堡住地，现为历史博物馆）。当地温泉水中含盐或

巴登-巴登市的矿泉水饮用处
美国不列颠百科全书公司供图

放射性物质，设施常年开放。人口约 53 938（2003）。

Baden-Powell（of Gilwell），Robert Stephenson Smyth Baden-Powell, 1st Baron　巴登-鲍威尔男爵（第一）（1857-02-22，伦敦～1941-01-08，肯尼亚涅里）　英国陆军军官，由于

美国不列颠百科全书公司供图

在 1899 ～ 1902 年南非战争中防守马弗京达 217 天之久而成为一名民族英雄，后来则以男、女童子军创建人而著称。1884 ～ 1885 年因在博茨瓦纳和苏丹的战争中使用观察气球而著名。南非战争后他募集并训练南非警察部队。1903 年返英被任命为骑兵总监，翌年他筹建骑兵学校，校址设在威尔特郡内瑟埃文。1907 年升陆军中将。当听到他所写的一本军事教科书《侦察手册》（1899）正被采用作为培训青少年有关森林知识的教材时，他便在这年选择多塞特郡普尔港湾附近的布朗西岛开办了一座训练营，并为拟议中的童子军运动亲自撰写了一份提纲，童子军于是在英国遍地兴起，并在 1908 年出版了巴登-鲍威尔的《童子军教程》一书，作为培训之用。1910 年退役，致力于男童子军事业，同年与其妹艾格尼丝（1858 ～ 1945）创建女童子军（Girl Guides，美国自 1912 年起改称 Girl Scouts），其妻奥拉夫（1889 ～ 1977）亦出力甚多。1916 年巴登-鲍威尔在英国创办少儿队（Wolf Cubs，美国名为 Cub Scouts），以适应年龄在 11 岁以下的少年儿童。他在第一届国际男童子军大会（1920 年举行于伦敦）上，被拥戴为世界童子军领袖。自 1922 年起巴登-鲍威尔封号为准男爵，1929 年被封为男爵。由于健康原因，他在肯尼亚度过晚年。其自传《一生的教训》于 1933 年问世；后有 E.E.雷诺兹所著《巴登-鲍威尔传》，1942 年初版，1957 年再版，均行于世。

Baden-Württemberg　巴登-符腾堡　德国西南部一州。1952 年成立。西与法国为界，南邻瑞士，东为拜恩州（巴伐利亚州），西北和北与莱茵兰-普法尔茨州（莱茵兰-帕拉蒂纳特州）和黑森州接壤，面积 35 751 平方千米。至 20 世纪末，其面积与人口均居德国各州的第三位。根据第二次世界大战占领条例以及 1951 年 12 月公民表决于 1952 年生效，该州由原有的符腾堡-巴登（在美国占领区）、南符腾堡-霍恩措伦和南巴登（均在法国占领区）3 个州合并组成。首府斯图加特。

土地　巴登-符腾堡交界线长达 1 651 千米，境内有德国最为多样化的地形，有多森林的高原、肥沃的高地、绿油油的草原、湖泊、沼泽等。州的地理界线南有博登湖和莱茵河上游，西有宽广的莱茵河谷，北有美因河，东有伊勒河。此外，多瑙河的发源地多瑙埃兴根，横贯本州东部，是州内旅游胜地。全区可划为下列 8 个自然、人文地理区域：①莱茵河上游河谷地区，罗马征服西欧之前，是大陆主要的贸易中枢之一。有广阔的硬木森林，南部现有许多菜园，凯撒施图尔山附近葡萄园所生产的葡萄酒是德国所生产的酒中最佳者。②黑林山地区，西达莱茵河畔，南达遍布湖泊、水库的赫青山林。本区典型的景致是黑林山房屋，屋顶突出屋外很多，车道直接通到谷仓外屋顶下的干草棚。居民主要从事养牛、伐木和旅游业。③山前沿地区，是阿尔卑斯山边缘的深槽地带，有著名的博登湖和无数夹杂着湖泊和沼泽的起伏不平丘陵。沼泽地充作医疗浴场用，因此有许多温泉疗养地。农民主要收入来自养牛和奶产品，阿尔高牧场出产的乳酪在国际上享有盛名。④施瓦本山地区，范围在黑林山和弗兰克侏罗山之间，是本州最贫穷的地区。在合成纤维引进之前，居民的收入主要依赖麻布纺织和养羊业。⑤肥沃的内卡地区，是全国人口最稠密的地区。在大量葡萄园，还有马铃薯、甜菜、各种水果和蔬菜以及某些谷物。保留有中世纪城堡遗迹。⑥霍恩洛厄地区，是全州的谷仓，位于旧自由城施瓦本-霍尔四周，一直延伸至陶伯河上游罗滕堡处的巴伐利亚边界。保存很好的许多古代城堡说明本区过去几个世纪的富裕情况。⑦奥登林山地区，常被称作巴登的西伯利亚，这个山区在北部将巴登-符腾堡和黑森州连结起来。该地区几个世纪来经济都不发达，直至 1950 年才有小型工业为当地小农创造一些额外收入的可能。⑧克赖希高地区，土地肥沃，生产小麦、玉米、烟草和水果。施韦辛格芦笋远近闻名。保存有许多古城堡。

全州气候差别很大。莱茵河上游河谷地区最为温暖，年平均温度 9 ～ 10 °C，高山地区最为严峻，年平均 4.5 ～ 7 °C。此地及部分黑林山地区，每年平均有两个月的雾季。通常春季在 4 月 20 日以前就来到莱茵河谷地区，但直到 5 月 25 日才光临较高地区，后者降水量却是全州最高者。年降雨量在莱茵河上游河谷地区为 650 毫米，在滑雪胜地费尔德山达 2 000 毫米，高山地区平均略超过 1 000 毫米，而在内卡河谷和陶伯河谷年降水量常低于 600 毫米，并且多为夏雨。

本州一大特点是城市居民点多，其密度是德国北部两三倍之多。至 20 世纪末，人口超过 10 000 人的城市居民点约有 190 个。路

德维希堡、拉施塔特和厄林根等城镇仍保留他们自己典型的传统的居住方式。卫戍城镇如乌尔姆和明辛根较为工业化。蒂宾根、布赖斯高地区弗赖堡为大学中心，可追溯至中世纪，近年在康斯坦茨和乌尔姆又建有新大学。

人民　德国北部对巴登-符腾堡人民持轻视态度。本州东南部为士瓦本人，西部和西南部为阿勒曼尼人（与法国阿尔萨斯人和瑞士的阿勒曼尼人有血统关系）。在西北部地区，巴拉丁人的影响很大，此外还有法兰克尼亚人。大多数居民信仰天主教和路得派新教。第二次世界大战后，因有1/4人口是由东部苏联占领区来的逃亡者和难民，使本州人口剧增。拥入该州原因可能是他们祖先与本地区有血缘联系，或看到该地区会有大的发展。

经济　本州经济命脉操纵在中等阶级商人和小农手中。无重工业，但有高度专业化的机械和纺织行业。本州缺乏有价值的矿产，迫使人民转向制造业来养家糊口。产品有钟表和珠宝，还有相当数量的皮革制品、乐器、医疗器械、食品和农产品、雪茄、五金等。工业中心集中在埃斯林根、斯图加特和海尔布隆之间的内卡河谷，这个地区产量占全州产量的一半以上。其他工业区在莱茵河畔、本州第二大城市曼海姆附近及卡尔斯鲁厄和乌尔姆附近。莱茵河上游边界地区经济正日趋重要，因其位置靠近法国和瑞士边界，又是欧洲经济共同体的中心，成为德国、法国和瑞士各公司建立分支机构的理想地点。

20世纪末，在巴登-符腾堡工作的员工多半受雇于生产行业，农业、林业方面则显得有些收缩，余下的在贸易、商业和其他经济领域。由于多数农户可耕地面积不足5公顷，所以其经济完全视他们是否有能力购买或租用额外土地。数千农民不得不从事其他行业，如畜牧业、酿酒业等，还有的从事半工半农或季节工。20世纪末叶，许多农民还将自己的房屋或附近产业提供给旅游业。著名的温泉疗养地，如巴登-巴登、维尔德巴特和巴登韦勒还额外提供旅游设施，而许多较小的温泉疗养地也获得州当局的财政援助得到扩充和改进。

由于缺乏天然资源，巴登-符腾堡只好依赖贸易与商业，因此特别注意运输系统。早在1955年政府就拟定了规划。准备至20世纪末，交通得到双倍的改进并采纳更为先进的技术。计划要求有3条高速公路从北至南贯通全州，另外再有4条横贯东西。至80年代中期大多数都已建成，铁路也有相应的发展。1971年内卡河被改造成运河，莱茵河船运可通到莱茵费尔登。在斯图加特附近有一个大国际机场，还有其他许多小机场。

政府和社会状况　20世纪80年代中期，州议会有126名议员，按4个行政区的人口比例分配：北符腾堡（首府斯图加特）、南符腾堡-霍恩措伦（首府蒂宾根）、南巴登（首府弗赖堡）、北巴登（首府卡尔斯鲁厄）。基督教民主联盟一直是本州的执政党，或单独执政，或与社会民主党或自由民主党联合执政。州下分两个司法区。在路德维希堡的国家社会党罪行清算中心因工作卓著赢得了国际声誉。它还从事审讯前纳粹分子的工作。德国最高法院设在卡尔斯鲁厄，联邦宪法法院处理宪法上的问题，联邦最高法院为联邦共和国刑事和民事上诉法院。第二次世界大战结束后，巴登-符腾堡大部分地区被美军占领，美国军事司令部继续设在海德堡，符腾堡北部和巴登北部各城镇继续有许多美国驻军。有限的法军司令部则设在巴登-巴登，德军的巴登-符登堡总司令部设在乌尔姆。

巴登-符腾堡的大学比德国任何一个州都多。除历史悠久的海德堡大学、弗赖堡大学和蒂宾根大学外，在斯图加特和卡尔斯鲁厄又增设几所科技大学，在斯图加特-霍恩海姆增设一所农业大学，曼海姆增设经济大学。另有乌尔姆大学（医科和自然科学各学科）和改组后的康斯坦茨大学。还有许多高等教育机构。重视幼儿保育工作，约2/3的3～6岁儿童进入幼儿园。

20世纪50年代以来，州政府特别关心公民的社会福利。20世纪末医疗服务有极大改进，建立了许多专业医院，并对已有的许多医院进行扩充和现代化。由于经济结构各异，州各处的生活费用、工资和房租均大有差别，农村地区的生活费用和工资均低于城市。一般说来，巴登-符腾堡的个人收入水平要高于联邦的其他州。

文化生活　该州有众多的建筑古迹。有哥特式和巴罗克式教堂连同古城堡供人游览观光。在卡尔斯鲁厄和斯图加特的州戏院在国际上均享有盛名，尤以其芭蕾舞剧最具特色。斯图加特室内管弦乐队的名声蒸蒸日上。州的著名杰出人物有诗人和作家席勒、荷尔德林和海塞，伟大的哲学家有黑格尔和海德格尔。画家和雕刻师迪克斯对德国的表现主义运动也作出了重要的贡献。有两个无线电广播电台连同大众乐队。《斯图加特日报》在国内享有盛誉。1970年以来成人教育大有发展。人口约9 432 709（1989）。

Badeni, Kasimir Felix, Graf von　巴德尼伯爵（1846-10-14，加利西亚苏罗乔夫～1909-07-09，克拉斯内附近）　波兰出生而在奥地利工作的政治家，在奥匈帝国的奥地利担任首相时期，推行安抚斯拉夫民族主义的政策，但在

美国不列颠百科全书公司供图

德意志民族主义的反对下遭受失败。他是加利西亚最富有的地主之一。1888年任加利西亚（奥属波兰）总督。1895年在陆军的支持下成为奥地利首相兼内政大臣。1897年11月28日在有增无减的骚乱中辞职。

Badenoch and Strathspey　巴德诺赫-斯特拉斯佩　苏格兰北部海兰行政区的一个区。1975年行政区改组时设置，由原因弗内斯和马里两郡的部分组成，面积2 598平方千米，包括斯佩河河谷斯特拉斯佩和高1 200余米的凯恩戈姆山脉的一部分。荒野上有鹿和松鸡。居民主要从事自给农业、林业和饲养牛羊。阿维莫尔是冬季运动中心。区首府金尤西。人口约10 442（1985）。

Badgastein　巴德加斯泰因　又称加斯泰因、加施泰因。奥地利中西部萨尔茨堡州城镇。濒加斯泰因河。从13世纪起便一直有人光顾当地温泉。19世纪已闻名世界。现为奥地利最重要矿泉疗养地之一和著名的国际冬季运动中心。当地有落差分别为207英尺（63米）和280英尺的大瀑布。该城为加斯泰因会议（1865）召开地。在此次会议中奥地利获得对荷尔斯泰因的控制，普鲁士则获得对石勒苏益格的控制。人口约5 662（1991）。

badger　獾　鼬科中身躯短胖的食肉动物。有6个属，8个种，体型大小、栖息地和毛色各异，但共同特点是具肛门臭腺，颌强有力，前脚上具大而有力的爪。獾常被猎杀以取其

美洲獾（*Taxidea taxus*）
美国不列颠百科全书公司供图

毛皮。獾善于挖洞，挖洞目的是觅食、营筑地下住穴和逃通道。夜间活动，以小动物（特别是啮齿类）为食，有些种吃植物。由于受精卵植入子房壁较迟缓，妊娠期持续约183～240天，每窝1～7仔。蜜獾（**ratel**）是獾的亲缘动物。美洲獾（*Taxidea taxus*）是唯一的新大陆种，常栖息在北美洲西部开阔的干燥地区。其肌肉发达，颈短，体胖，头宽扁，腿和尾短。通常独居，主要以啮齿动物为食。体强有力，挖掘迅速，胜过人用锹挖；被逼入绝路时搏斗凶猛。冬季长期在地下休眠。毛浅灰色，脸和足为灰黑色，从鼻到背贯穿一白色条纹。肩高23厘米，体长42～76厘米，尾长10～16厘米，体重约4～12千克。欧亚獾（*Meles meles*）又称真獾、典型獾，是森林地区的旧大陆种，群居，杂食，格斗顽强，成群住在大的地洞中。毛浅灰色，面部常有粗大的黑白相间的条纹。肩高30厘米，体长56～81厘米，尾长12～20厘米，体重10～22千克。雪貂獾（鼬獾属[*melogale*]，包括*Helictis*属）亦称树獾，共3种：中国雪貂獾（或普通雪貂獾）、缅甸雪貂獾（或大牙雪貂獾）及爪哇雪貂獾。仅分布于东南亚的草原及森林。毛色浅棕至浅黑灰色，面、喉部、有时背部有白色斑点。体

长平均 33～43 厘米，尾长 12～23 厘米。猪獾（*Arctonyx collaris*）又称猪鼻獾、沙獾，分布于东南亚的低地及山地。毛色灰至黑，头部有黑白相间的条纹，喉、耳及尾白色，爪亦色浅。体长 55～70 厘米，尾长 12～20 厘米，体重 7～14 千克。爪哇臭獾（*Mydaus javanensis*）又称臭鼬獾或马来獾，栖于东南亚的岛屿，通常见于山区。毛色棕至黑，头部有白纹，有时背部亦有条纹。体长 38～51 厘米，尾长 5～8 厘米，体重 1～4 千克。巴拉望臭獾（*Suillotaxus marchei*）又称卡拉棉臭獾，分布于菲律宾巴拉望岛及附近的岛屿。气味浓烈而难闻。人们对其知之甚少。

Badīn 伯丁 巴基斯坦东南部信德省南部城镇。建于 1750 年。位于印度河东部的沼泽三角洲，当地主要种植水稻，有糖厂和碾米厂，是海得拉巴—伯丁铁路终点站。人口 23 567（1981）。

Badings, Henk 巴丁斯（1907-01-17，荷属东印度群岛爪哇万隆［今在印度尼西亚］～1987-06-26，荷兰马尔海泽） 荷兰作曲家。因其以电声音响为特色的音乐，以及采用磁带录音机的作曲手法而最为著名。父母均为荷兰人，幼失怙恃，1915 年离爪哇前往荷兰，因监护人的坚持而攻读地质学，但他转而学习音乐，并着手作曲，开始时未有任何正式训练。后从 W.皮伊佩尔学作曲（1930～1931）。在几乎写遍所有传统体裁后，他于 20 世纪 50 年代开始以其电子音乐和所倡导的磁带录音音乐在国际上引起注意。后期风格在这一时期所作的广播歌剧中有所反映，其中尤以《俄瑞斯忒斯》（1954）最为引人瞩目。许多作品将电声音响和传统乐器结合使用。1941～1945 年任海牙皇家音乐学院院长。

Badjok（people） **巴乔克人** 参阅 **Chokwe 乔奎人**。

badland 劣地 被许多曲折迂回的深冲沟所切割侵蚀的地区，冲沟间有锯齿状分水岭。冲沟从河道溯源延伸到高约 150 米或更高的台地。沟底的坡度从干流附近起（几乎是水平的）不断增加，而到台地边缘接近垂直。由于岩石性质不均匀，侵蚀的差异形成了阶梯状剖面。冲沟的汇合和分离造成了许多孤零零的、不规则的小尖峰和平顶的桌状山，并造成了一种崎岖不平、沟壑累累、仿佛无法进入的丘陵地形。劣地发育在基岩胶结差，并常有特大暴雨的干旱和半干旱地区。地表干燥的粒状物质和稀少的植被在暴雨时都从坡上冲走，留下光秃的冲沟。劣地一词最先用于南达科他州西南部的一部分地区，法国-加拿大猎人将它称作"无法通过的劣地"；后来便用于其他具有相似侵蚀地形的地区。南达科他劣地面积将近 5 200 平方千米，东西向沿着杰克逊-沃沙博县至彭宁顿-香农县一线延伸达 160 千米。劣地国家文物保护区包括杰克逊县和彭宁顿县的大多数崎岖不平地区。南达科他劣地是 5 000 万年前至 2 500 万年前从隆升的落基山脉向东流的河流冲积的巨厚卵石、砂粒和黏土覆盖层的很小的残留部分。那个时期大多数时间气候比现在潮湿，这样河流就能把大量物质从山区带到平原上。

Badlands National Park 巴德兰兹国家公园 又称劣地国家公园。美国南达科他州西南部一片崎岖的不渗水黏土层侵蚀地区。地表被冲刷成孤山、溪谷和锯齿状分水岭。面积 982 平方千米。1939 年辟为国家文物保护区，大部分位于拉皮德城东南 65 千米的夏延河和怀特河之间。内多化石层，出土有三趾马、骆驼、剑齿虎和犀牛等的残骸。劣地几无植被，但有大片草地，出没的几乎全为美洲野牛、大角羊、郊狼，草原犬鼠和杰克兔。

Badminton 巴德明顿 英格兰南格洛斯特郡单一政区一村庄。属格洛斯特历史郡。1974 年以前属格罗斯特郡。有一大公园以在此进行赛马预赛而闻名。保存有 17 世纪所建公爵邸宅。羽毛球运动之英文名（badminton）即由此而来。人口 283（1981）。

badminton 羽毛球 在室内场地或户外草地上使用轻型球拍和羽毛球进行的运动。羽毛球是一个半球形软木，上面插着 16 根羽毛，重约 5 克。在现在的比赛中，可以使用多种类型的羽毛球，国际羽毛球协会允许使用采用合成材料制作的羽毛球。据说这项运动于 1873 年起源于英国波福公爵的庄园巴德明顿，因而得名。这项运动可以追溯至古希腊、中国和印度。与古老的儿童板羽毛球游戏有密切的关系。直接起源于 19 世纪 60 年代驻印度的英国军官们在户外玩的称做浦那的游戏。第一次非正式的全英锦标赛于 1899 年举行。国际羽毛球联合会成立于 1934 年，它管辖全世界的羽毛球运动，总部设在英国格洛斯特郡的切尔滕纳姆。一些国家举行地方性、全国性和区域性的羽毛球比赛，全英锦标赛是其中最著名的比赛。其他国际闻名的比赛包括汤姆斯杯男子团体赛（1939 年赠杯）和尤伯杯女子团体赛（1956 年赠杯）。羽毛球运动在中国、马来西亚、印度尼西亚、日本和丹麦尤为流行。羽毛球运动通常在室内进行，因为微风即可影响羽毛球的飞行路线。场地长 44 英尺（13.4 米），单打的场地宽 17 英尺（5.2 米），双打的场地宽 20 英尺（6.1 米）。网高 5 英尺（1.5 米），横贯场地中央。国际比赛要求场地高度至少 26 英尺。许多全国性组织要求场地高 30 英尺。场地周围需要有 4 英尺（1.3 米）空地。比赛时完全是在空中截击来回飞行于网上的羽毛球，不让它落在界内的场地上。羽毛球比赛采用三局两胜制。女子单打一局为 11 分，双打和男子单打一局为 15 分。比赛也可以只是采用一局 21 分制。参阅 **Sporting Record**：Badminton。

1987 年 M.弗罗斯特第三次获得全英羽毛球锦标赛冠军

美国不列颠百科全书公司供图

Badoglio, Pietro 巴多格里奥（1871-09-28，意大利格拉扎诺蒙费拉托～1956-11-01，格拉扎诺巴多格里奥［即前格拉扎诺蒙费拉托］） 意大利墨索里尼专政时期（1922～1943）的

美国不列颠百科全书公司供图

将军和政治家，1943 年 9 月通过和盟军达成停战，使意大利顺利地退出了第二次世界大战。1890 年作为炮兵少尉加入意军，其后参加埃塞俄比亚战役和意土战争。第一次世界大战期间，他策划并指挥了 1916 年 8 月 6 日攻克蒙特萨博蒂诺的战役。虽然他的部队在 1917 年 10 月 24 日的卡波雷托战役中败北，他在战争结束时已升任将军，并代表

意大利参加停战谈判。1919～1921年任总参谋长。巴多格里奥最初对墨索里尼持不冷不热的态度,在墨索里尼举行政变、发动向罗马进军后的一年中始终不参与政治。以后,他担任驻巴西大使。墨索里尼于1925年5月4日任命他再次担任总参谋长,并于1926年5月26日晋升为陆军元帅。1928～1934年他以萨博蒂诺侯爵的头衔统治利比亚,1935年指挥在埃塞俄比亚的作战,攻陷首都亚的斯亚贝巴,并于1936年一度任埃塞俄比亚总督,后来获得亚的斯亚贝巴公爵的头衔。1940年,巴多格里奥和墨索里尼在意大利准备参加第二次世界大战的问题上产生意见分歧。1940年12月4日,正当意大利在希腊遭到惨败之际,他辞去了总参谋长职务,不愿意再为墨索里尼的行动负责。他反对墨索里尼究竟是出于道义理由还是出于军事考虑,这一点还不完全清楚。1943年7月25日墨索里尼倒台后,他领导了接管政权的政府,并于9月3日与盟军达成停战。他于1944年6月辞职,以便在解放了的罗马成立一个新内阁,此后便一直隐居于故乡格拉扎诺巴多格里奥。

Badr, Battle of　拜德尔之战(624)　伊斯兰教先知穆罕默德的第一次军事胜利。这次胜利挫伤了麦加的声望,加强了穆斯林在麦地那的政治地位,使伊斯兰教在阿拉伯半岛成为一支能独立发展的力量。原来,622年穆斯林自麦加迁到麦地那,经常袭击麦加商队以获得经济来源。伍麦叶部族首领阿布·苏夫延率领特别富有的商队到来,穆罕默德得悉后,组织300人的袭击队,并亲自率领。624年3月,穆斯林用沙填塞麦地那附近商队必经之路上的水井,使阿布·苏夫延的军队取道麦地那附近的拜德尔,穆斯林军趁机发动进攻。麦加军约有1 000人,穆斯林以少胜多,麦加许多名流死于此战。拜德尔的胜利载入《古兰经》,被视为天赐新教的鼓励。那些参加作战的穆斯林成为贵人,成为先知的迁士。

Badr Khānī Jāladat　拜德尔·哈尼·贾莱代特(1893,叙利亚马克塔拉～1951,大马士革)　库尔德民族主义领袖,主编,20世纪库尔德独立运动主要发言人之一,毕生致力于在中东建立独立的库尔德国家。曾在伊斯坦布尔求学。第一次世界大战期间积极支持英国。但在奥斯曼帝国瓦解后,英国并不支持成立统一的库尔德国家,使他深感失望。1919年定居叙利亚。1927年任库尔德民族同盟主席。3年后参加库尔德人在土耳其的起义,失败。1932年任《召唤》评论杂志主编,后又编辑《光明》画报,对库尔德民族主义运动的内部团结和库尔德人大众文学的发展壮大有所贡献。

Badrīnāth　伯德里纳特　印度北方邦北部无人定居的村庄与圣地。位于喜马拉雅山区的恒河源头,海拔约1万英尺(3 050米)。西面27千米的伯德里纳特峰海拔23 420英尺。伯德里纳特村一座庙宇中有伯德里纳塔神(毗湿奴)的神龛,为著名朝圣中心,已有2 000

伯德里纳特寺庙正门

美国不列颠百科全书公司供图

多年历史。

Badulla　巴杜勒　斯里兰卡(锡兰)东南部城镇,位于康提市东南、巴杜卢河畔。四周环山,有两个富裕的大庙和一个农产品市场,附近有石灰石开采场。该城有铁路与科伦坡相通。人口约36 000(1982)。

BAE Systems　BAE系统公司　又译英国航空航天系统公司。英国主要的飞机、导弹、航空电子设备等航空及国防产品的制造商。1999年成立,由英国航空航天公司和马可尼电子系统公司合并而成。马可尼电子系统公

从1938年至第二次世界大战结束期间使用的超级舰载战斗机

美国不列颠百科全书公司供图

司的前身是通用电气公司的子公司,而英国航空航天公司是由英国航空器公司和霍克-西德利航空公司及其他两个公司在1977年合并而成。总部设在伦敦。BAE系统公司通过在欧洲联营企业空中客车工业公司入股20%的方式参与了喷气客机的制造。它和几家欧美航空公司以合资方式研制战斗机,与波音公司联合制造能垂直或短距离起落的鹞式喷气战斗机。它的鹰式喷气教练机一直供应英国皇家空军并广为出口。该公司的其他业务包括为英国皇家海军研制军舰和潜水艇,以及生产多种类型的武器系统和军需品。2000年该公司及其合资公司共有约10万名雇员,是英国最大的出口商。通过其前身英国航空航天公司,BAE系统公司拥有大约20个保留下来的英国航空航天企业。20世纪60年代早期,英国航空器公司由维克斯-阿姆斯特朗有限公司、英国电气公司和布里斯托尔飞机公司合并而成。不久之后,英国航空器公司获得了亨廷航空器有限公司的控股权。20世纪50和60年代早期,第二批英国飞机公司经过一系列的合并产生了霍克-西德利集团。与英国航空器公司相似,霍克-西德利集团的前身是由历史悠久的制造企业组成。英国航空器公司和霍克-西德利集团的那些以前留下来的公司曾负责成功制造了很多新型飞机。20世纪60和70年代早期,英国航空器公司和霍克-西德利集团各自都开发和生产了一系列飞机。英国航空器公司和霍克-西德利集团因连年亏损导致1976年国有化。一年后,英国航空器公司、霍克-西德利航空公司、霍克-西德利动力公司和苏格兰航空公司(成立于1935年)实行国有化成为英国航空航天公司。1979年英国航空航天公司以20%的入股方式加入了空中客车工业公司。20世纪90年代为使投资组合更加合理,英国航空航天公司将其喷气飞机部门卖给雷神公司,将汽车生产部门陆虎集团(1988年购入)卖给德国宝马汽车公司。为研制多功能战斗机,与德国、意大利、西班牙的公司共同参与了"欧洲战斗机台风"计划的开发。还与美国洛克希德-马丁公司共同投资并在其领导下研制联合战斗机,而且与瑞典的绅宝公司为国际市场生产和销售绅宝公司的鹰狮多功能战斗机。1998年取得绅宝公司35%的股权。1999年与通用电气公司达成协议:通用电气公司掌管国防电子业务的马可尼电子系统公司分离出来并入英国航空器公司,结果是产生了BAE系统公司。2001年BAE系统公司与欧洲另外两家公司同意将各自下属的导弹业务合并成一个泛欧企业,名为欧洲导弹集团(MBDA)。

Baeck, Leo　贝克(1873-05-23,普鲁士波森利萨[今波兰莱什诺]～1956-11-02,伦敦)　犹太教改革派拉比和神学家,纳粹统治时代德国犹太人的精神领袖,犹太教内主要开明思

美国不列颠百科全书公司供图

想家。1955年出版的《这个以色列民族:犹太人之生存意义》写于纳粹集中营中,是他的最后著作。他于1895年在柏林大学获哲学博士学位。其后在奥珀伦(1897～1907)、杜塞尔多夫(1907～1912)和柏林(1912～1942)任拉比。基督教(新教)神学家和教会史学家哈尔纳克(1851～1930)发表题为《基督教的本

质》的讲演，提出原始的基督教本质上是自由化的宗教，是独具一格的历史体系，与犹太宗教及文化传统无关。贝克对此提出挑战。他发表自己的杰作《犹太教精义》(1905)，针对哈尔纳克的说法，强调宗教的能动性。该书再版(1922)时，又更充分地予以阐述，阐述他的“两极化宗教”学说，即一方面是相信现实生活中存在着上帝这样一种“奥秘”，另一方面是其中的伦理要求即“诫命”。他认为，犹太教是道德的至高体现，是通过以色列人的生存而表现出来的普世信息。贝克早期(1901)曾提出，耶稣是犹太特色十分浓厚的人物；他还在《作为犹太教历史文献的福音书》(1938)一书中指出，福音书也属于当时拉比文献之类。他这种观点受到犹太教传统派人士的憎恶。另一方面，贝克在论文《浪漫主义宗教》(1922)中提出，犹太教是“古典”理性宗教，而基督教则是“浪漫主义的”感情宗教，这种提法又冒犯了基督教人士。贝克在第一次世界大战中曾任随军拉比。他虽非犹太复国主义者，却担任德国巴勒斯坦购地基金会主席。他又是德国“圣约之子”(主要的犹太联谊和服务组织)的主席。他过去曾反对拉比协会，但后来担任其主席。他曾在柏林学院讲授“米德拉西”(讲解《圣经》的布道书)。

1933年，德国犹太人团体联合起来，组成由贝克和希尔施(1885～1941)领导的德国犹太人全国办事处，希尔施是法学家、犹太社区领导人，后死于毛特豪森集中营。贝克与其他犹太人首脑同纳粹政权进行谈判，尽量争取时间以挽救生命。迟至1939年，贝克还曾把一列车犹太儿童护送到英格兰，然后自己返回德国。他在公私场合都进行道义上的反抗，以致他5次被捕，最后被投入特莱西恩施塔特集中营。1945年5月8日，亦即预定处死贝克的前一天，俄罗斯人解放了特莱西恩施塔特，当时贝克还制止集中营中的难友杀害纳粹警卫人员。他后来定居英格兰，在英、美执教讲学，曾到美国俄亥俄州辛辛那提希伯来协和学院讲学。

Baeda THE VENERABLE, SAINT　参阅 **Bede the Venerable, Saint** 比德。

Baedeker, Karl　**贝德克尔**(1801-11-03，奥尔登堡公国埃森～1859-10-04，普鲁士科布伦茨)　德国出版商，以出版导游册而闻名。其父是印刷工和书商。1827年贝德克尔在科布伦茨创建出版社，两年后出版了该市的导游手册。在莱茵河美因茨至科隆段导游手册(出版于1828)第二版中形成了他的编辑体

美国不列颠百科全书公司供图

系，其目标是给旅行者提供必要的实用信息，免得花钱雇用导游。他通过化名旅行和向可靠资料来源及专家咨询以核实他的出版物。贝德克尔导游册的一大特色是用星号标明重要景点并载明可靠的投宿旅店。到他去世时他的导游册已涉及欧洲绝大部分地区。贝德克尔去世后出版社在其子恩斯特(1833～1861)、卡尔(1837～1911)，尤其是弗利茨(1844～1925)经营下日益扩展。法文第一版出版于1846年，英文第一版出版于1861年。出版社于1872年迁至莱比锡，1948年迁至汉堡，1956年迁至布赖斯高弗赖堡。

Baekeland, Leo Hendrik　**贝克兰**(1863-11-14，比利时根特～1944-02-23，美国纽约比肯)　美国工业化学家。发明了第一个热固性(受热不软化)塑料——酚醛塑料，促进了现代塑料工业的建立。21岁时以优秀成绩获得根特大学的博士学位，并留在该校任教，直到1889年去美国，在一家摄影公司就职。不久，他创办了自己的公司，生产他所发明的人工光源下可显影的维洛克司(Velox)印相纸。这是工业上第一个成功的印相纸。1899年，贝克兰把他的公司和印相纸的生产权以100万美元出售给美国发明家G.伊斯曼。贝克兰于1905年开始寻求虫胶的合成代用品，导致发明酚醛塑料，即甲醛和苯酚在高温高压下生成的一种缩合物。虽然这种材料早有报道，但贝克兰是找到把它制成热固性塑料方法的第一个人。贝克兰由于发明获得了许多荣誉，于1924年任美国化学学会会长。

bael fruit　参阅 **bel fruit** 孟加拉苹果。

Baer, Karl Ernst, Ritter von (knight of), EDLER (lord) VON HUTHORN　**贝尔**(1792-02-29，俄罗斯帝国爱沙尼亚皮普～1876-11-28，爱沙尼亚多尔帕特)　普鲁士裔的爱沙尼亚

美国不列颠百科全书公司供图

胚胎学家。发现哺乳动物的卵和脊索，建立比较胚胎学与比较解剖学相并的新科学。也是地理学、人种学和体质人类学的先驱。

家中有兄弟姊妹10人，他幼年跟随叔婶，7岁时方回父母家，父母均为普鲁士后裔，系嫡表兄妹。初在家庭教师指导下学习，后在贵族子弟学校学习3年，1810年入多尔帕特大学学医，1814年获医学学位。

因对所受医学教育不满，1814～1817年在德国和奥地利学习。他受教育最关键的一年是1815～1816学年，当时他在维尔茨堡大学从I.多林格尔学习比较解剖学，这将他领入一个包括胚胎学的新领域。

1817年他到柯尼斯堡大学任教，在此工作到1834年，1820年与柯尼斯堡的A.冯·梅杰姆结婚，有6个子女。虽然多林格尔建议他研究鸡的发育，但他买不起鸡蛋，也雇不起人来照顾孵化器。他的友人C.潘德尔比他富有，遂完成此项研究，于1817年描述了鸡的早期发育，亦即今天所说的胚层——外胚层、中胚层和内胚层。

1819～1834年贝尔将大部分时间用来研究胚胎学，将潘德尔的胚层形成概念扩展到所有脊椎动物，为比较胚胎学奠定了基础。他做出许多更重要的发现。1827年他在《论哺乳动物的卵和人的起源》一书中描述了他发现哺乳动物卵的过程，从而证明哺乳动物，包括人，均从卵发育而来。他反对流行的说法：一个物种的胚胎在发育过程中要经过一些与其他物种成体相似的阶段。反之，他强调指出：一个物种的胚胎可以与其他物种的胚胎相似，而不能与其他物种的成体相似；胚胎越年轻，就越相似。这与渐成的观点(发育是从简单到复杂，从同质到异质)相符，渐成论从此成为胚胎学的基础。

贝尔的《论动物的发育》一书(1828，第1卷；1837，第2卷)是胚胎学最重要的著作之一，他在该书中概述了当时有关脊椎动物发育的知识，从中得出影响深远的结论。他确认神经系统从神经褶发育而来，发现了脊索，描述了初级脑泡，研究了胚外膜的功能。他的开创性工作将胚胎学建立成一门独特的研究对象，至少在其描述方面是如此。他区分了描述研究和比较研究的主要轮廓，只有完成了这些工作，现代的研究方法(对发育进行因果分析)才可能出现。

1834年他移居俄国圣彼得堡，成为科学院院士(从1826年起他是通讯院士)。他的首要职责是管理图书馆的外文书刊部，但后来担任许多行政职务。1862年他从院士职务退休，但仍担任名誉院士直至1867年。移居俄国后他放弃了胚胎学。他对俄罗斯的北方极感兴趣，成为一位勇敢的探险家。他是第一位从当时无人居住的新地岛收集标本的博物学家。在俄罗斯广泛旅行时他对俄罗斯的渔业从科学方面和实用方面都产生了兴趣。他在地理学方面也有许多重要发现，包括影响俄罗斯河岸外形的因素。

贝尔还从旅行中培养了对人种志的兴趣。他为圣彼得堡的科学院收集了大量人类颅骨。他对颅骨测量很感兴趣，结果他于1861年在德国召开一次颅骨学家会议，会议导致德国人类学学会的建立和《人类学档案》杂志的创刊。他还负责俄罗斯地理学会和俄罗斯昆虫学会的建立，并担任首任会长。

在早年研究胚胎学时，他开始考虑各种动物之间可能存在某些关系(称为亲属关系)。在达尔文发表《物种起源》的1859年，贝尔也发表一篇论述人类颅骨的著作，认为目前差异颇大的世系可能源出同一个类型；两个人的观点是完全独立地阐述的。但贝尔并不是变化学说(达尔文以前对进化论的术

语)的坚定信徒。虽然他也认为某些非常相似的动物(如山羊和羚羊)之间可能有关系,他激烈反对达尔文在《物种起源》中表达的思想:所有生物可能从一个或少数几个共同的祖先演化而来。

在他的哲学著作中(他所有的胚胎学著作在某种程度上也有哲学含义)他将自然视为一个整体,虽然未使用现代进化论的术语。他以同样的角度来看生物体的发育和宇宙的发展。他包罗万象的宇宙观将他的思想联合在一起,否则这些思想就会显得不统一。

Baer, Max **贝尔**(1909-02-11,美国内布拉斯加奥马哈~1959-11-21,好莱坞) 美国职业拳击运动员。1934年6月14日在纽约市经过11个回合击倒卡内拉,获世界最重量级冠军。1935年6月13日在纽约州长岛市经过15个回合按得分负于布雷多克,丢掉冠军。在其整个拳击生涯(1929~1941)中共参加79场比赛,胜65场,其中50场直接击倒对方取胜,为拳击历史上右手进攻最凌厉的拳击运动员之一。

Baerle-Duc (Belgium) **巴勒迪克** 参阅 **Baarle-Hertog** 巴勒海托赫。

Bærum **贝鲁姆** 挪威东南部阿克什胡斯郡村镇。位于奥斯陆峡湾头部。西部与首都奥斯陆毗连。人口密集,为奥斯陆最大的郊区村镇。有优良的海滩和夏季别墅。其重要居民点有小港口利萨凯尔(有纸、木工厂)和商业中心桑维卡。人口约102 529(2001)。

Baetic Cordillera (Spain) **巴埃蒂卡山** 参阅 **Penibético Mountain System** 佩尼韦蒂科山系。

baetylus **拜图洛斯** 希腊宗教中的圣石或圣柱。该词源自闪语。在古代有许多作为崇拜对象的圣石,人们通常把它们同对某一特殊的神的崇拜联系起来,或把它们看成是神的住所或象征。最著名的圣石是德尔斐神示所的欧姆法洛斯圣石,圣石放在阿波罗神殿,

希腊德尔斐的大理石雕圣石
美国不列颠百科全书公司供图

被认为是世界的正中心。德尔斐的第二块圣石据说是提坦巨人克洛诺斯吞下去的那一块,人们认为这是宙斯本人的象征或圣石。有时石块被赋予比较规则的形状,如石柱或三个一组的石柱群。这种石柱有时安放在神殿前面;另有一些则作为里程石,它们往往被雕作人形。后来的祭坛和石雕的人像就是从拜图洛斯发展而成的。

Baeyer, (Johann Friedrich Wilhelm) Adolph von **拜耳**(1835-10-31,柏林~1917-08-20,慕尼黑附近的施塔恩贝格) 有机化学家。1880年合成了靛蓝,1883年确定其结构式,获1905年诺贝尔化学奖。成就很多,主要是对酞染料的发现,和对尿酸衍生物、聚乙炔和锌盐的研究。发现尿酸的一个衍生物巴比土酸——巴比妥酸盐安眠药的母体化合物。曾提出"张力"学说,有助于解释为什么五或六

美国不列颠百科全书公司供图

元碳环化合物要比含其他原子数的碳环化物更常见,还提出苯的中心式。拜耳虽是R.本生的学生,但其发展受A.凯库勒影响较大。1858年在柏林获博士学位,1860年成为讲师,领导柏林职业学院化学实验室,直到1872年。在斯特拉斯堡取得教授身份后,1875年接替J.冯·李比希,在慕尼黑任化学教授,并建起重要的化学实验室使许多有培养前途的年轻化学工作者经受训练。1881年伦敦皇家学会因其合成靛蓝染料而授予戴维奖章。1905年为庆祝他70寿辰,出版了他的科学论文集。

Báez, Buenaventura **巴埃斯**(1810,伊斯帕尼奥拉岛阿苏阿德孔波斯特拉[今多米尼加共和国阿苏阿]~1884,波多黎各) 多米尼加政治家,曾5次任共和国总统。因极力使自己的国家归并美国而出名。他出身于富裕而显赫的家庭。在欧洲受过教育。1843年投身政治,参加领导争取脱离海地统治、建立独立共和国的起义。当时,他认为多米尼加只有成为法国的保护国才能保持独立。为此于1846年前往欧洲,但法国对此不感兴趣。1849~1853年首次出任总统。1850年试图使多米尼加归并美国未果。第二次任职期间(1856~1858),因参与非法的金融交易,被政变者推翻。后来他请求西班牙占领多米尼加,自己则流亡到欧洲,在西班牙人资助下过着舒适的生活。1865年西班牙人撤出多米尼加,他回国第三次任总统。1866年5月再次

美国国会图书馆供图

被政变者赶下台。1868年四度任总统,决意使多米尼加归并美国,甚至以保护多米尼加免受海地侵略为名要求美国派出军舰,其实是要保护他自己的商业利益。不久美国军舰撤走。1874年他被迫离职。1876~1878年最后一次出任总统。后被永久放逐到波多黎各。巴埃斯一直被视为十足腐败、置人民生命财产于不顾的暴君。

Baez, Joan **贝兹**(1941-01-09,纽约市斯塔滕岛~) 美国民歌歌唱家和政治活动家,20世纪60年代使广大青少年听众对民间音乐发生兴趣。尽管进入21世纪后,民歌复兴的潮流不可避免的遭遇回落,但贝兹依然广受欢迎。与年轻歌手一同环球演出,在美国及其他国家赢得了更多的听众。因幼年随家迁移,未能受到正规的音乐教育。她的女高音歌喉通常仅由自己的吉他改编曲伴奏,有时被批评为过于华丽。但她通过在咖啡馆、音乐节和电视中演唱,并通过灌唱片而普及传统歌曲,站在60年代民歌复兴潮流的前列。她的唱片在1960~1964年间一直畅销,直到70年代保持流行不衰。她是60年代对政府持异议的运动的积极参加者,为联合国教育、科学及文化组织以及民权组织和反对越南战争集会举行义演音乐会。1964年拒付用于战争的联邦税,1967年10月和12月两次被捕入狱。1968年撰写自传,题名《曙光》。

Bafatá **巴法塔** 西非几内亚比绍共和国中东部城镇,滨热巴河。内陆地区的重要贸易

巴法塔镇街景
中国大百科全书出版社供图

中心,生产的花生供出口,牲畜供内销。有公路通塞内加尔、加布、曼萨巴和班巴丁卡。人口13 429(1979)。

Baffin **巴芬** 加拿大努纳武特地区最北和最东部行政区。1967年由地区政府建立,为原富兰克林区的大部分,现有边界在1999年

4 月建立努纳武特时确立。是努纳武特 3 个地区中最大的一个。从埃尔斯米尔岛北端开始向南延伸。包括巴芬岛、埃尔斯米尔岛、德文岛、巴瑟斯特岛、梅尔维尔岛及帕特里克王子岛诸岛,还有梅尔维尔半岛及布西亚半岛的一部分。威尔士王子岛和萨默塞特岛二岛的北部亦属巴芬行政区。巴芬行政区主要由北极的冻土带和冰冠构成,小量居民大多为爱斯基摩人,以捕兽制毛皮为生。该地区开发若干矿藏,主要居民点有巴芬岛的伊盖卢伊特、庞纳唐、蓬德口、开普多塞特、伊格卢利克和梅尔维尔半岛。人口 13 218(1996)。

Baffin, William　巴芬(约1584,伦敦?～1622-01-23,波斯湾格什姆岛[现属伊朗]外)英国航海家。曾寻找过西北航路,并将今加拿大西北地区的一个岛命名为巴芬岛,将该岛与格陵兰之间的海湾命名为巴芬湾。在海上航行时通过观测月球确定经度的方法,据说是他首创的。1615 年他曾同罗伯特·拜洛特船长乘"发现"号海船考察加拿大与巴芬岛之间的哈得孙海峡。1616 年作为"发现"号的领航员,再次航行时深入湾内,比英国航海家约翰·戴维斯 1587 年所到之处还要远 483 千米。后来,在东印度公司任职时,曾勘测红海和波斯湾。1622 年最后一次航行波斯湾期间,死于英国-波斯同盟军进攻格什姆岛之役。

Baffin Bay　巴芬湾　北大西洋一海湾。在格陵兰岛与巴芬岛之间北冰洋向西南延伸 1 450千米处。湾宽 110～650 千米。通过南部的戴维斯海峡到大西洋,北部通过内尔斯海峡到达北冰洋。面积 689 000 平方千米。海湾中央是巴芬凹地,深达 2 100 米。海底呈椭圆形,四周为格陵兰和加拿大大陆架。海峡出口处有暗礁。除中心凹地外,北部水深 240 米,南部水深 700 米。海底多为灰棕色的淤泥、卵石、巨砾到处可见的陆源沉积。气候严寒,夏天多西南风和西北风,冬天格陵兰海岸吹来的东风常带来暴风雪。1 月份平均温度:南部为 -20 °C,北部为 -28 °C。7 月份海岸平均温度 7 °C。格陵兰沿海年降水量 100～250 毫米;巴芬岛沿海要多一倍。8 月,海湾中仍然冰山林立。10 月末,冰原延至哈得孙海峡,格陵兰沿海冰层渐厚。海湾中央覆盖着厚冰层,但是在北部由于西格陵兰暖流的影响,实际上从不封冻,形成"北方水道"。从北冰洋流入巴芬湾的海水含盐度 30‰～32.7‰,底层水盐度 34.5‰。夏天表层水温 5 °C,冬天 -2 °C。海潮上升一般不超过 4 米,海水通道狭窄处可高达 9 米。潮速变化在每小时 1～1.37 千米之间,而潮向变化达 180 度,这一现象导致浮冰压力不均,相互挤撞不已。盐分的溶解和暖流的增温有利于生物生长。海藻的繁殖为细小的无脊椎动物(如著名的磷虾)提供食料,无脊椎动物又是较大生物的食品。鱼类有北极比目鱼、锯鲉、北极鳕等;海兽有海豹、海象、海豚和鲸;海岸上憩息着大群海鸥、海鸭、雁、雪枭和海鹰。岸边植物约有 400 种,如桦、柳、桤以及低等喜盐植物和草丛、青苔、地衣。动物有啮齿类、北美驯鹿、北极熊和北极狐。当地因努伊特人(爱斯基摩人)以传统方法捕鱼狩猎。

Baffin Island　巴芬岛　在格陵兰岛(与之隔巴芬湾)和加拿大大陆上的拉布拉多-昂加瓦半岛(与之隔哈得孙海峡)之间。属加拿大西北地区巴芬行政区。为北极地带岛屿,据传 11 世纪即有北欧人来此,1576～1578 年马丁·弗罗比歇爵士探索西北航道时曾见到此岛,后以 17 世纪英国航海家 W.巴芬的名字命名。岛长 1 500 千米,面积 507 451 平方千米。一条冰川覆盖的山脊几乎纵贯全岛,有的山峰高达 2 057 米。岸线曲折,多峡湾。除沿岸少数小村落外,岛上腹地无人居住。1972 年,东岸坎伯兰半岛上建立奥尤伊图克国家公园(21 470 平方千米),以保护北极地区的自然景物及沿海野生生物。北部发现有铁矿,西北端的纳尼斯维克为世界上最北的采矿场(有银、铅、锌等)。人口 11 212(1999)。

Baffin Island Current　巴芬岛洋流　又称巴芬海流。海洋表层海流沿加拿大巴芬湾西侧南流。由西格陵兰内向海流和加拿大北极群岛海峡向外流出的北冰洋冷海水汇成,日流速约 17 千米。

Bafing River　巴芬河　非洲西部河流。发源于几内亚的富塔贾隆山,大致向东北流约 320 千米,经过马里城镇巴芬马卡纳后折向西北,在巴富拉贝南侧与巴科伊河汇合形成塞内加尔河。全长约 560 千米,不通航。流经曼丁哥山区注入塞内加尔河谷。

Bafoussam　巴富萨姆　喀麦隆西部城镇。是巴米累克族人的贸易中心。所在地区人口稠密,出产咖啡、柯拉果、烟草、茶、金鸡纳树(可制作奎宁)和畜禽。城内有商业学校、医院、咖啡加工厂、木材工业和飞机场。人口约 120 000(1992)。

Baga　巴加人　居住在几内亚韦尔加角和科纳克里地区之间的沿海沼泽地带的民族,操尼日尔-刚果语系西大西洋语支的一种语言。妇女种稻,男人捕鱼,培育棕榈和科拉树;有些人在离科纳克里不远的洛斯群岛铝矾土矿当雇工。居处为典型的锥状草顶泥屋,聚为群落,可连成小村。族内几乎没有正式政治组织,权力一向由基层最能干的酋长行使。大都是穆斯林,但据传住在努涅斯河和蓬戈河沿岸偏僻地区的某些部落仍相信万物有灵。死者天葬,然后在圣林掩埋,其居室及某些器物以火焚之。

Bagamoyo　巴加莫约　坦桑尼亚东部城镇和古海港。从前是一个奴隶贸易站。地处来自坦噶尼喀湖畔乌吉吉的阿拉伯人商队的大道终点。曾是德国东非公司(1887～1891)最早的总公司所在地。人口 33 086(1988)。

Baganda(people)　**巴干达人**　参阅 **Ganda** 干达人。

bagasse　蔗渣　又作 megass。甘蔗榨糖后剩下的纤维。英文 bagasse 源出西班牙文 bagazo,而此西班牙文词又源出法文 bagage,其原意为"渣滓",泛指榨制以后遗留的橄榄皮、棕榈果壳和葡萄渣,以后兼指剑麻、甘蔗和甜菜的渣滓。现专指蔗渣,它可用作榨糖厂的燃料或动物饲料纤维素的原料。一些拉丁美洲国家、中东国家和所有缺乏森林资源而产蔗糖的国家都用蔗渣造纸。蔗渣也是压制建筑用纤维板、吸音砖和其他建筑材料的主要原料。

bagatelle　小型台球　可能起源于英格兰的一种球戏,或许是从台球演化而来。在长1.8或3米、宽0.5或0.9米的长方形台上进行。台头有标有号码的9个孔,其中8孔排成圆

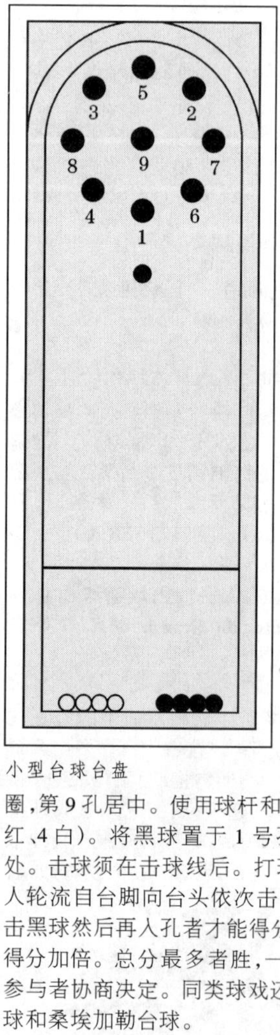

小型台球台盘

圈,第 9 孔居中。使用球杆和球(9 枚:1 黑、4 红、4 白)。将黑球置于 1 号孔前约 23 厘米处。击球须在击球线后。打球人数不限,每人轮流自台脚向台头依次击 8 个球,球先撞击黑球然后再入孔者才能得分。撞黑球入孔得分加倍。总分最多者胜,一局打几盘可由参与者协商决定。同类球戏还有密西西比台球和桑埃加勒台球。

Bagdad(Iraq)　参阅 **Baghdad** 巴格达。

Bagé　巴热　巴西南里奥格兰德州中南部城市。海拔 223 米。建于 1811 年。1859 年建市。位于州首府阿雷格里港西南,在乌拉圭边界以北 40 千米处。自古为军事重镇。周围地区饲养牛羊,现是肉类加工中心和羊毛集散地。是全州最大小麦产区之一的中心。有铁路、公路和航空线与其他城市相连。人口约 97 269(2000)。

Bagehot, Walter　白哲特(1826-02-03,英国萨默塞特兰波特～1877-03-24,兰波特)　英国经济学家、政论家、《经济学家》杂志主编,

维多利亚女王时代中期最有影响的新闻工作者之一。家庭世代经商。其母为英格兰西部最大银行经理文森特·斯塔基之妹。青少年时受过严格的学校教育，1846年毕业于设在

美国不列颠百科全书公司供图

伦敦的大学学院，获得学士学位，1848年获硕士学位。毕业后见习律师业务，但他不喜欢这一职业，一个偶然的机会使他转向文学。1851年底他在巴黎适逢路易·拿破仑政变，曾一再著文为之辩护，在英国引起极大争论，因英国当时普遍反对这次政变。但他却因此坚信自己具有写作才能。后来进入他舅父斯塔基的银行，一边工作，一边写作，在六七年内发表了一系列论文评述弥尔顿、莎士比亚、吉本、司各特和贝朗瑞等文学家；同时还评述过去的政治人物。这些文章至今仍为人引用。他进入新闻界也纯属偶然。在银行时所写经济论文引起1843年创办《经济学家》的詹姆斯·威尔逊的重视，遂聘他在杂志社工作。1860年起接管《经济学家》。17年间，因他撰写许多重要文章和改进并扩大统计与金融栏，使《经济学家》成为百余年间第一流的商业杂志和政治杂志。他自称是保守的自由党人，但与许多自由党人不同，他在农村长大，对迅速工业化和城市化给英国带来的社会问题有强烈感受。他对国际问题观察灵敏，对法国有天然偏爱，对俾斯麦的德国持不信任态度，对亚伯拉罕·林肯予以道义上的支持。1867年发表《英国宪法》，力图透过英国政治体制的外表洞察权力运作的真实情况。他结识了许多政界要人，但由于他不善辞令而未曾进入政界。他是维多利亚时代英国最博学多才的天才人物。他的文学论著在20世纪仍多次再版，所著《英国宪法》迄今仍是一部广为传诵的名著。白哲特写的《物理学与政治》一书（1872）力图运用人类学的新发现解释社会和民族自身的发展。此外，在关于中央银行的理论方面他也作出了重要贡献。

Baggara（people）　参阅 **Baqqārah** 巴加拉人。

Baggesen, Jens (Immanuel)　巴格森（1764-02-15，丹麦科瑟～1826-10-03，汉堡）　丹麦由新古典主义向浪漫主义过渡时期的主要文学家。他在1782年前往哥本哈根攻读神学。3年后，他的诗集《滑稽故事》（1785）在丹麦获得空前的成功。但为第一部丹麦歌剧《丹麦人霍尔格》写的歌词却受到指摘，主要是有人认为歌词缺乏民族主义色彩。巴格森曾在德

美国不列颠百科全书公司供图

国、瑞士和法国各地游历，为他的最重要的散文作品，富有想象力的《迷宫》（1792～1793），准备了素材。他是一个亲德派，卢梭的崇拜者，法国大革命的热情拥护者，康德的信徒，浪漫主义者，是丹麦浪漫主义诗人泰斗A.欧伦施莱厄的早期崇拜者。晚年却猛烈抨击浪漫主义，与欧伦施莱厄论战达7年之久。

Baghdad　巴格达　又拼Bagdad。伊拉克首都，中东最大城市之一。位于伊拉克中心附近，离波斯湾北端约530千米。

在第一次海湾战争（1990～1991）中，巴格达遭受以美国为首的各阿拉伯国家和西方国家军事联盟的广泛轰炸。在第二次海湾战争（2003）中又一次受到空袭和地面攻击。两次战争期间，城市遭受严重毁坏。

自然地理和人文地理

景观　城市位置　巴格达位于底格里斯河畔与幼发拉底河最接近处，在幼发拉底河东40千米处。巴格达周围地势是一平坦的冲积平原，海拔34米。

气候　5月至9月间平均日最高气温为41 °C，7月和8月午间可高达49 °C。冬季平均昼间气温约为13 °C，气温偶然会下降至冰点以下。雨量稀少（年雨量150毫米），主要集中在12月至4月间，夏季无雨。春季与初夏西北风（夏马风）盛行，带来沙暴，常使巴格达笼罩着尘雾。

城市布局　①各区。该城沿底格里斯河两岸伸展。东岸居住区称作鲁萨费，西岸称作格尔赫。一系列桥梁（其中有一座铁路高架桥）连接两岸。巴格达从20世纪初期建成的面积约10平方千米，现已扩大成为一熙熙攘攘的大都市，其郊区沿河向南北扩展，在东西方伸入周围平原。②建筑与遗迹。城市的建筑包括从传统的两层或三层砖房到现代的钢、玻璃和混凝土结构。

阿拔斯王朝早期的遗迹虽无残存，但后期的建筑有阿拔斯宫（12世纪末或13世纪初）和穆斯坦绥利雅（哈里发穆斯坦绥尔于1233年建立的一所伊斯兰法学院），两者都已修复为博物馆，此外还有萨赫拉瓦尔迪清真寺（1234）。瓦斯塔尼城门是唯一遗留下来的中世纪城墙，已改作兵器博物馆。

从13世纪后期到14世纪（伊儿汗王朝和贾拉伊尔王朝时期）的建筑物中有哈里发的清真寺之宣礼塔（1289）和阿奎利清真寺

巴格达市中心区，前景为海达·卡那清真寺
美国不列颠百科全书公司供图

(1328)。许多清真寺、集市、公共浴室是从奥斯曼时期遗留下来的。

在1958年以后时期的文化复兴中，产生了许多现代的纪念性建筑物。其中最著名的是解放广场的贾瓦德·萨利姆解放纪念碑，描绘了1958年革命前伊拉克人民争取自由的斗争；穆罕默德·加尼的"穆尔加纳纪念碑"，描绘了《一千零一夜》中阿里·巴巴的管家穆尔加纳用烧滚的油浇40名窃贼。

人民 大巴格达的人口在第二次世界大战后剧增。其中绝大多数是穆斯林和阿拉伯人。然而，穆斯林分成两个伊斯兰教派：逊尼派和什叶派。非阿拉伯民族和语言集团包括库尔德人，亚美尼亚人和印度、阿富汗或土耳其血统的人。人口约4 958 000(2001)。

经济 *工业* 伊拉克的制造业、金融和商业大部分集中于巴格达及其周围。至少有半数的伊拉克大型制造业及许多较小制造业位于巴格达省内。重工业(石油、钢铁、石油化工)例外，位于北部(基尔库克)和南部(在巴士拉和祖拜尔)的油田附近。大部分经济部门为政府所有或控制，政府既推动又垄断国家的经济活动。战争和经济制裁给城市的经济基础造成持久损坏。政府是城市主要的雇主，无数市民直接或间接为政府工作，他们从事于服务行业、政府教育机构以及国营工商企业。

商业与金融 伊拉克中央银行有权独家发行货币。中央银行和商业性的拉菲戴银行的主要办事处都在巴格达。不允许有外国银行。政府的商业、贸易和工业公司的主要办事处设在巴格达，在伊拉克经营的外国公司的分支机构也位于此。巴格达证券交易所于1992年开业。

运输 巴格达是国家的运输枢纽，其西郊的巴格达国际机场(前萨达姆国际机场)为许多国际航空公司服务，其中包括伊拉克航空公司。由于联合国的经济制裁，20世纪90年代该机场关闭。国有的主要铁路线在巴格达汇合。巴格达还是地区性公路网的中心，跨国公路连接该城与土耳其、叙利亚、约旦、伊朗、科威特和沙特阿拉伯。巴格达也有公路连接欧洲。

行政与社会状况 *政府* 巴格达既是全国的首都又是省的首府。作为全国政府的所在地，巴格达设有总统府和部长会议、国民议会的办事机构及执政党总部。

公共服务业 自20世纪50年代以来，政府在巴格达大力扩充公共服务业，为贫穷和中等收入的家庭提供低收入的住房以及电、水、下水道和医疗设施。巴格达有许多医院和医务所。

教育 自20世纪50年代以来，公立学校迅速扩大。小学实行义务教育，统计数字表明巴格达人几乎全部按规定入学。巴格达是伊拉克的高等教育中心。巴格达大学建立于1957年。教育是免费的，包括大学在内。

文化生活 巴格达已成为阿拉伯世界一个活跃的文化中心，培养了许多最杰出的现代雕刻家、画家、诗人和作家。例如伊拉克的诗人在阿拉伯发起自由诗运动。巴格达最重要的博物馆是伊拉克博物馆，内有自古代美索不达米亚历史以来的重要考古珍藏；以及国立现代艺术博物馆，内有伊拉克艺术家所作绘画、雕塑和陶瓷等永久性收藏品。巴格达有几座伊斯兰世界最重要的清真寺和神庙，包括在卡济米耶的什叶派伊玛目穆萨·克辛姆和穆罕默德·贾瓦德的神庙，在阿宰米耶的逊尼派法学家阿布·哈尼发的神庙。

所有新闻媒体由政府控制。两家主要日报用阿拉伯文出版，还出版各种政治、文化和专业性的刊物。巴格达电台用几个频率和几种语言向全国广播。巴格达电视台于1956年开播。国家剧院是阿拉伯世界设备最好的剧院之一，定期演出戏剧、音乐会、音乐作品和电影。国家民间艺术团上演伊拉克舞蹈和民间传说。

历史

奠基与早期发展 考古证据表明，巴格达这个地点在公元637年阿拉伯人征服美索不达米亚之前很久就有各族人民居住。然而，这个城市的真正建立始于762年，当时是一处称为巴格达的波斯村落，被新的阿拔斯王朝的第二代哈里发曼苏尔于762年选定为首都。其城市建在圆形城墙内，称"和平之城"——人称"圆城"——位于今日卡济米耶与格尔赫之间。

8世纪和9世纪初，在马赫迪(775～785在位)及其继承人哈伦·拉希德(786～809)领导下，巴格达的经济繁荣和学术生活达到了顶点，当时被认为是世界上最富的城市。

自9世纪中叶以后，由于内部纷争，并由于忽视灌溉系统以致作物歉收，以及10世纪游牧民族入侵，阿拔斯哈里发的权力逐渐减弱。哈伦·拉希德两子之间的一场内战，结果毁坏了大部分"圆城"。836～892年，各哈里发放弃巴格达迁都北方的萨迈拉，该城遂被作为警卫队召募来的土耳其人所接管。异族的侵略和统治(白益人从945至1055年，塞尔柱突厥人从1055至1152年)，使城市的某些部分沦为废墟。

衰落的世纪 1258年蒙古族征服者旭烈兀横行于美索不达米亚，劫掠巴格达，杀死哈里发，屠杀几十万居民。

此后，巴格达成为一省的首府，首先是统治伊朗的蒙古伊儿汗王朝(1258～1339)的首府，尔后是其诸侯贾拉伊尔王朝(1339～1410)的首府。1401年该城又受到另一蒙古人帖木儿的劫掠，此后它又受连续两代土库曼王朝的统治(1410～1508)，这两个王朝都没有改善城市的命运。

1508年巴格达暂时并入萨非王朝国王伊斯梅尔一世新建立的波斯帝国。但该城后来没有继续被波斯人统治。1534年逊尼派奥斯曼苏丹苏莱曼一世重新占领该城。尽管波斯人反复进攻，它仍然在奥斯曼统治下直至第一次世界大战，只有一短暂时期(1623～1638)为波斯人所占据。

现代化的开始 19世纪，随着法国宗教团体的建立与欧洲贸易的增加，欧洲在巴格达的影响增长。1798年，一个英国常驻外交官邸在此建立，英国常驻外交代表不久即获得仅次于总督的权力与地位。

现代城市 1920年巴格达成为新建立的伊拉克国家的首都。国际联盟承认英国在第一次世界大战中征服了伊拉克，给予英国在伊拉克委任统治权，直到1932年。英国势力直至1958年仍占主导地位，同年，由英国帮助建立的哈希姆君主政体在一次军事政变中被推翻。1958年之后的10年中，巴格达经历了一个政治动荡时期，政变和军事统治连续不断。1968年阿拉伯复兴社会党执政。复兴社会党政府取得了较稳定的局面和国内发展，特别是1973年后石油涨价，政府和人民收入大增。在此期间，巴格达得到最大的开拓和发展。但两者均因20世纪80年代与邻国伊朗8年苦战而受遏制，1990～1991年海湾战争期间遭到猛烈轰炸后，该城面临一个基础设施和经济重建时期。然而重建城市及其经济的工作受到严重阻碍，因为联合国对伊拉克实行了一系列的经济制裁，以迫使伊拉克放弃发展大规模杀伤性武器的计划。尽管在90年代后期巴格达的一些房屋、桥梁及其他一些建筑物得以重建，但城市必要的基础设施还是一片混乱。联合国的制裁限制石油销售(长期以来这是伊拉克财政收入的主要来源)，并且严格限制进口。国家无力生产或购买必要的物资来重建或维修巴格达的水电和卫生设施。教育和医疗机构状况恶化，疾病、营养不良和文盲比例大幅上升。伊拉克同美国政府之间持续的紧张局势导致了2003年第二次海湾战争的爆发。4月美国军队进驻巴格达，但招致了其他阿拉伯国家的批评，并受到了城市居民的抵抗。

Baghdad Pact Organization 巴格达条约组织 参阅**Central Treaty Organization**中央条约组织。

Baghdad Railway 巴格达铁路 连接伊斯坦布尔和波斯湾地区的主要铁路线。1888年奥斯曼帝国获得德国财政援助开始兴建。第一期工程是将海德尔帕夏和伊士米德之间的原有线路延到安卡拉。1902年奥斯曼政府特许一家德国公司从安卡拉向东到巴格达敷设新轨，因财政困难和凿穿托罗斯山脉隧道的技术问题，工程进展极慢。但因该线具有潜在的战略重要性，当帝国站到德意志帝国、奥匈帝国一边，参加第一次世界大战后，建路工程加速。1918年大战结束时，该线已由博斯普鲁斯海峡筑到努赛宾，离巴格达还有数百英里。未完工的路段和随后向波斯湾附近巴士拉港的延伸线路，在奥斯曼帝国解体后，由新成立的国家叙利亚和伊拉克完成。

Baghdad school 巴格达画派 伊斯兰教手稿插图的重要画派，创立于12世纪后期(但现存最古老的作品不早于13世纪)。该派兴盛于阿拔斯王朝哈里发建都巴格达的时期。其特点是描绘人物面部表情富于个性，动作含蓄，注意日常生活的细节。该派作品在1258年巴格达城被蒙古人毁坏后仍继续流行约40年。巴格达画派细密画的早期范例是迪奥斯科里斯的医学论文阿拉伯文译本的插图。这些细密画无边框，只用于说明正文，常见于行距之间。1225～1258年蒙古人特》攻占巴格达城前出现的哈里里所著《麦嘎玛

迪奥斯科里斯著述阿拉伯文译本中的插图
美国不列颠百科全书公司供图

手稿的细密插画,是阿拉伯绘画中最精美的作品。

Baghelkhand 巴克尔根德 印度中央邦东部历史地区。被盖穆尔山分为两个自然区:西部为抬升平原;东部为粗犷丘陵区,属温迪亚山脉。栋斯河与宋河流经本区。居民主要为冈德族与科尔族。1931 年该地区与本德尔肯德合并,后成为 1947 年印度独立时成立的温迪亚邦的一部分。

Bāgherhāt 巴凯尔哈德 孟加拉国西南部派罗布河以南的城镇。是 15 世纪松达班地带的开拓者哈扎拉特·汗·贾亨·阿里的驻在地,现有阿里陵墓和一个大接见厅(萨特贡巴

巴凯尔哈德镇的萨特贡巴兹清真寺
美国不列颠百科全书公司供图

兹)的遗迹。现为棉纺织工业中心。有公路和铁路与库尔纳相通。设有拉杰沙希大学的两个学院。该城于 1985 年被列为世界遗产。人口约 47 474(1991)。

Bagheria 巴盖里亚 意大利西西里西北部巴勒莫省城镇。在巴勒莫市东南偏东 13 千米处。巴勒莫富人游览地,以几座古老别墅著名。其中最闻名的是巴拉戈尼亚别墅(1715),内有 60 多个拜占廷塑像,有乞丐、矮子、丑八怪以及许多稀奇古怪的塑像;布泰拉别墅内有穿着 1639 年加尔都西会服装的蜡制修道士;还有瓦尔加内拉别墅(1721)。地处水果产区,以产柑橘、葡萄为主。人口:城市区约 54 035(1999)。

Baghlān 巴格兰 阿富汗东北部城市。近昆都士河。海拔 500 米。为甜菜产区中心,有一榨糖厂。也出产棉织品。工业发展导致人口迅速增加。新近修筑的主要公路连接巴格兰与南面 210 千米的首都喀布尔以及阿富汗的其他商业、工业和行政中心。居民主要为塔吉克族。人口约 41 240(1982)。

Bāghmati River 巴格马蒂河 尼泊尔中南部和印度东北部比哈尔邦北部的河流。发源于尼泊尔东部低地。向南穿过西瓦利克山与达赖平原。进入印度比哈尔邦后向东南注入布里根德格河。全长 360 千米。

Bagirmi 巴吉尔米人 混血民族。住在撒哈拉沙漠南部边缘,靠近博尔努地区。20 世纪末人口约 41.5 万。为阿拉伯人、柏柏尔人和尼格罗人的混血后裔,大都讲富尔德语,为富拉语的一支方言,属尼日尔-刚果语系西大西洋语支。1600 年前后,博尔努国王伊德里斯阿劳马征服巴吉尔米人,伊斯兰教随之而入;但至今多数人仍保留原始信仰。巴吉尔米人实行锄耘农作,主要种植黍稷和高粱,并饲养牛、绵羊、山羊、狗和鸡。北非影响可见于食用牛乳、干酪、黄油以及采用农田灌溉及施用粪肥。社会等级复杂,以王族为首的贵族享有特权。

Bagirmi, Kingdom of 巴吉尔米王国 历史上的非洲国家,16 世纪建立于乍得湖的东南岸。巴吉尔米王朝似乎建于 1522 年。国王称姆邦,以马塞尼亚为首都。巴吉尔米的国王及其许多追随者约于 1600 年信奉伊斯兰教。17 世纪由于奴隶贸易而发财。巴吉尔米王国夹在博尔努国(西面)和瓦代国(东面)之间,腹背受敌,17 ～ 18 世纪臣附博尔努,19 世纪初又归附瓦代。多次遭到两国劫掠,并被迫向两国纳贡。1894 年,马塞尼亚被祖拜尔的军队摧毁。19 世纪末和 20 世纪初的一系列条约规定这一领地由法国控制。

Bagley, Sarah G. 巴格利(? ～ 1847?,美国新罕布什尔梅勒迪斯?) 美国劳工组织者。早年生活不详。1836 年到洛厄尔的棉纺厂工作。19 世纪 40 年代,随着一次次增产而且减薪,她和工厂的女工们深感不安。1844 年 12 月组建了洛厄尔妇女劳工改革协会,并任主席,要求改进劳动环境,实行 10 小时工作日,直接目标是立即由马萨诸塞州议会的委员会对洛厄尔的劳动环境进行调查。但请愿一年,州议会拒绝采取任何行动。到 1845 年初,巴格利已离开棉纺厂,到马萨诸塞州的沃尔瑟姆和福尔里弗及新罕布什尔州的曼彻斯特、纳舒厄和多佛组建妇女劳工改革协会的分会。1845 年任新英格兰劳工协会通信秘书。她组织工业改革讲座,请激进人士到洛厄尔来演讲,撰写具有战斗性的评论。10 小时工作日运动被州议会拒绝以后也就分崩离析了。随着健康状况衰退,她转而相信乌托邦的社会改革哲学。1847 年从洛厄尔妇女劳工改革协会主席离职。

Bagley, William Chandler 巴格利(1874-03-15,底特律～ 1946-07-01,纽约市) 美国教育家、作家和编辑。1895 年获密歇根州农学院(东兰辛;今密歇根州立大学)大学本科学位。在芝加哥大学和威斯康星大学(麦迪逊)修完研究生课程后,获纽约州伊萨卡康奈尔大学心理学和教育学博士学位(1900)。巴格利具有广泛的教育实践经验,曾在密歇根乡间只有一名教师的学校授课,在若干城市管理公立学校,并曾在厄巴纳-尚佩恩的伊利诺伊大学(1908 ～ 1917)和哥伦比亚大学(1917 ～ 1940)任教育学教授。巴格利的终生事业主要是通过改善教师的培训以改善公立学校的教育。他是"基本教育论者"的主要代言人。基本教育论者是一群职业教育家,他们提倡欧洲式的强调传统科目的严格课程,而反对主张循序渐进的教育方法。巴格利直言不讳地倡导教育机会均等,并坚决反对依据智力测验分数限制这样的机会。著述甚丰,包括与C. A. 比尔德合著的《美国人民的历史》(1918)、《我们的旧世界背景》(1922),与比尔德和 R.F. 尼科尔斯合著的《美国的昨天和今天》(1938)。他自己的著作中有《教学技术》(1911)、《学校纪律》(1914)、《教育决定论》(1925)、《教育、犯罪和社会进步》(1931)、《教育和突出的人》(1934)和《万能学校的一个世纪》(1937)。巴格利还曾创办和编辑许多专业报刊。

Baglioni FAMILY 巴利奥尼家族 意大利翁布里亚的贵族世家。1488 ～ 1534 年统治佩鲁贾。这个家族的马拉泰斯塔(1389 ～ 1437)曾与佩鲁贾的暴君联合反对教皇马丁五世,后来得到一些领地和封邑,成为佩鲁贾的实际统治者。其子布拉基奥(1419 ～ 1474?)继承父位后,于 1488 年建立由本家族 10 名成员组成的议事会。1500 年前后,巴利奥尼家族发生内讧,互相残杀。结果,詹保罗(1470 ～ 1520)成为佩鲁贾的唯一统治者。1503 年教皇尤利乌斯二世占领佩鲁贾,巴利奥尼家族于 1506 年承认教皇的领主权。詹保罗被诱骗到罗马,由教皇利奥十世下令处死。最后,巴利奥尼家族于 1534 年被教皇完全放逐。

Bagnold, Enid 巴格诺尔德(1889-10-27,英格兰肯特罗切斯特～ 1981-03-31,伦敦) 英国女小说家和剧作家。军官家庭出身,在牙买加度过童年,后在英国和法国求学。第一次世界大战时参加英国妇女战地服务团。初期的作品有《没有日期的日记》(1917)、《快乐的外国人》(1920),写她战时的经历。1920 年

同后来成为路透社董事长的罗德里克·琼斯爵士结婚。最知名的作品是《赛马奖金》,描写一个人小志大的14岁小姑娘,在英国大马赛中骑一匹仅用10英镑买来的马获胜的故事。另外两部长篇小说《乡绅》(1938)和《被钟爱的和钦羡的人》(1951)也很成功。她的最佳剧本是《白垩花园》(1955)。《巴格诺尔德自传》出版于1969年。

Bagnold, Ralph A(lger)　巴格诺尔德(1896-04-03,英格兰德文郡德文波特～1990-05-28)英国地质学家,是沉积物搬运机制和风力作用方面的主要权威。在伍利奇皇家军事学院受教育后,1915～1935年,1939～1944年,在陆军中服役,军衔升到准将。1929～1938年他组织并领导了许多次沙漠考察,特别是对利比亚沙漠的考察。他调查了风力和水力搬运沉积物的过程,并研究了沙丘的起源,按形状和生长方式对沙漠作了分类。他向私人企业、政府和科学研究组织提供咨询和顾问服务。巴格诺尔德已发表的著作有:《利比亚沙漠》(1935),《沙漠沙的运动》(1936),《风吹沙的物理学和沙漠沙丘》(1941),《浅水中波浪的运动》(1946)和《流体内松散颗粒的流动》(1956)。

Bago　巴戈　菲律宾内格罗斯岛西部城市。位于巴科洛德及其外港普卢潘丹之间,濒临巴戈河口的吉马拉斯海峡。为盛产稻米和甘蔗的农业区。榨糖为其主要工业。有公路与巴科洛德和内格罗斯西部的其他城市相通。人口约124 000(1990)。

Bagoas　巴戈阿斯(活动时期公元前4世纪)波斯国王阿尔塔薛西斯三世的宠臣。巴戈阿斯的名字是古波斯太监常用的希腊译名。当阿尔塔薛西斯征服埃及时(公元前343年),巴戈阿斯任军队总司令。此后权倾一时,成为阿契美尼德帝国的实际主人。公元前338年杀死阿尔塔薛西斯和除阿尔塞斯以外的所有王子,并把阿尔塞斯拥上王位。两年后又杀死阿尔塞斯,立大流士三世为国王。当大流士不听他指挥时,他送毒酒给大流士,但大流士事先得到情报,迫使巴戈阿斯喝下毒酒。

bagpipe　风笛　由两个或两个以上单簧或双簧的管组成的管乐器。簧片由手臂加压于兽皮(或胶布)口袋供风而振动。管子装在几个与袋相连的木座上。口袋用嘴(通过一根带有皮制单向阀门的吹气管)或用风箱(用带系在身上)充气。旋律由手指按旋律管的指孔奏出,其余的管(称为单音管)则发出与指管相配的单音。声音是连续不断的,为了能清楚地奏出旋律并将一些音加以重复,吹奏者采用装饰音手法,换言之,快速加入一些旋律以外的音,以造成各音不相连的效果。在欧洲,早在公元9世纪即已有关于风笛的记载。再早则除公元100年左右的4条拉丁文和希腊文记录和约公元前100年的一件亚历山大大帝时代的陶制品(在柏林)外,就很少有迹象可寻。最早风笛的风袋基本上用动物膀胱或去掉后腿的全羊皮制成,后来又有将两块皮按袋状裁剪缝制而成的。风笛原为民间乐器,15世纪后有的风笛用于宫廷音乐,亦有的作为军乐器存留至今。

就指管而言,两支单簧芦管平行置放,一管常常发出单音,或以其他形式为另一管伴奏。它们大都具有牛角形管口,是号角单簧管的一种有袋的变种,可见于北非、阿拉伯半岛、爱琴海诸岛、高加索和俄罗斯的马里人之中。东欧(塞尔维亚、匈牙利、乌克兰和其他地区)的其他双指管由单块木料制成,有两个圆柱形内径(如芦管中所见)和原始的芦制单簧。还有一个单独的低音单音管,像大多数低音单音管一样,其调音也是比指管的基音低两个8度。保加利亚的"盖达笛"和捷克-波兰的"杜蒂笛(科扎笛)"采用单指管;"杜蒂笛"中的指管和单音管各有一大的牛角型喇叭口。

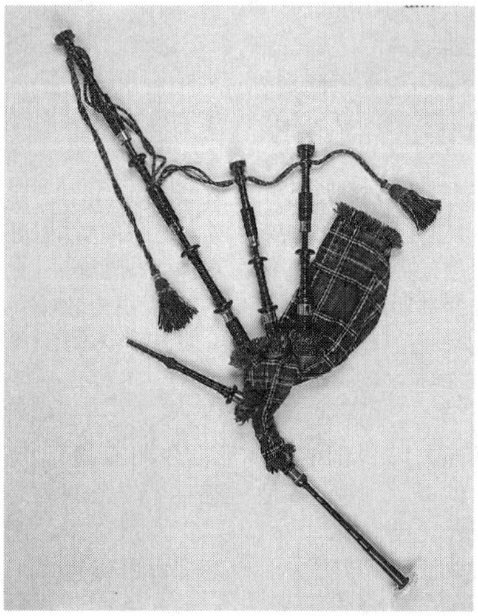

苏格兰高地风笛
美国不列颠百科全书公司供图

在西欧风笛中,指管具有典型的圆锥形内径,由一个双簧发声。单音管呈圆柱形,单簧像其他地方的风笛一样。苏格兰高地的风笛有两个次中音和一个低音单音管,二者调音相隔8度,其音阶保留传统的音程,不同于欧洲古典音乐。和其他风笛一样,它们原来也是一种放牧和节庆用的乐器,18世纪才在军队中与鼓合奏。苏格兰低地风笛是风箱式,3根单音管插入一个支座,声音比较柔和,约1750～1850年期间演奏。与此近似的是18世纪前在德国、荷兰、爱尔兰和英国采用的两支单音管的风笛。现代的双单音管爱尔兰军用管是一种改良的高地风笛,约自1905年起重新流行。

法国中部的风笛的独特之处在于有一根次中音单音管装在指管的支座内,就在指管旁边。大多为风箱式,没有低音单音管,通常与手摇弦琴一起演奏。意大利的赞姆波尼亚风笛与众不同,有两支指管,两手各执一支,以便奏出和声,常用以为蓬巴德管伴奏(尤以圣诞节为多)。两支指管与两支单音管插入同一支座,均为双簧。

风箱式缪赛特风笛(**musette**)在路易十四时代流行于法国社交界,有一支圆柱形指管(后增为两支,第二支向上扩展音域)和4支可调音的单音管。英国小管(约1700)在一定程度上与小风笛同宗,其中诺森伯里亚小号沿用至今。其圆柱形指管上有7键,底端封闭,因此如所有指孔皆闭合,指管即不发声(从而做到吐音清晰和断奏)。4支单簧单音管插入同一支座,每次用3支。

同一时期尚有一种复杂乐器,即风箱式爱尔兰联合风笛。指管顶在膝上,可奏断奏和使簧片跳到高8度,从而使风笛具有两个8度的旋律音域(这与更常见的9音音域截然不同)。3个单音管插入同一支座,伴以3支调节管,其腔体与簧片和指管相似,但下方闭塞,有4或5键,吹奏者用右掌根击键以发出简单和弦。

Bagradas (river, North Africa)　参阅 **Majardah, Wadi** 迈杰尔达河。

Bagratid DYNASTY　**巴格拉提德王朝**　公元9世纪巴格拉图尼家族在亚美尼亚和格鲁吉亚建立的王朝。国王们对拜占廷帝国和阿拔斯哈里发都保持独立。806年阿拉伯人选立阿肖特巴格拉图尼(食肉者)为亚美尼亚大公,使这一家族在这一地区占据首要地位。阿布拉巴斯任亚美尼亚总督时,依然对哈里发效忠。862年,阿布拉巴斯之子阿肖特一世被阿拉伯人称为"万公之公",885年哈里发和拜占廷皇帝承认他为亚美尼亚国王。阿肖特一世有效地捍卫了国家,从而为亚美尼亚的黄金时代打下基础。整个10世纪文学和艺术繁荣昌盛。阿肖特三世(952～977)将首都迁到阿尼(靠近今阿尼佩姆扎)。922年哈里发授予铁汉阿肖特二世"万王之王"的称号。961年阿肖特三世之弟穆士格建立卡尔斯王国,11世纪塞尔柱突厥人和拜占廷联合入侵,摧毁了留存着的巴格拉提德王朝和亚美尼亚王国。另一支的阿达纳斯四世于888年成为格鲁吉亚国王,该支的统治一直持续到1505年。

Bagration, Pyotr Ivanovich, Knyaz　巴格拉季昂(1765,俄罗斯基兹利亚尔～1812-09-24,锡马)　又译巴格拉基昂。俄国将军、公爵,拿破仑战争期间声名卓著。格鲁吉亚贵族出身。1782年参加俄国军队。曾在高加索服役数年。1787～1792年的俄土战争中参加围攻奥恰科夫。1794年参加镇压波兰起义。在1799年反拿破仑战役中曾因攻占布雷西亚而声名大振。1805年在霍拉布龙率兵6 000人击退法军3万名,保证俄军主力安全退至摩拉维亚。巴格拉季昂于1808年占领具有战略意义的奥兰群岛。1809年调往南方,在保加利亚指挥对土耳其人的战事。1812年在西线指挥俄国第二集团军。后被法军打败。1812年9月7日在博罗季诺战役中指挥俄军左翼,受重伤后死去。沙皇尼古拉一世为表彰他的功绩,在博罗季诺战场原址为他立碑。

Bagritsky, Eduard Georgiyevich　巴格里茨基(1895-11-03,俄罗斯帝国乌克兰敖德萨～1934-02-16,俄罗斯联邦莫斯科)　苏联诗人,以其革命诗歌和在苏联时期继续推动浪漫主义传统而闻名。出身于贫苦犹太商人家庭,热情拥护1917年革命。国内战争时期为红色游击队员,写作宣传诗。最初的诗作模仿阿克梅派。这个20世纪初的文学流派鼓吹具体的、个人主义的现实主义，强调生动的视觉、强烈的感情和清新明朗的语言。不久，他便开始按自己的风格写作，发表了《奥帕纳斯之歌》(1926)，这是一首描写革命的精湛的叙事诗，以一位叫奥帕纳斯的乌克兰农民作为主人公。尽管官方提倡“社会主义现实主义”，巴格里茨基后来的作品仍保留了他的浪漫主义风格。诗歌展现出丰富的韵律变化并反映了从古典主义到现代主义的各种影响，但他的作品具有共同的积极、乐观的处世态度。

bagua 八卦 又拼ba kua，英语作Eight Diagrams。中国儒家经书《周易》中筮占所用的八种基本图像，由整线“—”(阳)和中断线“- -”(阴)符号组成。其名称和卦象为：乾(☰)、坤(☷)、震(☳)、巽(☴)、坎(☵)、离(☲)、艮(☶)、兑(☱)。《易传》认为八卦象征天、地、雷、风、水、火、山、泽八种自然现象。并阐述八卦中每两卦(如乾、坤)都相互对立，阴(- -)阳(—)是八卦根本。阴阳两种气体结合交感产生万物。这是从正反两面的矛盾对立说明事物的变化发展，具有辩证法因素。

Baguajiao 八卦教 英语作eight basic trigrams。中国清代民间秘密教会。白莲教的支派。以八卦(参阅 **Fuxi**)的区分为其组织形式。教徒遍布河南、河北、山东、江苏等省。信奉无生老母，崇拜太阳。以“真空家乡”为天堂，“无生老母”为上帝。入教时要捐献钱粮，称为种福钱或根基钱。八卦教曾多次发动起义。1813年9月坎卦教主林清、震卦教主李文成率领河北、河南教徒起义，起义前夕把八卦教改名为天理教。起义军曾一度攻入北京清宫，影响很大。捻军的组织与八卦教也有密切关系。义和团更以八卦编制战斗队伍。但这些都是清初八卦教的余绪，其间并无师承派系关系。

Baguio 碧瑶 菲律宾吕宋岛中西部城市。海拔1 500米。该地风景优美，空气清新，是国内首屈一指的游览胜地。与相距260千米的马尼拉之间有极便利的交通条件。碧瑶为

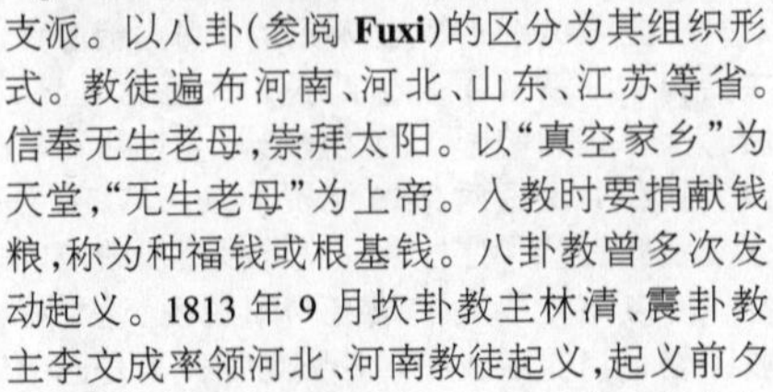

碧瑶市一角
中国大百科全书出版社供图

重要的金矿中心，其附近的曼卡延产铜。市内有军事学院和两所大学。1990年7月16日吕宋中部的地震使碧瑶遭到严重破坏。1909年扩建为市。人口约152 193(1989)。

Bagura (Bangladesh) 参阅 **Bogra 博格拉**。

baguwen 八股文 英语作eight-legged essay。中国明、清时期科举考试用的文体。又称制艺、时文。文体有固定格式，由破题、承题、起讲、入题、起股、中股、后股、束股八部分组成。从起股到束股每股都有两段排比对偶文字，共计八段，故称“八股”。八股文题都摘自《四书》，考生须按朱熹注释立论，不能自由发挥。明清八股文是读书人必修课。1905年清政府停止科举后八股文才废除。

bagworm moth 蓑蛾 又称袋蛾。鳞翅目蓑蛾科昆虫。世界性分布。幼虫用丝、枝叶碎屑和其他残屑构成长6～152毫米的袋状外壳负之而行，并在其中化蛹。雄蛾体粗大，

一种蓑蛾(*Thyridopteryx meadi*)
美国不列颠百科全书公司供图

翅宽，翅展平均25毫米，翅缘有缨毛。雌蛾形似蠕虫无翅，留在袋内交配和产卵。常绿树蓑蛾(*Thyridopteryx ephemeraeformis*)雌体交配后即死亡，卵留在母体内直到孵出。幼虫破坏树木，尤其是常绿树。

Bagyidaw 孟既(?～1846-10) 缅甸国王(1819～1837)，雍笈牙王朝第7代君主。在第一次英缅战争(1824～1826)中战败。结果，若开和德林达依(丹那沙林)两省被英国人占领。孟既生性懦弱，但在大将班都拉怂恿下，奉行祖父孟云向印度东北部侵略扩张的政策。他征服阿萨姆和曼尼普尔，使其向缅甸纳贡，他的王国同英属印度的边界从孟加拉湾的若开延伸至喜马拉雅山山麓。英国人因缅甸过境追击叛军而于1824年3月发动了对缅战争。1826年2月，孟既政府被迫签署《延达波条约》，其中规定：德林达依(丹那沙林)和若开割让给英国；赔款100万英镑；缅甸放弃对阿萨姆和曼尼普尔的一切要求。

Bahā' ad-Dīn Zuhayr 拜哈丁·祖海尔(1186-02-28，阿拉伯半岛麦加[今在沙特阿拉伯]～1258-11-02，埃及开罗) 阿拉伯诗人。曾任职于开罗的阿尤布王朝。就读于上埃及贸易和文化中心古斯，后移居开罗，为阿尤布亲王萨利赫·阿尤布效劳。1232年进攻叙利亚时，任亲王的秘书。1239年阿尤布王族内讧，萨利赫被囚禁于巴勒斯坦的纳布卢斯，拜哈丁仍追随左右，次年，萨利赫在埃及掌权，他任大臣，但在苏丹去世那年失宠。也遭大马士革和阿勒颇阿尤布王朝统治者的冷遇，晚年在开罗，生活贫困潦倒。他的诗集出过阿拉伯文本和英译本，他的诗作中有颂扬阿尤布王朝的一个成员或官吏的诗。其余诗篇均吟咏爱情的得失和友谊。

Bahā' Ullāh 巴哈·乌拉(1817-11-12，德黑兰～1892-05-29，巴勒斯坦阿卡[今在以色列]) 原名米尔扎·侯赛因·阿里·努尔，自称是不可知的安拉的显现，创立巴哈教派。他原是伊斯兰教什叶派信徒，后与巴布教派领袖米尔扎·阿里·穆罕默德即巴布结成联盟，1850年波斯政府以叛逆罪名将巴布处决，米尔扎·侯赛因与巴布后继人米尔扎·叶海亚(又名苏贝赫·阿扎尔)共同指挥巴布教派。1867年他公开宣称自己是巴布所预言的“伊玛目-马赫迪”，该教派内部火并，奥斯曼政府遂将他流放到阿卡。他在该地自称巴哈·乌拉(安拉的光辉)，把流行于一个地区的巴哈教派教义发展成为内容广泛的学说，主张万教归一，天下皆为兄弟。他强调社会伦理，不重宗教仪式，主张废除种族的、阶级的以及宗教的偏见。

bahada (landform) 参阅 **bajada 山麓冲积平原**。

Bahādur Shāh I 巴哈都尔沙一世(1643-10-14，印度布尔汉布～1712-02-27，拉合尔) 印度莫卧儿王朝皇帝(1707～1712)。奥朗则布皇帝次子。1663年代表父皇前去印度中南部的德干高原。1683～1684年率兵进入葡属果阿袭击马拉塔人，但因没有得到葡萄牙的支持，惨败而归。1699年被其父任命为喀布尔总督。父皇死后即位，但在位时期很短。

Bahādur Shāh II 巴哈都尔沙二世(1775-10-24，德里～1862-11-07，仰光) 印度莫卧儿王朝最后一代皇帝(1837～1858)。阿克巴沙二世次子。能诗，善书，又擅长音乐。他当美学家有余，作政治领袖不足。在位时多依英国人意志行事，没有实权。1857年发生兵变，起义者占领德里。当时他已82岁，由于贪生怕死，苟安图存，后被英国人废黜，携眷流亡缅甸。

Bāhādurpur, Battle of 巴哈杜尔布尔战役(1658-02-24) 印度莫卧儿王朝皇帝沙贾汉(1628～1657或1658在位)1657年卧病后，4个皇子为继承帝位展开混战。二子舒查自立为孟加拉总督，被长子达罗之子悉乔在北方邦巴哈杜尔布尔击败。后三子奥朗则布击败其他3人，俘获并处死悉乔。1658年6月囚其父，7月即位。

Bāḥah, al- 巴哈 沙特阿拉伯西南部城镇，位于海拔2 138米的多山高原。四周为布满红松的山坡台地。地当塔伊夫—吉赞公路干线，以作为阿西尔地区(在也门北面，为富裕农业区)门户闻名。

Bahā'ī faith 巴哈教 米尔扎·侯赛因·阿里·努尔于19世纪中叶在伊朗创立的宗教。此人号称“巴哈·乌拉”(阿拉伯语，意为“安拉的光辉”)。该教的基本信仰是：巴哈·乌拉和他的先驱者巴布是安拉(其本体是不可知的)的显示。该教的主要教义是：各宗教在本质上是同一的，人类一家。该教认为，世界各大宗教的创立人都是安拉的显示，安拉通过这

些人执行循序渐进的教育人类的计划；世界各大宗教虽然存在明显的不同，却都在宣讲同一真理。巴哈·乌拉的特殊职责在于克服各宗教的不和，创立一个普世宗教。该教认为人类一家，并致力于废除种族、阶级和宗教偏见。该教的大部分学说讲的是社会伦理。

巴哈教源起于伊朗设拉子人米尔扎·阿里·穆罕默德1844年创立的"巴布教"。米尔扎宣传新先知即安拉的使者即将临世，将破除旧信仰、旧习俗，开创新时代。其教义脱胎于伊斯兰教什叶派。什叶派相信，第12代伊玛目即将返回世界，革新宗教，引导信众。米尔扎于1844年开始宣传他的教义，自称"巴布"（波斯语"门"）。他的教义不久传遍伊朗，但遭到什叶派神职人员和政府的强烈反对。巴布被捕后，于1805年被处决。随后大批巴布教徒遭受迫害，最终有2万人惨遭屠戮。米尔扎·侯赛因·阿里·努尔是巴布最早的门徒之一，也是巴布教义最得力的阐述者。他于1852年在德黑兰被捕，在狱中自觉是巴布所预言的先知和安拉的使者。他于1853年获释，被放逐到巴格达。他在该地重振巴布教。1863年，他向巴布教徒宣布自己是巴布所预言的安拉的使者。巴布教徒绝大多数承认他的说法，从此称为巴哈教徒。后来巴哈·乌拉被奥斯曼帝国先后拘禁在阿德里安堡（今土耳其埃迪尔内）和巴勒斯坦阿卡（今以色列阿卡）。巴哈·乌拉死于1892年，死前指定长子阿布杜·巴哈（1844～1921）领导巴哈教团，并授权后者为他的教义的阐释者。阿布杜·巴哈积极开展活动，使该教传播到北美洲、欧洲和其他大陆。他指定长孙肖基·埃芬迪·拉巴尼（1894～1957）为后继人。从20世纪60年代起，巴哈教迅速弘传，比至20世纪末，共有全国性灵体会150多个，地方性灵体会约2万个。1979年伊斯兰教原教旨主义者在伊朗取得政权，该国的30万巴哈教徒遭到政府的迫害。

巴哈教的圣典文献包括巴布、巴哈·乌拉和阿布杜·巴哈的著作和言论。凡公开宣布信仰巴哈·乌拉并承认其学说者都可入教，无须入教礼。该教不设圣事和专职神职人员，没有固定的礼拜形式。但是，每一教徒负有以下宗教义务：每日祈祷；每年斋戒19天，在斋日从日出到日落禁食禁饮；禁绝麻醉品、酒类和任何影响大脑神智的物质；实行一夫一妻制；婚事征得父母同意；巴哈教历每月第一日参加斋日活动。19天的斋日原是巴布所定，届时一地的巴哈教徒聚会，祈祷读经，讨论教务，互相联谊。斋日活动的目的在于保证教徒普遍参与教务并陶冶兄弟情谊和团契精神。目前美国伊利诺伊州威尔梅特、德国美因河畔法兰克福、乌干达坎帕拉、澳大利亚悉尼和巴拿马的巴拿马城设有巴哈教的礼拜堂。礼拜堂内不进行讲道活动，聚会时诵读各教经籍。巴哈教徒使用由巴布创制并经巴哈·乌拉重新确立的历法。该历法将一年分为19个月，每月19天，闰日4天（逢闰年5天）。以3月21日春季之首为元旦，该日也是该教教历上几个圣日之一。巴哈教团是根据巴哈·乌拉颁布的通则以及他制订的各种制度进行管理的，这些通则和制度经由阿布杜·巴哈阐释和发挥。地方教团为基层组织，选举产生地方灵体会（即长老会）。在选举过程中不许搞宗派，不许搞提名和竞选活动。地方灵体会管理地方教团的一切事务。在全国范围内，巴哈教徒每年选举代表出席全国大会，选出全国灵体会成员，管理全国教务。世界各国灵体会定期举行国际大会，选出最高管理机构——世界正义院。世界正义院一方面执行巴哈·乌拉颁布的律法，另一方面就圣书上未论及的问题制订律法。世界正义院设在以色列的海法，邻近巴布和阿布杜·巴哈的陵墓，同时距阿卡附近巴赫吉的巴哈·乌拉的陵墓也不远。世界正义院任命"安拉事业之手"的成员以及各大陆顾问，负责弘传巴哈教义并保护巴哈教团。

Bahā'ī temple　巴哈寺　巴哈教的礼拜寺，各种宗教的信徒都可以进入。参阅 **mashriq al-adhkār**。

Bahamas, The　巴哈马　全称巴哈马联邦。西印度群岛西北边缘的群岛和国家，位于美国佛罗里达州东南海岸对面，由大约700个岛屿和珊瑚礁及2 000多个低而光秃的岩礁组成。群岛有北回归线穿越，分布在大西洋西部233 000平方千米的海域内，总面积13 939平方千米。首都拿骚，位于最重要的新普罗维登斯岛。安德罗斯岛长167千米，宽64千米，为最大岛屿。人口约317 000（2004）。

土地　该群岛的岛屿由珊瑚石灰岩构成，海拔大多只有数英尺而且地势平坦。最高点阿尔弗尼亚山（原称科莫山）海拔63米，位于卡特岛。大部分岛屿地形狭长，每个岛屿的东边海岸都隆起一低矮的山脊，山脊以外是潟湖和长有美洲红树的沼泽地，珊瑚暗滩是海岸线的标志。巴哈马境内没有河流。

巴哈马属温和的亚热带气候，全年分冬（12～4月）、夏（5～11月）两季，受墨西哥湾流及大西洋微风的影响极大。冬季平均气温21 °C，夏季27 °C，年均降雨量约1 120毫米，但各岛之间亦有差别。7月中旬至11月中旬多飓风。

岛上遍布热带植物，包括九重葛属植物、茉莉、兰花及夹竹桃。有些岛屿，如安德罗斯岛、大阿巴科岛及大巴哈马岛上可以见到加勒比松。当地的林木有黑橄榄、软木树和几种棕榈树。一些岛上还种有桃花心木、木麻黄和雪松。岛上动物主要有青蛙、蜥蜴和蛇，蚊子、白蛉和白蚁在岛上分布很广。鸟的种类繁多，包括国鸟火烈鸟。大伊纳瓜岛上的伊纳瓜国家公园为西印度群岛火烈鸟之乡，现在约有50 000余只，是世界最大的火烈鸟群。盐、霰石和石灰岩是唯一具有商业价值的重要矿产品。盐的生产主要靠日晒法，产自大伊纳瓜和长岛。

人民　巴哈马人是欧洲人和非洲人后裔的混血人种，后者是被贩卖至此的奴隶的后裔。英语是官方语言。几乎所有居民都信奉基督教。浸礼会信徒约占人口的1/3，圣公会教徒和天主教徒各约占总人口的1/4。

只有大约30个岛屿和珊瑚礁上有人居住。20世纪70年代大批居民从仍处在农村经济的岛屿涌入城市化的岛屿，其中大部分前往人口已相当稠密的新普罗维登斯岛（约有2/3的人口居住在该岛）、大巴哈马岛和大阿巴科岛。但是在长岛，1980年只有居民33人。全国平均人口密度相对较低。

70年代末巴哈马的人口增长率相对较高（这一趋势断断续续地持续到80年代末），原因主要是出生率较高，因此岛上15岁以下的人口几乎约占2/5。死亡率相对较低。

经济　巴哈马的市场经济占主导地位，主要依赖于旅游业和国际金融服务。国民生产总值的增长比人口的增长迅速得多。人均国民生产总值与其他发达国家近似。

农业约占国民生产总值的1/20，有相应比例的劳动力从事农业生产。可耕地约占1%，土层较薄。政府为增加农业产量所做的努力收效甚微，几乎所有食品全靠进口，大部分来自美国。由于日照充分，蕃茄、菠萝、香蕉、芒果、番石榴、人心果、刺果番荔枝、柚和海葡萄的生长茂盛。牲畜饲养有猪、羊和牛。渔场产量不大，主要捕捞螯虾、石斑鱼和海螺。

矿产业仅限于盐和水泥的生产。大巴哈马岛上有数个石油运输集散地。制造业主要是朗姆酒及其他烈性酒以及水泥、药品（包括激素）、蕃茄罐头、菠萝罐头和冷冻螯虾的生产。工业促进法案规定生产商可以免交关税及其他税。电力生产完全依靠进口燃料。

旅游业在国民生产总值中所占比例高达2/3，从业人员约占就业人数的2/3。旅游业主要集中在新普罗维登斯岛和大巴哈马岛，游客大多来自美国。因为巴哈马免征所得税或公司税并保证对金融交易予以保密，吸引了数百家银行和信托公司来此投资。政府的经费开支主要取决于政府的间接税，这种税收主要征自旅游业和对外贸易。美国是巴哈马的主要贸易伙伴，根据普遍优惠制豁免了某些巴哈马产品的关税。尼日利亚提供的原油约占巴哈马进口原油总值的1/3。拿骚和位于大巴哈马岛上的弗里波特是巴哈马的两个主要港口，建有国际机场。

政体与社会状况　巴哈马是英联邦内的一个独立的民主国家。根据1973年的国家宪法，国家的行政权在形式上属于英国君主（由驻巴哈马的总督作为代表）。实际政权则归众议院，这是一个由49名民选议员组成的立法机构，最长任期为5年。众议院任命一位总理来执掌国家的行政权。另一个权力较小的立法机构是参议院，由总理任命的12名成员和众议院内最大的反对党领袖所指派的4名成员共同组成。自独立以来，巴哈马的政治一直为进步自由党控制。反对党组织包括自由民族运动。司法系统的最高机构是最高法院和上诉法院，但某些上诉案件亦可送至英国枢密院的司法委员会。

巴哈马的社会福利制度包括医疗服务、产妇津贴、退休养老、孀居津贴及社会救助。国内大部分医生及医疗设施都在拿骚地区。没有流动医疗服务，向缺乏长驻医疗人员的岛屿派出医生。巴哈马基本上没有因饥饿造成的疾病。平均预期寿命为69岁。

5～14岁的少年儿童须接受免费义务教育，几乎没有文盲。巴哈马人可赴海外攻读高等教育的学位，亦可入巴哈马学院（建于1974年）学习，学制2年。

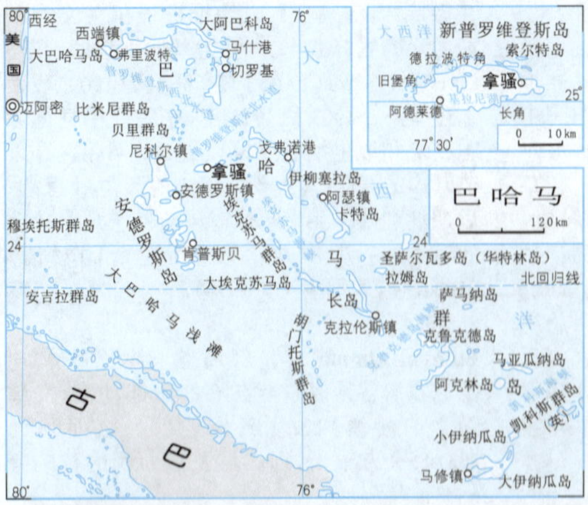

美国不列颠百科全书公司供图

该国出版的数份日报享有新闻自由。传播和新闻媒介由政府的广播公司经营。

文化生活 最热闹的传统群体活动是节礼日和新年的游行。主要大街上挤满兴高采烈身着节日盛装的庆祝者，他们摇着颈铃，敲着鼓，随着非洲传统的节奏边走边舞。在拿骚，业余合唱队、戏剧团体和舞蹈队演出富有地方色彩的节目。

历史 巴哈马原始居民是名为卢卡扬的阿拉瓦克族印第安人，最初来自南美大陆，有些后来被加勒比印第安人向北驱赶至加勒比海地区。与邻近的加勒比人不同，卢卡扬人爱好和平，热衷渔业而不是农耕，属非食人族。

1492年哥伦布抵达新大陆时，曾被认为是在巴哈马群岛的圣萨尔瓦多岛（又称华特林岛）或是萨马纳岛登陆。西班牙人无意在该处定居，但却将和平的阿拉瓦克人掳为奴隶，使该岛人数锐减。英国人到达时，巴哈马群岛已荒无人烟。

1629年，英王查理一世将该群岛授予他的一位大臣，但并无在岛上开拓居民点的打算。1648年W.塞尔带领一队英国清教徒从百慕大抵达被认为是伊柳塞拉岛的岛屿。这次殖民活动困难重重并不成功，但其他百慕大移居者仍源源不断地到达。1656年新普罗维登斯岛已成为定居地。1670年巴哈马被赐予阿尔伯马尔公爵及其他5人作为特许的私人殖民地。这些私人殖民地所有者对该群岛毫无兴趣，岛上拓居地开发缓慢。许多人沦为海盗。

1717年该殖民地重归英王所有，并采取行动铲除海盗。第一位皇家总督W.罗杰斯成功地控制了海盗，但大部分费用却要由他自己承担。英国很少给予财政及军事支援。结果，群岛依旧贫穷，极易受到西班牙人的攻击。

1776年该群岛曾被美国海军占领过数日，从1782～1783年，又被西班牙占领近一年，1783年回归英国。美国革命后，一些保皇党人及其奴隶从美国逃到该岛，使岛上人口剧增。群岛曾因种植棉花而繁荣一时。但当土地变得贫瘠和1834年奴隶制被废除之后，巴哈马又陷入贫困之中。

其后，该群岛又经历过两次繁荣期：一次是1861～1865年，当时巴哈马成为美国南北战争期间封锁走私船的中心；另一次是1920～1933年，当时正处在美国禁酒时期，非法贩运酒成为热门生意。但是，这两次繁荣纯属经济上的偶然。第二次世界大战之后，旅游业逐渐发展，该群岛才出现了稳定的繁荣。

进步自由党的成立主要是出于为岛上黑人多数谋求政治代表权的需要。1967年该党组建政府，并致力于消除种族隔离和争取群岛独立。1973年该岛独立。之后，政府面临两大问题：一是外围小岛群的毒品交易；另一是大批海地难民非法入境。

Bahār, Muḥammad Taqī 拜哈尔（1885，伊朗马什哈德～1951-04-22，德黑兰） 20世纪初伊朗最伟大的诗人之一。拜哈尔继父之后成为穆宰费尔丁·沙阿国王（1896～1907）的宫廷诗人，后逐渐和宫廷决裂，同情革命运动。先后在马什哈德和德黑兰编辑一份自由民主杂志《新春》，撰文歌颂伊朗新宪法。1915年去伊斯坦布尔，一年后回国积极参加政治活动，任伊朗议会议员，并成为文学团体“知识之地”的主席。该团体出版一份同名刊物，他在其中表现出保守的文学情趣，即坚持古典文体，反对先锋派风格。1921年退出政界后，主要从事教育和文化工作。他的诗歌尽管用古典波斯文体写成，但在表达现代社会思想，以及对国家和政府进行辛辣的嘲讽和抨击方面却独具一格。他写过许多论文学风格和文法的文章，译过钵罗钵语的作品，还写过一部长篇小说和评波斯大诗人和历史学家作品的论文。

Baharampur 巴哈兰布尔 又拼Berhampur。印度东北部西孟加拉邦中部城镇。位于帕吉勒提河东岸。有主要的铁路和公路交通，是重要的农业贸易中心。有丝织、碾米、榨油、牙雕以及金、银、铜等金属加工业。设有加尔各答大学分校。其郊区克辛巴扎18世纪时是一个重要城镇，现为丝织业中心。人口：城镇115 144；都会区126 400（1991）。

Bahāwalnagar 巴哈瓦尔讷格尔 巴基斯坦旁遮普省中东部城镇。位于苏特莱杰河以东。为商业分配中心，有公路与木尔坦、巴哈瓦尔布尔相通，铁路与巴哈瓦尔布尔相通。设有旁遮普大学的几所公立学院。邻近地区主要为冲积地带，大部分位于苏特莱杰河谷低地。主要农作物是小麦、稻米、高粱和棉花。人口109 642（1998）。

Bahāwalpur 巴哈瓦尔布尔 巴基斯坦旁遮普省东南部城市。巴哈瓦尔布尔城建于1748年，紧靠苏特莱杰河南岸。巴基斯坦境内苏特莱杰河上唯一的一座铁路桥建于此

巴哈瓦尔布尔的纳瓦布宫
美国不列颠百科全书公司供图

地。有铁路与白沙瓦、卡拉奇相通。有两座纳瓦布宫殿、一处图书馆、两处医院，以及动物园、博物馆和体育场。设有旁遮普大学的几个学院、伊斯兰米亚大学（1975）与卡伊德阿扎姆医学院。亦为重要的农业培训和教育中心。制皂和轧棉为主要工业。产棉织品、丝织品、刺绣、挂毯和特别精细的陶器。70年代建立了棉籽榨油厂。在巴哈瓦尔布尔周围地区中，西部为信德，是河谷中的肥沃冲积地带，有成片的枣椰林，人口高度密集；主要作物为小麦、鹰嘴豆、棉花、甘蔗和枣。饲养牛羊，出口毛、皮。中部叫做巴特或巴尔，主要是沙漠，有苏特莱杰河的各条灌渠引水灌溉，出产小麦、棉花和甘蔗。东部称为罗希或焦利斯坦，为荒芜沙漠区。居民主要是贾特族和俾路支族。该地区有许多历史遗迹。人口约403 408（1998）。

Bahia 巴伊亚 巴西东部一州。东濒大西洋，面积561 026平方千米。首府萨尔瓦多。1822年巴西帝国独立。1823年7月2日设省。1889年成立共和国，成为巴西联邦一州。

巴伊亚州伊列乌斯附近的种植园
美国不列颠百科全书公司供图

19世纪农业复兴，为甘蔗的黄金时代；并种植咖啡，棉花增产。南部森林成为可可种植园。20世纪初建立橡胶种植园。迪亚曼蒂纳高地和通巴多山脉纵贯全州，分为西部高

原和东部高原。最大河流圣弗朗西斯科河，从南向北流过巴伊亚西部，折向东方，成为巴伊亚和伯南布哥州以及阿拉戈斯州的界河。沿海有许多地方年降雨量超过1 400毫米，生长椰子和橡胶；干旱地带面积占全州一半，降雨量不足610毫米，只生长仙人掌等耐旱植物。林中动物有西貒，貘和树懒；开旷地带可见大犰狳、朱鹭和王雕。居民中混血种占多数，还有众多黑人和白人。人口集中在东部沿海地区的市和镇中。城市人口占一半以上。通用语言为葡萄牙语。居民信奉天主教。生活水平低下。卫生条件差，文盲普遍。有两所大学：巴伊亚联邦大学和萨尔瓦多公教大学。矿物资源有石油、天然气、铅、铜、镍、锡、锰等矿藏。农产品主要有可可、植物油和西沙尔麻。森林产木材。牧牛业相当发达，生产皮革。有炼油、水泥和铁工厂。文化机构有巴伊亚文学院，巴伊亚地理历史学会和巴伊亚音乐学会。人口约12 646 000（1995）。

Bahia（city, Brazil） **巴伊亚** 参阅**Salvador** *萨尔瓦多*。

Bahía, Islas de la（Honduras） 参阅 **Bay Islands** *巴伊亚群岛*。

Bahía Blanca 布兰卡港 阿根廷布宜诺斯艾利斯省西南部城市。阿根廷主要港口。临布兰卡湾。1884年建成第一条通布宜诺斯艾利斯的铁路，后成为商业中心。现有几个具有现代化设备的辅助港，装运来自南美大草原西南部和巴塔哥尼亚北部的谷物、肉类、水果和石油化工产品。贝尔格拉诺港为海军基地。20世纪70年代末和80年代初兴建石油化工综合企业。市内有国立南方大学（1956）、贝尔纳尔迪诺·里瓦达维亚图书馆及各种博物馆。人口约271 467（1991）。

Bahmanī SULTANATE **巴赫马尼苏丹国** 印度德干高原上的穆斯林国家（1347～1518），1347年由阿拉-乌德-丁·巴曼尼·沙赫建立。1347～约1425年的都城在阿萨纳巴德（即古尔伯加），以后迁到穆罕默达巴德（比德尔）。在马哈茂德·贾万任大臣时（1466～1481），苏丹国的权势达于顶峰。全国划分4个塔拉夫（省）。1490～1518年，巴赫马尼苏丹国解体，形成比贾布尔、艾哈迈德讷格尔、戈尔孔达、贝拉尔和比德尔等5个国家。

Bahnaric languages 巴纳诸语言 孟-高棉语系的一个语支。孟-高棉诸语言则是澳斯特罗亚细亚语超系的一个语系。巴纳诸语言划分为西部、西北部、北部、中部及南部诸亚支。北部巴纳诸语言为色登语和哈朗语，主要通行于越南中部。中部巴纳诸语言如巴纳语本身则通行于越南中部及其邻接的柬埔寨东北部。西部巴纳诸语言如巴罗语，通行于老挝南部的波罗芬高原及柬埔寨东北部。南部巴纳诸语言，如拥有使用者约十万之众的斯勒语（科霍语）通行于越南南部及柬埔寨东南部。

Bahonar, Mohammad Javad 巴霍纳尔（1933，伊朗克尔曼～1981-08-30，德黑兰） 又拼 Muḥammad Javād Bāhunar。伊朗政治家。在什叶派圣城库姆跟随什叶派领袖霍梅尼学习，后在德黑兰大学教宗教。因直言不讳地批评国王M.R.巴列维和参加反对伊朗国王的活动，于1964和1975年两度被捕。1978年伊朗革命推翻伊朗国王，巴霍纳尔参与起草新宪法、成立拥护霍梅尼的伊斯兰共和党。1981年3月任教育部长，延续M.A.拉贾伊的做法，试图清除西方文化对伊朗大学的影响。同年4月继任伊斯兰共和党领袖。5月总统拉贾伊任命他为总理，于8月4日就职。8月30日，反政府组织“人民战士”放置的炸弹爆炸，巴霍纳尔、拉贾伊及许多官员被害身亡。

Bähr, George 贝尔（1666-03-15，萨克森菲尔斯滕瓦尔德［德国］～1738-03-16，德累斯顿） 德国建筑师，以设计德累斯顿的巴罗克式妇女礼拜堂（1722～1743；1945年被盟军炸毁）而闻名。幼年很早即作木工学徒。根据官方记载，他还参加过暗箱照相机（当时的流行物）和乐器的制作。39岁时，他成为德累斯顿的木工巨匠。在德累斯顿市议会委托他建造妇女礼拜堂（他死后由其表弟J.G.施密特完成）之前，他曾经设计过洛施维茨（1705～1708）、施米德贝格（1713～1716）和福希海姆（1719～1726）的教堂。妇女礼拜堂具有明显的意大利巴罗克风格，但在布局和细节方面均有创新，并出现在多幅风景画中。

Bahr, Hermann 巴尔（1863-07-19，上奥地利林茨～1934-01-15，慕尼黑） 奥地利小说家、戏剧家。对文化运动怀有强烈兴趣，这使他的写作生涯成为了解他在世时奥地利各文

美国不列颠百科全书公司供图

学运动的入门指导。曾在奥地利和德国的大学求学，后定居维也纳，在几家报馆工作。《对现代派的批评》（1890）和《克服自然主义》（1891）是他的文学生涯第一阶段的代表作。在这一阶段中，他试图调和自然主义和浪漫主义。1907年发表《维也纳》，这是一篇论维也纳精神的引人注目的文章，但被禁。后来在梅特林克影响下，成为维护神秘主义和象征主义的先锋战士。他的喜剧《维也纳女子》（1900）、《痉挛》（1901）和《音乐会》（1909）表面上还有趣。1903和1918年，先后任柏林德意志剧院和维也纳城堡剧院经理。小说《升天节》（1916）描述其故乡的坚定的天主教思潮。后期批判性作品显示他对创造性艺术之社会效果的关切，其中有《马西亚斯的对话》（1904）和《表现主义》（1914）。

Bahr al-Ahmar, al- 红海省 埃及省份。包括尼罗河谷地以东至红海的东部沙漠（又称阿拉伯沙漠）的大部分地区。总面积为203 685平方千米，约占埃及总面积的1/5。有

红海省圣保罗隐修院外的半游牧民帐篷
美国不列颠百科全书公司供图

起伏的石灰岩高原，在尼罗河旁陡然下降形成峭壁，向南延伸到基纳对面处，又分裂成一些约488米高的悬崖，被季节性水道深深切割。自尼罗河以东80～137千米的沙漠高原并入南北向的一连串火山链。北部边界靠近贾拉拉巴赫里耶高地，其南为贾拉拉基布利耶高地。最高峰达1 475米。高峰西北侧有基督教圣安东尼隐修院。东部沙漠无自流井，只有一些山泉，但有不定期降雨。山脉降入红海处为一片沿海平原。居民多定居于此。20世纪60年代该省开始开采矿藏。近海和陆上油田中，以摩根油田最大，自70年代以来生产埃及石油的大部分。苏伊士湾的油田也已开始生产。东部沙漠还出产石棉、锰、磷、铀和金。埃及的主要红海港口古塞尔有大型磷矿和磷矿石加工厂。省会古尔代盖（参阅 **Ghurdaqah, al-**）有油田，为主要石油中心。东部沙漠山脉的矿产有雪花石膏、斑岩、花岗岩和砂岩。红海沿岸的一条公路连接苏伊士河和苏丹边界，另有4条公路横跨沙漠至尼罗河谷。人口约74 000（1986）。

Baḥr al-ʿArab 阿拉伯河 苏丹西南部间歇河流。源于栋杜（邦戈）山脉东北，流向东南偏东，在加拜阿拉伯处汇入尼罗河支流加扎勒河。流程800千米。不能通航，夏季洪水易泛滥。

Baḥr al-Ghazāl 加扎勒河 英语作 Gazelle River。苏丹尼罗河西侧的主要支流。长716千米，连接上尼罗河（杰贝勒河）。流域面积851 459平方千米。西至中非共和国和刚果（金）。蒸发使该河流量大量减少，到诺湖的季节性排水量是每秒零至48立方米。

Baḥr al-Jabal　杰贝勒河　尼罗河的一段。在靠近乌干达边界的尼穆莱与苏丹中南部马拉卡尔之间。在尼穆莱下方向北流，穿过苏德沼泽，失去一半水流量。在诺湖接纳

苏丹朱巴附近的杰贝勒河
美国不列颠百科全书公司供图

加扎勒河，再折向东，在马拉卡尔上方与索巴特河汇合，形成白尼罗河。全长956千米，沿河许多地区为草滩，旱季宜于放牧。

Baḥr az-Zarāf　宰拉夫河　又拼Bahr El-Zaraf，英语作Giraffe River。苏丹中南部苏德地区尼罗河支流。在尚贝以北的沼泽地从杰贝勒河分流而成，向北流240千米，在马拉卡尔以西56千米处又与杰贝勒河会合。不通航。在与杰贝勒河接近处掘有两个渠道，沟通两河。

Bahraich　巴赫赖奇　印度北方邦中东部城市。在卡格拉河的一条支流河畔，位于从勒克瑙到尼泊尔的铁路线上。与尼泊尔进行农产品与木材贸易中心。亦有一些蔗糖加工业。其周围的农业地区出产稻米、玉米、小麦和鹰嘴豆。人口约168 376(2001)。

Bahrain　巴林　全称巴林国。由巴林岛及大约30个较小岛屿组成的岛国，位于波斯湾(阿拉伯湾)内阿拉伯半岛沿海。主岛南北长约50千米，东西宽约16千米，位于巴林湾内伊朗西南约190千米处，在西面的沙特阿拉伯和东面的卡塔尔半岛之间。首都麦纳麦。面积694平方千米，人口约672 000(2002)。

土地　巴林岛占该国总面积的7/8，与紧靠其东北海岸的穆哈拉格岛和锡特拉岛共同形成该国人口与经济中心。巴林岛在地质构造上是一个伸长的穹丘，其中部的杜汉山海拔134米。南部和西南部的低地由荒凉的沙质平原和一些盐碱滩构成。北部和西北部狭窄海岸带有淡水蓄水层，开凿了许多自流井，许多泉水为水果和蔬菜作物提供了灌溉用水。

该国气候特点为全年湿度大。夏季(5～10月)平均气温31 ℃，几乎没有降雨。冬季平均气温在19 ℃以下，全年平均75毫米的降雨量几乎全集中在这几个月份。岛上尽管降雨极少，但仍生长着大约200种沙漠植物，并有瞪羚、野羚、野兔、跳鼠(沙漠鼠)和可能从印度引入的猫鼬等哺乳动物。

巴林唯一重要的自然资源是当地蕴藏的石油和天然气。

人民　阿拉伯人在该国人口中占大多数，并且大部分在当地出生，但也有近1/3的人口在国外出生。人口中大部分为穆斯林，分属逊尼派和什叶派，其中什叶派占大多数。阿拉伯语为官方语言，但居民普遍懂英语。由于有大量男性人口在巴林临时就业，因此该国男性人口比例大大超过女性。

人口出生率相当高而死亡率又很低，造成该国的高人口增长率。年龄不足15岁的人口约占1/3，城市人口占4/5以上。麦纳麦是该国最大城市中心。

经济　巴林属发展中的国营与私营企业混合型经济。人均国民生产总值与世界发达国家相近，但国民生产总值增长速度低于人

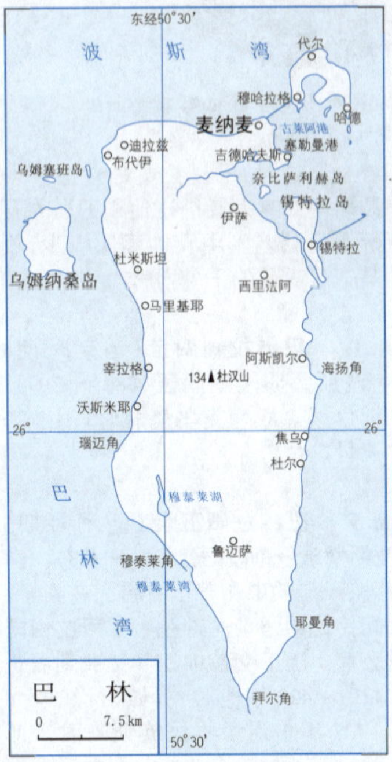

美国不列颠百科全书公司供图

口增长速度。国内生产总值主要来自石油和天然气的开采和加工提炼、制造业以及银行业与金融业。

可耕地只占国土总面积的3%，主要集中在巴林岛北部的泉水区附近。农业在经济上的重要性甚小，只能满足巴林很小部分的食品需求，作物主要有海枣、香蕉、柑橘类水果、芒果、石榴、豆类、蕃茄、黄瓜及其他蔬菜。不到1/10的土地辟为牧场，养有数千只山羊、牛和绵羊。

面对石油储藏量减少的局面，政府大力推动经济多样化，因而促使制造业的重要性不断增强；制造业与公用事业吸纳了本国1/10的劳动力。主要的非石油工业产品有铝(产自20世纪70年代建立的一座冶炼厂)及各种铝制品、瓷砖及水泥构件、塑料制品、沥青、纸制品、面粉和各种软饮料。重要的修船厂分布在麦纳麦附近的塞勒曼港及阿兹勒岛上。该国电力生产全部依靠热电厂。

巴林的劳动力约有3/5出生在国外。主要就业部门有社区、私人和社会服务业、建筑业以及贸易、餐饮和旅馆业。该国不允许成立工会。

巴林政府拥有所有石油、天然气和重工业的全部或部分所有权。轻工业、建筑、贸易和金融业由私营部门经营。国外投资受到鼓励。

近3/5的预算收入来自石油和天然气，其次则来自关税、港口税以及收缴的社会保障金。支出主要用于公用事业、国防、教育、保健、失业救济、贷款偿还以及公路建设。

巴林约有60个外国银行，这些银行不能从事本地银行业务，但可接收政府和大型金融机构的存款，并可向巴林全国性及区域性投资项目发放贷款。1989年开设了一家股票交易所。由于拥有良好的电信设施和一家计算机服务公司，巴林已成为波斯湾地区重要的金融中心。

该国道路交通网包括160千米铺有路面的公路和连接各个岛屿的堤道。已建成由一条25千米长的堤道和一座桥梁组成的综合交通设施，将巴林与沙特本土连结起来。主要港口塞勒曼港承担该国大部分杂货的吞吐工作，石油产品则在锡特拉岛上的栈桥式码头装运。穆哈拉格岛建有一座国际机场，低廉的机场着陆费使其成为波斯湾地区最繁忙的机场之一。

商品出口值与进口值基本相当，出口产品主要有石油和天然气产品(占出口总额的3/4)以及铝制品。巴林出口产品主要销往美国、阿拉伯联合酋长国、日本、印度、加拿大和新加坡。巴林的进口商品主要有原油、机械和运输设备、食品和各种制成品，其中大部分来自沙特阿拉伯(石油)、日本、美国、英国和意大利。

政体与社会状况　巴林实行君主立宪制，由哈里发家族统治。国家大权集中在埃米尔手中。根据1973年宪法，政府一切重大决策均由埃米尔决定，由埃米尔任命的内阁(部长会议)，负责处理政府日常事务。国民议会为普选产生的立法机构，但1975年埃米尔指责某些议会议员进行颠覆活动，将其解散，重新以阿拉伯和伊斯兰传统的马杰利斯(议会)制度作为公众代表。根据这一制度，该国公民和其他居民可以向埃米尔进行请愿。哈里发家族为逊尼派穆斯林，它受到什叶派对其统治的有限度的反对。该国不允许存在其他党派。

巴林在很大程度上是一个福利国家，国民享有免费综合医疗服务，其中包括外国移居者。此外，该国还提供免费教育，并对老年人和残疾人提供帮助。自1971年独立以来，该国人民的健康状况已得到很大改善。大部分热带疾病已被消灭，男性平均预期寿命提高到71岁，女性76岁，是中东地区平均预期寿命最高的国家之一。巴林的教育体制分为3个层次：小学6年，初中3年，高中3年。巴林的高中毕业生可进入设在麦纳麦的巴林大学或阿拉伯湾大学学习。

巴林的新闻业大部分为私人所有，虽然报刊不受正式的新闻检查，但均避免批评当地的统治家族及其政策。

文化生活　尽管巴林经济近年来迅速发展，但其文化和生活方式在许多方面基本上仍是阿拉伯式的。国家电台与电视台主要用阿拉伯语进行广播；也可接收到沙特阿拉伯的电视广播。较富有的巴林人仍从事鹰猎、追猎瞪羚与野兔以及赛马和赛骆驼等传统体育活动。麦纳麦的博物馆保存有当地的古代文物，如象牙雕像、陶器、铜制品以及金环，这些古器物反

映了来自巴林国外的多种文化的影响。

历史 巴林岛北部的墓葬群表明在公元前3千纪该地区曾受到苏美尔人的影响。据认为该岛就是公元前约2000年时的古代迪尔穆恩王国，当时是连接苏美尔与印度河谷的一个繁荣活跃的贸易中心。在亚述、波斯、希腊和罗马史料中，都记载有关于这个群岛的情况。

公元4世纪，巴林与东阿拉伯半岛一起被沙普尔二世兼并于波斯萨珊帝国，当时巴林可能正处于大陆阿拉伯人的统治之下。公元7世纪被穆斯林征服时，巴林由一个信奉基督教的阿拉伯人代替波斯人进行统治；叙利亚基督教的记载表明，巴林设有自己的聂斯脱利派主教。公元8世纪阿巴斯人攻占巴林，从此该地区一直处在阿拉伯人的统治之下，直至1521年为葡萄牙人占领。在经历了80年的动荡之后，波斯人于1602年攻占巴林，并顶住了葡萄牙人和阿曼人的进攻。1783年艾哈迈德·伊本·哈里发把波斯人赶走，巴林从此一直由其家族统治。

19世纪时，英国人多次到此进行干涉，对巴林人的海盗行为进行打击并挫败了邻近阿拉伯人想对该群岛拥有主权的企图。1820年起签订的一系列条约使英国获得对巴林的广泛控制权。1968年英国决定从波斯湾撤离所有驻军之后，伊萨·伊本·苏莱曼·哈里发于1971年8月宣布巴林独立。独立后，什叶派与逊尼派之间的紧张关系加剧，在1979年伊朗革命的鼓舞下，什叶派穆斯林继续争取更多地参与政务。1981年，巴林同其他5个阿拉伯海湾国家创立了海湾合作委员会（简称海合会），旨在加强成员国之间的政治、经济、防务等领域的协调和合作。

Bahrām　巴赫拉姆　又作Varahran或Verethraghna。波斯萨珊王朝诸国王之名。按年代顺序分列于后，并各以● 为标记。

● **Bahrām I　巴赫拉姆一世**（活动时期3世纪）　波斯萨珊王朝的国王（273～276）。沙普尔一世之子。原为省督，后继其兄之位。他提高了琐罗亚斯德教教士的地位，监禁摩

3世纪钱币上的巴赫拉姆一世像
美国不列颠百科全书公司供图

尼，对摩尼教徒、基督教徒和佛教教徒进行迫害。在比沙布尔（在今伊朗南部）的石雕上，他头戴与众不同的闪光的王冠，但他的名字却被萨珊国王纳尔塞斯抹掉了。

● **Bahrām II　巴赫拉姆二世**（活动时期约3世纪）　波斯萨珊王朝的国王（276～293）。巴赫拉姆一世之子和继承人。即位不久，就与争权的兄弟、东方总督霍尔密兹德展开斗争。283年罗马皇帝卡鲁斯趁机侵入美索不达米亚，占领萨珊王朝的首都泰西封。但卡鲁斯突然死亡，他的军队被迫撤走。不久，霍

3世纪晚期钱币上的巴赫拉姆二世像
美国不列颠百科全书公司供图

尔密兹德垮台。这时，巴赫拉姆的地位才得到巩固。波斯南部有大量描述他和王后的石雕。由于萨珊王朝艺术中女性画像极少，故她被认为是一位重要的王朝显贵。

● **Bahrām IV　巴赫拉姆四世**（活动时期4世纪末）　波斯萨珊王朝国王（388～399）。沙普尔二世之子。原为克尔曼总督，后继其兄沙普尔三世之位。

● **Bahrām V　巴赫拉姆五世**（活动时期5世纪）　波斯萨珊王朝国王（420～438）。由于骑士精神、风流韵事和善于打猎而在文学、艺术和民间传说中留名。曾在希拉阿拉伯国王宫廷受教育。国王支持他在其父被刺后获得王位。421～422年他对罗马进行战争而未分胜负，427年击退游牧民族哌哒对东部地区的入侵，把自己的影响扩大到中亚。他的头像在布哈拉（今乌兹别克斯坦）的货币上留存几个世纪。

● **Bahrām VI Chūbīn　巴赫拉姆六世·楚宾**（活动时期6世纪）　波斯萨珊王朝国王（590～591）。赖（今德黑兰）米罕家族的首领，非萨珊王家血统而登上王位之人。初为霍尔密兹德四世的家庭总管，后在呼罗珊任军队总司令，曾击退入侵的土耳其人。589年被罗马人打败。后率兵叛乱，杀死霍尔密兹德四世。霍斯罗夫二世即位后，他又策动禁卫军哗变，把霍斯罗夫赶走，自立为王。591年霍斯罗夫在拜占廷人支持下夺回王位。他逃到突厥斯坦以后被杀。其传奇生涯在波斯流传甚广。

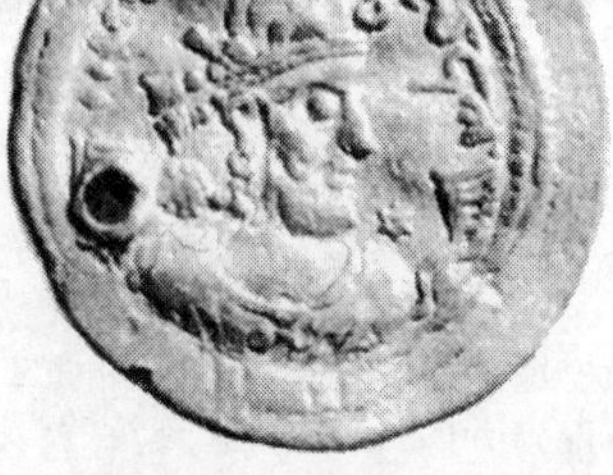

6世纪钱币上的巴赫拉姆六世·楚宾像
美国不列颠百科全书公司供图

Bahram　布拉姆（1932～1956）　英国的纯种赛马。1935年获英国三王冠称号。9次马赛中从未败北。驯马师巴特斯。1934年首次参加比赛，以一颈之差胜过对手获第一名。1935年在骑师福克斯驾驭下，赢得二千畿尼赛和英国大奖赛冠军。后在斯默克驾驭下又在3岁小马赛跑中赢得第一名，从而获三王冠赛的冠军。1936年退出马赛，留作种马。

Bahrān（Zoroastrian deity）　**巴赫拉恩**　参阅 **Verethraghna** 韦勒思拉纳。

Bahrdt, Carl Friedrich　巴尔特（1741-08-25，萨克森德累斯顿附近比绍夫斯韦达［德意志］～1792-04-23，哈雷尼特莱本［萨克森-安哈尔特］）　德国启蒙运动作家、激进的神学家、哲学家和冒险家，以其著作《上帝在书信和小说中的最新启示》（1773～1774）而尤为著名。16岁时于莱比锡在正统的神秘主义基督教徒、1757年成为第一个神学院教授的A.克鲁修斯（1715～1775）的指导下开始学习神学、哲学和语言学。1766年被任命为圣经语言学临时教授。之后相继在爱尔福特和吉森任神学教授，在马尔施林斯任一所学校（慈善学校）的校长和在迪克海姆任总督学。在所有这些职位上，他都因激进的信仰和“不正常的生活”而被撤职。从1779年起，他在哈雷作了许多论述语言学和哲学的演讲，约在这一期间，他的较激进的宗教观点有所转变。他还写了许多（大多匿名）争论的文章、讽刺作品和轻薄的文学作品。他深受法国大革命的影响，自称为激进的民主主义者。在腓特烈大帝逝世后，他被迫停止演讲。在他生命的最后10年中，他在尼特莱本开设一家旅店。

baht　铢　泰国货币单位。每一铢等于100萨当辅币。在泰国只有泰国银行有权发行货币。钞票面值为10～1 000铢。正面印有泰国在位国王像，还有其他标志，如泰王玉玺。背面印有与泰国历史有关的各种图像，如500铢钞票印有庙宇和罗摩三世（1824～1951在位）雕像，50铢钞票印有泰王朱拉隆功（罗摩五世，1873～1910在位）雕像。硬币面值为25萨当至10铢，正面为泰王罗摩一世（1737～1809在位）像。在20世纪初朱拉隆功实行十进制前，泰国（暹罗）货币制度极为复杂，货币单位繁多。至20世纪晚期，铢是亚洲最重要的货币之一。20世纪90年代末，亚洲发生货币危机，其影响波及全球，铢是这次危机中所受冲击最大的货币，其对美元的汇价跌至历史最低水平，泰国经济严重紧缩。

Bāhubali　巴胡巴利　又称戈姆玛特斯瓦拉。印度耆那教传说中的第一代祖师勒舍婆那陀之子。据说他曾以忘身瑜伽姿势站立不动，苦思默念，为时一年之久。他双足并立，双臂悬在两侧，不理会外界事物，蔓草和花藤攀缘腿和臂上，蝼蚁筑垤于脚边，竟无所知。卡纳塔克邦耆那教天衣派中心拉瓦纳贝尔戈拉一小山上有巴胡巴利巨像，用一块片

9世纪的巴胡巴利铜像
美国不列颠百科全书公司供图

麻岩刻成，高17.5米，是世界最大雕像之一。信徒每25年用凝乳、鲜奶和奶油沐浴巨像。

Bahūtī, al-　巴胡提（?，埃及布胡特～1641-07，开罗）　埃及伊斯兰教法教师，罕百里学派在埃及最后一名重要代言人。大半生教授罕百里学派教法学并任律师。其法律著作缺乏创见，但说理明快。

Bahutu（people）　**巴胡图人**　参阅**Hutu**胡图人。

Bahya ben Joseph ibn Pakuda　巴希亚（本·约瑟·伊本·帕库达）（活动时期11世纪后半叶）　Pakuda又拼Paquda。穆斯林统治下西班牙拉比法庭法官和流行甚广的伦理道德著作的作者。1080年前后用阿拉伯文写成通俗伦理著作《心灵的义务》。他以前的各哲学家，在宗教的两方面要求中，强调肉体上的义务而忽略心灵上的义务，巴希亚抨击这种倾向，主张合理对待。所谓肉体上的义务指外表行为，如礼仪及伦理习俗；而心灵上的义务指态度和动机，它们决定人的灵魂状态。

Bai　白族　又拼Pai，Po。中国少数民族。主要分布在云南省，部分在贵州、四川等省。人口1 858 063（2000）。语言属汉藏语系藏缅语族彝语支。大多通汉语，用汉文。过去曾

白族姑娘
中国大百科全书出版社供图

用汉字的音和意再加上些新造字来记录白语。近年创制了拉丁字母形式的文字。白族在汉、晋时为氏羌的"滇僰"、"僰人"。是滇池地区主要居民。南北朝后改"僰"为白。唐代称白蛮，处于云南大姓爨氏辖区西境，亦名"西爨"。宋代在洱海地区建立"大理"政权，族称逐渐统一。自称"白子"、"白尼"，首领称为"白王"。元、明文献仍沿用"白爨"、"僰人"、"白人"等名称。明末清初因与汉军屯户共处，汉族以"民家"相称。纳西族称之为"那马"，傈僳族称之为"勒墨"。1956年正式定名为白族。主要从事农业。种植水稻，善冶铜。手工业发达，大理石加工自唐代即闻名于世。漆、银、木工都以技艺精湛著称。近代形成"鹤庆"、"喜洲"等商帮。经营铁、银、铅、盐井、大理石、工矿和手工业工场。大理"三月街"、邓川"渔潭会"都是贸易集市。喜喝烤茶。平坝地区多住长三间，村以厨房、畜厩和有场院的茅草房；或"一正两耳"、"三房一照壁"的瓦房。山区多为上楼下厩的草房、闪片房、篾巴房和木垛房。主食为稻米、小麦、玉米和荞麦。喜食酸、冷。大理一带妇女着白上衣、蓝色宽袖外套、黑色丝绒坎肩，系绣花飘带的短围腰。少女梳辫，婚后挽髻。男子多穿白色或黑色衣裤。多信奉佛教。土葬不用棺，在坟前悬挂死者生前用弩箭或织布工具。农历六月二十五日的火把节是最盛大的节日。1956年11月成立大理白族自治州。

Bai Chongxi　白崇禧（1893，中国广西临桂[今桂林]～1966-12-02，台湾台北）　又拼Pai Ch'ung-hsi。中国国民党军队高级将领，曾是桂系首领之一。字健生。1916年于保定陆军军官学校毕业后，任桂军连、营长。1924年参

中国大百科全书出版社供图

加中国国民党，曾赴广州谒见孙中山，为统一两广献策，并参与广西讨逆。1926年国民革命军北伐，他受命为北伐军副参谋总长，兼东路军前敌总指挥，转战各地。北伐后，返广西驻地。1929年蒋桂战争桂军失败后，潜往香港。1932年任广西绥靖公署副主任、民团总司令，与李宗仁合力控制和经营广西。1937年抗日战争爆发后，任国民政府军事委员会副参谋总长兼军训部长，参与指挥台儿庄会战和武汉保卫战。曾在武汉军事会议中，建议发展游击战以配合正规战，获当局采纳。常亲赴战地督师，激励前线将士，并主持各兵种条令的修订工作。抗战胜利后，1946年出任国民政府国防部长。后调任战略顾问委员会主任委员兼华中军政长官等职。1949年底到台湾，改任"总统府"战略顾问委员会副主任委员。曾多次担任国民党中央执行委员及中央常务委员等职。

Bai Juyi　白居易（772～846）　又拼Po Chü-i。中国唐代诗人。字乐天，号香山居士。

美国不列颠百科全书公司供图

下邽（今陕西渭南）人。少经战乱，家境贫困。29岁成进士，历官翰林学士，左拾遗，刑部尚书。敢于指陈时弊，后以言事得罪权贵，贬江州司马。此后逐渐消沉。晚年居洛阳，亦官亦隐终其身。文学上提出"文章合为时而著，歌诗合为事而作"，强调诗歌的现实意义和教育作用。与元稹、李绅等倡导新乐府运动，写作了《新乐府》、《秦中吟》等大量讽喻诗。一生诗作近3 000首，在唐人中为数最多。曾将自己的诗分成讽喻、闲适、感伤、杂律四类。其中讽喻诗广泛反映社会黑暗和民生疾苦，闲适诗多写归隐田园，洁身自好的志趣。感伤诗随遇感咏，以叙事长诗《长恨歌》和《琵琶行》最有名。杂律诗多抒情写景短章，以白描手法勾画生意盎然境界。诗风格平易，通俗易解。善于以寻常口语入诗，以此得以广为流传。散文条分缕析，剀切明白。《与元九书》为唐代著名文学批评专论。有的杂记小品，写景状物，旨趣隽永。还作有新兴文体曲子词。《忆江南》、《浪淘沙》诸小令为文人词的发展开拓了道路。有《白氏长庆集》。

Bai language　白语　中国白族语言。属汉藏语系藏缅语族彝语支。主要分布在中国云南省大理白族自治州和碧江、保山、维西等地；使用人口约100万。分剑川、大理、碧江三个方言。白语（剑川）语音特点如下：有21个声母：其中包括双唇、舌尖中、舌根三个部位的清、清送气塞音6个；舌尖前、舌面前部位的清、清送气塞擦音4个；唇齿、舌尖前、舌面前、舌根擦音6个；双唇、舌尖中、舌根鼻音3个；边音、舌面半元音各1个。有15个单元音韵母：其中包括8个口元音，7个鼻元音；15个复元音韵母；有8个声调，与元音松紧有对当关系（4个松元音声调：中平、低降、高平和高升，4个紧元音声调：中降、次高平、次低降、高平）。语法特点：人称代词和指示代词用元音交替和声调转换手段表示数、格；句子主语在谓语前，宾语在谓语后；量词修饰语在中心词后，形容词修饰语在中心词前，只有带后置助词的形容词修饰语在中心词之后。词汇特点：以音译方式吸收大量汉语借词，约占60%，是藏缅语族中受汉语影响最大的语言。

Bai Pu　白朴（1226～1306以后）　中国元代杂剧作家，字太素，号兰谷，初名恒，字仁甫。隩州（今山西河曲附近）人。出身官宦之家，幼年时正值金朝覆亡，受到父亲好友、文学家元好问的照顾。青壮年时，曾漫游大都（今北

京)、顺天(今河北保定一带)、寿春(今安徽寿县)等地,后徙居建康(今南京)。所作杂剧今知有16种,现存《裴少俊墙头马上》和《唐明皇秋夜梧桐雨》二种,《韩翠苹御水流红叶》、《李克用箭射双雕》二种各存曲词一折。《董秀英花月东墙记》虽见于天一阁本《录鬼簿》的著录,但不能确定是白朴的作品。《墙头马上》是元代杂剧中的杰出作品,故事源于唐代白居易新乐府《井底引银瓶》。此剧写李千金和裴少俊相爱,私奔至裴家,生下一儿一女,后被裴尚书逐出。少俊中状元后,欲求团圆,遭李千金拒绝,后在孩子的悲啼哀求下,勉强相认。剧本塑造了一个大胆追求爱情的女性形象。《梧桐雨》写唐明皇和杨玉环的爱情故事,既批判了身为帝王的唐明皇沉溺声色而误国的行为,又肯定了李、杨之间真挚的爱情。该剧曲词典雅华美,注重心理刻画。白朴另有散曲、小令、词等作品传世。

Bai Qi　白起(?～公元前257)　又名公孙起。中国战国时期秦国名将。郿(今陕西眉县)人。秦昭王时受魏冉推荐为将,屡立战功,由左庶长连升左更、国尉、大良造。曾破韩魏联军。公元前278年率兵攻克楚都郢(今湖北江陵西北),大败楚国,扩张了秦版图,因功被封为武安君。公元前260年长平(今山西高平北)之战大胜赵军,坑杀俘虏40万人。后因与相国范雎政见不合激怒昭王,被逼自杀。

Bai Yang　白杨(1920-04-22,中国北京～1996-09-18,上海)　原名杨成芳。中国电影、话剧演员。祖籍湖南湘阴(今汨罗)。1931年考入联华影业公司北平五分厂演员养成所,曾参加影片《故宫新怨》的演出。1934年加入

中国大百科全书出版社供图

中国旅行剧团,主演了《梅萝香》、《少奶奶的扇子》等话剧,初露才华。1935年赴南京参加中国舞台协会,演出了《回春之曲》等话剧。1936年,经洪深推荐进入上海的明星影片公司,主演了《十字街头》等影片,开始成名。抗日战争爆发后,她与陈白尘等人组成影人剧团经武汉赴重庆,一路演出抗日剧目《芦沟桥之战》、《流民三千万》等。抗战期间,除主演了《中华儿女》等3部影片外,演出了大量优秀话剧,如《日出》、《屈原》、《复活》、《罗蜜欧与朱丽叶》等,成为影剧两栖著名演员。抗战胜利后回到上海,在昆仑影业公司先后主演了《八千里路云和月》、《一江春水向东流》等影片,获得巨大成功。1949年以后,她成为上海电影制片厂的主要演员,先后主演了《为了和平》、《祝福》、《春满人间》、《金玉姬》和《冬梅》等影片。她的精湛演技,使《祝福》在第10届卡罗维发利国际电影节上获得特别奖。著有《电影表演探索》(1979)和诗文集《落入满天霞》(1985)。

Baia Mare　巴亚马雷　匈牙利语作Nagybánya(瑙吉巴尼奥)。罗马尼亚西北部城市,马拉穆列什县城。位于瑟萨尔河谷,四面环山,不受寒冷的东北风侵袭,有利于亚地中海植物生长。12世纪由撒克逊移民建立。原为荣枯不定的采矿中心;第二次世界大战后,才建成化工、冶金、制铅以及其他有色金属工业。古迹有14世纪哥特式钟楼,矗立在中世纪街区内。人口约148 815(1992)。

Baiae　巴亚　意大利坎帕尼亚古代城市,位于波佐利湾西岸。在罗马时代初期因有能以治病的硫磺温泉,而被称为库玛泉。以气候宜人、植物丰茂闻名。城内有许多豪华别墅,其中包括凯撒和尼禄的别墅。8世纪被穆斯林劫掠一空,1500年因疟疾而完全废弃。

BAIB excretion (metabolic process)　**BAIB排泄**　参阅 **beta-aminoisobutyric acid excretion** β-氨基异丁酸排泄。

Baibars I (Egyptian sultan)　参阅 **Baybars I** 拜巴尔斯一世。

Baicheng　白城　又拼pai-ch'eng。中国吉林省辖地级市,新兴的工业城市。又称洮安。位于省境西北部。原为内蒙古科尔沁右翼前旗地。清光绪三十年(1904)始置靖安县。1914年因与江西省靖安县重名,改为洮安县。

白城市容
中国大百科全书出版社供图

1938年改称白城子县,1958年析县城及附近地区设市。1993年改为省辖市。面积25 683平方千米,其中市区面积1 819平方千米。平齐、长白、白阿等铁路在此交会,是东北地区中部和内蒙古东部交通枢纽。20世纪50年代后建成较大规模的造纸厂、发电厂和现代化的棉纺、麻纺厂,现已形成汽车配套、纺织服装、医药、建材、能源等产业。人口:全市2 010 000(2005);市区人口485 569(2004)。

Baida (Libya)　**贝达**　参阅 **Zāwiyat al-Bayḍā'** 扎维耶培达。

Baie-Comeau　拜科莫　加拿大魁北克省中东部城镇,北岸行政区首府,在圣劳伦斯河北岸,靠近马尼夸根河河口。以本地作家N.-A.科莫之名命名,1936年《芝加哥论坛报》出版商R.R.麦考密克在此建造纸浆和新闻纸的中心。是繁忙的深水港和工业中心。有制铝厂和谷物出口设施。1983年拜科莫与其毗邻的欧特里沃镇合并。有铺面公路通魁北克市(在西南410千米),并有飞机场和通里穆斯基的轮渡。1937年建制名拜科莫;1983年再次以此名注册。人口26 905(1997)。

Baïf, Jean-Antoine de　巴伊夫(1532,意大利威尼斯～1589-10,法国巴黎)　七星诗社7个法国诗人中最渊博的学者。受过古典教育,1547年与龙萨一同赴巴黎,受业于J.多拉,与J.贝莱共同拟定效法古典诗人及意大利诗人改造法国诗歌的方案。为此,他仿彼特拉克十四行诗及伊壁鸠鲁抒情诗,写了两部诗集《梅利纳情诗》(1552)和《弗朗西纳之恋》(1555)。1567年将普劳图斯的《吹牛军人》改编成一部生动的戏剧《勇士或泰耶布拉》在宫廷中上演,剧本也得以出版。巴伊夫是人文主义者兼外交家L.巴伊夫的私生子,颇受朝廷赏识,查理九世和亨利三世均曾赐予优厚年金。作品《韵文集》(1573)显出作者的渊博学识,书中的传奇诗、田园诗、讽刺诗和十四行诗,都是模仿古希腊诗体(特别是亚历山大诗体)、拉丁诗体、新拉丁诗体和意大利诗体创作的。

巴伊夫是个多才多艺、志在创新的诗人和探索者,例如,他发明了一套拼音系统并付诸应用;他与音乐家T.德库维尔一道创立了时间不长的"诗歌音乐协会",旨在丰富柏拉图某些关于音乐与诗歌相结合的理论;他在诗歌格律上也有所创新,其中包括巴伊夫诗体,每行15个音节。他的《法国格律诗探奇》(1574)、小曲以及由J.莫迪配曲的《格律短歌》(1586)都是他的诗歌理论的应用。他的《笑剧、教谕与格言》(1576)被公认为是他最有独创性的作品。他在诗体创新和语言运用方面显示出的才智比他的诗作更为出色。他以生动逼真的手法描写乡村生活场景,讽刺作品尤为他所长。

Baihua literature　白话文学　参阅 **Chinese literature** 中国文学。

Baikal, Lake　贝加尔湖　俄语拉丁字母转写作Baykalskoye Ozero或Ozero Baykal,又拼Ozero Bajkal。在东西伯利亚南部,位于俄罗斯联邦布里亚蒂亚共和国和伊尔库茨克州境内。世界最深湖泊,最深处达1 620米。长636千米,平均宽48千米,面积31 500平方千米。湖水容量23 000立方千米,约占地球表面淡水总容量的1/5。有336条大小溪河注入,最大的是色楞格河、巴尔古津河、上安加拉河、图尔卡河和斯涅日纳雅河。

贝加尔湖位于一很深的构造山谷地带,四周高山围绕,有的高出湖面2 000米。湖底沉积层厚达6 100米。岸边有死火山遗址。地壳运动尚在继续,偶尔发生强烈地震。1862年的一次地震淹没了色楞格河三角洲北

部约200平方千米土地,贝加尔湖出现了一个称为普罗瓦尔的新湾。地壳断裂处不断有新的热矿泉产生。

湖底谷地两岸地形不对称,西岸为陡坡,东岸坡势较缓。8%的湖底很浅,只有50米深。曲折的湖岸线总长2 100千米,在巴尔古津湾、奇维尔库斯基湾和普罗瓦尔湾,以及阿亚亚小港和弗罗里哈小港等处有很大的凹入处。东岸有一半岛伸入湖中,名圣角。湖中有27个岛屿,最大的是奥尔洪岛(面积725平方千米)和大乌什卡尼岛(面积8平方千米)。湖水基本由各河流入,主要是色楞格河。湖水大部分由叶尼塞河的支流安加拉河排出。

气候比周围地区温和得多。1～2月气候平均-19 °C,8月平均11 °C。湖面1月结冰,5月解冻。表面水温在8月约为13 °C,湖水浅处达20 °C。浪可高达4.6米。湖水清冽,水深40米处犹清晰可见,矿质和盐分含量很少。湖里动植物数量和品种都很多,在不同深度共有1 200多种动物,在水面或接近水面有约600种植物,其中约3/4是贝加尔湖特有的品种。约有50种鱼,分属7科,最多的是杜父鱼科的25种杜父鱼。大麻哈鱼捕获量很大,茴鱼、鲱型白鲑和鲟鱼也很多。唯一的哺乳动物是贝加尔海豹。有一种贝加尔特产湖鱼,名胎生贝湖鱼,属胎生贝湖鱼科,由母鱼直接产下仔鱼。贝加尔湖区有320多种鸟。

湖畔有采矿(云母和大理石)、纤维加工、造纸、造船、捕鱼和木材等工业。有许多矿泉,游客常到戈里亚钦斯克和哈库西等地,因该地矿泉水有医疗性能。

1966年在贝加尔湖南岸修建一座纸浆造纸厂,因其废水污染湖水环境,引起苏联科学家和作家的强烈抗议。1971年苏联政府通过并实施一项保护湖水不受污染的法令。

科学院西伯利亚分院湖沼研究所和贝加尔疗养院位于利斯特维扬卡镇,伊尔库茨克州立大学流体生物研究站在大科蒂。

Baikalsky Nature Reserve　贝加尔自然保护区　在俄罗斯东南部。建于1969年,面积169 300公顷。为进行自然科学研究而开辟。地处贝加尔湖南岸,包括哈马尔达坂山之一段。低地、山坡、山地草原的植被分别为杨树、杉树和落叶树、西伯利亚松和桦树。野生动物有鹿、獾、野猪、鼬、山猫以及各种鸟禽。目前正在此进行贝加尔湖南部及哈马尔达坂山的生态学研究。

Baikie, William Balfour　贝凯(1825-08-27,苏格兰奥克尼群岛柯克沃尔～1864-12-12,塞拉利昂)　探险家和语言家。他去尼日利亚的旅行有助于英国贸易进入该地。在爱丁堡大学学医,1848年任皇家海军助理军医。1854年参加尼日尔河考察,船长去世后,任探险队的指挥,考察了尼日尔河主要支流贝努埃河,比以往欧洲人更深入内地400千米。1856年出版探险记录。1857年以领事身份再度去尼日尔河考察,在贝努埃和尼日尔河汇流处洛科贾建立贸易点,在当地行医并搜集非洲语汇,还将圣经一部分译成豪萨语。

美国不列颠百科全书公司供图

1862年北行400千米左右到达卡诺。

Baikonur　拜科努尔　又拼Baykonur、Baykonyr或Bajkonur,又称秋拉塔姆。前苏联和今俄罗斯在哈萨克斯坦中南部的太空中心。拜科努尔是苏联为保密给这个中心取的代号名字,美国分析家们常以其最近的城市列宁斯克的火车站的名字称之为秋拉塔姆。拜科努尔位于锡尔河北岸,距克孜勒奥尔达西北约160千米。苏联为对其准确位置保密,造成同东北约320千米荒漠地区中杰兹卡兹甘附近另一个拜科努尔相混淆。

拜科努尔是20世纪60～80年代苏联雄心勃勃的太空计划的主要运作中心,为发射载人的和不载人的飞行器,装备了完善的设施。该设施及其供应城镇(列宁斯克)最初是作为一个远程导弹中心于50年代中期建设的,后来扩大到包括太空飞行设施。从这个太空中心开始的几个具有历史意义的飞行有:第一颗人造地球卫星上天(1957)、第一次载人太空轨道飞行(尤里·加加林,1961)和第一位妇女的太空飞行(瓦连京娜·捷列什科娃,1963)。1966年,设施供应城镇改为市,称列宁斯克。直到苏联1991年解体前,该太空中心一直是苏联太空计划的基地。此后,这些设施在俄罗斯的管理下,继续发挥着作用。列宁斯克人口约73 000(1991)。

bail　保释　指法官或治安法官在取得足以保证被释放人出庭应诉的担保以后释放被逮捕人或被监禁人的程序。保释通常要先缴纳保证金,但最初,保释还包括提供其他形式的财产,如地契或不动产作保,在现代法律制度中,保释的主要作用是保证被捕和被控犯有刑事罪行的人在审前的自由。由于废除对债务人的监禁,保释在民事案件中已失去其重要作用,其程度视各国法律不同而有差别。在刑事案件中,审判前保释的目的是为了避免对一个无辜的人(他可能在审判中被宣告无罪)施加刑罚和使他得以不受阻碍地准备他的辩护理由。保证金的数额通常与被控罪行的严重程度相联系,尽管有些治安法官也考虑其他的因素,例如证据的分量、被告人的品性和他交纳保证金的财务能力。不考虑财务能力这一点近年来已引起很大的争论,因为这样就会使保释的条件对穷人和某些少数民族集团不利,他们可能因此被剥夺了审判前获得自由的平等的机会。现在有些法院对这样一些贫穷的被告人予以特别的考虑,这些人由于他们的社会地位和过去的历史,被认为是会在审判时出庭的。有少数司法管辖区把违反保释规定不按要求出庭规定为一项单独的刑事罪。在规定有保释程序的法律制度中,保释的执行可以灵活掌握。如果被告人被控在保释期间犯罪,可以撤销保释;如果有确凿证据肯定被告人犯有谋杀罪或叛国罪,可以不准保释,或者把保证金额定得特别高。参阅**recognizance**。

Baila (people)　参阅**Ila** 伊拉人。

Bailey, Ann　贝利(1742,英国利物浦～1825-11-22,美国俄亥俄加利亚)　婚前名Ann Hennis。美国独立战争时期的传奇人物。1761年移居美国,当时可能是一名契约仆役。第一个丈夫1774年10月10日阵亡后,她换上男装,拿起步枪和战斧,成为前线的侦察员、通信员、密探和印第安战士。她是许多传奇故事中的主人公。1788年和第二个丈夫移居"克伦德宁居民点"。1791年该地被印第安人围困。防御方火药不足,她自愿去求援,骑马冲出包围,奔驰150千米取回弹药。第二个丈夫死后,她和儿子迁居俄亥俄。

Bailey, Anna Warner　贝利(1758-10-11?,美国康涅狄格格罗顿～1851-01-10,格罗顿)婚前名Anna Warner,别名Mother Bailey。美国爱国者。孤儿,由舅舅抚养成人。1781年9月6日,一大队英军在叛徒B.阿诺德率领下猛攻格里斯沃尔德堡。美军伤亡惨重,她的舅舅也在其中。她跑到战场,找到伤势很重的舅舅。按他的要求,她急忙回家,骑马去接舅母,连同年幼的表弟回到战场,全家人见上最后一面。这一英勇事迹传为革命佳话。后与E.贝利上尉结婚。1813年第二次和英军作战时,她也在战场助战,当时人们称她为"贝利妈妈"。因为军品短缺,她拿自己的裙子当作炮塞材料。

Bailey, Sir Donald Coleman　贝利(1901-09-15,英格兰约克郡罗瑟勒姆～1985-05-05,多塞特伯恩茅斯)　英国工程师,设计第二次世界大战中有重大军事价值的贝利桥。设菲尔德大学毕业,1929年在供应部桥梁实验所任职。第二次世界大战爆发时,他已设计出架设军用桥梁的方案,1940年底在研究能支承重载的临时桥梁的会议上,他提出一种强度大、重量轻、可以分段预制的钢桁架方案,立即获得通过。贝利桥的特点是:构件的标准化与简单化、在现场易于组装、增加一倍或两倍桁梁即可增加强度、利用浮舟即可加长桥的跨度。荷兰马斯河上的贝利浮桥长达1 200米。贝利1946年被封为爵士。

Bailey, Florence Augusta Merriam　贝利(1863-08-08,美国纽约洛克斯特格罗夫～1948-09-22,华盛顿[哥伦比亚特区])　母家姓Merriam。美国鸟类学家,通俗性鸟类考察指南的作家。1882～1886年于马萨诸塞州北安普顿的史密斯学院求学时就对鸟类学感兴趣,写过若干篇文章,这些文章后收入其第一部著作《通过小望远镜看鸟类》(1889)。此后40年中,曾发表许多论文及著作,包括一些对美国鸟类知识的通俗研究,如《乡村和田野的鸟类》(1896)、《美国西部鸟类手册》(1902)等。她和美国生物考察团一道工作时发表《新墨西哥鸟类志》一书,这是对美国西南部鸟类的第一部综合性研究著作。1908年有一种北美山雀的新类型即以她的姓氏命名为甘贝二氏山雀(*Parus gambeli baileyae*)。她是奥杜邦学会的热心创办者,也对社会福利问题感兴趣,积极参加游戏场和娱乐活动改革组织。1899年与V.贝利(也是参加美国生物考察团的博物学家)结婚。

Bailey, Frederick Augustus Washington 贝利 参阅 **Douglass, Frederick 道格拉斯**。

Bailey, Gamaliel 贝利(1807-12-03,美国新泽西芒特霍利～1859-06-05,乘海船去欧洲途中) 美国新闻工作者,美国南北战争前废奴运动的领袖。1827年在费城杰斐逊医学院毕业。1834年在俄亥俄州辛辛那提的莱恩神学院任生理学讲师。这一时期,他成为热心的废奴主义者。1836年与J.伯尼合编西部地区第一份反奴隶制杂志《博爱主义者》。尽管印刷所屡次被拥护奴隶制度的暴徒捣毁,他也毫不动摇。1847年主编《民族时代》报。该报读者众多,颇有影响。

Bailey, Hannah Clark Johnston 贝利(1839-07-05,美国纽约哈得孙河畔康沃尔～1923-10-23,缅因波特兰) 美国女改革家,19世纪末20世纪初和平运动的主要提倡者。1883年参加基督教妇女节制协会,1887～1916年领导该协会的国际和平和仲裁部。主办两种销路很广的月刊《太平洋旗帜》及《橡实》;散发过数十万份和平传单。她遍游美国,提倡和平主义、禁酒运动及妇女参政。1892年向总统哈里森递交抗议书,反对美国对智利的军事干涉。她还反对私刑、征兵、军训及军事性的儿童玩具。

Bailey, James A(nthony) 贝利(1847-07-04,底特律～1906-04-11,美国纽约芒特弗农) 原名詹姆斯·安东尼·麦金尼斯。美国马戏团主持人。巴纳姆-贝利马戏团的惊人成就应归功于他。青少年时代曾跟随一巡回马

美国不列颠百科全书公司供图

戏团旅行演出。1872年他是库柏马戏团的合伙人,该马戏团后改名为国际大马戏团,并在美国、澳大利亚、新西兰、爪哇和南美几个国家巡回演出两年,颇有盈利。1876年该团又改名为库柏-贝利公司马戏团,成为P.T.巴纳姆的人间第一奇观马戏团的劲敌。这两个马戏团在1881年合并。贝利的精明管理补充了巴纳姆作为创办人的能力,使该团成为美国马戏界最成功的企业。1891年巴纳姆去世,贝利独自带领马戏团几次到欧洲巡回演出,获得成功。1919年改组成为林林兄弟和巴纳姆-贝利联合马戏团。

Bailey, Liberty Hyde 贝利(1858-03-15,美国密歇根南黑文附近～1954-12-25,纽约伊萨卡) 美国植物学家。系统研究了栽培植物,使美国的园艺从手工艺提高到应用科学的水

美国不列颠百科全书公司供图

平,并对遗传学、植物病理学和农业的发展产生直接影响。1882～1884年在哈佛大学任植物学家A.格雷的助手。1884～1888年任东兰辛的密歇根州立农学院(今密歇根州立大学)园艺学和造园学教授,1888年在此建立美国第一个专门的园艺学实验室。1888～1903年他在康奈尔大学任植物学和园艺学教授,把园艺研究、教学和实践建立在植物科学的基础上。他邀请生理学家和化学家共同探索植物栽培和生产问题,鼓励遗传学家研究栽培植物。在植物学教学中他大量采用"野外"教学以代替单纯的课堂宣讲。他在科内尔的纽约州立农学院任院长(1903～1913)时,建立了贝利园艺标本陈列馆(今为该学院的一个部门),1935～1951年任馆长。任该学院院长时成为莎草科薹草属(*Carex*)、蔷薇科悬钩子属(*Rubus*)、十字花科芸薹属(*Brassica*)及热带美洲棕榈方面的权威。他有大量著述(700篇科学论文和66本书),包括几部著名的百科全书:《美国园艺学百科全书》(4卷,1900～1902)、《美国农业百科全书》(4卷,1907～1909)和《园艺学标准百科全书》(6卷,1914;1925年缩编为3卷)。还著有《栽培植物手册》(1923)。后两部著作经多次修订再版,至今仍是重要著作。

bailiff 执行官 指开庭时具有保护法庭的警察职能,以及有权递送和执行法庭传票的低级法庭官员。早些时候,它是较为尊严和权力较大的职称。在中世纪的英国,有的执行官是为庄园主服务的,有的则是为百户法院和郡长服务的。庄园中的执行官,实际上就是庄园主的管家,他们收缴罚款,征收地租,充当管账人,而且一般都负责管理庄园的土地及建筑物。百户法院的执行官由郡长任命;他们在巡回法院开庭时作为法官的助手(王室法院每年在各个郡开庭两次),递送传票和执行令状,召集陪审团并在法庭上收缴罚款。在法国,执行官(*bailli*)的权力要大得多;从13世纪到15世纪,他们是国王及其反对封建领主而日益加强的中央行政机构的主要代理人。法国的执行官是中央行政机构的一部分,由国王任命,并需要向国王作汇报。他介于王室地方法官(*prévôt*)与中央王室法院之间。在南方,司法总管(*Sénéchaux*)原来是王室的封建官吏,担负着与执行官同样的职能。一个地区的大执行官的地位相当于英国的郡长。法国的执行官和王室地方法官一样,在许多事务中代表国王。作为行政官员,他们管理低级官员,维护公共秩序,公布国王的法令和执行国王的命令。在军事方面,法国的执行官负责征召士兵,征收代役税,指挥王室地方法官所征召的部队,并负责该地区的全面防务。他们作为王室财务代理人,也是王室产业的管理人,他们给地方官员发放薪金,将各种税收、罚款、收费所得转交给王室金库。司法职责或许是法国执行官最为重要的职责,他们负责主持由王室官员和资产阶级名流(后来是司法官员和律师)组成的地方巡回法院,并对所受理的案件应适用何种地方习惯法提出意见。执行官法院对有关贵族的案件有初审权,对于由王室法官和某些封建领主法院初审的案件具有上诉审管辖权。执行官对那些影响国王的产业及其权力的案件亦有管辖权。由于有许多封建领地并入了王室的产业,一个人显然难以处理如此众多的事务。因此,就设立了其他官吏来减轻执行官的负担,结果,执行官的大部分权力被他们夺取了。14世纪初期,任命了财产管理官,接掌财政管理权。随着设置了一支常备军及其军官(15世纪),执行官又丧失了军权。执行官的司法职能经过几个世纪以后也逐渐消失了。早在13世纪后期,在执行官下曾设执行副官,经常代理执行官行事。后来,要求执行副官必须具备法律学位;到了16世纪,他们完全取代了执行官,从此就不再容许执行官参与司法裁判。17世纪时,执行官的行政职责也完全被地方行政长官所接收。这样,就取消了执行官最后一点实权。尽管他们的官职可以用钱购买和世袭,并且不得撤免,但已经只是挂名的头衔了。

Bailingmiao 百灵庙 中国内蒙古自治区包头市达尔罕茂明安联合旗辖镇,旗政府所在地。历为中国中原地区通向漠北的西路要冲。位于阴山北麓,艾不盖河畔。总面积2 990平方千米。南距呼和浩特127千米,西距白云矿区40千米。周围丘陵起伏,海拔1 455米的森吉特山是百灵庙郊区著名的山峰。艾不盖河从南、东、北三面流过镇内,有9个隘口(称为"九龙口")与外界相通,除向西越森吉特山至白云矿区公路外,从8个隘口入镇区都要渡河。

清康熙四十二年至四十五年(1703～1706),达尔罕贝勒在此建庙,始称贝勒庙。乾隆四十六年(1781)赐名广福寺。百灵庙由贝勒庙转音而来。1913年焚毁,1924～1927年重修,现尚存部分殿宇。抗日战争期间,因发生蒙汉人民参加的百灵庙战役而著名。1949年后发展为新兴草原城镇。经济以畜牧业为主,农作物以小麦、莜麦、荞麦、马铃薯、油菜为主。采矿业尤以稀土工业发达。每年夏季在此举行那达慕大会,进行集市贸易并

开展赛马、摔跤等体育活动。公路通呼和浩特、包头和白云矿区。有畜牧兽医、气象、水文等研究单位。人口35 300(2005)。

Baillie of Jerviswood 贝利(杰维斯伍德的) 参阅 **Baillie, Robert** 贝利。

Baillie, Lady Grizel 贝利夫人(1665-12-25,苏格兰贝里克郡雷德布雷斯城堡～1746-12-06) 苏格兰诗人,以其纯朴而感伤的诗歌为后人所怀念。系帕特里克·休姆爵士之长女,曾携带其父信件交给因阴谋案在狱中服刑的苏格兰人士罗伯特·贝利。贝利被处决(1684)后,举家逃亡荷兰,直到回苏格兰安全时才返回。1692年和贝利之子乔治·贝利结婚。她虽然写过一些诗歌,但仅有两首留存至今。

Baillie, Joanna 贝莉(1762-09-11,苏格兰拉纳克哈密尔顿～1851-02-23,伦敦汉普斯特德) 苏格兰女诗人,多产的剧作家,剧作主要是诗剧。《激情剧》(3卷,1798～1812)曾使

美国不列颠百科全书公司供图

她出名,但这些作品早已被人遗忘。现在主要因为她是同为苏格兰人的W.司各特的朋友,且写过几首颇有苏格兰民歌风格的抒情诗《即兴诗》(1790),才为人们所铭记。

Baillie, Matthew 贝利(1761-10-27,苏格兰拉纳克郡肖特曼斯～1823-09-23,英格兰格洛斯特郡邓蒂斯伯恩) 苏格兰病理学家。其《人体某些最重要部位的病理解剖》(1793)是第一本英文病理学专著,而且是第一本系统研究病理学的论著。他是伟大的解剖学家J.亨特和W.亨特之甥。受教育于牛津大学,1789年获医学博士学位,随即成为皇家医学院教师及皇家学会会员。以后,他专心行医,并经营着当时伦敦最大的一家诊所。

Baillie, Robert 贝利(1599～1662-07,格拉斯哥) 基督教长老会牧师和神学家,他率领苏格兰长老会抵制圣公会的《公祷书》。1638年出席格拉斯哥大会,会上苏格兰长老会宣布脱离英格兰圣公会。贝利后来任格拉斯哥大学神学教授(1642),1661年任该校校长。

Baillie, Robert 贝利(约1634,苏格兰拉纳克郡?～1684-12-24,爱丁堡) 别名贝利(杰维斯伍德的)。基督教长老会人士。1676年开始参加反对英格兰圣公会控制苏格兰长老会的斗争。1683年计划移居北美洲南卡罗来纳未成。此后前去伦敦,结识以蒙茅思公爵斯科特和罗素勋爵为首的反对英格兰国王查理二世的政治人物。因参加据说准备谋杀查理二世和约克公爵詹姆斯的麦酒店密谋案被捕。在伦敦监禁6个月后解往爱丁堡,以叛国罪处绞刑。但指控他的罪证并不充分,苏格兰民族主义者把他当作争取宗教自由的烈士。

Baillon, Andre 巴永(1875-04-27,比利时安特卫普～1932-04-10,法国圣日耳曼昂莱) 比利时小说家,以讽刺和具有洞察力的作品著称,其作品标志着比利时文学方向的转变。出身中产阶级家庭,父母早亡,由姑母抚养成人,曾就读于天主教学校。性格内向,易出现神经质不稳定状态。少年嗜赌,渐为自杀念头缠绕。后遇曾沦为妓女的M.范登伯格,并于1902年娶其为妻,思绪稍见平和。20年代携第二任妻子定居巴黎,开始以写作为生。境遇改变又渐感不适,经常住院治疗,即以精神病症为题直白写作。终陷自疑,不能自拔,再现自杀倾向。他特有的轻描淡写风格表现为非同寻常的巧妙文字与惊人的形象化描述。历经多年形成一种包含佛兰德神秘主义与他左倾政治思想在内的原始存在主义观念,影响了后来的比利时作家。早期小说《玛丽的故事》(1921)和《伦敦姑娘佩佩特》(1923)是对卖淫的现实主义研究,而《穿木鞋》(1922)则以其居住的佛兰德乡村韦斯特马勒为背景。《专电》(1924)故事根据其从事报纸编辑的经验对新闻界百般嘲讽。自白体的《普通人》(1925)和《山间小屋1》(1926)记述了他的住院经历。后两部作品与精彩的小说集《胡话》(1927)行文都极为清晰。晚期自传体作品有《权威小姐的侄子》(1930)和《生者与死者》(1930)。死后出版的《罗索》(1932)和未完成作品《呆子》(1944)语言简练,内容却极为丰富。

Baillou, Guillaume de 巴尤(1538,巴黎～1616,巴黎) 拉丁语为Ballonins。法国医师,现代流行病学的奠基人。在欧洲文艺复兴时期复兴了希波克拉底的医术。1580年任巴黎

美国不列颠百科全书公司供图

大学医学院院长时,汇编了1570～1579年间流行病的明细记录,这是希波克拉底以后第一本关于流行病的内容广泛的著作。他可能是第一个描述百日咳(1578),并给风湿病下了现代定义的人。他描述过鼠疫、白喉和麻疹,写过有关流行病学的著作,特别是《论流行病》(2卷,1640),这都可能对17世纪希波克拉底学派著名医师T.西德纳姆产生影响。

Bailly, Jean-Sylvain 巴伊(1736-09-15,巴黎～1793-11-12,巴黎) 法国天文学家。因计算哈雷彗星轨道(1759)和研究当时已知的木星4颗卫星而闻名。他还是一位参与当时

美国不列颠百科全书公司供图

革命活动的政治家。巴伊从1759年起研究哈雷彗星。一年后建造了一座天文台,以观测木星的卫星。1763年被选入科学院。他的主要著作包括1766年出版的《木卫理论论文集》和1771年出版的《论木卫光度的不规则性》。法国革命使他的研究中断。他作为巴黎的代表被选进国民议会;1789年5月5日被选为第三等级代表的主席并于6月20日领导了著名"网球场宣誓"。1789年7月15日任巴黎首任市长。1790年8月再次当选为市长,但威信大不如前,尤其是在他下令让国家卫队驱散暴乱群众,导致发生1791年7月17日的马斯场屠杀事件以后更是如此。1791年11月16日巴伊退休,1792年7月去南特,写成《革命目击者回忆录》一书,书中记载他一生政治生涯中一些不平凡经历的片断。1793年,他去默伦会见他的朋友P.S.拉普拉斯时被捕,11月10日押送巴黎革命法庭受审,随后被处决。

bailment 寄托 在英美财产法中,指被称为寄托人的一方为了某种临时性的目的如储存、运输、寄售、典当、质押、修理或借用等有偿或无偿地将特定的货物交给被称为受托人的一方。从前,受托人对货物所负责任依其从寄托中获得的利益而有所不同。按现在的法律,一般都主张受托人在"该情况下"要成为相当谨慎的人并负有细心看管的责任。预计从寄托达到的目的和从中获取的利益被认为是决定受托人看管的责任范围的"情况"。寄托的一般类型在多数法律制度中都是相似的。它们在罗马法中就有了特定的名称。其中有些类型具有特殊的法律后果,例如修理的受托人在其劳务未得到偿付之前有权留置修理物。

Bailong Jiang 白龙江 中国长江水系嘉陵江上游的主要支流。在甘肃省南部、四川省北部。发源于甘肃、四川边境的岷山北侧,在四川省北境广元昭化镇入嘉陵江。全长576千米,流域面积31 800平方千米。1977年建成碧口水电站。是中国西部亚热带与暖温带的分界线。

Baily, Francis 倍利(1774-04-28,英格兰伯克郡纽伯里～1844-08-30,伦敦) 英国天文学家。在1836年5月15日的日环食中观

测到所谓倍利珠现象。他对这一现象的生动描述引起了人们研究日食的新兴趣。倍利原是位成功的商人，1825年弃商转务科学。早在1820年，他已是皇家天文学会的主要倡导

美国不列颠百科全书公司供图

人，1827年该学会授予他金质奖章，奖励他编成一本包含2 881颗恒星的星表。他对当时错误百出的《英国航海年历》提出批评并促成改进。倍利修订了几份星表，重复过卡文迪什确定地球密度的试验，并测出地球的椭圆率。

Baily's beads　倍利珠　日全食时所见的弧状亮斑。因英国天文学家F.倍利最早观测到，故名。在月面正好完全遮蔽太阳之前，月面边缘的不规则起伏（山和谷）会使狭窄的娥眉状太阳在数处断开。由此产生的亮斑有如一串亮珠。

Baima language　白马语　中国藏族使用的语言之一。属汉藏语系藏缅语族藏语支。分布在四川省绵阳地区的平武县、阿坝藏族羌族自治州的南坪县、松潘县和甘肃省武都地区的文县。使用人口约1.1万。四川和甘肃两地的白马语有一定的差别，可以划两个方言。白马语（平武）的语音特点是：有40个单辅音声母：其中包括双唇、舌尖中、舌根塞音，分清、浊、清送气三套；舌尖前、卷舌、舌叶、舌面前塞擦音和擦音，也分清、浊和清送气三套；有双唇、舌尖中、舌面前、舌根鼻音和边音、颤音各1个；有浊塞音和浊塞擦音带同部位鼻冠的复辅音声母7个。有单元音韵母22个，包括普通元音13个，鼻化元音8个，卷舌元音1个；有23个后响复元音，由齐齿、合口和撮口3个介音组合而成。有4个声调（高降、高升、低升、升降）。词类有名词、数词、量词、代词、动词、形容词、副词、助词、连词、情感词10类，词序和助词是表达语法意义的主要手段，有少量的屈折形态变化。名词有数（单数、双数和多数）；动词有体（将行体、即行体、进行体、已行体、完成体）、式（命令式、祈使式、疑问式）、态（自动态、使动态、互动态）、趋向（有8个趋向前缀，表示行为动作的方向）等语法范畴。存在动词有类别范畴。结构助词有限制、施动、受动、工具、比较、处所、从由等7类，有较强的语法功能。句子的语序是主语在前，谓语在后，宾语和状语在主语之后、谓语之前；名词、代词作修饰语在中心词之前，形容词、数量词组作修饰语在中心词之后。词汇里有较大数量的汉语和藏语借词。有17世纪留下的华夷译语材料，是研究早期白马语的珍贵资料。

Baima Temple　白马寺　中国最早的佛教寺院。位于河南洛阳东10千米处。相传汉明帝永平七年（64）遣蔡愔、秦景等赴天竺求法，永平十年（或说十八年）与天竺僧摄摩腾、竺法兰归来后建此寺。白马名之由来一是说因明帝遣使以白马负经还；另一说是因天竺国王毁损佛寺，夜有白马绕塔悲鸣，王即以未毁招提寺改为白马寺。该寺自唐代以来多次重建。1928年，寺曾为冯玉祥将军所毁。1931年，戴季陶等倡议重建。现为国家重点文物保护单位。

baimiao　白描　又拼Pai-miao，英语作plain drawing。中国传统绘画的一种表现形式。纯用墨色线条勾描物象，不着颜色。亦有略施淡墨渲染者。常用来画人物，或勾勒花竹。这种画法来源于古代的“白画”。唐吴道子作画有时只以“墨踪为之”，开启先路；宋李公麟经常以此法作画，堪称白描大师，传世其他名作尚有元代张渥的《九歌图》与王冕的《三竹图》等。

Bain, Alexander　贝恩（1818-06-11，苏格兰阿伯丁郡阿伯丁～1903-09-18，阿伯丁）　英国哲学家。他对心理过程的研究推动了心理学的发展。曾致力于改进苏格兰的教育。1840年完成大学学业不久，结识了哲学家J.S.穆勒并加入了穆勒在伦敦的学术圈。1860～1880年在阿伯丁大学教授逻辑学和英国文学，提倡在苏格兰进行教学法的改革。

美国不列颠百科全书公司供图

写了几本有关语法和修辞的书，1870年著两卷本《逻辑学》，详述了逻辑学在自然科学中的应用。又以严密的科学方法从事心理学研究。试图找到与诸如“观念”、“心理”等抽象概念相对应的生理现象，并强调应进一步研究脑和神经系统的过程。1876年创办了第一份心理学杂志《心》。著有《性格研究》（1861）、《心理学和伦理学纲要》（1868）、《心身关系理论》（1873）、《约翰·斯图尔特·穆勒评传》（1882）、《自传》（1904）等。

Bainbridge　班布里奇　美国佐治亚州西南部迪凯特县县城。滨弗林特河，邻近佛罗里达州边界。1823年建于休斯堡附近，1829年设市，并发展为伐木业城市和河港。吉姆伍德拉夫大坝（1957）位于下游，使塞米诺尔湖蓄水发电并调节墨西哥湾航道水量。班布里奇因而成为佐治亚州第一个内河驳船港口，装卸化工产品、矿石等大宗货物。生产纺织品、地毯和包装物。塞米诺尔湖是受欢迎的娱乐胜地。设有班布里奇初级学院（1970）。人口11 722（2000）。

Bainbridge, William　班布里奇（1774-05-07，新泽西普林斯顿～1833-07-27，费城）　美国海军军官。1793年起指挥商船队。1798

美国不列颠百科全书公司供图

年进入新建的美国海军。在1812年战争中，他在巴西沿海俘获英国护航舰“爪哇”号。

Baines, Thomas　贝恩斯（1822，英格兰诺福克金斯林～1875-05-08，纳塔尔德班）　英国出生的艺术家、探险家、博物学家和作家，一生大部分时间在南部非洲度过。1842年到好望角殖民地，参加第8次边界战争（1850～1853）。1855年参加澳大利亚北部的探险。1858年应邀参加由D.利文斯敦率领的赞比西河探险队。1861年同英国猎人和探险家J.查普曼从西南非洲旅行到维多利亚瀑布，绘画并著有《西南非洲探险记》（1864）。1868年率领一支探险队到马塔贝莱兰金矿探险，取得开采权，矿区后来被C.罗得斯攫取。死后出版的《非洲东南部的产金区》（1877）发表了他绘制的精确地图、科学资料及风景和人物插图。

Bainville, Jacques　班维尔（1879-02-09，法国万塞讷～1936-02-09，巴黎）　法国政论家与历史学家，在两次世界大战之间，是鼓吹保守主义思想的主要人物。虽然出身在拥护共

美国不列颠百科全书公司供图

和政体的家庭，但他在保皇派宣传家的影响下，很早即以恢复君主制为己志。第一部著作《俾斯麦的共和国：第三共和国的德国根源》（1905）专门论述了俾斯麦对法兰西共和的支持。第一次世界大战期间写过几部有关俄国、意大利和德国的著作，其中有《两个民族的历史》（1915）。另外还著有抨击《凡尔赛

和约》和预言统一的德意志危险的《和平的政治后果》(1920)、《法国史》(1924)、《拿破仑》(1931)、《独裁者》(1935)、《第三共和国，1870～1935》(1935)等。在《第三共和国》中，他断言德国进攻法国和国家革命将是两个无法避免的事件。1935年选入法兰西学院。

Baird, Bil and Cora **贝尔德夫妇**（比尔1904-08-15，美国内布拉斯加格兰德艾兰～1987-03-18，纽约；科拉1912-01-26，纽约市～1967-12-06，纽约市） 比尔·贝尔德原名威廉·布里顿·贝尔德；科拉·贝尔德原名科拉·艾森伯格。美国木偶戏演员，20世纪美国木偶戏剧复兴的领导人。比尔于1926年毕业于艾奥瓦州立大学，并在芝加哥美术学院学习舞台设计，后在美国著名的木偶戏演员T.萨格的手下工作过5年。他旅行演出木偶戏，30年代中期开始独立演出。1937年，与科拉结婚。随后的几年里，他们创作自己的

贝尔德夫妇
美国不列颠百科全书公司供图

木偶、布景、剧本和音乐。40年代起贝尔德夫妇的创作在全美引起重视，他们手指式提线操作的木偶戏曾在几部大型百老汇戏剧和音乐剧中出现，50年代初期还在电视中表演。他们创作的部分木偶为经典木偶人物，如跳脱衣舞的女木偶巴布尔斯·拉·鲁，会唱歌的青蛙，报幕人斯纳基·帕克和会说话的马希斯克利夫。1966年，贝尔德夫妇自己的大木偶剧院——比尔·贝尔德剧院在纽约揭幕。比尔还训练出一代年轻木偶戏演员。他的著作《木偶戏艺术》于1965年出版，这是该领域的一部经典诠释。

Baird, John Logie **贝尔德**（1888-08-13，苏格兰邓巴顿海伦斯堡～1946-06-14，英格兰苏塞克斯贝克斯希尔） 苏格兰工程师，是他首先用电视播送运动物体图像。他曾在拉奇菲尔德高等学校、皇家技术学院和格拉斯哥大学学习。1924年，他用电视播送了物体的轮廓。1925年播送了可辨认的脸部图像。1926年在伦敦皇家学会演示了电视播送运动物体。1929年德国邮局给他发展电视的设施。当英国广播公司的电视节目在1936年开始广播时，他的系统和马可尼电气和音乐工业公司推销的系统竞争，1937年2月英国广播公司全部采用了马可尼公司的系统。1928年贝尔德演示了彩色电视。据说他在1946年完成了立体电视的研究。

Baird, Spencer Fullerton **贝尔德**（1823-02-03，美国宾夕法尼亚雷丁～1887-08-19，马萨诸塞伍兹霍尔） 美国博物学家，脊椎动物学家，当时研究北美鸟类及哺乳动物的权威。

美国史密森学会供图

1838年与J.J.奥杜邦会见，奥杜邦馈赠了自己所采集的部分鸟类标本，使他的兴趣转向鸟类学。1845年贝尔德任宾夕法尼亚州卡莱尔的迪金森学院博物学教授，5年后任华盛顿史密森学会助理秘书，1878年升为秘书。翌年美国国会批准建造一所大楼以收藏他得自政府考察队及私人收集者的大量北美动物资料。他编写了多卷关于史密森采集品的报告及关于鸟类、哺乳动物和爬行动物的报告。对系统动物学做出很大贡献。1871年他力促美国国会成立了美国鱼类及渔业委员会，并应格兰特总统之请担任主席。该委员会对鱼类的分布及行为做了大量研究工作，其孵化场将外国种引入美国，提高了商业用鱼的产量。贝尔德在鱼类养殖方面所做的工作，使他在伍兹霍尔的实验室名闻世界。贝尔德著有《北美的爬行动物》(与C.吉拉德合著，1853)、《哺乳动物》(1857)、《北美鸟类目录》(1858)、《美洲鸟类考察》(1864～1866)及《北美鸟类志》(与T.M.布鲁尔及R.里奇韦合著，1874)。

Baire, René-Louis **贝尔**（1874-01-21，巴黎～1932-07-05，法国尚贝利） 法国数学家。他的关于无理数的研究成果以及将连续的概念区分为上半连续性和下半连续性对法国数学学派有很大的影响。1895年毕业于巴黎高等师范学校；1899年获高等师范学校博士学位。其博士论文解决了有界连续函数的特征性质问题，有助于实变函数论的建立。1902年在蒙彼利埃大学、3年后在第戎大学任教。最重要的著作有《无理数、极限与连续性理论》(1905)和《分析学概论》(2卷，1907～1908)。

Bairnsdale **拜恩斯代尔** 澳大利亚维多利亚州东南部城镇。位于米切尔河口，濒临莱克金湄湖。19世纪末开始发展，原为通东吉普斯兰金矿区的河港，现水运已为铁路和公路运输取代。铁路通墨尔本(西275千米)。作为四周农牧业区集市中心，生产乳品、饮料、皮革、服装、木材等。附近有吉普斯兰湖和九十英里海滩，旅游业兴旺。人口约10 690(1989)。

Bairnsfather, (Charles) Bruce **班斯法瑟**（1888-07-09，印度穆里～1959-09-29，英格兰伍斯特郡伍斯特） 英国连环漫画家，以冷酷而幽默地描绘战壕里的士兵而著名。他出身军人之家，曾学习军事，后决心从事艺术。学画时间不长，1914年重返部队，前往法国。在战壕中开始画速写，其描写军队生活的第一批漫画发表在《旁观者》(1915)上，立即获得成功。后受伤休养，作画更多，画集受到普遍欢迎。所绘最著名的人物老比尔，是蓄八字髭的中年伦敦人；所画炮火下老比尔和战友在弹坑里的情景，题为“有更好的洞，就请钻吧”。1916年入陆军部情报局任漫画军官，被派往前线。第二次世界大战期间，在驻欧美军中任官方漫画家。晚年以讲学为主。

Bais **拜斯** 菲律宾内格罗斯岛东南部城市和港口。港口东向塔尼翁海峡，可泊远洋轮，是拜斯生产的糖的船运中心。有纸浆生产和造纸业。1968年扩建为市。人口约60 000(1990)。

Baise **百色** 又作Pai-se，Po-se。又拼Bose。中国广西壮族自治区辖地级市。新兴的工业城市。位于澄碧河汇入右江处。百色是壮语的音译，原意是“拍洗衣服之地”。因旧城区似鹅，又名“鹅城”。秦属象郡，汉为桂林郡地，后历代隶属多次变更。清雍正七年(1729)置百色厅，翌年建百色城。1912年改厅为府，1913年改为百色县。1983年设市。2002年设地级市。辖1区11县。总面积36 252平方千米。百色是美丽的山城，三面环水，西北靠凤凰山，故又名“凤凰城”，是一个向东开口的小盆地。19世纪末商业兴起，是桂西土特产的集散地。1929年末中国共产党领导的红七军在此举行了“百色起义”，建立工农民主政府。323、324国道及南昆铁路过境，使百色成为桂西公路交通中心和广西、贵州、云南三省间交通要冲。加上右江的水运，

百色下右江景色
中国大百科全书出版社供图

百色成为桂西、黔西南、滇东土特产和日用工业品的集散地。农产品有稻谷、玉米、甘蔗、甘薯等。所产八角、茴油、香菇、云耳、笋干、田七(三七)、茶叶、芒果和蛤蚧(大壁虎)等远销国内外。1949年后工业发展较快，主要工

业有电力、煤炭、采矿、化工、制糖、造纸、制药、食品等。有右江民族医学院、百色学院两所高等学校。人口：全市3 730 000(2005)；市区人口333 153(2005)。

Baishan 白山 中国吉林省辖地级市，新兴工矿城市。位于省境东南部，浑江上游沿岸。鸭园—大栗子铁路和长林铁路通过境内。清光绪二十八年(1902)置临江县。1960年改名浑江市。1985年升为省辖市。1994年1月改名白山市。辖八道江、江源2区，临江市和靖宇、抚松2县及长白朝鲜族自治县。面积17 485平方千米，其中市区面积1 381平方千米。地处长白山区，老岭山地横贯东西。森林面积达21万公顷，覆盖率83.2%，居全省首位。盛产杨、桦、椴、松、楸等木材。三岔子和湾沟为采伐中心，是吉林省重要木材工业基地之一。矿藏主要有煤、铁、铜、铅、锌、磷、金等。过去工业落后，只有小型煤、铁矿及一些粮油加工和酿造厂。20世纪50年代以来工矿业发展迅速。现有采矿、机械、建材、制药、木材加工、造纸等工业。松树、湾沟、砟子为产煤中心，大栗子为产铁中心。境内产人参、黄芪、党参、贝母、鹿茸等药材，是中国人参重点产区和最大的人参出口基地。拥有亚洲最大的人参种植园。人口：全市1 290 000(2005)；市区334 551(2004)。

Baius, Michael 贝乌斯(1513，埃诺梅兰～1589-09-16，布拉班特卢万) Baius又拼Bajus；又名米歇尔·德·贝。比利时神学家。他曾就学于卢万大学。约在1550年和赫塞尔斯共同就恩宠和称义等神学问题提出崭新的见解。所著神学论文甚多，受到教会当局的批判。1575年任卢万大学校长。贝乌斯神学体系的主要特点在人类堕落问题上。他认为，亚当和夏娃的无知是其天性的一部分，因此第一次犯罪毁坏了人性中的固有本元。其他新教神学家也持有这种观点。

Baiyangdian 白洋淀 中国海河平原最大的湖泊。又名西淀，在河北省中部。由143个淀泊组成，总面积366平方千米，水面面积近300平方千米。上游接纳海河水系中大清

白洋淀的归帆
中国大百科全书出版社供图

河上源唐河、潴龙河来水，下游由大清河排出。湖区水产丰富，芦苇分布面积广。环湖洼地大多已改为稻田。

Baiyin 白银 中国甘肃省辖地极市。位于省境中部，黄河两岸。市区在距兰州东北70千米的黄河北岸。原是人烟稀少的黄土丘陵区，明初以盛产白银得名。1951年发现铜等有色金属矿床。1954年在兰州筹建"白银有色金属公司"，1956年移迁白银有色金属公司筹建白银市。1958年4月析景泰、皋兰、靖远县部分地区设白银市，由省直辖。1963年撤销，将白银市市区划归兰州市设白银区，郊区并入皋兰县。1985年8月恢复白银市。辖白银、平川2区和会宁、靖远、景泰3县。面积21 209平方千米，其中市区面积3 478平方千米。处陇西黄土高原北部、祁连山东缘。黄河由西南至东北斜贯市境。20世纪60年代以来，相继建成多处大型提黄灌溉工程，使沿岸台、塬变为绿洲。产小麦、糜谷、马铃薯、胡麻、瓜果等。特产有裘皮、黑瓜籽和发菜。为中国重要的有色金属冶炼中心，有"铜城"之称。包兰铁路和109国道穿越市境，兰白高速公路直达兰州。人口：全市1 750 000(2005)；市区472 720(2004)。

Baiyun Monastery 白云观 中国道教全真道宫观。位于北京。始建于唐，名天长观。金正隆五年(1160)毁于火。金世宗时，重修扩建，更名为十方大天长观，是当时北方道教全真派的最大丛林，并藏有《大金玄都宝藏》。金章宗泰和二年(1202)再次被焚，后重建为太极宫。正大元年(1224)，邱处机自雪山回京后居太极宫，元太祖因其道号长春子，诏改太极宫为长春宫。自此，长春宫成为道教全真龙门派的祖庭。元末长春宫焚毁，明永乐年间重修。英宗正统八年(1443)赐名白云观。为国家重点文物保护单位。1957年起为中国道教协会会址。1990年于此创办中国道教学院。

Baj Baj (India) 参阅 **Budge Budge** 巴奇巴奇。

Baja 包姚 匈牙利中南部巴奇-基什孔州城镇。位于多瑙河干流东侧卡马拉什-多瑙河(当地称舒戈维曹河)两岸。为内河港口及划船运动中心，有农用机械、家具及化学品工业。现为农产品和牲畜的重要市场。市镇以西有公路和铁路横跨多瑙河。市内有数座巴罗克式教堂，和平广场周围排列着旧式房屋。居民中有塞尔维亚少数民族。人口约38 692(1990)。

Baja California 下加利福尼亚 英语作Lower California。墨西哥西北部半岛。北接美国，东临加利福尼亚湾，西和南濒太平洋。长约1 220千米(760英里)，宽40～240千米，面积143 396平方千米。行政上划为下加利福尼亚和南下加利福尼亚两州。由于大断层，靠海湾一侧急剧抬升而地势陡峭；临太平洋一侧平缓下倾。西北-东南走向的山岭纵贯其间。半岛中部多火山，特雷斯·维吉纳斯火山海拔6 548英尺，最近一次活动在1746年。熔岩西流形成副半岛。拉巴斯附近为低窄地峡。拉巴斯和奥霍-德列夫雷潟湖之间的太平洋沿岸为广阔平原。海湾顶端为科罗拉多河冲积形成的三角洲。海岸线长2 038英里，沿岸多岛屿，有深水避风港。全境可分3个气候区：①西北角，受冬季气旋冷锋影响而形成雾和雨，年降水量130～280毫米，动植物与美国加州南部类似；②埃尔罗萨里奥南部和华雷斯-圣佩德罗马蒂尔山东部干旱地区，中央沙漠多为荒地，但也覆盖着适合干旱的植被，特别是大仙人掌；③拉巴斯以南地区，夏末有热带降水，较高山区年均降水量635毫米，低地有沙漠灌木丛，海湾沿岸夏季炎热潮湿，太平洋一侧较凉爽。1822年下加利福尼亚脱离西班牙独立。墨西哥战争(1846～1848)结束后，《瓜达卢佩-伊达尔戈条约》使加利福尼亚分成两半，一半归墨西哥，一半划归美国。20世纪60年代开始兴建公路、港口和机场。蒂华纳—圣卢卡斯角公路已竣工。现北半部发展工业，扩大农业和矿业生产；南半部发展较缓慢。

Baja California 下加利福尼亚 原称北下加利福尼亚，墨西哥西北部的州。北界美国。面积69 921平方千米。在下加利福尼亚半岛北半部，境内纵贯华雷斯山脉和圣佩德罗马蒂尔山脉。沿海平原除东北端均很狭窄。科罗拉多河口形成三角洲。居民点稀疏。1952年设州。1974年改称北下加利福尼亚州，以区别新成立的南下加利福尼亚州。1979年又正式称下加利福尼亚。由五个自治政区组成：恩塞纳达、墨西卡利、罗萨里托、特卡特、蒂华纳。恩塞纳达是墨西哥最繁忙的港口，渔业也十分重要。蒂华纳是工业中心。墨西卡利是工业和农业中心。罗萨里托海滩是旅游胜地。特卡特有一个著名的酿酒厂。

因接近美国市场，该地保税加工出口工厂的发展快速。活跃的经济——特别是扩张的工业和农业——吸引了大量的移民。1994年北美自由贸易协定生效，从而减少了该地与美国和加拿大的贸易限制，并加强了与美国的联系。到2000年，有800多家保税加工出口工厂(占墨西哥总数的1/3)设在该地。主要产品有电子器件、纺织品、塑料、木材制品和汽车零件。旅游业也很重要。交通不便使下加利福尼亚与世隔绝。后兴建铁路和公路。70年代中期，铁路和公路将几个主要的城市连接起来。通往蒂华纳的公路全长1 708千米。在墨西卡利和蒂华纳设有国际机场。人口约2 487 700(2000)。

Baja California Sur 南下加利福尼亚 墨西哥西北部的州。占下加利福尼亚半岛南半部。东临加利福尼亚湾，西、南接太平洋。面积73 475平方千米，中部和东部多火山。1887年宣布为联邦区，1931年定为联邦地区，1974年设州。人口稀少，发展较落后。州主要的农业中心在首府**拉巴斯(La Paz)**和科蒙杜，主要作物有小麦、玉米和大豆。工业仅有棉花副产品加工厂、鱼罐头厂和盐场。1884～1953年由法国公司开发的圣罗萨莉亚铜矿产量现逐年递减。旅游业为重要收入来源。边远地区主要经营养牛业和自给性农业。交通的改善正使该州逐步摆脱与世隔绝状态。20世纪70年代中期竣工的蒂华纳—圣卢卡斯角公路纵贯全半岛。70年代末修通拉巴斯—恩塞纳达公路。拉巴斯和马萨特兰之间的汽车轮渡也于1965年开始营运。

马格达莱纳湾和拉巴斯的港口设施也得到改善。拉巴斯通国内航空线。1993年,塞瓦斯蒂安·比斯卡伊诺湾被列为世界遗产。这是灰鲸、港湾海豹、加利福尼亚海狮、北方海象的重要繁殖地和栖息地。人口约423 516(2000)。

bajada 山麓冲积平原 又拼bahada,指由出山的溪流堆积在山麓的岩屑构成的宽广的斜坡。通常见于干旱或半干旱气候带。这个术语因为用于美国西南部而得到采纳。山麓冲积平原往往由若干冲积扇联合而成。出山的溪流从冲积扇一侧到另一侧的反复迁移,广泛而近乎均匀地铺上沉积物。由于沉积物最终增长在一起,故斜坡可能向山前伸展几千米。山麓冲积平原常由冲积砾石组成,甚或夹杂巨砾。斜坡一般小于7°。在潮湿气候带,这种自然景观通常归属于山麓带。

Bājah 巴杰 突尼斯北部城镇,位于迈杰尔达河谷北缘的山上。公元前1世纪以来为重要的农业集市。公元16世纪土耳其人在此镇设行政和军事中心。在历史上一直是迈

巴杰镇正在制备干草的妇女
美国不列颠百科全书公司供图

杰尔达河谷产麦区中心。一位11世纪的阿拉伯地理学家称该镇为"突尼斯的粮仓"。有面粉厂、制糖厂。设有农业研究站。有公路和铁路通突尼斯。周围地区包括潮湿的沿海平原。为重要的小麦产区和牲畜饲养区。主要城镇有奈夫宰和谷物市场迈贾兹巴卜。人口:社区46 708(1984)。

Bajer, Fredrik 巴耶(1837-04-21,丹麦～1922-01-22,哥本哈根) 丹麦改革家和政治家,1908年与阿诺德森共同获得诺贝尔和平奖。早年在军队服役。1864年后,为争取妇女解放、和平运动和斯堪的纳维亚的合作而奔走。巴耶是1871年成立的丹麦妇女协会

美国不列颠百科全书公司供图

的创办人和1882年成立的丹麦中立化协会(1885年改名丹麦和平协会)的奠基人。1872～1895年为丹麦议会左翼自由主义议员,他提倡国际仲裁协议,并对丹麦中立政策的发展有相当大的影响。作为知名代表,他出席了第一次斯堪的纳维亚和平会议(1885),大力促进于1891年在伯尔尼成立国际和平局并任主席(1891～1907)。

Bajío 巴希奥 墨西哥中西部,墨西哥高原上的盆地或平原区。北接瓜纳华托山脉,南连火山带,东界丘陵,西邻彭哈莫山脉。巴希奥地区包括瓜纳华托州南部和米却肯州北部,海拔1 550～1 800米。有莱尔马河及其主要支流形成的流域盆地。土地肥沃,气候温和,雨水适中。成为重要农业区,被称为墨西哥粮仓。盛产小麦、玉米、豆和水果。巴希奥地区人口稠密,多城市,包括塞拉亚、伊拉普阿托、巴耶-德圣地亚哥和萨拉曼卡。

Bajokwe (people) **巴乔克韦人** 参阅 **Chokwe** 乔奎人。

Bajor, Gizi 巴佐尔(1893,匈牙利布达佩斯～1951-02-12,布达佩斯) Bajor又拼Bayer。匈牙利女演员。不但魅力迷人,还以演技高超和多才多艺著称于世。1914年毕业于戏剧艺术学院,后入国家剧院,1928年成为该院的终身成员。善演经典剧和现代剧的各种角色,如在萧伯纳《圣女贞德》和莱辛《明娜·封·巴尔赫姆》中饰演的主角曾引起人们注意。经常上演的剧目有莎士比亚、德·维加和萨尔都的剧作及当代匈牙利作家海尔陶伊、莫里兹、海尔采格及济洛希的剧作。1950年被授予匈牙利共和国人民艺术家称号。

Bajus, Michael 参阅 **Baius, Michael** 贝乌斯。

Bakahonde (people) **巴卡洪德人** 参阅 **Kaonde** 卡翁德人。

bakeberry 参阅 **cloudberry** 云莓。

Bakelite 贝克来特 酚醛树脂的商标。苯酚与甲醛化合形成的合成树脂。一种坚硬、难熔、耐化学(反应)的塑料,具有非导电性质而特别适用于各种电器用具。在许多工业应用中用作电绝缘体,在模塑和铸塑作业中用作黏合剂以及用于油漆和烤搪瓷涂料。在制造化学设备、机器和仪表外罩、瓶罩及许多机器部件和电子元件方面酚醛树脂是必不可缺的。1909年美国L.H.贝克兰发明制备此塑料的生产方法,贝克来特是联合碳化物公司的注册商标。20世纪初酚醛树脂几乎在一切应用领域取代了赛璐珞。

Bakema, Jacob B(erend) 巴克马(1914-03-08,荷兰格罗宁根～1981-02-20,鹿特丹) 荷兰建筑师,第二次世界大战后与J.H.范登布鲁克共同从事鹿特丹的重建工作。他先在格罗宁根攻读建筑学和水力工程,后入阿姆斯特丹的建筑学院深造。曾与C.van埃斯特伦在阿姆斯特丹城市建筑部门共事多年。1947年设计了鹿特丹的芬斯特艺术中心。1948年与范登布鲁克合伙开设事务所,1953年共同设计了鹿特丹的林朋购物中心,还设计过学校、办公楼、百货商店和教堂等。

Baker, Anita 贝克(1958-01-26,美国俄亥俄托莱多～) 美国歌手。高达三个八度的音域和激情、有力的演唱使她在20世纪80和90年代赢得国际声誉。她是最受欢迎的当代城市音乐家之一,她那不落俗套的灵歌和节奏与布鲁斯演唱法是该音乐的特征。她的才艺是在底特律教堂的圣诗班显露出来的。她违背家人的意愿,离开社区大学而去从事唱歌事业。在夜总会同当地乐队一起唱歌;后来加入疯克乐队"第八章";她随乐队巡回演出多年并录制一张专辑,里面有热门歌曲《我就想成为你的女朋友》。唱片《女歌手》(1983)是她的个人专辑,销售30万张。改签伊莱克特拉唱片公司后为自己第二张专辑《着迷》(1986)做制作人,该专辑获得了两个格莱美奖,销售达500万张,其中《亲爱的》和《你使我高兴》成为热门单曲。后来又有两张专辑获格莱美奖。1994年出专辑《爱的节奏》。1996年与大西洋唱片公司签约。她是底特律支持教育的组织布里奇弗斯基金会的创始人。

Baker, Augusta Braxton 贝克(1911-04-01,美国马里兰巴尔的摩～1998-02-23,南卡罗来纳哥伦比亚) 美国图书馆馆长、故事讲述者。长期从事儿童文学工作,成绩卓著,编写了第一部正面描写非洲裔美国模范人物的儿童书籍的书目。16岁毕业于其父任教的为黑人设立的高中,先后就读于宾州匹茨堡大学、纽约州奥尔巴尼的纽约师范学院,获教育学学士(1933)及图书馆学学士(1934)学位。不久,全家迁往纽约市。曾任教师数年。1937年出任纽约公共图书馆135街分馆(现为卡伦区分馆)儿童图书馆馆长。受到当时可供黑人儿童阅读的刻画黑人人物的小说的触动,遂致力于收集可表现激励人心的黑人模范人物,同时又为不同种族及一切背景的美国青年提供以正确观点对待非洲裔美国人生活的书籍,1939年在该分馆展出《J.W.约翰逊纪念集》。1957年出版了该纪念集书目《黑人生活儿童读物》。经过一段时间,贝克自感具有讲述故事的天赋,纽约公共图书馆亦有同感。1953年被任命为"故事讲述专员"。两年后,其搜罗的第一部4卷故事集《会说话的树》问世。1961年升任协调纽约公共图书馆所有82个分馆儿童服务的协调员,这是当时市图书馆系统第一次由非洲裔美国人担任的最高职位。在任13年间她又致力于收集音像资料以加强图书馆的馆藏,并因此使其视野扩及外部世界。受聘为电视节目《芝麻街》顾问并开始四处教授故事讲述与儿童文学。在图书馆工作37年后退休。1980年起任南卡罗来纳大学驻校故事讲述者。

Baker, Augustine 贝克(1575-12-09,英格兰蒙茅斯郡阿伯加文尼～1641-08-09,伦敦) 英国天主教本笃会修士,在禁欲学说和奥秘神学方面有重要著作。曾在牛津布劳德盖特

学堂(今彭布罗克学院)学习,抛弃英格兰圣公会信仰,改奉天主教。他根据读书和体验提出的一种苦行学说,尤其是他明确的节欲和祈祷"方式"受到抨击。他还鼓吹灵性的指引直接来自上帝,只能通过祈祷获得,此点也遭到更为激烈的抨击。

Baker, Sir Benjamin 贝克(1840-03-31,英格兰萨默塞特基福德～1907-05-19,伯克郡潘本) 英国土木工程师,苏格兰福斯湾铁路桥的总设计师。1869年负责修建从威斯敏斯特

美国不列颠百科全书公司供图

到伦敦市的伦敦地下区铁路。他还担任建造伦敦其他地铁线路的顾问,这些铁路都在地下黏土层的深处穿过。他设计的其他工程项目有埃文茅斯和赫尔的船坞,将埃及的克娄巴特拉方尖碑海运到伦敦并予重建。1867年他写了一系列关于大跨度桥梁的论文,讨论悬臂梁的应用。1882～1890年在建筑福斯桥时使用了悬臂梁。他曾协助W.威尔科克斯完成阿斯旺水坝(1898～1902)建筑工程。在美国,当J.B.伊兹建筑密西西比河圣路易斯大桥时,贝克担任顾问。当哈得孙河底第一条隧道工程有失败的危险时,他应邀设计了隧道铠框,使工程得以顺利完成。1895～1896年,他任土木工程师学会会长,经常在会刊上发表文章。从1896年起任皇家学会副会长。

Baker, Carlos (Heard) 贝克(1909-05-05,美国缅因比迪福德～1987-04-18,新泽西普林斯顿) 美国教师、小说家和批评家,以其翔实的雪莱和海明威的传记而出名。1940年在普林斯顿大学获博士学位,1951年任该校英文教授。他的著作《雪莱的主要诗作:作品透视》(1948)详细论述了通过雪莱的诗所观察到的诗人的内心世界,对他所处的外部环境则基本上不予重视。他写的《海明威:作为艺术家的作家》(1952)获得普遍称赞,被认为是关于这位作家的权威著作之一。该书成功地描绘了这位艺术家和他那一代人,从道德和美学的角度对海明威的小说作出了评论。他的《海明威的生平故事》(1969)是一部权威的传记。贝克还编有海明威的书信集一卷。

Baker, Chet 贝克(1929-11-23,俄克拉何马耶鲁～1988-05-13,荷兰阿姆斯特丹) 原名Chesney。美国小号手及歌手,其清脆的音色与温柔的乐曲,使他成为20世纪50年代冷爵士乐。早期的音乐经历来自于军乐队,1952、1953年与C.帕克和G.马利根签约合作后,确立了他的声望。他的唱片《我的奇妙情人》建立了他独特而含蓄的歌手路线,同时也反映了他的小号演奏风格。后来的演艺生涯大部分在欧洲度过,其间曾多次因吸毒引发法律问题而中断演出。

Baker, Ella 贝克(1903-12-13,美国弗吉尼亚诺福克～1986-12-13,纽约州纽约) 全名Ella Josephine Baker。美国社区组织者和政治活动家。在北卡罗来纳州肖大学学习,1927年毕业后到纽约找工作,看到大萧条使人们艰难贫困,便开始从事激进的政治活动。30年代初参与组建黑人青年合作同盟,成立许多合作小组,集中财力为成员提供廉价的货物和服务。30年代末与T.J.罗伯茨结婚后,参加全国有色人种协进会工作。先后任外勤干事、分会主任。因不满协进会的官僚主义作风,1946年辞去主任职务,和纽约分会一起致力于消除当地学校中的种族隔离,促进黑人儿童的平等教育权。受1955年蒙哥马利抵制公共汽车运动的激励,与他人一起为南方的民权运动筹款。1957年参与成立南方基督教领袖大会,协调南方的改革运动。马丁·路德·金是第一任主席,她是主任。1960年参与组织学生非暴力协调委员会,在她的指导和鼓励下,该委员会成为美国的人权倡导者之一。人们尊称她为"师傅",可见其影响之大。她在83岁的寿诞之日逝世。

Baker, George 贝克 参阅 Divine, Father 神圣之父。

Baker, George Fisher 贝克(1840-03-27,美国纽约特洛伊～1931-05-02,纽约州纽约) 美国金融家、慈善家。1863年美国创建国民银行系统时,他参与创立纽约第一国民银行。开始时为出纳员和小股东,25岁时就成为银行实际业务的领导。1909年当董事长时,他与J.P.摩根和J.斯蒂尔曼并列为美国金融界大亨,兼任许多公司的董事。贝克曾赠给哈佛大学600万美元的巨额资金,用以设立工商管理研究生院。他还赠给其他机构如纽约大都会艺术博物馆和美国红十字会大量款项。

Baker, George Pierce 贝克(1866-04-04,美国罗得岛普罗维登斯～1935-01-06,纽约州纽约) 美国某些著名剧作家的老师。戏剧家E.奥尼尔、P.巴里、S.霍华德、S.N.贝尔曼等人均曾受教于贝克。贝克1887年毕业于哈佛大学并留校任教。1905年他开始举办剧本

美国不列颠百科全书公司供图

创作班"47车间",它以该课程的编号命名,是大学首次开设的此类课程。他不仅关心剧本写作,也关心戏剧的舞台设计、灯光、服装和剧评。1907年贝克去巴黎索邦大学讲课之后,便进行一年一度的巡回演讲,将欧洲的许多戏剧艺术观念介绍给美国人。他的大学戏剧演出在美国成为介绍先进舞台技术的先锋。1925～1933年任耶鲁大学戏剧史和戏剧技术教授。他在该校创办戏剧学院,并领导大学剧院。许多戏剧、电影及电视演出方面的创新技术都来源于贝克在耶鲁大学的工作。他的最著名的著作有《剧作家莎士比亚的成功之路》(1907)和《戏剧创作技巧》(1919)。

Baker, James Addison, III 贝克(1930-04-28,美国得克萨斯休斯敦～) 美国政府官员、政党竞选活动家和律师,在20世纪80年代和90年代初的共和党政府中担任重要职务,1989～1992年任国务卿。其父为休斯敦有名望的律师。贝克于1952年毕业于普林斯顿大学,后在美国海军陆战队服役两年。1957年获奥斯汀得克萨斯大学法律学位,后参加休斯敦一家主要的法律事务所,最后成为该所合伙人。1970年他的老友乔治·布什要求他为布什竞选美国参议员进行活动。虽然布什竞选失败,但贝克从此一直涉足共和党的竞选活动。1975年福特总统任命他为商业部副部长,同年他帮助福特获得共和党提名参加1976年总统选举。该年他担任福特竞选活动总管,以后又继续在1980年共和党初选中领导争取提名布什为总统候选人的活动。1980年在布什同意里根作为总统,他作为副总统参加竞选后,贝克加入里根的竞选班子,任高级顾问。里根获胜后任命贝克为白宫办公厅主任,他在职时处事干练,1985年出任财政部长。1988年贝克巧妙地领导了布什当选总统的竞选活动,随后被任命为国务卿。1990年他使美国和苏联达成东德和西德统一的协议。1990～1991年间,他帮助协调了反对伊拉克侵略科威特的国际联合。贝克是一位精明和高效的政党竞选活动家,他的技巧是共和党在整个80年代保有总统职位的一个重要因素。1992年贝克辞去国务卿职务,任白宫办公厅主任,同时指挥布什竞选连任总统的活动,但未成功。

Baker, Dame Janet 贝克(1933-08-21,英国约克郡哈特菲尔德～) 英国歌剧次女高音歌唱家,以其声乐表现力、舞台风采及清晰吐字而闻名。作为独唱演员,善于表演G.马勒、E.埃尔加和J.S.巴赫的作品。先在伦敦学习声乐。1956年获凯思琳·费里尔奖第2名,得以在奥地利萨尔茨堡莫扎特学院学习。同年在牛津大学歌剧俱乐部首次登上歌剧舞台,饰演斯美塔那《秘密》一剧中的罗莎一角。1971年在B.布里顿的《欧文·温格雷夫》中塑造特地为她写作的凯特·朱利安一角,同年获汉堡莎士比亚奖。1975年参加D.阿金托的声乐套曲《弗吉尼亚·吴尔夫日记》的首演(该曲赢得普利策奖),翌年被授予大英帝国女爵士勋位的称号。1982年退休。1994年被授予名誉勋爵的称号。

Baker, Josephine 贝克(1906-06-03,美国密苏里圣路易斯～1975-04-12,法国巴黎) 舞蹈家和歌唱家。她象征美国黑人文化的美与活力,在20世纪20年代震惊巴黎。16岁随

美国不列颠百科全书公司供图

费城一个舞蹈团巡回演出。后移居纽约,在百老汇上演的《巧克力纨裤子》一剧和在"种植园俱乐部"的夜总会表演中崭露头角。1925年在巴黎香榭丽舍剧院任舞蹈演员,演出《黑人活报剧》,并推行她的"原始舞蹈",成为法国最受欢迎的歌舞厅演艺员之一。1937年入法国籍。1930年首次作为职业歌唱家演唱,4年后第一次在银幕上露面。第二次世界大战前又拍过几部电影。德国人占领法国期间,贝克参加红十字会和法国的抵抗运动,作为"自由法国武装部队"的成员为驻非洲和中东的军队演出,后获十字军功章和荣誉军团勋章。1950年开始收养世界各国的婴孩,从事一项她称之为"博爱的实验"和"彩虹家庭"的事业。1956年告别舞台,但为了维持她的博爱事业,后来不得不重返艺坛,于1959年主演《巴黎》一剧。60年代曾数度返回美国参加民权运动的示威活动,并继续偶尔参加演出,直到去世。

Baker, LaFayette Curry 贝克(1826-10-13,美国纽约斯塔福德～1868-07-03,宾夕法尼亚费城) 美国南北战争时期联邦刑警头子和联邦政府情报和反情报行动处处长。1848年他离开密歇根的家到西部谋生。1856年参加旧金山保安队,这是一伙自封的警察,专断而不讲司法程序。在后来的4年里,他常常受雇进行秘密活动,因此化装有术,善于以假乱真。1861年南北战争爆发后到华盛顿,投奔W.斯科特将军。被派到弗吉尼亚州里士满一带侦察时被捕。后来回联邦政府辖区,在国防部、国务院和邮政部当侦探。1862年11月接替A.平克顿任联邦密探头子。他很快打入联邦军政各部以及南部邦联,将成百名特工人员和侦探分布在南北两边,这些人彼此都不相识。1864年贝克亲自揭出联邦财政部的一起重大诈骗案,破坏了所谓"西北阴谋"计划——南部恐怖分子准备用放火等手段将战争引向北方城市的计划,并破获联邦高级官员与敌人通商来往。1865年4月A.林肯总统遇刺后,贝克亲自布置,追踪并捕获凶手。事后被晋升为准将。战后继续从事警察和收集情报活动。由于历来轻视司法程序,他在政治上不断受到攻击,终于辞职。他的特工机构后来也因国会拒绝拨款而解散。1867年发表《美国特工活动史》。

Baker, Newton D(iehl) 贝克(1871-12-03,美国西弗吉尼亚马丁斯堡～1937-12-25,俄亥俄克利夫兰) 美国律师、政治领袖,第一次世界大战期间的陆军部长。1897年在马丁斯堡当律师,后移居克利夫兰。两次任克利夫

美国不列颠百科全书公司供图

兰市长(1912～1916)。1912年在提名W.威尔逊为民主党总统候选人过程中发挥重要作用。威尔逊当权后任命贝克为陆军部长。在陆军部长任内曾向国会提出普遍征兵计划,在大战期间动员400多万人参军。1928年任海牙常设仲裁法庭法官。1929年任法律实施委员会委员。著有《我们为什么参战》(1936)。

Baker, Norma Jean (screen actress) 贝克 参阅 **Monroe, Marilyn** 梦露。

Baker, Ray Stannard 贝克(1870-04-17,美国密歇根兰辛～1946-07-12,马萨诸塞阿默斯特) 美国新闻记者、著名随笔作家、国际联盟的文学活动家、W.威尔逊传记的授权作

美国国会图书馆供图

者。担任《芝加哥记录报》记者(1892～1898)时,为《麦克卢尔瞭望》及专门报道丑闻的《美国杂志》(1906)撰稿。在《肤色探索》(1908)中,他考察了美国黑人的情况。他用笔名戴维·格雷森出版了《满意的猎奇》(1907),这是他为人们广泛阅读的几部随笔集的第一部。1910年初次见到威尔逊后,日益成为他热情的崇拜者。应后者要求,成为美国新闻社采访巴黎和会的首席记者(1919),经常与威尔逊密切接触。虽然他长期身体不佳,仍写有《威尔逊的生平及书信》(1927～1939)8卷。为此,1940年获普利策奖。

Baker, Sir Samuel White 贝克(1821-06-08,英国伦敦～1893-12-30,德文桑福德-奥莱) 英国探险家。与约翰·汉宁·斯皮克一起为查

美国不列颠百科全书公司供图

明尼罗河发源地做出了贡献。他是商人的儿子,曾在印度洋毛里求斯岛(1843～1845)和锡兰(1846～1855)生活。1856～1860年周游近东。1861年在苏丹和埃塞俄比亚边界一带考察尼罗河支流。1864年3月确定位于今乌干达和刚果(金)之间他命名的艾伯特湖乃尼罗河之源头。1866年被封为爵士。1869年受奥斯曼帝国驻埃及总督之托率远征军前往尼罗河赤道地区,任该地总督4年,帮助禁止了奴隶贸易。著作有:《锡兰的步枪和猎狗》(1854)和《阿比西尼亚的尼罗河支流》(1867)。

Baker, Sara Josephine 贝克(1873-11-15,美国纽约波基普西～1945-02-22,纽约州纽约) 美国医生。曾对公共卫生和儿童福利事业做出巨大贡献。1898年获纽约妇幼医院附属女子医学院医学博士学位,参加纽约市卫生局工作。1907年任副局长。由于她对纽约市婴儿高死亡率的关切,翌年筹设世界上第一家为发展儿童健康而专门设立的公共机构儿童卫生处,任首任处长。她首倡的工作方案引起公众对预防医学价值的注意。1909年协助创建美国儿童卫生协会,1911年组织纽约婴儿福利协会,后改名为纽约儿童福利联合会。1917年获得纽约大学医学博士学位,成为该校获得公共卫生学博士学位的第一名女性。1923年退休后,担任联邦儿童局顾问并任国际联盟有关儿童卫生问题的代表。发表过250篇通俗文章和学术论文以及5部有关儿童卫生的专著。自传《为生活而战斗》于1939年出版。

Baker, Theodore 贝克(1851-06-03,纽约市～1934-10-13,德国德累斯顿) 美国音乐学家、辞典编纂家。年轻时学商,但他宁愿学音乐,便于1874年去德国,在莱比锡大学师从O.保罗,1882年在该校获博士学位。根据对纽约塞尼卡印第安人所作调查而写成的论文,是对美国印第安人音乐最早的认真研究,为E.麦克道威尔的管弦乐曲《第二(印第安)组曲》提供了主题。1891年返回美国。1892年任席尔默出版公司文学编辑及翻译,直到1926年退休才重返德国。除了翻译书籍、剧本和文章(特别是在席尔默公司出版的《音乐季刊》上发表的)之外,还汇编了一本有实用价值而广受欢迎的《音乐术语辞典》(1895)和《贝克音乐家传记辞典》(1900),后者是他最著名的作品,最后一卷收了许多在以前的音乐参考书籍中从未提到过的音乐家。现已多

次再版，第八版于1991年问世。

Baker Island 贝克岛 前名新楠塔基特岛或菲比岛。美国在南太平洋的无建制领地，位于檀香山西南2 650千米(1 650英里)处。为一环礁。高8米(25英尺)，长1英里，宽0.7英里。陆地面积约1.5平方千米(约0.6平方英里)。为一土壤贫瘠的荒岛。1832年被美国海员M.贝克船长发现。美国根据1856年《海鸟粪法》，对该岛提出主权要求。现鸟粪已采光。1936年属美国内政部管辖。1942年美军撤离。1943年底美军重新进驻，并建空军基地。

Baker v. Carr 贝克诉卡尔案(1962) 美国最高法院关于判决田纳西州议会应按人口比例重新分配其议员名额的案例。传统上，特别是在南方，农村地区在议会中的代表与人口之比高于城市地区和城市郊区。在贝克案以前，最高法院一直拒绝干预涉及议员名额分配的案件；1946年在“科尔格罗夫诉格林”案中，该法院认为议员名额分配问题是一个司法部门不应闯入的“政治丛林”。但是，在贝克案中，该法院却判定，每一票所代表的人数应当相等，而不论投票者居住在什么地区，因此，田纳西州议会违反了宪法所保障的**同等保护权**(**equal protection**)。首席大法官厄尔·沃伦把这个判决说成是他1953年到院任职以后最重要的判决。在“雷诺兹诉西姆斯”案(1964)中法院援引贝克案作为先例，认为：议会的两院都必须按人口比例分配议员名额。它把许多涉及议员名额分配问题的其他案件发还下级法院，要求按照贝克案和雷诺兹案的判决重新考虑。结果，各州议会实际上都重新分配了议员名额，最终使大多数州议会中的政治权力从农村地区转入城市地区。

Bakersfield 贝克斯菲尔德 美国加利福尼亚州中南部城市，克恩县县城(1875)，位于圣华金河流域。1869年创建。1873年设市，1876年撤销。1898年再度设市。初为内华达山脉和欧文斯山谷矿区的农业贸易中心。修通南太平洋铁路(1874)和圣菲铁路(1898)后，两铁路公司在此设立工厂。旧金山资本家获得该地大量土地，帮助发展灌溉事业，使之成为重要的粮食、苜蓿和畜产品生产地。1899年发现克恩河油田后，建立以石油为基础的各种工业。1889年大火和1952年地震后，贝克斯菲尔德两度重建，目前工业、农业(棉花、谷物和葡萄)、牲畜饲养业和旅游业均衡发展。该市附近地区所产的葡萄酒占该州总产量的10%。贝克斯菲尔德附近有两个重要的宇航设施：海军军械试验站和爱德华兹空军飞行试验中心。该市建有加利福尼亚州立大学贝克斯菲尔德分校(1965)。人口：市247 057；贝克斯菲尔德都会统计区约661 645(2000)。

Bakewell, Robert 贝克韦尔(1725，英格兰莱斯特郡迪什利～1795-10-01，迪什利) 农业家。采用合理选择、近亲繁殖、去劣等方法，使英国的牛和绵羊培育发生了根本变化。年轻时在国内周游学习农业技术，后回到父亲的440英亩的农场，成为肉用牛和绵羊最早的培育家之一。他将莱斯特郡长角牛培育成优良的肉用牛，但产奶量少，后为C.科林

美国不列颠百科全书公司供图

育成的短角牛所取代。又培育成莱斯特绵羊。莱斯特绵羊体型如桶，产粗质长毛和多量优质肉。他最先大规模培养种畜，使他的农场成为著名的科学管理的典型。

Bakewell glass 贝克韦尔玻璃制品 由来自德比的英国人在美国号称燧石玻璃之父的B.贝克韦尔建于匹兹堡的工厂(1808)生产的玻璃品。1810年，该厂开始生产刻花和雕刻玻璃品，并以质量优异和雕工精细著称。约在1819年前，是美国唯一一家生产刻花玻璃餐具的工厂。在其早期制品中，有为门罗总统制作的一套雕刻器皿。早期贝克韦尔玻璃的特色是装饰精美，并在当时爱尔兰玻璃制品的造型和刻纹的基础上加以改进。1824年前后，该厂生产的刻花酒杯，在杯底嵌入美国名人如华盛顿、富兰克林、杰克逊的浅浮雕陶瓷像。1825年，J.P.贝克韦尔采用机械工艺压制用于家具上的玻璃手柄，并获得专利权。从此，大量生产压制玻璃品，使收入不同的家庭都能买得起玻璃餐具和装饰玻璃品。

Bakhchysaray 巴赫奇萨赖 又拼Bachčisaraj。乌克兰克里米亚城市。位于丘鲁克河河谷，地当辛菲罗波尔—塞瓦斯托波尔铁路线，1783年归属俄国前为克里米亚汗国国都。多古迹及著名建筑，其中鞑靼汗宫建于1519年。人口约26 600(1991)。

Bakhmut(Ukraine) **巴赫穆特** 参阅**Artyomovsk 阿尔乔莫夫斯克**。

Bakht Khan 巴克德汗(约1797～1859) 1857年印度反英起义部队初期总司令。曾在英国东印度公司的军队中任野战炮队司令多年。1857年5月起义后率兵前往德里，成为起义军宣布成立的印度独立政府的重要人物。他成立了由军队和各部选举产生的行政会议，以控制莫卧儿皇帝。同年9月被英军逐出德里。据说在起义最后阶段阵亡。

Bākhtarān 巴赫塔兰 前称克尔曼沙阿。伊朗西部城市，位于肥沃的加雷河流域，地中海和中亚之间的古代商队大道上。该城是4世纪时由萨珊王朝的巴赫拉姆四世建立的。640年被阿拉伯人征服；当时城名为吉尔马欣；11世纪时在塞尔柱人统治下，为库尔德斯坦的主要大城。萨非王朝(统治期1501～1736)在该城构筑了防御工事；卡扎尔王朝于法塔赫·阿里·沙阿在位时(1797～1834)曾击退土耳其人的一次进攻。第一次世界大战期间，土耳其军队于1915年占领该城，1917年撤出。20世纪50年代，将古老的呼罗珊小道改建为公路，大大提高了该市的重要性。现在已是相当重要的工业中心，工业有纺织品制造、食品加工、炼油、地毯编织、制糖、电器设备及各种工具的制造等。有公路通往大不里士、哈马丹和加兹温，并有一处飞机场。该城周围地区为伊朗最富饶的农业区之一，农业大部分已机械化。灌溉主要用于高原河谷内。小麦、大麦、玉米、车轴草、豆类、油菜籽、稻米、水果和蔬菜等为主要作物。丘陵地区为良好牧场。居民主要是许多不同部落的库尔德人，其中大多数于第二次世界大战后在市区定居。本地区的历史可追溯到远古时期，有许多起源于阿契美尼德王朝和萨珊王朝的古迹，例如比索通和塔盖博斯坦的岩石雕像。还有许多土冢和住过人的洞穴等史前遗迹。人口约692 986(1996)。

Bakhtiari rug 巴赫蒂亚里地毯 伊朗中部伊斯法罕西南的某些村庄在巴赫蒂亚里的赞助下的手织铺地用品。棉底，拴土耳其吉

20世纪的巴赫蒂亚里地毯
美国不列颠百科全书公司供图

奥狄斯式扣。配色和图案粗犷。大地常分为若干长方或尖拱形格子。偶尔有树或奎心花饰。配色由于黄色过多，强烈刺眼。

Bakhtyārī 巴赫蒂亚里人 伊朗游牧民族之一。他们的各酋长位列于伊朗最大部落诸酋长之中，长期以来对波斯政治有影响。估计现有88万人，居住在伊朗西部约2.5万平方英里(6.5万平方千米)的平原及山区。操波斯语的卢里方言，都是什叶派穆斯林。许多巴赫蒂亚里人居住帐篷，以放牧牛羊为主，每年自平原冬季牧场到山区夏季牧场往返一次，行程150英里。农产品主要来自贸易或税收，因石油工业的发展，有些人已进入城市

工作。巴赫蒂亚里人分成两部，一是查哈尔朗格(意为“四足”)部落，另一为哈夫特朗格(意为“七足”)部落，各由一个拥有广泛权力以及可观的牲畜及土地的重要家族占支配地位。两部落的最高领袖称为“汗”，其副手称为“伊尔贝格”。两部落的酋长，一为汗，另一为伊尔贝格，每两年轮换一次正副职位。巴赫蒂亚里人妇女长期享有高度自由，为其他穆斯林姊妹所望尘莫及。部落领袖之女在正常条件下至少要受小学教育。

Bakhuis Gebergte　巴克赫伊斯山　在苏里南中西部。南北走向，绵亘110千米。为西侧的卡巴莱博河和尼克里河流域与东侧的科珀纳默河流域的分水岭。包括较高的威廉明娜山的向北延伸部分；最高点海拔1 027米。威廉明娜山为苏里南最大的铝土矿蕴藏地。

Bâkî　巴基(1526，君士坦丁堡[今伊斯坦布尔]～1600-04-07，君士坦丁堡)　又拼Bāqī。全名马哈茂德·阿卜杜勒巴基。奥斯曼土耳其文学古典时期最伟大的抒情诗人之一。清真寺宣礼员之子，住在君士坦丁堡。初为鞍匠学徒，后入宗教学校学习伊斯兰教法。他还结交不少文学名流，并开始写诗。1555年，他献给奥斯曼苏丹苏莱曼一世颂诗一首，从此步入宫廷。苏丹去世时，他写出最杰出的诗篇，一首哀悼苏丹的挽歌，写得华丽而诚挚。后恢复宗教职业，期望得到帝国最高宗教职位伊斯兰教长，未果。他写过几篇宗教论文，但主要作品应为《诗集》。他以写抒情诗闻名，诗歌哀叹人世无常。劝告读者享受爱情和酒，及时行乐。他打破严格的古典诗韵格律，注入一种清新活泼的形式和意境，使奥斯曼抒情诗得以恢复青春活力。为此，他在生前就赢得“诗圣”的美名。

baking　焙烤　用干热方法，特别是指在某种炉子中，焙制食品的过程。焙烤制品包括各种各样的食品，如面包、面包卷、曲奇饼、馅饼、糕点和松饼。

最原始的焙烤方式可追溯至史前时期。最初人们不过是在阳光下将谷粒晒干。以后又在水中煮熟谷粒，再将煮成的糊摊在烧热的石头上摊制成一种样子很像墨西哥玉米面饼那样的扁平面食。

能使面食质地松软、香味诱人的发酵方法逐渐发展起来。一般认为是埃及人首先在焙烤中有意识地使用发酵方法，并首先使用烤炉。到公元前3世纪中期，埃及人已经发明了与我们今天所使用的焙烤方法有许多相似之处的焙烤方法。此后许多世纪中，虽然罗马人作了一些小的技术改进，但焙烤方法没有多么大的进步。直到19世纪中期的工业革命，焙烤技术才得以迅速发展。所用原料品质提高了，自动化开始取代费时的人力加工方法。在此基础上建立起焙烤工业，并在20世纪用效率高、性能好的机械生产出各种各样的食品。

有些焙烤食品是不发酵的(如硬皮馅饼、墨西哥玉米面饼和类似的印度薄饼)。但是，许多现代的焙烤食品都经过发酵，这对其滋味和质地来说都非常重要。只有小麦粉和黑麦粉的面团具有膨胀所必需的性质，而尤以小麦粉更佳。尽管在焙烤中使用各种不同的面粉，欲使发酵达到某种所需的程度，必须加入一定量的小麦粉。小麦粉与水混合时，其蛋白质成分(即面筋)可形成有弹性的网状组织，从而保住由发酵剂的作用所释放出的气泡。

在面包和某些其他软甜的面包卷和糕点中，都用酵母来发酵。它能使面粉和其他原料中的糖发酵，产生二氧化碳和乙醇。另一种发酵方法是使用发面头，它含有能使糖发酵的产酸菌。发面头具有独特气味，常用来制做黑麦面包。咸面包具有特别的香气和味道，使用发酵粉和发面头作发酵剂。

夹心蛋糕、饼干、曲奇饼和松饼这类较甜的焙烤食品利用化学反应而不是发酵剂来发酵。使用得最多的是碳酸氢钠(小苏打)，但必须与中和酸配比适当，以便产生足够的二氧化碳。发酵粉能提供小苏打与中和酸的适当配比，其配方也可用于调节气体释放的时间。这类焙烤食品一般采用较软的面粉，其面筋含量比用于酵母发酵食品的为少。因此，这种面团不能保住较多的气体，做出的食品一般密度较大。

面糊发酵的另一个重要方法是从空气中将气泡混入面糊。这只能通过加入一种原料(通常为蛋清)来完成，因为蛋清很容易被搅出泡沫并保住气泡。用这种方法可制出特别松软可口的食品(如安琪儿发糕和松蛋糕)。

除了面粉、水和发酵剂以外，焙烤食品另外一些重要原料有起酥油(脂肪、黄油、植物油、猪油)、鸡蛋、牛奶和糖。起酥油可使面团更易于加工，做出的食品更柔软，在许多情况下还可增加香味。如上所述，蛋清常用来使焙烤食品质地松软，充满气泡；蛋黄可改变颜色、风味和质地；牛奶用于提味；糖用于提高甜度和帮助发酵。

大量生产的糕点厂采用各种技术，从小型商号采用的简单家庭焙烤方法到大规模生产操作中采用的高度复杂的自动化设备。但是，即使在许多大型的糕点厂中，成批焙烤的基本步骤仍然未变，只不过原料用量增加了。由计算机精确称量的原料首先混合成面团或面糊。这有时是在大型的带有旋转搅棒的卧式机器上使其混合均匀；有时是在巨大的和面盆中制成。这种和面盆和家用的和面盆很相像，不过尺寸要大得多。对于酵母发酵的食品，和面常常分为两个阶段，以便有一个发酵的过渡时期，以及有可能处理因各批原料不同而产生的变化。原料搅拌好后(在用酵母发酵的情况下，当面团适当发酵后)，根据产品的不同使用一系列机器将面团或面糊分开并放入特殊的模子内成形，以供最后焙烤。然后，将这批产品放入烤箱按要求进行焙烤。

除了成批处理方法外，还有连续焙烤法。这种方法通过加工机械连续加工面团或面糊，而不是像成批法那样分批处理。原料以液体或半液体状态混合并发酵，然后冷却做成连续的面团或面糊长条以稳定速度被推出和面机出口并切成均匀的单块，或将其倒入标准化容器内，被传送带缓缓送入一个开口烤炉。

baking powder　发酵粉　一种膨松剂(leavening agent)，用于制作焙烤食品。

Bakkah (Saudi Arabia)　参阅**Mecca 麦加**。

Bakke decision　巴基判决　正式名称为加利福尼亚大学董事诉巴基案。美国最高法院1978年6月28日的判决，宣告照顾政策符合宪法，但种族配额无效。加利福尼亚大学医学院，照顾性地为少数族裔考生保留16%的录取名额。白人考生巴基两次投考未被录取，状告学校。举证他的成绩和考分均超过许多被录取的少数族裔考生，诉称受到种族上的“反向歧视”，指控其违反1964年的《民权法》和宪法第14修正案中的平等保护条款。最高法院在颇有异议的裁决(有六项个别意见)中裁定该校所采用的固定种族配额违宪，并指令医学院录取贝克，但也认为，在高等教育机构，种族可以作为录取的依据之一。尽管该项裁决认定照顾政策合法，但其后几十年间的法院裁定均限制此种方案的范围，有几个州则禁止基于种族的照顾政策。

baklava　拔克拉弗饼　土耳其、中东和希腊的美味糕饼，由叶子面和果仁制成。所谓叶子面是一种简单的由水和面粉混合成的面团，擀到纸那样薄，切成小片。这种严格的操作常由制作商去做。用30～40张叶子面，每张都刷上溶化的奶油，在烤盘中与胡桃仁(或阿月浑子果仁或杏仁)的细末分层摊放焙烤。饼烤成后，再浇淋蜜糖浆及柠檬汁。并用桂皮、丁香、豆蔻或玫瑰水来增加糖浆或果仁馅的香味。

Bakongo (people)　**巴刚果人**　参阅**Kongo 刚果人**。

Bakony Mountains　包科尼山脉　匈牙利西部山脉，面积约4 000平方千米，位于巴拉顿湖和匈牙利小平原之间，西南-东北走向，从佐洛河绵延达110千米。山脉为外多瑙地区高地的主要组成部分。山脉起伏于210～700米之间，多由石灰岩和白云岩构成；西部和南部则为玄武岩层。山间蕴藏的褐煤、铝土矿和锰矿已促进某些地方(如维斯普雷姆和奥伊考)的工业发展。20世纪70年代在伊纳尔库尔乡附近发现蕴藏有新的铝土矿。为了在山间盆地和低平的山顶开辟耕地，茂密的森林部分被清除掉。降水量适中(最高的地方为800毫米)，大多透过石灰岩在山的周围渗出为泉。俯瞰巴拉顿湖的南山坡盛产葡萄，为兴旺的酿酒业提供丰富的原料。

Bakoye River　巴科伊河　非洲西部河流。发源于几内亚的富塔贾隆山。大致向东北流，至马里边界后折向西北纳巴乌莱河。再向西至马里的巴富拉贝与巴芬河汇合形成塞内加尔河。全长约400千米，不通航。为唯一源出几内亚锡吉里地区而不注入尼日尔河的河流。在巴科伊河源头的布雷生产的几内亚黄金一度为重要的出口物品。

Bakr, Aḥmad Ḥassan al-　贝克尔（1914，伊拉克提克里特～1982-10-04，巴格达）　1968～1979年伊拉克总统。当了6年小学教员后，于1938年进入伊拉克军事学院。复兴社会党党员，1959年因参加革命活动被迫退役。1963年复兴党发动政变后，任总理10个月，并在1968年7月17日复兴党政变后取代阿里夫任总统。他与复兴党领袖萨达姆·侯赛因共同一致地进行统治。他的好斗的对外政策使他在穆斯林邻国之间处于孤立的地位。他坚决反对通过任何外交途径解决阿以之争，这使他与较为温和的阿拉伯国家元首发生冲突。贝克尔向伊朗提出边界要求，致使无法控制伊拉克库尔德族人，直到1975年达成协议为止。他的经济政策最初审慎地继承前政权的五年计划，但是随着石油收入增加，便转向发展工业。1976年贝克尔患心脏病，大部分行政事务交由萨达姆代理。后者于1979年7月16日接任总统职位。

Baksar（India）　参阅 **Buxar** 布格萨尔。

Baksar, Battle of　布克萨尔战役（1764-10-22）　Baksar又拼Buxar。英印之间的一场战争。一方是海克托·芒罗少校指挥的英国东印度公司军队，另一方是莫卧儿皇帝沙·阿拉姆、奥德总督舒查·乌德-陶拉以及孟加拉总督米尔·卡西姆的军队。通过这场战争，英国人巩固了1757年普拉西初战告捷后对孟加拉和比哈尔的控制地位。

Bakst, Léon　巴克斯特（1866-02-08，俄罗斯圣彼得堡～1924-12-28，法国巴黎）　原名Lev Samoylovich Rosenberg。俄国艺术家，他彻底改革了舞台布景和戏装设计。原圣彼得堡

巴克斯特设计的《舍赫拉扎德》剧中国王侍卫服饰（1910）
美国不列颠百科全书公司供图

皇家艺术学校学生，但因作了一幅太现实主义的《圣母抱基督尸体哀戚》画而被开除。在巴黎完成学业后回到俄国，成为宫廷画师。1899年与S.佳吉列夫共同创办《艺术世界》杂志。1900年起，先后在爱尔米塔什宫廷剧院和帝国剧院设计舞台布景。1906年赴巴黎，开始为佳吉列夫新组建的俄罗斯芭蕾舞团设计舞台布景和服装。他为佳吉列夫的第一个芭蕾舞剧《克莉奥佩特拉》（1909）设计了舞台装饰。此后担任芭蕾舞剧《舍赫拉扎德》（1910）、《狂欢节》（1910）、《玫瑰幽灵》（1911）、《那喀索斯》（1911）、《一个农牧神的下午》（1912）、《达佛尼斯与克罗伊》（1912）和《蝴蝶》（1914）的首席布景设计师。他所设计的布景和服装使他在国际上获得极大声誉。在这些设计中，他将富有想象力的设计与华丽的色彩和精雕细琢的细部相结合，表达一种美丽的东方异国情调。1919年，巴克斯特定居巴黎。1921年为伦敦演出柴可夫斯基的《睡美人》所作的设计被认为是他最伟大的作品。

Baku　巴库　阿塞拜疆首都。在里海西海岸、阿普歇伦半岛南缘，环绕着巴库湾。巴库湾为巴库群岛屏蔽，且有阿普歇伦半岛遮挡狂烈北风，是里海的最佳港口。石油工业中心。885年首见记载，但据考古，公元前数世纪该地即有人居住。今日巴库的核心为伊切里-谢赫尔城堡，狭巷蜿蜒，古代建筑亦错落其间。其中的锡尔万王宫，现改为博物馆，宫内最古老部分建于11世纪。清真寺和寺内辛

巴库市内广场上的喷池
鲁巴帕兹图片社供图

尼克-卡拉尖塔亦为11世纪建筑。巴库市的其他著名古迹有法院（提万一汗宫）、朱马-梅切特清真寺尖塔、天文学家塞达·巴库维墓。古堡城墙外，现代巴库建在环绕海湾的山坳上，街道井然，建筑巍峨。该市的海滨公园景色迷人。工厂多设在市区东部和西南端。大巴库分11个区，几乎占整个阿普歇伦半岛和48个市镇。石油是巴库的经济命脉。8世纪时已知该地蕴藏石油。现大部石油已采尽，新井必须钻至地下5 090米深处方见油层，或向阿普歇伦半岛外围海域开发。该市的海湾内井架林立，与市区遥遥相望。巴库市所属的小镇大都为钻探中心，与当地各炼油厂、加工厂有输油管相通。所采石油或经输油管运至黑海沿岸的巴统，或用油轮横渡里海运往伏尔加河上游。除石油加工业外，巴库是个大的石油工业设备制造中心，有20家工厂从事此项生产。其他工业有船舶修造、电机制造。还有化工、水泥、纺织、制鞋和食品加工等部门。巴库也是重要的文化、教育中心，有一所大学、八所学院，其中包括石油化工学院。阿塞拜疆科学院拥有许多科研机构。市内有一些剧院和博物馆。居民中以阿塞拜疆人居多，其次为俄罗斯人。人口约1 727 200（1997）。

Baku rug　巴库地毯　又称奇利亚地毯（Chilia rug）。东高加索靠近巴库的手织铺地用品。这是把波斯地毯图案略作修改的达吉斯坦地毯的一种，大地常为塞拉班地毯的成排

19世纪的巴库地毯
美国不列颠百科全书公司供图

的梨或树叶图案，但更接近几何图形并更复杂。台阶状奎心和台阶状角花构成锯齿形轮廓，大地的四角与许多法拉汗地毯类似，产生光芒四射的效果。大边为无数狭窄的斜向条纹，犹如设拉子地区的某些地毯。巴库地毯的配色比一般高加索地毯更为柔和，也许是为了迎合俄国顾客的爱好。经线和毯面是羊毛的，但常用棉纬。有时某些精致的达吉斯坦祈祷毯也归入巴库地毯类，其图案为成排的梨或树叶，均呈现锯齿形轮廓，犹如在燃烧一般。

Bakuba（people）　**巴库巴人**　参阅 **Kuba** 库巴人。

bakufu（Japanese history）　参阅 **shogunate** 幕府。

Bakunin, Mikhail Aleksandrovich　巴枯宁（1814-05-30，俄罗斯普雷姆希诺～1876-07-01，伯尔尼）　俄国著名的革命鼓动者，19世纪无政府主义的主要宣传家和多产的政论作家。他和马克思的争吵使欧洲的革命运动处于多年的分裂状态。小地主的长子。早年入圣彼得堡炮兵学校，服役后在1835年未经请假离职。此后5年他在普雷姆希诺潜心研习德国哲学史家费希特和黑格尔的著作，有时去莫斯科参加别林斯基、屠格涅夫、赫尔岑等

人的文学活动。1840 年旅居柏林。1842 年到德累斯顿,在激进杂志上发表第一篇宣扬他的革命信条的文章。后定居巴黎,结交许多法国和德国的社会主义者,其中包括蒲鲁

美国不列颠百科全书公司供图

东和马克思。巴黎的 1848 年"二月革命"使他初次体验到街垒战的滋味。他热情参加战斗,不久又怀着点燃德国和波兰的革命烈火的愿望匆匆东去。1848 年 6 月他在布拉格出席斯拉夫人代表大会。同年下半年,他避居德国的安哈尔特-克滕,写出第一本重要的宣言书《向斯拉夫人呼吁》。他号召推翻哈布斯堡王朝的帝国,在中欧建立斯拉夫人民的自由联邦。他因参加 1849 年 5 月的德累斯顿起义而被捕。后被引渡回俄国,关押在圣彼得堡的彼得保罗要塞,在狱中写过一份自白书。他认为这会引起沙皇的同情,但是一切都枉费心机。后经施希塞尔堡,流放西伯利亚。1861 年自远东离开俄国,年底辗转到达伦敦,和担任《钟声》报主编的赫尔岑相见。后两人产生了不可弥合的分歧。1864 年初移居意大利,提出了无政府主义的主要学说。晚年与马克思发生争论。1868 年住在日内瓦,参加了"第一国际"。与此同时,他又召集自己的追随者组织一个半地下的"社会民主联盟",把它当作国际内部的革命先锋队。1872 年在海牙大会上,马克思将巴枯宁及其追随者开除出"第一国际"。巴枯宁的两部主要著作《德意志专制帝国》(1871)和《国家与无政府状态》(1873)直接反映了他与马克思的冲突。巴枯宁始终鼓吹以暴力手段推翻现存的秩序,但反对中央集权的政府和对革命领袖的服从。巴枯宁诋毁马克思所谓的典型的日耳曼人思想方法和组织方式,他的无政府主义终于成为马克思的共产主义的对立物。蒲鲁东和巴枯宁并称为 19 世纪无政府主义的鼻祖,但巴枯宁没有阐明一个完整的思想体系,他的著作多半有头无尾。

Bakwanga　巴宽加　参阅 **Mbuji-Mayi** *姆布吉马伊*。

Bala　巴拉　威尔士奎内斯郡集镇。属梅里昂尼德历史郡。在斯诺登国家公园内,群山环绕的巴拉湖北端。该湖为威尔士最大的天然湖。根据 1324 年特许证建立。18 世纪曾以编织长袜和卫理公会的复兴会闻名。为卫理公会教士和组织者托马斯·查尔斯的故乡。镇虽小,旅游业却发达。可在湖中垂钓和划船。人口约 1 922(1991)。

Balaam　巴兰　《圣经·旧约》(《民数记》22～24 节)所载一位非以色列人先知。摩押国王巴勒强令巴兰诅咒扎营在摩押平原上的以色列人。巴兰在前往会见巴勒的路上遇见天使。他遵照天使的指示,不但不诅咒以色列人,反而为他们祝福。

Balabac　巴拉巴克　菲律宾巴拉望省西南部岛屿,距巴拉望岛南端西南约 30 千米。最高点海拔 576 米。西北岸有沼泽,西部岸外有珊瑚礁,以产稀有贝壳著称。该岛的西南角为菲律宾的国界线,巴拉巴克的穆斯林经常驾机动独木舟越界到马来西亚的一些岛上去。主要出产椰果。巴拉巴克镇为最大居民点。居民多为摩洛人,信奉伊斯兰教。人口 20 056(1990)。

Baʿlabakk (Lebanon)　参阅 **Baalbek** *巴勒贝克*。

Balaclava, Battle of　参阅 **Balaklava, Battle of** *巴拉克拉瓦战役*。

Balādhurī, al-　拜拉祖里(?～约892)　阿拉伯历史学家。以其阿拉伯穆斯林帝国创立史而闻名。主要著作《伊斯兰国家的起源》叙述从先知穆罕默德起穆斯林阿拉伯人的历次征战,包括从阿拉比亚出发西达埃及、北非、西班牙,东至伊拉克、伊朗和信德的征服。此书为后来的史学家们广为引用。另著《贵族系谱》,是现存的专门记述穆罕默德及其同时代人直到伍麦叶和阿拔斯哈里发阿拉伯贵族的历史著作。

Bālāghāt　巴拉卡德　印度中央邦中南部县城。位于韦恩根格河以东。在贾巴尔普尔以南约 155 千米。为重要公路与铁路枢纽。农产品贸易与锰矿开采中心。有制糖厂。设有索加尔大学的两个分校。旧称布尔哈,1877 年设市。南部的韦恩根格河谷土壤肥沃。以稻米、粟和豆类为主要农产品。人口:城镇 62 178;都会区 67 151(1991)。

Bālāghāt Range　巴拉卡德岭　印度马哈拉施特拉邦西部山系。从孟买以东 80 千米的西高止山出发,向东南伸延约 320 千米到马哈拉施特拉邦与卡纳塔克邦分界处。宽 5～9 千米。西部海拔 550～825 米向东降低。为哥达瓦里河与皮马河分水岭。在雨水较多的西部,山上覆盖植被,但东部为荒山秃岭。整个山区为牧羊区。牧羊小道通向小村庄和偶尔可见的山顶寺庙。

Balaguer (y Ricardo), Joaquín (Vidella) 巴拉格尔(1907-09-01,多米尼加共和国比索诺镇～2002-07-14,圣多明各)　律师、作家和外交家,在 H. 特鲁希略总统任期内任多米尼加共和国副总统(1957～1960),后任总统(1960～1962,1966～1978,1986～1996)。巴拉格尔得过圣多明各大学法学学位和巴黎大学博士学位。1932～1957 年在政府中历任行政和外交职务。他在独裁者拉斐尔·特鲁希略将军的兄弟特鲁希略总统手下任教育部长时设立了免费大学并扩充了教育设施和图书馆。特鲁希略总统因病辞职后,他宣誓就任总统。由于实权仍掌握于 R. 特鲁希略将军手中,巴拉格尔只是名义上的总统,无法实施真正的改革。1961 年特鲁希略将军被害后,巴拉格尔力图对政府实施自由化措施,美洲国家组织取消了在特鲁希略将军实行独裁期间采取的经济制裁。但是巴拉格尔实行的变革对于特鲁希略派来说过于迅速,那些要求立即恢复公民自由权和更为公平地分配财富的人又认为这些变革还不够快。国家陷于四分五裂,暴力横行,一次为时很短的军事政变迫使巴拉格尔于 1962 年辞职,流亡美国。

1965 年美国进行军事干涉,巴拉格尔返回多米尼加共和国,1966 年竞选总统成功,其竞选纲领是实施和平的、温和的和有秩序的变革。由于同商业界关系密切,巴拉格尔在实施某些温和的社会改革时,实现了稳定的经济增长。在 1970 和 1974 年均当选连任。但后两次任期因政治暴力、政府反对派遭暗杀、通货膨胀和所谓的选举舞弊行为而政绩不佳。在 1978 年总统选举(自从 1966 年以来第一次允许主要的反对党派代表参加的选举)中败于古斯曼。在 1982 年总统选举中又一次失败,但是在 1986 选举中再次当选,1990 年连任。他在总统任内实施了前所未有的公共工程计划,修路,造桥,建设学校、住宅、图书馆、博物馆、影剧院、公园和体育设施。这种做法造成债台高筑,经济受到威胁。1994 年再次当选,但因选举中的作弊行为使他面临巨大的国际压力,并于 1996 年辞职。2000 年竞选他的第七任总统失败。他著有许多关于拉丁美洲历史、政治和文学的书,包括《多米尼加实况》(1947)和《多米尼加文学史》(1955)等。

Balaguer (i Cirera), Victor　巴拉格尔(1824-12-11,西班牙巴塞罗那～1901-01-14,马德里)　西班牙加泰罗尼亚语诗人、政治家和历史学家。少年早熟,其第一部剧作《驼背丕平或查理曼之子》(1838)于巴塞罗那演出时,年仅 14 岁。19 岁时其第二部剧作《慷慨的亨利先生》(1843)公演后,他的才华更获得公众承认。随后又有多出浪漫主义历史剧问世。1843～1868 年间,为巴塞罗那自由党党魁,在加泰罗尼亚地区大力提倡热爱乡土的思想。1857 年首次以加泰罗尼亚语作诗,此后即以一度使用过的"蒙塞拉特的行吟诗人"为笔名。1861 年在重新尊崇中世纪行吟诗人的风尚中被誉为"诗学大师"。后移居马德里从政。当时伊莎贝拉二世统治被中断,政局动荡;他因受当权者垂青或冷落时而得势,时而失势。最后他放弃了加泰罗尼亚人的民族主义而投靠王朝,所任的最终职务为上议员。晚年曾竭力就其以前所撰《加泰罗尼亚与阿拉贡王朝史》(1860～1863)中严厉批评卡斯

蒂利亚一事为自己辩解。此书与其另一著作《行吟诗人的政治与文学史》(1878～1879),皆在政治上偏袒加泰罗尼亚人的民族主义,并常有引用事实不确之处。作为诗人,他的爱国诗歌令人联想起M.J.金塔纳,历史谣曲令人联想起J.索里利亚-莫拉尔,抒情诗则令人联想到拜伦。

Balakirev, Mily (Alekseyevich) 巴拉基列夫(1837-01-02,俄国下诺夫哥罗德～1910-05-29,圣彼得堡) 作曲家,作有管弦乐曲、钢琴曲和歌曲等。是俄罗斯民族作曲乐派的有力

中国大百科全书出版社供图

领导者。自幼从母学习音乐,后在菲尔德高足杜布克和艾斯里希门下学习。1853～1855年,在喀山大学攻读数学并创作一首钢琴协奏曲(1856年完成)和其他作品。1855年首次登台演奏钢琴,后又多次以钢琴演奏家身份在音乐会上露面,并写了《俄罗斯主题序曲》及《李尔王》的配乐(1858～1861),同时辅导两位年轻作曲家——居伊和穆索尔斯基。1861～1862年,里姆斯基-科萨科夫和鲍罗丁参加他的学生集团,形成了著名的"五人团"。1862年参加洛马金开办的义务音乐学校,与圣彼得堡音乐学院对抗,并很快成为主要音乐会指挥。19世纪60年代是他最具影响力的时期,曾到伏尔加河上下游采集民歌,其素材用于他的《第二首俄罗斯主题序曲》,后成为交响诗《俄罗斯》。暑期中他还在高加索收集主题进行构思,写出光辉的钢琴幻想曲《伊思拉美》(1869)和交响诗《塔玛拉》(1867～1882)。他出版了作曲家格林卡的作品并访问布拉格,演出这些作品;一度(1867～1869)是俄罗斯音乐协会交响音乐会的指挥。此后由于为人专横,办事不圆通,以致树敌过多,甚至他的朋友和弟子都对他的辅导感到不满;而个人生活和艺术上的一系列不幸事故更导致他在1872～1876年间几乎完全脱离了音乐界。至1883～1894年他才重新担任帝国教堂的音乐总监,恢复作曲。有人认为巴拉基列夫比格林卡更多地在19世纪后半叶确定了管弦乐与抒情歌曲的方向。他发展了一种语汇和技巧,不但身体力行,而且强加于他的弟子,首先是里姆斯基-科萨科夫和鲍罗丁,在某种程度上对柴可夫斯基亦有影响。他的音乐极其绚丽,而且富有想象力。1871年以后其创作个性的发展受到抑制。

Balaklava, Battle of 巴拉克拉瓦战役(1854-10-25) Balaklava又拼Balaclava。克里米亚战争中的一次非决定性的战役,因英国诗人A.L.丁尼生描写此役的一首诗而闻名。开始时,俄国人占据了菲纠兴高地和沃龙佐夫高地,这两个高地与巴拉克拉瓦附近的一处凹地相接,但由于斯卡利特将军率领的重武器旅及坎贝尔率领的第93苏格兰高原旅所阻,俄军未能攻占巴拉克拉瓦。俄国骑兵两度进攻,均遭击退。拉格伦及其参谋人员率所部英军驻扎在塞瓦斯托波尔附近高地,观测到沃龙佐夫高地上的俄军正从炮兵阵地调动大炮,便数次命令轻武器旅对俄军进行骚扰。但最后的命令含混不清,该旅在卡迪根率领下迅速冲进两高地之间的凹地,而未攻击高地上孤立的俄军。结果英国轻武器旅损失达40%,战役乃告结束。此役,俄军未能攻克英、法、土军在南克里米亚的黑海供应港巴拉克拉瓦,但英军也失去了由巴拉克拉瓦通往被包围的塞瓦斯托波尔的高地的最佳供应道路的控制。

Balakovo 巴拉科沃 俄罗斯西南部萨拉托夫州城市。位于伏尔加河左岸。建于1762年。长期为小型农业城镇。1967～1970年萨拉托夫水电站建成后,城市发展迅速。有核电站。化学工业发达。生产轮胎用化纤以及硫酸、过磷酸钙和二硫化碳。当地亦制作船用及固定式柴油机,并生产建筑材料和食品;有船舶修理厂。人口约202 100(1991)。

balalaika 巴拉莱卡琴 诗琴类的俄罗斯弦乐器。18世纪由冬不拉琴演变而来。有大、小6种型号。琴背扁平,琴腹呈三角形,逐渐变细,连到有品的颈。品可移动。琴腹

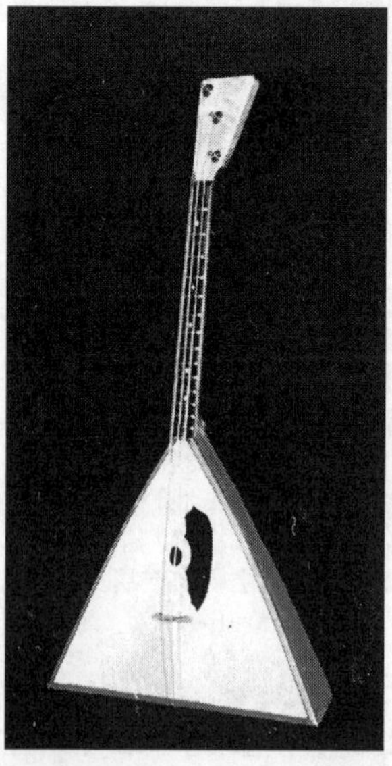

巴拉莱卡琴

美国不列颠百科全书公司供图

狭的一端有一小圆音孔。有3根弦,通常为羊肠线,一般用手指拨奏,金属弦亦可用皮革制的拨子弹奏。这种乐器用于民间音乐,但在20世纪也用于大型巴拉莱卡乐队。高音巴拉莱卡最有代表性,3根弦的定音为中央C以上高8度的E-E-A。

balance 天平 比较两个物体的重量以测定其质量差异的仪器,通常用于科学目的。等臂天平的发明可追溯到古埃及人时代,可能早在公元前5000年。18世纪发明的刀口导致了现代机械天平的发展。至19世纪末,天平在欧洲已发展成为世界上最准确的几类测量装置之一。20世纪研制的电子天平则不靠机械偏转而依赖于电补偿。机械天平主要由一根刚性梁组成,它以水平的中心刀口为支点而摆动,梁两端的刀口则互相平行并与中心等距。被称的负载放在悬吊于支承处的两个秤盘上。天平的偏转可以由装在梁上的指针在刻度尺上指示,也可以由装在梁上的反光镜反射到远处刻度尺上的光来指示。最明显的天平使用方法是直接称量法。将被称物放在一个秤盘上,而将适量的已知重量加在另一秤盘上,以使梁达到平衡。刻度盘上的零读数与两秤盘载物时的读数之差,就指示出两端负载之间的差异。直接称量法要求天平两臂等长。当不等长的臂所造成的误差大于要求的准确度时,则可用置换法来称量。这种方法是在一个秤盘中加砝码,以其重量来平衡另一秤盘中的未知重量,然后再用已知重量来置换该未知重量。这种方法仅要求天平两臂在称量期间保持长度不变。不等长的效应在两次称量中是相同的,故其影响得到消除。称重量在1克以内的小型石英微量天平主要用于测定气体的浓度,尤其是只能采集到的少量气体的浓度。微量天平通常是在气密室里工作的,测定天平因悬吊于气体中而受到的净浮力的改变量,即可得到重量的改变量;气体的压强是可调的,并可由与天平罩连通的气压计来测定。超微量天平则可测量比微量天平所能称量的还要小的样品。例如,总质量可以小到1至数微克。测量由微小的被称质量产生的效应可有多种手段,包括用光学、电学和核辐射方法测量被称样品所造成的位移,以及用光学和电学方法测量使该位移恢复所需的力。最成功也最实用的超微量天平,其原理是对一根石英纤维施加扭力,以平衡被称的重量。一种简单的方案是用一根刚性纤维作为水平梁,在其中心焊有一根与之成直角的水平向外伸的扭力石英纤维,作为梁的支悬点。梁两端各挂一个秤盘,二者互相平衡。当在一个秤盘中加上样品时,梁即发生偏转。转动扭力纤维端部使梁回到水平位置则偏转恢复。外伸纤维的全部扭转角可用来测量加在一个秤盘上的负载。使偏转恢复所需的扭转角可从连接在扭力纤维端部的度盘上读出。用已知重量对天平进行标定,并从重量对扭转角的标定曲线上读出数值,就得到被称物的重量。20世纪晚期的天平通常是电子式的,其精度远优于机械式天平。扫描器测量载物秤盘的位移,并借助于放大器或计算机导致产生一个使秤盘回到零位的电流。测量结果可在数字显示屏上或打印机上读出。电子称重系统不仅可测量总质量,还能测定平均重量和含水量等特性。

Balance (constellation) 参阅**Libra**天秤座。

balance beam 平衡木 一种用于女子体操比赛的器械。长5米,宽10厘米,距地面120厘米。运动员可起跳或翻腾上木,然后做:走步、跑步、跳跃、转体、坐、卧等动作。动

平衡木
美国不列颠百科全书公司供图

作持续时间 80 ～ 105 秒。参阅 **Sporting Record**：Gymnastics：World Championships：Women；**Olympic Games**。

Balanchine, George　巴兰钦（1904-01-22，俄罗斯圣彼得堡～1983-04-30，纽约市）　原名 Georgy Melitonovich Balanchivadze。20 世纪美国最有影响的古典芭蕾舞编导，纽约市芭蕾

美国不列颠百科全书公司供图

舞团创建人之一（1948）、该团艺术指导及总编导。其风格具有超然冷漠的新古典主义特色，如为纽约市芭蕾舞团编导的《胡桃夹子》（1954）和《堂吉诃德》（1965）。是音乐剧和电影舞蹈编导的先驱。巴兰钦是格鲁吉亚人，父为作曲家。第一次世界大战时就学于马林斯基剧院的皇家芭蕾学校（该校 1918 年改为苏联国立芭蕾学校），毕业后入彼得格勒音乐学院学习（1921 ～ 1924）。他的第一个作品是为 A.鲁宾斯坦的《夜》编导的短舞剧（1920）。

他是第一批离开苏联的芭蕾舞蹈家之一，当时随团至德国、伦敦和巴黎等地演出。1925 年 6 月他参加 S.佳吉列夫的俄罗斯芭蕾舞团，佳吉列夫为他更改今名。他为佳吉列夫的舞蹈团编导过 10 个芭蕾舞，其中留存至今，成为世界性节目的有《阿波罗》（1928）和《浪子回头》（1929），前者具有他独特的新古典主义风格。佳吉列夫去世后，他成功地与丹麦皇家芭蕾舞团和蒙特卡洛俄罗斯芭蕾舞团合作，创作了著名的《竞争》（1932）和《八人舞》（1932）。1933 年为先锋派芭蕾舞团创始人之一，后应 L.柯尔斯坦之邀创立美国芭蕾学校和美国芭蕾舞团。从此，“B 先生”之名传遍芭蕾舞界及美国。

美国芭蕾舞团成为纽约市大都会歌剧院的常驻舞团，巴兰钦为该团创作了《仙女之吻》（1937）。他还在完全不同的领域中从事创作，如为百老汇的音乐剧和好莱坞的歌舞片担任舞蹈编导。美国芭蕾舞团与大都会歌剧院合作不理想，1938 年不欢而散。1941 年柯尔斯坦所建巡回芭蕾舞团与美国芭蕾舞团合并，到拉丁美洲作巡回演出，巴兰钦为之创作《大调协奏曲》和《皇家芭蕾舞蹈》。第二次世界大战期间，巴兰钦在美国为新俄罗斯芭蕾舞团、蒙特卡洛俄罗斯芭蕾舞团，以及好莱坞和百老汇工作。柯尔斯坦决定由巴兰钦为艺术指导创建美国芭蕾舞，他在 1946 年成立的芭蕾舞协会于 1948 年发展成纽约市芭蕾舞团，在林肯中心演出。该舞团特别具有巴兰钦的特色，巴兰钦为之创作过 150 多个节目。1964 年，福特基金会在巴兰钦的直接、间接影响下向纽约市芭蕾舞团及其附属的美国芭蕾舞学校和其他 6 个芭蕾舞团捐赠近 800 万美元，美国舞蹈界大为轰动。巴兰钦在该舞团任艺术指导与教师直至 1982 年底，因健康不佳才停止工作。

巴兰钦虽然主要在美国工作，但他是一位国际性的芭蕾舞编导，几乎所有世界著名舞团都上演过他的作品。他在国外以改编音乐作品而知名，有严肃的，也有轻松的。他与作曲家 I.斯特拉文斯基有很深的艺术交往。他初次改编斯特拉文斯基的乐曲是 1925 年为俄罗斯芭蕾舞团作的《夜莺之歌》。其后两人有许多合作的作品。斯特拉文斯基死后，巴兰钦将他 14 部作品中的 4 部改编上演。

巴兰钦曾说他创作的意识、主题来自舞蹈演员，但他却很少与他们对此作讨论。他创作时迅速地抓住灵感而不作仔细推敲，这种创作方法和他冷漠超然的理智性使人感到他的作品有一种略为淡薄的和超人的特色。他喜爱为各种音乐剧和电影作舞蹈编导。

Balanopales　槲果树目　双子叶植物一目。仅槲果树科一科，槲果树属（*Balanops*）一属，12 种乔木或灌木。单叶互生或轮生，雌雄异株，均缺花被。雄花聚生为柔荑花序。雌花单生，雌蕊由 2 或 3 心皮组成。子房 2 或 3 室，各室间未完全分开，每室有 2 胚珠。雌蕊上部有 2 花柱，每花柱有 2 个长而渐狭的柱头。雌蕊位于许多覆瓦状排列的鳞状苞片基部，苞片围成杯状，苞片宿存于果上，使之外形似槲果。该目主要分布在新喀里多尼亚，也见于瓦努阿图、斐济及澳大利亚昆士兰局部热带地区。该目为一古老类群，其进化位置有争议。但认为它同山毛榉目最接近，两目可能出于同一祖先。

Balanophoraceae　蛇菰科　檀香目的一科（或自成蛇菰目）约 18 属 100 余种根寄生植物，主要分布热带。叶鳞片状，不分裂，无叶绿素。根状茎以吸器从寄主根中吸取养分。

蛇菰属植物（*Balanophora fungosa*）
美国不列颠百科全书公司供图

花序棒状，形似真菌，亦自土中冒出。花单性，淡黄色至深紫色。其中蛇菰属（*Balanophora*）和朗斯多夫氏蛇菰属（*Langsdorffia*）的种含易燃的蜡质，茎在南美作照明用，根状茎可制蜡，但这些植物产量不大，无商业价值。

Balantidium　肠袋虫属　原生动物毛口目的一属。卵圆形，常寄生于猪、猿等动物肠道内。全身覆盖着纵列的纤毛。结肠肠袋虫（*B. coli*）偶能感染人类并引起肠袋虫病（肠袋虫性痢疾），病情相当严重，可致肠溃疡。肠袋虫以红细胞、细胞碎片、细胞残渣等为食，圆形的包囊随粪便排出，被新寄主吞食而致感染。

Balao　巴劳　厄瓜多尔西北部油港，临太平洋。因被选定为横贯厄瓜多尔输油管的终点而发展起来。为开发厄瓜多尔纳波省的丰富油藏，该输油管在 1970 ～ 1972 年建成，长 504 千米。为全世界最高的主要输油管之一，横跨安第斯山的最高点为 4 054 米。港口可泊 10 万吨油轮。港口、输油管和油田是靠得克萨斯股份有限公司和海湾石油公司的资助发展的。到 1977 年，厄瓜多尔占有石油工业的最大份额。

Balarāma　大力罗摩　印度教神话中黑天的异母兄长，与黑天一起多次历险。毗湿奴

印度 9 世纪初期的大力罗摩铜像
美国不列颠百科全书公司供图

派及其他等派以大力罗摩为毗湿奴的10种化身之一。另说大力罗摩是大蛇塞舍的人形化身。此神最初可能是司农事之神。

Balard, Antoine-Jérôme　巴拉尔（1802-09-30，法国蒙彼利埃～1876-03-30，巴黎）　法国化学家。1826年发现元素溴，测定了溴的性质，并研究了溴的某些化合物。后来又证实

美国不列颠百科全书公司供图

溴在海生植物和动物中存在。他在研究地中海水域盐沼植物时，先把海水中的氯化钠和硫酸钠结晶出来，将剩余物用氯饱和，然后蒸馏，发现了溴这种唯一的液态非金属元素。他提出以海洋作为化学品来源是具有潜力的。1826年他毕业于蒙彼利埃药物学校。后在该校任教。以后又任巴黎大学（1842）和巴黎法兰西学院（1851）化学教授。

balas ruby　玫红尖晶石　红尖晶石（ruby spinel）的变种。

Balāsh　巴拉什（活动时期5世纪末）　又拼Valākhsh。波斯萨珊王朝国王（484～488）。继其兄菲鲁兹一世之位后，即面临东方游牧

5世纪钱币上的巴拉什像
美国不列颠百科全书公司供图

部落厌哒人的入侵威胁，曾在封建主扎米尔的支持下镇压另一兄弟扎雷的叛乱。但不久被扎米尔废黜，刺瞎双眼。王位传给菲鲁兹之子。

Balashikha　巴拉希哈　又拼Balašicha。俄罗斯西部莫斯科州城市。位于莫斯科市以东25千米的佩霍尔卡河畔。建于19世纪。最初建有织布厂，尔后为造纸中心，1939年设市。现为重工业中心，以机械制造为主。人口约148 200（2002）。

Balasore　巴拉索尔　又称巴勒什瓦尔。印度奥里萨邦东北部城镇。傍布勒巴朗河。距孟加拉湾11千米。许多西方国家在该地建过据点。18世纪成为稻米贸易与制盐中心。现为渔产、五金等贸易中心。有碾米、轻工业、鱼类加工、织布等业。设有乌特卡尔大学的几个学院。有公路和铁路通往加尔各答和奥里萨邦的其他城镇。巴拉索尔位于孟加拉湾的一个冲积地带上。该地区主要农作物为水稻。渔业和纺织业亦重要。人口85 442（1991）。

Balassi, Bálint　巴拉什（1554-10-20，匈牙利佐吕欧姆～1594-05-30，埃斯泰尔戈姆）　16世纪匈牙利杰出的抒情诗人，是18世纪末叶以前匈牙利文学界中无与伦比的人物。出身于匈牙利一个富有的新教徒家庭，一生历经风险。早期诗作平淡无奇。但他强烈的个性很快就找到了创新的表现手法。他惟妙惟肖地描绘乡村的美丽风景，抒写战争的粗犷乐趣。他的爱情诗流露出真挚的情感。巴拉什是匈牙利诗节的创始者，后来的诗人都袭用了这种形式。他改信天主教后，写出雄壮有力充满男子气概的宗教诗。在埃斯泰尔戈姆围城战中受伤致死。

Balat（ancient city, Turkey）　**巴拉特**　参阅**Miletus**米利都。

balata　巴拉塔树胶　又称古塔巴拉塔树胶。硬质似橡胶状物质，通过干燥圭亚那和西印度群岛的二齿铁线子树的乳汁制取。在树皮上割以锯齿形深痕，用杯子接取流出的胶乳，倒入浅盘中凝固，把胶乳烘干制成。它与古塔波胶类似：无弹性、坚韧似革，且防水、受热软化，常用作较昂贵的古塔波胶的代用品，主要做高尔夫球和机器传动皮带。

Balaton, Lake　巴拉顿湖　中欧最大湖泊。在匈牙利中部，布达佩斯西南约80千米。面积598平方千米。沿包科尼山南麓延伸77千米，最宽处约为14千米，最深处11米。佐洛河是注入该湖水量最大的河流。多余水量从东端水闸泄出。湖床形成于不到100万年前的更新世末期。最早这里原有一串分布于南北向山系间的5个小湖，后因湖间分水岭被侵蚀分解，逐渐连成一湖。以前各湖残存痕迹仍可从今日之巴拉顿湖的轮廓中看到。蒂豪尼半岛（即原分水岭遗迹）从北岸突入湖中，使湖宽仅1.6千米。大陆性气候，5～10月天气温暖，阳光充足。冬天湖面结冰，厚达20厘米。该湖的化学成分与多数中欧湖泊

巴拉顿湖一角
中国大百科全书出版社供图

大不相同。湖水中主要的化学成分是碳酸盐和硫酸盐，而阳离子是镁、钙和钠。其相互作用使湖水具有硫代碳酸盐性质。蒂豪尼半岛上有野生动物保护地，另一保护区设在凯斯特海伊附近广阔芦苇荡里，以保护那里的罕见水鸟。南面土地肥沃。西北面火山土宜种葡萄。20世纪60年代开始发展旅游业。南岸的希欧福克和北岸的巴拉顿菲赖德现已成为著名旅游胜地。后者有矿泉水。古老的蒂豪尼镇以博物馆和生物站吸引游人。

Balatonfüred　巴拉顿菲赖德　匈牙利中部维斯普雷姆州休养城镇，在巴拉顿湖北岸。以减肥矿泉疗养和游览胜地闻名至少已有250年。本地区有11眼矿泉，对心脏病和神经系疾病有疗效。北面有包科尼山山麓丘陵作屏障，不受寒风侵袭，使其成为匈牙利最著名的葡萄种植地区之一。人口约13 247（2000）。

Balbases, Ambrogio di Filippo Spinola, Marquess（Marqués）**de los　洛斯巴尔瓦塞斯侯爵**　参阅**Spinola, Ambrogio di Filippo**斯皮诺拉。

Balbinus, Decimus Caelius Calvinus　巴尔比努斯（?～238）　罗马皇帝（238）。贵族身份，曾任舞蹈祭司。两次任执政官，后来任亚细亚行省总督。238年元老院领导部分意

美国不列颠百科全书公司供图

大利城市反对马克西米努斯皇帝，将政权交给一个20人委员会，巴尔比努斯即为委员之一。后来，巴尔比努斯与普皮耶努斯·马克西穆斯成为同朝皇帝。巴尔比努斯留在罗马，马克西穆斯率兵迎战马克西米努斯。马克西穆斯获胜归来后，巴尔比努斯担心他将独占皇位，与之发生争吵。罗马禁卫军趁机将他们二人绑架。他们在企图逃跑时，被看管他们的日耳曼卫兵杀死。

Balbo, Cesare, Count（Conte）　**巴尔博**（1789-11-27，皮埃蒙特都灵［意大利］～1853-06-03，都灵）　皮埃蒙特的政论作家，意大利复兴运动期间有影响的一位见解开明但又谨慎小心的立宪主义者，曾任依据1848年3月5日宪法成立的撒丁-皮埃蒙特王国的第一任首相。巴尔博成长时期适逢皮埃蒙特为法国吞并，他投入拿破仑的官僚政治，开始自己的人生历程，其间他获得了有关意大利的大量知识。萨伏依王室于1814年恢复撒丁王国时，他为拿破仑效力被认为非他本人意愿。尽管他很不尊重伊曼纽尔一世的政权，与都灵的自由派保持友好，但他不赞成革命并一直为王朝效忠。因他与1821年3月革命的一些领导人保持联系，并力图规劝即将上台的国王查

理·阿尔贝特领导立宪主义运动，而陷于官场失宠。他离开都灵数年，投身于写作。巴尔博最有名的著作《意大利的希望》(1844)，表露出他的爱国主义和自由主义的反对革命的性质。他写道：意大利从奥地利统治下获得独立是可取的，但应当以巴尔干的领土来补偿奥地利；罗马教皇统治的利益应当得到保护；意大利最好的政治组织形式是邦联制等。据《已公布与未公布材料的政治文献》，巴尔博提倡一个特别温和的意大利政党。巴尔博从查理·阿尔贝特1848年批准的宪法法令中受到鼓舞，3月13日他接受了首相职位。因慑于意大利的民主宣传鼓动，他于1848年7月辞职，随后担任教皇庇护九世的皮埃蒙特秘密使者，1852年他拒绝再任首相。

Balbo, Italo 巴尔博(1896-06-06，意大利费拉拉附近～1940-06-28，利比亚图卜鲁格) 意大利空军将领，法西斯头目之一，在发展墨索里尼的空军方面起了决定性作用。曾就学

美国不列颠百科全书公司供图

佛罗伦萨大学和罗马的社会科学院。第一次世界大战期间在阿尔卑斯军团中任军官。他很早就信奉法西斯主义，曾领导黑衫党民兵向罗马进军(1922)。在墨索里尼的提拔下历任要职，最后官至空军元帅(1933)。他努力发展军事和民用航空事业。他在意大利的影响和他的亲英情绪，可能引起了墨索里尼的疑忌，后被调任利比亚总督。因座机被意大利高射炮误击而丧命。

Balboa 巴尔博亚 巴拿马太平洋岸终端港。在巴拿马省，巴拿马运河南端。建于1914年，以发现太平洋的欧洲人V.N.巴尔

巴尔博亚的G.W.戈瑟尔斯(巴拿马运河建造者)纪念碑

美国不列颠百科全书公司供图

博亚命名。有规模宏大的港口设施、干船坞、修船厂和铁路车辆修理厂等。以品种多达400多种的兰圃著称。前运河区(**Canal Zone**)曾由位于巴尔博亚镇山丘上的巴尔博亚海茨监管。人口2 358(2000)。

Balboa, Vasco Núñez de 巴尔沃亚(1475，卡斯蒂利亚埃斯特雷马杜拉省赫雷斯德洛斯卡瓦列罗斯或巴达霍斯～1519-01-12，巴拿马达连附近阿克拉) 西班牙征服者和探险家，南美大陆第一个永久性殖民地领导人(1511)，发现太平洋的第一个欧洲人(1513年9月25或27日)。出身低级贵族家庭。1500年去美洲探险，在伊斯帕尼奥拉岛(即海地)垦荒失败。后随探险队到今哥伦比亚乌拉瓦海岸。在他的劝说下，殖民者们越过乌拉瓦湾去到巴拿马地峡的达连，建立新大陆第一个永久性殖民地。1511年西班牙国王正式任命他为达连临时总督和军事指挥官。他分化印第安人，软硬兼施，掠夺、剥削和欺诈印第安人。他从印第安人得知，南方有大海，大海之滨遍地黄金。他派密使回西班牙，要求遣派援军远征。那时候国王已经听信他人的告发，不再信任他，乃任命佩德拉里亚斯为舰队司令兼达连总督，率军从西班牙出发。但是巴尔沃亚未待援军到达，于1513年9月1日率领所部出发，向南穿丛林、越河流、涉沼泽、攀高山，到9月25或27日登上达连的顶峰，见到了太平洋。几天之后到达圣米格尔湾海滨。这个巨大的发现，使他重获国王欢心，被任为南海(今南太平洋)地区和巴拿马与科伊瓦省的总督，但仍受佩德拉里亚斯的管辖。二人一直不和。多疑的佩德拉里亚斯处处与他为难，勉强准许他探测南海。巴尔沃亚经巨大努力，造出一支船队、拆成零块运过山岭，到达太平洋岸，进行勘察(1517～1518)。这时巴尔沃亚等人对佩德拉里亚斯行为不检、庸碌无能的控告终于使国王相信该人不宜担任总督。佩德拉里亚斯得知新总督即将到来对他进行审查，害怕巴尔沃亚出席作证会使他彻底毁灭，决定除掉他，借口议事将巴尔沃亚召回，加以逮捕，以叛乱、卖国和虐待印第安人的罪名，在1519年1月把他斩首。

Balbuena, Bernardo de 巴尔武埃纳(1568，西班牙巴尔德佩尼亚斯～1627-10-11，波多黎各圣胡安) 波多黎各诗人和第一任主教。他在诗歌中对新大陆的描绘，使他在殖民地美洲的著名诗人中占有重要地位。他以两首史诗：《墨西哥的伟大》(1604)和《贝尔纳多，又名龙塞斯瓦列斯的胜利》(1624)，以及牧歌集《埃里菲莱丛林中的黄金世纪》(1608)而留名后世。

Balbus, Lucius Cornelius 巴尔布斯(活动时期公元前1世纪) 罗马富豪。原籍加第斯(今西班牙的加的斯)，曾对共和国末期罗马的若干主要政治人物有过影响。因协助镇压西班牙反叛者塞多留而与其家族一并被庞培授予罗马公民权。他与罗马各政派友好相处，对“前三头”统治的形成(公元前60)起过决定性作用。他受尤利乌斯·凯撒垂青，曾随凯撒出征西班牙(公元前61)和高卢(公元前58)。内战(公元前49～前45)开始时，他力劝西塞罗出面调解凯撒和庞培之间的争端。随后，他成为凯撒的私人秘书。凯撒遇刺(公元前44)后，他投向屋大维。公元前40年任执政官。曾出版记述其一生主要事件的日记，今已失传。

Balch, Emily Greene 巴尔奇(1867-01-08，杰梅卡平原，现为波士顿之一部分～1961-01-09，美国马萨诸塞剑桥) 美国女社会学家、政治学家、经济学家、和平主义者。第一

美国不列颠百科全书公司供图

次世界大战期间和战后，为妇女争取和平运动的领导人。1946年与J.R.穆德一起获诺贝尔和平奖。她还以对在美国的斯拉夫移民表示同情的和深入的研究而著称。她是宾夕法尼亚州布林莫尔学院的第一届毕业生，自1897年起在卫斯理学院任教。她在波士顿创办过一所社区福利院，同时还在马萨诸塞州工业协调委员会(1908～1909)、马萨诸塞州移民委员会(1913～1914)和波士顿城市规划局(1914～1917)任职。她为了准备撰写《我们的斯拉夫族同胞》(1910)一书的材料，在各城市的斯拉夫移民区亲身体验生活，并到东欧旅行以获取有关斯拉夫人家园的第一手资料。她以基督教公谊会信徒身份出席了海牙国际妇女大会(1915)，协助成立了国际妇女争取和平和自由联盟，并担任秘书兼司库(1919～1922、1934～1935)。1918年她因反对美国参加第一次世界大战被卫斯理学院解聘。第二次世界大战期间，她认识到纳粹德国和日本的残暴不驯，赞成美国参战。所著有关和平的论述包括《和解之路》(1918)。

Balchaš (Kazakhstan) 参阅 **Balkhash** 巴尔喀什。

Balchaš, Ozero (lake, Kazakhstan) 参阅 **Balkhash, Lake** 巴尔喀什湖。

Balchin, Nigel (Marlin) 巴尔钦(1908-12-03，英国威尔特郡～1970-03-17，伦敦) 英国小说家。剑桥大学毕业后，一面从事有关科学和工业的研究工作，一面进行写作。第二次世界大战期间任陆军委员会副科学顾问。最著名的长篇小说是《小密室》(1943)，描写战争期间从事秘密研究工作的青年们的言谈举止，以及他们为夺取职位而进行的勾心斗角。《我自己的刽子手》(1945)是另一部也很成功的作品，描写一个精神病医生无法治疗自己的神经官能症以及因为他缺乏自信而对其婚姻造成的紧张状况。他的小说经常以心理或生理上的缺陷为主题，如《一种叛徒》(1949)写一个失去双臂的飞行员；《麻雀跌落》(1955)刻画一个精神病人的心理状态。

Balcon, Sir Michael **鲍尔康**（1896-05-19，英国沃里克伯明翰～1977-10-17，东苏塞克斯哈特菲尔德） 电影制片人，英国电影业的领导人物之一。1922年开始制片，1928年创建盖

美国不列颠百科全书公司供图

恩斯伯勒影片公司，1936～1938年任米高梅影片公司的制片人，1938～1959年任伊灵影片公司的制片经理。1959年起独立制片。1948年受封为爵士。与那些要求英国影片在国际市场上与好莱坞影片竞争的人相反，他认为英国影片要适应国内市场的具体需要。因此伊灵公司在第二次世界大战期间拍出若干爱国主义的冒险片。战后，又拍出一系列情趣横溢的喜剧片（大多数由A.吉尼斯主演），反映战后英国社会状况，其中包括《善心与贵族》（1949）和《拉瓦德山的暴徒》（1951），在国际影坛上亦受到欢迎。

balcony **阳台** 又称挑台。楼房上层的外延部分，围以约1米高的栏杆（**balustrade**）或栏板。中世纪和文艺复兴时期，阳台由逐层挑出的砖或悬挑的木、石托座支承，19世纪以来已普遍采用铸铁、钢筋混凝土和其他材料支承。在没有花园和草地的住宅中，阳台具有扩展起居空间和提供室外活动场地的作用。在公寓建筑里，阳台局部凹进，既能得到阳光，也能提供荫凉。在炎热地区，阳台可使室内空气更为流畅，因为通向阳台的门一般装有百叶板。从古罗马到维多利亚女王时代，公共建筑上的阳台可作为发表演说或会见群众的处所。罗马圣彼得大教堂上的阳台，是教皇为群众祈福的地方。在伊斯兰教国家，宣礼者在宣礼塔的阳台上召唤教徒来作礼拜。在日本的木结构楼房中，每一楼层的四周或局部都有挑台。室内的挑台又称楼座，则建于哥特式教堂中，以备唱诗班使用；中世纪较大厅堂中的挑台用以接待吟游诗人。随着文艺复兴时期剧院的发展，观众厅内建起了带有坡度的挑台楼座，以便更多观众清楚地看到舞台上的表演。

bald crow **秃鸦** 参阅**rockfowl岩鹛**。

bald cypress **秃柏** 杉科落羽杉属（*Taxodium*）植物的俗称，原产于北美南部沼泽地区。该属仅两种针叶乔木，可供观赏和材用。秃柏一词尤指落羽杉（*T. distichum*），又常称沼泽柏，是重要的经济树种。其幼树枝条对称，树冠呈金字塔形，成熟后树冠粗大伸展，树干下粗上细，高30米，直径达1米。树皮初淡红棕色，后变成烟灰色。老树常中空，在木材业中称之为蛀孔柏，因木材中有真菌寄生所致的小孔。生长于潮湿土壤的秃柏，其树干

落羽杉（*T. distichum*）
美国不列颠百科全书公司供图

基部呈板根状，其水平根常伸出称为"根膝"的圆锥状木质突出，位于水位线之上，是呼吸器官和水下根的平衡器，常用作家庭装饰品。美国东南部的池柏或称高地柏，是秃柏的一个变种，或认为是一个独立种而定名为上升落羽杉（池杉，*T. ascendens*），植株较落羽杉矮，分枝直立，叶短，鳞片状。墨西哥柏（墓提祖马柏、尖叶落羽杉，*T. mucronatum*）与秃柏近缘，原产于美国西南部、墨西哥和危地马拉，与秃柏的区别是其宿存叶较短，球果较大。

bald eagle（*Haliaeetus leucocephalus*） **白头雕** 又称白头海雕、白头鹰、白头鹫。鹰科鸟类，唯一原产北美洲的雕。自1782年成为美国国鸟。为一种海雕，但常见于内陆江河和大湖附近。成鸟体长约1米。体羽暗褐，尾和头白色，喙、眼和脚黄色。幼鸟全身褐色，尾和翅的里侧的一些羽毛为白色。至7岁时方具成鸟羽色。喙大、弯形。白头雕常随海鸟去寻觅鱼群。会掠夺鹗抓到的鱼，也吃腐肉。

白头雕（*Haliaeetus leucocephalus*）
美国不列颠百科全书公司供图

常于江河岛上的孤树上筑巢。由于河流污染、杀虫剂的应用及营巢地的丧失，白头雕的生存受到威胁。根据1940年的《国徽法》，白头雕已受到美国各州的保护，但阿拉斯加州例外，因为在该州雕类常栖于捕鱼的网具上，吓走鲑鱼（现人们改变网具的安装方式，使雕类不来栖息，从而解决了这个问题），1917～1940年和1949～1952年间阿拉斯加的猎人杀死10万多只雕以领取奖金（1940～1949年不颁发奖金）。现白头雕受到所有各州的保护。北方亚种仍广泛分布于阿拉斯加和附近的加拿大西部地区，但从缅因州到美国西北部太平洋沿岸地区已减少。已宣布白头雕的南方亚种（*H. l. leucocephalus*）为濒危种。只有在佛罗里达白头雕仍数量很多，该州有多个白头雕繁殖禁猎区。参阅**eagle**。

baldachin **华盖** 又作ciborium。祭坛或墓碑上方的顶盖，特别指不与任何墙体相连而用柱子支承的独立顶盖。此词原指从巴格达传入的一种悬挂在祭台或门道上方、用精美锦缎制作的篷盖，以后就成了祭坛顶上的一个独立部件。早期的华盖见于拉韦纳和罗马，常用的形式为4根支柱承托檐部，其上有小型柱廊，顶上有攒尖或两坡屋顶。罗马式建筑中常以拱代替檐部，而四面都有山墙，在

G.L.贝尔尼尼设计的罗马圣彼得大教堂祭坛华盖（1624～1633）
美国不列颠百科全书公司供图

米兰的圣安布罗焦教堂中即是如此。哥特时期的华盖留存很少，在意大利以外更少使用，但巴黎的圣徒小教堂（1247～1250）有一个华丽的哥特式华盖。文艺复兴时期，华盖应用较为普遍。可能是受G.L.贝尔尼尼为罗马圣彼得大教堂祭坛设计的巨大青铜华盖的影响，17世纪时有许多精巧的作品。

Balder **巴尔德尔** 古斯堪的纳维亚神话中主神奥丁和他的妻子弗丽嘉所生的儿子。他长得英俊，为人正直，深受诸神宠爱。关于他的大多数传说讲的是他的死。冰岛的故事则谈到诸神如何向他投掷东西以取乐，因为他们知道他不会受伤。盲神赫德受到邪恶的洛基的欺骗，把唯一能伤害他的槲寄生投向巴尔德尔，把他杀死。在巴尔德尔的葬礼举行之后，可能是洛基扮成的女巨人托克，不肯哭出眼泪，因为她的泪水会使巴尔德尔死而复生。某些学者认为巴尔德尔消极忍受苦难的形象，是受了基督形象的影响。但是，丹麦历史学家萨克索·格勒麦蒂克斯（约1200）把他迥然不同地描述为一个因向女人求婚不惜与人争斗的斗士。

baldness **脱发** 又作alopecia。又译秃发。头发的缺少或脱落。基本类型有二：因毛囊破坏引起的永久性脱发，和毛囊暂时受损引起的一时性脱发。第一种类型主要是男性型脱发，在某些男性人群中可有多达40%的

人存在某种程度的脱发。男性型脱发进展缓慢,开始时前方发线后退或顶部头发变稀疏成为特征,而在极端情况下,可只在双侧及后方留下一圈头发(所谓的“希波克拉底花冠”)。男性型脱发有其遗传基础;脱发程度各异,似乎是因血内循环的男性激素(睾酮和雄激素)的不平衡所造成。引起永久性脱发的原因还有:许多发生瘢痕的皮肤病、先天性毛发发育不良,以及因物理或化学因子造成的毛囊严重损伤。伴有高热的病情后常出现毛发的暂时脱落,但这也可见于 X 射线照射、摄入某些金属(如铊、锡和砷)或药物、营养不良、患某些发炎性皮肤病或慢性消耗性疾病以及内分泌障碍。斑秃是一种相当常见的原因不明的病,患者在界线分明的局部区域内突然出现完全脱发,但通常只是暂时性。男性型脱发有三种疗法。第一种是头发移植,即将仍在生发区域内的毛囊移植到不复生发的区域,例如由头后部移植到前部。第二种疗法是局部用药。据认为,每天在头皮上施用米诺地尔,在许多病人中可预防头发的进一步脱落,而在少数人中用于已秃或头发稀疏部分可以促进新发的生长。第三种疗法是用非那司提系统性用药。非那司提能减少体内二氢睾酮(睾酮的一种强效衍生物,能导致脱发)的生成,从而有效地预防进一步脱发,少数病例似能促进头发再生。

Baldovinetti, Alesso　巴多维内蒂(1425-10-14?,佛罗伦萨[意大利]～1499-08-29,佛罗伦萨)　画家。作品虽少创新,但吸收并巧妙地借鉴了15世纪后半叶先进的佛罗伦萨绘画

巴多维内蒂绘《圣母子》(约 1465)
美国不列颠百科全书公司供图

风格,如细腻的和准确的光线描写,同时,对刚产生的风景画做出了重要贡献。他的晚期作品,如《圣母子》、《耶稣诞生》、《圣母像》等,以阿尔诺河谷为背景,是欧洲最早描绘真实风景的绘画。佛罗伦萨圣母领报教堂的壁画《耶稣诞生》(1460 ～ 1462)是其成熟期的杰作。

baldpate　秃头鸭　又称 American wigeon。(美洲赤颈鸭)。一种常见的北美猎鸭。赤颈鸭的一种。参阅 **wigeon**。

Baldung-Grien, Hans　巴尔东-格林(约 1484,符腾堡施瓦本格蒙德[德国]～1545,斯特拉斯堡帝国自由市[今法国斯特拉斯堡])　画家,北欧文艺复兴时期杰出人物之一。丢勒的助手。早期作品受丢勒影响。作品题材广泛,有宗教画、世俗肖像画、挂毯和彩色玻璃窗设计。擅长绘圣母像。最有名的作品是德国布赖斯高地区弗赖堡大教堂的高祭坛画。其素描、版画也具有同样重要的艺术地位。埃尔察赫的教堂和巴塞尔、卡尔斯鲁厄、科隆、弗赖堡、纽伦堡博物馆都藏有其作品。

Baldwin　鲍德温　又译博杜安。国家统治者之名,按国别分列于后,并各以● 为标记。

与此字相等之外语:

荷兰语　Boudewijn

法语　Baudouin

比利时

● **Baldwin I　鲍德温一世**　参阅**Baudouin I 博杜安一世**。

君士坦丁堡

● **Baldwin I　鲍德温一世**(1172,法国瓦朗谢讷～1205)　佛兰德伯爵(称鲍德温九世)、埃诺伯爵(称鲍德温六世),第四次十字军领袖,后成为君士坦丁堡第一位拉丁皇帝。埃诺伯爵鲍德温五世之子。曾与英国金雀花王室结盟,参加理查一世的反法战争。在第四次十字军东征时,他反对的不是穆斯林而是拜占廷基督徒,他参加攻占君士坦丁堡的战役。1204 年 5 月在圣索菲亚教堂加冕,成为新拉丁国家的统治者。即位后按照西欧的封建模式建立政府,向 600 名骑士分封土地。1205 年保加利亚沙皇卡洛扬率兵来犯,他亲率少数军队在阿德里安堡迎击。兵败被俘,后遭杀害。

● **Baldwin II** Porphyrogenitus　**鲍德温二世**(1217,君士坦丁堡～1273-10,西西里王国福贾)　君士坦丁堡最后一代拉丁皇帝。第三代拉丁皇帝科特尼的彼得之子。1228 年继其兄之位。幼年时期由耶路撒冷名义上的国王、布列讷的约翰摄政。当时希腊人和保加利亚人不断入寇,帝国领土只有君士坦丁堡四周还属于拉丁人。1236 和 1245 年,鲍德温两次去西欧寻求财政和军事援助。他的国库已经枯竭,甚至把一部分宫殿拆除当柴烧。他卖掉许多保存在君士坦丁堡的遗物,如耶稣的棘冕和钉死耶稣的十字架。1261 年迈克尔八世攻陷君士坦丁堡,鲍德温二世逃往意大利和法国。

佛兰德

● **Baldwin I　博杜安一世**(?～879)　佛兰德第一代统治者。原为法王查理二世手下大将,862 年与查理二世的女儿朱迪思公主结婚,864 年受封为佛兰德侯爵。此后代代世袭。10 世纪初,该家族的称号由侯爵改为伯爵。

● **Baldwin II　博杜安二世**(?～918)　佛兰德第二代统治者。他像其父博杜安一世一样,依靠布鲁日城堡抵御挪威人的入侵。他与英格兰韦塞克斯王朝国王阿尔弗烈德大王之女艾尔弗思丽丝结婚,加强了其家族的地位。

● **Baldwin IV　博杜安四世**(约 980～1035-05-30)　佛兰德伯爵(988～1035)。他大大扩充了佛兰德的领地。曾与法国卡佩王朝国王罗贝尔二世和神圣罗马皇帝亨利二世交战,均获胜利。亨利把瓦朗谢讷、根特城、瓦斯和泽兰赐封给他。于是,佛兰德伯爵不仅成为法兰西王国的,而且也成为神圣罗马帝国的诸侯。其子(后来的博杜安五世)受妻子罗贝尔二世之女阿德拉的挑唆,于 1028 年发动反对父亲的叛乱。但两年后订立和约,老伯爵继续执政。

● **Baldwin V　博杜安五世**(?～1067-09-01)　佛兰德伯爵,11 世纪欧洲最有影响的人物之一。他通过战争和结盟大大扩张了自己的势力。他从神圣罗马皇帝亨利四世处获得位于斯海尔德河和登德尔河之间的土地,作为帝国领地和安特卫普侯爵领地。显赫的权势使他在法国国王亨利一世死后,成为腓力一世(1060～1066 在位)的摄政王。他的长女玛蒂尔达(?～1083)与征服者威廉共享英国王位。他的长子蒙斯的博杜安领有埃诺;次子罗伯特成为荷兰伯爵领地的摄政王。

● **Baldwin IX　鲍德温九世**　参阅**Baldwin** (Constantinople)鲍德温(君士坦丁堡)项下的 **Baldwin I 鲍德温一世**。

埃　诺

● **Baldwin VI　鲍德温六世**　参阅**Baldwin** (Constantinople)鲍德温(君士坦丁堡)项下的 **Baldwin I 鲍德温一世**。

耶路撒冷

● **Baldwin I　鲍德温一世**(1058?～1118-04-02,埃及阿里什)　耶路撒冷国王(1100～1118)。布洛涅伯爵尤斯塔斯二世之子。曾参加第一次十字军东征。1098 年占据埃泽萨,并与亚美尼亚贵族之女阿达结婚,以加强与当地人的关系。1100 年 7 月继其兄位,成为耶路撒冷圣墓保护人,12 月又被立为耶路撒冷国王。他在国内的地位巩固后,于 1101 年夺得沿海的艾尔苏夫城和凯撒城;1112 年占领除阿什凯隆和提尔以外的所有沿海城市;1115 年建造蒙特利尔堡,以防守南疆。1113 年强迫其妻入隐修院,而与西西里女伯爵阿德莱德结婚。死后无嗣,由其堂兄弟即位。

● **Baldwin II　鲍德温二世**(?～1131-08,耶路撒冷)　埃泽萨伯爵(1100～1118),耶路撒冷国王(1118～1131),十字军领袖。法国阿登地区雷泰勒伯爵休之子。因拥有布尔格堡,最初被称为布尔格的鲍德温。1096 年随

其堂兄鲍德温(即后来的耶路撒冷国王鲍德温一世)参加第一次十字军去巴勒斯坦。1100年被封为埃泽萨伯爵。1104年塞尔柱突厥人进攻埃泽萨,将他俘获,1108年赎还。后来,他收复了大部分失地。1118年4月14日即耶路撒冷王位。1123年被突厥人俘获作为人质,直至1124年。获释后,他极力扩大自己的领土,并在十字军的协助下,进攻穆斯林的大马士革。后由其女及婿富尔克继承。

● **Baldwin III 鲍德温三世**(1131～1162-02-10,贝鲁特) 耶路撒冷国王(1143～1162),军事领袖,居民誉为"理想之君"。耶路撒冷国王富尔克之子,鲍德温二世的外孙。1143～1151年与母共同执政。在这段时期,巴勒斯坦的拉丁殖民地因第二次十字军(1147)而得到加强。1151年开始单独统治。他不时干涉基督教国家特里波利和安条克的事务,1153年从埃及夺回阿什凯隆。1158年与拜占廷皇帝曼努埃尔一世的侄女狄奥多拉结婚。鲍德温三世受过良好教育,对待贵族不用强迫命令,又避免征收过多的捐税,因而受到臣民爱戴。

● **Baldwin IV 鲍德温四世**(1161～1185-03,耶路撒冷) 耶路撒冷国王(1174～1185)。一生多病,被称为"麻风国王"。在其统治下,拉丁贵族间派系斗争加剧,削弱了国力,而劲敌萨拉丁正从埃及向叙利亚扩张势力。13岁继其父位,1177年以前一直由特里波利伯爵雷蒙德三世当摄政王。1177年11月萨拉丁从埃及出师进攻阿什凯隆时,鲍德温四世驰援守军,取得胜利。1180年签订停战协定。不久,萨拉丁攻占阿勒颇(1183年6月)。鲍德温无嗣,1183年立外甥为国王,称鲍德温五世。

● **Baldwin V 鲍德温五世**(1177,耶路撒冷～1186-08,阿卡) 名义上的耶路撒冷国王,1185年3月即位,一年半后去世。孟菲拉的威廉和西比尔(鲍德温四世之妹)之子。其舅父鲍德温四世因麻风病夭折后,由他即位,以特里波利伯爵雷蒙德三世为摄政王。1185年他与萨拉丁签订4年停战协定,使耶路撒冷王国暂时不受穆斯林的攻击。死后王位由其继父继承。

Baldwin, Faith 鲍德温(1893-10-01,美国纽约新罗谢尔～1978-03-18,康涅狄格诺沃克) 美国作家,20世纪最成功的通俗小说家之一。1921年出版她的第一本小说《青山上的马维斯》。尽管她经常声称不愿当作家,但仍有著作不断问世。在以后的56年间,作品超过85部,其中60多本为小说,如《艰难岁月》、《办公室女郎》、《街区护士》、《曼哈顿之夜》和《他娶了一个医生》等。其作品以简单化地描述富人生活为特色。男女主人公不管遇到多大困难,最终都会走到一起。读者群为家庭主妇和上班女郎,因此作品中没有邪恶、堕落、贫穷和性这一类的话题。仅1936年大萧条中期,就有5本小说在杂志上连载,3本连载小说结集成书,4本小说被拍成电影。

Baldwin, Frank Stephen 鲍德温(1838-04-10,美国康涅狄格新哈特福德～1925-04-08,新泽西登威尔) 美国发明家,因研制门罗计算器而著名。他的第一台四则运算器于1875年获得专利,能进行加、减、乘、除运算,但当时限于经济条件,未能立即制造。继1890年制成第二台计算器之后,他于1902年研制新的计算器,但是并未完成,只是到1912年在J.门罗的合作下,才完成了门罗计算器,1913年获得专利。此后,他一直担任门罗计算器公司的研究主管,直到去世。

Baldwin, Henry 鲍德温(1780-01-14,美国康涅狄格纽黑文～1844-04-21,费城) 美国最高法院大法官(1830～1844)。1797年以优异的成绩从耶鲁大学毕业,之后在匹兹堡开业当律师。他于1816年当选为国会众议员,连任三届。他强烈支持保护性关税,并在佛罗里达协议的谈判中起主导作用。鲍德温是A.杰克逊总统的积极支持者,他本指望被任命为财政部长,但结果却被调到最高法院任职。起初,由于他对首席大法官马歇尔的尊敬,使他同那些主张对宪法作自由派解释的人联系在一起,但后来他逐渐转移到介于这些人与严格解释派之间的中间立场上。他试图把他的司法原则写进《美国宪法和政府的起源和性质概略》(1837)一书。他的最重要的意见写在佛罗里达土地案"美国诉阿雷唐多"案(1832)中,该意见是使严格遵守协议成为公共土地政策的一个基本因素。

Baldwin, James (Arthur) 鲍德温(1924-08-02,纽约市～1987-12-01,法国圣保罗) 美国小说家,随笔作家、剧作家。50年代末和60年代初成为美国黑人与白人关系的重要解

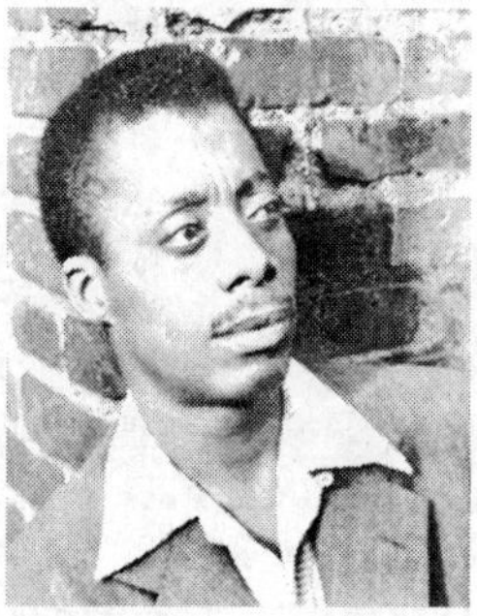

美国不列颠百科全书公司供图

释人,也是黑人的代言人。在纽约哈莱姆黑人区的贫困环境中长大,14～16岁时利用课余时间在奋兴派小教堂布道。后将这一时期情况写入半自传性的第一部小说《向苍天呼吁》(1953),以及关于女福音传教士的剧本《教堂前座》(1965年在纽约上演)。中学毕业后一边从事低收入的工作,一边继续自学,并在纽约格林尼治村接受文学训练。1948年离美侨居巴黎8年。第二部小说《乔瓦尼的房间》(1956),写一个在巴黎的美国人,因同时爱上一个男人和一个女人而精神不安。其间还出版了随笔集《土生子的札记》(1955)。1957年返美,积极参加遍及全国的民权运动。他的随笔集《没有人知道我的名字》(1961),探讨美国黑人与白人之间的关系。该主题也见于他的小说《另一个国家》(1962)中。该书以纽约为背景,描写人们的性关系和种族关系。他的畅销书《下一次将是烈火》(1963),论述黑人穆斯林分裂主义运动及民权斗争的其他方面。关于种族压迫的讽刺剧《查理先生的忧郁》,1964年在百老汇上演,评价不一。其他作品有:短篇小说集《去与那人见面》(1965)、长篇小说《告诉我火车开走多久了》(1968),《假若比尔街能够讲话》(1974)、《正在我头上》(1979)及自传性作品集《票价》(1985)。但均不如早期作品成功。

Baldwin, James Mark 鲍德温(1861-01-12,美国南卡罗来纳哥伦比亚～1934-11-08,巴黎) 出生于美国的哲学家、理论心理学家。对19世纪90年代美国心理学的形成有重大影响。他将达尔文进化论用于心理学,强调研究个体差异,强调理论对心理学的重要性,批评狭隘的实验主义。1884～1885年在柏林和莱比锡大学学习,接触了新(实验)心理学,结识其创始人W.冯特。1889～1891年著《心理学手册》(2卷)。1889年在多伦多大学任哲学教授,建立了心理实验室。后来,他在普林斯顿大学任哲学心理学教授时(1893～1903),又建立了一座实验室,而且先后出版了《儿童和种族的心理发展》(1895)和《心理发展的社会和伦理的解释》(1897)两部主张进化论的著作。1894年,与J.M.卡特尔合作创办了《心理学评论》杂志。1901～1905年主编了《哲学与心理学辞典》(3卷),其中包括约60名哲学家和心理学家的文章,第3卷为B.兰德所编的1 200页的文献目录。1906～1911年,他在任墨西哥国立大学顾问的5年间,写成《发生逻辑学》(3卷),探讨思维和意义的性质及发展。1913年定居巴黎。

Baldwin, Matthias William 鲍德温(1795-12-10,美国新泽西伊丽莎白敦～1866-09-07,宾夕法尼亚费城) 美国制造商,对蒸汽机车的重大改进,其中包括金属汽密接头,使机车的蒸汽压力提高一倍。1832年费城-日尔曼敦铁路公司因需要一辆机车来和他接洽,他因此创办了鲍德温机车厂。在他的一生中,该厂制造了1 500多辆机车。他创办黑人儿童教育等慈善事业。因为他对废除黑奴制的同情,在内战爆发前不久美国南方发生过抵制他的机车的事件。

Baldwin, Robert 鲍德温(1804-05-12,上加拿大约克[今在加拿大安大略]～1858-12-09,多伦多) 加拿大政治家。与L.H.拉封丹共

加拿大国家档案馆供图

同组成加拿大第一届和二届自由党政府，从而在加拿大建立起责任制政府。1825年取得律师资格。1829～1830年代表约克任上加拿大立法会议议员，步入政界。1836年短期任上加拿大执行委员会委员，主张上、下加拿大合并。1840年参加C.P.汤姆森领导的执行委员会，但随即辞职，加入反对派。1842年与拉封丹共同组成自由党政府。1848年自由党重新执政，埃尔金任总督，他与拉封丹成立责任制政府，实行各种改革，如在加拿大西区（上加拿大，在今安大略省）实行市政自治，多伦多大学不由地方管理等。1851年辞职。后未被多伦多选入议会，主要因为他在教会保留地问题上持不合作态度，不同意将加拿大境内1/8皇家土地留作支持新教教士之用。退休后致力于改善英法在加拿大的关系。

Baldwin, Roger Nash　鲍德温（1884-01-21，美国马萨诸塞韦尔斯利～1981-08-26，新泽西里奇伍德）　美国民权活动家，美国公民自由协会的共同创立者。出生于马萨诸塞州一贵族家庭，后进入哈佛大学，1904年获学士学位、1905年获硕士学位。1906～1909年在密苏里州圣路易的华盛顿大学教社会学。1907～1910年任该市少年法庭首席监督缓刑犯官员。1910～1917年任圣路易改革运动公民同盟秘书。当美国参加第一次世界大战时，鲍德温成为奉行和平主义的美国反对军国主义联盟（美国公民自由协会的前身）的负责人，该联盟保护反对征兵者和拒服兵役者。1918～1919年间，他因拒绝应征入伍，曾入狱9个月。在以后一年内，他参加了世界产业工人组织，1920年终于在纽约市协助创建美国公民自由协会。在以后的30年（1920～1950）中任主席，1950～1955年出任全国主席。在鲍德温主持该协会期间，曾保护了各种当事人，如1925年田纳西州“猴子审判案”中的教师斯科普斯；于1938年赢得新闻自由权的耶和华见证会；取消对其小说《尤利西斯》禁令的乔伊斯；以及得到散发反联盟小册子权利的福特。该协会还保护了有各种倾向的人，包括极左和极右的激进分子。1940年鲍德温开始对共产主义者不再抱幻想，免去他们在该协会董事会的职务。最终他使民权成为全体民众的事业，扭转了20年代和30年代的状况，当时公民自由被普遍怀疑为激进派或左派的运动。

Baldwin, Stanley, 1ST EARL BALDWIN OF BEWDLEY, VISCOUNT CORVEDALE OF CORVEDALE　**鲍德温**（1867-08-03，英格兰伍斯特郡比尤德利～1947-12-14，伍斯特郡塞文河畔斯陶尔波特附近阿斯特利宅邸［今在赫里福德-伍斯特郡］）英国保守党政治家，1923～1937年3次出任首相，在1926年大罢工、1935年埃塞俄比亚危机及1936年英王逊位危机期间均担任政府首脑。他是作家R.吉卜林和画家E.伯恩-琼斯的亲戚。父亲艾尔弗雷德·鲍德温是大西方铁路公司董事长及一家包括钢铁厂和煤矿在内的康采恩的首脑。鲍德温是其独生子。青年时期就读于哈罗公学和剑桥大学三一学院，曾多年经营其父的各种重工业。1908～1937年任众议院议员。在第一次世界大战中的战时联合政府中，鲍德温任财政大臣A.B.劳的议会私人秘书。1917～1921年任财政部财务次官，1921年任商业部大臣。1922年10月，劳与鲍德温得到议会中多数保守党议员的支持，结束联合政府。鲍德温在

美国不列颠百科全书公司供图

以劳为首的保守党政府中任财务大臣。1923年1月，他奉命前往华盛顿解决英国在第一次世界大战中对美债务问题，但因缔结的条款对英国不如预期中那样有利而受到国人广泛的批评。其时劳因健康不佳被迫辞职，英王乔治五世于1923年5月22日命鲍德温组阁。当时国内外局势日益严重，如意大利占领科孚，国内失业率扶摇直上。面对此种情况，鲍德温政府在6个月之中实行了稳定的路线。10月，他要求授权完全改变劳的自由贸易政策，遭到拒绝。鲍德温的第一届政府于1924年1月22日结束。1924年11月4日首任工党首相R.麦克唐纳下台后，鲍德温复职。由鲍德温指定的人向财政大臣W.丘吉尔提出的经济改革措施——包括恢复战时的麦克纳税法（40%所得税和50%超额利润税）、金本位和丝绸税——未能抑止煤炭贸易更急剧衰落。1926年5月4日矿工大罢工，其他重要行业工人同情他们也相继罢工，鲍德温宣布紧急状态，组织志愿人员维持基本服务事业，并拒绝在罢工停止前与劳工代表谈判。罢工于1926年5月12日结束。次年他使反工会的《行业争端法》得以通过。保守党因失业及《行业争端法》等问题在选举中失败，鲍德温遂于1929年6月4日辞职。1931年他担任麦克唐纳的国民联合政府的枢密院长。他推行10%的商品按价征税并促进通过1932年《渥太华协定》，此协定确定了经济保护主义政策，迫使自由党人纷纷辞职。1933年希特勒在德国上台，纳粹主义被公认构成国际上的威胁。鲍德温对内惧怕英国重整军备产生不良政治后果，对外又不敢奉行强硬的外交政策以抗衡纳粹的威胁，未能有所作为。1935年6月7日至1937年5月28日，鲍德温再次出任首相。鉴于意大利征服埃塞俄比亚，德国重新占领莱茵兰而未遭反对，德、意又联合干涉西班牙内战，他开始不动声色地加强英国的军事设施。由于英国外交大臣S.霍尔爵士与法国总理P.赖伐尔缔结的协定允许法西斯主义的意大利在埃塞俄比亚为所欲为，激起公众对政府的不满。在国内，新登位的国王爱德华八世决心与离了婚的美国女子W.W.辛普森夫人结婚，危及君主制度的尊严，甚至危及英帝国的统一，鲍德温又设法促使爱德华退位（1936年12月10日）从而使舆论界感到满意。他在5个月后辞职，让位于N.张伯伦，并接受了伯爵的爵位，退出政界。

Bâle（Switzerland）　**巴勒**　参阅 **Basel** 巴塞尔。

Bale, John　贝尔（1495-11-21，英格兰萨福克科夫～1563-11，肯特坎特伯雷）　英格兰主教、新教论战者和戏剧家。据称所著《约翰王》是英国第一部历史剧。以在16世纪宗教斗争中所起作用和研究古文物而著名。受教于诺里奇的加尔默罗隐修院和剑桥大学。曾任数所隐修院院长，后成为基督教新教徒，离开所属教团并结婚。曾因宗教见解屡遭攻击，一度被监禁，两次避难于欧洲大陆。1560年任职于坎特伯雷大教堂。所写大量作品的特点是狂热的教派精神，粗犷而有力的讽刺，习以为常的粗俗语言。仅有5部剧本尚存，估计写于16世纪30年代初期。他的英国作家传记录：《不列颠主要名作家》（1548），增订本《不列颠主要名作家目录》（1557～1559）以及1902初版的《贝尔编辑的不列颠作家索引》手稿版笔记，尽管不够精确，但对于研究中世纪和都铎王朝早期的文学史，却极为宝贵。

Bâle-Campagne（Switzerland）　**巴勒乡村半州**　参阅 **Basel-Landschaft** 巴塞尔乡村半州。

Bâle-Ville（Switzerland）　**巴勒城市半州**　参阅 **Basel-Stadt** 巴塞尔城市半州。

Balearic Islands　巴利阿里群岛　西班牙语作 Islas Baleares。地中海西部的群岛，西班牙一行省。根据1983年颁布法令划为自治省。群岛陆地面积5 014平方千米，位于西班牙本土东面80～300千米。由两大岛群组成。东岛群较大，包括主岛马霍卡和梅诺卡与另一小岛卡夫雷拉。西岛群称为皮提尔萨斯，由伊维萨和福门特拉等诸岛组成。巴利阿里群岛是西班牙本土山脉的延伸部分，两部分则由阿利坎特省纳奥角附近的海底山脊相连。岛上地形变化巨大，有起伏的山陵、高原和低地。梅诺卡岛有大片平原。年降雨量低，很少超过450毫米，且集中于春秋两季。公元526年汪达尔人占领群岛，554年又落入拜占廷之手。903年穆斯林完全占领群岛。阿拉贡国王詹姆斯一世于1229到1235年间占领了马霍卡岛和伊维萨岛。1287年马霍卡岛又为詹姆斯后裔阿方索三世占有。巴利阿里群岛于1298年成为自治王国，1349年并入阿拉贡。1708年英国占领马翁，在1713年的《乌得勒支条约》中，将梅诺卡割让与英国，直到1802年。1833年巴利阿里确立为西班牙一省。19世纪后期群岛酝酿分治运动，但声势不大。1931年提出自治法规，但到1983年2月25日才通过机构法，最后生效。帕尔马为群岛首府和自治区军事、司法和教会中心。自治政府下设马霍卡、梅诺卡和伊维萨-福门特拉等各岛岛民会议。19世纪以前，由于来自北非一带的海盗猖獗，沿海地区居民稀少。进入19世纪中叶因旅游业发展导致人口向

沿海地区集中，内地居民日稀。1900 年到 1970 年人口才开始适度增长，反映出高移民率和低出生率，但仍旧高于全国平均增长率。马霍卡和梅诺卡的人口都向大城市高度集中，而伊维萨岛与福门特拉岛的人口则相对趋于分散，从 1920 年以来，农村的土地，逐渐变为小型占有，大土地占有急剧衰落。居民从内地外迁使农村劳动力大量下降。1830 年以前，传统的地中海作物如小麦、葡萄和洋橄榄等一直占优势。随着运输工具的改进，使多种新的商品作物如杏仁、桃子、杏、角豆、蕃茄等可以运销更远市场。虽然穆斯林引来的水车风车可以用于灌溉，但旱耕仍然盛行。1712 到 1736 年间梅诺卡总督凯恩爵士曾从北非引进家畜羊群，又从撒丁王国引进猪，现仍为饲养动物。岛上制造业规模不大，许多工厂工人不到 5 人。产品有鞋、家具、纺织品。有供应观光游客的精美花边和刺绣品。支配经济的旅游业仅提供季节性工作，冬闲时节人们都赋闲无事。岛上留下各种文化的遗迹。虽然史前期塔拉文化(以粗大石塔称塔拉而得名)在岛上源远流长，未受太多干扰，但由于处在地中海地理位置焦点，因而不能不受到东方文明的影响。考古发掘证明，当地出土文物有铜剑、单刃双刃斧头、触角剑以及各种动物如公牛头像，都说明长期以来受到的外来影响。陶器大部出于当地塔拉文化的造型，似乎到罗马人征服以前仍在长期流传，很少变化。历史证明岛上居民已有 2 600年历史，虽然其间曾受过迦太基人、罗马人、汪达尔人、摩尔人和西班牙人统治。他们全都留下过文化遗迹。人口约 702 770 (1991)。

baleen whale　须鲸　又作 toothless whale。鲸目须鲸亚目几种鲸的统称，与其他种的区别在于有特化的进食构造，即鲸须，或称鲸骨。鲸骨曾一度广泛用作妇女紧身健美装的支撑物，现在仍用来制造一些工业用刷。鲸须固定在上腭，由两块角质板组成，每块角质板是一组平行的带有缘缨的板条，缘缨缠结在一起形成一个密筛，用来滤取海水中的浮游生物和小甲壳类动物。在每块三角形的角质板上约有 300 根板条，露脊鲸角质板的长度可达 3.6 米。参阅 **blue whale; fin whale; gray whale; humpback whale; right whale; rorqual; sei whale**。

Balenciaga, Cristóbal　巴兰西阿加(1895-01-21，西班牙格塔里亚～ 1972-03-23，巴伦西亚)　西班牙女装设计师，曾创作过优美的舞会礼服及其他典雅的服装款式。10 岁开始学习做女装。20 岁在西班牙避暑胜地圣塞瓦斯蒂安开设成衣店。其后 15 年，成为西班牙首屈一指的时装设计师。1937 年迁居巴黎。其后 30 年，作品多为华贵高雅的连衣裙和套装。推动了 20 世纪 50 年代后期披肩和无腰线直筒服的流行及 60 年代中期塑料雨衣的流行。1968 年巴兰西阿加的公司关闭，他也退休。

baler　澳大利亚喇叭螺　前鳃类海螺(**conch**)的一种，现存螺类中最大的一种。

Bales, Peter　贝尔斯(1547，英格兰伦敦～ 1610?)　又作 Peter Balesius。英国书法家。曾设计一种最早的速记形式，发表在他的《速记术》(1590)一书中。他是一名技艺惊人的抄写者，以微型书法而获得声誉，曾抄写一部《圣经》，近乎一个胡桃大小。他在周长相当于一枚便士的范围内，镌刻了一些经文，书法精巧，镶嵌在一个戒指上，献给女王伊丽莎白一世，她大为赞赏。他善于模仿笔迹的技能，被伊丽莎白的秘书 F.沃尔辛厄姆爵士用来为国家的秘密目的服务，并帮助侦破 A.巴宾顿企图暗杀女王的阴谋。1590 年他担任一个书法学校的校长，出版了《书法教学三编》。

Bāleshwar (India)　**巴勒什瓦尔**　参阅 **Balasore** 巴拉索尔。

Balewa, Sir Abubakar Tafawa　巴勒瓦(1912，北尼日利亚包奇～ 1966-01，尼日利亚伊福附近)　尼日利亚政治家，北方人民大会党领导人，尼日利亚联邦的首任总理。出身平民之家，这是北方人民大会党的领导人中并不多见的。他既捍卫北方的特殊利益又提倡改革和尼日利亚的统一。原为教师，1945 年到伦敦大学教育学院进修。1946 年回国，选入北区众议院。1947 年出席拉各斯中央立法会议。1951 年再度选入议会。自 1952 年至去世一直在联邦政府中任职。50 年代中期在联邦政府中任公共工程和交通部长，后成为尼日利亚第一任总理。1959 年成为北方人民大会党和尼日利亚-喀麦隆国民会议党的联合政府总理。1964 ～ 1966 年局势日益紧张。1966 年在军事政变中丧生。

Balfe, Michael William　巴尔夫(1808-05-15，都柏林～ 1870-10-20，英国赫特福德郡韦尔附近)　歌唱家、作曲家。以歌剧《波希米亚姑娘》的流畅旋律和朴素声乐效果最为

美国不列颠百科全书公司供图

著名。9 岁登台表演小提琴，并开始作曲。1823 年去伦敦，加入特鲁里街剧院乐队。1825 年随富有的赞助人马查拉伯爵去罗马。1827 ～ 1833 年在巴黎和意大利演出罗西尼、梅耶贝尔等人的歌剧中的男中音主角。其早期歌剧用意大利文写词，于 1829 ～ 1833 年在巴勒莫、帕维亚和米兰演出。此后，又回伦敦。第一部英语歌剧《罗谢尔之围》，1835 年在伦敦演出后声誉鹊起。1838 年第一次用英语演出莫扎特的《魔笛》时，他演帕帕盖诺。从《爱情的深渊》开始他写了一系列法文歌剧。《波希米亚姑娘》(1843)是他最成功的歌剧，曾用法、德、意、俄等语言在许多国家上演，其中两首叙事歌《当其他人》和《我梦见住在大理石的府邸》有许多改编形式出版。他还在伦敦写过另几部歌剧。

Balfour (of Whittingehame), Arthur James Balfour, 1st earl of　贝尔福(1848-07-25，苏格兰东洛锡安惠廷厄姆～ 1930-03-19，英格兰萨里沃金)　英国政治家，在英国保守党中掌

美国不列颠百科全书公司供图

权达 50 年之久；先后出任首相(1902 ～ 1905)和外交大臣(1916 ～ 1919)；以在第一次世界大战中发表支持犹太复国主义的《贝尔福宣言》而闻名。出身英国上层社会，其舅父为第三代索尔兹伯里侯爵。剑桥大学三一学院毕业后，他作为保守党员进入议会。1879 年发表《为哲学疑问辩护》一书，说科学知识就像神学一样，要靠信仰的活动。他毕生对科学和哲学问题有着强烈的兴趣。曾在索尔兹伯里第一届政府(1885 ～ 1886)中任地方政府事务大臣，第二届政府(1886 ～ 1892)中任苏格兰事务大臣，后改任爱尔兰事务首席大臣。他坚决反对爱尔兰自治运动，由于残酷镇压骚乱，得到"血腥的贝尔福"的诨名。同时他又反对爱尔兰的英格兰在外地主制的弊端，为"和善地扼杀自治运动"而作出各种让步。他在议会中以善辩闻名，曾任下院领袖和第一财政大臣(1891)，因而是仅次于索尔兹伯里的第 2 号实权人物。在格莱斯顿的最后一届自由党政府期间(1892 ～ 1894)，贝尔福在下院领导反对党。在索尔兹伯里的第三届政府(1895 ～ 1902)中，由于他舅父的健康情况每况愈下，他的权势增大，坚决主张英国打赢南非战争(1899 ～ 1902)。索尔兹伯里退休后，他出任首相(1902-07-12 ～ 1905-12-04)，曾提出并通过改组中等学校行政管理的《教育法案》(1902，又称《贝尔福法案》。1903 年的《温德姆土地购买法案》则鼓励将土地售与爱尔兰的佃农。1904 年成立帝国国防委员会，使英国能制订实际可行的全球战略。他还决定引进大批中国契约苦力来解决南非的矿工不足，因而受到人道主义者和英国工会的谴责。1904 年缔结英法协约，承认英国对埃及和法国对摩洛哥享有同样至高无上的权力。贝尔福由于保守党人在放弃自由贸易问题上出现分裂而辞职，但他继续担任保守党的正式领袖，直至 1911 年 11 月。1915 年 5 月 25 日阿斯奎斯组织战时联合政府时，他出任海军大臣。在 1916 年 12 月的政治危机中，他不再支持阿斯奎斯，转而支持 L.乔治，在其联合政府中任外交大臣。1917 年 11 月 2 日在犹太复国主义领袖 C.魏茨曼和 N.索科洛夫的敦促下，写了一封包括所谓的《贝尔福宣

言》在内的信件给罗思柴尔德男爵。该宣言保证英国援助犹太复国主义者在巴勒斯坦为世界各地的犹太人建立家园，大大推动了建立以色列国的运动。战后两次参加内阁，任枢密大臣。曾主要负责确定英国与各自治领之间关系的谈判，提出的《贝尔福报告》(1926)体现在1931年的《威斯敏斯特法规》中。1922年受封为伯爵。

Balfour, Francis Maitland 鲍尔弗（1851-11-10，爱丁堡～1882-07-19，瑞士马蒂尼城附近） 英国动物学家、现代胚胎学的创始人。政治家A.J.鲍尔弗之弟。听了英国生

美国不列颠百科全书公司供图

理学家M.福斯特的讲课后，对胚胎学产生兴趣。1873年由剑桥大学毕业，在一个国际海洋生物研究中心——那不勒斯动物站取得大学教职。以后5年内，对脊椎动物泌尿生殖器官的胚胎发育及脊神经的起源做了多次独创性的观察。又描述了卵受精后的变化及胚胎的早期发育。从而为研究无脊椎动物向脊椎动物进化的过程提供了重要资料。1876年他回剑桥大学讲授动物形态学，1880～1881年发表了奠定现代胚胎学基础的《比较胚胎学》一书。他声誉日隆，遂被邀继承两位卓越的生物学家牛津大学的乔治·罗尔斯顿及爱丁堡大学的查尔斯·威维尔·汤姆森爵士的职位。但他均予谢绝，继续留任剑桥。1882年剑桥大学专门为他设立动物形态学教授职位，但他在就任新职前企图攀登尚未征服的勃朗什峰（属于勃朗峰）而滑坠丧生。

Balfour Declaration 《贝尔福宣言》（1917-11-02） 英国表示赞同犹太人在巴勒斯坦建立民族家园的宣言。因由当时英国外交大臣贝尔福在写给英国犹太人领袖罗思柴尔德（罗思柴尔德男爵二世）的一封信中提出，故名。该宣言煽起犹太复国主义者的热切希望，也似乎满足了世界犹太复国主义组织的要求。它曾得到协约国主要国家的认可。1922年7月24日得到国际联盟的赞同。

Bali (India) 参阅 **Bally** 巴利。

Bali 巴厘 印度尼西亚一省，小巽他群岛的岛屿，位于爪哇岛以东1.6千米。巴厘省面积5 633平方千米。大部分是山地，基本上是爪哇岛中央山脉的延续，最高峰阿贡山又称巴厘峰，高3 142米，当地认为是“世界肚脐”，为活火山，于休眠120年后，1963年喷发，死1 500多人，数千人无家可归。主要低地在中央山脉以南。东南季风期(5～11月)是干季。巴厘的动植物区系（大部分是热带山地雨林）和爪哇的相似。岛上种植一些柚木，巨大的榕树被巴厘人认作圣树。岛的西部发现有虎，鹿和野猪很多。16世纪，伊斯兰战胜了爪哇岛上的印度教，巴厘成为许多印度教贵族、僧侣和知识分子的逃避所。今天，巴厘是群岛中唯一仍由印度教牢固控制的岛，巴厘人生活也以宗教为中心，是印度教（特别是湿婆教派）、佛教、马来人的祖宗祭祀、万物有灵论和巫术的混合体。岛上拜神的地方很多，散布也广。有一个坚定的信仰，即“再生”，也可看到种姓等级存在，但不及印度种姓严格，因为9/10的居民属于最低级种姓首陀罗，高贵的种姓分为僧侣（婆罗门）、武士和统治者贵族、商人（吠舍）。岛的北部和西部地区有些穆斯林和华人，也有少数基督徒。巴厘语和东爪哇语不同，但上层人士语言中带有许多爪哇及梵语词汇。岛上两个主要城市是新加拉惹和登巴萨，后者是省会。其他城市有克隆孔，木雕与金银器制作中心；吉亚尼亚尔，市场活跃；库塔、萨努尔和努沙杜阿，都是繁荣的旅游贸易胜地；还有位于山麓的乌布德，有座精致的艺术博物馆，是欧美艺术家的活动中心。每个村落都有庙宇和会堂，通常建在广场上，广场供节庆和市场使用，各家住在自己的房舍里，围墙用泥土或石块垒成。低地人口密度每平方千米580人以上。巴厘农民主要种稻，按水利条件组成合作组，农场面积平均1公顷。约1/4农地面积有灌溉，其余种植芋类、木薯、玉米、椰子、果木，有时也种植油棕和咖啡。养牛很多，也

巴厘的稻田
美国不列颠百科全书公司供图

畜养小型牲畜。有肉类加工厂，渔业规模小。由于人口不断增长，食品需要进口，但出口牛肉、猪肉、咖啡、椰子干和棕油。旅游业和出售工艺品有重要经济价值。登巴萨附近的中南部海岸有一机场。巴厘人爱好音乐、诗歌、舞蹈和节庆活动，格外擅长美术和手工艺，对赌博竞赛也有兴趣，特别是斗鸡。典型的巴厘乐队有各种打击乐器、一个二弦琴和一支笛子。每个村子都有自己的乐队俱乐部。舞台戏和舞蹈是巴厘人生活不可缺少的部分，服务于巫术及宗教目的，或者用哑剧讲故事。雕刻、绘画、银器工艺、木刻、骨雕以及抬死者去火葬场做成动物形象的尸床也表现了巴厘人的艺术气质。随着中国商人和印度僧侣的到来，巴厘人至迟在7世纪信奉了印度教。埃尔朗加（约在1019～1049年统治爪哇）的母亲马亨德拉达塔和巴厘王乌达雅纳结婚，许多爪哇岛印度教徒移居巴厘。1284年爪哇杜马班（即新柯沙里）的最后一位国王格尔达纳卡拉占领巴厘，1292年他死后巴厘岛又恢复独立。1343年东爪哇的麻喏巴歇王国统治巴厘，直到麻喏巴歇1478年被穆斯林推翻。1597年荷兰人首次来到巴厘，当时岛上分裂为许多互相争战的穆斯林小邦。1882年荷兰人吞并了岛北部的布莱伦和任布拉纳两邦。1894年荷兰人入侵附近的龙目岛，巴厘王子阿纳·阿贡·克图被杀害。1906年荷兰人袭击登巴萨，大约有3 600名巴厘人被集体屠杀。第二次世界大战期间，巴厘被日本侵占。1946年在巴厘西部马尔加地方，印度尼西亚革命军和荷兰殖民军队作战。1950年巴厘岛成为印度尼西亚共和国的一部分。2002年发生在巴厘岛的恐怖爆炸事件造成约180人死亡。人口约3 151 162(2000)。

Bali cattle 巴厘牛 参阅 **banteng** 爪哇野牛。

Balıkesir 巴勒克埃西尔 土耳其西北部城市。该城位于马尔马拉海附近的富饶平原高地上。旧城及其集市坐落在高地上坡，有奥斯曼帝国早期的许多客店和清真寺。旧城下面为现代行政大楼、火车站、师范学校及住宅区。地处富饶的农业省中心，有铁路通往伊兹密尔和安卡拉。工业产棉织品、面粉、地毯和皮革制品。该城周围地区气候比安纳托利亚内地温和，土壤肥沃，出产谷类、豆类、水果、蔬菜、芝麻、棉花、烟草和橄榄。富有矿产，包括铁、铅、锌、锑、铬、褐煤和方硼石。在埃德雷米特、格嫩和卡兹山等地有许多古代遗迹和考古场所。人口215 436(2000)。

Balikpapan 巴厘巴板 印度尼西亚东加里曼丹省的海湾与港口。位于印度尼西亚婆罗洲东海岸，濒临望加锡海峡。有大炼油厂，提炼进口及当地出产的原油。油田分布于沿海地带，往东北方向伸展约达100千米，于1899年开始采油。1942年炼油厂被毁，第二次世界大战后重建。人口409 023(2000)。

Balinese 巴厘人 印度尼西亚巴厘岛上的民族。他们虽然在文化上深受爪哇人影响，但信奉印度教，这点与其他印度尼西亚人不同。语言属南岛（马来-波利尼西亚）语系。巴厘人聚为村落，各家自有庭院，围以土墙或石墙。庭院分3部分，即谷仓与牛栏、卧室与厨房以及家庙。各村有寺庙及会所，多设于广场，供节日及交易之用。生活以宗教为中心，它是印度湿婆教与佛教的混合体；崇拜祖宗、信仰精灵与巫术等。存在种姓，但因多数居民属于最低级的种姓，村民相互接触不甚拘谨。不同的说话方式反映了社会地位的差别，这点和爪哇习俗相同。各村自给自足，供奉共同祖先；常分为若干互助会，其成员在管理村庙、举办节日及家庭婚丧事务中，相互帮助。家族关系以父系为宗。婚姻择偶则在同一宗族或“达的亚”中进行。主要种植水稻，另有薯蓣、甘薯、木薯和玉米。

Baliol FAMILY 参阅 **Balliol family** 巴利奥尔家族。

Baliol, Edward de 巴利奥尔 参阅 **Edward** (Scotland) 爱德华（苏格兰）项下的 **Ed-**

ward 爱德华。

Baliol, John de **巴利奥尔** 参阅 **John** (Scotland)约翰(苏格兰)项下的 **John** 约翰。

Balkan Entente **《巴尔干协约》**(1934-02-09) 希腊、土耳其、罗马尼亚和南斯拉夫签订的共同防御协定,其宗旨是反对另一个巴尔干国家(如保加利亚或阿尔巴尼亚)的进攻,确保缔约国的领土完整和政治独立。由缔约各国的外交部长组成一个常设委员会,协调各国间的立法和促进经济合作。但是,该协约无力对抗德国在巴尔干日益增长的经济和政治影响以及第二次世界大战期间轴心国进行的侵略活动。

Balkan grippe **巴尔干流感** 参阅 **Q fever** Q 热。

Balkan League **巴尔干同盟**(1866～1868) 塞尔维亚大公米哈依洛三世(米哈依洛·奥布雷诺维奇)所组织的同盟,包括塞尔维亚、罗马尼亚、门的内哥罗、希腊等国的政府以及保加利亚的一个革命团体。旨在把土耳其人赶出巴尔干,将南部斯拉夫人统一在一个国家里。该同盟曾策划发动反土耳其联合起义,但因米哈依洛大公于1868年6月10日遇刺,同盟遂告瓦解。

Balkan League **巴尔干同盟**(1912～1913) 保加利亚、塞尔维亚、希腊和门的内哥罗组成的同盟。在第一次巴尔干战争(1912～1913)中,这一同盟与土耳其交战。同盟的最初目的是限制奥地利在巴尔干日益增长的势力。但是后来在俄罗斯的挑动下,同盟实际上是企图把土耳其人逐出巴尔干。同盟各成员国于1912年10月对奥斯曼帝国宣战,获得胜利。后因瓜分马其顿领土互相发生争吵,同盟破裂,终于引起1913年的反对保加利亚的第二次巴尔干战争。参阅 **Balkan Wars**。

Balkan Mountains **巴尔干山脉** 巴尔干半岛和保加利亚的主要山脉。从塞尔维亚边界附近的蒂莫克谷向东延伸约530千米,形成几座山嘴,升高至博泰夫峰为2 376米,在黑海埃米内角突然中止。巴尔干山脉为多瑙河和马里查河主要分水岭。横贯山区的约有20处山口(著名的有希普卡山口)、数条铁路线和伊斯克尔河。矿产有煤、石墨和金属矿。有温泉和矿泉。高处有草地,低坡多针叶和落叶森林。山区雨量逾1 000毫米,冬季漫长而寒冷。谷地和盆地适于发展农业,旅游业略有发展。

Balkan Peninsula **巴尔干半岛** 参阅 **Balkans** 巴尔干。

Balkan Wars **巴尔干战争**(1912～1913) 使奥斯曼帝国丧失其在欧洲的几乎全部领土的接连两次军事冲突。第一次巴尔干战争是在巴尔干同盟成员国塞尔维亚、保加利亚、希腊和门的内哥罗同奥斯曼帝国之间进行的。巴尔干同盟在俄罗斯的推动下成立于1912年春,旨在将马其顿从正在与意大利开战的土耳其分离出来。同盟投入联军75万人参战。战争由门的内哥罗于1912年10月8日对土耳其宣战开始,10天后同盟其他成员国相继效尤,巴尔干联军很快取得胜利。保加利亚人在色雷斯击溃奥斯曼主力部队后推进到君士坦丁堡(今伊斯坦布尔)城郊,并将阿德里安堡(埃迪尔内)包围。塞尔维亚部队在库马诺沃大捷后占领比托拉,与门的内哥罗部队汇合,进入斯科普里。希腊人则占领萨洛尼卡(塞萨洛尼基),向约阿尼纳挺进。在阿尔巴尼亚,门的内哥罗人包围了斯库台,塞尔维亚人则进入了都拉斯。土耳其人全线崩溃,因而各方均同意于1912年12月3日停火。和会在伦敦举行,但因青年土耳其党于1913年1月在君士坦丁堡政变,于是与奥斯曼的战火又起。联军再获胜利,约阿尼纳落入希腊人之手,阿德里安堡落入保加利亚人之手。1913年5月30日在伦敦签署和约,奥斯曼帝国几乎丧失了它在欧洲所余下的全部领土,其中包括马其顿和阿尔巴尼亚的全境。欧洲各国坚持要求阿尔巴尼亚独立,马其顿由巴尔干的几个同盟国瓜分。第二次巴尔干战争则源于塞尔维亚、希腊和罗马尼亚同保加利亚在分配其共同赢得的马其顿领土上的争吵。1913年6月1日塞尔维亚与希腊结成反对保加利亚的联盟。1913年6月29/30日夜,保加利亚国王斐迪南命令他的部队攻击在马其顿的塞尔维亚和希腊的军队,战争爆发。保加利亚的军队战败,交战各方于1913年8月10日签署和约。和约规定马其顿的大部由希腊和塞尔维亚瓜分,只将很小的部分留给保加利亚。由于两次巴尔干战争,希腊获得了马其顿南部以及克里特岛。塞尔维亚获得了科索沃地区,直到马其顿的北部和中部。阿尔巴尼亚则成为由一位德国亲王统治的独立国家。两次战争带来的政治后果是巨大的。保加利亚在马其顿受挫后寄希望于奥地利的支持,塞尔维亚则因奥地利迫使其放弃在阿尔巴尼亚占领的地方而更加敌视维也纳。巴尔干半岛日益紧张的形势到第一次世界大战时已达到顶点,大战于1914年6月28日因一塞尔维亚人在波斯尼亚的萨拉热窝暗杀奥地利的当然继承人而爆发。

Balkanization **巴尔干化** 将一个多民族国家分成几个较小的同一民族实体,也用以指多民族国家内的民族冲突。此词是为描绘第一次世界大战末奥斯曼帝国崩溃后巴尔干的民族和政治分裂而创制出来的。在巴尔干以外也有巴尔干化的现象发生,例如20世纪50～60年代英法殖民帝国瓦解后的非洲,90年代初南斯拉夫的分裂和苏联解体后几个新国家的出现。这些后继国家之间和内部仍然还有许多领土、民族和宗教上的分歧。如亚美尼亚和阿塞拜疆的飞地和边界问题,波黑国内塞尔维亚人、克罗地亚人和穆斯林之间的战争,以及1992～1995年塞尔维亚人围困萨拉热窝1 400天,死亡1万多人等。俄罗斯的车臣和南斯拉夫的科索沃独立运动,都有成千上万的人死亡和背井离乡,并且引发了战争。

Balkans **巴尔干** 又称巴尔干半岛。欧洲南部三大半岛中最东边的一个,为巴尔干诸国之总称。该名称自19世纪初沿用至今;balkan系土耳其语,意为"山脉"。按自然地理分界,巴尔干北有多瑙河下游和萨瓦河,东有黑海,东南临爱琴海,南至地中海,西南连爱奥尼亚海,西濒亚得里亚海。巴尔干半岛逐渐并入欧洲大陆,很难确定其北部地理界限。

在政治上,"巴尔干"一词明确涵盖下列现代国家的领土:阿尔巴尼亚、波斯尼亚-黑塞哥维那、保加利亚、克罗地亚、马其顿、摩尔多瓦、罗马尼亚、斯洛文尼亚、塞尔维亚、黑山。希腊的部分地区也属于巴尔干。该词始见于19世纪,意指1699年《卡尔洛夫奇条约》签订后仍处在奥斯曼帝国直接控制下的地区,但现在该名词还包括了过去属哈布斯堡帝国的一部分、目前为某些巴尔干国家部分领土的地方。土耳其的欧洲部分在地理上为巴尔干半岛的一部分,但在政治上却不属于巴尔干,因土耳其为非巴尔干国家。

土地 巴尔干大部分地方为山区。巴尔干山脉在多瑙河以南,自东向西横贯保加利亚。罗多彼山脉呈东西走向,横亘于保加利亚和希腊的交界处。迪纳拉山脉沿亚得里亚海岸延伸,直抵阿尔巴尼亚。品都斯山脉在希腊半岛的中部。巴尔干北面则以尤利安山和喀尔巴阡山为界。

巴尔干北部和中部为中欧大陆性气候,冬季寒冷,夏季温暖,全年降雨量分布均匀。南部沿海地区为地中海气候,夏季炎热干旱,冬季温和多雨。多瑙河把巴尔干东部各国与黑海连为一体。

人民 种族的多样性是巴尔干地区一个典型的特征。南部斯拉夫人数量最多,他们构成保加利亚、斯洛文尼亚、克罗地亚、波斯尼亚-黑塞哥维那、塞尔维亚、黑山以及马其顿的人口。按宗教信仰,他们又分成不同的集团:克罗地亚人和斯洛文尼亚人信奉天主教;严格意义上的塞尔维亚人和黑山人大多信奉希腊正教。波斯尼亚-黑塞哥维那的人口既有克罗地亚天主教徒和塞尔维亚希腊正教徒,亦有穆斯林。塞尔维亚人、克罗地亚人、波斯尼亚-黑塞哥维那人均使用塞尔维亚-克罗地亚语,在克罗地亚用罗马字母书写,在塞尔维亚用西里尔字母书写。斯洛文尼亚语为该地区另一种主要的斯拉夫语言,属塞尔维亚-克罗地亚语支,用罗马字母书写。马其顿人信仰希腊正教,讲一种与保加利亚语有联系的南部斯拉夫人的语言,用西里尔字母书写。

保加利亚人构成保加利亚人口的大多数,讲一种南部斯拉夫语言,信仰东正教。罗马尼亚人构成罗马尼亚人口的大多数,讲一种罗曼语言,多数人信仰东正教,也有一些天主教徒。希腊人有他们自己众所周知的语言,并有悠久和非常重要的历史。实际上,西里尔字母是在几百年前衍生于希腊文字系统的。多数希腊人信奉希腊正教。阿尔巴尼亚人居住在阿尔巴尼亚及塞尔维亚部分地区(主要在科索沃)。他们的语言阿尔巴尼亚语与巴尔干其他语言的关系都不密切。阿尔巴尼亚人大多为穆斯林,但信仰东正教和天主教的人数也很多。

巴尔干种族的多样性是19世纪土耳其战争和巴尔干战争以及20世纪两次世界大战之后人口大量迁居、移民、驱逐和国界变更的结果。

经济史 巴尔干地区的经济发展历来落后于欧洲大部分其他地区。山地、丘陵、谷地和平原交错的地形缺少良田,又无道路,严重阻碍了商业和城镇的发展。巴尔干北部和中部地区的农民有种植小麦、燕麦、裸麦、玉米和亚麻的传统。气候比较温暖的南方和沿海地区则产橄榄、葡萄、无花果、水果和葡萄酒。饲养的主要牲畜一直是绵羊和山羊。千百年来,这里的居民点基本上都是自给自足的小型乡村,大城镇很少或几乎就不存在。

15～19世纪,奥斯曼人一直占据巴尔干东部及南部,但从未设法改善这一地区的经济停滞状况。直到19世纪和20世纪初,巴尔干各国人民获得独立以后,才有可能走上工业化的道路。然而,各个新兴国家在建国之初主要致力于巩固边防,将大部分资源用于生产武器和维持军队,而不是用于修建公路和兴办教育。

每个单独的巴尔干国家都显得太小,在政治上过于分裂,自然资源和各种技术人才也很缺乏,难以实现农业、交通运输、行政管理和教育的现代化。20世纪初期,公共卫生改善,婴儿死亡率降低,人口亦随之骤增,使上述困难更加严重。两次世界大战之间,这种状况没有得到改善。人口出生率高、耕地小而分散、农业生产率低下和工业增长停滞,使巴尔干各国人民依然处于贫苦之中。

第二次世界大战后,巴尔干各国(希腊除外)在共产党统治下进步极不平衡。阿尔巴尼亚成为刻板的斯大林主义和孤立主义国家,一直停滞不前,是欧洲最贫穷的国家。与之相反,南斯拉夫摆脱苏联控制后向世界市场开放,追求一种社会主义的合作经济,并允许建立一些私人企业。希腊在西方市场经济制度下最为繁荣。所有巴尔干国家在几十年内都在某种程度上奠定了工业基础。交通运输网络大为改善,新建公路和机场网络缓解了该地区历史性的孤立和封闭状态(阿尔巴尼亚仍属例外)。新建的电力网将电送到了乡村。由于国家大力支持,大部分地区已普及教育。

巴尔干国家取得了相当大的现代化成就,但也为这些成就付出了代价,例如农业衰退(在实行集体化的国家)、消费品经常短缺且质量低劣。希腊实行自由市场经济,到20世纪后期,其生活水平在巴尔干诸国中可能是最高的。南斯拉夫和保加利亚在社会主义制度下也取得了长足进步。罗马尼亚在共产党领袖齐奥塞斯库(1965～1989当政)的统治下,经济崩溃。1989～1991年,该地区所有共产党统治的国家不是倒台就是明显转向西方意识形态。向市场经济的艰难转轨再加上内战和各种内部冲突,使该地区的经济发展难以预测。

政治史 巴尔干半岛国家早在古代史前时期就已出现,希腊的历史及其与半岛中部和北部各民族之间的交往便是明证。公元前3世纪和公元前2世纪,巴尔干各地均受罗马帝国统治。随着罗马帝国逐渐解体,东罗马的巴尔干各省大部成为拜占廷帝国的疆土。拜占廷帝国定都君士坦丁堡(今伊斯坦布尔),在以后的1 000年中,拜占廷帝国一直是巴尔干地区主要的政治和文化力量。

公元3世纪,哥特人入侵巴尔干半岛。公元5世纪和6世纪,斯拉夫人向南迁移,他们跨过多瑙河在巴尔干半岛各处定居,范围一直扩展到希腊北部。从6世纪开始,阿瓦尔人也侵入多瑙河南部。公元7世纪,讲突厥语的保加利亚人从伏尔加地区来到巴尔干半岛,吸收了斯拉夫语言与文化。保加利亚人在10世纪初和13世纪曾建立起几个帝国,统治着巴尔干半岛东部。12世纪,塞尔维亚人在巴尔干建立了自己的帝国,统治巴尔干半岛西部直至14世纪后期。拜占廷帝国通常能够在外族入侵间隔期对巴尔干地区行使权力。11世纪时佩切涅格人和库曼人也曾侵入过该地区。

13世纪初,拉丁十字军暂时取代了希腊拜占廷统治。拉丁十字军对巴尔干地区唯一的持久贡献,是当奥斯曼土耳其人的力量在安纳托利亚兴起时,瓦解并削弱了拜占廷人的力量。14世纪后半叶,土耳其人开始大举入侵巴尔干半岛。半岛上的基督教国家未能彼此通力合作,也没有得到欧洲强国的支援。到15世纪末,土耳其人征服了除部分沿海偏僻地区以外的整个半岛。1453年土耳其人占领君士坦丁堡,结束了拜占廷帝国的统治。1521年他们又占领贝尔格莱德,进一步向中欧推进。1529年维也纳一战,土耳其人的进攻被击退。

此后奥斯曼帝国统治巴尔干长达400年。他们最初的管理有力,效率极高,因而容许臣民有信仰基督教的自由。然而到18世纪,土耳其的势力日见衰微,最后是国家管理不善,腐败成风。土耳其衰落的一个表现是军事上软弱,欧洲列强开始蚕食奥斯曼帝国在巴尔干的领土。1683～1699年的战争结束时,奥地利、俄罗斯、威尼斯和波兰迫使奥斯曼帝国签订《卡尔洛夫奇条约》,向奥地利割让匈牙利的大部、特兰西瓦尼亚(今匈牙利东部和罗马尼亚西部)、克罗地亚和斯洛文尼亚。该协定虽然使哈布斯堡王朝于1718年获得匈牙利的其余土地,但也确定了未来相对稳定的沿多瑙河和萨瓦河的奥地利-奥斯曼边界。

18世纪,俄罗斯逐渐向南扩张,疆界直抵黑海。根据1774年签订的《凯纳甲湖条约》,俄罗斯有权代表巴尔干基督教徒的利益,干预他们与奥斯曼政府的关系。与此同时,奥斯曼帝国在巴尔干的权威继续下降。1821～1829年的希腊革命和1828～1829年的俄土战争之后,按照《阿德里安堡条约》规定,土耳其被迫允许塞尔维亚、摩尔多瓦和瓦拉几亚自治,并准许希腊完全独立。1830年,塞尔维亚国创立。

从那时起一直到第一次世界大战之前,如何处理衰老的奥斯曼帝国在巴尔干的剩余领土,一直是欧洲列强争夺和冲突的主要问题。1861年,摩尔多瓦和瓦拉几亚两个公国合并组成后来的罗马尼亚。1875年,波斯尼亚人和黑塞哥维那人奋起反抗土耳其统治。翌年,塞尔维亚人和黑山人也采取了同样行动。后来,俄罗斯出面干涉,于1877～1878年间打了一场俄土战争。奥斯曼帝国战败后被迫签订《圣斯特凡诺条约》,规定建立一个独立的大保加利亚。1878年的柏林会议修订了上述条约,结果,比原定版图稍小的保加利亚诞生了;塞尔维亚、黑山和罗马尼亚都摆脱了奥斯曼的统治获得完全独立。根据条约规定,波斯尼亚和黑塞哥维那也被置于奥匈帝国的管辖之下。到1890年,巴尔干半岛只剩下马其顿和阿尔巴尼亚尚属于土耳其。

20世纪初,巴尔干半岛民族主义斗争异常激烈。1908年,奥匈帝国吞并波斯尼亚和黑塞哥维那;马其顿变成巴尔干国家与土耳其之间斗争的焦点。1912年,希腊、保加利亚、塞尔维亚和黑山在俄罗斯的怂恿下建立起巴尔干同盟。1912～1913年间同盟进攻土耳其,是两次史称巴尔干战争中的第一次。结果土耳其战败,这在实际上也结束了奥斯曼帝国在马其顿和巴尔干其余地区的统治。后来,第一次巴尔干战争中的胜利者在如何瓜分马其顿和其他战利品上发生争执,第二次巴尔干战争(1913)爆发。战争结束后,马其顿主要由希腊和塞尔维亚瓜分。建立独立的阿尔巴尼亚是两次巴尔干战争的另一主要结果。

长期以来,克罗地亚人和斯洛文尼亚人一直受奥地利哈布斯堡王朝统治。第一次世界大战前几年,他们想和塞尔维亚人共同建立南部斯拉夫人联盟。于是,奥匈帝国与塞尔维亚之间在克罗地亚人和斯洛文尼亚人问题上关系紧张。1914年6月28日,一名年轻的塞尔维亚革命者在波斯尼亚刺杀奥地利大公斐迪南,奥地利因此向塞尔维亚宣战,引发了第一次世界大战。

第一次世界大战后,南部斯拉夫人的塞尔维亚-克罗地亚-斯洛文尼亚国从战败的奥匈帝国那里获得斯洛文尼亚、克罗地亚和斯拉沃尼亚的领土之后,组建成南斯拉夫。罗马尼亚从匈牙利得到特兰西瓦尼亚大片土地,因而版图扩大很多。1919～1920年,各国人口大交换,以图稳定巴尔干各国新的疆界。第一次世界大战后,通过和平途径产生的巴尔干各国边界与该地区现在的国界基本相似。

第二次世界大战期间,德国占领南斯拉夫和希腊并与罗马尼亚和保加利亚结盟,但到1945年初,苏联红军解放了所有这些国家(希腊除外)。战后,苏联支持建立了阿尔巴尼亚、保加利亚、罗马尼亚和南斯拉夫共产党政权。1948年,南斯拉夫与苏联决裂;1961年,阿尔巴尼亚也与苏联断绝关系。保加利亚和罗马尼亚都是1949年经互会的创始国,但罗马尼亚后来不太依赖莫斯科;保加利亚和罗马尼亚也是华沙条约成员国。1946～1949年,希腊打败了共产党领导的一次重大起义。1952年,希腊和土耳其加入北大西洋公约组织。

1989～1990年苏联放弃对东欧的控制之前,保加利亚、罗马尼亚、南斯拉夫和阿尔巴尼亚都是由本国共产党统治的社会主义国家。然而,罗马尼亚人民的起义推翻了齐奥塞斯库;保加利亚年迈的后斯大林主义领导也被撤换。南斯拉夫各组成部分渐渐表现出民主和民族主义情绪；1991～1992年，斯洛文尼亚、克罗地亚、波斯尼亚和黑塞哥维那以及马其顿终于分裂出去，造成地区种族战争和冲突，南斯拉夫联盟由6个共和国减至2个共和国（塞尔维亚和黑山）。阿尔巴尼亚也抛弃了共产党统治者并放弃了孤立主义。希腊则继续实行稳定的多党制民主。巴尔干化和民族主义再次席卷该半岛。2003年，南斯拉夫更名为塞尔维亚和黑山共和国。2006年6月3日黑山宣布独立。

Balkh　巴尔赫　又称瓦齐拉巴德。阿富汗北方村镇，古代大夏国的首府巴克特拉所在地，位于马扎里沙里夫城西22千米，濒巴尔赫河。该地早在公元前500年即已建有村镇，约在公元前330年被亚历山大大帝占领，以后成为希腊属邦大夏的首府，嗣后数世纪

16世纪的瓦吉·阿布·那斯·巴尔萨神殿
美国不列颠百科全书公司供图

中，该城落入各游牧民族侵略者手中，包括土耳其人和贵霜人，直到公元8世纪被阿拉伯人牢固占领后为止。巴尔赫从此成为呼罗珊的首府，城市范围大事扩展，如此一直延续到阿拔斯及萨曼王朝统治时期。作为出名的王朝首府和学术中心，享有“众城之母”的盛誉。巴尔赫于1220年被成吉思汗统率的蒙古人彻底摧毁，然后一直是片废墟，直到帖木儿占领后于15世纪初进行重建，但1480年传说在邻近的马扎里沙里夫发现先知穆罕默德的女婿阿里之墓，又使巴尔赫再度降到次要地位。巴尔赫于1850年归并入阿富汗。现代的巴尔赫村位于一大片废墟场内，其中最重要的废墟是巴克特拉古城的外墙，周长11千米多。其余的辉煌遗迹包括古代佛教圣物墓及其后的伊斯兰教神殿和清真寺。瓦吉·阿布·那斯·巴尔萨神殿就是该村镇过去历史的古迹。人口约7 242（最新统计）。

Balkhash　巴尔喀什　又拼Balqash或Balchaš。又作Ozero Balchaš。哈萨克斯坦杰兹卡兹甘州城市，为巴尔喀什湖北岸货运地。1937随铜冶炼厂的建立而成为重要有色冶金工业（铜、镍）中心，也生产鱼罐头。设有哈萨克科学院的植物园。人口约65 400（1999）。

Balkhash, Lake　巴尔喀什湖　哈萨克斯坦东部湖泊。位于广阔的巴尔喀什-阿拉盆地，海拔340米，东西长605千米。面积1.8～1.9万平方千米，随水位高低而有变化，枯水年代可缩至1.55～1.63万平方千米。萨雷姆谢克半岛把湖面分为两个水域，西半部广而浅，东半部窄且深。西湖宽27～74千米，水深不超过11米，东湖宽10～19千米，水深达26米。伊犁河从南面注入湖的西半部，占总流入水量75%～80%，此外还有卡拉塔尔河、阿克苏河、阿亚古兹河等注入东半部。由于西半部注入水量多，因此湖水常年自西向东流。西半部湖水几乎是淡水，适于工业用和饮用。东半部含盐分较高。湖东岸有巴尔喀什湖盆地与阿拉湖盆地相连的痕迹（大约仅在200或300年前）；北岸是岩石高地，有古代阶地的痕迹；南岸是低凹的沙地，芦苇丛生，其中多小湖沼，经常被湖水淹没。整个湖区属大陆性气候。年平均水温西部为10 °C，东部9 °C，年降水量约430毫米。11月底到4月初湖面冰冻。湖区地层多碳酸盐沉积，动物繁多，特别在芦苇丛中有大量鸥、野鸭和鸬鹚，此外多天鹅、鹈鹕、雉和鹧鸪。野兽有野猪、狼、狐狸和野兔等。湖中有20种鱼类，有6种是这里的特产，其余是人工养殖的，包括鲟、东方鲤、狗鱼和咸海四须鱼等。20世纪30年代起在湖中养鱼，发展渔业。湖上有货轮来往。炼铜厂建立后，巴尔喀什城在湖北岸兴起。与哈萨克斯坦和中亚重要城市有铁路连接。1970年伊犁河上建成卡普恰盖水电站。

ball　球　多种运动或游戏中用来抛、击、踢的圆形或卵形物体。最早的文字资料中有关于球的记载，一些古老图画也有球的描绘。古埃及文物上也显示球类游戏的图像。罗马人不喜欢参与性体育运动，但也十分爱玩球。罗马浴场设有专供玩球的场地，许多绅士在私家别墅内设有球场。罗马的球多是用皮条拼缝而成，内充各种材料。最小的一种球比

约公元前510年雅典浮雕中的分队球赛
美国不列颠百科全书公司供图

较硬，内充羽毛。最大的一种球里面有充气的胆，与现代足、篮球相似。古代玩球只是由一群人将球来回抛掷，但古希腊却有分队球赛，这种比赛在斯巴达人中尤为流行。球戏在西欧亦有很长的历史。在哥伦布渡过大西洋之前，美洲的印第安人已在玩原始的兜网球。各种球的重量和周长以及击球器械和运动规则经过多年不断演进，种类繁多。

Ball, Albert　鲍尔（1896-08-21，英格兰诺丁汉郡诺丁汉～1917-05-07，法国朗斯附近阿讷兰）　第一次世界大战时期的英国战斗机王牌驾驶员，空战取得43次胜利。曾在特伦特学院受教育，1913年离校。第一次世界大战爆发后参军。1915年夏在亨登自费学习飞行，10月获得飞行员执照，调皇家陆军航空队。1916年2月起在法国担任与陆军协同作战的飞行员，先后在第11、60和56飞行中队服役。1917年在阿讷兰上空被击落丧命。获得过维多利亚十字勋章。

Ball, Sir Alexander John, 1st Baronet　鲍尔（1757，英格兰格洛斯特郡～1809-10-25，马耳他）　英国海军少将。1798～1800年指挥对马耳他岛的封锁，1802～1809年任该岛总

美国不列颠百科全书公司供图

督。他曾驻防西印度群岛，在海军上将G.罗德尼麾下服役，并参与在多米尼加岛附近大胜法国海军的战役（1782-04-12）。1783年晋升海军上校，1790年担任司令官。1798年5月20日援救纳尔逊的旗舰，使它被风暴吹断桅杆后免于在岸边搁浅，从此两人成为密友。1799年2月9日，当他对马耳他岛实行封锁时，该岛议会选他为总统和总司令。1800年9月法国交出马耳他后，英国海军部解除了他的海军职务。1801年受封从男爵，后被任命为马耳他总督。

Ball, Hugo　巴尔（1886-02-22，德国皮尔马森斯～1927-09-14，瑞士圣阿邦迪奥）　德国作家、演员和戏剧家，社会罪恶的严厉批评者，德国小说家海塞的早期评传《赫尔曼·海塞，他的生平和作品》（1927）作者。巴尔在慕尼黑大学和海德堡大学攻读社会学和哲学（1906～1907），之后去柏林当演员（1910）。他是艺术界达达主义运动的倡始人之一。巴尔是个坚定的和平主义者，在第一次世界大战期间离开德国，移居瑞士（1916）。他的较为重要的著作有《德国心智批判》（1919）和《逃离时代》（1927）。

Ball, John　鲍尔（？～1381-07-15，英格兰赫特福德郡圣奥尔本斯）　英格兰农民起义领袖。原为约克和科尔切斯特的教士，因在讲

道中提倡建立无阶级社会，约1366年被革出教门。但是他继续在露天市场等处讲道。1376年以后屡次入狱。1381年发生起义，他被肯特郡的起义者从狱中营救出来，同去伦敦。他在伦敦用通俗的语言向群众讲道说："当亚当种田夏娃织布的时候，谁是贵族呢？"目击者说他极力主张杀掉贵族和主教。起义失败后，他在圣奥尔本斯被绞死。W．莫里斯的传奇《约翰·鲍尔之梦》就以他为主题。

Ball, Lucille　鲍尔(1911-08-06,美国纽约詹姆斯敦附近西罗仑～1989-04-26,加利福尼亚洛杉矶)　美国的电影及广播女演员和电视中多年不衰的喜剧明星。1951年哥伦比亚广

鲍尔与丈夫阿纳兹
美国不列颠百科全书公司供图

播公司首次用电视播送她演出的情境喜剧连续剧《我爱露西》。此节目以各种不同形式播放到1957年。以后于1962～1968及1968～1974年,再度播放。幼年丧父,外祖父经常带她去观看歌舞杂耍演出。母亲也鼓励她在家中表演电影故事,在学校积极从事业余戏剧演出。很早就决心要从事戏剧生涯。在青少年时,她便时而到纽约市参加戏剧演员选拔赛,时而回到纽约州西部家中上学。1947年她在哥伦比亚广播公司的广播连续剧中扮演一个浮躁的家庭主妇,名声大噪。1940年与通俗乐队领导人德西·阿纳兹结婚。后来两人合作创制电视喜剧连续剧《我爱露西》,在剧中扮演一对经常遭遇稀奇古怪的意外和灾祸的夫妻。

Ball, Thomas　鲍尔(1819-06-03,美国马萨诸塞查尔斯城～1911-12-11,新泽西蒙特克莱)　美国雕刻家,对美国尤其是新英格兰地区的纪念碑艺术有过显著影响。最初从事过木刻和细密画,在音乐方面亦颇有造诣。作品中包括有许多早期的音乐家室内胸像。最著名的作品有G.华盛顿的骑姿雕像(波士顿公园)和林肯《解放》组雕(华盛顿[哥伦比亚特区])。鲍尔1891年发表自传《我的六十年和十年》。

ball-and-socket joint　球窝关节　又作spheroidal joint。又称杵臼关节。一骨的球形面(关节头)与另一骨的凹面(关节窝)形成的关节,其运动类型多于任何其他关节。哺乳类(包括人)的肩关节和髋关节为最典型的球窝关节,因此前、后肢沿3个不同的轴运动,一骨固定时另一骨可在其中做环转运动。

ball bearing　滚珠轴承　滚动(或减摩)轴承的一种(另一种为滚子轴承)。滚珠轴承的作用是连接两个作相对运动的机件,并使其动摩擦力降低到最小。在多数情况下,滚珠轴承的一个部件是转轴,而另一部件为固定的轴承套圈。滚珠轴承有三个主要零件,即两个带有槽道的套圈和许多滚珠。两套圈的宽度相同,但直径不同。较小的套圈装在较大的套圈内,其外表面有槽道,内表面固定在一轴上。较大套圈的内表面有槽道,外表面固定在另一机件上。滚珠装在两套圈之间,且在槽道内滚动,摩擦力很小。用保持架松动地把各滚珠分隔开并固定其位置。最常见的滚珠轴承是单排滚珠的,通常被列入径向滚珠轴承类,但它承受轴向或推拉载荷的能力可以超过其承受径向载荷的能力。角面接触的滚珠轴承的外套圈槽道的一侧切掉,以便嵌入更多的滚珠,轴承只能在一个方向承受大的轴向载荷。这类轴承通常成对使用,以便能在两个方向承受大的轴向载荷。单排滚珠轴承的游隙很小,故轴与轴承座间的偏心率只允许很小。一种自位轴承有两排滚珠,外套圈上有球形内表面。对纯推拉载荷来说,推拉轴承是由有两个带槽道的平板和装在其间的滚珠组成。滚珠轴承与滑动轴承相比,其显著优点是启动摩擦阻力低。然而,在速度高到足以形成承载油膜时,滑动轴承的摩擦阻力可低于滚珠轴承。

ball cactus　仙人球　原产南美草原的仙人掌科 *Notocactus* 属植物,25种。株形小,圆球状到圆柱状,常盆栽观赏。银球掌(*N. scopa*)及金球掌(*N. leninghausii*)是最常见种类,外

仙人球(*Notocactus*)
美国不列颠百科全书公司供图

被羊毛状茸毛。有毛的仙人球类花较小,通常黄色或红色,有时直径只有1厘米。而无毛的仙人球类群花较大,可达6厘米。

ball lightning　球状闪电　又作globe lightning。直径为几英寸的状似移动性发光球的大气现象。它通常在雷暴期间出现在地面附近,其颜色可能呈红、橙或黄色,常伴有嘶嘶声和特殊的气味。它仅持续几秒钟就突然消失,无声或有爆炸声。曾经观测到球状闪电引起燃烧并使金属熔化,因而造成灾害。它和普通闪电有没有关系尚不确定,其成因也还不清楚,但对球状闪电有如下几种解释:①空气和气体的活动出现反常;②高密度的等离子体;③含有发光气体的空气涡旋;④等离子体壳内的微波辐射。

Balla, Giacomo　巴拉(1871-07-24,意大利都灵～1958-03,罗马)　画家,未来派运动创始人之一。在巴黎学画时深受点彩派影响。1901年定居罗马,逐渐接受米兰诗人F.马里内蒂的影响。1910年与意大利其他美术家

巴拉绘《系在皮带上的狗的动态》(1912)
美国不列颠百科全书公司供图

联名发表《未来派绘画的技术宣言》,号召以美术为武器摧毁旧的社会和文化秩序。巴拉是一位抒情画家,其名作有《街灯——光的习作》(1909,纽约现代艺术博物馆藏)和《系在皮带上的狗的动态》(1912,布法罗美术学院藏)等。他倡导绘画艺术的同时性原则(通过同时描写某一活动中物体的各个侧面来表现物体的运动)和旋律、光与色的抽象处理。第一次世界大战期间开始用大面积色彩单纯的平面构图,但以后又逐渐回到传统的风格上来。

Ballaarat (Australia)　参阅 **Ballarat** 巴拉腊特。

ballad　谣曲　一种简短的叙事民间歌谣,其独特风格在中世纪后期形成于欧洲。作为一种音乐与文学的形式,谣曲一直被保存至现代。它并不局限于讲英语的国家。除了英格兰、苏格兰、爱尔兰、美国之外,法国、丹麦、德国、俄罗斯、希腊和西班牙均有重要的谣曲。不同语言的谣曲各有不同特点。英、美谣曲总是一律押韵,并分成不同的诗节。

谣曲的基础　*以叙事为基础*　典型的谣曲叙述紧凑的小故事,故事一开始,叙述就明确转向它的结局或解决。它集中描述单一的高潮,冲突的发端和背景留待以后暗示或匆匆几笔带过。人物塑造极其有限,人物仅凭情节及语言来展示。描写简单而且客套化,情景间的过渡突兀,时间推移交代得相当模糊,重大事件和感情波折以干脆利落和生动活泼的对话来转述。简言之,谣曲的叙事旨在以开门见山、急转直下来取得大胆、惊人的戏剧效果。谣曲最出名的修辞手段是反复层层加深,词语或诗行重复若干次,仅在同一关键之处略作意味深长的替换。

口头传播　由于谣曲是在没有文化的人民中间繁衍起来,在每一次演唱时依靠记忆进行创新,故内容和曲调经常变动。这些变动使民谣与民间的听众的生活、信仰以及感

情需要逐步一致,从而使它们富有生气。

谣曲的创作 *理论* 谣曲如何创作及流传,是历来学者争论的主题。主要的分野在于谣曲是集体创作还是个人创作。后一理论很少为人重视,因为每一首谣曲只有为民众接受并经不断口头修改而成为公众的创作之后,才能成其为谣曲。

技巧与形式 谣曲通常用两种诗节。一种由对句组成,其间穿插叠句,每行有四个重读音节。另一种由三个和四个重读音节的诗行交替组成,二、四行押韵。谣曲都用陈旧的比喻和沿用的形象,忌用复杂的句法和丰富的语言,因为音乐要听众全神贯注,他们无法弄懂庞杂的结构,无法欣赏独特的形象。

音乐性 谣曲是供吟唱的,歌词和曲调相互依赖。但经常有这种现象:同一内容用几种曲调来吟唱,而同一曲调可用来吟唱好几种谣曲。谣曲的曲调以调式(即中世纪宗教音乐的古体调式体系)为基础,不同现代音乐的半音音阶。

谣曲种类 *吟游诗人的谣曲* 17 世纪前的吟游诗人应该说与农民自创自演的民歌无关,但他们有时却影响民歌的风格,改变既定的民歌。与民歌的客观叙述相反,他们的谣曲经常夹有个人的议论。

活页谣曲 从 16 世纪至 19 世纪末,这种谣曲被印在大幅纸张上,出售于街头或乡村集市,称为街头谣曲,小摊谣曲或歌片,颇为畅销,经常用来叙述时事,故在报纸出现前被视作一种消息来源。

文人谣曲 文人模拟谣曲始于 18 世纪初期,模仿街头活页谣曲,而不是直接模仿民谣。1765 年珀西汇编的谣曲《英诗辑古》出版后,仿作谣曲之风极盛。

谣曲的题材 超自然的主题:由于有不可思议的幻想出现,作品充满神秘气氛;恋人的命运:通常以悲剧告终;罪与罚;外经传奇:未能经久不衰,因它有难以置信的成分,现代人显然认为幼稚;历史灾难:大多数有历史事件渊源的谣曲很少具有全国性意义,往往局限于地区性冲突;天灾人祸:沉船、火车车祸等事件经常被写入谣曲;绿林豪杰和不法之徒,大都讲劫富济贫的史诗般的英雄;此外,还有许多与职业有关的谣曲。

ballad horn (musical instrument) 参阅 **mellophone** 美乐号。

ballad opera 叙事歌剧 典型的英国式喜歌剧。源自 18 世纪,以滑稽或异想天开的情节为特征。其音乐主要局限于歌曲和散布在对白中的间奏曲。最初以叙事曲或民歌曲调为基础换上新词,后来常借用流行歌剧中的曲调或偶尔新创作音乐。最早也是最著名的叙事歌剧是《乞丐歌剧》(1728),它是对意大利严肃歌剧的戏弄,也是当代政客们品行的讽刺,由 J. 盖依作词,J. 佩普什改编音乐。叙事歌剧后来发展成 W.S. 吉尔伯特和 A. 沙利文的轻歌剧,并间接地受音乐喜剧的影响而成为现代的音乐剧。它也影响 18 世纪与它同类型的德国歌唱剧的进展。几部早期的叙事歌剧在 20 世纪再度流行。现代作品中直接受叙事歌剧影响的,包括 R.V. 威廉斯的歌剧《牲口贩子休》。

ballad revival 民谣复兴 指18世纪特别在英国和德国文艺界中对民间歌谣表现的兴趣。实际上它不是一种复兴,而是对于先前被学者和老练的作家所忽视和蔑视的民间诗歌价值的一次新发现和评价。这一倾向 1711 年始于英格兰,J. 艾迪生在《旁观者》发表了 3 篇文章,谨慎地为"平民百姓挚爱的歌曲"辩护,1765 年随着 T. 珀西所编的《英诗辑古》(一本英格兰和苏格兰传统谣曲集)的出版,这一倾向遂趋具体化。《辑古》和随后涌现的大量诗歌集,其中包括 W. 司各特的《苏格兰边区歌谣集》(1802),产生了巨大的影响,使浪漫派诗人除陈旧的新古典主义范例以外,又有了一个可供选择的灵感的源泉。但文学家创作的民谣并不能影响已经处于衰落状态的口头民谣艺术或创作。在德国,有影响的哲学家兼评论家赫尔德授予谣曲以一种几乎是神秘的殊荣,认为它真正表现了人民的精神。C. 布伦坦诺与阿尔尼姆合编的德国抒情与叙事民歌集《男童的神奇号角》(1805 ~ 1808),对整个 19 世纪的德国诗歌产生了决定性影响。

ballade 叙事曲(诗) 14和15世纪法国抒情诗和抒情歌曲中几种固定体裁之一。严格地说,这种诗体是由三个诗节与一个缩短的结尾奉献诗节组成;全诗都用同一韵脚和相同的最后一行,这最后一行形成迭句。三个主要诗节中的各节都由三个段组成,其中第一、二段都用同一韵脚。它的前身,可在法国南方行吟诗人(用普罗旺斯语的诗人音乐家)的歌曲中发现,他们常用 *aab* 的结构模式。法国南、北方行吟诗人的歌曲都是单声音乐(一个曲调线条或声部)。复调叙事曲的历史最早由 14 世纪法国主要诗人兼作曲家马肖开始,他的大部分歌曲都采用这种体裁。在他的作品中可以看到对这种诗体谱曲进行逐渐演变的标准化技巧及惯用音乐尾声来结束第二个 *a* 段,并且尾声又在诗节结束处反复。叙事曲(诗)是固定体裁中内容最广泛的一种,马肖用以表达最崇高的感情。歌词内容往往较其他固定体裁包含更多精致的象征主义和古典的论证。14 世纪末,叙事曲成为最庄严和最正规的歌曲形式:庆祝特定的保护人,纪念重大节日,表达最高风格的爱情。到 15 世纪就不大流行了,诗人也很少用此体裁,只在后来作家们的有意识仿古作品中才偶然遇到。

Balladur, Édouard 巴拉迪尔(1929-05-02,土耳其伊兹密尔[士麦那]~) 法国新戴高乐派政治家,1993 ~ 1995 年任总理。1957 年毕业于享有声望的国立行政学院,进入国务委员会工作,当一名下级官员。1962 年进入法国广播电视局(ORTF)工作。该局局长把他推荐给蓬皮杜总理(后任总统),60 ~70 年代,巴拉迪尔是蓬皮杜工作班子中的一员。1974 年蓬皮杜去世后,巴拉迪尔进入实业界工作,成为国家电力公司的两家子公司的董事长。1984 ~ 1988 年,任国务委员会委员,是新戴高乐主义政党保卫共和联盟(RPR)领袖希拉克的顾问。1986 年当选为巴黎国民议会议员,但他放弃席位,加入新任命的希拉克总理的内阁,任经济、财政和私有化部长。作为政治上的温和派,巴拉迪尔帮助发展"共治"的模式,由社会党总统密特朗和希拉克的保守派政府共同分享权力。作为财政部长,他提出雄心勃勃的私有化计划;监督放松对物价、资本和劳动力的管制;以及支持采用单一的欧洲货币。1988 年希拉克政府下台,巴拉迪尔再次当选为国民议会议员。1993 年 3 月,保守派在国民议会选举中获得压倒多数后,密特朗总统任命巴拉迪尔为总理。1995 年,巴拉迪尔竞选总统。在第一轮投票之后位列第三,排在社会党候选人利昂内尔·若斯潘和他以前的领导希拉克之后。他转而支持希拉克,最终,希拉克赢得选举。

Ballance, John 巴兰斯(1839-03-27,北爱尔兰安特里姆郡格莱内维~ 1893-04-27,新西兰惠灵顿) 新西兰总理(1891 ~ 1893),团结了执政达 20 年之久的自由党;在通过社会福利立法方面也起了重要作用。原为英国伯明翰五金商人,自学成才。1865 年移居新西兰旺阿努伊,主编过《旺阿努伊先驱报》,反对土著毛利人。1875 年进入议会,主张撤销地方政府。1878 年任殖民地财务长官,开始征收土地税。1884 ~ 1887 年任土地、防卫和土著事务部长,企图把土地从垄断资本家转移到小农户手中。在当总理期间,推行土地税和所得税的累进制。他限制政府借债以对付持续的萧条,并将上院议员的终身制减为 7 年一届,以削弱反对派力量。

Ballanche, Pierre-Simon 巴朗什(1776-08-04,法国里昂~ 1847-06-12,巴黎) 宗教与社会哲学家。对浪漫派作家有重大影响,在 19 世纪前数十年法国思想的发展中也起过重要作用。对 18 世纪唯理论的反对态度及其在表述宗教和社会理论时所使用的诗一般的和预言式的文体吸引了浪漫派作家。他基本上是一个天主教徒,曾广泛阅读过去的和当时的神秘主义作品。在《联系文学艺术来考虑的感情》(1801)中,表达了对于宗教感情在艺术中的作用的看法。他的看法预示了夏多布里昂有影响的、划时代的浪漫主义作品《基督教的天才》。法国革命后,他按照其宗教见解重新考虑了人类社会的基础和功能。

美国不列颠百科全书公司供图

Ballangrud, Ivar 巴兰格鲁德(1904-03-07,挪威伦内尔~ 1969-06-01,特隆赫姆) 原名 Ivar Eriksen。挪威速滑运动员,与芬兰运动员

C.图恩伯格称霸于20世纪20和30年代的速滑比赛。一生共7次获奥林匹克奖牌，4次世界锦标赛冠军和4次欧洲锦标赛冠军。1928年在瑞士圣莫里茨首次参加冬奥会，获5 000米金牌和1500米铜牌。1932年在美国纽约冬奥会获10 000米银牌。1936年在德国冬奥会获500米、5 000米、10 000米金牌和1 500米银牌。当年还获得世界锦标赛和欧洲锦标赛冠军。

Ballantyne，John 参阅 **Bellenden，John** 贝伦登。

Ballantyne，Robert Michael **巴兰坦**（1825-04-24，苏格兰爱丁堡～1894-02-08，意大利罗马） 苏格兰作家，主要因其探险故事《珊瑚岛》（1858）出名。他所有的故事均依其个人经历写成。主人公大多为自力更生、为人正直的典型。《雪花与日光，或年轻的皮毛商》（1856）是根据他在哈得孙湾公司的经历而写的男孩探险故事。因在《珊瑚岛》一书中犯有地理方面的错误而感烦恼，后来即四处游历，研究其各篇故事的背景。

Ballarat **巴拉腊特** 又拼 Ballaarat。澳大利亚维多利亚州中部城市。临亚罗伊河。最早（1838）居民为牧羊人。该地名来源于原意为"休息处"的土语。1851年发现丰富的砂金矿后，此地便迅速发展起来。1852年建镇，两年后，即1854年发生了名为"尤里卡栅栏事件"的武装暴动事件；当时要求政治改革及废除许可证的矿工约有25名被军方枪杀。现有一纪念碑纪念此次事件。巴拉腊特镇于1870年成为市。巴拉腊特现为一铁路和公路的枢纽，是澳大利亚最大的内陆城市，范围包括塞巴斯托波尔自治镇和巴拉腊特、邦加里、巴宁扬、格伦维尔等农村行政区的各一部分。该市为一农牧区。砂金虽然很快就采尽了，但地下开采则持续到1918年为止。制造业生产毛织品、农业机械、工业机械、砖、化学产品、家具等。许多公共建筑的历史可追溯到19世纪60和70年代。有圣公会大教堂和天主教大教堂、一所矿业工业学校、一处植物园（每年举办一次秋海棠属植物展）和一所历史博物馆。市区面积（包括温多里湖在内）几乎有20%供休养娱乐之用。文化设施包括巴拉腊特高等教育学院（1967）。人口约78 347（1991）。

Ballard FAMILY **巴拉尔家族**（活跃于16世纪中叶～18世纪中叶，法国） 法国印刷商家族。1560～1750年基本上垄断了法国的乐谱印刷业。这个家族的创始人罗贝尔·巴拉尔（1588年卒）是著名七弦琴演奏家及作曲家A.勒鲁瓦的姐夫。他俩使用了由罗贝尔的岳父G.勒贝于1540年所刻制的一套活动模子。1552年他们获得首次专利权，成为亨利二世的唯一乐谱印刷工。罗贝尔的遗孀和儿子皮埃尔（1639卒）继承了他的店业，并从亨利四世和路易十三处多次取得专利权。此后，这个企业由罗贝尔的后代经营，直至1788年。这个家族的妇女和男人一样积极参与印刷工作。巴拉尔的印刷美观精细。乐谱扉页

罗贝尔·巴拉尔
美国不列颠百科全书公司供图

花纹镌版精美。出版的乐谱实际上几乎包括当时法国所有作曲家的作品。

Ballard，Robert D(uane) **巴拉德**（1942-06-30，美国堪萨斯威奇托～ ） 美国海洋学家和海洋地质学家。在加利福尼亚州圣迭戈附近长大。身为马萨诸塞州伍兹霍尔海洋研究所的海洋科学家，他率先使用深海潜水器，参与第一次中大西洋海岭的载人探险，还在加拉帕戈斯裂谷发现了深海温泉和其中不寻常的动物群落。他因1985年戏剧性地发现"泰坦尼克"号残骸而声名大噪。自那时起，他又接着发现第二次世界大战期间失踪的船只。

ballas **半刚石** 一种工业用金刚石（industrial diamond）。

Ballenden，John 参阅 **Bellenden，John** 贝伦登。

ballet **芭蕾** 一种将正规的、有学术要求的舞蹈技巧与音乐、服装和舞台布景等其他艺术因素结合起来的戏剧性舞蹈。这种有学术要求的技巧本身亦称为芭蕾。芭蕾是从文艺

美国芭蕾舞团D.韦伯的舞姿
美国不列颠百科全书公司供图

复兴时期的宫廷表演及其后的法国宫廷芭蕾发展而来，由皇室成员和贵族跳的社交舞，伴以音乐、朗诵式歌唱，兼有豪华的场景、舞台装置和服装。17世纪舞蹈水准一度下降后，酷爱舞蹈的法国路易十四（1638～1715）于1661年下令建立皇家舞蹈研究院，"使舞蹈重新获得真正的完美"。同年上演第一部分幕的喜剧芭蕾（莫里哀的剧本，J.-B.吕里创作的音乐）。由此而发展成吕里的歌剧芭蕾，又成立一所训练这种职业舞蹈演员的学校，附属于皇家音乐研究院（或歌剧院）。在吕里指导下，以P.博尚为舞蹈教师，芭蕾发展成戏剧的形式。

18世纪芭蕾的技巧有极大提高，并开始将芭蕾看作戏剧情节的载体。J.-G.诺维尔是将芭蕾与戏剧结合的中心人物，他所著《舞蹈和芭蕾舞剧书信集》（1760）在全欧洲发展"情节芭蕾"上起了重大影响。在"情节芭蕾"中舞蹈动作的设计用于表达人物个性。与此同时，作曲家C.格鲁克在歌剧和芭蕾中，将舞蹈与戏剧结合起来，增加了生气。这个时期芭蕾有3个流派。根据舞蹈者的体态，分别受到庄重的、半性格化的和喜剧性的三种不同技巧的训练。于是芭蕾便和歌剧一样走上舞台，在歌剧院演出，许多歌剧都有芭蕾的段落。当时的芭蕾依然反映着贵族的姿态，

大剧院芭蕾舞团演出《天鹅湖》
美国不列颠百科全书公司供图

但18世纪末和19世纪初发生的工业、社会、政治和艺术等方面的革命给它带来巨大变化，尤以芭蕾教学的中心法国为甚。旧的规范和社交舞不再是舞蹈的模式。19世纪初，舞台芭蕾盛行浪漫主义，以M.塔里奥尼和F.埃尔丝勒为代表。开始采用重心全在脚尖上的舞蹈位置后，女演员成为舞台上最理想的形象。19世纪职业作家和歌剧作家为芭蕾写剧本成为普遍现象。C.布拉西斯等舞蹈教师将芭蕾技巧编纂成书后，芭蕾遂基本上以目前的形式定型，完全有别于社交舞。

19世纪30～50年代浪漫主义的芭蕾舞热潮过去后，芭蕾艺术开始地方化，除俄国和丹麦外，水平下降。A.布农维尔、J.佩罗和M.佩季帕等芭蕾大师编导新的芭蕾。19世纪末佩季帕在圣彼得堡将经典式芭蕾提升到新的高度，以柴可夫斯基的乐曲伴奏编导出《睡美人》及《天鹅湖》（在L.伊凡诺夫协助下）等不朽的舞剧。20世纪俄国芭蕾对西方世界产生巨大影响，得到崇高赞誉。著名女舞蹈家A.巴甫洛娃在各国巡回演出达20年，S.佳吉列夫的俄罗斯芭蕾舞团在19世纪10、20年代在欧洲演出，促成了舞蹈编导、舞台设计和作曲家间的紧密合作。佳吉列夫对芭蕾艺术与观众影响巨大，其舞团5位主要编导为：M.福金、V.尼任斯基、L.马辛、B.尼任斯卡娅和G.巴兰钦。此时芭蕾又变化成独幕的形式，有时无情节设计或以现代事物为题材，用以伴奏的有非传统的曲调甚至是

日常的噪音。佳吉列夫死后又有一些其他俄国芭蕾舞团在西方迈出新的步子。还成立了一些新的学校和舞团赋予此种艺术以民族的特色和学术上的规则。建于1931年的英国维克-韦尔斯舞团(后为萨德勒的韦尔斯芭蕾舞团,再后为皇家芭蕾舞团),在德·瓦卢娃领导下,以F.阿什顿为常任编导,迅速获得全国性的重要地位。美国的芭蕾舞学校及附属的纽约市芭蕾舞团分别建立于1934和1948年,L.科尔斯坦为导演,巴兰钦为编导,地位亦十分重要。第二次世界大战后,丹麦皇家芭蕾舞团,尤其是列宁格勒的基洛夫芭蕾舞团和莫斯科的大剧院芭蕾舞团,在国外巡回演出,影响深远。目前许多国家都有芭蕾舞团和芭蕾舞学校,芭蕾成为大众欣赏的娱乐活动。这种舞蹈艺术融合各家舞蹈于一体,形式多样,已远远不同于佳吉列夫的时代。然而这种舞蹈仍然具有昔日贵族式的典雅、轻快以及潇洒自如的特点,不同于其他舞蹈的形式。

Ballet comique de la reine 《王后的喜剧芭蕾》 宫廷娱乐节目名,被认为是第一部芭蕾。1581年在法国宫廷中演出庆祝王后之妹订婚,由王后、宫廷女侍和贵妇人扮演。它把音乐、舞蹈、情节(尤利西斯从喀耳刻处逃走)和舞台美术设计融合为一出完整的戏剧。它也是第一部有文字说明(台本)的芭蕾舞剧;台本于1582年出版时题为《王后的喜剧芭蕾》,由宫廷节庆总管博若耶执笔。《喜剧芭蕾》的台本流传到欧洲各国宫廷,对法国宫廷芭蕾和英国假面舞剧都有影响。

ballet d'action 情节舞剧 一种芭蕾舞剧,其中所有组成部分(例如舞蹈设计、布景、服装)都从属于情节和主题。18世纪初英国舞剧编导J.韦弗被认为是哑剧芭蕾舞剧的创始人。这是一种舞蹈形式的戏剧,后来在18世纪后期定型为古典情节芭蕾舞剧。舞蹈编导安吉奥利尼、F.希尔弗丁、范·韦文,尤其是诺维尔,都曾经是情节舞剧的有影响的倡导者,诺维尔的《舞蹈和芭蕾舞剧书信集》(1760)至今仍是论述情节舞剧的权威著作。

ballet movement 芭蕾舞动作 在古典芭蕾舞中,舞蹈者手臂、脚和躯体的位置按特定规则做出程式化的动作。芭蕾舞就是以这些基本动作的组合为基础编舞的。如plié(蹲)和battement(踢腿)这些动作练习的目的在于使整个躯体柔韧有力,使舞蹈者舞姿完美,保持重心平衡,两腿从髋臼关节处向外展开。其他的动作则是舞剧中的舞步。它们可以是跳跃(pas d'élévation),如"昂特雷沙"(entrechat,一种五位开始、五位结束、两腿快速交叉打击的跳)或者"热泰"(jeté,一种身体重心由一只脚转移到另一只脚的跳);也可以是旋转(tours),如"皮鲁埃特"(pirouette,一种单足转)和"空中转"(tour en l'air,在空中转身一个、两个或三个整圈)。

ballet position 芭蕾舞位置 脚的五种位置,为一切古典芭蕾舞的基础。这个术语通常也可以用来表示身体的各种不同姿态。T.阿尔博于1588年首次采用了这些位置;P.博尚大约在1680年加以编纂整理;由P.拉莫把这个术语确定下来,写成一本书,名为《舞蹈教师》(1725,英译本1931)。*芭蕾舞动作*(**ballet movement**)都是从这些位置上开始和结束的。在所有位置中,双腿都从胯部外开,脚尖向旁,双脚站成直线或平行线,身体重心平均分配在平贴地面的双脚上。站半脚尖时,重心由拇趾支撑;站脚尖时,重心在脚尖上(只限于女性)。手与臂放在相应的位置,与身体的整体平衡,能使舞姿协调美观。第一位,两脚脚跟并拢,脚尖外开,双脚成一直线。第二位,双脚仍站一平行线,中间相距约30厘米,脚尖向外,重心平均分配在两脚上;在第二位中抬腿,重心由一足支撑,另一足向旁抬起。第三位,一只脚的脚跟正对另一只脚的脚弓,两脚使劲外开,身体重心由两脚分别承担。这个位置在18世纪的社交舞蹈(如小步舞、加沃特舞)中广泛使用,但在舞台上几乎已经不用。第四位,一只脚站在另一只脚前方约30厘米处,双脚尖都向外,重心平均地分配在两脚上;和第二位一样,第四位也有抬腿动作。第五位,双脚尖向外,紧贴在一起,一只脚的后跟紧靠另一只脚的脚尖。除了上述五种脚的基本位置以外,古典芭蕾中还有两种主要的舞姿(身体姿势:"阿拉贝斯克"和"阿蒂丢德")。做"阿拉贝斯克"时,身体重心由一条腿支撑,另一条腿膝盖伸直往后伸出。"阿拉贝斯克"是最优美的芭蕾舞姿之一,可以通过改变手臂的位置、躯体的角度和腿在空中的高度而加以变化。舞蹈者的身体可以靠全脚掌支撑,可以用拇趾来支撑(站半脚尖时),也可以用脚尖来支撑(站脚尖时,只限于女性),支撑腿可以伸直,也可以弯曲。"阿蒂丢德"是一种类似"阿拉贝斯克"的姿势,只是抬起的腿的膝盖是弯曲的。往后或往前(向前的"阿蒂丢德"attitude an avant)时,抬起的腿与身体保持成90°;膝盖可以充分弯曲,也可以近乎伸直(延伸的"阿蒂丢德"attitude allongée),支撑腿也可以伸直或弯曲。如在"阿拉贝斯克"中一样,躯体可以由全脚掌支撑,也可以由拇趾或脚尖来支撑。1829年,C.布拉西斯在詹博洛尼亚所作的墨丘利神的雕像的启发下,第一次创造了这个姿势。

Ballet Rambert 兰伯特芭蕾舞团 英国现存最古老的芭蕾舞团。从20世纪30年代起兰伯特芭蕾舞团一直是培养有才华的青年舞蹈家的重要基地。在该团初露头角的著名演员有:A.玛尔科娃、M.芳廷、舞蹈设计家A.图德、弗里德里克·阿什顿爵士、A.德米尔、A.霍华德、W.戈尔和P.范普拉阿齐。兰伯特舞蹈团(1926年开始演出)和芭蕾舞俱乐部(1930)的舞蹈演员在佳吉列夫舞蹈团前演员M.兰伯特夫人的鼓励下,排演过一些小型作品,供星期天日场演出,其中主要是一些不知名编导所作的新芭蕾舞。第二次世界大战中该团曾在工厂、兵营、边远地区作巡回演出,后在伦敦主要剧院演出季中上演。战后曾去澳大利亚和新西兰访问(1947～1948),大大地激发了当地人对芭蕾舞的兴趣。兰伯特芭蕾舞团规模不大,1966年,该团对保留剧目作了重新编排,使它几乎完全成为才华出众的青年舞蹈家们的天地。J.切斯沃斯于1974年被任命为该团艺术指导。

Ballet Russe de Monte Carlo 蒙特卡洛俄罗斯芭蕾舞团 1932年在蒙特卡洛成立的芭蕾舞团。原名"俄罗斯芭蕾舞团",是经理人S.佳吉列夫为他的剧团所取的名称。该剧团在20世纪头30年给芭蕾舞带来革命性变化。蒙特卡洛俄罗斯芭蕾舞团在巴西尔上校的主持下,上演了L.马辛和G.巴兰钦的一些新作,其著名演员有:A.丹尼洛娃、L.沃伊齐科夫斯基和D.里钦。1938年该团分裂为两个互相竞争的新团,一个由巴西尔领导,另一个则由马辛领导。巴西尔把他的舞蹈团更名为"皇家科文特加登剧院俄罗斯芭蕾舞团",最后定名为"真正的俄罗斯芭蕾舞团"

芭蕾舞位置(从左至右,第一位、第二位、第三位、第四位、第五位)
美国不列颠百科全书公司供图

(1939)，该团曾在世界许多国家巡回演出，于1947年解散。马辛和R.布鲁姆一起组织了另一个蒙特卡洛俄罗斯芭蕾舞团，拥有演员丹尼洛娃、T.图曼诺娃、A.玛尔科娃、M.斯拉文斯卡娅、S.里法尔、I.尤斯凯维奇和A.埃格列夫斯基，上演马辛编导的新作。蒙特卡洛俄罗斯芭蕾舞团主要在美国演出，演出重排的传统剧目和美国舞蹈编导们的作品，由美国舞蹈演员担任主要角色，其中包括M.塔尔奇夫。该团在20世纪50年代衰落，于1963年停止活动，其芭蕾舞学校在纽约市维持了一段时间。马辛和S.德纳姆在摩纳哥亲王兰尼埃三世的赞助下，于1966年组织了新的蒙特卡洛芭蕾舞团。

Ballet Theatre, American 参阅 **American Ballet Theatre** 美国芭蕾舞剧院。

Ballets Russes 俄罗斯芭蕾舞团 1909年由俄国经理人S.佳吉列夫在巴黎组成的芭蕾舞团。该团最初拥有舞蹈编导M.福金和舞蹈演员A.巴甫洛娃和V.尼任斯基；舞蹈编导G.巴兰钦于1925年加入该团。该团聘请里姆斯基-科萨科夫和斯特拉文斯基写作音乐，请毕加索、鲁奥、马蒂斯和德兰担任舞台美术设计。该团于1929年佳吉列夫逝世后解散。参阅 **Diaghilev, Sergey (Pavlovich)**。

balletto 巴莱托 16世纪末至17世纪初的一种轻松活泼的声乐曲体裁。源于意大利，兼有舞曲与牧歌的特点，是典型的分节歌，其两次反复部分都以"fa-la-la"作为迭句结束。强弱拍交替分明，与当时其他较活泼的歌曲体裁相近，如坎佐内塔、维洛塔、维拉内拉等。这一术语于1591年由意大利人G.加斯托尔迪首次用于音乐作品。英国作曲家T.莫利在其《巴莱托曲集初选》(1595)一书中扩大了这一体裁的对位与和声的范围，他的风格对英国、德国作曲家都有影响。德国作曲家H.L.哈斯勒及一些比他年轻的同时代人在17世纪初将巴莱托改变成更加器乐化和主调音乐的风格。G.弗雷斯科巴尔第和J.S.巴赫都曾以巴莱托命名所作器乐乐章。15世纪意大利流行的一种戏剧性舞蹈也有用这一名称的。

Ballia 伯利亚 印度北方邦东部县城。傍恒河。历史悠久。由于河道变迁，城址有时向北移动。现为行政和贸易中心。有榨油厂和面粉加工厂。设有两个大学分校。与瓦拉纳西和印度北部其他城市有铁路相连。伯利亚县位于北方邦最东端。伸入比哈尔邦。是恒河与卡克拉河之间的冲积平原楔形地带。面积3 183平方千米。土地常遭水淹。种植稻谷、大麦、鹰嘴豆、油料作物、甘蔗等农作物。人口：城镇84704；县1 945 063(1991)。

Ballina 巴利纳 澳大利亚新南威尔士州北海岸港镇。临里士满河口。建于1842～1843年。现为利斯莫尔外港。已发展成为大型渔船队基地和附近乳品、甘蔗、热带水果产区的服务中心。有鱼类和水果罐头、造船等工厂。位于布鲁克斯纳公路和太平洋公路的交叉点，悉尼东北英里，布里斯班东南偏南105英里。人口36 626(2001)。

Ballina 巴利纳 爱尔兰梅奥郡市区。滨临莫伊河，是该郡的最大城镇。有近代的天主教大教堂和约建于1375年的奥古斯丁会隐修院遗址。附近鲑鱼和鳟鱼捕捞业很盛。工业生产手工工具、钻床和医疗用品。人口6 563(1991)。

Ballinasloe 巴利纳斯洛 爱尔兰戈尔韦郡集镇和市区，濒临萨克河和大运河向北的延伸部分。巴利纳斯洛是爱尔兰最大的牲口集市，牲口交易在19世纪中期最为兴旺。当地著名采石场曾供应纽约市一条街的商店的砌面建材。该镇亦为重要的垂钓中心。人口5 793(1991)。

Ballinger, Richard A(chilles) 巴林杰 (1858-07-09，美国艾奥瓦博恩斯博罗～1922-06-06，华盛顿西雅图) 美国内政部部长(1909～1911)，其反自然资源保护政策促成了共和党内保守派与进步派之间的分裂。在巴林杰担任华盛顿州西雅图市实行改革的市长时(1904～1906)，曾引起T.罗斯福政府的注意，并于1907年被任命为公有土地专员。1909年他担任W.H.塔夫脱政府中的内政部部长。在2年任期内，他力图促使私人开发公共资源更加有效，从而卷入了与农业部森林司司长G.平肖的激烈公开争论。后者引述公共土地检查员提供的证据，指责巴林杰与私人利益集团勾结，以欺骗性的计划掠夺阿拉斯加的煤炭资源。塔夫脱为维护其内政部长，解除了平肖及其情报提供人L.格拉维斯的职务。虽然国会经调查后宣布巴林杰无罪，但这一事件给塔夫脱为首的共和党保守分子与忠于罗斯福的进步分子之间遗留下苦涩的后遗症。

Balliol FAMILY **巴利奥尔家族** Balliol又拼Baliol。中世纪家族，最初从诺曼底的巴约勒(索姆)到达英格兰，在苏格兰历史中起过重要作用。英格兰的威廉二世在位期间(1087～1100)，盖伊·德·巴利奥尔已经在诺森伯兰和其他地方拥有土地。盖伊的侄子和继承人伯纳德(约1167卒)建立伯纳德城堡，是该家族在苏格兰获得土地的第一人。他于1138年在诺萨勒顿对苏格兰的戴维一世作战，1141年在林肯被马蒂尔达俘虏。1215～1216年，他的后代休(1228卒)支持国王约翰，反对英格兰的诸侯派。休的儿子和继承人约翰(1268卒)1251～1255年曾任苏格兰幼王亚历山大三世的监护人。1264～1267年诸侯战争中效忠英格兰国王亨利三世，因而失去土地；在刘易斯战役(1264-05-14)中被俘后一度受监禁。大约此时，他开始资助牛津大学的学生。死后，他的遗孀完成了他的捐赠，1282年他们的府邸正式获特许状，成为巴利奥尔学院。约翰有3个儿子：休(1271卒)，亚历山大(1278卒)和巴利奥尔的约翰(参阅 **John** [Scotland])。巴利奥尔的约翰建立苏格兰的巴利奥尔王室，但此王室仅维持一代，由于约翰的儿子爱德华(参阅 **Edward** [Scotland])放弃王权而告终。

ballista 抛石机 古代重型投掷物的发射器，用于发射长箭或石弹。希腊的抛石机基本上为一固定在底座上的巨大弩弓。罗马的抛石机则利用扭力发射，即利用两束由多股绳拧成的粗大绞索产生扭力，猛推两个分开的弹臂，两弹臂的末端靠一绳联结，此绳即可将投掷物弹射出去。最大的可相当准确地将60磅重物发射500码远。参阅 **catapult**。

ballistic pendulum 冲击摆 用于测量射体(如子弹)速度的装置。用两根绳悬挂一个大木块作为摆锤，当子弹射中木块时，子弹的动量就传给木块。子弹的动量可以由木块摆动的幅度确定，而子弹的速度则可由其动量算出。冲击摆由英国数学家和军事工程师B.罗宾斯发明。冲击摆已普遍为其他射体速度实验装置所取代，但它仍用于课堂教学，演示动量和能量概念。

ballistics 弹道学 研究射弹的动力、飞行和侵彻作用的科学。它有几个分支。内弹道学和外弹道学分别研究射弹的动力与飞行，研究内外弹道之间的过渡称为中间弹道学。终点弹道学研究的是射弹的侵彻作用，这是包括人员创伤在内的单独分支。

火炮与火箭发动机属于一种热机，它将发射药的化学能部分地转换成射弹的动能。发射药与常规燃料不同，它在燃烧时不需要大气中的氧气。发射药燃烧产生的热气体被局限在有限的体积内，故气体压力增大，压力推动射弹并提高燃烧速度。这种热气体对炮膛或火箭喉道有侵蚀作用。

点燃炮膛中的发射药时，燃气由于受炮弹的限制而压力增大。当燃气压力超过妨碍炮弹运动的阻力时，炮弹即开始运动。燃气压力在一段时间内继续增大，到炮弹加速到很大的速度时压力开始下降。迅速燃烧的发射药很快消耗完，炮弹也及时从炮口射出，初速高达15千米/秒。无后座力炮从炮弹后部排除气体，抵销后座力。

炮弹离开炮管前先有一股前驱冲击波，接着压缩气体从炮弹后面释放出来而产生主冲击波。由于外流的高速气体很快就追上炮弹，因而会使炮弹产生剧烈的摆动。爆炸激波以大于音速的速度向外运动，这种波被人们听到就是炮弹发射的声音。炮口附近产生的热气形成闪光，在大型火炮中，这种闪光还伴有火焰。可以在炮口加上一种装置，分散冲击波，抑制爆炸和闪光，而且该装置还能改变气流方向，减小后座力。

弹道是射弹在重力、阻力和升力作用下的飞行路线。如果只受重力的影响，那么弹道就是一条抛物线。阻力则沿弹道起减速的作用，小于音速时，阻力大致和速度的平方成正比，只有在这种速度下，射弹尾部采用流线型才起减小阻力的作用。在更大的速度时，射弹头部产生圆锥形的激波。阻力的大小在很大程度上与弹头的形状有关，细尖型射弹的阻力最小。采用弹尾燃烧室排气的办法也能减小阻力。

尾翼可以用来使射弹稳定。膛线提供的旋转稳定性在有气动滚翻力时会产生陀螺扭摆。旋转不够会造成滚翻,旋转过度又妨碍弹头随弹道弯曲而下俯。由于偏转力矩、气象条件和地球自转等因素的影响,升力导致射弹产生偏差。

火箭靠喷射气流冲量的反作用推动。发动机在设计时要做成在燃烧过程中产生的压力几乎不变。尾翼稳定式火箭对侧风敏感,因为造成的偏转使推力偏向。与飞行方向保持一定角度的2个或更多的发动机喷嘴能提供旋转稳定性。

目标通常是固体的,根据射弹的侵彻作用是否受基础材料的影响而称之为厚目标或薄目标。弹着的应力强度超过目标的屈服应力时,射弹穿入目标,对薄目标造成形变破坏和碎裂,对厚目标造成材料的流体动力流动。在侵彻过程中,射弹也可能要产生同样的破坏。完全穿透目标称之为贯穿。增强型穿甲弹是对目标点燃一种挤压性炸药或者将爆炸集中在作用于装甲表面的金属射流上。

创伤弹道学主要研究弹丸和爆炸碎片引起的外伤的机理和医学影响。在穿透过程中,弹片的冲量对周围组织产生一个大的暂时空腔,局部损伤程度与这个暂时空腔的大小有关。证据表明身体的损伤与射弹速度的三次方、射弹质量和截面积成正比。子弹在侵彻过程中滚翻或打扁成蘑菇状都会提高弹丸的杀伤能力。被击中的骨头碎片快速运动,也常常会造成进一步损伤。对防弹衣的研究试图防止射弹穿透并使伤害降至最低限度。

ballistocardiography 心冲击描记术 用图示法记录心博出量,并以此作为计算心输出量的一种方法。心脏搏动引起身体的运动,身体的运动又引起悬空支持结构(通常为受试者躺卧的特制的桌或床)的摆动,可将这些动作记录下来,成为一连串的波。心冲击描记图是了解心脏收缩力的最敏感的方法之一。外观健康的年满40岁或接近40岁的受试者,如果心冲击描记图显示异常,则表明受试者有症候性的冠状血管疾病。

ballistospore 掷孢子 见于某些真菌的被强力掷出的孢子。蘑菇的产生于菌褶的担孢子即掷孢子,从子实体的垂直的壁上射出,然后飘落。在其他真菌,包括某些黏菌,掷孢子由不同的机制向不同方向掷出。

Ballivián, Lake 巴以维安湖 更新世时期(距今160万年前至1万年前)的湖泊,现代的的喀喀湖的前身,位于玻利维亚和秘鲁边界上,其水面至少高于现在的的的喀喀湖的水面100米。当这个湖的水枯竭时,就形成了两个较小的湖:北为的的喀喀湖,南为民琴湖(现代波波湖的前身)。

Ballon, Jean 参阅 **Balon, Jean** 巴隆。

balloon 气球 一种大型气密球囊,内充热空气或轻于空气的气体(如氦或氢),以产生浮力,在大气中上升和飘浮。运输用的气球

美国内华达州里诺1965年全国气球锦标赛中的热气球

美国不列颠百科全书公司供图

都悬挂装载乘客或货物的吊篮或容器。自推进的、能操纵的气球称为飞艇(**airship**)。气球曾用于人类第一次成功的飞行尝试。1783年法国蒙戈尔费埃兄弟发现充满热空气的布囊能升空。同年6月5日,他们开创了历史上第一次气球飞行,这个气球是不载人的,降落在约2.4千米之外。1783年9月19日他们在凡尔赛用一个更大的气球重复试验,并把一头羊、一只公鸡、一只鸭作为首批旅客送上了天空。同年11月21日举行了第一次载人的气球飞行,J.-F.P.德罗齐埃和达尔朗侯爵F.洛朗飞过巴黎上空。他们燃烧羊毛和稻草以保持气球内空气的热度,在大约23分钟之内飞行9千米。12月物理学家J.-A.-C.查理在N.-L.罗贝尔的陪同下用氢气球飞行了2小时。拿破仑曾在几次战役中使用过地面系留的观察气球。在美国南北战争和第一次世界大战期间战争双方也都使用过这种气球。有动力的飞艇是由气球发展而来,但是当飞艇很快被飞机所替代时,气球却继续得到新的应用。第二次世界大战期间英国在许多地方都设置系留气球以防御低空轰炸或俯冲轰炸。气球已证明对科学研究有重大价值。早在1911～1912年,澳大利亚物理学家V.F.赫斯大胆地做过一系列气球升高试验,升高到5 000米,以证明宇宙线的存在。气象科学在1900年以后的进展,很大程度上是装有仪器的自由气球连续进行高空探测的结果。这种气球曾升高到3万米的高度。瑞士物理学家A.皮卡德设计的气球在1931年5月创世界高度纪录,其特点是第一次在飞行中采用了密封增压舱。其孪生兄弟J.-F.皮卡德参与设计了"天钩"系列聚乙烯高空气球,美国空军用这种气球载人上升到3万米高空收集高层大气数据。多年来气球飞行体育运动已得到普及。

balloon fly 小头虻 又作small-headed fly。双翅目小头虻科昆虫。头极小,背隆起,腹部膨大如气球,故英文名意为气球虻。成虻有细长的吻,从花中取食;无吻的可能不进食。幼虫寄生蜘蛛体内。

balloon framing 轻捷木骨架 又称轻型木构架。由小尺寸木料钉合而成的木建筑骨架。其立筋贯通建筑(常为二层)的全高,自基础板至承椽板,与每层各自形成骨架的平台式木骨架不同。主要通行于斯堪的纳维亚和美国,典型的有安妮女王式和木板式房屋。

balloon vine (species *Cardiospermum halicacabum*) **倒地铃** 又作heart-seed或heart-pea。又称白心籽、心豆藤。无患子科多年生木质藤本植物,原产美洲亚热带和热带地区。已驯化,广泛栽培作观赏植物。花白色;果膨大近于球形,横径约2.5厘米;种子黑色,有心形的白斑。多年生的蔓藤可长达3米,但倒地铃通常是作为一年生植物由种子繁育而成。

balloonflower (species *Platycodon grandiflorum*) **桔梗** 又作Chinese bellflower。桔梗科桔梗属唯一的种。原产于东亚。多年生。花芽气球状,故英语原意为气球花。花美观,钟状,花冠厚,5裂,质地如橡皮。蒴果成熟后顶部5

桔梗(*Platycodon grandiflorum*)

美国不列颠百科全书公司供图

瓣裂。叶无柄,广椭圆形,叶端急尖,茎上部的叶狭窄。茎高30～70厘米。花淡紫色至白色,裂片尖锐,花径5～7厘米。有许多品种栽培为庭园花卉或作沿边花卉。

ballooning 气球运动 驾驶非机动气球飞行以进行比赛或作为娱乐的体育运动,20世纪60年代开始流行。气球用塑料、尼龙或聚乙烯制成,内充以氢气、氦气或热气。该运动始自1783年蒙戈尔费埃兄弟在法国进行的一次气球飞行,但是气球运动最早是用于科学和军事方面。1906年气球运动才真正开展起来。那一年,美国出版商J.G.贝内特为一年一度的长距离飞行提供一项国际奖。此奖于1922～1924年为比利时人连续获得。此后该奖由比利时人提供,直到1939年为止。随着新材料的引进以及提供热气的丙烷燃烧器的使用,此项运动于第二次世界大战后得到复兴。比赛内容包括持续飞行时间、高度和距离。有一种比赛名叫兔犬追逐赛,即一个领头的"兔"气球先起飞并飞行一定距离后,由若干个"犬"气球去追逐。降落时最靠近"兔"的气球为胜者。国际航空联合会保留着10个级别气球(用瓦斯和热气作为动力)的国际纪录。其体积从250至16 000立方米不等。气球运动俱乐部主要是地方性组织,世界锦标赛并不太成功。但此项运动曾有过以下纪录:M.安德森、B.阿布鲁佐和L.纽曼于1978年横跨大西洋;安德森偕子克里

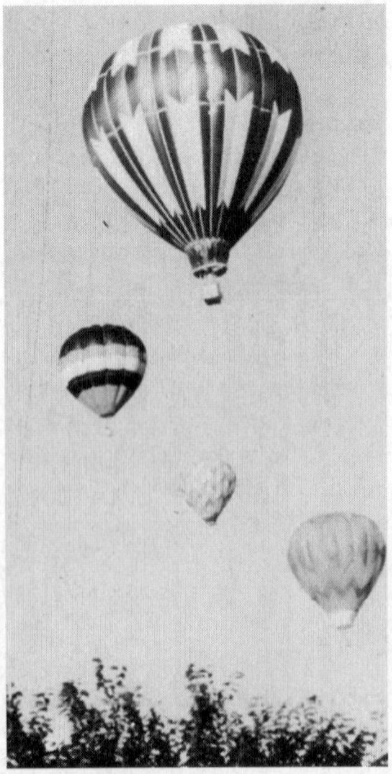

气球运动

尤里斯托弗·斯普林曼供图

斯蒂安于 1980 年横贯大陆；以及阿布鲁佐、纽曼、R.奥基和 R.克拉克于 1981 年横跨太平洋。

Ballou, Hosea　巴卢（1771-04-30，美国新罕布什尔里士满～ 1852-06-07，马萨诸塞波士顿）　美国神学家，曾在 50 多年间领导普救派教会。巴卢于 1789 年改信普救论，根据加尔文主义宣讲普救论，所不同者，加尔文认为只有“蒙特选之人”才能得救，巴卢则鼓吹救恩普及于全人类。但是，他在艾伦的《理性——人类唯一的神谕》（1784）一书的影响下，进一步对加尔文的理论进行反思，并在他自己所著《论神人和合》（1805）一书中提出他自己的一派普救神学。他于 1809 年在新罕布什尔州朴次茅斯市任牧师，1815 年移居马萨诸塞州塞勒姆；自 1817 年 12 月起任波士顿第二普救会教堂牧师终生。巴卢力主以理性思索宗教问题，引导普救论摆脱三位一体论，走向上帝一位论，否认上帝有具有不同属性或功能的三个位格。他还扬弃了关于原罪的教义和关于基督替人赎罪代死的教义，他认为，基督之死，并非是为了使人与上帝和解，而是为了表现上帝对人的永恒不变之爱。从 1817 年起，巴卢认为，对罪恶的惩罚仅限于人在世生活期间，人死亡时，灵魂为上帝的爱所净化，进入永生。其后发生了争论，结果众生复位派分化出去，该派认为，人死后还要在限定的时间内接受惩罚。巴卢把他本人在这场争论中的意见写进《关于未来报应论的研究》（1834）一书。巴卢著作甚多，包括约 1 万篇讲道稿、许多赞美诗和论文。他创办并主编了《普救杂志》（1819）和《普救论发微》（1830）。后者后改名为《普救论一般评论季刊》，由他的侄子（与他同名，1796 ～ 1861）辅佐他主编，小巴卢继续主持普救会，并曾任塔夫茨学院（后改名塔夫茨大学）第一任校长。

ballroom dance　舞厅舞　西欧和美国男女成对跳的交际舞，包括各种规范的舞蹈如狐步舞、华尔兹、波尔卡、探戈舞等，以及各种流行舞蹈，从查尔斯顿舞、吉特巴舞、赫色尔舞、弗鲁格舞直至迪斯科舞。特别在欧洲，有全国性的、国际的职业或业余的舞厅舞比赛。

Bally　巴利　又拼 Bali 或 Baly。印度东北部西孟加拉邦东南部城镇。在胡格利河西岸。属于豪拉城镇群。与豪拉、克勒格布尔和布德万有公路和铁路相通。是沿胡格利河的交通航运站。主要工业有黄麻、造纸、骨粉、轧钢、化肥、织布、制砖与玻璃等。横跨胡格利河通向伯勒讷格尔的巴利大桥 1931 年通车。1883 年建市。设有拉布林德拉巴拉蒂大学的一个分校。人口约 181 978（1991）。

Ballycastle　巴利卡斯尔　北爱尔兰莫伊尔区（1973 年设）的城镇。原属安特里姆郡。临巴利卡斯尔湾，与拉斯林岛相对。该镇为商业中心、渔港和游览地。1898 年在拉斯林和巴利卡斯尔安装了 G.马可尼的第一套灯塔与大陆之间的无线电通信系统。人口 5 073（2001）。

Ballymena　巴利米纳　爱尔兰语作 An Baile Meánach。北爱尔兰城镇、区（1973 年设）及区首府，在原安特里姆郡内。位于贝尔法斯特市西北 40 千米的梅恩河谷。为四周乡村商业中心。麻织品和毛织品久享盛名，最近还生产合成纤维织物。全区面积 638 平方千米。有国道从贝尔法斯特通此。人口：城镇 28 704；区 58 610（2001）。

Ballymoney　巴利马尼　北爱尔兰区（1973 年设）和区首府，在原安特里姆郡境内。城镇在班河一支流的河谷东侧。为美国总统 W.麦金利的祖父 J.麦金利的诞生地。现为兴旺的农业中心，并有纺织业、机器制造和肉类加工业。全区面积 419 平方千米。出产大量的马铃薯、大麦和牲畜（以猪为多）。人口：城镇 5 679（1981）；区约 23 800（1987）。

balm　香脂草　唇形科几种芳香草本植物的俗称，尤指药用蜜蜂花（香蜂花，*Melissa officinalis*）。药用蜜蜂花栽培在温带；叶芳香，可制做香料和用作沙拉、汤、酱汁、填馅、利口酒、葡萄酒及果汁饮料的调味剂。香脂草又可制成茶剂用作发汗药；古代希腊人及东方人又将其用于果酒。英语中 balm 一词又用于下列植物：bastard balm（假香脂草），即假蜜蜂花（*Melittis melissophyllum*）；bee balm（蜂香脂草）又称奥斯威戈茶，即大红香蜂草（*Monarda didyma*）；horse balm（马香脂草），即加拿大柯林森氏草（*Collinsonia canadensis*）；field balm（田野香脂草），即欧洲活血丹（*Glecoma hederacea*）和荆芥新风轮菜（*Satureja* [*Calamintha*] *nepeta*）；以及 Molucca balm（摩鹿加香脂草，又称爱尔兰钟花），即贝壳花（*Molucella laevis*）。没药属（*Commiphora*，香树科的乔木和灌木）一些种类的芳香溢泌物也称香脂。基列香脂（麦加香脂）是阿拉伯地区所产液香脂没药（*Commiphora opobalsamum*）的没药样树脂。香脂冷杉（*Abies balsamea*）有时称为香脂草杉或基列香脂冷杉。基列冷杉杨与香脂杨有亲缘关系，天香脂草即加利福尼亚桂（*Umbellularia californica*）。

Balmaceda, José Manuel　巴尔马塞达（1840-07-19，智利圣地亚哥～ 1891-09-19，圣地亚哥）　智利自由主义改革者、总统（1886～1891），他同议会的争执引发了一场内

美洲国家组织供图

战。1870 年当选智利议会议员。1881 ～ 1886 年任 D.圣马里亚总统内阁成员期间，采取反教权措施、促进公共工程建设。他任总统期间，曾发展公共教育和铁路建设。由于企图阻止议会限制总统权力而引起 1891 年的内战。他的军队不到 8 个月便被得到海军支持的议会击败。他的失败及随后的自杀使议会政府维持到 20 世纪 20 年代中期。

Balmain, Pierre(-Alexandre-Claudius)　巴尔曼（1914-05-18，法国圣让-德莫里耶讷～ 1982-06-29，巴黎）　法国妇女时装设计师，由于开设一所时装店，在第二次世界大战后的年代里，他的名字竟成为雅致的代名词。他的顾客包括温莎公爵夫人、比利时王后及 20 世纪 50 年代许多一流电影明星。但其中最重要也是最早的一位顾客则是美国作家 G.斯泰因。斯泰因不但鼓励巴尔曼，并在 1945 年巴尔曼时装店开业后为其宣传。巴尔曼原习建筑，后因缺钱而放弃所学。1934 年进入爱德华·莫利纽克斯公司，担任设计师。1939 年转入吕西安·勒隆公司，与 C.迪奥尔共事，后来二人在战后全盛时期成为强劲的对手。巴尔曼时装店一开张即广受欢迎，该店服装以优质见长，特别是晚礼服，糅合了女性的娇柔与高雅。他很快扩大了业务，在纽约市与加拉加斯开设分店，并增加出售香水和妇女衣饰配件。他常为影片进行设计，为影星黛德丽、赫伯恩、罗兰、褒曼和巴多等设计服装。当妇女时装大师设计的服装被成衣夺去市场后，他开设一些时装用品零售店，兼营女用皮包、丝巾、行李箱，甚至家具等。他于 1964 年出版回忆录《我的岁月》，1978 年被授予荣誉勋位。

Balmer, Johann Jakob　巴耳末（1825-05-01，瑞士洛桑～ 1898-03-12，巴塞尔）　瑞士数学家，发现了对原子论的发展和原子光谱学领域具有基础意义的一个公式。从 1859 年直至去世一直是巴塞尔市的中学教师，还在巴塞尔大学讲授几何（1865 ～ 1890）。1885 年，发表了用来表达氢原子光谱线系（即巴耳

末系)波长的简单公式(参阅 **spectral line series**),直到1913年,这一公式才得到解释,当时N.玻尔发现这公式符合并支持他关于氢原子内分立能态的理论。

Balmes, Jaime Luciano　巴尔梅斯(1810-08-28,西班牙比克～1848-07-09,比克)　天主教教士、政论家和哲学家。曾在塞尔韦拉大学获民法和教会法博士学位,在比克讲授物理学和数学。在马德里创办《民族思想》周报,自任主编。在1842～1844年间著《比较天主教和基督教对欧洲文明的影响》,力辩天主教并非不同情进步精神,但他的开明思想受到天主教保守派的强烈反对。

Balmoral Castle　巴尔莫勒尔堡　英国王室私家府第。在苏格兰格兰扁行政区,迪河右岸,海拔282米。维多利亚女王的丈夫艾伯特亲王于1853～1856年将一古堡改建为苏格兰式豪华花岗岩建筑,此后一直为维多利亚女王和后继君主们的消夏地。他们在附近猎取松鸡,观看苏格兰高地运动会,并到东面2.5千米的克雷西牧区教堂做礼拜。

巴尔莫勒尔堡鸟瞰
美国不列颠百科全书公司供图

Balnaves, Henry　巴尔内弗斯(约1512,苏格兰法夫柯科迪～1579-02,爱丁堡)　苏格兰政治家、外交家、苏格兰宗教改革的主要推动者。他赞成英格兰和苏格兰结盟、实行教会改革和使用本国语言的《圣经》。1543年任国务大臣。是年11月,摄政阿伦伯爵与天主教和解,他曾遭监禁。后被英格兰军队释放,遂受雇于英格兰人当密探,直到1547年7月法国远征军占领圣安德鲁斯城堡将他俘获为止。他被法国人关押在鲁昂,在狱中写成《关于信仰的表白书》(1584)。1557年返回苏格兰。1559年积极参加宗教骚乱。1564年任最高民事法庭常任法官。玛丽·斯图亚特倒台后,他支持新教贵族,1568年成为枢密官。

Balochi　俾路支人　又拼Baluchi或Beluchi。操俾路支语的部落集团。据估计共有480万人,居住在巴基斯坦的俾路支省以及与之毗邻的伊朗、阿富汗、巴林、印度旁遮普邦等地区。在巴基斯坦,俾路支人分为两个群体,即苏莱曼人和莫克兰人,二者之间是密集的布拉灰人居住区。

俾路支人的发祥地大概在伊朗高原。公元10世纪的阿拉伯编年史中曾提到俾路支人。俾路支人最早的部落组织形式,在生活于苏莱曼山区的群体中间保存得最为完整。每一部落由几个氏族组成,并承认一名酋长,即使有的部落中有若干氏族一贯反对该酋长的情况下也是这样。

俾路支人在传统上是游牧部落,但定居务农的生活方式正日趋普遍,每一个酋长都拥有固定的居所。各个村庄都是一个泥石小屋的集合体。在丘陵地带,则以粗石叠成围墙,上覆草荐,作为临时住处。俾路支人饲养骆驼、牛、绵羊、山羊,还从事地毯编织及手工刺绣。其农耕方法尚属原始。信仰伊斯兰教。

生活在巴基斯坦的俾路支人约占俾路支族全部人口的70%,另有大约20%住在伊朗东南部与巴基斯坦邻接的地方。这一地理区域是伊朗最不发达的地带,其部分原因是自然条件十分恶劣,雨量稀少,一旦下雨则往往暴雨成灾,导致洪水泛滥,土壤严重流失。与此同时,每年酷热季节竟达8个月之久。伊朗俾路支斯坦省的各条山脉包括巴加班德山和班普什特山在内,都呈东西走向,与安曼湾平行,这便造成出海和靠岸都颇困难。在这一地区的中部,有着丰富的地下水和河流,如马什基德河及科纳尔河,有些河流扩展延伸形成河谷。

古时伊朗俾路支斯坦曾是通往印度河流域和巴比伦诸文明的陆上通道。公元前326年,亚历山大大帝的军队经过这里向兴都库什山区进发,而在次年回师时又路过此地,在穿过俾路支斯坦的荒瘠不毛地带时,曾经历极大艰苦。

公元11世纪,塞尔柱人入侵克尔曼地区,引起俾路支人向东迁徙。当时俾路支部落中的山地居民库夫基人长期在俾路支斯坦南部和东部进行抢掠骚扰,塞尔柱帝国统治者卡乌德曾派遣军队进行清剿。塞尔柱人在平定俾路支人之后,便沿穿越沙漠的大道设置瞭望楼、蓄水池和商队客栈,以促进与印度各地的贸易活动。萨非王朝统治期间(1501～1736),俾路支人仍叛乱不止。俾路支斯坦的西部于19世纪期间被伊朗征服,1872年该地区的边界被划定。20世纪70年代,伊朗政府建造水坝及热电厂,开始帮助俾路支人转入定居并发展经济,但在伊朗伊斯兰革命发生以后,这些措施有所放松。

伊朗俾路支斯坦省中央地带有许多生长棕榈树的沙漠绿洲,果园中生长着柑橘、石榴、桑树、香蕉等等。谷物、烟草、稻子、棉花、甘蔗和靛蓝植物是主要作物。有一条公路自扎黑丹通往恰赫巴哈尔港。扎黑丹与巴基斯坦、查布尔及德黑兰都有铁路交通,而且它也是东西公路的一个交汇点。

Balochi language　俾路支语　Balochi又拼Baluchi或Beluchi。现代伊朗语言,属印欧语系印度-伊朗语族。操俾路支语者主要生活在过去称作俾路支斯坦这一历史区域,现该区域部分为伊朗领土,部分属于巴基斯坦。在中亚地区土库曼斯坦古城梅尔夫附近地方,在阿富汗西南部,也有俾路支人居住。另外,在安曼、阿拉伯半岛南部以及沿非洲东海岸向南直抵肯尼亚这一地带,也都有俾路支人的聚居点。俾路支语是西部伊朗语,与库尔德语亲属关系最近。俾路支语有6种方言,即:拉喀沙尼方言、萨拉瓦尼方言、克奇方言、洛图尼方言、东部山地方言、沿海方言,其使用范围广阔,但一般说来,操不同方言的人们,彼此都能够相通。操俾路支语者估计约有480万之众。

Balochi rug　俾路支地毯　Balochi又拼Baluchi或Beluchi。阿富汗和伊朗东部的俾路支人织制的铺地用品。图案繁多,常反复使用基本花纹,如仿效其他织物的斜纹。有些为错综复杂的栓钩状。祈祷毯的一端常为一个简单的长方形拱顶图案(以示通往圣城麦加的方向);大地常饰以树叶和树干,拱肩则为类似花饰的几何图案。俾路支地毯的两端

俾路支地毯
美国不列颠百科全书公司供图

有长边裙,饰以织锦的长条和飘带。较早的地毯配色为红蓝相间的深色组合,略带一些白色。有些地毯,常用各种棕褐和棕黄,或用驼毛,或用染成类似驼毛的原料。俾路支地毯一般是纯绵羊毛的,但也可包括山羊毛和驼毛,白色地方用棉线,有时还有若干丝结;常拴波斯生纳式扣。

Balochistān 俾路支 又拼 Balūchistān。巴基斯坦最西部一省。西与伊朗、西北与阿富汗、东北和东与西北边境省和旁遮普省、东南与信德省交界,南濒阿拉伯海。面积 347 188 平方千米。俾路支人公元 14 世纪进入这一地区。1970 年形成现在的单独省份,面积最大,人口最少。高原地区居民主要为游牧民族。首府奎达。可分 4 个自然区域:①中部和东北部为高高地,包括东部的苏莱曼山,西北的多巴加格尔山;②低高地包括苏莱曼山东坡,西部的莫克兰丘陵、哈兰丘陵和贾盖丘陵,东南部的伯布山和吉尔特尔山;③平原沿海岸向北延伸进入山区;④西北部为荒漠,包括贾盖沙漠、哈兰沙漠和莫克兰沙漠,以及洛拉沼泽和马什克尔沼泽。高高地河流流入印度河,低高地河流向北流入沼泽地或向南注入阿拉伯海。因处于季风影响区之外,大部分地区干燥少雨,极热或极冷。由于缺乏水、劳动力和适当的运输工具,农业不发达。主要农作物有小麦、高粱和稻米。水果为主要经济作物。养羊业占用大部分人口和土地,出产高质量的羊毛,部分供出口。几乎所有工业规模都很小,包括棉纺、毛纺、食品加工、织毯、纺织品和皮革刺绣、小型机器制造和手工艺品。运输不发达,但有公路通各主要城镇。奎达有公路通往卡拉奇,也是铁路交通中心。机场有国内航班。1970 年在奎达成立了俾路支大学。奎达的俾路支学院和伯什托学院促进了传统文化的保留。常驻人口约 4 611 000(1983)。

Balodis, Jānis 巴洛迪斯(1881-02-20,俄罗斯帝国拉脱维亚特里卡塔～1965-08-08,苏联拉脱维亚绍尔克拉斯蒂) 拉脱维亚军官和政治家。1902 年维尔纽斯军事学院毕业后,在俄国军队中当军官。日俄战争中获得勋章。第一次世界大战初期在东普鲁士为德军俘虏,1918 年 11 月逃回拉脱维亚。1919 年任国民军司令。在临时政府恢复后,他任总司令,反对布尔什维克、日尔曼-波罗的人、德国和白卫军的进攻,捍卫新建的民族主义国家。1925 年当选为议会议员,1931 年任国防部长,1934 年任副总理,1936 年任副总统。1940 年苏军进驻拉脱维亚后被捕,解往苏联。几年后回拉脱维亚养老。

Balon, Jean 巴隆(1676,法国巴黎～1739,巴黎) Balon 又作 Ballon。法国芭蕾舞蹈家。他舞步轻盈而富有弹性。巴隆在路易十四在位时期是一位很受人欢迎的艺术家,1691 年入巴黎艺术剧院(现为歌剧院),曾是 M. 苏布利尼和 F. 普雷沃的舞伴。1708 年与普雷沃合作演出《贺拉斯》,该剧是一部根据 P. 高乃依的同名剧本编成的早期舞蹈哑剧,被认为是 J.-G. 诺维尔的"情节芭蕾"的先驱。

Balovedu (people) **巴洛维杜人** 参阅 **Lovedu** 洛维杜人。

Balquhidder 巴尔惠德 苏格兰斯特灵政务会辖区的村庄。属佩恩历史郡靠近弗尔湖东端。著名绿林汉罗布·罗伊(1734 卒)的葬身地。有 17 世纪教堂遗址。人口 618(1981)。

Balranald 巴尔拉纳德 澳大利亚新南威尔士州南部城镇。临马兰比吉河,在该河与墨累河交汇处附近。1847 年始有人定居。1851 年建镇,19 世纪 60 年代成为附近牛羊、小麦和水果产区的服务中心。有伐木和采矿业。位于斯特公路线上。亦通铁路。人口 1 398(1986)。

balsa (*Ochroma pyramidale*, or *lagopus*) **轻木** 又作 corkwood。木棉科乔木,原产南美洲热带地区,材质特轻。木材外表与白松或椴木相似。干燥的轻木每立方英尺仅重 6～8 磅。浮力约为软木的二倍,适于制造救生索和救生圈。由于具有很好的弹性,也是包装家具等物品和制造机器座垫的优良防震材料。它还具有较好的绝缘性,可用作保温箱、冰箱和冷藏室的隔热材料,并且是制造固体二氧化碳运输用容器的良好材料。还可用以建造飞机座舱隔板和飞机与船舰模型。

balsam 香脂 由植物自然溢出或由切口流出的芳香树脂状物质,含有一种能在苯甲酸酯或肉桂酸脂中分散的树脂,主要用于配制药剂。某些芳香性强的香脂被掺入燃香中。香脂往往与溶于精油中的含油树脂难以区别,只是含油树脂一般流动性稍大。秘鲁香脂是一种芳香、深棕色或黑色的黏稠液体,用于化妆品,是生长在萨尔瓦多局部地区的一种高大的豆科植物秘鲁胶树(佩雷拉美洲槐, *Myroxylon pereirae*)所产的一种真正香脂,后传入斯里兰卡。香脂虽列入了药典,但它并无实际药物价值。哥伦比亚的托卢香脂呈棕色,较秘鲁香脂更为黏稠,用于化妆品和作为镇咳糖浆及锭剂的成分。香脂在存放中会变成固体。香脂也产自赤道美洲。加拿大香脂和麦加香脂或基列香脂并非真正的香脂。

balsam of fir 冷杉香脂 参阅 **canada balsam** 加拿大香脂。

Balsamo, Giuseppe 巴尔萨莫 参阅 **Cagliostro, Alessandro, count di** 卡廖斯特罗伯爵。

Balsamon, Theodore 巴尔萨蒙(约1105,拜占廷帝国君士坦丁堡[今伊斯坦布尔]～约1195,君士坦丁堡) 中世纪拜占廷主要法律学家、安提阿牧首(约 1185～1195 在位)。他长期担任君士坦丁堡大主教区司法官。约 1170 年,著东正教及拜占廷帝国法规注释,其中保存有关早期拜占廷政治史和神学史的大量资料。

Balsas River 巴尔萨斯河 墨西哥最长的河流之一,位于墨西哥中南部。源出普埃布拉州,由圣马丁河和宰华潘河汇合而成,称阿托亚克河,先向西南后向西流经格雷罗州,形成格雷罗州和米却肯州的界河。在蒙格罗韦角注入太平洋。全长 771 千米。多急流,不宜航行,用于发电和灌溉。流域中主要作物有玉米、咖啡、棉花、甘蔗、热带水果和蔬菜。

balshem (Judaism) 参阅 **ba'al shem** 美名大师。

Balt 波罗的人 生活于波罗的海东南沿海一带的民族,其成员操印欧语系语言。波罗的人一词系由海名派生,初见于 19 世纪;罗马历史家塔西佗称这个民族为埃斯蒂人。波罗的民族除立陶宛人和拉脱维亚人之外,还有几个目前已不复存在的群体,他们是:约特文基人(已于 16～17 世纪中同化于立陶宛人和斯拉夫人之中)、普鲁士人(已于 18 世纪日耳曼化)和库隆尼人(16 世纪中为拉脱维亚人所同化);而塞米加里人则是与塞隆尼人已同时于 14 世纪灭绝的两支波罗的民族。至于居住在拉脱维亚以北的爱沙尼亚人并不属于波罗的民族而是芬人诸民族的成员。波罗的人的史前族源,正如其他印欧人的族源一样,已无法探明。他们在公元前 3 千纪期间,就已到达东波罗的海广大地区和俄罗斯中西部,并带去耕作与畜牧的知识。由于这一地区的西部为海洋、森林及沼泽地所阻隔,不易进入,这里的波罗的人——也就是拉脱维亚人和立陶宛人的祖先——在欧洲进入中世纪之前始终与外界隔绝,保持着多神教的信仰。但其他地方的波罗的人则在同一时期内或被同化,或遭驱逐而迁往他地。特别是东波罗的诸部落,公元 7～13 世纪期间,由于斯拉夫人向北扩张的结果,曾被斯拉夫化,于是分布到白俄罗斯和俄罗斯的西部地方。

公元 13 世纪,波罗的人的历史记载才真正开始。那时条顿骑士团和佩剑修士骑士团征服了居住在爱沙尼亚和拉脱维亚各地区的波罗的人,并迫使他们改宗基督教。为抵制条顿人的压力,立陶宛人团结起来,建立了一个强大的国家,同时与波兰人结盟,共同遏制了日耳曼人的扩张。到 1386 年立陶宛正式接受基督教信仰时,已成为一个强盛帝国。但 1569 年立陶宛与波兰合并之后,立陶宛贵族在政治和语言方面一味崇尚波兰,由是文化衰颓,国土日蹙,到 1795 年前后,全部波罗的疆土均置于俄罗斯人统治之下。此后波罗的人除 1918～1940 年间获得短暂独立之外,曾长期为俄罗斯人所统治,直至 1991 年为止。立陶宛人自从宗奉基督教以来,主要遵从天主教教义;拉脱维亚人自宗教改革后多已成为信义宗教徒,但也有少数人信奉希腊正教和其他基督教新教。过去,所有波罗的民族主要从事农业和畜牧业,畜牧业经营者尤以拉脱维亚人为多。原来土地由个体农户所有,但在 1940～1991 年苏维埃政权统治期间,土地全部为大型的国营农场和集体农庄所占用。与此同时,农业人口的比例以及农业在经济中的地位,均日趋下降。在此期间,工业增长相当可观,各种工业制成品和纺织品都是主要产品。不管是立陶宛人还是拉脱维亚人,虽受日耳曼人和斯拉夫人的巨大影响,但依然保存着各自丰富的民间故事、民间诗作和民歌的传统。

Baltasar (coregent of Babylon) 参阅 **Belshazzar** 伯沙撒。

Balthus **巴尔蒂斯**(1908-02-29,法国巴黎～2001-02-18,瑞士瓦利特州) 原名巴尔塔扎·克罗索斯基。法国画家,在20世纪仍保持欧洲风景画、静物画、主题画和肖像画的传统,其构图带有超现实主义的趋向。出生于一个波兰艺术家的家庭,父母婚后迁居巴黎。其父是画家、艺术史家和舞台设计师,其母是犹太人,也是画家。1917年父母离异,他往返于德国和瑞士之间。此时,在母亲的朋友、诗人R.M.里尔克的鼓励下出版了一本关于迷路的猫——米特苏的故事图画书。1924年他在作家纪德的帮助下,返回巴黎学习绘画。不久开始接受舞台布景和肖像画的定货。1934年在巴黎举办了首次个人画展之后,其绘画风格日益神秘、严肃和富于诗意,题材主要表现荒寂风景中的孤独人影以及寂寞的妙龄少女。1956年在纽约现代艺术博物馆举办的展览获得成功。1961～1977年任罗马法兰西学院的院长(被A.马尔罗称赞为"到意大利的第二位法国大使")。1983年在巴黎蓬皮杜文化中心、1984年在纽约大都会艺术博物馆,都举办了他规模盛大的回顾展。代表作品包括《街道》(1933)、《吉他课》(1934)、《大山》(1937)、《特丽萨》(1938)、《忍耐》(1943)、《地中海的独桅艇》(1949)、《圣安德烈贸易通道》(1954)、《壁炉架前的裸女》(1955)、《金色的中午》(1957)和《玩牌的人》(1973)。

巴尔蒂斯绘《街道》(1933)
美国不列颠百科全书公司供图

Baltic Entente **《波罗的海公约》** 1934年9月12日立陶宛、拉脱维亚、爱沙尼亚签订的共同防御协定,为这些国家尤其在外交事务方面的密切合作奠定了基础。第一次世界大战后不久,刚从俄罗斯帝国手中新获独立的芬兰、爱沙尼亚、拉脱维亚、立陶宛、波兰等国便努力结成波罗的海的防御同盟。到20世纪20年代中期,由于谈判迄未达成协议,建立大波罗的海同盟的想法便被放弃。1923年拉脱维亚和爱沙尼亚缔结双边防御协定。1934年,两国邀请立陶宛参加他们的同盟。1934年9月12日,3国在日内瓦签署《谅解与合作条约》,有效期10年。条约规定:3国中的任何一国受到攻击时,其他两国要给予援助;每半年举行一次外交部长会议,协调3国的外交政策和行动;3国在外交和政治方面互相支持。不论任何国际会议,3国都合派一名代表参加。1936年拉脱维亚代表3国当选为国际联盟的非常任理事国。虽然公约促进了3国在文化、经济和外交方面的密切合作,但它没有成为有效的防御工具。1940年3国丧失独立,被苏联吞并。

Baltic languages **波罗的诸语言** 波罗的诸语言构成印欧语系的一个语族,它包括居住在波罗的海东海岸的波罗的人使用的语言——现代立陶宛语和拉脱维亚语,以及现在已经是死语言的古普鲁士语、约文吉亚语、库罗尼亚语、塞罗尼亚语、塞米加里亚语等。本语族和印欧语系其他语言相比,更接近于斯拉夫语族、日耳曼语族和印度伊朗语族。波罗的诸语言形成印欧语系1个分支。在过去,波罗的诸语言通行区域颇为广阔,从维斯杜拉河向东扩及第聂伯河上游地带。已消亡的波罗的诸语言,只有古普鲁士语有书籍记载。立陶宛语与拉脱维亚语同属东波罗的语支,谱系关系较近,两者与西波罗的语支的古普鲁士语则较远。

波罗的诸语言和斯拉夫语及日耳曼语有许多共同的同言线,因而也可看做是北部印欧方言区的一部分,它们更接近于印欧语系的斯拉夫语族。支持波罗的-斯拉夫语言统一时期的强有力的证据是,发现有100个以上,只对波罗的语和斯拉夫语在形式和意义上都是共同的词语。在形态、语调、重音都相对应的现象也展示了这种关系。在东波罗的诸语言中,立陶宛语的语音音系非常保守。例如,某些立陶宛语词可以用作拉脱维亚语的原始形式,并往往与学术界所构拟的原始斯拉夫语语形式几乎相同。因此立陶宛语对于比较印欧语言学的研究特别重要。拉脱维亚语则相反,经历了广泛的语音变化。

东波罗的人的文献传统溯自16世纪:第一本用立陶宛语写成的书是M.马基达斯译的马丁·路德著《教理问答》(柯尼斯堡,1547)。D.克莱纳斯撰写的第一部立陶宛语语法(1653及1654)和K.多涅拉伊蒂斯的诗歌(18世纪)在东普鲁士对立陶宛书面语的形成和规范化给予极大影响。

拉脱维亚语文献传统始于1585年,出版了《天主教教理问答》的译本。第一部拉脱维亚语词典是由G.曼赛留斯1638年编成的,而第一部语法则系由J.雷赫豪森撰写,1644年面世。早期文献的语言和现代语言差别不大。

古普鲁士语的最早文献是所谓的《易北词汇》,现存抄本约出自1400年。第二本收词100个的德语-古普鲁士语词汇是由S.格鲁瑙在1517至1526年编撰的。最重要的古普鲁士语的书面文献是3本译自德语的16世纪的教理问答。

Baltic religion **波罗的宗教** 东欧波罗的海地区古代居民波罗的人的宗教信仰和习俗。波罗的宗教有三个特点:其一,天神占主要地位;天神中有底埃福斯(苍天神)、皮尔孔(雷神)、少勒(太阳女神)和米内斯(月神)。其二,尊重命运;命运女神莱马并不规划人生的细节,她只是定出界限,各人可以在界限内便宜行事。其三,相信自然界和冥界都是由女神执掌,这些女神叫作"老母",主要的大地老母是大地的化身,统管人间福祉。经过一段时间,波罗的人又把自然界的不同侧面与神灵联系起来(如田野老母,瑞雪老母)。保存在民间文学中的波罗的神话主要叙述世界的结构以及少勒与米内斯的相互敌对。每节四行的一种叫作"代纳斯"的民谣类似印度吠陀歌偈,用二元论解释世界。"天山"和"日树"(又称世界树)是主要神话概念。夏至和收获时节是重要节期。婚丧礼仪与古代印度婚丧礼相似,要延续数日。丧礼程序很大一部分自婚礼演化而来,这是因为,波罗的人认为,活人世界与死人世界之间的界限是模糊不清的。

Baltic Sea **波罗的海** 德语作Ostsee,瑞典语作Östersjön。北大西洋的海湾,由丹麦南部向北伸展到近北极圈,在斯堪的纳维亚半岛与欧洲大陆之间。周围国家有挪威、瑞典、芬兰、爱沙尼亚、拉脱维亚、立陶宛、俄罗斯、波兰、德国和丹麦。长约1 600千米,平均宽度约190千米,面积约42万平方千米,是世界最大的含盐量低的咸水水域。向波罗的海注入大量淡水的诸河流总流域面积约为该海面积的4倍。西部通过挪威与斯卡格拉克海峡与北海相连。稍东的卡特加特海峡海水较浅,将丹麦与瑞典隔开。西部海域中的大岛屿有博恩霍尔姆岛(丹麦)、厄兰岛和哥得兰岛(瑞典);北边的奥兰群岛,突起于瑞典与芬兰之间的海峡中,为波的尼亚湾的入口。奥兰群岛以南,狭窄的芬兰湾向东延伸于芬兰和俄罗斯之间,顶端为圣彼得堡。波罗的海是冰河时期结束时,斯堪的纳维亚冰原融化退向北极时所形成的。最浅处为大陆架,其上有丹麦的群岛,最深处(457米以上)在瑞典东南海岸的尼雪平镇与哥得兰岛之间的海域及在瑞典与奥兰群岛之间奥兰海的波的尼亚湾;沿芬兰湾,大部为深水水道。海底有许多由浅陆棚隔开的海盆。波罗的海几乎受不到北大西洋洋流的调节作用,海水含盐量仅为大洋中的1/4,因此更易结冰。欧洲1/5的地面径流通过250多条河流排入波罗的海,其中的大河有奥得、维斯图拉、涅瓦与涅曼诸河,这些河水的巨大流量,以及由于通往北海的水道狭窄影响海水外流,致使波罗的海的海水几乎成为淡水。春季漫长的解冻期推迟了气候转暖,而水面结冰的缓慢同样延长了秋季。即使在通航期,由于风暴频繁和风向突变,船只航行仍很危险。

Baltic states 波罗的海国家 今爱沙尼亚、拉脱维亚及立陶宛三国，位于波罗的海东岸。北和西濒临大海，东邻俄罗斯，东南与白俄罗斯交界，南与白俄罗斯、波兰和俄罗斯的一块飞地毗连。这三个波罗的海国家数世纪以来一直受邻近强国的统治，1918～1940 年间成为独立国家，第二次世界大战期间，这三个国家又被苏联侵占。1991 年，它们宣告脱离苏联，成为独立国家。面积 175 137 平方千米。人口约 7 585 824(1999)。

自然地理与人文地理 这三个波罗的海国家均位于地势低洼的平原区，其间有一些由冰期冰川沉积而形成的丘陵高地。涅曼河、西德维纳河和其他河流均向西北方向流动，最后注入波罗的海。该地区气候凉爽、潮湿。拉脱维亚人和立陶宛人所讲的语言属印欧语系的波罗的语族；爱沙尼亚(和利沃尼亚)人所讲的语言则属芬兰-乌戈尔语族。农业在当地经济中仍占有重要地位，主要种植谷物、马铃薯和饲料作物，饲养奶牛和猪。波罗的海三国的工业化程度很高，有机器制造工业、合金工业，生产的主要产品包括电子产品、家用电器、运输设备、纺织品。它们是原苏联的加盟共和国中生产能力最强的国家。

历史 波罗的海沿岸原有多个民族定居，其中包括爱沙尼亚人、利沃尼亚人、拉脱维亚人和立陶宛人，13 世纪时，爱沙尼亚北部落入丹麦人之手，而利沃尼亚(相当于今拉脱维亚和爱沙尼亚南部)则被日耳曼刀剑骑士团(后并入条顿骑士团)征服并皈依基督教。与诸邻国不同的是，立陶宛发展成为一个强大的统一国家，到 14 世纪中期已控制自波罗的海向东越过第聂伯河，向南几达黑海的大片土地。1386 年，其统治者亚盖沃在立陶宛与波兰两王朝间结成私人联盟，但后来立陶宛逐渐归入波兰人的统治之下，两国于 1569 年结成正式联盟。16 世纪条顿骑士团解体后，波兰-立陶宛、瑞典、丹麦和俄罗斯争相控制利沃尼亚，至 18 世纪末，波罗的海沿岸的全部土地统归俄罗斯控制。1917 年俄罗斯革命和第一次世界大战结束后，爱沙尼亚、拉脱维亚和立陶宛赶走了德国和俄罗斯的军队，于 1918 年建立起独立的国家。三国随后都采取了民主的议会制宪法并制定了广泛的土地改革方案，以使其政治结构和经济现代化。但这几个国家的政府都不稳定，独裁政府相继在立陶宛(1926)、爱沙尼亚(1934)和拉脱维亚(1934)掌权。1940 年 6 月 15～17 日，波罗的海诸国遭到苏联的入侵，1940 年 8 月 3～6 日正式并入苏维埃社会主义共和国联盟，成为三个苏维埃社会主义加盟共和国。

波罗的海国家被整个纳入苏联的政治-经济体系，但仍然是苏联内部最繁荣的地区，也是最欧洲化的地区。80 年代末，由于戈尔巴乔夫对苏联政权实行自由化政策，波罗的海国家的民族主义情绪高涨，重新燃起了对俄罗斯人统治的憎恶。1991 年苏联解体后，波罗的海国家获得独立，开始重新建立民主的议会制政体。

Baltiisk(Russia) 参阅 **Baltiysk** 波罗的斯克。

Baltimore 巴尔的摩 美国马里兰州中北部城市。在帕塔普斯科河河口湾顶部，距切萨皮克湾25千米。本州最大城市和经济中心。面积 238 平方千米，其中约 14% 为水面。

巴尔的摩市的华盛顿纪念碑(中)
美国不列颠百科全书公司供图

建于 1729 年，以爱尔兰巴尔的摩男爵领地名称命名。独立战争爆发时为繁忙海港和造船中心。美国第一艘军舰"星座"号在此下水(现泊在港口)。独立战争中英军占领费城后，大陆会议曾在此召开(1776-12～1777-03)。1796 年设市，1851 年从巴尔的摩县分出。1812 年战争中英军试图夺取巴尔的摩，美军在 F.S.基的《星条旗》诗篇鼓舞下成功地捍卫了麦克亨利堡(1814-09)。1827 年美国最早铁路巴尔的摩-俄亥俄铁路从市内芒特克莱尔车站(现为铁路博物馆)发车。1904 年 2 月商业区曾毁于大火，但迅速重建。第一次世界大战初，工业开始发展，建起钢厂、炼油厂和兵工厂。现为建有大规模修造船设施的重要港口，经济高度多样化。国家社会保障总署设于本市。四周分布有工业区。港口经切萨皮克湾和切萨皮克-特拉华运河通海。教育机构有约翰斯·霍普金斯大学(1876)、州立科宾学院(1900)、州立托桑大学(1866)、洛约拉学院(1852)、马里兰圣母学院(1873)、州立摩根大学(1867)、马里兰大学(1807)、马里兰艺术学院(1826)、皮博迪音乐学院(1868)和巴尔的摩大学(1925)等。文化设施有图书馆、博物馆、美术馆、歌剧院和剧场。作为美国第一个天主教主教管区，建有第一座天主教大教堂。市北山顶上有华盛顿纪念碑(1829，高 54 米)。城市职业运动的代表是金莺队(棒球)和乌鸦队(橄榄球)。位于卡姆登广场的著名的金莺球场在内港的西部。约翰·霍普金斯大学里有长曲棍球名人堂证实了旧式印第安人体育比赛在巴尔的摩的普及流行。巴尔的摩-华盛顿国际机场亦为华盛顿(哥伦比亚特区)服务。有隧道和桥梁穿越帕塔普斯科河。人口：市约 651 154；巴尔的摩主要都会统计区约 2 552 994；华盛顿-巴尔的摩联合都会统计区 7 608 070(2000)。

Baltimore, Barons 巴尔的摩男爵 英国贵族卡尔弗特(Calvert)家族的头衔。按年代分列于后，并各以 ● 为标记。

● **Baltimore (of Baltimore), George Calvert, 1st Baron 巴尔的摩男爵(第一)**(1578 或 79，英格兰约克郡基普灵～1632-04-15) 英国政治家。他曾规划在北美洲建立马里兰殖民地，努力为虔诚的天主教徒寻找一个安身之处。曾在牛津大学三一学院就读，1597 年获文学士学位，给后来受封为索尔兹伯里伯爵的塞西尔当秘书。1609～1611 年为下院议员。1617 年被封为爵士。1619 年任国务大臣。1620 年被赐予年金待遇。1621 年起任下院议员，他负责传达国王的施政方针和从王室领取拨给的开支款项。他未受到议会的信任，而且支持群众反对的英国与西班牙联盟以及英王与西班牙公主结婚。1625 年 2 月 12 日，他在宣布自己为天主教徒之后放弃议席，受封为巴尔的摩男爵，列入爱尔兰贵族名册，并受赐爱尔兰的大片田产。1621 年他曾派温上尉去纽芬兰，建立称为费里兰的一块小殖民地。两年后获得他定名为阿瓦隆的这块殖民地的特许状。为了确保他在新大陆的产业繁荣昌盛，他于 1627 年短期去阿瓦隆视察，翌年又带领全家大部分人前往。在这次大举出游的过程中，他的天主教例规，望弥撒问题，以及有陪同他前往阿瓦隆的神甫在场，都引起了矛盾。此外，气候又过于恶劣，在移民中间，死者、病者已大有人在。1628 年巴尔的摩夫人离开殖民地去弗吉尼亚。因此，巴尔的摩上书国王，请求在气候比较温和的切萨皮克湾地区赐给一块土地。不等答复，他便乘船前去詹姆斯敦与妻相聚。然而，由于他信奉天主教，没有批准他在弗吉尼亚定居。于是，他回英国申请给予马里兰的特许状。但是，未及取得一块新领地，他已去世(他的儿子取得了这块领地)。

● **Baltimore (of Baltimore), Cecilius Calvert, 2nd Baron 巴尔的摩男爵(第二)**(1605～1675-11-30) 马里兰殖民地的创建者。巴尔的摩男爵(第一)的长子。曾就读于牛津三一学院。后与瓦杜尔的阿伦德尔男爵(第二)的女儿安娜结婚。父亲死后两个月，1632 年 6 月 20 日，他以巴尔的摩男爵(第二)的资格接受了政府颁发的马里兰的特许状。他本人从未到过美洲，而将殖民地事务托付其弟 L.卡尔弗特(1606～1647)处理。在此期间，弟兄二人皆致力于在殖民地确立天主教徒与接受三位一体教义的新教徒的信仰自由。

● **Baltimore (of Baltimore), Charles Calvert, 3rd Baron　巴尔的摩男爵(第三)** (1637-08-27,英格兰～1715-02-21,伦敦)　英国政治家,1661年任马里兰总督,1675年成为该殖民地领主。他信奉天主教,而马里兰新教徒占多数,反天主教情绪强烈,加上当地印第安人的仇视,遂与他形成对立。1688年英国革命后被免职,返回英国。曾被控参与天主教阴谋,但未被逮捕。其子巴尔的摩男爵(第四)于1713年改遵英国国教,得以恢复在马里兰的地位。

Baltimore, David　巴尔的摩(1938-03-07,美国纽约州纽约～　　)　美国病毒学家。与其师R.杜尔贝科及其师的另一学生H.M.特明共获1975年诺贝尔生理学或医学奖。毕业于宾夕法尼亚的斯沃斯莫尔学院,后至洛克菲勒研究所(纽约市,1964年在该所获博士学位)及麻省理工学院学习病毒学。1965～1968年,随杜尔贝科在加利福尼亚拉霍亚的索尔克研究所工作,然后又返麻省理工学院工作。1989年他在一次公众争议的事件中引起世人注意,公众指责的是他的一位麻省理工学院的同事,此人后被发现在研究论文中有作假行为,不过巴氏本人未受到类似指责。1990年他任洛克菲勒大学(纽约市)校长时,因上述事件而受到某些同事的批评。在他们获奖的研究中,巴尔的摩和特明各自独立地发现某些主要由核糖核酸(RNA)组成的动物癌瘤病毒可将其遗传信息传给脱氧核糖核酸(DNA)。这样形成的DNA可改变受染细胞的遗传格局将其转化为癌细胞。巴尔的摩及其妻A.黄证明,造成疱疹性口炎的病毒在自我复制时通过一种特殊的酶,这种酶转录RNA时并不需要DNA参加。他在1970年又测试两种癌病毒,看是否也发生类似情况。但发现这两种病毒都含有一种酶,可根据病毒RNA制出DNA副本,也就是说逆转了分子生物学中遗传信息总是由DNA流向RNA的一般模式。

Baltimore and Ohio Railroad (B&O)　巴尔的摩－俄亥俄铁路　美国第一条行驶蒸汽机车的客货两用铁路。这条铁路是马里兰的巴尔的摩商人为同纽约商人竞争和为了到西

"大拇指汤姆"号机车
美国不列颠百科全书公司供图

方进行贸易而重新开通伊利运河后建设的。1828年7月4日美国革命领导人、最后健在的独立宣言签署人C.卡罗尔为铁路奠基。巴尔的摩至埃利科特市(21千米)于1830年通车。P.库珀专门为这条有急转弯的铁路设计和建造了小型机车"大拇指汤姆"号,它证明蒸汽牵引是切实可行的。该路于1852年修到弗吉尼亚州的惠灵(今在西弗吉尼亚),全长610千米。19世纪60和70年代该路延伸到芝加哥和圣路易斯。1901年经俄亥俄州克利夫兰到达伊利湖。

Baltimore clipper　巴尔的摩快帆船　18世纪美国切萨皮克湾造船工人制造的快速小帆船。由于这种小帆船的速度快,可用作武装民船,也适用于运送易腐物品和贩运黑人奴隶。巴尔的摩快帆船的船体设计为19世纪的大型快帆船所继承。大多数巴尔的摩快帆船有两根很陡的斜桅,装有各种组合的纵帆和横帆。

"安·麦金"号巴尔的摩快帆船(石版画)
马萨诸塞州塞勒姆市皮博迪博物馆供图

Baltimore Incident　"巴尔的摩"号事件　参阅 **Itata and Baltimore incidents** "伊塔塔"号事件和"巴尔的摩"号事件。

Baltimore Sun, The　《巴尔的摩太阳报》　巴尔的摩出版的晨报,多年间一直是美国最有影响的报纸之一。1837年由A.S.艾贝尔创办,当时是一份只有4版的小报。艾贝尔坚持登载不带编者偏见的新闻,一年后发行量超过1.2万份。该报起初是面向广大读者的一便士报纸,但逐渐发展为严肃的大报。艾贝尔坚持使该报奉行独立的政治方针,不依附于任何政党。该报一向以报道全国和国际新闻见长,但对本地消息不甚重视。该报在报道1846～1848年的墨西哥战争时创一项出色的纪录,即在攻克韦拉克鲁斯的消息送达美国政府之前将该消息在报上刊出。1888年艾贝尔死后,由他的三个儿子接手经营,保持了其父初创时的传统。1901年创办《星期日太阳报》,1906年由H.L.门肯任主编。1910年购入《巴尔的摩世界报》,改出《太阳晚报》。《太阳报》一贯以战事报道出色而闻名,特别是在第二次世界大战时更是如此。该报销售量在巴尔的摩很少领先,但其权威和影响却一直居于首位。1986年该报及其业主艾贝尔公司一并由时代-镜报公司购买。2000年时代-镜报公司与论坛公司合并,因此《巴尔的摩太阳报》成为论坛公司的子公司。1996年开始出版网络版。

Baltistān　伯尔蒂斯坦　印度次大陆西北部的地理区域。位于查谟和克什米尔巴基斯坦控制区境内。属印度河与什约克河流域。地处拉达克高原,包括喀喇昆仑山的几座高峰:戈德温奥斯丁峰(又称乔戈里峰,海拔8 611米,为世界第二峰)、加舒尔布鲁木山(海拔8 068米)和布罗德峰(海拔8 047米)。气候严酷。年平均降水只有150毫米。有几条冰川。谷地平均海拔2 500～3 000米。农业凭借冰雪融水灌溉。主要种植大麦与果木。主要居民为巴尔蒂族,信奉伊斯兰教。

Baltit (Jammu and Kashmir)　巴勒提特　参阅 **Hunza** 罕萨。

Baltiysk　波罗的斯克　又拼Baltiisk。1946年以前称皮拉乌(Pillau)。俄罗斯西北部加里宁格勒州城市和港口。临波罗的海。1686～1946年为德国东普鲁士城镇。有运河通加里宁格勒,是其外港。有铁路通立陶宛、白俄罗斯和乌克兰。工业有金属制造、轻工和船舶修理业。人口约31 200(2000)。

Baltra Island　巴尔特拉岛　又称南西摩岛,是东太平洋加拉帕戈斯群岛中较小的岛屿之一,面积21平方千米。在厄瓜多尔以西1000千米。第二次世界大战期间,厄瓜多尔同意美国在岛上建空军基地,1946年后撤销。随旅游业的发展,厄瓜多尔政府修复该机场为民航使用。

Baluba (people)　巴卢巴人　参阅 **Luba** 卢巴人。

Baluchi (people)　参阅 **Balochi** 俾路支人。

Baluchi language　参阅 **Balochi language** 俾路支语。

Baluchi rug　参阅 **Balochi rug** 俾路支地毯。

Balūchistān (province, Pakistan)　参阅 **Balochistān** 俾路支。

baluchitherium　俾路支兽　巨型食草奇蹄目俾路支兽属(*Baluchitherium*)动物,已绝灭。化石见于亚洲的晚渐新世和早中新世(3 000万年前至1 660万年前)地层中。与现代犀牛有亲缘关系,但无角,可能是古今最大的陆生哺乳动物。站立时肩高约5.5米,头骨长度大于1.2米。有较长的前腿和长脖子,这样

C.R.奈特所绘复原的俾路支兽图(*Baluchitherium*)
美国不列颠百科全书公司供图

大概能够吃到树叶与树枝,四肢粗大而强壮。俾路支兽属与仅见于亚洲渐新世的巨犀属(*Indricotherium*)有较近的亲缘关系。

Balue, Jean 巴吕(约1421,法国普瓦图昂格兰河畔昂格勒～1491,教皇国安科纳[意大利]) 法国枢机主教、路易十一时代的奸臣。1461年任昂热代理主教,1465年任埃夫勒主教。后任首席大法官,并成为枢机主教(1468)。他曾阴谋反对国王,事泄后于1469年4月被投入监狱,关押11年。1480年因教皇西克斯图斯四世出面干预而获释。从那时起,他留在罗马教廷,颇受宠信,先后任阿尔巴诺和帕莱斯特里纳两个主教区主教。1484年以教皇特使身份前往法国。

Bālurghāt 巴卢尔卡德 印度东北部西孟加拉邦中东部城镇。在阿德赖河东岸。为主要商业中心,经营稻米、黄麻、甘蔗和油籽贸易。1951年设市。人口:城镇119 796;都会区135 516(2001)。

balustrade 栏杆 以石、木、金属、玻璃或其他材料制成的矮栅栏。用在屋顶、阳台、平台、楼梯和其他高处的边缘,以防人们跌落。典型的文艺复兴式建筑的栏杆由一系列带有

1725年伯灵顿勋爵営造的奇西克府邸的栏杆
美国不列颠百科全书公司供图

传统形式的小柱子所支承的有装饰线条的宽阔扶手组成。室外栏杆用石料制作,室内则常用木料。上述小柱子称为栏杆柱,可用制成一定形状的木料或金属制作。现代栏杆常用彼此间距很大的金属栏杆柱支承木扶手及玻璃或塑料栏板。意大利锡耶纳大教堂布道坛的栏杆和佛罗伦萨皮蒂宫的栏杆都是古典栏杆的佳作。

Baluze, Étienne 巴吕兹(1630-11-24,法国蒂勒～1718-07-28,巴黎) 法国学者,以研究史学和搜集出版文献与手稿而著名。在图卢兹圣马蒂亚勒学院求学时,专攻基督教会史和教会法规。1654年任图卢兹大主教的秘书。后又任欧什主教秘书5年。1667年起为后来任财政大臣的让-巴蒂斯特·柯尔贝尔掌管图书,任职达30多年。1670年兼任皇家学院的教会法教授。1668年出版《纳尔榜南西斯高卢会议》,随后刊印其他一些重要著作。1707年任皇家学院院长。

Baly (India) 参阅 **Bally** 巴利。

Balzac, Honoré de 巴尔扎克(1799-05-20,法国图尔～1850-08-18,巴黎) 法国作家,公认是最伟大的小说家之一。其毕生最重要的作品——卷帙浩繁的巨著《人间喜剧》——在小说史中占有突出的地位。父亲是文官,分别在路易十六和拿破仑手下工作了43年。母亲出身巴黎织造商家庭。8～14岁在旺多姆的奥拉托利学院读书。拿破仑垮台后全家迁到巴黎又上了两年学,然后在一家法律事务所当了3年办事员。他醉心于文学创作,最初写悲剧,未获成功,改写小说,也没有引起人们的注意。转而经商,做过出版商,办过印刷厂和铸字厂,到1828年负债累累,濒临破产,于是决心回到文学创作的道路上来。1829年的两部作品《舒昂党人》和《婚姻生理学》为他赢得一些名声。他开始涉足贵族上流社会,生活阔绰,并结交了一些女友和情妇,但依然勤奋写作,每日伏案14～16小时。《舒昂党人》是他用真名发表的第一部作品,也是《人间喜剧》的第一部。把全部作品纳入一个总的计划,以构成一个整体,这样一个设想是在1834年产生的。当时他想把他的作品分为三大类,即阐明支配人生与社会的各项原则的《分析研究》、揭示人的行为之所以产生的各项原因的《哲理研究》与显示上述各项原因所产生后果的《风俗研究》。后者又分为私人生活、外省生活、巴黎生活、政治生活、军队生活和乡村生活等6个场景。《人间喜剧》这个名称是1840年取的。1829～1847年,写了篇幅不等的小说和随笔90余部,其中重要的有:《高布塞克》(1830)、《驴皮记》(1831)、《夏倍上校》(1832)、《乡村医生》(1833)、《欧也妮·葛朗台》(1833)、《高老头》(1834)、《对于绝对的探求》(1834)、《幽谷百合》(1836)、《塞沙·皮罗多兴衰记》(1837)、《幻灭》(1843)、《搅水女人》(1841)、《农民》(1844)、《贝姨》(1846)、《邦斯舅舅》(1847)等。生前,1842～1848年间出了17卷本,载有他在1842年写的著名前言。定本于1869～1876年间出版,共24卷。《人间喜剧》中的小说和中篇故事约有90篇。1832年与波兰的汉斯卡伯爵夫人结识,20多年中写给她的信件收在《给一个外国人的信件》(4卷,1889～1950陆续出版),是了解巴尔扎克的生活和著作的极好资料。两人最后于1850年3月结婚,同年8月18日,巴尔扎克去世。

他的著作的一个很重要的特点是,他让同一人物在不同作品中反复出现,使他们在读者心中有一个完整的形象。这种手法首先在《高老头》中使用,开现代多卷连续性小说的先河。《人间喜剧》中有名有姓的人物约2 472个,无名无姓的约566个。他的另一特点是将真人,特别是他熟识的妇女,改头换面,作为他作品中的人物。他一直被看做是一个被生活中的积极面和阴暗面缠住的人。

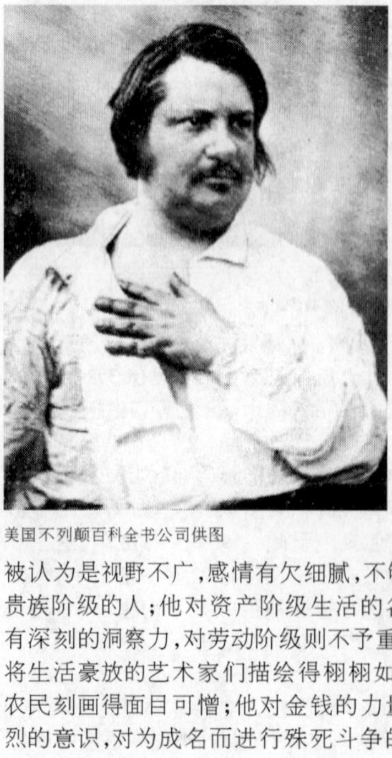

美国不列颠百科全书公司供图

被认为是视野不广,感情有欠细腻,不够理解贵族阶级的人;他对资产阶级生活的各方面有深刻的洞察力,对劳动阶级则不予重视;他将生活豪放的艺术家们描绘得栩栩如生,把农民刻画得面目可憎;他对金钱的力量有强烈的意识,对为成名而进行殊死斗争的青年寄以深切的同情。他被认为是现实主义或自然主义的创始人。又是正统的古典主义小说技巧的奠基人之一。在这种小说中,故事由一个能洞察一切的观察者加以叙述,人物形象刻画得十分鲜明。他具有非凡的观察力,精确的记忆力,还有同情心和直觉的能力,能理解和描绘其他人的态度、感觉和动机,总之,能透视人物的心理活动。他的创作方法是现实主义的。在他的作品中,总是努力阐明因与果、背景与人物之间的关系,对产生其人物的历史条件和环境进行详细的描述,把他们放在他们所处的阶级和职业地位中。评论家对他的文笔风格褒贬互见,但他毕竟是一位法国语言的大师。人们称他为"小说的莎士比亚"。

Balzac, Jean-Louis Guez de 巴尔扎克(1597,可能在法国昂古莱姆附近的巴尔扎克～1654-02-18,巴尔扎克) 法国文学家、评论家、法兰西学院元老之一。曾给予法国古典散文发展以重大影响。就读于荷兰莱顿城(1615),一度浪游,1620～1622年旅居罗马,企图厕身政界,撰文为枢机主教黎塞留的治政辩护。黎塞留并未予以青睐,他只得回乡隐居,主要通过书信与巴黎的文学社团保持联系。1634年当选为法兰西学院院士,但甚少出席该院各种会议。生前名望极高,死后一落千丈。著作有:政论《君主》(1631)及综述斯多葛派及基督教伦理学的《基督徒苏格

拉底》(1652),影响最大的著作是《信札》,曾多次再版,1624年起还不断增加内容。

bama (shrine) 参阅 **high place** 高地。

Bamako 巴马科 马里首都。临尼日尔河。1880年为居民村落。1908年为前法属苏丹首都。巴马科地跨尼日尔河两岸。每年6月中旬至12月中旬,尼日尔河有360千米可通

巴马科市的集市

美国不列颠百科全书公司供图

航,南至几内亚库鲁萨;向北通过一条运河绕过索图巴急流,可航行至加奥(1 398千米)。水泥、石油产品、稻米、花生等均由巴马科经尼日尔河转运。有机场。巴马科是繁华商业城市,有植物园、动物园、活跃的手工艺社团、几所研究机构和4所大专院校;马里大多数工业企业集中于此。1960～1970年,由于农村旱灾造成移民,市区扩大至3倍以上,仍然能看到富有传统特色的泥坯房屋。人口:都会区809 552(1996)。

Bambara 班巴拉人 住在马里尼日尔河上游,所操班马纳语属尼日尔-刚果语系的曼德语支。班巴拉人在很大程度上与其他部落杂处在一起,没有集中的管理组织。每一小区由若干村落组成,并由一个家族治理,酋长或称"法马",即由此家族产生,拥有颇大权力。他们以原始的书写方式和一种奇特的玄学和宇宙观系统(包括万物崇拜、祈祷和神话)而著称。20世纪中期以来的变化是在农业方面引进了诸如花生、水稻和棉花等经济作物,并有大量人口流向城市。

Bambara states 班巴拉诸邦 西非两个独立的国家,其一以塞古城为基地,在塞内加尔河和尼日尔河之间;另一个以卡尔塔为基地,在尼日尔河中游沿岸(均在今马里境内)。据传,塞古王国为巴拉马·恩戈洛和尼亚·恩戈洛所建。卡拉迪安·库利巴利在位期间(约1652～1682),班巴拉帝国版图扩大,包括廷巴克图在内。他去世后帝国分裂,被视为塞古真正缔造者的马马里·库利巴利(约1712～1755在位)建立陆军和海军,约在1730年击退孔国王,从而使自己的国家向西南推进到今巴马科,向东北扩展到杰内和廷巴克图。马马里·库利巴利死后,国家出现过一段不稳定的时期。1766年恩戈洛·迪亚拉夺得政权,恢复了国家的秩序,他执政将近30年。在他儿子和孙子统治时期班巴拉国的注意力转向黑沃尔特河流域。1818年在马西纳的谢胡·艾哈迈都·洛博的猛攻下,班巴拉帝国解体。在过去马马里·库利巴利所击败的竞争者中,有一些人逃到尼日尔河中游,约1753年在古加纳首都昆比附近建立卡尔塔城。他们在那里又建立了另一些班巴拉人国家,至19世纪一直控制着尼日尔河中游。

Bamberg 班贝格 德国中南部巴伐利亚州城市。濒临雷格尼茨河,在纽伦堡北。902年首见记载,为巴奔堡家族城堡所在地。1007年神圣罗马帝国皇帝亨利二世将此地设为主教区。1459年第一本德文书在此出版。1802年后属巴伐利亚。1817年建大主教管区。皇家大教堂(1004～1237)有著名雕塑以及国王、王后和主教的陵墓等。两座主教宫的旧宫现为历史博物馆,新宫藏有珍贵艺术

班贝格市的市政厅

美国不列颠百科全书公司供图

品。其他名胜有本笃会隐修院、教堂和旧市政厅等。1993年,该城被联合国教科文组织列为世界遗产。设有高级技术培训学院。市剧院对面是E.T.A.霍夫曼住宅,自1808年起至1813年,这位诗人、作曲家一直在此居住。本市交响乐团享有国际声誉。生产电工设备、服装、鞋、陶器、机械、钢琴等。亦有大面积的商品菜园和酿酒业。人口约69 899(2003)。

Bamberger, Ludwig 巴姆贝格尔(1823-07-22,黑森美因茨[德国]～1899-03-14,柏林) 德意志经济学家、国际法专家、通货问题的权威。父母均为犹太人。1848年革命激励他的激进主义思想时,他正在攻读法兰西法律。后任报纸编辑。1849年参加巴拉丁领地的共和起义,后在流亡中被缺席判处死刑。他管理着一家伦敦银行在巴黎的分行,直至1866年大赦重返德国。1870年应俾斯麦之请,参加法、德和平谈判。1871年以民族自由党员身份进入德国国会。他统一德国的币制,采用金本位,建立德国国家银行。1878年起他反对俾斯麦的保护关税政策、国家社会主义和殖民地扩张。1880年脱离民族自由党,参与建立分裂派。

美国不列颠百科全书公司供图

Bambocciati 市井画 17世纪中期在罗马出现的一种描绘日常生活的绘画,画幅较小,内容多为趣闻轶事。一般认为荷兰画家P.范拉埃(1592或1595～1642)是其创始人和最重要的代表。他们的创作敢于如实描绘生活,不屑于采用流行的理想化的虚构手法,因而受到宫廷评论家和古典理想主义画派的主要画家的谴责,被视为粗俗和荒谬。但市井画画家的影响仍颇为广泛。他们的努力不仅使卡拉瓦乔在风格上的创新在意大利得以复兴并产生了深刻影响,而且把这种影响传播到荷兰。

bamboo 竹 早熟禾科竹亚科(Bambusoideae)高大乔木状禾草类植物。植物学文献中记载有75属以上,1 000多种,但其中许多是同物异名。竹为高大、生长迅速的禾草类植物,茎为木质。分布于热带、亚热带至暖温带地区,东亚、东南亚和印度洋及太平洋岛屿上分布最集中,种类也最多。青篱竹属(*Arundinaria*)的少数几个种原产于美国南部,在该处沿河岸生长或生长于沼泽地区,形成浓密的竹丛。竹的地上茎木质而中空(竹杆),从密生的地下茎(根状茎)生出,并分支成簇状。最矮小的竹种,其杆高10～15厘米,最大的竹种,其杆高40米以上。成熟的竹生出水平的枝,叶片剑形,具叶柄,幼株的叶直接从茎上生出。虽然某些种的茎杆生长迅速(可每日生长0.3米),但大多数种类仅于生长12～120年后才开花结籽,一生仅开

竹

美国不列颠百科全书公司供图

花结籽一次。竹的用途甚多,尤其在东亚和东南亚。其籽可充当谷物以供食用,某些种的幼芽(笋)可烹调当蔬菜食用,尤其用于中国菜中。竹叶可充作牲畜的饲料。某些种类,尤其是直立苏麻竹(*Dendrocalamus strictus*)和刺状簕竹(*Bambusa arundinacea*)的纤维浆可制优质纸张。多节的竹茎可能用途最广。最大的竹茎可建造房屋和竹筏,把大小不同的竹茎捆在一起可搭成建筑工地用的脚手架。竹杆劈开后可制提桶、输水管或用以制造家具、手杖、鱼竿、花园篱笆桩或其他用具。

某些种类的竹用作园林的观赏植物。竹节上分泌的细粒状的硅石在东方用作药物达数百年，称为竹黄。东亚的艺术家、诗人、美食家以竹作画或赋诗，赞誉其形态和用途。

Bamboo Annals 《竹书纪年》 又拼 Chu-shu chi-nien。中国战国时期魏国史书。属编年体，又称《纪年》、《汲冢纪年》。因原书写于竹简而得名。晋太康初(280年前后)在汲郡

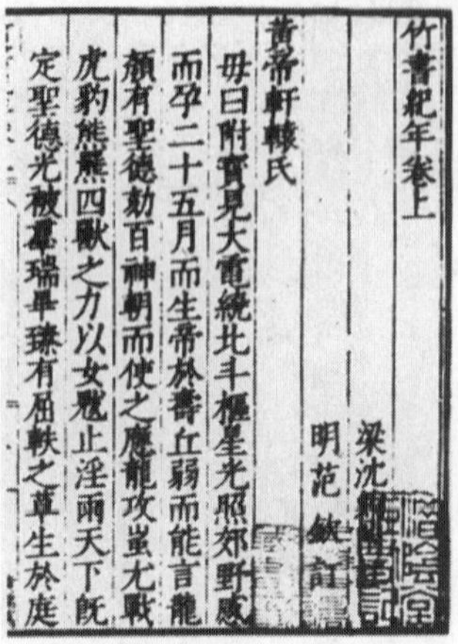
竹書紀年卷上
梁沈
明范欽訂
黃帝軒轅氏
母曰附寶見大電繞北斗樞星光照郊野感
而孕二十五月而生帝於壽丘弱而能言龍
顏有聖德劾百神朝而使之應龍攻蚩尤戰
虎豹熊羆四獸之力以女魃止淫雨天下既
定聖德光被羣瑞畢臻有屈軼之草生於庭

《竹书纪年》书影
中国大百科全书出版社供图

的战国魏襄王墓中发现。计 20 篇，叙夏朝至战国魏襄王二十年(公元前 299)间晋国魏国史事。关于夏、商及西周共和时期的某些记载与经传大异，却可与甲骨、金文或其他古籍相印证，有重要史料价值。原本北宋时佚失。近人辑本有朱右曾《汲冢纪年存真》、王国维《古本竹书纪年辑校》，今人范祥雍有《古本竹书纪年辑校订补》，方诗铭、王修龄有《古本竹书纪年辑证》。另有《竹书纪年》2 卷，为南宋时出现，出于伪托，人称《今本竹书纪年》，为之考订者颇多，以雷学淇《竹书纪年义证》较精。王国维《今本竹书纪年疏证》证为伪书。

bamboo rat 竹鼠 啮齿目竹鼠科竹鼠属(*Rhizomys*)和小竹鼠属(*Cannomys*)几种穴居的亚洲啮齿动物的统称。身体结实，腿和尾均短，毛呈灰、浅灰褐或浅红褐色。竹鼠属的种类长 25～40 厘米(不计尾长)；小竹鼠(*C. badius*)较小，长约 17～25 厘米(不计尾长)。竹鼠用牙和爪打洞。以竹为食，也吃果实、种子等。竹鼠属动物栖于亚洲东南部和马来半岛的竹林覆盖地区；小竹鼠栖于亚洲南部和东南部的庭园、森林和多草原地区。

bamboo strips of Shuihudi 睡虎地秦墓竹简 1975年12月中国湖北云梦县睡虎地战国末年至秦代墓葬出土的竹简。共 1 155 支。长度在 23～27.8 厘米之间，约合秦尺 1～1.2 尺，字迹为毛笔墨书秦隶，较为清晰。中国秦代资料保留下来的很少，这批竹简对于研究秦代的政治、经济、文化，尤其是法律制度，具有重大意义。其内容包括《编年记》、《语书》、《秦律十八种》、《效律》、《秦律杂抄》、《法律答问》、《封诊式》及《为吏之道》，八者之中第二至第七部分都涉及法律制度，竹简支数占全部的半数以上。

bamboo strips of Yinqueshan 银雀山汉墓竹简 1972年4月中国山东临沂银雀山1号和2号西汉墓出土的竹简，完整简和残简共 4 942 枚，均为西汉手书，写于文、景时期至

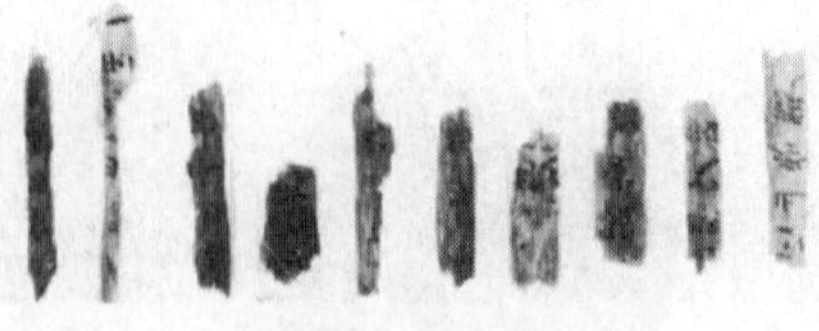

临沂银雀山汉墓出土的竹简残片
中国大百科全书出版社供图

武帝初期。内容包括《孙子兵法》、《孙膑兵法》、《六韬》等先秦古籍，还有西汉武帝元光元年(公元前 134)历谱等。这一大批竹简的出土，特别是失传 1 000 多年的《孙膑兵法》等古佚书的重新发现，具有重大的科学价值。经考释校订，已逐步将全部整简和残简编辑成书出版。

Bamburgh 班堡 英格兰诺森伯兰行政、历史郡特威德河畔贝里克区一沿海村庄。公元 6 世纪伯尼西亚盎格鲁-撒克逊王国第一位君主艾达在此建立要塞，诺曼征服(1066)后重

班堡的城堡
美国不列颠百科全书公司供图

建。其城堡高楼和后来的围墙仍俯视着村庄。堂区教堂建于 7 世纪，1121 年改为奥古斯丁隐修院。人口 440(2003)。

Bambuti (people) 班布蒂人 参阅 Mbuti 姆布蒂人。

Bamenda 巴门达 喀麦隆西北部城镇。地处有火山的巴门达高原。雨量大、地势崎岖，交通不便，但仍为当地农产品(皮革、咖啡、烟草等)的贸易和输出中心。巴门达博物馆展

巴门达高原火山
美国不列颠百科全书公司供图

有地方手工艺品。德国要塞(约 1912)为殖民时期遗迹。设有护士训练中心、医院；附近有喀麦隆文理工学院。人口约 110 000(1991)。

Bamford, Samuel 班福德(1788-02-28，英格兰兰开夏郡米德尔顿～1872-04-13，兰开夏郡哈普尔海) 英国激进改革家，他写过几篇对工人阶级的状况表示同情的诗，脍炙人口。他曾当过织布工人，作为一位改革家，在北方的激进人士中受到很大的尊敬。1817 年，他在米德尔顿组织汉普登俱乐部，与威廉·科贝特、亨利·亨特、威廉·班鲍和弗朗西斯·伯德特等人结识。1819 年因参加曼彻斯特的彼得卢大会并在会上讲话被捕，判处 12 个月徒刑。大约 1826 年他在伦敦成为新闻记者。他继续要求改善工人阶级的条件，他所写的《一个激进主义者的生活片断》(1840～1844)和《早年的时光》(1849)富有启发性。他死后有几千人参加他的葬礼。

Bāmīān 巴米扬 又拼 Bāmyān。阿富汗中部城镇。位于首都喀布尔西北的巴米扬河谷，海拔 2 590 米。巴米扬这个名称初见于 5 世纪的中国文献。中国旅行家法显于公元

巴米扬河谷的石窟
美国不列颠百科全书公司供图

400 年左右、玄奘于 630 年曾访问该城，当时巴米扬为商业与佛教中心。当地有两座此时期的巨大佛像，系用岩石雕成并敷以灰泥。大者高 175 英尺，小者高 120 英尺。此二佛像连同镇北悬崖上的许多人工洞穴，使巴米扬成为阿富汗主要的考古场所。1221 年巴米扬被成吉思汗摧毁并将其居民消灭。此后该城再未恢复其昔日繁荣。1840 年成为第一次英阿战争的战场。现有一个旅游中心点及一家政府经营的旅馆。人口约 8 700(1988)。

Bamileke 巴米累克人 喀麦隆巴米累克地区的西非居民。约有 90 个民族，操尼日尔-刚果语系贝努埃-刚果语支语言。他们自称时不用巴米累克一名，而用其所属王国之名，或自称“草地人”。族源不详，很可能是在 17 世纪时因受富拉尼人的侵扰，由现今提卡尔人居住地向南迁徙的。巴米累克人各小王国有国王，个别王国还由母后辅政。巴米累克人按父系血统传代、继位和继承遗产。婚姻为一夫多妻制，行重聘礼。为定居农民，主要农作物有玉米、芋头、花生。男人建造房屋并整平土地，参加各种手工业，妇女耕作。家畜极少。巴米累克人居住模式是自立门户，比邻而居，方屋锥顶，墙壁以拉菲亚树干敷以泥浆筑成。民风勤劳进取，已急切地适应了赢利型经济，为喀麦隆提供了许多专门人才、商人、工匠及劳力，在经济发展中起到重要作用。20 世纪末，约有 212 万人。祭祖是主要信仰形式。医生既施魔法又用药物。有些巴米累克人(特别是北部的人们)已信奉伊斯兰

教,其余的已改信基督教。

Bampton, John　班普顿(1690?～1751-06-02)　英国基督教圣公会牧师。牛津大学的一个在新教范围内具有重要意义的讲座以他的姓氏命名。班普顿曾在牛津大学三一学院求学。1718年起终生任索尔兹伯里大教堂受俸牧师。班普顿讲座包括就基督教教义中的特选题目进行八次讲道,从大斋节最后一个月的月初到开斋节第三周之间的每星期日上午举行。自1895年起班普顿讲座隔年举行。

Bamum　巴穆姆人　西非民族。语言属尼日尔-刚果语系贝努埃-刚果语支,常被作为当地通用语。王国由国王统治,实行族外婚、父系世袭制,国王由其母后辅政。首都**丰班**(**Foumban**)在喀麦隆草原高地。第16代国王尼奥亚(约1895～1923在位)因与富拉尼人及豪萨人接触频繁、深谙阿拉伯字母表,在1895年前后用510个象形字创制一种文字,经6次修改最后缩减为83个文字和10个数字组成的字音表。他由别人帮助写成一部有关巴穆姆人历史和风俗的书,已出版法文译本。他还绘制一幅本国地图,编出一本宗教书,一本医疗及本地药典。1912年,兴建47所学校中的第一所,教育群众用他创制的第6套字母学会读和写,翌年他命令一名廷臣使用这套字母制作印版。1920年,他与法国殖民当局(预订于1923年废黜他)发生矛盾,于是毁掉印版,关闭学校。尼奥亚于1918年改信伊斯兰教,现估计巴穆姆人中穆斯林已过半数。巴穆姆人以手工艺著称,男人从事刺绣、纺织、制革、木工雕刻、象牙雕刻、金工及铁工,妇女制陶。男女共同耕作,以农为生,兼营渔猎,主要农作物为玉米、粟、木薯及甘薯。信仰一位生育主神,祀奉祖先。巴穆姆巫医利用蜘蛛在有标记的纸页上爬行进行占卜。

Bāmyān (Afghanistan)　参阅 **Bāmīān 巴米扬**。

ban　军区总督　匈牙利过去的一种称号,指各军区的长官,后来则指匈牙利国王在边远领地(例如波斯尼亚和克罗地亚)的地方代表。此词源出波斯语,由阿瓦尔人引入欧洲。

Ban Biao　班彪(公元3～54)　又拼Pan Piao。中国东汉史学家。字叔皮。扶风安陵(今陕西咸阳东北)人。新莽末为河西大将军窦融从事。后随窦融归东汉,任徐令。因病免官后专心著史。以《史记》叙事止于汉武帝太初年间,乃搜集资料续成《后传》65篇,作为《史记》续篇。后起用为司徒玉况府和望都县长。死后其《后传》由子班固、女班昭增补成《汉书》。

Ban Chao　班超(32～102)　又拼Pan Ch'ao。中国东汉外交家、名将。字仲升。扶风安陵(今陕西咸阳东北)人。父班彪,兄班固,妹班昭。早年投笔从戎。公元73年率军平定北匈奴。后率吏士36人赴西域南道。

中国大百科全书出版社供图

先后攻杀匈奴驻鄯善、于阗和疏勒的使者,使西域各族摆脱匈奴控制。章帝(76～80)初北匈奴攻西域,班得东汉援军反击。先后平定莎车、龟兹、焉耆等地贵族变乱,并击退大月氏入侵,保护了西域各族安全和"丝绸之路"畅通。公元91年任西域都护。后封定远侯。在西域31年,曾派遣甘英出使大秦(罗马帝国),至条支的西海(今波斯湾)而还。公元102年回洛阳,病死。

Ban Don (Thailand)　**万伦**　参阅 **Surat Thani 素叻他尼**。

Ban Gu　班固(32～92)　又拼Pan Ku。中国东汉史学家、文学家。字孟坚。扶风安陵(今陕西咸阳东北)人。初继父班彪撰《史记后传》,被告发私改国史下狱。后得释。汉明

中国大百科全书出版社供图

帝时为兰台令史,管理皇家图籍。奉诏完成《史记后传》,历20余年撰成中国第一部纪传体断代史《汉书》。共100篇,120卷,记述公元前206年至公元23年间史事。其中八表和《天文志》由班昭、马续补撰。又著《白虎通德论》(亦称《白虎通义》),记公元79年白虎观辩论经学始末。公元89年从大将军窦宪征匈奴,为中护军。曾撰《燕然山铭》刻石记功。后窦宪擅权被杀,班固被牵连下狱,死于狱中。后人辑有《班兰台集》。

Ban Me Thuot (Vietnam)　参阅 **Buon Me Thuot 邦美蜀**。

Ban Zhao　班昭(45?～115?)　又拼Pan Chao。中国东汉女史学家。一名姬,字惠班。扶风安陵(今陕西咸阳东北)人。史学家班彪之女、班固之妹。博学有才识。班固撰《汉

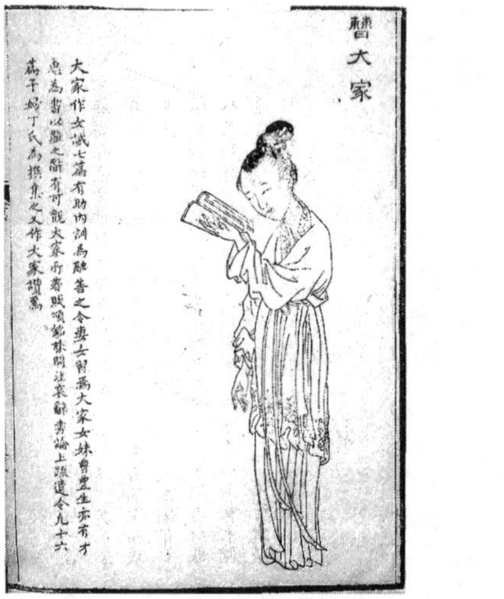

中国大百科全书出版社供图

书》,其中八表及《天文志》未成而死。班昭奉和帝命与马续利用东观藏书续成。昭曾入宫为皇后及诸贵人教师,世称"大家"。有赋颂多篇。所撰《女诫》后成为中国古代社会的妇道规范。

Bāṇa　波那(活动时期7世纪上半叶)　梵文散文大师之一。主要由于他的编年史《戒日王传》而闻名。书中描述了印度北部佛教徒皇帝戒日王(约606～647在位)的朝廷与时代。波那在《戒日王传》的最初几章中自述身世。他生于一个显赫的婆罗门家庭;幼年丧母,由父亲悉心养大。14岁丧父,游历拜访了各种各样的宫廷和大学。最后返乡结婚,被召到戒日王的宫廷。最初遭到皇帝的冷遇,终获高度赏识。《戒日王传》虽然有某些偏袒这位皇帝的明显的夸大之处,但仍提供了有关这一时期的宝贵资料。这部书采用了华美绚丽的宫廷史诗体,篇幅极长,描写细致,生动有力,并有许多详细而敏锐的观察。第二部主要著作散文传奇《迦丹波利》是由一只鹦鹉向国王讲述的故事,在故事之中套有故事,以在爱情处理上的新颖著称。这两部书都没有完成,后一部书是由作者的儿子菩沙那跋陀完成的。

Banaba　巴纳巴岛　又称大洋岛。太平洋中西部的珊瑚和磷酸盐构造。东距最近的吉尔伯特群岛400千米,属基里巴斯。周长10千米,面积6平方千米。1804年为英国船"大洋"号发现,1900年被英国兼并。同年开始自该岛开采装运磷酸盐。20世纪70年代初期

年产量高达 55 万吨，但其矿藏于 1979 年耗尽。1919 年归英属吉尔伯特和埃利斯群岛殖民地。1942～1945 年被日军侵占。日军将许多岛上居民驱逐到吉尔伯特群岛，并于 1945 年将留在岛上的居民（除一人外）全部屠杀。被逐到吉尔伯特群岛的巴纳巴人后迁往巴纳巴岛东南 1 300 千米的斐济小岛拉比。1979 年基里巴斯独立时保证巴纳巴人对该岛的所有权，保留基里巴斯与斐济的双重国籍。岛上行政中心为塔比昂。人口：巴纳巴 46（1985）；斐济的拉比岛（几乎全为巴纳巴人）2 426（1977）。

Banach, Stefan　巴拿赫（1892-03-30，奥匈帝国克拉科夫［今在波兰］～1945-08-31 乌克兰利沃夫）　波兰数学家。创立了现代泛函分析并促进了拓扑向量空间理论的发展。1919 年起任利沃夫理工学院数学讲师，1922 年转为利沃夫大学的讲师并于 1927 年成为教授。对正交级数理论做出贡献，对测度论和积分论有所创新；而最重要的贡献是在泛函分析方面。其著作以《线性运算理论》（1932）最为重要。

Banana　巴纳纳　刚果（金）西南部海港，濒大西洋，在刚果河口。本国最早建立的城镇之一。在 19 世纪的奴隶时代为贸易中心。20 世纪 70～80 年代间发展为深水港。有铁路通博马和首都金沙萨。人口约 3 165（1991）。

banana　香蕉　芭蕉科芭蕉属（*Musa*）植物，又指其果实。香蕉是重要的粮食作物之一，热带地区广泛栽培食用。香蕉味香，富于营养，终年可收获，在温带地区也很受重视。植株为大型草本，从根状茎发出，由叶鞘下部形成高3～6米的假杆；叶长圆形至椭圆形，有

香蕉（*Musa cavendishii*）
美国不列颠百科全书公司供图

的长达 3～3.5 米，宽 65 厘米，10～20 枚簇生茎顶；穗状花序大，由假杆顶端抽出，花多数，淡黄色；果序弯垂，结果 10～20 串，约 50～150 个。植株结果后枯死，由根状茎长出的根出条或新苗取代死去的植株，其间约间隔 6 个月，每一根地下茎可活多年。破土而出的较弱根出条被修剪去除，留下较强壮的生长成能结果的植株。栽培品种数百个，世界各地因同品种异名而出现一些混乱。也许最重要的种类就是普通香蕉（圣者香蕉，*M. Sapientum*），该种有多个品种，最常种的是"大米歇尔"（Gros Michel）。食用香蕉的记载很早就见于希腊文、拉丁文和阿拉伯文著作。亚历山大大帝远征印度时就见过香蕉。发现美洲后，香蕉从加那利群岛引入新大陆，先在伊斯帕尼奥拉岛栽培，不久扩展到其他岛屿和大陆。栽培面积不断扩大，在许多地区成为主食。19 世纪香蕉出现于美国的市场上。香蕉喜湿热气候，在土层深、土质疏松、排水良好的土壤里生长旺盛。在类似牙买加南部的半干旱地区灌溉栽培也已成功。可用根出条和假鳞茎分株栽培。第一次收获需 10～15 个月，之后几乎连续采收。需要频繁修剪以除去生长过多的新株，预防植株的拥挤。商业上理想的香蕉每束至少 9 串，重 22～65 千克。1 公顷土地年产 300 多束。成熟果实碳水化合物含量高达 22%，主要是糖分；含丰富的钾及维生素 A 和 C，蛋白质和脂肪含量低。含水分 75%。香蕉可鲜食，也可炸食或捣碎做馅饼或布丁。也可用于松饼、糕点、面包的调味。大蕉（*M. paradisiaca*）是烹食种，与其他香蕉不同之处是成熟果主要含淀粉而不甜，在热带广泛栽培食用并外销于大城市（参阅 **plantain**）。美国进口香蕉最多，其次是英国及西欧国家。香蕉一般不到成熟就采收，即使在产地销售也是如此。供出口的香蕉，采收前的成熟度取决于市场的距离和运输方式。运达后用乙烯催熟。出口国与北美和欧洲的消费地之间有专用冷藏船运输。世界主要生产基地有中美洲和西印度群岛的哥斯达黎加、洪都拉斯、危地马拉、墨西哥、巴拿马、多米尼加共和国、瓜德罗普、牙买加和马提尼克，南美的巴西、哥伦比亚和厄瓜多尔，非洲的加那利群岛、埃塞俄比亚、喀麦隆、几内亚和尼日利亚，亚洲的中国台湾省。

banana fish　参阅 **bonefish** 北梭鱼。

banana wilt（plant disease）　**香蕉萎蔫病**　参阅 **Panama disease** 巴拿马病。

Bananal Island　巴纳纳尔岛　在巴西中部托坎廷斯州。因阿拉瓜亚河有 320 千米长的河段分成东西两汊而形成。西面为主汊道，形成马托格罗索州和托坎廷斯州部分边界的界河。岛上有巴巴苏棕、热带鸟类和淡水鱼。住有苏亚印第安人。1959 年划为阿拉瓜亚国家公园。有一简易机场。

bananaquit（*Coereba flaveola*）　**蕉森莺**　一种鸟类，自西印度群岛（古巴除外）和墨西哥南部到阿根廷都有分布。通常与旋蜜鸟一起归入雀形目鹀科，但亦可归入森莺科。体长约 11 厘米，背面淡黑色，腹面黄色，一般眼边有白条纹，翅上有白色块斑。嘴尖而弯，取食花蜜，有时吃昆虫和果实。用香蕉叶纤维筑圆顶巢。

Banāras（India）　**贝拿勒斯**　参阅 Vārānasi 瓦拉纳西。

Banaras, Treaties of　《贝拿勒斯条约》（1773，1775）　调整英属孟加拉政府与印度奥德邦穆斯林统治者舒查-乌德-陶拉之间关系的两个协定。根据第一次《贝拿勒斯条约》，英国总督 W. 黑斯廷斯把安拉阿巴德和戈拉让给舒查-乌德-陶拉，并允诺支持其反对阿富汗罗希拉人的威胁，但舒查必须付给现金。第二次《贝拿勒斯条约》是在舒查-乌德-陶拉死后，东印度公司强加给奥德的新任大臣的。条约规定，新任大臣使用英国军队时必须付出巨额补助金，同时要把贝拿勒斯割给东印度公司。

Banās River　伯纳斯河　印度西北部拉贾坦邦河流。源于贡珀尔格尔附近的阿拉瓦利岭。向东北流过平原，在谢奥布尔以北注入昌巴尔河，全长 500 千米。属季节性河流，热季常断流。为灌溉水源。主要支流有贝拉奇河与戈达里河。

Banat　巴纳特　东欧历史上的民族杂居地区，东自特兰西瓦尼亚、瓦拉几亚，西至蒂萨河，北临穆列什河，南滨多瑙河。1920 年后分属罗马尼亚、南斯拉夫和匈牙利。此词源出波斯语，由阿瓦尔人引入欧洲，指边境省或军事总督管辖的地区。史前时期已有人居住。后为罗马人、哥特人、格庇德人、匈奴人和阿瓦尔人所控制。5 世纪时斯拉夫人在此定居。9 世纪时马扎尔人取代斯拉夫人归属匈牙利。14～15 世纪，塞尔维亚人在此定居。16 世纪中叶，巴纳特被奥斯曼帝国征服。1718 年，奥地利通过《帕萨罗维茨条约》取得这一地区。奥国政府鼓励莱茵兰、洛林和卢森堡的移民在此定居。1799～1920 年间，巴纳特主要归属匈牙利。第一次世界大战后，协约国根据《特里亚农条约》（1920-06-04）瓜分巴纳特。匈牙利保有塞格德，罗马尼亚取得东部大片地区，余归南斯拉夫。

Banbridge　班布里奇　爱尔兰语作 Droichead na Banna（巴恩河畔德罗赫德）。北爱尔兰原唐郡的城镇、区（1973 年设）、区首府。城镇临巴恩河，因 1712 年建石桥而形成；为该行政区主要农业中心和人口集中地，生产亚麻织物、轻便鞋和汽车部件。多半土地用来种植作物，包括燕麦、马铃薯、大麦，或用作牧场。全区面积 445 平方千米。西北部有石灰岩开采业。人口：城镇 9 650（1981）；区约 32 100（1990）。

Banbury　班伯里　英格兰牛津郡查韦尔区城镇。濒临查韦尔河。数百年来以所产淡啤酒、干酪和班伯里糕点闻名。16 世纪的糕点房至今仍存。城镇西南 4 千米有 14～16 世纪所建布劳顿城堡。城镇内市场以牲畜交易著称。现正在扩大以接纳大伦敦过剩人口，轻工业、商业和旅游业日益发展。人口约 39 906（1991）。

Banca（Indonesia）　参阅 **Bangka** 邦加。

Banchieri, Adriano　班契埃利（1568-09-03，教皇国博洛尼亚～1634，博洛尼亚）　牧歌喜

剧主要作曲家之一。牧歌喜剧是一种合唱作品，它要求表演者与听众对剧中情节运用自己的想象。毕生几乎全部在博洛尼亚附近博斯科的圣米凯莱隐修院度过，1620 年受命任院长。歌剧兴起之前，牧歌喜剧是盛行剧种。作为此类作品作曲家，其地位仅次于 O. 韦基。《动物即兴创作对位音乐》(1608)中含有令人喜爱的性格描写。

Banco，Parc National du　邦科国家公园　科特迪瓦(象牙海岸)东南部国家公园。位于首都阿比让北侧。1953 年建立以保护当地动植物群。面积 3 000 公顷。大部为高大雨林树覆盖。当地植物园展有全国各种树木。各种动物在自然环境中生息，几乎不受人类干扰。该公园主要是阿比让居民的娱乐中心。

Bancroft　班克罗夫特　加拿大安大略省东南部多山地带的村庄。属黑斯廷斯县。在彼得伯勒市东北 95 千米。1855 年为农业居民点，名约克里弗。后发展成为伐木村，1878 年以显要加拿大政治家、参议员 B.弗林特的妻子 P.班克罗夫特之名命名。现为矿石采集爱好者的中心，在附近发现加拿大 80% 矿产种类的样品。现经济以毛纺、采石、伐木、乳制品和旅游业为主。人口 2 554(1996)。

Bancroft (Zambia)　**班克罗夫特**　参阅 **Chililabombwe** 奇利拉邦布韦。

Bancroft，Ann　班克罗夫特(1955-09-29，美国明尼苏达圣保罗～　　)　美国探险家，是成功完成北极和南极艰苦探险的第一位女性。在明尼苏达州农村长大，毕业后在圣保罗地区担任体育教员和野外生活教练。1986 年参加北极国际探险队，和其他 5 人乘狗拉雪橇，历时 56 天到达北极，成为第一位到达北极的女性。1992 ～ 1993 年和其他 3 位妇女，历经 67 天，行程1 060千米，成为第一个到达南极的女子探险队。以其成就人选全美妇女名人堂。

Bancroft，Edward　班克罗夫特(1744-01-09，马萨诸塞韦斯特菲尔德[美国]～ 1821-09-08，英国肯特马盖特)　美国革命时期驻法国专员的秘书，为英国从事间谍活动。他未受正规教育，但却以"博士"自居。1769 年他出版《关于圭亚那博物史的论文》，跻身于科学家之林。1770 年前后去英国，结识 B.富兰克林，成为美国革命事业的拥护者。1776 年美国革命爆发后，他陪同富兰克林和另外两位美国专员到法国，同美国出生效忠英国的间谍头子 P.温特沃思接触并受其雇用。1777 ～ 1783 年，他向英国人报告富兰克林及其他美国人的一切行动。他用隐显墨水写情报，通过固定联络点传递。为了避免猜疑，他数次到英国进行"侦察"。英国人也为他提供无关大局的情报和假情报，甚至某次还佯装要逮捕他。1783 年他迁居英国。富兰克林等人对他从未怀疑。他发明了几种纺织品染色工艺，并在 1794 年写了《关于不退色颜料基本原理的实验研究》，成了国际知名的化学家，并当选为英国皇家学会会员。直到他逝世几乎 70 年之后，其英国间谍身份才为人所知。

Bancroft，George　班克罗夫特(1800-10-03，美国马萨诸塞伍斯特～ 1891-01-17，华盛顿[哥伦比亚特区])　美国历史学家。就美国的起源和发展写了一部内容广泛的 10 卷本巨著，因而被称为"美国历史之父"。曾在哈佛大学和几所德国大学受良好教育。尽管班克罗夫特不是一个废奴主义者，但他却于 19 世纪 50 年代在奴隶制问题上和民主党人决裂，转而支持共和党。曾任海军部长(1845 ～ 1846)、驻英国公使(1846 ～ 1849)、驻普鲁士公使(1867 ～ 1871)以及驻德意志帝国公使(1871 ～ 1874)。在德国期间，与德国的知识界交往密切。班克罗夫特一生的研究和写作工作都服从于他的政治需要。他的《美国史》(10卷，1834～1874)的编纂工作历时40年。

美国国会图书馆供图

美国早先的史学家们，除少数例外，都是一些资料收集家或编年史作者，他们的精力主要放在国家史或革命战争史方面。班克罗夫特则是从美国殖民地的建立直到争取独立斗争结束、全面研究美国历史的第一位学者。

Bancroft，Hubert Howe　班克罗夫特(1832-05-05，美国俄亥俄格兰维尔～ 1918-03-02，加利福尼亚沃尔纳特克里克)　美国西部历史学家。出身于一个宗教信仰坚定、勤勉的家庭。16 岁辍学。1852 年随父亲去加利福尼亚淘金。1856 年在旧金山开设书店，并到美欧各地旅行。1870 年左右计划编写一部百科全书式的美国西部史，后来终于完成一部极大规模的西部资料汇编《北美太平洋沿岸各国史》(39 卷)。前 5 卷为《北美太平洋沿岸各国的土著民族》(5 卷，1875 ～ 1876)，至今仍为人类学家的有用参考资料。其后 28 卷叙述从中美洲到阿拉斯加的美洲西部各国的移民和历史。另外 5 卷包括 1769 ～ 1848 年加利福尼亚的历史。第 39 卷名为《笔耕》(1890)，是他的自传。他的另外一部著作《新太平洋》(1898)为西部的美国扩张主义进行辩护。

Bancroft，Sir Squire　班克罗夫特(1841-05-14，伦敦～ 1926-04-19，伦敦)　英国演员和剧团经理。主张戏剧写作和演出的技巧性，为现代戏剧的演出打下了基础。早年丧父，独自在英国和法国受教育。1861 年第一次出现在伯明翰的舞台上。1865 年在伦敦演出之前曾在外省演出。1867年同剧院女经理威尔顿

美国不列颠百科全书公司供图

结婚。他们在威尔士王子剧院上演了罗伯逊所有比较知名的喜剧，如《社会》(1865)和《种姓制度》(1867)。这些演出将过去那种粗糙的写作和演技一扫而光。后来还上演了一些新戏和重演剧目，如布尔沃-利顿的《金钱》、鲍西考尔特的《伦敦保险公司》和萨尔都《狄奥多拉》的改编本《外交》。1880 年他们迁至草市剧院，继续演出精彩戏剧直到 1885 年退休。1889 年班克罗夫特曾与欧文合作演出。1897 年被封为爵士。夫妇两人合写了《舞台上下的班克罗夫特夫妇》(1888)和《班克罗夫特夫妇:60 年回顾》(1909)。1925 年他出版回忆录《斯夸尔爵士的空椅子》。

band　管乐队　主要指由演奏木管、铜管和打击乐器的乐师组成的合奏团体，有别于包含弦乐器的管弦乐队。除这一特定含义外，band 一词还有一些广泛的通俗用法，有概括性的，如 dance band(伴舞乐队)、jazz band(爵士乐队)；也有非常具体的，如 harmonica band(口琴乐队)、brass band(铜管乐队)和 string band(弦乐队)。此词在英国最早用于查理二世(1660 ～ 1685 在位)宫廷中 24 把小提琴的"王室乐队"，这一组合系效法路易十四著名的小提琴合奏组而建立。

把木管、铜管与打击乐器合奏组称为管乐队，始于 15 世纪的德国，当时主要由双簧管和大管组成的合奏是军队生活的常备部分。德国乐师参加外国演出小组，于是管乐队通过法国和英国传入新大陆。至 18 世纪末，随着土耳其占领大片东欧土地，一种称为土耳其音乐或土耳其禁卫军(约在 1400 ～ 1826 年间保卫土耳其苏丹的精锐部队)音乐的乐队音乐风格在欧洲大陆盛行。由长笛、大鼓、三角铁、钹和土耳其铃杖发出的具有特性的刺耳音响及其强有力的二拍子重音，迎合了当时人们对异国情调的日益增长的兴趣，这种兴趣也导致雇佣黑人鼓手，他们在行军时挥舞鼓槌，就像后来的军乐队指挥那样。有几位最伟大作曲家曾受到土耳其禁卫军音乐的启示，例如海顿在《G 大调军队交响曲》(作品第 100 号)第二乐章中，莫扎特在《A 大调钢琴奏鸣曲 K331》的《仿土耳其风格回旋曲》乐章中和贝多芬在《雅典的废墟》的戏剧配乐中。到 18 世纪末，木管乐器的数量大大增加，这主要是受法国大革命时大规模室外

典礼的影响，当时乐队的乐师竟达 2 000 人之多。海顿为德比郡义勇骑兵队所作进行曲，其配器为 1 支小号、2 支圆号、2 支单簧管、2 支大管和 1 支蛇形管（这是大号的前身，木制）。1838 年为了欢迎俄国皇帝，柏林曾召集 1 000 名管乐演奏员和 200 名鼓手一起演奏。在英国，铜管乐队（有时又称“银管乐队”，这是指许多乐器所用的合金而言）于 18 世纪末开始取代早期的城镇街头乐队和乡村教堂乐队，此类乐队的建立在工业地区得到雇主们的支持。科诺平号（短号的前身）的发展和法国乐器制作家萨克斯发明的一个采用相似指法的铜管乐器部类则使业余演奏者很方便地掌握了铜管乐器。最早的英国铜管乐队有斯泰利布里奇老乐队（1814）和著名的“仓舍贝斯乐队”（至 1853 年全部用铜管）。城镇、工厂、社会集团和宗教组织（如救世军）均各有其代表性组合。一些比赛，著名的如在曼彻斯特的贝尔伍和伦敦的亚历山大宫所举行的，至 1900 年发展成国家铜管乐队节。E. 埃尔加、A. 沙利文、G. 霍尔斯特和 B. 布里顿等作曲家均作有管乐队作品，其配器通常用短号、活塞军号、圆号、降 B 调上低音号、次中音大号和低音大号。美国的一些专业乐队，例如名闻遐迩的 P.S. 吉尔摩（1829 ～ 1892）乐队，竞相招徕独奏名家。吉尔摩具有精湛音乐技巧，又有表演才能，二者相得益彰，在改进技术技巧和推广高质量曲目方面起着重大作用。他的真正继承人是 J.P. 苏泽（1854 ～ 1932），为美国海军陆战队乐队指挥和作曲家，作有《永远忠诚》、《华盛顿邮报》、《星条旗永不落》等进行曲。吉尔摩和苏泽的功绩在于将管乐队艺术提高到出类拔萃的水平，使管乐队音乐在一定意义上成为一种非常美国化的音乐体裁，一直是游行和体育赛事余兴节目中重要的组成部分。

band 宗族 文化人类学术语，理论上的人类社会组织类型，为了生存和安全的目的，由几个核心家庭（总人数一般不超过 30 ～ 50 人）松散地组成。宗族可以并入更大的称为**部落（tribe）**的社会群体。宗族出现于人口稀少的地区，只具备原始生产技能，但在各自的生境方面往往大不相同，这些可以居处沙漠地带的澳大利亚土著民族、居住刚果雨林中的俾格米人和育空地区的卡斯卡印第安人的生活状况为证。由于部落性庆典、狩猎活动或战争，宗族也可以偶尔结合起来。

Band, the “乐队” 加拿大-美国乐队，起初是 R. 霍金斯和 B. 迪伦的伴奏乐队，1968 年开始独立。他们将传统的乡村、旧式弦乐队、布鲁斯和摇滚风格进行融合，在 20 世纪 60 和 70 年代获得了广泛的认可。乐队成员有：编曲、吉他手 J. 罗伯逊，鼓手 L. 赫尔姆，贝司、提琴手 R. 丹科，键盘手、男中音歌手 R. 曼努艾尔，风琴手 G. 赫德森。1968 ～ 1973 年是乐队的巅峰时期，与其他乐队相比能更好地体现 20 世纪 60 年代“嬉皮士”理想淡化后逐渐形成的美国流行音乐文化精神。乐队的真正发起人是美国阿肯色州的摇滚青年霍金斯，他的帮手赫尔姆当时还是个未成年的小伙子。在赫尔姆的召集下，安大略省的罗伯逊、丹科、曼努艾尔和赫德森也加入了他们的行列，并把乐队命名为“鹰”。几年间，罗伯逊在创作中大量吸收了美国梅森-狄克森线以南地区人民的生活体验，这体现在 1969 年创作的歌曲《他们开往老迪克西城的那个夜晚》中。1964 年，乐队脱离霍金斯独立发展。当年夏天，迪伦首次与乐队接触并雇用他们为其电声巡演担任伴奏。这次巡演在“纯民歌派”中引起了极大的争议。面对舆论，年轻的“鹰”乐队几乎不堪承受，鼓手赫尔姆迫于压力离开了乐队。1967 年，乐队重整旗鼓（不包括赫尔姆），并在迪伦的带领下来到纽约伍德斯托克。他们终日聚在西索格蒂斯附近一间低矮的地下室，一同创作了大量旧式乡村、布鲁斯、民间风格的歌曲。这些歌曲起初以《地下室磁带》为名非法销售，后来于 1975 年正式出版了同名的双张专辑。1967 ～ 1968 年间赫尔姆回归乐队，迪伦则离开乐队（此时已用“乐队”为名）并要求他们独立发展。1968 年，他们出版了专辑《来自“大平克”的音乐》，独创性地将乡村、灵歌、摇滚、节奏布鲁斯进行融合。与同期其他专辑相比，这张专辑更能够体现出摇滚乐由过度迷幻和夸张的布鲁斯风格向深情、朴实和充满深刻思想的新风格转化。多年为霍金斯和迪伦伴奏的经历，使乐队缺乏独立创作、演唱的足够经验。1970 年出版的专辑《怯场》体现了他们这个时期演出的艰辛和他们低迷的心情。然而，此后他们却进行了繁忙的巡演，并逐渐步入了重要乐队的行列。1972 年出版了专辑《时代的摇滚》，1973 年出版了《月亮狗演唱会》。在 1974 年专辑《洪水到来之前》出版之前，重新与迪伦合作，成功地举行了巡回演出。随后来到南加州，罗伯逊很快融入了好莱坞的生活气氛，但其他乐手则并不适应这个新环境。在歌坛生涯的全盛时期，乐队开始迈出了分崩离析的一步。1975 年的专辑《北方的光和南方的十字》尽管还可以看出乐队的音乐热情依旧存在，但罗伯逊关于在温特兰举行告别音乐会的提议却并未遭到任何成员的反对。1976 年的感恩节，在温特兰举行了告别音乐会。音乐会实况由导演 M. 斯柯席斯拍摄成影片《最后的华尔兹》。乐队的最后一张唱片《岛屿》于 1977 年出版，随后乐队解散。1994 年被列入美国“摇滚名人堂”。

band-pass filter 带通滤波器 由若干电子元件组成，只允许某一频率范围（频带）电波通过，其他频率的电波都无法通过的装置。带通滤波器可以由普通的线圈和电容器等元件组装而成，也可以用自由振动的压电晶体做成。当施加于压电晶体的外加电压的频率与晶体的共振频率相同时，压电晶体便在其共振频率上发生机械振动。这种器件称为晶体带通滤波器或单片滤波器。用晶体带通滤波器能够将许多路电话同时发送到一条长途线路、一个微波无线电系统或一条海底电缆上去，因为它能够将每一个声道与其余声道分隔开。参阅 **multiplexing**。

band theory 能带论 在固体物理学中，论述固体材料中电子状态的理论模型，即固体中的电子只能有某些特定范围内的能量值。固体内的电子受邻近许多粒子的影响，因而不像自由空间中的电子那样，可有任意能量值。固体中电子的容许能区称为容许能带。处于两个容许能带之间的能区称为禁带，即固体中的电子不可能具有这些能区的能量。能带论可说明固体的许多电学和热学特性，并且构成晶体管、加热元件和电容器等类器件的工艺基础。单个原子中的电子可以占有多个离散的能级。当许多原子聚合到一起形成固体时，这些离散的能级受称为量子力学效应的相互干扰，致使单个原子的集合体中的许多电子在固体中占有一条能带，称为价带。单个原子的空态也展宽形成能带，正常情况下这个带是空的，称为导带。如同单个原子中的电子可以受迫从一个能级跃迁到另一个能级，固体中的电子也可受迫从给定能带的一个能级跃迁到另一个能级，或越过称为禁带的间隙，从一个能带跃迁到另一个能带。研究在光子、高能电子、X 射线等等作用下固体中能量的这种变化，可证明固体能带论的普遍正确性，并提供容许能带和禁带的详细信息。这两类能带在单质元素、合金和金属中的位置和宽度是多种多样的。对金属来说，在最高能量（最外层）电子的能量范围内禁带是不存在的，因此金属是良导体。绝缘体有宽的禁带，只有具备几个电子伏能量的电子才能穿越禁带；在所施电压下绝缘体中电子不能自由运动，因此难以导电。半导体有相对较窄的禁带——约有 1 电子伏能量的电子就能穿越——所以其电导率介乎导体与绝缘体之间。

Banda 班达人 又称多格博人。中非共和国中的民族，小部分居住在刚果（金）、喀麦隆及苏丹。班达人的语言是尼日尔-刚果语系阿达马瓦-东部亚语族中的一种，和邻近的巴亚人与恩格班迪人的语言相似。班达人是中非共和国最大一支独立族源的种族集团，20 世纪末，人数约为 130 万。班达人采用父系继承制度，居住在家舍分散的小村落中，由该地的头人统治。乡村地区的班达人种植玉米、木薯、花生、甘薯、烟草。男子狩猎、捕鱼，妇女则采拾野生食物或辅助耕作。班达人工匠雕作木制祭器或实用器物，但以刻成动物形状的有缝木鼓最为著名。班达人与欧洲人最初接触时尚无国家可言，只有在发生战事时才选出作战首长。班达人采用年龄级制，并行成丁礼，以维系战时所需之团结。根据传统，结婚需要聘礼，通常为铁制器具。虽仍存一夫多妻制，但随货币经济的兴起已渐趋没落。

Bānda 班达 印度北方邦南部城镇。靠近根河，位于一条主要铁路与公路的交会处。为一衰落中的农产品市场。以输出产自根河河床的玛瑙著称。有几处清真寺与印度教庙宇。城外有 18 世纪城堡的遗址。该地和城堡在穆斯林、马拉塔族人、法国人和英国人之间的斗争中几经易手。人口约 97 227（1991）。

Banda, H(astings) Kamuzu 班达（约 1898，中非英国领地卡松古附近［今马拉维］～ 1997-11-25，南非约翰内斯堡） 马拉维（原名尼亚萨兰)[Nyasaland])第一任总统,马拉维民族主义运动主要领导人。农民出身,早期在教会学校受教育,后在美国上大学,1927年获医学学位。1941年又在爱丁堡获得另一医学学位,1945～1953年在伦敦行医。1949年当该地区的白人居民要求罗得西亚与尼亚萨兰组成联邦时,班达首次卷入了他本国的政治。班达及尼亚萨兰的其他一些人士强烈反对这样来扩张白人统治,但罗得西亚-尼亚萨兰联邦终于在1953年成立。1953～1958年班达在加纳行医。但自1956年起,尼亚萨兰民族主义分子越来越迫切地敦促他回国,最后他于1958年返回故国,受到了热烈的欢迎。他以尼亚萨兰非洲人国民大会党主席的身份周游全国,到处发表演说反对联邦制度。殖民政府认为非洲人的憎恨情绪和动乱日益强烈,部分是由于他的缘故,1959年宣布紧急状态,他被英国殖民当局逮捕入狱。1960年获释,数月后接受英国的立宪建议,在立法会议中赋予尼亚萨兰的非洲人以多数席位。1961～1963年任自然资源和地方行政部长,1963年出任总理,联邦终于在当年解散。1964年尼亚萨兰获得独立,更名为马拉维,班达仍任总理。独立后不久,班达内阁的有些成员即因抗议他的独断专行和与南非及葡属殖民地的和解而辞职。1965年爆发了由两名前部长领导的叛乱,但这起叛乱未能控制农村。1966年马拉维成为班达总统严厉的独裁统治下的一党专政共和国。他紧紧地控制着政府的各个方面,将反对者投入监狱或予以处决。1971年他宣布自任终身总统。班达集中一切力量建设国家的基础设施和增加农业生产。他与这个内陆国家在进行海外贸易中必经的南非和其他邻国建立起友好的贸易关系,并推行亲西方的外交政策。国内普遍的抗议活动,以及西方停止经济援助,迫使班达在1993年承认其他政党合法化。在1994年举行的第一次多党制总统选举中,班达及其政党未能入选。

Banda Aceh　班达亚齐　印度尼西亚亚齐特区首府。位于苏门答腊西北端。班达亚齐以"通往麦加的门户"而闻名,在历史上曾是朝圣者乘船前往麦加的中转站。17世纪为亚齐苏丹国首府。班达亚齐的人口大部分是亚齐人,此外还混居着印度人、阿拉伯人、土耳其人、华人和其他种族的人。生产黄金珠宝饰物、棉丝织品、灯、雕花铜碗、织锦和短剑等手工艺品。有公路和铁路与东部沿海城市司马威、兰沙和棉兰相通。该市有机场。名胜有体育场、巴图拉赫曼清真寺、亚齐博物馆、行宫、河流两岸的一系列浴场、游乐园和一处良好的沙滩。西伊阿库拉大学1959年建立时为经济学院,1960年成为一所国立大学。2004年9月印度洋发生的巨大地震,在苏门答腊西部触发大海啸,这座城市损坏严重,并有几万人因此而丧生。人口154 767(2000)。

Banda Islands　班达群岛　印度尼西亚班达海中岛群。属马鲁古省,位于安汶岛东南和塞兰岛以南。共有9个岛屿,面积44平方千米,其中最大岛屿为大班达岛。由3个岛屿围成的一个内海形成优良的港湾,水中珊瑚礁构成美妙的海底花园。大班达岛上的珊瑚岩层厚120米,加上火山熔岩与玄武岩,高达536米。亚比山是活火山,高670米,1820年和1852年的喷发,造成的破坏很大。群岛的火山土适宜种植肉豆蔻,并出产丁香、椰子、木薯、鱼以及热带水果和蔬菜。群岛半数人口住在班达奈拉,该地是班达奈拉岛的港口城市兼首府。大部分居民是爪哇人、望加锡人,以及从附近岛屿掳来在荷兰人的肉豆蔻种植园做工的奴隶的后裔。1512年班达群岛被葡萄牙人兼并,但17世纪初荷兰人将葡萄牙人赶走。此后英国和荷兰争夺,群岛几次易手。1814年根据《巴黎条约》归属荷兰。人口13 638(1971)。

Banda Sea　班达海　南太平洋西部海域。为印度尼西亚马鲁古南部诸岛所环抱。南面是阿洛、帝汶、韦塔、巴巴、塔宁巴尔和卡伊等岛屿,北面是塞兰、布鲁和苏拉等岛群。总面积47万平方千米。西与弗罗勒斯海、西南与萨武海、南与帝汶海、东南与阿拉弗拉海、北与塞兰海及马鲁古海相连。高峰周围有珊瑚礁岛的海脊把班达海分隔为南北两海盆,北班达海盆深5 800米,南班达海盆深5 400米,有亚比火山从海平面以下4 500米处升起,高至海面以上670米。还有第二条海脊构成一列活火山岛弧把南班达海盆和韦伯海盆隔开,韦伯海盆是班达海最深的部分,深达7 440米。许多岛屿周围,特别在塞兰岛正南方的班达群岛周围,海水清澄,珊瑚丛生,格外美丽。

Bandā Singh Bahādur　班达·辛格·巴哈都尔(1670,印度拉焦利～1716-06,德里)　第一位领导反对莫卧儿统治的锡克族军事领袖。早年立志当萨玛纳(苦行者)。1708年成为祖师哥宾德·辛格的门徒。后加入锡克兄弟会,成为一员可敬的将领。1709年开始进攻莫卧儿人,夺得大片领土。他在德干地区的烧杀掠夺导致莫卧儿统治者调动大军将其围困8个月。1715年被擒,解往德里后用烧红的烙铁酷刑至死。

Bandama River　邦达马河　科特迪瓦(象牙海岸)最长和最重要的河流。该河主要支流红邦达马河(马拉韦河)和恩济河流经全国一半面积。发源于北部高地,此段称白邦达马河,在大拉乌附近流入几内亚湾和塔巴潟湖。全长800千米。与马拉韦河汇流处建有全国最大的科苏水库及水力发电站。锰矿和木材经运河转阿比让输出。邦达马河从大拉乌上溯可航行56千米。

Bandar (India)　**班达**　参阅 **Masulipatam** *默苏利珀德姆*。

Bandar-e ʻAbbās　阿巴斯港　伊朗濒临霍尔木兹海峡的港口,是伊朗南部主要出海口。在霍尔木兹湾北岸,面对格什姆岛、拉腊克岛和霍尔木兹岛。居民主要是阿拉伯人和非洲黑人。夏季潮湿闷热,冬天气候宜人。进口主要是工业品,一般多入超;出口物资主要有克尔曼地毯、石油制品和农产品。本港有棉纺厂和鱼罐头厂。锚地水浅,且不宜避风,船只有时须在港外6.5千米处停泊。港口设备差。20世纪后期在现港口西20千米处建一新海港和船坞。阿巴斯港是阿拔斯一世在1623年兴建的,以代替1514年被葡萄牙人占领的霍尔木兹城。17世纪时是波斯的主要海港,18世纪失去重要地位。约1793年,租给马斯喀特的统治者,1868年伊朗取消契约,收回直接管理。人口273 578(1996)。

Bandar-e Būshehr　布什尔港　又作Būshehr, Bushir, Bushire 或 Būshahr。伊朗西南部港口城市。位于波斯湾顶头附近一个通过潮漫滩与大陆相连的平坦而狭窄的半岛北部顶端。在纳迪尔·沙阿统治时期地位日趋重要。1734年建为海军基地,以控制波斯湾周围地区。18世纪80年代英国和荷兰的东印度公司将其贸易站由阿巴斯港迁往布什尔港。曾为19世纪时英国驻外政治代表驻地和几个欧洲国家领事馆所在地。20世纪70年代伊朗政府将霍拉姆沙赫尔开发为波斯湾最重要的港口以后,该港的商业上的重要地位有所下降,但仍与阿巴斯港、霍梅尼港同为主要港口。该港有深水外港锚地和内港。有公路通霍梅尼、阿巴斯等港口和城市。有公路和航空线经设拉子和伊斯法罕至德黑兰。现在是地区石油销售中心和渔业中心。有一所有学位授予权的学院。建有热电厂,促进了食品加工和机械制造业的发展。出口干果、树胶和籽棉。20世纪80年代初期在两伊战争中受到巨大损失,但在90年代重建。人口143 641(1996)。

布什尔港波斯湾风格的三层式民居
美国不列颠百科全书公司供图

Bandar Maharani (Malaysia)　**马哈拉尼港**　参阅 **Muar** *麻坡*。

Bandar Seri Begawan　斯里巴加湾市　文莱首都。1970年前称文莱市。濒临文莱河,邻近文莱湾。为农贸中心、河港。第二次世界大战中受严重破坏,后重建。新建有皇宫、体育场及远东最大清真寺赛福丁寺。有主要滨海公路,可通西部诗里亚和白拉奕,并有现代化国际机场。文莱博物馆距市区6.5千米。人口:市区85 000(1999)。

Bandaranaike, S(olomon) W(est) R(idgeway) D(ias)　班达拉奈克(1899-01-08,锡兰,

科伦坡[今斯里兰卡]～1959-09-26,科伦坡）斯里兰卡政治家,总理(1956～1959)。牛津大学毕业。1925年取得律师资格。回国后投身政界。1931年选入新成立的国会。1947年,作为统一国民党领导人而选入众议院,任

美国不列颠百科全书公司供图

卫生和地方政府部部长。1951年辞去政府职务并脱离统一国民党。1952年创立斯里兰卡自由党,成为众议院反对派领袖。4年后组成人民联合阵线,在选举中以压倒多数获胜,于1956年4月12日就任总理。实行中立的外交政策和民族主义的国内政策,以僧伽罗语代替英语为官方语言,赋予佛教以重要地位,通过协议撤销了英国的军事基地,并同共产主义国家建交。1959年9月25日被一个僧人开枪射中,次日逝世。1960年,他的遗孀班达拉奈克(夫人)(**Bandaranaike, Sirimavo Ratwatte Dias**)当选为总理。

Bandaranaike, Sirimavo Ratwatte Dias　班达拉奈克(夫人)(1916-04-17,锡兰拉特纳普勒[今斯里兰卡]～2000-10-10,斯里兰卡科伦坡）斯里兰卡女政治家。其政党于1960年锡

美国不列颠百科全书公司供图

兰大选获胜后,成为世界上第一位女总理。1940年与班达拉奈克(**Bandaranaike, S. W. R. D.**)结婚后,开始从事社会福利工作。其夫1956年就任总理,1959年遇刺身亡。她应斯里兰卡自由党请求,出任该党领袖。1960年7月,斯里兰卡自由党在大选中获决定性胜利后就任总理。她继续推行其丈夫的政策:实行社会主义经济政策,在国际关系上保持中立,积极提倡佛教并鼓励僧伽罗语言和文化。1964年同马克思主义的锡兰社会党的结盟引起的政府内部不和,以及不断加深的经济危机导致她在1965年的大选中失败。可是,1970年她的社会主义联合阵线再次取得政权,她出任总理并推行更加激进的政策。她的包括重要工业国有化的战略,由于采取一系列强制措施和未能解决民族冲突,以及在经济上遇到困难而变得毫无意义。在1977年7月的选举中,她的党只获得国会168个议席中的8个席位,失去了总理职务。1980年,她被控滥用职务罪被斯里兰卡议会剥夺政治权利并禁止政治活动。1986年她的主要政敌贾亚瓦德纳总统准予"特赦",恢复了她的各项权利。1988年她作为斯里兰卡自由党的候选人竞选总统未能成功。其女库马拉通加夫人(1945～　　)于1994年当选为斯里兰卡总统,她被任命为新政府的总理。2000年8月,迫于健康状况辞去总理职务。不久因突发心脏病逝世。

banded anteater (marsupial mammal)　**条纹食蚁兽**　参阅 **numbat** 袋貂。

banded-iron formation (BIF)　**带状铁矿建造**　典型的薄层状或纹层状化学沉积,由15%以上的沉积的铁以及一些燧石、玉髓、碧玉或石英等的薄层所组成。这种建造见于各大洲,时代老于17亿年。全都高度变质。大多数带状铁矿建造含有大量铁的氧化物——赤铁矿,还含有次生的磁铁矿、针铁矿和褐铁矿,通常作低品位铁矿石使用(例如北美的苏必利尔湖区)。前寒武纪以后,显然没有带状铁矿建造形成,所以认为这类建造形成时,必具备特殊条件。关于其成因有相当多的争议,提出过许多种理论。但都归因于:①火山活动;②由季节性变化引起铁质和硅质溶液的韵律式沉积;③与沉积作用同时的富铁沉积物的氧化;④由特殊氧化还原条件引起铁质从溶液中沉淀。

bandeira　旗队　17世纪进入巴西内地搜捕奴隶的葡萄牙远征队。其队员通常为来自圣保罗的马梅卢科人(印第安人和葡萄牙人混血后裔)。他们深入人迹未到之地谋财和探险,从而使巴西得以超越1494年《托德西利亚斯条约》规定的西葡美洲领地的界线,确立其对南美内地领土的所有权。旗队的人数由50人左右直到几千人不等,由富有的企业家组织和严密控制。远征队往往建立中途居民点,修路,为在内地耕作和放牧打基础。他们往往离间印第安部落,使之两败俱伤,最后都成为他们的奴隶。耶稣会传教士为印第安人建立的教会村是他们搜捕奴隶的主要目标。第1支旗队由A.R.塔瓦雷斯于1628年组成,曾袭击巴拉那河上游21个教会村,俘获约2 500名印第安人。耶稣会传教士是旗队的主要反对者,他们将教会村向西向南迁移,并武装印第安人教徒,但旗队(其中以F. D.P.莱梅率领的最有名)仍由于捕捉奴隶获得巨利,使印第安人受到极大损害。

Bandeira (Filho), Manuel (Carneiro de Sousa)　班德拉(1886-04-19,巴西累西腓～1968-10-13,里约热内卢）诗人、巴西现代主义文学运动中的主要人物。班德拉在里约热内卢和圣保罗受教育,但在1903年因患肺结核而不得不放弃当建筑师的梦想。随后数年,他四处旅行以求得治病良方。在此期间,他博览群书,并重新写作诗歌。他的最初两本诗集《时间的灰烬》(1919)和《狂欢节》(1919)显示了晚期象征主义和高蹈派诗歌的影响。但在下一册诗集《放浪不羁的节奏》(1924)中的有些作品中,出现了正在兴起的现代主义运动的感伤情调。这一运动力图使南美诗歌摆脱学院习气和欧洲的影响。他的下一诗集《放纵》(1930)明显地展示了向现代主义的转变:使用自由诗体、口头语言、不规范的句法和来自巴西民间文学的主题。班德拉此后的诗集《晨星》(1936)、《黄昏星》(1963)和《一生星》(1965)巩固了他作为巴西名诗人的地位。班德拉在诗歌创作中摒弃他的前辈追求辞藻的华丽和体制的高雅的做法,而以巴西口头语言直截了当和诙谐地表现平凡的主题和日常的事件。1938～1943年间,他在里约热内卢的佩德罗二世学院教授文学。除写诗之外,他还从事翻译和文学批评、编选诗集、研究文学史。他于82岁高龄逝世后诗名不复如前。

Bandelier, Adolph　班德利尔(1840-08-06,瑞士伯尔尼～1914-03-18,西班牙塞维利亚)出生于瑞士的美国人类学家、历史学家和考古学家,是研究美国西南部、墨西哥、秘鲁-

美国不列颠百科全书公司供图

玻利维亚等地区印第安文化的先驱人物。他的著作,特别是有关美国西南部和秘鲁-玻利维亚的论著,迄今仍然很有价值。1873～1879年笃信美国人种学家L.H.摩根的进化理论,曾设法证明阿兹特克人的社会政治结构是以亲属关系为基础的、是民主的,同北美易洛魁族印第安人的社会政治结构基本相似,这些研究成果发表在3部专题著作中,现在仍有其重要的历史性影响。1880年以后,他在美国西南部和墨西哥从事考古学、人种学和文献学方面的研究。著有《关于美国西南部印第安人的调查报告》(1890～1892)和一部小说体的普韦布洛人种志,题名《欢乐的制造者》(1890)。1892～1903年在秘鲁和玻利维亚进行研究后所写的重要著作是《的的喀喀和考蒂诸岛》(1910)。返回美国后,在纽约市和首都华盛顿的博物馆和学校中工作,1913年去西班牙从事有关普韦布洛印第安人的文献调查研究。班德利尔国家保护地于1916年在新墨西哥州圣菲附近建立,内有普韦布洛后期的史前住所。

Bandelier National Monument　班德利尔国家保护地　美国新墨西哥州中北部帕哈里托高原一处风光秀丽的原野和考古区。位于距圣菲西西北32千米的格兰德河畔。多峭

壁和普韦布洛印第安人村落废墟。1916年设立,面积132平方千米,内有哥伦布抵达美洲前的印第安人的遗迹(多为13世纪),已出土的有礼仪室、石雕和人工洞穴。

Bandello, Matteo 班戴洛(1485,米兰公爵领地斯克里维亚新堡[意大利]～1561,法国阿让) 意大利作家。其《小说》开创了16世纪叙事文学的新潮流,在英、法及西班牙有广泛影响。班戴洛不仅是作家,还是僧侣、外交家和军人,曾在米兰和帕维亚大学求学。他经常出入费拉拉和曼图亚的宫廷,所以认识马基雅弗利。他受托教育卢克雷齐娅·贡扎加,后曾将一首长诗题献给她。其《小说》的素材在西班牙攻打米兰时(1522)被毁后,他逃往法国。1550年,被任命为阿让主教并在法国度过余生,写作使其获得声誉的小说。《小说》于1554～1573年分4卷出版,共收入214篇短篇小说。这些小说模仿薄伽丘《十日谈》的风格,描写常常大胆甚至色情,为人们深切了解意大利文艺复兴时期尔虞我诈的社会内幕提供了宝贵的材料。小说中不乏戏剧性和浪漫的场面,不过班戴洛不同于他同时代的作家,在叙事风格上不追求古典主义的庄重。班戴洛的小说在16世纪60年代和70年代被翻译成法文和英文,英译者们使故事增添了严肃的品格。他的这些小说为伊丽莎白时代一些重要戏剧提供了题材,其中著名的有莎士比亚的《罗密欧与朱丽叶》(1596)、《无事生非》(1598)和《第十二夜》(1600),以及韦伯斯特的《马尔菲公爵夫人》(1623)。班戴洛的影响在法国和西班牙文学中亦可见到。

bandeng 参阅 **milkfish** 遮目鱼。

Banderas, Antonio 班德拉斯(1960-10-10,西班牙马拉加～) 全名José Autonio Domenguez Banderas。西班牙电影演员。享有国际声誉的影星。自幼喜欢踢球,但14岁时脚部受重伤,使他以体育为职业的梦想破灭。后对表演产生兴趣。1981年到马德里的西班牙国家剧院当演员,受导演P.阿尔莫多瓦尔赏识,开始在影片中扮演角色。第一部影片是《激情迷宫》,扮演的伊斯兰恐怖分子受到好评。在随后饰演的一些另类角色(如强奸犯、精神病患者和绑架者)中发挥了表演才能。1989年到好莱坞,几乎不会说英语,但能够按照发音念台词,后来加强学习英语,在1993年轰动一时的《费城》中扮演T.汉克斯的情人。他出演了大量影片,包括《金色豪门》、《夜访吸血鬼》、《迈阿密狂想曲》、《杀人三部曲》、《最后的刺客》、《不要和陌生人说话》和《贝隆夫人》。他的银幕形象独具一格,既富于男子汉气概,又温柔多情,在《佐罗的面具》、《终极骑兵》和《搏击双雄》中尤有上佳表现。1999年初次导演喜剧《疯狂亚拉巴马》,在影片中与妻子M.格里菲思搭档。

bāndhanī work 班达尼工艺 印度的一种扎染法,又名绳结染色法。丝绸或棉布在染前,先将某些部分用蜡线缚紧,染好后再解开,这一部分就不会染上色。这种方法在印度许多地方流行,但以古吉拉特邦和拉贾斯坦邦的产品最为精美,至今仍闻名于世。制作时非常费力,并且只限于由留长指甲的年轻女工操作,她们灵巧地用长指甲折叠、捆

19世纪的班达尼莎丽
美国不列颠百科全书公司供图

扎和漂染,染好的织物底色为红色或蓝色,上有黄色、白色的斑点和几何图案的较为流行,有些精细的产品中也有兽形、人形或花卉图案。

bandicoot 袋狸 袋狸科22种有袋哺乳动物的统称,产于澳大拉西亚。体长30～80厘米(包括长10～30厘米、覆毛稀疏的尾)。躯体肥胖,被毛皮粗糙,吻锥形。后肢比前肢

袋狸(*Perameles nasuta*)
美国不列颠百科全书公司供图

长。趾数减少,两个后趾愈合。牙尖锐而细长。腹袋开口朝后,内有6～10个奶头。与其他有袋动物不同之处是袋狸有胎盘(但无绒毛)。多每窝产2～6仔,妊娠期12～15天。袋狸产于澳大利亚、塔斯马尼亚、新几内亚及其附近岛屿。为地栖动物,多夜间活动,营单独生活。挖掘漏斗形的地洞以寻找昆虫和植物为食。农民认为它们是害兽而加以捕杀。各种的数量已减少,有些种已有绝灭的危险。长鼻袋狸(*Perameles nasuta* 或 *Thylacis nasuta*)褐色,略似大鼠,臀部有时具黑色条纹,常见于澳大利亚东部。短鼻袋狸属(*Isoodon*),曾被误称为*Thylacis*属,共3种,均见于新几内亚、澳大利亚和塔斯马尼亚。兔耳袋狸属(*Thylacomys* 或称 *Macrotis*)的种类濒临绝灭,仅在澳大利亚气候干燥的内地偏僻地区发现过。耳大而狭长,后腿长,尾多毛。澳大利亚内地的豚足袋狸(*Chaeropus ecaudatus*)体长35厘米,足近乎蹄状,前足两趾着地,后足一趾着地。食草,形似小鹿,是濒临绝灭的种,最后一次见到是20世纪20年代。

bandicoot rat(species *Bandicota indica*) **袋狸鼠** 啮齿目鼠科灰褐色善挖洞的大型哺乳动物,产于印度和斯里兰卡。有时俗名鼹形大鼠。头短,吻阔,尾具鳞片,几乎无毛。

袋狸鼠(*Bandicota indica*)
美国不列颠百科全书公司供图

体重0.5～1.4千克,体长20～38厘米,尾长15～30厘米。栖息于森林、耕地、村庄和城镇,常毁坏庄稼、粮食,攻击家禽。雌体有12个奶头,每窝产仔数可能不少。其近缘种印度地鼠(又称害鼠、短尾竹鼠、鼹形大鼠,*Nesokia indica*)分布于亚洲西南部,体大,挖洞,破坏庄稼。据说袋狸鼠会像猪那样发出呼噜声,bandicoot即泰卢固语pandi-koku(猪鼠)的讹音。这个名称因此还用于澳大利亚有袋动物袋狸科。

Bandiera, Attilio; and Bandiera, Emilio 班迪耶拉兄弟(阿蒂利奥1810-05-24,威尼斯[意大利]～1844-07-23,那不勒斯王国科森扎;埃米利奥1819-06-20,威尼斯～1844-07-23,科森扎) G.马志尼的信徒,曾在意大利

阿蒂利奥·班迪耶拉
美国不列颠百科全书公司供图

领导一次反抗奥地利统治的起义,失败后被处死。他们的死震动了意大利革命运动。父为奥地利海军舰队司令。他们也是海军军官。由于拥护意大利独立运动,他们与马志尼常有书信往来。1841年组织秘密团体紫罗兰社。1843年策划开走一艘军舰去炮轰墨西拿,加入以马耳他为基地的革命组织意大利军团。由于叛徒出卖,兄弟二人逃往科孚

埃米利奥·班迪耶拉
美国不列颠百科全书公司供图

岛。1844年6月乘船驶往卡拉布里亚。4天以后在滨海城镇科特罗纳登陆,企图向科森扎进军、释放政治犯和发布独立宣言。但因被科西嘉人出卖,兄弟二人同被处死。

Bandinelli, Baccio 班迪内利(1493-11-12?,佛罗伦萨[意大利]~1560-02-07,佛罗伦萨) 佛罗伦萨风格主义雕刻家,其作品受米开朗琪罗影响,在当时曾得到梅迪契家族的喜爱。最初曾随其父学做金饰,但对雕刻有明显的偏爱,后在雕刻家G.F.鲁斯蒂奇指导下工

班迪内利自画像,1529～1530年
美国不列颠百科全书公司供图

作,并成为梅迪契家族的科西莫一世(托斯卡纳大公)宫廷的主要艺术家之一。曾先后在梵蒂冈(1531)及佛罗伦萨(约1550)创建美术学院。所作《海格立斯和卡科斯》雕像(1534,佛罗伦萨塞诺利亚广场)和佛罗伦萨大教堂唱诗班屏风浮雕严肃、朴素,但比较枯燥。临终前不久,与其子为自己的坟墓作雕刻(1554,佛罗伦萨阿伦兹阿塔教堂),以《为死去的耶稣哀悼》组雕著称。

Bandinelli, Rolando 班迪内利 参阅 **Alexander** (papacy) 亚历山大(教皇)项下的 **Alexander III** 亚历山大三世。

Bandırma 班德尔马 旧称潘德尔马。土耳其西北部港口城镇。临马尔马拉海,13世纪时被拉丁十字军用作对小亚细亚希腊人作战的基地。14世纪被奥斯曼人占领。现为伊斯坦布尔和伊兹密尔间繁忙的转运港。系

班德尔马地毯
美国不列颠百科全书公司供图

一商业中心,出口内地各种物产,包括谷物、牛羊、方硼石等。有公路、铁路通至伊兹密尔、安卡拉以及巴勒克埃西尔。南部马尼亚斯湖一带已辟为鸟类禁猎区和国家公园。人口70 137(1985)。

Bandjarmasin (Indonesia) 参阅 **Banjarmasin** 马辰。

Bandoeng (Indonesia) 参阅 **Bandung** 万隆。

bandola (musical instrument) 参阅 **bandurria** 班多拉琴。

Bandon 班登 爱尔兰语称班登河畔德罗赫德。爱尔兰科克郡城镇,在科克郡西南27千米处。始建于1608年,最初为英格兰和苏格兰定居者居住。几段最初的城墙至今犹存,附近还有15世纪城堡废墟。基尔布罗根教堂(1610)是在爱尔兰建的第一座新教教堂。班登地处班登河宽谷。河中产鲑鱼和鳟鱼。为农产品加工中心,拥有酿酒厂、轻型机械厂、啤酒厂和面粉厂。人口1 943(1986)。

Bandon, River 班登河 爱尔兰科克郡境内河流。河谷基层为石炭纪(3.60亿年前至2.86亿年前)岩石,上面覆盖着冰碛和冲积层。源自科克西部的马干纳克利亚丘陵。在金塞尔镇附近的班登河口湾是重要的休假和捕鱼区。

Bandula, Maha 班都拉(1780?～1825-04-01,缅甸德努漂) 又拼 Mahabandula。第一次英缅战争(1824～1826)中抗击英军的缅甸将军。1819年在占领曼尼普尔的缅军中服役,两年后指挥缅军征服阿萨姆。国王孟既任命他为阿萨姆省长。1824年1月,因孟加拉-若开边境局势趋于紧张,奉派率兵6 000人前往若开。同年3月英国宣战,他立即进占孟加拉,击败拉穆的英军。他的目标是以闪电方式夺取吉大港和达卡,把英国人从孟加拉赶走。同年5月英军在仰光登陆,使他的作战计划受到挫折。他在上缅甸招募了一支大军,向伊洛瓦底江畔进军。同年10月在江畔设指挥所。12月企图包围固守仰光郊区的英军,但没有成功。当他的指挥所被英军攻破时,他撤至德努漂。1825年3月英军进攻德努漂,他英勇守城,在战斗中牺牲。

Bandundu 班敦杜 1966年前称班宁维尔。刚果(金)西南部城市。在宽果河和奎卢河汇流处。作为河港,航运通过刚果河水系通首都金沙萨。也与金沙萨及东部中心基奎特和卡南加有航空联系。经济以农业为主,出产棕榈油、棕榈仁、花生、木薯和制绳用纤维植物。人口约74 945(1994)。

Bandung 万隆 又拼 Bandoeng。印度尼西亚西爪哇省省会、城市和县。位于爪哇岛腹地海拔近730米的高原北缘。1810年由荷兰人建立。气候温和宜人。城市四周风景秀

万隆理工学院行政楼
美国不列颠百科全书公司供图

丽,有稻田、瀑布和约2 150米高的山峰。为现代化城市,有宽阔林荫道和具有西方风格的建筑与住宅。重要的公共建筑有独立宫和1955年亚非会议会址红白旗大厦。节庆园是市内三大公园中最美的一个。万隆为巽他人文化生活的中心。占西爪哇人口最多的巽他人与其东部相邻的爪哇人在习惯和语言上差异很大。在万隆,巽他人的文学、舞蹈、歌曲和戏剧得到保留、研究和发展。万隆理工学院相当于印度尼西亚国立大学的数学、自然科学及应用科学分院。市内还有帕贾贾兰大学(1957)和私立的公教大学(1955)、造型艺术学院、体育学院、军事学院和一座地质博物馆。北面连旺高原有鲍斯天文台。大片地区用于蔬菜和花卉的实验培育。1964年建立的核子研究中心有一座原子反应堆。主要工业为纺织品制造,其他工业有奎宁、橡胶制品和机械。通铁路,有一个机场和一座功率强大的无线电台。人口:市约1 401 108(1987);县2 669 240(1980)。

Bandung Conference 万隆会议 由印度尼西亚、缅甸、锡兰(斯里兰卡)、印度和巴基斯坦组织的亚非国家会议。1955年4月18～24日在印度尼西亚万隆举行,占世界人口一半以上的29个国家派代表出席。

会议反映了5个发起国对西方强国不愿同他们商量影响到亚洲的决定不满;他们关心中华人民共和国与美国之间的紧张关系;他们愿为中国与他们以及与西方的和平关系奠定更牢固的基础;他们反对殖民主义,特别是法国在北非的势力;印度尼西亚希望促使它在与荷兰关于新几内亚西部(伊里安查亚)

争端中处于有利的地位。

会议的辩论主要集中在苏联对东欧和中亚的政策是否应同西方殖民主义一样受到谴责。会议达成一致意见,谴责"一切表现形式的殖民主义",既谴责了西方,也含蓄地谴责了苏联。中国总理周恩来表现了温和、和解的态度,使一些反共的代表对中国意图的担心趋于缓解。会议一致通过了10点"关于促进世界和平和合作的宣言",宣言体现了联合国宪章的原则和印度总理尼赫鲁的五项原则。此后10年间,随着非殖民化的发展和会议成员国之间摩擦的增加,亚非团结的观念越来越失去意义。当中国和印度尼西亚力促召开第2次亚非会议时,原来的会议发起国在1961年和1964～1965年先后出现了大分裂。印度与南斯拉夫及阿拉伯联合共和国(埃及)两度成功地组织了相对立的不结盟国家会议,拒绝采取中国主张的和1964～1965年印度尼西亚同样采取的强烈的反西方立场。1965年11月,第2次亚非会议(原定在阿尔及利亚的阿尔及尔举行)被无限期推迟,万隆会议未再次召开。2005年,值万隆会议50周年之际,亚非首脑聚首雅加达和万隆,宣布建立新型亚非战略伙伴关系(NAASP),以促进两大洲在政治、经济和文化方面的合作。

bandura 班都拉 又称 kobza(哥勃扎)。乌克兰的民族乐器,为索尔特里琴的一种,主要是为民族音乐作伴奏。班都拉是一个椭圆形的木制品,下侧平坦,一个短小的、无档子的颈柱系联着远离中心位置的共振板。有4～8根低音弦从颈柱缚张着直至整个乐器;有15根或再多一些半音调准音的高音琴弦固定在共振板上。演奏时取坐姿,乐器按放在膝上,几乎与人的躯干成平行位置,低音弦用左手手指弹拨,而高音弦则用右手手指上的拨子来弹拨发音。班都拉的前身哥勃扎是由3～8根弦构成的乐器,在6世纪的希腊文献中曾提到过。中世纪时在东欧宫廷中曾相当显眼,经常用来作歌唱或舞蹈的伴奏。14～15世纪哥勃扎的弦数逐渐增加,改名为班都拉,但是哥勃扎名称仍保留用作班都拉的同义词。15世纪以来很多哥勃扎的演奏者开始以演奏班都拉为一种职业,而且他们中多数人为盲人。在19世纪末期和20世纪初,哥勃扎的演奏者常用他们的音乐来表述自己的民族主义思想。20世纪以来,许多班都拉乐队和学校纷纷成立。班都拉乐器本身,传统上一直是用自然音阶定音;现在改用各种方式的半音音阶定音。到了21世纪班都拉乐团继续在乌克兰和北美的移民社会中受欢迎。

bandurria 班多拉琴 又作 bandola。一种短颈、梨形、扁平背的诗琴类弦乐器。产自西班牙,当地常用于户外音乐。14世纪时名为"曼都里亚琴"。原为有品和无品的两种,有弦3～5根。现代此琴有6道成双的肠衣或缠以金属的丝弦,定弦为G♯-C♯′-F♯′-B′-E″-A″(从中央C下的G♯开始),指板上有12只固定的金属制的品。用短小的硬拨子弹奏。固定的四度定弦使得半音段落中的指

1892年的班多拉琴

美国不列颠百科全书公司供图

法极为方便而统一。

bandwidth 频带宽度 在电子学中,被调制的无线电信号所占据的频率范围,通常以赫或无线电频率的百分数表示。例如,一个以1兆赫工作的调幅广播电台,其频带宽度为10 000赫或1%(10 000/1 000 000)。这一术语也用于表示放大器或滤波器之类电子器件所传输的频率范围。

bandy 冰上曲棍球 又作 banty。一种类似冰球的冰上运动。仅见于斯堪的纳维亚各国、波罗的海地区各国及蒙古。每队由8～11名运动员组成,运动员穿冰鞋,手持曲棍击球。冰场大小各异,但典型的场地大于冰球场,面积约为100米×55米。守门员不拿棍,但全队队员中只有守门员可用手触球。一场比赛分上下两个半场,各为45分钟。比赛从中心圆圈开始,与冰球不同的是不得在球门后击球。比赛从开球开始,双方限在各自的半场内活动。由于所使用的是圆球而不是扁的圆盘,速度要比冰球快。对越过中线等违例行为要给予击任意球的处罚。比赛中可任意换人。每场比赛设6名裁判人员。冰上曲棍球于18世纪后叶起源于英国,现代冰球可能是由此发展而来的。

bandy-bandy (species *Vermicella annulata*) **澳蠕蛇** 眼镜蛇科爬行动物,有5种,产于澳大利亚。身上有明显的黑白相间或黑黄相间环状斑纹。体长约76厘米。有毒但不主

澳蠕蛇(*Vermicella annulata*)

美国不列颠百科全书公司供图

动攻击人。头和眼均小,体细长呈圆筒状。遇敌时身体垂直竖起,并卷曲数圈,姿态奇异,以吓唬敌人。

baneberry 类叶升麻 又作 cohosh、necklaceweed。又称项圈草。毛茛科类叶升麻属(*Actaea*)植物。8种。多年生草本。亚洲类叶升麻(*A. asiatica*)原产于北温带林地,果为白色、红色或紫黑色的浆果,秋季成熟,有剧毒。白类叶升麻(*A. pachypoda*或*A. alba*)

亚洲类叶升麻(*A. asiatica*)

原产北美,高30～45厘米,浆果白色。穗状花序类叶升麻(*A. spicata*)原产欧亚大陆,高30～60厘米,浆果紫黑色,有时用制染料。红类叶升麻(*A. rubra*)原产于北美,似类

白类叶升麻(*A. pachypoda*)的花和叶(上)以及果实(下)

美国不列颠百科全书公司供图

叶升麻，果红色或象牙色。类叶升麻属植物根部和果实含峻泻、刺激和催吐成分。类叶升麻也适于野生植物驯化园地种植之用。

Banér, Johan 巴内尔（1596-07-03［旧历06-23］，瑞典于什霍尔姆堡～1641-05-20［旧历05-10］，马格德堡哈尔伯施塔特［德国］） 瑞典陆军元帅，三十年战争中最卓越的军人之一。1615年参加陆军，深受年轻国王古斯塔夫斯军事思想的影响；曾在俄国、利沃尼亚、波兰和德意志服役。因战功卓著，很早即获得将军头衔。1634年晋升陆军元帅，指挥驻西里西亚和波希米亚的军团。瑞典主力部队在讷德林根战败后，他受命统率驻德意志的瑞典军队。1636年在威斯托克取得伟大胜利，重振了瑞典的士气及在德意志中部的首要地位。1637年因敌军进逼，几乎被包围，乃撤至德意志北部。1638年底他集结兵力，向德意志中部与南部展开新的攻势。1639年4月在开姆尼斯击败德皇的军队。1640年在法军的支持下，向德意志南部挺进，但未能迫使敌军应战。1641年因肺病死于哈尔伯施塔特。

Banerjea, Sir Surendranath 巴内杰亚（1848-11-10，印度加尔各答～1925-08-06，加尔各答附近巴勒克布尔） 现代印度的奠基人之一，支持印度在英联邦内自治的主张。出生于婆罗门显族。大学毕业后，在英国申请充任印度文官。他被派到锡尔赫特（在今孟加拉国），但于1874年被解职。此后执教37年，曾创办里彭学院（在加尔各答），并发展他的民族主义思想。1876年参加建立印度人协会，使印度人和穆斯林联合起来进行政治活动。3年后，他买下《孟加拉人报》，以自己的民族主义观点办报达40年。1885年召开印度国大党第1届年会以后，他在每次的年会上都是一位能打动听众的演讲者。1917年温和派同极端派分裂前，他曾两次当选为大会主席。1909年他在伦敦要求英国人修改分割孟加拉的主张，重新制定人身保护法，并且给予印度一部加拿大模式的宪法。但是他反对政治领袖B.G.提拉克所提倡的极端办法和甘地所实行的某些不合作策略。1913年，他被同时选入孟加拉立法会议和帝国立法会议。他欢迎蒙塔古-切姆斯福德1918年报告提出的承认自治政府作为英国对印政策目标的原则。1921年受封爵士，并任孟加拉地方自治政府部长。1924年竞选失败，退休写作自传《一个在形成中的国家》（1925）。

Banff 班夫 加拿大艾伯塔省西南部城镇。临鲍河，近莱克路易斯和不列颠哥伦比亚边界。斯特拉思科纳勋爵以同名的苏格兰皇家自治市命名之。1883年通铁路和1885年建立班夫国家公园后发展起来。现设有班夫国家公园管理局。地当横贯加拿大的公路，为常年性旅游和会议中心。有矿泉、滑雪场、疗养院、博物馆和一所美术学校。每年举办"印第安岁月"（8月）和冬季运动节等庆祝活动。轻工业有制药等，亦开采煤矿。

班夫镇内班夫大街，后为卡斯卡德山
Shostal 供图

人口6 098（1996）。

Banff 班夫 苏格兰东北部阿伯丁郡政务会辖区城镇，古代敕准自治市。属班夫历史郡。在德弗伦河西岸，与其姊妹城麦克达夫相对，并有桥（1799）相通。12世纪，班夫是繁荣的港口和北汉萨同盟的成员。其城堡（遗址尚存）原为防御北欧海盗袭击而建，当时为皇家府第和皇家自治市。有捕鱼业、啤酒厂、酿酒厂、食品加工业和旅游业。人口4 110（1991）。

Banff and Buchan 班夫-巴肯 原为苏格兰东北部一区（1975～1996），现属于格兰扁政务会辖区。

Banff National Park 班夫国家公园 在加拿大艾伯塔省西南部。1885年建立，为该国第一个国家公园。地处加拿大落基山东麓，内有数处大冰原和冰川湖。面积6 640平方千米。到处是温泉和开满野花的高山草地。有熊、狞、鹿、驼鹿等典型的落基山区动物。有宿营地和活动房屋停车场，附近市镇有旅馆供游客之用。因游人过多，已难以作为自然保护区加以保护，现已主要变成游乐区。

Banffshire 班夫郡 又称班夫。苏格兰东北部历史郡。从格兰扁山脉延伸至北海。该郡的东北部地区（包括历史郡首府班夫）属阿伯丁郡政务会辖区。其他部分位于马里行政区。除在罗西迈、巴林达尔洛赫、博哈姆、格伦利维特等几个区以及其他地方发现的圆锥形石堆（cairn）以外，原来拥有班夫郡这片土地的北方皮克特人（先于凯尔特人的一个民族）几乎没有什么现存遗物。许多地名里还出现有cairn字样。古罗马人的挺进基本上被南方的大山阻止了，但据信曾是一处古罗马人营房的遗迹仍然可以在格伦巴尔利看出来。丹麦入侵者更加坚韧也更为成功。他们同苏格兰人之间有过多次流血冲突。960年在卡伦附近发生过一场残酷的遭遇战，莫特拉克的一座石雕据说是为纪念国王马尔科姆二世于1010年大胜北欧人而制作。班夫郡在宗教改革运动之后，是很多冲突发生的现场。在格伦利维特，在亨特利第六代伯爵（后封第一代侯爵）的统领下，罗马天主教徒打败了阿盖尔第七代伯爵率领的基督教新教徒。1624～1645年是斗争几乎无休止的时代——圣约纠纷与各氏族间的频繁冲突相结合。1689年后，班夫郡受詹姆斯党严厉控制；许多在詹姆斯党1715年暴动中反叛的勋爵，都有儿子支持查理·爱德华（小王位觊觎者）1745年的暴动。不过，该郡本身几乎并未受到这两次暴动影响，自那以后，形势趋于安定。班夫郡的好多部分仍然是罗马天主教的坚强据点。18世纪和19世纪的工业革命对大多数农业郡并未产生多大影响，但19世纪和20世纪班夫郡风景秀丽的海岸、幽谷和山地刺激了当地旅游业的发展。

Bang, Bernhard Lauritz Frederik 邦（1848-06-07，丹麦索勒～1932-06-22，哥本哈根） 丹麦兽医。以其关于牛结核病的著作，及对牛痘接种和动物杆菌性疾病的研究而闻名。1897年发现流产布鲁斯氏菌（邦氏杆菌）。1880年获医学博士学位，并任教于哥本哈根皇家兽医及农艺学院，后为该院院长。兼任丹麦政府兽医顾问。曾研究出牛结核病的防治法。

Bang, Herman 邦（1857-04-21，丹麦阿尔斯岛～1912-01-29，美国犹他奥格登） 丹麦小说家，印象派文学最重要代表人物之一。他的作品反映了他那个时代的深深悲观厌世的思想情绪。第一部小说《毫无希望的几代人》，因描写了一个颓废的同性恋作家被认为有伤风化遭查禁。他写过剧本、诗歌、评论，但以小说著名。有的小说已被译成英文，如《无国可归》（1906）等。他在1886～1890年间所写的作品被认为是他的佳作，其中有短篇小说集《沉寂的存在》（1886）、长篇小说《灰泥》（1887）和《第内》（1889）。

Bang Klang Thao（Thai ruler） 邦克朗陶 参阅 **Sri Indraditya** 西·因达迪耶。

Baṅga（Indian history） 参阅 **Bengal** 孟加拉。

Bangalore 班加罗尔 印度南部城市。从1830年起为卡纳塔克邦（前称迈索尔邦）首府。印度的最大城市之一。位于卡纳塔克高原东西走向的山脊顶部，海拔949米。为坎纳达、德卢固与泰米尔文化的交会处。冬季气候宜人，夏季不过分湿热，适于居住。但由于年降雨量仅为914毫米，且附近没有河流，因此工业和生活用水日益紧张。该城飞机、铁路车辆和机床等厂属联邦政府；电机、电话、陶瓷和肥皂等厂属邦政府；私营工厂有药品、纺织、无线电元件、玻璃制品、皮革与制鞋、农具、造纸和钟表等厂。在20世纪后期成为高科技产业中心，许多大的高科技跨国公司都在此设有办事处，本国的大公司如印度信息系统技术公司（Infosys）和威普罗公司（Wipro）的总部也设于此。南印度公路枢纽，铁路与航空线中心。重要的科学技术与文化中心，设有班加罗尔大学、农业科学大学、几所晚间学院，一座公共图书馆，印度科学研究所、拉曼研究所、国家宇航研究实验室和国家动力研究所。亦为出版（报纸和期刊）中心和地区性无线电广播电台所在地。班加罗尔周围地区位于高韦里河支流流域。粟和油菜籽为主要农作物。亦养牛羊。人口：市4 292 223；都会区5 686 844(2000)。

班加罗尔市的议会大厦
美国不列颠百科全书公司供图

Banggai Islands 邦盖群岛 印度尼西亚中苏拉威西省群岛。位于苏拉群岛和托洛湾口的西里伯斯岛（今称苏拉威西岛）之间。包括2座大岛和100多个小岛，最大岛屿珀伦岛是森林覆盖的山地，海湾可作停泊地，有礁石。主要城市和港口是邦盖，位于邦盖岛西岸。群岛产海参、海龟、树脂、稻米和西米粉，居民主要沿海岸分布。人口268 203(1980)。

Banghāzī 班加西 又拼Benghazi，意大利语作Bengasi。利比亚东北部城市和主要海港。临锡德拉湾。原为一小镇，1912～1942年间为意大利侵占。第二次世界大战期间遭很大破坏，曾5次易手，最后于1942年11月被英国占领。为利比亚第二大城市和行政、商业、教育中心。加尔尤尼斯大学（前称班加西大学）建于1955年。当地工业有制盐、炼油、粮食加工、水泥制造。还有鞣皮、酿造和捕鱼业。设有海水淡化厂，是世界上最大的同类工厂之一。有拜尼纳国际机场。有公路通地中海沿岸城市。人口约650 000(1995)。

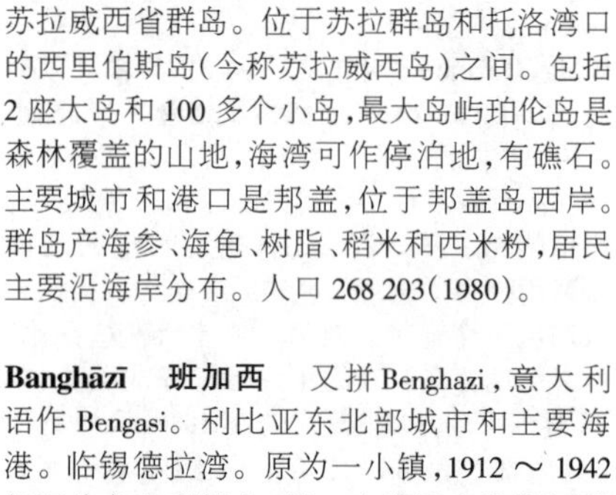

班加西城市一角
中国大百科全书出版社供图

Bangka 邦加 又拼Banka或Banca，印度尼西亚语作Pulau Bangka。印度尼西亚邦加-勿里洞省岛屿，和苏门答腊岛东海岸隔着邦加海峡，海峡最狭处仅宽14千米。岛的东岸隔加斯帕海峡与勿里洞岛相望。邦加岛面积11 330平方千米。土壤比较干燥，多石，大部分覆盖着热带植物。由于采矿和耕作，原始森林几乎消失殆尽。沿海地带多沼泽，难得停舶的锚地。内地多山，最高达到705米。岛上多数河川的下游段受潮汐灌注，可向内地通航将近32千米。气候炎热，年平均降水量将近3 000毫米。地质上邦加岛和马来半岛相似，由花岗岩及板岩构成，一般多有砂岩、砖红壤和冲积层覆盖，花岗岩露头形成短小零散的丘陵。邦加是世界上主要产锡中心之一，锡矿赋存于许多河流冲积矿床里及花岗岩小丘山坡上的冲积层中，华裔矿工签订合同在政府督导下进行开采。此外还有铅、铜、钨、金、铁和锰矿。邦加岛居民主要是从岛外移入的穆斯林马来人，也有土著居民，包括少数原始的山地部族，可能已同马来人混合血统，他们以狩猎、捕鱼和采集林产品为生。岛上种植水稻、胡椒、儿茶、咖啡及椰子。主要城市槟港位于东海岸，是航空港，另一个机场在西北岸重要港口蒙托克。1812年苏门答腊岛巨港的苏丹把邦加岛割让给英国人，1814年英国人用邦加岛向荷兰人换取印度的科钦。1942年日本侵占邦加，1946年3月荷兰恢复占领。1949年邦加成为独立的印度尼西亚共和国的一部分。2000年，邦加岛、勿里洞岛及其附近岛屿从南苏门答腊省分离，组成了一个独立的邦加-勿里洞省。人口：省900 197(2002)。

Bangkok 曼谷 泰语称功贴(Krung Thep)。泰国首都及主要港口，是这个城镇规模小的国家中唯一的国际都市，也是泰国的文化与商业中心。曼谷位于昭披耶河三角洲，离泰国湾约25英里(40千米)。原先分为两个市，昭披耶河东岸是功贴，西岸是吞武里，由一些桥梁联接。1971年，二者合并组成一个府级京都市，由单一的市政府管理。1972年同周围另外两个府合并形成曼谷市，称“功贴玛哈那空”，意为“大京都”即大曼谷市，面积604平方英里(1 565平方千米)。这是座喧闹、拥挤的城市，沿大道与河渠排列着寺宇、工厂、商店和住户。

自然地理及人文地理

景观 气候 曼谷气候终年炎热，从凉季12月份的25 °C到热季4月份的最高30°C。年平均降水量1 500毫米(60英寸)，其中4/5降在雨季午后短暂的倾盆急泻中，雨季从5月中旬延续到9月，干季从12月份到翌年2月份。月平均相对湿度从凉季的60%到雨季的80%以上。

城市布局 现代曼谷经历着爆炸性的发展，当局自20世纪60年代以来试图以一系列宏伟计划来指导城市发展。城市中心原先有一道城墙围绕，长期密集发展，后来才越过行政界线，向外扩展到周围农村地区。内城主要发展社会机构和商业区，外城主要兴建住宅与工业，于是有些县区便发展为功能区。全城各处都是有围墙环绕并且往往装饰豪华精美的佛寺和僧院，是宗教、文化甚至商业生活的中心。同时，曼谷也是旅游胜地，以其丰富的文化和繁荣的夜生活而知名。

①传统地区。该市的行政地区与商业地区皆有传统的位置，政府办事机构原先集中在18世纪建造的大王宫的围墙之内，但到了19世纪末叶，它们占据了周围的宫阙和殿堂。官员们乃向附近的西式或泰式办公楼以及五马路沿街的房屋扩展。高层建筑应运而起，以解决对空间不断增长的需要，于是传统的政府大院变得过分拥挤。国会大厦周围和北面建造的许多大型营地构成军事区。

当18世纪曼谷成为国家首都时，它的城堡迁移到昭披耶河的东岸，原在该地区的中国商人和店主往南迁移了一小段距离，移到现名三本街的地区。生意起先都是在草顶木板墙的平房内进行，到了20世纪初年出现了一些砖石结构两层楼店铺的街道。这个不断扩展的地区如今拥有成行的有时高达5层或更多层楼房的店铺。三本街正南沿河两岸是货栈、库房，工厂则集中在港口以南的三隆。帕蓬路上夜生活活跃，锡洛姆路两侧是金融区。赛庙附近的水上市场每天有各种食品和商品在河面小艇中进行售卖。过去有许多这样的市场以及无数挨门逐户的船上小贩给城市居民日用所需提供服务。

②住宅。普通住宅是一两层的木板小草房或排屋，其中大部分人满为患，因为房子太少，不足以容纳膨胀的人口。单是政府的计划不能解决房荒，世界银行拨款建造了低收入者的住房，如辇铃和华莫开发区。

政府容许棚户们占用未使用的公地。棚户为数不多，大部分集中于港口附近的空兑地区。私营房地产开发者给中等收入者提供住房。许多政府机构为其雇员们提供房子。这些住宅可能聚集成小区，具有基本的卫生设备。这些开发区漫无计划地散布到城市周边。

豪华宅邸大多是为富裕的外籍人士而建，一般为大型、现代式双层砖石结构，有私邸院落，配有仆人住的单间和厨房。班加比或许就是最富裕的住宅区。高层办公楼、旅馆和公寓楼在日益增加。

人民 人口突出的特点是年轻及非泰族比率低，其原因是自然增长率高和第二次世界大战后实行了外籍移民配额限制。2/5的居民年龄在20岁以下。自从实行生育控制计划以来出生率下降了。与此同时，年轻的成年人，特别是女性的净人境者大大增加，这样，城市居民1/4以上由来自全国各地的泰族人构成。

城市大多数人是泰族人，华人是最大的少数民族，但其他亚洲人、北美人和欧洲人的社群也相当大。外国人尽管是小群体，但趋向于集中在某些地区居住。华人集中在商业区三本街，印度人聚居在旺布腊帕区的清真寺周围，西方人和日本人住在富裕的现代化的东城区。

在外籍人中，华人与城市生活最密切，他们似乎已被同化了，通婚也是常见的，他们的后裔是泰国公民，许多华人家庭采用泰国的姓，加入泰国国籍。人口：都会区6 355 144(2000)。

经济 **工业** 市内有许多工厂，但大部分是小规模的。较大的工厂位于港口附近，靠近储存进口物资的货栈。制造工业主要限于食品加工、纺织、电子设备的组装及建筑材料的生产。20世纪70年代中期开始，政府着力减轻城市拥塞，对在曼谷外围工业园中兴办工业给予高度优惠。旅游业大发展，现在成为曼谷税收的一项主要来源。

金融 曼谷集中了全国大约1/3的银行业，拥有全部存款的3/4。泰国工业金融公司、投资局和泰国证券交易所也都设在曼谷。

运输 曼谷运输系统原先以水上交通为基础。城市的运河网络与大河联贯，为它赢得了"东方威尼斯"的美称。但汽车的出现带来了巨大变化。城市车辆(包括三轮车、私家车、公共汽车——车牌颜色按行驶地区而异)的数目增加，路面不足日益严重。解决的办法首先是填平大多数小渠和一部分较大的运河。但是，结果这不仅仅使城市美化方面遭到损失，因为这水道系统过去是用于排泄三角洲积水的，填平之后，城市低洼地区的泛滥日益频繁。而且，上述措施并没有解决路面不足的问题，交通的拥挤使车辆通行越来越困难。为了帮助改善这些问题，20世纪70年代设立了一个负责机构以监督城市的公共汽车交通。1999年，城市开通了捷运高速列车。

交通路线从城市向外围辐射。公路往北通到老挝和清迈，往东到柬埔寨，往南达于马来西亚。铁路通到老挝和马来西亚边界，往北通到清迈，往东通到乌汶叻差他尼及柬埔寨边界。曼谷国际机场是东南亚最繁忙的机场之一。

曼谷港位于昭披耶河畔的空兑，穿过沙嘴开凿了一条长17英里(27千米)的蜿蜒曲折的运河与海连接。港口几乎承担着国家全部进出口货运。

行政与社会状况 **政府** 曼谷市政府由一位市长和几位副市长进行管理。开发的任务由一大批政府机关负责。曼谷是联合国亚洲及太平洋经济社会委员会(ESCAP)总部的驻在地。另外，还有联合国其他机构，包括世界卫生组织(WHO)、国际劳工组织(ILO)、联合国儿童基金会(UNICEF)及国际复兴开发银行(世界银行)等的分支机构。

公用事业 城市大部分供水取自昭披耶河及深井，经过工厂净化处理。抽取井水引起城市局部地区地面下沉，加重了洪水泛滥。

环境卫生设施一部分包括污水雨水排泄管道及渠道，大型建筑物一般配备有化粪池。曼谷消费全国电力的一半以上。

保健 曼谷占有全国的大部分医院和诊所。对结核病和性病就诊人有特殊服务机构，政府设有穷人、残疾人和老人之家。巴斯德研究所及世界卫生组织提供疫苗。近年来扩增了计划生育门诊部。20世纪90年代以来，在曼谷的妓女和吸毒者中，患艾滋病的人数增加。为此，政府在医院设专医来照顾艾滋病人，并采取措施防止HIV病毒的扩散。

教育 由于学龄公民的比例高，曼谷教育设施负担过重。学校太少，而教育标准又不一致。但识字率却很高。

许多政府办的学前学校和小学设在寺庙里。外国宗教团体开办私立小学和中学，供上层人士的儿童就学。有许多华人私立小学和夜校。曼谷还有几所大学。

文化生活 曼谷最重要的文化特色是泰式庙宇。这类庙宇共有300多座，代表泰式建筑的典型范例。大部分有围墙。许多庙宇租出一部分土地用于住宅和商业。

国立博物馆收藏有史前及铜器时代艺术品以及6世纪的皇家文物。本城还有国立图书馆和泰国国家文献中心。以一位致力于泰国文化的美国企业家之名命名的"吉姆·汤普逊泰国大厦"，由几座泰国传统式的大型建筑组成，所收藏的17世纪泰国宗教绘画在泰国为最多，还有他叻瓦滴与高棉的雕塑，以及泰国和中国陶瓷艺术品。

泰国的全部日报以及大部分周报和月刊都在曼谷出版，报纸以泰文、英文和中文印刷。

广播和电视由政府机构及军事当局控制。大多数国家电台和全部电视台设在曼谷或其附近。大部分节目是泰语，但有些特别节目是英语和华语。

电影很普及，泰国的电影业颇为兴旺，但也进口影片。公园里举行展览会、节日庆典和风筝赛会。五马路及实乐两个体育场表演泰式击拳，西拉巴功国立艺术剧院上演舞蹈、戏剧和音乐。

历史

1782年曼谷成为暹罗(泰国原名)的首都，当时却克里王朝的创立者昭披耶却克里大将登上王位，称拉玛一世，把朝廷从昭披耶河西岸迁到东岸，迁都似乎是出于战略考虑：河流向西突出的大湾形成一道宽阔的护城河，从西、北、南三面拱卫着新城址，城东伸出一片广阔的称作"泥潭"的三角洲沼泽，穿过它十分困难。拉玛一世仿照北方40英里处的故都大城(阿育他亚)来设计新城，到他在位的末期，曼谷城市建设起来，围墙环绕的大王宫建筑群和曼谷最老的寺庙卧佛寺都竣工了。一道新城墙，可能是最庄严的建筑物，沿昭披耶河岸与城东的昂安运河而建，长4.5英里(7千米)，厚10英尺(3米)，高13英尺(4米)，有63座城门和15座城堡，城墙以内的面积计有1.5平方英里(4平方千米)。

拉玛二世(1809～1824)和拉玛三世(1824～1851)统治期间又修建了更多的庙宇。寺庙既是宗教中心，也用作学校、图书馆、医院和休憩之地。在此期间，建成了以高塔著称的黎明寺以及扬纳哇寺与波旺尼微寺。卧佛寺经过进一步扩建，苏达寺开始建造。但当时几乎没有其他的坚固建筑物，更无铺有路面的街道，河流与交错的运河网络充作交通要道。

拉玛四世(1851～1868)发展了城市，但仍继承了修造庙宇的传统，虽然建筑的速度放慢了。改进了大王宫，修建了一些结实的宅邸给皇族们居住，开辟了几条新街道，减少了河边的大群水上浮宅。一条新马路石龙军

曼谷市黎明寺内的僧人
美国不列颠百科全书公司供图

路(意即“新路”)修起来,往南伸去。一条新护城河巴东军甲森运河(Khlong Phadung Krung Kasem)开凿出来,和该城第一条运河平行,并加以设防。从这条护城河起,又修建一条长运河通到现今的港口区,这样使小船不必绕道昭披耶河大湾而直接驶达城南。一条小道在运河边堆起的泥土上铺设起来,即现在的拍喃4路。

在拉玛五世朱拉隆功国王(1868～1910)的长期统治期间,城市根据一项公共工程计划进行了改造。大王宫上部的却克里式三顶尖巨大建筑于1880年完成,以后又在城墙外面修建律实宫和一座附属的花园城,由一条西式大街五马路外段联通大王宫。一项修建道路和桥梁的计划认真进行,因为朱拉隆功国王是位早期的汽车爱好者,他预见到机动车对城市发展将要产生的影响。大部分陈旧的城墙被推倒以修建道路,但保存了两座城堡、一道大城门和一段城墙。1882年建城百周年纪念,其特色便是着手进行许多社会改革,表现在建成若干公共建筑物以管理这些改革,并建成一座恢弘的皇家庙宇玉佛寺,庙内供奉着玉佛。19世纪80年代兴办起邮电业务,1892年石龙军路有了电车,国家铁路局修建的从曼谷到大城的第一条铁路于1900年通车。美化城市也受到重视。其他建筑中还有大理石的云石寺(1900)、法兰西式的雅致的大桥和意大利式的国会大厦(登基殿)。

拉玛六世(1910～1925)继续进行公共工程。他于1916年创办了朱拉隆功大学。他还修建了水闸系统以控制全城水道的水位,并给予公众第一个也是最大的休憩之地——实乐园。在拉玛七世(1925～1935)统治期间,划定了城市各区域的界限,这是旨在分散权力的行政改组总计划的一部分。1937年曼谷正式分成功贴和吞武里两个城市,在初建时两者面积近乎相等,总共约37平方英里(96平方千米),约4/5的城市人口住在功贴。

从第二次世界大战以来,曼谷空前地急速发展,结果,交通运输、住房、供水、排水和污染等问题变得严峻了。负责城市现代化的人们努力对付这些问题的情形使人想到它的市徽:因陀罗神骑在神圣的白象背上,4只长牙表示它以天神之尊,有法力去完成办不到的事情。泰国20世纪80年代以来的经济繁荣受到90年代后期的亚洲金融危机所影响。尽管如此,曼谷仍是亚洲最重要的旅游、金融和经济中心。本城独特的泰式风格也许在逐渐减少,但为曼谷日益增强的国际大都市的形象提供一个充满活力的背景。

Bangladesh 孟加拉国 全称孟加拉人民共和国。亚洲中南部较小的海岸国家,国土面积143 998平方千米。首都达卡。地处北纬20°34′与26°38′(南北两端之间最长约625千米),东经88°01′与92°41′(东西宽约305千米)之间。孟加拉国南部临孟加拉湾有不规则海岸线,东南与缅甸接壤;与印度相邻则西和北有西孟加拉邦,东北有阿萨姆邦和梅加拉亚邦,东有特里普拉邦和米佐拉姆邦。人口约133 377 000(2002)。

土地 孟加拉国地势低缓,有恒河(即博多河,恒河与布拉马普特拉河汇流后以此名称)、布拉马普特拉河(贾木纳河)以及梅克纳河诸河系在此汇合,然后注入孟加拉湾。它占有恒河-布拉马普特拉河三角洲平原东部的2/3,北面是恒河同布拉马普特拉河汇流以前所形成的楔形地区,东面是苏尔马河流域平原。再向东,冲积平原隆起而成高山,山脉主要为南北走向,构成该国东南与缅甸所隔分界线的一部分。

除旧冲积层有小块地区地势较高以外,整个平原都是平坦的新冲积层,坡度舒缓,一般不超过海平面9米。孟加拉国90%以上的土地是平原,而湖泊、沼泽和湿地则构成了该国水、陆兼备地形特征的另一重要侧面。在平坦的大地上,江河在高峙的堤岸内流动,一分再分为许多支流。成百平方英里的土地在季风期被淹没。

孟加拉国中南部一半是西面古老的三角洲,有枯河床和日趋干涸的河流;一半是东面新的三角洲,有水量充足的河流,正在发生沉积或构成作用。南部海岸地带是盐碱滩,长有红树林。靠近诺阿卡利和吉大港的狭窄的东南海岸地带则是同时由新旧冲积层构成的。再往东即为吉大港山区地带,那里多山,山低石软,多为黏土和页岩。南北走向的山脉通常不超过610米。最高峰乔克拉顿峰高972米。

气候和水文情况受每年一度的季风期(6～10月)的明显影响。国内3/4的雨量集中在这5个月。每至季风季节到来,许多河流泛滥,淹没农村。洪水为农田带来肥沃的淤泥,但也会毁坏庄稼,有时甚至造成巨大的人畜伤亡。吉大港高原的水文情况也很重要,因为孟加拉国水电的很大一部分来自戈尔诺普利大坝(形成戈尔诺普利水库)的发电站。年降水量因地而异,西部低地可少至1 000～2 000毫米,东北部的锡尔赫特丘陵可多至3 800毫米以上。温度一般在冬季的21°C和夏季的35 °C之间。初夏(4月和5月)及季风季后期有强烈的风暴,时或出现时速超过160千米的旋风和高达6米的巨浪,孟加拉国广阔的海岸低地常遭淹没。18世纪初开始作有关记录。那以后在风暴中罹难的人数远远超过了100万。仅1737、1876和1970年的3次风暴就夺去了81万人的生命。

该国1/3以上的土地是可耕的,且主要集中在低地地区;其中1/5能灌溉。国土约1/6为森林所覆盖。动物包括孟加拉虎、云豹和亚洲象等,皆濒于灭绝。

人民 人口的绝大多数是孟加拉族,讲一种与梵语相近的东部印度-雅利安语。4/5以上的人为逊尼派穆斯林,约1/10为印度教徒。东南部的吉大港山区地带主要居住着部落民,包括恰格马、马尔马、德利布拉和穆罗等族。他们绝大多数是佛教徒。

孟加拉国是世界上人口最稠密的国家之一,其中又以首都达卡城内和周围地区的密度最大。它也是一个农业国,仅有约1/4的人口住在城市地区。农村地区人口稠密,常常到了村庄之间难以区分的地步。人口增长率很高,几乎一半人口的年龄在15岁以下。出生和死亡率均明显高于世界平均数字。男、女居民的预期寿命仅56岁左右。

经济 孟加拉国具有发展中的混合经济,农业为其重要基础。几乎2/5的国内生产总值来自农业,其次为服务和交通运输业。虽然国民生产总值的增长略快于人口增长,人均国民生产总值仍居世界最低行列。

除耕地以外,孟加拉国自然资源贫乏,而土地却无论如何也不足以养活众多而且快速增长的人口。大多数的耕地用于种植谷物,品种以稻米和小麦为主。其他作物有甘蔗、黄麻、豆类、水果(香蕉、芒果和菠萝等)、根菜类、块茎作物和蔬菜等。此外还种植烟草、芝麻和茶叶。牲畜主要是牛(包括奶牛)、山羊、水牛和绵羊等。

孟加拉湾近海具有优良的捕鱼条件。国内无数的河道、河口湾和沼泽对发展淡水渔业十分理想,其捕获量亦占总量的大部分。

天然气是该国最丰富的矿产资源,只是规模尚小。大多数的石油化学产品和金属要靠进口。制造业在很大程度上集中于农产品或进口原材料的加工。重要的产品有尿素肥料(部分产自天然气)、黄麻织品、轧制钢材、粗钢锭、普通纸和新闻纸、精制糖、石油产品、化学制品、茶及其他食品、棉纱和布匹。9/10以上的电力由热电厂生产,其余来自水电站。

美国不列颠百科全书公司供图

孟加拉国有世界上最长的海滩，科克斯巴扎尔的海滩长120千米。吉大港和达卡亦吸引着大批的外国游客。

1971年独立以后，孟加拉国曾将大多数工业国有化。但是到1983年，几乎所有的经济部门都已退还给私人掌管。

国内全部劳动力的2/3用于农业，其次是制造业、商业和服务业。在20世纪70和80年代，许多孟加拉人前往科威特、阿曼、沙特阿拉伯和阿拉伯联合酋长国，在那里的建筑业和石油工业中找到了工作。直到90年代，在国外工作的孟加拉人的汇款始终是国家收入的重要来源。孟加拉国的经济发展严重依靠外援。世界银行、美国和日本一直是主要的援助者。

铁路系统属于国有并由政府经营，还有一个国营的公路（卡车）运输公司。已铺筑的路面不足1/10。内陆水运发展良好，主要的河港有5个。贾尔纳和吉大港为重要海港。达卡和吉大港有国际机场。

按价值计算，孟加拉国的出口大约仅及其进口的一半。主要出口成衣、黄麻制品和生黄麻、鱼、虾、田鸡腿、皮革、毛皮、革制品和茶。主要的出口对象是美国、德国、英国和意大利。进口物品为纱锭、纺织品、衣服、机械和运输设备、石油和石油制品、药品、铁和钢材、奶制品和蛋类等。它们主要来自日本、韩国、美国和香港。

政体和社会状况 孟加拉国是英联邦内一个独立的共和国。政府名义上是民主的。按照1991年的宪法（1972）修正案，立法权在议会（Jatiya Sangsad），其大多数成员由全民投票选举产生，任期5年。行政权归由总理领导的部长会议，总理则由议会中的多数党或政党联盟指定。总统是礼仪性的国家元首，亦由议会选举产生，任期5年。事实上，民主在孟加拉国难得有机会实施，因为国家政治几乎一直为军队所掌握。后来举行选举，结果单一的政党孟加拉国民族主义党（BNP）取得压倒优势。该党乃由若干不同的政治团体合并而成。

人口拥挤不堪、食品供应不足（很大一部分人口几乎单靠大米维持生活）、卫生条件恶劣，造成孟加拉国人民极端不良的健康状况。国民中有很大一部分受着疟疾、霍乱、肺结核等传染病的折磨。政府有效改善人民健康状况的努力未获成功，主要原因是国家缺乏医生和现代医疗设施，以及普遍恶劣的环境卫生条件。

政府为儿童提供免费的五年制初等教育，但不是义务教育。只有约2/3的儿童入学。按世界标准衡量，孟加拉国的识字率非常低。国内设有综合性大学和专科（农业、工程和技术等）大学，还有一所伊斯兰教大学。

孟加拉国的广播事业由政府控制。大多数报纸为私人所有，报刊出版较为自由。

文化生活 文学是孟加拉文化传统的一个重要部分。罗宾德拉纳特·泰戈尔是1913年诺贝尔文学奖的获得者。他写了大量的诗歌和短篇小说，描写美丽的孟加拉农村，尤其是恒河。他的诗歌《我们金色的孟加拉》已经成为孟加拉国的国歌。

历史 印度早期梵语文献（约公元前1000年）曾经提到过一个名为梵加（Vanga）或孟加（Banga，由此而成Bengal或Bangladesh）的三角洲王国。到公元前4世纪，孟加拉成为印度孔雀帝国（约公元前325～前185）的一部分，并受到佛教的影响。公元4世纪并入印度东北摩揭陀国的笈多王朝。大约从公元750至1200年，相继统治这里的是巴拉和森纳两个当地的孟加拉王朝。尽管佛教在这里盛行多年（仅笈多统治者是印度教徒），但是到10世纪，孟加拉还是印度教占绝对优势。

公元10世纪末，穆斯林开始入侵印度北部。1026年在德里建立了所谓奴隶王朝，或称马木路克王朝。1338年，孟加拉成功地从德里苏丹国分离出来，从此保持独立，直到1576年为莫卧儿人所征服。穆斯林在政治和军事上居统治地位达数世纪，其间居住在今孟加拉国地方的大部分人皈依了伊斯兰教。

在莫卧儿王朝统治时期，欧洲人经商来到这里。1651年，英国东印度公司在孟加拉建立了一座商馆（通商基地）。后莫卧儿王朝在孟加拉的势力衰落下去，而公司对于其在孟加拉的业务则益加担心。在普拉西战役（1757）中，为公司作战的罗伯特·克莱武打败了孟加拉纳瓦布（统治者），将一个较为亲英的继任者扶上台。到1765年，英国东印度公司已经掌握了孟加拉的收税权，标志着英帝国在印统治的开始。

英国的政策在经济上给孟加拉人民带来了深重的苦难。当地的手工业，特别是细棉布业，由于英国机制品的输入而破产，而那里的自然资源却源源流向英国。印度教徒和穆斯林之间的仇视由于英国人的政策而加深。1905年，迫于穆斯林的压力，英国人分割了孟加拉，制造了一个穆斯林居统治地位的东孟加拉。一年以后，一个寻求保障印度穆斯林权利的社会组织“穆斯林联盟”在达卡建立。

印度教徒对于分割的反应十分强烈。1912年，英国人撤回了分割法令，但印度教徒和穆斯林之间的积怨仍继续加深。1947年英国撤出次大陆后，东孟加拉成为穆斯林国巴基斯坦的一部分，即东巴基斯坦，但是1 000英里的距离和语言文化的诸多差异，却将它同居于优势地位的西巴基斯坦分隔开来。

独立的巴基斯坦产生后，孟加拉人的民族主义情绪不断高涨。人民联盟这一政党公开发起孟加拉自治运动。1970年，它在国民议会中赢得多数席位，然而巴基斯坦政府却拖延召开议会。暴力事件出现，游击战争开始。成百万的难民涌入印度。印度最终站在孟加拉人一边参战，结果西巴基斯坦战败。1971年12月16日，东孟加拉成为独立的孟加拉国，定都达卡。

战争造成的破坏十分严重，而事实证明政治稳定也很难恢复。开国总统谢赫·穆吉布·拉赫曼1975年遇刺。1981年，他的继任人齐亚·乌尔-拉赫曼亦遭刺杀。1982年，侯赛因·穆罕默德·艾尔沙德通过又一次政变上台，并于1984年成为总统。90年代以来，孟加拉国主要由民族主义党（BNP）和人民联盟（AL）轮流执政。1990年，艾尔沙德被迫辞职。1991年2月举行大选，孟加拉国民族主义党主席，齐亚·乌尔-拉赫曼的夫人卡莉达·齐亚上台。1996年，人民联盟在大选中获胜，党主席谢赫·哈西娜出任总理。2001年10月，民族主义党领导的四党联盟在议会选举中获胜，党主席卡莉达·齐亚出任政府总理。副主席巴德鲁杜札·乔杜里当选总统。2002年6月，乔杜里总统辞职。9月，无党派人士伊阿祖丁·艾哈迈德当选为新总统。

Bangni（people） **邦尼人** 参阅**Dafla**达夫拉人。

Bangong Co 班公错 中国西藏自治区西部边境著名湖泊。在日土县境内。藏语意为“明媚而狭长的湖”。湖东西长110千米，南北平均宽约4千米。湖面海拔4 241米。西端伸入克什米尔地区。湖的东部有数条河流注入，为淡水湖；西部为咸水湖。

群鸟翔集的班公错

中国大百科全书出版社供图

Bangor 班戈 北爱尔兰北部丘陵区（1973年设置）城镇，原在唐郡内。位于贝尔法斯特海湾南岸。约555年所建的隐修院成为著名的学术中心。班戈现为海滨胜地，小港湾设有北爱尔兰皇家游艇俱乐部总部。有少量轻工业。人口52 437（1991）。

Bangor 班戈 美国缅因州中东部佩诺布斯科特县县城。在佩诺布斯科特河可航河段上端，与布鲁尔隔河相望。1769年始有人定居。1791年设镇。1812年战争中曾短期被英军占领。1830年建成船坞，为重要木材转运港。现为商业中心，有各种制造业，生产纸张、电子设备和皮鞋。市内有班戈神学院（1814）、比尔学院（1891）、赫森学院（1898）和东缅因职业技术学院（1966）。原空军基地现为班戈国际机场。在河上游14千米的奥罗诺是缅因大学的旧址。1834年设市。人口：市31 473；班戈都会统计区90 864(2000)。

Bangor 班戈 威尔士圭内斯郡阿丰区首府、大教堂城市。扼梅奈海峡北端入海口。从6世纪起为凯尔特基督教信仰中心，建有奉献给圣戴尼奥尔的班戈大教堂。因诺曼人、英格兰约翰国王和15世纪初威尔士起义首领欧文·格伦道尔等入侵，班戈大教堂屡遭破坏，后多次修复。1866年修复后，其结构形式保留迄今。是著名的文化中心。有北威尔士大学学院(1884)、若干教派的神学院和威尔士古代文物博物馆。城东北彭林堡是用彭蒙大理石仿制诺曼人古堡建造的。人口12 330(1991)。

Bangui 班吉 中非共和国首都。位于乌班吉河西岸。工业有制皂和酿酒。但主要是商业和行政中心。通过河港转运棉花、木材、咖啡、西沙尔麻等。轮渡通刚果(金)的宗戈。

班吉市的爱德华·雷纳广场
美国不列颠百科全书公司供图

公路通喀麦隆、乍得和该国北部地区。设有班吉大学(1969)、国立艺术学校(1966)、数所科学技术研究机构和两座博物馆。人口约553 000(1995)。

Bangweulu 班韦乌卢湖 在赞比亚东北部。为带有大片沼泽的浅湖，属刚果河水系。海拔1 140米。呈三角形，面积约9 800平方千米。湖中有3个有人居住的岛屿，沼泽中多低岛。谦比西河两岸的沼泽地带有茂密的植被，能对洪水起控制作用。渗出的湖水最后形成卢阿普拉河。湖鱼经烘干后向西运往产铜区。第一个考察湖区(1868)的欧洲探险家和传教士D.利文斯敦博士，于1873年在班韦乌卢湖南岸逝世。

bangziqiang 梆子腔 中国戏曲主要声腔之一。明代(1368～1644)末叶兴起于山西、陕西(包括今甘肃)地区。因演唱时以打击乐器梆子击节，故称梆子腔，也叫"乱弹"。陕、甘地区流行的梆子腔统称为秦腔。清代(1644～1911)中叶梆子腔逐渐盛行，流布地域遍及南北各地，分别成为当地的梆子腔剧种。声腔风格高亢激越，粗犷豪放。以演唱梆子腔为主的戏曲剧种有秦腔、蒲剧、山西中路梆子、河北梆子、豫剧等。此外，还有川剧中的弹戏，滇剧中的丝弦，京剧中的南梆子等唱腔也都属于梆子腔系。在戏曲体制变革中梆子腔是由曲牌联套体发展为板式变化体的最早声腔。

Banhā 本哈 又拼Benha。下埃及盖勒尤卜省省会。位于尼罗河达米埃塔支流右岸。中世纪以来即以生产优质蜂蜜著名。位于土壤十分肥沃的植棉区中心。工业有轧棉，棉、麻纺织品制造，以及蔬菜加工。盛产柑橘和葡萄。其位置使之最初为埃及公路中心，后为铁路枢纽。人口约115 571(1986)。

banhu 板胡 又拼Pan-hu。中国擦奏弦鸣乐器。胡琴的一种。琴筒用竹、椰壳或木料制成，直径约10厘米。琴筒一面蒙桐木板，故称板胡。张丝弦或金属弦两根，按5度或4度关系定弦，拉动琴弓使弓上马尾擦弦发声，演奏时左手按弦，右手拉弓。其音高亢激越，是中国梆子戏的主要伴奏乐器。在民间乐曲中也常用于独奏、合奏。板胡种类颇多，有"梆胡"、"呼胡"、"提胡"、"壳子弦"等。

Baní 巴尼 多米尼加共和国南部城市。在沿海低地中，距加勒比海5千米。内地富饶农业区的商业和工业中心。农业区的主要产品是香蕉、稻米和咖啡。位于该国首都圣多明各至海地边界上的科门达多尔之间的公路上。人口61 864(2002)。

Bani-Sadr，Abolhasan 巴尼-萨德尔(1933-03-22，伊朗哈马丹～) 又拼Abū al-Ḥasan Banī-Ṣadr。伊朗经济学家、政治人物。先在德黑兰大学攻读宗教和经济，后在社会研究所学习4年。为20世纪60年代初期学生反巴列维国王运动领袖，因政治活动两度入狱。在1963年6月末遂起义中负伤，旅居法国。在巴黎大学继续其学业，获博士学位，后任教。他是一位狂热的民族主义者和革命的经济学家，其研究成果于70年代出版。霍梅尼流亡法国时，他追随其左右。社会动荡迫使伊朗国王逃离伊朗后，二人于1979年2月1日回国。霍梅尼控制了全国，组建政府，7月任命他担任经济财政部副部长，11月任命其为部长。1980年1月25日，巴尼-萨德尔当选为伊朗伊斯兰共和国第一任总统，次月，霍梅尼任命其为伊朗决策机构革命委员会主席。任总统期间，总理及多位行政部门首脑均难以令其满意。9月伊拉克入侵伊朗，爆发两伊战争(1980～1990)。10月31日，他致函霍梅尼，抱怨不称职部长对国家安全的危害较伊拉克入侵尤甚，并指出无人理睬其对经济情况恶化的警告，并提出有必要改组武装力量。此函以及之前反对伊朗关押美国驻德黑兰大使馆人质一事，激怒了国会议员，1981年6月21日对其提出弹劾。翌日，霍梅尼更因其与反政府组织谈判，免去其总统职务，并下令以阴谋叛国罪将其逮捕。他逃往法国。在法国，和反政府组织领导人拉贾维一起成立旨在推翻霍梅尼政权的"全国抵抗委员会"。1984年，因与拉贾维意见不合而离开该联盟。

Banī Ḥasan(Egypt) 参阅**Beni Hasan 贝尼哈桑**。

Bani River 巴尼河 马里境内尼日尔河右岸主要支流。由源头巴乌莱河及巴戈埃河在巴马科以东汇合而成。在马西纳洼地注入尼日尔河。部分地段通航。流经地区多属热带稀树草原。收入来自两岸种植的粟、水稻、高粱和玉米以及牲畜饲养。

Banī Suwayf 贝尼苏韦夫 上埃及北部地区尼罗河沿岸一省。定居面积1 322平方千米。1964年率先实施了由国家监督的集体耕作计划。主要作物有棉花、谷物、豆类和甘蔗。省会贝尼苏韦夫(**Banī Suwayf**)是该地区集市贸易中心。东部沙漠开采雪花石膏，西面沙漠有铁矿藏。省内古迹有位于美都姆的古埃及第3王朝(约公元前2686～前2613)时的胡尼金字塔，以及位于贝尼苏韦夫城西面的古代赫拉克利奥波利斯的遗迹。开罗—阿斯旺铁路在贝尼苏韦夫城有站。另一铁路支线通法尤姆。人口约1 586 000(1990)。

Banī Suwayf 贝尼苏韦夫 又拼Beni Suef。上埃及北部贝尼苏韦夫省省会。尼罗河西岸的重要农产品贸易中心。在第9和第10王朝时期(约公元前2160～前2040)，城以西10英里的赫拉克利奥波利斯(今伊赫纳西耶迈迪奈)是统治下埃及和中埃及的国王首都。公元前约1 000年间，利比亚人统治埃及，在此建立第22王朝(约公元前950～约前730)。工业有磨面、纺棉和纺织品制造。附近出产雪花石膏。通铁路。人口约151 813(1986)。

Bania 班尼亚 又拼Baniyā(源于梵语vāṇija，"交易")。印度种姓。通常由放债人或商人组成，见于印度北部和西部各个地区。但严格说来，许多商人集团不属于班尼亚种姓；反之，有些班尼亚种姓者也不是商人。在分为4级的印度社会中，无数班尼亚次种姓都被划为吠舍或平民，如阿格瓦尔(**Agarwālā**)即是一例。在宗教体系方面，他们属于印度教毗湿奴神的信众或耆那教徒，倾向于严格素食、绝对戒酒，并严格遵守斋戒沐浴教仪规程。印度领袖圣雄甘地即属于古吉拉特地区一个班尼亚种姓。

Banihāl Pass 伯尼哈尔山口 比尔本贾尔岭的山口，位于印度次大陆北部查谟和克什米尔印度控制区境内。"伯尼哈尔"为克什米尔语，意即"暴风雪"。该山口位于多达县，海拔2 832米，为克什米尔谷地与印度平原之间的主要门户。查谟—斯利那加公路通过贾瓦哈尔隧道穿过山口，但冬季有时被大雪阻塞。过去货物靠人背过山口，需时一日。

Banim，John and Michael 巴尼姆兄弟(约翰1798-04-03，爱尔兰基尔肯尼～1842-08-13，基尔肯尼；迈克尔1796-08-05，基尔肯尼～1874-08-30，都柏林附近的布特斯敦) 爱尔兰两兄弟，合写关于爱尔兰农民生活的小说和故事。他们共同创作的《奥哈拉家的故事》(1825)发表后,立即获得成功。他们最好的作品《康内尔神父》(1842)主要由迈克尔执笔。

banishment 放逐 参阅 **exile and banishment** 流放和放逐。

Baniyā (Hindu caste) 参阅 **Bania** 班尼亚。

Banja Luka 巴尼亚卢卡 波斯尼亚-黑塞哥维那北部城市,临弗尔巴斯河,位于它同弗尔巴尼亚河交汇处。曾被土耳其人统治。19世纪它在波斯尼亚人反抗土耳其的起义和塞尔维亚人叛乱中起重要作用。第二次世界大战中为抵抗运动中心。1945年后建起新工业区。生产水果和蔬菜罐头、卷烟、酿酒,并制造机床、电器、服装、纸浆和纸、合成纤维等。有公路通萨格勒布、亚伊采和萨拉热窝。保存有多座土耳其清真寺,以1583年建的美丽的费尔哈迪亚清真寺较著名。人口160 000(1997)。

Banjak (Indonesia) 参阅 **Banyak Islands** 巴尼亚群岛。

Banjarmasin 马辰 又拼 Bandjarmasin。印度尼西亚南加里曼丹省省会。位于婆罗洲南部沿海,巴里托与马塔普拉两河之间的塔帕斯岛上。加里曼丹岛上这块最大的平原河流密布。东部为默拉图斯山脉,大部分地区缺少道路难以通行。房屋建在桩子上,田园有围墙和排水沟,交通靠河流。建有机场。港口优良,输出橡胶、胡椒、木材、藤条、绳索纤维、油脂、金、金刚石、煤和铁。原为一苏丹王国的中心。19世纪曾是反抗荷兰政府活动的中心。人口527 415(2000)。

banjo 班卓琴 源自非洲的一种弦乐器。19世纪由奴隶在美国普及,后输入欧洲。琴

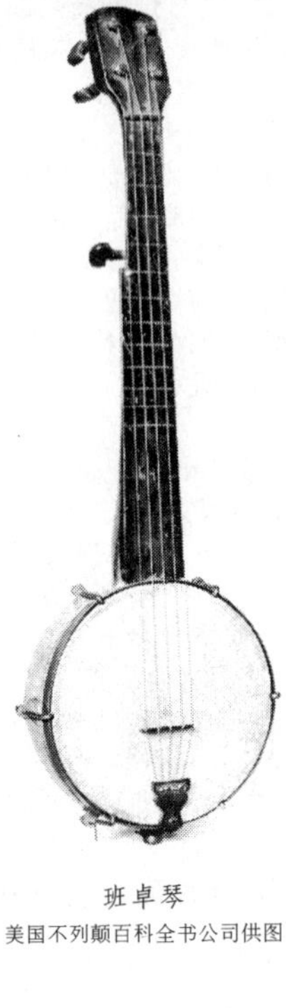

班卓琴
美国不列颠百科全书公司供图

式状似铃鼓,有一个箍和螺旋将羊皮纸制的面板卡在琴框上,可用调节螺旋来改变面板的张力。在19世纪90年代,长琴颈上加了品,并且用有螺旋的机械琴头代替弦轴。最早的班卓琴有4根肠衣弦,后用5～9根金属弦。标准班卓琴共有5根金属弦,其中4根弦从琴头调音,通常定为从中央C向上的C′－G′－B′－D″(记谱)。C弦前面是高音弦或拇指弦。这根弦定弦为中央C以上的(记谱的)第二个G。实际音高比记谱低8度。用拨子弹奏的班卓琴没有高音弦。班卓琴广泛用于美国民间音乐和爵士乐合奏。

banjo clock 班卓琴座钟 一种时钟,因其上部形似倒挂的班卓琴而得名。由美国康涅狄格州的S.威拉德于1802年创制。有一个圆的钟面,框以窄的金属边,上有嵌玻璃的沟缘。钟顶部带有顶端饰。钟的下部有一个狭窄的躯干,躯干底部较上部稍宽,内悬钟

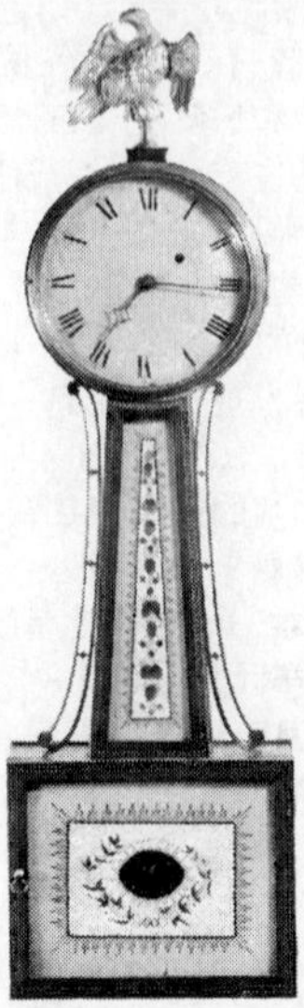

S.威拉德约1810年
制作的班卓琴座钟
美国不列颠百科全书公司供图

摆。钟的底部是一个较宽的匣子,以便摆锤摆动。钟的3个主要部分都有金属细凹线装饰。最精美的班卓琴座钟下面还有托座形的垂饰。

banjo shark 班卓琴鲨 参阅 **guitarfish** 犁头鳐。

Banjoewangi (Indonesia) 参阅 **Banyuwangi** 外南梦。

Banjul 班珠尔 1973年前称Bathurst。冈比亚首都和大西洋港口。位于冈比亚河河口圣玛丽岛,为全国最大城市。建于1816年,曾为英国殖民地和保护国首府,1965年冈比亚独立后建市,成为国家首都。1973年改名班珠尔。是冈比亚商业、交通中心,有花生剥壳和榨油厂,并出口花生、花生油和棕仁。旅游业日渐重要,这对于缓和城市就业和促进手工业(木刻、金银丝首饰)发展,都很必要。通过冈比亚河渡口和一条与横贯冈比亚高速公路相接的道路,该市得以与内陆地区和塞内加尔连接起来。沿汽船航线上溯242英里可达巴塞圣苏,冈比亚国际机场设于西南14英里的云杜姆。为国家教育中心,有冈比亚中学(1958)、两所天主教中学、一所穆斯林中

冈比亚河口附近的班珠尔市港口
美国不列颠百科全书公司供图

学、一所职业学校、一所公共图书馆。有皇家维多利亚医院(1957)及护士学校(1964)、精神病院、结核病院和疗养院。沃洛夫族几乎占城市人口一半,阿库(被释放的奴隶的后裔)、马林克(曼丁哥)、毛里塔尼亚人等占少数。有清真寺和英国圣公会、天主教和卫理公会教堂。人口:42 326;大都会区270 540(1993)。

Banjuwangi (Indonesia) **巴纽旺宜** 参阅 **Banyuwangi** 外南梦。

bank 银行 经营货币和货币代用品及提供其他金融服务的机构。银行接受存款、发放贷款,通过存贷的利率差获取利润;还有权印制货币。

银行主要分成两大类:商业银行和中央银行。商业银行受理现金储蓄、支票存款、发放贷款和进行其他投资,及为个人和机构提供兑换资金便利的金融服务。银行除赚取“利率差”利润外,还对各种服务收取费用。中央银行是政府的付款人,是政府货币和信贷政策的代理人,并且常常是设计者;在遇到金融危机时则是商业银行的最终贷款人。中央银行除了基本的业务活动,由于得到政府银行保险的支持,还在心理上起到货币制度保证人的作用。中央银行通过收取费用和证券交易为政府赚取可观的收入。

早期的银行工作仅是核验铸币和兑换各种合法铸币。由于文艺复兴早期商路的延伸,银行家们设法使其代理人能在远方(以对己有利的兑换率)实现款项支付,而无须实际转运铸币。早期的银行受理存款和贵重物品的保管。至17世纪,伦敦的银行家们已建立起一套具有现代银行大部分主要业务的体系。他们经营国际汇兑,支付利息以吸引存款。因为了解只有一小部分储户在某一时候提取现金,于是将余额计息贷出。个人或公司开出书面票据通过银行兑换资金的办法已日益普遍,这就是现代支票的起源。银行通过准予支票开具人透支的优惠和发行银行券的办法发放贷款。这两种扩大信贷的办法都

起到增加货币供应量的实际效果。在大多数国家中央银行最后取代了商业银行作为银行券和通货发行者的地位。

美国和英国代表了国家银行体制的两个极端。在美国是单一银行制;在英国是分行银行制。美国在边远地区无计划地殖民,加上人们对财政上中央集权做法的反感,导致地区银行的激增。遇到大额和复杂的会计事项,乡村银行便来求助于相应的城市银行。虽然这种限制正日渐放松,但州际的银行分行业务在美国还是受限制的,有些州甚至将分行限制在州界之内。英国的银行制度为四大银行所支配,每家都有大量的分行。由于国家幅员狭小,高效交通运输的早期发展,以及立法鼓励股份银行公司,使风险分摊到许多业主之间,并使一旦破产时股东的义务受到限制。英联邦许多国家(印度除外)都遵循这种分行模式。印度、日本和大多数欧洲国家的银行制度可定位为介乎这两个极端之间。

银行业务的本质是通过信贷和政府行为创造货币。金融机构,如投资银行、国内的贷款与储蓄银行以及金融公司不能通过信贷创造货币。他们只能将他们从别处借来的存款或基金贷出。商业银行只要求以现金和准现金(准现金包括短期的、保险的、可变为现金的票证,如国库券、商业票据和在中央银行或其他商业银行中的存款)的形式保存部分存款。他们放款时,一般地是将款项加在借款人的支票账户的贷方。这实际上是准予透支。他们开具的支票,其他银行必须予以兑现,即使这些款项是银行通过贷款创造出来的。由于因贷款而发生的付款会作为存款而返回该银行系统,这种信用的创造又加强了它自身。银行业务的基础是公众对制度稳定性的信心,因为公众一旦同时要求提取现款(例如在危机时期),是没有一家银行能予以全部兑现的。虽然日本和德国的银行提供长期融资,但大多数国家的商业银行宁愿作短期借贷,因为风险较小。

中央银行是19世纪一再出现的金融危机这一标志市场经济特有的繁荣与萧条周期的产物。英格兰银行是第一家"银行的银行";其他国家随后纷纷仿效,美国则于1913年建立其联邦储蓄系统。中央银行除了充当政府付款人的角色外,还有通过禁止超风险贷款、审计账目、监督银行管理、给面临现金匮乏的银行贷款的办法对商业银行加以管理控制的责任。近几十年来,中央银行还积极参与制定经济政策、稳定外汇市场和控制信贷与货币供应量增长。中央银行享有不受政府直接控制的不同程度自主权。例如在美国,总统任命联邦储备委员会委员以长久的和交替届满的任期,其用意在于使该委员会的委员免受短期政治压力的影响。

bank 暗滩 海底被淹没的石质或砂质高地,最高点在海面以下不到200米,但还未高到威胁航行的高度。很多暗滩是大陆架或岛坡上的局部突起。类似的高地而顶部在海面以下200多米的,称洋底高原。顶部十分接近海面以致威胁航运的暗滩则称浅滩。有些暗滩为海洋动物提供了良好的生活环境,是重要的渔场,例如纽芬兰的大暗滩。

bank holiday 银行假日 英国1871年《银行假日法案》和1875年补充法案中规定的英格兰、威尔士、北爱尔兰和苏格兰的银行假日。虽然这些假日并非法定公共假日,但其实施范围已不仅限于银行界了。1830年前,英格兰银行大约在40个圣徒纪念日及周年纪念日停业,但到1830年,停业日期就减到18天,1834年进一步减到只有4天,即耶稣受难日、五一节、十一月一日和圣诞节。根据1871年的法案,英格兰、威尔士和爱尔兰把以下的日期定为银行假日:复活节后的第一个星期一、降灵节后的第一个星期一即8月的第一个星期一、12月26日(如该日为周日)。1875年的补充法案又规定,如12月26日为星期日,则12月27日为圣诞节后的第一个非周末休息日,即所谓"节礼日"(Boxing Day)。1903年爱尔兰颁布的《银行假日法》规定,3月17日的圣帕特里克节(如遇星期日,推迟一天)为银行假日。英格兰、威尔士、北爱尔兰都将圣诞节和耶稣受难日作为习惯法规定的银行假日。在苏格兰,银行假日包括:元旦和1月2日、圣诞节(上述这些日期如逢星期日,则推迟到星期一)、耶稣受难日、劳动节(五一)和8月的第一个星期一。1871年的立法还把英国官方规定的任何一个银行假日都列为法定假日。20世纪80年代,英格兰、威尔士和北爱尔兰的银行假日有新年,如1月1日为星期六或星期日,则改在1月第一个星期一;耶稣受难日;复活节后的第一个星期一;"五一"(劳动)节,如"五一"为星期六或星期日,则在5月第一个星期一;5月最后一个星期一;8月最后一个星期一;圣诞节和"节礼日"。

Bank of America Corporation 美洲银行公司 1998年由美国国家银行公司(NationsBank)和美洲银行公司(BankAmerican)合并而来的开展银行业务和金融服务业务的公司。为美国最大的银行机构之一。总部设在北卡罗来纳州的夏洛特。历史可追溯至1904年A.P.基安尼尼在旧金山开办的意大利银行。最终发展成为美国的银行,并一度被基安尼尼的环美公司所持有。1958年发行第一张银行信用卡——美洲银行信用卡。新命名的美洲银行公司为1968年为了购入美洲银行国民信托储蓄会(Bank of America NT & SA,简称美洲银行)和其他一些金融附属机构而在特拉华州成立的持股公司。1983年购入华盛顿州立银行西弗斯特公司,这是迄至当时美国最大的州际银行合并。1991年美洲银行公司又购入其加州主要竞争对手安全太平洋公司。2004年通过并购波士顿舰队金融公司而扩张至新英格兰。到21世纪,该银行在20多个州有5 500多家分行。此外,还在世界30多个国家开展公司和投资银行业务。

Bank of Boston Corporation 波士顿银行公司 美国的银行持股公司,其主要的下属银行为波士顿第一国民银行。该公司通过波士顿第一国民银行及国内外各地所设的其他下属银行向私人和商界客户提供全面的财务、银行业和信托服务。总部设在马萨诸塞州波士顿。波士顿第一国民银行为美国最古老的银行之一,1784年成立时称马萨诸塞银行,1903年与波士顿第一国民银行(1859年成立,原名安全基金银行)合并后采用后者名称;随后又有多次兼并与收购。波士顿银行公司1970年成立时原名波士顿第一国民公司。在其合并波士顿第一国民银行与老殖民地信托公司到新成立的马萨诸塞银行后,又经过一次改组;后来,马萨诸塞银行又改名为波士顿第一国民银行。该公司1983年取现名。其下属银行提供多项服务,如贷款、现金管理、工资发放、设备租赁和数据处理;它们还提供金融市场交易、信托代理服务、财务代理、抵押储贷、冒险资本融资、商业资金筹措等。

Bank of China Tower 中国银行大厦 香港的一座三角形玻璃摩天大楼,建成于1989年。主要为北京中国银行香港总部,另有其他一些租户。这座摩天大楼多年来是在美国之外的世界最高建筑物,高达369米。由美籍建筑师贝聿铭设计。具有三维空间三角形的独特形状(其底部为四方形,顶端为三角形),根据贝的说法,这种设计"可将垂直的压力转移到建筑物的四角,使之非常稳固并可抗风"(对经常受到台风袭击的香港这很重要)。内部楼层呈不规则形,末端或棱或角,各面全部装以玻璃窗,四周景象尽收眼底。这座70层的建筑物顶部有一对旗杆,纯粹是一种装饰。

Bank of New York Company, Inc., The 纽约银行公司 美国主要的银行持股公司,总部设在纽约市。纽约银行于1784年创立,于1791年领取特许状。从20世纪20年代至60年代,纽约银行兼并了其他许多银行;1968年纽约银行有限公司(The Bank of New York, Inc.)成立,并注册为各个分支机构(包括大大扩大了的纽约银行)的持股公司。1969年持股公司采用现名。此后,持股公司收购了若干银行业、金融和投资公司,这些公司大多在纽约州,但也有一些在美国及海外其他地方。这种迅猛的扩张,以1988年吞并金融巨人欧文银行公司(1851年创立)最为显著。纽约银行公司监督各银行、公司、社团和个人的商业银行、信托和投资业务。它经营着全国性的和国际性的批发银行业务,还有整个纽约州的零售银行业务。

Bank One 第一银行 原美国银行控股公司,2004年与摩根大通公司合并。第一银行创办于1998年,系由第一芝加哥NBD公司与第一银行(Banc One)合并而成。1998年合并后虽跻身为全国最大的银行之一,但经营状况差,直至原花旗集团主管J.戴蒙接任首席执行官对业务调整后始见起色。总部在芝加哥,曾是提供个人银行业务、商业贷款、信用卡和自动清算服务的重要银行。

bank rate 银行利率 参阅**discount rate贴现率**。

Bank Street College of Education 银行街教育学院 美国纽约市的一所私立男女合校师范学院。该校只开设研究生课程，办有一所实验学校，并进行基础教育研究。1916年，该校由加利福尼亚大学第一位女学监、J.杜威的信徒L.S.米切尔创办，最初名为教育实验所；设有一个幼儿园，进行儿童发展研究。1930年，该所在银行街69号开办一所小学和一所教师培训学校，设置新的课程，编纂教学材料，编写儿童读物。1950年，该校改名为银行街教育学院。1964年，为了处境困难的学龄前儿童的利益，它协助发起全国幼儿早期教育规划。1965年起，该校出版银行街读本，这是一种最早面向多种族儿童和城镇地区的教学材料。它对全世界的儿童电视节目和对学校与儿童保健设施提出改进意见，并为残疾儿童制订正规的学习计划。

Bank War 银行之战 美国历史上，总统A.杰克逊与美国银行行长N.比德尔之间就是否让全国唯一的银行机构在19世纪30和40年代继续存在一事而展开的斗争。美国第一银行于1791年经国会特许成立，1811年因杰斐逊派共和党人拒绝通过新的联邦特许状而关闭。1816年美国第二银行建立，其联邦特许状为20年。杰克逊于1829和1830年两次明确表示他作为总统和个人都反对该银行。他认为银行把过多的财权集中到了一小撮不受公众控制的有财势的人手中。比德尔求助于国民共和党人，特别是H.克莱和D.韦伯斯特的支持，这一问题转为一场政治斗争。1832年国会两院决定再发特许状后，杰克逊予以否决。在同年总统大选中再度当选的杰克逊决心不仅不再颁发特许状，还要尽可能地消除“腐败的祸患”。于是他命令不再将政府资金存入该行，现有的存款通过开支花掉，新的财政收入存入89家称为“宠儿银行”的州银行。比德尔以收回债款给予回击，触发了信贷短缺和商业萎缩。杰克逊坚持不退让，比德尔最后被迫放宽银行信贷政策。当银行的联邦特许状最后到期时，比德尔从宾夕法尼亚得到一张州的特许状使银行继续营业，但1841年因投资失误和全国的经济陷于困境而停业。

Banka（Indonesia） 参阅 **Bangka** 邦加。

Bankers Trust New York Corporation 纽约银行家信托公司 美国的银行持股公司。1965年成立时，名纽约BT公司，1967年改现名。总公司在纽约。公司主要是通过购买银行和其他金融机构而组成的，其中最大的商业银行是纽约市的银行家信托公司（1903）。它是一个在30多个国家设有分行、支行、联行和代表处的国际银行业务系统。20世纪80年代，它将商业银行批发业务置于最优先的位置，逐步淘汰其零售业务分支机构和信用卡业务。公司还有信贷、租赁和投资咨询的分支机构。

Bankhead, Tallulah (Brockman) 班克黑得（1902-01-31，美国阿拉斯加亨茨维尔～1968-12-12，纽约州纽约） 美国电影及舞台女演员。出身于一个社会地位显赫的家庭（其父后来成为知名的国会议员）。1918年在百老汇初次登台，1923年在伦敦登台演出《舞者》而成名。她鲜活的演技与浑厚的嗓音使她在《小狐狸》（1939）、《间不容发》（1942）以及《私生活》（1946）等剧中的表演独具一格。她曾拍过《一个女人的法律》（1928）和A.希区柯克导演的《救生船》（1944）等影片，但仍以舞台表演为主。她最后的演出是1964年的《牛奶列车不再在此停靠》。

bankruptcy 破产 指通过法定程序宣布债务人已无力偿还其债务的状况。破产与无力清偿债务，有时虽被毫无区别地应用，但却有明显不同的法定意义。按照美国联邦破产法案的定义，无力清偿债务是指：债务人财产总额，按公平的估价，已不足以偿还其欠债。债务人可以在不成为破产者的情况下无力偿还债务。相反，如债务人自愿提出破产申请时或如由债权人提出非自愿申请、声称债务人有若干破产行为表现时，皆因无需其无力清偿债务之证明，债务人可以不是没有清偿债务能力而成为破产者。破产宣告是法律文件，它告知大家债务人已提出恰当的自愿破产申请或债权人已以债务人为对象提出并拥护恰当的非自愿破产申请。破产宣告是管理、支配债务人财产的法定程序的第一步，从此债务人财产便不再由其个人控制。破产立法的主要目的是：①在不过分强迫债务人的同时，获得理应得到的赔偿；②要区分非自愿的无力偿还债务和蓄意抗债或赖账；③要使各债权人皆可以从债务人用以还债的财产中分得公平的份额。另一目的（这已成为现代立法的特点）是：培养与提高商业道德风气，保障整个商业社会不受由于滥用信用和不正当贸易竞争而引起的罪恶的伤害。由于债权人之间具有相互冲突的利益而不能作为一个和谐的整体行事，而必须要得到专业受托人、律师和其他代理人的帮助；这些人专门处理既有行政管理功能又有准司法功能的事务，他们也因这些服务从债务人财产中抽得报酬。

bankruptcy, laws concerning 破产法 破产法的主旨在于对丧失偿付能力的债务人的资产进行有条理和公正的清算。但破产法的范围已逐渐扩大，现代破产法包括各种安排和整顿、使陷入财务困难的资产避免清算的司法程序。现代破产法是由许多历史渊源发展而形成的。古代罗马法，规定债权人可要求扣押和出售债务人的资产。到中世纪，意大利各城市都制定了处置那些躲债潜逃或伪装无力偿债的债务人的法律。这类“破产者”不但要受到严厉的刑罚，还要清算其全部资产。其后，西欧各国普遍以这些意大利中世纪城市的法律为典范来处置潜逃的或伪装无力偿还的债务人。后来，为避免使债务人因破产而遭到诸如财产清算、刑罚和丧失公民权的悲惨后果，有些法律就采用一种补救方法，即债务人可与大多数债权人达成协议以延期偿还或减少其债务。这种方法虽被英、法等国的法律采用，但有的只把它作为结束破产而不是防止破产的程序。直到19世纪后半期，才恢复协议偿还部分欠款而了结债务的办法，作为避免清算的合法手段。现在大多数国家都承认这是经济整顿的重要方法。

当前，各主要工业国家的资产清算法，虽在政策和细节方面大不相同，但都涉及6个主要问题。①什么人的资产才能清算？德、日、奥等国的法令载明，凡属自然人和法人，不论其是否经营商业，也不论是由债权人还是债务人提出申诉，一律适用破产程序。在美国，除一些金融机构外，商人或非商人以及私营企业均适用破产法。英国的破产法则只适用于个人，而不论其是否是商人。②什么人有权提出清算？多数国家的破产法规定，债权人或债务人都有权提出清算申诉。有些国家规定，可由法官裁定或由公职人员提出申诉。关于宣告破产的条件，英、美等多数国家规定，债权人提出申诉要以债务人有破产行为或无力偿债行为为前提。③什么资产应受到清算？破产法的要点之一就是确定应出售的财产，以便将收入分配给所有的债权人。德国规定，在判决之日，破产人所有非豁免的财产，均属破产的财产。其他许多国家如英国、澳大利亚等的破产法规定，所有判决以后以及执行期间获得的非豁免财产，均属应分配资产。④一切债权人均享有同等待遇是各国破产法关于清算破产人财产的基本原则之一。不过，按传统习惯，税金及其他欠付国家的债款、工资以及获得优待的私人负债，在处理时均享有优先权。⑤法庭、行政官员及债权人在诉讼过程中的作用。按传统债权人在破产诉讼中居于重要地位；而现在大多数国家，由于法庭有行政官员共同参与处理破产案件，债权人的地位已经削弱。⑥清算未付或部分未付债务的效果对社会说来是一种浪费。为了尽量避免清算财产的损失，大多数破产法都制定程序，在多数债权人参加下协商延付债款或缩小还款比例，以达到整顿资产的目的。至于国外的资产如何引用破产法，各国规定极不一致。近年来，一些集团国家之间，常采取多边条约方式规定出处理原则。

Banks, Sir Joseph 班克斯（1743-02-13，英国伦敦～1820-06-19，伦敦艾尔沃思） 英国探险家和博物学家，长期任皇家学会会长，以保护和奖励科学而知名。1760～1763年在哈

美国不列颠百科全书公司供图

罗公学、伊顿公学和牛津大学学习。1761年继承其父大宗财产后，1766年赴纽芬兰和拉布拉多旅行，搜集植物和博物学标本，1768～1771年随同J.库克船长作环球旅行，1772年又去冰岛旅行。班克斯对经济植物及其引进各国的过程很有兴趣，并且是提出（1805）小

麦锈菌和小檗真菌是同一菌种以及有袋类哺乳动物比有胎盘哺乳动物更为原始这些说法的第一人。在担任位于伦敦附近的基尤皇家植物园名誉园长期间，他派出许多植物标本采集人去许多国家。他的房屋成了交流意见的聚会场所。担任皇家学会会长(1778～1820)期间，努力改善科学在英国的地位并促进同别国科学家的交往。但许多同行科学家指责他过度使用了皇家学会会长的职权，甚至是位"专横"者。1795年荣膺巴思勋章，受封爵士，两年后参加枢密院。班克斯的植物标本室被认为是现存最重要的植物标本室之一；他的图书馆是博物学论著的一个主要收集所。二者现在皆归入不列颠博物馆。《班克斯植物图谱》出版于1978年，是班氏汇编的一本植物图鉴，图样根据丹尼尔·索兰德在1768～1771年随同J.库克的环球旅行中的绘画。

Banks, Nathaniel P.　**班克斯**(1816-01-30，美国马萨诸塞沃尔瑟姆～1894-09-01，沃尔瑟姆)　美国南北战争时期的政治家和联邦将领，1862～1864年在新奥尔良指挥作战。只受过小学教育，早年在棉纺厂做工。后来学习法律并取得律师资格，在政界十分活跃。1849～1853年在马萨诸塞州立法机构工作，1853年任该州制宪会议主席。同年选入美国国会。1855年参加共和党。1856年当选为众议院议长。1858年当选为马萨诸塞州州长。1861年林肯总统任命他为志愿军少将。1862年参加谢南多厄河谷战役。后任新奥尔良海湾卫戍区司令，攻下路易斯安那州的哈得孙港。1863和1864年在得克萨斯州组织几次远征。但远征雷德河(1864年3～5月)则以惨败告终。南北战争后重新进入政界，在国会中担任过几届议员，1879～1888年任马萨诸塞州的美国联邦法院执行官。

Banks, The (North Carolina, U.S.)　参阅 **Outer Banks 外滩群岛**。

Banks Island　**班克斯岛**　加拿大西北地区伊努维克行政区的北极群岛中最西端的岛屿。位于维多利亚岛西北，阿蒙森湾将该岛与南面大陆隔开。长400千米，宽180～290

班克斯岛东岸风光
美国不列颠百科全书公司供图

千米，面积70 028平方千米。地形以丘陵山地为主，北岸有高达335米的悬崖，南端有海拔760米的达勒姆高地。栖息有北极狐、狼、北美驯鹿、北极熊和许多鸟类。1820年被W.帕里探险队发现，以约瑟夫·班克斯爵士的姓氏命名。西南岸的萨克斯港与大陆上的伊努维克通飞机，为捕猎和石油勘探基地。

Banks Islands　**班克斯群岛**　太平洋西南部瓦努阿图的火山岛群。包括瓦努阿拉瓦岛、圣玛丽亚岛(高阿)、莫塔岛、莫塔拉瓦岛及众多小岛。1793年首次被英国海军上校W.布莱发现，并以他的赞助人、博物学家约瑟夫·班克斯爵士的姓氏命名。雨量充沛，为森林覆盖。最北端的乌雷帕拉帕拉岛是火山锥，因受海浪冲击，东岸形成小海湾。岛上的波利尼西亚人生产椰干和咖啡供出口。人口135(1996)。

Banks Peninsula　**班克斯半岛**　在新西兰南岛东部。伸向太平洋，长48千米，北濒佩格瑟斯湾，南临坎特伯雷湾。陆地面积约1 300平方千米，大都是山地。有赫伯特峰高918米。半岛原为两个毗邻火山形成的一个岛屿，因怀马卡里里河淤泥沉积，逐渐与主岛连接起来。19世纪后期半岛上的森林被砍伐殆尽。农业(牧羊业、草籽业和园艺产品)是主要的经济活动。南岛最大城市克赖斯特彻奇在半岛西北部。

Bankside　**岸边区**　泛指英国伦敦萨瑟克区沿泰晤士河南岸一带，也是萨瑟克区自布莱克弗赖尔斯桥至伦敦桥之间一条街道的名称。在伦敦桥南端附近的13世纪萨瑟克大教堂内有诗人J.高尔和J.弗莱彻等人的坟墓，以及W.霍拉尔、W.莎士比亚和美国演员S.沃纳梅克等人的纪念碑。岸边区是许多演员的住地，也是一些妓院的所在地。18世纪时以其制造业、公园和若干公共建筑而知名，19世纪和20世纪初是码头仓库区。现代岸边区有许多文化机构和著名景点，包括重建的弗兰西斯·德雷克爵士旗舰"金鹿"号、泰特现代美术馆，以及连接泰特现代美术馆和北岸伦敦城的步行千禧桥。

Bānkura　**班古拉**　印度东北部西孟加拉邦西部城镇。在特莱斯沃里河北岸。为重要的铁路与公路枢纽和农产品集散地。有碾米、榨油、织布、五金和铁路工厂。1869年设市。设有数所学院，包括布德万大学的一所医学院。班古拉位于人口密集的冲积平原上。周围农业地区的主要产品有稻米、小麦、玉米和甘蔗。矿产有云母、陶土、铁矿、铅、锌和钨。人口114 876(1991)。

Bann, River　**巴恩河**　爱尔兰语作An Bhanna。北爱尔兰最大河流。上巴恩河源出莫恩山，向西北流入内伊湖；下巴恩河向北流过贝拉湖将内伊湖水带至科尔雷恩入海，全长129千米。该河提供的水力对北爱尔兰亚麻业的工业化有重要作用。产鲑鱼和鳗鱼。谷地有史前遗迹。靠近内伊湖的波塔当为上游重镇。

Bannatyne, George　**班纳坦**(1545，苏格兰安格斯纽泰尔～1608?)　一部苏格兰文学黄金时代(15和16世纪)重要诗歌集的汇编者。原系爱丁堡富商，1568年鼠疫流行时在隔离独居期间汇编了他的诗歌选集，名为《班纳坦诗稿》，内有以苏格兰乔叟派闻名的宫廷诗人的许多最著名的诗歌。除收有许多无名作者的有趣诗作外，该选集还保存了像亚历山大·司各特这样的重要诗人的作品，否则这些诗人将完全淹没无闻。阿伦·拉姆齐于1724年在他的《常青集》中重印了其中许多诗歌，对18世纪苏格兰文学复兴具有很大影响。为促进对苏格兰历史和文学的研究，1823年在爱丁堡成立了班纳坦社。

Bannatyne, John　参阅 **Bellenden, John 贝伦登**。

Banneker, Benjamin　**班纳克**(1731-11-09，美国马里兰埃利科特工厂区～1806-10-25，马里兰巴尔的摩)　数学家、天文学家、历书编纂者、发明家、作家。美国早期重要的黑人知识分子。他是一个自由黑人，在巴尔的摩附近置有田产。他自学天文学和数学，1761年制造一个木钟，走时准确。在马里兰州实业家J.埃利科特的支持下，他继续从事科学研究，1773年开始进行天文计算，曾准确预报1789年的日食。他于1791～1802年间每年发表《宾夕法尼亚、特拉华、马里兰和弗吉尼亚的日历和星历表》，受到欧洲科学界的重视。1790年，华盛顿总统委任他在哥伦比亚特区委员会任职。作为一名随笔和小册子的作家，他反对奴隶制度和战争；并曾致函当时美国的国务卿T.杰斐逊，要求改善美国黑人的境遇。

Banner system　**八旗制度**　中国清代满族的军事、生产和行政合一的社会组织形式。前身为女真人的牛录制(牛录满语为Niu，汉名佐领)，女真人狩猎时各出箭，十人中一人总领，谓牛录额真。明万历二十九年(1601)女真族首领爱新觉罗·努尔哈赤(1559～1626)在牛录制基础上把满族成员编为四旗，以黄、红、白、蓝色旗作为标志。万历四十三年(1615)又增加四旗，红旗镶白边，其他旗镶红边，称镶黄、镶白、镶红、镶蓝，原四旗名正(整)黄、正白、正红、正蓝。每旗统辖7 500人，首领称固山(旗)额真(主)。下率5参领，每参领1 500人，首领称甲喇额真。每参领下统5佐领(牛录)，每佐领凡300人，首领称牛录额真。满族成员分隶于各佐领(基层组织单位)，平时生产，战时从征，行政事务也由佐领处理，故具有军事、生产和行政三方面职能。皇太极(1592～1643)征服蒙古后，于明崇祯八年(1635)扩编蒙古八旗，1642年又增加汉军八旗，至此共有满、蒙、汉24旗。在1644年入关前统计约为12.1万人。入关后八旗主要成为军事组织，但在某些地区，八旗各级衙署又与州县系统并存，成为行政机构。清朝起初依赖八旗军队征服明朝，后又招募汉兵治安部队"绿营"(用绿色旗，故名)驻防全国。清前期皇帝仅直接管辖八旗军队中的三旗，其他各旗由各亲王掌管。1723年雍正帝(1678～1735)即位后控制整个八旗，防止亲王篡夺皇位，此后八旗概由皇帝统率。编入八旗的人户称旗人或旗下人，总谓旗民。其身份、待遇优于汉人。旗民包括各阶层的人；因户籍之异分正户、另户、开户、另记档案人等。各户的地位和待遇迥不相同。清朝建立后150年的和平时期旗兵战斗能力衰退，军训荒废。白莲教起义（1796～1804）和太平天国革命（1851～1864）时，旗兵实际已无战斗力，政府不得不另组织武装力量。

banneret 方旗骑士 欧洲中世纪的一种骑士，他们有权在战场上打一面方旗（区别于一般骑士的燕尾旗）。13～16世纪，此词用于操法语和英语的国家。后在英法两国成为授予有卓著战功者的荣誉称号。

Bannerman, Henry 班纳曼 参阅 **Campbell-Bannerman, Sir Henry** 坎贝尔-班纳曼。

banning 宣布非法 在南非，指可以宣布出版、结社、集会不受法律保护并加以压制，以及严格限制个人旅行、社交和言论自由的行政措施。宣布非法是南非政府压制那些反对其种族隔离政策者的重要手段。

按照1963年《出版与娱乐法》的规定，宣布出版物非法的权力属于内政部长。根据该法，如果一种出版物出于某种原因被认定为“不合需要”，包括诲淫、有伤风化、亵渎、损害各阶层人民之间的关系，或有损于公共安全、社会福利、和平和国家秩序，可以宣布为非法。1950～1990年，在南非已有数千种书籍、报纸和其他出版物被宣布非法。

宣布组织或个人非法，最初是根据1950年的《镇压共产主义条例》和其后的若干修正案。这些法律后被1982年的《国内安全法》所取代，后者几乎保留了前者中的所有规定。按照旧法，对被认定是推进或帮助实现共产主义的目标或可能推进实现上述目标的组织，司法公安部长可以宣布其为非法。所谓共产主义和共产主义目标的含义十分广泛，包括被认为是助长骚乱或扰乱治安，促进南非的工业、社会、政治和经济变革，以及煽动白人与非白人之间的敌对以促进变革或革命的一切活动。宣布某个组织或个人是共产主义者或革命者的权力操于司法公安部长之手。根据上述法律被宣布为非法的主要组织是南非共产党、非洲人国民大会和泛非大会。南非宣布个人为非法的做法在有着源于罗马法或习惯法传统之法律体系的国家中是独一无二的。根据司法公安部长的命令，对一个被认为是共产主义分子、恐怖主义分子、非法组织成员，甚或对国家安全与公共秩序有威胁之人，可以将其行动限制于家中或附近的环境以内，禁止他每次与一个以上的人相见（家人除外），强迫辞去在所有组织中的一切职务，禁止公开讲话或为任何出版物写稿，禁止前往某些地区、建筑和机构，如法庭、学校和报社。而且，所有出版物都不得引用被宣布为非法的人的言论。其意图是，将被宣布为非法之人置于在社会上无足轻重的地位。1950～1990年在南非有2 000多人被宣布为非法。1990年南非政府撤销了对非洲人国民大会和其他许多反对派团体以及大批积极反对种族隔离的个人所宣布的非法。

Banningville 班宁维尔 参阅 **Bandundu** 班敦杜。

Bannister, Sir Roger (Gilbert) 班尼斯特（1929-03-23，英国米德尔塞克斯哈罗～　）英国神经病学家。他是在4分钟以内跑完一英里的第一个运动员。班尼斯特在伦敦就读于牛津大学和圣玛丽医院的医校时，赢得英国锦标赛一英里跑冠军（1951、1953～

美国不列颠百科全书公司供图

1954），1954年在大不列颠帝国锦标赛一英里跑获第一名，1954年他又戴上1 500米跑欧洲冠军的桂冠。1954年5月6日，他在牛津大学一次对抗赛中，以3分59.4秒冲破了4分大关，打破了由瑞典G.黑格保持了9年的世界记录（4分1.3秒）。当时一般人认为在4分钟以内跑完一英里是不可能的事，但是班尼斯特成功地克服了这种“心理”障碍，从而理所当然地创造世界纪录。据说班尼斯特是通过科学的训练方法和对赛跑技巧进行深入研究后跑出高速度的。他在《四分钟跑一英里》（1955）一书中叙述自己的经验。1954年班尼斯特毕业于圣玛丽医校，1963年获得牛津大学医科学位，成了一位神经病学家。他曾就运动生理学、中暑、神经病学等问题写过论文，自1969年以后，他撰写了《人脑临床神经病学》一书（1990年第七版时改名为《人脑与班尼斯特的临床神经病学》）。1975年他获得爵士称号。

Bannock 班诺克人 北美大盆地地区印第安部落。1700年前，班诺克人分布于美国爱达荷州南部整个地区，集中于斯内克河及其支流各流域。语言同俄勒冈州东部的北派尤特人的语言最相近。两部落相距320千米，据传说，班诺克人迁往爱达荷是为了与肖肖尼人共处并猎捕水牛。班诺克人文化具有平原文化特征，重视水牛、马匹，营半游牧生活。习于季节性迁移活动，夏季西迁到肖肖尼瀑布一带捕捉鲑鱼、猎取小动物和采集浆果；秋季迁回东北，到怀俄明州及蒙大拿州的黄石地区猎捕水牛。在秋季狩猎时，由集群首领指挥行猎及其他经济活动；另外，还要同聚居同一地区的肖肖尼人进行合作，而且有一共同敌人即勇猛的黑脚印第安人，后者控制了蒙大拿州的水牛猎区。因居留地生活的限制，班诺克人无法保持其独立状态及文化自主，到1900年，仅余500名班诺克人，他们多与肖肖尼人通婚，其部落特征及勇武精神已经消失。

bannock 大烙饼 扁平不发酵的苏格兰面食。多用燕麦粉制作，有时亦用大麦、豌豆或其他各种谷类的面粉制作。塞尔扣克地区则以小麦和水果为原料。曾经有过为休假日或宗教节日专门做的大烙饼，例如在秋季的第一天做的收获节大烙饼。制作时如按反时针方向搅拌面糊，则被认为会带来坏运气。一个关于阿尔弗烈德国王广为人知的故事表明，大烙饼在英国曾经是普遍食用的食品。当他同丹麦人作战时，未被认出的国王在一家农舍烤大烙饼，因不小心将饼烤焦，而受到女主人的责骂。

Bannockburn 班诺克本 苏格兰斯特灵历史郡城镇，现为斯特灵政务会辖区的一部分。原址紧靠著名的班诺克本古战场。班诺克本战役（1314-06-23～24）是苏格兰历史上的决定性事件。1964年在班诺克本战役的650周年纪念会上，伊丽莎白女王二世为建于战场遗址的罗伯特一世布鲁斯骑马雕像举行揭幕礼。18～19世纪以手工编织、格花呢和地毯织造闻名。

Bannockburn, Battle of 班诺克本战役（1314-06-23～24） 苏格兰历史上的一次大决战，由布鲁斯·罗伯特统率的苏格兰军队打败了爱德华二世统率的英格兰军。苏格兰重获独立。布鲁斯即位后，称罗伯特一世。战役开始时，苏格兰全境除斯特灵堡外已无英军，堡中长官答应如果在6月24日以前援军不到，他们将投降。为了对付爱德华二世召集来的救援大军，布鲁斯先将自己人数较少的军队调集到托尔伍德，后又调到距斯特灵堡南边一两英里处的新建公园。这里树木茂密，可使占优势的英格兰骑兵难以施展。当6月23日英格兰前哨部队到达时，布鲁斯已在这里将阵地布置妥当。苏格兰军队几乎全部是长矛兵，人数还不到英格兰军步兵和骑兵的1/3。但由于善于利用地形，能够战胜敌方的优势兵力。英军被限制在班诺克本（溪流）和福斯河之间一小片四周是沼泽的地带内，骑兵和步兵没有机动作战的空间。布鲁斯利用敌人困惑的关头发动进攻，2 000名苏格兰军是轻装的部队，还是随军的人员，已无从得知，从向西俯瞰战场的吉尔斯山一拥而下，使英军望风披靡，溃不成军。随后的厮杀造成的伤亡是大量的，许多英军虽然摆脱了愤怒的苏格兰人，但未能逃脱葬身班诺克本和旁边沼泽的厄运。爱德华二世绕道邓巴败回英格兰。双方参加战役的确切兵力不详。英方大约有骑兵3 000人和步兵2万人，苏格兰军总共约1万人，甚至只有5 000人。英方被俘、阵亡人员中有格洛斯特伯爵和赫里福德伯爵，还有60余名男爵和方旗骑士，以及许多普通骑士。苏格兰方面宣布只损失两名普通骑士和许多长矛兵。苏格兰人把班诺克本战役看做是他们独立战争的一场全面胜利。

Bannu 本努 巴基斯坦西北边境省中部城镇。位于古勒姆河以南。附近的阿克拉丘发现有公元前约300年的遗迹。1848年建镇，1903年始称本努。本努地处低丘陵围绕的冲积平原，境内有古勒姆河及其支流多吉河。古勒姆-格里工程（1962年建成）有灌溉、发电和防洪之利。农作物以小麦、玉米和大麦为主。本务镇是一个兵站和商业中心。建有大型毛纺织厂和白沙瓦大学一学院。居民主要属普什图部族。人口35 170（1981）。

Banpo site　半坡遗址　又称半坡村（Pan-p'o-ts'un）。中国黄河中游新石器时代仰韶文化遗址。位于陕西西安半坡村。1954～1957年发掘出46座房基、250座墓葬、6座陶窑和许多窖穴。1957年在此建起中国第一座遗址博物馆——半坡博物馆。遗存可分为早晚两期，以早期为主。早期陶器多红色，典型器形有杯形口尖底瓶、葫芦形瓶、蒜头形壶、圆底钵、浅腹圆底盆、折腹盆、弦纹夹砂罐和绳纹

西安半坡遗址
中国大百科全书出版社供图

瓮等。陶器彩纹全为黑色，其中写实性花纹以鱼纹为主，次为人面纹、鸟纹、蛙纹、鹿纹、植物纹等，几何形花纹古朴而规整，以宽带纹为主。房屋和公共墓地体现了母系氏族公社的特点，部落聚居、同性合葬、女孩厚葬。通常把这类遗存称为仰韶文化的半坡类型或半坡期。

Banqiao　板桥　又拼Panch'iao，Pan Kiao。中国台湾省北部台北县辖市，县治所在地。面积18.39平方千米。位于淡水河支流——新店溪西岸与大汉溪南岸，在台北市西南约6.5千米处。18世纪早期即已开发。清乾隆年间（1736～1795），福建省林家望族由中部大甲一带北上拓垦板桥，为该地日后发展奠定基础。1945年置镇。1947年设县治。1972年升为县辖市。该市为周围农业地区所产茶叶、稻谷、甘薯及柑橘类水果等集散中心。工业以纺织业为主，食品业、木材加工等轻工业亦发达。市内有林家花园（林本源宅邸）、接云寺等古迹。林家花园位于市区中心，占地约5.6万余平方米，计分三落旧大厝五落新大厝及园林3部分，古趣盎然，规模宏伟，昔日有“北台第一园林”之称。国立艺专设于此。市东郊有大同水上乐园。人口约540 465（2005）。

Bansang　班桑　冈比亚中东部城镇，位于冈比亚河南岸。为马林克（曼丁哥）人、富拉尼（富拉）人和沃洛夫人的花生、稻米和鱼产的地方贸易中心。亦为来自下游303千米的班珠尔汽船的停靠港。内地唯一的一所公立医院的所在地。所属的麻风村在西北2.5千米处的阿拉腾图。人口约4 137（1983）。

Banshan　半山　参阅**Wang Anshi**王安石。

Banshan site　半山遗址　中国黄河上游新石器时代晚期的文化遗址。位于甘肃临夏和政县半山区。属马家窑文化的一个类型。包括5个墓地。1924年发掘。半山陶器分泥质

半山类型葫芦纹壶
中国大百科全书出版社供图

橙黄陶和夹砂灰褐陶两大类，前者多饰彩纹，后者多附加堆纹。常见器物有双腹耳彩陶瓮、双耳彩陶罐、单耳彩陶罐、彩陶钵、夹砂陶瓮和带嘴夹砂锅等。彩纹特点是用黑色锯齿纹和紫红色条带纹相间构成大螺旋纹、菱形纹、葫芦形纹和平行水波纹，还流行棋盘格纹、垂幛纹、圆圈形纹等。同类遗址在甘肃和青海东北部分布很广，有墓地，也有房基和窑址。一般称为半山类型或半山期，其相对年代晚于马家窑期而早于马厂期。

banshee　猖女　苏格兰凯尔特民间传说中的女妖，据认为，夜间听见其哀号恸哭者，家里将会死人。据说，在爱尔兰，猖女只对爱尔兰血统的家庭报信。她的威尔士化身即“里

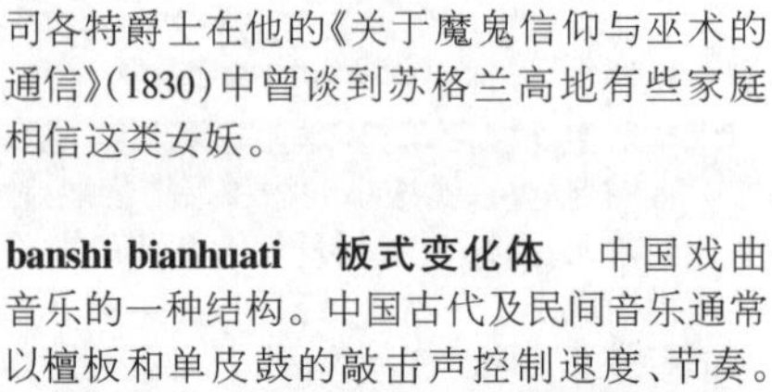

猖女
美国不列颠百科全书公司供图

宾女巫”，则专门光顾威尔士裔的家门。W.司各特爵士在他的《关于魔鬼信仰与巫术的通信》（1830）中曾谈到苏格兰高地有些家庭相信这类女妖。

banshi bianhuati　板式变化体　中国戏曲音乐的一种结构。中国古代及民间音乐通常以檀板和单皮鼓的敲击声控制速度、节奏。板声表示每小节的强拍，称为“板”；鼓声表示弱拍和次强拍，称为“眼”。板式有一板三眼（四拍子，如“慢板”、“快三眼”）、一板一眼（二拍子，如“原板”、“垛板”）、有板无眼（一拍子，如“流水板”、“快板”）、散板（自由节拍，如“摇板”、“导板”）等几种。不同板式构成的唱腔称为板式唱腔。用不同板式唱腔交替变化来表现剧情变化，称为板式变化体。中国民间歌曲中往往以一首简短曲调反复咏唱多段不同的歌词，由于语音、词意、情感的不同，在每次重复时必然会发生或多或少的变化。为了使情感充分发挥，出现了翻高翻低、放慢加快、加头扩尾、抽眼浓缩、增板添花（花腔）等手法，使一支简单曲调通过速度、节奏、旋律的变化逐渐丰富，成为一套能表现各种情感的唱腔。板式变化体具有中国民族特点，17世纪中叶兴起的乱弹腔开始在戏曲中运用板式变化体，18世纪中叶徽剧、京剧等皮簧腔剧种兴盛，使板式变化体结构的唱腔更加丰富完善。

Banská Bystrica　班斯卡-比斯特里察　德语作Neusohl（诺伊索尔），匈牙利语作Beszterceb́anya（拜斯泰采巴尼亚）。斯洛伐克中斯洛伐克州城镇和首府，在赫龙河谷，群山环抱。13世纪设镇后成为重要矿业中心。15

班斯卡-比斯特里察市政广场
FPG供图

世纪起银、铜矿供应欧洲许多市场。第二次世界大战后发展成工业中心，有纺织、纸张、金属制品和水泥等工业。人口约85 007（1991）。

Banstead（England）　**班斯特德**　参阅**Reigate and Banstead**赖盖特和班斯特德。

Bānswāra　班斯瓦拉　印度西北部拉贾斯坦邦南部城市，一向为农产品市场。主要工业是轧棉、磨粉、手工织布与木器制造。是一座有城墙的城市，建于16世纪初。班斯瓦拉设有公立学院，是拉贾斯坦大学的分校。班斯瓦拉周围地区比较平坦肥沃。主要河流为默希河。玉米、小麦和鹰嘴豆为主要农作物。开采铁矿、铅、锌、银和锰。班斯瓦拉地区是古代班斯瓦拉土邦所在地，该土邦建于1530年前后，即以班斯瓦拉城为首府。原属栋格尔布尔邦，1948年始并归拉贾斯坦邦。人口约66 676（1991）。

Bantam　万丹　印度尼西亚爪哇岛最西北的爪哇苏丹王国旧城。靠近今万丹湾畔的万丹城，位于西冷正北方。现在已是废墟的万丹，16～18世纪末曾是爪哇与欧洲进行香料贸易的最重要港口。在荷兰占领期间，万丹是爪哇西端行政区。当地居民多笃信伊斯兰教。

banteng（species *Bos banteng*）　**爪哇野牛**　又称巴厘牛。偶蹄目牛科东南亚野生动物，栖于山地森林。与家牛相似。胆小。体高

爪哇野牛(*Bos banteng*)
美国不列颠百科全书公司供图

1.5～1.75米。背有细脊,臀白色,腿上有长袜状白色区。角细长弯曲。雄体深褐或黑色,雌体和幼仔红褐色。在有些地区爪哇野牛被当做家畜饲养。

Banting, Sir Frederick Grant 班廷(1891-11-14,加拿大安大略阿利斯顿～1941-02-21,纽芬兰) 加拿大医师。1921年与C.H.贝斯特合作首次成功地制取了含胰岛素的胰腺提取物。后在多伦多大学与J.J.R.麦克劳德合作,获得治疗糖尿病效果稳定的激素。1923年班廷任多伦多大学班廷与贝斯特医学研究室主任。他和麦克劳德两人因发现胰岛素而共获1923年诺贝尔生理学或医学奖。他将部分奖金分给贝斯特,并且因此而被英国王室封为爵士。第二次大战中,他在一次执行任务时因飞机失事而遇难。

Bantry Bay 班特里湾 爱尔兰科克郡西南大西洋岸的长水湾,最长处长30英里(48千米),最宽处宽10英里。湾内的惠迪岛上有19世纪英国海军驻地遗迹以及一座大型输油终点站。班特里镇位于湾头附近。

Bantu Homeland (South Africa) **班图家园** 参阅 **black state** 黑人邦。

Bantu languages 班图诸语言 尼日尔-刚果语系贝努埃-刚果语族的语支。通行于非洲广大地区,从北纬5度起(概略说,约在凸进大西洋的部位之下),直到最南端的南非共和国开普省。尼日尔-刚果语系的四种主要班图语是卢旺达语、马夸语、科萨语和祖鲁语。斯瓦希里语(**Swahili languages**)是重要的班图共同语,既用于商业,又用于文学方面。班图语名词通常由词干和前缀组成,前缀根据"数"而变化,根据前缀再划成各种不同范畴("性")。班图语句子中几乎所有的词通常都以前缀标出作为句子主语的名词所属范畴。后缀也常使用,特别是用来组成动词词干和动词的各种形式。

Bantu peoples 班图人 约有8 500万人,操500多种尼日尔-刚果语系班图语族的不同语言(参阅 **Bantu languages**),大部分布在非洲大陆南端全境。由于操班图语各族的文化类型极为不同,民族主要依据语言区分。但这种语言上的联系,也引起了一种班图诸民族源于一共同地区的说法,语言有力地证明这个地区就是今喀麦隆-尼日利亚交界地区。学术界认为,非洲大陆现今约有1/3的地方居住着班图人,而这些地方在大约2 000年前曾是另外一些群体的聚居区,主要是俾格米人和桑人(布须曼人)。因之,后来班图人迁徙的原因及其路线曾引起几位人类学者的重视。美国人类学家G.P.默多克认为,班图人之扩张与他们希望获得某些马来西亚粮食作物如香蕉、芋头及薯蓣之类有关,这些作物在班图人迁徙之际也正向西传播于非洲大陆各地。默多克指出,这些作物使班图人赖以存活并穿过赤道非洲的热带雨林而散布到非洲南部。不过,一种普遍的看法是,班图人的迁

肯尼亚的班图人
美国不列颠百科全书公司供图

徙路线是向东延伸,越过苏丹南部,再往南行穿过东北部大湖地区。各族的经济、社会和政治组织形形色色,在一定程度上反映出他们住地广阔。其传代血统亲属制度、宗教信仰、政治组织的差异也很大。

Bantustan (South Africa) **班图斯坦** 参阅 **black state** 黑人邦。

banty (game) 参阅 **bandy** 冰上曲棍球。

Banū al-Aghlab DYNASTY **巴努艾格莱卜王朝** 参阅**Aghlabid dynasty**艾格莱卜王朝。

Banū Ḥafṣ (dynasty) **巴努哈夫西斯** 参阅**Ḥafṣid dynasty** 哈夫西德王朝。

Banū Marīn (dynasty) **巴努马林** 参阅 **Marīnid dynasty** 马里尼德王朝。

Banū Zayyān (dynasty) **巴努扎亚** 参阅 **ʿAbd al-Wādid dynasty** 阿卜杜勒瓦迪德王朝。

Banū Zīrī (dynasty) **巴努齐里** 参阅 **Zīrid dynasty** 齐里王朝。

Banville, (Étienne-Claude-Jean-Baptiste-) Théodore(-Faullain) de 邦维尔(1823-03-14,法国穆兰～1891-03-13,巴黎) 19世纪中期受人敬重的法国诗人,晚期浪漫主义者、帕尔纳斯派运动倡导人,对象征主义亦有影响。他的第一本诗集《女像石柱集》(1842),深受雨果的文体与风格影响,但他摈弃许多法国浪漫派诗歌的不刻意求工的缺陷。1872年出版的《法国诗艺简论》显示了他对作诗技巧之关注,他在这方面造诣极深。他认为韵律是法国诗歌最重要的元素,他效法评论家C.圣伯夫在恢复对十四行诗的兴趣方面所

美国不列颠百科全书公司供图

起的作用,对16世纪中期以来一直不受重视的各种有固定形式的诗体(如叙事曲和回旋曲)进行尝试。其诗篇的主要长处在于其技巧的圆熟,但当代人也对诗中精妙的机智与幻想表示赞赏。他最著名的诗集是1857年出版的《奇异之歌》。

Banyak Islands 巴尼亚群岛 又作 Banjak。印度尼西亚亚齐特区的60多个小岛,最大的为大巴尼亚岛和邦卡鲁岛。总面积319平方千米。位于尼亚斯岛北面和苏门答腊岛以西29千米。居民是来自苏门答腊北部、中部及尼亚斯岛人的混血种,大部分是穆斯林。产稻米和根块作物,出口椰干。人口约4 102(1990)。

Banyamwesi (people) **巴尼扬韦齐人** 参阅 **Nyamwezi** 尼扬韦齐人。

banyan (*Ficus benghalensis* or *F. indica*) **榕树** 即孟加拉榕树或印度榕树。桑科榕属(无花果属)乔木。树形奇特,原产于热带亚洲。枝条上生气生根,向下伸入土壤,变成新

孟加拉榕树(*Ficus benghalensis*)
美国不列颠百科全书公司供图

的树干。榕树高达30米,可向四面无限伸展。有时一株树的气生根和新树干交织在一起,好像稠密的丛林。

Banyoro (people) **班尼奥罗人** 参阅 **Nyoro**尼奥罗人。

Banyuwangi 外南梦 又拼 Banjuwangi 或 Banjoewangi。又译巴纽旺宜。印度尼西亚东爪哇省城市和县。巴厘海峡主要港口,与东面的巴厘岛相望,在东爪哇首府苏腊巴亚(泗水)东南120英里(195千米)处。有铁路和公路通往西面的任抹,有公路通往西北面的诗

多文罗。出口内地出产的椰干、木材和橡胶。工业包括锯木、木雕、造纸、鞣革和印刷等。居民主要是爪哇人，多信奉受印度教和佛教影响的伊斯兰教。城南约 50 英里（80 千米）的苏卡梅达海滩附近有爪哇虎的野生动物禁猎地和巴韦安鸟类公园。外南梦是来自澳大利亚和新加坡的海底电缆的终点。人口 89 877（1990）。

Banzart　比塞大　又拼 Bizerta 或 Bizerte。突尼斯北部城市。位于地中海海岸。1535～1572 年被西班牙人占领。1895 年建成的一条运河改变了比塞大的地理环境。比塞大城

比塞大城风光
美国不列颠百科全书公司供图

为法国保护地期间（1881～1955）是重要军事基地。1963 年法军撤出。现为地中海港口、海滨胜地和行政及商业中心。出口鱼、磷酸盐、铁矿和谷物。1964 年开始的炼油业为主要工业，其次为鱼罐头加工。公路和铁路通首都突尼斯。有机场。比塞大省面积3 685平方千米。西部为软木产地。中部为小麦区和牧牛场。东部产蔬菜和葡萄。塔米拉有铁矿开采，供应布尔吉巴营的钢铁联合企业。人口：城镇 98 900（1994）。

Bánzer Suárez, Hugo　班塞尔·苏亚雷斯（1926-07-10，玻利维亚圣克鲁斯～2002-05-05，圣克鲁斯）　绰号“矮子”。玻利维亚军人、政治家、总统（1971～1978 和 1997～2001）。曾在玻利维亚陆军学院和美国的军事学校求学。1964～1966 年在 R.巴里恩托斯总统的内阁中任教育部长。1967 年起任驻华盛顿大使馆武官，1969 年回国任陆军学院院长。1970 年 9 月协助 R.米兰达将军推翻 A.奥万多总统。1971 年 8 月 22 日他推翻左翼将军 J.J.托雷斯，出任总统。由于鼓励外国投资和限制工会活动与宪法权利，引起工人领袖以及教士、农民和学生的反对。他严厉镇压一切反对活动。1978 年 7 月 21 日 J.P.阿斯冯发动政变，迫使班塞尔辞职，把他流放到阿根廷。班塞尔 1979 年回国，先后参加当年和 1985 年的总统选举。他在 1985 年的普选中获胜，但在随后国民议会的决胜投票中失败。1997 竞选总统获得成功，但他的政府在腐败和裙带关系的指控中艰难应对。国内出现了几次大规模的罢工，要求班塞尔辞职。由于他减少古柯——一种用来生产可卡因的植物——的种植，因而获得了国际声誉。2001 年确诊身患癌症后辞职。

Bao Dai　保大（1913-10-22，越南～1997-08-01，法国巴黎）　越南末代皇帝（1926～1945），原名阮永瑞。启定皇帝之子，在法国受教育。1926 年继承王位，取号保大（“保持伟大”）。第二次世界大战期间，法国殖民政权对他实行严密的控制。1945 年日本人组织越南政府，以保大为傀儡。八月革命后，越盟要求他退位，但请他以“平民皇帝阮永瑞”的身份担任顾问。1946 年他亡命香港，过着纸醉金迷的生活。1949 年回国。先任临时首相，后复帝位，继续过着追求享乐的生活，人称“花花公子皇帝”，将国事统统交各式亲法的越南人处理。1955 年正式退位，客居法国。

Bao Zhao　鲍照（约414～466）　中国南朝宋代文学家。字明远。东海（今山东郯城）人。出身寒微，仕途上备受歧视。曾任参军，世称鲍参军。他的乐府诗辞藻华美，风格雄浑俊逸。代表作《拟行路难》18 首，直抒胸臆，写怀才不遇的愤懑，对士族门阀表现不满。风格雄肆奔放，对后世有不小的影响。描写战争题材的诗作，或同情戍卒不幸遭遇，或赞美从军报国的热情。辞赋以《芜城赋》最著名，对比广陵往昔繁华与战后荒凉景象，流露世事不常的悲哀，抒情气氛浓厚。散文《登大雷岸与妹书》也是写景的名篇。有《鲍参军集》。今人钱仲联有《鲍参军集注》（1980）。

Bao Zheng　包拯（999～1062）　中国北宋政治家。字希仁。庐州合肥（今属安徽）人。天圣五年（1027）进士及第，历知天长县（今属安徽）、知端州（今广东高要），有政绩，迁监察御史。他主张严格选拔官员，裁汰冗杂、贪暴、懦弱的官吏，选将练兵，训练义勇以备边；抑制贵戚和宦官等的权力，轻徭薄赋，节省开支等。后曾出任东京转运使、河北都转运使，及知瀛、扬、庐等州和知江宁府等。至和三年（1056），以龙图阁直学士权知开封府（因而世称“包龙图”），审案明察，执法严峻，不畏权贵，不徇私情，清正廉洁，令行禁止。此前曾以天章阁待制知谏院，后权御史中丞，立朝刚严，数论斥权幸大臣，建言兴利除弊。又任三司使，迁枢密副使。嘉祐七年病逝，谥孝肃。有《包拯集》（《包孝肃公奏议》）传世。

包拯是一位传奇人物，在中国是家喻户晓的清官典型，被百姓称为“包青天”。南宋和金已有以包拯为主题的故事和戏曲，元剧中有大量的包公戏，后有小说《包公案》（《龙图公案》）传世。

baobab（*Adansonia digitata*）　**猴面包**　锦葵目木棉科乔木，原产于非洲。树干桶状，高 18 米，直径可达 9 米。果大，葫芦状，木质；果肉可口，有黏性。树皮纤维坚韧，当地用来搓绳和织布。树干常被凿空用来贮水或做临时蔽身所。由于猴面包树形状奇特，阿拉伯传说魔鬼将它拔起，倒插地上，根露于外。目前在佛罗里达等温暖地区作为珍奇植物栽培。近缘种格雷戈里氏猴面包（*A. gregorii*）产于澳大利亚，当地又称瓶树（该名称更适用于梧

猴面包（*Adansonia digitata*）
美国不列颠百科全书公司供图

桐科植物）。

Baodi　宝坻　中国天津市辖区。位于市境北部，居“京津唐三角”腹地。津蓟铁路、津围公路纵贯南北，潮白新河、蓟运河、青龙湾河横穿东西。五代时置盐仓于此。辽称新仓镇。金大定十二年（1172）建宝坻县。原属河北省，1973 年划归天津市。2001 年改宝坻县为区。面积1 523平方千米。有煤、地热及矿泉水等资源。北潭一带的深层岩溶裂隙水是大港石化总公司的水源。境内地势低平、多洼碱地。是天津市重要的粮食、油料、蔬菜、副食生产基地。主产小麦、玉米、水稻、大豆、高粱。经济作物有棉花、花生、芝麻、瓜果、蔬

菜等。红皮大蒜、长白大葱、天鹰椒被誉为宝坻"三辣"，销往国际市场。有化工、纺织、冶金、食品、机械、电子、印刷、建材、橡胶、服装、工艺美术、文体用品等工业部门。有百余种产品销往世界72个国家和地区。商业较发达，农贸市场号称"京东第一集"。古迹有"秦城遗址"、辽代建的金顶石经幢、大觉寺"罗汉堂"。人口650 000(2005)。

Baoding　保定　又拼Pao-ting。中国河北省辖地级市。位于省境中部，西倚太行山，东邻广阔的冀中平原。与北京、天津呈三足鼎立之势，历为京畿重镇。辖北市、南市、新市3

保定莲花池，始建于1227年
中国大百科全书出版社供图

区及清苑、满城、涞水、阜平、徐水、定兴、高阳、容城、涞源、望都、安新、曲阳、顺平、博野、易县、唐县、蠡县、雄县18县，并代管涿州、定州、安国、高碑店4县级市。面积22 159平方千米，其中市区面积312.3平方千米。北魏太和元年(477)置清苑县。北宋建隆元年(960)为保塞军治所，太平兴国六年(981)改县名保塞，升军为保州。金大定十六年(1176)县名复改为清苑。元太宗十一年(1239)改保州为顺天路，至元十二年(1275)改为保定路，明洪武元年(1368)改称保定府。清朝为直隶省省会。1913年废府存清苑县，1948年析清苑县设保定市。1949年8月起为河北省省会，1968年省会迁往石家庄市。1983年11月为省辖市。1994年12月保定地区与保定市合并，原保定地区的涿州、定国、定州、高碑店4市由保定市代管。地势自西北向东南倾斜，西北部为山地、丘陵，东南部为平原。主要河流有唐河、漕河、界河等，一亩泉河、白草沟河、侯河在市区南部汇合为府河。属暖温带大陆性季风气候。冬季寒冷干燥，夏季炎热多雨，春季多风沙，秋季较凉爽，寒潮和春旱对农业生产有威胁。年平均气温12.3℃，1月平均气温-4.6℃，7月平均气温26.7℃。年平均降水量570毫米，无霜期约213天。土壤主要有褐土、潮土和草甸土。自然条件优越，农、林、牧、副、渔业兴旺。农作物以小麦、玉米、棉花为主。西部山区盛产柿子、苹果、大枣、核桃等。满城县盛产草莓。工业以纺织、机械、化工、电子、冶金、建材、食品为主，多集中在市区。有彩色电影胶片、人造纤维、大型变压器、机制纸、造型机械、汽车、棉纺织品等产品。健身球为传统产品。京广铁路、107国道、京广高速公路纵贯全市，朔黄铁路、津保高速公路连通了京九、京广两大铁路干线，交通发达，已成为具有一定规模的新兴工业城市。保定市素有文化古城之誉，文教事业比较发达，有河北大学、华北电力大学、河北农业大学等高等院校。位于市中心的古莲花池，始建于唐高宗上元二年(675)，距今已有1 300多年，园内有唐、明、清书法家书写的碑文。人口：全市10 890 000(2005)。

Baoji　宝鸡　又拼Pao-chi。中国陕西省辖地级市。位于渭河平原西端，南临秦岭，北倚黄土高原。自古就是陕西关中地区通往西北和西南地区的要道。辖金台、渭滨、陈仓3区及凤翔、岐山、扶风、眉县、陇县、千阳、太白、凤县、麟游9县。面积18 175平方千米，其中市区面积3 637平方千米。宝鸡古称陈仓，以境内陈仓山而得名。公元前3世纪，秦设陈仓县。唐至德二年(757)始改名宝鸡县。1949年设市。2003年撤销宝鸡县，设立宝鸡市陈仓区。1936年川陕公路、1937年陇海铁路通达后，宝鸡成为川陕间物资集散和转运中心，人口激增，城市繁荣。抗日战争时期(1937～1945)中国东部一些工厂内迁此地，促使近代工业发展。宝鸡是连接中原、西南、西北的重要交通枢纽，陇海、宝成、宝中三条铁路干线在此交会。20世纪70年代前后，中国工业部署重点向西部内陆转移，宝鸡工业发展突飞猛进，相继建立起钢铁、机械、纺织、有色金属、电力、化工、建材、造纸、食品等工业，石油设备和钛材产量居中国首位。宝鸡

宝鸡市鸟瞰
中国大百科全书出版社供图

成为陕西省内仅次于西安的第二个重要工业城市。名胜古迹有扶风县境内的法门寺，寺内陈列有唐代法门寺地宫秘藏的佛祖释迦牟尼舍利子。凤翔县境内有春秋时秦故都雍城遗址。还有大散关、五丈原诸葛亮庙、金台观、姜子牙钓鱼台以及太白山国家森林公园、天台山风景名胜区等。人口：全市3 700 000(2005)；市区1 330 000(2004)。

baojia system　保甲制度　baojia又拼pao-chia。中国维护社会治安的地方基层组织的旧制。战国(公元前475～前221)时商鞅相秦，有"令民为伍"(十家为一伍)的编制。北魏有"三长制"(五家立一邻长、五邻立一里长、五里立乡长)，隋唐有乡、里的组织。宋代王安石变法，推行"保甲法"，"变募兵而行保甲"。即民户编制以十家为一保，五保为一大保，十大保为一都保。凡家有两丁以上者出一人作保丁，是维护社会治安并施行征兵制的组织形式。明代保甲制和里甲制混合实行，清朝保甲制更臻完善。中华民国时期，1932年8月1日，蒋介石在河南、湖北、安徽三省红军革命根据地周围地区颁行《剿匪区内各县编查保甲户口条例》，以十户设一甲长，十甲设一保长。后逐步扩大施行范围。1937年2月由国民政府行政院公布修正《保甲条例》，在全国推行。1949年随着南京国民政府在大陆的统治结束而被废止。

Baol　巴奥勒　14世纪西非沃洛夫帝国的附庸国，位于今塞内加尔达喀尔以南。1556年以后一度被邻国卡约尔征服，受卡约尔的控制直到1684年。17世纪末沃洛夫帝国侵入卡约尔，卡约尔居民纷纷逃往巴奥勒。巴奥勒的统治者抵住了欧洲人的征服企图，至19世纪中期始被法国人占领。

Baoshan　宝山　中国上海市辖区。位于市中心北部，扼黄浦江出口处，北临长江，并辖长江中的长兴、横沙等岛屿。清雍正三年(1725)析嘉定县东境置宝山县，县名取自境

上海宝山钢铁厂
中国大百科全书出版社供图

内一座筑于明代的用作航海标志的人工土山"宝山"。1958年，由江苏省划归上海市。1960年析东北部分地设吴淞区，1964年撤销并入上海市杨浦区，1980年复置。1988年1月，由宝山县和吴淞区合并为宝山区。面积300平方千米。地处长江三角洲平原的顶部，地势平坦，西部略高。境内河道纵横，除黄浦江外，主要有蕴藻浜、练祁河等。气候温和湿润，多暴雨，夏、秋间常受台风、暴雨、涨潮的影响。土壤肥沃，农产丰富。北部粮、棉夹种，南部为上海蔬菜基地之一。长兴岛已发展成上海的柑橘生产基地。工业主要分布在东部原吴淞区境内，有钢铁、煤气、造船、化工、轻纺、造纸等。除上海第一、第五钢铁厂和上海铁合金厂外，还新建了大型钢铁联合企业——上海宝钢集团有限公司。水陆交通便利。黄浦江沿岸拥有上海对外贸易的主要码头，为集装箱运输的重要作业区。吴淞有客运轮船码头，每天有定期班轮通往崇明、长兴、横沙三岛。清末修建的淞沪铁路可通上海市区。沪太公路纵贯全境，北通江苏。人口780 000(2005)。

Baotou　包头　又拼Pao-t'ou。中国内蒙古自治区辖地级市，中国重要钢铁工业基地之一。位于自治区中部偏西，河套平原上。北依大青山，南临黄河，为内蒙古最大工业城市。辖昆都仑、东河、青山、石拐、白云矿、九原6区及土默特右旗、达尔罕茂明安联合旗和固阳县。面积27 768平方千米，其中市区面积2 969

平方千米。包头是“包克图”的转音,意为“有鹿的地方”。古时大青山野鹿常到包头附近泉水边饮水,因此得名“包克图”。18世纪30年代仅有数十户人家。清乾隆十五年(1750)增至600户居民,后满族大量涌入,嘉庆十四年(1809)改村为镇。1922年京绥铁路(今京包铁路)修成,置包头设治局。1926年

包头钢铁(集团)有限责任公司炼铁厂
中国大百科全书出版社供图

合并萨拉齐及五原县的一部分设包头县,成为“水旱码头”。各地商贾云集于此,成为西北各地皮毛、牲畜、药材等土特产的集散转运中心,人口剧增。1938年就包头县城区设市。1953年撤销包头县并入包头市。1955年修筑包兰铁路,包头自此成为沟通华北和西北的重要交通枢纽。20世纪50年代,利用北面的白云矿区铁矿和稀土矿(有包白铁路相通),以及市区东北的石拐沟炼焦煤田(有包石铁路相通),建成大型钢铁联合企业,并逐步建成中国最大的稀土工业生产和科研基地。1991年包头—神木铁路修成,又把“草原钢城”与陕西煤炭基地联接起来。此外还有机械、电力、建材、纺织、皮革、制糖、造纸等工业,成为一座以冶金、机械工业为主的综合性工业城市。市内有汉、蒙古、回、满、达斡尔、鄂伦春等31个民族,汉族占90%以上。市东北50千米的五当召是藏式喇嘛庙,它与西藏的布达拉宫、青海的塔尔寺并列为中国喇嘛教的三大名寺。人口:全市2 100 000(2005);市区1 420 000(2004)。

Baotou carpet 包头地毯 中国内蒙古自治区包头市所产地毯。质地优良,做工精细,图

包头地毯
中国大百科全书出版社供图

案常为风景或宗教形象。以精选毛织成,毛色染成蓝、褐、红和米色,地衬用棉线织成。

Bapedi (people) **巴佩迪人** 参阅 **Pedi** 佩迪人。

Baptism 洗礼 基督教的人教礼。各教派洗礼形式和礼仪不尽相同,但都要用水,并奉三位一体真神之名。施洗礼者宣告:“我奉圣父、圣子和圣灵的名为你施洗。”可以把受洗者全身或半身浸入水中(这种形式称浸礼),也可以在他头上泼水或额上洒水、滴水。在耶稣在世时代,犹太教实行不同的洗礼仪式,据福音书载,施洗约翰曾为耶稣施洗。《马太福音》载,基督复活以后,向门徒发出“伟大嘱托”:“你们要去,使万民作我的门徒,奉父子圣灵的名,给他们施洗;凡我所吩咐你们的,都教训他们遵守。”(《马太福音》第280章第19～20节)使徒保罗认为,人受洗 时全身浸在水中象征与基督一同死亡、埋葬和复活(《罗马书》第6章第3～4节)。早期教会施洗对象大多为希腊或罗马的原异教徒,都是成年。但是,《新约》和2世纪教父著作都指出,儿童也可蒙救恩。历史上第一个反对婴儿洗礼的人似乎是德尔图良,可见2世纪时婴儿洗礼已流行。在宗教改革运动期间,信义宗、归正宗和安立甘宗接受天主教为婴儿施洗的传统。激进的新教派别特别是再洗礼派坚持人必须成长到能自觉申明信仰时方可受洗。在现代,反对婴儿洗礼的派别主要是新教的浸礼宗和基督会。

Baptist 浸礼宗信徒 基督教新教内一派的信徒,与新教大多数派别持有共同的基本信仰,但又坚持一条信纲,认为只有信道之人才可受洗,而洗礼必须是全身浸在水中(浸礼)。浸礼宗并不构成单一的教会或会派结构,在教会管理体制上大都实行公理制。在英格兰,两个浸礼派信徒派别兴起于17世纪的清教主义运动中。它们一致认为只有信道之人才可受浸礼,但在基督的救恩的性质上互有分歧。一派认为救恩普及一切人,称为浸礼宗普救派;另一派人提出,救恩只给特选的人们,称为浸礼宗特选派。浸礼宗普救派认为,他们的起源是赫尔韦斯及其追随者在1611年前后创立于伦敦的浸礼会。这一派人原是为了逃避英格兰对于分离派(主张从英格兰圣公会分离出去的人们)的迫害而于1608年前后迁居阿姆斯特丹。他们在阿姆斯特丹时采纳了他们原来的领导史密斯的信仰,只有信道之人才应受浸礼。通过最早伦敦会众的努力,普救派相继成立,运动获得扩展。他们在教义上属于阿明尼乌派,相信救恩普及。在17世纪后期和18世纪,浸礼宗普救派信徒减少,影响锐减。1770年在卫斯理所领导的循道主义奋兴运动的影响下成立了新派普救浸礼会,继承普救派的传统。浸礼宗特选派起源于1638年在伦敦成立的浸礼会,这是两派教徒分别于1633和1638年脱离一个独立派教会而组成的。这一新教会的成员认为,只有信道之人(不包括婴儿)才可受浸礼。在神学方面他们宗奉加尔文主义,坚持特选之人蒙救恩的教义,谓基督是为特选之人而死。特选派比普救派发展迅速,但是,由于他们强调只有蒙特选之人才能得救,又不努力发展信徒,后来发展缓慢。在1750年之后,他们受到循道主义运动的影响,又改变态度,重视传播福音和海外传教事业,于是重新得到发展。在凯里的领导下,英格兰浸礼会国外传教会于1792年成立,凯里随即前往印度,作为该会第一位国外传教士。在19世纪,浸礼会在英国的宗教及政治生活中颇具影响力,但自第一次世界大战后信徒减少,影响降低。

大不列颠和爱尔兰浸礼联会原是由浸礼宗特选派人士于1813年成立的。1891年新派普救浸礼会并入浸礼联会,特选派的严格加尔文主义逐渐有所修改,虽然保守派与开明派时有争论,但是浸礼联会内部尚能在教派一致的基础上承认思想自由。美国浸礼宗的起源可追溯到威廉斯,他在被清教派逐出马萨诸塞湾殖民地之后于1639年在普罗维登斯创立浸礼会。其后威廉斯放弃了他的信徒们,领导权遂转移到克拉克手中。罗得岛固然仍是浸礼宗的据点,但费城却是该宗在美洲殖民地的活动中心。费城浸礼协会成立于1707年,是该宗第一个联合机构,在它的主持下,在各殖民地各处都成立了浸礼会。18世纪中叶的大觉醒运动促进了浸礼宗的壮大。在南部各殖民地增长尤其迅猛,S.斯特恩斯于1755年在北卡罗来纳境内桑迪克里克创办一个浸礼会。到了1814年,美国的浸礼宗才联合起来,建立全国性机构。但是不久由于在蓄奴问题上意见不一,全国浸礼联合会陷于分裂危机。南方浸礼联会1845年组成于佐治亚州奥古斯塔,于是正式实现分裂,而1907年北方浸礼联会也继而成立。南方浸礼联会和北方浸礼联会(后称美国浸礼协进会)在美国内战之后各自形成了地区特色。黑人浸礼会目前分属两个联会,构成美国浸礼宗的另一个重要部分,成为黑人社会的社会中心和精神中心。马丁·路德·金所领导的黑人浸礼会教会和教牧人员在20世纪60年代的民权运动中发挥了重大作用。他们在80年代继续担当黑人社会的组织形式中的中坚,从杰克逊牧师的两次竞选总统(1984,1988)即可以看出此点。神学争论使浸礼宗在20世纪继续经历分化。目前有几百个独立的浸礼会完全与其他机构脱离关系,或与其他教会保持松散的关系,结成小规模的基要主义派别。浸礼宗通过坚持不懈的国外传教活动在全世界建立起许多教会。浸礼宗的一个重要中心是俄国,该宗是那里最大的新教派别。浸礼宗认为,在信仰和习俗问题上,权威在于处在基督之下的各地方教会的受过浸礼的全体信徒。这些地方教会在自愿的基础上组成州、地区和全国联会,以便在传教、教育和慈善事业上进行合作。但是联会不能控制地方教会。教会与国家分离一向是浸礼宗教义中重要的一条。浸礼宗的礼拜以讲经布道为中心内容。即席祈祷和唱诗也是该宗的特色。在20世纪,浸礼宗出了不同神学派别的领袖,主要有社会福音派的W.劳兴布施、美国现代派的H.E.福斯迪克和S.马修斯以及当代福音主义的B.格雷厄姆。

Baptist Federation of Canada 加拿大浸礼联盟 加拿大基督教浸礼宗的合作机构。1944年在新不伦瑞克省圣约翰市由沿海诸省浸礼联会、安大略和魁北克浸礼联会及加拿大西部浸礼联会组成。联盟仅起协调作用，并不取代各地浸礼联会。

Baptist General Conference 浸礼会总协议会 美国基督教浸礼宗的具有保守倾向的组织。成立于1879年，初名美国瑞典裔浸礼会总协议会，1945年改现名。该会在神学上持保守观点，但尊重个人持不同信仰的权利。明尼苏达州圣保罗市的贝瑟尔学院和神学院为该会所办。总部设在芝加哥市。

Baptist Missionary Association of America 美国浸礼宣教协进会 美国基督教组织，是保守的自立浸礼会的协和组织。1950年成立于阿肯色州小石城，最初名北美洲浸礼协进会，1968年改今名。参加协进会的各教会在传教事业上进行合作，并向一些国家派出传教士。协进会设有出版部，积极编写发行主日学教材及其他传教书籍；其广播宣教部编排节目，向全世界许多地区播送。各会员教会都须严格坚持基要主义对基督教义的解释，照字面意义解释《圣经》，期望基督复临。

Baptist Union of Great Britain and Ireland 大不列颠和爱尔兰浸礼联会 不列颠列岛上基督教浸礼宗最大的组织。1891年由特别浸礼会与新关系一般浸礼协进会联合组成。这些团体与17世纪建立的第一个英格兰浸礼会有着历史关联。联会是由各种教会协会、学院和信徒志愿组成的组织。联会从事教育、联系其他会派、传教及社会福利等工作，但不得妨碍地方教会的自主权。联会总部设在伦敦。

Baptist World Alliance (BWA) **世界浸礼会联盟** 基督教浸礼宗的国际咨询组织。1905年成立于伦敦。宗旨在于增进浸礼宗各教会之间的友谊和合作。总部设在美国华盛顿。

Baptiste 巴蒂斯特(1761-06-18，法国波尔多～1835-11-30或12-01，莱巴蒂尼奥勒) 原名尼古拉斯·安塞尔姆。法国感伤喜剧的主要演员之一。在外省作两次演出后于1791年去巴黎。1793年加入共和国剧院，1799年

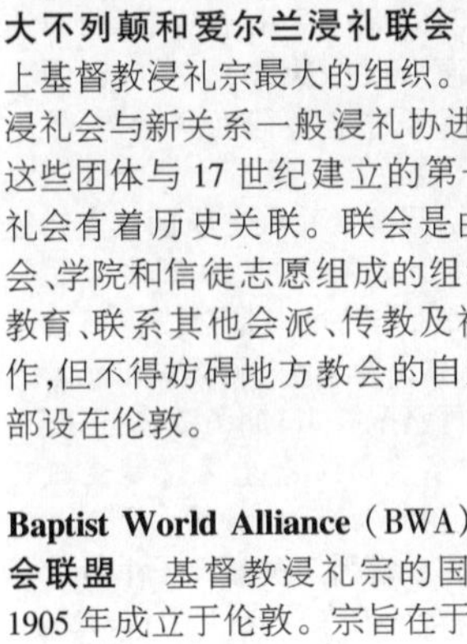

美国不列颠百科全书公司供图

加入法兰西喜剧院，1828年退休。他演悲剧并不成功。拿破仑时代的巴黎人对他在博马舍的《欧仁妮》(1767)和狄德罗的《一家之主》(1758)等剧中所扮演的高贵的父亲角色才开始熟悉。他的最大成就是在德图什的杰作《自命不凡的人》中饰主角。人们称他为大巴蒂斯特。其弟安塞尔姆(1765～1839)人称小巴蒂斯特，也是一个有名的喜剧演员。

baptistery 洗礼堂 基督教举行洗礼的厅堂，多建在教堂附近，是基督教特有的建筑形式。罗马拉特兰宫洗礼堂(建于432～440年)可能是现存最早的实物。洗礼堂通常与

佛罗伦萨的圣约翰洗礼堂
美国不列颠百科全书公司供图

教堂的门廊相连，并使用丰富而华丽的装饰，如意大利比萨、佛罗伦萨、帕尔马等地的洗礼堂。6世纪以后，洗礼堂逐渐降为教堂的附属部分。10世纪时，教会的洗礼仪式更为简化，不再建造洗礼堂，而近代教堂中只有供洗礼用的洗礼盘了。

Baqdash, Khalid 巴格达什(1912，叙利亚大马士革～) 叙利亚政治家。1932年控制了叙利亚共产党，成为其杰出的发言人，直到1958年流亡国外。青年时代在大马士革法律学校学习，因从事非法政治活动被学校开除。1930年加入共产党。善长辩论。1931和1932年被法国当局监禁。1932年取代萨马利领导叙利亚共产党。不久被迫转入地下，后离开叙利亚。1935年率叙共代表团到莫斯科参加共产国际第7次代表大会，并在那里受训一个时期。1954年选入叙利亚议会，成为阿拉伯世界第一个共产党议员。他同社会党和复兴党结盟。1957年8月苏叙签订广泛的经济技术协定之后，他的影响大增。1958年2月1日叙埃联合，3天后他逃往东欧。1958～1966年，他一直呆在莫斯科。1966年春返回叙利亚，再次成为叙利亚共产党领袖。

Bāqī (Turkish poet) 参阅 **Bâkî 巴基**。

Baqqārah 巴加拉人 又拼Baggara。游牧的阿拉伯人。他们为自然条件所迫，住在非洲西起乍得湖东至尼罗河的北纬10度至13度之间的地区；这一地带宜于牛而不宜于骆驼的放牧。牧牛是巴加拉人的生计，他们需在旱季南移至河流经过之地，雨季北移到草原地带。在季节性迁移之间，种植高粱、黍稷以及本地生长的苏丹作物。巴加拉人由于同本地其他部族如富拉尼人等频繁交往，已使巴加拉语变成一种独特的阿拉伯方言。

Baʿqūbah 巴古拜 伊拉克东部迪亚拉省省会。临迪亚拉河。在巴格达至伊朗间的公路和铁路线上。早在前穆斯林时期即为居民点，阿拔斯王朝时期为著名椰枣和果园城镇。是巴格达至呼罗珊大道(丝绸、香料之路的一部分)上的重要一站。第一次世界大战时，许多亚述基督教徒难民逃往该处。现为农牧产品贸易中心。人口约115 000(最新统计)。

Bar 巴尔 黑山港口，濒临亚德里亚海。为该国主要港口，处于内陆的塞尔维亚共和国的唯一出海口。今日的巴尔市为新巴尔。旧巴尔废墟位于鲁米亚山(1 593米)山麓，距海稍远。旧巴尔9世纪被拜占廷帝国统治；11～15世纪常为自治领。1443～1571年由威尼斯控制，1571～1878年被土耳其人占领。当1878年门的内哥罗人从土耳其人手中夺取旧巴尔时，该城部分被毁为废墟。新建的巴尔为港口和旅游中心，有铁路通至贝尔格莱德。为适应石油进出口的增加，港口已于20世纪70年代末扩建。巴尔的东南面有乌尔齐尼港，为旅游和疗养胜地；内陆有斯库台湖，为巴尔干半岛最大湖泊。人口约45 223(2003)。

BAR (U.S. rifle) 参阅 **Browning automatic rifle 勃朗宁自动步枪**。

Bar, Confederation of 巴尔同盟(1768～1772) 波兰贵族和绅士为保卫天主教会特权和反对俄国侵占、争取波兰独立而结成的同盟。但其活动却引起内战、外国干涉和第一次瓜分波兰。在俄国强迫波兰成为俄国的保护国(1768-02)以后，A.克拉辛斯基主教、J.普瓦斯基和M.克拉辛斯基3人在波多利亚的巴尔要塞结成同盟(1768-02-29)，他们既反对波兰国王斯坦尼斯瓦夫二世，也反对俄国。同盟军被国王的军队赶出巴尔，在东南各省又受到俄军的狙击。但全国各大城市都发生了支援同盟的起义。在I.马尔切夫斯基、拉济维乌亲王和K.普瓦斯基的指挥下，同盟军把起义的烽火燃遍全国，他们还得到土耳其人和法国人的支持。1770年10月22日，他们宣布废黜斯坦尼斯瓦夫，并拒绝向俄国投降。巴尔同盟虽然进行了顽强的斗争，但最终在琴斯托霍瓦被击败(1772-08-18)。起义既未能推翻斯坦尼斯瓦夫，也未能使波兰摆脱俄国的控制，且使国家受到严重破坏。1772年2月17日和8月5日，俄罗斯、普鲁士和奥地利瓜分波兰，波兰失去近1/3的国土。

Bar, François de 巴尔(1538，法国圣康坦附近塞桑库尔～1606-03-25，佩康库尔附近的安香隐修院) 法国史料编纂者、研究教会法的学者。1576年任本笃会隐修院院长。他的主要贡献是把隐修院图书馆的有关教会史和教

会法规的大量文件汇编成册。

bar association 律师协会 又作legal association。指地方性的、全国性的或国际性的律师团体。主要处理这一法律行业的有关问题。一般地说，律师协会都关心增进律师的利益，这可能意味着鼓吹改革法律制度，赞助研究项目，或制定这个行业所应遵循的准则。律师协会有时举行为批准律师开业所需的考试，监督必要的见习计划。协会会员的资格要求，各国不同。例如，在美国，法律院校的毕业生在通过一系列考试之后立即被接纳入州的律师协会，这些考试通常由州法院任命的考试官主持；另一方面，在奥地利，一个律师必须有7年法律工作经历才能成为会员。在很多国家里，律师们往往有义务加入律师协会。例如，在日本、尼日利亚、以色列和法国，以及美国一半以上的州里，要求所有的律师都加入律师协会。另一方面，在英国、挪威和瑞典，加入律师协会却是自愿的。很多律师协会拥有对其会员实施惩戒的权力。但**取消律师资格(disbarment)**、撤销律师的开业执照的程序通常在法院进行。例如，在法国，负责惩戒律师的主要是最高法院。有很多国际性的律师协会，其中最著名的是国际律师协会，它是由一些国家的律师协会和个别律师自愿组成的团体。除了其他工作外，它致力于在某些法律领域内寻求一致。

Bar Cochba 参阅**Bar Kokhba巴尔·科赫巴**。

bar code 条形码 为用于向计算机系统输入数据而印在某物上的一组平行而粗细不一的线条。典型的条形码是白底上的黑色线条，线条的数量和宽度可根据应用的需要而各有不同。线条用于表示二进制数字0与1；同样二进制数字序列又可用以表示0至9诸数字并由数字计算机加以处理。序列中特定位置上特定宽度线条出现与否，可由计算机读为0或1。尽管有些条形码使用4种宽度的线条，而大多数条形码只应用2种不同宽度(粗与细)的线条。条形码所代表的数字还可印出于条形码的底部。条形码信息由计算机系统中光学(激光)扫描器读出。扫描时可用手持式扫描器或条形码笔在条形码上掠过，或用手移动条形码，使其在建于付款台中或其他表面间的扫描器上掠过。于是计算机便储存或立即处理条形码中的数据。美国超级市场或其他零售商品上所印制的条形码是通用产品码(UPC)；通用产品码对每种食品或杂货产品都规定有一个独特的号码。按照通用产品码规定，左面的5位数字用以指特定的制造商，而右面的5位数字则由该制造商用以确定某一型式的产品，通常这就是条形码所仅有的信息。条形码是20世纪70年代开始采用的，现在它是日常商品交易中一种普遍的做法。在消费者购买商品时，食品杂货店便利用条形码来取得商品的价格或其他数据。在有代表性的超级市场付款台，人们利用扫描器通过条形码来识别产品；然后计算机检查该产品的价格，将价格数字馈入现金进出记录机并由记录机将价格数字输进顾客购货的帐单。条形码系统的主要优越性是，当条形码接受扫描时便可立即对详细信息加以处理；而不是简单地储存信息等待以后处理。现在可利用不同的条形码系统，以跟踪各式各样产品的制造、分配、储存、销售和应用。这些产品有加工的食品和纺织品，也有医疗器材、汽车零件和计算机零件，甚至还有图书馆的藏书。

Bar form 巴尔曲式 在音乐中，指中世纪德国恋诗歌手和名歌手、创作单声部世俗歌曲的诗人兼作曲家所用的那种aab结构模式。现代所用"巴尔曲式"这一术语源自中世纪的巴尔诗体，该诗体由3个诗节组成，每节均呈aab式。"巴尔"用于音乐形式时指一节歌的旋律，其中a段(称为"柱句")用同一旋律，b段("歌尾")则用另一旋律。巴尔曲式在某些格列高利圣咏、法国南方讲普罗旺斯语的游吟诗人的康佐诗歌和法国北方讲法语的行吟诗人的叙事歌中均有重要先例。继宫廷恋诗歌手而兴起的市民歌手很快也掌握了这一形式，它甚至影响到15世纪至16世纪初德国主调合唱曲的结构。19世纪，R.瓦格纳在他的"新中世纪"乐剧(如《汤豪塞》和《名歌手》)中复兴了巴尔曲式。

Bar Harbor 巴港 美国缅因州南部芒特迪瑟特岛汉考克县沿海城镇，滨弗伦奇曼湾，在班戈东南74千米处。1763年始有人定居。1796年设市，原名伊登，1918年改现名。1947年大部毁于火灾，经修复后成为**靠阿卡迪亚国家公园(Acadia National Park)**的游览中心和口岸。1969年建立大西洋学院。附近有杰克逊生物实验研究所。面积109平方千米。人口4 820(2000)。

Bar Hebraeus 巴尔·希伯来(1226，亚美尼亚梅利泰内[今土耳其马拉蒂亚]～1286-07-30，伊朗马拉盖) 阿拉伯语拉丁字母转写作ibn al-ʿIbrī或Abū al-Faraj。拉丁名格列高利斯。叙利亚学者。其父是改奉基督教的犹太人。17岁隐居安提阿进行灵修，20岁任主教，26岁任大主教，1264年成为信奉基督一性论的东方雅各派教会副牧首。他遍阅叙利亚和亚美尼亚各地藏书，编成哲学和神学阿伯拉文集多种。他自己还撰写了关于文法、天文、数学、医学、哲学、神学和历史方面的论文多篇。他的主要著作是题为《智慧精髓》的哲学百科全书，按照亚里士多德哲学传统介绍各科知识。另有关于灵修生活和解经学的著作甚多。巴尔·希伯来的学术活动和政治手腕有力地促进了基督教世界与伊斯兰世界之间的文化交流。在13世纪穆斯林统治期间，他在叙利亚采取和解政策，谋求阿拉伯人的宽容，为他们医治疾病，同时调解基督教内部各派的不和。

Bar Kokhba 巴尔·科赫巴(?～135) 本名西门·巴尔·科斯巴，又名巴尔·科齐巴。Kokhba又拼Cochba。犹太人领袖，在巴勒斯坦领导反罗马暴乱(132～135)，不幸失败。罗马皇帝哈德良131年巡视帝国东部，决定对犹太民族实行希腊化。于是禁止犹太教徒接受割礼，又向耶路撒冷城迁居大批罗马人，在圣殿的基址上兴建朱庇特庙。犹太人为这些措施所激怒，次年举行暴乱，由英俊的领袖巴尔·科赫巴担任领导。据后人记述，起义军进行游击战，开始得手。战局长期胶着，哈德良恼怒而增派重兵，134年夏，哈德良亲自从罗马莅临战场并调驻不列颠总督塞维鲁将军到巴勒斯坦。塞维鲁用小部队战术使起义军应接不暇，活动范围逐步缩小。135年，巴尔·科赫巴在耶路撒冷城西南的据点贝塔尔战死，残部在死海一带继续抵抗，在罗马军的扫荡下溃败，其后罗马实行严厉政策，迫使犹太人离开巴勒斯坦。1952年和1960～1961年，巴尔·科赫巴致其部下的一批信件被发现于犹太荒漠。

Bar-le-Duc 巴勒迪克 法国东北部洛林大区默兹省省会。位于南锡西面，沿狭窄的奥尔南河谷而建。其东北为马恩-莱茵运河，西南面为于森运河。10世纪起先后为伯爵领地和公爵领地首府。上城保存有巴尔伯爵和公爵城堡的遗迹及15～16世纪教堂和中世纪房屋。下城有15世纪圣母教堂和市政办公建筑。1960年镇东建立工业区，现有一些重工业和纺织业，但不足以维持日益增长的人口。人口16 944(1999)。

Bar Mitzvah 受诫礼 犹太教各派普遍实行的典礼。男子满13周岁经过此礼就成为成年教徒，从此必须谨守一切诫命，平日晨祷佩带经文护符匣。根据犹太教规定，必须有至少十名成年男子才能举行公共祈祷，男子既已行过此礼，即可以成年男子身份计入此数。典礼中包括召唤受礼人进前诵读先知经文称作哈弗他拉。此礼在满13周岁以后任何一天都可以举行，但多半是在安息日。改革派犹太教自1810年起废除受诫礼而为男女少年同时举行坚振礼，日期多定在五旬节。但在20世纪许多改革派会堂又恢复受诫礼而将坚振礼推迟到15或16周岁。保守派和改革派都有许多会堂另为及龄女子举行女受诫礼，称做犹太女孩成人仪式(Bit Mitzvah)。

Bar-Salibi, Jacob 巴尔-萨利比(?～1171-11-02) 又称迪奥尼西·巴尔-萨利比。信奉基督一性论的叙利亚雅各派教会的代言人。梅利泰内人，1154年任主教，1166年任阿米德都主教终生。其著作有诗歌、祈祷文、讲道文和崇拜文。又将拜占廷教会史学家埃瓦格里乌斯所著6卷《千年百载》译为古叙利亚文并加以评注，此外还著有批驳异端的论文、叙利亚教会圣餐礼拜仪式与教义解说以及《旧约》和《新约》评注等。

bar Sauma, Rabban 巴梭马(约1220，中国金朝中都[今北京]～1294-01，巴格达) 回纥人，23岁入景教(基督教聂斯脱利派)隐修院。他与他的学生马居斯决定前往耶路撒冷朝圣，经过甘肃、和田、波斯的呼罗珊、阿塞拜疆，到达卡托利科斯(即牧首)驻地巴格达。由于地面不靖，他只好暂住亚美尼亚一隐修院。卡托利科斯召他回巴格达，派他率人出使蒙古伊尔汗国(波斯)，觐见可汗阿巴格哈。其后巴梭马任景教东方助祭长。阿巴格哈之子阿鲁浑反对在宗教问题上走极端，同情基督教，于1287年派巴梭马进见西欧各基督教君主，希望他们与他协力把穆斯林赶出圣地巴勒斯坦。巴梭马在君士坦丁堡受到拜占廷皇帝安德罗尼卡二世的款待，到罗马方知教皇洪诺留四世刚刚去世。枢机主教院召见他，他们并不关心他前来的目的，主要注意他的神学观点，要求他背诵聂斯脱利派信经。聂斯脱利派在西方被视为异端，因此巴梭马不愿如此，乃离开罗马到巴黎，在法兰西国王腓力四世宫中暂住一个月，到波尔多，遇见英格兰国王爱德华一世，两位国王都不愿与阿鲁浑结盟。巴梭马离开法兰西，再到罗马，会见新当选的教皇尼古拉四世，然后返回波斯。后来，巴梭马在可汗宫中任侍从牧师。稍后退居阿塞拜疆境内马拉盖创立教堂。他是一位富有观察力的旅行家，用波斯文写日记，他的日记从局外人的角度观察中世纪欧洲。英国东方学家巴奇所著《忽必烈的修士们》一书中收有巴梭马日记的英译本。

Bara 巴拉人 又称Ibara。生活在马达加斯加岛中南部的马尔加什民族，操西奥斯特罗尼西亚语所属马尔加什语的一种方言。传统上，其氏族首领的祖先是印度人，因此同萨卡拉瓦人和贝齐寮人中的贵族有亲缘关系。巴拉人传统上主要营半游牧生活，在图莱亚尔及菲亚纳兰楚阿两省中的稀树草原上牧牛。他们现已逐渐开始定居务农，种植水稻、木薯、黍稷、玉米等。

Bara, Theda 巴拉(1890-07-20，美国俄亥俄辛辛那提～1955-04-07，洛杉矶) 原名西奥多西亚·古德曼。美国早期无声电影女明星。扮演了银幕上第一个将男人引向毁灭的

巴拉在影片《克莉奥佩特拉》中的剧照

美国不列颠百科全书公司供图

荡妇角色。她的影片使引入堕落的性主题开始在电影上流行，并且使她成为大胆追求性解放的一个国际象征。在短期从事舞台生涯后进入好莱坞。她的第一部重要影片是《有一个傻瓜》(1915)。在三年中拍了40多部影片，这些影片中有：《罗密欧与朱丽叶》(1916)、《两面旗帜之下》(1916)、《卡米叶》(1917)、《克莉奥佩特拉》(1917)、《莎乐美》(1918)和《凯思琳·马沃宁》(1919)。

Bāra Banki 巴拉本吉 印度北方邦中东部城镇。位于勒克瑙东北，包括较大的讷瓦布根杰城。后者是农产品市场与棉织中心。这两个城镇位于勒克瑙与法扎巴德之间的公路上以及两条铁路线上。巴拉本吉所处地区为冲积平原，有沼泽湖分布，戈默蒂河流经该地。一些地区大雨后变成泽国。农产品以稻米、鹰嘴豆与小麦为主。人口：城镇12 301；都会区77 234(1991)。

Baraboo 巴拉布 美国威斯康星州中南部城市，索克县县城(1847)。在麦迪逊西北55千米处。19世纪初由法国人建为商站。1882年设市。后成为乳制品集散地。以林林五兄弟的故乡和林林马戏团的诞生地闻名。市内马戏世界博物馆陈列有马戏团用车和马戏模型等。每年夏季举行马戏游行。有少量制造业。1968年建成威斯康星大学中心。人口10 711(2000)。

Baracaldo 巴拉卡尔多 西班牙东北部巴斯克自治区比斯开省工业城市。位于内尔维翁河南岸。生产铁、钢管、机械和造船设备。与东北部的塞斯陶合为本国主要钢铁中心。人口104 883(1991)。

Baracoa 巴拉科阿 古巴关塔那摩省港口城市。位于该岛东端。周围为崎岖山区。在20世纪60年代通公路前，同古巴其他地区隔开，交通不便。1492年12月哥伦布曾在今巴拉科阿停留。当征服者贝拉斯克斯·德奎利亚尔对古巴实行殖民统治时，于1512年在巴拉科阿建立第一个西班牙人居住区。该城镇1518～1522年为古巴首都。周围农业地区种植可可、椰子和香蕉，经港口出口。有制作巧克力和椰子油的工业。人口约78 300(1986)。

Baradā 拜拉达河 叙利亚西部河流。源出前黎巴嫩山。向南经大马士革注入欧泰拜湖沼泽。全长52英里(84千米)。该河上游平缓，流经菲贾赫泉时水量几增一倍。自古以来沿河挖凿沟渠以分流。水渠在大马士革外缘呈扇状散开，形成受益面积逾145平方英里(375平方千米)的姑塔绿洲。

barae (Shintō rite) 参阅 **harai** 祓。

Baragwanathia 巴拉格瓦纳思氏石松属 早泥盆纪时期(4.08亿年前至3.87亿年前)的化石植物属，发现于澳大利亚。可能是最早的石松纲(或亚门)植物，比现存的石松大，有的长达28厘米。

Barāhanagar(India) 参阅**Baranagar**伯勒讷格尔。

Barahona 巴拉奥纳 全称圣克鲁斯-德巴拉奥纳。多米尼加共和国西南部城市。临内瓦湾。该国湖区的门户，重要港口和渔业中心。工商业活动以产、销糖为主。主要出口甘蔗、糖蜜、咖啡、硬木和水果。附近有盐矿。有航空线和二级公路。人口约51 000(1983)。

Barahona de Soto, Luis 巴拉奥纳·德索托(1548?，西班牙卢塞纳～1595) 西班牙诗人。以1586年的《安杰丽嘉的第一部分》，俗称《安杰丽嘉的眼泪》闻名。该诗是阿里奥斯托的长诗《疯狂的罗兰》中安杰丽嘉与梅多罗故事的续篇。巴拉奥纳在安特克拉完成学业并服完兵役后，开始在安达卢西亚的主要城市和马德里行医。在那些地方，巴拉奥纳遇见了一些当时的著名文人，其中有抒情诗人费尔南多·德·埃雷拉和小说家塞万提斯等。《安杰丽嘉》获得的声誉应部分归功于他与塞万提斯的友谊，后者在《堂吉诃德》中盛赞这篇诗作。

barai (Shintō rite) 参阅 **harai** 祓。

Baraita 巴莱杳 希伯来语，意为"典外之说"。指未收进《密西拿》的口授古代犹太教律法。散见于巴勒斯坦和巴比伦《塔木德》的巴莱沓易于分辨，往往冠以"据教道说"或"拉比教道说"字样。其他巴莱沓则见于各种专集中，其中以《托塞夫塔》为最著名。内容和形式都与《密西拿》相类似。《密德拉西评注》是巴莱沓的又一来源。参阅 **Halakha**; **Tosefta**。

Barak, Ehud 巴拉克(1942-02-12，巴勒斯坦米什马尔沙龙合作农场[今以色列北部]～) 原名Ehud Brog。以色列军人和政治家。1959年加入以色列国防军，在"六日战争"(1967)和"赎罪日战争"(1973)中为战地指挥官，尤以领导特种部队进行突袭知名。1972年率领突击队在特拉维夫机场袭击劫机的巴勒斯坦游击队，解救出全部人质。1991年任总参谋长。1994年参加与约旦的谈判，达成和平协议。1995年以中将衔退役。巴拉克是耶路撒冷希伯来大学理学士，美国斯坦福大学理学硕士。90年代开始从政，任工党政府内政部长(1995)和外交部长(1995～1996)。1996年6月当选议员。1997年成为工党领袖。1999年当选总理，着重处理经济、教育、保健等国内问题，以及与巴勒斯坦、叙利亚及黎巴嫩的关系。1999年5月17日大选，巴拉克以稍多于56%的选票获胜，扭转了内塔尼亚胡的强硬路线。1999年9月重启与阿拉法特的和平谈判，要求在2000年9月达成最后和平协议，将更多以色列在西岸的占领领土交还巴勒斯坦。12月，打破与叙利亚持续3年的僵局，重开和谈，并结束了在黎巴嫩南部长达17年的占领。然而，2000年夏，3个小政党退出联合政府，使他成为少数政府。9月，西岸和加沙发生暴乱，停火协议不起作用，巴拉克宣布暂停和平进程。12月巴拉克辞去总理职务。许多以色列人认为他未能制止暴乱，而且在和谈中让步太多，因而在2001年2月的选举中负于沙龙，仅获37%的选票。此后巴拉克辞去工党领袖和议会议员职务。

Barāk River(India) **巴拉克河** 参阅**Surma River** 苏尔马河。

Baraka, Imamu Amiri 巴拉卡(1934-10-07，美国新泽西纽瓦克～) 1968年以前原名(埃弗里特)勒鲁瓦·琼斯。剧作家、诗人、

小说家、随笔作家。其作品叙述美国黑人的经历和愤怒,如实反映黑人的生活。他也是第一流的黑人民族主义者领袖。1953 年毕业于霍华德大学。第一部重要诗集是《二十卷绝命书的前言》(1961)。随后发表《死去的讲师》(1964)、《黑人魔术》(1969)。1964 年巴拉卡的剧本《德国人》描写不同种族间的敌对行动,以外百老汇戏剧的形式演出,受到评论界的赞扬。次年,他的《奴隶》和《盥洗室》也以外百老汇戏剧的形式演出。还出版了自传性小说《但丁地狱的制度》(1965);短篇小说集《故事集》(1967);小品文集《家:社会随笔》(1966)。

Bārakzay DYNASTY **巴拉克宰王朝** 19～20 世纪统治阿富汗的家族。巴拉克宰弟兄夺取阿富汗后,1826 年进行分割。多斯特·穆罕默德·汗赢得优势地位,约于 1837 年建立王朝。此后,他的子孙代代继承王位,直至 1929 年。1929 年穆罕默德·纳台尔·汗当选为国王。1933 年纳台尔·汗被杀害,其子查希尔·沙赫继王位直到 1973 年 7 月宣告共和国成立。

Baram River 巴兰河 在婆罗洲西北部,发源于伊兰山脉,向西北穿过原始热带雨林区,在巴兰角注入南海,流程 250 英里(400 千米)。下游 100 英里以上的河道峡险水急,难于上水航行。为沙捞越第二大河。支流有巴孔河、阿波河、帕卢坦河和帕塔河。

Bāramūla 伯勒穆拉 印度次大陆北部查谟和克什米尔印度控制区西北部城镇。位于杰赫勒姆河从武勒尔湖流出后约 11 千米处。距区首府斯利那加西偏北 45 千米。伯勒穆拉周围为农业区,出产稻米、小麦和大麦。该地区西面为喜马拉雅山的比尔本贾尔岭,东面为克什米尔的瓦莱山。人口 33 945(1981)。

Baranagar 伯勒讷格尔 又拼 Barāhanagar。印度东北部西孟加拉邦东南部城镇。在胡格利河东岸,为加尔各答城镇群的组成部分。历史上曾先后为葡萄牙、荷兰、英国的殖民地。1869 年设市,1889 年始称伯勒讷格尔。该镇现为重要工业中心。有公路和铁路通加尔各答和豪拉。有黄麻纺织、棉纺织、轧棉与打包、化学药剂、蓖麻榨油、火柴以及工农业机械制造等工业。人口约 224 821 (1991)。

Baranauskas, Antanas 巴拉瑙斯卡斯 (1835-01-17,俄罗斯帝国立陶宛阿尼克什奇艾～1902-11-26,塞奈) 天主教主教和诗人。著有立陶宛文学中最伟大的作品之一:《阿尼克什奇艾森林》(1858～1859)。这篇 342 行的诗,是用东部上立陶宛方言写的,描写他村旁一座松树林旧日的美景和被俄国掠夺之后的惨状("只有树桩的山,光秃秃的山坡!谁能相信你旧日的美丽?"),它以象征形式描写了立陶宛在沙皇政权下的苦境。

barangay 巴朗加 早期菲律宾居民点的一种形式。巴朗加的居民有时达到 30～100 户。但各巴朗加彼此孤立,各不相干。除棉兰老外,岛上没有出现过更大的政治单位。这一状况为 16 世纪时西班牙人征服菲律宾大开方便之门。后来,西班牙人保留它作为地方政权的基层单位。

Baranī, Ziyā'-ud-Dīn 拜拉尼(1285,印度～1357 以后) Baranī 又拼 Barni。第一位编写印度史的穆斯林。曾在德里宫廷居住 17 年。1357 年根据传闻和在宫中的亲身经历写成《菲鲁兹沙史》。这是一部说教著作,其中规定印度苏丹对穆斯林的责任。他在《对世俗政府的裁决》一书中阐明自己的宗教哲学史观,认为伟大人物的生平事迹都是天意的表现。

Baranovichi 巴拉诺维奇 白俄罗斯布列斯特州城镇,位于新格鲁多克丘陵南缘。19 世纪末由一小村发展成为重要铁路枢纽,干线通莫斯科、华沙和其他东欧中心城市。有棉花、食品加工和机器制造业。人口约 176 600(2004)。

Barante, Amable-Guillaume-Prosper Brugière, baron de 巴朗特男爵(1782-06-10,法国里永～1866-11-21,勒多拉) 即 A.-G.-P.布吕吉耶尔。法国政治家、历史学家、政论作家。波旁王朝复辟时期的自由派代表与浪漫

美国不列颠百科全书公司供图

主义历史学家叙述派的主要人物。他倡导用高雅的文学体裁和时事报导手法描述历史事件。毕业于巴黎综合工科学校。曾出使德国、波兰和西班牙。曾出任布雷叙尔和旺代的行政长官,"百日政权"(1815)时期任下卢瓦尔省省长。波旁王朝第二次复辟后,巴朗特出任国务委员和内政部长。1819 年封贵族,利用其地位推行自由主义改革。1830 年革命后历任驻都灵大使(1830)和驻圣彼得堡大使(1835)。1848 年王朝垮台后不问政事。他的最重要历史著作为《勃艮第历代公爵史》(1824～1828)。他还撰写圣女贞德及其他法国历史人物传记,研究 18 世纪法国文学并将莎士比亚和席勒的著作译成法文。

Bárány, Robert 巴拉尼(1876-04-22,维也纳～1936-04-08,瑞典乌普萨拉) 奥地利耳科学家。因其对内耳前庭平衡器官的生理、病理研究所做杰出贡献,荣获 1914 年诺贝尔生理学或医学奖。用于检测内耳前庭疾病和小脑功能,以及它们之间的平衡障碍的各种临床检验,大都以他的名字命名。巴拉尼 1900年从德国诊所毕业后,在维也纳大学

美国不列颠百科全书公司供图

当耳科助教。1909 年升讲师。1917 年以后,他一直在乌普萨拉大学任教授、耳鼻喉科主任。逝世于任上。

Baranya 巴兰尼亚 匈牙利南部一州。南以德拉瓦河为界,西北以迈切克山脉为界,面积 4 487 平方千米。多山林,与邻州绍莫吉州同为该国人口最稀少的地区。气候属半地中海类型,种植桃、李、酸樱桃、粮食作物和蔬菜,饲养猪和家禽。维拉尼克韦什德地区产的葡萄酒很出名。首府佩奇(**Pécs**)在行政上独立于州,其地位与州相当。佩奇以北 13 千米的科姆洛为有规划的煤矿城镇,第二次世界大战以后煤矿已大规模扩建。锡盖特堡和希克洛什都有古迹。人口约 408 019(2001)。

Barāri Ghāt, Battle of 伯拉里加特战役 (1760-01-09) 印度史上,阿富汗人为控制衰微的莫卧儿帝国而进攻马拉塔人的一系列胜仗之一。伯拉里加特是朱木拿河(今亚穆纳河)上的一个渡口,在德里以北 16 千米。马拉塔人首领达太吉·信希亚在这里受到阿富汗军队的突然袭击。信希亚阵亡,他的队伍作鸟兽散。这次败北为阿富汗人占领德里开辟了道路。

Bārāsat 巴拉瑟德 印度东北部西孟加拉邦东南部城镇。有公路和铁路通加尔各答和豪拉。为稻米、豆类、甘蔗、马铃薯和椰子集散中心。棉织为主要工业。人口 102 660(1991)。

barasingha (species *Cervus duvauceli*) **沼鹿** 又作 swamp deer。偶蹄目鹿科体型优美的动物,栖息在印度和尼泊尔的开阔森林和草原。肩高约 1.1 米。在夏季,毛色浅红或

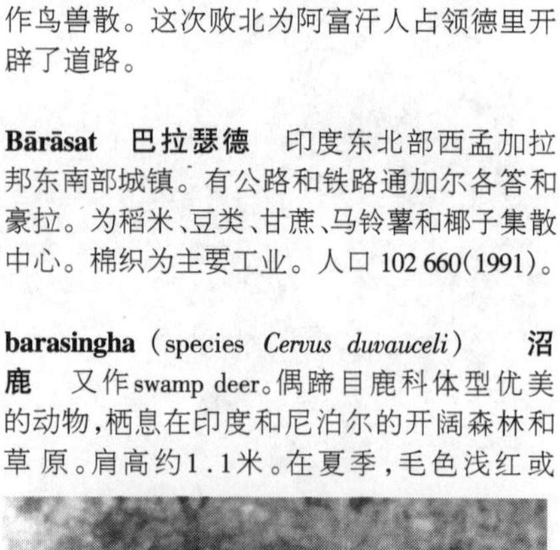

沼鹿(*Cervus duvauceli*)

美国不列颠百科全书公司供图

浅黄褐色,上有白斑点;冬天毛加厚,尤其在颈部,色褐,上有(或无)不明显的斑点。雄体有长角,支叉甚多。以前分布很广,现仅见于分散的地区、国家公园和保护地。《红皮书》中已列为濒危种。

Barat, Saint Madeleine-Sophie　巴拉,圣玛德琳-索菲亚(1779-12-12,法兰西勃艮第茹瓦尼～1865-05-25,巴黎)　天主教修女、圣心会创立人。出身农民家庭,其兄路易是助祭,曾给予她完善教育。法国大革命后,路易任巴黎司铎,她随路易前往巴黎。路易的上级瓦兰任命她领导教育修会圣心会,1800年正式授职。1801年第一所圣心会女隐修院成立于亚眠,1802年巴拉任该院院长。1826年教廷批准圣心会。在巴拉去世前,圣心会已从法国发展到欧洲、阿尔及利亚、南北美洲共11个国家。

Barataria Bay　巴拉塔里亚湾　墨西哥湾小海湾。在美国路易斯安那州东南部。长约24千米,宽约19千米。入口大部被格兰德岛、格朗特尔岛封堵,有狭窄可通航水道沟通内外航路。岸线曲折,多沼泽和小岛。沿湾地区以捕虾、捕麝鼠和出产石油、天然气闻名。因拉菲特兄弟二人在1810～1814年组织海盗和走私者在巴拉塔里亚海岸周围活动,有时把该区称为拉菲特区。巴拉塔里亚一名来自西班牙语,意为"欺骗"。

Baratieri, Oreste　巴拉蒂耶里(1841-11-13,奥地利帝国伦巴第康第诺[今在意大利]～1901-08-07,奥匈帝国蒂罗尔斯特津[今意大利维皮泰诺])　意大利将军和殖民地总督,曾主持开发了厄立特里亚殖民地,因而使意大利丧失了对埃塞俄比亚的影响。他曾参加加里波第的义勇军,经历过西西里岛和意大利南部诸战役。1891年任意大利驻非洲部队总司令。1893年任厄立特里亚总督。1895年进犯埃塞俄比亚,1896年在阿多瓦战役中被埃塞俄比亚皇帝曼涅里克二世的军队打得一败涂地,使意大利不得不承认埃塞俄比亚的主权与独立。他受军事法庭审判,但宣告无罪。1876～1895年为意大利议会议员。著有《非洲回忆录》(1897)。

Baratynsky, Yevgeny Abramovich　巴拉丁斯基(1800-03-02,俄罗斯马拉～1844-07-11,那不勒斯)　Baratynsky又拼Boratynsky。俄国第一流哲理诗人。出身贵族。在描述抽象的理想概念时,往往将优美、清晰的风格和抑

美国不列颠百科全书公司供图

郁、感伤的情绪状态结合在一起。早期的浪漫主义抒情诗具有强烈的个人色彩、梦幻的风格和厌世的情调。他的叙事诗《埃达》(1826)、《舞会》(1828)、《姘妇》(1831[1842年进行修改后,改名为《茨冈女人》])以精神分析方法处理感情,最后一篇被当时的批评家攻击为低级和粗鄙。《歌德之死》(1832)一诗是他的杰作之一。晚期的诗歌创作更富于哀伤的悲观主义色彩,内容以哲理和美学为主。现代批评家对他的思想所作的评价高于他的同时代人。

Barauni (India)　参阅 **Bāruni** 巴鲁尼。

Barb　柏布马　又作Barbary。又称柏柏里马。原产北非柏柏里诸国的一个马品种。与阿拉伯马有亲缘关系,可能是其后代,但体型较大,尾的位置较低,有距毛。毛色常为栗色或棕色。与阿拉伯马一样以速度及耐力著称。美国培育出一个变种,称为西班牙-柏布马,数量不大。

barb　鲃　又作barbel。鲤科鲃属(*Barbus*)淡水鱼。原产欧洲、非洲及亚洲。典型种类的口周有一对或多对须,鳞大而亮。体型因种而异,有些体长仅2.5～5厘米,而印度鲃

鲃(*Barbus schwanenfeldi*)
美国不列颠百科全书公司供图

(**mahseer**)长可达2米。一些种类在《红皮书》中被列为濒危种。欧洲中部和西部江河中的四须鲃(*B. barbus*)体细长,唇厚,口呈弯月形,须4根,用以搜寻河底的鱼类、软体动物等为食。体色浅绿,一般体长约75厘米,体重约3千克,为良好的游钓鱼。很多种类分布在非洲及亚洲。印度东部的种类有时另分出须鲃属(*Puntius*)。一些非洲和亚洲种,如印度鲃,是名贵的食用鱼或游钓鱼,而一些小型种则是一般家养观赏鱼。熟悉的观赏种类有:樱桃鲃(*B. titteya*),体长3厘米,雄鱼银白到樱桃红色,雌鱼银白到粉红色,二者体侧都具一条黄黑二色宽带。花鲃(小丑鲃,*B. everetti*),体大、长13厘米,粉红色,鳍红色,体侧有数个大暗斑。玫瑰鲃(*B. conchonius*),家养者体长5～6厘米,野生者稍大,体银玫瑰色,近尾部有暗斑;生殖期雄鱼体深玫瑰色而背鳍具黑边。四带鲃(苏门答腊鲃、虎鲃,*B. tetrazona*),约5厘米长,银橙色,体侧具4条黑色横带。火鳍鲃(双斑鲃,*B. ticto*),5～16厘米长,银白色,近头与尾处各有一黑斑,雄鱼背鳍淡红色而有黑点,无须。

Barbacena　巴巴塞纳　巴西米纳斯吉拉斯州东南部城市。海拔1 136米。附近农业区的贸易和加工中心。农业区种植玉米、豆类、水稻、咖啡和各种水果、蔬菜。有两个纺织厂。铁路和公路通贝洛奥里藏特、里约热内卢和附近社区。人口103 522(2000)。

Barbados　巴巴多斯　西印度群岛的独立岛国,在加勒比群岛最东端。位于向风群岛以东约160千米,委内瑞拉东北约430千米处。面积430平方千米,首都布里奇敦,是全国唯

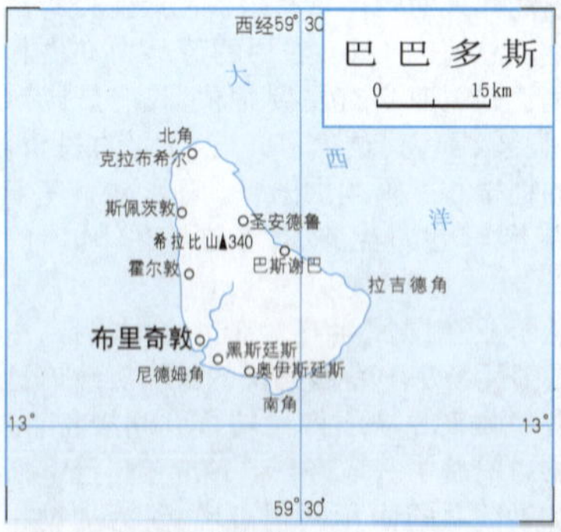

美国不列颠百科全书公司供图

一海港。地形呈三角形,东南至西北长约34千米,东西宽约23千米。人口约270 000(2002)。

土地　巴巴多斯的地质结构由沉积岩上的珊瑚堆积层(厚达90米)组成,全岛地势低缓,唯中北部希拉比山海拔340米,为全岛最高点。地势呈梯台状向西倾斜,在东部和南部高度急剧下降。岛屿四周几乎被珊瑚礁所环绕。地表水缺乏,但储存在石灰岩层的地下水形成多处天然泉。

巴巴多斯属温和的热带气候,只有旱季(12～5月)和雨季(6～11月)两个季节。2月平均气温为24 °C,11月28 °C。年平均降水量约为1 525毫米,海岸地区为1 000毫米,中部山区2 300毫米。该岛位于加勒比飓风带。

岛上可见桃花心木、棕榈、木麻黄属、鸡蛋花和黄蝴蝶属树木。开花灌木(野玫瑰、康乃馨、百合及多种仙人掌等)遍布全岛。大部分平坦的地域种植甘蔗,果园里种有芒果、鳄梨、柑橘和番石榴。野生动物只有野兔、獴(从别处引进)、猴子和几种鸟,如蜂鸟、燕子、鸽子和画眉。东南部有少量天然气和石油储藏,并开采有陶土、石灰石和砂土。

人民　90%以上的人口为黑人,其余包括白人、欧非混血人和东印度群岛人。人口平均增长率较低,自从20世纪60年代开始推行计划生育以来,一直保持相对稳定。出生率和死亡率也大大下降。为寻找工作,男性居民大量移居海外,现在主要移居到加勒比其他各国和北美,也影响了人口的增长率。女性人数大大超过男性。1/4以上的人口年龄在15岁以下。英语为主要语言。基督教为主要宗教,约有2/5的人口为圣公会教徒。合法婚姻不很普遍,约70%的新生儿是非婚生育的。巴巴多斯是世界上人口最稠密的国家之一。

经济　巴巴多斯实行市场经济,主要以旅游业及糖的生产和出口为基础。国民生产总值的增长稍快于人口增长。人均国民生产总值与加勒比国家的平均值基本持平。

农业只占国民生产总值的一小部分，从事农业生产的人数在劳动力总数中也只占相应的比例。大部分农田为大地主或公司所拥有。由于世界需求量减少，可耕地缺乏以及由政府资助的农业多元化计划的实施，蔗糖生产日益减少。到20世纪60年代末期，旅游业取代甘蔗种植业而成为国家最重要的产业。供本地消费的食品生产有所增加，其他经济作物（如海岛棉）也有种植。

石油和天然气产量有限。制造业只约占国民生产总值的1/10，雇用的劳动力亦占相应比例。轻工业占有主要地位，政府鼓励对制药、服装、陶瓷、玻璃和电子行业的投资。生产的糖蜜和朗姆酒供出口。岛上建有完善的公路网。电力生产依靠进口和国内的燃料。

旅游业在国民生产总值中的比例高达1/2，是国民经济中发展最快的部门。政府已将主要税收来源从所得税转移到间接税，以便从旅游消费中获取好处。1973年巴巴多斯加入加勒比共同体和共同市场，现为加勒比开发银行成员。该行总部设在布里奇敦。《离岸银行法》（1980）保证低税率和为客户严守机密，吸引了很多外国金融机构前来巴巴多斯。美国是巴巴多斯主要的进口商品供应国。

政体与社会状况 巴巴多斯是英联邦内一个独立的国家。根据1966年的宪法，以总督为其代表的英国君主为国家元首。行政权力由总理、内阁和其他被任命的部长们共同执行，他们对有立法权的议会负责。议会实行两院制，众议院议员27人由选举产生，参议院议员21人由总督任命。其中12人由总理推荐，2人由反对党领袖推荐，7人由总督自行决定。两院议员的任期均为5年。主要政党包括巴巴多斯工党和民主工党。高等法院为司法系统的最高机构。

1967年建立的社会保障体系为病人、产妇、老人、残疾人提供福利并为鳏寡者提供养老金。

岛上建有现代医疗设施，巴巴多斯人相对来说没有营养不良及传染疾病的困扰。平均预期寿命73岁。

公立学校提供免费教育，5～16岁少年儿童须接受义务教育。由于基础教育普及，识字率很高。高等学府有西印度大学巴巴多斯分校和科德灵顿学院，该学院是加勒比英语国家中最早授予学位的学院。

文化生活 该国文化植根于民间艺术与传统。有戏剧社团、舞蹈学校及美术展览馆。板球运动闻名世界。

历史 巴巴多斯的早期历史不详，但最初的居民是来自南美的阿拉瓦克印第安人。有证据表明西班牙人在1518年曾在此登陆，到1536年该岛显然已没有印第安人。

1624年或1625年初，J.鲍威尔曾率远征队至此。1627年其弟H.鲍威尔船长把一群英国殖民者送上该岛。从非洲贩运来的奴隶主要从事甘蔗种植。1834年英帝国废除奴隶制，到1838年巴巴多斯岛上的所有奴隶均获自由。这使岛上经济受到影响但并未使其崩溃。

由于人口迅猛增长，停止向外移民和经济萧条等因素，1937～1938年间巴巴多斯及英属西印度群岛各地发生骚乱。一个英国殖民地福利及发展组织随之成立，并向巴巴多斯及其他殖民地大笔拨款以缓解危机。此外，黑人改革者也开始积极参与巴巴多斯的政治生活。

1958年巴巴多斯加入西印度群岛联邦，其首席部长G.亚当斯爵士成为该联邦的第一任总理。1962年该联邦解体，巴巴多斯寻求并取得了英联邦内的独立（1966）。在首次大选中，民主工党赢得众议院中的多数席位。该党领袖E.巴罗成为首任总理。自从独立以来，巴巴多斯工党和民主工党两党的政治和社会目标一直没有明显区别，均奉行温和的社会主义哲学。巴巴多斯在政治上一直保持着相对的稳定。

Barbados cherry 巴巴多斯樱桃 又作West Indian cherry或acerola。又称西印度樱桃。金虎尾科 *Bunchiosa* 属和金虎尾属（*Malpighia*）的热带和亚热带乔木和灌木，尤其指

光叶金虎尾（*M. glabra*）
美国不列颠百科全书公司供图

光叶金虎尾（*M. glabra*）、安石榴叶金虎尾（*M. punicifolia*）及螫痛金虎尾（*M. urens*）。金虎尾属的种类果实可食，富含维生素C，是蜜饯和商业维生素C制品的生产原料。原产于西印度群岛、得克萨斯南部至南美北部。光叶金虎尾高约3.6米；花期持续整个夏季，花粉红色或玫瑰色，直径2厘米，3～5朵成簇腋生；果实红而酸，大如樱桃。

Barbados Ridge 巴巴多斯海岭 加勒比海的海底山岭，从波多黎各海沟轴线的南端升起，其每一侧都平行地分布着一条浅海沟。与波多黎各海沟有关的负重力异常（由于在地球深处质量较小，因而观测到的重力值低于理论上计算出的重力值）延伸到巴巴多斯海岭之上，从而肯定了这两种地形之间在构造上的连续性。

Barbara, Saint 巴尔巴拉，圣（?～约200） 早期基督教青年女殉教士、炮兵的主保圣人。据7世纪流传的资料，她因为信奉基督教而被其父狄奥斯科鲁斯送交地方官处斩，狄奥斯科鲁斯亲自执刑。狄奥斯科鲁斯回家后即被雷击而死，化为灰烬。1969年教会历未列圣巴尔巴拉节，因为其事较为荒诞。

Barbarelli, Giorgio（painter） **巴尔巴雷利** 参阅 **Giorgione 乔尔乔涅**。

Barbari, Jacopo de' 巴尔巴里（1440～1516） 威尼斯画家和版画家。可能是世界上第一幅署名并标明年代（1504）的真正静物画的作者。1500年前他一直活动在威尼斯。据说有一幅描绘威尼斯全景的大幅版画是他的作品。后移居北方，成为维滕贝格、纽伦堡、奥德河畔法兰克福等日耳曼城邦的宫廷画家。最后在荷兰宫廷工作。像丢勒一样，他兼长铜版画和木刻。

Barbarossa 红胡子 参阅 **Frederick**（Germany / Holy Roman Empire）腓特烈（德意志/神圣罗马帝国）项下的 **Frederick I 腓特烈一世**。

Barbarossa（Redbeard） **巴尔巴罗萨（红胡子）**（?～1546） 本名黑德尔。柏柏里海盗，后为奥斯曼舰队司令。出于他的倡议，阿尔及利亚和突尼斯成为奥斯曼帝国的一部分。在他死后的300年中，地中海沿岸的城镇和村庄屡遭海盗劫掠。青年时代由于对袭击北非的西班牙人和葡萄牙人怀有刻骨仇恨，曾与兄长阿鲁杰不断进行海盗活动。他们希望依靠土耳其人和穆斯林移民的支援，在非洲占据一块领土。1518年阿鲁杰被西班牙人杀害。但是，他们弟兄的计划已经开始实现。巴尔巴罗萨害怕这块领土被西班牙人鲸吞，就向奥斯曼苏丹称臣纳贡，苏丹授予巴尔巴罗萨总督称号，并派兵援助。他于1529年占领阿尔及尔，使其成为地中海海盗活动的大本营。1533年任奥斯曼帝国海军司令，翌年

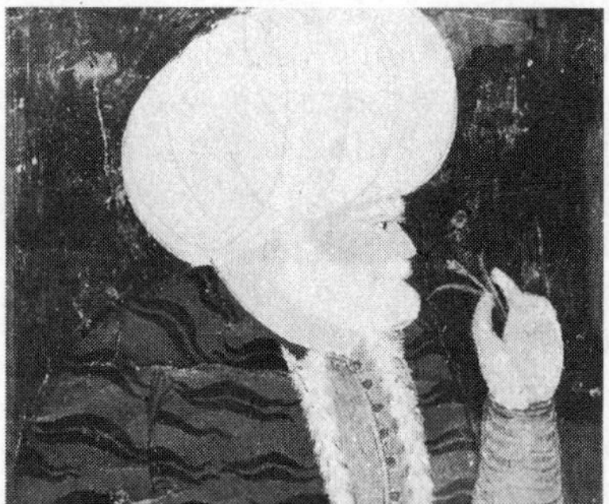

美国不列颠百科全书公司供图

征服整个突尼斯。1538年在普雷韦扎战役中打败神圣罗马帝国皇帝查理五世的舰队，保证了土耳其人在东地中海的安全。巴尔巴罗萨在去世前一直是君士坦丁堡宫廷中大人物之一。

Barbary 柏柏里 又称柏柏里诸国。北非沿海地区的旧称。东邻埃及，西临大西洋，南接撒哈拉，北濒地中海。现包括摩洛哥、阿尔

及利亚、突尼斯和利比亚。名称来源于柏柏尔人。柏柏尔人为这一地区最早的居民，数百年来一直同在地中海横行的海盗有关。在19世纪欧洲列强侵占这个地区以前一直沿用此名(参阅 **Maghrib**)。

Barbary (horse) **柏柏里马** 参阅 **Barb** 柏布马。

Barbary ape (*Macaca sylvana*) **叟猴** 又作 magot。又称无尾猴、无尾猕猴、柏柏里猴。一种地栖猕猴(**macaque**)，无尾，群栖于阿尔及利亚和摩洛哥以及直布罗陀。体长约60

叟猴(*Macaca sylvana*)
美国不列颠百科全书公司供图

厘米，毛淡黄褐色，脸裸露呈淡桃红色。叟猴是欧洲唯一的野生猴类，可能于中世纪由阿拉伯人穆斯林扩张领土时带到西方。传说一旦叟猴离开直布罗陀，英国对这地区的统治便将终结。

Barbary pirate **柏柏里海盗** 以北非海岸为基地的穆斯林海盗，17世纪时最为猖獗。其活动一直延续到19世纪。在阿尔及尔和突尼斯形成特殊阶级的海盗船长们指挥着赞助者们装备的船只从事海盗活动。船长们把劫掠物的1/10分给赞助者。北非的海盗活动源远流长。在16世纪由于巴尔巴罗萨将阿尔及利亚及突尼斯统一在奥斯曼苏丹之下，以海盗活动为岁收，使海盗活动具有政治意义。1609年以后，摩洛哥成为海盗们新的活动中心。阿拉维的历代苏丹都鼓励海盗活动，以此作为岁收的重要来源。在17世纪，阿尔及利亚和突尼斯的海盗联合行动。1650年，仅在阿尔及尔一处，他们就关押了3万多名俘虏。海盗活动在19世纪曾引起美国和的黎波里塔尼亚间的多次战争。1815年后英国曾两次企图平息阿尔及利亚的海盗活动，但直至1830年，阿尔及利亚的海盗活动才被法国人扑灭。

Barbary sheep **柏柏里绵羊** 参阅 **aoudad** 鬣羊。

barbastelle (*Barbastella*) **宽耳蝠** 蝙蝠科宽耳蝠属两种动物的统称。一种欧洲宽耳蝠(*B. barbastellus*)产于欧洲和北非；另一种亚洲宽耳蝠(*B. leucomelas*)产于中东和亚洲。耳短而宽，两耳在前额处相联。毛长而黑，尖端为白或灰色。体长4～6厘米，尾巴与身体几乎一样长，重6～10克。宽耳蝠是较重的飞兽，单独或成小群活动，栖息在树上或建筑物中。从秋季开始到次年春天，在洞穴中冬眠。

Barbé-Marbois, François, marquis de **巴尔贝-马尔布瓦侯爵**(1745-01-31，法国梅斯～1837-01-14，巴黎) 法国政治家，曾与美国谈判出售路易斯安那的问题(1803)。他曾任驻德国外交官。1785～1789年任圣多明各行政长官。1797～1799年任法属圭亚那总督。1800年奉召回国，任财政部长。其间，与美国谈判出售路易斯安那，获得较高售价。1806年因造成严重的财政危机而被撤职。1808年被任命为审计法院首任院长。1813年任参议员并封伯爵。拿破仑将垮台时，他投靠波旁王朝，1814年成为贵族院议员，1817年封侯爵，1815～1816年任司法大臣，1816～1834年又任审计法院院长。1834年，他转而效忠1830年的七月王朝。

barbecue **烤肉** 把肉、鱼或禽同蔬菜一起在木柴或木炭火上烤熟的野餐，通常是一种社交娱乐形式。亦指用烤肉架或石砌烤坑烤制的食品，特指烤肉条。英语 barbecue 一词，来自西班牙语，源于阿拉瓦克印第安人语词 barbacoa，其含义是用青树枝编成格栅，将肉条放在上面烤熟或用文火烤干。在全美国，烤肉为公众所喜爱，南方爱吃烤猪肉，西南地区则爱吃烤牛肉。其他烤肉有绵羊肉或小山羊、鸡、肉肠等。沿大西洋海岸及海湾地区则有烤海味。食用烤肉时使用的浇汁也各地不同。南、北卡罗来纳州用酸汁，在中西部用番茄酱，在西南部则用各种香料。

barbed wire **刺钢丝** 围栅栏或篱笆用的钢丝。一般是用两根钢丝顺其纵向绞合在一起而成一钢绞线，然后按规则间隔再拧上倒刺，倒刺可缠在钢绞线的一股或两股钢丝上。

19世纪的刺钢丝
美国不列颠百科全书公司供图

刺钢丝种类繁多，其钢线有单股和双股，钢丝断面有圆形、半圆形和扁平形，并各有一系列规格尺寸。绞成双股的钢绞线强度大，卷起和展开时不断裂。倒刺是斜切成有锋利尖端的钢丝，用1段或2段带尖钢丝(有2或4个尖)按10～13厘米的间隔拧在钢绞线上。1867年刺钢丝在美国就取得了专利，但直到1874年伊利诺伊州迪卡尔布的J.F.格利登发明了实用的制造刺钢丝的机器时，才使刺钢丝获得广泛应用。

Barbeitos, Arlindo (do Carmo Pires) **巴贝托斯**(1940-12-24，安哥拉～) 安哥拉诗人，他的许多作品用葡萄牙文写成，以精美细腻的笔法描绘人民争取独立的斗争和人与自然本质上的和谐。1965～1969年，在西德留学。在安哥拉独立斗争时期回国，在争取安哥拉解放人民运动的几个根据地教书。后返回欧洲治疗肺结核，在西柏林大学继续攻读民族学研究生课程。他的诗以思想之精炼严谨、语气之亲切、风格之朴素著称。代表作有：《安哥拉、安哥尔、安哥莱玛》(1976)、《梦》(1979)、《河——回归的故事》(1985)、《梦的思绪》(1992)等。

Barbellion, W. N. P. **巴比利恩** 参阅 **Cummings, Bruce Frederick** 卡明斯。

barber **理发师** 修剪男子头发使之成型的手艺人，包括修面、修剪胡子、鬓角和口髭。理发师或专做女发的理发师(hairdresser)还设有洗头、修指甲、染发、电烫和刷鞋等服务项目(参阅 **hairdressing**)。在古希腊和罗马，理发店已经是一个俗不拘礼的场所。特别在罗马，有家庭理发师。古埃及的大院宅中的侍从中亦有理发师，并把为客人理发作为待客的一种礼节。欧洲的理发师也兼做外科手术。1163年，教皇命令所有教士不能使别人流血，而修士则要定期放血，这项工作便由理发师去做，因为早在1092年规定教士要剃净胡子开始，理发师就已成为隐修院的常客。外科手术的伟大先驱者A.帕雷开始也是以修面和理发为生的。1383年法兰西国王谕令宣布："君主的首席理发师和男仆"是国内理发师和外科医师的首领。伦敦的理发师可被称为"师傅"，口语为"先生"。英国的外科医师在姓名前仍冠以"先生"而不用"医生"。理发师兼任外科医师，有时被称为"短袍医生"，以区别于从大学训练出来的内科医生和外科医生。19世纪90年代，设立了理发学校，在这之前，获准在理发行业开业须经过一段很长的学徒时期。

Barber, Samuel **巴伯**(1910-03-09，美国宾夕法尼亚西切斯特～1981-01-23，纽约州纽约) 作曲家，美国作曲界的抒情和浪漫主义思潮最有力的代表之一。早年学习钢琴，不久即

美国不列颠百科全书公司供图

开始作曲。1924年入费城柯蒂斯音乐专科学校，除学习钢琴和作曲外，还学习歌唱和指挥。1934年毕业后致力于作曲，发展了一种独特风格，他吸收现代音乐的某些技术手法，但从未沉溺于盲目实验之中。根据谢里丹的

喜剧《造谣学校》所作同名序曲(1933)和受雪莱《解放了的普罗米修斯》的启迪而创作的《为雪莱著作中的场景配乐》(1935),为他奠定了名声。许多作品虽然受文学作品的暗示,却都不是严格意义的标题音乐。在这方面耐人寻味的例子是两首《管弦乐随笔》(1938,1942),作曲家意在将它们作为这一文学体裁的音乐对应体。结构方面的考虑支配着巴伯的器乐写作,和声极为严峻,但基本调性稳固,节奏线条强烈而不失统一性。1936年作《弦乐四重奏》,其慢板乐章曾改编为弦乐曲《弦乐的柔板》,于1938年由托斯卡尼尼指挥全国广播公司交响乐团演出,在美国和欧洲均极受欢迎。《第一交响曲》(1936年作,1942年修订),属浪漫派传统之作。受美国空军委托所作《第二交响曲》采用电子乐器来模仿空中领航的无线电信号,后来在修订版中用降E调单簧管代替。还作有《小提琴协奏曲》(1941)、《大提琴协奏曲》(1946)。他的《钢琴奏鸣曲》(1949)是美国作曲家写的这一体裁的最雄心勃勃的作品。歌剧《万涅萨》于1958年在大都会歌剧院协会演出,获普利策奖。《钢琴协奏曲》(1962)再次荣获普利策奖(1963),为他带来新的国际声望。歌剧《安东尼和克娄佩特拉》于1966年在林肯表演艺术中心的大都会歌剧院协会新礼堂开幕时演出。

barber shop quartet singing 参阅**barbershop quartet singing** 理发店四重唱。

Barbera, Joseph (Roland) **巴伯拉** 参阅 **Hanna, William (Denby); and Barbera, Joseph (Roland)** 汉纳和巴伯拉。

Barberi, Domenico, BLESSED **巴贝里**(1792-06-22,教皇国维泰博[意大利]~1849-08-27,英格兰伯克郡雷丁) 又称多米尼克(上帝之母的)。奥秘神学家、天主教受难会修士。他出身农民,未受过正规教育,加入受难会为普通会士。1818年受祝圣为司铎。1821年任韦特腊拉附近受难会学院讲师,其后先后调往罗马(1824)、卢卡(1831)、意大利南部(1833)和比利时(1840)。1841年他在英格兰斯塔福德郡阿斯顿开办受难会。1845年接纳纽曼加入天主教会。他在英格兰创立受难会隐修所四处,并拟订在爱尔兰创立一处隐修所的计划,该隐修所于他逝世后建成。

Barberini FAMILY **巴尔贝里尼家族** 罗马贵族世家。源于埃尔瑟河流域的巴尔贝里诺,后移居佛罗伦萨。安东尼·巴尔贝里尼于1530年保卫佛罗伦萨,以后迁居罗马。他的侄子弗朗切斯科(1528~1600)积聚大量财富,开始掌握政权。小弗朗切斯科(1597~1679)是本家族第一个枢机主教。第二个枢机主教是弗朗切斯科的兄弟老安东尼(1569~1646);第三个枢机主教是小安东尼(1607~1671),曾任教廷使节,出使乌尔巴诺(1631)和阿维尼翁(1633)。1644年巴尔贝里尼家族被法纳塞家族打败,弗朗切斯科和小安东尼逃往巴黎,后又返回罗马。这个家族的权势继续维持了一段时期,1736年绝嗣。

Barberini, Maffeo (pope) **巴尔贝里尼** 参阅 **Urban VIII** 乌尔班八世。

barberry 小檗 小檗科小檗属(*Berberis*)约500种带刺的常绿或落叶灌木的通称。大多原产于北温带,尤其是在亚洲。俄勒冈葡萄从前归小檗属,现归入十大功劳属(*Mahonia*)中,有时仍俗称barberry(参阅 **Oregon grape**)。小檗属植物木质黄色;花黄色,有6瓣;叶柄基部通常有三分支的刺;果红、黄、蓝、紫或黑色,内含一粒至数粒种子。有些种的果实用制果子冻。从某些南美和亚洲的小檗中可提取黄染料。美国小檗(阿勒格尼小檗、加拿大小檗,*B. canadensis*)原产北美东部。日本小檗(桑伯格氏小檗,*B. thunbergii*)常作树篱,因有猩红色的秋叶和鲜红色,长久不落的浆果,还可作观赏植物。有些种类具有紫色或黄色的叶,无刺,或具矮小株形,可用于美化环境。另一广泛种植的种豪猪刺(冬绿小檗、朱丽安娜小檗,*B. julianae*)为常绿灌木,浆果蓝黑色。有些地区禁种某些种小檗,因为它们是小麦黑秆锈病病原真菌孢子的寄主。

加拿大小檗(*B. canadensis*)
美国不列颠百科全书公司供图

barbershop quartet singing 理发店四重唱 barbershop也可拼写成barber shop二字。一种通俗合唱音乐,由无伴奏男声歌唱组成,其中3个声部为第4个声部的旋律配和声。4个歌唱声部分别是男高音、领唱、男中音和男低音,通常由领唱声部唱旋律,男高音在上方配和声。它特别强调精心编排的密集和声,唱词发声的同步性,以及诸如速度变化、音量大小、吐字、色彩和分句等手法的运用。唱时常将一些乐句加以重复以求得回声效果。音乐改编曲通常采用切分的雷格泰姆和其他思乡歌曲风格。虽然理发店四重唱多见于美国,它的起源(约在19世纪)却难以确定。它也许可以追溯到美国理发店成为邻近地区男士们的社会和音乐中心的那个时代;也有可能起源于英国的"理发店音乐"这一说法,这指的是顾客等候剃须时的即兴演唱和理发师惯常所起的乐师的作用。

现代的美国维护和鼓励理发店四重唱协会(简称SPEBSQSA, Inc.)是O.C.卡什、R.I.霍尔和1938年4月11日在美国俄克拉何马州塔尔萨的塔尔萨俱乐部参加第一次会议和合唱会的另外24名男子一起创办的。至20世纪晚期已设有分会800余处,会员约38 000人。每年举行一次年会和几次约有50组四重唱和16个合唱队参加的比赛。还出版双月刊《和声配置者》。国际总部设在美国威斯康星州的基诺沙。

Barberton 巴伯顿 美国俄亥俄州东北部萨米特县城市。濒临塔斯卡罗瓦斯河。1891年由O.C.巴伯辟为火柴厂厂址。1892年设市。有化工产品、大型锅炉等多种制造业。当地的石灰石矿床厚度超过105米,蕴藏量丰富。人口27 623(1990)。

barbet 须䴕 䴕形目须䴕科热带鸟类,约75种。因其坚固而锐利的喙基部有须而得名。头大,尾短,体长9~30厘米,淡绿或淡褐色,有些部分色彩有鲜艳或白色斑点。最小的种类称为补锅鸟(**tinkerbird**)。须䴕科鸟类分布自中美到南美北部、非洲撒哈拉以南及东南亚,向东只到婆罗洲和巴厘岛。均不迁徙。以昆虫、蜥蜴、鸟蛋、果实为食。不取食时,就呆呆地栖息于树顶。有的种会像啄木鸟那样攀缘,飞行力都不强。用喙在腐朽树木的高处或白蚁巢中挖洞为巢。鸣声洪亮,鸣时头尾抽动,雌、雄鸟交替或一起鸣叫。某些种类如亚洲的赤胸拟啄木鸟(铜匠鸟,*Megalaima haemacephala*)和补䴕属(*Pogoniulus*)的非洲补锅鸟因银铃般的鸣声而著名。有些种类鸣声使人恼火或厌烦,这些种类有时称为脑热鸟。

须䴕(*Capito bourcieri*)
美国不列颠百科全书公司供图

Barbey d'Aurevilly, Jules-Amédée 巴尔贝·多尔维利(1808-11-02,法国圣索沃尔-勒维孔特~1889-04-23,巴黎) 法国小说家和有影响的文艺评论家。不论在社会时尚和文学鉴别力上,他都是一个仲裁者。出身诺曼底小贵族家庭,无论在气质或在文风上,毕生都保

美国不列颠百科全书公司供图

持了诺曼人的特性，并引以为荣。他是保皇党人，敌视民主，反对实利主义，热衷于天主教，却始终不是正统的天主教徒。1827～1829年就读于巴黎的斯坦尼斯拉斯学院，1829～1833年在康城学法律，1837年定居巴黎，开始为期刊撰稿，以此维持不稳定的生活。1868年任《宪政报》文艺评论员，自此名声大振，被誉为"文坛魁首"。虽然他在文艺评论中往往显得任性、激烈和刚愎自用，对以左拉为首的自然主义流派更是如此，但其观点大多经受住了时间的考验，他在巴尔扎克、斯丹达尔和波德莱尔的作品尚未充分被人们所认识时，就已肯定了他们的成就。他的两部优秀作品以影射的方式谴责了法国大革命：《图什的骑士》(1864)写的是共和国时期朱安党人(一群诺曼走私犯和不法分子)的暴动；《一个结了婚的神父》(1865)描写新制度下一个神父的种种苦难。另一部短篇小说集《女巫》(1874)，收有6个短篇，被认为是他的代表作。

Barbeya 巴比氏树属 双子叶显花植物的一属，仅一种——巴比氏树或似木犀榄巴比氏树(*B. oleoides*)，生长于埃塞俄比亚和索马里以及阿拉伯半岛。本属外貌似油橄榄树，但又有许多榆树的特征。因与榆树相似，巴比氏树属被归入荨麻目巴比氏树科(Barbeyaceae)。该科仅1属，其分类地位仍不确定，有的权威认为它可自成一目——巴比氏树目(Barbeyales)，该目与荨麻目近缘。该植物单叶对生，全缘，无托叶，背面密生白色绒毛。花单性，雌雄异株，风媒传粉；花无瓣和苞片，萼片3～4枚或成一轮，宿存于果上并随果实增大；雄蕊6～9，常被锈色毛；雌花子房上位，由1心皮组成，1室，含1胚珠，有1羽状顶生花柱。

Barbie 芭比娃娃 全名 Barbara Millicent Roberts。29厘米高的塑料娃娃，为一年轻女郎的形象，1959年由一家名为马特尔公司的南加州玩具公司推出。R.汉德勒与丈夫埃利奥特共同创办了马特尔公司，率先推出了这个娃娃。芭比的面貌体形以德国的比尔德·莉莉娃娃为模型。后者是以西德报纸《画报》上的漫画人物为基础而为男性创造出来的有伤风化的玩笑礼物。从一开始，她的体形就引发了争论。1958年上市前马特尔公司曾进行了一次市场调查，妈妈们批评芭比"太过份了"。1961年马特尔响应消费者的要求，推出了芭比的最初"附件"——她的男朋友肯(汉德勒的两个孩子分别取名为芭芭拉和肯)。1963年加进芭比最好的朋友米吉，1964年又加了她的小妹妹斯吉珀。到1968年推出了芭比的有色人种的同伴，但直到1980年芭比娃娃才有了一个黑人化身。自20世纪70年代以来，芭比娃娃的物质至上主义(大量的汽车、住宅和服饰)以及不现实的体形比例一直受到批评。虽然马特尔公司把芭比置于美国第一女孩的地位，但为了避免较高的劳动成本，这个娃娃从未在美国本土生产过。如今，芭比娃娃已经成为资本主义社会消费主义的象征，在很大程度上已经成为像可口可乐那样的全球品牌，其主要市场在欧洲、拉丁美洲和日本。然而，在穆斯林世界却从来没有受到过欢迎。马特尔公司把芭比注册为一件艺术作品，而这个娃娃确实也启发出不少艺术作品。芭比娃娃是个十分流行的收藏品。芭比迷们既对老芭比娃娃感兴趣，也对马特尔公司创造出来迎合市场的特殊版本感兴趣。从2000年之后，虽然芭比娃娃销售的上升速度不再像20世纪90年代中期那么快，但每年的销售量仍超过10亿个。据马特尔公司的计算，在世界各地平均每秒就会卖出两个芭比娃娃。

Barbie, Klaus 巴比(1913-10-25，德国波恩附近巴特戈德斯贝格～1991-09-25，法国里昂) 纳粹党的领导人，1942～1944年为里昂盖世太保的首领，曾造成约4 000人死亡及7 500人被放逐。绰号里昂屠夫。巴比是希特勒青年团团员，1935年参加称为SD的纳粹秘密勤务组织，这是纳粹党黑衣党卫军SS的特种部队。第二次世界大战中德军在西欧猖獗一时，巴比先任职于荷兰，1942年任里昂盖世太保第四队队长(秘密勤务组织与盖世太保关系极为密切，队员经常互调)。他在任期间积极对付法国游击队员，提倡用酷刑，处死数千囚犯，并亲自对所审讯犯人施以酷刑。其所犯主要罪状有：下令处死地下抵抗组织领袖穆兰；逮捕44名3～13岁的犹太儿童及其5名教师，并将其送往奥斯威辛死亡集中营。战后他被美国当局逮捕，1947～1951年美国政府网罗他担任反苏情报工作，之后又鼓励他携家离开德国前往玻利维亚(尔后美国政府曾为此事正式向法国道歉)。从1951年起，他易名为奥特门，以商人身份出现。1972年他在玻利维亚被发现，经长期谈判，玻利维亚政府于1983年2月始同意将他引渡回法国接受审判。前此他曾两次由法国军事法庭判处死刑。一直顽固不化并以服务于纳粹为荣的巴比于1987年在里昂受到审判，以违反人性罪被判处终生监禁。

Barbier, Antoine-Alexandre 巴比埃(1765-01-11，法国库罗米耶～1825-12-05，巴黎) 法国图书馆学家和目录学家。曾编辑匿名著作索引。在法国大革命期间及以后，保存了一些学术著作和手稿。1794年任临时艺术委员会委员，负责向巴黎各图书馆分配大革命期间没收的图书。几年后，在督政府期间，他任艺术和科学著作保存委员会委员，发现和保全了17世纪著名作家费讷隆著作的手稿。他虽然当司铎，但主要爱好是图书。1801年离开教会，相继在督政府和国务院负责图书馆工作。1807年，在拿破仑时代，仍任图书馆长，又任拿破仑在政治和宗教方面的咨议。所编《佚名和假名著作词典》(1806～1809)现在仍为标准的图书馆工具书。他曾参加建立罗浮宫博物馆的图书馆。路易十八时期，任国王私人图书馆管理员，1822年突然被解职。

Barbirolli, Sir John 巴尔比罗利(1899-12-02，英国伦敦～1970-07-29，伦敦) 英国指挥家和大提琴家。父为意大利移民、小提琴家，母为法国人。4岁开始学小提琴，后改学大提琴。10岁起在三一音乐学院学习，1912～1916年就读于皇家音乐学院，成为一位颇有名声的乐队与独奏大提琴家。20至30岁期间致力于室内乐演奏。后任专职歌剧指挥，曾在科文特加登歌剧院、萨德勒的韦尔斯剧院和英国国家歌剧院演出。曾指挥伦敦交响乐团和苏格兰交响乐团演出。应邀于1936～1937演出季赴美国指挥纽约爱乐乐团，并继托斯卡尼尼为该团常任指挥。后任曼彻斯特市哈勒管弦乐队(1943～1968)指挥，誉满全球。还曾担任过休斯敦交响乐团的首席指挥(1961～1967)，同时也是柏林爱乐乐团备受欢迎的客座指挥(1961～1970)。1949年被封为爵士。

barbiturate 巴比土酸盐 又译巴比妥酸盐。一类有机化合物，临床上用作镇静、催眠或麻醉药的辅助药。巴比土酸盐是丙二酸和脲的生化反应产物丙二酰脲(巴比土酸)的衍生物。1903年首次合成。1912年，苯巴比妥(鲁米那)投入临床实用。巴比土酸盐通过抑制中枢神经系统发挥作用。大部分巴比土酸盐于小剂量使用时具有镇静作用，大剂量则有催眠作用。巴比土酸盐可根据作用持续时间的长短来分类。长效巴比妥类如巴比妥、苯巴比妥，可与其他药物联合用于治疗某些惊厥性疾病(如癫痫)；中效类如异戊巴比妥和异丁巴比妥钠，用于缓解失眠；短效类如戊巴比妥及速可眠，用于入睡困难；超短效类如硫喷妥钠及丙烯硫喷妥为静脉麻醉药，其诱导意识消失的作用温和而迅速。临床上，巴比土酸盐现大部分已被苯并二氮草类镇静剂和其他小安定药所取代。长期使用巴比土酸盐类药物(特别是速可眠和戊巴比妥)可引起耐药性，使药物需要量增加。习惯性用药者停用巴比土酸盐时，可出现一系列全身反应，统称为戒断综合征，这类病人已出现药物成瘾。大剂量服用巴比土酸盐可致昏迷，甚至可因中枢和呼吸抑制而死亡。

barbituric acid 巴比土酸 嘧啶类有机化合物。以由四个碳原子和两个氮原子组成的六元环结构为特征的一类化合物，被认为是巴比土酸盐药物的母体化合物，用于生产核黄素，一种营养素。参阅 **vitamin B_2**。

Barbizon school 巴比松画派 19世纪中期的法国画派，是欧洲艺术向自然主义发展的大规模运动的一部分，为法国风景画确立现实主义作出重大贡献。浪漫主义运动从大自然中寻求安慰，巴比松画家曾受其启发，然而既不像浪漫主义那样对风景作感情夸张的描绘，也不遵照古典主义学院派的传统，把风景视为历史题材的背景，而是以现实主义的手法，为风景而画风景。巴比松画家的艺术原则来自17世纪法国和荷兰风景画家及同时代的英国风景画家，所有这些画家都以对自然细致入微的观察和热爱来表现他们的题材。画派得名于巴比松村，该村地处巴黎附近的枫丹白露森林边缘，画派领袖T.卢梭和J.-F.米勒迫于贫穷和失意离开巴黎，先后于1846和1849年定居巴比松村。在他们的吸引下，大批风景画家和动物画家追随而来，有

巴比松画派画家T.卢梭绘《枫丹白露的森林》(约1848)
美国不列颠百科全书公司供图

的来定居,有的常来常往;其中后来颇为出名的有C.-F.杜比尼、N.-V.迪亚兹·德·拉·佩纳、J.杜佩雷、C.雅克和C.特罗容。

Barbo, Pietro 巴波 参阅**Palu**(Papacy)保罗(罗马教廷)项下的**Paul II 保罗二世**。

Barbon, Nicholas 巴本(约1640,伦敦~1698) 英国经济学家,广泛认为是火灾保险的创始人。在莱顿大学学医,1661年获乌得勒支大学医学博士学位,1664年成为内科医师学会名誉会员。他积极参加伦敦1666年大火后的重建工作,这引起他经营火险的兴趣,因此于1680年左右在伦敦设立办事处。主要经济学著作有:《为建筑家辩护》(1685)、《贸易论》(1690)、《新货币轻铸论》(1696)。

Barbon, Praise-God 巴本(约1596~1679,伦敦) 英格兰闹宗派分裂的传教士。1634年已是伦敦的一个生意兴隆的皮革商。因在自宅中聚集一群教徒讲道而引人注意。O.

美国不列颠百科全书公司供图

克伦威尔解散长期议会后请他参加新的议会。由于他的名字亦拼作Barebone,与"瘦人"同义,世人遂戏称新国会为"瘦人国会",尽管他在议会中的地位无足轻重。他反对查理二世复辟,曾参加1660年2月向议会的请愿,并反对与斯图亚特王朝达成任何和解。王政复辟后他公开反对政府,被关进伦敦塔。

Barbooth 巴布思 又作Barbotte或Barbudi。进行赌博的一种掷骰游戏。源于中东,在美国玩这种游戏的主要是希腊人后裔。掷骰者抛两个骰子,若掷出3-3、5-5、6-6或6-5则胜,掷出1-1、2-2、4-4或1-2则输。其他结果都没有价值。

Barbosa, Jorge (Vera-Cruz) 巴尔博扎(1902-05-25,佛得角群岛圣地亚哥岛普拉亚~1971-01-06,科瓦达彼达迪) 非洲诗人,用葡萄牙语写作,主要反映不断为干旱所苦的佛得角群岛文化上的隔绝和悲惨的生活。巴尔博扎是30年代文学杂志《光明》的奠基人之一。该杂志标志着现代佛得角文学的开端。早年除了在里斯本上学外,生活在圣文森特岛,在萨尔岛居住多年,任海关职员。诗作有《群岛》(1935)、《环》(1941)、《岛民笔记》(1956)等。

Barbotine ware 巴尔博汀陶器 一种用泥浆装饰的陶器,其泥浆施用方法早在3世纪以前就已应用于莱茵河流域的陶器上。泥浆通过导管施于浅碟的边缘,形成小朵花卉等装饰图案,方式与在蛋糕上用糖霜浇饰花边相同。欧内斯特·查佩利特在19世纪70年代开始试验这种技术,但由于烧成困难(导致泥浆剥落),不得不放弃。

Barbour, John 巴伯(1325?~1395-03-13,苏格兰阿伯丁郡阿伯丁) 苏格兰民族史诗、苏格兰文学中第一部重要作品《布鲁斯》的作者。据记载,巴伯尚在青年时期就当上阿伯丁副主教,并于1357年获英格兰国王爱德华三世发给他前往牛津学习的通行证。同年参与为赎出在内维尔十字路口战役中被俘而被拘押在英格兰的国王大卫二世而进行的谈判。1364和1368年赴法国学习。一生沐浴王恩,1388年获得终身年金。1376年完成一部诗体历史小说《百战百胜的征服者苏格兰王罗伯特·布鲁斯的业绩和生平》,共20卷。《布鲁斯》的背景是苏格兰人为独立而斗争的政治史,即从亚历山大三世之死(1286)至道格拉斯之死和布鲁斯的心被埋葬(1332)这一时期的历史。故事着重描写苏格兰英雄的骑士气概和伟大理想,并激励后人极力效法"他们高尚的先辈"。但因同时代人对班诺克本战役(1314)记忆犹新,《布鲁斯》只是仿效法国"武功歌"的风格写成的一个粗略地记录近事的真实故事,而不是描写骑士精神的传奇小说。诗的风格刚劲而率直,与内容十分相称。他的叙事风格类似苏格兰边地民歌。

Barbour, Philip P(endleton) 巴伯(1783-05-25,美国弗吉尼亚巴伯维尔~1841-02-25,华盛顿[哥伦比亚特区]) 美国最高法院大法官(1836~1841),一个以主张维护州的权利和严格解释美国宪法而知名的政治人物。1802年起在弗吉尼亚州开业当律师。1812年被选入州的众议院。两年以后,他被选入国会。1821~1823年任众议院议长。1823年在竞选议长中被H.克莱击败,之后他同意去弗吉尼亚州州议会任职。巴伯反对H.克莱和J.C.卡尔霍恩的国家主义的政策,包括关税、国内改进措施和扩大由美国最高法院行使的联邦管辖权,他为保护弗吉尼亚州免受联邦的侵犯而斗争。1827年他短暂地重返国会继续这一斗争,并于1829年取代患病的J.门罗担任弗吉尼亚制宪会议的主席。1830年A.杰克逊总统任命巴伯为弗吉尼亚州的联邦地方法官。1836年当坦尼担任最高法院首席大法官时,巴伯接任了G.杜瓦尔的最高法院大法官的职务。他发表的唯一重要意见是在"纽约州诉米尔恩"一案(1837)中,该意见是坚持州对某些商业活动有管辖权。巴伯是J.马歇尔以后的由坦尼领导的多数派的成员,该派开始使最高法院的重点摆脱国家主义和自由派解释宪法的做法。尽管巴伯的学识受到高度的尊敬,但他任职的时间不够长,未能对最高法院的倾向产生重大影响。

Barbourville 巴伯维尔 美国肯塔基州东南部城市诺克斯县县城。位于坎伯兰山区,傍坎伯兰河,是丹尼尔布恩国家森林入口。1800年建立。1879年设联合学院。是销售烟草、蔬菜、高粱等产品的农贸中心。有轻工业。筑有防洪墙以防坎伯兰河水泛滥。人口3 589(2000)。

Barbudi (dice game) 参阅**Barbooth 巴布思**。

Barbusse, Henri 巴比塞(1873-05-17,法国阿涅尔~1935-08-30,莫斯科) 法国小说家。《炮火》(1916)的作者,第一次世界大战时曾亲眼目睹法国士兵的生活。他是具有重大影

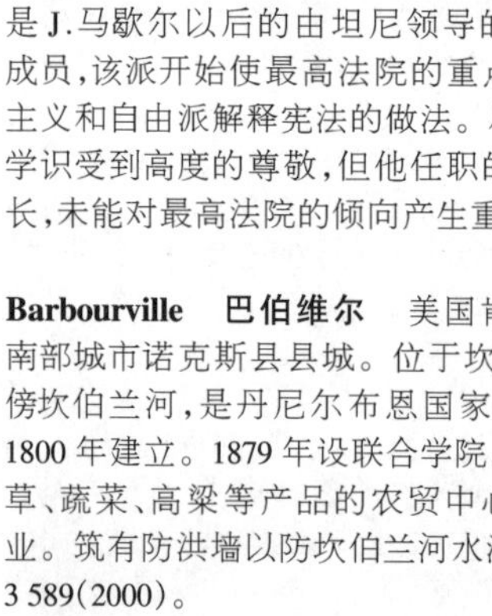

美国不列颠百科全书公司供图

响的法国战争作家之一，这些作家经历了1910～1939年这段重要历史时期，在文学创作中努力把战争回忆同道德思考和政治思考结合在一起。他最初是一位新象征派诗人，1895年发表诗集《泣妇》；随着小说《地狱》(1908)的发表，他又成为新自然主义小说家。1914年志愿加入法国步兵，由于作战勇敢而两次荣获嘉奖，1917年因伤退役。小说《炮火》曾获龚古尔奖。该书副标题《一个步兵班的日记》透露了作者的双重意图，即叙述"胡子兵"(第一次世界大战时法国士兵的绰号)在堑壕中的生活经历，同时谴责战争。流血和破坏所带来的恐怖促使巴比塞起来痛斥整个社会，也促使他成为一个和平主义者，后来又成为共产主义战士和世界和平组织的一员。长篇小说《光明》(1919)发表后，他的文学创作开始带有明确的政治倾向。他最后一部作品《斯大林》(1935)部分写于苏联，并于1935年病逝于该地。

Barca(Libya) **巴尔切** 参阅 **Marj, al-** 迈尔季。

Barca, Hamilcar **巴尔卡** Barca 又拼 Barcas。参阅 **Hamilcar Barca** 哈米尔卡尔·巴尔卡。

barcarole **船歌** 原为威尼斯平底船的船夫曲，以轻轻摇荡的6/8或12/8拍子的节奏为特征。在18和19世纪，船歌激发了大量声乐曲与器乐曲，从歌剧咏叹调以至钢琴特性曲，应有尽有。该名词最早出现在法国作曲家A.康普拉为舞台剧《威尼斯的节日》(1710)所写的"船夫节"场面之中。后来，帕伊西埃洛、韦伯、奥柏、罗西尼、威尔地、J.施特劳斯等人的歌剧中均给船歌以突出地位。毫无疑问，歌剧领域里最著名的船歌是奥芬巴赫《霍夫曼的故事》中的一首。肖邦的《船歌》(作品第60号)可能是19世纪最为著名的，尽管其他19世纪作曲家，从门德尔松到李斯特和G.福莱，也作有大量同类作品。船歌有供各种演出手段用的，例如舒伯特的声乐与钢琴曲、勃拉姆斯的女声合唱曲、W.S.贝内特的钢琴与管弦乐队曲。

Barce(Libya) **巴尔切** 参阅 **Marj, al-** 迈尔季。

Barcelo, Gertrudis **巴塞罗**(1800，墨西哥索诺拉州～1852，美国新墨西哥圣菲) 全名Maria Gertrudis Barcelo。出生于墨西哥的女商人。出身富家，父母尽力使其受到良好教育，19世纪初举家迁往紧邻阿尔伯克基南面当时尚属墨西哥的一个小村庄。她为一位异常独立、精于理财的女人。23岁结婚时，一反习俗，保留了其个人财产、签订合同的权利和她的闺名。1825年和丈夫迁往圣菲，在矿区附近开设了一家靠碰运气决定胜负的游戏厅。几年后，在圣菲买下了她自己的卡西诺赌场，该处不久即成为受圣菲上流社会喜爱的场所。由于圣菲是一个贸易枢纽，巴塞罗通过精明的贸易往来和投资，增加了财富、提高了地位。美国对墨西哥宣战后，她站在美国一边，揭露了一桩阴谋，甚至贷款给占领军，使其得以购买给养。1848年战争结束后，新墨西哥归属美国，她仍继续经营其赌场，但此时该处已非往昔上流人物聚会之地。表面上，新的英裔美国领导人对其不屑一顾，但仍接受其财政援助，并承认她在当地墨西哥人中是有相当影响的人物。

Barcelona **巴塞罗那** 西班牙东北部加泰罗尼亚自治区中一省，于1833年从比利牛斯山和地中海海岸之间的一些地区组成，面积7 733平方千米。该省沿略夫雷加特河盆地的轴线形成对称的几个区。该省地形复杂，为

巴塞罗那省的圣玛丽亚-德蒙塞拉特隐修院
美国不列颠百科全书公司供图

诸省之冠，是许多地理不同的地带交叉混合的地区。这些地带是：比利牛斯山、加泰罗尼亚内地的陡坡和盆地、塞拉拉达山内侧、中部低地、塞拉拉达德马尔和沿海平原。该省经济和地形一样，种类繁多。北部贝尔加附近多山的高地有褐煤开采和水泥制造业，是全国水泥生产量最大的省份；西南部卡尔多纳流域从罗马时代起便产盐；1912年在苏里亚附近发现大量的钾碱矿藏。省会巴塞罗那周围的比克平原和巴塞罗那平原土地肥沃，盛产葡萄，南部比利亚弗兰卡亦然。中部低地种植谷物。略夫雷加特河三角洲周围地中海沿岸平原地区是巴塞罗那省的蔬菜产地，有20 000多公顷田地进行精耕细作。由于当地气候温和、地中海海滩景色秀美，旅游业日益发展。该省长期以来为加泰罗尼亚自治区的重要省份，又是全国大工业集中地，省会是主要海港。该省生产的纺织品占全国总产量的3/4，化工和机械产品也占很大比例。出口商品有佐餐酒、汽酒和制造业产品。该省利用比利牛斯河的水力发电资源及其自身的战略位置加强本省发展。人口约4 949 892(1982)。

Barcelona **巴塞罗那** 西班牙城市、港口，巴塞罗那省省会。1862年安徒生来此访问时曾称此城为"西班牙的巴黎"。巴塞罗那确实不愧为文化中心和历史名城。由于是加泰罗尼亚自治区的首府，城内有大量的档案馆、图书馆、博物馆和著名的建筑物，还有第一流的现代派的新潮装饰艺术和建筑。20世纪70年代后期以来，加泰罗尼亚语得到正式承认，自治区政府取得相当大的自治权，文化生活有了新的活力，对加泰罗尼亚文化的深刻性和多样性有了新的认识。这种活力，加上巴塞罗那背绕景色秀丽的群山、面临地中海的优良自然地理位置，以及有利于户外活动的宜人气候和作为具有重要经济意义的城市及港口等种种条件，创造出一座具有多种特色、使人目不暇接的城市。

自然地理与人文地理

景观 城市位置 巴塞罗那市东南濒临地中海，坐落在一片平原之上；平原大致以贝索斯河、略夫雷加特河和蒙特惠奇山(192米)的地表岩层为界；背后有半圆形群山环绕，山的最高点蒂维达沃(Tibidabo)海拔1 745英尺(532米)。巴塞罗那历史上处于重要战略地位，因此不得不与由此而产生的后果作斗争，克服种种困难。该城直到较近时期仍重重设防，19世纪前城址基本限于中世纪城址范围内，到了19世纪才在市区外围涌现出一些工业卫星镇和郊区城镇。这种包括中心市区和一条工业高度发达地带在内的综合结构，使巴塞罗那成为世界上人口最密集的城市之一。

气候 巴塞罗那有时有风，但背靠半圆形的群山，以此为屏障不受猛烈的西、北部冷风袭击。年平均温度为16℃；1月最冷，平均温度9℃，8月最热，达24℃。年总降水量约600毫米。

城市布局 市中心是哥特区，位于兰布拉斯和比亚拉耶达尼亚之间。兰布拉斯是几条相连的大街的总称。哥特区是一片曲折幽深的狭小街道，有富丽堂皇的中世纪建筑物点缀其间。城内天主教大教堂、主教宫和一些基督教教堂等建筑物表明巴塞罗那是一个重要的宗教中心；而政府的行政大楼如自治区政府大楼、市政府大厦(建于14～15世纪，有巴罗克和新古典主义风格的正面)、大王宫等建筑物又说明该城作为行政首府的重要地位。古罗马时代所建城墙主要因部分被并入中世纪的城址，其遗迹保存至今。13世纪沿兰布拉斯建造的城墙实际上把古城墙围住。巴塞罗那的防御工事在西班牙王位继承战争(1701～1714)中争夺该城的战役时起过重要作用。该城被攻占后，又建造一座城堡，使防御力量更为增强。

到了19世纪中叶，精心构筑的防御工事已不再需要，城市建设开始越出城墙范围，于是有了扩建城市的各种计划。最后选定的方案是：街区整齐匀称，留有开阔的空地、绿化区和社会活动区。现称为"扩建区"的城市扩建地区原来是在城墙边留下起防火作用的开阔地带。可惜后来未完全按此规划扩建该城，其后30年中，这些开阔地带的建筑密度为原计划的3倍。佛朗哥当政时期，市区无计划的扩建以及无控制的盲目发展使该城更形拥挤。

游客的游览胜地仍然在市中心，尤其是兰布拉斯一带。加泰罗尼亚广场把著名的海滨人行道与扩建区分隔开。人行道直通港口和和平门广场，广场上有哥伦布纪念柱，纪念哥伦布发现美洲并在巴塞罗那宣布此发现。城内最吸引游客的地点之一是兰布拉斯。这些街道很宽阔，街心有一排排卖花、卖小猫小狗等宠畜的售货摊和货亭，也有卖书、报的书报摊亭，两旁绿树成荫。

这座现代化城市的建筑物的外貌反映出当今时代的风格，但巴塞罗那不论过去和现在都能吸引优秀的、有创造性的建筑家。有人认为代阿戈纳尔旁边的那些更为现代化的建筑物非常触目，但和加泰罗尼亚的雕刻家和建筑家高迪的作品相比，它们就显得微不足道了。圣家族教堂是高迪设计的，教堂屹然高耸，雕饰精美，已成为巴塞罗那市的象征。他还设计了不少著名的建筑物，如高层公寓建筑巴特略大厦和米拉大厦。其他建筑家如蒙塔内尔也设计了非常出色的现代派风格的建筑物如音乐厅。

人民 外来的移民在自治区的经济发展上起关键作用。现代城市巴塞罗那有30%居民是出生在加泰罗尼亚地区之外的。由于加泰罗尼亚人的乡土观念和民族意识很强烈，对本区以外的西班牙人态度孤傲，因此土生居民与外来户之间关系有点紧张。然而因为意识到欧洲其他各地的文化潮流以及本城与其他地中海国家历史上的联系，巴塞罗那在许多方面还是向外开放的。人口：城市约1 503 451；都会区约4 200 000(1999)。

经济 *工业与贸易* 巴塞罗那的工业比较现代化，而且有早已开业的对外市场，使工业稳步发展。加泰罗尼亚所产出口商品几乎占全西班牙出口品1/4，而加泰罗尼亚的工业有3/4集中在巴塞罗那地区，占西班牙工业生产约20%。纺织工业创办于18世纪下半叶，是促进其他主要工业如金属与机械等工业发展的动力，而其他主要工业在经济上的重要性却超过了纺织业。但西班牙1985年加入欧洲共同体又对巴塞罗那纺织工业的现代化起了一定刺激作用。其他工业产品有：化工产品、药品、化妆品和皮货。

商业与金融 加泰罗尼亚人以擅长经营商业闻名，他们着重经营小型商号。加泰罗尼亚注册的商号，在职人员很少有超过200人的。然而他们的方针却是吸收国际大投资商到本地区投资。海港附近有一自由贸易区，即免税区，销售中心集中于此。巴塞罗那是举行各种会议、展览会和贸易集市的重要地点。从1929年开始，一年一度在蒙特惠奇山上的展览中心民族宫举行的巴塞罗那博览会十分盛大。巴塞罗那的证券交易所是西班牙最活跃的证券交易所之一。巴塞罗那成了一个重要的国际商业和金融中心。

交通 公共交通设施有公共汽车、地下铁道和地面铁道；还有缆车。巴塞罗那的高速公路与加泰罗尼亚的公路网相连，加泰罗尼亚的公路又通向比利牛斯山的卡迪山隧道，穿过隧道与法国的公路网连接起来。都会区的地下铁道是1924年修建的，与市区铁道衔接，有定期班车通向城西南约8英里(13千米)的普拉特-德尔略夫雷加特的国际机场。从此地可到达世界各大城市。巴塞罗那港口有世界各地的轮船停泊，还有渡船到巴利阿里群岛和意大利的热那亚。

行政与社会状况 *政府* 巴塞罗那是巴塞罗那省和加泰罗尼亚自治区的首府，一向又是加泰罗尼亚独立运动的中心。该城是西班牙的一个自治市，每4年举行一次选举。市长由市政委员会委员选举产生，市长从委员中挑选3位副市长协助处理市政工作。

巴塞罗那市的圣家族教堂
美国不列颠百科全书公司供图

服务与教育 在现政府管理下，服务业分散经营使之更面向公众。电力由法国和西班牙其他地区供应，比利牛斯山水力发电的电力也是此地用电来源。塔拉戈纳省班德略斯核电站的供电对此城尤为重要。港口设有天然气管道站，将天然气分散通到本区各地，但住户多使用瓶装丁烷。第二次世界大战后，人口激剧增长，供水成为问题。本地河水不能同时提供工业用水和家庭用水。饮用水部分用略夫雷加特河上游排下的水，更主要则是由赫罗纳省的特尔河供给。

巴塞罗那的高等教育事业始于1430年，是年创办本市最重要的学校巴塞罗那大学。这是西班牙22所国立大学之一，也是该市的3所大学之一。其他两所是巴塞罗那自治大学(1968)和加泰罗尼亚工业大学(1971)。多数市立学校用西班牙语和加泰罗尼亚语教学。

文化生活 长期以来巴塞罗那就是重要的文化中心。城内有许多档案馆和图书馆，包括几十种专门化的收藏馆，许多是属私人所有。巴塞罗那实际上是使用西班牙语地区的主要印刷中心之一。每年4月23日举行的书籍展销节是书籍销售的重要活动。这一天也是加泰罗尼亚主保圣人圣乔治的节日。

该城也有更富于古典主义文化的形式，如1847年建成的利塞奥大剧院演出歌剧和芭蕾舞；罗密欧剧院自19世纪以来，一直是演出加泰罗尼亚语戏剧的中心。音乐厅和市交响乐团经常演出古典音乐。博物馆有大型海洋博物馆和蜡像展览馆等；前者展品中有1571年勒班陀战役中的一艘战船的复制品，大小与原物相等。收藏古代艺术品的有加泰罗尼亚艺术博物馆(收藏罗马风格和哥特风格的绘画)和费德里科·马雷斯博物馆(收藏12～18世纪的雕塑品)，而现代艺术博物馆则展出当代加泰罗尼亚艺术家的作品。还有一些收藏馆是专门收藏与巴塞罗那有关的著名艺术家的作品的，最重要的作品有米罗和毕加索的绘画。塞万提斯大厦是为纪念塞万提斯的作品与巴塞罗那的关系而建。巴塞罗那文化生活最显著的特点也许可以说是各种层次应有尽有，包括从在佩德拉尔贝斯宫的各种重要艺术展览到兰布拉斯街头艺术家的作品陈列。在蒂维达沃山和蒙特惠奇山上有露天游乐场，在城堡公园中有一座动物园。1992年的奥林匹克运动会在巴塞罗那举行。

历史

城市的建立及其在中世纪的发展 按照传统说法，巴塞罗那不是由腓尼基人便是由迦太基人所建的。腓尼基人和迦太基人在加泰罗尼亚沿海都设有贸易站。但现在人们已不再认为巴塞罗那之名得自迦太基领袖哈米尔卡尔·巴尔卡的家族姓氏。古罗马时期该城名敕建尤莉娅·奥古斯塔·皮亚·巴尔齐诺殖民地，在3世纪以前并非一重要城市。在西哥特人占领的3个世纪中，此城名巴尔齐诺纳。717年，伊斯兰摩尔人来到之前，为重要的宗教中心，摩尔人称此城为巴尔赫卢纳，成为法兰克王国加洛林王朝觊觎的主要目标。801年，法兰克人控制了巴塞罗那，任命一伯爵，划加泰罗尼亚边缘的埃布罗河为他们统治的南部界限。科尔多瓦的伍麦叶王朝哈里发的首相曼苏尔985年率领军队蹂躏了该城。10世纪和11世纪时,巴塞罗那的伯爵巩固了他们对加泰罗尼亚的影响。1137年加泰罗尼亚与阿拉贡合并后,巴塞罗那成为一重要贸易城市。

14世纪时,巴塞罗那发生瘟疫,1442年加泰罗尼亚-阿拉贡王国以那不勒斯为首都,巴塞罗那遂开始衰落。哈布斯堡王朝的出现、土耳其势力在地中海的兴起以及美洲的发现都使巴塞罗那进一步萧条。17世纪,与马德里宫廷间的关系恶化。1705年后,在西班牙王位继承战争中奥地利的查理大公爵三世自称有继承西班牙王位之权,加泰罗尼亚人为表示支持,允许他在巴塞罗那设立朝廷,西班牙的腓力五世因此围困该城。1714年城陷,腓力取消了所有的地方自治形式。不料此种措施反而使该城主要在棉纺织工业发展的刺激下再度繁荣起来。

现代城市 1808～1813年,巴塞罗那又被拿破仑的军队占领。西班牙与法国间的战争使巴塞罗那省受到破坏,但战后时期开始了工业的现代化。纺织工业的发展产生了两种影响:其一是导致现代工业部门的发展,使加泰罗尼亚成为西班牙最富裕的行政区;其二是外省居民的迁入,使人口迅速增长而资产阶级与产业工人间的阶级冲突加剧。无政府主义运动兴盛起来,西班牙内战爆发之前,此地不时有骚乱。重要的骚乱事件有1835年的暴动,焚烧了许多女隐修院;19世纪50年代中期采用自动化的机器也引起骚动;在1909年的"悲剧周"中焚烧了更多的教堂。

根据可靠的记录,1888年的展览吸引了40万名游客,到了1900年,西班牙近半数的进口商品是通过加泰罗尼亚运入的。地区经济力量的加强又引起了要求自治的呼声,1913～1923年实行半自治的这个阶段中呼声最高。1931年在巴塞罗那宣布成立加泰罗尼亚共和国。翌年,自治区获得相当大的自治权。1936年内战爆发时,巴塞罗那是共和派的主要活动中心。1939年1月巴塞罗那失守,共和国最后投降。共和国的失败使之失去许多自治区的权利和特许的利益。在一个时期内,甚至禁止用加泰罗尼亚语。只是到了1977年,加泰罗尼亚自治区政府才又成立起来。与西班牙全国政府达成的协议于1979年签署,协议规定出自治区政府的新的区域,并赞助巴塞罗那作多方面的发展。

Barcelona 巴塞罗那 委内瑞拉东北部安索阿德吉州首府。濒临内韦里河,距加勒比海5千米。在巴塞罗那山峡中。为重要牲畜转运站和咖啡、石油输出港。商业和工业的发展不稳定。作为巴塞罗那-关塔-拉克鲁斯港工业联合体之一部而出现繁荣。附近有委内瑞拉主要煤田。人口约311 475(2000)。

Barcelona chair 巴塞罗那椅 20世纪最优美雅致的椅子之一。由密斯·凡·德·罗为1929年巴塞罗那国际博览会德国馆(也是他设计的)设计。椅架由两对相连接的钢管交叉组成,背上的一根弧形管子延伸成前腿,后腿穿过这些管子组成两个弧形支撑椅座。椅

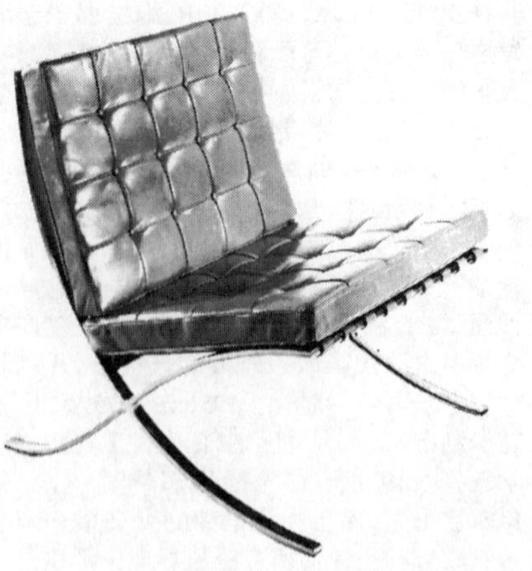

1929年密斯·凡·德·罗设计的巴塞罗那椅
美国不列颠百科全书公司供图

座和椅背由皮带组成,上面装有罩皮套的泡沫橡皮垫子。

barchan 新月形沙丘 又拼barkhan。单向盛行风的作用形成的新月形的沙丘,这是最常见的一类沙丘。广泛见于世界各地的砂质荒漠。沙丘的凸面迎风,新月形的角在下风处,标志着沙的侧向推进。横剖面明显不对称,迎风面缓,背风面很陡。丘高9～30米,底宽(垂直风向量)可达370米。因迎风面侵蚀,背风面堆积,故逐渐顺风移动,速度约为每年1～100米不等。孤立的沙丘常成群出现,并可能在盛行风的方向上形成穿过整个平原的沙丘链。新月形沙丘是开阔的内陆荒漠地区(例如这种沙丘的命名地土耳其斯坦)的特征。俄国博物学家亚历山大·冯·米登多夫1881年把这一名称用于科学文献而获得荣誉。

Barclay, Alexander 巴克利(约1476～1552-06-10,英格兰萨里克罗伊登) 诗人,可能生于苏格兰。主要由于改编德国布兰特的讽刺作品《愚人船》(1509)在当时赢得声誉。一生

A.巴克利(左二下跪者)
美国不列颠百科全书公司供图

担任神职,先是信奉天主教,大概在宗教改革后改奉新教。可能是在做修士期间写出英语中最早几首真正的田园诗。

Barclay, John 巴克利(1582-01-28,法国南锡附近的蓬塔穆松～1621-08-15,罗马[意大利]) 苏格兰讽刺作家,拉丁文诗人。他经常往来于巴黎和伦敦之间。大约从1606至1616年住在伦敦,在宫廷充当小官吏,以后一直定居罗马。他的《委婉讽刺诗集》(1603～

美国不列颠百科全书公司供图

1607)严厉地讽刺了耶稣会、医务界以及当时的学术、教育、文学等。这部书乃仿照罗马讽刺作家G.佩特罗尼乌斯的风格写成,将散文和韵文糅为一体,文雅而流畅。书中充满歹徒、恶棍之类的人物,对后来流浪汉冒险小说的发展起了一定作用。其最著名的作品是《阿杰尼斯》(1621),为近代拉丁韵文的杰出典范,在欧洲享有经久不衰的声誉,在17世纪便重印了50多次,W.柯珀、S.T.柯尔律治、R.克拉肖、J.-J.卢梭等作家都很熟悉这篇诗。

Barclay, Robert 巴克利(1648-12-23,苏格兰马里戈登斯敦～1690-10-03,阿伯丁乌里) 基督教贵格会领袖。曾在巴黎求学,1666年返回苏格兰,加入公谊会(贵格会)。针对1675年在阿伯丁举行的辩论会,出版《神学论文》,分15个问题介绍公谊宗的信仰。3年后又出版《辩解书》,进一步阐述前书论点。他既反对天主教,又反对英国圣公会等传统新教派别,并提出:教会和《圣经》都不完备,不具有最终权威,它们同圣灵(内在之光)在信徒心灵中的作用比起来,都居于次要地位。1677年,与彭威廉等公谊会领袖到荷兰和德国北部地区发展公谊会。巴克利和彭威廉在国内屡遭迫害,多次入狱,后与约克公爵结识,蒙约克公爵支持,他们与另外10位会友获得定居美国东泽西州(今新泽西州)一带的特许,1682年移居美洲。巴克利在东泽西任六年名誉州长后返回苏格兰。

Barclay de Tolly, Mikhail Bogdanovich, Knyaz(Prince) **巴克莱·德托利公爵**(1761-12-24,波兰立陶宛帕穆斯基斯[今立陶宛泽穆]～1818-05-26,东普鲁士因斯特堡[今俄罗斯切尔尼亚霍夫斯克]) 俄国陆军元帅。17世纪定居立窝尼亚的一个苏格兰家族的成员。1786年参军。曾参加俄土战争(1788～1789)、俄瑞战争(1790)和俄波战争(1792～1794)。在1806～1807年反拿破仑战争中立下战功,晋升中将。1808～1809年指挥俄军在芬兰同瑞典人作战。1810～1812年任陆军大臣。1812年指挥俄军同拿破仑作战。他采取敌进我退的战略,不为人们所接受。后将兵权交给库图佐夫将军,但库图佐夫也袭用同样的战略。他参加了博罗季诺战役。1813年去德国参加战斗,在包岑战役后任俄

军总司令，在莱比锡战役后由沙皇亚历山大一世赐给伯爵称号。1814 年参与入侵法国，进驻巴黎时晋升陆军元帅。1815 年拿破仑从厄尔巴岛回国后，任入侵法国的俄军总司令。这次战役结束时获得公爵称号。

Barclays Bank PLC 巴克莱银行 英国经营银行和信托业务的金融企业。1896 年 7 月 20 日注册，名巴克莱公司。1917 年名为巴克莱银行附有 Ltd.字样。1981 年采用现名。现为英国最大的商业银行，在英格兰、威尔士和海外设有 5 000 家左右的分支机构，并在英国和外国有多家子公司。该集团的海外业务由巴克莱国际银行经营，该行在 70 多个国家设有 2 000 家左右的分支机构。总行在伦敦。该行系 1896 年由数家私营银行合并而组成。以后多年又收购其他一些银行，其中多数在英国，也有一些在英联邦成员国、欧洲大陆和其他地区。1979 年该行收购美国信贷公司，将其改名为巴克莱美国公司。80 年代初期，该行通过此子公司在美国大肆扩张，收购了许多消费金融公司和信托公司业务机构。

Barcoo River (Australia) **巴库河** 参阅 **Cooper Creek** 库珀河。

bard 吟游诗人 原指在凯尔特人中写作颂词和讽刺作品的人；推而广之，泛指部族中擅长创作和吟咏英雄及其业绩的诗歌的诗人和歌手。早在公元 1 世纪，拉丁作家卢卡就把吟游诗人说成是高卢和不列颠的民族诗人或歌手。这种习俗在高卢逐渐消失，但在爱尔兰或威尔士却保存了下来。爱尔兰的吟游诗人通过咏唱保存了颂诗的传统。在威尔士，bard 一词一直是诗人的同义语；10 世纪的吟游诗人曾分为不同的等级。虽然在中世纪末期这一类诗人衰落了，但威尔士的这一传统却保存下来并在每年举行的全国诗人和音乐家的赛会艾斯特福德(**eisteddfod**)上都要庆祝一番。

Bardanes 瓦尔丹 参阅 **Philippicus Bardanes** 腓力比库斯·巴达尼斯。

Bardeen, John 巴丁(1908-05-23，美国威斯康星麦迪逊～1991-01-30，马萨诸塞波士顿) 美国物理学家。他于 1956 和 1972 年两次获诺贝尔物理学奖：1956 年他和 W. B. 肖克莱、W. H. 布拉顿因共同发明晶体管而获奖；1972 年和 L. N. 库珀、J. R. 施里弗一起因发展超导电性理论而获奖。巴丁在威斯康星大学(麦迪逊)取得电机工程的学士和硕士学位，1936 年在普林斯顿大学获数学物理博士学位。1938～1941 年，在明尼苏达大学(明尼阿波利斯)任职。第二次世界大战期间，任美国海军军械实验室首席物理学家。战后他参加了贝尔电话实验室，研究半导体的导电性质，终于在 1947 年发明了晶体管，在许多应用中它取代了体积较大的真空管，开创了微型电子器件的时代。1951～1975 年，巴丁在伊利诺伊大学(厄巴纳)任电机工程和物理学教授。1957 年首先提出超导理论，现称 BCS(由巴丁、库珀和施里弗的英文第一个字母组成)理论，以后所有的超导理论都建立在这理论的基础上。巴丁也是解释半导体某些性质的理论的著作家。

美国不列颠百科全书公司供图

Bardesanes 巴尔德撒纳斯(154-07-11，叙利亚埃德萨[今土耳其乌尔法]～约 222，埃德萨) 叙利亚基督教诺斯替教的主要代表人物。179 年改奉基督教，是最先改奉基督教的叙利亚人之一。入教后立即开始传教。他的主要著作《关于命运的对话》，又名《万邦律法之书》，由门徒腓立记录，是已知最古老的古叙利亚文文献。他反对亚里士多德之后的各希腊哲学家所宣扬的宿命论，尤其反对星辰影响人类的命运的观点。他调和基督教和诺斯替教教义，提出世界、魔鬼和罪恶并非由一位至高上帝所创造，而是由各级神祇共同创造。

Bardhamān (India) **巴达曼** 参阅 **Burdwān** 布德万。

Bardi FAMILY **巴尔迪家族** 意大利佛罗伦萨的贵族，成功地发展了其从事金融和银行业的公司，使之成为 1250～1345 年欧洲最有势力的产业巨头之一。1341 年丧失几处产业，但仍然保持显赫的政治地位。因在百年战争中支持英国反对法国和帮助佛罗伦萨对卢卡作战等冒险活动，导致 1345 年家族的银行破产，引起欧洲金融界的一系列恶性反应。

Bardi, Giovanni, CONTE (count) DI VERNIO **巴尔迪**(1534-02-05，佛罗伦萨～1612，佛罗伦萨) 又译巴尔第。音乐家，作家和科学家，对歌剧发展有重大影响。约 1580 年创立以复兴古希腊音乐和戏剧为宗旨的佛罗伦萨学社，其成员创作了最早的歌剧。该社社员有诗人 O. 里努奇尼、理论家加利莱伊(伽利略之父)、作曲家卡契尼、佩里和卡瓦列雷。1579～1608 年他和这些人在宫廷中从事娱乐性演出活动。所著《与卡契尼论古代音乐》(1580)提出的论点与卡契尼和加利莱伊相似，主张配乐时不用对位织体，因多声部写作影响歌词的清晰；乐曲应由单一的声乐线条构成，伴奏音响要轻，这样才可如实地表现语言的节奏和语调。这些理论为早期佛罗伦萨歌剧音乐风格的基础。但具有讽刺意味的是他的传世作品只有两首对位织体复杂的牧歌。巴尔迪亦为文学社团"秕糠学会"成员。1592 年成为教皇克雷芒八世的荣誉侍从。

Bardiya (king of Persia) **巴尔迪亚** 参阅 **Smerdis** 斯梅尔迪士。

Bardo, Treaty of 《巴尔杜条约》(1881) 又称《卡赛尔·赛义德条约》。确定突尼斯为法国保护国的条约。1881 年，法国以平定突尼斯克劳默部族对阿尔及利亚边界的侵袭为借口，派遣 3.6 万名远征军去突尼斯，且未遭到贝伊的抵抗。同年 5 月 12 日，法国与突尼斯缔结此约。条约规定：法国有权无限期地对突尼斯进行军事占领；限制贝伊管理内政的权力；法国改组突尼斯的财政；法国派使节常驻突尼斯。

Bardsey Island 巴德西岛 威尔士圭内斯郡德威弗尔区小岛。在利恩半岛尖端外。面积 1.8 平方千米。隔海峡与威尔士本土相望。海峡宽 3 千米，水流湍急。中世纪曾为凯尔特基督教徒朝圣地，后成为海盗出没之所。现为英国主要鸟类保护区。

Bardstown 巴兹敦 美国肯塔基州中部布卢格拉斯地区城市、纳尔逊县县城，位于路易斯维尔东南 63 千米处。始建于 1778 年，初名塞勒姆。是周围富饶农业区的贸易中心。产波旁威士忌酒、面粉和木材等。阿勒格尼西部的最古老的天主教堂，圣约瑟夫教堂(1819)所在地。附近的州立公园中保存一幢乔治时代的房屋，据说 S. 福斯特曾在那里创作名歌《我的肯塔基故乡》。还有特拉普派修道院、威士忌酒史博物馆和伯恩海姆森林。人口 10 374(2000)。

bareback bronc-riding 骑无鞍野马 骑马牧者竞技项目。骑手力求在暴跳的无鞍野马背上骑乘规定的时间(通常是 8 秒钟)。骑手可一手抓握马的腹带。比赛开始时骑手须抬

骑无鞍野马
美国不列颠百科全书公司供图

腿用马刺触刺马的肩部。如果骑手被马摔下，或用另一只手碰到马身，或让马挣脱腹带，都应被淘汰。

Barebone, Praise-God 参阅 **Barbon, Praise-God** 巴本。

Barebones Parliament 瘦人议会 又称小议会或指定议会(1653-07-04～12-12)。英国清教徒在内战中取得胜利后，由 O. 克伦威尔精心挑选的一批"虔诚"议员组成，因议员 P.-G. 巴本(其名字 Barbon 与"瘦人"Barebones，音近)的名字而得此称。克伦威尔于

1653年4月20日解散残余议会，要各教会提名新议会人选。后来圈定140名，包括英格兰129名，苏格兰5名，爱尔兰6名。这届议会不但没有安定饱经战祸的国家，反而更加混乱人心。12月12日，保守派议员指责激进派议员破坏法律，突然退出议会。大多数议员向克伦威尔提出辞呈。少数顽固分子被军队赶出门外。次日，J.兰伯特将军宣布《政府约法》，经两天讨论后建立护国政府制度。

Bareilly 巴雷利 印度北方邦中部城市。傍拉姆根加河。始建于1537年。为1857年印度反抗英国统治的中心。为农产品贸易中心。有制糖与轧棉工业。建有罗希尔坎德大学(1975)和巴雷利学院(1837)。印度兽医研究所建在郊区。有许多清真寺。人口：市约583 473；都会区约607 652(1991)。

Barenboim, Daniel 巴伦博伊姆(1942-11-15，阿根廷布宜诺斯艾利斯～) 以色列钢琴家和指挥家。父母均为钢琴家。其父恩里克·巴伦博伊姆又是一位知名的音乐教授。

中国大百科全书出版社供图

9岁时举家自阿根廷迁往奥地利萨尔茨堡，1952年又迁往以色列。7岁即登台演奏钢琴，在欧洲号称神童而遐迩闻名。1956年在伦敦与皇家爱乐乐团合作、1957年在美国卡内基音乐厅首次演出。因其对莫扎特、贝多芬和其他古典派、浪漫派作曲家的颇为绚丽多彩的表演而特别著名。1962年开始职业指挥生涯，先在以色列，然后在澳大利亚，与墨尔本和悉尼交响乐团合作。继而又在欧洲、以色列和美国一些城市担任客座指挥。1975～1989年担任巴黎管弦乐团的音乐总监。1987年同巴黎新成立的巴士底歌剧院签约任音乐与艺术总监。后因与巴黎社会党政府的代表人物发生争执而于1989年1月被解雇，致使原定1990年开始的第一个演出季未能如期举行。几乎就在同时(1989年1月)，他继索尔蒂而担任芝加哥交响乐团音乐总监之职，在1991年索尔蒂退休后担任全职。1992年成为柏林国家剧院的音乐总监。

Barents, Willem 巴伦支(约1550～1597-06-20，北极) 荷兰航海家。曾寻找过从欧洲通往亚洲的东北航路。巴伦支海即因他得名。他曾多次航行，精确绘制海图，搜集到有价值的气象数据，因而被公认为最重要的早期北极探险家。1594年他率船两艘离开阿姆斯特丹，到达新地岛西岸，然后继续北驶，快临近其最北端时被迫折返。次年他又率船7艘开始另一次探险，直穿亚洲海岸与韦加特岛之间的海峡，但始终未找到通道。1596年第3次探险中终于找到了斯匹茨卑尔根岛(今斯瓦尔巴岛)，但在绕过新地岛以北时被冰块包围，巴伦支被迫在北方过冬。在他和他的探险队员乘无篷小船离开后，他只活了一个星期。探险队在北极过冬的小屋在1871年被发现，许多遗物被保存在海牙。1875年还发现了他的部分日记。

Barents Sea 巴伦支海 北冰洋靠近欧洲大陆的一个海域。南接挪威和俄罗斯大陆；北界斯瓦尔巴和法兰士约瑟夫地群岛；东至新地岛；西迄熊岛一线。面积140.5万平方千米。平均深度229米，最深处600米。以16世纪荷兰探险家W.巴伦支的姓氏命名。海底覆盖着沙和淤泥，从东到西横亘着熊岛海沟和几条较小的海沟。北部有中央和珀尔修斯海底高地，东南多浅滩，鱼类麇集。东南部有科尔古耶夫岛。大陆海岸的西部地势较高，山壁陡立，自卡宁半岛以东，海岸低平，有许多浅海湾。北部各群岛海岸陡峭，有冰川下冲入海，空洞中有冰川裹带的岩屑积存。冬天北部平均温度-25 °C，西南部-5 °C；夏天北部0 °C，西南部10 °C；年降水量南部为500毫米，北部为250毫米。有北角暖流和挪威洋流的斯匹茨卑尔根支流进入此海。海水盐分高达34‰。冬季结冰不很厚，出现冰山的时间不长；到夏季只在北部有冰，有时全部融化。潮水量及流向变化极大。沿大陆的不冻港有俄罗斯的摩尔曼斯克、捷里别尔卡和挪威的瓦尔德。浮游微生物有利鱼类生长。主要鱼类有鳕、鲱、鲑、鲽、鲇；哺乳类有海豹、鲸、北极熊和北极狐。南部浅海区水下植物极多，棕、红、绿藻类随处可见。海岸多为岩石，但亦有20%～40%有灌木丛、苔藓和地衣，草类则罕见。

Barère (de Vieuzac), Bertrand 巴雷尔(1755-09-10，法国塔布～1841-01-13，塔布) 在雅各宾专政期间(1793～1794)统治革命法国的救国委员会的主要成员。他对被怀疑有保王倾向的人所采取的严厉政策，使他成为最可怕的革命者之一。中产阶级出身，曾在图卢兹大学学习法律，1777年在塔布当治安法官。1788年去巴黎，接触自由主义和共和主义思想，支持取缔地方议会和建立全国人民会议。1789年任塔布出席三级会议的代表，参加起草塔布、比戈尔的陈情表，要求废除封建权力。1789年秋天，他参加雅各宾俱乐部，在处理王室财产的房地产委员会中工作。到1790年，他在巴黎成为重要人物。他支持罗伯斯比尔，1791年在革命政府中起较大的作用。在民众袭击土伊勒里宫以后，他同意监禁国王路易十六。到1793年，他公开要求将国王路易十六处死。1793年1月，他发表《告法国国民书》，支持民族主义和对欧洲君主制强国进行战争，并认为这是革命原则的延伸。1793年4月，他协助建立第一届救国委员会，当选为委员会秘书，这时，他的政治权力达到顶峰。同年8月，他支持没收流亡贵族的产业，驱逐波旁王朝的一切王公，关于大量征兵和建立国民军的法令，以及救

美国不列颠百科全书公司供图

国委员会绝对控制经济和外交的政策。第二年春天，他被任命为文化宣传部长。1794年，罗伯斯比尔被处决后，巴雷尔的声望迅速下降。1795年他虽然逃往波尔多，救国委员会还是下达了将他逮捕并驱逐出境的命令。1799年拿破仑对他实行大赦，1803年让他当“公众舆论记者”，但是在波旁王朝第一次复辟(1814)之后，他转而效忠国王。在拿破仑的百日统治期间，他当选为议员。1815年波旁王朝第二次复辟以后，他被列入警察局的黑名单，被迫逃往比利时。1830年返巴黎，1833年选入上比利牛斯省议会。他的4卷《回忆录》于1842～1844年出版。

Bārfurush(Iran) **巴尔富鲁什** 参阅**Bābol** 巴博勒。

Barge Canal(New York, U.S.) **驳船运河** 参阅**New York State Barge Canal** 纽约州驳船运河。

bargeboard 封檐板 又作vergeboard。坡屋顶延伸出山墙的屋面下的假椽或人字形挡风板。常在上作雕刻、绘画装饰。在欧洲中世纪晚期，英国都铎王朝时期和19世纪英国和美国的仿哥特式建筑中盛行。

1846年美国纽约帆船俱乐部的仿哥特式封檐板
美国不列颠百科全书公司供图

Bargello Museum 巴杰罗博物馆 正式名称国立巴杰罗博物馆。艺术博物馆。设在意大利佛罗伦萨的巴杰罗宫。1865 年建馆,以收藏文艺复兴时期多那太罗、米开朗琪罗等人的雕刻作品而闻名。还设有一个装饰艺术品陈列室,展出牙雕、青铜器、彩绘陶器、奖章、纺织品、武器和盔甲等。

bargello work 巴杰罗绣制品 亦称佛罗伦萨网形粗布刺绣品,一种与佛罗伦萨巴杰罗博物馆收藏的 17 世纪意大利椅罩类似的绣制品,其制作工艺从 17 世纪一直流传至今。采用平行于网形粗布织纹的平伸垂直针法,而不像大多数网形粗布刺绣针法那样成十字形对角交叉。这种针法,还按照逐渐变化的单色或深浅对比的色调,绣成波浪状锯齿形图案。

Bargest (folklore) 参阅**Barghest巴埃斯特**。

Barghash (ibn Saʿīd) 巴加什(伊本·赛义德)(约1834～1888-03-27,桑给巴尔[今在坦桑尼亚]) 桑给巴尔苏丹(1870～1888 年在位),精明强干、雄心勃勃的统治者。大部分在位期间他寻求英国的保护和援助,但王国最终仍被德国和英国所瓜分。巴加什于 1870 年取得政权,他的好友 J.柯克旋即出任英国领事。1873 年柯克迫使他签署反对奴隶贸易的条约。巴加什感到自己力量不足,请求英国保护。在英国的技术和军事援助下,他建立了一支规模不大的现代化军队。1882 年,比利时国王利奥波德二世决心控制刚果盆地的象牙贸易,这一要求在 1885 年得到其他欧洲国家的承认。后来德国又提出占据今坦桑尼亚大部领土的要求。绝望的巴加什无法选择,只好默认他的王国在 1886 年末被瓜分。

Barghawāṭah 巴尔哈瓦塔 柏柏尔部落联盟,曾在摩洛哥建立政教合一的国家(8～12 世纪)。巴尔哈瓦塔人是居住在中阿特拉斯山与大西洋之间的平原上的马斯穆达家族的成员。740 年打败来自西班牙的伍麦叶王朝的军队,夺取了丹吉尔。748～749 年,他们中间出现一个新领袖萨利赫·伊本·泰利夫。他自称先知,传播一种将伊斯兰教、异教和占星术融为一体的宗教。到 10 世纪中叶,巴尔哈瓦塔人的势力已经能够与科尔多瓦的伍麦叶王朝相抗衡,双方保持外交关系。10 世纪末,两国关系趋于紧张。巴尔哈瓦塔人两次受到来自西班牙的侵袭(977～978,998～999)。982～983 年巴尔哈瓦塔人又受到来自东方的法蒂玛人的进攻。11 世纪,巴尔哈瓦塔终于被伍麦叶人的盟友巴努伊夫朗人征服。1059 年穆拉比人入侵,巴尔哈瓦塔人又遭到惨败。1148～1149 年,余部被穆瓦希德人彻底消灭。

Barghest 巴埃斯特 又拼Bargest。英国北部(尤其在约克郡)民间传说中的一条可怕的妖狗。长有巨齿和巨爪,只在夜间出现。人们认为只要清楚地看见巴埃斯特,马上就会死去,如果只是瞥见,则还可以活着,但只能延续数月。与巴埃斯特或犬形山鬼并提的妖怪还有提德沃思妖狗、温切斯特黑妖狗、韦克菲尔德妖狗、伯恩利妖狗。这类犬形山鬼在威尔士地区的叫法有红眼的凶兆妖狗、地狱妖狗。在兰开夏,这种怪兽又称Trash、Skriker、

巴埃斯特
美国不列颠百科全书公司供图

Striker,爪宽而后倾,走动如溅水声,吠声可怕。在东英吉利,这种妖狗只有一只眼,人们认为它是两栖动物,其名为黑长毛妖狗。在马恩岛,又称其为长毛垂耳妖狗。在曼彻斯特,据说这类犬形山鬼无头。

bargueño(cabinet) 参阅**vargueno西班牙式橱柜**。

Barguzinsky Nature Reserve 巴尔古津自然保护区 在俄罗斯东南部。为进行自然科学研究而开辟。位于贝加尔湖东北岸和巴尔古津山脉西坡之间。建于 1916 年,主要为巴尔古津紫貂提供栖息地。面积 26.32 万公顷,包括 60 千米沿湖区和邻近湖水水域以及巴尔古津山脉部分山岭。湖滨和山麓分别生长着落叶树和杜鹃花以及柏树和杉树。最高处有苔原。野生动物有鼠兔、西伯利亚花鼠、狐、驼鹿、麋、鼬、棕熊、驯鹿、水獭、狼獾以及白尾鹰、雷鸟、松鸡、布谷鸟、莺、山雀等。

Bari 巴里人 苏丹南部朱巴附近的民族。操苏丹东部方言,属尼罗-撒哈拉语系查里-尼罗语支,散住在尼罗河流域两岸干热的平原乡村里。巴里人的文化和语言在本地区许多小部落中亦广泛普及,最重要的部落有卡克瓦人、蒙达里人、库库人、法朱鲁人、尼扬巴拉人及涅普人。巴里人分为自由民和奴隶,铁匠、猎手和类似的人属社会下层等级。150 个父系氏族大部由自由人组成。巴里人有些不良的传统习俗,信仰两位一体的神:善神住在天上,能降雨;恶神住在地上,专司耕作。巴里人敬奉祖先,对祖灵要献祭。

Bari 巴里 意大利东南部城市,普利亚区巴里省省会、亚得里亚海港口。公元前 1500 年可能已有人居住。受希腊影响较大。在罗马人统治下成为重要港口。1860 年成为意大利王国的一部分。现城市由古城、新城和工业区 3 部分组成。历史遗迹主要集中在古城,著名的有 12 世纪罗马式大教堂、诺曼式城堡和建于 1087 年的圣尼古拉大教堂(藏有巴里的主保圣人圣尼古拉的遗物)。为大主教驻地。有一所大学(1924 年设立)。有省美术馆和考古博物馆。自 1930 年以来,每年在此举行东西方贸易博览会。位于东岸铁路干线上。有国际航线。城市为农业中心。工业有食品加工、炼油、纺织、印刷等。还生产建

巴里的圣尼古拉大教堂
美国不列颠百科全书公司供图

筑材料、机械、铝和铁制品、硫化物和烟草。与巴尔干和中东地区的海上贸易频繁。出口葡萄酒、橄榄油和杏仁。人口:城市区约 355 352(1990)。

Bari, Siege of 巴里之围(1068～1071) 巴里是亚得里亚海仅次于威尼斯的一大港埠,具有重要战略地位。1068 年 R.圭斯卡德率诺曼舰队封锁这一港口,围困 3 年。该城于 1071 年投降,拜占廷对意大利半岛的统治从此结束。

Barīd Shāhī DYNASTY **巴里德·沙赫王朝** 约 1487～1619 年统治比德尔国(在今印度西南部卡纳塔克邦)的家族。这个家族的成员原为德干高原上巴赫马尼苏丹国的大臣。1492 年左右巴赫马尼王国解体时,他们仍在比德尔周围保持一个小小的王国,但实权已经落到阿米尔·伽西姆·巴里德手中,其孙阿里·巴里德于 1542 年称王。1619 年,这个王国被德干较大的比贾布尔王国兼并。

Bariloche (Argentina) **巴里洛切** 参阅**San Carlos de Bariloche 圣卡洛斯-德巴里洛切**。

Barīm Island 参阅 **Perim Island 丕林岛**。

Barinas 巴里纳斯 委内瑞拉西部一州。地处亚诺斯平原。东为瓜里科河,南为阿普雷河。不时受旱灾和水灾之害。在 5～12 月的雨季,大片的稀树草原洪水泛滥。随公路的修建、石油工业和制造业的迅速发展以及政府投资,经济发展并多样化。牧牛业在委内瑞拉各州中名列前茅。农业也日渐受重视。主要作物是豆、棉花、玉米、咖啡、车前草、芝麻、烟草和水稻。1948 年发现石油后出现很大变化。所产石油经管道输往卡贝略港。**巴里纳斯(Barinas)**为州首府和公路网中

心。面积 35 200 平方千米。人口 516 789（1995）。

Barinas 巴里纳斯 委内瑞拉巴里纳斯州首府。地处亚诺斯平原，临圣多明各河。为牧业区的中心。经营畜产品贸易。产可可和烟草。通公路，建有机场。人口约 153 630（1990）。

Bārind 巴林德 跨孟加拉国西北部与印度西孟加拉邦中北部的一个地理区。包括恒（博多）河与布拉马普特拉（贾木纳）河之间恒河下游平原的西北部。地势较高，起伏不平，具黏性红壤与黄壤。南部多沼泽。很多地方已清除林木加以开垦，但仍有许多灌丛和残余森林。生产小麦、大麦、烟草以及孟加拉国的大部分甘蔗、豆类和油菜籽。

Baring FAMILY 巴林家族 英国的一个家族（祖先为德国人），自18世纪后半叶起，在商业和金融界占有重要地位。1763年弗朗西斯·巴林爵士（1740～1810）在伦敦建立约翰和弗朗西斯·巴林公司。最初从事进出口代理，后开始商品销售和信贷业务。1792年起为英国反对革命的法国提供财政资助。1806年公司更名为巴林兄弟公司。弗朗西斯爵士还经营海上保险业，并因参与经营东印度公司而封为准男爵。他是亚当·斯密的追随者，与功利主义者边沁为友，并曾担任许多英国政治家如小皮特的顾问。他死后，公司由次子亚历山大·巴林（1774～1848，后来的第1代阿什伯顿男爵）经营。他与美国宾夕法尼亚富豪的女儿安妮·宾厄姆结婚。亚历山大曾任驻美大使，与美国国务卿D.韦伯斯特谈判关于缅因与新不伦瑞克之间边界的《韦伯斯特-阿什伯顿条约》（1842）。他死后该家族事业由托马斯·巴林（1799～1873）继续经营。托马斯还曾任议员。其兄弗朗西斯·桑希尔·巴林（1796～1866）曾任议员，1839～1841年任财政大臣，1849～1852年任海军大臣。桑希尔的长子托马斯·乔治·巴林（1826～1904；参阅 **Northbrook, Thomas George Baring, 1st earl of**），封第1代诺思布鲁克伯爵，历任要职，1872～1876年任印度总督，1880～1885年任海军大臣。托马斯死后，爱德华·巴林领导巴林兄弟公司，1885年封雷夫尔斯托克男爵，升为贵族。此时该家族达到兴旺的顶峰。这个家族的其他成员有：第1代克罗默伯爵、英国驻埃及的代表和总领事即事实上的统治者伊夫林·巴林（1841～1917；参阅 **Cromer, Evelyn Baring, 1st earl of**），文学家莫里斯·巴林（1874～1945）等。

Baringo, Lake 巴林戈湖 肯尼亚中西部湖泊。海拔975米。面积129平方千米，平均深度5米。为淡水湖。没有明显出口，湖水渗入湖的北端的熔岩中。湖中产罗非鱼，沿岸放牧牛群和种植作物。J.汤姆森为到达此湖（1883）的第一个欧洲人。

Baripāda 伯里伯达 印度东部奥里萨邦东北部城市。傍布勒巴朗河。始建于1800年左右。为稻米、木材及其他农、林产品的贸易中心。有制陶、酿造与织布等业。设有一所学院和考古博物馆。有窄轨铁路与沿海岸的东南铁路相连。人口：市约 49 619；都会区约 69 240（1991）。

Barisāl 博里萨尔 孟加拉国中南部城镇。位于恒河三角洲博里萨尔河西岸。1876年设市，为黄麻和稻米转运中心。有轮船通达卡，是通向吉大港的河海航线上的重要港口。设有达卡大学的15个学院，一个公共图书馆和公园。博里萨尔有一奇怪的自然现象，被称为"博里萨尔炮"。这是三角洲上时而听到的显然是来自海上的雷鸣般的声音，起因还没有得到令人满意的解释，很可能是地震造成的。人口约 180 014（1991）。

barite 重晶石 又作 barytes 或 heavy spar。最常见的钡矿物，成分为硫酸钡（$BaSO_4$）。重晶石产于热液矿脉中，尤其是含铅、银的热液矿脉中；也产于沉积岩中，例如石灰岩；还产于由石灰岩风化而形成的黏土矿床中；海相沉积中以及火成岩的洞穴中也有产出。重晶石通常形成大的管状晶体，这类晶体的玫瑰花形集合体，或者形成分叉的晶块，称为冠毛状重晶石。产地有：西班牙的卡斯蒂利亚和安达卢西亚；德国的北莱茵-威斯特伐利亚州；美国阿巴拉契亚南部、加利福尼亚州及中部各州。工业上经过磨碎的重晶石用在钻油、气井的泥浆中及用于制取钡化合物；在造纸、织布和唱片中作为基质或填充剂；可作白色颜料（参阅 **lithopone**）和作为彩色颜料中的惰性基质。它与天青石形成固溶体系列，在天青石中锶置换了钡。有关详细的物理特性，参阅 **sulfate mineral**（表）。

产自美国密苏里州的冠毛状重晶石
美国不列颠百科全书公司供图

baritone 男中音 在声乐中最常见的男声，其音域介乎男低音和男高音之间，兼有二者的特点。通常男中音的音域是从大字组A到小字一组f′，但可上、下伸延，特别是在独唱中，亦可因一定的文化传统（如英、法、意、德或俄国的传统）而异。嗓音的分类不仅取决于音域，而且还取决于音色及其使用和训练的目的。例如，男高音唱清唱剧比较轻松，但唱歌剧角色则可能需要发挥其男中音音域。15世纪末，主要是法国宫廷作曲家在探索加入较低声部后的复调音响时，首次使用了这个名词。后来的合唱逐步形成常用的四声部写作（女高音、女低音、男高音、男低音），一般都无男中音声部。德国作曲家似乎是最先将男中音用于独唱，莫扎特的欧洲同代人都认为他歌剧中突出使用男中音角色是一种创新。男中音担任主角大大扩展了男角色类型的范围，并使过去一直由高音担任的英雄与情人的角色较多地移交给了低音声种。

baritone 上低音号 有阀键的铜管乐器，B^{b}或C调。从19世纪起成为管乐队中的流行乐器，由短号和活塞军号衍生而成。与次中音大号相似，但号身较细，有3个阀键，而不是4或5个；音域从低音谱表下的E起到向上3个8度。记谱用高音谱表，比实际音高高9度。

barium 钡（Ba） 周期表Ⅱa主族碱土金属中的一个化学元素。元素钡用于冶金工业，其化合物用于制造烟火、石油开采和放射学。钡比铅稍硬，新切表面有银白光泽。在自然界中钡总是与其他元素化合而存在。1774年瑞典化学家C.W.舍勒发现一种新碱（钡氧，氧化钡），它是软锰矿的次要组分，舍勒用它制得一些硫酸钡晶体，寄给锰发现者J.G.甘恩。一个月以后，甘恩发现重晶石矿也是由这种硫酸钡组成的。只有在电池被用于研究工作后，1808年，H.戴维才用电解法最后分离出金属钡。虽然，钡的矿物都是致密的，但钡本身是比较轻的。钡在地壳中约占0.04%，主要矿物有重晶石矿和毒重石矿。钡的工业制法是电解熔融氯化钡，或在真空电炉中用铝还原氧化钡和过氧化钡混合物。金属钡用作电子管吸气剂能吸收最后的一点极微量气体而提高真空度，在铜精炼中用作脱氧剂和作某些合金的组分元素。与镍的合金受热易发射电子，用于电子管和火花塞电极中。1939年发现用中子轰击后的铀（原子序数92）中有钡（原子序数56）存在，这为认识核裂变提供了线索。天然钡是7种稳定同位素的混合物：钡138（71.66%）、钡137（11.32%）、钡136（7.81%）、钡135（6.59%）、钡134（2.42%）、钡130（0.101%）和钡132（0.097%）。现已制备了许多放射性钡同位素，数目约为稳定同位素的两倍，质量数为126～143。钡在化合物中呈+2氧化态。加入碳酸根（CO_3^{2-}）、硫酸根（SO_4^{2-}）、铬酸根（CrO_4^{2-}）或磷酸根（PO_4^{3-}）阴离子可将Ba^{2+}离子从溶液中沉淀出来。所有可溶性的钡化合物都是有毒的。大部分钡化合物都是通过将硫酸盐还原为硫化物而制备的。硫酸钡（$BaSO_4$）是一种白色的重的粉末，可以重晶石矿的形式存在于自然界中。硫酸钡是已知溶解度最小的盐之一，它广泛地用作填料（如在造纸和橡胶工业上）并在肠胃消化道X射线检查时作造影剂方面有着重要应用。锌钡白（一种硫酸钡和硫化锌的混合物）是一种漂亮的白色颜料。钡化合物的许多用途是基于它容易形成极难溶的硫酸盐这一特性。因而用于生产氯气和碱的盐水在放入电解池之前常加入碳酸钡（$BaCO_3$），以除掉盐水中的硫酸盐。碳酸钡也用于制备其他钡的化学试剂，用作陶瓷助熔剂，用于制造光学玻璃、精密玻璃仪器以及用于扬声器的陶质永磁体。虽然碳酸钡不溶于水，但它却可溶于胃液中的盐酸，因而可作杀鼠剂。另一个钡的化合物氯化钡($BaCl_2 \cdot 2H_2O$)是无色晶体，易溶于水，可用于热处理浴，在实验室中用作沉淀可溶性硫酸根的化学试剂。在工业上与硫酸钠作用形成白色的填料和颜料(硫酸钡粉)，应用于皮革、橡胶、棉布和印相纸等。过氧化钡(BaO_2)既可用于产生氧，也可用于产生过氧化氢。挥发性的钡化合物由于能发射两个主要的特征波长的光，因而能使火焰带黄绿色。钡与氮-氧基团 NO_3^- 形成的硝酸钡以及钡与氯-氧基团 ClO_3^- 形成的氯酸钡都因这种作用而用于制作绿色信号弹以及制作烟火等。钡原子序数 56，原子量 137.34，熔点 725 °C，沸点 1 640 °C，比重 3.5(20 °C)，化合价 2，电子组态 2，8，18，18，8，2 或 $(Xe)6s^2$。

bark　树皮　木本植物形成层以外的所有组织。内层较柔弱，由形成层细胞向外分裂所产生，该层包括输导营养物质的次生韧皮部。外层主要为死组织，由木栓形成层产生。含木栓及死亡的旧韧皮部，称为落皮层。死亡的木栓细胞留在木栓层，这使水和空气几乎完全不能透过。包有树皮的根和茎与周围环境之间的气体交换须通过木栓内多孔的区域(皮孔)来进行。树皮通常较根和茎部的木质部分薄。树皮内层(次生韧皮部)和木质部分(次生木质部)均由维管形成层产生；向外产生树皮(此处最老的组织会脱落)，向内产生木质部(一些细胞逐渐死亡)。

bark　巴克帆船　又作barque。后桅不用横帆而用纵帆的3桅或多桅帆船。在纵帆应用

美国海岸警卫队军校学员训练时使用的巴克帆船——"鹰"号

美国不列颠百科全书公司供图

到大船上之前，这个词通常指各种小帆船。

bark beetle　小蠹　又作engraver beetle。鞘翅目小蠹科(齿小蠹科)昆虫，2 000余种。圆柱形，一般不到6毫米长，褐或黑色，常造成严重损害。雄、雌虫钻入树内筑造卵室，有时60个雌虫与1个雄虫作配偶，卵产在室四边的小凹中。幼虫孵出后从卵室往外钻孔，形成一系列具有一定特征的隧道。每个幼虫在其坑道的端部化蛹，成虫在树皮上钻孔飞出。

小蠹(*Dendroctonus valens*)

美国不列颠百科全书公司供图

不同的小蠹为害不同的树种，可损害自根部至枝茎及种子或果实，有些种类能传播疾病，如小蠹属(*Scolytus*)和瘤干小蠹属(*Hylurgopinus*)的种类都传播荷兰榆病病原真菌的孢子。将病树的树皮剥下后木材表面可见小蠹所钻隧道构成的图案。齿小蠹属(*Ips*)和松小蠹属(*Dendroctonus*)为害松树，车轴草根小蠹(*Hylastinus obscurus*)的幼虫为害车轴草根。本科有时还包括长小蠹，它钻入树木的木质部，故对木材的损坏更严重。其雌虫筑很长的中央坑道，由此分出卵室，在主室的排泄物和木屑堆上培育真菌以供食用。由于坑道的大小一致，壁上生长真菌而呈黑色，可借此鉴别。

bark cloth　树皮布　参阅 **bark painting** 树皮画。

bark-gnawing beetle　谷盗　鞘翅目谷盗科昆虫。约500种，多为热带种。长5～20毫米，黑色。粮仓中的毛里塔尼亚谷盗(*Tenebrioides mauritanicus*)幼虫吃谷物和谷物中的其他昆虫。*Tennochilus virescens* 为东方种，蓝绿色，咬人甚痛。

bark painting　树皮画　又称塔帕、树皮布。指在用树皮做的材料上，涂抹或描绘具象或抽象图案的装饰画。这种布状的材料是由某种树皮的内层或韧皮制成的(参阅 **bast fibre**)，树皮在剥取后，经浸渍和捶打，使纤维交织并变薄。手绘树皮面料只局限在澳洲北部和美拉尼西亚部分地方，特别是新几内亚。在澳洲大陆，样式因地而异：西部的金伯利地区到昂佩利，流行人物和动物形体的自然描绘；在东部占主导地位的是在菱形形体上作浑厚描绘所组合成的程式化样式；介于昂佩利和格鲁特岛之间的卡奔塔利亚湾，程式化的和自然的样式并存，但现在前者似乎比后者更受欢迎。通常有两类绘画：一类是只由入门者鉴赏，而另一类则公诸全社会。第一类是迷信对象，描绘土著居民的神秘祖先。第二类的某些绘画，包括历史叙事题材，多涉及与渔猎有关的巫术，魔力；另一些则与礼仪无关，仅为社会、为艺术家欣赏而作。在美拉尼西亚，树皮画的内容和样式

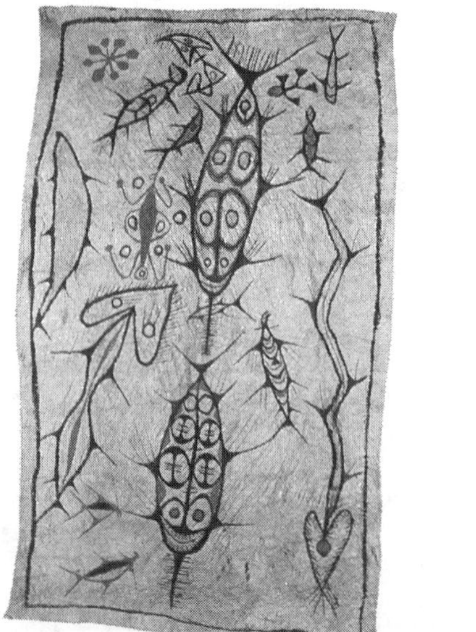

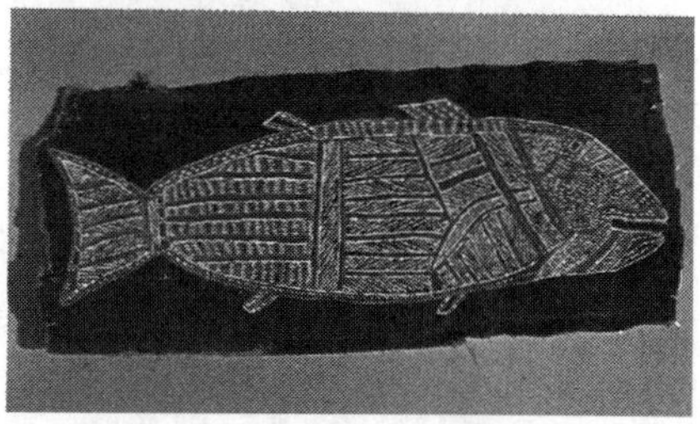

(上)印度尼西亚西新几内亚的树皮画——动物；(下)澳大利亚北部卡奔塔利亚湾的树皮画——鱼

美国不列颠百科全书公司供图

也因地而异。

Barker, George　巴克(1913-02-26，英国埃塞克斯劳顿～1991-10-27，诺福克伊特灵汉)　全名George Granville Barker。英国诗人。其诗作关注生命的自然力量。最早的诗作发表于20世纪30年代，与诗人托马斯在40年代几乎同时出名。后者表现了类似的主题，但声望超过巴克。巴克14岁辍学，在1933年发表其最早的作品小说《已过盛年的阿兰娜》和《30首习作诗》之前，从事过各种职业。曾在日本、美国和英国讲授英国文学(1939～1974)。两首主要的长诗是《有如大难临头》(1937)和《乔治·巴克真实的自白》(1950；1957年修订再版)。他的诗还包括令人感动的《献给我母亲的十四行诗》。其《诗歌全集》于1987年出版。

Barker, Ma　巴克(1872，美国密苏里斯普林菲尔德附近～1935-01-16，佛罗里达奥克拉沃霍河附近)　20世纪20～30年代美国从事绑架，抢劫工资、银行和邮局的匪帮的女头目。活动于从明尼苏达州到得克萨斯州的中西部地区。匪帮中有她的几个儿子，称为"残暴的巴克兄弟们"，即赫尔曼(1894～1927)、绰号"大夫"的亚瑟(1899～1939)和弗雷德(1902～1935)。后来她和儿子都先后横死。

Barker, Lady Mary Anne　巴克夫人(1831，牙买加西班牙镇～1911-03-06，英国伦敦)　母家姓斯图尔特，又称布鲁姆夫人。作家。

其最著名的作品《新西兰驻地生活》(1870)是殖民时期新西兰生活的生动记录。斯图尔特在英国受教育,21岁时她与皇家炮兵上尉巴克结婚。1860年,巴克以服役时的表现受封为爵士,但不久即逝世。1865年6月,她与布鲁姆结婚,布鲁姆为7年前移居新西兰的英国人。她遗下与巴克所生的两个孩子,与布鲁姆同往新西兰。两人在过了三年"极度幸福的"生活之后,将他们的羊场出售,回到英国。巴克夫人的《驻地生活》颇为畅销,并被译成法、德两种文字。以后她在伦敦又写了10本书,包括《四季的圣诞蛋糕》(1872,写的是在新西兰南岛上的北坎特伯雷过圣诞节的光景。1875年,她去南非的纳塔尔与被任命为纳塔尔殖民大臣的丈夫团聚,以后又随丈夫至毛里求斯、西澳大利亚、巴巴多斯和特立尼达,并写下了这些经历。布鲁姆于1884年受封为爵士,而巴克夫人则出版了她的22本书的最后一本,即《回忆殖民地生活》(1904),署名布鲁姆夫人。

Barkerville 巴克维尔 加拿大不列颠哥伦比亚省中东部一座由废墟重建的城镇。位于卡里布山脉西侧山麓上,鲍伦湖省立公园正西,克内尔镇以东88千米处。该镇崛起于卡里布淘金热时代,一度为拥有居民约万人的热闹城镇,其地名是为纪念一位名叫B.巴克的探矿师而定的,因他在威廉斯河做出过重大发现(1862)。现为省立历史公园(1959年建立)和旅游点。从弗雷泽河航运终点耶鲁镇到巴克维尔有长650千米的卡里布大道,在19世纪60年代是通往采金区的主要篷车路,现在已重新修建及加长。

barkhan (sand dune) 参阅 **barchan** 新月形沙丘。

Barkhausen, Heinrich Georg 巴克好森 (1881-12-02,德国不来梅～1956-02-20,德国德累斯顿) 德国物理学家,发现涉及金属磁性变化的巴克好森效应。1907年获格丁根的博士学位前曾就读于慕尼黑和柏林的大学。在柏林西门子和哈尔斯克实验室工作一段时间以后,于1911年在德累斯顿工学院接受了世界上第一个通信工程方面的教授职位。他从事自发振荡理论和非线性开关元件的研究,列出了迄今仍被使用的电子管系数公式。他还做过声学实验,提出了主观测定响度的方法。对声学与磁学的研究,使他于1919年发现巴克好森效应。该效应提供了磁化影响铁磁材料的整个磁畴而不仅是单个原子的证据。1920年他和K.库尔茨研制成巴克好森-库尔茨超高频振荡器,这使人们弄清了速度调制原理。他所进行的短波无线电发射实验也很有名。

Barkhausen effect 巴克好森效应 在连续磁化或去磁过程中,铁磁畴(或沿同一方向排列的微观的原子磁体团)的大小和取向突然发生的一系列变化。巴克好森效应直接证明了以前只是理论假设的铁磁畴的存在。德国物理学家H.巴克好森于1919年发现,缓慢而平稳地增大铁磁材料(如铁)上所加的磁场,能使该材料不连续地磁化。用绕在铁磁材料上的线圈可以测出磁化过程突然不连续的跳跃,材料磁场的突然跃迁在线圈中产生电流脉冲,经过放大可以从喇叭中听到一系列的"卡嗒"声。这些跳跃可以解释为铁磁畴大小或其转动不是连续变化的。有些沿外磁场方向排列起来的微观的原子磁体团,由于邻近原子磁体的突然聚集而增加了尺寸,更主要的是当磁场较强时,其他全部磁畴都突然转到外磁场的方向。

Barking and Dagenham 巴金-达格纳姆 英格兰伦敦外围自治市,位于伦敦东部周界。属埃塞克斯历史郡。在泰晤士河北岸。该市1965年由达格纳姆和巴金两个市郊区合并而建。面积34平方千米。原为重要渔港,通铁路后被市场园艺业所取代。20世纪20年代后新工业大量涌入。现主要工厂有福特汽车公司达格纳姆工厂和巴金发电厂。人口163 944(2001)。

barking deer 吠鹿 参阅**muntjac**麂。

Barkla, Charles Glover 巴克拉(1877-06-07,英国兰开夏威德尼斯～1944-10-23,爱丁堡) 英国物理学家,因研究X射线散射现象获1917年诺贝尔物理学奖。X射线散射技术在研究原子结构时特别有用。在剑桥大学三一学院和国王学院接受教育。1902年在利物浦大学任教,1909年转往伦敦大学,1913年任爱丁堡大学自然哲学教授。1906年与C.A.萨德勒共同用X射线散射法测定碳原子的电子数。约在同时,他使X射线偏振取得成功,从而证明X射线是横波,与其他电磁辐射(例如光)相同。

Barkley, Alben W(illiam) 巴克利(1877-11-24,美国肯塔基格雷夫斯～1956-04-30,弗吉尼亚列克星敦) 美国第35任副总统(1949～1953)、20世纪30年代民主党新政的

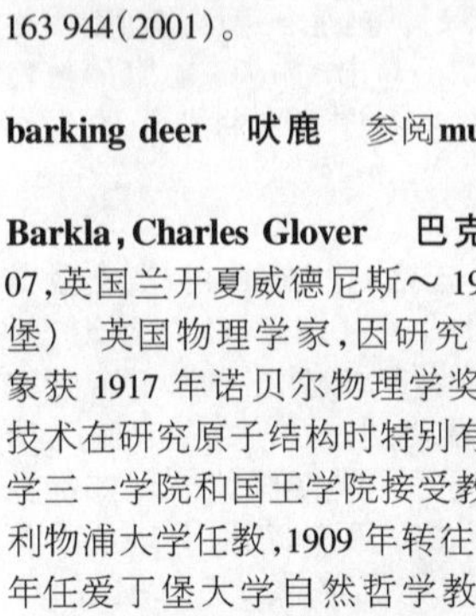

美国不列颠百科全书公司供图

主要创建者之一,任国会议员近40年,成为政党连续性的主要象征。早年当律师。1913～1927年连任众议员。1926年当选参议员,后连任至1949年。1937～1947年任参议院多数党领袖。1948年当选为副总统。1954年再度任参议员。同年出版自传《这使我想起》。

Barkly, Sir Henry 巴克利(1815,苏格兰罗斯希尔～1898-10-20,伦敦) 英国殖民官员,在维多利亚(澳大利亚)和开普殖民地(南非)成立责任制政府时起过重要作用。商人之子。1845～1848年为议会议员。此后历任英属圭亚那(1848～1853)、牙买加(1853～1856)、维多利亚(1856～1863)、毛里求斯(1863～1870)和开普殖民地(1870～1877)的总督。1870年他被任命为高级专员,去解决德兰士瓦、奥兰治自由邦和西格里夸部族酋长之间关于不久前发现有丰富的金刚石矿的边界地区的纠纷。1853年封爵士。

Barkly Tableland 巴克利台地 澳大利亚的一个地区。在卡奔塔利亚湾南面。从北部地方纽卡斯尔河向东南延伸约560千米,止于昆士兰州的卡穆威尔。面积13万平方千米。地势起伏(平均海拔300米),有井水和季节性河流,多草地,有养牛业。有巴克利公路经过。

Barlach, Ernst 巴尔拉赫(1870-01-02,德国韦德尔～1938-10-24,德国居斯特罗) 杰出的表现主义雕刻家,其风格被称为现代哥特式。也是卓越的剧作家,其名剧《死亡日》

巴尔拉赫的《复仇者》(1922)
美国不列颠百科全书公司供图

(1912)及《弃儿》(1922)将象征主义与现实主义结合起来,表现存在的悲惨结局。其表现主义的雕刻亦着力于表现人类的苦难。曾先后在汉堡、德累斯顿及巴黎学习艺术。早期受德国"新艺术"风格的影响,在雕刻与装饰艺术之间摇摆不定。1906年赴俄国旅行,俄国农民健壮的身体和富于表情的面部,促进他的风格成熟发展。他所塑造的人物形象魁伟、动作简单有力,栩栩如生,如《复仇者》(1922)。对德国晚期哥特式雕刻的兴趣使其喜爱上木雕,甚至用其他材料创作时,如其青铜雕刻《死亡》(1925,汉堡)也竭力仿效木雕斑驳、粗凿的表面,以达到更为粗犷的效果。20世纪20年代和30年代初期创作的其他许多作品使其名声大振,其中有著名的马德堡和汉堡的战争纪念碑和吕贝克的圣凯瑟琳教堂的雕像。纳粹统治时期其作品被归为"颓废的艺术"而被移出博物馆,第二次世界大战后才重新得到承认。他在德国居斯特罗的雕刻室被改建成博物馆。汉堡的巴尔拉赫展馆陈列有他大量的雕刻作品、画作和版画。

Barlavento, Ilhas de (Cape Verde) 参阅 **Windward Islands** 向风群岛。

Barletta 巴列塔 意大利东南部普利亚区巴里省城市、港口和游览地。濒亚得里亚海。

古罗马时代为港口和浴场疗养地。1503年法国包围该城时,意大利和法国各选13人进行决斗,意大利获胜。1291～1818年为拿撒勒大主教驻地。旧城著名建筑有哥特式教堂(1150年建,14和15世纪扩建),诺曼式城堡和13世纪圣塞波尔克罗教堂。还有几座王宫和博物馆。现为农业中心,以出产葡萄酒、橄榄、杏仁和水果闻名。有电器、化工、汽车制造以及锯木和皮革等工业。渔业和商业亦很重要。人口91 904(1999)。

barley　大麦　早熟禾科大麦属(*Hordeum*)谷类植物及其可食谷粒。大麦属分4个组,所有栽培大麦均属谷类组(Cerealia)。栽培大麦有3个种:普通大麦(*H. vulgare*)六列型,其花穗有两个相对的凹槽,每个凹槽着生3个小穗,每个小穗着生1朵小花,结籽1粒。二行大麦(*H. distichum*)为两列型,小穗中有一中心小花,可结籽,侧生小花通常不育。不规则型大麦(*H. irregulare*)或称阿比西尼亚中间型,很少栽培,中心花能育,侧生小花能育或不育。大麦栽培可能在史前始于埃塞俄比亚高地和东南亚,据信在埃及可追溯到公元前5000年,在美索不达米亚、西北欧和中国分别始于公元前3500年、前3000年、前2000年。直到16世纪大麦都为希伯来犹太人、希腊人、罗马人和大部分欧洲人的主要粮食作物。气候适应性强于其他谷类作物。有适于温带、亚北极地区、亚热带的品种。生长期至少90天,但比其他谷物更能在较短的时期内生长成熟。所以在喜马拉雅山脉生长季节很短的坡地也可栽培,但产量较低。其抗干热的能力也较其他小粒作物强,在北非近沙漠地带于秋天播种,在欧洲西部和北美的较凉而潮湿地带于春天播种。全世界大麦播种面积在20世纪70年代末约0.96亿公顷。年产量近1.8亿吨,其中约1/2的产量用作饲料,其余供人类食用,或用以制麦芽糖。啤酒主要用大麦芽制造,大麦总产量的10%以上用于制造啤酒。大麦芽也用制蒸馏饮料(参阅**malt**)。大麦具坚果香味,碳水化合物含量较高,蛋白质、钙、磷含量中等,含少量B族维生素。因大麦含谷蛋白(一种有弹性的蛋白质)量少,所以大麦粉不能做多孔面包,可做不发酵食物,在北非及亚洲部分地区尤喜用大麦粉做粥,大麦是这些地区主要食物之一。珍珠麦(圆形大麦米)是经研磨除去外壳和部分麸皮层的大麦粒,加入汤内煮食,见于世界各地。大麦麦秆柔软,多用作牲畜铺草,也大量用作粗饲料。

barley-sugar column (architecture)　**螺旋状柱子**　参阅**salomónica**缆绳形柱。

Barlow, Joel　巴洛(1754-03-24,康涅狄格殖民地雷丁～1812-12-24,波兰扎尔诺维茨)政府官员、诗人。耶鲁大学毕业后,任革命军随军牧师3年。1784年7月在康涅狄格州哈特福德创办《美国信使》周报。1786年投身律师界。巴洛与J.特朗布尔、T.德怀特一起被称为"康涅狄格州才子"。巴洛的《哥伦布的远见》(1787)是一部9卷集的美国赞美诗,出版后使他立即成名。1792年入法国籍,1795～1797年,被派往阿尔及尔交涉释放美俘,并与的黎波里、阿尔及尔、突尼斯协商订约。1805年返美,住在首都华盛顿。1811年任美国驻法全权公使。在随拿破仑自俄国撤退途中,

美国不列颠百科全书公司供图

冻死在波兰。除宗教诗篇和政治论文外,巴洛还出版了《哥伦布的远见》的增订本《哥伦比亚德》(1807)。他的文学声誉今天主要得自《玉米粥》(1796)。这是一篇因思恋新英格兰家乡和玉米粥而写出的快乐、幽默的模仿式叙事诗,其中包含许多乡村风光的生动描写。

Barlow, Peter　巴洛(1776-10-13,英格兰诺福克诺里奇～1862-03-01,肯特)　英国光学仪器制造者和数学家,发明了两种消色差望远镜透镜,通称巴洛透镜。他自学成材,1801年成为伍利奇皇家军事学院的助理数学教师。出版了许多数学著作,包括1814年的新数学表,后来称作巴洛表。它汇编了1～10 000全部整数的因数和函数,被认为非常精确、有用,所以一直在定期重印。1819年巴洛开始研究由于船体中有铁而造成的船舶罗经的偏差问题。他想出了一种纠正偏差的方法(即把罗经与一块适当成形的铁片并置),因此皇家学会授与他科普利奖章。他还对电报的发展和效能进行了早期的研究。1827～1832年间巴洛研制了他的第一种消色差望远镜透镜,方法是把液态二硫化碳封在两块玻璃之间。他的第二种透镜(1833)是由火石玻璃和冕牌玻璃组合而成的。巴洛透镜因为能提高各种光学仪器目镜的效能而得到广泛应用。

Barmakids　巴尔马克家族　伊朗呼罗珊巴尔赫城中的一个伊朗血统的家族。祖先为佛教高僧。该家族以资助文学、哲学、自然科学,及对不同宗教持宽忍态度而闻名。此外,还资助建设运河、寺庙、邮政等公共工程。663年阿拉伯人占领巴尔赫以后,巴尔马克弟兄迁居巴士拉,改奉伊斯兰教。8世纪中叶的哈立德·伊本·巴尔马克是家族的第一个显赫人物,他支持创建阿拔斯哈里发政权的革命运动,深得哈里发的信任,执掌军政大权,历任泰伯里斯坦和法尔斯总督。他死(781或782)后,其子叶海亚给哈里发的儿子哈伦当师傅,曾随哈伦远征拜占廷,辅佐哈伦管理西方诸省,并在哈伦承嗣哈里发大统之际起过决定性作用。为此,哈伦任命他为御前大臣,将朝政完全委托给他和他的两个儿子——法德勒和加法尔。加法尔善于辞令,成为哈伦的宠臣,796年奉派安抚叙利亚,归来任邮传、纺织和铸币总监。法德勒精明干练,793年任呼罗珊总督,797年接管中央政权,并任王储艾敏的师傅。巴尔马克家族得势17年。803年加法尔被处决,在巴格达的桥头分尸示众。全家下狱,财产充公。叶海亚和法德勒分别于805年和808年死于狱中。巴尔马克家族急剧而突然的衰落,主要由于在宫廷、政府和社会上拥有太大的影响,抓住一切机会敛聚财富,尤其是对不同宗教和派别持某种听之任之的态度,而这与哈里发视为危险之源的立场大相径庭。

Barmen, Synod of　巴门会议　德国基督教新教领袖为了组织教会抗拒纳粹主义而于1934年5月在鲁尔地区巴门召开的会议。这次会议对德国宣信会的发展具有决定性意义。参加会议的有信义宗、归正宗和联合教会的代表。会议通过的《巴门神学宣言》共分六条,明确表示反对国家社会主义的意识形态和具体做法。

Bārmer　巴尔梅尔　印度西端拉贾斯坦邦县城。据说始建于13世纪。原名巴哈达梅尔,意即"巴哈达的山上堡垒",简称巴尔梅尔。城镇坐落在从焦特布尔开往巴基斯坦边境的铁路沿线。为骆驼、绵羊、毛类和食盐贸易中心。手工业以雕刻碑石、制造骆驼鞍具和皮袋著称。建有一座气象台、一所医院和拉贾斯坦大学分校。巴尔梅尔县地处印度大沙漠。仅南部有卢尼河。灌溉主要靠深井。粟为主要农作物。畜牧业(牛、马、骆驼、绵羊和山羊)在经济中占重要地位。人口:城镇68 554;县1 118 625(1991)。

barn　仓舍　用来存放牲畜、饲料、农产品和农机的农场建筑物。仓舍按其用途命名,如猪舍、乳牛舍、烟草室和拖拉机库等。美国的主要类型是通用仓舍,用来存放马匹、骡子、奶牛、小牛犊、绵羊以及干草和谷物等。随着拖拉机和电气设备的出现,通用仓舍日趋衰落。然而,在北美和欧洲的农庄大多数仍建有一间或数间这种仓舍,其中很多已改作其他用途。木材是建筑仓舍的传统材料,但自第二次世界大战以来,尤其在大农场中,铁皮和薄铝板的使用日益增加。仓舍通常有两层,底层喂养家畜或存放农机,第二层存放干草或谷物。而在20世纪后期,单层仓舍却更为流行。

barn　靶恩　研究原子核和其他粒子间相互作用时计量原子核吸收截面的单位。靶恩等于10^{-24}平方厘米。参阅**cross section**。

barn owl　仓鸮　草鸮科草鸮属(*Tyto*)几种夜间活动的猛禽。面盘心形,无耳羽,故又称猴面鸮。体长约30～40厘米。体羽白到灰色或淡黄到淡橙褐色。眼较其他鸮小,颜色深。猎食耕地里的小型啮齿类(如小鼠和鼩鼱)。营巢于树洞中,或在建筑物和塔上,以及旧的鹰巢中。除南极洲和密克罗尼西亚外,普通仓鸮(白色鸮,*T. alba*)遍布全世界。其他种类仅见于旧大陆。许多种类栖息于开阔的草地。有些种称为草鸮,如印度、南太平

普通仓鸮(*T. alba*)
美国不列颠百科全书公司供图

洋、澳大利亚和南非的普通草鸮(好望角草鸮,*T. capensis*)。

Barnabas, SAINT 巴拿巴,圣(生于塞浦路斯,活动时期1世纪) 原名约瑟夫(利未人)或约瑟斯(利未人)。基督教使徒时代教父,早期重要传教士。希腊化犹太人,在耶稣被钉十字架以后不久加入耶路撒冷教会,并变卖田产,捐献价银。他参与建立安提阿教会,偕同保罗一同进行传教活动,48年两人一同返回耶路撒冷。不久,二人发生严重对立而分离,巴拿巴乘船前往塞浦路斯。5世纪外典《巴拿巴旅行殉教记》称他被迫害而死,葬在塞浦路斯。后世教会又传巴拿巴曾到亚历山大城,著有《巴拿巴书信》。还有史料说他曾到罗马,著有《致希伯来人书》。

Barnabas, Letter of 《巴拿巴书信》 早期基督教著作。用希腊文写成,相传为使徒巴拿巴所著。实际上是130年前后自称教师的无名作者所撰。此书基本上是关于基督教徒如何使用《旧约》的专论。作者十分反对犹太人,他说犹太人不可能理解《旧约》,人只有阅读经文、探求耶稣的预表,才能理解《旧约》的意义。

Barnack, Oskar 巴那克(1879-11-01,勃兰登堡[德意志]吕诺～1936-01-16,德国巴特瑙海姆) 德国第一个莱卡Ⅰ型精密小型照相机的设计者。这种照相机于1924年由德国莱茨光学公司生产。1913年他就制成了样品,但是第一次世界大战和战后德国的混乱推迟了生产。莱卡Ⅰ型的制造成功,促进了人们广泛使用35毫米照相机和其他小型照相机。巴那克为35毫米胶卷确定了24毫米×36毫米画面尺寸的标准,并参与设计了莱茨埃尔玛镜头。

barnacle 藤壶 又作cirripede。蔓足亚纲(Cirripedia)海产甲壳动物(约1 000种)中大部分种类的俗称。成体一般都有石灰质壳板,头端朝下固着在岩石、桩基、船体、浮木和海草上,或从蛤到鲸等较大的动物体上。由蔓足(胸肢变化而成,顶端弯曲,形如瓜蔓,可伸出壳外)捕食微小的食物颗粒。藤壶以外的蔓足类动物无通用的俗名,其成体寄生于蟹、水母、海星和其他一些海产无脊椎动物的体内。蔓足类多雌雄同体,有时附着一个小而无定形的补充雄体。少数种雌雄异体,雄体小而附在雌体上。通常异体受精,但亦有自体受精者。卵在外套腔内成熟,孵出自由游泳的无节幼体,就如其他亚纲的甲壳动物一样。典型的藤壶要经过6个无节幼体期,再变为腺介幼体(亚成体期,有两片几丁质

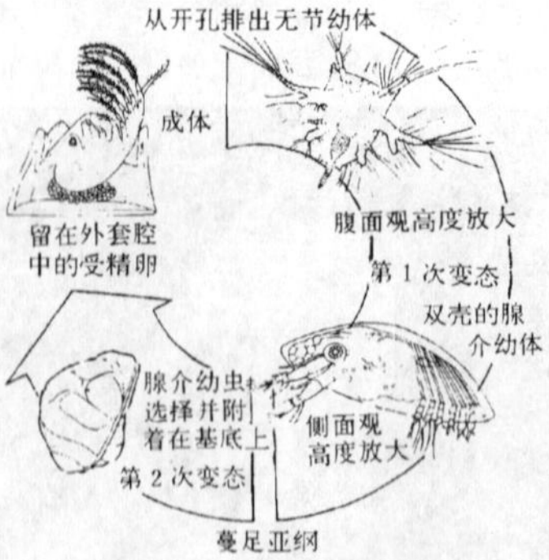

图1 藤壶的生活史示意图

壳,第一触角上有黏腺,有蔓足)。腺介幼体体扭转,产生壳板,变为成体。典型的藤壶(完胸目[Thoracica])有6对蔓足,壳完整。有柄的种类如茗荷儿(茗荷儿属[*Lepas*])广布世界,见于浮木上。岩藤壶亦称槲果壳,无柄,固着生活,壳板形对称,桶状或阔圆锥状;藤壶属(*Balanus*)的种类有害于船舶和海港建筑;疣藤壶如花笼(*Verruco*)的种类壳不对称。

图2 藤壶
美国不列颠百科全书公司供图

藤壶以外的蔓足动物如下:囊胸目(Ascothoracica)蔓足动物的种类(钻孔藤壶)形小,无壳,蔓足少于6对,雌雄异体,能钻入硬石灰质(如蛤壳或珊瑚)中;*Trypetesa*属仅见于寄居蟹所居的螺壳中。根头目(Rhizocephala)为寄生种类,如蟹奴属(*Sacculina*),无附肢、壳和消化道,形似真菌,寄生在十足目甲壳动物(蟹等),具根状吸收系统以伸入寄主体内各部,抑制寄主生殖器官的发育(寄生去势)。囊胸目的寄生种类最为原始,成体亦形似腺介幼体,如*Laura*属,寄生在刺胞动物和棘皮动物体内。

barnacle goose(*Branta leucopsis*) **藤壶雁** 又称白颊黑雁。雁形目鸭科水禽。类似小型加拿大雁。背部色深,面白色,颈和喙周围黑色。越冬于不列颠群岛北部岛屿及丹麦、德国和荷兰海滨。中世纪的欧洲人以为本种自藤壶中孵出,因此视之为"鱼",并且可以在星期五食用。同理,黑雁(**brant**)在爱尔兰亦称为"藤壶"(barnacle或bernicle)。

Barnard, Chester Irving 巴纳德(1886-11-07,美国马萨诸塞莫尔登～1961-06-07,纽约市) 美国实业家、行政官员、社会学家。专门研究社团组织的性质,他本人不是专门从事学术研究的,但第一部著作《论主管人员的职能》(1938)却对社会学教学和企业经营理论方面产生了广泛影响。从1909年起在美国电话电报公司工作,1927年任该公司子公司新泽西贝尔电话公司经理。20世纪30年代经济萧条时期,主持新泽西州的救济工作。1942～1945年任联合服务组织主席。退出实业界后,任洛克菲勒基金会主席(1948～1952)和国家科学基金会主席(1952～1954)。他在理论著作中强调企业组织的合作性质。他的多篇论文都详述他观察所得的体会,这些论述的一部分都载入《论企业的组织与管理工作》(1948)一书中。

Barnard, Christiaan (Neethling) 巴纳德(1922-11-08,南非西博福特～2001-09-02,塞浦路斯帕福斯) 做第一次人类心脏移植手术的南非外科医师。1953～1956年任开普敦的格罗特·舒尔医院外科住院医师时,最先指出肠闭锁是由妊娠期胎儿血液供给不足所引起的。在这个发现的基础上,一种纠正肠闭锁的外科手术得以设计成功。他在明尼苏达大学完成博士学位学习(1956～1958)后回院任高级心胸外科医生,将体外循环心脏手术引进南非,设计了新型人工心瓣膜,并开始用狗进行广泛的心脏移植实验。1967年12月领导一个由20名外科医生组成的小组,用一位死于事故者的心脏换给药物治疗无效的心脏病患者南非杂货商路易·沃什坎斯基。虽然移植手术本身是成功的,但由于为防止排异反应而大量使用的免疫抑制剂破坏了患者身体的免疫机制,18天后患者死于双侧肺

美国不列颠百科全书公司供图

炎。以后巴纳德的移植手术成功率不断提高,到70年代后期,经他手术过的患者中,有些已存活数年。巴纳德任格罗特·舒尔医院心外科主任一直到1983年退休。

Barnard, Edward Emerson 巴纳德(1857-12-16,美国田纳西纳什维尔～1923-02-06,威斯康星州威廉斯贝) 美国天文学家。他率先

美国不列颠百科全书公司供图

使用天体照相术，是当时领先的实测天文学家。从1889年起，他开始用大口径望远镜对银河进行拍照，发现许多新细节。他还发现16颗彗星和木星的第五颗卫星(1892)。1916年，他发现巴纳德星，该星曾被认为是具有最大自行的恒星(自行是一颗恒星相对于其他恒星的运动)。在1919年他出版一本暗星云表。1883～1887年，他在纳什维尔范德比尔特大学学习并在该校天文台中任职。1887年他成为加利福尼亚州哈密尔顿山利克天文台的天文学家。从1895年起到逝世，在芝加哥大学任实用天文学教授，并在威斯康星州威廉斯贝的叶凯士天文台任职。他的观测工作素负盛名，他不在火星冲日时观测火星，因而能通过阳光照射的影子发现火星表面的细节。19世纪90年代，他观察了火星的环形山。但没有把观测结果公诸于世。

Barnard, Frederick (Augustus Porter)　巴纳德(1809-05-05，美国马萨诸塞设菲尔德～1889-04-27，纽约市)　美国教育家。任纽约市哥伦比亚学院院长近25年，将哥伦比亚学院从一所男子本科小学院发展成一所主要的大学。1828年毕业于耶鲁大学。1856年起，任密西西比大学校长，1861年因同情工会而辞职。1864年去哥伦比亚之前，一直捍卫传统的古典语文及数学课程方案，反对职业科目。在哥伦比亚，他改变看法，要求学校扩大课程范围，并在本科三、四年级采用选修制，以便更好地提高学术水平，向研究生及职业教育过渡。他认为这是吸引更多学生的最好

美国不列颠百科全书公司供图

方法。他促成大学内矿业学院的建立以及大学向妇女开放。校董会否定了他在哥伦比亚实行男女同校的计划后，于1899年建立了以他的名字命名的巴纳德学院，以作为附属于哥伦比亚大学的女子学院。

Barnard, George Grey　巴纳德(1863-05-24，美国宾夕法尼亚州贝尔丰特～1938-04-24，纽约市)　雕刻家，其作品具有鲜明的个性与活力，成名甚早。曾先后在芝加哥与巴黎学习，

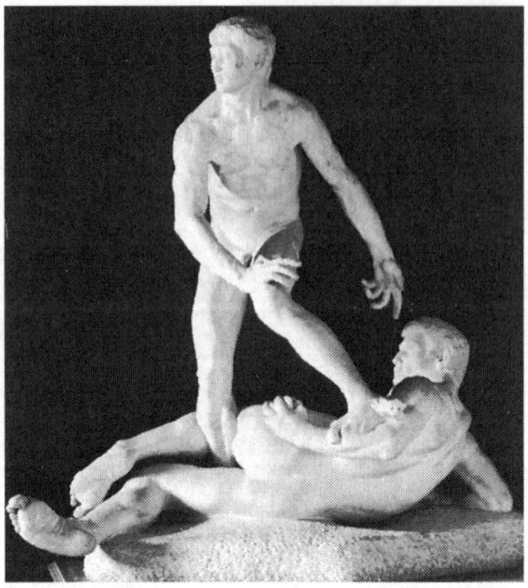

巴纳德的《人的两种本性的斗争》(1894)
美国不列颠百科全书公司供图

1894年参加巴黎沙龙展览，其作品(包括《人的两种本性的斗争》，1894，纽约大都会博物馆)引起轰动。他最著名的作品《林肯像》(俄亥俄州辛辛那提的莱特尔公园)，1917年揭幕时曾引起激烈的批评。

Barnard, Henry　巴纳德(1811-01-24，美国康涅狄格哈特福德～1900-07-05，哈特福德)　教育家、法学家，美国第一位教育局长(1867)。他和H.曼共同领导早期美国教育

美国不列颠百科全书公司供图

制度的改进。他生于富有家庭，1830年毕业于耶鲁大学，后又学法律。成为康涅狄格州议会辉格党议员(1837～1839)，促成建立州教育委员会的立法，任该会秘书，创办《康涅狄格普通学校杂志和教育年报》(1838)及第一所师范学院(1839)。1843年应邀前往罗得岛研究该州学校情况，1845年任该州第一任教育局长，成绩斐然。1851年回康涅狄格州任原职。因过度劳累，于1855年退休。同年，协助创建美国教育促进协会及《美国教育杂志》，并主编该杂志至30期，耗费了大量资财，以致去世时一贫如洗。巴纳德周游海外，广交作家与教育界人士，其中有W.华兹华斯、T.德·昆西和T.卡莱尔。曾任麦迪逊威斯康星大学校长(1858～1861)及马里兰州安纳波利斯圣约翰学院院长(1866～1867)。其活动及著作的范围见于W.S.门罗的《亨利·巴纳德著作目录》(1897)及A.L.布莱尔的《教育行政家亨利·巴纳德》(1938)。

Barnard, Kate　巴纳德(1875-05-23，美国内布拉斯加杰尼瓦～1930-02-23，俄克拉何马州俄克拉何马)　美国俄克拉何马州福利工作领袖，第一位通过选举担任州一级职务的妇女。初担任俄克拉何马州一慈善组织节俭协会的职员。因对废止童工及义务教育等社会立法发生兴趣，促使她在1906年俄克拉何马州宪法会议期间积极地为进步议案游说。1907年被选为该州慈善及感化处处长，在该州民主党候选人名单中位居前列，成为世界上首任此职的女性。1907～1914年间担任州级厅处级职务时，巴纳德由于促进对童工、监狱改革、印第安人权利及改进对精神病人的照管等问题的立法，受到全国重视。

Barnard, Lady Anne　巴纳德夫人(1750-12-08，苏格兰法夫郡巴尔卡里斯豪斯～1825-05-06，伦敦)　苏格兰人。流行民歌《老罗宾·格雷》(1771)的作者。1763年与A.巴纳德爵士结婚。1797年丈夫任好望角殖民地大臣，她陪同前往。1802年好望角割让给荷兰以后，他们便一直定居在伦敦。《老罗宾·格雷》出版时未标明作者姓名。1823年，她向她的朋友W.司各特爵士透露了她就是这首歌的作者，后者在1825年安排重印了这首民歌。

Barnard Castle　巴纳德堡　英格兰达勒姆郡蒂斯河谷区的一个堂区(城镇)。临蒂斯河北岸(河上有一座中世纪桥)。在诺曼城堡四周发展起来，1178年获自治特许状。牛津大学巴利奥尔学院创建者约翰·巴利奥尔及其父苏格兰国王(1292～1296年在位)均出生于该城堡。保存有许多乔治风格的建筑，包括市政厅。鲍斯博物馆(原为1892年建成的一所法国风格的宅邸)内藏有著名的艺术品。1838年C.狄更斯客寓此地时写下名著《尼古拉斯·尼克尔贝》。19世纪早期的袜子和地毯制造业现已被制药业及其他工业所取代。人口6 084(1991)。

Barnardo, Thomas John　巴纳多(1845-07-04，爱尔兰都柏林～1905-09-19，英格兰萨里瑟比顿)　社会工作的先驱。曾创办90多处贫困儿童之家。在他的指导下，儿童们都受

美国不列颠百科全书公司供图

到高质量的照管和教育，虽然当时正推行一种罕见的无限收容政策，他仍坚持其社会救济方针。巴纳多之父出身于一个被迫流亡的西班牙新教徒家庭，由德国汉堡移居爱尔兰。巴纳多本人于1866年来到伦敦接受培训，以便成为一名从事医疗事业的新教传教士，到中国传教。他在学医时就主持伦敦东区一所贫穷儿童学校。1867年建立一救济青少年的慈善机构。1870年为贫困男童建立了第一个“巴纳多医生收容所”，1876年又为贫困女童建立了同样机构。1899年这些机构被批准改名为全国流浪儿教养联合会。

Barnard's star　巴纳德星　距太阳第二近的恒星，距离太阳约为6光年。由美国天文学家E.E.巴纳德于1916年发现，因而得名。巴纳德星有迄今已知的所有恒星中的最大自行——每年10.25″。它是一颗红矮星，视星等是9.5等，其本征光度仅及太阳的1/2 300。巴纳德星以108千米/秒的高速趋近我们，所以它离太阳系越来越近，到公元11800年，将达到最近点，即3.85光年处。令天文学家特别感兴趣的是它的自行，1938～1981年的照相观测资料表明，它具有1微米，即0.02角秒的周期性偏离。可以用存在两个行星型伴星的引力来解释这一“摄动”，该二天体的轨道周期分别为13.5年和19年，质量约为木星的2/3。不过，太阳系之外存在行星型天体的问题尚未证实。

Barnato，Barney　巴纳托（1852，英国伦敦～1897-06-14，海上）　原名B.艾萨克斯。南非金融家和钻石大王，在南非矿业发展中与C.罗得斯齐名。犹太店主之子。1873年与兄弟去好望角淘钻石。1874年兄弟二人开办钻石经纪行——巴纳托兄弟公司。1880年组成巴纳托钻石矿业公司，其实力足以与罗得斯的德比尔斯矿业公司相抗衡。双方竞争的结果是罗得斯获胜。1888年两个公司合并为德比尔斯联合矿业公司，巴纳托任终身总裁。同年，他被选入开普殖民地议会。后因疾病缠身，在乘船去英格兰途中投海自杀。

Barnaul　巴尔瑙尔　俄罗斯中南部阿尔泰边疆区城市和首府。在鄂毕河左岸与其支流巴尔瑙尔卡河交汇处。1738年建炼银厂，成为阿尔泰矿区中心。19世纪下半叶成为贸易中心。巴尔瑙尔水陆交通便利，除鄂毕河通航外，有铁路和公路通鄂木斯克、科雷万-鲁布佐夫斯克和新西伯利亚等地。该市工业产品种类繁多。主要生产锅炉、印刷机、柴油发动机和无线电器材；另有棉织品、化学纤维、玻璃纸、轮胎、木材和林产品。还有一些消费品工业。设有师范学院、医学院、工学院、农学院和农业畜牧研究所。人口约603 500（2002）。

Barnave，Antoine（-Pierre-Joseph-Marie）巴纳夫（1761-10-22，法国格勒诺布尔～1793-11-29，巴黎）　法国大革命初期的显要政治人物，他的演说技巧和政治敏感使他成为国民议会中最受尊敬的议员之一。巴纳夫出身于上层资产阶级的一个新教家庭，曾受过私人法律教育。1789年，当选为多菲内出席最后一届三级会议的代表。不久即在新成立的国民议会中成为米拉波的主要辩论对手，名

美国不列颠百科全书公司供图

声大振。在整个1790年，他在起草议会的法令、文告和决议方面起了积极作用，最终成为国民议会议长。同时，他同友人A.迪波尔和A.de拉梅特共同改组雅各宾俱乐部。1790年3月，巴纳夫当选为殖民地委员会委员，起草几篇关于维护法国在西印度群岛的垄断贸易利益的提案，认为保持此种利益对法国人民的需要极为重要。反对他的人猛烈攻击他的政策，随着反奴隶制运动在日益激进的雅各宾团体中占了上风，巴纳夫的影响大大地削弱。米拉波的逝世以及1791年春巴黎民众的起义，使他深信必须立即动员富裕的有产阶级来支持一个强有力的君主立宪政体。1791年7月15日，巴纳夫发表他的著名演说，赞成采取保守的君主立宪政体，最终使国王复位。巴纳夫反对共和主义，认为这不适合法国的利益，并且呼吁结束革命的动乱局面。1791年9月国民会议结束后，他立即退隐在多菲内的故园，在国民自卫军中当军官，并开始著书立说的计划。但是，在1792年1月以后，他的保王主义主张经常受到攻击。1792年8月29日，被逮捕，囚禁于格勒诺布尔，于11月3日被解往巴黎，在那里受审（1793-11-28）并被处决。巴纳夫在格勒诺布尔监狱中所著《法国革命引论》，是法国大革命的主要文献。

Barnburners　烧仓派　参阅**Hunkers and Barnburners 守旧派和烧仓派**。

Barnes，Albert C（oombs）　巴恩斯（1872-01-02，美国宾夕法尼亚费城～1951-07-24，宾夕法尼亚切斯特）　美国防腐剂阿吉乐（弱蛋白银）的发明者，著名的美术作品收藏家。他的收藏品陈列在费城郊外梅里翁的巴氏基金美术馆。巴恩斯生长在费城南部，家境贫穷，依靠当家庭教师以及半职业性棒球和拳击运动员念完宾夕法尼亚大学医学院，1892年获医学博士学位。1896年起留学德国，研究高等化学。返回费城后，与德国化学师H.希勒共同研制出“阿吉乐”的配方，从而发了一笔财。1907年买下合伙人的全部股权，成立巴氏制药公司（这使他在1928年出盘时得获巨利）。1905年在梅里翁营造一所大厦，开始收藏绘画。1912年他委托一位中学同班同学到法国去收购了一些现代绘画作品。这些作品深深打动了他，于是不再通过中间人，而开始亲自到巴黎采买。1922～1923年出游收获最丰，购得绘画100余幅。他的藏画包括雷诺阿的作品180幅，马蒂斯的作品60幅，塞尚的作品59幅，毕加索的作品35幅，其他美术珍品1 000余件。巴氏基金美术馆设在他的梅里翁宅第旁边。他死于汽车事故。经过旷日持久的讼争以后，其美术馆于1961年向公众开放。

Barnes，Barnabe　巴恩斯（1569?，英格兰约克郡～1609）　伊丽莎白时代的英国诗人。当时写十四行诗的诗人之一，《帕西诺菲尔和帕西诺弗》的作者。巴恩斯为达勒姆主教理查·巴恩斯之子。1586年入牛津的布拉斯诺斯学院学习，但未获学位。1591年，他随埃塞克斯伯爵远征诺曼底。归来后，于1593年出版了《帕西诺菲尔和帕西诺弗》，其中收有十四行诗、牧歌、挽歌与颂诗，因而一举成名。1598年，中世纪英国为补常规法院之不足而建立的星法院指控他放毒企图杀人而对他提出公诉，但他出逃至北方。他的其他诗作有《一个神圣世纪的宗教十四行诗集》（1595），散文作品有《礼拜文四卷》（1606）和两个剧本：《里克赛姆之战》（现已失传）和反罗马天主教的《魔鬼的证书》（1607）。巴恩斯的诗歌，尤其是牧歌中的佳作以浓艳著称，偶有以文词见长者。此类十四行诗看来受到了法国诗影响。

Barnes，George Nicoll　巴恩斯（1859-01-02，苏格兰邓迪～1940-04-21，英格兰伦敦）　英国工会领袖、社会主义者、英国工党的创始人（1900）和主席（1910），第一次世界大战期间

美国不列颠百科全书公司供图

劳合·乔治联合内阁成员。他11岁时入黄麻厂当办事员，后成为工程师，1896～1908年成为工程师联合会（当时是英国最强大的工会）秘书长。曾领导全国工程师的大罢工（1897-07～1898-01），虽被迫放弃一天8小时工作制的要求，但建立了关于雇佣条件集体谈判的原则。1906年起为下院工党议员，直至1922年退出政界。曾在劳合·乔治政府中当过福利大臣（1916～1917）和不管部大臣（1917～1920）。1918年末，当工党不再支持联合内阁时，他为了保持官职而退党，并参加和约谈判。曾负责建立国际联盟所属的国际劳工组织。

Barnes，Pancho　巴恩斯（1901-07-14，加利福尼亚帕萨迪纳～1975-03，加利福尼亚博伦）　原名Florence Lowe。飞行家和电影特技飞行员，第一个在飞行领域树立声誉和开创

事业的美国女性。在加利福尼亚圣马力诺的庄园里长大。作为南北战争中波托马克军团气球部队创立者T.洛的孙女,她继承了祖父的飞行热情。18岁时,嫁给了圣公会牧师C.R.巴恩斯,几年后育有一子。1928年离开丈夫和儿子,乔装乘船前往墨西哥并在那里漫游了四个月。返回圣马力诺后,很快便购买了自己的第一架飞机"旅行家"双翼机,并请了一名教练。仅仅经过6个小时的学习,她便完成了首次单飞,之后成为一名出色的飞行员。1929年8月参加了从加利福尼亚州圣莫尼卡到俄亥俄州克利夫兰的横穿美国的首次女子飞行公开赛,但因在跑道上撞到一辆卡车而不得不退出比赛。第二年她完成了该赛事,并且以平均每小时196.19英里的成绩刷新了上一年A.埃尔哈特创造的女子飞行速度的世界记录。1929年完成了H.休斯的电影《地狱天使》中的空中特技,成为电影业的第一个女子特技飞行员。1930年成为第一个从洛杉矶飞到墨西哥城的女性。随后她组织了另外一次横穿美国的女飞行员比赛。大萧条开始后的1933年,购买了加利福尼亚州东南莫哈韦沙漠的一个农场,并且开始向附近的军营出售必需品。当军营成为军用机场后,把农场改造成面向飞行员的,拥有酒吧、餐馆、舞厅以及汽车旅馆的休闲场所。第二次世界大战之后,机场成为美国最重要的试验飞行测试中心——爱德华兹空军基地,这个休闲胜地依旧为试飞员喜爱。50年代,空军基地的扩张及一场大火使得她的农场走到了尽头。一生结婚并离婚四次,依靠赛马和养狗度过余生。

Barnes, Robert 巴恩斯(1495,英格兰诺福克林恩～1540-07-30,伦敦) 英格兰基督教信义宗人士。原任剑桥大学奥斯汀隐修院院长。1525年在讲道中攻击教士的世俗作风,其后被迫收回自己的意见。1528年逃往德意志的维滕贝格,与路德结成牢固的友谊。亨利八世利用他与信义宗人士的紧密关系,命他担任德英之间的外交工作。1540年7月未经审判以异端罪名将他处以火刑。

Barnes, Thomas 巴恩斯(1785-09-16,英国伦敦～1841-05-07,伦敦) 英国新闻记者,曾任《泰晤士报》主编多年,为该报树立了声誉并开创了新闻独立的传统。曾在剑桥学习法律;后来改变志愿,从事写作。以笔名"斯特莱达"向报社投稿。其政治小品于1815年汇编成集,匿名发表,书名《国会群像》。1817年任《泰晤士报》主编,直至去世,使该报成为英国最主要的报纸。支持国会《改革法案》,因而有"怒喝者"绰号。1834年大法官林德赫斯特勋爵称他为"国内最有权威的人"。

Barnes, William 巴恩斯(1801-02-22,英格兰多塞特郡斯特明斯特牛顿附近的巴格贝～1886-10-07,多塞特郡温特本卡姆) 方言诗人,对英国西南部乡村的生活和劳动作了朴实无华的描绘。他的语言学理论和诗歌曾对大作家T.哈代和G.M.霍普金斯产生影响。主要著作有《英国语言技巧纲要》(1878)、《通俗的乡村生活诗集》(1868)和《乡村生活诗

美国不列颠百科全书公司供图

集》(第1卷1844,第2卷1862)及《家庭诗抄》(1859)。

Barnet 巴尼特 英格兰伦敦外围自治市,位于伦敦西北周界上。该市主要位于米德尔塞克斯历史郡内,但其北的部分地方(如新巴尼特和东巴尼特)历史上属于赫特福德郡。1965年由亨登和芬奇利两个前自治市和巴尼特、东巴尼特、弗赖恩巴尼特3个市郊区合并组成。面积87平方千米。包括以下地区(从北到南):蒙肯哈德利、巴尼特、科克福斯特斯、新巴尼特、阿克利、东巴尼特、埃奇韦尔贝里、托特里奇、奥克利帕克、惠特斯通、绍斯盖特(部分)、新埃奇韦尔、米尔希尔、埃奇韦尔、北芬奇利、弗赖恩巴尼特、沃特灵、芬奇利、彻奇恩德、东芬奇利、海德、亨登、汉普斯

巴尼特市的奇平巴尼特教堂
美国不列颠百科全书公司供图

特德花园郊区、西亨登、戈尔德斯格林和奇尔德斯希尔。20世纪20和30年代随伦敦地铁线路的扩建而加速发展。原为农业区,现几乎全部为住宅区,工业集中在市西边缘上。名胜古迹有奇平巴尼特教堂(1250)、蒙肯哈德利堂区教堂和东巴尼特堂区教堂(1100)等。有两所高等学院和几处地方历史陈列馆。人口约314 564(2001)。

Barnet, Battle of 巴尼特战役(1471-04-14) 英国玫瑰战争中的一次战役。在这次战役中,约克王室的国王爱德华四世打败了兰开斯特王室的亨利六世的军队。因战场在伦敦正北的东巴尼特地方,故名。爱德华在1461年即位,但到1470年,他的主要支持者沃里克伯爵理查德·内维尔转而拥戴亨利六世复位,他被迫流亡国外。翌年3月,他率兵归国,占领伦敦,生擒亨利六世,然后挥兵北上,与沃里克伯爵的军队决一雌雄。4月13日,沃里克布置了阵地。爱德华随后到达,紧靠敌营过夜,第二天拂晓发动进攻,他的左翼受创,但右翼和中军获胜。沃里克在逃跑中被杀。亨利六世被俘后死去。爱德华自此稳坐王位,直到1483年病殁。

Barnet, Miguel 巴尼特(1940-01-28,古巴哈瓦那～) 小说家、诗人、人种志学家及古巴黑人文化专家。出身于一个加泰罗尼亚后裔的著名古巴人家庭。幼年在美国佐治亚州亚特兰大生活。虽未加入共产党,但仍留居古巴,忠于F.卡斯特罗。1995年起主持设在哈瓦那的费尔南多·奥尔蒂斯基金会。其名著《逃亡奴隶传》(1996)(出版时亦称《逃亡奴隶自传》)堪称开风气之先,成为拉丁美洲证言叙事书之典范。他最初的著作为诗集《宝石与孔雀》(1963)和《鬼怪岛》(1964),但自《逃亡奴隶传》闻名遐迩后,即更多转向散文,主人公多为社会底层小人物。1969年出版《拉切尔之歌》。1981年出版《加利西亚人》,描写的是一位来到古巴的西班牙移民。1986年的《真实生活》则重现了1959年革命前移居美国的古巴工人生活。1989年的《天使行当》是一部较为传统的自传体叙事小说。1993年出版诗集《蹑手蹑脚》。

Barnett, Samuel A(ugustus) 巴尼特(1844-02-08,英格兰格洛斯特郡布里斯托尔～1913-06-17,伦敦) 英国基督教圣公会牧师和社会改革者。曾制定在伦敦贫民区东区的建筑房屋规划,并创办了若干文化中心(其中最著名的是1884年创建的托因比服务所,巴尼特曾担任第一届主任)。在教学和著作中,提出基督教社会主义学说。为纪念他而在牛津建立的巴尼特大厦,是社会科学研究中心。著作中《切实可行的社会主义》(1888)一书是在其妻H.O.罗兰协助下写成的。罗兰亦积极参加巴尼特的社会改革工作。

Barney, Nora Stanton Blatch 巴尼(1883-09-30,英国汉普郡贝辛斯托克～1971-01-18,美国康涅狄格格林尼治) 美国土木工程师、建筑师和女权主义者。母亲和祖母均为美国女权运动领袖。曾就读于康奈尔大学,1905年成为美国第一个获得土木工程专业学位的女性。同年成为美国土木工程协会第一个女性会员。曾就职于美国桥梁公司和纽约供水部。在哥伦比亚大学就读期间结识收音机电子管的发明者L.D.福里斯特,并于1908年与其结婚。1912年离婚。回到纽约后先后任职于拉德利钢结构公司(1909～1912)和纽约公共服务委员会(1912年起)。1914年起兼任长岛的建筑设计师和规划师。在工作同时,投身于妇女选举权运动。早在康奈尔大学就学期间就成立妇女权利俱乐部,1909～1917年在纽约进行大量的活动。1915年继她母亲之后任妇女政治联盟主席,并任该组织刊物《妇女政治世界》主编。随后参与国家妇女党争取联邦平等权利修正案的活动。1919年再婚,1923年移居康涅狄格州格林尼治镇。晚

年仍热心政治活动，写有《作为人类的妇女》(1946)等小册子。

Barni, Ziyā'-ud-Dīn 参阅 **Baranī, Ziyā'-ud-Dīn** 拜拉尼。

Barnsley 巴恩斯利 英格兰南约克都会郡的城镇和大都会区，属约克历史郡。濒临唐河支流德恩河。面积329平方千米。原为古老集镇，早期有拉丝和麻纺业。19世纪成为采煤城镇。20世纪初煤产量达到顶峰后，逐渐衰落；机械制造、服装等轻工业兴起。新建有采矿技术学院。仍起农业市场和区服务中心的作用。人口：城镇75 120(1991)；大都会区228 100(1998)。

Barnstable 巴恩斯特布尔 美国马萨诸塞州东南部城镇，巴恩斯特布尔县县城(1685)。位于科德角湾和楠塔基特海峡之间，在科德角的"上臂"。1638年始建，1639年设镇，1989年设市。18世纪时为新英格兰地区糖蜜和糖酒贸易港口，1900年后经济以夏季旅游业为主，亦有渔业、牡蛎养殖及蔓越橘种植业。有斯特吉斯图书馆(1645)、克罗克旅店博物馆(1745)和D.G.特雷瑟纪念馆(1856)。西部堂区公理会教堂(1717)和科德角社区学院(1961)位于西巴恩斯特布尔。人口：市47 821；巴恩斯特布尔-雅茅斯都会区162 582(2000)。

Barnstaple 巴恩斯特珀尔 英格兰德文行政、历史郡北德文区的一个堂区城镇。在托河河口湾北岸。距布里斯托海峡约16千米。1557年建制。毛纺业一度兴旺。曾因港口淤积而衰落，但铁路通车后城镇复兴。现为地区服务中心，有主要为旅游业服务的陶瓷制造业等轻工业。人口27 691(1991)。

Barnum, P(hineas) T(aylor) 巴纳姆(1810-07-05，美国康涅狄格贝瑟尔～1891-04-07，康涅狄格布里奇波特) 美国最善于创新和最受人称赏的游艺节目演出的经理人。他与贝利一起，使美国的马戏成为一种最受人欢迎的庞大的演出，被称为人间第一奇观马戏团。15岁丧父，由他负担全家生活。他干过各种工作，后在康涅狄格州丹伯里出版周刊《自由先驱报》，曾以诽谤罪被捕3次，尝到了声名狼藉的苦头。1834年移居纽约。次年大搞演出活动，展览一个干瘪的黑人妇女。他宣传说这个老太婆是华盛顿的保姆，时年161岁。后来才揭穿这是一大骗局。巴纳姆赚钱以后，就买下约翰·斯卡德的美国展览馆，并把它改为游艺场，搞畸形人展览、美女比赛等耸人听闻的节目。为了迎合人们猎奇的心理，他到世界各地搜罗各种各样稀奇古怪的东西。在1842～1868年间，他主办的展览和演出吸引了8 200万观众，其中包括狄更斯和爱德华七世。在他的展览馆内，曾展出美人鱼、暹罗双胞胎，身高25英寸的侏儒。由于展出侏儒，巴纳姆大发横财。他受到林肯总统接见，并成功地到国外巡回演出，他的节目还受命为维多利亚女王表演。渴望将自己的形象由怪物展览者转变为文艺演出的经理人，他把全部财产孤注一掷，聘请瑞典女高音歌手燕妮·林德到美国演唱。他大作广告，把林德小姐称为"瑞典夜莺"。林德在美国演唱9个月，使巴纳姆获得极大的进款。在他的事业

美国国会图书馆供图

达到顶峰的时候，他本人的外貌也成为尽人皆知的形象：身高6英尺2英寸，脑袋一半光秃，一对蓝眼睛，一个葱头鼻子，大腹便便。他自称"胡诌王子"，寓居康涅狄格州的布里奇波特，经常在那里款待马克·吐温、贺拉斯·格里利、马修·阿诺德等名流。1855年发表自传《巴纳姆生平》。他在81岁时身患重病，死前请一家纽约报纸预先刊登讣闻，以博一笑。

barnyard grass (*Echinochloa crus-galli*) **稗** 又作barn grass或barnyard millet。早熟禾科(禾本科)稗属植物。一年生籽粒粗劣的禾草。分布北美许多地区，是潮湿耕地的杂草，

稗(*Echinochloa crus-galli*)
美国不列颠百科全书公司供图

也生长于荒地。稗属计20种，粗糙稗(*E. muricata*)俗名亦称为稗，但有人认为与*E. crus-galli*是同一个种。

Baro 巴罗 尼日利亚尼日尔州城镇及河港。临尼日尔河。距海400英里(650千米)。是长111英里的铁路支线(在明纳与尼日利亚铁路干线相接)的终点站。与阿盖和比达通公路。初为努佩人小村落。后被英国人选为铁路和水路运输联运站。1911年通巴罗一卡诺铁路。每年7月至翌年3月从该镇向尼日尔河三角洲的布鲁图和瓦里两港运送花生和棉花。亦为当地农产品(高粱、薯蓣、稻米、粟、鱼、棕油和牛油果等)销售中心。

baro-otitis 气压耳炎 参阅 **ear squeeze** 耳挤压症。

Barocci, Federico 巴罗奇(约1526，教皇国乌尔比诺公爵领地乌尔比诺～1612，乌尔比诺) 又称费奥里。16世纪后期意大利中部画派主要画家，是巴罗克画风格的一位重要的先行者。终生住在乌尔比诺及附近小镇，

巴罗奇绘《耶稣诞生》(1597)
美国不列颠百科全书公司供图

其间两次出访罗马学习与作画。他为家乡的教堂和庇护人(如乌尔比诺公爵)、有时也为热那亚和佩鲁贾大教堂作祭坛画和礼拜画。其作品的基调，接近于柯勒乔，色调温暖、情感柔和。在风格主义流行的时期，他的作品显得别出匠心。代表作有《波波罗的圣母》(1579)、《耶稣诞生》(1597)。

Baroda (India) **巴罗达** 参阅 **Vadodara** 瓦多达拉。

Baroja (y Nessi), Pío 巴罗哈-内西(1872-12-28，西班牙圣塞瓦斯蒂安～1956-10-30，马德里) 西班牙巴斯克族作家。获医学学位后，在西班牙北部乡村短期行医，后返回马德里，在自家开设的面包房工作。作为"九八年一代"成员，巴罗哈-内西反对西班牙生活的愚昧落后。为鼓动人民起来采取行动，写了11种反映当代社会问题的三部曲。其中最著名的《为生活而斗争》(1904)描写马德里贫民窟的贫困和污秽。他本人是一个真正的叛逆者和持异议者，写了许多关于流浪汉，以及反映他自己思想的人物的作品；《知识之树》(1911)被认为基本上是自传体小说。在他创作的近100部小说中，规模最大的是《一个活动家的回忆录》(1913～1928)，包括14部长篇小说和8部中篇小说。这部回忆

美国不列颠百科全书公司供图

录描写 19 世纪一个起义者及其所处的时代。他的文体简洁而朴实无华，据悉 E.海明威深受其影响。

barometer 气压表 测量气压的一种仪器。因为气压随着离海平面的上、下的距离而有所变化，因此气压表也可以用来测量高度。气压表主要有水银气压表和空盒气压表两种。在水银气压表中，气压与水银柱的重量(高度)相平衡，而水银柱的高度可测量得非常精确。为了提高精度，水银气压表常根据周围的温度和当地的引力值加以校正。常用的气压单位是磅每平方英寸；达因每平方厘米；或者是水银柱的高度单位英寸、厘米、毫米等；也可用毫巴表示(1 毫巴等于 1 000 达因每平方厘米，或等于 0.75 毫米水银柱)。标准气压约为14.7磅每平方英寸，等于 30 英寸(760 毫米)水银柱高度，1 013.2 毫巴或 101 320帕。水银气压表的种类很多，其差异主要在于测量水银柱高度的方法不同。除水银以外，也可以用其他液体制作气压表，但很少有人这样做。

不用液体的气压表称为空盒气压表，由于这类气压表体积小、携带方便，它广泛用作手提式测量大气压的仪器以及飞机上的测高度的仪器。这类空盒气压表用易弯曲的金属半真空盒组成，金属盒的外形随气压变化而变化，这种变形同一个校正过的指针相联结。空盒气压表的刻度用水银气压表来校正，可指示大气压强或海平面高度。用机械方法记录随时间而变化的气压的气压表称为气压记录器，空盒外形的变化通过扛杆放大后带动记录笔，记录笔在转动滚筒的图纸上划出一条曲线。

barometric light 气压计辉光 经过摇动后气压计水银柱上的真空段发出的亮光，首先为法国天文学家 J. 皮卡德于 1675 年发现。放电在密封于管内各种稀薄气体中发生（氖甚至在大气压下也发出它特有的红光）。摇动是重要的，水银在管中激荡飞溅和沿玻璃管壁流动可能是起电化辉光的原因。水银中所含杂质对气压计辉光现象有相当影响，这方面尚有待进一步研究。1709 年 F. 霍克斯比证明在非玻璃容器中也能产生这种效应，而且不需要很低的气压，发出的辉光与他的电机产生的放电现象相似。

barometric pressure 参阅 **atmospheric pressure** 气压。

baron 男爵 一种贵族称号，在近代位于子爵之下，在没有子爵的国家则位于伯爵之下。在法国，12 世纪此词指所有拥有重要封地的领主。到 13 世纪末则指直接从国王获得封地的人。14 世纪时，男爵位于伯爵与子爵之下。但在权力与拥有领地方面，许多男爵超过伯爵。在 17 世纪前，只有拥有封地者才能享有男爵称号。在德意志，相当于男爵的是 Freiherr（帝国的自由领主），此词最初表示一些人在王朝的身份，他们享有伯爵的地位但未取得伯爵（Graf）的称号。在意大利，中世纪男爵在所统治的地区拥有广泛的管辖权，可以处人死刑。在中世纪后期他们的权力更为广泛，可以铸造货币和私自进行战争。这个称号到 1945 年才取消。中世纪早期，在西班牙的纳瓦拉和阿拉贡男爵用来代表高级贵族。在加泰罗尼亚，男爵原来仅指权贵，但到中世纪后期他们取得显赫的地位，甚至比法国的男爵更为重要。1812 年加的斯议会废除了少数贵族仍保留的称号。在英格兰，11 世纪和 12 世纪初所有主要的土地占有者都被封为男爵。但到 1200 年男爵已成为独特的阶级。男爵的称号是理查二世于 1387 年首次授予的。

Baron, Michel 巴隆(1653-10-08?，巴黎～1729-12-22，巴黎) 法国演员。自 1670 年至 1691 年退休为止，是法国舞台上无可争辩的表演大师。出身于戏剧世家，12 岁成为孤儿，加入多芬儿童喜剧团。1670 年加入莫里哀的剧团，被这位戏剧大师当作儿子看待。后为布尔戈涅宫剧团的演员。接着又加入新建的法兰西喜剧院。在拉辛悲剧中创造了许多主要角色，并在自己的两出喜剧《唐璜》（1686）和《轻浮与假正经的女人》（1687）中扮演角色。1691 年退休，1720 年又回到法兰西喜剧院。其子艾蒂安-米歇尔·巴隆（1676～1711）也是演员。一个孙子两个孙女后来均在法兰西喜剧院作演员。

Barone, Enrico 巴罗内(1859-12-22，那不勒斯～1924-05-14，罗马) 意大利数理经济学家。他大半生在军队任军官，在罗马大学获教授职位后，才于 1907 年退伍。其主要贡献是 1907 年以前作出的。瓦尔拉提出了产品和价格自动调节平衡的数学模式，巴罗内进一步发展了瓦尔拉的一般均衡结构，以包括生产投入的变量组合。巴罗内还和英国经济学家 P. 威克斯第德分别独立地提出了边际生产力分配理论。巴罗内对经济理论所作的最重要的贡献之一是：他证明了集体主义经济能够合理地计划生产，由此获得经济均衡。他还对国际贸易理论有所贡献。

baronet 准男爵 英国的世袭爵位，1611年詹姆斯一世开始设立。准男爵爵位既不是贵族爵位的一种，也不是骑士的一个等级，其地位低于男爵，但在苏格兰，高于除嘉德骑士之外的所有骑士。在英格兰和爱尔兰，爵位由男嗣继承，而在苏格兰，女嗣也可以继承某几个指定的爵位。詹姆斯一世为了极力敛财，决定用特许证形式设立“一个在男爵和骑士之间的新爵位”。由于诡称所收钱财用于供给在北爱尔兰的军队，所以凡是愿意得这一爵位的人，必须向国王交纳 1 095 英镑（维持 30 名士兵 3 年军需的费用）。1619 年，爱尔兰也设立了准男爵爵位。1624 年詹姆斯计划为移民开发新斯科舍而设准男爵爵位，他死后由查理一世在次年付诸实施。苏格兰（即新斯科舍）准男爵爵位要求交纳 2 000 英镑（维持 6 个殖民者的费用），并向获该省土地所有权的威廉·亚历山大爵士（即以后的斯特林伯爵）交纳 1 000 英镑。1707 年苏格兰与英格兰合并后，新封爵位统称英国准男爵，1801 年《爱尔兰合并法案》实行后，所有封爵均称联合王国准男爵。

Baronius, Caesar 巴罗尼乌斯(1538-10-31，那不勒斯王国索拉［今在意大利］～1607-06-30，罗马) 天主教教会史学家和辩护士。1557 年入奥拉托利会，1593 年继 P. 内里任该会会长。1596 年被教皇克雷芒八世任命为枢机主教，次年任梵蒂冈图书馆馆长。1588～1607 年在内里启示下为了批驳基督教新教的《马格德堡百载千年》一书，撰写《基督教会编年史》共 12 卷，叙事至 1198 年为止。天主教评论家称他为“教会史之父”，新教人士嘲笑他不懂希伯来文和希腊文。据说其书中失实之处甚多。

Barons' War 诸侯战争 英格兰历史中，指 1264～1267 年因诸侯反对亨利三世的愚蠢政策而引起的内战。诸侯们在 1258 年企图进行改革，迫使亨利遵守《牛津条例》(**Oxford, Provisions of**)。1264 年法国国王路易九世宣布《牛津条例》无效。有些贵族在西蒙·德·蒙特福特的领导下拿起武器，同年 5 月在刘易斯战役中俘虏了国王。自此，西蒙·德·蒙特福特控制大半个英格兰，试行一些重要的行政和议会改革。后来通过《凯尼尔沃思意见书》(1266)和《莫尔伯勒法规》(1267)，才稍稍平抑诸侯的不满。

baroque pearl 玑子 形状不规则或怪异的珍珠。珍珠并不总是在软组织中形成，有时遇到阻碍，可能长于肌肉组织中，由于无法克服坚韧的肌肉纤维的阻碍，就生成形状不规则或怪异的珍珠。文艺复兴时期的珠宝商抬高玑子的价格，他们不认为这是一种畸形珍珠，而看作是精美绝伦的天然形态，常常用来与宝石组合成不同的形象。最著名的有 16 世纪的坎宁宝石(伦敦的维多利亚与艾伯特博物馆收藏)，它用一颗巨大的玑子做形似人身鱼尾的海神躯干，整个海神装在镶有珍珠、红宝石和钻石的搪瓷金座上。参阅 **pearl**。

Baroque period 巴罗克时期 西方艺术史上的一个时代，大致为 17 世纪。其最早的表现，在意大利为16世纪后期，而在某些地区，主要是德国和南美殖民地，则直到18世纪才在某些方面达到极盛。巴罗克时期的作品在风格上极为复杂，但一般来说，反映了力图寓感情于具有感性吸引力的形式之中的愿望。最常见的特点是气势雄伟，生气勃勃，有动态感，气氛紧张，充满戏剧性和鲜明性，擅长于表现各种强烈的感情色彩，颇有打破各种艺术界限的趋势。巴罗克时期艺术的庄严高贵特点，来自文艺复兴时期所发扬的古典古代艺术精华同礼教观念的约束作用的结合。关于baroque一词的起源，可能出自意大利语barocco，是中世纪哲学家形容逻辑障碍的术语。另一可能是源出葡萄牙语barroco（西班牙语Barrueco）一词，意为“不合常规”，特指各种外形有瑕疵的珍珠。法语形容词baroque由伊比利亚语派生而成，后从法语原封不动地移入英语。17世纪末叶以前最初用于艺术批评，泛指各种不合常规的、稀奇古怪的，因而也是离经叛道的事物。到18世纪用作贬义，一般是指违反自然规律和古典艺术标准的做法。在19世纪中叶之前依然用作贬义而非艺术风格名称，直到H.沃尔夫林发表《文艺复兴与巴罗克》一书（1888），对巴罗克风格这个问题才作了系统的表述。

巴罗克时期出现的艺术形形色色，所以必须按照这个时代的比较广泛的各种文化倾向去探索它们的统一特性。就对艺术的影响来说，当时有三种文化倾向最为重要。第一种是反宗教改革运动的出现，这股势力不论在地区方面还是思想方面都正日益扩大。巴罗克艺术中的许多不朽之作，特别是意大利绘画和建筑中的许多作品，可能同教会所采取的新的宣传态度直接有关。第二种是君主专制政体的巩固，随之产生强大的中产阶级，对艺术的发展起到促进作用。从法国王室建造凡尔赛的宫殿和花园以及中产阶级发展绘画市场，可以窥见当时某些政治和社会发展对艺术的影响。第三种是在科学发展和对地球进行探索的影响下，对大自然产生了新的兴趣。这两方面的活动促使人类对自身有了新的看法，一方面觉得自己微不足道(特别是受了哥白尼地球不是宇宙中心这一论点的影响)，另一方面又感到自己神圣伟大，因为在知识方面有了重大突破。总之，这些文化倾向连同它们在艺术中的反映，形成了艺术史家沃尔夫冈·斯特乔所谓的宗教势力和非宗教势力共同保持的一种基本上令人乐观的新的均势。巴罗克时期风格的产生同反对“国际风格主义”的学院派抽象特点有关。罗马的早期巴罗克画家主要有A.卡拉齐和卡拉瓦乔，他们在17世纪90年代彻底与风格主义决裂。意大利的巴罗克雕刻家和建筑师首推G.L.贝尔尼尼，他为罗马的圣彼得教堂设计了著名的祭坛雕刻。路易十四风格，即“王室官方风格”，可以说是意大利巴罗克的一种古典化翻版，N.普桑是法国17世纪最伟大的画家，作品高雅、严肃、合乎逻辑、有条不紊，因而忠实体现了古代艺术风格，形成法国巴罗克的特点。研究佛兰德斯的巴罗克风格，最好从P.P.鲁本斯的绘画着手，他创作了大型的祭坛画和神话作品，并且设计了一系列构思周密的宫廷画和寓言画组画。在荷兰，类似鲁本斯这样的一批早期大师曾在意大利学习，亲身了解了意大利巴罗克。此外还有一批现实主义的风景画家、静物画家、海景画家、肖像画家、家庭内景画家和教堂内景画家，以及如维尔米尔和伦勃朗这样出类拔萃的大师。在西班牙出现了像委拉斯开兹这样杰出的大师。英国的巴罗克风格最明显地反映在A.凡·戴克爵士为查理一世及其王室成员所画的肖像画以及克里斯托弗·雷恩爵士和约翰·范布勒爵士的建筑艺术上。同英国的建筑艺术一样，德国的巴罗克视觉艺术全盛时期直到18世纪才出现，即在阿萨姆兄弟、B.诺伊曼和D.齐默尔曼设计的一些装饰华丽的大宫殿和教堂建成之后才出现。在音乐方面，艺术史上最显著的一个转折点发生于17世纪初的意大利。古代风格虽然继续风行，但后来仅用于圣乐，而现代风格则逐渐用于非宗教音乐。由于音乐语汇的扩大，圣乐与非宗教音乐之间、声乐风格与器乐风格之间以及民族之间的差异日益明显。因此，音乐领域中的巴罗克时期，如同其他艺术领域一样，也体现了各种不同的风格。歌剧、清唱剧和大合唱是声乐方面最重要的一些新形式，而奏鸣曲、协奏曲和前奏曲则是为器乐而创作的。C.蒙特威尔地是“新音乐”的第一个伟大作曲家。在意大利师承他的是A.斯卡拉蒂和G.佩戈莱西，都是意大利巴罗克歌剧大师。意大利器乐传统体现在该国伟大的巴罗克作曲家A.科莱利、A.维瓦尔第和G.塔蒂尼身上。J.-B.吕里和J.-P.拉莫是法国巴罗克音乐的两位大师。在英国，继斯图亚特王朝时期的假面剧盛行之后，有G.F.韩德尔在声乐方面所取得的成就。韩德尔生于德国，在意大利受过音乐训练。而与他的同代人J.S.巴赫随后在德国把巴罗克圣乐推向了高潮。德国其他的著名巴罗克作曲家有H.许茨、D.柏格兹特胡德和G.P.泰勒曼。文学方面可以称为具有巴罗克特点的代表作是意大利G.马里诺、西班牙L.de贡戈拉和德国M.奥皮茨三人的著作。英国的形而上学诗歌，主要是J.多恩的许多诗歌同巴罗克文学有密切的联系。巴罗克时期在18世纪随着它的独特风格转变为洛可可式风格而告结束。

Barossa Valley 巴罗萨河谷 澳大利亚南澳大利亚州重要的葡萄酒产区。位于阿德莱德市东北48千米的高岭。河谷长约30千米、宽约8千米，北帕拉河流经该河谷。1837年由其勘查人以西班牙安达卢西亚一地区的名字命名，1838年普鲁士人和西里西亚人在此定居。巴罗萨河谷气候优良，冬季雨量充沛而夏季干燥、阳光充足。土壤适于种植葡萄。澳大利亚低度佐餐葡萄酒大部分用该河谷所产的葡萄酿造，每逢单年该河谷举办一次葡萄酒节。次要的农产品有蜂蜜、橄榄油、水果和柠檬汁。河谷中的主要城镇是塔南达、努里乌特帕和安格斯顿。另一较小的葡萄酒产区位于附近的巴罗萨丘陵地区。

barotitis 气压耳炎 参阅**ear squeeze** 耳挤压症。

barotrauma 气压伤 因作用于人体的压力发生变化而引起的疾病。适于人类生存的气压为760毫米汞柱。潜水或进入高空时人体外环境的压力发生变化。人体组织多为固体或液体，实质上不受压力变化的影响。但体内某些腔道（如耳、窦、肺和肠道）含有气体，这些气体可随压力的变化而膨胀或收缩。由于压力的差异而出现的疾病通常称为挤压症，如耳挤压症（**ear squeeze**）、胸挤压症（**thoracic squeeze**）、肠挤压症（**intestinal squeeze**）等。参阅 **decompression sickness**; **nitrogen narcosis**。

Barotse (people) **巴罗策人** 参阅 **Lozi** 洛齐人。

barouche (carriage) 参阅 **calash** 卡拉施马车。

Barozio, Giacomo 巴罗齐奥 参阅**Vignola, Giacomo da** 维尼奥拉。

Barqah (North Africa) **拜尔盖** 参阅 **Cyrenaica** 昔兰尼加。

Barquisimeto 巴基西梅托 委内瑞拉西北部拉腊州首府。位于图尔维奥河阶地上。海拔566米。气候温暖，年平均气温24 °C。建于1552年，初名新塞哥维亚，为委内瑞拉最古老城市之一。建城后不久，在圣费利佩和洛斯特克斯两地发现金矿。1569年前，在金矿劳动的黑人曾爆发起义。后印第安人又起义，直到1628年才被击败。1812年地震时该城几乎全毁。以后在独立战争和19世纪的内战中又遭破坏。是周围广大农业地区（产西沙尔麻、可可和甘蔗等）的中心。亦是委内瑞拉中、西部间的运输和商业中心。有绳索、麻线、食品、水泥等工业。市中心70米高塔为1952年纪念建城400周年所筑。1968年正式成立中西部利桑德罗·阿尔瓦拉多大学。人口约723 587（1990）。

Barra 巴拉岛 苏格兰西部岛屿政务会辖区外赫布里底群岛中的大西洋岛屿。属因弗内斯历史郡。在南尤伊斯特岛西南8千米处。长约16千米，由片麻岩形成。面积（包括邻近小岛）约90平方千米。最高点希维尔，海拔384米。东南岸的卡斯尔贝为主要居民点，有轮船通马莱格和奥本。有22千米长的环岛公路。南端小岛伯纳雷巅（192米高）设有灯塔。农业不能自给，鲱鱼捕捞业已衰退，大量居民出走。居民多为天主教徒，操盖尔语。旅游经济十分重要。人口1 244（1991）。

Barra do Piraí 巴拉-杜皮拉伊 巴西东部里约热内卢州西部城市。位于皮拉伊河和南帕拉伊巴河汇合处，在沃尔塔雷东达以东32千米。有纺织、冶金、化工和食品加工厂。该城地处里约热内卢-圣保罗轴线附近，铁路和公路交通便利。人口约84 796(2000)。

Barra Mansa 巴拉曼萨 巴西里约热内卢州西部城市。临南帕拉伊巴河。海拔376米。工业多样化。最大工厂为雀巢食品和巧克力联合企业。位于里约热内卢-圣保罗轴线上，铁路和公路交通便利。人口约164 963(2000)。

Barracas al Sur（Argentina） **南巴拉卡斯** 参阅 **Avellaneda** 阿韦利亚内达。

Barracco Museum of Antique Sculpture 巴拉科古代雕刻品博物馆 位于罗马，专门收藏古代精美的雕刻品的博物馆，由G. 巴拉科（1829～1914）的藏品组成。藏品于1902年捐赠给罗马，有埃及、亚述和腓尼基的精美艺术品，包括一个头戴王冠的祭司头像，以前曾认为是J. 凯撒的肖像，来自罗马统治时期的埃及。古风时期的希腊雕刻，也有很多代表作品展出，其中最精美的作品是玛息阿的头像，他是米隆制作的著名雕刻头像的复制品。模仿普拉克西特利斯的阿波罗·基哈罗伊佗斯头像，是现存这一作品的最好复制品。此外，还有优秀而有价值的希腊化时期的雕刻作品和精美的罗马半身雕像。

Barrackpore 巴勒克布尔 又称查纳克。印度东北部西孟加拉邦东南部城镇。位于胡格利河东岸。为加尔各答城镇群的组成部分，位于加尔各答以北24千米处。曾为军队驻地，“巴勒克”意即兵营。有黄麻厂、碾米厂、锯木厂、针织厂等。还有赛马场，货运飞机场、农业研究所和加尔各答大学的几个学院。人口133 265(1991)。

Barrackpore Mutiny 巴勒克布尔兵变（1824-11-02） 第一次英缅战争期间（1824～1826）发生的一次事件。战争期间，第47联队（印度人）接到命令，由陆路开往吉大港。由于行军条件不足，他们拒绝出发。英国人把他们包围在练兵场上，用大炮轰击。后来撤销该联队的番号，并把兵变首领处以绞刑，其余投入监狱。此次事件几乎使英国总督阿默斯特勋爵被召回，英国军事当局亦受到批评。

barracuda 魣 鲈形目魣科约20种掠食性鱼类的统称。遍布于热带区，有些也分布到较温暖的地区。体细长，强健，游动快速；鳞小，两背鳍分隔远，下颌突出，口大且具许多大的尖牙。体型大小不一，有些较小，而大西洋、加勒比海和西太平洋的大魣（*Sphyraena barracuda*）可长达1.2～1.8米。主要猎食鲻、鳀、石鲈等较小的鱼类。是游钓鱼，也有食用价值，特别是体型较小的种类。然而在某些海域，魣却可富含一种有毒物质，能导致鱼肉毒。魣通常被看作是

魣（*Sphyraena*）
美国不列颠百科全书公司供图

大胆好奇的鱼，大型个体被认为是可怕的鱼类，可能危害人类。这种威胁虽可能有些夸大，但确实存在，确有大魣曾袭击游泳者的传闻。

barracudina 魣蜥鱼 魣蜥鱼科约50种海鱼的统称，遍布于全世界的深水水域。体形长而纤细，眼大，吻尖，口大且有大小不等的尖锐牙齿。体长可达约60厘米。不常见，但有时为海面上亮光所诱而可以见到。据认为它们很可能是一些大型鱼如金枪鱼和剑鱼的重要食物。

Barragán, Luis 巴拉甘（1902-03-09，墨西哥瓜达拉哈拉～1988-11-22，墨西哥城）墨西哥工程师和建筑师，他设计的房屋、花园、广场和喷泉风格宁静而富有感召力，为他赢得了1980年的普利兹克奖。出身于富裕家庭，1923年获得土木工程学位，然后继续学习建筑学。1924年开始游历各国，特别是西班牙、法国、意大利和希腊。回到瓜达拉哈拉后，于1927年完成了他的第一个工程。4年后再次去欧洲，结识了对他影响深刻的建筑师费尔德南·巴克和勒·柯布西耶。再次回到瓜达拉哈拉后，他开始创造被他称作为“情绪建筑”的新的建筑方法。这种建筑方法鼓励冥想和宁静风格。1935年，他移居墨西哥城，开始实践勒·柯布西耶和国际学派的原则。同时自身的风格也日益形成——自然背景、简单的表面、水文要素、颜色的使用等等。1943～1952年，他在墨西哥城开发了派德来哥，将当地的火山岩层和其他自然构造巧妙地融入了建筑当中。其作品总数并不多，大多都是在瓜达拉哈拉和墨西哥城。

Barrancabermeja 巴兰卡贝梅哈 哥伦比亚中北部桑坦德省城市。临马格达莱纳河。1536年西班牙人发现印第安人居住地拉托拉，改名巴兰卡贝梅哈（意为红色峭壁）。成为牧业镇和牛肉销售中心。石油工业促进

马格达莱纳河畔的炼油厂
美国不列颠百科全书公司供图

了该城的发展。出现公路网、铁路网和输油管网，并建成一个大炼油厂和国际机场。耶稣圣心大教堂为著名建筑物。人口187 142(2003)。

Barranco 巴兰科 秘鲁一城市和区，位于利马-卡亚俄都会区的南部。濒临太平洋。海拔65米。1874年建成村庄海滨疗养地，1893年建镇，1901年建市。1881年在太平洋战争期间，曾被智利军队抢劫和焚烧。现为中高等收入者的住宅区。有公共海滨区、市公园、动物园、博物馆（收藏有大量殖民时期工艺品）和国立航空学校。人口约53 500（1990）。

Barrande, Joachim 巴朗德（1799-08-11，法国索格～1883-10-05，奥地利弗罗斯多夫）地质学家和古生物学家，对波希米亚含化石岩层的研究揭示了早古生代（古生代为5.7亿年前至2.45亿年前）生物的丰富性、多样性。1830年，作为法国国王查理十世之孙的家庭教师，随王室一起流亡。1832年暂留在布拉格任工程师。对该地区的化石产生了兴趣；而当他发现如英国地质学家R.I.麦奇生爵士所描述的英国地层与波希米亚的地层之间显著相似时，便开始了深入细致的地质研究。主要著作《波希米亚中部的志留系》（1852～1894），至今仍有参考价值。书中他鉴定并分析了4 000多个新化石种。

Barranquilla 巴兰基亚 哥伦比亚西北部大西洋省省会。在加勒比海沿岸低地。哥伦比亚的加勒比海沿岸最大港口。建于1629年。至20世纪30年代修建了通往萨瓦尼亚湾港口的铁路后才提高其重要性。是来自内地的大量咖啡、石油和周围地区所产棉花的

巴兰基亚的埃尔普拉多近郊区
美国不列颠百科全书公司供图

集散地。亦是从哥伦比亚北部油田输出的天然气管道的终点。工业产品有纺织品、饮料、水泥、鞋靴、服装、卡片纸板和化工品。设有大西洋大学（1941）和北方大学（1966）。通公路，有国际喷气机机场。是通向加勒比海岸旅游胜地的大门。人口1 329 579(2003)。

Barras, Paul-François-Jean-Nicolas, vicomte de 巴拉斯（1755-06-30，法国福克斯安福～1829-01-29，沙约） 法国大革命期间督政府中最有权势人物之一。普罗旺斯贵族出身。16岁参加朗格多克联队，1766～1783年在印度服役。他曾参加雅各宾俱乐部。

1791年回到瓦尔省，选入立法议会。1792年9月到巴黎，当选国民公会议员。作为意大利的法军代表，他从保王党手中解放了凡尔和尼斯，组建了滨海阿尔卑斯省。他投票赞成处死国王后，奉派前往阿尔卑斯省，在土伦大败反雅各宾的军队，并首次见到拿破仑。在1794年恐怖统治期间，他拒绝参与任何集团。然而在热月9日(1794-07-27)政变中，他成为推翻雅各宾领袖罗伯斯比尔的3个主要人物之一，任军警总司令。1794年夏至1795年秋，他在国民公会和救国委员会中担任许多重要职位。葡萄月13日(1795-10-05)任军长，镇压一次王党叛乱。督政府成立后，他当选为督政官。果月十八日政变(1797-09-04)清除了立法议会中的保王党，使巴拉斯的权力达到顶峰，但拿破仑的雾月十八日政变(1799-11-09)后巴拉斯的权势下降，并处于监视之下。拿破仑为防止他从事密谋活动，把他派往布鲁塞尔(1801～1805)；在获悉他秘密会见了前西班牙国王查理四世后，又于1813年派他去罗马。1815年波旁王朝第2次复辟以后，他获准退隐沙约家园。

Barrault, Jean-Louis　巴劳尔(1910-09-08，法国维锡奈～1994-01-22，巴黎)　法国演员、导演兼演出人，享有世界声誉。剧目包括古典和现代作品。首次登台是在C.迪兰导演的《沃尔波纳》(1931)剧中饰演仆人。在哑剧《当我弥留之际》(1935)中首次独立演出。1940年，在J.科波的鼓动下加入法兰西喜剧院，结识后成为其妻和助手的女演员M.雷诺。他导演并演出了很多剧作，如《菲德拉》、《安东尼和克莉奥佩特拉》、《缎鞋》等。1946年与妻子在马里尼剧院组建雷诺-巴劳尔剧团，开幕式演出了由法国作家A.纽德翻译的莎士比亚戏剧《哈姆雷特》。由于演出剧目既有法国的和外国的经典剧作，又有现代剧作，因而获得很大成功。这些剧目包括费多的闹剧、现代剧作家尤内斯库的《犀牛》(1960)、弗雷的《囚徒的睡眠》(1955)和《黑暗够亮的》(1962)及阿努伊、萨特和蒙泰朗等人的剧作。1956年，该剧团在伦敦、纽约及其他城市进行巡回演出。1959～1968年任奥德翁剧院导演(该剧院后改为法兰西剧院)，导演了贝克特、比耶杜的一些新作和3部莎士比亚剧作以纪念莎士比亚诞辰400周年。曾任国家剧院导演(1965～1967和1972～1974)。1974年创建奥尔赛剧院并任导演。此外，巴劳尔还演过很多电影，如《幻想交响乐》(1942)、《天国的子女们》(1945)等。著有《关于戏剧的想法》(1951)、《让-路易·巴劳尔的戏剧》(1961)及《明天的想法》(1974)等。曾获“荣誉军团骑士”称号。

Barre　巴里　美国佛蒙特州中部华盛顿县城市。在州首府蒙彼利埃正南面。约1788年设居民点。1793年设镇。1894年设市。花岗岩开采中心。1812年开始采石，引来意大利、苏格兰和斯堪的纳维亚的石匠。1975年新的亚当斯采石场开工。电气设备制造业亦很重要。戈达德学院(1863)在市北8千米处。东巴里水坝为威努斯基控洪工程的一个组成部分。附近有州立格罗顿森林区。人口9 291（2000）。

巴里的花岗岩采石场
美国不列颠百科全书公司供图

barre　把杆　芭蕾用语，练习芭蕾舞时供手扶的水平木杆，安装在芭蕾舞练习室的墙上，离地面约1米。舞蹈者将它用作增加信心的辅助工具或者作为基本练习(“扶把功”)时的支撑点。自从古典芭蕾在19世纪发展以来，“扶把功”一直是芭蕾舞训练中的基础部分。

barrel　琵琶桶　腰部鼓出、结构坚固的圆筒形大容器，传统上用木质桶板和木箍或金属箍制成。barrel又译为桶（**barrel**），是一种容积单位，指31加仑的发酵或蒸馏饮料，或42加仑的石油制品。根据1世纪罗马历史学家普林尼（老）的记载，古代的制桶工艺，是阿尔卑斯山谷的居民发明的。装干燥物品的漏水桶可用松木或软木材制成，也不要求精细的工艺。尺寸较小并有一定式样的小桶，长期以来都用于装载像钉子那样的重而松散的物品。盛液体的不漏桶，必需用像白橡树那样的高级木料精心制造，并有供装进和倒空内容物的桶孔。作侧板和盖板用的木料，通常至少风干一年，然后在窑内烘干10～20天，再锯开并刨到所需尺寸和光洁度。关键工序是把侧板边缘对接起来，使腰部适当鼓起、接缝紧密、圆度均匀。腰部鼓起能使木桶承受更大的内部压力。制桶工艺中最复杂的部分叫做鼓腰。将侧板垂直地放入作为桶盖构架的圆环中，在另一端套上临时箍。侧板就这样箍着通过蒸汽隧道软化，以便最后成形，然后再烘干。威士忌酒桶的内面就是在这时炭化，使酒在老熟时产生香味。以前，啤酒用木桶装运，现在则装在整体金属桶内。用开槽器修整侧板两端，并在靠近两端处开出嵌盖板的槽。将两端的临时端箍取下，装上盖板，套上永久端箍。取下鼓腰处的临时箍，将永久腰箍装上。不漏桶大部分已被金属桶和大容量的运输罐代替；而漏水桶则被纸袋、瓦楞纸板箱和纤维板圆筒所代替。

barrel　桶　英国法定度量衡制和美国习用度量衡制中液体和干物的计量单位。一桶的容量约为31.5～42加仑的液体，或7 056立方英寸容积(105干物夸脱或115.63升)的水果、蔬菜和其他干燥物品。用于蔓越橘的桶，容量则为5 826立方英寸。在液体计量方面，葡萄酒桶容量为126夸脱(31.5加仑或119.24升)；麦酒和啤酒桶容量为144夸脱(36加仑或136.27升)。这些容量大概是依据贸易上所使用实际木桶的传统大小而定的。在美国，一桶标准酒精度的酒容量为40加仑，业经合法认定；联邦政府对发酵酒类的征税，则是以每桶31加仑计算。在美国西南部，标准的石油桶容量为42加仑，原因是这种尺寸的桶早已通用。以物质净重计的桶则包括可装200磅鱼、牛肉或猪肉的和装376磅水泥的桶等。

barrel cactus　圆桶掌　原产美洲近似桶形的仙人掌类群，最常指株形大的两个北美属：*Ferocactus*属及仙人球属（*Echinocactus*）。小型圆桶掌包括*Sclerocactus*、*Neolloydia*、刺沟掌属（*Echinofossulocactus*，以前作*Stenocactus*）及*Thelocactus*等属。仙人球属通常高60厘米，直径达30厘米。*Ferocactus*属高达3米，直径60厘米，重可达几百磅。圆桶掌茎上通常有粗硬的刺及突起的肋，能耐极度干旱。花黄色、橙色或淡紫色，有些有香气，花径宽达8厘米。

一种圆桶掌
美国不列颠百科全书公司供图

仙人球属有16种，果形狭长，与*Ferocactus*属显然不同，后者有25种。有些专家将*Astrophytum*属和*Homalocephala*属并入仙人球属，将*Hamatocactus*属并入*Ferocactus*属。*Sclerocactus*属的8或9种，都有最少一枚钩状中央刺，花色主要为深浅不同的粉红色、黄色或米黄色；该属的*S. polyancistrus*呈圆柱状，高40厘米，直径13厘米，生有美丽的红色或白色刺及大型花朵，是莫哈韦沙漠中本属最高大的种。与该种大小相当的是产于科罗拉多高原的 *S. parviflorus*，最常见，最不特化。其余 6 个小型种以分散的小群落生长。*Neolloydia* 属约 20 种，产美国西南部，向南远至墨西哥；此属多刺，成球状或圆柱状，高可达 40 厘米，直径 12 厘米；此属与 *Sclerocactus*、*Thelocactus* 及 *Gymnocactus* 属近缘。刺沟掌属约 30 种，原产墨西哥，植株近球形，直径很少超出 12 厘米，有很多波状肋，有一个种的波状肋多达 100 个，形状像大脑，故俗名“大脑掌”。但 *E. coptonogonus* 不呈大脑状，其余特征与同属各种相同。*Thelocactus* 属数种至 30 种（依分类标准而定），植株小型到中型，或多或少有刺，有小瘤状节段，分开或边合成肋。*T. hexaedrophorus* 小瘤状结构大，蓝色，是一种独特的盆栽植物。有些种具鲜艳的白色、粉红色或紫色花及色彩明显的刺。

barrel organ　手摇风琴　一种内部有一个带钉圆筒的乐器。筒用手柄转动以抬起杠杆，使风进入一排或数排风琴管内；这个手柄还同时开动风箱。一个筒上可以安排10

19 世纪初期的意大利手摇风琴
美国不列颠百科全书公司供图

个或更多曲调。手摇风琴所以有价值，是因为它保留了古老的音乐装饰风格。在 18 世纪末和 19 世纪初手摇风琴达到流行的顶峰，有些一直到 20 世纪还在乡村教堂内用来演奏赞美诗。

barrel piano　手摇钢琴　又作 street piano。

19 世纪初期的欧洲手摇钢琴
美国不列颠百科全书公司供图

弦乐器。有一套简单的钢琴机械装置，用曲柄转动有钉的筒加以操纵，而不是用键盘装置弹奏。最初同街头卖艺的乐人有关。据信 19 世纪在伦敦开始发展。后来它的制造中心移到意大利。

barrel vault　筒形拱顶　由一系列半圆筒形拱构成的天花板或屋顶。参阅 **vault**。

Barrell, Joseph　巴雷尔（1869-12-15，美国新泽西新普罗维登斯～1919-05-04，康涅狄格纽黑文）　地质学家，提出沉积岩是由河流、风和冰的作用以及海洋沉积作用生成的。1901 年随美国地质调查局在蒙大拿州工作，在那里领导了对海伦娜附近的马里斯维尔矿区的研究。1907 年出版的《蒙大拿州马里斯维尔矿区地质》一书中，他得出结论认为在那个地区关于花岗岩基（巨大的火成岩体）的理论是必要的，提出了他的新思想。在这部关于地质学的经典著作中，他提出了当时的新概念——来自地球内部的熔融的岩浆同地壳互相作用而形成裂缝并造成新的地表形态。在巴雷尔的关于沉积作用的论文发表以前，一般都认为，几乎一切沉积地层都是由海洋产生的。对新泽西州和西部一些沙漠中三叠纪（2.25 亿年前至 1.9 亿年前）地层的仔细研究，使他深信至少有 1/5 陆地上覆盖着其他几种类型的沉积物。此外，他驳斥了那种认为沉积层的深度同产生沉积层所必需的时间成正比的观念。在《地质杂志》（1914～1915）卷 22 与卷 23 上发表《地壳的强度》这篇开拓性的论文中，他提出了关于地壳均衡的观点，并试图用地壳中两个假想的层的相互作用来解释许多地质现象。

Barremian Stage　巴列姆阶　下白垩统（自下而上）6 个主要地层单元中的第 4 个，代表巴列姆期（1.24 亿年前至 1.19 亿年前）沉积的、世界范围内分布的所有岩层。这个时期沉积岩层的典型地区位于法国东南部上普罗旺斯阿尔卑斯省的昂格莱斯附近。在北欧，巴列姆阶为厚的希尔斯黏土的一部分所代表，而在英格兰，它包括韦尔登砂岩和黏土层的上部。这个阶的底一般放在含有头足动物菊石化石 *Pseudothurmannia* 的层位。钙质超微化石 *Nannoconus steinmanni* 生物带和浮游有孔虫 *Hedbergella sigali* 生物带也被认为是这个阶岩层的鉴定特征。巴列姆阶岩层位于欧特里沃阶岩层之上，而位于阿普特阶岩层之下。

Barren Grounds　瘠地冻原地带　又作 Barren Lands。加拿大大陆北部（西北地区）的亚极地草原（冻原）地区。范围东起哈得孙湾，西至大奴湖和大熊湖，北至北冰洋，南延伸至北纬 59°的哈得孙湾沿海平原。该区海拔不到 300 米，经冰川侵蚀，无树；生长有苔藓、地衣和草；湖泊星罗棋布，有科珀曼、巴克、杜邦特、卡赞和塞隆等许多河流；散布花岗岩石露头。地表有数英寸厚的永久冻土层。夏季冰雪融化时，形成大片蚊蝇孳生的沼泽。有驯鹿、麝牛、狐和熊栖息。仅在沿海地区有少数因努伊特（爱斯基

加拿大西北地区瘠地冻原地带的冻原
美国不列颠百科全书公司供图

摩）人居住。英国人 S. 赫恩 1769～1772 年探险时穿过此地并进行首次探查。

Barrera, Carlos Arniches y　巴雷拉　参阅 **Arniches (y Barrera), Carlos** 阿尔尼切斯（-巴雷拉）。

Barrès, Maurice　巴雷斯（1862-08-19，法国摩泽尔河畔沙尔姆～1923-12-05，巴黎）　法国作家、政治家。其个人主义倾向和狂热的民族主义倾向曾给同时代人以强烈影响。

美国不列颠百科全书公司供图

自南锡中学毕业后，到巴黎学习法律，后转而从事文学创作。此后，他以《自我崇拜》为三部曲的总题（包括《在野人眼前》[1888]、《自由人》[1889]、《贝丽妮丝的花园》[1891]），进行严格的自我剖析。27 岁时，巴雷斯开始了动荡的政治生涯，他要求将阿尔萨斯-洛林归还法国，结束法国领土的分割，因而赢得代表南锡的众议员席位。他从爱国主义立场出发逐步转向不妥协的民族主义。这个转变详见以《民族精力的小说》为总题的三部曲：《离开本根的人》（1897）、《向军人发出号召》（1900）、《他们的嘴脸》（1902）。第一次世界大战爆发前，巴雷斯以极大的热情在各种最重要的事件中表态，发表了以《东面的支柱》为题的一系列作品，包括小说《在德国军队中服役》（1905）、《柯丽特·葆都许》（1909）。《灵异的山丘》（1913）一书是一部神秘主义小说，强调为社会和政治理由而回归基督教。巴雷斯是一位政治家，但在作品中却往往表现出艺术家的气质，在西班牙、意大利、希腊和亚洲的游历使他受到启发，写出《血、肉体的快感和死亡》（1894）、《奥龙特河上的花园》（1922）。1906 年被选为法兰西学院院士。

Barreto, Afonso Henriques de Lima　巴雷托　参阅 **Lima Barreto, Afonso Henriques de** 利马·巴雷托。

Barreto, Francisco 巴雷托(1520,葡萄牙法鲁～1573-07-09,莫桑比克塞纳) 葡萄牙军人和探险家。曾在东印度群岛服役,任葡属印度总督。1569年葡萄牙国王委托他到非洲东南部探险,旨在夺取该地区及马尼卡的金矿,并替一个被害的传教士报仇。他选择了赞比西河河谷的路线(1572)。次年再次到该地区探险,患重病死于塞纳。

Barretos 巴雷图斯 巴西圣保罗州中北部城市。海拔522米,1885年建市镇,为市政府所在地。有该州最大牛市场。为附近农业区(产稻米和其他谷物、豆类、棉花和咖啡)的服

巴雷图斯市的大教堂与中心广场
美国不列颠百科全书公司供图

务中心。有瓶装矿泉水,粮食加工,靴鞋、家具和其他物品制造等工业。铁路和公路通圣保罗。有一机场。人口约88 925(1991)。

Barrett, Elizabeth 巴雷特 参阅 **Browning, Elizabeth Barrett** 布朗宁。

Barrett, Janie Porter 巴雷特(1865-08-09,美国佐治亚阿森斯～1948-08-27,弗吉尼亚汉普顿) 婚前名Janie Porter。美国福利工作者和教育家。其父母以前均为奴隶,她基本上在雇用她母亲的白人家庭长大。1884年毕业于汉普顿学院,任教师5年后,在家中成立非正式的日托学校。1890年正式组成洛克斯特街社区文教馆,是美国第一所非洲裔美国人的文教馆。1902年和丈夫在自家的地上建起一栋单独的建筑,开展文教馆的各种活动,包括俱乐部、家政班和娱乐;其中许多活动是由北方的慈善家捐助的。1908年任弗吉尼亚州有色妇女俱乐部联合会主席。通过联合会筹集资金,为有前科的非洲裔美国女孩开办一所寄宿的弗吉尼亚工读学校。学校强调自立自律,赏罚分明,以大带小,关注个人需要以及文化和职业教育。1915年成为该校校长。亲自主持一项行为考验制度,将表明已有足够责任心的女孩送到寄养家庭,继续进行教导和考验。1940年退休。10年后学校更名为巴雷特女子学校。

Barrett, Kate Harwood Waller 巴雷特(1857-01-24,美国弗吉尼亚法尔茅斯～1925-02-23,弗吉尼亚亚历山德里亚) 美国女医生。曾领导为未婚母亲发起的济良所运动。在帮助她的丈夫R.S.巴雷特牧师工作时,对妓女问题发生兴趣。为进一步了解私生子问题,她进入佐治亚州女子医学院攻读,1892年获医学博士学位。1893年她在亚特兰大创办一所济良所,该所后来成为C.克里坦登创办的弗洛伦斯克里坦登全国济良所联合组织的一个分支机构。1897年巴雷特担任弗洛伦斯克里坦登慈善会副会长,慈善会当时已在全国开办济良所50余处。1909年巴雷特改任会长,直到去世。巴雷特把济良运动重点由对妓女之改造转为关心未婚母亲的福利,另提倡职业指导和儿童福利工作的培训,并反对将私生婴儿与其生母分开的做法。

Barrett, Lawrence 巴雷特(1838-04-04,美国新泽西帕特森～1891-03-20,纽约市) 19世纪美国主要演员之一,以扮演莎士比亚戏剧人物著称。15岁在底特律首次登台。1857年1月20日在纽约市伯顿的钱伯斯大街剧院演出,扮演J.S.诺尔斯《驼子》一剧中的克利福德爵士。1861年内战爆发前,曾在纽约和波士顿扮演各类重要角色。内战后在许多

美国不列颠百科全书公司供图

城市演出,取得全国性声誉。他和J.麦卡洛合作,于1867～1870年在旧金山经营加利福尼亚剧院。除扮演哈姆雷特、李尔王、麦克白、夏洛克和理查三世等莎士比亚戏剧主要人物外,他还扮演过E.H.博克《弗朗切斯卡·达·里米尼》中的兰奇奥托,这可能是他取得最大成功的角色。曾与布思同台合演,他饰演奥瑟罗和卡修斯,与饰演伊阿古和布鲁图的布思配戏。1867和1884年间多次在伦敦演出。

Barri, Gerald de 巴里 参阅 **Giraldus Cambrensis** 吉拉尔杜斯。

Barri, Y (Wales) 参阅 **Barry** 巴里。

Barrie 巴里 加拿大安大略东南部城市,锡姆科县行政中心。在多伦多西北偏北90千米处,濒临锡姆科湖的肯彭菲尔特湾。1828年建立永久性居民点。可能以海军将领R.巴里之姓命名。1897年与南面阿伦代尔合并。现为避暑胜地和冬季运动场所。有各种制造业。名胜有布鲁克代尔动物园和百年纪念公园、县博物馆和档案馆、斯普林沃特省立公园。1851年设镇,1959年设市。人口:市103 710;大都会区148 480(2001)

Barrie, Sir James (Matthew), Baronet 巴里(1860-05-09,苏格兰安格斯基里缪尔～1937-06-19,伦敦) 剧作家和小说家。以创

美国不列颠百科全书公司供图

造不肯长大的男孩彼得·潘这一人物而闻名。纺织工人之子。6岁时兄弟死亡,其母悲痛欲绝;巴里始终未从这次打击中恢复过来。母亲支配着他的童年和以后的岁月。他一生都希望重新获得母亲遭受打击之前的幸福岁月,并且在他成年后的个性中一直保留着强烈的孩子般的特性。

曾在爱丁堡大学读书。后在《诺丁汉日报》工作两年,1885年定居伦敦后成为自由撰稿作家。他第一部成功的作品集《古老轻松的田园诗》(1888)中包括有在基里缪尔的生活随笔。在《瑟拉姆的窗户》(1889)一书中继续描写那里的场景。《小牧师》(1891)是一部风格相同却又十分感伤的小说,非常畅销。1897年他将此书改编为剧本,此后他就主要为戏剧写作。他的自传体小说《单身的时候》(1898)和《多愁善感的汤米》(1896),都写了基里缪尔的一个小男孩。他在自己与现实之间编织一件虚构的浪漫故事的外衣,并且成为一个成功的作家。他大部分早期作品的特点是具有古雅的苏格兰方言对话和怪诞的幽默及喜剧式小丑表演,并且带着凄情和多愁善感。

1894年巴里与女演员玛丽·安塞尔结婚,婚后他们没有孩子,这桩婚姻显然是不圆满的。1897年起他开始依恋西尔维亚-卢埃林·戴维斯,正是通过她的两个儿子,他又开始重温童年的经历,并讲述他最初的彼得·潘故事,其中,有些故事后来发表在故事集《小白鸟》(1902)中。随后于1904年发表了剧本《彼得·潘——不肯长大的男孩》。这出戏在彼得·潘这个人物上给英语世界的神话体系中增添了一个新的角色。彼得·潘战胜了那个结实的中年海盗胡克船长,其英雄童年的主题已经证明具有一种永恒的魅力。

巴里写了重温童年生活的田园诗,随之而来的却是悲剧。他的婚姻于1910年4月以离异而告终,他所依恋的西尔维亚·戴维斯这时是个寡妇,于4个月后去世,她的两个儿子又被杀,而巴里一直是他们的监护人。1913年巴里被封为准男爵,1922年又获得勋位。1928年他成为作家协会的主席,1930年担任爱丁堡大学的校长。

巴里在大部分舞台剧成功时,又不时遭受他短暂的古怪表现的伤害,然而他剧本中至少有6部却具有无可争辩的高质量,它们是《夸利蒂街》(1901)、《可敬的克赖顿》(1902)、《妇人皆知》(1908)、《值十二英镑的相

貌》(1910)、《遗嘱》(1913)和《亲爱的布鲁特斯》(1917)。

巴里将童年生活理想化,但对成年人的生活却采取了一种从迷梦中觉醒的看法,正如在这些作品中温和的愁思里所反映的那样。有时他以幽默的笔调表现他的觉醒,如在《可敬的克赖顿》一剧里,一位仆役长成为一个荒岛上的国王,而他以前的雇主们则成为奴隶;有时则又用讽刺的笔法,如在《值十二英镑的相貌》中所见;而有时又以悲剧性手法(如在《亲爱的布鲁特斯》中)表现9名生活已面临苦恼的男女被赋予一种充满梦幻的第二次机会,只是他们在气质上再一次触到暗礁。

巴里戏剧中精致的舞台指示,有时受到的褒奖要胜过剧中的台词对话本身。巴里已经证明他是一位创造舞台效果和描绘人物性格的大师,然而他作品中那些感伤的和时而出现的古怪成分继续给他的名望蒙上阴影。

barrier penetration(quantum mechanics) **势垒穿透** 参阅 **tunnelling** 隧道效应。

barrier reef **堡礁** 同海岸大致平行,并由潟湖或其他水体同海岸隔开的珊瑚礁(**coral reef**)。常常被几条水道穿透,由此可以进入潟湖并到达潟湖那一边的岛屿或大陆。

Barrin, Roland-Michel **巴林** 参阅**La Galisson-nière, Roland-Michel Barrin, marquis de** 拉加利索尼埃侯爵。

Barringer Crater(Arizona) **贝林杰陨石坑** 参阅 **Meteor Crater** 流星陨石坑。

Barrington **巴灵顿** 美国罗得岛州布里斯托尔县城镇。临纳拉甘塞特湾东岸,在普罗维登斯东南。被巴灵顿河分隔为两半岛。1632年建为商站。1677年设斯旺西镇。1717年改现名。1746年划归罗得岛殖民地,成为沃伦镇之一部。1770年划沃伦西部为本镇。现主要为居民区。有少数纺织、食品、橡胶和塑料工业。设有巴灵顿学院(1951年由马萨诸塞州达德利迁来)。面积22平方千米。人口15 819(2000)。

Barrington, George **巴林顿**(1755-05-14,爱尔兰基尔代尔郡梅努斯~1804-12-27,澳大利亚新南威尔士帕拉马塔) 爱尔兰冒险家,18世纪70和80年代中,在英格兰以其扒窃活动而臭名昭著;据传撰写过几部澳大利亚史。巴林顿之父名叫亨利·沃尔德伦,是一个银匠。小沃尔德伦在1771年左右参加一剧团,取名G.巴林顿。演员们教授他扒窃术。1773年装成机智而有教养的绅士打入伦敦社交界,在赛会、剧场演出和国家庆典时扒窃富人,8次被判刑,1790年被放逐到澳大利亚监狱。改过自新后于1796年获赦免,后任狱长。1800年退休,不久精神失常。出版商们曾在广告中把几部历史著作说成是出于巴林顿的手笔,其中有《新南威尔士旅行记》(1803)和《新南威尔士史》(1802)等,但没有证据可以确定巴林顿曾写过这些作品。另外,据说他还创作一联对句,抒写流放犯人的情感,颇为脍炙人口:

我们是真正的爱国志士,假如人们知晓;

我们是为了祖国利益,才离开故园,万里迢迢。

这两行诗实际上是一个名叫亨利·卡特的英国人1801年写的,收在托名为巴林顿的一部诗集中。

Barrington Island(Galápagos Islands) **巴灵顿岛** 参阅 **Santa Fe Island** 圣菲岛。

Barrio Obrero Industrial **产业工人城** 秘鲁利马-卡亚俄都会区圣马丁-德波里斯区一社区。临里马克河北岸。海拔150米。主要为工人住宅区。有商业、服务、轻工业、教育、娱乐设施和教堂。设有私立的圣马丁-德波里斯大学(1965)。人口:社区90 645(1972);区约403 445(1981)。

Barrios, Eduardo **巴里奥斯**(1884-10-25,智利瓦尔帕莱索~1963-09-13,圣地亚哥) 智利小说家,以心理小说闻名。曾在秘鲁利马受教育,后入智利军事学院。曾任智利教育部长和国立图书馆馆长。在左拉影响下开始文学生涯。第一本作品是自然主义短篇小说集《出于天性》(1907)。使他获得声誉的作品有《为爱情而发疯的孩子》(1915)和《不可救药的人》(1918)。《傻兄弟》(1922)写精神错乱的教士。最成功的作品是《大老爷与穷鬼》(1948),描写一个典型智利农场的生活。在所有这些小说中,作者本人的经历占有重要地位。其他作品也有同样情形,包括《一个可怜虫的日记》(1923)、《塔马鲁加尔》(1944)和《人中人》(1950)。

Barrios, Justo Rufino **巴里奥斯**(1835,危地马拉圣洛伦索~1885-04-02,萨尔瓦多查尔丘阿帕) 危地马拉总统(1873~1885)。他在国内运用独裁手段推行自由主义政策,主张

美国国会图书馆供图

如果外交手段无效则以武力实现中美洲的统一。巴里奥斯早年攻读法律,后来成为危地马拉陆军司令。1871年保守党政府被推翻,他成为总统米格尔·加西亚·格兰纳多斯的幕后操纵者。1873年取代格兰纳多斯,并以"改革者"闻名。他镇压地方贵族,驱逐耶稣会教士,没收教会财产,扩大教育体系并使之脱离教会的控制,修建公路、铁路和电报线,鼓励以种植咖啡为农业的基础,1876年颁布了新宪法。为了恢复1838年瓦解的五国联邦,他多次干涉中美洲其他国家的事务。在政治上劝诱失败后,他出兵入侵邻国萨尔瓦多,结果死在战场上。

barrister **高级律师** 英格兰两种开业律师之一,另一种是初级律师。一般地说,高级律师从事法庭辩护工作,而初级律师则从事事务所工作,但是他们的任务有很多互相重叠之处。例如,初级律师可以出席初级法庭充当辩护人,而高级律师往往也回答咨询或起草法律文书。只有高级律师可以出席高等法院充当辩护律师。他们作为集体被称为律师界,一些最重要的司法官员就是从他们当中选任的。要充任高级律师,必须是四个律师学院(**Inns of Court**)之一的成员。充当高级律师必须通过由法律教育委员会给这些律师学院规定的一系列考试,而且必须满足某些传统的要求,例如参加过律师学院若干次晚宴。此外,这四个律师学院仍然强调见习制度,根据这种制度,学生或年轻的高级律师至少必须跟随一位开业的高级律师学习1年。高级律师总委员会制定律师准则,并负责这个行业普遍关心的事务。高级律师在收取适当的业务费用的条件下必须受理任何案件,除非与委托人的利益有冲突,否则不得因个人好恶而拒绝受理。此外,如果高级律师的工作没有得到报酬,他也不能在法院起诉索取。高级律师不能和其他高级律师或初级律师组成合伙关系,也不能从事其他职业或商业。纪律惩戒权过去掌握在各个律师学院的管理机构手中,这些机构的委员们都是高等法院法官或高级律师,现在这一权力已经委托给1966年成立的高级律师学院评议会行使。参阅 **solicitor**。

Barrois **巴鲁瓦** 古时的伯国,后为公国。位于洛林西陲。曾属神圣罗马帝国,后并入法国。首府为巴勒迪克镇,在今法国默兹省。951年,德意志皇帝奥托一世将巴鲁瓦伯国赐给阿登的弗雷德里克。弗雷德里克的玄孙雷诺继承巴鲁瓦伯国并建立巴尔家族。巴尔历代伯爵虽然是洛林公爵的附庸,但不断与洛林公爵进行斗争。当洛林公爵依附德意志时,巴尔伯爵通常在法国的军队中作战。1301年亨利三世同法国人作战失败,巴鲁瓦的部分地区献给法王腓力四世。1354年巴尔的罗贝尔自称巴尔公爵。1420年,继承了巴尔公国的安茹的勒内娶洛林公爵的女继承人伊莎贝拉为妻。1431年伊莎贝拉卒,巴鲁瓦与洛林合并。

Barron, Clarence W(alker) **巴伦**(1855-07-02,波士顿~1928-10-02,美国密歇根巴特尔克里克) 美国金融报刊编辑和发行人,《巴伦金融周刊》创办人。1875年担任波士顿《纪录报》记者兼金融编辑。1887年创办波士顿新闻社,自任社长。1897年创办费城新闻社。1901年购进道-琼斯公司,使之成为全美最主要的金融新闻机构。同时购进该公司的《华尔街日报》,这是全国第一流的金融报纸。1921年开办《商业和金融周刊》。该周刊与《华尔街日报》继续由道-琼斯公司出版。重

美国不列颠百科全书公司供图

要著作有《联邦储备法案》(1914)、《战时财政》(1919)和《改进中的世界》(1920)等书。

Barron River　巴伦河　在澳大利亚昆士兰州东北部。源出休纳尔逊山脉赫伯顿附近。先向北流，转向东，再向南，注入太平洋。全长160千米。流域面积2160平方千米。该

蜿蜒于昆士兰东北部平原的巴伦河

美国不列颠百科全书公司供图

河的蒂纳鲁水库(1958)可灌溉附近烟草产区和综合性农业区。水库将巴伦瀑布国家公园一分为二。巴伦瀑布由一系列小瀑布组成，落差300米，现用于发电。

Barros, João de　巴罗斯(约1496，葡萄牙维塞乌？～1570-10-20，圣洛伦索)　葡萄牙人文主义者、历史学家，东方学之先驱及杰出的文职官员，有葡萄牙的李维之称。早年写骑士小说《贤帝年代记》(1520)。后在国王曼努埃尔一世的鼓励下，以葡萄牙人在亚洲的活动为题材，写作《亚洲十年史》(1552)。另外著有有关伦理、教育及语法等书。其《教义问答初阶》(1539)成为此类著作之范本。1522年被约翰三世派往几内亚。回国后不久任财务长官(1525～1528)，后又去印度领导印度和米纳商馆(1533～1567)，这个职位等于葡萄牙国王驻殖民地的代表。在此期间，他修纂始于葡萄牙发现并征服东方迄于1538年的编年史。初稿于1539年完成，自1552年开始刊行，最后一卷(第4卷)于他死后在1615年出版。后续的1539至1616年史实由D. do科托完成。巴罗斯获得波斯、阿拉伯、印度及中国手稿甚多，并延聘这些国家的学者进行

美国不列颠百科全书公司供图

翻译。他的有关地理、商业及航海等方面的著作于死后散佚。

Barros Arana, Diego　巴罗斯·阿拉纳(1830-08-16，智利圣地亚哥～1907-11-04，圣地亚哥)　智利历史学家、教育家、外交家，以所著《智利通史》(16卷，1884～1902)驰名遐迩。出身名门，原学法律，后来对历史和文学发生兴趣。1859年因撰文要求改革政治制度而被放逐。他在美洲和欧洲流亡期间阅读了大量历史资料。1863年2月回国后，任圣地亚哥大学文学院长。对拉丁文学和实验科学课程作了多项改革。他力主维护大学内的学术自由和宗教自由。1876年出任驻阿根廷和乌拉圭大使，不久又调任驻巴西大使。他在解决智利与阿根廷的边界纠纷中起过很大作用。他的历史著作还有：《奇洛埃战役，1820～1826》(1856)、《智利独立史》(1854)、《文学史的因素》(1869)、《近现代史》、《太平洋战争史，1879～1880》(2卷，1880～1881)等。

Barrot, (Camille-Hyacinthe-) Odilon　巴罗(1791-07-19，法国维勒福尔～1873-08-06，布日瓦勒)　法国七月王朝(1830～1848)时期的开明君主主义者，1847年选举改革运动领

美国不列颠百科全书公司供图

导人。1814年在最高上诉法院任律师。他以保护开明派出名，被选为“自助者天助”协会主席，使用法律手段，加强抵制波旁王朝复辟后的反动政府。1830年七月革命期间，他支持路易-菲力普为国王。1830～1848年是厄尔省选出的议员，成为下院中活跃的反对派人物。1848年路易-菲力普逃跑后，巴罗加入稳健的共和派，领导路易-拿破仑任命的第一届内阁(1848-12～1849-10)，并兼任司法部长。1851年12月2日政变后一度入狱，后退隐。1871年出任新国务会议副主席。

Barrow (Alaska, U.S.)　巴罗　参阅 **Point Barrow** 巴罗角。

barrow　土石墓葬　古英格兰墓地，上覆一巨大土石坟墩。在苏格兰、爱尔兰和威尔士，其对应的词是cairn。在英格兰，土石墓葬建于新石器时代(约公元前4000)至基督教创立以前时代的末期。新石器时期的墓葬为长方形，所葬的为家庭或家族各成员，而铜器时代早期(约公元前1900)的土石墓葬为圆形，用于埋葬一个重要的人，也许是头人或家族的首领。尸体被放置在石质或木质的墓室中，上面再覆盖由土堆成的大坟墩。在基督教出现之前，两种形式的墓葬在英格兰仍继续被采用。其遗址在威尔特郡乡间十分常见。参阅 **burial mound**。

Barrow, Clyde; and Parker, Bonnie　巴罗和帕克(巴罗1909-03-24，美国得克萨斯特利科～1934-05-23，路易斯安那吉布斯兰附近；帕克1911，得克萨斯罗伊纳～1934-05-23，路易斯安那吉布斯兰附近)　美国强盗小集团。常在得克萨斯、俄克拉何马、新墨西哥和密苏里州等地抢劫煤气站、餐厅和小银行，每次不超过1 500美元，因与警方的对抗被夸张且报刊又大肆宣扬而出名。克莱德·巴罗在1930年1月结识邦尼·帕克以前，原是一个年轻的强盗。1930～1932年间被捕，坐牢20个月，后来就与邦尼合伙，开始行抢，度过了短短21个月的强盗生涯。他们常伙同其他人作案，有克莱德之弟巴克及巴克之妻布兰奇，还有R.汉米尔顿和W.D.琼斯。邦尼与克莱德最后由于朋友的告密，被警察设伏击毙。

Barrow, Henry　巴罗(约1550，英格兰诺福克希普德姆～1593-04-06，伦敦)　律师、基督教公理会的早期殉教士。他与反对圣公会的教士J.格林伍德友善，经格林伍德劝导接受布朗派信仰，主张成立不受世俗政府控制的独立教会。两人因坚持自己的信仰而被囚禁。1592年一度获释，两人与F.约翰逊和J.彭里合作，另立教会。巴罗理想的教会不分神职人员和普通信徒，强调各教会自主。再次被捕后，于1593年与格林伍德一同由当局根据1581年取缔煽动性书籍的法令予以审判。1593年3月两人一同被判绞刑。

Barrow, Isaac　巴罗(1630，伦敦～1677-05-04，伦敦)　英国古典文学家、神学家、数学家，I.牛顿的老师。发展了确定切线的一种很接近于微积分的方法，最先认识到微积分中的积分与微分互为逆运算。1660年，任英国圣公会牧师，并担任剑桥大学希腊文教授(1660～1663)，两年后出任伦敦格雷沙姆学院几何学教授。早期著作主要是研究古希腊数学，其中最著名的是翻译了欧几里得的《几何原本·全15篇》(1660)，该书在18世纪前期曾再版6次。在任剑桥大学卢卡斯座教授期

间(1663～1669),致力于编写涉及光学(1669)、几何学(1670)和数学(1683)的三个系列的讲义,包含了他在科学和数学领域的主要贡献。所著《几何学讲义》(1670)中含有类

美国不列颠百科全书公司供图

似于稍后由德国的G.莱布尼兹所发展的,莱布尼兹和牛顿两人都掌握的微积分的内容。牛顿是巴罗的学生,听了巴罗后期的某些讲座,在某种程度上受其影响。1669年,两人曾短期合作。是年巴罗辞退了他的教授席位,并赞助牛顿取得此席。嗣后他专心研究神学。1670年成为查理二世的牧师,1673年被任命为剑桥三一学院院长,1675年当选为剑桥大学名誉副校长。

Barrow, River　巴罗河　爱尔兰中部河流。源出斯利弗-布卢姆山。东南流190千米至沃特福德港与诺尔河和舒尔河汇合。沿河集镇有阿赛、卡洛和格雷格纳马纳斯。

Barrow-in-Furness　巴罗因弗内斯　英格兰坎布里亚行政郡的一个港口城镇和自治市。属兰开夏历史郡。在达登河口湾和莫克姆湾之间的弗内斯半岛上。面积77平方千米。在大陆与低长的沃尔尼岛之间有爱尔兰海的狭窄海峡,为漫长的船坞提供屏障。19世纪40年代建铁厂后发展迅速。继而兴起修造船业,以制造潜水艇闻名。人口:城镇48 947(1991);区约70 400(1998)。

Barrow Island　巴罗岛　属澳大利亚。位于印度洋,距西澳大利亚州西北海岸50千米,在蒙特贝洛群岛西南16千米处。长19千米,宽8千米,面积202平方千米。岛上土壤贫瘠,多沙丘。1967年建成西澳大利亚州第一个商业油田。现为澳大利亚最丰产的油田之一。

Barry　巴里　威尔士语作Y Barri。威尔士格拉摩根谷郡布里斯托尔海峡港口城镇。属格拉摩根历史郡。1889年起发展成为城镇。与邻近城镇加的夫同为煤港,互相竞争。第一次世界大战后衰落。1960年后又渐趋繁荣,并经营香蕉和石油等多种商品的进口。现为商业和服务业中心。是威尔士东南部著名海滨避暑胜地。人口49 887(1991)。

Barry, Sir Charles　巴里(1795-05-23,英格兰伦敦～1860-05-12,伦敦)　英格兰仿哥特式的建筑师之一,英国议会大厦的主要建筑师。文具商之子,原在一测量与建筑事务所当学徒,1817年起漫游希腊、意大利、埃及和巴勒斯坦3年,研究建筑。1820年定居伦敦。他的最初作品之一是1826年设计的布赖顿的圣彼得教堂。1831年完成铁圈球场街的旅行家俱乐部,这是在伦敦建造的意大利文艺复兴王宫式样的第一个作品。1837年他建造了同样风格而规模更大的革新俱乐部。他还设计了伦敦的许多私人府邸,最精美者是布里奇沃特住宅(1847)。在伯明翰,他的最佳作品之一国王爱德华学校(1833～1836)是以垂直哥特式风格建造的。他为曼彻斯特设计了皇家美术院(1824)和图书馆(1836);为哈利法克斯设计了市政厅。他费了几年时间重建白厅街的财政部大楼。1835年在威斯敏斯特举行新建议会大厦的设计竞赛,以代替1834年被火烧毁的旧楼。1836年巴里在竞赛中夺魁,他的余生埋头从事这一设计。在A.W.N.普金的协助下,他设计了一座用仿哥特式风格装饰的建筑物,加两个不对称的塔楼。议会大厦(1840～1867)是巴里的杰作。巴里1840年当选为皇家学院副院士,次年成为正院士,多次获国外褒奖。1852年被封为爵士,死后葬于威斯敏斯特教堂。他的儿子E.M.巴里(1830～1880)也是一位著名建筑师,最后完成了议会大厦的工作。

Barry, James　巴里(1741-10-11,爱尔兰科克郡科克～1806-02-22,英格兰伦敦)　爱尔兰出生的美术家。其主要作品《人类文化的进展》是为伦敦皇家艺术学会大展厅所作的6幅历史和寓言题材的巨大组画。1763年受到爱尔兰同胞E.伯克的资助,约1766～1771年在意大利研究18世纪以前欧洲画家的作品。回英格兰后,其职业发展很快,于1773年成为皇家学院成员,并于1777年受命装饰皇家学会展厅。这项工程直至1783年才结束。1782～1799年巴里在皇家学院任绘画教授,然而他却死于贫困中。巴里是J.雷诺兹爵士"崇高风格"的拥护者,总是从古代典范和文学作品中为他那富丽堂皇的结构取材。但在风格上,其线条及波动形式更接近于英格兰新古典主义的雕刻家J.弗拉克斯曼和诗人画家W.布莱克的作品。

Barry, (Marie-)Jeanne Bécu, comtesse du　巴里伯爵夫人(1743-08-19,法国沃库勒尔～1793-12-08,巴黎)　即(M.-)J.贝屈。法国国王路易十五(1715～1774年在位)最后一个情妇。虽然她对法国宫廷没有产生多大政治影响,但由于她不得人心,结果,在18世纪70年代初期,法国王室威望下降。她是私生女,父母属于下层阶级。早年曾在隐修院中受教育,后在巴黎一家时装商店当店员,成为加斯科涅贵族让·迪·巴里的情妇。他把她带进上流社会,她的美貌使许多贵族为之倾倒。1768年引起路易十五的注意。但她除非嫁给一个贵族,否则无法成为国王的正式情妇。于是巴里让她同他的兄弟纪尧姆在名义上结婚。1769年4月她进入路易十五的宫廷,很快就成为一个帮派的成员。1770年12月这个帮派使有权势的外交大臣舒瓦瑟尔公爵倒台。1711年她支持大法官R.-N.de莫普的司法改革。路易十六即位后,她被放逐到隐修院。1792年在法国流亡者的资助下几次去伦敦。1793年12月巴黎革命法庭宣判她为反革命,把她送上断头台。

Barry, John　巴里(1745,爱尔兰韦克斯福德郡～1803-09-13,美国宾夕法尼亚费城)　美国海军军官,美国独立战争期间(1775～1783)在海上取得巨大胜利。由于培养出许多

美国不列颠百科全书公司供图

后来名垂史册的海军军官,他常被人誉为"海军之父"。他在21岁就是费城出生的商船船长,在战争爆发时,他装备了第一支大陆舰队。1776年任双桅船"列克星敦"号舰长,在短暂的战斗之后,俘获英国供应舰"爱德华"号。在特伦顿周围的战役(1776)中,他打得十分出色。当时他是快速舰"埃芬厄姆"号舰长,为了避免被英军俘获,他下令将船凿沉。1780年他奉命运送J.劳伦斯前去法国执行外交任务,在回程中,他与两艘炮舰交战,终于使其降服。他在佛罗里达海峡打战争最后的一仗(1783-03),击退欲截击他的3艘英国快速舰。在与法国交战期间(1798～1800),他两度任西印度群岛美舰指挥官。

Barry, Marion　巴里(1936-05-06,美国密西西比伊塔比纳～　)　全名Marion Shepilov Barry, Jr.。美国政治家。勒莫因学院学士(1958),菲斯克大学硕士(1960),学生非暴力行动协调委员会创建人之一。1974年当选华盛顿(哥伦比亚特区)市议会议员。1978年当选华盛顿市长,并两次连任,极力主张哥伦比亚特区应有州的地位。1990年因涉毒被判处监禁6个月。获释后,于1992年赢得市议会席位,1994年再次当选市长。2004年当选华盛顿市议会议员。

Barry, Philip　巴里(1896-06-18,美国纽约罗切斯特～1949-12-03,纽约)　美国剧作家,以善于描写特权阶层生活及习俗的喜剧著名。毕业于耶鲁大学,1919年进入G.P.贝克在哈佛大学办的第47戏剧讲习班。1923年在百老汇上演多达170场。此后20多年,他写了一系列剧本,其中有:《开往巴黎》(1927)、《假日》(1928)、《动物王国》(1932)、《费城的故事》(1939)等喜剧。这些剧本妙趣横生,对白优雅,人物或场面形成幽默的对照。其中不少以三角恋爱为主题,或通过几代人之间的冲突,以温和的讽刺笔调揭示出人类本性的各种真相。他的幻想作品《白色的翅膀》(1926)被某些评论家认为是他

美国国会图书馆供图

的最佳剧作；《约翰》(1927)是关于施洗者约翰的剧本；《宇宙旅馆》(1930)是一部深刻的心理研究作品；《小丑来了》(1938)寓意善良与邪恶。最后一部剧作《第二道门槛》(1951)把他对社会喜剧的鉴别力和对更为严肃的戏剧的关注结合起来。

Barrymore, Ethel　巴里穆尔(1879-08-15，费城～1959-06-18，好莱坞)　美国舞台剧和电影女演员。以特有的风格、嗓音和机智使她在观众眼里成为美国剧坛的"第一夫人"，是

美国国会图书馆供图

舞台剧演员莫里斯和乔治亚娜·巴里穆尔的女儿。1894年于纽约在她外祖母L.L.德鲁领导的剧团里作首次专业性演出。在伦敦上演的《钟声》和《彼得大帝》(1897～1898)中获得首次成功。1901年在《外行的金克斯上尉》一剧中取得百老汇明星地位。演出的主要剧目有：《坐在火炉旁的艾丽丝》(1905)、《中部海峡》(1910)、《降低身份的人》(1919)、《第二个坦克里太太》(1924)、《红衣姐姐玛丽》(1931)和《玉米青青》(1942)等。1928年在纽约开设埃赛尔·巴里穆尔剧院，演出的第一个剧目是《上帝王国》。她还在轻歌舞剧、广播和电视中演出，并拍过几部电影。《寂寞芳心》(1944)一片使她获奥斯卡奖。1955年出版一部自传，回忆其演剧生涯。

Barrymore, Georgiana　巴里穆尔(1856，美国费城～1893-07-02，加利福尼亚圣巴巴拉)　本名乔治亚娜·埃玛·德鲁。美国女演员。同莫里斯·巴里穆尔一起，建立了著名的巴里穆尔戏剧世家，在20世纪上半叶美国剧坛占有重要地位。是剧坛上久负盛名的德鲁家族成员。幼年丧父，由母亲抚养并给予演剧训练。1872年在其母经营的牌楼街剧院首次登台。在A.戴利的剧团中同莫里斯·巴里穆尔相遇并结婚。他们的孩子均是美国剧坛和银幕的重要明星。她是一位以活泼、机智和喜剧感著称的演员。

Barrymore, John　巴里穆尔(1882-02-15，费城～1942-05-29，好莱坞)　美国演员。被称为"伟大的形象"。因扮演殷勤有礼的重要人物和对莎士比亚戏剧角色理查三世、哈姆雷特的塑造而令人怀念。舞台演员莫里斯和乔治亚娜之子。起初在巴黎习画，回国后于

美国不列颠百科全书公司供图

1903年首次登台演出，成为受人欢迎的轻喜剧演员。然而他的最大舞台成就却是扮演严肃角色。其中最重要的是《公正》(1916)、《彼得·依贝特森》(1917)、《戏谑》(1919)、《理查三世》(1920)和《哈姆雷特》(1922年在纽约、1925年在伦敦)等剧中的角色。1913年步入影坛，所拍影片有：《杰凯尔博士与海德先生》(1920)、《富丽的旅馆》(1932)、《八时餐会》(1933)、《罗密欧与朱丽叶》(1936)和《伟大的形象》(1940)等。他的女儿黛安娜(1921～1960)是位舞台剧演员，儿子小约翰·布莱斯(1932～　　)是位电影演员。

Barrymore, Lionel　巴里穆尔(1878-04-28，美国费城～1954-11-15，加利福尼亚范奈斯)　20世纪早期美国最重要的性格演员之一。舞台剧演员莫里斯和乔治亚娜·巴里穆尔之子。曾在巴黎习画3年，回纽约后，由于上

美国不列颠百科全书公司供图

演《彼得·依贝特森》(1917)、《铜头蛇》(1918)和《戏谑》(1919)获得声誉。1926年告别百老汇进入好莱坞。在《神秘岛》(1929)、《富丽的旅馆》(1932)、《勇敢的上尉》(1937)和《阳光下的决斗》(1947)等影片中扮演角色，《自由的灵魂》(1931)使他获得一项奥斯卡奖。在《基尔代尔博士》系列片中(首集于1938年公映)扮演吉莱斯皮博士。年长后，塑造了一个易怒的吝啬鬼形象(通常是可爱的)。他还是个广播演员，最受人怀念的也许是一年一度在广播里扮演的狄更斯《圣诞颂歌》中的吝啬鬼形象。1951年发表自传体著作《我们巴里穆尔一家》，提供了有关他本人及弟、妹们表演生涯的丰富资料。

Barrymore, Maurice　巴里穆尔(1846，印度阿格拉堡～1905-03-26，美国纽约州阿米蒂维尔)　出生于印度的美国演员，有时也写剧本。原名赫伯特·布莱斯，与其妻乔治亚娜一起，为巴里穆尔戏剧世家的奠基人。父亲是英国东印度公司的检查员。他被送回英国在哈罗和牛津受教育。双亲期望他从事法律业，他却于1872年成为业余拳击优胜者，然后又走上舞台，取巴里穆尔为艺名。1875年去美国。他成为一个出色的配角，曾同戏剧界许多伟大的名演员同台演出。1876年同乔治亚娜·德鲁结婚。后来加入沃利克剧团，有时还同妻子和儿子约翰同台演出。

Barsento, Emilio Pucci, marchese di (marquess of)　**巴尔森托侯爵**　参阅 **Pucci, Emilio**, MARCHESS DI BARSENTO 普奇。

Barṣīṣā　巴尔希沙　伊斯兰教传说中的人物。原是苦修者，后来经不起恶魔的引诱而背叛真主。巴尔希沙隐居修德，有兄弟三人外出，托付他照料他们生病的妹妹。巴尔希沙在恶魔的劝诱下诱奸此女，后发现她已怀孕，就把她杀死，埋尸灭迹。然而恶魔却向该女的众兄告发巴尔希沙。巴尔希沙恐惶万状，再次屈从于恶魔，背弃真主以求保全，结果遭到恶魔的嘲弄。传说中的这个隐士本无姓名，985年有一作家声称，此隐士名巴尔希沙(阿拉米语，意为"道貌岸然之人")。

Barstovian stage　巴斯托阶　北美中新世(2370万年前至530万年前)地层最顶部的重要年代地层单元。位于赫明福德阶之上，上新世的克拉伦登阶之下。因在加利福尼亚的巴斯托附近研究的露头而得名。含有独特的哺乳动物群。

Barstow　巴斯托　美国加利福尼亚州中南部圣贝纳迪诺县城市。地处莫哈韦沙漠。1880年在采银热中创建。1947年设市。采银业衰落后，成为铁路城镇(柴油机车修理厂)和旅游点。20世纪40年代，附近建海军陆战队大型补给仓库和欧文堡装甲兵沙漠作战训练中心，促进了该市发展。1958年建戈尔德斯通跟踪站。1960年创办巴斯托社区学院。灌溉农业和玛瑙、碧玉、铜、盐矿的开采是市经济的补充。巴斯托的莫哈韦河流域博物馆陈列有该地区考古、矿物和印第安人口头传

说的展品。人口 21 119(2000)。

Barstow, Stan　巴斯托(1928-06-28,英格兰约克郡霍尔伯里～2011-08-01,威尔士塔尔伯特港)　英国小说家。因写《一种爱情》(1960,1962 年拍成电影;1970 年改编成剧本上演)而一举成名。在工人阶级环境中成长,他属于一群以描写工人阶级生活而在 20 世纪 50～60 年代闻名的英国青年作家(如 A. 西利托、J. 布雷恩等)之列。作品有《海岸守望者》(1966)、《风平浪静》(1968)、《同埃罗斯在一起的季节》(1971)、《恰好正确的结果》(1976)、《一个同胞的故事》(1980)和《你等着瞧》(1986)。

Bart, Jean　巴尔(1650-10-21,法国敦刻尔克～1702-04-27,敦刻尔克)　Bart 又拼 Barth。法国私掠船(武装民船)船长和海军军官,在路易十四进行的战争中,以机智勇敢著称。初在荷兰海军上将勒伊特麾下服役。法荷战争期间(1672～1678),他回到敦刻尔克。由于非常熟悉当地的海岸情况,他指挥一支由小私掠船组成的舰队获得很大战果,在 6 次海战中缴获敌船 81 艘之多。路易十四为了奖励他的战功,授予其上尉衔。在大同盟战争(1689～1697)中,他为英国人所俘,但从普利茅斯逃脱,划船 52 小时回到法国海岸。晋升上校后,他在比奇角海战(1690)中指挥

美国不列颠百科全书公司供图

"翠鸟"号,后来在敦刻尔克指挥一个分舰队。1694～1695 年英国进攻法国期间,他为保卫敦刻尔克而战斗。1696 年 6 月法国发生大饥馑,他在荷兰沿海与一支荷兰分舰队交战,掳获满载俄国和波兰小麦的 96 艘货船。为此,国王封他为贵族。1697 年他指挥一支小舰队突破封锁,护送波兰王位候选人孔蒂亲王前往但泽。

Bartas, Guillaume de Salluste, seigneur du (lord of)　巴尔塔斯(1544,法国欧什附近的蒙福尔～1590-07,古东)　即 G. de 萨吕斯特。法国作家,叙述上帝创造世界的著名长诗《创世的六天》(1578)的作者。尽管他本人是个狂热的胡格诺派教徒,又是纳瓦尔的亨利的心腹顾问,巴尔塔斯却不愿介入宗教战争。他以运用七星诗社倡导的新诗歌技巧传播纯粹的新教徒思想为己任。他对自己的第一首圣经故事诗《犹滴传》(1574)并不满意,《创世的六天》发表后则一举成为重要诗人。巴尔塔斯的声望超过了他同时代人 P. de 龙萨,后者虽立志用法语创作第一流的叙事诗,但始终未能成功。然而由于巴尔塔斯在《创世的六天》中使用过多的新词和笨拙的形容词,其说教意图过于露骨,致使该诗在法国未能广泛流传。相反,由于诗中宣扬的新教思想在英国被普遍接受,这首诗在英国的影响却比较长久。P. 锡德尼、E. 斯宾塞和 J. 弥尔顿就是曾经受到巴尔塔斯影响的 3 位英国诗人。

Bartenstein, Johann Christoph, Freiherr von (baron of)　巴滕施泰因男爵(1689-10-23,阿尔萨斯斯特拉斯堡～1767-08-06,维也纳)　奥地利政治家,查理六世皇帝和玛丽亚·特

美国不列颠百科全书公司供图

蕾西亚女皇亲信顾问。他建立以《国本诏书》为基础的政治体制,企图使玛丽亚·特蕾西亚和平地登上哈布斯堡皇位。1740 年玛丽亚·特蕾西亚登基后,他成为最有权势的大臣。作为女皇的首席顾问,他坚决反对向普鲁士让步。一般来说,他采取反英和亲法的外交政策。1753 年他的职位由 W. A. von 考尼茨接替。

barter　物物交换　按照规定的交换比率或通过议价方式进行的货物或劳务的直接交换过程。物物交换普遍存在于无文字社会中,特别是在那些已有某些市场形式的社会中更是普遍。虽然礼品交换可能是多数群体内部贸易(特别是小型的和相当简单的社会中贸易)的一种形式,但是物物交换既可在群体内部进行,也可在群体之间进行。现美拉尼西亚的特罗布里恩群岛诸民族之间并存有物物交换和礼品交换。

Barth, Heinrich　巴尔特(1821-02-16,汉堡[德国]～1865-11-25,柏林)　德国地理学家、非洲大探险家。毕业于柏林大学,精通法语、西班牙语、意大利语、英语和阿拉伯语。

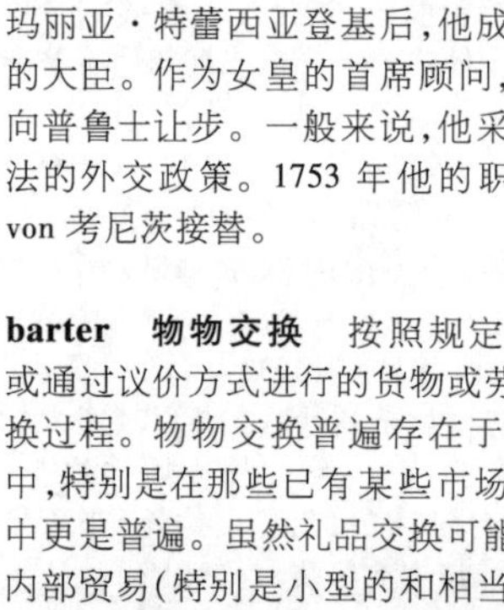

美国不列颠百科全书公司供图

1845～1847 年游历地中海沿岸今突尼斯和利比亚部分地区。1849 年将所见写成书出版。1850 年初,与探险家 J. 理查逊和地质学家兼天文学家 A. 奥韦尔韦格,随英国探险队从的黎波里出发跨撒哈拉沙漠去苏丹(当时指西非中部大部分地区)西部。一年后,巴尔特出任领队,他考察了乍得湖以南和东南地区,并测绘了贝努埃河上游各处。后西行到达今马里境内的廷巴克图,在那里居住 6 个月后取道的黎波里返回伦敦(1855)。他跋涉约16 000千米,画出精确的行进路线,带回有关尼日尔河中游的第一手资料。他的 4 卷本巨著《1849～1855 年间中北非游记和发现》(1857～1858)记载了大量有关人种学、历史和语言方面的资料以及旅途日常细节,现仍为最全面介绍该地区的著作。后来他又游历了土耳其和小亚细亚以及西班牙、意大利和阿尔卑斯山。1863 年任柏林大学地理学教授。

Barth, Jean (French privateer)　**巴思**　参阅 **Bart, Jean** 巴尔。

Barth, John (Simmons, Jr.)　巴思(1930-05-27,美国马里兰剑桥～　)　美国作家。其小说将辛辣的讽刺,犀利、粗俗的幽默与深奥、复杂的哲理融为一体,并以此闻名。他的许多作品描写在一个没有绝对价值的世界里,似乎不可能选择正确的行动。在马里兰州东海岸长大成人,其大部分作品亦描写此地。曾就学于巴尔的摩的约翰斯·霍普金斯大学,1952 年,获文学硕士学位。翌年开始在宾夕法尼亚州立大学任教。1965 年任布法罗的纽约州立大学英文教授及住校作家。1973 年被任命为约翰斯·霍普金斯大学英文及创作教授。其最初两部小说《流动的歌剧》(1956)和《路的尽头》(1958),描写某些因觉得一举一动都徒劳无益而苦恼的人,以及他们对周围一些不甚自觉、但行动活跃的人的影响。他的《烟草代理商》(1960)放弃现实主义,不用现代背景,是一部传奇式的流浪冒险故事,嘲弄马里兰早期的历史,并模仿 18 世纪的英国小说。这 3 部小说的修订本均于 1967 年出版。《山羊孩子贾尔斯》(1966)是一部描写一个神话般的人物和宗教预言家的经历的奇特故事,背景为宏大的由计算机管理的大学里的一个讽刺性小天地。他的《迷失在游乐园中》(1968)由试验性的短文组成,其中有的为演出而作,根据他本人童年生活写成的短篇故事穿插其间。接着发表的是一部包含 3 个中篇故事的《怪物》(1972)和试验小说《信件》(1979)。小说《休息日》(1982)和《潮水的故事》(1987)叙述手法较为传统。《曾经沧海——一出飘浮的歌剧》以三幕歌剧的形式糅合了小说和传记等多种文体的写法。

Barth, Karl　巴特(1886-05-10,瑞士巴塞尔～1968-12-09 或 10,巴塞尔)　20 世纪有重大影响的基督教(新教)神学家。从 18 岁起先后在伯尔尼以及德国柏林、蒂宾根和马尔堡等地学习,1909～1911 年在日内瓦任副牧师,1911～1921 年在农民和工人密集地区阿尔高州任牧师。他痛感基督教开明派神学不

能解决当代社会问题,因而参加宗教社会主义运动,设法把信徒中的工人组织起来。经过第一次世界大战,欧洲深深陷入悲观情绪。1919年,巴特发表《〈罗马书〉注释》,强调上帝

美国不列颠百科全书公司供图

与当时自由派神学中的理性主义、历史主义和心理主义完全不同。该书在神学界中引起重大反响。巴特先后在格丁根(1921)、明斯特(1925)和波恩(1930)教授神学。在《〈罗马书〉注释》的影响下,出现了辩证神学派。1933年希特勒上台,巴特从一开始就反对国家社会主义和德国福音教会内部支持纳粹党的"德国基督教"派。他撰写一系列小册子号召宗教界人士加以抵制。1934年,他同尼默勒等其他反纳粹宗教界人士共同发起巴门会议,通过巴门宣言。这个文件是后来德国宣信会的信仰基础。巴特拒绝无条件地宣誓效忠希特勒,因此不得不离开波恩,赴瑞士巴塞尔任神学教授,继续反对纳粹。他在第二次世界大战期间曾参加瑞士军队服役。在巴塞尔他继续撰写《教会教义学》,这本未完成的巨著被宗教界公认为20世纪重要神学著作。第二次世界大战结束后,巴特尖锐批评德国的军国主义传统,也主张同战败后的德国友好。冷战期间,他反对搞反共十字军一类的活动,主张和平,要求除掉东西方之间的铁幕,反对把苏联的极权主义与纳粹德国的极权主义相提并论,反对使用核武器。

Barth, Paul 巴尔特(1858-08-01,普鲁士西里西亚巴鲁特~1922-09-30,莱比锡) 德国哲学家和社会学家。将社会看成是由思想的力量决定其进展的一个组织。从1897年起,在莱比锡任哲学与教育学教授。《黑格尔的历史哲学和黑格尔派》(1896)和内容广泛的《社会学史的哲学》(1897)均系其杰作。在德国,他不仅第一次阐述了各种社会学体系的历史,而且在对黑格尔的评论中还阐述了历史上的各种哲学体系(人类学的、政治的、个人主义的、集体主义的和意识形态上的)。1899~1916年,他主编《科学的哲学季刊》。其《以心理学和哲学为基础的教育学与教学法原理》(1906)一书主要论述道德教育,此书用以代替以约翰·赫尔巴特的哲学为基础的旧教本;另著有《以社会学和思想史为依据的教育史》(1911)和《系统伦理教学的必要性》(1922)。

Barthélemy-Saint-Hilaire, Jules 巴泰勒米-圣-伊莱尔(1805-08-19,巴黎~1895-11-24,巴黎) 法国哲学家、政治家、新闻工作者和散文家。他以翻译亚里士多德的35卷著作(1833~1895)而知名。1825~1828年他在法国政府的财政部工作,后来任记者。专制国王查理十世禁止新闻自由(1830-07-28)时,他曾在抗议书上签名,结果被关进监狱,直到查理逊位(1830-08-02)。在路易-菲力普统治时期,他继续从事写作,协助创办了《常识报》。1838年任法兰西学院古代哲学教授。1848年革命后,代表塞纳-瓦兹省当选为立宪议会议员,1851年退出。从事短期木刻工作后,参加《学者》杂志的编辑工作。1869年重又当选为议员,属拿破仑专制政治的稳健反对派。共和派政治家A.梯也尔出任行政首脑时,任梯也尔的秘书。1875年出任终身参议员,1880年担任参议院副议长,1880~1881年又任J.费里内阁的外交部长。经常发表有关历史、社会学、政治经济学和语言等方面的文章。1876年发表M.奥勒利乌斯著作的译本。还著有东方宗教的研究著作。

Barthes, Roland (Gérard) 巴尔特(1915-11-12,法国瑟堡~1980-03-25,巴黎) 法国社会评论家及文学批评家。其有关符号学著作,有助于结构主义及文学批评新理论成为有影响的文化学术运动。符号学的研究为索绪尔所开创。巴尔特曾就读于巴黎大学,1939年获得古典文学学位,1943年又获得语法及语文学学位。1952~1959年在全国科学研究中心工作,以后到高级研究实习学院任职。1976年,巴尔特在法兰西学院任文学符号学讲座教授,成为这个讲座的第一位学者。巴尔特的第一部著作《文字的起点》(1953)是一篇文学宣言,阐述语言结构的随意性。后来的论著有《神话学》(1957)、《文学批评论文集》(1964)及《埃菲尔铁塔》(1964)等。他在书中运用其新批评理论于各种"神话"(即各种隐秘的猜想)对民间文化诸现象之解释,条分缕析,自广告与时装以至埃菲尔铁塔与角力,均有论列。他的另一著作《论拉辛》(1963),引起法国文学界的轰动,使他成为敢与学院派权威相抗衡的人物。学院派认为,巴尔特的"新的文学批评理论"把一部著作或一篇文章都看作是一套符号,只能说是离经叛道的谬论。另一作品题名《S/Z》(1970)。这本书以巴尔扎克一篇短篇小说为素材,巴尔特将其内容逐行作出符号分析,以此强调根据本文各种"暗示"在组成一篇叙述文章时,读者的主动作用是何等重要。此书显示出其理论更为激进的格调。到20世纪70年代前后,巴尔特的理论不仅在法国极有影响,而且在欧洲和美国也风靡一时。巴尔特承先启后,在这个学派的重要法国激进思想家中,还有精神分析学家拉康、社会历史学家富科和哲学家德里达。巴尔特晚年有两部著作,使他成为一名大器晚成的文体家兼作家。其一是他的"反自传"体的《巴尔特自述》(1975);另一作品《爱侣文集》(1977)是一部苦恋的记述,在法国脍炙人口,销售很快超过60 000册。

Barthold, Wilhelm 巴托尔德 参阅**Bartold, Vasily V(ladimirovich)巴托尔德**。

Bartholdi Frédéric-Auguste 巴托尔迪(1834-04-02,法国阿尔萨斯科尔马~1904-10-04,巴黎) 法国雕刻家,纽约港自由女神像的雕塑者。曾在阿尔萨斯及巴黎接受充当建筑师的训练,后来又师从A.谢弗学习绘画,并在J.-F.索瓦图门下学习雕塑。他曾于1855年随同画家J.-L.热罗姆游历中东地区。1865年时,他同几位友人提出为1778年的法美联盟制作纪念像的设想。巴托尔迪于1870年开始工作,主动地设计了巨大的女神像,并利用他在法国和美国筹到的款项,得以亲手将铜像建立起来。该铜像于1886年落成,命名为《自由光照世界》,并由法国赠送给了美国。自由女神像为巴托尔迪最著名作品,但他的杰作却为《贝尔福之狮》(1880年完成),该作品坐落在法国东部贝尔福城,是在俯瞰该城小山的红色沙岩上开凿雕刻而成的。它被公认为巴托尔迪有感于1870~1871年法德战争中法国败绩而创作的许多爱国主义雕塑中的最佳作品。

Bartholin, Caspar Berthelsen 巴托林(1585-02-12,丹麦马尔默~1629-07-13,西兰岛索勒) 丹麦医学家、神学家。出生于马尔默(今属瑞典)。写过一本为人爱读的解剖学手

美国不列颠百科全书公司供图

册。1608~1610年在帕多瓦大学于H.法布里齐乌斯指导下研究解剖学,根据研究成果写成《人体解剖学》(1611)一书。1613~1629年任哥本哈根大学教授,最先将嗅神经描述为第一对脑神经。雌性哺乳动物(包括人类)阴道口周围的腺体也是他首先认证,并以他的名字命名的。巴托林氏腺体即前庭大腺。

Bartholin, Erasmus 巴托林(1625-08-13,丹麦罗斯基勒~1698-11-04,哥本哈根) 丹麦物理学家、数学家和医师,发现光的双折射现象。在哥本哈根大学任医学教授(1657~1698)时,观察到通过冰洲石(方解石)看到的像是双像,当晶体旋转时,一个像仍然静止不动,另一个像随着晶体旋转。他领悟到通过方解石的光分为两束光线,把静止像叫作"寻常光束",转动像叫作"非常光束"。他虽然没能解释双折射现象,但却认识到了这种与牛顿的光学理论有重大矛盾的现象。

Bartholin, Thomas 巴托林(1616-10-20,哥本哈根~1680-12-04,哥本哈根) 丹麦解剖学家、数学家。1652年首次详尽描述人类的淋巴系统。属荷兰解剖学派,支持哈维的血

液循环学说。其父为著名解剖学家和神学家C.巴托林。其弟为医学家、数学家E.巴托林。作为荷兰解剖学派，巴托林支持英国人W.哈维的血液循环理论。巴托林曾在哥本哈根大学执教(1646～1661)，并曾任克里斯蒂安五世的御医(1670～1680)。

Bartholomaeus ANGLICUS **巴塞洛米厄斯** (活动时期约1220～1240) 拉丁文名，英语作 Bartholomew the Englishman。英国早期方济各会的百科全书编纂人，以其受到高度评价的百科全书《事物本性》而久负盛名。曾在巴黎大学讲授神学，约于1225年成为方济各会修士。他主要的兴趣虽在圣经与神学，但他的19卷百科全书却囊括了当时一切普通的知识，他也是介绍希腊、犹太和阿拉伯学者对医学和其他各学科观点的第一个作家。欧洲各图书馆藏有该书大量的手抄本，巴黎大学的学者们并经常借阅，足见该书声誉卓著，深受欢迎。约1495年由特雷维萨的约翰翻译的英译本问世，该书在都铎王朝时代的英国具有很大的影响。

Bartholomäusee 巴尔托洛毛湖 参阅 **Königssee** *柯尼希湖*。

Bartholomé, (Paul-) Albert 巴托洛梅 (1848-08-29，法国蒂维尔瓦勒～1928-10-31，巴黎) 法国雕刻家，以墓地艺术作品而成为最著名的现代法国雕刻家之一。最初在美术学院学习，意欲成为画家。1886年转攻雕刻。在这方面虽未受过正式训练，但对大自然以及前人杰作进行了仔细的研究。他为巴黎拉歇兹神父墓地制作的《死者纪念碑》是一件规模宏大的建筑雕刻，并以此成名。这一作品包括各种不同悲伤姿态的哀悼人物，尽管建在基督教墓地，其表现的感情却是非基督教的。作品的成功为他招来了许多制作墓地纪念碑的任务。其晚期作品带有罗丹的影响。

巴托洛梅的《死者纪念碑》(1895)
美国不列颠百科全书公司供图

Bartholomew I 巴塞洛缪一世 (1940，土耳其伊姆博洛斯[今格克切岛]) 原名 Dimitrios Archontonis。1991年成为第270代东正教普世牧首。巴塞洛缪从伊斯坦布尔附近的哈吉主教学院毕业后，被任命为牧首，后从罗马教皇学院获得教会法规博士学位。他也曾在瑞士和德国学习过。之后又回到伊斯坦布尔他的教区，学识的广博和语言的专长使他在1973年就任主教。巴塞洛缪在普世牧首迪米特里奥斯的领导下协理君士坦丁堡牧首区的事务，并且在世界教会会议上代表此牧首区。他于1990年被选为卡尔西顿都主教。1991年10月22日在伊斯坦布尔，东正教圣会选举他为君士坦丁堡牧首，并继任迪米特里奥斯的普世牧首的职务。巴塞洛缪因之成为世界所有东正教自主教会的精神领袖——"群羊中的头羊"。

巴塞洛缪任职初期，东正教会认为天主教和新教对东正教在苏联各共和国的据点进行蚕食，因而相互关系紧张。作为特别举措，巴塞洛缪于1992年3月在伊斯坦布尔召开了一次罕见的东正教领导人会议。与会的牧首和大主教们强调了教会的团结，同时谴责了天主教和某些福音派新教会组织把传统东正教国家作为传教地的行为。

Bartholomew, SAINT 使徒巴多罗买 (活动时期1世纪，相传卒于亚美尼亚阿尔巴诺波利斯) 耶稣的十二门徒之一。4世纪优西比乌斯主教(该撒利亚的)在所著《教会史》中说，2世纪亚历山大学院教师潘泰努斯访问印度，发现巴多罗买遗留在该地的希伯来文《马太福音》。传说巴多罗买也曾到过埃塞俄比亚、美索不达米亚、安息(在今伊朗)、利考尼亚(在今土耳其)和亚美尼亚等地传教。据说他被巴比伦国王阿斯提亚格斯下令剥皮砍头而死。

Bartholomew, John George 巴塞洛缪 (1860-03-22，苏格兰爱丁堡～1920-04-13，葡萄牙辛特拉) 英国地图制图家和出版家。改进了英国地图制图的标准，并首先在英国采用等高线和分层着色显示地貌的方法。他是爱丁堡地图出版商约翰·巴塞洛缪(1831～1893)的长子，从事介绍地理学新成果和改进地图印制方面的工艺。他出版了苏格兰大地图集(1895)和英格兰和威尔士大地图集(1903)。计划出版的大套地文图集仅出两卷，即《气象学地图集》(1899)及《动物地理学地图集》(1911)。着手编纂的《泰晤士概览世界地图集》由其子约翰·巴塞洛缪(1890～1962)在1921年出版。约翰还主编了新版《泰晤士世界地图集》(1955)。

Barthou, (Jean-) Louis 巴尔都 (1862-08-25，法国奥洛龙-圣玛丽～1934-10-09，马赛) 法国总理(1913)，保守派政治家。R.普恩加来的长期同僚。1934年南斯拉夫国王亚历山大访法时，他与国王一同遇刺身亡。早年曾学法律。1889年首次当选众议员，在政府各部中任过不同职务。1913年3～12月任总理，努力通过三年义务兵役法(1913-07-19)。1922年代表法国出席热那亚会议。后进入参议院，任赔偿委员会主席。1926年7月在普恩加来内阁任司法部长。去世前不久，在加斯东·杜梅格的联合内阁中任外交部长。

美国不列颠百科全书公司供图

Bartica 巴蒂卡 圭亚那北-中部城镇。在埃塞奎博、马札鲁尼和库尤尼等三河汇合处的热带雨林区。小商业中心。位于航道口，可通小型远洋船只。有航空线(通首都乔治敦)和公路(通内地金矿和金刚石矿区)。人口6 223(1980)。

Bartle Frere, Mount 巴特尔弗里尔山 在澳大利亚昆士兰东北部，属贝伦登克尔岭。海拔1 611米，为全州最高点。在一国家公园境内。山坡被雨林覆盖，有多种热带动植物。

Bartlesville 巴特尔斯维尔 美国俄克拉何马州东北部城市，华盛顿县县城(1907)。滨凯尼河。19世纪70年代设商站，1897年发现石油后设市。1899年圣菲铁路通车后飞速发展。主要经济部门有石油、天然气生产，炼锌、油田设备制造。设有巴特尔斯维尔卫斯理学院(1880)及伍拉罗克博物馆(收藏有西部艺术珍品)。人口34 748(2000)。

Bartlett, Sir Frederic C(harles) 巴特利特 (1886-10-20，英格兰格洛斯特郡～1969-09-30，英格兰剑桥郡剑桥) 英国心理学家，以对记忆的研究而著名。1909年起入剑桥大学。他的心理学方法对英国很有影响，他强调描述或个案研究的方法，而不强调数学统计技术。1922年，巴特利特任剑桥心理实验室主任。1931年任该校历史上第一位实验心理学教授直到1952年退休。1932年被选为皇家学会会员。1948年被封为爵士。他在其主要著作《记忆：实验心理学和社会心理学的研究》(1932)一书中指出，对既往事件和经验的记忆，实际上是受文化态度和个人习惯渲染的心理重建，而不是对当时观察的直接回忆。在1914年开始的实验中，他证明了一个事件很少在其发生的当时被人们如实地知觉到，观察或知觉中被遗漏的部分在人的记忆过程中进行重建时，被以往的经验所填补。他的后期著作《思维：实验心理学和社会心理学的研究》(1958)，虽然没有开创新的理论领域，但却进一步记述了人类思维的社会特征。

Bartlett, John　巴特勒特(1820-06-14，美国马萨诸塞普利茅斯～1905-12-03，马萨诸塞剑桥)　美国书商和编辑。以编纂《常用妙语辞典》闻名。16岁受雇于哈佛大学书店，由于勤

美国不列颠百科全书公司供图

学苦练，精通书业，以致"去问巴特勒特"成为哈佛校园人们之间的习用语。后来他成为书店主人。1855年出版《常用妙语辞典》第一版，他在世时此书曾出9版。内容愈益充实。1955年出了百周年纪念版，即第13版。著有关于棋弈和钓鱼的书。所编《莎士比亚戏剧诗歌语词索引大全》(1894)是一部高水平的参考书。

Bartlett, John Russell　巴特勒特(1805-10-23，美国罗得岛普罗维登斯～1886-05-28，普罗维登斯)　美国目录学家。其首创性著作《美国惯用语辞典》(1848)，是对语言学方面

美国不列颠百科全书公司供图

的最大贡献。该书共出4版，译成荷兰语和德语刊行。1850～1853年担任美国和墨西哥边界勘查专员，将其见闻写成《美国、墨西哥边界勘察记》(2卷，1854，1965再版)。R.V.海恩曾撰《巴特勒特的西部疆域：美墨边界勘测记闻》(1965)一书，对巴特勒特所绘地图及他作为西部边陲划界的权威解释者的重要地位给予评价。巴特勒特任罗得岛州秘书处长时，曾将州政府档案重新整理分类，辑录州史书目及资料汇编。巴特勒特还协助J.C.布朗搜集藏书和编目，全部藏书现存布朗大学布朗图书馆。

Bartlett Deep (Caribbean Sea)　**巴特莱特海渊**　参阅 **Cayman Trench** 开曼海沟。

Bartmannkrug　胡子罐　又称有胡须的男子罐。一种16世纪德国生产的陶罐，其特点是有球形的腹部，并在颈部捏塑一个长胡须男子的浮雕。这种盐釉炻器罐与科隆和弗列

约1575年的盐釉胡子罐
美国不列颠百科全书公司供图

肯的关系尤为密切，这两地生产的胡子罐数量可观。这种罐有时叫做"贝拉明"，这个形象被认为是讽刺反对新教的天主教枢机主教罗伯特·贝拉明。胡子罐曾大量输入英国，被英国人称为"灰色胡子"。精加工后的胡子罐通常呈金褐色或蓝灰色，浮雕从颈部的凸缘开始下延，矩形的胡须向下垂过罐肩而达于罐腹。罐上总是附有一些其他图案，包括玫瑰形花饰、大奖章、叶饰、饰带浮雕、或盾形纹徽等。

Bartók, Béla　巴尔托克(1881-03-25，奥匈帝国匈牙利瑙吉森特米克洛什～1945-09-26，纽约市)　作曲家、钢琴家、民族音乐学家和教师，以其主要音乐作品中的匈牙利风味著称。作品有管弦乐曲、弦乐四重奏、钢琴独奏、几部戏剧作品、一首康塔塔以及若干民歌的人声与钢琴改编曲。

故土生涯　自幼随母亲和好几位老师学习钢琴。9岁开始创作短小舞曲，两年后首次公开演出，节目中有一首他自己的作品。后在布达佩斯匈牙利皇家音乐学院进行专业学习，钢琴演奏进步很快，作曲则进步较慢。接着有两年的时间他一个音符也没写，直到1902年才在他初次听到的R.施特劳斯音乐的激励下重新开始作曲。这时，在费伦茨·科苏特及其独立党的启发下，乐观的民族主义精神正席卷着匈牙利。当巴尔托克那一代人中的其他成员上街示威游行时，这位22岁的作曲家写了一首交响诗《科苏特》，以类似于施特劳斯但却带有匈牙利韵味的风格刻画了

美国不列颠百科全书公司供图

伟大的爱国主义者拉约什·科苏特(费伦茨之父)的一生，交响诗受到热情的欢迎。1903年巴尔托克结业后不久，他和他的合作伙伴、也是作曲家的科达伊发现，他们一直以为是匈牙利民间音乐而在作品中加以引用的素材，却原来是住在城里的吉普赛人的浅陋之作。后来两位作曲家进行搜寻探索，发掘出一大批正宗的匈牙利农民音乐的宝藏。最初的搜集工作是为了给匈牙利音乐注入新的活力，为此他们走遍匈牙利的穷乡僻壤。两位作曲家不仅把许多民间曲调改编成钢琴曲或其他形式的乐曲，而且在他们创作的音乐中吸收农民音乐的旋律、节奏和织体的要素。最后他们自己的创作也充满了民间气息。1907年巴尔托克应聘担任音乐学院教师，直到1934年才辞职而就任科学院院士。他的节假日全都用于收集民间素材，然后分门别类加以分析，不久后他开始发表论文和专题著作。与此同时巴尔托克也在扩大他的作品目录，写了许多新钢琴曲、大量管弦乐曲，并开始一套六首弦乐四重奏，这部作品将成为他最感人的伟绩之一。第一首(1908～1909)没有什么受民歌影响的迹象，但在另外几首中，这种影响便被充分吸收而普遍存在。1911年巴尔托克写了他唯一的歌剧《蓝胡子公爵的城堡》，叙述一个传奇式的杀妻凶手的故事，音乐中渗透着古老匈牙利民歌的特点，尤其是歌词谱曲中的说话般的节奏。这一技巧可与法国印象派作曲家德彪西在《普莱雅斯和梅丽桑德》(1902)中的手法媲美，而且在巴尔托克的歌剧中还有其他印象派特点。接着他又写了芭蕾舞剧《木刻王子》(1914～1916)和哑剧《神奇的官员》(1918～1919)。此后便不再写戏剧音乐。

第一次世界大战时期，由于不能出行，他便悉心作曲和研究所收集的民间音乐。创作最旺盛的时期是1918年第一次世界大战结束后的20年；这时他的音乐语言已经充分形成，并且具有丰富的表现力。他吸收了许多互不相干的影响：除了上面提到过的——施特劳斯和德彪西——以外，还有19世纪匈牙利作曲家李斯特和现代派的斯特拉文斯基与勋伯格。巴尔托克成就了一种生动而丰富多彩的风格，节奏活泼，自然音和变化音的因素并列在一起，但毫无不相协调之感。在这20

年中他创作了两部钢琴与乐队的和一部小提琴的协奏曲；他唯一的大型合唱作品《世俗康塔塔》(1930)；以及若干重要的室内乐，包括《为弦乐器、打击乐器和钢片琴而作的音乐》(1936)和《两架钢琴和打击乐器的奏鸣曲》(1937)。同一时期他作为音乐会钢琴家的活动也有所发展，足迹遍布西欧大多数国家、美国和苏联。

旅美生涯　30年代末，纳粹德国日益扩展其势力范围，匈牙利面临被吞并的命运，危在旦夕。巴尔托克觉得此地不可再留，遂于1940年第二次赴美国巡回演出，同年末移居该国。哥伦比亚大学聘任他为音乐研究助教，使他得以继续从事民间音乐研究工作，改编并编辑了一集塞尔维亚-克罗地亚妇女歌曲。他还和妻子联袂举行了几场音乐会。但是他的一向弱不禁风的身体甚至在他到达美国以前即已开始恶化。生命的最后几年白血病肆虐，往往使他无法进行教学、讲课或演出。但他还是创作了《管弦乐队协奏曲》(1943)、《小提琴独奏奏鸣曲》(1944)以及《第三钢琴协奏曲》(1945，最后几小节未完成)。巴尔托克一生中发表了几部重要的研究匈牙利和罗马尼亚民间音乐的巨著。3卷本的罗马尼亚民间音乐研究直到1967年才出版。3卷本的斯洛伐克民间音乐研究的第一卷于1959年问世。这些著作赫然耸立在音乐民族学的领域，可以认为它们使巴尔托克的作曲遗产相形见绌。虽然生前他的音乐主要在匈牙利演出，但是他的很多作品后来都进入了音乐会保留曲目；他去世后不到1/4世纪，这些作品便被列为西方音乐的经典之作。

Bartold, Vasily V(ladimirovich)　巴托尔德(1869-11-15，圣彼得堡～1930-08-19，列宁格勒[圣彼得堡])　又名威廉·巴托尔德。俄国人类学家。对伊斯兰教、塔吉克伊朗人和中亚开化的突厥诸民族的社会史和文化史都做出了宝贵的贡献。1901年执教于圣彼得堡大学，此后一生从事教学和研究工作，其间经常外出实地考察。他的研究课题既有范围较广的诸如文化史上的问题，也有范围较窄的专史问题，他对个人同社会的相互影响特别感兴趣。巴托尔德的主要著作分为9卷发表；被译成英文的是《中亚历史研究四讲》(3卷，1956～1962)和《蒙古侵略之前的土耳其斯坦》(1928)。巴托尔德还为《伊斯兰教百科全书》撰写了许多条目，特别值得注意的是他对高加索及亚洲诸民族其中包括卡尔梅克人、哈萨克人及吉尔吉斯人等的描述。

Bartoli, Matteo Giulio　巴尔托利(1873-11-22，奥匈帝国阿尔博纳狄斯特里亚[今克罗地亚拉宾]～1946-01-23，意大利都灵)　语言学家，强调语言变化的地理分布及根据历史和文化作出的解释。巴尔托利在维也纳大学获得博士学位以后，于1907年任都灵大学教授，直至退休。其早期重要论文《达尔马提亚语》(1906)，考证并分析了亚得里亚海韦利亚岛(克尔克)的这种罗曼语死方言。后来，在所著《新语言学导论》(1925)和《地域语言学论文集》(1945)中，又发展了其语言理论。他认为在语言扩散和分布与语言变化及变化出现的顺序之间有直接的因果关系。虽然主要兴趣在于罗曼诸语言，但也致力于原始印欧语的研究。

Bartolo, Andrea di　巴尔托洛　参阅 **Castagno, Andrea del** 卡斯塔尼奥。

Bartolomeo, Fra　巴托洛米奥(1472-03-28，佛罗伦萨～1517-10-31，佛罗伦萨)　又称巴奇奥。画家，16世纪初文艺复兴盛期佛罗伦萨绘画风格的杰出代表。曾在罗塞利画室学

巴托洛米奥绘《圣父与圣凯瑟琳(锡耶纳的)和圣马利亚(抹大拉的)》(1509)
美国不列颠百科全书公司供图

艺，其早期作品受到翁布利亚画家佩鲁吉诺均衡构图和达·芬奇光影效果的影响。1500～1504年曾一度加入多明我会，停止作画。1508年访问威尼斯，受到威尼斯绘画交响乐般丰富色彩的强烈的震动，返回佛罗伦萨后即着手效仿。1514年访问罗马，见到拉斐尔的成熟作品和西斯廷礼拜堂中米开朗琪罗的天顶画，从而在作品中增加了戏剧化的力度。从其《约拿》、《以赛亚》和《圣马可》等作品巨大的人物像中可以看出所受影响。其艺术偏于保守，几乎只画宗教题材。

Bartolozzi, Francesco　巴尔托洛齐(1727-09-21，佛罗伦萨～1815-03-07，里斯本)　佛罗伦萨铜版画家。金匠之子，曾在佛罗伦萨学画，在威尼斯学铜版画，后在罗马开业。1764年应邀赴伦敦，在英王乔治三世宫中服务，留居达40年。为乔治三世绘制过大量版画，包括在温莎复制贺尔拜因的画。亦复制意大利画家、他的友人和当代受欢迎的画家(如G.奇普里亚尼和A.考夫曼等人)的作品。虽然他不是在铜版画上使用红粉笔的发明者，但是他推动了这种技法的流行。1802年他以国立美术学院院长的身份访问了里斯本。

Bartolus of Saxoferrato　巴尔托鲁(萨索费拉托的)(1313或1314，教皇国萨索费拉托[意大利]～1357，佩鲁贾[意大利])　佩鲁贾地方的律师和法学教师，是14世纪中叶意大利北部一批著述民法(罗马法)的法学家所组成的注释派或评论派中最杰出的人物。他们继承了从约1125年起主要在博洛尼亚活动的注释派的工作。巴尔托鲁曾在佩鲁贾大学和博洛尼亚大学学习法律。从1343年起他任佩鲁贾大学法学教授，并任比萨法院的陪审推事。巴尔托鲁和他的同事们利用6世纪拜占廷皇帝查士丁尼一世的《民法大全》和从那以后的注释派的工作，与罗马民法一起，作为引导出能够实际应用于14世纪的欧洲的广泛的法律原则。通过这一过程，他撰写了几部极有影响的法律理论著作，特别是有关城邦的统治权和城邦内的个人和法人团体的权利的理论。这些和他的其他理论原则成了意大利的普通法，并被西班牙、葡萄牙和德国承认为法律。巴尔托鲁对查士丁尼法典所作的评论，有时被认为与法典本身具有同样的权威性。

Barton, Clara　巴顿(1821-12-25，美国马萨诸塞牛津～1912-04-12，马里兰格伦埃科)　美国人道主义者、美国红十字会创始人。被人称为“战场天使”。她在马萨诸塞州和新泽西州执教18年后，迁往华盛顿(哥伦比亚特区)，在美国专利局任办事员。南北战争爆发后她组织了一个机构，为伤兵筹募并分发救济物资。1865年她应林肯总统的请求，成立一个档案局，协助寻找下落不明的兵士。当她在欧洲休假时(1869～1870)，普法战争爆发，她又再次为伤兵们分发救济物资。她在欧洲和国际红十字会发生联系，并于1881年创立美国全国红十字会。1882年她成功地促使美国在处理伤、病和战死人员以及战俘问题的日内瓦协议上签字。她是美国提出的对

美国全国红十字会供图

红十字会章程的修正案的起草人；这个修正案规定不仅在战时，而且也要在发生饥馑、水灾、地震、风灾和瘟疫等其他灾难时分发救济物资。巴顿在19世纪80年代和90年代中对受灾难民进行救济工作；而且在美西战争(1898)期间在古巴提供服务。她担任美国红十字会主席至1904年；这时，对她领导工作中独断专行的批评日益增多，于是她便辞职，以免使这个组织进一步受到责难。她写过几本书，其中有《红十字会史》(1882)和《平时和战时的红十字会》(1899)。

Barton, Derek H(arold) R(ichard)　巴顿(1918-09-08，英格兰肯特格雷夫森德～1998-03-19，美国得克萨斯)　化学家。对于建立有机化学的一个基础部分——构象分析(复

杂分子三维几何结构的研究)进行了有成效的研究,因而与挪威O.哈塞尔共获1969年诺贝尔化学奖。1945年在伦敦帝国理工学院任教,先任助理讲师后为研究员。1949～1950年在哈佛大学任访问教授期间,开始构象分析研究,他的开创性论文立即引起了科学界的注意,使有机化学发生深刻变化。自1950年起在伦敦大学伯克贝克学院任教,1955～1957年任苏格兰格拉斯哥大学化学教授,后任帝国学院有机化学教授。1960年发现合成醛甾酮激素的简易方法,即巴顿反应。

Barton, Sir Edmund　巴顿(1849-01-18,悉尼～1920-01-07,澳大利亚新南威尔士梅德洛)　澳大利亚政治家,领导澳大利亚联邦运动取得成功,1901年成为联邦首任总理。1879年进入新南威尔士立法议会,1883～1887年任议长,1889和1891～1893年任总检察长。1891年开始领导联邦运动。同年,在联邦会议上协助起草成为联邦宪法基础的法案。1893年宪法法案在立法议会通过,他在以后4年中积极开展争取公众支持该法案的运动。1897～1898年主持联邦会议起草宪法。1900年赴英,争取英国议会通过这一宪法。当年回国任总理。1903年辞职。此后担任澳大利亚高等法院法官,直到1920年。1902年封爵士。

Barton, Elizabeth　巴顿(约1506,英格兰肯特～1534-04-21,伦敦)　绰号肯特修女。英格兰狂言者,因公然就国王亨利八世的婚姻问题作预言引起公众议论而招致杀身之祸。原为坎特伯雷大主教威廉·渥兰的领地上的女仆。1525年左右据说神灵附身,能作预言,因而名噪一时。她对亨利八世说:如果他不放弃解除与阿拉贡的凯瑟琳的婚姻计划并抛弃安妮·博林,将不会有好下场。亨利和安妮结婚后将她逮捕。据她招供,她是假装神灵附体,伪造神灵的启示。结果被处决。但她没有受过任何教育,愚昧无知,与其说是骗子,毋宁说是受骗者。

Barton, Frances　巴顿　参阅**Abington, Fanny阿宾顿**。

bartonellosis　巴尔通氏体病　又称卡里翁氏病。仅发生于南美洲的立克次氏体传染病。病原为杆状巴尔通氏体。其特征为有两个明显不同的临床期。第一期即所谓奥罗亚热,表现为急性发热性贫血,骨和关节疼痛,若不加治疗,死亡率甚高。第二期即所谓秘鲁疣病,病情较温和,特征为皮肤上出现带红色的丘疹和结节。秘鲁疣病常在奥罗亚热发作后出现,但也可能发病时立即出现。一般认为皮损是患者产生免疫力的表现。再染非常罕见。本病由一种夜出咬人的白蛉传播,流行于秘鲁、厄瓜多尔、哥伦比亚的安第斯山脉地区。某些抗生素对本病疗效甚佳。主要的预防措施为施用杀虫剂和驱虫剂。

Bartonian Stage　巴顿阶　始新统(自下而上)4个地层单元中的第3个,代表在巴顿期(4 360万年前至4 000万年前)沉积的、在全世界范围内分布的所有岩石。巴顿阶与其下伏的路特阶共同构成始新统中部地层;巴顿阶为普利亚本阶所覆盖。巴顿阶的阶名来自发现于英格兰汉普郡的海克利夫和密尔福顿湖之间的巴顿层,此层传统地被当作层型剖面。巴顿层是一系列的黏土和富含浅绿色的含铁矿物——海绿石的砂。巴顿阶通常是以有孔虫 *Orbulinoides beckmanni* 和 *Truncorotaloides rohri* 生物带来确定的。

Bartow　巴托　美国佛罗里达州中部城市,波克县县城(1861)。在皮斯河和汉科克湖附近。1867年里丁·布伦特家族在此建立社区。1882年设镇,1893年设市。主要经济项目有磷酸盐矿开采、柑橘和蔬菜种植。附近有反映磷酸盐矿业发展史的博恩瓦利博物馆。人口约15 340(2000)。

Bartram, John　巴特拉姆(1699-03-23,宾夕法尼亚达比附近～1777-09-22,美国宾夕法尼亚金塞兴)　博物学家和探险家,被誉为"美国植物学之父"。他是B.富兰克林的朋友,美国哲学学会的最早成员,乔治三世时期北美殖民地的植物学家。他主要靠自学成才,第一个在北美进行显花植物的杂交实验。他在费城附近建立了一座后来世界闻名的植物园,搜集和输出了国外大量需要的种子和植物,并因此与欧洲的植物学家们建立了友谊,其中林奈称他为伟大的"自然植物学家"。巴特拉姆使科学进入了阿勒格尼、卡罗来纳和北美的其他地区。1743年受英国国王的委托访问了六国联盟的印第安人部落,并考察了加拿大安大略湖北部的荒地。1765～1766年巴特拉姆和他的儿子、博物学家威廉一起在弗罗里达进行了广泛的考察。威廉的《旅行笔记》(1791)一书对英国的浪漫主义产生了极大的影响。

Baruch, Apocalypse of　《巴录启示录》　伪经之一,论上帝与人的关系的公正性。因仅存于6世纪通俗古叙利亚文《圣经》,故又名《古叙利亚文巴录启示录》。该书原文为希伯来文,据说是先知耶利米的秘书巴录所著。从其内容看,此书的成书时间当在公元70年耶路撒冷被毁之后,可能在公元100年前后。耶路撒冷城陷之后,犹太人的热门话题是上帝是否主持正义,此书中多处祷词都讨论这一问题。根据此书的解释,好人受苦难是因为上帝要磨炼他的选民,使他们成圣。

Baruch, Bernard　巴鲁克(1870-08-19,美国南卡罗来纳卡姆登～1965-06-20,纽约州纽约)　美国金融家、总统顾问。纽约市立学院毕业。曾在华尔街证券交易所当勤务员。由于多年搞证券投机,积累一笔财富。第一次世界大战中任军事工业委员会主席。1919年在凡尔赛和会上,任最高经济委员会委员和威尔逊总统在和平问题上的私人顾问。第二次世界大战期间作为战时经济动员专家任罗斯福总统顾问。第二次世界大战后在制订联合国国际管制原子能政策方面起了推动作用。

Baruch, Book of　《巴录书》　传为《旧约》先知耶利米的秘书和友人巴录所著的古代宗教经籍。今存希腊文本及自希腊文本译出的拉丁文、古叙利亚文、科普特文、埃塞俄比亚文等译本。《巴录书》在希伯来经籍和基督教(新教)经籍中均列为外典,但收进**七十子希腊文本圣经(Septuagint)**,因而收入天主教的《旧约》。《巴录书》系数人作品的汇编,书前短序称此书为巴录在公元前586年巴比伦军队攻陷耶路撒冷5年后写成。

Barūjird (Iran)　参阅**Borūjerd博鲁杰尔德**。

Bāruni　巴鲁尼　又拼Barauni或Beruni。印度东北部比哈尔邦中北部城镇,位于恒河以北。巴鲁尼为贝古瑟赖城镇群的组成部分。旧称朱尔达伯杰,1961年与普尔瓦里亚合并。该镇有主要公路、铁路和渡口,是农产品的贸易中心和工业综合体。有炼油厂与热电站。设有帕戈尔布尔大学分校。人口约60 668(1991)。

Baruta　巴鲁塔　委内瑞拉北部米兰达州西北部城市。该市地处中央高原。巴鲁塔最初为一富庶农业区的商业中心。当地生产咖啡、可可和甘蔗。现为加拉加斯都会区住宅郊区。建有高速公路通加拉加斯。人口约279 614(1990)。

Barwāni　伯尔瓦尼　印度中西部中央邦西南部城市。位于讷尔默达河南岸,在印多尔西南约110千米。为农产品与木材贸易中心,有轧棉厂。始建于1650年左右。设有一所医院和维克拉姆大学分校。附近的楚尔吉利山为耆那教重要圣地。人口约33 669(1991)。

Bary, Heinrich Anton de　德巴里(1831-01-26,美因河畔法兰克福[德国]～1888-01-19,德国施特拉斯堡[今法国斯特拉斯堡])　德国植物学家。被誉为现代真菌学和植物病理学的奠基人。德巴里曾任布赖斯高地区弗赖堡大学(1855～1866)、哈雷大学(1867～1872)和斯特拉斯堡大学(1872～1888)的植物学教授。在此期间他确定了许多真菌的生活史。他提出的分类法大部分仍为当代的真菌学家们所使用。德巴里是首先研究寄主与寄生物间相互作用的科学家之一,他证明了真菌进入寄主组织的方式。在《关于由真菌引起的枯萎病的研究》(1853)一书中,他正确地断言真菌是引起植物锈病和黑粉病的原因,而不是结果。德巴里于1865年证明了小麦锈菌的生活史存在两个寄主——小麦和小檗。1866年,他首次提出地衣是由有共生关系的一种真菌和一种藻类组成的学说。为了说明两种生物之间内在的、相互的、有益的伙伴关系,1879年他创立了"共生现象"一词。他在黏菌和藻类的有性繁殖方面也进行了重要的研究工作,1877年发表《显花植物和蕨类植物的比较解剖》一书。

Barye, Antoine-Louis　巴里(1796-09-24,法国巴黎～1875-06-29,巴黎)　多产的法国雕

刻家，作品以动物雕刻为主，以动物派之父著称。巴里出身于珠宝商家庭，13 岁从军需设备雕刻工学艺，后经营珠宝。1817 年前后开始作雕刻，并受 T. 热里柯的浪漫主义绘画影响。他擅长表现动态的力，细部刻画精确，符合解剖学，特别鲜明地表现在搏斗和捕食的青铜兽雕中。1827 年和 1831 年巴里在沙龙展出青铜兽雕，其《吞食恒河鳄的狮子》获二等奖。

Barylambda 笨脚兽 不寻常和畸变的哺乳动物的绝灭属。化石见于北美的古新世晚期(6 350 万年前至 5 780 万年前)地层中。笨脚兽的个体较大，身长 2.5 米，具有异常笨重的身体与腿。它有很粗的尾巴也许是用来

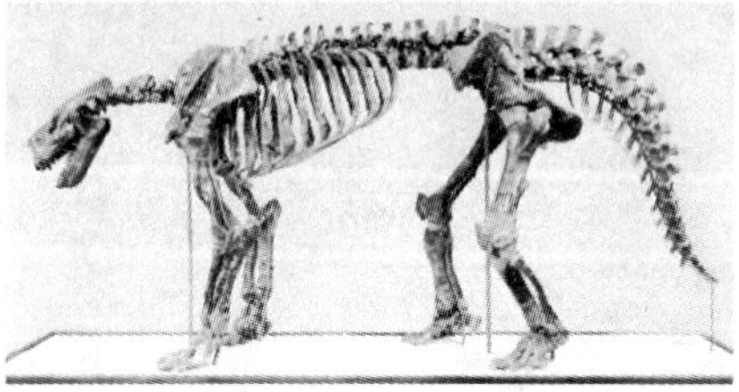

采自美国科罗拉多州的笨脚兽(*Barylambda faberi*)骨骼
美国不列颠百科全书公司供图

支撑，使其靠后腿举起自身。头骨较小又较短。脚短而宽，具五趾。笨脚兽保留锁骨——被认为是有蹄类哺乳动物的原始特征。很可能以相当软和易嚼的植物为食料，是当时最大的动物之一。

baryon 重子 最重的一类亚原子粒子，包括核子(质子和中子)和超子(Λ、Σ、Ξ 和 Ω 等)。它们由 3 个夸克构成，属两类强子中的一类。(另一类强子由一个夸克和一个反夸克构成，称为介子。)重子的反粒子称为反重子。重子是参与强相互作用的费米子，强相互作用是把原子核内的质子和中子结合在一起的力。重子的重子数 B 为+1，反重子的重子数为-1。如原子含有一个质子和一个中子则其重子数为 2，非重子的重子数为 0。在所有的粒子反应中重子数保持不变。

Baryshnikov, Mikhail (Nikolayevich) 巴里什尼科夫(1948-01-28，苏联拉脱维亚里加～) 苏联出生的美国芭蕾舞蹈家，是 20 世纪 70 和 80 年代古典舞蹈中最杰出的男舞蹈家，后成为著名的舞蹈编导。巴里什尼科夫的父母为苏联拉脱维亚人。他 12 岁进入里加歌剧芭蕾舞学校，因在学校成绩优异，遂决心从事舞蹈艺术。1963 年被瓦冈诺娃芭蕾舞校(列宁格勒基洛夫芭蕾舞团的预校)录取，从亚历山大·普希金学艺。1966 年进入基洛夫芭蕾舞团后，他不循惯例，越过扮演伴舞角色的实习阶段而直接表演单人舞。巴里什尼科夫于 1968、1969 年分别主演原来专为他编写的芭蕾舞《戈里安卡》和《维斯特里斯夫人》。巴里什尼科夫极受苏联观众喜爱。但他不能接受苏联官方对艺术家的种种约束，尤其不满于政府禁止他表演当代外国的芭蕾舞。1974 年 6 月，巴里什尼科夫在加拿大多伦多巡回演出时逃跑，加拿大政府给予他避难权。不久，他在北美的多次演出中获得极大成功。作为一个舞蹈演员，巴里什尼科夫有健壮的体质和超群的跳跃能力，使他能够以非常优美的动作完成难度极大的复杂舞步。1974 年巴里什尼科夫加入美国芭蕾舞剧院，在该剧院共演出 4 年。在此期间，他分别于 1976 和 1978 年改编了苏联古典芭蕾舞剧《胡桃夹子》和《堂吉诃德》。1978～1979 年，他加入巴兰钦领导下的纽约市芭蕾舞团，但在 1980～1989 年又回美国芭蕾舞剧院担任艺术指导。巴里什尼科夫除表演芭蕾舞外，还在电影《转折点》(1977)、《白夜》(1985)、《那才是舞蹈》(1985)和《舞蹈家》(1987)等中任主要舞蹈演员和主角。1989 年，他在卡夫卡的戏剧《变形记》中担任重要角色。此外还演过多部电视片。1990 年，他创建了白橡树舞团，这是由一些经验丰富的舞者组成的一个小巡回演出团。

baryton 巴里通琴 弓弦乐器，18世纪一度流行，属于维奥尔琴族，体积和大提琴相似，有 6 根旋律弦和一个有品的指板。张在宽颈后面的共振弦多达40根。其中有几根

德国巴里通琴
美国不列颠百科全书公司供图

用左手拇指拨奏。海顿曾为他的庇护人埃斯泰尔哈吉亲王(是一位技艺高超的巴里通琴演奏家)作有 175 首巴里通琴曲。

Barzānī, Muṣṭafa al- 巴尔扎尼(1904，伊拉克拜尔赞～1979-03-02，美国华盛顿[哥伦比亚特区]) 库尔德族军事领袖，为给生活在伊朗、伊拉克和苏联边境地区的数百万库尔德人建立一个独立国家而斗争达 50 年之久。地主之子，继续其长兄领导库尔德民族斗争的事业。1946 年库尔德马哈巴德共和国在苏联援助下在伊拉克北部成立，他担任总统。次年苏军撤走，共和国垮台，他逃往苏联的阿塞拜疆，直至 1958 年伊拉克发生革命后回国。巴尔扎尼拒绝伊拉克政府关于北部库尔德地区自治的建议，1960 年他逃往山区开始反对伊拉克军队的游击战争。10 年战斗之后与政府达成停战、大赦的协定。1974 年伊拉克颁布确定库尔德自治区的法律。当巴尔扎尼发现这项妥协无法接受时，他下令库尔德武装力量重新战斗，并接受伊朗的大规模军事援助。1975 年伊朗停止援助，库尔德游击队被伊拉克军歼灭。巴尔扎尼流亡德黑兰，后去美国避难。

Barzaz Breiz 巴尔扎斯-布雷兹 原作 Barzas-Breaz。民间歌谣集。据称是古代布列塔尼民间传说的遗存，是布列塔尼农民口头文学的收集。到 19 世纪 70 年代又证明它并非布列塔尼的民间诗歌选，而是一个混合物，既有旧诗(主要是经过编者或其他人整理过的爱情歌谣)，又有仿中古诗体的现代诗，以及关于墨林和诺米诺埃那样的传奇人物的伪托诗篇。巴尔扎斯-布雷兹影响极大：历史诗篇鼓舞了布列塔尼人抵抗压迫的斗志，重新燃起他们对自己文化遗产的自豪之情，同时也带头唤醒布列塔尼作家，并刺激他们对布列塔尼民间传说作进一步的研究。

Barzizza, Gasparino da 巴尔齐札(1360?，意大利贝加莫附近巴尔齐札～1431，米兰) 意大利教师。因阐述古典文明与当时的意大利的关系而闻名。曾在帕维亚学习语法、修辞学，后留该处执教。迁居威尼斯，后又去帕多瓦，赢得理科教师和人文主义者的声誉。他不仅以教学闻名，也以学术研究著称。著作有书信体小说、演讲、修辞学、文史评论等。还曾编辑拉丁文表音法手册。其《书信集》(1470)是第一本在法国用印刷机印刷的书。

Barzun, Jacques 巴曾(1907-11-30，法国克雷泰伊～2012-10-25，美国得克萨斯圣安东尼奥) 美国教师、历史学家、作家。坚决主张大学生应受广泛的文科教育，不应过早专业化。他的主张对美国高等教育有一定影响。1920 年移居美国，1927 年在哥伦比亚大学任历史讲师。1958 年升为系主任和教务长。1967 年荣誉退休。他有关教育的著作包括：《美国的教师》(1945)，系论文集；《智力大厦》(1959)，这是一部有争议的作品，控诉美国的教育制度，认为这种教育制度培养了虚假的知识分子；《美国的大学：如何管理及发展方向》(1969)等。他的艺术著作值得注意的有：《柏辽兹和浪漫主义的世纪》(2 卷，1950；1969 年第 3 版)、《音乐的乐趣》(1951；1977 年重印)、《古典派，浪漫派，现代派》(1961)、《艺术的有用和无用》(1974)及《简单与直截了当：一种写作修辞方法》(1975)等。

bas-relief 浅浮雕 比背景表面稍微突出的浮雕。参阅 **relief**。

Bas-Rhin 下莱茵 法国东北边界阿尔萨斯大区省份。位于莱茵河西岸，与德国隔河相望。面积 4 755 平方千米。由阿尔萨斯区北半部构成。17 世纪成为法国的领土，但 1817～1919 及 1940～1944 年间，作为阿尔萨斯-洛林的一部分被德国占领。东部平原气候温和不受暴风雨侵袭。覆盖着黄土的梯田

土壤肥沃，种植谷物、甜菜、饲料和蛇麻草。其他地方为不宜耕作的森林地带，最大的是阿格诺森林。在洼地潮湿冲积地带牧草长势良好。在西部高地脚下有一片富庶的地区，小镇和村庄四周都是果园和著名的葡萄园。与莱茵河汇流的伊尔河畔的斯特拉斯堡是莱茵-罗讷、莱茵-马恩两条运河的终点。斯特拉斯堡是一个大学城和主教区，也是专区的中心；其他的专区中心有埃尔斯坦、阿格诺和维桑堡等。人口约958 000(1991)。

basal metabolic rate（BMR） **基础代谢率** 个体全身代谢活动水平的指标，可通过测量基础情况（进食14～18小时后保持绝对休息，但不是睡眠）下的氧摄入量来确定。一定时间内氧的消耗率愈高，身体的氧化过程就愈活跃，代谢率也愈高。基础代谢率一直用于测量治疗期间总的代谢情况。因为组织的氧化和代谢主要由甲状腺激素调节，所以，基础代谢率以前广泛用于判定甲状腺的功能。但自从采用放射性碘试验和甲状腺激素测定以来，基础代谢率测定已废弃不用。

basalt 玄武岩 二氧化硅含量低、富含铁和镁的深色喷出岩（火山岩）。有些玄武岩完全是玻璃质的（玄武玻璃），许多都是极细粒和致密的；然而比较常见的玄武岩呈斑状结构，在细粒结晶质的基质中含有橄榄石、普通辉石或长石的较大晶体（斑晶）。橄榄石和普通辉石是玄武岩中最常见的斑晶矿物，不过斜长石斑晶也发现过。玄武岩质熔岩经常呈海绵状或泡沫状；气孔被次生矿物如方解石、绿泥石和沸石所充填。在化学和岩石学的基础上，可以把玄武岩大致分为两大类：钙碱性玄武岩类和碱性玄武岩类。钙碱性玄武岩质熔岩以含有基性斜长石为特征，主要镁铁矿物（基性矿物）有普通辉石、易变辉石或紫苏辉石和橄榄石。不含橄榄石的玄武岩也很有代表性。

含45%～52%二氧化硅的钙碱性玄武岩类中有拉斑玄武岩（含有贫钙辉石的玄武岩）。这种玄武岩在一些造山带的熔岩中占有优势。这种熔岩流可形成巨大的高原，如美国西北部、印度德干高原、南美巴拉那河流域。夏威夷的冒纳罗亚和基拉韦厄的活火山喷发出拉斑玄武岩质熔岩。正常的碱性玄武岩含有橄榄石，并且通常含有透辉石质普通辉石或含钛辉石。碱性玄武岩类在大洋盆地的熔岩中占优势，在造山带的前陆和腹地的基性熔岩当中也常见。在不列颠-冰岛区的内赫布里底群岛、安特里姆和法罗群岛的第三纪熔岩流中有钙碱性和碱性两类玄武岩的巨厚层序。似长石类矿物产于许多属碱性一类的玄武岩质岩石中，霞石、方沸石和白榴石是其中最常见的，但是，蓝方石偶然出现。如果霞石全部代替了长石，则岩石就叫霞石玄武岩；如果霞石只是部分代替长石，就采用霞石碧玄岩这个名称。同样，还有方沸石玄武岩、白榴石玄武岩和白榴石碧玄岩。大多数霞石玄武岩是细粒的、颜色很深的岩石，它的时代属第三纪。它们在德国的一些地方很常见，它们也出现于美国（如在新墨西哥）和利比亚、土耳其以及其他地方。白榴石玄武岩主要发现于意大利、德国、东非、澳大利亚，在美国，它们发现于蒙大拿、怀俄明和亚利桑那各州。

basaltes ware 似玄武岩炻器 又称黑炻器。basaltes又拼basalt。一种黑色硬质玻化炻器，以火山岩石玄武岩命名，约自1768年起在英格兰斯塔福德郡伊特鲁里亚地区乔赛亚·韦奇伍德工厂生产。这种细颗粒的似玄武岩炻器反映了韦奇伍德的新古典主义风格：它的致密均匀的表面不需要上釉，只经打磨，使表面呈现模糊的光泽；装饰复杂，轮廓清晰，常采用复杂的几何图形，纹样可用模子制成后装饰在制品表面，也可在车床上进行车削。古典圆形浮雕、浮雕玻璃宝石和陶瓷画屏等常仿制成黑玄武岩产品，甚至还用来制造茶具、咖啡具。此外，似玄武岩炻器中还包括小雕像以及许多同真人一样大小的哲学家和作家的半身雕像。有些似玄武岩炻器朴实无华，不加装饰。

约1775年的英格兰似玄武岩炻器

美国不列颠百科全书公司供图

Basanavičius, Jonas 巴萨纳维奇乌斯（1851-11-23，俄罗斯帝国立陶宛奥兹卡巴莱～1927-02-16，立陶宛维尔纽斯） 立陶宛医生、民间文学研究家、民族运动领导人。

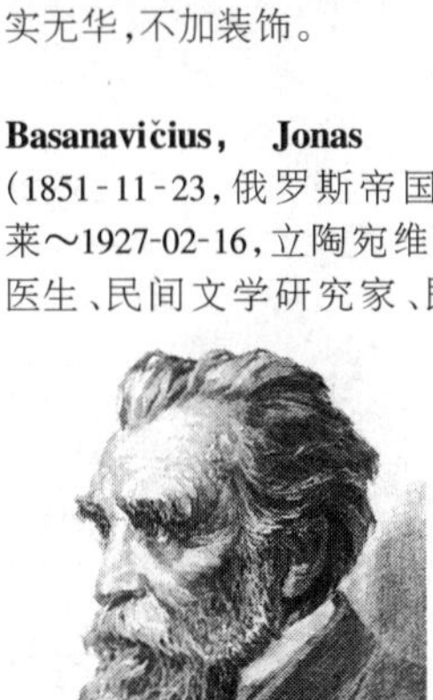

美国不列颠百科全书公司供图

1873年去莫斯科学习历史和考古学，后改学医。1879年毕业。此后的25年中，他多半在保加利亚行医。1883～1886年编辑重要的文化和政治杂志《曙光》，对立陶宛民族运动的发展有重大影响。1905年起住在维尔纽斯，曾任大议会主席。1917年选入国民议会。1907年创立立陶宛科学协会，任会长和学报主编20年，曾刊印立陶宛民间文学集多册。他认为立陶宛人是色雷斯-弗里吉亚人的后裔，并为此撰文论述。

basanite 碧玄岩 含有富钙斜长石（一般为拉长石或培长石）、似长石（一般为霞石或白榴石）、橄榄石和辉石（钛辉石）的喷出岩。可过渡为不含橄榄石的碱玄岩。斜长石在碧玄岩和碱玄岩中呈单个的大晶体（斑晶）出现。霞石在霞石碧玄岩和霞石碱玄岩中主要出现在基质内；而在白榴碧玄岩和白榴碱玄岩中白榴石大量呈晶体出现。橄榄石呈斑晶出现。黑云母、磷灰石和富钛磁铁矿为常见副矿物。碧玄岩和碱玄岩呈灰色到黑色的岩席和岩流出现。发现碧玄岩的地区有西班牙、匈牙利、意大利、新西兰和美国西南部。碱玄岩发现于德国、意大利、葡萄牙、格陵兰、乌干达和美国科罗拉多州。

Basano, Manuel de Godoy, Prince（príncipe）**de 巴萨诺亲王** 参阅**Godoy, Manuel de 戈多伊**。

Basarab, Matthew 巴萨拉布 罗马尼亚语作Matei Basarab。参阅**Matthew Basarab 马太（巴萨拉布）**。

Basāsīrī, Arslān al-Muẓaffar al- 白萨西里（？～1060-01-15，伊拉克库费附近塞吉富拉特） 伊斯兰教军事领袖。突厥奴隶出身。1058～1059年他联合一些阿拉伯部落，企图打败阿拔斯王朝哈里发卡伊姆，以支持法蒂玛王朝。但是没有成功，1060年为突厥人所杀。

Basava 跋娑伐（活动时期12世纪中叶，南印度） 印度教改革家、导师、神学家和遮类耆国王毗遮罗一世（1156～1167在位）的王室司库。跋娑伐是印度教林迦派经典《跋娑伐往世书》中的主要人物。根据印度南部地区的口头传说，他实际上是林伽派的创立人，但是，研究遮类耆国铭文可以看出，他仅是在原有教派的基础上发动奋兴运动。他的生平和教义都记载在《跋娑伐往世书》中，此书由14世纪人毗摩·迦非用犍那陀文写成，系以波鸠俱哩什·须摩那陀所著泰卢固文本为依据。

Basāvan 巴萨万（活动时期约16世纪，印度） 莫卧儿帝国时代杰出画家，以善于着色和观察人性著称。早年情况不详，从名字推断可能出身于阿希尔种姓，在今北方邦一带。1580～1600年间是其艺术活动全盛期，100多帧作品上有其署名。这些画多由他构图，另一画家合作着色。他长于对空间深度的表现，色彩丰富绚丽，具有敏锐的观察力，人物刻画动人心弦。确知出自其手的细密画为数极少，其中有为波斯诗人贾米散文诗《巴哈列斯坦》绘制的插图，描绘一位毛拉申斥恃才傲物的托钵僧的情景（牛津博德利图书馆藏）。

此外还有为《大流士书》作的插图(现藏不列颠博物馆)。许多画散见于斋浦尔的《拉兹姆书》(印度史诗《摩诃婆罗多》的波斯文译名)、巴特那的《帖木儿书》及阿克巴朝正史《阿克巴书》的抄本(维多利亚和艾伯特博物馆藏)中。

Bascio, Matteo da　玛窦(巴齐奥的)　参阅 **Matteo (Serafini) da Bascio** 玛窦(巴齐奥的)。

Bascom, Florence　巴斯科姆(1862-07-14,美国马萨诸塞威廉斯敦～1945-06-18,马萨诸塞北汉普敦)　美国教育家和第一位女地质学家。先获威斯康星大学学士和硕士学位,后获巴尔的摩的约翰斯·霍普金斯大学哲学博士学位(1893),是该校获此学位的第一名女性。1893～1895年间,任教于俄亥俄州立大学,后转入布林莫尔学院任教,并创办地质系,在她领导下,该系闻名全国。1896～1908年间,兼任《美国地质学家》副主编。1896年,任美国地质调查局助理地质学专家,为担任此职的第一个女性。在中大西洋皮德蒙特地区的考察博得盛名。写过大约40篇关于成因岩石学、地貌学及砂砾层的论文。

Bascom, William R.　巴斯科姆(1912-05-23,美国伊利诺伊普林斯顿～1981-09-11,加利福尼亚圣弗朗西斯科[旧金山])　美国人类学家,曾于1956～1957年担任伊利诺伊州埃文斯顿西北大学人类学系主任,1953年和1957年又两度出任该校非洲研究中心代理主任。曾于1943～1946年间在英属西非担任各种行政职务,1950～1951年获得富布赖特奖学金,成为研究学者。1957年受聘在伯克利加利福尼亚大学担任教授,兼任该校附设洛伊博物馆馆长。巴斯科姆是一位非洲民俗学专家,所撰《异法占卜:西非人的通神术》(1969)一文,阐述了约鲁巴人的占卜方法,该占卜法是由"异法"祭师口授传于其弟子。巴斯科姆另著有《非洲艺术》(1967)及《尼日利亚西南部的约鲁巴人》(1969)等书。

base　碱　化学术语。其水溶液手感光滑、味涩,使指示剂变色(使红色石蕊试纸变蓝),与酸反应生成盐,并能加速某些化学反应(碱催化)的一类物质的总称。碱的实例有碱金属和碱土金属(钠、钙等)的氢氧化物和氨或其有机衍生物(胺)的水溶液。这些物质在水溶液中能产生氢氧根离子(OH^-)。按布仑斯惕-劳里理论(**Brønsted-Lowry theory**)和路易斯理论(**Lewis theory**)对碱的广义定义,碱还应包括化合物本身或溶于非水溶剂时具有典型碱性的物质。参阅 **acid**。

base　基数　又作radix。数学上任意选择的一个数,借助于此数和它的各次幂的组合可以表示任何整数。例如十进制数系的基数为10,二进制数系的基数为2等。参阅 **number system**。

baseball　棒球　由两个队(每队9人)用球棒、球和手套在设有分布成方形的4个垒的场地上进行的一种球类运动。两队轮流攻守,攻方3人出局即转为守方。击球员设法将球击至防守队员达不到的地方,以便依次跑完4垒得分。在9局中得分多的一方为胜者。棒球一向被认为是美国的国球。人们曾一度以为棒球是纽约州库珀斯敦的道布尔戴所发明,但更可能的是,棒球是由18世纪英国一种名叫圆场棒球(**rounders**)的游戏演变而成。创立现代棒球的是卡特赖特和纽约市的一些球员,他们所采用的规则规定对跑垒员要用球触杀而不是将球击在他身上,这一条规则使得采用小一些的硬球和大一些的菱形场地成为可能。美国内战期间(1861～1865)棒球在军队中盛行。战后从一些业余协会中出现了职业球员。1871年全国职业棒球协会成立,1876年它发展成为全国职业棒球全国联盟。后来在全国联盟以外的城市又组织起美国联盟,与全国联盟相抗衡。自1903年以来,这两个联盟的优胜队之间进行赛季后锦标赛,名为世界系列赛。加拿大的球队于1968年和1976年被接纳为上述两个联盟赛的成员。这两个联盟赛至今仍是美国和加拿大职业棒球运动的组成部分。每一联盟赛都分为东、西两个赛区。赛季从4月初到10月初,最后东西两赛区举行决赛,胜者参加世界系列赛。美国和加拿大职业棒球联赛被认为是这一有组织的运动的尖端,尽管日本和拉丁美洲国家也有人打棒球。参阅 **Sporting Record**: Baseball。

1948年一场比赛中,纽约扬基队J.迪马乔在第一垒击回芝加哥"白袜队"T.卢平的投球

美国不列颠百科全书公司供图

baseball　棒球式台球　落袋式台球的一种,记分制与美国棒球相似,故名。按编号顺序击21个"的球",最后将落袋球上号码相加,即为得分数。以9局定胜负,每局中只要击球得分,可以继续下去,直至失误或违例,则轮到对方击球。开局时将球摆成金字塔形,1球在顶点、左边2球、右边3球、中心9球。除开局第一击外,每打一球之前需喊出要打的球和要落的袋。比赛规则参阅 **pocket billiards**。

Baseball Hall of Fame　棒球名人堂　全称全国棒球名人堂和博物馆(National Baseball Hall of Fame and Museum)。设于美国纽约州库珀斯敦市。建于1936年。1939年举行落成典礼,纪念道布尔戴创立棒球运动100周年。凡对棒球运动有杰出贡献的运动员、裁判员和经理人均有纪念牌陈列于堂内。美国棒球记者协会和名人堂委员会负责确定受纪念的人选。堂内藏有各时期棒球运动纪念品,并设有一个棒球图书馆。

Basedow, Johann Bernhard　巴泽多(1723-09-11,汉堡[德国]～1790-07-25,勃兰登堡马格德堡)　影响很大的德国教育改革家。提倡现实主义的教学方法,主张将自然学科、体育和手工训练列入学校课程,并呼吁停止使用体罚,停止在语言教学中使用死记硬背办法。其父为假发商,母亲几近疯狂。少年时曾反抗学校中的严厉纪律,曾一度从家中出走,成为一个内科医生的仆人。在后者的敦促下返回学校,并于1744年进莱比锡大学。1749年当私人教师,发明种种游戏作教学辅助手段。1753年任苏罗丹麦学院哲学教师,他的教学使学生入迷,但放荡生活以及攻击宗教组织的言行招同事白眼,致被辞退。1768年发表一篇深受赞誉的专题论文,要求进行教育改革,并特别呼吁创立实验学校,用他的方法训练教师。两年后,得安浩特亲王资助,在德绍设立学校,即"博爱学校"。他的前期学生的成绩使欧洲前来参观的人,包括康德和歌德在内,均获得深刻印象。但终因纵酒无度及脾气粗暴,于1784年和该校断绝了关系。巴泽多的见解来自夸美纽斯、洛克、卢梭等人的著作。但他的感官现实主义,比他直接师承的任何一位前辈在这方面的学说,在教育上具有更为广泛的意义。到19世纪早期,感官现实主义已成为德国公共学校体系中一种基本力量。

Basel　巴塞尔　又拼Basle。法语作Bâle(巴勒)。瑞士北部巴塞尔城市半州首府,位于莱茵河畔,比尔斯河及维瑟河河口,法国、德国与瑞士交界处,据瑞士莱茵兰的入口。

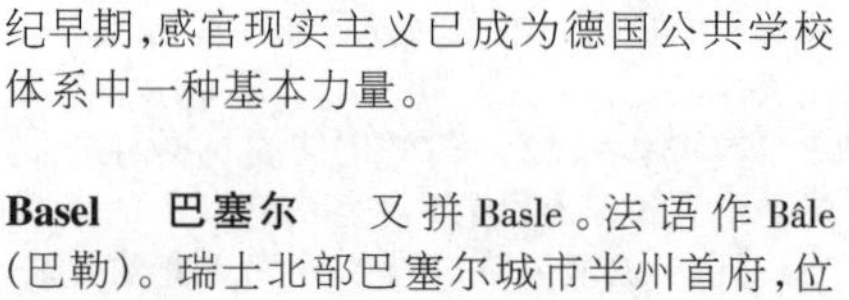

巴塞尔市的晚期哥特式市政厅

美国不列颠百科全书公司供图

最初是凯尔特人劳里西部族的一个移民定居点。巴塞尔大学是瑞士的第一所大学,建于1460年。1501年巴塞尔参加瑞士联邦。是瑞士人文主义和宗教改革运动的主要中心之一。18世纪由商业行会掌握政权。1831年该州的乡村部分叛乱,次年宣告独立,1833年组成巴塞尔乡村半州;城市则成为巴塞尔城

市半州。莱茵河把城市分成两个部分，有6座桥梁把两岸连接起来。小巴塞尔位于北岸，是莱茵河畔的港口和工业区，一年一度在此举行瑞士工业博览会。大巴塞尔位于南岸，是旧商业区和文化中心，有罗马式建筑物和哥特式大教堂（其中有安葬于此的伊拉斯谟的纪念碑）。另外的著名建筑物有晚期哥特式市政厅（1504～1521），圣马丁教堂（是巴塞尔最古老的宗教建筑物）以及14世纪的圣方济各教堂（现在是一所历史博物馆）。还有中世纪遗留的三座城门。新建的大学楼于1939年建成，大学图书馆中收藏有宗教改革者路德、伊拉斯谟、茨温利和梅兰希顿等人的手稿和主教特别会议的法令原稿。公共艺术馆（1662）收藏着小霍尔拜因、维茨和勃克林的优秀作品。他们都曾经住在巴塞尔并进行创作。艺术馆中还收藏有毕加索的作品。巴塞尔是一个重要的外贸中心，税收额占瑞士全国海关的1/3，有国际结算银行（1930）。欧洲铁路枢纽之一，也是一个重要河港。定期班机从在西北部13千米处法国境内的圣路易国际机场起飞。还是大工业城市，是瑞士化学工业和制药工业的中心。电机业、银行业、机械业和丝织品亦占有重要地位。居民主要讲德语和信仰基督教。人口约171 574（1988）。

Basel, Confession of 《巴塞尔信纲》 16世纪宗教改革运动中基督教新教的一份温和的信仰声明，共12条。原系巴塞尔宗教改革家奥科兰帕迪乌斯起草，后经另一改革家迈科尼乌斯充实编辑而成。该信纲于1534年经巴塞尔市政权机关通过。直到19世纪巴塞尔教会还使用这份信纲。有时被称为《第二巴塞尔信纲》的第一部《瑞士信纲》与《巴塞尔信纲》无关。

Basel, Council of 巴塞尔会议 天主教会在瑞士巴塞尔举行的一次会议。由教皇马丁五世于1431年去世前数周召开，下一代教皇尤金四世予以承认。会议于1431年7月开幕，到了12月，由于参加人数稀少和战事，又由于出现在意大利与希腊教会举行谈判的可能，教皇尤金四世宣布休会。但参加会议的人们拒不接受这项指示，继续开会，审议波希米亚一带的胡斯派问题。根据1436年的布拉格共同协定，胡斯派人员大多数恢复教籍。1433年12月，教皇让步，撤销解散巴塞尔会议的通谕。会议提出几项反对教皇的建议。1437年尤金命令会议迁往费拉拉进行，以便审议与希腊教会联合的问题。许多主教遵令迁移，但另有几位主教滞留不迁，形成残留会议，宣布暂时停止尤金教皇权力，尤金对这部分主教判处绝罚。当时仅有七名主教参加的残留会议乃宣布废黜尤金。1439年推选在俗人员萨伏依公爵继位为教皇，称菲利克斯五世。1447年尤金死，经过继位教皇尼古拉五世努力，菲利克斯五世退位。1449年残留会议结束。

Basel-Landschaft 巴塞尔乡村半州 法语作Bâle-Campagne（巴勒乡村半州）。瑞士北部的半州，汝拉（侏罗）山脉横贯境内，埃戈尔茨河和比尔斯河流过州境。1833年因巴塞尔州分为两个半州而建立。首府利斯塔尔（**Liestal**）。历史上曾与巴塞尔（**Basel**）城市连在一起。面积428平方千米，其中约1/3是林地。种植水果，乳制品业和养牛业占有重要地位。工业有纺织品、金属制品和化工产品。汝拉地区有钟表业。居民主要讲德语和信基督教。人口约227 126（1988）。

Basel-Stadt 巴塞尔城市半州 法语作Bâle-Ville（巴勒城市半州）。瑞士北部的半州，由巴塞尔（**Basel**）城和莱茵河北岸的两个小村组成。面积37平方千米，1833年因巴塞尔州分为两个半州而建立。居民主要讲德语，信基督教。人口约192 559（1988）。

Basel Zoological Garden 巴塞尔动物园 德语名Zoologischer Garten Basel。又作Zolli。瑞士巴塞尔地方的一所私立动物园，以繁殖印度犀和倭河马方面的出色成绩而闻名。创立于1874年，原目的是展览当地的野生动物，开办时只有约100只哺乳动物和400只鸟，多为欧洲产。后因经济困难，该园不得不去收集外国的动物，以引起观众的兴趣。今该园在13公顷的园地上共展出近600种，5 000多只动物。所养兽类的3/4均用于繁殖。除印度犀与倭河马的成绩最好外，如大猩猩、紫羚羊（广角羚）、长鼻猴和马来貘等的繁殖工作也很成功。该园与当地的大学紧密合作，强调对饲养动物的科学管理，同时也广泛开展对学生和研究人员的辅导活动。

baselevel 侵蚀基准面 在水文学和地貌学中，把河流侵蚀作用的下限称为侵蚀基准面。河流一旦进入静水体，流速即受抑制，从而丧失侵蚀力；因此，与静水体表面接近的水平面就是河流的侵蚀基准面。如果河流入海，海平面即为其侵蚀基准面，称为终极侵蚀基准面。如果河流入湖，湖面就是该河流湖面以上河段的暂时侵蚀基准面。所有大陆地区都趋于蚀低至终极基准面，即海面。但由于地壳的上升和海平面的变化，除在罕见的小范围内，这种情况一般不会发生。

Basellaceae 落葵科 石竹目的一科。4属，15～25种，多年生草质藤本，主要分布美洲热带。具根状茎。叶肉质，全缘。花红色或白色，组成分枝或不分枝的花族。马德拉藤（心叶落葵薯[*Anredera cordifolia*]或落葵样布桑戈氏藤[*Boussingaultia baselloides*]）及几种落葵属（*Basella*）植物（马拉巴尔茄）都是观赏植物。马拉巴尔菠菜（白落葵，*Basella alba*）植于炎热地区，可代菠菜。

basenji 巴森吉猎狗 又作Congo bush dog或Belgian Congo dog。又称刚果薮狗或比属刚果狗。古老的猎狗品种，原产非洲中部。现在该地用以指示猎物、寻取猎物或将猎物驱入网罟。又称不吠狗，但确能发出不同寻常犬吠的多种声音。体态优雅。特征为警觉时前额呈现细密皱纹、耳竖立和尾卷紧。被毛短而光亮，呈红棕色、黑色或黑棕相间；脚、胸、尾尖白色。站高41～43厘米，体重10～11千克。清洁温顺。

BASF Aktiengesellschaft 巴斯夫公司 德国化学、塑料制造业公司。1865年在曼海姆建立，称巴登苯胺苏打公司。1919年总公司迁至莱茵河对岸路德维希港。1925年被并入世界上最大的化学康采恩法本化学工业公司（**IG Farben**），成为其中的一部分。1945年盟军解散法本化学工业公司。1952年巴登苯胺苏打公司重建，成为法本集团三大继承公司之一。1973年取现用的简名。现在业务机构遍及约30个国家。巴斯夫集团生产石油、天然气、化工原料、化肥、塑料、合成纤维、染料和颜料、钾碱、化学盐、油墨及印刷机附件、电子录音附件、化妆品原料、医药以及其他有关设备和制品。

Bashan 巴珊 《圣经·旧约》中常常提到的国家，其领土大概在今叙利亚。巴珊是巴勒斯坦东部3个古代地区中最北面的一个，根据《旧约》，这里牧草丰盛，森林茂密。在《新约》时代，巴珊是罗马帝国最大的粮食产地。巴珊国王噩在边城以得来被以色列人打败（《民数记》21:33），于是将一半领土割给玛拿西支派。公元前84～前81年巴珊受犹太的亚力山大-贾尼厄斯的统治，但是东面的土地则属于纳巴泰人。罗马皇帝奥古斯都曾任命希律大王为巴珊统治者。公元106年罗马皇帝图拉真把整个纳巴泰王国纳入帝国，新建阿拉伯行省，首府设在波斯特拉（波斯拉）。公元635年大马士革陷于穆斯林之手，其后，巴珊日趋凋敝。

bashi-bazouk 巴什波祖克 土耳其语，指奥斯曼帝国的散兵游勇，或非正规军中的雇佣兵。原指从奥斯曼外省来到首都的无家可归的乞丐，后来用以称呼军人以外的所有穆斯林臣民，意即“平民”。最后则指附属于陆军的非正规的志愿军（有步兵和骑兵），这些人以烧杀抢掠而声名狼藉。他们曾在埃及与拿破仑作战。俄土战争期间（1877～1878）奥斯曼政府不再使用。

Bashīr Shihāb II 贝希尔·谢哈布二世 （1767，黎巴嫩加济尔～1850，土耳其伊斯坦布尔） 黎巴嫩君主。19世纪上半叶在黎巴嫩建立霸业，1788～1840年相继在奥斯曼和埃及宗主权下进行统治。虽然生于帝王之家，但在贫困中长大。1788年由地方贵族推选为黎巴嫩的艾埃尔，为黎巴嫩地区长官杰扎尔征收贡赋。杰扎尔死后，经济负担减轻，他得以巩固自己的地位。他铲除德鲁兹派君主的势力。1821年向企图占据大马士革城的阿卡帕夏提供军事援助。由于奥斯曼苏丹宣称这个帕夏是乱臣贼子，他逃往埃及，俟帕夏被赦免后，他才回到黎巴嫩。19世纪30年代当穆罕默德·阿里占领肥沃新月地带时，他与新政权通力合作，1837年武装4 000名基督教徒去平定德鲁兹派发动的叛乱。两年后，下令解除这些人的武装，但基督教徒拒不从命，甚至不惜与德鲁兹派和好，1840年6月共同发动叛乱，并得到英国人支持。他于1840年10月流亡马耳他岛。

Bashkir 巴什基尔人 突厥民族。20世纪80年代人口约107万多。住在俄罗斯欧洲部分东部的伏尔加河和乌拉尔山脉之间及乌拉尔以外地区,主要居住地是巴什科尔托斯坦,但人数远逊于俄罗斯人。13～15世纪,巴什基尔人的地区臣属蒙古金帐汗国,1552年转入俄罗斯人之手。1574年,俄罗斯人建立乌法城,驱逐巴什基尔人,该地遂沦为殖民地,以后导致多次起义,但都被残酷镇压。1919年,成立巴什基尔自治共和国,是苏联最早共和国之一。巴什基尔人原为游牧民族,牲畜有马和绵羊及少量牛和山羊。19世纪在俄罗斯殖民者及殖民政策压力下,巴什基尔人弃牧就农,至今仍然如此,游牧是辅助经济。巴什基尔人定居后,聚居在固定村落,房舍为泥、砖、木结构。他们过去分为父系氏族及部落,在氏族及部落组织内部处理事务,寻求帮助,排解争端。不过,氏族及部落今已名存实亡,村落是主要的社会结构。信仰伊斯兰教或东正教。

Bashkirtseff, Marie 巴什基尔采夫(1860-11-11[新历11-23],俄国乌克兰波尔塔瓦加夫龙齐～1884-10-19[新历10-31],法国巴黎) 原名 Mariya Konstantinovna Bashkirtseva。法国的俄罗斯移民,以其直言不讳的敏感少女自传《玛利亚·巴什基尔采夫日记》(1887)闻名。自幼随母亲漫游德国和里维埃拉,后定居巴黎。最早的艺术爱好是唱歌,后来对美术产生兴趣。到罗贝尔-弗勒里画室学习绘画,作品曾在1880年的沙龙艺术展览会展出。24岁生日前不久因肺结核病故。她的日记始于青春早期,率直地描绘出她在艺术和感情上的成长历程,是对处于成长阶段的一个青年才子极好的现代心理自我描述。

Bashkortostan 巴什科尔托斯坦 又作 Bashkiriya。俄罗斯的共和国。东至乌拉尔山南段西坡,西至布古利马-别列别伊高地上起伏的山丘。

自乌拉尔山南段的最高峰亚曼陶山起,地势向南方和西方缓降,森林密布的山区逐渐过渡为开旷的大草原,草原上星罗棋布地点缀有主要由落叶树木构成的小片树林,再向下便是别拉亚河的泛滥平原。别拉亚河是卡马河最大的支流,共和国的主要水路,源起乌拉尔山南部,先流向西南后转西北,界于东面的山区和西面的高地之间。西伯利亚的冷空气团严重影响共和国的湿润大陆性气候。据记载,冬季最低温度可达-45℃,夏季最高温度可达36℃。共和国南部在春末和夏季有干旱灼热的热风为害。平原地区降雨量为400～500毫米,山地600毫米。

在金帐汗国的可汗统治时期,前草原游牧民族突厥巴什噶尔人在这一地区定居,伊凡四世(雷帝)推翻喀山可汗后,该地区1552年由俄国管辖。1574年俄国人建立了**乌法**(**Ufa**)市,现为共和国首都和最大城市。18世纪中叶,该地区开始生产铜和铁。自1919～1991年是苏联的自治共和国。

巴什科尔托斯坦在俄罗斯的伏尔加经济区内,工农业均得到发展。该共和国矿藏资源丰富,可为其发展中的工业提供许多原料。乌法附近和西北部的涅夫捷卡姆斯克、西部的别列别伊和别拉亚河中游的伊希姆拜的油田盛产石油与天然气;乌拉尔山产铁和锰,东南部产铜,**斯捷尔利塔马克**(**Sterlitamak**)产盐;采石场为玻璃和水泥工业提供材料。石油生产、提炼和加工是该共和国最重要的工业。乌法、伊希姆拜和萨拉瓦特等地的主要炼油厂都有输油管网络与本地区油田及鞑靼共和国的油田相通。别洛列茨克和季尔良斯基的钢铁中心生产钢丝绳、电线和钢板,用于制造机床、石油和采矿设备、内燃发动机、电缆、电话和打字机。化学工业使用石油和天然气副产品,木材工业生产胶合板、家具、火柴和制造业用纸。乌法、斯捷尔利塔马克、伊希姆拜、库梅尔套、萨拉瓦特和卡尔曼诺沃有很大的发电厂。别拉亚河流域为最重要的农业区。主要农产品有黑麦、燕麦、玉米、亚麻、甜菜、甘薯和向日葵。乌法和斯捷尔利塔马克周围有许多蔬菜农场,乌拉尔山区则以饲养家畜(牛、绵羊、山羊)为主。这一地区以马的品种而著称,传统的养蜂业很普遍。铁路和汽车公路自乌法通向四面八方,乌法还有一个机场;一条主要的穿越乌拉尔山的铁路经过首都,其支线通往其他工业中心、马格尼托哥尔斯克和巴什噶尔的山区。

巴什科尔托斯坦的人口包括俄罗斯人、鞑靼人、巴什噶尔人、楚瓦什人、马里人、乌克兰人和莫尔多维亚人。1991年65%的居民住在城市。斯捷尔利塔马克和萨拉瓦特同乌法都是大城市,有几所高等学府、1 700多个图书馆和许多家剧院,其中几家用巴什噶尔语演出。面积143 600平方千米。人口约3 983 900(1991)。

Bashō 芭蕉(1644,日本伊贺上野～1694-11-28,大阪) 全名松尾芭蕉,原名松尾宗房。

东京国际教育情报学社供图

他被认为是日本最伟大的俳句诗人,他大大地丰富了17个音节的俳句形式,使佛教禅宗的精神进入俳句,并使人们承认俳句是艺术表现的手段。芭蕉早年便对俳句有兴趣,但他起初放弃了对文艺的兴趣,到当地封建主的手下当了一名武士。1666年他的主人死后,芭蕉才放弃武士身份,专心作诗。在移居首都江户(今东京)之后,他逐渐有了作为一个诗人和评论家的名声。1679年他写出了"新形式"的第一首俳句,从而为世人所知:

乌鸦立枯枝,
秋暮正迟迟。

这句诗唤起的单纯描述的心情和两种独立现象之间的比较和对照成为芭蕉风格的标志。他试图超越对形式的陈腐的依赖,超越那种毫无生命力的以流行话题为吟咏对象(这曾是俳句的特点)的做法,因为这只不过是一种流行的文字游戏罢了。反之他坚持俳句必须摆脱陈腐庸俗并取得永恒的价值。遵照他所学的禅宗哲学,芭蕉试图把世界的意义压缩到他的诗歌的简单模式中去,揭示隐藏在琐事中的希望,展现一切事物相互依赖的情况。1684年芭蕉进行了他多次旅行的第一次,这些旅行在他日后创作的作品里占有重要的地位。他的游记之所以受到珍视,不仅由于其中的许多俳句记录了沿途的各种风光,而且由于形成其背景的散文段落同样写得优美动人。记述他在日本北部旅行的《奥州小路》(1694)则是日本文学中最优美的作品之一。芭蕉在旅途中也遇到过当地的诗人并且同他们比赛作连歌,这是他十分擅长的一种文学形式,乃至有些评论家认为他的连歌是他作品中的珠玉之作。当芭蕉开始写作连歌时,连接的前后诗句的部分通常总要有一个相关语之类的词,但是他却坚持认为诗人必须超越单纯玩弄文字技巧,而是用"香气"、"回声"、"和谐"以及其他精心设想的标准把诗句连接起来。人们常常用来形容芭蕉的诗歌的一个词是"寂",它的意思是对古老的、消逝的、谦逊的事物的爱,在下述的诗句里人们可以发现这一特性:

奈良有菊香,
尽是古代佛。

在这里,菊花发霉的香味同古都灰蒙蒙的、剥落的佛像的视觉形象混合在一起。芭蕉过的是同他的诗歌的温和精神真正一致的生活,他一直保持一种简单、朴素的隐居生活,这种生活同他所生活的那时代中普遍存在的浮躁形成鲜明的对照。他有时还完全离开社会,退居到他的芭蕉庵所在地的深川去。芭蕉庵是一个简单的房舍,芭蕉的笔名便由此而来。后人既崇敬其人也崇敬其诗歌,故奉芭蕉为俳圣。

Basic English 基本英语 英语的一种简化形式,系英国作家和语言学家C.K.奥格登于1926～1930年间拟出,试图将它用作国际上的第二语言,流行了约十余年,随后很少有人使用它。基本英语的词汇和语法源自英语,但对两者都予以很大程度的简化。它共有850个英语词汇,其中600个是名词,150个为形容词,其余100个则是像can、do、across、after、to、the、all、if、not和very这类的作用词。基本英语只有 18 个动词,其变化一如标准英语,但它们与非动词组合后却能代替 4 000 个左右标准英语动词(例如以 put together 代替 assemble 或 combine,以 make up 代替 invent,以 take pictures 代替 photograph)。只有构成复数形式、形容词比较级形式以及使用 *un-*、*-er*、*-ing*、*-ed* 和 *-ly* 这些前缀和后缀的一些规则。奥格登在其《基本英语》(1930)、《基本词汇》(1932)和《基本英语初阶》(1932)中论述了英语的各种特征。

basic oxygen process(BOP) **碱性氧气转炉炼钢法** 将纯氧吹入高炉的铁和废铁熔体中的炼钢方法。氧气引起一连串强烈的放热反应,将碳、硅、磷和锰等杂质氧化。1855 年 H.贝塞麦已发现用纯氧代替空气炼钢的优越性,但直到 20 世纪能大量生产廉价、高纯度的氧气时,这种方法才在商业上获得成功。大批生产的优点为生产率高、消耗劳动力少、炼出的钢含氮量低。瑞士 R.杜雷尔于 20 世纪 40 年代后期首先用碱性氧气转炉炼钢法(BOP)炼钢,在用 2.5 吨的实验炉试验成功后,他与位于奥地利林茨的沃斯特公司的工程师合作,于 1952 年建立一座进行商业性生产的 35 吨转炉。第二座转炉于次年在奥地利的多纳维茨投产。因此,最初称 BOP 为 LD(林茨-多纳维茨)法。不到 40 年的时间,日本所有的钢和全世界一半以上的钢都用 BOP 生产。标准的碱性氧气顶吹炼钢转炉有一个竖直式圆筒形炉身,底部封闭,顶部开口呈锥形,水冷式氧气喷枪通过锥形口可上下活动。炉身衬有耐火材料(如镁砂),并安装在耳轴上,以便在装料和出钢时炉身能够倾斜。一炉装料通常包括 70%～75% 的熔融高炉生铁(含碳量约为 4%)以及 25%～30% 的废铁、石灰和熔剂。喷枪向下伸入炉身,以超音速将氧气吹入熔体中,流量每分钟可超过 800 立方米。每吹一炉钢所需的时间随钢的含碳量的高低而异,通常约为 20 分钟。然后将接近 1 600 ℃的钢水注入钢水包中,根据对钢的成分的要求,适当加入铁合金和脱氧剂。生产一炉钢需 30～45 分钟,钢产量为 30～360 吨。另一种不常用的氧气转炉炼钢系统为底吹法(在北美称为 Q-BOP,在欧洲称为 OBM),氧气和石灰从位于炉身底部的喷嘴或风嘴吹入。风嘴由两根同心圆管组成,氧气和石灰由内管吹入,天然气之类的碳氢化合物从外面的套管吹入。碳氢化合物在接近熔体处的吸热分解作用使风嘴冷却,并保护邻近的耐火材料不被烧毁。还有一种在顶吹转炉中广为应用的方法是通过炉身底部可渗透的垫块向熔体注入惰性气体,以增强化学反应。

basidiocarp 担子果 真菌中的一种生有担子的大子实体。除锈菌及黑粉菌外,见于一切担子菌类,最大的担子果见于大马勃(*Calvatia gigantea*),长达 1.6 米,阔 1.35 米,高 24 厘米。鳞盖多孔菌(*Polyporus squamosus*)的担子果直径近 2 米。最小的担子果见于掷孢酵母属(*Sporobolmyces*),仅为单细胞。

Basidiomycetes 担子菌纲 真菌门的一个大纲。包括胶质菌耳、檐状菌、层孔菌、蘑菇、鬼笔菌、锈菌、黑粉菌、马勃等。本纲具棒状担子和 4 个有性担孢子。担子负于担子果上,除锈菌和黑粉菌外担子果多大而显著。鸟巢菌是指鸟巢菌目白蛋鸟巢菌属(*Crucibulum*)、黑蛋鸟巢菌属(*Cyathus*)及鸟巢菌属(*Nidularia*)的种类约 60 种;子实体中空,似内含鸟卵的鸟巢(小包);小包含孢子,成熟时散出。外担子菌目计 15 种,不具子实体,寄生于高等植物(特别是杜鹃花科植物),形成叶斑、扫帚病和瘿(多红色)。银耳目全球分布,包括银耳属(*Tremella*),子实体胶质,色多鲜艳,尤其是橙黄或白色,约 40 种,夏末大雨后常出现于朽木上。木耳(*Auricularia auricula-judae*)为褐色胶质食用菌;外形如人耳或贝壳;秋季潮湿的天气可见于枯树干;有时营寄生生活,尤好寄生于接骨木上。木耳属 10 种,分布广泛。

(上)黄金银耳(*Tremella mesenterica*);(下)木耳(*Auricularia*)

美国不列颠百科全书公司供图

Basie, Count 巴锡"伯爵"(1904-08-21,美国新泽西雷德班克～1984-04-16,佛罗里达好莱坞) 威廉·巴锡的别名。美国钢琴家、作曲家,爵士乐史上杰出的大乐队组织者之一。从其母学习音乐,后又受哈勒姆区的钢琴家 J.P.约翰逊和"胖子"沃勒的影响,并接受后者非正规的辅导,学习管风琴。作为歌舞杂耍表演的伴奏者开始其专业生涯。1927 年在密苏里州堪萨斯城陷入走投无路的困境,直到 1935 年才组织一个 9 件乐器的管乐队,自任领队。一次在堪萨斯短波电台广播演出时,节目主持人把他封为"伯爵"以与埃林顿"公爵"等其他领队竞争。许多音乐家都认为巴锡的乐队是爵士乐史上的主要大型乐队,有良好的合奏节奏感和平衡的音响。30 年代后期乐队的伴奏部分在轻松、愉快、准确等方面有其独到之处,成为现代爵士乐伴奏风

美国不列颠百科全书公司供图

格的先驱。尽管巴锡的独奏技巧对现代钢琴风格影响很大,但它却是植根于"胖子"沃勒的"前摇摆乐"时期的风格,直到 80 年代初他仍表现出这种"大跨步式"演奏风格。

Basil 巴西尔 统治者之名,按国别分列于后,并各以 ● 为标记。

与此字相等之外语:

希腊语	Basileios
罗马尼亚语	Vasile
俄语	Vasily 或 Vasilii

拜占廷帝国

● Basil I 巴西尔一世(826 至 835?,色雷斯～886-08-29) 绰号巴西尔(马其顿人)。拜占廷帝国皇帝(867～886),马其顿王朝的创建者。曾厘定希腊法典,后世称《巴西尔法典》。农民出身,世居马其顿。可能有亚美尼

9 世纪钱币上的巴西尔一世像

美国不列颠百科全书公司供图

亚人血统。由于身体高大、孔武有力而跻身君士坦丁堡的官场。后来得到皇帝迈克尔三世赏识,遂平步青云。先后任侍从武官长、大臣、共治皇帝。他觉察有人反对他,于是抢先动手,于 866 年杀死权倾一时的皇叔恺撒·巴达斯。867 年巴西尔见到自己已失皇帝的恩宠,就弑杀迈克尔三世,独揽朝政。自 9 世纪中叶以来,拜占廷帝国一直在小亚细亚东部边陲介入基督徒与穆斯林之争。巴西尔继续攻击阿拉伯人及其同盟者保罗派教徒。帝国军队跨过东部边界,深入到幼发拉底河流域进行骚扰,但始终未能攻克重镇梅利泰内。872 年依靠其婿克里斯托弗之助,消灭了小亚细亚亚美尼亚省边境上的保罗派异教徒。

在小亚细亚东南部的西利西亚地区，拜占廷的杰出统帅大尼斯福鲁斯·福卡斯打败塔尔苏斯的埃米尔。虽然拜占廷帝国早已失去在地中海上的霸权，但是仍然拥有一支优良的舰队。塞浦路斯岛重新由拜占廷帝国控制。巴西尔意图经略意大利，遂与查理曼的曾孙法兰克皇帝路易二世进行谈判。从此，拜占廷帝国借贝内文托的伦巴第公爵之助，加强了它在意大利南部的地位，成立卡拉布里亚和兰戈巴尔迪亚两个省，而大尼斯福鲁斯·福卡斯功勋卓著。不过，西西里的重要城镇叙拉古等在878年仍由穆斯林占领，这表明阿拉伯人在地中海还有一些力量。拜占廷帝国的另一重要政策是极力约束巴尔干半岛的斯拉夫人，但此问题涉及君士坦丁堡与罗马之间的教派之争，颇为复杂。巴西尔一世在位期间，保加利亚人于870年建国伊始即接受君士坦丁堡在宗教上的管辖权，此事对巴尔干诸国及正教教会均产生重大影响，拜占廷帝国在南部斯拉夫人地区的影响大大地加强了。但巴西尔却继续面临佛提乌和伊纳爵两人之间由谁担任君士坦丁堡牧首的问题。他即位之初力求赢得国内的支持和罗马的谅解，恢复了被废黜的伊纳爵的牧首职位，将佛提乌开除教籍。877年伊纳爵死后，巴西尔又恢复佛提乌的牧首而于879年为罗马所接受。他也缓和了拜占廷教士中开放派与严格派之间的紧张局面，并设法在东西方教会之间保持和平势态。巴西尔晚年精神错乱，在狩猎时去世。他对儿子利奥深恶痛绝，偏见甚深。历代史学家对巴西尔之治毁誉不一。近代学者认为，拜占廷帝国"中兴"始于842年的迈克尔三世。无论对内对外，巴西尔大体上承袭了迈克尔三世的政策。

● **Basil II　巴西尔二世**(957或958～1025-12-15)　拜占廷皇帝(976～1025)，曾扩张其统治于巴尔干(主要是保加利亚)、美索不达米亚、格鲁吉亚和亚美尼亚，对内则打击军事

意大利威尼斯国立玛尔西亚娜图书馆供图

贵族及教会势力从而加强了权威。罗曼努斯二世之子。960年与其弟君士坦丁加冕共治，均因年幼未能临朝主政。963年罗曼努斯二世死，先由继父尼斯福鲁斯二世总揽政务，后由约翰一世齐米斯西斯继之。976年约翰死，由叔祖父御前大臣阉宦巴西尔把持朝政直至985年。989年，巴西尔二世在基辅大公弗拉基米尔的支援下打败两名反叛的将领。为酬谢基辅大公，巴西尔把妹妹安娜许配给他，条件是基辅国家信奉基督教，部分俄罗斯部队留下为巴西尔效劳，组成有名的帝国北欧近卫军。从此，他致力于巩固、扩展帝国的权威。他在叙利亚抗击埃及法蒂玛王朝的入侵，偶尔自君士坦丁堡进军小亚细亚去解安条克之围。他以武力和外交手段取得格鲁吉亚和亚美尼亚的土地，而在亚美尼亚君主死亡时，还得到更多土地的许诺。但巴西尔的主要成就是坚持对复兴的保加利亚王国作战，最后取得胜利。其时保加利亚沙皇萨穆伊尔集中其军事行动于马其顿，在巴尔干西部建起霸权。986～1014年，拜占廷与保加利亚连年作战，其间巴西尔时时回师东线平息叛乱。巴西尔借助威尼斯以保卫达尔马提亚海岸及亚得里亚海，防止保加利亚人侵袭。年复一年，他逐渐渗入萨穆伊尔的国土，最后占领保加利亚北部与中部，并直取其都城奥赫里德，虽获全胜终因残酷地对待被俘人员而获得"保加利亚人的刽子手"之恶名。从此复兴不久的保加利亚王国被拜占廷帝国兼并。巴西尔进一步加强了帝国对意大利南部的控制，并一度从阿拉伯人手中夺回西西里。他试图在罗马扶植一名希腊人教皇，并想使日耳曼统治者奥托三世与自己的侄女联姻，但均告失败。在对内政策中，他把加强皇帝权威放在首位，对镇守小亚细亚的跋扈军事贵族毫不宽容。他打击豪强保护小农，使他们转为皇帝服役，向中央度支部门纳税。地契要经过严格审查，大庄园多被没收。因之，巴西尔在世之时虽穷兵黩武，军费浩繁，但留下的仍是一个财力雄厚的国家，有些财宝贮藏于特别设计建造的地窖之内。据史载或绘像所示，他身材短小，圆脸蓝眼，髭髯浓重，不善辞令而富机智，往往"言必有中"，令闻者折服。他节俭、严苛而暴戾，虽有帝王之尊而行若士卒临阵。他深知居安思危之理。似乎不尚学术，但鼓励宗教艺术品的创作，在维奥蒂亚及雅典兴建教堂，这大概是出于传统虔诚之举。巴西尔似乎未曾结婚，故无子女。死后没有一个有才干的军事贵族或其他领袖人物能继承他的事业，控制整个局面，致使他的建树难免毁于一旦。

摩尔多瓦

● **Basil　巴西尔**(约1595～1661，君士坦丁堡)　又译巴西耳。绰号巴西尔(豺狼)。雄心勃勃和富于进取精神的摩尔多瓦大公(1634～1653)，曾将首批成文法和印刷厂引入国内。原籍阿尔巴尼亚。1634年即摩尔多瓦大公位。1637～1639年两度率兵征伐瓦拉几亚大公巴萨拉布，均告失利。由于军费浩繁和向土耳其皇帝纳贡，臣民负担极重。但在文化方面有所建树，如设立希腊语隐修学校，编纂摩尔多瓦民法和刑法，并在雅西创办国内第一家印刷厂。1653年被巴萨拉布等赶下台后，借助乌克兰的哥萨克骑兵复位。入侵瓦拉几亚时，于文塔一役(1653-07)败绩，几乎全军覆没。后被国内贵族废黜。曾逃奔鞑靼可汗，又转赴君士坦丁堡，但在那里被拘，死于狱中。

俄罗斯

● **Basil I－IV**　参阅**Vasily I－IV**瓦西里一世至瓦西里四世。

basil(*Ocimum basilicum*)　**罗勒**　又作sweet basil。唇形科一年生草本植物，干叶用作香料。原产于印度和伊朗。有许多商业用变种，如小叶普通罗勒、大叶意大利罗勒和大莴苣叶罗勒等。大叶变种具略似茴香的芳香，味辛甜而微辣。普通罗勒的干叶香味较

罗勒(*Ocimum basilicum*)
美国不列颠百科全书公司供图

淡，但味更辣。罗勒作为蔬菜广泛栽培，干叶可制香料，鲜叶或干叶用于肉、鱼、沙拉及酱油的调料。罗勒叶制的茶是一种兴奋剂。并含精油0.1%，主要成分是甲基黑椒酚($C_{10}H_{12}O$)和d-芳樟醇($C_{10}H_{18}O$)。罗勒的叶心形，在意大利为爱情的象征。

Basil OF ANCYRA　**巴西勒(安西耳的)**(?～约364，伊利里亚)　希腊基督教神学家，安西耳(今土耳其安卡拉)主教。原来行医，336年被半阿里乌派(参阅**Semi-Arianism**)提名为主教。他写信给各主教，介绍358年安西耳地方会议的结论，在信中阐述半阿里乌派观点，成为该派的学术领袖。在359年两次会议上，阿里乌派表示反对巴西勒的观点。同年巴西勒在东罗马皇帝君士坦提乌斯二世的压力下签署措词暧昧的拥护阿里乌主义异端的阿里米尼会议纲领。360年阿里乌派异端分子在君士坦丁堡举行宗教会议，宣布撤换巴西勒并流放巴西勒。他在死前宣布撤销在阿里米尼会议纲领上的签名。以亚大纳西和奚拉里为代表的正统派承认巴西勒的论点接近于正统教义。

Basil THE BLIND　**瓦西里(瞎子)**　参阅**Vasily II**瓦西里二世。

Basil THE CHAMBERLAIN　**巴西尔**(?～985)　拜占廷帝国马其顿王朝的太监大臣。皇帝约翰一世死后，这位大臣将两个侄孙扶上皇位，即君士坦丁和巴西尔二世。后来，他进而左右朝政，终被巴西尔二世设法除掉。

Basil THE GREAT, SAINT **大巴西勒,圣**(约329,卡帕多西亚凯撒里亚马扎卡～379-01-01,凯撒里亚) Basil拉丁语作Basilius。古代基督教希腊教父。出身于基督教徒显贵家

美国不列颠百科全书公司供图

庭。曾在凯撒里亚、君士坦丁堡和雅典学习,准备作律师或雄辩家。但后来和友人共同在其家族庄园办隐修团。357年赴埃及参观各隐修院。360年参加君士坦丁堡宗教会议,维护三位一体信条,反对阿里乌派。370年任凯撒里亚主教、卡帕多西亚都主教。371年,罗马帝国皇帝、信奉阿里乌派的瓦林斯途经该地,巴西勒拒绝屈从,后来瓦林斯利用行政措施削弱巴西勒的权力,也遭到他的反抗。巴西勒所著《驳优诺米》一书,坚持圣子耶稣基督的神性,批判阿里乌派的极端分子。他与其弟格列高利(尼斯的)以及友人格列高利(纳西盎的)并称"卡帕多西亚三教父",在360～390年间致力维护正统基督教信仰。

Basil THE MACEDONIAN **巴西尔(马其顿人)** 参阅**Basil**(Byzantine Empire)巴西尔(拜占廷帝国)项下的**Basil I** 巴西尔一世。

Basil THE WOLF **巴西尔(豺狼)** 参阅**Basil**(Moldavia)巴西尔(摩尔多瓦)项下的**Basil** 巴西尔。

Basil, Colonel W. de 巴西尔(1888,俄罗斯帝国立陶宛考纳斯～1951-07-27,巴黎) 原名Vasily Grigorievich Voskresensky。俄国演出经理人。1932年和R.布鲁姆同任蒙特卡洛俄罗斯芭蕾舞团团长。布鲁姆偕同L.马辛和其他舞蹈演员与一家美国投资机构("世界艺术")合作,改组蒙特卡洛俄罗斯芭蕾舞团,由该团著名首席舞蹈演员马辛任团长。巴西尔遂集合未追随马辛的其他舞蹈演员组织成立另一个舞团,名为"真正的俄罗斯芭蕾舞团",并自任经理,直到1948年解散。

Basil, Liturgy of Saint 巴西勒礼仪,圣 东正教和东仪天主教会所使用的圣体礼仪。在下列各节日使用,每年共计10次:元旦(圣巴西勒节)、大斋节的前五个星期日、圣星期四、圣星期六、圣诞节前夕、显现节(即主显节)前夕。这种礼仪至少一部分可能是圣巴西勒亲自制定。

Basilan 巴西兰 菲律宾南部西里伯斯海中的岛、省和直辖市。距棉兰老岛三宝颜半岛南端8千米,是苏禄群岛中最北面的最大岛屿(1 282平方千米)。岛上多为山峦起伏的森林高地,几座火山峰超过600米。小河流向四面八方形成灌溉系统。1900年以来,在炎热多雨的森林地带开始伐木业。岛上丘陵和河谷土地肥沃,种农作物,产品以橡胶为

巴西兰岛的咖啡种植园
美国不列颠百科全书公司供图

主。橡胶在种植园加工后,销往马尼拉的工厂。岛上居民多为亚坎人,为早期巴布亚定居者后裔,14世纪时皈依伊斯兰教。巴西兰省总面积1 326平方千米,除巴西兰岛外,还包括附近几个小岛。1973年以前是南三宝颜省的一部分。省会伊莎贝拉(亦称巴西兰市)。重要城市有巴西兰岛北部的拉米坦和西部的马卢索。本省主要产品为胶乳、棕榈油和咖啡。人口:省326 000;伊莎贝拉城市区59 482(1990)。

Basildon 巴西尔登 英格兰埃塞克斯行政、历史郡一区。位于伦敦东。面积111平方千米,包括比勒里基、威克福德和新城镇巴西尔登。有轻型机械、化工、服装和印刷等工业。人口约164 400(1998)。

Basildon 巴西尔登 英格兰埃塞克斯行政、历史郡巴西尔登区新城镇。1949年设置。为离伦敦32～48千米的8个城镇之一,以缓和第二次世界大战后伦敦住房的严重不足。已建起约230个工厂、400家商店。人口100 924(1991)。

Basile, Giambattista 巴西莱(约1575,那不勒斯～1632-02-23,坎帕尼亚,朱格利亚诺) 那不勒斯军人、官员、诗人、短篇小说家。他用那不勒斯方言写了50个故事,集名《最好的故事》(1634),写得欢快淋漓,极有风趣,是欧洲最早用民间故事编写的小说集之一,成为17世纪法国童话作家佩罗和19世纪德国童话作家格林兄弟以及18世纪意大利剧作家戈齐的写作题材的重要来源。他对那不勒斯的民谣、风俗、文学、音乐和方言也有浓厚兴趣,写过一些意大利文及西班牙文诗歌,如《那不勒斯的文艺女神》(1635)就是讽刺那不勒斯社会习俗的对话体组诗。

Basilian 巴西勒派 遵行拜占廷礼仪的基督教隐修派别。他们以圣大巴西勒为导师,故名。1822年创立于法国的遵行拉丁礼仪的一个修会亦称巴西勒派,该派后来主要在加拿大从事青年教育工作。神学家圣大巴西勒是卡帕多西亚(今土耳其境内)和凯撒里亚都主教,他在358及364年期间制订隐修院规则。这种规则简明而严格,要求修士集体隐修,与埃及圣安东尼及圣帕科米乌斯对修士的要求不同。大巴西勒有意识地规避旷野隐士的极端禁欲主义。他的规则分为两部分,即《布道规则》(55条)和《日课规则》(313条),采取问答体。这些规则要求修士通过苦修专诚事奉上帝。根据这种规则,修士集体生活,服从管教,每日按时祈祷,并从事体力和脑力劳动,修士必须发绝色、绝财两愿,此点与日后西方隐修运动相似。巴西勒还主张隐修院附设学校以教育儿童并测验学生从事宗教活动的天赋条件,主张修士应关怀贫民。9世纪圣狄奥多尔(斯图狄乌斯隐修院的)修订巴西勒的规则。巴西勒的规则在几个世纪内对拜占廷教会产生巨大影响,与圣本笃(圣本尼狄克)对西方隐修生活的影响不相上下。

basilica 巴西利卡 又称长方形会堂(教堂)。古罗马的一种公共建筑物,用作市场、法院和会议大厅。平面为长方形,中有两排列柱,并在一端或两端设有高起的平台。公

巴西利卡
中国大百科全书出版社供图

元前1世纪,当会堂日益频繁地被用作法院时,高起的平台部分用半圆拱形的后堂加以封隔,以供法官使用。一种小型的巴西利卡

用列柱分为中堂和两侧堂,一端有半圆形后堂。早期的基督教徒建造教堂时,曾采用这种布局类型,可能是因为313年君士坦丁大帝正式承认基督教为合法宗教之前,基督教徒曾在私人的大宅第内类似的大厅中,举行礼拜仪式。君士坦丁大帝在位时建造了三座巨大的巴西利卡式基督教堂。他在教堂建筑中添加了一个新的部分,即在后堂前面增建一个横向的耳堂,而使教堂平面呈现十字架形状。从此以后,西欧在整个中世纪中所建的教堂,都以此为准。早期基督教巴西利卡的中堂,比侧堂高得多,支承中堂屋顶的侧墙(高出于侧堂屋顶)上方可开启窗洞,以利教堂中部采光。后堂与中堂之间的墙上,则开有宽大的拱门洞。建筑物入口处设有与中堂及侧堂总宽度相等的前厅。前厅通常设有柱廊,10世纪以后又添建了一座圆形或方形的钟楼。巴西利卡外形简朴,很少装饰,其内部简朴的墙面却适宜于进行繁复的装饰。巴西利卡的平面布局,包括中堂、侧堂和后堂,成为后来所有西方教堂建筑发展的基础。

Basilica 《巴西尔法典》 指由巴西尔皇帝一世倡议编纂的9世纪的拜占廷法典,后来由巴西尔的儿子(聪明的利奥六世)登基以后完成。6世纪的《查士丁尼法典》以及后来补充的帝国诏令,一直是罗马帝国的主要法律来源,但是它的内容有许多重复和矛盾。如何选择和应用《查士丁尼法典》的作品中的要点所引起的矛盾解释使帝国法官们莫衷一是。巴西尔皇帝和利奥皇帝因此任命了一个法学家委员会来重新审查这部法典并加以简化,剔除了过时的、矛盾的和多余的条目,并把剩下来的法律规定排列成为有秩序的分节。巴西尔的法学家们编制了40卷这样的法典,利奥在位时又扩充为60卷。《巴西尔法典》是用希腊文写成的,它既是民法及公法的汇编,也是教会法的汇编。它比查士丁尼的法典排列得更有系统,构成一部很完整的作品,不像查士丁尼的四部作品那样,一个题目可能放在不同的地方。这样《巴西尔法典》就变成拜占廷法学的基础。《巴西尔法典》的索引于12世纪编成。由于《巴西尔法典》只有约2/3流传下来,这一索引可帮助了解其内容。参阅 **Justinian, Code of**。

Basilica of Constantine (Rome) **君士坦丁巴西利卡** 参阅 **Maxentius, Basilica of** 马克森提巴西利卡。

Basilicata 巴西利卡塔 意大利南部塔兰托湾沿岸一个区。下设波坦察省和马泰拉省。总面积9 992平方千米。西部为山区,东部为低矮丘陵和宽阔谷地。伊奥尼亚海沿岸有狭窄沿岸平原。中世纪初由伦巴第人统治。诺曼人统治时首府为梅尔菲。曾在意大利南部的事务中起过重要作用。1860年归属意大利。现经济以农业为主,但由于土壤贫瘠,地势起伏,产量一般不高。种植小麦、黑麦、葡萄和橄榄;饲养绵羊、山羊、猪、菜牛和奶牛。东部和沿海地区新引种烟草、蔬菜、甜菜和花卉。除了橄榄压榨厂和面粉厂外几乎无工业可言。但马泰拉附近有天然气。在皮斯蒂奇建有化工厂。马泰拉(**Matera**)和区首府波坦察(**Potenza**)是该区仅有的较大城市。在1980年灾难性地震中遭受严重破坏。铁路干线通波坦察、那不勒斯和塔兰托等地。人口约612 785(1983)。

Basilide (Ethiopian emperor) 参阅 **Fasilides** 法西利德斯。

Basilides 巴西里德斯(活动时期2世纪,亚历山大) 诺斯替教亚历山大派的创始人。他曾在罗马皇帝哈德良和安东尼·庇护在位期间在亚历山大任教师。3世纪基督教神学家克雷芒(亚历山大的)在他的著作中提出,巴西里德斯自称得使徒彼得的译员格劳西亚斯秘传。巴西里德斯著有颂诗和赞歌,并评注福音书,还曾为他所创教派另撰"福音",他的这些著作现仅存残篇。关于他的神学,克雷芒以及希波里图斯(罗马的)和圣伊里奈乌斯这两位神学家所提供的材料相互抵触。有人说他的体系中有新柏拉图主义、《新约》和其他诺斯替教派别的成分,但都是片面之词。在4世纪巴西里德派仍存在于埃及。

Basilio, Carmen 巴西利奥(1927-04-02,美国纽约卡纳斯托塔~) 别名 the Canastota Clouter。美国职业拳击运动员。1948年从海军陆战队退役后成为职业拳击运动员。1955年6月10日在第12回合击倒T.德马科获次中量级冠军,11月30日再赛,还是在第12回合击倒德马科。1956年和J.萨克斯顿赛两场,第一场数点判定失败,第二场在第9回合击倒萨克斯顿。1957年2月22日再赛,巴西利奥在第2回合击倒萨克斯顿获胜。同年升入中量级,并数点判定击败S.R.鲁宾逊。后多次失败,1961年宣布退役。全部比赛胜56场(27场击倒对方获胜),负16场。1969年入选《拳击》杂志拳击名人堂。

Basílio da Gama 巴西利奥·达·加马 参阅 **Gama, Basílio da** 加马。

Basilios 巴西利奥斯(1891?~1970-10-12,埃塞俄比亚的斯亚贝巴?) 宗教领袖,1951年1月14日受祝圣而成为埃塞俄比亚正教会第一任"阿布拿"。从4世纪起,埃塞俄比亚教会即由科普特教会驻亚历山大城的宗主教任命的埃及人阿布拿领导。但是,由于在埃塞俄比亚皇帝海尔·塞拉西一世治下达成关于改革的协议,埃塞俄比亚正教会于20世纪40年代末期开始获得独立。在巴西利奥斯主持下,到1954年,埃塞俄比亚正教会已完全由本国人主持。1959年该教会成为自主教会,巴西利奥斯任首任牧首。

Basiliscus 巴西利斯库斯(?~477) 东罗马僭帝(475~476)。 原是东罗马皇帝利奥一世(457~474在位)的内弟。468年率东罗马帝国军队在阿非利加与汪达尔人作战。由于指挥失当,在墨丘利(今突尼斯的邦角)附近被汪达尔国王盖塞里克打得一败涂地。因其姊说情,利奥一世把他赦免。475年1月巴西利斯库斯发动政变,将新皇帝芝诺逐出君士坦丁堡,自立为皇帝。在他统治的20个月里,因偏坦基督一性论派而引起普遍不满。偏偏君士坦丁堡又发生一次火灾,多处受毁,许多希腊艺术品付之一炬。476年8月芝诺打回君士坦丁堡,把他流放到卡帕多西亚,不久斩首。

basilisk (legendary serpent) **巴兹里斯克蛇** 参阅 **cockatrice** 蛇怪。

basilisk (*Basiliscus*) **王蜥** 鬣鳞蜥科王蜥属动物,有4种。栖居美洲热带地区江河、溪流附近的树上。体形侧扁。尾长,呈鞭状。头后端延伸,形成一扁平叶瓣,形如鸡冠。趾

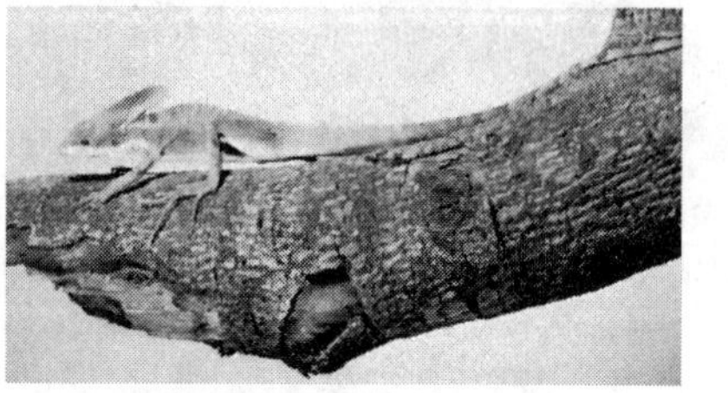

王蜥(*Basiliscus basiliscus*)
美国不列颠百科全书公司供图

外的鳞片延伸为缘缨。雄性沿背部有一条脊,靠后肢能在水面上奔跑,跑时身体几乎保持直立。

Basilius THE GREAT, SAINT 参阅 **Basil the Great, Saint** 大巴西勒,圣。

Basilosaurus 古蜥鲸 又作 Zeuglodon。古蜥鲸科(古鲸亚目)原始鲸类的绝灭属。化石见于北美和北非的始新统(始新世开始于5 400万年前,延续约1 600万年)上部。具原始的齿系和颅骨结构。细长骨骼很适应水中生活。体长达21米左右,头骨长1.5米。遍布始新世晚期海洋。

Basin, Thomas 巴赞(1412,法国科德贝克~1491-12-03,荷兰乌得勒支) 法国主教和历史学家。1447年任利雪主教。法国从英国手中收复诺曼底(1450)后,他忠心为查理七世服务,任国王顾问。他拒绝支持太子路易的叛乱,路易即位(1461)后,对他怀恨在心,将他放逐国外。他的主要著作是《查理七世和路易十一世统治时期的历史》,模仿古典历史学家文体,1471~1487年用拉丁文写成,是反映他所在时代的宝贵史料。

Basin and Range Province 盆地和山脉区 美国西部和西南部的干旱地理区,包括内华达州、犹他州的西半部、加利福尼亚州的东南部和亚利桑那州的南部,并延伸到墨西哥的西北部。该区有各种奇特的地形,大部分由许多平行(走向南北)的,小而崎岖的山脉组成,中间为近乎平坦的荒漠平原或盆地。盆地一般海拔4 000~5 000英尺(1 200~1 500米),山岭高出盆地3 000~5 000英尺。地区北半部称大盆地(**Great Basin**)。盆地和山岭为半荒漠地区,有极复杂的地质史。其近100条的山岭是隆起的地壳岩石,南北走向的断层,其间的地块经过崩落、侵蚀,并部

分地被冲积岩屑所覆盖。加利福尼亚的死谷是这种充满沉积物的盆地中最低的一个。大多数盆地没有泄流的出口，雨水汇集成盐湖（如犹他州的大盐湖）或干盐湖（湖底为泥滩，偶尔有几英寸很快就会被蒸发的积水）。南部的山间盆地有泄水道，最后注入太平洋。

Basingstoke and Deane　贝辛斯托克-迪恩　英格兰汉普行政、历史郡的一个区和自治市。面积634平方千米。大部为农区，但包括贝辛斯托克集镇。始于17世纪的服装业已得到恢复，有各种轻工业项目。计划为大伦敦郡的过剩人口提供住房。郊区的谷物生产很重要。人口约147 900（1998）。

Basīrhāt　伯西尔哈德　印度东北部西孟加拉邦东南部城市。位于伊贾莫蒂河南岸。与巴拉瑟德有公路和铁路相连。为稻米、黄麻、芥子、豆类、椰枣和马铃薯的重要贸易中心。有制糖厂与五金厂。设有加尔各答大学的分校。1869年设市。人口101 409（1991）。

Baskerville, John　巴斯克维尔（1706-01-28，英格兰伍斯特郡沃尔弗利～1775-01-08，沃里克郡伯明翰）　英国印刷商及发明家。首创一种异常清晰的印刷活字，以他的姓氏命名，

美国不列颠百科全书公司供图

其作品在印刷艺术中属于最好的范例之列。他在伯明翰是书法名家，以后筹建印刷厂，并于1757年印行了第一部印刷品——维吉尔的诗集，1758年出版了J.弥尔顿的著作。1763年在剑桥大学曾负责印行《圣经》，这部《圣经》在他的印刷品中堪称杰作。1762年，出版了一部特别精美的贺拉斯诗集，这本书再版时（1770）销量很大，鼓励他出版了一系列拉丁作家的著作。他的印刷物清晰醒目，是因为使用一种光泽度高的纸张和自己配制的浓黑油墨。他的印刷工艺在英国曾遭到非议，因之，在他死后全套活字被法国剧作家P.-A.C.de博马舍买走。这套活字以后下落不明，但在1917年一些残存的字模被发现，1953年送交剑桥大学。巴斯克维尔活字重新得到使用，它的字体清晰匀称，长时间阅读也不易引起疲劳。

basket-flower（*Centaurea americana*）　**大矢车菊**　菊科一年生庭园花卉，原产北美西南部。叶长圆形，盘花玫瑰色，由于边花较大，所以整个头状花序形似花篮。矢车菊属

大矢车菊（*Centaurea americana*）
美国不列颠百科全书公司供图

的其他种也种作庭园花卉，尤其是蓝色矢车菊（*C. cyaus*）、白绒毛矢车菊（*C. cineraria*）、裸果矢车菊（*C. gymnocarpa*）和香芙蓉（麝香矢车菊，*C. moschata*）。亮黑矢车菊（*C. nigra*）是一种多茸毛的多年生杂草，在世界温带地区常见。

basket-of-gold　（*Aurinia saxatile* or *Alyssum saxatile*）　**岩生庭荠**　又作golden tuft alyssum。十字花科庭荠属多年生观赏植物。花小，金黄色，簇生，叶灰绿色。原产欧洲中部

岩生庭荠（*Alyssum*）
美国不列颠百科全书公司供图

及南部的阳光充足地区，通常生长在瘠薄岩石土上，近地面形成密集覆盖层。有几个变种种于岩石花园里供观赏。

basketball　篮球运动　由两个队（每队5人）用充气球在长方形球场（一般在室内）进行的一种球类运动。每一方都力求把球投进

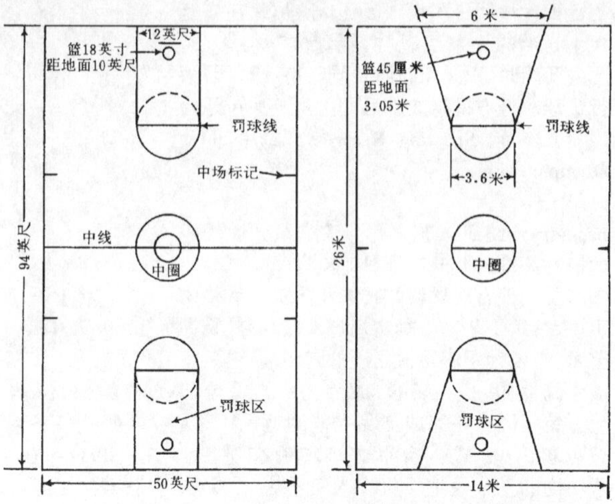

（左）美国大学篮球场；（右）国际标准篮球场

1971—1972年度全美篮球协会锦标赛中，洛杉矶湖人队W.张伯伦投篮时纽约队J.卢卡斯封盖
美国不列颠百科全书公司供图

对方的球篮——一个水平架起并挂着线网的篮圈。篮球是马萨诸塞州斯普林菲尔德基督教青年会训练学校体育教练奈史密斯1891年创造的。这项运动很快流行起来,1896年在衣阿华州衣阿华城举行了首次学院5人制篮球比赛。20世纪30年代期间修改了好几条规则以加快比赛速度,例如每方必须在10秒内将球送往中场前面,否则被判失球;又如队员不得在对方篮前罚球区内停留3秒以上。中圈跳球被废除。单手投篮的采用提高了比赛中的比分。在大城市中的大表演场地举行大学生比赛使篮球作为一项观赏球运动得到很大的推广。随着篮球于1936年被列为奥运会项目,这项运动为全球所瞩目。1932年国际业余篮球联合会成立,对国际比赛进行管理。美国有组织的职业篮球运动始于1898年,是年成立了全国篮球联盟。1946年又成立了第二个联盟,即美国篮球联盟。但这两个联盟于1949年合并为全国篮球协会。1967年成立了与之对立的美国篮球协会,但于1976年与全国篮球协会合并。美国的篮球场比国际上的篮球场略大些,宽15米,长28米。投篮成功得2分;若从一定距离以外(用线标出)投篮成功则得3分。身体接触如使对方处于不利地位即为犯规。在某些犯规情况下,比赛须暂停,由被侵犯的队员不受干扰地罚一两个球。罚球队员站在离篮板4.6米的一条线以外,罚球成功得1分。比赛开始时,以及双方队员同时持球时,即举行跳球。一方投篮成功后即由对方重新开始比赛。参阅 **Sporting Record**: Basketball 及 **Olympic Games**。

basketry 编织工艺 用手工编织韧性较好的植物纤维(如细枝、草、柳条、竹、灯心草)或塑料及其他合成材料的技能和艺术。从整体上说,编织工艺是一种实用艺术,而不是装饰艺术,主要为了满足使用上的需要;但它具有美学的性质,多姿多彩,成为艺术的重要部分。编织匠人在完成产品功能的范围内,通过色彩、结构、式样,形状和修饰,有加强艺术表现力的充分余地。日本人使用的、用柔软的植物原料制成的草席榻榻咪,像在密克罗尼西亚发现的装饰和祭祀用的面具、盾牌一样,都是编织艺术的组成部分。编织与机织不同,大多数编织物(席子除外)用柔性纤维和刚性纤维交错编织而成;即使只用柔性纤维(如草类),经过编织和缠绕制成的各类产品,其表面往往还是比较结实的。盘绕式编织品是用柔软的纤维,盘绕并辫结成容器,非常坚硬,有的甚至可以盛液体。编制时通常先用柳条或类似材料编成骨架,然后用软草或类似的纤维盘绕并编拢。在一定地理区域内生长的植物种类,决定适应于当地的编织物的类型,热带地区以棕榈树等的宽叶片为原料的辫结法不同于其他地区用稻草和干草作原料的编织方法。大多数编织品采用柔软的植物性材料,用草类、叶片、竹、藤作原料时,其硬度各不相同。编织方法同编织品的用途有关,例如,盛谷物或液体的器具必须很致密,而笼、网等则是透孔的。编织方法很多,主要分为两类:盘绕式是将一种纤维制成螺圈,然后用另一种纤维通过某种方式将螺圈一个一个地连缀在一起;非盘绕式结构分篱笆式、花格式和席编式。柳条制品属于篱笆式结构,它将柔软的纤维交错编织在硬骨架上;席编式在结构上与纺织品很相似,在开始时所用的材料都是比较柔软的纤维。编织品用作家用器具贮存谷物、坚果甚至私人财物,也用于狩猎、捕鱼、筛谷、运输和贮藏,甚至有些小船的骨架也是编织而成的。某些地区的文化特别以编织工艺见长,其中北美印第安人的编织工艺富有美感,技术精湛,具有文化价值。在大洋洲和南亚,主要由于有丰富的适于编织的原料,编织工艺一直超过陶瓷工艺和金属工艺。非洲编织工艺品的种类繁多,造型优美,在整个大陆到处可见。

Baskin, Leonard 巴斯金(1922-08-15,美国新泽西不伦瑞克～2000-06-03,马萨诸塞北安普敦) 美国著名雕刻家和版画家,以其凄楚而感人的人像作品闻名。在美国和欧洲学习

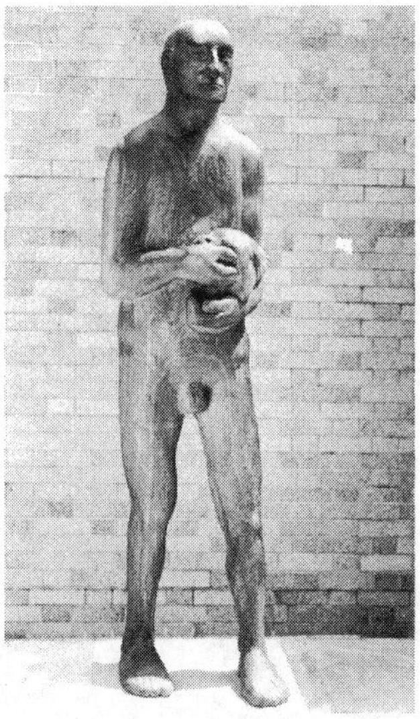

巴斯金的《人与死鸟》(1951～1956)
美国不列颠百科全书公司供图

后,1939年在纽约市举办首次展览。1947年获蒂法尼博物馆雕刻研究员资格,1953年获古根海姆博物馆版画研究员资格。此后在马萨诸塞州北安普敦市史密斯学院任教。他设计青铜、石灰石和木质纪念碑人像及浮雕,作品主题有:诗人(《布莱克》,1955;《死去的巴拉赫》,1959)和一般性象征(《被绞死的人》,1956;《人和猫头鹰》,1960)。其最著名的木刻有:《和平的人》和《每个人》。并以木刻为其所办的盖罕纳出版社之图书作插图。

basking shark 晒暖鲨 姥鲨科呆钝的巨型鲨鱼,通常认为是一个种,学名 *Cetorhinus*

晒暖鲨(*Cetorhinus maximus*)
美国不列颠百科全书公司供图

maximus,但可能不止一种。因常在水面漂浮或缓慢游动而得英文名。栖于大西洋、太平洋和印度洋的北部温带地区。体型巨大,长达14米,除鲸鲨外超过所有鱼类。体虽大,但以浮游生物为食。体灰褐或淡黑色。牙细长,鳃裂很长。一般不伤害人类,零星的被猎捕制鱼粉和鱼肝油。有时搁浅在海滩上腐烂,却被报道为巨海蛇。

Basle(Switzerland) 参阅 **Basel** 巴塞尔。

Basmachi Revolt 巴斯马赤暴乱 中亚细亚反对苏维埃政权的一次暴乱,由穆斯林因循守旧分子纠合一帮匪徒发动。1917年开始,1926年已基本被镇压下去。20年代初,这次暴乱有使布尔什维克长期丧失大部分突厥斯坦的危险。但是,布尔什维克有优势的兵力、严明的纪律和统一的意志,暴乱分子却相互倾轧,于是布尔什维克得以平定暴乱,为这一地区并入苏联铺平了道路。

basmalah 比斯米拉 又称太斯米叶。伊斯兰教常用的祷词,全文为"奉至仁至慈的真主之名"。始见于《古兰经》的这一祷词,出现在除第九章外各章章首。穆斯林逢采取重要行动时经常要念诵,祈求真主保佑。此句也用于一切正式文献或书信的开头。人在依法采取行动前也要诵读此祷词。

Basohli painting 巴索利绘画 帕哈里细密画的一个画派。17世纪晚期和18世纪以巴索利为中心,盛行于印度山地各邦,以色彩绚丽,笔势雄健闻名。巴索利绘画源于何时

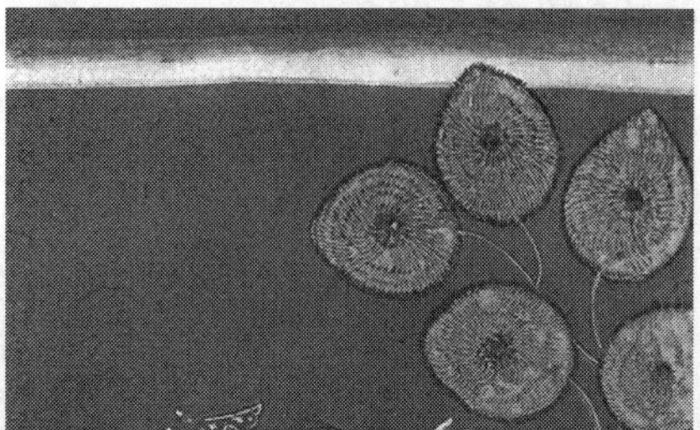

18世纪初叶的巴索利绘画——《一种调式》
美国不列颠百科全书公司供图

尚不明了,现存最早的是约1690年完成的《拉沙孟伽里》一书插图,它展示了一种已经完全成熟的风格。该插图为长方形,侧面头像眼大,炯炯有神,色彩极其鲜艳,底色多为赭、棕或绿色。最特殊的画法是以浓白的细点描摹珠宝,及以绿甲虫羽翅上的细点描摹绿宝石。

Basov, Nikolay Gennadiyevich 巴索夫 (1922-12-14,苏联奥斯曼～2001-07-01,俄罗斯莫斯科) 苏联物理学家,因对量子电子学的研究,导致微波激射器和激光器的发展。与A.M.普罗霍罗夫和美国的C.H.汤斯共获1964年诺贝尔物理学奖。这些器件分别产生单色、平行、相干的微波束和光束。1950年毕业于莫斯科工程物理学院,同年开始在苏联科学院物理研究所工作。自1962年为该研究所领导。1952年和A.M.普罗霍罗夫提出微波激射器原理,获得1959年列宁奖金。

Basque 巴斯克人 住在西班牙与法国的比斯开湾边界地区和比利牛斯山脉西麓的民族。20世纪末,约有85万纯粹的巴斯克人住在西班牙,另有13万人住在法国;有17万

西班牙纳瓦拉的巴斯克牧羊人
美国不列颠百科全书公司供图

人住在欧洲以外的移民区,多数在南美洲和美国。在西班牙,其所住地区称为"自治社区",包括阿拉瓦、吉普斯夸及比斯开等省,还有纳瓦拉省。在法国,巴斯克人是大西洋岸比利牛斯省的主要居民,其居地泛称巴斯克地区。巴斯克人体格与其他西欧人并无显著差别。语言则不属印欧语系(参阅 **Basque language**)。巴斯克人聚居区气候温和湿润,多丘陵及林地,有铁矿。传统上巴斯克人在河流通过之低地进行耕作,保护草坡,饲养乳牛。苹果园及山地牧羊草场多为重要经济条件。农舍分散,形成村落或分布于低坡。每户有仓房厩舍、田亩及家宅,自成一体,长久定居。过去由传统继承法律保证财产全部传给一名嗣子或一名嗣女,所以说,巴斯克传统文化是围绕这类自成一体的"农家田舍"(caserío)而形成的,由于其孤立状态而使亲族意识强烈。巴斯克人历来是小农、船舶制造者及航海者。由于种族团结,兼以地跨法、西边界,平常也走私。巴斯克人虔信天主教,现今是西班牙国内最虔诚的天主教徒,不过民间仍保存着万物有灵的信仰。他们传统文化已因当地突出的城市化和工业发展而趋于衰落,同时由于许多巴斯克人移民法国和美洲,也使他们农家田舍的人口大减。居住在多数较大工业城市的巴斯克人,不仅放弃原有习俗,原有语言也趋于消灭。巴斯克语仍通行于内地及山区穷乡僻壤,但到20世纪末,几乎全部巴斯克人(无论原先是否操巴斯克语)都已改用法语或西班牙语。巴斯克人的早期历史仍是悬而未决的课题,罗马作家曾对大致相当于现今纳瓦拉省区域内的巴斯克涅斯部落有所记载。看来他们曾抗击过西哥特人、法兰克人、诺曼人,有时也对占据埃布罗河流域的摩尔人作战。史诗《罗兰之歌》中所述公元778年龙塞斯瓦列斯之役中击溃查理曼后卫的是巴斯克人,而不是摩尔人。10世纪时巴斯克疆土曾并入纳瓦尔王国,中世纪政治动乱的末期,阿拉瓦、比斯开及吉普斯夸等地已与卡斯蒂及阿拉贡两王国合并。但是不论在西班牙还是在法国,巴斯克人在贸易、税收及军事等方面均保持高度自主和特权。1931年西班牙共和国成立,巴斯克人在政治上发生分化:吉普斯夸省、比斯开省,在一定程度上还有阿拉瓦省,都准备在共和国内取得相对的自治地位。因此,尽管共和国的政策与天主教抵触,他们仍效忠于共和国。在纳瓦拉省,他们却企盼共和国覆灭,在1936年的反抗中成为坚强的据点并派出最精良的部队。战争持续至1937年9月。战后很多巴斯克人出亡,佛朗哥政府取消了巴斯克人的全部特权。佛朗哥死后,特别是1975年西班牙开明君主政体建立后,巴斯克人多次大规模示威,要求地方自治。1978～1979年西班牙政府给予了部分地方自治,但好战的分裂主义者对此并未满足。如坚持强硬路线的好战派巴斯克民族和自由组织(ETA)就是一个恐怖主义集团;他们要求巴斯克人脱离西班牙而自治。因之,巴斯克人与占支配地位的西班牙人的关系仍未最终解决。

Basque Country 巴斯克地区 西班牙语作País Vasco,法语作Pays Basque。法国西南端大西洋岸比利牛斯省文化区。与西班牙巴斯克省交界。范围从比利牛斯山的阿尼峰延伸到比斯开湾畔比亚里茨和圣让-德吕兹四周的沿海地区。当地气候十分湿润,山地年雨量超过3 000毫米,众多河流将地表切成无数绿茵谷地,农林业得益其间。巴斯克人所用语言为欧洲最古老语种之一,种族上亦不同于四周法国和西班牙境内各民族。沿海一带经济以渔业和旅游业为主。该文化区没有西班牙巴斯克省那样的巴斯克分离运动问题,但为西班牙的此项运动及其他冲突中的流亡者提供了避难所。

Basque Country 巴斯克地区 西班牙语作País Vasco。西班牙的一个自治地区和历史地区。范围包括比斯开地区的阿拉瓦、吉普斯夸和比斯开三省。1979年确定自治地位。东北与法国接壤,西与桑坦德省隔坎塔布连山。南接埃布罗盆地,东连纳瓦拉省。境内河流短而急,在山间冲蚀出陡峭峡谷。年平均降水量为1 200毫米。东北部为大西洋气候。阿拉瓦省南部山间盆地属次地中海型气候。埃布罗盆地区人口集中在四周有开阔农田和葡萄园的小居民点。比利牛斯山区农户分散,多在山区小块土地上耕作。自19世纪中叶以来迅速工业化,沿海城市兴起,内地人口减少。巴斯克地区近4/5人口集中在毕尔巴鄂。开阔地区种植谷物、葡萄。比利牛斯山区巴斯克人传统上为牧民,但近代也种植玉米和马铃薯。阿拉瓦省在本地区各省中农业最发达,然唯一城市维多利亚市自20世纪50年代初期以来工业化程度已相当高。比斯开和吉普斯夸两省工业发达。从中世纪后期便已开发广阔的铁矿和木材资源,现有采矿、金属制造、冶金、食品加工、化工和造纸等工业项目。服务业也颇为发达。毕尔巴鄂为西班牙主要金融中心之一。随当地城市和工业的发展,传统巴斯克文化业已衰落。巴斯克民族分离主义者的恐怖活动成为西班牙政治生活中最不稳定因素之一。巴斯克自治区的建立,并未能结束他们的恐怖主义行为。面积7 234平方千米。人口约2 098 628(1998)。

Basque language 巴斯克语 巴斯克语作Euskara。多数使用双语的民族巴斯克人(瓦斯康加多人)的语言,既通用于西班牙巴斯克自治地区(包括吉普斯夸、比斯开和阿拉瓦省)的居民自治社区,又通用于法国西部大西洋岸比利牛斯省。总之,绝大多数操巴斯克语者都集中在10 000平方千米的狭长地区内。巴斯克人不断进行斗争反对为人们所喜用而广泛通行的西班牙语和法语。在公元前,巴斯克的土地曾跨越比利牛斯山,一直向东延伸到西班牙东北的阿兰谷地。可是,罗马帝国统治时期,巴斯克东部居民点与人口众多的西部巴斯克聚居区的联系却被截断,而为拉丁文化所同化,放弃了巴斯克语。在中世纪,没有书面语的巴斯克语的影响不断衰落,已无力与大量涌入的有文字的拉丁语及其派生语言纳瓦拉罗曼语和普罗旺斯语相抗争。1545年出现第一本用巴斯克语写的书,终于开始有文字传统,持续至今。巴斯克语是欧洲西南部拉丁化以前若干语言中唯一留存下来的语言。它的来源至今仍是个谜。德国语文学家H.舒赫特(1842～1927)提出假说,认为巴斯克语和已消亡的伊比利亚语有谱系联系,两者同属闪含(阿非利加-亚细亚)语系。然而,两种语言存在联系之说似不可能成立,因为巴斯克语和闪含诸语言并不真正具有共同的语言学特征。虽然巴斯克语和伊比利亚语相似,但是有关巴斯克语的知识却无助于释读在西班牙东部和法国地中海沿岸发现的古伊比利亚语铭文。这种非一致性导出的理论认为,两种语言的相似性是因地理位置很近而不是具有语言谱系关系才出现的。巴斯克语与高加索地区的古高加索语也有联系。两种语言有平行结构,但并无结论性证明以证实两者之间的关系。巴斯克语仍是一种无语言谱系关系的语言。

巴斯克口语在语音上和西班牙语最为接近。两者的相似点在于都有腭音 ñ,其发音和英语 canyon 中的 ny 相似。还有腭音 ll,发音与 l + y 相似或与 million 中的 lli 相似。另外,巴斯克语与西班牙语的相似音是 s 和 ts,其发音都像西班牙卡斯提语的 s。嘘音咝擦音 x 和 tx 的发音像英语的 sh 和 ch。这些音以及上述的 ll 和 ñ 都表示昵称或指小的意义。例如 hezur 是"骨头",而 hexur 则是"小骨头"的意思。有些巴斯克方言的音系比巴斯克标准语的音系更为复杂。最东部苏列廷地区的独特方言比巴斯克标准语的5个(纯)元音多出第6个圆唇的"e"或"i"。标准语和方言都有一系列塞音变体,如 b、d、g 是浊音,p、t、k 是清音。虽然古巴斯克语的前缀还显而可见,但现代巴斯克语却可被视为一种"后缀"语言,即以后缀来表示施事格。如后缀"-k"是及物动词主语的标志,不及物动词的主语则不变化。在如下句子 Sabelak jaten ez ba du, sabela bera ihartuko da("如果肚子不吃东西,肚子自己就饿瘪了")中,sabelak("肚子")是及物动词的施动者,就用后缀"-k",而第2个小句的 sabela 是不及物动词的主语,因而不变化。巴斯克语定式动词有3种人称所指,即主语、直接宾语和间接宾语。例如,动词 da("是")变为 du("他有/使它")和变为 dio("他使它为他[自己]"),如在 Oinare ez dio eskuak kolperik emaiten("手并不打脚")这一句中。大多数动词变化用动词加助动词的形式,如:erori da("他已经跌下"或按字面说"他[是]跌倒的")或 jaten du("他[正在]吃它")的形式。虽然来自其他语言,特别是拉丁语的语词逐渐广为通用,但是巴斯克语仍然保持其固有的独特性。

Basque Nationalist Party 巴斯克民族主义党 巴斯克语作 Basque Euzko Alderdi Jeltzalea (EAJ),西班牙语作 Partido Nacionalista Vasco (PNV)。支持西班巴斯克地区获得更大自治权的巴斯克政党。1895年由新闻记者阿拉纳-戈伊里创建于毕尔巴鄂,旨在竞逐地方选举,但很快发展到整个比斯开省并影响到全国。因采取温和的基督教民主立场,主张混合经济,反对无限制的资本主义的中间路线,使该党在巴斯克地区得到广泛支持,并有多人入选西班牙议会。1938年10月议会通过立法赋予巴斯克自治权,巴斯克民族主义党组成地区自治政府。在西班牙内战中支持共和军反对 F.佛朗哥。佛朗哥统治期间受到镇压,许多领导人被迫流亡。70年代恢复民主后,成为巴斯克地区主要政党,反对埃塔的分离主义恐怖行动。20世纪后20年至21世纪初一直掌控巴斯克政府。该党是基督教民主国际的成员。

Basra 巴士拉 阿拉伯语作 Al-Baṣrah。伊拉克东南部城市,为该国第二大城和主要港口,位于阿拉伯河(由底格里斯与幼发拉底两河汇合而成)西岸,在该河流出哈马尔湖的

巴士拉港
美国不列颠百科全书公司供图

出口处,居波斯湾岸上的法奥上游,水路相去110千米。附近地区地势低洼并受到溪流和小水渠的深刻切割。自古以来,巴士拉就是阿拉伯文学、诗歌、科学、商业和金融中心。原是由第二代哈里发欧麦尔一世于638年在距伊拉克的现代城镇祖拜尔13千米处作为军营建立的。因其距波斯湾近,又易于通往底格里斯与幼发拉底两河及东部边境,这就促进其发展成为真正的城市,尽管气候恶劣,军营的饮水供应也困难。伊斯兰教的第一座在建筑风格上有重要意义的清真寺就是665年在该地修建的。巴士拉的军队在纳哈万德与波斯萨珊王朝的军队作战(642),并征服了伊朗西部几省(650),而巴士拉镇本身则是"骆驼之役"(656)的战场,这是先知穆罕默德的遗孀阿以莎同穆罕默德的女婿第四代哈里发阿里之间的一场冲突。

在哈里发阿里在位期间(656～661)和以后,巴士拉是伊斯兰教各对抗派之间掀起的政治斗争的焦点。这种政治摩擦因爆炸性社会局势而加强。阿拉伯军队构成了巴士拉的贵族集团,而当地民族和已在那里定居的多种外来民族(印度人、波斯人、非洲人、马来人)则仅仅是平民,即依附于各阿拉伯部族的人。因而,巴士拉从7世纪晚期起的历史是一段不安和暴动的历史。该市曾短期地被哈里发地位的要求者祖拜尔(卒于692年)的武力所侵占,后来又成了701年艾沙阿特反叛和719～720年穆海莱卜反叛的中心。在阿拔斯人于750年继任哈里发后的统治期内,情况并没有改进。起义继续发生:佐特人,一种像吉普赛人的印度民族,于820～835年起事;津芝人(被运进美索不达米亚从事农业奴隶劳动的非洲黑人),约在869～883年曾进行反叛。卡尔马特派,一个极端的穆斯林宗派,于923年侵入并毁灭了巴士拉城,此后,该城日趋衰落,被阿拔斯王朝首都巴格达的兴盛所淹没。到14世纪,因缺乏照管加上蒙古人入侵,原有的巴士拉已没有多少东西保持原状,到16世纪开始时,城址被重新设在上游几英里处的古乌剌国的遗址上。

然而,巴士拉在整个8世纪直到9世纪里曾经是个理所当然的光辉的文化中心。它是著名的阿拉伯语法学者、诗人、散文作家、文学研究家以及宗教学者的故乡。伊斯兰神秘主义由哈桑·巴士里最早引进巴士拉,穆尔太齐赖教派也在这里形成。巴士拉对西方人士最出名的或许是作为《一千零一夜》里的辛巴德从那里出航的城市。巴士拉在1668年被土耳其人占据。在17和18两个世纪里,英国、荷兰和葡萄牙的航运商在那里设立了机构,在19世纪期间,巴士拉就作为经河流运往巴格达的航船转运站而大大发展起来。建设一座现代港口的工程,1914年在巴士拉动工,在此以前,巴士拉不曾有过什么码头。第一次世界大战期间,英国占据了巴士拉,把它作为维持美索不达米亚和印度之间交通联络的港口使用。在随后的英国托管制度下,许多改进措施都在该市实现了,因而城市和港口两方面的重要地位都提高了。港口设备在1930年由英国转归伊拉克所有。第二次世界大战期间,盟军曾通过巴士拉向苏联方面发送军需物资。伊拉克石油工业在战后几十年内的增长使巴士拉变成了一个炼油和出口石油的中心。在两伊战争(1980～1990)以前,用泵把石油从巴士拉送到波斯湾岸上的法奥镇,装上油船出口。然而在两伊战争一开始的几个月里,巴士拉的炼油厂就受到了严重损害,而当伊朗人在1987年推进到距巴士拉不足10千米时,该市的许多建筑物由于大炮轰击也被摧毁了。同时,很多居民逃离该地区。在1991年的第一次海湾战争及随后的反叛组织同政府军队的冲突中,城市再次受到严重损害。在2003年的第二次海湾战争期间,该地被英国军队占领。现代巴士拉市是由3座小城——巴士拉、阿沙尔和迈阿吉勒——以及聚集在阿什沙河两侧的好几个村庄所组成的集合体。围绕这些聚居区的是大片的枣椰树丛,其中贯穿着从阿拉伯河引来的灌溉渠和宽约5千米的小小水湾。巴士拉位于一个在两伊战争前原是非常富饶的农业地区,尽管有一些大片沼泽地。种植的作物有椰枣、玉米、大米和小米。人口:市约1 168 800(1991)。

bass 低音 在音乐中,多声部音乐织体中最低的声部。在文艺复兴时期盛行的复调音乐作品中,低音声部是几个相对独立或对位性的旋律之一。在"数字低音"时代(17世纪和18世纪初),通奏低音为伴奏提供一个"基底"(伴奏比较自由,但有一定常规,并受数字低音的指示的限制)。在后来的18、19世纪主调音乐风格中,低音作为最低声部和和声的基础,在结构上具有至关重要的意义。在声乐作品中,它是男声中音域最低的声部,其标准音域为中央C下面第二个E至上面的升F。深沉男低音的声音低沉丰满,而歌唱性男低音则较轻盈抒情。此术语亦用于同族乐器中音域最低的乐器,如低音竖笛或低音维奥尔琴等。小提琴家族中音高最低的乐器称为*低音提琴*(**double bass**)。

bass 巴斯鱼 许多食用和游钓鱼类的统称。多属鲈形目的3个科:鮨科,包括*海鲈*(**sea bass**)、*石斑鱼*(**grouper**)等约400多种;石鮨科,有时视为鮨科的一个亚科,约12种,如欧洲石鮨和条纹海鲈;日鲈科(太阳鱼),包括*黑鲈*(**black bass**)。许多其他鱼类也称巴斯鱼:如石首鱼科的似石首鱼,是一种*石首鱼*(**drum**);日鲈科的岩钝鲈(岩巴斯鱼),是一种*太阳鱼*(**sunfish**);黑莓鲈(斑点巴斯鱼),是一种*莓鲈*(**crappie**)。

Bass, Charlotta Spears 巴斯(1880-10,美国南卡罗来纳萨姆特～1969-04-12,加利福尼亚洛杉矶) 婚前名 Charlotta Spears。美国编辑与民权活动家,长期积极从事反种族不平等的斗争。1900年移居罗得岛普罗维登斯,在当地报刊工作。1910年前往洛杉矶,开始为主要面向黑人读者的《鹰》报工作。1912年5月,取得对该报的控制权,改名为《加利福尼亚之鹰》,确定新的办报方向,关注有关所有"爱国的"美国人的社会与政治问题。1912年,《托皮卡老实人报》的共同创始人 J.巴斯由堪萨斯来到洛杉矶,任《加利福尼亚之鹰》的编辑,二人不久结为夫妇,一起猛烈抨击种族歧视和种族隔离。该报强烈谴责 D.W.格里菲思的影片《一个国家的诞生》,反对严酷惩罚参与1917年得克萨斯州休斯敦种族暴动的黑人士兵,后又支持 A.P.伦道夫反对铁路雇工种族歧视的斗争。1919年曾去巴黎参加 W.E.B.杜波依斯组织的泛非大会。1920年代出任 M.贾维成立的全球黑人促进协会洛杉矶分会两主席之一。她还通过她成立的家庭保护协会力图废除不准黑人在全白人社区居住的住房合同。1914年丈夫去世后,她

独自经营《加利福尼亚之鹰》。由于与共和党的长期关系,1940 年 W.威尔基竞选总统时,她被推举担任西部选区主任。1943 年为洛杉矶县法院大陪审团的第一位黑人成员。40 年代,脱离共和党,参与创立进步党,认为它是"唯一能为民权提供希望的党",并于 1948 年 H.华莱士竞选总统时大力为之进行竞选活动。1952 年,代表进步党成为美国副总统候选人的第一位黑人妇女。她在竞选中号召与苏联和平相处,结束朝鲜战争,注意民权和妇女权利。虽然参选失败,但她的竞选口号"不论胜败,我们提出问题就是胜利"仍然产生了影响。1960 年出版《四十年:出自报章的回忆录》,论述《加利福尼亚之鹰》的历史和对自己事业的反思。

Bass, George **巴斯**(1771-01-30,英格兰林肯郡阿斯沃比～1803,从澳大利亚到南美的航海途中) 英国外科医生及海员,对早期澳大利亚海岸探测有重大贡献。初为外科医生学徒,于 1789 年被接纳为外科医师公会会员。加入海军后,由于精通领航及航海技术,并对太平洋探险感兴趣,于是转到"信心"号海船上,M.弗林德斯是他在这条船上的同事。当该船于 1795 年抵达杰克逊港(在今新南威尔士境内)时,巴斯、弗林德斯以及巴斯的随身佣人 W.马丁考察了乔治河及植物学湾,并建议设一殖民地,即今之班克斯敦。1796 年三人在植物学湾以南寻找一条河没有成功,却发现并考察了霍金港。巴斯并研究了该区的动植物。1797 年巴斯探测了悉尼以南的海岸,并肯定了关于煤炭的报道。同年晚期及次年他确定新南威尔士与范迪门地区之间有一海峡,该海峡就以巴斯为名。1799 年,他以有关袋熊、天鹅及信天翁的野外采集品和著作而被选入伦敦林奈学会。后来巴斯转而从事商业,但仍继续对他航行所到之处绘制海图。1803 年他从悉尼乘货船去南美洲,从此没有音信。

Bass, Sam **巴斯**(1851-07-21,美国印第安纳米切尔附近～1878-07-21,得克萨斯朗德罗克) 美国西部不法之徒,最终被得克萨斯别动队击毙。他 18 岁离开印第安纳州老家,流浪到得克萨斯州。1874 年,他在那里与 J.柯林斯结为朋友。1876 年两人驱赶牛群北上,但转而抢劫公共马车。1877 年 9 月,他们伙同另外 4 个人在内布拉斯加州大斯普林斯抢劫联合太平洋铁路公司的一列火车上的 6.5 万美元金币及其他财宝。回到得克萨斯以后,巴斯聚集一伙人开始以抢劫火车为业,但在得克萨斯别动队的追捕之下,很少得逞。最后,在 1878 年 7 月,当他图谋在朗德罗克抢劫银行时,因昔日的密友 J.墨菲向别动队告密,巴斯遭伏击而受伤,两日后死亡,那天正好是他的生日。他的事迹成为牛仔流行歌曲《萨姆·巴斯歌谣》中的素材。

bass drum **大鼓** 最大的和发音最深沉的军乐队和管弦乐队用鼓。军队用的大鼓有两面,用绳索或金属条绷紧,可两面敲击;管弦乐队的大鼓大多只有一面,用金属条绷紧;即便有两面的鼓通常也只敲一面。大鼓都用一对有大毡头的鼓槌击奏,现代流行音乐乐队中的大鼓用踏板牵动的鼓槌来演奏。最大的大鼓,直径可达 100 厘米、高 50 厘米。大鼓在18世纪作为土耳其音乐中的一种时尚传

军用绳索大鼓

美国不列颠百科全书公司供图

入欧洲,用以模仿土耳其禁卫军乐队的音乐。它常与钹和三角铁结合使用。18 世纪进入管弦乐队,起初是为了求得特别效果,如海顿的《军队交响曲》(1794)中所见。

Bass Strait **巴斯海峡** 在澳大利亚维多利亚州和南面塔斯马尼亚岛之间。最大宽度 240 千米,深 50～70 米。西端连金岛和印度洋,东端接弗诺群岛,东南经班克斯海峡通塔斯曼海。当地 1965 年发现天然气,1967 年发现石油,近海石油得到开发。生产于 1970 年开始。

Bassac (Laos) **巴塞** 参阅 **Champasak** 占巴塞。

Bassani, Giorgio **巴萨尼**(1916-03-04,意大利博洛尼亚～2000-04-13,罗马) 意大利作

美国不列颠百科全书公司供图

家、编辑。其小说和故事以考察在现代历史背景中耗尽的个人生命著称。作品中反复出现的主题是作者的犹太人传统和费拉拉犹太人社区的生活。他的大半生在那里度过。短篇小说集《费拉拉的五个故事》(1956, 1973 年再版时改名为《大墙后面》)描写法西斯主义和排犹主义的产生,使巴萨尼初次获得商业上的成功和斯特雷加奖(授予每年最优秀的意大利文学作品)。费拉拉背景再次出现在其著名的长篇小说《芬齐-孔蒂尼家的花园》(1962, 1971 年拍成电影)中。小说的叙述者以其本人的犹太中产阶级家庭与同为犹太人的没落贵族家庭芬齐-孔蒂尼家族对比,后者过着隐蔽的生活,最后被法西斯分子消灭。继而发表的作品有长篇小说《苍鹭》(1968),刻画一个在行猎中的孤独的费拉拉地主。该小说获最优秀的意大利散文坎皮耶洛奖。他还写有《干草芳香》(1972),出版有几部诗集。巴萨尼作品中的挽歌情调,常使人们将他与他所承认的楷模詹姆斯和普鲁斯特相比较。

Bassano, Hugues-Bernard Maret, duke (duc) **de** **巴萨诺公爵** 参阅 **Maret, Hugues-Bernard** 马雷。

Bassano, Jacopo **巴萨诺**(约1517,威尼斯共和国巴萨诺[意大利]～1592-02-13,巴萨诺) 又称 Giacomo da Ponte 或 Jacopo da Ponte。文艺复兴晚期威尼斯画派画家,以画宗教题材、

巴萨诺绘《田园画》(约 1560)

美国不列颠百科全书公司供图

葱翠的风景和日常生活场面著名。早期作品《苏珊娜与老人》(1534～1536)、《逃亡埃及》(约 1536)显示出他的老师威尼斯画家 B.韦尔内塞的影响,同时也可以看到 L.洛托表现古老故事的绘画艺术和提香描绘透明空气、表现光感的手法。成熟时期笔触更潇洒,画中的物体与人物更大也更生动,集中体现在他的巨幅油画《基督受难》(约 1538～1540)中。1540 年前后受佛罗伦萨和罗马风格主义精细画风的强烈影响。他特别推崇帕米贾尼诺的人物画。1560 年后画了大量作品,如《圣母与圣徒罗赫及塞巴斯蒂安》(慕尼黑旧藏画馆)和《博士来拜》(维也纳艺术史博物馆)等。1565～1570 年前后,风景画和风俗画在其创作中占特别重要的地位。

Bassano del Grappa 巴萨诺-德尔格拉帕 意大利北部威尼托区维琴察省城镇。位于帕多瓦以北格拉帕山脚下的布伦塔河滨。1405～1796年间作为威尼斯属国十分繁荣。16世纪为画家达蓬特家族(姓巴萨诺)住地，1650～1850年以其绘画作品和出版物而闻名于世。古老的女隐修院回廊现为市博物馆，藏有陶瓷制品、木刻印版、雷蒙迪尼印刷所的样本、J.巴萨诺及其家族其他成员的绘画。18世纪后期以来一直生产著名的格拉帕酒。商业中心。有金属和纺织等工业。人口：城市区约38 770(1990)。

Bassar 巴萨 多哥中北部城镇。位于多哥第二大城镇索科德西北的主要产棉区，为商业贸易的重要中心。北与布基纳法索(前上沃尔特)，南与首都洛美通公路。巴萨人住在城镇内及周围地区。人口17 764(1981)。

basse danse 低步舞 宫廷男女对舞。起源于14世纪意大利，变体很多，流行达两世纪之久。可能因其源于农民舞蹈或"低等"舞蹈，又因舞蹈的风格是小步滑动，足离地面近，故得名。男女舞蹈者成对携手排成纵队，表演时有略略欠身与一系列前进步法的各种组合，后足向前足并拢，步法即告完成。音乐相当于现代的12/8拍。一般接着低步舞后面跳的舞是萨尔塔列洛舞。

Basse-Normandie 下诺曼底 法国大区。范围包括法国西北部的奥恩、卡尔瓦多斯和芒什3省，相当于诺曼底(**Normandy**)西部。首府卡昂。面积17 589平方千米。东北邻上诺曼底，东南靠中央省，南部与卢瓦尔河地区相邻，西南延伸至布列塔尼。北部和西部濒临英吉利海峡。历史上，下诺曼底以征服者威廉一世的出生地而著称。第二次世界大战期间，盟军于1944年6月6日成功登陆诺曼底，并最终解放了法国。芒什和卡尔瓦多斯省濒临英吉利海峡。阿摩里卡丘陵高地延伸至芒什省以及卡尔瓦多斯和奥恩两省的西部。卡尔瓦多斯和奥恩省东部属于巴黎盆地。气候潮湿，芒什省的科唐坦半岛年降水量达900毫米。人口较少。1851～1946年间人口减少38％以上，之后虽有增长，但多在卡尔瓦多斯。居民大多为农业人口。以畜牧为主，卡昂周围谷地已改为饲养肉牛的牧场。卡尔瓦多斯省的欧日地区和奥恩省的佩尔什地区为牛肉主要产地。广泛使用人工授精以改良奶牛。奥恩生产卡门培尔奶酪。芒什大量养马。卡尔瓦多斯省的贝森港和瑟堡为主要渔港。工业集中在卡昂四周，生产电子器件和雪铁龙汽车等，钢铁工业正在衰退。1950年后，巴黎工业的分散经营给奥恩带来好处。卡尔瓦多斯沿海翁弗勒尔和卡堡间已发展起旅游业。人口1 422 193(1999)。

Basse Santa Su 巴塞圣苏 冈比亚东部城镇、港口。位于冈比亚河南岸。为穆斯林富拉尼(富拉)人、马林克(曼丁哥)人和沃洛夫人的花生、稻米和牛等农畜产品的贸易中心。来自下游393千米的班朱尔的轮船以此为终点停泊港。巴塞保健中心是内地最大的保健中心。人口约5 612(1983)。

basse-taille 浅雕珐琅工艺 一种彩饰技术，在金属(通常为金和银)表面雕刻成浅浮雕，然后涂以半透明的玻璃状釉料。该技术使浅浮雕图案明暗起伏而使作品光彩夺目。

1381年的法国与英格兰国王用浅雕珐琅金杯
美国不列颠百科全书公司供图

13世纪时浅雕珐琅工艺在意大利得到发展，特别在哥特和文艺复兴时期流行于欧洲。

Basse-Terre 巴斯特尔 瓜德罗普(**Guadeloupe**)的两大岛之一。

Basse-Terre 巴斯特尔 法国瓜德罗普海外省首府，位于加勒比海巴斯特尔岛西岸。城镇历史可追溯至1643年。地处加勒比海和苏弗里耶尔峰(海拔1 484米)之间，离岛的西南端6千米。有一个深水泊位但无港口。港区在1979年的飓风中被摧毁，损失惨重，严重影响了经济现代化的规划。由于1994年的干旱和1995年的飓风袭击，岛上香蕉业遭重创。人口：城镇12 410；大都会区54 076(1999)。

Bassein 伯塞恩 又称瓦赛依。印度西部马哈拉施特拉邦西部市镇。位于孟买以北，临阿拉伯海。为大型渔业中心和农产品批发中心。有手工棉织与丝织业以及制盐业。人口：城镇39 800；都会区83 700(1991)。

Bassein, Treaty of 《伯塞恩条约》(1802-12-31) 印度浦那的马拉塔人首领(帕什瓦)巴吉·罗二世与英国人之间签订的条约。这一条约造成马拉塔联盟的分裂，并使英国东印度公司乘机在1818年吞并巴吉·罗二世在西印度的领土。由于不满巴吉·罗的统治，军队首领荷尔卡于1802年打败巴吉·罗，另立新主。巴吉·罗逃往伯塞恩，求助于英国人，遂签此约。根据《伯塞恩条约》，巴吉·罗二世同意保留一支英国军队，并把足以供养这支军队的土地割给英国人。他还同意在处理外交问题时要与英国磋商。作为交换条件，英国人1803年协助他在浦那复位。从此，这个主要的马拉塔土邦就沦为英国的附庸。

Bassermann, Albert 巴塞尔曼(1867-09-07，巴登曼海姆[德国]～1952-05-15，瑞士苏黎世) 德国戏剧和电影演员。为德国演易卜生戏剧的最佳演员之一。1887年在曼海姆开

美国不列颠百科全书公司供图

始其舞台生涯。在演出莎士比亚、席勒、歌德的戏剧中树立了性格演员的声誉。1890～1895年间在迈宁根宫廷剧团演出，1899年加入柏林布拉姆剧团，演出易卜生戏剧，极受欢迎。1909～1915年是赖恩哈特剧团的成员。第一次世界大战后，在耶斯纳尔用表现主义手法演出的古典戏剧中扮演角色。1933年为抗议纳粹统治而离开德国。1938年去美国，在好莱坞影片中扮演各种角色。1946年返回欧洲，带领自己的剧团巡回演出，其保留剧目有易卜生的《群鬼》和席勒的《威廉·退尔》。他以对角色性格的细节塑造特别认真而闻名，常常无视传统手法，在人物性格上留下个人的独特印记。

Bassermann, Ernst 巴塞尔曼(1854-07-26，巴登沃尔法赫[德国]～1917-07-24，巴登-巴登) 德国政治家。德意志帝国末年任民族自由党领袖。1893年选入国会。1898年任民族自由党国会领袖，1905年当选党执行委员会主席。1906～1909年间在贝恩哈德·冯·比洛首相的国会联盟中充任各极端派别间的调解人，但拒绝同社会民主党人建立政治阵线。

Basses-Alpes (France) **下阿尔卑斯** 参阅 **Alpes-de-Haute-Provence 上普罗旺斯阿尔卑斯**。

Basses-Pyrénées (France) **下比利牛斯** 参阅 **Pyrénées-Atlantiques 大西洋岸比利牛斯**。

basset horn 巴塞特管 比B♭调单簧管低4度的单簧管，可能是1770年左右为巴伐利亚的帕绍人A.和M.迈尔霍费尔发明。它的管径比E♭调中音单簧管细，音域可向下扩展到低声部的低音F(记谱为C)。这种黄杨木乐器通常是按要求定制的，管身笔直，喇叭口朝上。莫扎特曾加以应用，但1850年时已基

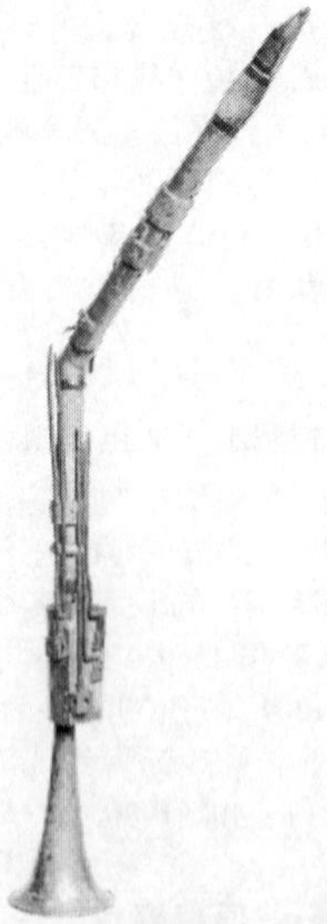

18世纪后半叶的波西米亚巴塞特管
美国不列颠百科全书公司供图

本绝迹,后来R.施特劳斯使它重新流行(《厄勒克特拉》,1909年首演)。

basset hound 短脚猎狗 数世纪前在法国育成的狗品种。多见于法国和比利时,贵族饲为猎狗。原用以追踪野兔及鹿,又一直用以猎鸟、狐及其他猎物。动作慢而优雅,声音

短脚猎狗
美国不列颠百科全书公司供图

低沉。嗅觉灵敏度仅次于大警犬。腿短,骨骼健壮,耳悬垂而长。毛短,黑、棕和白色相间。体高30～38厘米,体重11～20千克。又有多个类型,最多见的是勒·古特短脚猎狗(Le Couteulx)。

Basseterre 巴斯特尔 圣基茨岛(又名圣克里斯托弗岛)主要城镇,加勒比海东部实行议会制的联邦国*圣基茨和尼维斯*(**Saint Kitts and Nevis**)的首都。位于圣基茨岛西南岸,在安提瓜的圣约翰以西100千米。建于1627年,1867年大火烧毁后重建,是圣基茨的主要港口,向邻近各岛分流的商品在此集散。炼糖是主要工业,有蔗糖、糖浆、棉花、食盐和水果的贸易。游览胜地有圣乔治教堂、政府大楼和一所植物园。戈尔登罗克机场有来往加勒比海诸岛及其他地区的航班。老布里姆斯通山堡在该城附近。人口约18 500(1985)。

Bassetlaw 巴塞特洛 英格兰诺丁汉行政、历史郡北部一区。面积637平方千米。古代原为英国一个小邑,当时法院设在一个名叫巴塞特洛的山丘上,因此得名。人口约105 700(1998)。

Bassett, John Spencer 巴西特(1867-09-10,美国北卡罗来纳塔尔伯勒～1928-01-27,华盛顿[哥伦比亚特区]) 美国历史学家和《南大西洋季刊》的创办者,在美国南部史学研究的

美国不列颠百科全书公司供图

发展上具有影响。1888年在北卡罗来纳州三一学院毕业。1894年获巴尔的摩的约翰斯·霍普金斯大学博士学位。1893～1906年在三一学院,1906～1928年在马萨诸塞州的史密斯学院教授历史。1902年创办《南大西洋季刊》。1906年组织史密斯学院历史研究会,1919年当选为美国历史协会秘书。著有:《联邦制度》(1906)、《杰克逊传》(2卷,1911)、《美国简史》(1913)、《新国家的缔造人》(1928)等。

Bassey, Dame Shirley 巴锡(1937-01-08,威尔士加的夫泰格湾～) 全名Shirley Veronica Bassey。威尔士歌唱家,以响亮而撩拨人心的嗓音、装饰华丽的礼服和大量的钻石而闻名。是20世纪中期后崛起的几十个流行音乐天后中的先驱者,也是英国第一批获得国际声誉的黑人艺人。是英国母亲和尼日利亚父亲组成的家庭中七个孩子中的最小的一个。3岁前父亲就与他们分居了。在威尔士加的夫的工人区长大。15岁离开学校,在工厂劳动,在男人俱乐部唱歌,还在巡回剧团演些短剧。1955年在伦敦圣诞节演出,获得突破,得到了灌制唱片合同。1957年其《香蕉船歌》成为英国的热门歌曲。获得英国排行榜冠军的歌有《正像我爱你》(1959)、《摘星/登山》等(1961)。70年代还有热门歌曲。在美国,她是作为007电影主题歌的歌手而声名大振。1977年获得了英国近50年来最出名的女歌唱家奖;1993年获英帝国三级荣衔,2000年成为英帝国二级爵士。

Bassi, Agostino 巴西(1773-09-25,哈布斯堡领地伦巴第洛迪附近[今在意大利]～1856-02-08,洛迪) 意大利细菌学家。比巴斯德早10年发现许多疾病是由微生物引起的。1807年开始研究使意大利和法国遭受严重经济损失的家蚕白僵病。25年后证实这种蚕病由微小的寄生真菌(今称蚕白僵霉 *Beauvaria bassiana*)所引起,通过接触和污染食物而在蚕间传播。他所提出的防病灭病措施的成功,使他获得了声誉。1835年在《家蚕白僵病》一书中,他发表了这个发现,并进而作出了一个重要的概括:许多植物、动物和人类的疾病,是由动物性或植物性的寄生物所引起的。

Bassi, Ugo 巴锡(1801-08-12,阿尔卑斯山南共和国琴托[意大利]～1849-08-08,博洛尼亚) 意大利教士和爱国志士,曾是G.加里波第为意大利独立而斗争的追随者。1833年当司铎,有口才,善布道。他住在博洛尼亚,经常漫游全国。1848年参加保卫边境的教皇军。1849年宣布成立罗马共和国以后,法国派兵干涉。巴锡参加加里波第抗击法国人的军队,溃败后被处死。

Bassianus, Varius Avitus 巴西亚努斯 参阅**Elagabalus**埃拉加巴卢斯。

Bassianus Alexianus, Gessius(Roman emperor) **巴西亚努斯·亚历克西亚努斯** 又作Alexianus Bassianus。参阅**Severus Alexander**塞维鲁·亚历山大。

Bassin(U.S.Virgin Islands) **巴辛** 参阅**Christiansted**克里斯琴斯特德。

basso continuo(music) 参阅**thorough bass**通奏低音。

basso ostinato(music) **固定低音** 参阅**ground bass**基础低音。

Bassompierre, François de 巴松皮埃尔(1579-04-12,洛林阿鲁埃尔堡[今在法国]～1646-10-12,法国诺曼底蒂利耶尔堡) 法国军人、外交家。曾撰写一部具有深远影响的自传《我的生活日志》(1665)。1598年进入亨利四世宫廷,受到国王宠信。1600年参加萨伏依战役。1603年在匈牙利作战,为皇帝抗击土耳其人入侵。1614年帮助玛丽·德·美第奇与贵族进行斗争。1617年玛丽失败后,他继续效忠国王路易十三。1621～1622年胡格诺派起事期间,他以镇压有功擢升法国元帅。1628年参加拉罗谢勒包围战,1629年镇压朗格多克叛乱分子。巴松皮埃尔在出使西班牙、瑞士和英国时没有什么建树。1630年卷入企图推翻黎塞留的"愚人节"阴谋。1631年2月25日被捕,在巴士底狱中囚禁至1643年。获释后官复原职。他在诺曼底蒂利耶尔堡度过大部时光直至逝世。他的回忆录是重要的史料。

bassoon 大管 管弦乐队中的主要次中音和低音木管乐器。管体呈细长锥形,上接弯曲金属吹嘴(上置双簧片),下通过侧节(上有左手指孔)而接粗节(上有右手指孔)。管体然后折回向上通过粗节到长节和喇叭口,长节上有左拇指按的孔,由键装置操纵。它在古典时期的音域从低音谱表下的B♭向上3个8度,最常用的旋律音域与男高音声部一致。从19世纪中期起,音域向上扩展到高音E。大管极难吹奏,因为传统的指孔排列从科学观点来看很不合理。但它却能发出韩德尔时代以来一种主要的管弦乐色彩所要求的音质。簧片由狭长竹片对折而制成。大管是由一种在英国称为"科塔尔管"的早期乐器在17世纪发展而来的。现在的4节结构据推测是1636年在法国制成。大管是双簧管的低

音乐器。18 世纪，大管的特色不仅在管弦乐队中，而且作为协奏曲中的独奏乐器表现出来。到莫扎特时代，大管的机械装置尚未超出 4 个键，C 调自然音阶以外的大多数半音

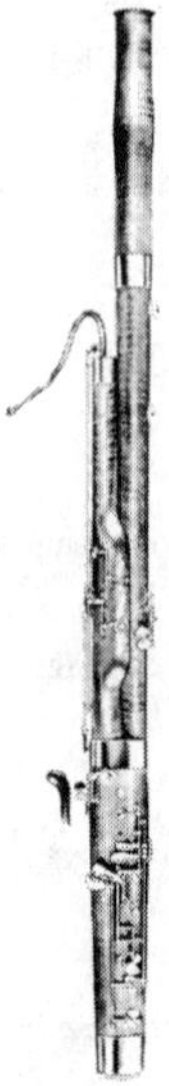

大管
美国不列颠百科全书公司供图

只能用交叉指法不连续地开孔奏出。约自1780年起逐渐增加键的数量，最后于1840年左右发展成 J.-N.萨瓦里的巴黎型大管。这种大管进一步改进管体和机械装置，成为 20 键法国式大管。法国式大管虽然保留并发展了古典式大管的和谐的声乐音响，但由于许多音的音质和稳定性不佳，它仍难以操纵。1825 年在德国，C.阿尔门雷代尔开始改进大管以减少这些缺陷。J.A.赫克尔的商号将大管在德国进一步完善，现在成为除法国、意大利和西班牙以外各国均采用的标准型大管。用欧洲槭木制造，其指孔的位置与大小能在整个音域中发出更加均匀而肯定的声音；便于较快地学会，易于选择簧片，在大型乐队中更具表现力。低音大管（比大管发音低 8 度，多用于大编制的乐曲）是在维也纳首先发展，并由古典作曲家偶尔使用的。现代的低音大管按 1870 年左右赫克尔的设计而制成，其管体 4 次折回，常用金属喇叭口，口向下。

Bassville, Nicolas-Jean Hugou de　巴斯维尔 （1753-02-07，法国阿布维尔～1793-01-14，教皇国罗马[意大利]）　法国新闻工作者、外交家，在罗马死于一群暴徒之手，法国革命政府利用他的死向罗马教廷提出抗议。巴斯维尔最初任私人教师，写了两本有关教育的书。1789 年法国大革命爆发，他任《全国信使报》社论撰稿人之一。1790 年出版了他的《法国大革命历史、评论和政治回忆录》。进入外交界后，他于 1792 年作为公使馆秘书前往那不勒斯。不久被派往罗马，但没有正式身份。他在罗马的行为，特别是将法国三色旗作挑衅性的展示，激怒了罗马的群众。1793 年 1 月 13 日，巴斯维尔偕同全家驱车前往赛马大街，被一群敌对的群众追逐，他受伤后于翌日去世。国民公会把谋杀的责任加在教皇身上，1797 年法国督政府援引《托伦蒂诺和约》中的一条，索要 30 万里拉的赔偿金，赔给巴斯维尔的家属。

basswood　北美椴木　北美常见的几种椴树（**linden**）的统称，尤指美洲椴（*Tilia americana*，广布于北美东部，大湖区尤为集中）以及卡罗来纳椴（*T. caroliniana*）和佐治亚椴（*T. georgiana*），两者分布于美国东南部。

Bast　贝斯特　又作 Bastet 或 Ubasti。古埃及猫头女神。原为护家女神，但在新王国时代（公元前 1539～前 1075），官方宗教有许多改动，贝斯特遂与牝狮形的战争女神等同起来。尽管如此，贝斯特从未失去她的猫头外形和人民对她的喜爱，这可以从这位女神的大量小雕像看得出来，这些雕像显然是为了在家庭供奉或作为护身符佩带的。贝斯特的

布巴斯提斯王朝时期的贝斯特雕像
美国不列颠百科全书公司供图

雕像是一个猫头妇女，右手执古代打击乐器铁摇子；左手执一所谓的神盾（贝斯特的神盾上端为牝狮头）；左臂上挂着一个小袋子。后来，罗马人将对她的膜拜带到意大利；罗马、奥斯蒂亚、内米和庞贝等地都有此膜拜的形迹。

bast (botany)　参阅 **phloem** 韧皮部。

bast fibre　韧皮纤维　双子叶植物（如向日葵类、蔷薇类、大多数树木和亚麻等具有网状脉叶子的显花植物）茎部的木质化柔软纤维，可用于纺织或制绳。商业用韧皮纤维有亚麻、大麻、黄麻、槿麻、苎麻、玫瑰茄纤维、菽麻和纤维用梵天花。韧皮纤维长数英尺，位于茎的表皮层下，由纤维素纤维和树胶或果胶交叠胶着成束，使植物枝茎坚固。通常用浸沤法将纤维从主茎上分离，有时亦用手工或机械剥取。分离后的纤维束通常可直接使用，但亚麻和苎麻的纤维束常分细为单根纤维。大多数韧皮纤维强度很好，广泛应用于制造绳索、麻线、包装材料和工业用厚布。20 世纪后期，黄麻是世界产量最多的韧皮纤维，但受到了合成纤维的激烈竞争。亚麻在传统上受到珍视，用于制造亚麻纱、细亚麻布，由于其他天然纤维和人造纤维资源增多，其重要性已在下降。

Basṭām　巴斯塔姆　又拼 Bostum，Bustam或 Bistam。伊朗北部的历史小城，在厄尔布尔士山脉正南有灌溉之利的平原上。附近有诗人毕斯塔密（874 年卒）的陵墓，其周围是一个 12 世纪的清真寺和 15 世纪的学校遗址以及合赞（1295～1304 年在位）和完者都（1304～1316 年在位）两个蒙古统治者统治时期遗留的古建筑。人口 6 401（1986）。

bastard toadflax　假柳穿鱼　檀香科一些小型的一年生或多年生草本植物，叶狭，似柳穿鱼属（*Linaria*）种类。在北美指假柳穿鱼属（*Comandra*）植物。这些植物有时寄生于其他植物根上。具匍匐根。花小，白色，簇生于枝端。果实具一颗种子。在欧洲，bastard toadflax 一词指百蕊草属（*Thesium*）植物。该属有的种分布于非洲、亚洲和南美洲；花两性，黄色或淡黄绿色，成簇生于茎端；果为干果，绿色，种子一枚。

Bastarnae　巴斯塔奈人　在希腊化和罗马时期居住在欧洲喀尔巴阡山脉以东、从德涅斯特河上游到多瑙河三角洲一带的大部落。马其顿王腓力五世和佩尔修斯曾利用他们反对色雷斯人，本都国王米特拉达梯曾利用他们反对罗马人。有时巴斯塔奈部落也被称为普辛尼人，这大概只是其中的一部分。普林尼、塔西陀以及最近的考古发现，都证实这一部落源出日耳曼人种。公元前 29 年他们被罗马将军克拉苏征服。他们对罗马一直未曾反抗，到公元 3 世纪才联合其他部落共同袭扰罗马边疆。公元 279～280 年，罗马皇帝普罗布斯将他们移居到多瑙河南岸。

Baster　巴斯特人　纳米比亚和南非西北部的混血民族集团，大多数是 18 世纪荷兰和法国男人与西南非洲土著纳马人（即科伊科伊人）妇女所生的后裔。他们主要讲阿非利堪斯语，奉行西方生活方式。20 世纪后期，其人数约 3.2 万人。巴斯特人原是半游牧生活的牧民和猎人，后作为拓荒者逐渐定居在开普殖民地的西北边疆。19 世纪，即使在并入开普殖民地后，他们中大多数人通过传教工作，仍能组成有强烈独立和自治色彩的社团，从而维护了他们的身份。另一些人则在布尔人移民的压力下，从 19 世纪 60 年代后期向北迁移到现在的纳米比亚，最后建成了名为雷霍博特的居住区。雷霍博特至今仍是最大的巴斯特人社区。以务农、养牛羊为生，但也主要依靠在温德和克做熟练工匠，在鲸湾港做劳工、渔民和在南非边界奥兰治河口附近的钻石矿工人的汇款来维持家庭生活。

Bastet (Egyptian goddess)　参阅 **Bast** 贝斯特。

Bastī 伯斯蒂 印度北方邦东南部城镇。在法扎巴德以东,傍古瓦纳河。位于国家公路和主要铁路线上。为农产品贸易中心,附近村庄中有一些手工业。有戈勒克布尔大学分校。1865年前很小,后成为县城。此后人口大增。伯斯蒂位于冲积平原上,但排水不良,多沼泽与浅湖。出产谷物与甘蔗等农产品。有些地方可灌溉。人口约87 512(1991)。

Bastia 巴斯蒂亚 法国科西嘉大区上科西嘉省城市及省会。位于科西嘉岛东北岸,岛的最北端科斯嘉高山南35千米处。靠近意大利大陆,离里窝那117千米,隔第勒尼安海与厄尔巴岛相望。早为贫穷渔村。1383年热那亚人在此建立要塞。作为本岛首府直至1791年。现仍为本岛军事总部所在地。旧城

科西嘉东北岸的巴斯蒂亚
马克·加朗热供图

沿港湾中部而建,上城在旧城南侧,新城在其北和西面。旧城内教堂、法院、剧场和市政厅古典式的门面有华丽的装饰。为科西嘉岛最大城市和现代化港口。1976年起为新设的上科西嘉省省会。出产卷烟、雪茄和蜜饯,输出名牌的葡萄酒等。人口38 728(1990)。

Bastian, Adolf 巴斯蒂安(1826-06-26,德国不来梅～1905-02-02,特立尼达西班牙港) 德国人种学家。他认为人类具有普遍的精神上的一致性,因而所有民族都有某些共同的

美国不列颠百科全书公司供图

基本概念。并认为各种族集团的文化特征、民间传说、神话和信仰,都是循着文化进化规律,在各个集团内部产生,而且基本相同,只是因为地理环境不同而其形式各异。其观点对若干杰出的人类学家颇有影响,其中就有B.马林诺夫斯基。精神分析学家C.荣格所倡集体无意识之说,据信即由巴斯蒂安的基本概念的理论引申而成。巴斯蒂安一生多次出海航行。1851年是第一次,在船上任外科医生,游历了南美、西印度群岛、澳大利亚、中国、印度和非洲等地。其主要著作是《历史上的人类》(3卷,1860)。他在东方逗留5年之后,曾发表《东亚民族》一书(6卷,1866～1871)。后来在柏林腓特烈·威廉大学任人种学教授,筹建柏林皇家人种学博物馆并兼任馆长,还将个人收藏文物捐赠该馆。多年以来这座博物馆为同类机构中最有声望者之一。

Bastiat, (Claude-) Frédéric 巴师夏(1801-06-29,法国巴约讷附近米格龙～1850-12-24,罗马[意大利]) 法国经济学家,以撰文鼓吹自由贸易和宣扬亚当·斯密经济理论而知

美国不列颠百科全书公司供图

名。1846年组织自由贸易协会,并利用会刊《自由贸易》反对保护主义。在1848～1849年革命岁月里,他撰文反对社会主义的兴起,把社会主义看成是保护主义。正是由于他反对社会主义和共产主义的活动,才在1849年立宪会议和立法会议中赢得了席位。他还猛烈地抨击过李嘉图的经济学说。

bastide 巴斯泰得 13～14世纪时大量出现于英格兰与法国加斯科涅的一种设防的村庄或集镇的型式,按一定的几何图形平面修建。某些人认为这种布局对英国在北美殖民地康涅狄格州建立的纽黑文等城市有一定的影响。英格兰国王、加斯科涅公爵爱德华一世是这种新城镇的创建人之一。他这样做有其防御、经济及殖民的目的。建有繁荣的巴斯泰得的庄园主,可从房地租金、市集税、司法收款和贸易税等项目增加收益。巴斯泰得城一般呈长方形,随地势划为方格。这种作法来自古罗马城市设计。这种村镇多建在高地上,用道路划分为方块形街区,再分成住宅(附花园)的地块。为便于征税,街区从右到左、由上到下编号。街道尽可能成直角,市场设置有拱顶的走道,两旁是商店或商场。在英国的新温奇尔西,曾发现一座典型的巴斯泰得城址。这座城市的衰亡,主要是因为它所依傍的海口变成了沼泽。加斯科涅地区内的巴斯泰得有:拉兰德、博蒙-迪佩里戈尔与莫内斯捷。

Bastien-Lepage, Jules 巴斯蒂昂-勒帕热(1848-11-18,法国达米列尔～1884-12-10,巴黎) 法国乡村风俗画家,其农村风俗画在法国和英国受到很多画家效仿。曾师事A.卡巴内尔。1870年在巴黎沙龙首次展出作品。在1874年的展览会上因《春之歌》一画获奖,此画在风格上受马奈的影响。《干草地》(1878,巴黎罗浮宫藏)一画继承了米勒的传统,表现出巴斯蒂昂-勒帕热感伤情调的特

巴斯蒂昂-勒帕热绘《干草地》(1878)
美国不列颠百科全书公司供图

色。其代表作是《贞德听到呼唤》(纽约大都会艺术博物馆藏)。他也是一位肖像画家。

Bastille, the 巴士底狱 巴黎东侧的中世纪要塞。17～18世纪为法国国家监狱。拘押犯有各种违法行为的重要人士。巴士底狱在法国大革命开始时遭到巴黎武装群众的猛攻。它是波旁专制王朝的象征,在革命思想意识中占有重要地位。巴士底狱有塔楼8座,各高100英尺,塔楼之间围墙相连,墙外有壕,宽80余英尺。1370年由查理五世下令建造,原来是为保护巴黎,防止英国侵袭的。17世纪枢机主教黎塞留首先把巴士底堡用作国家监狱,每年关入要犯约40人。路易十四时代,巴士底狱成为拘留所。1789年7月14日,狱内仅关押着7个犯人。由于其中藏有大批武器弹药,巴黎群众遂向巴士底狱进发,但典狱长洛内侯爵不肯交出,愤怒的群众一举攻占了这座堡垒。这一行动象征着旧制度的结束。事情发生后,革命政府下令将巴士底狱拆毁。从此,每年7月14日庆祝"巴士底日",1880年将这一天定为法国国庆日。

Bastille Day 巴士底日 在法国和法国的海外领地,纪念1789年7月14日攻克巴黎的巴士底狱的周年节日。巴士底最初是中世纪的一个城堡,后来逐渐被当作一个国家监狱使用。经常关押着政治犯和被当局拘留候审的公民。有些囚犯是国王直接下令关押的,且不得上诉。尽管到18世纪后期,它已很少使用并准备拆除,但巴士底狱在人们的心中已经与波旁君主的残暴统治联系在一起。在1789年的法国社会动荡期间,7月14日暴动民众冲向巴士底狱,索要储存在那里的武器弹药,当守卫人员抵抗时,进攻者就占领了巴士底狱,释放了关押在那里的7名囚犯。占领巴士底狱标志着法国革命的开始,成为旧政权结束的一个象征。7月14日,也常被称作法国国庆日,1880年成为法定节日。庆祝活动包括演讲、游行和放焰火,以及公共狂欢活动。"7月14日万岁!"这个口号仍然与该节日有联系。在前法国殖民地和那些至今仍与法国保持联系的地方也庆祝该节日。法属波利尼西亚因把该节日融入当地文化而尤为知名。此外,世界各地的崇法人士也在巴士底日这一天举行庆祝活动,例如,享用法式晚餐或举办法国音乐会。

bastnaesite 氟碳铈矿 又拼 bastnäsite。一种见于接触变质带和伟晶岩中的铈氟碳酸盐［$CeCO_3(OH,F)$］；铈往往被轻稀土元素镧、钇和钍替代。颜色由蜡黄到红褐。常与其他含稀土元素的矿物如褐帘石、硅铈石和氟铈矿等共生，往往是氟铈矿的蚀变产物。产于科罗拉多州派克斯峰附近的伟晶岩中；在新墨西哥州林肯县与萤石共生；在加利福尼亚州帕斯山已大量开采。参阅 **carbonate mineral**（表）。

Bastrop 巴斯特罗普 美国路易斯安那州东北部莫豪斯县城市。在门罗东北 47 千米处。1846 年作为堂区中心而建立。1952 年设市。1916 年发现天然气，工业一度繁荣。现生产木制品、炭黑和化工品。作为农业集市中心，经营牛、棉花、谷物、稻米和大豆等的贸易。也是举办北路易斯安那棉花节和商品交易会的地点。附近有舍曼奥州立公园和伯西布拉克水库。人口 12 988(2000)。

Bastwick, John 巴斯蒂克（1593，英格兰埃塞克斯里特尔～1654-09 或 10） 英格兰宗教狂热分子，英国内战爆发前的年代中罗马天主教仪式的反对者。在剑桥大学短期学习后，即去欧洲大陆漫游，后在意大利帕多瓦习完医科。回国后定居科尔切斯特。约 1633 年在尼德兰刊印两篇拉丁文论文。W.劳德和其他英国主教认为这是在攻击他们，遂对巴斯蒂克处以罚款，开除教籍，禁止行医，烧掉他的著作，将他投入监牢。但他又用英文出版两部书，指责这些主教是上帝的敌人和"野兽的尾巴"。他被星法院定为骚乱分子，判处 5 000 英镑罚款，戴枷，割耳，送锡利群岛终身监禁。1640 年议会撤销原判，下令由定罪的贵族退赔罚款。巴斯蒂克参加了议会军，但晚年强烈反对独立派。

Basuku(people) **巴苏库人** 参阅 **Suku** 苏库人。

bat 蝙蝠 会飞的哺乳动物，900多种。是唯一一类演化出真正有飞翔能力的哺乳动物，多数种类还具有敏锐的听觉定向（或回声定位）系统。大多数蝙蝠以昆虫为食。因为蝙蝠捕食大量昆虫，故在昆虫繁殖的平衡中起重要作用，甚至可能有助于控制害虫。某些蝙蝠亦食果实、花粉、花蜜；热带美洲的吸血蝙蝠以哺乳动物及大型鸟类的血液为食。这些蝙蝠有时会传播狂犬病。蝙蝠呈世界性分布。美国已知分布有 15 属，40 种。在西方神话中蝙蝠是令人不快的角色，但在东方蝙蝠常被视为幸运（福）的象征。在热带地区，蝙蝠的数量极为丰富，它们会在人们的房屋和公共建筑物内集成大群，它们发出的噪声和气味以及排出的粪便会给人们带来骚扰，因此蝙蝠引起人们相当的注意。蝙蝠属翼手目，翼手目分为两个亚目——大翼手亚目，包括飞狐类及旧大陆果蝠；小翼手亚目，世界性分布。大翼手目借视觉定位，仅一个属——果蝠属（*Rousettus*）——具听觉定向能力。大翼手目的骨骼系统在许多方面均较原始。所有小翼手目的种类均能借听觉定向甚至捕食。两个亚目是否有共同的起源，尚不清楚。蝙蝠的体型大小差异极大。最大的飞狐——吸血狐蝠（马来大狐蝠，*Pteropus vampyrus*）翼展达 1.5 米，而基蒂氏猪鼻蝠（凹脸蝠，*Craseonycteris thonglongyai*）的翼展仅约 15 厘米。蝙蝠的颜色、皮毛质地及面型亦千差万别。蝙蝠的翼是进化过程中由前肢演化而来。除拇指外，前肢各指极度伸长，有一片飞膜从前臂、上臂向下与体侧相连直至下肢的踝部。拇指末端具爪。多数蝙蝠于两腿之间亦有一片两层的膜，由深色裸露的皮肤构成。蝙蝠的吻部似啮齿类或狐狸。外耳向前突出，通常甚大，活动非常灵活。许多蝙蝠亦有鼻叶，由皮肤和结缔组织构成，围绕着鼻孔或在鼻孔上方拍动。据认为鼻叶影响发声及回声定位。蝙蝠的颈短；胸及肩部宽大，胸肉发达；而髋及腿部细长。除翼膜外，蝙蝠全身被毛，背部呈浓淡不同的灰色、棕黄色、褐色或黑色，而腹侧色调较浅。栖息于空旷地带的蝙蝠，皮毛上常有斑点或杂色斑驳，颜色亦各异。蝙蝠的取食习性各异，或为掠食性，或有助于传粉或散布果实，从而影响自然的秩序。仅热带美洲的吸血蝙蝠对人类是一个严重问题；吸血蝙蝠可在家畜中传播狂犬病。食虫性蝙蝠的粪便一直在农业上用作肥料。

整个蝙蝠种群的性周期是同步的，因此大部分交配活动发生于数周之内。妊娠期从 6～7 周至 5～6 个月。许多种类的雌体妊娠后迁到特别的哺育栖息地点。蝙蝠通常每窝产一仔，但大棕蝠（*Eptesicus fuscus*）可产二仔，而红蝙蝠（北方蓬毛蝠，*Lasiurus borealis*）每窝产 1～4 仔。幼仔初生时赤裸无毛或有少量毛，常在一段时间内不能视不能听。幼仔由亲体照顾 5～6 周乃至 5 个月之久，决定于体型大小及所属亚目。多数小翼手亚目的蝙蝠两个月内即发育到成年的大小。几乎所有的蝙蝠均于白天憩息，夜出觅食。这种习性使肉食性蝙蝠、吸血蝙蝠，也许还有捕鱼的蝙蝠得以侵袭已入睡的猎物，自己又不受掠食者、太阳或高温之害。蝙蝠通常喜欢栖息于孤立的栖所，如山洞、罅隙、地洞或建筑物内。但有些蝙蝠栖于露天的场所，如树上或岩石上。蝙蝠通常聚成群体，群体中的个体数由几十只至几十万只。掠食对蝙蝠不是一个严重的威胁，疾病、饥饿及事故造成的死亡数也不大。已知有些蝙蝠已活了 20 多年。蝙蝠寿命长的原因是栖息处孤立，夜间活动，一般集群生活。具回声定位能力的蝙蝠，能产生短促而频率高的声脉冲，这些声波遇到附近的物体便反射回来。蝙蝠听到反射回来的回声，并能确定猎物及障碍物位置。这种本领要求高度灵敏的耳和发声中枢与听觉中枢的紧密结合。蝙蝠个体之间也可能用声脉冲进行交流。

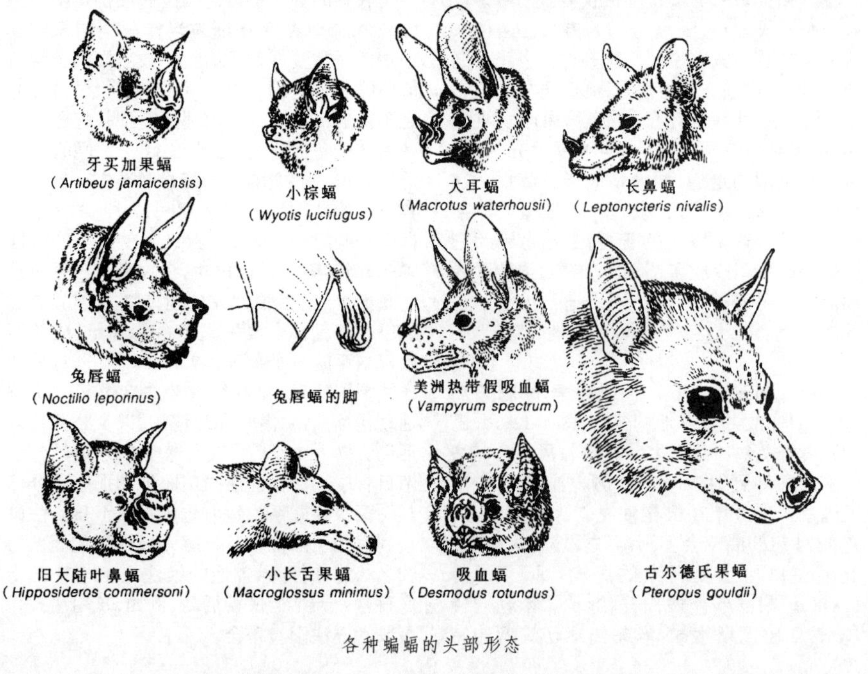

各种蝙蝠的头部形态

bat bug 蝙蝠蝽 即寄蝽。异翅目寄蝽科的吸血昆虫，约 18 种。为热带蝙蝠的体外寄生虫，生活于其毛上。成体长 3.5～5 毫米，无眼及翅，前足短粗，中、后足细长。体上多栉毛，排成一至多行，呈梳状。卵胎生。

bat-eared fox(species *Otocyon megalotis*) **大耳狐** 又作 cape fox、big-eared fox 或 motlosi。又称蝠耳狐、好望角狐。栖于非洲东部和南部开阔、干旱地区的犬科动物。齿48颗，

大耳狐（*Otocyon megalotis*）
美国不列颠百科全书公司供图

比其他犬科动物多 6 颗。外形似红狐。但耳特大。被毛淡灰黄色，面、腿、耳梢和尾尖为黑色。全长约 80 厘米（包括 30 厘米尾长），

体重 3～4.5 千克。独居或成小群活动，主要以昆虫（尤其是白蚁）为食。妊娠期 60～70 天，每窝 2～5 仔。

bat fly 蝙蝠蝇 双翅目蛛蝇科及蝠蝇科昆虫。均为蝙蝠的外寄生虫。蛛蝇科的种类无翅；头小，休息时纳入腹部的沟内；足长，如蜘蛛。蝠蝇科的种类头不弯曲；有翅，或翅退化，或无翅。

Bat Yam 巴特亚姆 以色列中西部城市。地处地中海沿岸的沙龙平原。在特拉维夫-雅法正南。1926 年创建，1929 年在阿拉伯人动乱中被舍弃，后重建为海滨胜地和特拉维夫市郊住宅区。1950 年后人口迅速增长。1958 年设市。现为国内出版业中心，亦有饮料工业。人口约 137 000（1999）。

Bataan Death March 巴丹死亡行军 第二次世界大战初期，在菲律宾被日军俘获的 7 万名美国和菲律宾战俘所进行的强行军。1942 年 4 月 9 日，这批战俘自巴丹半岛南端的马里韦莱斯出发，强行军 88 千米，抵达圣费尔南多，再由火车载往卡帕斯，然后行军 13 千米，到达奥唐奈集中营。一路上遭受饥饿、虐待、踢打，许多掉队者被用刺刀戳死。约有7 000至 1 万人死于途中，仅有 5.4 万人行抵营地，其余逃入丛林。

Bataan Peninsula 巴丹半岛 菲律宾吕宋岛中部的半岛。将马尼拉湾（东部）与南海隔开。长约 50 千米，宽约 25 千米，面积约 1 370 平方千米。*科雷希多岛*（**Corregidor Island**）在其南端的海湾入口处。大部为丛林地带，从北到南是陡峭的崇山峻岭，最高峰为北面的海拔 1 287 米的纳蒂布山和南面的海拔 1 433米的巴丹山。主要城市巴朗牙，其西北的苏比克湾是美国海军和菲律宾海军基地。马里韦莱斯港内有造船厂。由于靠近马尼拉，巴丹的 5 个港口均不对外国船只开放。东海岸平原为主要农业区。莫龙和巴加克位于西海岸。在北面的埃尔莫萨有占地 1 334 公顷的罗斯福国家公园，内有温泉和禁猎区。在马尼拉湾畔的巴丹国家公园，主要是第二次世界大战的纪念地，占地 31 402 公顷。人口约 467 078（1990）。

Batabanó, Gulf of 巴塔瓦诺湾 加勒比海的海湾。在古巴西南部。从比那尔德里奥省的东部海滩延伸约 130 千米，至马坦萨斯省的西南部海岸。北缘为哈瓦那省，南面 80 千米为青年岛。水浅，多小岛和珊瑚礁。有海绵捕捞业，经济地位重要。

Bataille, Georges 巴塔耶（1897-09-10，法国比永～1962-07-09，巴黎） 法国图书管理学家和作家。其论著、小说和诗歌表现了他对色情、神秘以及反常心态行为的极大兴趣。他视放纵行为为争取个人“主权”的手段。他在巴黎“文献学院”接受管理古文献档案训练，后在巴黎国家图书馆任图书管理员及中世纪专家至 1942 年。1951 年任奥尔良图书馆馆长。他也曾编辑学术性刊物。1946 年，创办了颇有影响的文学评论刊物《批评》，自任主编直至逝世。他的第一部小说托名欧什爵士于 1928 年出版，题为《眼睛的故事》，以纵欲为主题。后又以彼埃·安琪里克这一假名写了《爱德华达夫人》（1937）。他以真名发表的第一部重要文学作品为《罪人》（1944）。以后有《文学与邪恶》（1957）和《色情狂》（1957）。他还写了《拉斯科；或艺术的诞生》（1955）及《马奈》（1955）。小说《我的母亲》于 1966 年出版。巴塔耶作品全集共 12 卷，于 1970～1988 年间陆续出版。

Bataille,（Félix-）Henry 巴塔耶（1872-04-04，法国尼姆～1922-03-02，吕埃-马迈松） 法国剧作家。他那充满热烈情爱和沉闷的社会习俗的华美剧作在 20 世纪初期特别流行。他的父母早亡，巴塔耶学生时代已经显示出绘画和诗歌的天赋，14 岁时转向戏剧创作。以《狂喜》（1900）开始其成功的戏剧生涯，接着又写出《科利布里妈妈》（1904）和被认为是其最佳之作的《裸体女人》（1908）及《愚蠢的处女》（1910）。随后，其剧作便开始带有响亮、夸张的语言和明显社会意识的时代特征。尽管他的作品逐渐走向观念剧，进而又走向如《人肉》（1922）那样的社会问题剧，但他后期的剧作却并不怎么成功。他倡导的“间接语言”理论可以表露或掩盖剧中人物的下意识欲望，但在他自己的作品中却很少采用。他的这一理论使他成为贝尔纳及“无声派戏剧”的先驱者。

Bataisk（Russia） 参阅 **Bataysk** 巴泰斯克。

Batak 巴塔克人 又拼 Battak 或 Batta。印度尼西亚苏门答腊中部几个关系密切的种族集团。他们有自己的书面语言，由几种不同的方言组成，属南岛语系。巴塔克人是强大

苏门答腊的巴塔克人村落
美国不列颠百科全书公司供图

的原始马来民族的后裔。1825 年以前，该族相对孤立地生活在苏门答腊多巴湖四周的高地上。巴塔克人在公元 2 或 3 世纪时曾受印度文化影响，引入其关于政府、文字、宗教、艺术及工艺等方面的思想，但他们始终没有发展成为一个统一的国家，现在有 6 个文化区域。区域由实行族外婚的父系氏族构成。娶妻要付彩礼，新娘过门后即为夫家氏族成员。巴塔克人认为祖先、植物、动物和无生命的东西都具有灵魂，可以被男巫所驱使。一度有过食人习俗，但被食者限于罪犯和犯乱伦罪的人。人口约 310 万，其中 1/3 是基督徒，1/3 是穆斯林，其余仍信传统宗教。第二次世界大战以后，多巴-巴塔克人自行大量迁移到东岸以前属于外国投资者的富饶的种植园地区。

Batak Protestant Christian Church 巴塔克人基督教会 又作 Huria Kristen Batak Protestant。印度尼西亚境内苏门答腊北部的基督教信义宗独立教会。1930 年成立，是亚洲最大的信义宗教会组织。其母会是 1828 年成立于德国巴门的莱茵国外传教会。巴塔克人教会成立以后，外国传教士开始撤出，第二次世界大战和印度尼西亚反抗荷兰的独立战争期间，西方传教士全部撤出。该教会于 1952 年加入世界信义会联合会。

Batāla 伯达拉 印度西北部旁遮普邦城市。位于阿姆利则东北。为农产品市场与工业中心。主要工业部门有轧棉、织布、制糖等。有两所学院。与阿姆利则和旁遮普邦其他城市通公路和铁路。人口：市约 86 006；都会区约 103 367（1991）。

Batalha 巴塔利亚 葡萄牙中西部莱里亚区镇和镇区。维多利亚圣马利亚大教堂为镇内最突出建筑。1385 年镇西南平原发生阿尔茹巴罗塔之战，葡萄牙约翰一世击败卡斯蒂利亚约翰一世，保卫其王国的独立。大教堂

巴塔利亚的多明我会圣马利亚大教堂
美国不列颠百科全书公司供图

可能于 1388 年为纪念此战而建。芳德斯教堂和皇家陵园为胜利者约翰一世和他的英国王后、儿子及其他君主的墓地。教堂在 1755 年灾难性的大地震中受到损坏，而在 1810 年又遭到法国人的洗劫。1834 年，教堂改作俗用，1840 年被宣布为国家博物馆并逐渐修复。人口：镇 3 152；镇区 13 018（1991）。

Batan Islands 巴坦群岛 菲律宾吕宋岛以北约 310 千米，吕宋海峡中的 14 个小岛。总面积 209 平方千米。北以巴士海峡，南有巴林塘海峡分别和台湾岛及巴布延群岛隔开。属火山岛，荒凉、多石，但被风侵蚀得比较平坦，只有 4 个最大岛屿即伊特巴亚特、巴坦、萨布唐及伊布霍斯有人居住。频繁的破坏性台风支配了农业和建筑物的类型。块根作物，特别是番薯为主要粮食作物，剩余的部分用于少量牲畜饲养业，渔业是补充性经济。房屋用石头和瓦片为材料，建在避风处或树

下。居民信奉天主教,讲伊瓦坦方言。从1900年以来,人口增长很慢,因为岛民们陆续向处境较好的吕宋岛迁移。巴坦岛西北的巴斯科城是唯一的国家港口,有机场。人口约14 435(1990)。

Batangas 八打雁 菲律宾吕宋岛南部城市。位于卡伦班河西岸一块小平原上,离八打雁湾海岸约1.6千米。八打雁湾通过一些小海峡与南海相连。八打雁城市与北方约110千米的马尼拉有良好的公路及沿海航线联系,也是通往民都洛岛卡拉潘的轮渡北头终点。八打雁是拥有肥沃火山土壤的农业区、食品加工与贸易中心,主要农作物是水稻、甘蔗和椰子,主要牲畜是肉牛,还有渔业和一家炼油厂。附近圣丽塔村有木材厂。八打雁市内有建于1903年的纪念巴勃罗·博尔冯的理工学院。人口约184 000(1990)。

Batavi 巴塔维人 古代日耳曼人部落。诗歌中荷兰的名称巴塔维亚即派生于此。巴塔维人居住在现在荷兰的贝蒂沃地区,即莱茵河河口的卢格杜努姆巴塔沃鲁姆(莱顿)周围。公元12年被罗马征服,公元69～70年,由基维利斯领导起义。在4世纪被萨利法兰克人所驱逐。

Batavia (Indonesia) **巴达维亚** 参阅 **Jakarta** 雅加达。

Batavia 巴达维亚 美国纽约州西北部城市,杰纳西县县城(1802)。临托纳旺达河,在布法罗和罗切斯特之间。1823年设村,1914年设市。现为乳制品、禽类和商品蔬菜地区的集散地和贸易中心,有制鞋、造纸、压铸、收音机及电视机等工业。1868年建纽约州立盲人学校。西北21千米处有托纳旺达印第安人保留地。南部18千米处有阿提卡教养所。杰纳西社区学院建于1966年。人口16 256(2000)。

Batavian Republic 巴达维亚共和国 1794～1795年战役中法国占领荷兰后的荷兰共和国。1798年4月建立,其政府组成形式仿照法国的督政府,并与法国结盟。1805年3月,拿破仑将该政府改组,巴达维亚共和国改称巴达维亚共同体,行政权移交给一种名为本西翁纳利的执政官。但到1806年6月,共同体又为荷兰王国所代替,拿破仑的兄弟路易为国王;王国延续至1810年7月,并入法兰西帝国。

Bataysk 巴泰斯克 又拼Bataisk。俄罗斯西南部罗斯托夫州城市。位于顿河畔罗斯托夫市正南。北高加索的运输中心和主要铁路枢纽,有铁路机修厂和货场,运输部门占用全市劳动力的20%以上。有金属加工和飞机制造业。亦为农副产品加工中心。1938年建市。人口约93 300(1991)。

Batchelor, Joy 巴奇勒 参阅 **Halas, John; and Batchelor, Joy** 哈拉斯和巴奇勒。

Bătdâmbâng 马德望 又拼Battambang。柬埔寨西部城镇,濒临桑岐河,位于首都金边西北方,是全国第二大都市区。1794～1904和1941～1946年,该城处于暹罗统治之下。1975年红色高棉取得政权之前,有许多富有的华人商人。现有一家纺织厂及若干碾米厂和一水稻研究所。该城有铁路和航空线与金边相连。文化遗址包括瓦波维寺和10世纪高棉帝国遗迹(包括佛寺)。人口约45 000(1987)。

Bate, W(alter) Jackson 巴特(1918-05-23,美国明尼苏达曼凯托～1999-07-26,马萨诸塞波士顿) 美国作家,文学传记作家,以对英国作家J.济慈和S.约翰逊的研究著称。曾就读于哈佛大学。1946年起,在哈佛大学教历史与文学,1956～1962年,任该校英语系主任。他的《约翰·济慈》(1963)于1964年获普利策传记奖。1955年,《塞缪尔·约翰逊的成就》获得文学史和文学批评方面的高斯奖。《塞缪尔·约翰逊》(1977)精彩地记述了约翰逊的个性并生动地描绘了他所处的时代,受到学者和批评界的好评,在1978年被授予普利策奖和全国图书奖。其他作品有:《从古典到浪漫》(1946)以及《柯尔律治》(1968)。

bateleur (species *Terathopius ecaudatus*) **短尾雕** 鹰科(Accipitridae)蛇雕亚科(Circaetinae)的小型雕,产于非洲和阿拉伯地区。体长约60厘米。头、颈和腹部黑色,有金属光泽。背赤褐色。肩浅白至红褐色。脸红色裸露。脚强壮,橘红色。尾长仅10厘米(幼鸟尾较长)。翅上黑下白,长而尖,极宽。头部因有短而丰满的冠而显得较大。短尾雕是常在非洲天空飞翔的鸟类之一。常在空中翻筋斗,大声拍动翅膀,发出鸦啼或犬吠般的鸣声,尖叫着俯冲,故得其英文名。该词来自法文,意为"翻筋斗者"。在开阔的田野间猎食小型哺乳类和爬行类,也吃卵、蚱蜢和腐肉。似嗜食蛇。营巢于低矮、枝条伸展的树上,巢由树枝构成,内垫以树叶。每窝产一卵。由雌鸟孵卵,孵化期40天或更长。幼鸟孵出3或4个月后羽毛方丰满。第5或第6年达到性成熟。

Bateman, H(ezekiah) L(inthicum) 贝特曼(1812-12-06,美国马里兰巴尔的摩～1875-03-22,英国伦敦) 美国演员和剧院经理。曾带领两个同为儿童演员的女儿在美国和英国巡回演出,获得很大成功。从1832年首次登台到1849年止,在各种轮演剧团中扮演角色。其后携同妻子弗朗西斯、两个大女儿——6岁的凯特和4岁的埃伦,作为明星开始广泛巡回演出。后来埃伦同凯特配戏,埃伦饰理查三世、夏洛克和麦克白,凯特饰里奇蒙、波西亚和麦克白夫人。1855年经营圣路易剧院,接着作为凯特的经理,迁至纽约市。凯特在《被抛弃的利厄》(1863)一剧中获得轰动一时的成功。1867～1869年,贝特曼聘请法国剧团至纽约演出,使美国出现一阵轻歌剧热。1871年租入并经营伦敦兰心剧院,雇用H.欧文,使其在《钟声》一剧中获得成功。其妻弗朗西斯(1823～1881)除表演外,还创作剧本,其中《自我》(1857)一剧最知名。贝特曼去世后由她经营兰心剧院,其后又经营萨德勒的韦尔斯剧院。埃伦(1844～1936)很早结婚,放弃了舞台生涯。凯特(1842～1917)表演生涯持续很长时期,曾同名演员欧文配戏,饰演麦克白夫人等角色。

Bateman, H(enry) M(ayo) 贝特曼(1887-02-15,澳大利亚新南威尔士萨顿林区～1970-02-13,马耳他) 连环漫画家,以叙事性和讽刺性漫画著称。1906年开始为出版物作画。第一次世界大战以前,已在《笨拙》等刊物上发表作品。在他所作的一套有名的连环漫画中,完全不用文字说明。作于1916年的题为《犯人被捕时死抓栏杆不放……》的漫画,表现一个街头演说家被捕的经过。1982年出版了A.安德森所撰关于他的插图传记《一个名叫贝特曼的人》。

Bateman, Hester 贝特曼(1709,伦敦～1794,伦敦) 英国银匠。以制作雅致朴素的家庭银器著名。她的丈夫约翰·贝特曼制造金银器皿,特别擅长制造表链,1760年去世。

1773～1774年贝特曼制作的银咖啡壶
美国不列颠百科全书公司供图

次年,她接管这份家业,向伦敦金匠公会注册了她的商标。开始时只有两个儿子(约翰和彼得)和一个学徒当助手。到1774年,由于经常接受很多其他银匠委托的业务,小小的贝特曼作坊名气四扬,生意兴隆。以后专门制造汤匙、糖碗、盐罐和茶壶一类的餐具。她不但精力充沛,办事干练,而且还是个具有高超技艺和特殊审美力的工匠。她制作的家庭银器的风格特色是:在优美文雅的造型中运用有节制的装潢,经常采用串珠边饰。除家用银器之外,她还做过一些大型礼品。1790年退休后,该店由家庭其他成员继续经营,在一段时间里,仍能生产优质的银器。

Batemans Bay 巴特曼斯湾 澳大利亚新南威尔士州东南部滨海城镇和塔斯曼海的小海湾(克莱德河的河口湾,长宽分别为6和8千米)。1770年J.库克船长发现该湾,并以

“诺森伯兰”号船的船长名字命名。巴特曼斯湾城镇始建于19世纪初。为附近木材、蔬菜、奶酪、牡蛎和小龙虾产区的服务中心。经王子公路可直通悉尼。堪培拉居民的休养地。人口9 568(2001)。

Bates, Daisy Gatson **贝茨**(1914?,美国阿肯色哈蒂格～1999-11-04,阿肯色小石城) 婚前名Daisy Lee Gatson。美国新闻记者、民权活动家。她不顾来自经济、法律和人身诸方面的威胁,带头捍卫种族平等。在襁褓时期即因母亲被人谋杀、父亲逃亡而为人收养。少年时尝尽黑人学校恶劣状况之苦。1941年与保险推销员、前新闻记者L.C.贝茨结婚,二人移居小石城。1942年,加入丈夫创办的周报《阿肯色州报》工作。该报着力宣传有必要改善本州黑人社会和经济地位,渐以敢于报道警察对附近军营黑人士兵的暴行而闻名。由于坚持公开此类消息,许多白人业主即不再在该报刊登广告。她因其对全国有色人种促进协会多项计划的大力支持,1952年当选为该组织阿肯色州分会的全州大会主席。1954年,美国最高法院认为种族隔离违反宪法后,她领导了全国有色人种促进协会反对小石城教育董事会计划放慢在公立学校取消种族隔离的抗议活动,要求立即取消种族隔离。开始亲自带领黑人儿童去白人学校,由摄影记者陪同,遇有拒绝黑人儿童入学时,当场拍照。在此压力下,迫使教育董事会宣布计划于1957年9月在中心中学取消种族隔离。9月25日,在D.D.艾森豪威尔总统命令州国民警卫队及1 000名伞兵强制执行在学校中取消种族隔离后,贝茨和学生被护送入校。1959年《阿肯色州报》被迫停刊。1962年,出版自传《小石城的长拖阴影》。以后几年,在首都华盛顿为民主党全国委员会选民教育推动工作及L.B.约翰逊总统的扶贫计划服务。1965年不幸中风后,返回家乡,并于1968年开始在阿肯色州米切尔维尔为社区振兴计划工作。1984年,重新出版《阿肯色州报》,但几年后又将该报售出。贝茨依旧热中于各种社区组织的工作并因其对小石城学校取消种族隔离的贡献而多次受奖。

Bates, Edward **贝茨**(1793-09-04,美国弗吉尼亚古奇兰县～1869-03-25,密苏里圣路易斯) 美国律师和辉格党政治家,美国南北战争之前加入共和党并担任A.林肯的司法部长。1814年从弗吉尼亚迁居密苏里,开始攻读法律。1816年在圣路易斯当律师。1826年当选为联邦众议员,后竞选联邦参议员失败。1847年担任河流与港口疏浚会议主席。1850年拒绝出任辉格党政府的陆军部长。1856年担任辉格党大会主席。不久参加新成立的共和党。他主张解放奴隶,反对《堪萨斯-内布拉斯加法案》。1860年共和党提名他为总统候选人。林肯当选总统后,任命他为司法部长。他反对给予西弗吉尼亚以州的地位;反对使宪法权力服从于军事管制;反对激进共和党人权力的增长。

Bates, H(erbert) E(rnest) **贝茨**(1905-05-16,英格兰北安普敦郡拉什登～1974-01-29,肯特坎特伯雷) 著名小说家。最初给村镇律师当书记员,对农村生活有所了解;后来在地方报馆当记者,磨练了写作技能。早在20世纪20年代,他的小说和散文就已得到很高评价。写农村和农业工人生活的作品有《偷猎者》(1935)、《女人们的房子》(1936)、《我的叔父赛拉斯》(1940)和短篇小说集《死者的美及其他故事》(1941)。第二次世界大战时期,他参加皇家空军做报道工作。短篇小说集《世界上最伟大的人民》(1942)和《勇士是怎样安眠的》(1943)均描写飞行人员的心情。长篇小说《一路顺风飞法国》(1944)写一架英国轰炸机在法国敌占区迫降的故事。《紫色的平原》(1946)和《兰花楹》(1948)写日军占领下的缅甸的情况。这几部作品给贝茨带来新的声誉。战后他的影响达到了顶峰。主要作品有《爱情的本质》(1954)、《朱利安上校》(1955)、《可爱的五月蓓蕾》(1958)、《瞬间》(1964)、《三重回声》(1970)等。自传体小说有《消失了的世界》(1969)和《百花盛开的世界》(1971)。

Bates, H(enry) W(alter) **贝茨**(1825-02-08,英格兰莱斯特郡莱斯特～1892-02-16,伦敦) 英国博物学家、探险家。1861年著文论证自然选择对动物拟态的作用,对达尔文进化论作出有力的支持。1844年向A.R.华莱士提出昆虫学的研究课题,1847年华莱士提议到热带丛林去旅行以采集标本在国内出售,并搜集可能有助于解决物种起源问题的资料。1848年5月28日他们到达巴西亚马

美国不列颠百科全书公司供图

孙河口附近的帕拉。1852年华莱士回英国;他留在那里共11年,调查了整个亚马孙河流域,采集标本约14 712件,主要是昆虫,其中前所未知的有8 000种。1859年回英国后,开始对这些数量庞大的收集品进行研究,1861年发表著名的论文《亚马孙河流域昆虫区系研究》。1864年任皇家地理学会(伦敦)助理秘书,直至去世。还著有《亚马孙河上的博物学家》(2卷,1863)和很多有关昆虫学的论文。

Bates, Katharine Lee **贝茨**(1859-08-12,美国马萨诸塞法尔茅斯～1929-03-28,马萨诸塞韦尔斯利) 美国作家、教育家,美国国歌《美丽的亚美利加》的歌词作者。曾就学于韦尔斯利学院。1885～1925年在该校教英国文学。她的作品包括儿童故事和剧本,如《美丽的学院及其他诗篇》(1887)、《英国的宗教戏剧》(1893)、《首批美国移民者之船》(1926)。她的《美丽的亚美利加及其他诗篇》于1911年出版。

Batesian mimicry **贝茨氏拟态** 一种生物的拟态现象,表现为一种有警戒系统(如鲜明的色彩)的、有毒或危险的生物(模式),被一种无害的生物(拟态者)所摹拟。捕食动物把拟态者误认为是被摹拟的模式生物而离开它,从而拟态者得到了保护。这种拟态现象按照其发现者——19世纪的英国博物学家H.W.贝茨而命名。参阅 **Müllerian mimicry**。

Bateson, William **贝特森**(1861-08-08,英格兰约克郡惠特比～1926-02-08,伦敦) 英国生物学家,坚定的达尔文主义者。为遗传学奠定基础和命名。1885年,他引用胚胎学的

美国不列颠百科全书公司供图

研究结果来支持他的脊索动物由原始棘皮动物进化而成的论点,这论点现在已被普遍接受。1894年他发表《研究变异的材料》,认为进化不可能通过物种的连续变异而出现,因为显著的特征常在动植物体内突然出现或消失。他认识到,只有对性状的遗传有所了解,才能搞清不连续的变异,于是他开始做动植物的育种实验。1900年,他发现早在34年前G.孟德尔写的《植物杂交实验》一文。同年,H.德弗里斯、C.科伦斯和E.切尔马克·冯·赛塞内格也发现此文。他注意到自己的育种结果已由孟德尔的文章作了完备的解释,孟德尔还简单明了地叙述了控制遗传性状的那些因素如何传递。他将该文译成英文,此后10年中成为孟德尔在英国的拥护者,从实验上证实了孟德尔原理。1905～1908年,与R.庞尼特合作,发表一系列育种实验的结果,不仅把孟德尔原理推广到家禽,而且发现某些性状总是共同遗传的,这显然不符合孟德尔的发现。后来这一现象被称为连锁。他的实验还证实某些性状决定于两个或更多的基因。但他拒绝接受T.H.摩尔根对连锁的解释,而错误地解释了自己的实验结果。事实上,他反对摩尔根的染色体学说,而坚持他自己根据力与运动定律创建的遗传振动学说,该理论几乎未被其他科学家所接受。1908年他担任剑桥大学第一位英国遗传学教授,1910年离职,任伦敦约翰·英尼斯园艺学会会长,把该会改建为遗传研究中心。著有《孟德尔的遗传原理》(1902)和《遗传学问题》(1913)。

Batesville **贝茨维尔** 美国阿肯色州中北部城市,独立县县城。在怀特河畔欧扎克丘陵地带。1812年始建为商站。1841年设镇。1846年设市。1818年始有轮渡。1831年成为农产品船运站。现经济以养禽业加工、轻工制造和采石业为主。有阿肯色学院(1872)。附近有怀特河水坝和船闸(1900)。

人口 9 445(2000)。

batfish　蝙蝠鱼　鮟鱇目蝙蝠鱼科约60种暖水及温带海产鱼类的统称。头宽扁,体小,头体均被以坚硬的结突或棘刺。口小,一些种类的吻延长上翘。体长最大约36厘米。游泳力差,常以臂状的胸鳍和腹鳍爬行于海底。多生活于深海,有些生活于浅水。蝙蝠鱼是垂钓鱼的一个类群,同样具有"钓竿"及肉质的"钓饵",以诱猎物靠近从而吞食。这套装置位于口的上方,与其他垂钓鱼不同之处为:不用时,可收入一个管状结构内。

红唇蝙蝠鱼(*Ogcocephalus darwini*)
美国不列颠百科全书公司供图

Bath　巴斯　英格兰东北萨默塞特和巴斯单一政区城市。属萨默塞特历史郡。濒临埃文河。位于群山环绕的盆地中。面积 28 平方千米。当地热矿泉(49 °C)曾吸引罗马人到此建起城镇。后撒克逊人在此修建教堂。1088 ～ 1122 年诺曼人重建教堂并将主教区迁此。1189 年设建制。中世纪有羊毛和服装业。18 世纪上半叶复作为矿泉疗养地兴盛起来。1769 ～ 1774 年建埃文河普尔特尼大桥。1771 年建的会议厅于 1942 年毁于空袭,1963 年修复后重新启用,现藏有近两个世纪的大量服饰品。18、19 世纪是伦敦以外上流社会活动的主要中心。巴斯是英国最优雅和有建筑特色的城市之一。现存名胜古迹有女王广场、马戏场、新月形王宫、市政厅、会议厅、悉尼花园楼阁和美国史博物馆等。T.斯摩莱特、R.B.谢里丹和 J.奥斯丁在其文学作品中生动地描绘了 18、19 世纪巴斯的浮华生活。出产巴斯奥利佛饼干、巴斯面包、巴斯砖和巴斯轮椅。有印刷、书籍装订、轻型机械和服装等工业。人口 84 600(1991)。

巴斯市的乔治时代建筑
美国不列颠百科全书公司供图

Bath　巴斯　美国缅因州西南部城市和港口,萨加达霍克县县城(1854)。在肯尼贝克河口附近,西南距波特兰 58 千米。1670 年始有人定居。1781年设镇,1847年设市。1762年开始发展造船业,巴斯铁厂从 1889 年起成为当地主要造船厂,两次世界大战中军舰生产均达到高峰。人口 9 266(2000)。

巴斯铁厂
美国不列颠百科全书公司供图

Bath　巴斯　美国北卡罗来纳州东部博福特城镇。临帕姆利科河口湾。1695 年开始有英国人在此定居。是北美殖民地第一个获准建立的城镇(1705),并为殖民地第一个官方人境港。绰号黑胡子的海盗蒂奇曾以此地为其总部。有圣托马斯圣公会教堂(约 1734)等殖民地时代建筑物。该镇于 1963 年被辟为州历史名胜。人口 256(2003)。

巴斯的殖民地时代建筑物
美国不列颠百科全书公司供图

bath　沐浴　人体浸泡在水中或其他含水物质如泥、蒸汽、牛奶中的过程。沐浴以清洁或治疗为目的,也可能有宗教的、神秘的或其他意义(参阅 **ritual bath**)。沐浴作为一种风习,由来已久。《圣经》及其他古代著作中已提到沐浴。古埃及遗留下来的断墙残垣,表明当时就有专用浴室,而瓶绘和修复的古遗址说明古希腊人认为沐浴很重要。罗马的沐浴以蒸汽浴、清洁及按摩三者之结合为其特色,而且罗马人征服之处就有这种浴场出现。在罗马城,利用渡槽向豪华的浴场供水,卡拉卡拉浴场就是一例,该浴场占地达 11 公顷。中古时期的欧洲,古罗马奢侈的浴场被一些比较原始的设备所替代,纯粹以治疗及清洁为目的。早在 12 世纪就已建造了公共浴室。14 和 15 世纪时,公共浴室和花园浴室或浴池,男女均能使用。17 世纪初,许多人到矿泉疗养地去沐浴,为了健康的目的,有时一连几天浸没在水中。现代沐浴方式多种多样,在某些情况下采用许多古代沐浴的不同特点,综合利用,包括土耳其浴和东方盆浴或"风吕"浴。20 世纪初,公共浴室常常取代家里的洗澡设备。其后在家用浴盆或淋浴以外,又分别发展了专供治疗用的浴盆或浴池。医疗浴用水为碳化水或化学处理过的水,温度或高或低不等。

Bath, The Most Honourable Order of the 巴思最高荣誉勋位　1725年英王乔治一世所设爵士勋位,用以奖励军人或文职人员功勋卓著者。这种勋位,一如大多数骑士勋位,历史渊源甚早,巴思意为沐浴,作为一种斋戒仪式可上溯至 11 世纪授予骑士时的宗教惯例。传统上常以亨利四世为该勋位之创始者,自其即位(1399)到查理二世登基(1661)期间,每逢皇家庆典,常遴选若干人授勋为骑士。中世纪的巴思骑士是从下级骑士晋升而来的,但当时并非勋位,到乔治一世时才定为正式勋位。该勋位的颁赠对象原仅限于英国国王(为此勋位之首)和 36 名骑士或爵士。封授资格数世纪以来屡有更改。1815 年为纪念拿破仑战争结束,设置了 3 个等级的爵士。1847 年又增设了 3 个等级的文职人员爵士。现在获取勋位的主要人员包括国王、王族、外国人(荣誉爵士)和各级爵士:115 名巴思大十字最高级勋位爵士或女爵士(G.C.B.);328 名巴思高级勋位爵士或女爵士(K.C.B.或 D.C.B.);1 815 名巴思勋位获得者(C.B.)。凡受封最高两级者均表示已具备爵士身份。妇女亦可获得各级勋位。巴思大十字勋位爵士在特设的小教堂即威斯敏斯特教堂的亨利七世小礼拜堂中配有席位,并置有他们的旗帜、饰章、盾形纹章等。勋章上绘有 3 个皇冠以及勋位箴言"三位一体"(*Tria juncta in uno*)、威尔士箴言"为国宣劳"(*Ich dien*)和英格兰、苏格兰、爱尔兰的国花(玫瑰、蓟、酢浆草)。

Bath, EARLS AND MARQUESSES OF 巴思伯爵和侯爵　英国封爵贵族之名,有多种受勋称号,尤以普尔特尼和锡恩两家族著名。分列于后,并各以 ● 为标记。

● **Bath, William Pulteney, 1st Earl of,** Viscount Pulteney of Wrington, Baron of Hedon **巴思伯爵(第一)**(1684-03-22,英格兰伦敦～1764-07-07,伦敦) 英国辉格党政客,学识渊博,多才多艺,是一个杰出的讽刺演说家。1705～1742年为下院议员。1714～1717年任陆军大臣。1721年沃波尔组阁时没有委以重任,他后来指控沃波尔贪污腐化,成为反沃波尔的辉格党人的领袖。他在报刊上发表文章和在议会中发表演说,鼓舞辉格党和托利党中的反沃波尔派结成联盟。1742年沃波尔下台后,乔治二世两次请他出来组阁,他皆未从命。

● **Bath, Thomas Thynne, 1st Marquess of,** Viscount Weymouth, Baron Thynne of Warmister **巴思侯爵(第一)**(1734-09-13～1796-11-19,英国伦敦) 即T.锡恩,或称韦茅斯子爵(第三)。英国政治家。1765年任爱尔兰总督,两个月后辞职。1768～1770年首次出任负责南方行政区的国务大臣。当人民群众起来抗议政府监禁进步政治家J.威尔克斯的时候,他调动军队在圣乔治广场进行大屠杀(1768-05-10),因此极其不得人心,并受到威尔克斯的谴责。再任南方行政区国务大臣(1775～1779)后,因反对诺思首相的爱尔兰政策和英国在美国革命中所起的作用而引退。1789年受封侯爵。

Bath and North East Somerset 巴斯-东北萨默塞特 英格兰西南部萨默塞特地理、历史郡单一政区。位于布里斯托尔市东南,包括巴斯市、巴斯和布里斯托尔之间的几个小城区,以及一些乡村地带。巴斯以其建筑和古迹而闻名,是主要的城市中心,也是该单一政区唯一的城市。该地为起伏的丘陵和河谷地带。肥沃的谷地饲养菜牛和奶牛,大面积种植谷物和饲料。南部的轻工业城镇诺顿-拉德斯托克为枯竭的萨默塞特煤田以前的中心。位于巴斯和布里斯托尔之间的凯恩舍姆生产巧克力、肥皂和纸张。凯恩舍姆和巴斯均为行政中心。面积351平方千米。人口167 300(1998)。

bath chair 轮椅 装有轮子的椅子,供妇女或病残者使用。约1750年由英国巴斯的J.希思发明。最普通的一种由两个轮子支撑,这两个轮子用座位下的车轴连接;前面是一个转动用的小轮,上装脚踏板。椅子可从后面推,用装在前轮上的一根弯曲的金属长杆调整方向,由坐者掌握。整体外形设计呈流线型。维多利亚女王时期,在海边疗养地使用轮椅特别流行。

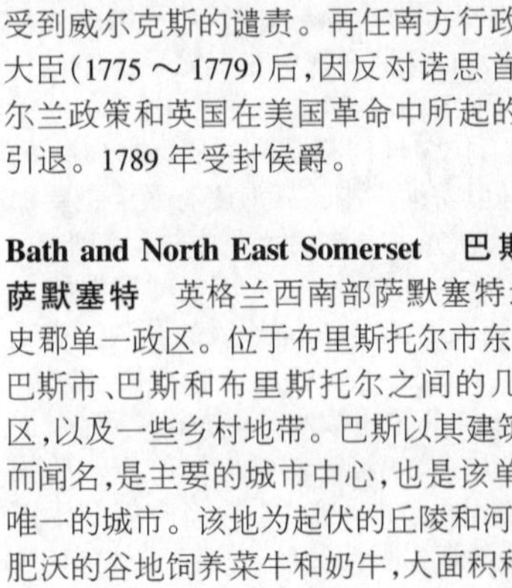

轮椅
美国不列颠百科全书公司供图

Baʻth Party 复兴党 Baʻth又拼Baʻath。全称阿拉伯复兴社会党。阿拉伯政党,主张成立一个单一的阿拉伯社会主义国家,在中东许多国家设立分支机构,是叙利亚和伊拉克的执政党。由米歇尔·阿弗拉克和萨拉赫丁·比塔尔于1943年在大马士革创建。1947年通过党章,1953年与叙利亚社会党合并,组成阿拉伯复兴社会党。复兴党拥护不结盟运动,反对帝国主义和殖民主义,从它所认为的伊斯兰教的有价值的成分中获得鼓舞,并试图不顾或超越阶级划分。它的组织机构高度集中和独裁。叙利亚复兴党于1963年取得政权,但"进步分子"与"民族主义分子"之间的派别斗争愈演愈烈,直至1970年"民族主义分子"派的哈菲兹·阿萨德获得控制权。在伊拉克,复兴党于1963年短暂地取得政权,并于1968年再度取得政权。此后,党的权力集中在伊拉克统治者萨达姆·侯赛因手中。复兴党的伊克拉一方与叙利亚一方的分歧排除了两国实现统一的可能性。在两国国内,复兴党均与小党,有时包括共产党人在内,结成联合阵线。在叙利亚,复兴党内部的主要威胁来自穆斯林弟兄会,而在伊拉克,它的主要反对派则是库尔德人和什叶派。

Bathiat, Arlette-Leonie 巴蒂亚 参阅**Arletty**阿列蒂。

Bathinda (India) 参阅**Bhatinda**珀丁达。

bathing suit 泳装 参阅 **swimsuit** 游泳衣。

batholith 岩基 由岩浆的侵入和凝固而形成于地球表面以下的大型火成岩体。它通常由粗粒岩石(例如花岗岩或石英闪长岩)构成,其地表露头达100平方千米或更大。岩基有不规则的形状,其侧壁向着围岩陡倾。大多数岩基穿过山的褶皱而侵入,并沿着山脉的主轴方向延伸;岩基附近可以见到围岩的断层和接触变质作用。虽然岩基曾经被认为延伸到无限的深处,但现在的研究表明很多岩基具有的厚度可能是10～15千米。一个著名的岩基位于美国加利福尼亚州的内华达山脉。

Bathonian Stage 巴通阶 侏罗系的(自下而上)11个地层单元中的第7个,代表巴通期(1.76亿年前至1.69亿年前)沉积的、全世界范围内分布的所有岩层。这个阶的名字来源于英格兰埃文郡的Bath(巴斯)。在英格兰组成这个阶的岩石单元包括约130米厚的地层,被称为"大鲕状岩"的石灰岩之上部,以及上覆的被叫做"科伦布拉什层"的下部构成。*Tulites subcontractus* 是在鲕状岩地层的巴通阶剖面上发现的一个典型的头足动物菊石类化石。在科伦布拉什层中的菊石 *Clydoniceras discus* 生物带标志着英格兰和欧洲大陆两地巴通阶的顶部。巴通阶上面被卡洛维阶所覆盖,巴柔阶却位于巴通阶之下。

Báthory, Sigismund 巴托里(1572～1613,波希米亚布拉格) 特兰西瓦尼亚公爵,实行反土耳其的政策,不得人心,结果导致内战。C.巴托里之子。1581年继父位,1588年亲

美国不列颠百科全书公司供图

政。他改变特兰西瓦尼亚的传统政策,采取反土耳其的立场。1594年与摩尔多瓦公爵阿龙和瓦拉几亚公爵米哈依结盟,翌年10月在久尔久(今罗马尼亚境内)打败奥斯曼军。他信奉天主教,极力反对宗教改革。1599年同妻子离异并放弃爵位,决心接受神职。其后两度试图复位,未果,死况不详。

Báthory, Stephen 参阅 **Stephen Báthory** 斯特凡·巴托里。

bathos 突降 源于希腊语bathys(深邃的)。试图在艺术上描写得哀婉动人亦即试图激起怜悯、同情或悲伤之感,但未成功,因而转觉荒唐可笑。突降作为术语,最初是由A.蒲柏在其论文《论突降;或诗法探微》中用于这一涵义的。突降可能是对平凡的东西不恰当地予以夸张的结果,或是使用高雅的语言和比喻去描写琐碎的题材的结果,也可能是由于对哀婉之情言过其实因而变成过分感伤或可笑的结果。即使是大诗人,有时也会有突降的失误。在《西蒙·李》这首诗中,华兹华斯曾想引起对老猎人的怜悯,但是下列几行诗却破坏了这种情绪:

Few months of life has he in store
As he to you will tell,
For still, the more he works, the more
Do his weak ankles swell.
他会向你说,
生命已无多,
如要再打猎,
肿痛奈双踝。

Bathsheba 拔示巴 又拼Bethsabee。《旧约》(《撒母耳记下》第11、12章;《列王纪上》第1、2章)人物,她原是赫梯人乌利亚的妻子,后来成为国王大卫众妻之一,国王所罗门之母。她可能出身贵族,容貌俊美,受大卫诱奸而怀孕。大卫后来设计置乌利亚于死地而娶拔示

巴。他们所生的第一个儿子夭折，后来又生一子，即所罗门。大卫临终时，她与先知拿单合谋，阻止亚多尼雅即位，使其子所罗门即位。她为人意志坚强而勇敢，取得了有势力的太后身份。

Bathurst 巴瑟斯特 澳大利亚新南威尔士州中东部城市。在麦夸里河南岸。位于蓝山以西。建于1815年。为大分水岭以西最早的居民点。1851年附近发现黄金后人口猛增。1833年设镇。1885年设市。现为附近羊、谷物、水果和蔬菜产区的服务中心。生产精密机械、面粉、罐头、服装、靴鞋、塑料、家具、陶瓷等。地处米切尔公路、中央公路和大西公路的交叉点，在通悉尼的铁路干线上。设有铁路机修厂。市内有两座大教堂和钟琴纪念塔(三月节活动中心)。设有米切尔高等教育学院。每年10月在此庆祝威尔士艺术节。人口24 682(1991)。

Bathurst 巴瑟斯特 加拿大新不伦瑞克省东北部城市，格洛斯特县行政中心(1826)。在内皮泽果特河口巴瑟斯特港岸。1619年建为法国人居民点，此前先后称为内皮泽果特及圣彼得斯。1755年成为英属，19世纪20年代更此名以纪念当时的国防及殖民地大臣巴瑟斯特伯爵(第三)。目前经济以伐木和渔业为主。纸浆和纸板业也重要。1953年后金属矿开采兴起。圣心教堂于1942年在主教教区自查塔姆移此后改为大教堂。城北约尔海滨区为避暑胜地。1912年建镇，1966年建市。人口14 409(1991)。

Bathurst (The Gambia) 巴瑟斯特 参阅 **Banjul** 班珠尔。

Bathurst, Henry Bathurst, 3rd Earl 巴瑟斯特伯爵(第三) (1762-05-22～1834-07-27) 英国政治家，著名托利党人。1783年起任议员，直至1794年承袭爵位为止。他与W.皮特友好，曾先后在其政府中任海军大臣(1783～1789)、财政大臣(1789～1791)和印度管理委员会委员(1793～1802)。1804年5月起任造币局局长。在波特兰公爵和S.珀西瓦尔两届政府中曾任贸易委员会主席和造币局长。1812年6月在利物浦伯爵政府中任陆军和殖民地大臣，曾对改进半岛战争的作战指导做出贡献。任殖民地大臣期间，对废除奴隶贸易颇为关心。1828～1830年在威灵顿公爵政府中任枢密大臣，支持解放罗马天主教，但反对《1832年改革法案》。1817年获嘉德骑士勋位。

Bathurst Island 巴瑟斯特岛 帝汶海中岛屿。属澳大利亚北部地方。东与梅尔维尔岛隔阿普斯利海峡相望。岛为三角形，面积约2 600平方千米。森林茂密。为土著居民保留地。人口1 194(1996)。

Bathurst Island 巴瑟斯特岛 加拿大西北地区巴芬行政区帕里群岛的一个岛屿。在北冰洋的康沃利斯与梅尔维尔两岛之间。长260千米，宽80～160千米，面积16 042平方千米，最高海拔约457米。北部岸线曲折，多有深入陆地的海湾。岛周多小岛，西端的西北面海上有几个小岛连成一串。1980年测定北磁极位于该岛北岸外。

bathyal zone 半深海带 由大陆架边缘至水温4 °C深处的海洋生态领域。这两个界线是变化的，但一般把半深海带描述为位于海面以下200～2 000米。除了热带，实际上没有生物的清澈水中有少量阳光可以射到600米深处，此带一般不能发生光合作用，是特别黑暗的。在高纬度地区温度为3～-1 °C，其他地区通常为5～15 °C，大洋西部边缘因有来自赤道的洋流而较暖，东部边缘因洋流来自北方并产生上升流而较冷。盐度典型的是34‰～36‰，这随着水体形成的局部条件而变化。半深海动物群反映温度和盐度变化极小。洋流速度极慢，许多地区，深于1 000米的海水停滞不动，造成含氧量低，动物稀少。虽然上升流和反向流可以为一些中、高纬度地区的鱼类和其他水生生物创造有利条件，半深海动物群中的个体数，一般还是只有浅水动物群的大约一半。但是很明显，对于半深海带来说，单生境物种分异度较高，据推测这是由于半深海环境条件，特别是温度稳定造成的。邻近大陆的陆源沉积海底能支持最丰富的食悬浮物种群和食泥种群。从亚北极到热带地区，都可以找到冷水半深海珊瑚。半深海沉积物有陆源的、海洋的或自生的(就地形成的)。陆源沉积主要是黏土和粉砂，因为含有机碎屑和细菌产生的高硫化铁，通常呈蓝色。较粗的陆源沉积物是偶尔发生的浊流由浅海区带来的。在陆源沉积物稀少的地方，浮游植物(颗石鞭毛藻)和浮游动物(有孔虫和翼足类)的微小的壳沉积为白色钙质软泥。自生沉积是来自黏土、长石和火山玻璃颗粒与海水的相互作用形成的海绿石、绿泥石、钙十字沸石和橙玄玻璃等矿物。这些沉积物因为含绿泥石和海绿石，一般呈绿色。

bathymetry 深海测量 海洋深度的测量。最早的测深技术是从船舷放下一条已知长度的粗绳或缆索，然后量度到达海底所需的长度。这种方法单调乏味而又往往不精确，所给出的只是孤立的一点的深度而非连续的测量结果。不精确的原因是绳索并不一定直达海底，它可能因下面的水流或船的运动而偏斜。现在广泛采用的一种虽然较完善但仍有问题的方法是回声测深法，从船上发出声音脉冲，到达海底，再反射回来。由脉冲产生至返回所经历的时间及声波在水中的速度计算出海深，就可作出海底地形测量的连续记录。多数回声测深仪的计算是机械进行的，画出与海图类似的图形记录。由于海下有峡谷和山脉，产生不正确的反射，再加上海水温度、深度和含盐量不同引起声速的变化，使回声测深的准确性受到限制，虽然这一点可以用在同一区域内反复测量的办法多少得到补救。声呐和水下照相机、电视机已经在深海测量研究中得到应用。

bathyscaphe 深水探海艇 瑞士教育家、科学家A.皮卡德研制的(后几年曾获其子J.皮卡德协助)能到达海洋深处并在水下潜航的船。第一艘探海艇“FNRS2”是1946～1948年在比利时建造的，在1948年的几次试航中损坏。该艇经过实际上的重造，并大加改进

由A.皮卡德设计的第一艘探海艇“FNRS2”，1946～1948年建造

美国不列颠百科全书公司供图

后改名“FNRS3”，进行了一系列下潜试验，包括1954年2月15日在大西洋下潜到4 000米深的试验，情况良好。第二艘改进型探海艇“的里雅斯特”号于1953年8月1日下水，同年下潜到3 150米深。1958年该艇为美国海军所有，加装了一个新舱，使其能下潜深达洋沟的底部。J.皮卡德曾用它在太平洋作过几次成功的下潜，并与美国海军的D.沃尔什于1960年1月23日创纪录到达深10 916米的太平洋马里安纳洋沟。探海艇有两个主要部分：一是比水重并能抗海水压力的钢制船舱，观察员在舱内工作；另一是较轻的容器称为浮体，内装汽油，使其具有所需的升力。船舱和浮体紧紧地连在一起。当探海艇在水面时，令一个或几个压载水舱内充满空气，以提供足够的升力，使艇浮起。打开压载水舱阀门，空气逸出，水进入舱内，探海艇就开始下沉。汽油与海水直接接触，并受其压缩，其压缩率与下潜深度几乎恰好成正比，使探海艇在下沉过程中逐渐失去浮力，下沉速度越来越快。为要减慢下沉或重新升起，操纵员要将压舱物卸掉。

bathysphere 探海球 海下观察用的有观察窗的钢制球形容器，它悬挂在从船上放下的钢缆上。由美国动物学家W.毕比和工程

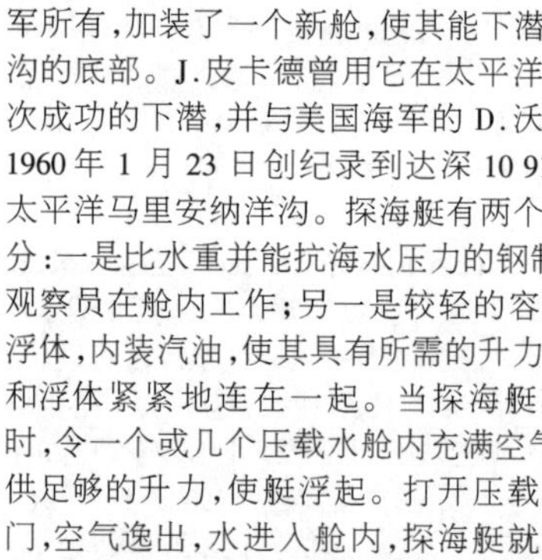

W.毕比制造的探海球

美国不列颠百科全书公司供图

师 O. 巴顿制造，1930 年首次下潜，同年 6 月 11 日下潜至 400 米。1934 年毕比和巴顿又到达 900 米深。经过这几次下潜，证实了探海球质量良好，但也暴露出一些缺点：它很难操纵，含有很大的潜在危险，如果悬缆断裂，就必将造成乘员死亡；水面波浪和因此而造成的船身运动，也会产生致命的应变。因此探海球已被较安全而机动性较好的浅水探海艇和深水探海艇所代替。

bathythermograph 海水深度温度自动记录仪 任何装有温度敏感及压力敏感元件、能连续记录水下温度和压强的海洋学仪器。回收式海水深度温度自动记录仪从静止的或运动的船上放下，温度和压强记录在有涂层的玻璃滑板上。消耗式海水深度温度自动记录仪从飞机上投下，能发回 300 米以内各个深度的无线电资料，常用于大范围的调查。

Bathyuriscus 宽钝虫属 三叶虫（绝灭的节肢动物类）的一属。北美中寒武世（5.40 亿年前至5.23亿年前）一种有用的标志化石。

宽钝虫（*Bathyuriscus*）
美国不列颠百科全书公司供图

头鞍分节很发育，有颊刺。尾部大，有许多发育完善的尾节。公认有几个种。

batik 巴蒂克印花法 又称蜡防印花法。将图案部分涂蜡以防着色的印花方法。主要

巴蒂克印花织物
美国不列颠百科全书公司供图

用在棉织物上，印蓝、棕、红三种传统颜色。将织物浸于沸水，除去前一个图案的蜡，然后按另一图案涂蜡，再印，这样重复操作数次，可得多色和调合效果。这种发明年代已不可考的基本方法，显然曾在东南亚广泛应用并因地而稍有改变，如西里伯斯岛人用竹片蘸涂蜡液。18 世纪中叶，爪哇人开始用有狭小出蜡口的铜制带耳小坩埚，生产出图案更为精致的织物。19 世纪爪哇人改革印花技术，采用木版涂蜡器。荷兰人将这种印花织物和印花技术引进欧洲，用现代机器在传统爪哇图案上涂蜡，可以再现因蜡裂而着色的手工印花效果。

Bāṭinah, Al- 巴提奈 阿曼东北部人口稠密的狭窄沿海平原。临阿曼湾 。长 240 千米，从阿曼与阿拉伯联合酋长国边界的希纳斯附近向锡卜延伸。宽 15 ～ 45 千米。有许多从哈杰尔山脉向下的干河穿过。沿海通过细密耕作，从早年起即以出口椰枣、马匹、干酸橙、铜和龙涎香闻名。现种植椰枣、番木瓜、酸橙、芒果、蔬菜和谷物，饲养绵羊、山羊。捕鱼业也占重要地位。主要沿海城镇有穆萨纳、苏韦格、哈布拉、塞赫姆、苏哈尔和希纳斯等。该平原居民（约为阿曼全部人口的 1/3）为阿拉伯人与俾路支人，信奉伊斯兰教。

Bāṭinīyah 巴颓尼叶派 伊斯兰教名词，指伊斯玛仪派等派别。他们注释经文完全根据隐蔽的或内在的含义，而不顾字面意义。这种注释方法于 8 世纪流行于什叶派某些神秘主义支派，特别是伊斯玛仪派。伊斯玛仪派认为经文的每一字面意下都存在一种隐义，这种隐义只有通过譬喻等方法的解释才能被揭示。他们还认为，穆罕默德只是《古兰经》字面意义的传达者，而伊玛目才被授权通过阐译对其真正的隐义作出解释。逊尼派学者驳斥巴颓尼叶派所提出的与经文字面含义相抵触的注释，说他们滥改阅读方法引起混乱和争论，使愚昧无知或有意作恶的人自称领会真理以招摇撞骗。逊尼派认为，巴颓尼叶派是伊斯兰教的敌人，致力于破坏逊尼派人的信仰观念。参阅 **tafsīr**。

Batista (y Zaldívar), Fulgencio 巴蒂斯塔（1901-01-16，古巴巴内斯～ 1973-08-06，西班牙马尔韦亚） 古巴军人，两度统治国家的独裁者。第一次在 1933 ～ 1944 年，建立了一个有实力、有成效的政府；第二次在 1952 ～ 1959 年，实行独裁统治。出身贫苦农民家庭，曾从事各种劳动。1921 年参军。1933 年 9 月发动“士官起义”，推翻 C. M. de 塞斯佩德斯领导的临时政府。此后，他成为古巴最有权势的人物，得到军人、文官和劳工的支持。1940 年当选总统。他个人大发横财，但也极力扩大教育规模，大兴公共工程，促进经济的增长。1944 年辞职，旅居国外。他在美国居住时，将他所榨取的巨额资财的一部分在佛罗里达进行投资。1952 年 3 月，他再次通过军事政变夺权，在夺权后实行野蛮的独裁统治。他控制大学、报刊和国会，利用经济高涨大量谋取私利。1958 年秋，他的统治被 F. 卡斯特罗的起义部队推翻。1959 年 1 月 1 日逃往多米尼加共和国，后又流亡到葡萄牙的马德拉岛，最后到达里斯本附近的埃什托里尔。

Batiushkov, Konstantin Nikolayevich 参阅 **Batyushkov, Konstantin Nikolayevich 巴丘什科夫**。

Batjan (Indonesia) 参阅 **Bacan 巴占**。

Batlle Berres, Luis 巴特列·贝雷斯（1897-11-26，乌拉圭蒙得维的亚～ 1964-07-15，蒙得维的亚） 乌拉圭新闻记者、总统（1947 ～ 1951）、首席执政官（1953 ～ 1954），总统 J. 巴特列·奥多涅斯之侄。他主张民主和公民自由，直言不讳地批评美国支持拉美的独裁统治。1923 ～ 1933 年和 1942 ～ 1947 年为众议员，1943 ～ 1945 年任众议院议长，1946 年当选副总统，T. 贝雷塔总统死后继任总统。他的政府吸引大量外国投资。后乌拉圭实行由九人委员会执政的体制，他于 1953 和 1954 年两度当选为该委员会主席。后任委员至 1959 年。他的红党在 1958 年选举中被反对派白党击败。1948 年创办《行动报》，宣传他的政治主张。他还拥有设在阿列尔的广播电台。

Batlle y Ordóñez, José 巴特列-奥多涅斯（1856-05-21，乌拉圭蒙得维的亚～ 1929-10-20，蒙得维的亚） 乌拉圭国务活动家，1903 ～1907 年和 1911 ～ 1915 年任总统，使他的国家从不稳定的独裁统治转变为有活力的

美洲国家组织供图

民主国家。洛伦斯·巴特列将军之子。曾就读蒙得维的亚大学和巴黎大学。1886 年 6 月 16 日创办《日报》，开始政治生涯。不久参加乌拉圭两大政党之一的红党。1890 年开始努力使其政党转变为一个全国范围的民主政治组织。1893 年当选众议员，1896 年又当选蒙得维的亚参议员。后担任参议院议长和红党全国执行委员会委员。1903 年以微弱多数当选总统，因此与反对党白党发生冲突，引起 1904 年两党间的内战。红党于 1905 年的奥多涅斯战役中取得胜利，牢牢控制了国家。在 1905 年举行的大选中，他和红党获胜。1907 年总统任期届满，他主动放弃职务。1911 年再度当选总统。在两任总统期间，他进行了劳工改革，限制外国企业利润，鼓励移民，将公共工程国有化，废除死刑，保护非婚生儿童。第 2 次任期届满时，为了避免个人独揽大权，他试图建立执政团和修改宪法，但激起全国的反对，甚至使自己的政党发生分裂。1918 年乌拉圭通过的新宪法规定，建立总统和全国行政委员会的双重行政制度。巴

特列-奥多涅斯于 1920 和 1926 年两次担任全国行政委员会主席。

Batman 巴特曼 土耳其东南部城镇。地处本国石油产区中心，位于锡尔特城镇西 8 千米的广阔高原上。建有国营炼油厂和约 515 千米长的管道，从油田通向地中海岸的伊斯肯德伦港。生产饮料、食品、化工品、家具、鞋靴、机械和运输设备等。有公路、铁路通往迪亚巴克尔和库尔塔兰。建有机场。人口 110 036(1985)。

Batna 巴特纳 阿尔及利亚东北部城市。临蒂拉图河。市西面有图古尔山(2 094 米)。1844年初建时为守护坎塔拉山口的法国哨所。1848年在哨所以东兴建新朗贝萨城；1849 年改称现名。有农林业产品市场。是前往塔祖勒-朗贝萨和提姆加德参观罗马遗迹的旅游基地。人口：城市区约 184 833(1987)。

巴特纳市
美国不列颠百科全书公司供图

Batoche 巴托什 加拿大萨斯喀彻温省中部未建制之地。临南萨斯喀彻温河东岸，在艾伯特王子城西南 64 千米处。约 1870 年有人定居。以一梅蒂人(法国人与印第安人的混血儿)商人的绰号命名。1885 年加拿大民军击败叛军的战场已划为巴托什国家历史公园。梅蒂人公墓和教区长住宅为游览胜地。

Baton Rouge 巴吞鲁日 美国路易斯安那州首府，东巴吞鲁日县县城(1811)。位于本州东南部，地当密西西比河深水航道的顶端。1719 年法国人在此建立要塞。1763 年让与英国。1779 西班牙人击败英军控制该地达 20 年之久。1810 年当地发生反西起义，建立西佛罗里达共和国。同年并入美国。1817 年设市。1849年成为州首府。1909年建立标准石油公司大型炼油厂，随后因靠近油田(得克萨斯、俄克拉何马和路易斯安那)，便利的河海运输，丰富的天然气及其他自然资源，许多工业相继建立。1940 ～ 1950 年人口增加 2 倍。现设有路易斯安那州立大学及南方大学和农业-机械学院。人口：227 818；都会统计区 602 894(2000)。

巴吞鲁日市州议会大厦
美国不列颠百科全书公司供图

Batoni, Pompeo Girolamo 巴托尼(1708-01-25，托斯卡纳卢卡[意大利]～ 1787-02-04，罗马) Batoni 又拼 Battoni。意大利历史画家和肖像画家。作为与 A.R.孟斯齐名的历史画家，在当今，他的肖像画可能更为有名。他独创了一种肖像画形式，把人物自然地置于古代遗迹中，这种画法在英国备受欢迎。他曾为 3 个教皇和许多王室贵族们作画，这些制作精美的肖像画综合了洛可可、博洛尼亚古典主义和新古典主义的成分。

Batoro (people) **巴托罗人** 参阅 **Toro** 托罗人。

Batory, Stefan (Polish king) **巴托里** 参阅 **Stephen Báthory** 斯特凡·巴托里。

Baṭrā (ancient Arabia) **拜特拉** 参阅 **Petra** 佩特拉。

Batrachospermum 串珠藻属 淡水红藻的一属，紫罗兰色至蓝绿色，具分枝的丝状体上有密集轮生的小枝，形似念珠。受精后在果胞(雌性器官)基部周围形成成簇的孢子。见于溪流和泥炭藓沼泽中的水潭，是很少见的淡水藻之一。

Batsányi, János 鲍恰尼(1763-05-09，匈牙利陶波尔曹～ 1845-05-12，奥地利林茨) 法国大革命和拿破仑时期匈牙利最主要的政治诗人。任《马扎尔博物馆》主编，以在匈牙利实现社会进步和启蒙运动理想的雄辩鼓吹者崭露头角。在政治诗中表达了反保皇主义的思想感情。他鼓吹革命和激进的社会变革。他也写抒情诗，其中许多是哀歌。他支持法国大革命，最著名的政治诗为《法兰西的变迁》(1789)。他拥护拿破仑，因此定居巴黎，拿破仑垮台后被奥军俘获。在林茨被拘押的 30 年余生中对匈牙利文学作用不大。

Batswana (people) **巴茨瓦纳人** 参阅 **Tswana** 茨瓦纳人。

Battak(people) 又拼 Batta。参阅 **Batak** 巴塔克人。

battalion 营 军队的一个战术单位，一般辖一个营部和两个或两个以上的步兵连、炮兵连或类似的单位，通常由一名校级军官指挥。许多世纪以来，几乎各个西方国家的军队都一直使用营这个名词，且有各种含义。在 16 和 17 世纪，营是步兵的一个作战单位。在拿破仑战争中，法国人制定了一种军队编制，营是野战部队，团是营的行政管理单位。正因如此，团和营这两个名词可以互用，但是在大多数现代军队中，团是营的上一级单位。在英联邦国家的陆军中，步兵营是团下属的战术单位，通常由一名中校指挥；团不是战术单位，而是上级行政管理单位。但是，相当于营的炮兵和装甲兵部队则叫做团。在大多数国家的军队中，相当于营的骑兵部队和航空兵部队叫中队。20 世纪初期，美国陆军的一个营通常有 500 ～ 1 000 人，一般由一名中校指挥。第一次世界大战结束后，4 连制步兵营在第二次世界大战和朝鲜战争中改为 3 连制步兵营，这种营一般辖 3 个步枪连，一个重武器连和一个营部。20 世纪末期，美国陆军一个标准的营下辖 3 个连和一个营部，共有 800 ～ 900 名官兵。装甲营的编制与此相似。2 ～ 5 个营组成战术旅的战斗分队，一个师下辖约 10 个营。苏联陆军营的规模比美国陆军小。步兵师下属标准步兵营有 370 名官兵，组成 3 个各有 78 人的步枪连，以及机枪、炮兵、迫击炮和勤务分队。

Battambang (Cambodia) 参阅 **Bătdâmbâng** 马德望。

Battānī, al- 巴塔尼(约858，叙利亚乌尔法附近的哈兰或哈兰附近～ 929，伊拉克萨迈拉附近) 拉丁语拼作 Albatenius。阿拉伯天文学家和数学家。他发现更精确的年长度、季长度、周年岁差和黄赤交角。他指出太阳的远地点(距地球的最远点)的位置是变动的，因而有可能发生日环食(不是全食的中心食)。他用三角学取代几何方法，改进了托勒玫的天文计算。从 877 年起，他用多年时间在叙利亚艾尔-拉卡完成许多准确度颇高的观测工作。他是中世纪欧洲人们最熟知的阿拉伯天文学家。主要著作是一本天文表，约于 1116 年被译成拉丁文，13 世纪又被译成西班牙文，书名为《论恒星的运动》的版本于 1537 年出版。

battement 巴特芒 芭蕾舞动作名。腿向前、向旁或向后伸出或踢出的动作，可重复做，也可只做一次。具有代表性的是“巴特芒·坦丢”(battement tendu，“擦地伸腿”)，做这个动作时，一条腿擦地往外伸出，直到脚尖点地为止。做大的“巴特芒”(grand battement，“大踢腿”)动作时，腿踢到与胯部平齐或者更高，膝盖伸直；做“巴特芒·弗拉佩”(battement

美国纽约市芭蕾舞团演出巴兰钦的《C调交响曲》中的大巴特芒舞姿
美国不列颠百科全书公司供图

frappé,“猛的伸出”)时,动作腿屈姿紧靠支撑腿小腿下方轻捷地往外伸出,脚趾擦地;小的“巴特芒”(petit battement sur le cou-de-pied,“小的击打”)动作脚击打支撑腿脚腕的前面和后面。

Batten, Jean　巴滕(1909,新西兰罗托鲁阿～1982-11-22,西班牙马霍卡)　新西兰30年代最著名的航空员,多次打破飞行纪录。早年被父母送到英国学习音乐,但她却对飞行发生了浓厚的兴趣。1930年获得私人飞行员执照,1932年又获得商业飞行员驾驶执照。1934年5月她独自驾机历时14天23小时25分,从英国飞抵澳大利亚,创造了妇女飞行纪录。1935年4月巴滕成为第一个独自驾机从澳大利亚飞抵英国的妇女,同年11月又独自驾机从英国飞抵阿根廷。1936年10月独自驾机从英国直飞新西兰,其间创造了从英国飞抵阿根廷的飞行时间纪录。她还创造了从澳大利亚至英国以及英国至巴西的飞行纪录。30年代末她屡获殊荣,成为国际名人。后过隐居生活。著有自传《我的生活》(1938)。

Battenberg FAMILY　巴滕贝格家族　又作Mountbatten。19～20世纪成为国际著名的家族。原为德国伯爵世家,住在黑森巴滕贝格附近,但于1314年绝嗣。1851年路易二世的幼子、黑森大公亚历山大(1823～1888)与波兰女伯爵尤利娅·特蕾莎·冯·豪克(1825～1895)结婚,后者被立为巴滕贝格女伯爵。1858年,与其子女均晋升为巴滕贝格亲王或巴滕贝格公主。1917年其长子路易·亚历山大(1854～1921),曾任英国海军上将,被授予米尔福德·黑文侯爵爵位。

根据英国乔治五世的要求,这个家族定居在英国的成员,于1917年宣布放弃巴滕贝格亲王称号,改姓蒙巴顿。米尔福德·黑文之女艾丽斯公主(1885～1969)与希腊安德鲁亲王(1882～1944)结婚,他们的独生子菲利普亲王(1921～　)改姓蒙巴顿,于1947年入英国籍并与伊丽莎白公主结婚,被授予爱丁堡公爵。伊丽莎白公主于1952年成为英国女王,称伊丽莎白二世。米尔福德·黑文的幼女路易丝(1889～1965)于1923年与瑞典储君古斯塔夫·阿道夫结婚,阿道夫于1950年成为瑞典国王,称古斯塔夫六世。米尔福德·黑文幼子即英国著名的军事领导人兼政治家L.蒙巴顿,受封为缅甸的蒙巴顿伯爵(第一)。米尔福德·黑文有3个弟弟:亚历山大(1857～1893)自1879～1886年任保加利亚摄政王;亨利·莫里斯(1858～1896)于1885年与维多利亚女王的幼女比阿特丽斯公主结婚,取得英国国籍。其女儿维多利亚·尤金妮亚(又名伊娜,1887～1969)于1906年与西班牙国王阿方索十三世结婚;法兰西斯·约瑟夫(1861～1924)于1897年与门的内哥罗亲王尼古拉一世之女安娜结婚。

Battenberg, Louis Alexander, prince of　巴滕贝格　参阅 **Milford Haven, Louis Alexander Mountbatten, 1st Marquess of** 米尔福德·黑文侯爵(第一)。

Battenberg, Louis Francis Albert Victor Nicholas, prince of　巴滕贝格亲王　参阅 **Mountbatten (of Burma), Louis Mountbatten, 1st Earl** 蒙巴顿。

batter　面糊　面粉加水及其他成分,如发酵剂、起酥油、糖、盐、蛋及各种香料后形成的糊状物,用于制作焙烤食品。稠密柔软的叫面团,可以卷拢成形,而面糊因含水分多,比面团稀薄,可以搅拌、倾注、用匙舀取,因此只能盛于容器内,用以烤饼干、松饼、薄饼、茶点蛋糕、安琪儿发糕、玉米粉糕、夹层蛋糕等。安琪儿发糕与松蛋糕的面糊不用发酵剂,靠用力搅拌使面糊内产生气泡,焙烤时气泡受热膨胀,因而松脆可口。面糊也常作嫩煎或油炸食物表面的涂料。

battering ram　攻城锤　一种中世纪武器,主体为一重圆木,其圆形或锥形头部系金属制成,用以撞击被围攻的城镇或城堡的城墙或城门。攻城锤常以绳索悬吊在一个能移动的掩蔽大棚的大梁上,靠人力推其前后摆动。棚顶覆以兽皮,以保护操作者不受镞石和燃烧物的袭击。

Battersea　巴特西　英格兰大伦敦一地区,位于泰晤士河南岸,在旺兹沃思自治市内。沿河多工厂,其中发电站的建筑物为伦敦著名景物。河畔巴特西公园占地80公顷为市立公园,建于1858年,园内有节日庆典用娱乐设施。巴特西公园路有著名的犬、猫收养所(1860)。

Battersea enamelware　巴特西珐琅器皿　18世纪中叶在英国制造的一种最精致的画珐琅制品,尤以其优质的摹印技术著称。巴特西制品是在伦敦的一个区——巴特西的约克商号由S.T.詹森于1753～1756年制作。

1750～1756年的巴特西珐琅饰板

美国不列颠百科全书公司供图

这种制品的铜胎涂满各种柔和的白色珐琅。白珐琅上的图案用手绘或用摹印。在巴特西生产的大部分制品,诸如鼻烟盒和表壳之类的小摆设都饰以洛可可式的铭辞、肖像、风景或花卉。物件的式样和装饰主题常摹仿迈森制造的瓷器。

battery (law)　伤害罪　参阅 **assault and battery** 威胁罪和伤害罪。

battery　电池　在电学和电化学中,一种将化学能直接转换成电能的装置。虽然严格说来,battery指的是能产生这种能量转换的两个或两个以上的伏打电池组,但通常用来指这样的单个电池。电池产生电流的机制是从电池的一个部件释放电子,再使电子通过外电路流到另一个部件。释放电子到外电路的电池部件称为阳极(或负极),从电路获得电子的部件称为阴极(或正极)。(在诸如电解槽、电子管等消耗电流的装置中,阳极常指正极,而负极则称为阴极)。

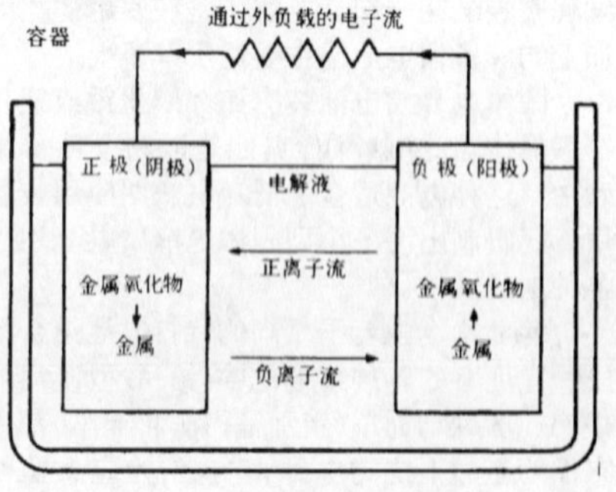

化学电池的基本组件

意大利帕维亚大学自然哲学教授A.伏打约在1800年制成了第一个电池。后称这种装置为伏打电堆。它由一连串成对的银圆板和锌圆板组成,每两者被一张浸透盐水的胶纸板隔开。当上面的银板与下面的锌板连接时,产生电流。1836年英国化学家J.丹聂尔制成典型的伏打电池。伏打电池由两种具有不同吸引电子能力的化学物质组成。这两种物质均浸没在电解质中,并通过外电路相连。这两种化学物质称为电化学偶。例如,在锌-酸电池中,电化学偶是锌-氢离子偶。伏打电池中电化学偶之间发生的反应是氧化-还原反应。外电路断开时,伏打电池两电极之间存在电势差或电压,电压取决于电子从一电极转移到另一电极时可获得化学能的数量,因而受电极材料的化学性质支配。电池的电流由电路的总电阻(包括电池本身的电阻)所决定。若需电流很大时,则宜采用低电阻电池。利用大面积电极可以达到这一要求。短路时电池的最大电流由电极的面积决定。通电时,由于电池的内阻以及电极上的化学过程变慢,电池的电压降低。伏打电池所含能量(称为电池的容量)是有限的,它以安培·小时计,由电池阳极能释放出和阴极能获得的电子数量决定。当电池的全部化学能耗尽时——通常是由于其中一电极完全耗尽——电压下降到零,不能再恢复。电池的容量由电极中活性成分的量决定。伏打电池有两大类:原电池和蓄电池。原电池是按只能获得一次连续或间歇放电来制作的。蓄电池则能放电后再充电到接近其初始状态。充电过程是放电过程的逆过程;因此,在这些电池中的电极反应必须是可逆的。

原电池　有干、湿和固体电解质等数种。干电池实际上不是干的,而是所盛含水电解质不会溢出或被固定住。多数电池是密封的,以防止电解质或反应物渗漏。这种原电池的常见例子有:①酸性干电池(如碳-锌电池),可用于手电筒、电动玩具和某些轻便的晶体管收音机;②碱性干电池,用于照相、磁带录音机和电动剃刀；③汞电池，用于助听器和照相闪光操纵装置。

湿电池装有游离、流动的电解质。用于需大容量和中等电流的供电场合，例如电话和电报电路，航海、矿山、公路和铁路的信号系统。锌-氧化铜-氢氧化钠和锌-空气-氢氧化钠的拉兰得电池已广泛用于上述用场。人们常把备用电池归入湿原电池之列。此电池采用锰和氯化银或锰和氯化亚铜作为电极材料。由于这些化合物易为电解质（海水或液体氨）浸蚀，所以电池同存放在单独容器内的电解质装配在一起。电解质是在使用前立即加上的。备用电池已主要用于军事上。

固体电介质电池装有诸如碘化银或氯化铅等晶体盐的电解质，它们是以离子性导电为主。这种电池适合于低耗电长期使用或备用。已研制出许多小型固体电解质电池用于各种电子器件。

蓄电池 由若干相同的伏打电池组合而成。在现有的各种蓄电池中，铅-酸型使用最普遍。多种动力车（特别是汽车和卡车）都用它作为电力系统的电源，它也常为应急照明和通信电路提供电力。铅-酸蓄电池的活性组分是硫酸和两组极板（电极），一组极板是纯铅，另一组是二氧化铅。每一个电池都由若干个极板对并联组成，产生约2伏的电压。3个或6个电池串联成6伏或12伏的电池组。每一电池中的硫酸电解质单独贮存在其本身份隔层内。放电时，两极板材料都逐渐变成硫酸铅，而硫酸逐渐耗尽。当所有化学物质组分用完后（通常是酸不再能与活性材料起作用时），放电停止。用直流电对电池充电，这时化学变化反转，从极板中置换硫酸盐，使硫酸的比重增加。

另一种重要的蓄电池是镍-镉蓄电池，其作用极似铅-酸蓄电池，但具有不同的化学成分。它的阴极为氢氧化镍，阳极为镉，两电极浸没在氢氧化钾溶液中。镍镉电池较其他蓄电池轻，可以密封。由于这些特点，可用于电池及外接电源两用式器件，以及其他轻便电子设备。

第三种重要的蓄电池是银-锌型。其阳极由多孔的锌极构成，阴极为涂有氧化银的银质格栅，电解质为氢氧化锌在其中达到饱和的氢氧化钾溶液。银-锌电池由于采用电极隔开的结构，只能进行有限次数的充电和放电。然而，它们的能量重量比大，因而主要适用于低重量的场合。

Batthyány, Lajos, Count（Gróf） **包贾尼**（1806-02-14，奥地利帝国匈牙利波若尼[在今斯洛伐克布拉迪斯拉发]～1849-10-06，匈牙利佩斯[今在布达佩斯]） 匈牙利政治家，1848年革命期间匈牙利首届代议制政府首相，为马扎尔人独立献身的烈士。地主家庭出身。早年从军，1827年开始经营农庄。后在萨格勒布大学取得法学士学位。曾游历西欧。1830年成为匈牙利国会议员。1848年4月任首相。后来发生内战。他站到革命者一边，反对奥地利。10月11日在作战中负伤，又从马上摔下来，折断一支胳膊。1849年1月被奥地利军队俘虏，后被判绞刑。临刑前夕，他用小刀自杀未遂。第二天早晨，以煽动叛乱罪被枪毙。他的死引起匈牙利全国人民的悲恸，使欧洲舆论对奥地利一致进行谴责。

Batticaloa 拜蒂克洛 斯里兰卡城镇，位于东岸以外的一个岛上，有堤道、桥梁、轮渡、公路、铁路与主岛相通。是附近种植园的稻米、椰子以及其他农产品的贸易中心。1622年被葡萄牙人占领，1638年被荷兰人占领，1796年被英国人占领。有殖民时期留下的葡萄牙人和荷兰人要塞废墟。人口约51 000（1990）。

Battishill, Jonathan 巴蒂希尔（1738-05，英国伦敦～1801-12-10，伦敦伊斯灵顿） 英国教堂音乐及流行歌曲作曲家，曾任圣保罗大教堂唱诗班歌手（1747）和科文特加登剧院指挥（1756）。为戏剧写歌曲与合唱曲，最有名的是与M.阿恩合写的歌剧《阿尔曼娜》（1764），曾在特鲁里街剧院上演。1764年在圣克莱芒·丹斯等教堂任管风琴师，为诗篇配乐，此外还写了很多赞美诗、追唱曲、格利合唱曲及牧歌等。

Battle 巴特尔 英格兰东萨塞克斯行政郡罗瑟区的一个堂区城镇。属萨塞克斯历史郡。在黑斯廷斯内陆一侧。东南方有征服者威廉一世于1066年战胜英吉利人的战场称作森拉克岭。保存有1338年建的城镇巨大门洞。人口5 235（1991）。

Battle, Kathleen 巴特尔（1948-08-13，美国俄亥俄朴茨茅斯～ ） 全名Kathleen Deanne Battle。美国歌剧歌员，是当时最好的花腔女高音之一。从幼年直到青年她既是一名好学生，又是一位好歌手，但是她的理想不是很大。她得到了俄亥俄辛辛那提大学音乐学院的奖学金，但选择了音乐教育这个专业。1971年获得学士和硕士学位后就开始在辛辛那提内城教年轻人音乐，同时继续跟私人教师学习声乐。结果被辛辛那提市交响乐队指挥发现，听了她的试演，被她不平凡的嗓音深深感动。他安排让这个几乎没有经验的歌手去意大利参加“1972年两个世界节”。巴特尔首次演出J.勃拉姆斯《德国安魂曲》获得好评。不久他又将她介绍给J.列文。列文极大地影响着她以后的表演事业。到1978年她已是美国各大歌剧院的配角演员。同年在纽约大都会歌剧院作首场演出，扮演了R.瓦格纳歌剧里的牧羊人，得到舆论一致认可，认为她的音质罕见清纯，能保持在两个半八度（从低音A到高音E）音域内音色完美无暇。她善于表现G.F.韩德尔和H.普赛尔作品中的花腔弦技段落；还擅长于W.A.莫扎特歌剧中的角色。她还以演唱黑人灵歌而著称。在其众多的唱片中，也包括G.尼采蒂、R.斯特劳斯和G.格代温等作曲家的作品。1994年2月大都会歌剧院解雇了巴特尔，舆论大哗，但她并未受过多影响，音乐会和唱片继续受到人们的喜爱。

Battle Creek 巴特尔克里克 美国密歇根州中南部卡尔洪县城市。位于巴特尔和卡拉马祖两河汇流处，在卡拉马祖之东37千米，兰辛西南79千米处。1831年建居民点。1850年设村。1859年设市。原为面粉和羊毛加工中心。1866年设西部疗养所（1959年改为巴特尔克里克医疗中心）。在J.H.凯洛格指导下，该疗养所从事实验保健食品，导致预

巴特尔克里克市的医疗中心
美国不列颠百科全书公司供图

制谷类食品工业成为该市的主要行业。此外，亦有汽车零件、卡车、农具和纸制品等制造业。市内有W.K.凯洛格基金会（1930）、凯洛格社区学院（1956）、利拉植物园和金曼自然历史博物馆。城西北21千米处有密歇根州立大学凯洛格鸟类保护区。每年6月举行的市谷物节有“世界上最长的早餐餐桌”。人口：市53 364；卡拉马祖-巴特尔克里克都会统计区452 851（2000）。

battle fatigue 参阅**combat fatigue 战斗疲劳症**。

Battle of Brunanburh, The 《布鲁南堡战役》 74行古英语诗，收于《盎格鲁撒克逊编年史》937年项下。它叙述撒克逊国王艾特尔斯坦战胜入侵的由都柏林国王、约克王位的觊觎者O.古思弗里思逊率领的挪威人、苏格兰人和斯特拉斯克莱德不列颠人联军的故事。全诗基本上是胜利者对失败者无情的奚落，称这是有史以来在英格兰进行的最大一次战役。

Battle of Maldon, The 《马尔登战役》 古英语英雄诗篇，描写991年东撒克逊人与北欧海盗（主要是挪威人）之间的一场冲突。这首诗首尾已失传。现存诗篇开头描写作战双方在一条小河（今埃塞克斯马尔登附近的布莱克沃特河）两岸摆开阵势。北欧海盗嘲笑地提出，英国人可以用金戒指换取和平。英军指挥官比尔特诺斯回答说他们将用枪箭向其进贡。当时海盗因所处位置不利而无法前进，英国指挥官比尔特诺斯轻率地准许他们跨过小河，并予以安全保证，然后开始作战。尽管比尔特诺斯勇猛无比，最后仍然被杀。在惊慌失措中，有些英军开了小差。逃跑人的姓名和坚守阵地为比尔特诺斯报仇的人的姓名及其家系，均有详细记录。这325行残篇的结束部分是常常被人引用的老战士比尔特沃德的振奋人心的讲话：“当我们的力气逐渐耗尽时，定要意志更坚，心肠更硬，勇气更大……”

Battle of the Feishui 淝水之战 383年中国东晋军以少胜多击败前秦军的著名战役。因战役主要发生在淮水支流淝水一带，故史称淝水之战。前秦苻坚（338～385）统一黄

淝水之战的古战场八公山今貌
中国大百科全书出版社供图

河流域后，383 年 8 月征集丁壮 90 万，亲率南下，企图一举消灭东晋。晋相谢安遣谢石、谢玄率兵 8 万抗击。10 月，苻坚弟苻融率兵 25 万渡淮水，占寿春，以 5 万兵进驻洛涧(今安徽淮南东的洛河)。苻坚遣所俘晋将朱序到晋军说降。序向谢石献计乘秦军未集结时败其前锋。11 月谢石兵渡洛涧击溃秦军前哨。苻坚在寿春城上望见晋军阵容严整，以为八公山上草木皆兵，内心恐惧。秦军依淝水布阵。进至淝水对岸的晋军要秦军稍退以便渡河决战；苻坚企图乘晋军半渡时以铁骑击杀，就引兵稍退。但秦军后退即不可复止，阵势大乱。晋军渡河猛攻，苻融被杀。溃军向北逃遁，闻风声鹤唳都以为晋军追至，大部被歼。苻坚中流矢单骑逃淮北，退至长安后为羌族将军姚苌所杀，前秦瓦解。

battledore and shuttlecock　拍毽子　儿童游戏，用网板(框子用木材制成，框内用羊皮、塑料、羊肠线或尼龙丝编织成网)拍打毽子，尽量不让毽子落地。毽子底托用软木或其他轻材料制成，四周插上修剪好的羽毛。拍毽子在中国、日本、印度和泰国流行 2 000 余年，在欧洲已流行几百年。羽毛球运动即从拍毽子演变而成的。

Battleford　巴特尔福德　加拿大萨斯喀彻温省西部城镇。在巴特尔与北萨斯喀彻温两河汇合处。初建于 1876 年，至 1883 年为西北地区首府。1885 年在混血人叛乱中被克里族人部分焚毁，其后洪水多次泛滥，城镇迁至巴特尔河北岸。1899 年设村。1903 年通铁路。1910 年设镇。有面粉加工厂和巴特尔福德国家历史公园。人口 3 820(2001)。

battlement　雉堞　城墙上由凹下的垛口和凸出的城齿交替组成的胸墙。战士们可以凭借城齿掩护自己，同时又可以从垛口放射弩箭和投掷武器。在军事建筑中雉堞出现较早，古代迦勒底、埃及和史前希腊已有建造，其后广泛用于古罗马的要塞上。中世纪时得到高度的发展，垛口变成狭缝，其两边的外墙面常呈八字形倾斜，城齿的中央部分常有一条窄缝，有时成十字形，以便使投掷的武器能有最远的飞行弧线。中世纪的雉堞常用托架凸出于城墙表面，并在其地面上开洞，以使投掷物直接向下坠落，打击进攻的敌人。在围城防御作战时，通常要用木材和兽皮搭成的护棚将雉堞围护起来。某些国家由于受到中东的影响，常常用雉堞作为一种装饰。到中世纪末期，雉堞的军事作用已大为削弱，成了单纯的装饰因素。

battleship　战列舰　约自1860年至第二次世界大战时世界海军的大型军舰。1860 年后战列舰开始取代木质船体风帆驱动的军舰，到第二次世界大战时，其统治地位才被航空母舰所代替。战列舰有吨位大、火力强、装甲厚、水下防护好的优点，但又速度快、巡航半径大，并具有相当的适航性。在其发展鼎盛时期，战列舰能非常准确地击中 30 千米内的目标，并能承受严重破坏而保持不沉没、继续作战。战列舰的起源是 1859 年建成的排水量为 5 600 吨的法国远洋铁甲舰"光荣"号。("光荣"号和其他风帆及蒸汽机混合推进的这类军舰有各种各样的名称，如装甲驱逐领

第二次世界大战中的美国海军战列舰"亚拉巴马"号
美国不列颠百科全书公司供图

舰或蒸汽驱逐领舰，直到数年后战列舰这个名称才流行)1869 年英国海军的"君主"号成为第一艘铁制船体的远洋战列舰。这艘船装有舷侧炮，通过船体上的射孔射击。在该舰主甲板上两个旋转炮塔内安装 4 门 12 英寸口径火炮。此后数十年中，战列舰不再采用辅助风帆动力，而是采取多种口径火炮混合配置的方法，其中 10 至 12 英寸大口径炮塔炮用于与其他大型军舰进行远距离作战；6 至 8 英寸中型火炮用于进行近距离作战；2 至 4 英寸小口径炮用于打击鱼雷艇。

1906 年，英国军舰"无畏"号采用汽轮机推进和全部装备 10 门 12 英寸大口径火炮，使战列舰的设计发生了革命性的变化。此后造的大型军舰不再装备中型火炮。速度达到 20 节以上，火炮口径增加到 16 和 18 英寸，排水量 2 万至 4 万吨的"超级无畏"舰队开始服役。1922 年的《华盛顿条约》将新的战列舰吨位限制在 3.5 万吨。按这一标准建造的舰只就是新一代"快速战列舰"，它将"无畏"战列舰火力强、装甲厚的优点与轻装甲巡洋舰的速度(大于 30 节)优点结合起来了。

第二次世界大战爆发前夕，《华盛顿条约》被放弃，战列舰的排水量再度增加。德国建造了 2 艘"俾斯麦"级战列舰，为 5.26 万吨；美国建造的 4 艘"依阿华"级战列舰为 4.5 万吨；日本建造 2 艘"大和"级战列舰，创造了 7.2 万吨的空前纪录。此时，战列舰大量装备了防空火炮，包括若干 5 英寸速射火炮和数十门 20 到 40 毫米机关炮。

第二次世界大战中，海军飞机的攻击距离扩大和火力增强，无可争辩地结束了战列舰的统治地位。战列舰主要用于轰击敌海岸防御设施，为两栖攻击实施火力准备，并作为航空母舰特遣队防空屏障的一个组成部分。在第二次世界大战期间，战列舰的建造便中止了。其后数十年中，主要大国的战列舰或被拆毁、"封存"，或卖给小国海军。

80 年代，美国海军重新启用几艘"依阿华"级战列舰，作为巡航导弹的发射平台，与小国进行的"低强度"冲突中作为火力平台，以及作为大国实力依然强大的标志。

Battoni, Pompeo Girolamo (Italian painter)　参阅 **Batoni, Pompeo Girolamo** 巴托尼。

Batu　拔都(?～约1255，俄罗斯)　成吉思汗孙，钦察汗国(即金帐汗国)创建者。1235 年当选为蒙古帝国西部总指挥，负责入侵欧洲。1240 年已征服整个俄国。在中欧的战役中，一支蒙古军于 1241 年 4 月 9 日打败西里西亚公国(今波兰境内)的君主亨利二世；另一支军队由拔都亲自率领，两天后击败匈牙利人。当他征服波兰、波希米亚、匈牙利和多瑙河流域，正准备西进的时候，听说大汗窝阔台逝世(1241-12)，就立即回师以参与择定继承人。他在俄国南部建立金帐汗国，由几代继承人统治达 200 年之久。1240 年时，拔都的军队曾洗劫并焚烧当年俄国的主要城市基辅。俄国国家生活的中心在金帐汗国时期逐渐由基辅移至莫斯科。

Batu Islands　巴都群岛　印度尼西亚北苏门答腊省尼亚斯县的一部分，即位于苏门答腊岛西面的 3 个大岛和 48 个小岛。3 个大岛是皮尼、塔纳马撒和塔纳巴拉；总面积16 500 平方千米。行政中心是在西布亚西岛上的普劳特洛。群岛地势普遍为低地，多森林，主要是椰子树；物产以椰干和林产品为主。居民属于马来人或原始马来人后裔，和尼亚斯岛居民有血缘关系。只有 20 个左右小岛有居民。人口 10 488(最新统计)。

Batumi　巴统　格鲁吉亚的阿扎利亚共和国首都。濒黑海，南距土耳其边界 15 千米。历史可溯及公元前 1000 年。1878 年从土耳其割给俄国。现为重要港口，有炼油、造船、机器制造、镀锌、家具厂和一些轻工业。该城

巴统市郊的茶园
美国不列颠百科全书公司供图

为人们喜爱的游览胜地。有许多花园。沿街栽有珍异花木。植物园中有大量亚热带和热带植物。巴统为茶和柑橘类的种植中心,四郊有茶园。设有师范学院和工业学院。人口约 121 806(2002)。

Batusi (people) **巴图西人** 参阅 **Tutsi** 图西人。

Batwa(people) **巴特瓦人** 参阅 **Twa** 特瓦人。

Baty, Gaston **巴蒂**(1885-05-26,法国卢瓦尔佩吕桑～1952-10-13,佩吕桑) 法国剧作家、演出人。在 20 世纪 20～30 年代对世界剧坛有重大影响。曾受德国和俄国戏剧的影响,赞成采用非自然主义的演出手法,以打破演员和观众之间的隔阂。1922 年协助创办“幻想之友协会”。后来曾到奥德翁剧院等多家剧院工作。1930 年到巴黎,长期在蒙帕尔纳斯剧院工作,演出许多伟大剧作,《罪与罚》成为其最佳作品。他对于优美的动作及编组有着臻于至善的图画感,导演过贝尔纳的一些精致的剧作,其中著名的是《马蒂纳》。还曾将萨尔芒的《方便》、斯特林堡的《死魂舞》和冈蒂永的《旋风》等非传统剧作搬上舞台。他还上演过莎士比亚、歌德、萧伯纳和奥尼尔的作品。他改编的两出剧作《包法利夫人》(1936)和《杜尔西尼》(1938)特别受人重视。1936 年被任命为法兰西喜剧院演出人之一。他有时被批评为强调舞台效果而牺牲剧本主题,但他掌握这些效果的本领是公认的。

Batyushkov, Konstantin Nikolayevich **巴丘什科夫**(1787-05-29,俄罗斯沃洛格达～1855-07-19,沃洛格达) Batyushkov 又拼 Batiushkov。俄国挽歌诗人。据说其感情丰满和声调优美的诗歌曾影响俄国大诗人 A.普希金。10 岁去莫斯科研读经典著作,并学习法语和意大利语,这对他的写作风格产生了重要的影响。他曾是“阿尔扎马斯社”(由 N.卡拉姆津的追随者组成的文学团体)的一个重要成员。作品只有少数挽歌、抒情诗和一些意译的希腊爱情短诗,他的诗歌在意大利风格化方面是独一无二的,产生一种柔和与悦耳的音乐感。1809～1812 年间写作的诗歌是他的成名之作。诗集于 1817 年问世。不久即停止写作,在精神错乱中度过余生。

Batz, Jean, baron de **巴茨**(1760-12-26,法国古茨～1822-01-10,查迪厄) 法国大革命期间的王党密谋分子。出身贵族,14 岁入伍,1787 年升为上校。1789～1793 年任国民议会议员,供职于财政委员会,同时在法国和英国搞金融投机活动。他与路易十六密谋颠覆革命。阴谋败露后,于 1795 年入狱,同谋者 55 人被处决,而他却不久获释,隐居查迪厄家园。1815 年波旁王朝复辟后,他的“英勇行为”受到表彰。

Bau **菩** 阿卡德语称古拉或宁卡拉克。美索不达米亚宗教所崇奉的神灵,是位于拉伽什地区的乌鲁库格的护城女神,又名尼宁辛娜(伊辛女王),兼为尼普尔以南伊辛的护城女神。菩起初可能是狗神;尼宁辛娜长期以来是人身狗头,也以狗为徽号。或许是由于人们相信狗舔伤口有疗效,因而此神又是医神。

Bauchau, Henry **博绍**(1913-01-22,比利时梅赫伦～) 比利时小说家、诗人、剧作家,亦为执业心理分析家。与一般比利时作家不同的是,其灵感来自心理分析。原学法律,早期为期刊撰稿。第二次世界大战后从事出版业,并在瑞士开办一所学校。45 岁时,出版第一部著作《地质学》(1958)。其后有剧本《成吉思汗》(1960)和《阴谋》(1969),两部作品都表现出新古典主义的不可知论。诗歌《中国内部》(1974)的语言运用有助于加深回忆和内省的过程。其第一部小说《泪》(1966)以比利时社会变革为背景,多层次地叙述其丧母之痛。《俄狄浦斯在路上》(1990)是希腊悲剧主角转变过程的后弗罗伊德描述。《狄欧提马和狮子》(1991)与《安提戈涅》(1997)又引伸了这一俄狄浦斯主题。曾出版两本日记《日复一日:1983～1989》(1992)与《夏季日志》(1997)。其《诗集:1950～1984》于 1986 年发表。

Bauchi **包奇** 尼日利亚东北部一州。1976 年前为原东北州的一部分,面积 64 605 平方千米。州西南部高地是乔斯高原的延伸部分。源于乔斯高原的贡戈拉河,先向东北然后折向南流,在贡戈拉州与贝努埃河汇合。居民主要为坦加勒人、瓦贾人、富拉尼人和豪萨人。州内有几个穆斯林酋长国。经济以农业为主,产粟、高粱、玉米、薯蓣、稻米、木薯、小麦、烟草、番茄和其他蔬菜。为全国主要产棉州之一。也产咖啡和花生。牲畜有牛、山羊和绵羊。矿产有金、锡、煤、石灰石、铁、锑和大理石。棉纺织和印染、制革、铁匠业是该州传统手工业。工业有肉类加工和制罐、花生加工及榨油和轧棉等,另有卡车装配厂、石棉厂和水泥厂。州首府和最大城市包奇城是铁路线上重要的货物集散中心,有公路通往其他城市。名胜古迹有扬卡里野生动物保护区(1972 年开放)和包奇岩洞新石器时代家畜壁画。人口约 4 294 413(1991)。

Bauchi **包奇** 尼日利亚包奇州首府和酋长国名。1800～1810 年由雅库布(发动护教战争的 14 个酋长国中唯一非富拉尼人酋长国的首领)创建。他征服了居住在包奇高平原和贡戈拉盆地的非穆斯林人。赢得约 1802～1809 年的战争后,建新都于包奇镇。1877 年其后人迁都劳乌塔。1902 年英国占领包奇镇,1904～1911 年和 1917～1924 年设为省会。1975 年成为包奇州首府。1961 年通铁路后发展成花生和棉花集散中心及农、牧、矿产(高粱、粟、豇豆、玉米、木薯、豆类、稻米、烟草、牛、羊、钾碱)的销售中心。棉织、印染、鞣皮和铁工为传统手工业。现有石棉、肉类加工和汽车装配工业。亦为地方府务会所在地。有包奇大学、州立艺术和科学学院、联邦工业学院、联邦女子学院、中学、初等师范学校、农业专科学校、牧业专科学校和治疗保健中心。人口:城镇约 76 070(1991)。

Bauchi Plateau (Nigeria) **包奇高原** 参阅 **Jos Plateau** 乔斯高原。

Baucis (Greek mythology) **巴乌希斯** 参阅 **Philemon and Baucis** 菲利门和巴乌希斯。

Baudelaire, Charles(-Pierre) **波德莱尔**(1821-04-09,巴黎～1867-08-31,巴黎) 法国诗人及 E.A.坡的作品的译者。他的诗摒弃浪漫派的矫揉造作,表现了一个没有宗教信仰的诗人对万事万物的真实意义的探索。无论是他的诗还是他的评论,对现代社会的人都具有魅力。父亲是一位有文化修养的业余

美国不列颠百科全书公司供图

画家和退休公务员。他四五岁时,父亲就教他欣赏线条及形式美,因此为他打下坚实的鉴赏力基础,使他成为 19 世纪最有趣味的艺术评论家。6 岁丧父,次年母亲改嫁,与继父不和,遂养成忧郁而孤独的性格。1839 年中学毕业后,他往来于拉丁区的诗人和画家之间。拒绝继父为他提供的职位,声称要以写作为生。1841 年,继父为使他脱离放荡的生活将他送往印度。但船到中途,他就登岸,在毛里求斯及留尼汪稍事停留后,于1842年 2 月又回到法国。这次旅行丰富了他的想象力,使他产生了一种神秘的渴望,这渴望形成了他诗中独有的情调。他离开法国时还不够成熟,对自己和未来还不能断定,但他回来时已大不相同,心中充满幻想之火,决心自己要成个诗人。成年后,他享有父亲的遗产,于是迁入豪华的宅邸,过着花花公子的生活,两年间就挥霍了财产的一半。他的母亲不得不采取措施,限制他对财产的支配。从此他就到

处举债，日益潦倒。这时开始写下第一首咏忧郁的诗。他因自身贫困而同情苦难的人类，1848年参加了二月革命。他的大部分诗可能均写成于不识愁苦滋味的少年时代。曾热恋一混血种女子，为她写了一组不朽的情诗。为另外两个女子所写的其他两组情诗，达到了他的艺术顶峰。他决心以实际行动证明他能依赖一支笔为生。他首先出版的是画评《1845年的沙龙》及《1846年的沙龙》，都是美学评论的里程碑。1847年出版了唯一的一篇长篇小说，自传体的《芳法洛》。1848年6月革命被镇压后，波德莱尔更是沮丧潦倒。不久，拿破仑第三称帝，他完全失去了对政治的热情。1852年后的十余年间，孜孜不倦地翻译及评论美国作家E.A.坡的著作。他觉得坡的作品思想和才华都和自己有不少契合之处，这就更增强了他对自己文艺理论的信心。翻译家和评论家的声誉使波德莱尔终于能在巴黎杂志上相继发表诗篇，1857年出版了诗集《恶之花》。但是，该诗集却使他声名狼藉，本人及出版商均被法院处以罚款，其罪名是：这部诗集淫秽，有违公众道德观。1861年《恶之花》第二版问世，删去6首被取缔的诗，增加了32首新作，上述6首诗直至1949年才解禁。除诗集外，他还发表了两本散文诗集：《人为的天堂》(1860)和《巴黎的忧郁》(1869)。他的文学批评及艺术批评文章分别收在《浪漫主义艺术》和《美学管窥》(1868)中。晚年贫病交迫。死后，他的影响与日俱增，一代象征派诗人都自称是他的继承人。他被认为是使西欧思想感情及写作方式发生重大变革的作家。他的美学理论在诗歌与艺术史上是一个巨大转折点。因为象征主义运动就是在这个理论中找到它的根源。

Baudissin, Wolf Heinrich, Count (Graf) **von 鲍迪辛**(1789-01-30，丹麦哥本哈根～1878-04-04，德国德累斯顿)　德国外交家和文学家，与D.蒂克合译过许多莎士比亚剧本，对德国浪漫主义的发展做出贡献。鲍迪辛曾在外交界工作，去过意大利、法国、希腊和土耳其。1827年定居德累斯顿，直至去世。译作包括伊丽莎白时代戏剧(《本·琼森和他的流派》2卷，1836)、莫里哀、意大利戏剧，以及中古高地德语史诗《伊万因》和《维加洛伊斯》。1825～1833年，鲍迪辛在A.W.施莱格尔和蒂克(后来是蒂克的女儿多罗特娅)主持下为莎士比亚戏剧德文版翻译了13部作品，其中有《驯悍记》、《一报还一报》、《奥瑟罗》和《李尔王》。

Baudot, Jean-Maurice-Émile 博多(1845，法国马尼厄～1903-03-28，索镇)　法国工程师，1874年获得一种电报代码的专利，该代码在20世纪代替莫尔斯电码成为最通用的电报字母。在博多代码中，每个字母由5个持续时间相同的电流通和电流断的单元信号组成，这样就有32种排列；足够罗马字母、标点符号和机器的机械功能控制之用。这种代码比用"点"和"横"的莫尔斯系统要经济得多。1894年他发明分配器系统，用于在同一电报线路或信道上同时传送(多路传输)几种信息。现代形式的博多代码常采用7个或8个"通"和"断"的信号组。用7个一组的可以传送128个字；8个一组的就可作为改错或其他功能使用。

Baudouin I (French)　**博杜安一世**(1930-09-07，比利时布鲁塞尔附近斯泰文贝格堡～1993-07-31，西班牙莫特里尔)　又作Baldwn。荷兰语作Boudewijn。比利时国王(1951～

美国不列颠百科全书公司供图

1993)。在国王利奥波德三世的摇摇欲坠的统治后，他帮助重建了对君主制的信任。利奥波德三世之子。第二次世界大战期间与其父同被德国拘禁，战后流亡瑞士。利奥波德三世逊位后，他自1950年8月11日至1951年7月16日任国家元首，此后为比利时第5代国王。在长期担任国王期间，他公正地对待分裂对抗着的佛兰芒语居民和法语居民，他作为一种统一的力量为国家服务。1959年12月到比属刚果考察，1960年6月在利奥波德维尔宣布允许刚果(金)独立。1960年12月与西班牙女贵族F.de莫拉·伊·阿拉贡结婚。身后无嗣，由其弟阿尔贝特继位。

Baudouin de Courtenay, Jan Niecisław 博杜安·德库尔特奈(1845-03-13，俄罗斯帝国波兰拉济明[今在波兰]～1929-11-03，波兰华沙)　语言学家。他把语音看作是结构实体，而不仅仅是物理现象，从而预见到现代语言学所涉及的语言结构问题。从1871年开始，在东欧各大学长期执教，曾任圣彼得堡大学(1900～1914)和华沙大学教授。博杜安·德库尔特奈是比较语言学专家，但还致力于一般性问题的研究，如语言的混合、儿童语言以及语言结构对世界观的影响等问题。他使用"音位"这个术语，以表示有区别意义作用的语音。如"bit"中的b就把此词和pit、fit及sit区别开来。在其主要著作《论语音交替》(1895)中所述观点，已成为现代语言科学的一个组成部分。《博杜安·德库尔特奈选集：结构语言学的起始》(1972)是E.斯坦基维茨译成英语的。

Bauer, Georg 鲍尔　参阅**Agricola, Georgius 阿格里科拉**。

Bauer, Gustav (Adolf) 鲍尔(1870-01-06，东普鲁士达尔克门[今俄罗斯奥焦尔斯克]～1944-09-16，德国柏林)　德国政治家、魏玛共和国总理(1919～1920)。原为柯尼希斯贝格的低级职员。1895年创立职员协会后，他担任主席至1908年。后来领导柏林的自由工会中央工人书记处，1908～1918年任全德工会总委员会副主席。他代表社会民主党成为国会议员。1918年10月任劳工大臣，1919年2～6月任劳工部长。1919年6月任总理。1920年3月辞去总理职务，后任财政部长和副总理。

Bauer, Harold 鲍尔(1873-04-28，英国伦敦附近泰晤士河畔金斯顿～1951-03-12，美国佛罗里达迈阿密)　英国出生的美国钢琴家。曾向美国听众介绍C.德彪西、M.拉威尔、C.弗兰克等作曲家的作品。演奏兼有19世纪的浪漫主义与20世纪的谨严特点。原为音乐会小提琴家，19岁开始专攻钢琴。两种乐器几乎全靠自学，从1893年起广泛地巡回演出。1921年入美国籍。常和P.卡萨尔斯及F.克莱斯勒合作以三重奏的形式演出，同小提琴家J.蒂博举行联合音乐会。演奏曲目广泛，其中包括17～18世纪的拨弦键琴和击弦键琴作品，也有钢琴作品。著有《鲍尔自述》(1948)，并作有许多钢琴改编曲。

Bauer, Otto 鲍尔(1881-09-05，奥匈帝国维也纳～1938-07-04，法国巴黎)　奥地利社会民主党理论家和政治家，建议通过建立民族国家来解决奥匈帝国的民族问题，第一次世

美国国会图书馆供图

界大战后，成为奥德合并的主要鼓吹者。社会主义教育运动未来派发起人之一，一些杂志的投稿者，于1904年任所属政党的议会党团秘书。1907年出版的他的《民族问题和社会民主党》一书，显示了他的理论才华。他在书中把民族冲突看作阶级斗争，并预见到许多第一次世界大战后多瑙河地区所实际发生的情况。第一次世界大战期间曾在军队服役，在俄国被俘，1917年回国后领导社会民主党左翼。战争结束时任奥地利外交部长，1919年3月2日签署了与德国合并的秘密协定，该协定后为协约国所摈拒。他的《奥地利革命》(1923)一书涉及了这一时期。1919年7月辞去外长职务，但在其后20年中一直是社会民主党中心人物。1929～1934年任奥地利国民议会议员。1934年维也纳社会主义叛变流产之后，流亡到捷克斯洛伐克，后到法国。

Bauer, Sebastian Wilhelm Valentin 鲍尔(1822-12-23，巴伐利亚迪林根[德国]～1875-06-20，德国慕尼黑)　德国潜艇的早期发明家和建造者。1850年建造了他的第一艘"潜水员"号潜艇，1851年2月在基尔港试潜中，他和两名乘员随潜艇潜入50英尺深的水中。

虽然他知道当艇内的空气被漏入的水所压缩,使气压与艇外水压平衡时,舱盖可以被打开,但还是不能消除乘员的恐惧。约7.5小时后,他们终于在艇内外的压力相等时打开了舱盖,游出水面。当他们出现时,人们正在为他们举行葬礼。1855年在俄国康斯坦丁大公主持下,鲍尔造了一艘52英尺长的铁壳潜艇"海洋魔鬼"号,艇上有11名乘员,其中4人用脚转动螺旋桨。他从潜艇的舷窗拍摄了也许是最早的水下照片,并对水下声音信号和净化潜艇内空气的装置进行了试验。他于1858年离开俄国,1869年在慕尼黑因病退休。

Bauernfeld, Eduard von　鲍恩费尔德(1802-01-13,奥地利维也纳~1890-08-09,维也纳)　奥地利剧作家,以其具有政治倾向的客厅喜剧主宰维也纳城堡剧院达50年之久。在从事戏剧之前,曾在维也纳大学攻读哲学和法律。积极参加地方上的自由运动,结交了作曲家舒伯特和剧作家格里尔帕策,后者对他的风格影响很大。他的喜剧是维也纳社会的幽默写照,构思巧妙,语言优雅,也接触到了当时尖锐的社会和政治问题。最成功的作品有《爱情的纪录》(1834)、《自白》(1834)、《市民与浪漫》(1835)、《成年》(1846)、《危机》(1852)以及《来自社会》(1867)等。

Bauer's test(medicine)　**鲍尔氏试验**　参阅 **galactose tolerance test** 半乳糖耐量试验。

Baugh, Sammy　鲍(1914-03-17,美国得克萨斯坦普尔~2008-12-17,得克萨斯罗坦)　美国职业橄榄球史上第一位杰出的前卫。1937~1952年代表全国橄榄球联盟华盛顿印第安人队参加16个赛季的比赛,在6个赛季中在向前传球方面执全联联盟的领先地位,2次在一场比赛中造成6次球触底线得分。他同时擅长于抛球凌空踢出和中卫。在其职业橄榄球生涯中,向前传球2 995次,成功1 693次(成功率56.5%),赢得前进距离21 886码,取得186次球触底线得分的纪录。1960~1961和1964年先后任美国橄榄球联盟纽约泰坦队和休斯敦加油工队主教练。1963年入选职业橄榄球名人堂。

Bauhaus　包豪斯　德语全名作Staatliches Bauhaus。1919~1933年在德国设立的建筑设计及应用工艺美术学校。1925年前在魏玛;后迁往德绍,直至1932年;最后移往柏林。创建者是建筑师W.格罗皮厄斯,他把魏玛艺术学院和魏玛工艺美术学校合并为包豪斯学校,其名称由德语Hausbau(房屋建造)一词颠倒而成。该校在训练学生方面既注重艺术又注重工艺技术,力图消除两者的对立关系。从19世纪中叶开始,以W.莫里斯为首的改革派即强调精湛的手工艺应与符合物品功能的设计相结合。到19世纪最后10年,由于改革派的努力,出现了工艺美术运动(**Arts and Crafts Movement**)。包豪斯把美术和手工艺的重点用在各种日常生活必需品的良好设计上,反对只用于个别的奢侈品上。格罗皮厄斯预见到机器生产必将在

1925~1926年W.格罗皮厄斯设计的德绍包豪斯学校
美国不列颠百科全书公司供图

20世纪产生影响,必须预先为这些产品作好设计,因此,他确定包豪斯学校的设计课程应以服务于大量生产为方针。按照格罗皮厄斯的设想,现代设计家要为大多数人生产实用美观的物品,而不是为少数富有的特权阶层生产奢侈品。学生在进入工作室以前,必须学习6个月的基础课程,由J.伊腾、J.阿尔贝斯、L.莫霍伊-纳吉分别任教。工作室分木工、金工、陶瓷、彩色玻璃、壁画、纺织、制图、印刷和舞台艺术等,每一工作室由两人执教:一位是偏重理论的艺术家(称为造型设计导师);另一位是偏重技艺的手工艺师。经过3年的训练,学生获得熟练工匠的毕业证书。在包豪斯任教的教师,有很多是20世纪著名的艺术家、设计师及陶瓷、编织等方面的专家。包豪斯设计的作品虽然种类繁多,但其特色在于以非常经济的手段表现出来的严肃而优美的几何形式的设计风格。1927年包豪斯创办建筑系,由格罗皮厄斯直接领导,由瑞士建筑师H.迈耶任系主任。1928年格罗皮厄斯辞职后,迈耶继任校长至1930年离职,由L.密斯·范·德·罗厄任新校长,直至1933年因纳粹党执政,勒令该校停办为止。包豪斯在设计方面的影响深远。其工作室设计的产品被广泛复制;日用品设计实用而不加装饰,在很大程度上有赖于该校的办学方针和实践。包豪斯的教学方法和指导思想由其师生传播到世界各地。在教育方面成就最显著者首推莫霍伊-纳吉,他于1937年在芝加哥创立了新包豪斯学校(后改名为设计学院);同年格罗皮厄斯任哈佛大学建筑系教授,翌年任系主任;1937年密斯迁居芝加哥,在伊利诺伊理工学院(当时名为阿穆尔学院)创办建筑系,并设计该院的新校园。

Bauhin, Gaspard　鲍欣(1560-01-17,瑞士巴塞尔~1624-12-05,巴塞尔)　又作Casper Bauhin。瑞士医生、解剖学家和植物学家。在解剖学和植物学两个领域中引进了科学的双名分类系统。1577~1578年师从法布里齐乌斯。又在巴塞尔大学度过大部分生涯,曾任希腊文(1582)、解剖学、植物学(1588)和医学(1614)教授。1588年最早描述了位于大、小肠之间的回盲瓣(鲍欣氏瓣)。1605年发表《人体解剖》一书,按照最明显的特征对机体各部命名,纠正了给肌肉、管脉、神经等编号的混乱状况。他利用自然关系,即亲缘关系作为分类准则,首次清楚地描述了植物的种、属,从而使16世纪意大利植物学家A.切萨皮诺发明的系统分类原则更为精炼。在

美国不列颠百科全书公司供图

《植物图鉴》(1623)一书中,他简要列举和描述了约6 000种植物,并介绍了J.雷和林奈的双名法命名系统。其兄J.鲍欣(1541~1613)也是医生和植物学家,以《植物通史》(1650~1651)一书而闻名。该书详细描述了5 000多种植物。

Bāul　神歌手　特指孟加拉的一派宗教歌手,他们行动不落旧俗,所唱神秘诗歌随时吟成,自然流畅。他们中间既有印度教徒(主要是毗湿奴派),也有穆斯林(主要是苏非派)。他们所歌颂的往往是某人与他的本尊之间的爱。孟加拉许多作家,包括泰戈尔,都从神歌手的诗歌中得到启发。

Baule　鲍勒人　居住在科特迪瓦科莫埃河和邦达马河之间的民族,为阿坎人的一个部落。讲特维语,属尼日尔-刚果语系克瓦语支。鲍勒人的先辈是阿散蒂人的一部分,约1750年在女王阿武拉·波库领导下迁到现在居住地,并把土著居民也同化了。这次迁徙是因争夺酋长职位引起的;1790年后,大家族间的冲突把鲍勒人的政治结构毁掉,不过他们在19世纪前还继续统治着科特迪瓦的大部地区。鲍勒人的村庄布局紧凑,分成街区,街内每一家族的矩形住房围绕居中的院落排列;住房院落多位于主要街道两侧。以种植薯蓣为主,兼捕鱼和狩猎,咖啡和可可是主要经济作物。社会和政治组织的基础为母系家系,每一家系有体现祖先神灵的神器。也承认父系继嗣,认为人的某些精神和品格来自

鲍勒人的木雕男子
美国不列颠百科全书公司供图

父方。头人和长老会议管理农村事务。鲍勒人长于木雕技艺，尤以祭祀用木偶及节日用假面具最为有名。原来这些制品与祭祖有关，现多作为商品出售。

Baum, L(yman) Frank　鲍姆(1856-05-15，美国纽约州奇滕南哥～1919-05-06，加利福尼亚好莱坞)　美国作家。以虚构的奥兹国为背景，创作了一系列儿童读物，因此闻名于世。第一本书《鹅爸爸》(1899)甚为畅销。次年他的《绿野仙踪》(1900)更受欢迎。这是一部现代神话故事，描写堪萨斯州一个农村姑娘多萝西被一阵旋风吹到奥兹国。一些令人难忘的人们对她很友好，其中包括一个用锡做的樵夫，一个稻草人，一个胆怯的狮子。1901年它以音乐喜剧的形式在芝加哥上演。1939年改编为电影剧本，成为影坛杰作。以后在电视上经常放映，因此后代儿童对此也十分熟悉。他著有约60部作品，大多为儿童读物，在当时颇受欢迎。

Baum, Vicki　鲍姆(1888-01-24，奥匈帝国维也纳[奥地利]～1960-08-29，美国加利福尼亚好莱坞)　原名Hedwig Baum。奥地利出生的美国小说家。其《饭店的人们》(1929，英译本名为《大饭店》)成了畅销书并被先后改编为成功的戏剧(1930)、获学院奖的影片(1932)、音乐片(1945，改名为《在沃尔多夫的周末》)和在百老汇舞台上演的音乐剧(1989)。鲍姆曾在维也纳音乐学院学习音乐，但10多岁时便开始写作。在经历一次失败的婚姻和在经济上屡受挫折之后，她移居达姆施塔特，然后又移至柏林，受雇于《柏林插图报》杂志。此时她已写完《饭店的人们》，所以它首先在该杂志连载发表。它在德国立即获得成功，成为“群体”小说最受欢迎的作品之一。在“群体”小说中，各式各样的人被聚集在一起，构成他们之间相互联系的命运。她将其改编成剧本，由赖恩哈特搬上百老汇舞台，剧名译为《大饭店》。在纽约取得成功之后，她移居美国，1932年成为好莱坞一名剧作家。1938年成为美国公民。鲍姆还写有小说《人们永远不知道》(1935)、《上海1937年》(1939)、《大歌剧》(1942)、《柏林饭店1943年》(1944)、《以生命作抵押》(1946)、《来自鹿的威胁》(1951)、《芥子》(1953)、《写在水上》(1956)和《芭蕾舞的主旋律》(1958)。

Baumann Peak　鲍曼峰　又称阿古山。多哥西南部邻近加纳边界的山峰。在贝宁阿塔科拉山脉西端。以奥地利-非洲探险家O.鲍曼(1864～1899)的姓氏命名。海拔986米，是多哥的最高点。

Baumbach, Rudolf　鲍姆巴赫(1840-09-28，图林根克拉尼希费尔德[德国]～1905-09-21，德国迈宁根)　德国流行的学生饮酒歌和叙事诗的作者，“流浪汉”派诗人，曾模仿舍费尔写出许多优秀的饮酒歌，如《菩提酒家女店主》，深受德国学生喜爱。然而，他的真正力量却在于叙事诗，尤其是描写故乡图林根的风景和生活的叙事诗。最著名的作品有《霍尔德太太》(1881)，《行吟诗人的歌》(1882)和《在公路上》(1882)。

Baumes Laws　《鲍姆斯法》　1926年7月1日制定的美国纽约州刑法中的若干条例。最著名的一条是：凡第4次被判定犯有重罪的犯人需强制服终身监禁。因此，一个“三次前科犯”就是一个曾被三次判定犯有重罪、如果再次被判定有罪就要面临终身监禁的人。1926年纽约州刑事委员会在C.H.鲍姆斯主持下，向州立法机构提出了一系列改进和修正刑法的动议。最有力的建议是惯犯惩治法，规定对重复犯重罪的要逐次重判。虽然对第4次犯重罪者判终身监禁的条款从1907年起已经是州的法律了，《鲍姆斯法》还是堵住了使原法律条文偶尔失效的漏洞。《鲍姆斯法》依据的原则是：镇压是消灭犯罪的最好办法。该法成了其他州修改刑法的楷模。

Baumgarten, Alexander Gottlieb　鲍姆加登(1714-07-17，普鲁士柏林[德国]～1762-05-26，奥德河畔法兰克福)　德国哲学家和教育家。创造“美学”一词，使之成为哲学研究中的一个独立学科。在哈雷求学时，深受莱布尼兹和C.沃尔弗(教授和系统哲学家)著作之影响。1737年被任命为哈雷大学的非定员教授，1740年在奥德河畔法兰克福被提升为正式教授。最重要著作《美学》(2卷，1750～1758)从未再版，亦未从拉丁语译成其他文字。在他之前曾有人论述过美学问题，但他既将艺术和美都提出来讨论，又将美学从哲学中分出。他的学生G.F.迈尔(1718～1777)在这方面出力甚多，故某些贡献之功劳究应属谁，很难断定。I.康德(1724～1804)用《形而上学》(1739)作为教材，保留了鲍姆加登所用美学一词，用之于感性知识的全部领域。美学如与逻辑学结合起来，则形成更大一门学科，他称之为“知识学”，而其他哲学家则称为“认识论”。鲍姆加登理论的特点是强调感觉的重要性，十分重视创造性行动。他认为，“艺术模仿自然”这种传统说法必须修正，艺术家必须通过把感觉的要素加到感觉到的现实中去，有意识地改变自然。这样，在他们自己的活动中反映了世界的创造过程。鲍姆加登的其他著作有：《哲学伦理学》(1740)，《逻辑问题》(1761)、《自然法则》(1763)、《普通哲学》(1770)和《关于神学的讲演》(1773)等。

Baunsgaard, Hilmar (Tormod Ingolf)　鲍斯戈尔(1920-02-26，丹麦斯劳厄尔瑟～1989-06-30)　20世纪60～70年代丹麦主要的非社会党政治家。1968～1971年任联合政府首相。1936年加入激进党青年组织，1948～1957年担任该组织主席。在食品工业上获得成功后进入议会，是公认的激进党发言人。1961～1964年在坎普曼内阁中任商业部长。1964～1968年担任一广告公司经理，1968年担任非社会党联合政府首相。他在当政期间，成功地支持了废除准许色情文化的法律，并使丹麦参加欧洲经济共同体。但在任期内经济情况恶化，政府被迫增加税收。社会党在1971年大选中掌权后，他继续担任激进自由党的领袖。1977年辞去议员职务，返回私营机构，担任《政治日报》的董事长。

Baur, Ferdinand Christian　鲍尔(1792-06-21，符腾堡斯图加特附近施米登[德国]～1860-12-02，蒂宾根)　德国神学家、学者，基督教新教蒂宾根学派创始人。曾求学于布劳

美国不列颠百科全书公司供图

博伊伦神学院和蒂宾根大学。1817年任布劳博伊伦神学院教授，1826年任蒂宾根大学教授直至去世。在德国哲学家黑格尔思想的影响下，他用新观点研究基督教历史。黑格尔的历史观是：对立力量(命题和反命题)相互作用而形成第三种力量即综合。鲍尔研究《新约》中的《提摩太书》和《提多书》，得出结论说，早期基督教是犹太基督教与非犹太基督教矛盾斗争的产物。关于《福音书》的作者问题，他持有相似的观点。他的结论后来被人称为意图说，即《福音书》是根据较早期的版本加以修订而成的，修订者的意图是克服犹太基督教与非犹太基督教之间的矛盾。晚年集中精力研究教会历史。起初他的主张遭到批驳，但到了20世纪，他的方法和结论都对圣经研究和教会历史研究起了重大促进作用。

Bauria　包氏兽　进化程度高的爬行动物的绝灭属。化石见于南非的早三叠世(2.45亿年前至2.4亿年前)地层。头骨有几处似哺乳动物的特征。次生腭使空气和食物的通道分隔。牙齿特化，分化成一套门齿状、犬齿状

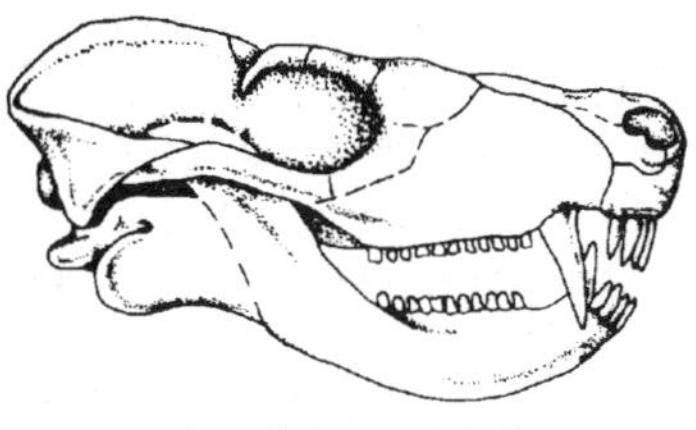

包氏兽(*Bauria*)头骨

和臼齿状颊齿。单一的齿骨阻碍其他下颌骨的发育(趋向于只有一块齿骨的哺乳动物状态)。包氏兽及其近缘种属没有残存到早三叠世以后。

Bauru 包鲁 巴西圣保罗州中部城市。近巴塔利亚河，海拔 500 米。1887 年建镇。1896 年为市政府所在地。附近农业区(咖啡、棉花、花生、稻米、豆类和玉米)的贸易中心。有纺织、陶瓷、家具、靴鞋和其他制造业。重要的铁路枢纽。通公路和航空线。人口约 310 442(2000)。

Bauta 包塔 古巴哈瓦那省西北部城市。周围农业区(主要生产烟草、甘蔗等)的商业和制造业中心，有雪茄厂和棉纺厂。商品经中央公路运往哈瓦那的城市市场。人口约 34 072(1991)。

Bautzen 包岑 德国东部萨克森州城市。属上劳西茨地区。在施普雷河上游。原为斯拉夫人居住地。1033 年被日耳曼人占领。1319 年划归波希米亚。1635 年改属萨克森。1813 年拿破仑一世在此大败俄普联军，史称包岑之战。名胜有奥尔滕堡城堡(1483 ~ 1486)和圣彼得教堂(1220 ~ 1497)等。作为铁路枢纽，有车辆制造和铸铁业，生产电工设备、机械、纸张、纺织品等。为运输设备工程学校所在地。人口约 42 160(2003)。

bauxite 铝土矿 大部分由含水氧化铝的混合物组成的岩石，是铝的主要矿石。其成因及其沉积地质历史不同，物理性质也不同：某些矿石松软、易碎、不定形；一些矿石坚硬、致密，豆状或豌豆状；还有一些矿石多孔但不松软，或是成层的或大部呈母岩的假象。红土型一般呈豆状和斑点状，豆粒直径从 2.5 毫米至 25 厘米或更大。不论是豆粒还是基质，颜色变化都很大；常见的颜色是粉红色、

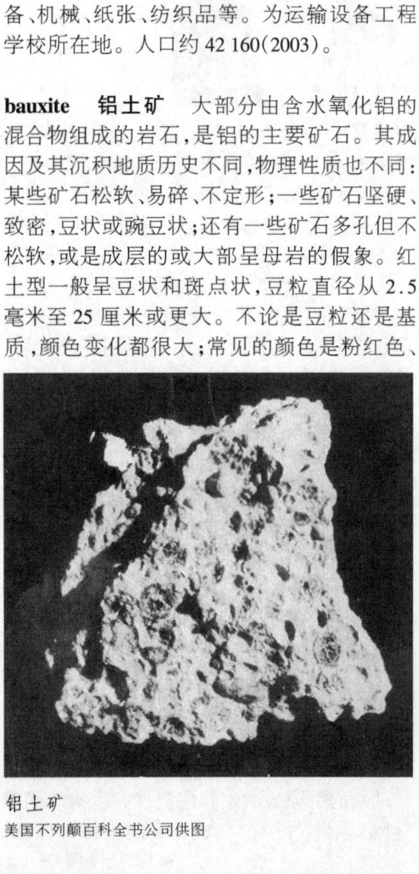

铝土矿
美国不列颠百科全书公司供图

奶黄色、红色、褐色、黄色和灰色。红土型矿石出露的表面是粗糙的，往往呈熔岩状，在垂直面上，具有蠕虫状构造和斑杂颜色。这种物质曝露在空气中往往变硬或重新固结。虽然钙红土型铝土矿是粒状和土状的，但是它们也可以具有豆状构造。铝土矿是各种不同岩石彻底风化的产物。黏土矿物一般代表风化的中间阶段，但是某些铝土矿似乎是经过再造的化学沉淀物，而不是简单改造的产物。铝土矿在侧向上或垂直方向上，可渐变为红土或黏土。在手标本上，其矿物组成很少能加以辨认，甚至在薄片上也很难确切地加以鉴定。岩石学、X 光衍射和差热分析的综合研究表明，铝土矿的组成矿物是三水铝石、软水铝石和硬水铝石之一或是三者的混合物。黏土矿物、赤铁矿、磁铁矿、针铁矿、菱铁矿和石英是其中常见的杂质。这种矿床大多数含有金红石、锐钛矿、锆石和其他矿物。大多数国家都发现有铝土矿，但是较大的矿床发现于热带。许多地方例如在法国、意大利和希腊曾广泛开采一水型矿石；而在美国阿肯色州、苏里南、圭亚那和牙买加广泛开采三水型矿石。富三水铝石矿石产于加纳、几内亚、印度和巴西。混有砂粒的大型砾石矿床 20 世纪 50 年代在澳大利亚发现。乌拉尔山脉和亚洲北部的矿床大部分是硬水铝石。

Bāvand DYNASTY 巴文德王朝(665～1349) Bāvand 又拼 Bāvend。统治泰伯里斯坦即今伊朗北部的王朝。泰伯里斯坦在里海和厄尔布尔士山脉之间。这一王朝有时独立，有时成为伊斯兰教王朝的附庸。关于王朝的起源和早期情况，多属神话和传说。这一王朝有 3 个世系，即考西耶赫世系(665 ～约 1006)，埃斯帕珀迪耶赫世系(1074 ～ 1210)和金克瓦里耶赫世系(约 1238 ～ 1349)。第一世系统治独立的山中王国，854 年改宗伊斯兰教，10 世纪势衰，后成为齐亚尔王朝的封臣。第二世系以萨里为中心，原臣属塞尔柱王朝，12 世纪独立，但不久即被花剌子模沙的王朝征服。第三世系由侯萨姆·道拉(1238 ～ 1249 在位)创立，以阿莫勒为中心，一向臣属伊朗的伊儿汗王朝，14 世纪中叶完全灭绝。

Bavaria 巴伐利亚 德语作 Bayern。德国最大的州。面积 70 554 平方千米。占德国东南部全部。该州西接巴登-符腾堡州和黑森州，北与图林根和萨克森两州毗连，东界捷克和斯洛伐克，南和东南与奥地利接壤。首府慕尼黑。

历史 今巴伐利亚的最早居民是塞尔特人。公元前最后 10 年，他们北受条顿人、南受罗马人夹击。不久罗马人征服该地，把地区的南部分为腊埃提亚和诺里库姆，沿北部边界构筑堡垒以抵御条顿人。于是南部的奥格斯堡、肯普滕、雷根斯堡和帕绍等罗马殖民地日益繁荣。

在 5 世纪，日耳曼人频频进犯，击败了罗马人。最后，从东方和北方来的日耳曼诸部族与留下的凯尔特人及罗马人杂居于此。本地区名称得自 488 ～ 520 年居住于南方的巴伐利亚族人。大约从 555 ～ 788 年，巴伐利亚人的统治者为阿吉洛尔芬家族的法兰克公爵。7 和 8 世纪，爱尔兰和苏格兰的僧侣圣卜尼法斯、圣科比尼恩、圣埃默拉姆和圣鲁珀特等人使巴伐利亚人信奉了基督教。788 年，查理曼大帝废黜了阿吉洛尔芬家族末代公爵塔西洛三世，将巴伐利亚并入加洛林帝国的版图。

817 年加洛林帝国领土分封给查理曼诸子，巴伐利亚公爵领地封给虔诚者路易一世，又传于其子东法兰克国王日耳曼人路易。10 世纪，巴伐利亚成为神圣罗马帝国一部分，但仍由公爵治理。在这个时期，巴伐利亚不断受到匈牙利人蹂躏，人口锐减。907 年 7 月 4 日，在普雷斯堡(亦即布拉迪斯拉发)战役中匈牙利人大败巴伐利亚人，但 909 年被巴伐利亚人驱逐出国境。1180 年神圣罗马帝国皇帝腓特烈一世将巴伐利亚赐给维特尔斯巴赫家族的奥托伯爵，建立了维特尔斯巴赫王朝，统治巴伐利亚直至 1918 年。

巴伐利亚公爵领地封给奥托之时，该地以波希米亚森林、因河、阿尔卑斯山和莱希河为界。公爵的势力实际上只在维特尔斯巴赫、凯尔海姆和施特劳宾周围他的大片私人领地范围之内。1183 年奥托之子路易一世继位，统领日耳曼事务，是巴伐利亚采邑真正的创立人。他扩张势力、增大领地(尤其是向东、北面)，所采取手段有：推行灵活有利的政策、设法获得继承权、购买、作为封建采邑，甚至使用武力等。他建设兰茨胡特、施特劳宾、兰道和伊瑟等城市，1214 年还得到了莱茵河的巴拉丁领地。其子奥托二世主要以购买的方式扩大领地。通过他们和他们后代公爵的这类活动，他们的势力得到巩固。但不久其势力又因领地分封给家族各成员而大为削弱。其后的 250 年间，巴伐利亚的政治历史充满领土分割、家族仇恨与斗争的事件。到了 14 世纪末年，家族几个分支将巴伐利亚分为 3 个独立的公国。这种三足鼎立形势导致了巴伐利亚暂时的衰败，邻邦侵犯其边境，属下贵族不听命于公爵。因为他们长期内讧，无暇顾及外事。然而此种局势亦非完全不利。国家治理和财政控制之权主要落入 14 世纪初所设的称为州议会的议会手中。由于贸易发达，各市镇日趋强大富庶，而慕尼黑市民亦常对公爵怀有极大敌意，因此市镇便僭取了一定程度的独立地位。因此，在一段局势混乱的时期中，代议制机构和强烈的市民意识便发展起来，国家也由于此时个人有了多方面的知识、技能与艺术生活，又新成立了各级法庭，还有一些很有工作效率的行政机构而富裕起来。

1506 年，巴伐利亚-慕尼黑的聪明者阿尔贝特公爵第四(1467 ～ 1508 年在位)在巴伐利亚确立了长子继承原则后，国家开始稳定巩固。他把慕尼黑定为公国首府。1545 年，其子威廉四世(1508 ～ 1550 年在位)终于将巴伐利亚重新统一成为一个公国。威廉认为基督教新教的宗教改革威胁到他的权势，因此反对。但他却没有让天主教的信仰介入政治问题之中。他往往与信奉基督教的施马尔卡尔登同盟的诸侯联合，反对奥地利的哈布斯堡王朝。但是 1546 年，巴伐利亚的政策急剧改变，他们在巴拉丁推行宗教改革，随即又和哈布斯堡王朝结盟。阿尔贝特五世

巴伐利亚阿尔卑斯山中的诺斯万斯滕城堡
环球航空公司供图

(1550～1579)继威廉四世之位后,巴伐利亚成为坚信天主教的国家。1618～1648年的三十年战争中,马克西米连公爵一世(1597～1651)为哈布斯堡王朝助战;在他的领导下,巴伐利亚地位提高、领土扩大,他本人成为选侯。18世纪间,在西班牙王位继承战争和奥地利王位继承战争中,巴伐利亚连遭严重破坏。1777年巴伐利亚转由巴拉丁选侯C.狄奥多尔即位,巴伐利亚又与巴拉丁合并。此前奥地利声称巴伐利亚大片土地为其所有,但在1778～1779年巴伐利亚继承权争夺战争中,普鲁士的腓特烈大帝阻止了奥地利并吞这片土地的企图。

18世纪90年代,巴伐利亚是第一和第二次反法同盟的盟国。虽然巴伐利亚努力抵抗,但仍先后为革命的法国(1796)、奥地利(1799),而后又为法国(1800)所占领。翌年,巴伐利亚与法国联盟,因而得以在1805年根据《普雷斯堡条约》将原本属于奥地利的土地归它所有。于是巴伐利亚的领地面积大致与今该州相等。上述条约还将巴伐利亚公国升级为王国,其选侯马克西米连四世约瑟夫成为国王马克西米连一世。从1806年7月开始,拿破仑在法律上是莱茵联盟的保护者,而新设的巴伐利亚王国是加入该联盟的,因此巴伐利亚的对外自由继续受到拿破仑势力的限制。然而在内政上,因享有完全的主权而得以成为一个现代化的国家。中央的官僚机构废除了传统的各种特权,而手段往往是残酷无情的。所实行的改革具有反教权的精神实质,许多隐修院世俗化了。此外,来自法国的压力使之实行了法律平等、人人均得尽纳税义务、废除农奴制、信仰自由以及1808年5月1日颁行的宪法规定的个人受到一定宪法保护的措施。

1813年,在莱比锡战役前不久,巴伐利亚脱离拿破仑;1815年加入德意志联盟来反对他。这个及时的转变使巴伐利亚得以通过维也纳会议(1814～1815)原封不动地保有其领土与政治权益,而成为仅次于奥地利与普鲁士的德意志第三大国。

其后马克西米连于1818年5月26日颁布新宪法,规定由上、下两院组成议会(下院议员是在非常有限的范围内进行选举的),保证宗教平等和基督教新教的权利。议会将要召开时,由于议员中有的成员空谈理论、思想激进,国王有所警惕而考虑采用镇压手段,幸而议会逐渐降低调子。马克西米连终于其位,成为君主立宪的典范。

马克西米连一世之子路易一世(1825～1848年在位)实行城市自治和其他改革。但他因迷恋爱尔兰的女冒险家L.蒙蒂兹于1848年被迫退位。1850年其子马克西米连二世(1848～1864年在位)与萨克森、汉诺威和符腾堡联盟,意在于德意志建立中等大小的国家——巴伐利亚是其中最大者——以形成第三势力与奥地利和普鲁士相抗衡。其后巴伐利亚又支持奥地利反对普鲁士。马克西米连二世的继位人路易二世(1864～1886年在位)拒绝普鲁士宰相俾斯麦将巴伐利亚作为普鲁士治下一个德意志领地的建议,并在1866年普奥战争中站在奥地利一方。但普鲁士在战争中迅速取胜,加以对待巴伐利亚的政策趋于温和,便促使巴伐利亚在1870年的普法战争中支持普鲁士,后来又与普鲁士国王威廉一世共同建立由威廉一世统治的德意志帝国。

按照1871年《德意志宪法》的规定,巴伐利亚比构成帝国的其他国家得到更大程度的独立。它享有外交、军事、邮电和铁路的自治权。此时路易二世开始有精神失常迹象,其豪华建筑工程(纽什凡斯泰恩之城堡尤甚)使巴伐利亚国库罄竭。1886年宣告路易二世精神失常,王位传于其弟奥托,奥托亦患精神失常症,其叔卢伊特波尔德于同年为摄政王。卢伊特波尔德卒于1912年,其子路易三世登国王位。

第一次世界大战结束时,独立社会主义党人K.艾斯纳于1918年11月7～8日夜间推翻了维特尔斯巴赫王朝,宣布巴伐利亚为共和国。国王路易三世逃亡在外,欧洲最古老的王朝之一遂瓦解。艾斯纳于1919年2月遇刺,其后局势混乱,各革命机构实行"红色恐怖",成立苏维埃共和国。但因德意志军队与民防军重占慕尼黑,对共产党员同样实行"白色恐怖",此共和国旋即于1919年5月夭折。1919年8月,巴伐利亚通过新宪法,成为战后魏玛共和国下一个议会制国家。然而巴伐利亚政治局势依然不稳,1920与1921年,右翼分子实行政变未遂。A.希特勒的国家社会党运动是在慕尼黑开始的。1923年,希特勒和E.鲁登道夫将军在该城仓促发动暴动失败。1933年纳粹分子当政时,巴伐利亚这个在所有德意志国家中最保守的国家成为纳粹主义的堡垒。第一座纳粹集中营1933年3月建于慕尼黑附近的达豪。从1933～1938年每年举行狂热的纽伦堡大会,这个会举世皆知,臭名昭著。

第二次世界大战后,巴伐利亚为美国占领区,巴拉丁则属于新设的莱茵兰-普法尔茨州。根据1948年制定的《西德基本法》即宪法,巴伐利亚成为联邦共和国的一州。基督教社会主义联盟是全国性的基督教民主党在巴伐利亚的分支和原巴伐利亚人民党的后身。这个政党最后成为巴伐利亚的执政党。

土地 巴伐利亚境内有高原和中等大小的山脉。西北部施佩萨特山为林木覆盖的砂岩,北部是玄武岩的圆丘和很高的高原。美因河流经西北部注入莱茵河。东南部的地形分布不一,有分层的士瓦本-法兰克尼亚地岩层的土地,也有地壳石灰石和红泥灰岩,还有法兰克尼亚-雷德尼茨河盆地中的山区和沿多瑙河延伸的弗兰克侏罗山的石灰石质山峰。多瑙河将巴伐利亚分为南、北两部分。东部边缘与捷克和斯洛伐克毗邻之处是波希米亚林山,北部是法兰克尼亚森林。多瑙河之南是一带高原,首府慕尼黑坐落在高原之上,再过去便是巴伐利亚阿尔卑斯山。阿尔卑斯山在巴伐利亚的地段有若干数千英尺高的山林高地,高地后面是陡峭的山岭和很高的高原(西面是阿尔高山,东面是贝希特斯加登的阿尔卑斯山)。其上最高峰是德国境内的韦特施泰因山岭的楚格峰,高达2 962米。巴伐利亚属大陆性气候,在中欧不算理想,但也有例外的情况,例如下美因流域。

人民 古老的巴伐利亚人后裔住在东南部,西南部是巴伐利亚-士瓦本人的后裔,北部居民的祖先是法兰克人。各村庄中仍可看到不同种族的传统。法兰克人居住在大的房屋密集的村落中,开垦的田地是狭长的田垅。房屋部分用砂岩建造,部分是露明木架的。有些地区的房屋建成一排,铺设地板。在古巴伐利亚和士瓦本,有村落群,也有只有一条街道的村庄,多数房屋有木地板。各城市的不同更为显著。在士瓦本地区,尤其是法兰克人居住的地区,教会和世俗拥有土地的人建设了许多市镇,但多数市镇规模小,人称"侏儒市镇"。这些中世纪市镇有紧靠镇四周筑造的保护性城墙。镇内的教堂、公共建筑物和住宅装饰华丽。这类市镇现在成为旅游胜地,著名的有罗滕堡、讷德林根、丁克尔斯比尔等市镇和纽伦堡、雷根斯堡两市的部分地区。巴伐利亚大部分居民住在小市镇上,其中约有1/5住在10万人或人口更多的小市镇内。慕尼黑为德国第三大城市、巴伐利亚的最大城市。

第二次世界大战后,大量难民从苏台德和东欧涌入。过去若干世纪,许多日耳曼人曾居住在上述地方。20世纪后期,这些难民在巴伐利亚人口中占很大比重。20世纪60年代开始,巴伐利亚工业区吸收了很多从南欧迁入的工人。

战后由于基督教新教徒大量流入,居民宗教信仰的构成发生了很大变化。20世纪后期,大多数巴伐利亚人是天主教徒,在慕尼黑-弗赖辛、奥格斯堡、雷根斯堡、帕绍、班贝格、埃赫施塔特和维尔茨堡等地设有主教辖区。有很大比例的福音信义会教徒,中心在慕尼黑、奥格斯堡、雷根斯堡、纽伦堡、拜罗伊特和安斯巴赫。自1882年始,农业人口逐步下降,原来大多数人从事农业,至20世纪后期减为1/5弱。从事工业和服务性行业的人最多。

经济　20世纪后期,国家总产量中工业和手工业产品占半数以上,贸易、交通和服务性行业占不到一半,农业和林业不到1/10。

农场面积日益增大,而雇用农业工人日少。种植的作物趋于专业化,供应特定的市场。多数农场由家庭经营。通常为小型农场,但亦有少量由外国工人操作的大型农场。农产品约有半数为裸麦、小麦和大麦;马铃薯、甜菜和其他蔬菜占1/4,其余则生产饲草、蛇麻草和葡萄。

巴伐利亚工业的发展最初受到矿藏资源不足和交通不便的限制。但这种不利的自然条件因发展水力发电而得到克服,后来更有了从马赛、热那亚和的里雅斯特等地中海沿岸港口油管通来石油的有利因素。交通运输的改善也使制造优质产品的行业得到发展。

第二次世界大战后,政府致力于鼓励发展工业,巴伐利亚的工业增长速度高于德国其他地区。20世纪后期,主要工业有电子、机械、化工产品、纺织品、汽车、服装和食品。由于行业种类很多,不存在一种占支配地位的工业。

贸易及商业和德国其他地区类似,但旅游业较盛,在巴伐利亚阿尔卑斯山一带尤为发达。巴伐利亚有数十万张旅馆床位,多数在阿尔卑斯山地区。

19世纪下半叶巴伐利亚铁路系统的迅速发展始于1835年。所有的铁路干线都电气化或用内燃机。主要的航道有美因河,通航至班贝格。多瑙河行船可至上游的凯尔海姆。巴伐利亚有重要机场在慕尼黑-里姆和纽伦堡。

文化生活　按照1946年的州宪法,巴伐利亚是一个自主的州,有民主的议会机构。下院即州议会直接代表选举人,每4年选举一次。州议会选定州长及州内阁;还有参议院,其代表为经济、社会、文化和宗教机构的人士。

自1957年始,巴伐利亚州执政党为基督教社会联盟(CSU)。另外两个主要政党是社会民主党和自由民主党。在慕尼黑有两所大学,在埃朗根-纽伦堡、维尔茨堡、雷根斯堡、拜罗伊特、帕绍和奥格斯堡都各有一所大学。各大城市都有剧院、许多管弦乐队、博物馆和美术馆,仅在慕尼黑就有3座剧院。图书馆都是一流的,尤其是在慕尼黑的巴伐利亚州立图书馆。巴伐利亚无线电台播放广播和电视节目,是由州政府控制的公立机构,总部在慕尼黑。人口约11 448 823(1991)。

Bavarian Alps　巴伐利亚阿尔卑斯山脉　德语作 Bayerische Alpen(拜恩阿尔卑斯山)。中阿尔卑斯山脉东北部一段。在德-奥边界。自莱希塔尔阿尔卑斯山脉向东北偏东延伸110千米,至奥地利的库夫施泰因附近因河河湾。**楚格峰(Zugspitze,**2 962米)为最高峰。山脉的南面峭壁俯瞰因河流域,而北坡平缓可放牧牛群。支脉有韦特施泰因山脉,卡尔文德尔山脉和诺德山脉。山区蕴藏褐煤和石油。公路和铁路经沙尔尼茨山口(955米)穿越该山。阿亨山口(941米)有公路通过。旅游业和冬季运动为山区主要活动。设有大面积的国家公园,以保护阿尔卑斯的自然风景、植物和动物。

Bavarian cream　巴伐利亚奶油　加入搅打起泡的稀奶油,并以明胶固化的蛋奶冻。以巧克力、咖啡、水果等调味,用模具成形,并以水果、甜调味汁作点缀。原产于巴伐利亚或法国。

Bavarian Forest　巴伐利亚林山　德语作 Bayerischer Wald(拜恩林山)。德国东南部巴伐利亚州中东部山区。地处多瑙河河谷和波希米亚森林之间,大部在下巴伐利亚行政区内。与东南流向的多瑙河平行,从卡姆河和雷根河下游至帕绍以东奥地利边境绵延约145千米。林山主要是花岗岩和片麻岩丘陵,普法尔山岭将其分为两段。山岭西南部与多瑙河之间的高原多不超过1 000米,散布着牧场、农庄和村落,山岭东北方的欣特勒林区地势较高,森林茂密,仅少数谷地内有村落。山区气候酷寒而潮湿。仅种有黑麦、燕麦、马铃薯。较高的山上主要生长针叶林;较低山区是云杉、银杉、山毛榉的混合林。工业以伐木、木材加工、镜片研磨业为主。旅游业日益发展。拜恩林山国家公园吸引众多游客。主要城镇有雷根、茨维瑟尔、瓦尔德基兴、格拉弗瑙等。

Bavarian State Picture Galleries　国立巴伐利亚绘画陈列馆　德语作 Bayerische Staatsgemäldesammlungen。位于慕尼黑,由几个绘画陈列馆组成的博物馆。其中较大的有:新馆——以收藏18～20世纪的欧洲绘画和19～20世纪的雕刻而著称,馆址设在艺术院内,该院建于1933～1937年。老馆——专门收藏中世纪至18世纪晚期的欧洲绘画,该馆在第二次世界大战中受毁,重建后于1957年开馆;沙克藏画陈列馆——收藏19世纪德国晚期浪漫主义绘画,展品为A.F.冯·沙克伯爵所捐赠以及1940年国家征集的作品。馆址原为普鲁士大使馆,建于1907～1909年。

Bavarian Succession, War of the　巴伐利亚王位继承战争(1778～1779)　普鲁士腓特烈大帝阻止奥地利约瑟夫二世夺取巴伐利亚的企图而引起的冲突。自从西里西亚归普鲁士所有之后,奥地利皇帝约瑟夫二世及其首相考尼茨亲王希望获得巴伐利亚,以恢复奥地利在德国的地位。1777年12月30日马克西米连·约瑟夫逝世之后,维特尔巴克的巴伐利亚选侯的世系中断,奥地利同马克西米连的继承人,享有王权的选侯C.西奥多签订条约,将下巴伐利亚以及明德尔海姆的统治权让给奥地利。但普鲁士的腓特烈二世于1778年7月3日对奥宣战,以支持茨魏布吕肯公爵查理对巴伐利亚的要求。双方都想切断对方的补给线,因此,战斗很少发生。当时人们称这次战争为"土豆战争"。玛丽亚·特蕾西亚勉强同意普鲁士占领巴伐利亚。她违背约瑟夫二世的意志,向腓特烈二世建议媾和。1779年5月13日双方达成协议,奥地利获得伊恩地区。

Bavel (city)　参阅 **Babylon** 巴比伦。

Bāvend DYNASTY　参阅 **Bāvand dynasty** 巴文德王朝。

Bavli, David ha-　巴夫利　参阅 **Mukammas, David al-** 穆坎马斯。

bawu　巴乌　中国自由簧管气鸣乐器。常见于中国西南部。吹奏时与奏笛略同,所别者为此乐器之吹口有一尖簧,所有吹气均经过此簧进入风管。常见的F调巴乌基音极低,音域包含近3个8音阶之广。巴乌吹奏之特色为别具韵味的滑奏法,此法需舌部和指部技巧,以及通畅的气流运转。

Bax, Sir Arnold (Edward Trevor)　巴克斯　(1883-11-08,伦敦～1953-10-03,爱尔兰科克郡科克)　英国作曲家。其作品代表第一、第二次世界大战之间出现的新浪漫主义流派。

美国不列颠百科全书公司供图

1900年入皇家音乐学院学习钢琴。受凯尔特民族复兴及爱尔兰诗歌影响,1909年完成交响诗《在仙山中》。1910年在俄国度过,其后几年以D.奥伯恩的笔名在爱尔兰发表短篇小说与诗歌。1916～1917年因写出3部交响诗:《范德花园》、《廷塔杰尔》和《11月森林》而赢得声誉。他的舞剧《俄国舞蹈家的真相》于1920年由S.佳吉列夫上演。1921～1939年写了7部交响乐献给他所崇敬的音乐家,其中包括J.艾尔兰和J.西贝柳斯。他还写了许多钢琴与室内乐作品,包括中提琴与竖琴的奏鸣曲(1928),木管、弦乐与竖琴的九重奏一首(1931)。他长期卜居爱尔兰与苏格兰滨海地区,所作音乐具有浪漫主义色彩而引人遐想,配器绚丽多彩。1937年封为爵士,1941年任国王乐队队长。

Baxter, Andrew **巴克斯特**(1686或1687,苏格兰阿伯丁～1750-04-23,东洛锡安惠廷格海姆) 苏格兰玄学理性主义者。认为物质和精神之间有本质区别,反对当时英国比较先进的认识论。1741年去尼德兰的乌得勒支,任两位年轻绅士之导师。1745年去西班牙旅行,得识英国激进政治家J.威尔克斯。对其才智极为赞赏,这种心情见之于其若干信札中。1733年曾匿名发表《人类灵魂性质研究》。1779年发表的《用理性来证明灵魂不朽》一书系J.邓肯据其遗稿整理。

Baxter, George **巴克斯特**(1804-07-31,英格兰萨塞克斯刘易斯～1867-01-11,肯特锡德纳姆) 英国雕刻家和印刷专家。发明能大量复制图片的彩印法,1835年获得专利。其父

美国不列颠百科全书公司供图

J.巴克斯特曾出版通俗图解《圣经》。1827年巴克斯特去伦敦为出版商G.米迪的书刊提供彩色插图并为伦敦传教会出版印刷物。虽然他将印刷品售给名门豪族甚至受到维多利亚女王召见,但他无意经商,也未从其发明中获取厚利,部分原因是遇到了廉价彩色平板印刷的竞争。他精心使用腐蚀版手工印刷机和最好的颜料、油墨、纸张。他亲自调配颜料,但没有留下各种颜料的配方。

Baxter, James K(eir) **巴克斯特**(1926-06-29,新西兰达尼丁～1972-10-22,奥克兰) 新西兰诗人。精通韵律并富有惊人的想象力,为第二次世界大战以后新西兰作家中的主要人物。最初出版的诗集《栅栏那边》(1944)展现出青年人的希望。随后出版了诗集《吹吧,丰收之风》(1948)。《当今新西兰诗歌倾向》(1951)是他的第一部文学评论,书中的见解显得比他的年龄更为成熟。后来发表的诗集有:《坍塌的房屋》(1953)、讽刺诗《铁案板》(1957)、《皮格岛书信》(1968)。还著有《新西兰诗歌概况》(1968)。

Baxter, Richard **巴克斯特**(1615-11-12,英格兰什罗普郡罗顿～1691-12-08,伦敦) 基督教清教派牧师。他早年曾学习神学,结业后于1638年受按立任圣公会牧师,但不到两年就与清教徒联合反对圣公会的主教制。1641～1660年任伍斯特郡基德明斯特教会牧师,成绩卓著,使这个手工纺织业城市成为模范堂区。前来听他讲道的人日益众多,以致不得不扩建教堂。巴克斯特主张限制君权,在内战期间力主实行温和的改良。起初在国会军中任随军牧师,1660年又参与国王复辟活动。王政复辟

美国不列颠百科全书公司供图

后,他力促当局对不信国教派中的温和派实行宽容。为了这种观点遭受迫害达20余年之久,1685年被囚禁18个月。1688年革命后,詹姆斯二世逊位,威廉与玛丽继位后颁布宗教宽容法,从此他才完全获得自由。

bay **海湾** 由于海洋(或湖泊)移动而形成的海岸凹入处。英语bay与gulf的区别并无明确规定,不过,bay所指的水域通常较gulf为小。但也有许多例外,如孟加拉湾(Bay of Bengal)则较墨西哥湾(Gulf of Mexico)为大,约与阿拉伯海相当。海湾多位于易受侵蚀之岩石(如黏土和砂岩)地区,但其周围则为坚硬而抗蚀力强的岩层,如岩浆岩类的花岗岩或钙质岩类的块状石灰岩,它们耐侵蚀,因而形成海岸突出的岬,岬的两侧常向里凹,连成一个岛状地,有时还附带形成一个与大陆之间的天然陆桥。后来由于侵蚀和风化,陆桥消失了,只剩下与大陆完全分离的一个岛屿。海湾的大小并无一定。小者仅有数百米宽,大者如西班牙和法国外海的比斯开湾以及加拿大的哈得孙湾,两岸相距数百千米。此种大型海湾,有些是因地壳垂直运动或冰盖侵蚀造成陆地下陷所致,哈得孙湾即属此类型。所有的海湾都具有半圆形或接近圆形的外形,从而异于河口湾,河口湾多呈长漏斗形,河流沿其中线流过,而海滩亦主要出现于河口附近。凡底部够深且冲刷相当平整的河口湾与一些封闭隐蔽的海湾,皆形成良好的港口。这些港口皆为早期聚落的所在。现代沿海的很多大城市,以前都是围绕着海湾发展起来的,这些海湾对于停泊的船舶提供了庇护。

bay **开间** 建筑物中垂直的线或面所分隔

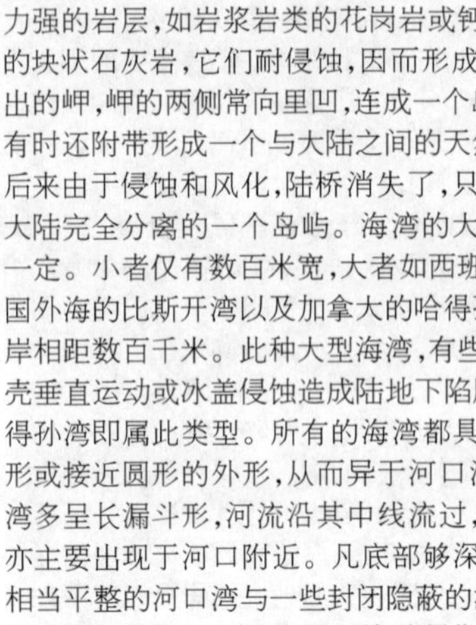

开间

美国不列颠百科全书公司供图

的空间,特别指两个相邻支承物之间的整个空间。例如,两根相邻柱子或壁柱之间的空间,或者教堂中两列支柱之间的空间,包括其中的拱顶或天花板,都称作一个开间。

Bay, Josephine Holt Perfect **贝**(1900-08-10,美国艾奥瓦阿纳莫萨～1962-08-06,纽约州纽约) 婚前名Josephine Holt Perfect。美国金融家,第一位主持纽约证券交易所成员单位的妇女。自幼成长于纽约市布鲁克林,1918～1919年在科罗拉多学院学习,后积极参加布鲁克林各种市民团体活动,并与其姐妹成功经营圣诞卡生意。1942年与基德尔经纪公司主要合伙人C.U.贝结婚。1946～1953年其丈夫出任美国驻挪威大使,她陪同前往,在这个战后满目疮痍的国家做救济工作。1955年丈夫生病期间,她当选为基德尔公司有限责任合伙人。12月丈夫去世后,接替其担任美国出口航运公司董事,当时该公司年营业收入达6 000万美元。1956年当选为美国出口航运公司执行委员会主席,当年12月当选为基德尔公司董事长及总裁。1959年2月担任美国出口航运公司董事长,直至翌年。她一直主持基德尔公司业务直至去世。

Bay, Laguna de **内湖** 菲律宾最大的湖泊。位于吕宋岛,马尼拉东南。可能由于火山喷出物将原为马尼拉湾深入内地水域堵塞分离而成。内湖通常面积约为922平方千米。湖长约51千米,呈新月形。有很多溪流注入,湖盆淤积变浅。雨季暴雨时,湖区低地常被洪水淹没。湖水经帕西格河(长16千米)排入马尼拉湾。北岸有两个半岛;湖中多岛屿,其中面积最大、人口最多的塔利姆岛长14千米。盛产鱼类和稻谷。圣克鲁斯、比尼扬和卡兰巴是位于该湖南岸的城镇。

Bay, Michel de **贝** 参阅**Baius, Michael 贝乌斯**。

Bay Bridge **海湾桥** 全称旧金山-奥克兰海湾桥。从旧金山跨越旧金山湾经耶尔巴布埃纳岛到奥克兰的大型跨海桥。是20世纪卓越的工程伟绩之一,在C.H.珀塞尔的指

海湾桥,远景为旧金山

美国不列颠百科全书公司供图

挥下于20世纪30年代建成。该桥为双层,长13千米,包括两座相连的704米主跨、边跨354米的悬索桥,一条约800米长的特大洞径隧道穿过耶尔巴布埃纳岛,以及主跨为427米的悬臂桥和通向奥克兰海岸的长引桥。建造海湾桥的最大问题是把两座悬索桥的中心锚座沉到约81米深的基岩上,用D.

莫兰发明的多穹顶沉箱圆满解决了这个问题。海湾桥上层的一段在 1989 年 10 月 17 日旧金山地区发生地震时损坏,需要长时期修复。

Bay City 贝城 美国密歇根州中东部城市,贝县县城(1857)。临萨吉诺河,在萨吉诺河与萨吉诺湾(休伦湖)接连处附近。19 世纪 30 年代建居民点。1857 年由 5 个村庄合并而成。1865 年设市。1905 年贝城与西贝城合并。原发展木材工业,当地森林资源枯竭后发展烟煤开采业、渔业和甜菜加工业。现经济以工(挖土机、水泥、汽车配件、飞机配件和石油化工产品)、农(马铃薯、甜瓜和甜菜)业为主,造船业亦重要。为大湖区港口,有深水港湾设施可泊海轮。该市有几处河岸公园,湖滨有消闲乐园、浴场、夏季别墅。河、湾中可进行划船、钓鱼活动。城北 8 千米处有州立贝城公园。人口:市 39 240;萨吉诺-贝城-米德兰都会统计区 402 246(1991)。

Bay Islands 巴伊亚群岛 西班牙语作Islas de la Bahía。洪都拉斯北部一组小岛,面积 261 平方千米,距加勒比海海岸 56 千米左右。主要的几个岛屿是哥伦布于 1502 年发现的,英国海盗 1642 年在那里栖身。1650 ～ 1850 年,西班牙、洪都拉斯和英国先后争夺这些岛屿。来自背风群岛圣文森特的加勒比印第安人被放逐到罗阿坦的一个流放地。这些岛屿于 1852 年并入英国,但又于 1859 年割让给洪都拉斯。主要的居民点罗阿坦(**Roatán**)位于罗阿坦岛。群岛主要的经济活动为种植香蕉、木薯、椰子、甘薯;饲养牲畜和捕鱼。20 世纪后期以前,岛上大多数居民为说英语的基督教新教徒;到 20 世纪后期,说西班牙语的大陆洪都拉斯人开始大批到那里定居。人口约21 553(1988)。

bay leaf 月桂叶 又作 laurel leaf。樟科常绿树甜月桂(*Laurus nobilis*)的叶。受欢迎的香料,用于腌渍或浸渍食品,又用于炖菜、填馅及鱼等。味芬芳,但略有苦味。精油含量约 2%,主要成分是桉叶脑。干月桂叶平滑而有光泽,通常整片使用,烹调后再从菜肴中除去。或制成月桂粉出售。甜月桂原产地中海沿岸,自古就有栽培。古希腊用月桂叶做成花环戴在获胜运动员的头上。在欧洲中世纪月桂叶供药用。

bay lynx 栗色猞猁 参阅 **bobcat** 短尾猫。

Bay of Pigs invasion 猪湾入侵 1961年4月17日,1 500 名反对卡斯特罗的古巴流亡分子在古巴西南海岸猪湾(科奇诺斯湾)发动的一次失败的入侵。这次入侵由美国政府资助并指挥。在卡斯特罗 1959 年 1 月推翻巴蒂斯塔独裁统治后的 6 个月内,卡斯特罗政府与美国政府之间的关系开始恶化。古巴新政府没收了大部分属于北美业主的私人财产;派遣代理人在几个拉丁美洲国家发动革命;同主要的社会主义国家建立外交与经济关系。卡斯特罗本人还经常激烈指责美国企图颠覆他的政府。美国参众两院的几位议员从 1960 年初起就指斥卡斯特罗,到 6 月国会已通过立法,授权艾森豪威尔总统采取报复行动,停止购买古巴食糖。此后不久,美国便除粮食、药品外,对一切向古巴出口物资实行禁运。1961 年 1 月,艾森豪威尔与古巴断绝了外交关系,作为他执政时期采取的最后几项措施之一。入侵古巴是美国中央情报局从 1960 年 5 月就一直策划的一次行动。这是否明智,新执政的肯尼迪政府曾在内部进行过辩论,最后通过了该计划,并付诸实施。1961 年 4 月 15 日,3 架古巴人驾驶的美制飞机轰炸了古巴空军基地。两天后由美国训练并使用美国装备的入侵军在几个地方登陆,主要登陆点选在猪湾。入侵军和卡斯特罗军队的兵力悬殊,到 4 月 19 日最后据点被攻占,1 100人被俘。入侵失败后中央情报局被指责向新总统提供了错误情报。入侵军被俘人员被关押,从 1961 年 5 月起肯尼迪政府就非正式同意赎回这批俘虏,但以 E.罗斯福为首的"拖拉机用于自由委员会"始终未筹集到卡斯特罗提出的该国重型建设设备所需的 2 800 万美元赔偿费。在后来的几个月中,赎金的条件变动数次。最后通过 J.B.多诺万的艰苦谈判,卡斯特罗终于同意将俘虏全部释放,交换条件是,美国提供价值 5 300 万美元的粮食和药品。从 1962 年 12 月到 1965 年 7 月,幸存者全部回到美国。有关评论认为,在此次入侵中美国支持不力,有些缩手缩脚。在导致 1962 年 10 月导弹危机的发展中,这次猪湾入侵是一个关键性事件。

Bay of Plenty 普伦蒂湾区 新西兰北岛东部的地方行政区,面积为 9 126 平方千米。沿普伦蒂湾有长 160 千米的狭窄低洼地。朗伊泰基河和瓦卡塔尼河自南向北注入湾内。该行政区还从海湾向内陆(向南)延伸达 64 千米,而把火山高原的大部分包括在内,火山高原是北岛地热带的中心。罗托鲁阿城位于火山高原上,距海滨约 48 千米,以其附近有间歇喷泉、喷气孔、沸泥塘和温矿泉水浴池而驰名。该行政区内的其他主要居民点有蒙加努伊山、陶朗阿、马凯图、马塔塔、瓦卡塔尼和蒂普基。奶牛和绵羊养殖业占主要地位。人口约 208 163(1991)。

bay owl (species *Phodilus badius*) **栗鸮** 鸮形目栗鸮科的一种不常见的非典型亚洲鸮。面盘心脏形,两个耳形向背面伸展的部分,有助于接收声音。有时与草鸮一起归入草鸮科,有时亦与典型鸮归入鸱鸮科。见于东南亚,完全夜行性,独居。非洲的刚果栗鸮有时被列为独立的种,鸟类学家对之所知更少。栗鸮以昆虫、蜥蜴、蛙、小哺乳动物和鸟类为食。

栗鸮(*Phodilus badius*)
美国不列颠百科全书公司供图

Bay Psalm Book 《海湾圣诗》 又称《全译本海湾圣诗》。可能是现存最早的一本在英国北美殖民地出版的书(1640)。马萨诸塞湾殖民地的清教徒领袖编写,由马萨诸塞剑桥 S.戴(**Day, Stephen**)创办的印刷所印制。内有关于在教堂唱圣诗的合法性和必要性的论文。

Bay Saint Louis 贝圣路易斯 美国密西西比州中南部城市,汉考克县县城(1860)。临密西西比湾,在新奥尔良东北 93 千米,圣路易斯湾入口处。原为一村庄,1812 年为富裕庄园主的休闲地,1869 年新奥尔良莫比尔和查塔努加铁路修通后,成为旅游胜地。1882 年正式设市。1814 年在圣路易斯湾曾发生对英海战(帕斯克里斯琴战役)。市内生产电器、钢铝制品、塑料和革制品。市西 24 千米有国家航空航天局试验机构。人口 8 209(2000)。

bay tree 月桂 几种具有芳香叶的小乔木。尤指甜月桂(*Laurus nobilis*),是调味料月桂叶(**bay leaf**)的来源。加利福尼亚桂树(**California laurel**, *Umbellularia californica*)是观赏树,亦称月桂。月桂香水树(香叶多香果,*Pimenta racemosa*)的叶和枝条可蒸馏出月桂油,用于制香料和月桂香水。

bay window 凸窗 房屋墙面凸出处所开的窗,在室内则为一凹入部分。凸窗能比一般的窗采光更多。平面可作矩形、多边形或弧形。如果是弧形,则可称为圆肚窗。如果凸窗由梁托支承而挑出楼层外墙,则可称为凸肚窗。凸窗常出现在初期英国文艺复兴式庄园宅邸中,它建在大厅端部与入口相对的高台后面,庄园主在台上就餐。现代建筑中,凸窗成为芝加哥学派的显著特征。W.詹尼主张最大限度地利用自然光线,结果创造了一种网眼状的墙面和突出地运用凸窗的新的手法。他设计的芝加哥曼哈顿大厦(1890)同时使用了多边形和弧形的凸窗。

Baya 巴亚人 又拼Gbaja, Gbaya或Gbeya。居住在中非共和国西南部、喀麦隆中东部、刚果北部、刚果(金)西北部的一个民族。其人数在 20 世纪末约为 82 万;所用语言属尼日尔-刚果语系阿达马瓦-东部语族,同其近邻班达人和恩格班迪人所操语言属关系较近。早在 19 世纪初期,巴亚人就从现今尼日利亚北部豪萨人居住区向东南方向迁徙,原因是为逃避奥斯曼·丹·弗迪奥所发动的圣战。巴亚人在一名军事酋长加扎尔加穆领导下进军,把所遇到的各个部落,或予以击溃,或予以裹挟使之作为前驱以迎战前进中遇到的新敌人。当代巴亚人中的亚族如博科托人、卡拉人、布利人、卡卡人、布瓦卡人就是战败被整合的结果。而当时巴亚人本身却每年受到来自位于现今喀麦隆北部的奴隶贩子的攻击。巴亚人在整个殖民时期对法国武装力量进行了抵抗。20世纪20年代早期，由于巴亚人无论男女都被强迫去做苦工，不堪其虐待，曾举行叛乱。1928年，巴亚人发起了后来演变成3年之乱的反抗行动，用以回答刚果—大西洋铁路的强征民夫的暴政；一次法国人发动的"恶梦战役"消灭了大部分巴亚人，其悲惨情景在随后数十年间仍历历可见。巴亚人奉行父系遗传制，传统上没有国家组织。过去军事酋长只在危难之时才被选出，事后即被解除权力。巴亚人的村长负责仲裁民间纠纷，是一名象征性的领袖，可是后来法国殖民者却任用这些村长担任地方行政官吏。巴亚人的宗族是最基层的认同群体，宗族自行协调、管理内部的婚姻、宗教仪式及同外部进行贸易(比如同阿拉伯商队进行贸易)等事宜。他们实行名为"拉比"的年龄组划分制，拉比超越宗族以便在战时进一步保证团结一致。凡是正式加入同龄组的人们，都要接受训练，学会农业、社交、宗教等方面的知识和技能。务农的巴亚人种植玉米、木薯、薯蓣、花生、烟草等，也辅以渔猎。由法国人引入的咖啡和稻谷，都是经济作物。20世纪30年代晚期的金刚石开采热潮，在某些地方大大打乱了巴亚人的传统生活方式。目前，金刚石勘探仍是重要的经济活动。

Bayamo 巴亚莫 古巴东部格拉玛省省会。建于1513年，称圣萨尔瓦多-德巴亚莫。殖民时期为古巴最重要的城市之一。曾发生多次起义，包括1895年的独立运动。周围乡村的制造业、商业和运输业的重要中心。四周乡村的养牛业普遍，乳品业和制革发达，亦有铜、锰等矿。可加工蔗糖、稻米、咖啡和烟草。制作瓷砖。为铁路枢纽，通中央公路，有一座机场。人口约105 302(1986)。

Bayamón 巴亚蒙 波多黎各东北部城镇，圣胡安都会区之一部分。1772年建镇。城镇生产服装、家具、汽车零件、金属制品、轻武器、家庭用具和食品。巴亚蒙中央大学建于1961年。有高速公路通圣胡安，且地处通往阿雷西沃的公路干线上。人口185 087(1980)。

Bayan 伯颜(?～1340) 中国元末大臣。蒙古蔑里乞部人。在宫廷派系斗争中，先与燕铁木儿拥立元文宗图贴睦尔，因有功历任御史大夫、中书左丞相、知枢密院事，进封浚宁王；后又拥立元顺帝妥欢贴睦尔，因而得任中书右丞相，进太师，改封秦王。独擅大权，诛杀异己，废除科举制度，只许蒙古人出仕，禁汉人习蒙、回文字，甚至主张尽杀张、王、刘、李、赵五姓汉人(这五姓占了汉人的绝大多数)。伯颜的排汉政策使义军纷起。1340年2月脱脱乘其出猎时发动政变，元顺帝将伯颜革职。后在放逐途中病死。

Bayan 伯颜(1237～1295) 中国元代初时大将军，任中书左丞相。曾领兵攻南宋，1276年陷南宋都城临安(今杭州)，俘谢太后、恭帝等。后在北方长期主持征讨叛王的战事。

Bayan Tumen (Mongolia) **巴彦图门** 参阅 **Choybalsan** 乔巴山。

Bayar, (Mahmud) Celâl 拜亚尔(1882或1883-05-15，奥斯曼帝国布尔萨附近乌穆尔贝伊[今在土耳其]～1986-08-22，伊斯坦布尔) 土耳其共和国第三任总统(1950～1960)。在20世纪30年代把国家主义或国家主管经济引入土耳其。1946年以后，作为民主党领袖，提倡私有企业政策。穆斯林法学家之子。早年任统一进步委员会士麦那支部书记。奥斯曼帝国崩溃后，他参加凯末尔领导的反帝运动。1920年当选为奥斯曼最后一届国会议员。当英国人逮捕民族主义分子时，他逃往安卡拉，担任大国民议会政府经济部长。1922～1924年任新成立的共和国的建设和移民部长。1932年任经济部长，对土耳其工矿业的发展做出贡献。1937年任总理，1939年凯末尔逝世后辞职。1946年参加组建民主党。在他领导下，该党在1950年的大选中以压倒多数取得胜利。他当选为总统，1954、1957年两次连任。1960年"五·二七"军事政变时被捕，以反国家罪被判处死刑。后因年老，改为无期徒刑。1964年因健康原因获释，开始发表题为《我也写作》的回忆录。1966年获赦。

Bayar Har Shan 巴颜喀拉山 中国青海省中南部山脉。西北—东南走向。为昆仑山东延部分。西与可可西里山相接，东抵松潘高原和邛崃山。海拔多为4 500米左右，主峰海拔5 267米。为黄河与长江上源段的分水

黄河源头——巴颜喀拉山北麓
中国大百科全书出版社供图

岭。北坡缓坦；南坡深切，多峡谷。主峰东南巴颜喀拉山口有公路通过，为出入青海省南部玉树藏族自治州的交通要冲。

Bayard, Pierre Terrail, seigneur de 巴亚尔(约1473，法国蓬沙拉附近巴亚尔堡～1524-04-30，意大利) 法国军人，以"无畏与无可非议骑士"美名著称。出身贵族家庭，1494年随法国国王查理八世进入意大利。在福尔诺沃战役后封为骑士(1495)。在路易十二时代的历次战争中，他是身经百战的英雄。他在热那亚包围战和后来的帕多瓦包围战中都建立了功勋。1515年弗朗西斯一世即位后任命他为多菲内副总督。弗朗西斯一世与神圣罗马帝国皇帝查理五世之间发生战争后，他率1 000人坚守梅济耶尔，抵抗3.5万敌军，6个

美国不列颠百科全书公司供图

星期后迫使神圣罗马帝国的将军们撤除包围，使法国中部免遭入侵。1523年，巴亚尔奉命随纪尧姆前往意大利作战，在兵败撤退中阵亡。他是16世纪欧洲最机智的职业指挥官之一。

Bayard, Thomas Francis 贝阿德(1828-10-29，美国特拉华威尔明顿～1898-09-28，马萨诸塞戴德姆) 美国政治家、外交家和律师。出身显贵之家。曾随父学习法律，1851年成为律师。1869～1885年任参议员。1885～1889年任国务卿。1893年任驻英大使。因亲英受到众议院指责。1897年因病离开伦敦。

Baybars I 拜巴尔斯一世(约1223，黑海北岸～1277-07-01，叙利亚大马士革) 又拼Baibars。全名马立克·札希尔·鲁克尼·艾丁·拜巴尔斯。埃及和叙利亚的马木路克王朝最杰出的苏丹(1260～1277在位)。他以对蒙古人和十字军发动的战役及国内行政改革而闻名。在阿拉伯语世界广为流传的民间传说"西拉特·拜巴尔斯"，据说是他的传记。约1242年被卖为奴隶。埃及阿尤布王朝苏丹把他送去接受军事训练，他表现出非凡的军事才干，训练结束时获得自由，任苏丹卫队的指挥官。1250年2月在曼苏拉城与法王路易九世率领的十字军作战时，他取得了生平第一次的重大胜利——路易九世被他活捉。同年，在他领导下，一群马木路克军官杀死阿尤布王朝新即位的末代苏丹。后来由于触犯马木路克王朝第1代苏丹，他逃往叙利亚，一直到1260年第3代苏丹库图兹欢迎他回埃及并恢复他的军职。同年9月马木路克的军队在巴勒斯坦的纳布卢斯附近击败蒙古大军。他大显身手，许多蒙古将领死于疆场。他希望库图兹苏丹把阿勒颇城赐给他，但苏丹没有满足他的要求。在回国途中，他走近苏丹身旁，要求苏丹把一个俘获的蒙古姑娘赐给他。苏丹应允了，拜巴尔斯为此吻苏丹的手。马木路克人看到这一事先约定的信号，一齐扑向苏丹，拜巴尔斯手起剑落，砍掉了苏丹的脑袋，从此成为马木路克王朝的第4代苏丹。拜巴尔斯立志成为像阿尤布王朝创建者萨拉

丁那样的英雄。他即位后立即着手巩固和加强自己的军事地位,重建所有被蒙古人摧毁的叙利亚城堡和要塞,修筑新的武器库,建造战舰和货船。为了在反对十字军的斗争中统一步调,他将穆斯林的叙利亚和埃及合并为单一的国家。1265～1271年,拜巴尔斯几乎每年都指挥对十字军的进攻。他占领了阿特利特和海法,从圣殿骑士团的手中夺取了萨法德城,此后,未遭抵抗就占领了雅法。1268年5月攻占安条克。1271年又夺取若干要塞,使十字军无力收复失地。拜巴尔斯的长远目标是遏制蒙古人对叙利亚的进攻,因为蒙古人的进攻直接威胁伊斯兰东方世界的中心。在17年当中,他与波斯境内的蒙古人进行了9次交锋。拜巴尔斯还曾进攻蒙古人的盟友亚美尼亚人,蹂躏亚美尼亚人的土地,把亚美尼亚人的大城市劫掠一空。1276年他在卡帕多西亚大败塞尔柱军队及其蒙古盟军,亲自夺取凯撒城(今土耳其开塞利)。为了确保埃及南、西两边的安全,拜巴尔斯曾派兵远征努比亚和利比亚,亲自指挥15次战役。为了维护与拜占廷帝国的良好外交关系,他多次向君士坦丁堡迈克尔八世帕里奥洛加斯的宫廷派遣使节。拜占廷皇帝下令恢复古代的清真寺,允许埃及的商人和使节在赫勒斯滂海峡和博斯普鲁斯海峡中航行。1261年拜巴尔斯派遣一名特使谒见西里西亚国王曼弗雷迪,接着又向意大利派遣一些其他的使节。他同阿拉贡的詹姆斯一世、莱昂和卡斯蒂利亚的阿方索十世等签订了贸易协定。拜巴尔斯不仅是一位军事统帅或外交家,他还开凿运河,疏浚港口,在开罗与大马士革之间建立一套正规而快速的驿传制度,单程仅用4天。他在开罗修建以他的名字命名的大清真寺和学校。1271年下令禁酒。后因误饮一杯为别人预备的毒酒,在大马士革去世,安葬在大马士革。

bayberry 杨梅 杨梅科杨梅属(*Myrica*)的几种灌木和小乔木的统称,尤指宾夕法尼亚杨梅(*M. pennsylvanica*),其浆果灰色,蜡质,煮沸后所得的蜡可制杨梅蜡烛,故又称蜡烛果。加利福尼亚杨梅(*M. californica*)在温暖的气候区种作沙壤观赏植物。

Baydā', Al- 贝达 又拼Beidha,或Beida。也门中南部城市。地处高原,1990年两个也门统一之前,一直是北也门(萨那)的一部分,尽管它位于南也门(亚丁)有争议的边境附近。贝达旧称拜汉乌姆鲁萨斯,历史上是拜汉苏丹国的首都。从穆罕默德在世时(公元7世纪)直到16世纪,拜汉一直统治着广阔的地域。到现代,在南北也门之间的疆界划定之前,该城及其附近地区则被视为从前英国控制的亚丁保护地的一部分。1934年,英国代表保护地与北也门签订条约,规定40年内不改变签约时的边界。根据该条约,贝达成为北也门的一部分,但维持现状的分界线从未在现场标定,历届亚丁政府曾屡次从贝达入侵到它声称具有主权的地区。该地区并非也门的传统行省,1949年设省建制主要出于政治需要。该地区种植画眉草,一种从埃塞俄比亚引入阿拉伯半岛南部的谷类植物,并以贝达为集散地,贝达也是养马中心。萨那至贝达的公路于1979年竣工。人口19 294(1994)。

Bayer, Friedrich 拜耳(1825-06-06,普鲁士莱茵省巴门[德国]～1880-05-06,德国维尔茨堡) 世界著名的德国化学公司**拜耳公司**(**Bayer AG**)创办人和实业家。原为化学产品商店学徒,不久即成为店主代理人。随后迅即自设企业经营化学品和染料木,并从事染料萃取与染料制造。1863年与F.韦斯科特共同创设一新公司,制造三苯甲烷及偶氮染料,稍后也生产茜素染料。拜耳逝世时,其供应纺织公司化学品和染料的业务已遍及全球,已为拜耳公司奠定好基础。死后由其子F.拜耳(1851～1920)与H.T.博蒂格接管公司业务。

Bayer, Gizi 参阅 **Bajor, Gizi** 巴佐尔。

Bayer, Herbert 拜尔(1900-04-05,奥地利哈格～1985-09-30,美国加利福尼亚蒙特锡托) 德裔美国版画家、建筑师和广告设计师。早年学建筑,1921～1923年在德国包豪斯设计

美国不列颠百科全书公司供图

学校学习印刷和壁画。曾任美国《时装》半月刊艺术指导。1928年迁居柏林,从事广告设计、绘画、展览设计、印刷和摄影,1938年迁往纽约市,从事广告设计。1943年入籍美国。1946年任美国容器公司设计部主任兼阿斯彭开发公司设计顾问,参与过许多建筑设计。也曾探索过环境雕塑艺术,作品有《大理石花园》(1955)。绘画有《皎月与建筑》(1959)。1970年获得美国版画艺术学院金奖。1984年出版A.A.科恩著《赫伯特·拜尔作品全集》。

Bayer, Johann 巴耶(1572,巴伐利亚赖恩[德国]～1625-03-07,奥格斯堡[德国]) 德国天文学家,他发表的《恒星志》(1603)一书建立了一套可识别全部肉眼可见恒星的体系。巴耶于1592年进入因戈尔施塔特大学学习哲学,后来迁居奥格斯堡。他虽以律师为职业,但花费很多时间关注天文学的新进展,致使他出版了指导认识星座的科普著作《恒星志》。在巴耶之前,各种星图都是根据既不完全又不精确的托勒玫星表编制的;巴耶将托勒玫的48个星座表予以订正并增补南半球新发现的12个星座。根据第谷测得的恒星方位和亮度的资料,巴耶用24个希腊字母分别为各星座中的可见恒星命名,如星数超过24颗,则以拉丁字母继续命名。巴耶的命名法迄今仍在使用,并已扩展到约1 300颗恒星。

Bayer AG 拜耳公司 德国的化工医药公司。1863年由化学品推销员F.拜耳(1825～1880)创立,现在德国及其他30余国设有工厂。总公司原在巴门(现伍帕塔尔),自1912年至今在科隆以北的莱沃库森。原名弗利德里希·拜耳公司,制造染料。1912年化学家C.杜伊斯贝格(1861～1935)任该公司总管,不久他开始倡导德国化工企业大联合,从而导致1925年**法本化学工业公司**(**IG Farben**)的成立。杜伊斯贝格为法本公司的首任董事长,而拜耳公司直至1945年盟军解散法本公司时止始终留在该卡特尔之内。1951年独立的拜耳公司重新建立,取名为拜耳颜料公司;1972年采用现名。1981年拜耳公司购得阿克发-吉伐集团的控股权。"拜耳"商标国际驰名。大量药品、染料、醋酸盐、合成橡胶、塑料、纤维、杀虫剂及其他化学品,都是拜耳公司首先研制的。最著名的是它首先研制和销售的阿司匹林药片(1899)、磺胺药品百浪多息(1935)和作为合成泡沫材料、合成油漆、合成黏合剂、合成纤维等底料的聚氨基甲酸乙酯(1937)。

Bayerische Alpen(Germany-Austria) **拜恩阿尔卑斯山** 参阅 **Bavarian Alps** 巴伐利亚阿尔卑斯山脉。

Bayerische Julius-Maximilians-Universität Würzburg 参阅 **Würzburg, University of** 维尔茨堡大学。

Bayerische Motoren Werke AG(BMW) **宝马汽车公司** 德国汽车公司,以制造高级赛车和摩托车驰名。总部设在慕尼黑。1916年创立,原名宝马飞机发动机厂,制造飞机引擎。1917年7月,改名为宝马汽车公司。20世纪20年代开始生产摩托车。1928年进入机动车生产领域。公司的R32型摩托车创世界速度纪录,此纪录直到1937年才被打破。第二次世界大战期间,研制出世界第一台喷气式飞机发动机,供德国空军使用。战后,力图打入小型汽车市场,但无力同大众汽车公司的廉价小型汽车竞争。1959年濒临破产,董事会打算将公司卖给戴姆勒-奔驰汽车公司,德国企业家赫伯特·匡特购进公司的多数股权。1959年7月,700型轿车的首次展示为宝马公司带来了好运,随后是它成功的1500型汽车。几乎同时,公司新推出了一系列的摩托车产品,在美国特别受欢迎。到20世纪末,宝马作为高档汽车的品牌形象牢固地树立起来。1994年,宝马公司收购了英国陆虎汽车公司,但在2001年将陆虎的品牌卖给福特汽车公司之前,亏损了40亿美元。随着2001年英国迷你车的上市,宝马公司获得巨大成功,2003年英国的另一汽车品牌劳斯莱斯也成为宝马公司的一部分。匡特家族成员继续持有公司的重要股份。

Bayerische Staatsgemäldesammlungen 参阅 **Bavarian State Picture Galleries** 国立巴伐利亚绘画陈列馆。

Bayerischer Wald 拜恩林山 参阅 **Bavarian Forest** 巴伐利亚林山。

Bayern(Germany) **拜恩** 参阅**Bavaria**巴伐利亚。

Bayes, Nora **贝斯**(1880,美国伊利诺伊乔利埃特～1928-03-19,纽约布鲁克林) 原名多拉·戈尔德贝格。20世纪初在音乐时事讽刺剧(尤为引人注目的是《齐格飞活报剧》)中风靡一时的美国歌唱家。1899年在芝加哥开始其艺术生涯,1901年首次登上百老汇舞台。她被视为歌曲《在伍尔茨堡河流经之处》(1902)及《丰收之月,照耀吧!》(1908)的化身。这两首歌曲均为其丈夫诺沃思所作。第一次世界大战期间,她演唱了科汉的名曲《在那里》。1919年纽约一家剧院以她的姓氏命名。

Bayes, Thomas **贝叶斯**(1702,英格兰伦敦～1761-04-17,肯特坦布里奇韦尔斯) 英国数学家,第一次以归纳方式使用概率,为概率推断(由一事件在先前的试验中发生的次数来计算该事件在以后试验中发生的概率的方法)建立了数学基础。他在概率论上的成就收在他的《论有关机遇问题的求解》(1763)中,死后在《伦敦皇家学会哲学学报》上发表。他生前发表的数学著作仅有《流数学说引论》(1736),以反击G.伯克利主教对牛顿微积分学的逻辑基础的攻击。

Bayes's theorem **贝叶斯定理** 概率论中一个根据相关事件来进行预测的方法,也被称为条件概率或逆概率。该定理被英国长老会牧师及数学家T.贝叶斯发现并于他去世后的1763年发表。相关的定理是贝叶斯推论,也称贝叶斯方法,用参数以前的分布情况对未来做出预测。1854年,当英国逻辑学家G.布尔批评了这种分布中的主观性之后,贝叶斯方法退化为处理"置信区间"和"假设检验"问题的基本研究方法。贝叶斯定理的一个简单应用便是研究人类免疫缺陷病毒(HIV)感染的筛选测试结果。假设一个静脉注射吸毒者接受了测试,经验指出此人体内有HIV病毒的概率是25%。HIV的快速检验是可行的,但不是完全可靠的:几乎所有的个体在感染了很久之后才产生能够被探测到的免疫系统反应,而近期的感染是无法探测的。另外,在0.4%的正常人群中可以出现"假阳性"的测试结果(就是错误的感染迹象)。因此,阳性测试结果不能证明此人已被传染,但

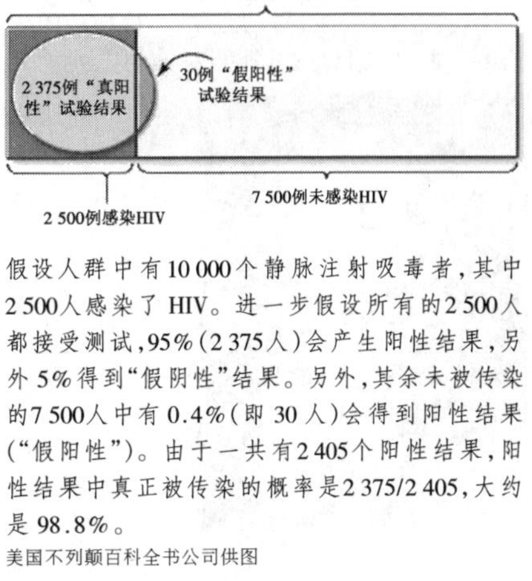

假设人群中有10 000个静脉注射吸毒者,其中2 500人感染了HIV。进一步假设所有的2 500人都接受测试,95%(2 375人)会产生阳性结果,另外5%得到"假阴性"结果。另外,其余未被传染的7 500人中有0.4%(即30人)会得到阳性结果("假阳性")。由于一共有2 405个阳性结果,阳性结果中真正被传染的概率是2 375/2 405,大约是98.8%。

美国不列颠百科全书公司供图

能证明他被传染的可能性很高。贝叶斯定理提供了可以估计这种可能性的公式,图中给出了这个公式并在下文中给予解释。

$$P(A_n \mid B)=\frac{P(A_n)P(B\mid A_n)}{\sum_i P(A_i)P(B\mid A_i)}$$

贝叶斯定理的应用通常被限制在这种直截了当的问题中,虽然问题的初始版本很复杂。然而在推广这类计算的时候会遇到两个重要的难题。首先,初始概率很少能被轻易地量化。它们经常有很强的主观性。如上文提到的HIV筛选测试,一个患者可能是静脉注射吸毒者但却不想承认这一点。那么主观决定将会介入以判断此人实际落入这种高风险类别的可能性。因此HIV感染的初始概率又回到对主观判断的依赖上。其次,判据通常不会像阳性或阴性测试结果那样简单。如果判据是数字记录的形式,那么上面计算公式中分母上使用的求和将会被一个积分所代替。更复杂的判据可以轻易地导致多重积分,很难估算。不过,先进的计算能力,连同改进的积分算法,已经克服了大多数的计算障碍。此外,理论家们已经制定了描述初始概率的规则——依靠没有背景知识的"敏感的人"的判断。这通常可以减少不受欢迎的主观性。在发现了该定理两个多世纪之后,这些进步带来了应用贝叶斯定理的浪潮。它现在被应用在诸如鱼群产量估计和种族歧视研究等形形色色的领域。

Bayeu, Francisco **巴耶乌**(1734-03-09,西班牙萨拉戈萨～1795-08-04,马德里) 西班牙国王查理三世的宫廷画家。戈雅的连襟。其艺术受A.R.孟斯和G.B.提埃坡罗影响极深,后两者均为查理的宫廷画师。1763年应

美国不列颠百科全书公司供图

孟斯之邀协助装饰王宫。曾为萨拉戈萨的埃尔皮拉尔大教堂、托莱多大教堂以及位于马德里、埃尔帕多、拉格兰哈和阿兰胡埃斯的宫邸作壁画。其成熟风格是法国洛可可艺术和孟斯学院式古典主义的混合物。尽管所画图样美妙生动,但不免有学院式僵化之感。他的弟弟拉蒙和马努埃尔也是画家。

Bayeux **巴约** 又译拜约。法国西北部下诺曼底大区卡尔瓦多斯省城镇。在卡昂西北,临欧尔河。曾为高卢人的都城,重要的罗马城市。公元4世纪成为主教管辖区。880年被北欧海盗占领后成为诺曼人要塞。百年战争和16世纪宗教战争中数度受到围攻占领。

巴约城内的哥特式大教堂

美国不列颠百科全书公司供图

1940年被德军占领。1944年6月7日是第一个被盟军解放的城镇。戴高乐6月14日回到法国时第一个接待他的也是这个城镇。有一条半现代半中世纪街道环绕着城镇。11～14世纪所建的主教宫,现辟为市政厅、法院和美术馆。主教宫展览厅里展有反映诺曼人征服英国的著名挂毯。以乳制食品加工、制造业、金融服务业和旅游业为主。人口14 961(1999)。

Bayeux Tapestry **巴约挂毯** 中世纪刺绣工艺品,描绘1066年诺曼征服英格兰,既是精湛的艺术作品,又是宝贵的11世纪史料。这条挂毯是一亚麻布横幅,长70米,宽49.5厘米。现因年久成浅棕色,上面用8种颜色的绒线绣出诺曼征服的70多个图景。故事从哈罗德去诺曼底(1064?)途中访问博尚的序幕开始,到哈罗德统率的英军从黑斯廷斯溃逃(1066-10)结束。原来可能下边还有一些场景,但横幅末端已经破坏,上下均有装饰性镶边,一通到底;镶边上有动物图像,伊索和费德鲁斯寓言的故事,种田和打猎的情景,偶尔也有与主画面故事有关的场面。此挂毯经过一再复原,修补品的某些细部真伪莫辨。这一挂毯于1476年开始有史可征,法国巴约大教堂每年一次用它装饰中堂。法国古物收藏家和学者蒙福孔在那里"发现"了它,并在1730年出版了最早的完全复制件。法国大革命期间曾两度险遭破坏。1803～1804年依照拿破仑的意愿在巴黎展览。此后,除1871年(普法战争期间)和1939年9月至1945年3月(第二次世界大战期间)外,一直由巴约市政当局保管。蒙福孔在巴约得知一种传说,其历史大概不足百年,据说挂毯是威廉一世(征服者)的妻子马蒂尔达令人绣制的,但把此作品与她联系起来别无旁证。很可能是威廉的异母兄弟、巴约主教奥多委托人制作的。在挂毯靠后的一些场面中,奥多是个重要角色。挂毯上标出姓名的人物极少,而其中3个不知为何许人的男子的姓名已知与奥多有关。由此推定,这一作品的完成时间不迟于1092年前后,这是

巴约挂毯
美国不列颠百科全书公司供图

现在普遍接受的一个比较确切日期。这一挂毯与11世纪英格兰其他作品有一些相似之处，虽然没有确证它是英格兰的产品，但它来源于此邦已有间接的论据。这一挂毯作为艺术品来讲有较大的价值。对于诺曼征服的历史，特别是对于1066年以前哈罗德与威廉的关系，它也是重要的资料。尽管有几处费解，但对事件的描绘似乎坦直可信。装饰性镶边对于研究中世纪的寓言很有用处。除军事装备和战术外，这一挂毯所提供的约1100年日常生活的知识并不重要。

Bayezid　巴耶塞特　又作 Bāyazīd，奥斯曼苏丹之名。按年代顺序分列于后，并各以●为标记。

● **Bayezid I　巴耶塞特一世**（约1360～1403-03，奥斯曼帝国阿克谢希尔）　又称伊勒迪里姆。奥斯曼苏丹（1389～1402）。他创建中央集权的奥斯曼国家，以传统的土耳其穆斯林制度为基础，强调要在安纳托利亚扩大帝国的疆土。即位后不久，就派兵征服巴尔干半岛的广大领土。1393年占领现属保加利亚的特尔诺瓦，1394年攻克萨洛尼卡，1395年侵入匈牙利。1396年当匈牙利人和威尼斯人组成反对奥斯曼的十字军时，他在尼科波利斯给予毁灭性的打击。他兼并安纳托利亚的许多土库曼酋长国（1397）。这引起与横霸中亚的帖木儿的冲突。1402年在安卡拉附近的丘布科瓦西被帖木儿击败，成为阶下囚，怏怏死去。

● **Bayezid II　巴耶塞特二世**（约1447-12或1448-01?，奥斯曼帝国色雷斯德姆提卡～1512-05-26，德姆提卡）　奥斯曼帝国的苏丹（1481～1512）。他巩固了奥斯曼帝国在巴尔干、安纳托利亚和地中海东岸的统治，并且成功地对抗了波斯萨菲王朝。穆罕默德二世之子。1481年父王死后，巴耶塞特的弟弟杰姆争夺继承权。但是，在有力的朝臣支持下，巴耶塞特取得了王位。他即位后，一反父王的政策，把穆斯林献给宗教和慈善事业的财产一概归还原主。为了反对前代的亲欧倾向，他叫人把意大利画家为穆罕默德所绘的画像从宫中摘除。在另一方面，他继续进行父王所开始的开疆保土事业。1483年奥斯曼帝国直接控制巴尔干地区的黑塞哥维那。1484年占领多瑙河口要塞和德涅斯特河口要

美国不列颠百科全书公司供图

塞，加强奥斯曼帝国对通往克里米亚的陆路的控制。在1499～1503年对威尼斯的战争中，奥斯曼帝国征服威尼斯在摩里亚（伯罗奔尼撒）半岛和亚得里亚海岸的要塞，这表明巴耶塞特在战前批准建设海军的正确性。巴耶塞特由于把势力范围扩展到小亚细亚的大部地区，就不得不同埃及和叙利亚两国发生冲突。双方都竭力控制交界的地带和羁縻缓冲的小国。这场旷日持久的争夺战最后陷入僵局。当时，小亚细亚以东地区的局势更是咄咄逼人。1499年伊斯兰教的一个派别在波斯建立了由伊斯梅尔一世领导的强大政权，1511年伊斯梅尔的追随者又在小亚细亚起兵反抗奥斯曼帝国。与此同时，巴耶塞特的两个儿子为争夺继承权而发生内讧。任特拉布宗省督的儿子谢里姆前往克里米亚，在鞑靼汗的支持下，跨过多瑙河，进入巴尔干地区。另一个儿子艾哈迈德控制了小亚细亚的大部分地区。巴耶塞特担心艾哈迈德可能寻求伊斯梅尔的支援，便把谢里姆从克里米亚召回，1512年4月让位于他。巴耶塞特二世是个虔诚的穆斯林，在位时期以大部分岁入用于建设清真寺、经学院、医院和桥梁。他支持奥斯曼境内外的法官、学者和诗人，还对哲学和宇宙学研究感兴趣。

Bayinnaung　莽应龙（活动时期16世纪晚期）　缅甸东吁王朝国王（1551～1581），他统一国家，征服掸族诸邦及暹罗，使缅甸成为东南亚最强大的国家。1550年下缅甸的孟族发生叛乱，他乘机进军东吁，自立为王。然后挥师南下，夺取勃固城，定为首都。1554年向占领缅甸古都阿瓦的掸族首领发动进攻。翌年夺取阿瓦。1564年攻占暹罗首都大城，把暹罗王室带到缅甸作为人质。1568年再次侵入暹罗，但遭暹军顽强抵抗，至1569年8月占领大城，把成千上万的暹罗人带回缅甸当奴隶。缅甸人统治暹罗达15年以上，后被暹罗王子纳腊宣领导的民族解放运动驱逐。莽应龙信奉佛教，曾修建许多佛塔，向寺庙捐赠巨款，并与佛教王国锡兰保持外交关系。

Baykalskoye Ozero（Siberia）　参阅 **Baikal, Lake** 贝加尔湖。

Bayle, Pierre　培尔（1647-11-18，法国卡拉勒孔特～1706-12-28，荷兰鹿特丹）　哲学家。他的《历史与批判辞典》受到鹿特丹的法国新教和法国天主教教会的严厉谴责，因该书中的许多注释有意地破坏正统基督教的信仰。出身于加尔文派牧师家庭，1669年曾短期信奉过天主教。当过家庭教师，后在色当的新教学院教哲学（1675～1681）。1681年迁居鹿特丹，教授哲学和历史。1682年匿名发表有关1680年彗星的看法，嘲笑认为彗星预示灾难的迷信。还对许多基督教传统提出疑问，激起一位加尔文派的同事P.朱里厄的愤怒。培尔请求在宗教上（甚至对无神论者）采取宽容态度，因而使朱里厄终于确信他是一个伪装的无神论者。当培尔主张对路易十四的反加尔文派政府采取和解态度时，两人即完全决裂。1693年他失去鹿特丹的教授职位。即倾全力于编辑其著名的辞典（1697），该书表面上是L.莫勒里辞典的补编，实际上是一部具有很大创造性的著作。在这部百科辞典式的著作里，有关宗教、哲学和历史的条目本身只扼要的说明。辞典的主要部分

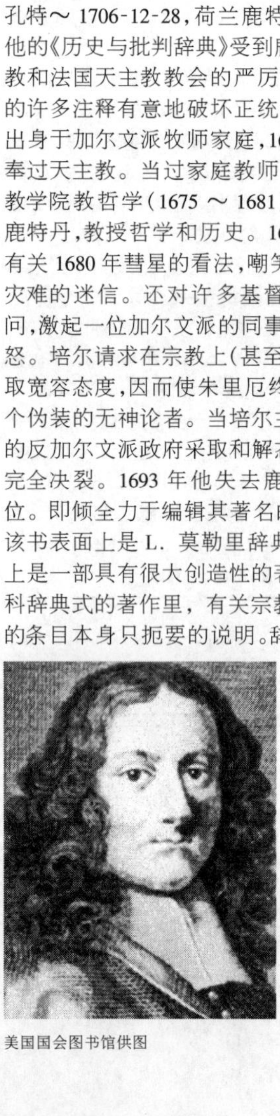

美国国会图书馆供图

是引语、轶事、注释，而条目中不论什么正统的东西都被渊博的注解巧妙地驳得体无完肤。因此，辞典引起了激烈的反对，特别关于《大卫》一条和袒护皮朗的（激进的）怀疑主义、无神论和伊壁鸠鲁主义的偏见以及引用圣经介绍不体面的东西等都引起了反对。这种间接的批判方法为 18 世纪百科全书派所采用。培尔深信哲学的推理会导致全面的怀疑主义，但人的本性却迫使人们接受盲目的信仰，这是 18 世纪初期极为流行的一种看法。

Baylebridge, William　贝尔布里奇（1883-12-12，澳大利亚昆士兰布里斯班～1942-05-07，悉尼）　原名查理·威廉·布洛克西奇。澳大利亚诗人、短篇小说家。拍卖商人之子。曾在布里斯班求学，25 岁去英国，发表第 1 本诗集《南方之歌》（1908）。曾到法国和埃及旅行。1919 年回澳大利亚，自费出版了 20 多部印数有限的诗集和小册子。最著名的诗集是《赎回的爱》（1934）和《这个生气勃勃的躯体》（1939）；描写第一次世界大战的优秀短篇小说编入《澳新军团文集》（1921）。

Baylis, Lilian Mary　贝利斯（1874-05-09，伦敦～1937-11-25，伦敦）　英国剧场女经理，作为莎士比亚戏剧演出中心的伦敦老维克剧院的创办人。早年受音乐教育，作为神童出现

美国不列颠百科全书公司供图

在伦敦。1890 年随其同为歌唱演员的双亲去南非。1898 年返回伦敦，协助其姑母经营皇家维多利亚咖啡音乐厅，1912 年完全掌握管理权，创办了老维克剧院的前身。1931 年接管韦尔斯剧院，使其成为歌剧和芭蕾舞演出中心，该剧院的剧团在 1956 年改为皇家芭蕾舞团。1929 年，被授予最低一级勋位。

Bayliss, Sir William Maddock　贝利斯（1860-05-02，英格兰斯塔福德郡伍尔弗汉普顿～1924-08-27，伦敦）　英国生理学家。与 E. 斯塔林共同发现激素；他又在生理学、生物化学和物理化学的主要领域内进行开创性的研究。曾于伦敦的大学学院及牛津大学沃德姆学院学习。1888 年，他在伦敦的大学学院任教后，即与斯塔林开始长期而有益的合作。1912～1924 年任该校普通生理学教授。19 世纪 90 年代他们对血管收缩和舒张的神经调节进行研究，发明一种改进的血压计。以后又观察肠道运动，发现蠕动波。他们最著名的成就是：1902 年测定刺激胰液分泌的化学物质，首次阐明激素的作用。他们在麻醉狗身上进行的著名实验证明，稀盐酸与未完全消化的食物混合，可激活十二指肠上皮细胞中的一种化学物质，这种被激活的物质释放入血，运送至胰腺，刺激胰液分泌入肠。他们称这种被激活的物质为促胰液素，并创激素一词以描述这类特殊的能刺激远隔部位器官的化学物质。贝利斯在以后的研究中，阐述胰蛋白酶如何由小肠中无活性的胰蛋白酶原形成，并精确地测定了胰蛋白酶溶液消化一定量的蛋白质所需的时间。第一次世界大战时期贝利斯研究创伤性休克，推荐使用胶质盐水注射液，挽救了许多人的生命。著有《酶作用的性质》（1908）及《血管-运动系统》（1923）等，以《普通生理学原理》（1915）为最著名，该书被认为是当时生理学的最佳教材。

Baylor, Elgin　贝勒（1934-09-16，华盛顿[哥伦比亚特区]～　）　美国职业篮球运动员。身高 6 英尺 5 英寸，被认为是最优秀的前锋之一。1958 年参加全国篮球协会明尼阿波利斯（后来是洛杉矶）湖人队，在该队服役一直到 1971 年退休。在他 14 年的运动生涯中，他平均每场比赛获 27.4 分，在 1961～1962 年赛季更达 38.2 分。在 1960 年一场比赛中得 71 分，创全国篮球协会纪录。1976 年人选篮球名人堂。

Baynes, Thomas Spencer　贝恩斯（1823-03-24，英格兰萨默塞特惠灵顿～1887-05-31，伦敦）　英国文人。《不列颠百科全书》第 9 版第 1～11 卷的编辑，以后与 W. R. 史密斯合作继续此项工作。他的编辑计划大胆并富于创新，充分运用自己的学者声誉邀请名家撰写条目。他本人曾亲自撰写百科全书中的"莎士比亚"条目。

bayonet　刺刀　装在枪口的锋利短刀，有时为尖刀。17 世纪初根据法国巴约讷刀的传统样式制成。刺刀最初为 1 英尺长的双刃直刀，配有等长木把，可插入滑膛枪枪口内。因其比旧式冷兵器短，遂取代长矛而流行全欧。最早的插塞式刺刀有严重缺点，如一旦插入枪口，就不能射击；若插得过紧，则不易拔出。1689 年以前还出现过套箍式刺刀，利用刺刀柄上的活动套箍连接在枪口上。1688 年法国军事工程师德·沃邦发明套管式刺刀，取代前者，装备法军。此刀通常为三棱形断面，套管与枪管滑动配合，枪管上的驻栓卡入套管的直角槽内，使刺刀固定在枪口外侧。19 世纪

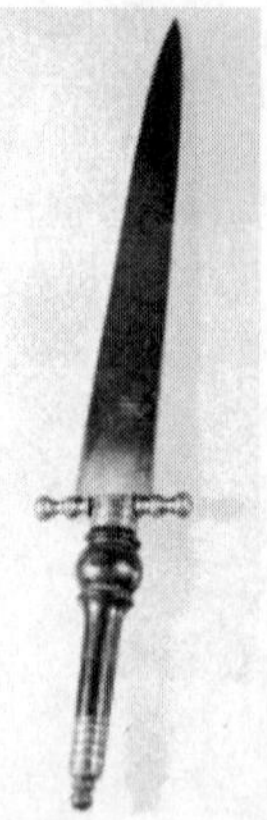

17 世纪的插塞式刺刀
美国不列颠百科全书公司供图

时，一些刺刀有锯齿，可用作工具；另有一些刺刀可用来掘壕。连发式武器出现后，刺刀的战斗作用降低。但两次世界大战中军队仍配用刺刀，不过刀形更短，有多种用途，带手柄，从枪上取下后可装入刀鞘携带。

Bayonne　巴约讷　法国西南部阿基坦大区大西洋岸比利牛斯省城镇。在尼夫和阿杜尔河汇合处，距河口 8 千米。与大西洋海滨胜地比亚里茨形成城市集中区。大巴约讷位于

尼夫河畔的巴约讷镇及其圣母大教堂
美国不列颠百科全书公司供图

尼夫河左岸，有旧城堡和 13～16 世纪建圣母大教堂（带两座 19 世纪建 64 米高塔楼）。河对岸小巴约讷有新城堡、兵工厂和巴斯克博物馆。阿杜尔河右岸有港口和工业区。以高质量的盐、火腿和巧克力而闻名。港口的许多活动都与当地农产品的出口有关，特别是玉米、硫磺产品。也有冶金业、电子工业和电信业。是行政和商业中心。古老的城镇和历史建筑使巴约讷成为一个旅游中心。人口 40 078（1999）。

Bayonne　贝永　美国新泽西州东北部哈得孙县城市。位于纽瓦克与上纽约湾之间的一个 5 千米长的半岛上，邻泽西城，在纽约和新泽西港务局的辖界内。借跨基尔范克尔海峡的桥与南面的斯塔腾岛相连。1646 年建居民点。1869 年设市。1875 年以来一直是炼油中心及几个输油管道系统的北部终点。有机器、纺织及化学制品等工业。设有宽敞的船坞、修船厂及美军海洋运输总站。人口 61 842（2000）。

bayram（Islām）　**拜朗姆**　参阅'īd 尔德。

Bayreuth　拜罗伊特　德国中东部巴伐利亚州城市。濒临罗特美因河，位于纽伦堡北面，

菲希特尔山和弗兰克侏罗山之间。1194年首见记载。在安第克斯-梅兰伯爵城堡附近发展起来。总督腓特烈及其妻威廉明娜统治时期建起王宫、歌剧院和隐修院。1791年割让

拜罗伊特市的王宫庭院
中国大百科全书出版社供图

给普鲁士。1810年属巴伐利亚。该城尤以作曲家R.瓦格纳1872年到此定居而闻名。1872年开始建假日歌剧院,1876年为庆祝落成开幕,首次演出了瓦格纳的歌剧《尼贝龙根的指环》。作曲家的旧居也保留下来。作曲家F.李斯特、作家J.P.F.里希特均葬在此地。每年7～8月间音乐节为本地重要收入来源。建有拜罗伊特大学(1975)。埃朗根-纽伦堡大学的两个系也设在此。生产机械、纺织品、化工品、钢琴、陶瓷器和玻璃器皿。人口约74 818(2003)。

Bayrisches Meer (Germany) **拜恩湖** 参阅 **Chiemsee** 基姆湖。

Bayrūt 贝鲁特 黎巴嫩中西部一省。其边界几乎与省会贝鲁特市相同。西、北两面濒临地中海,面积67平方千米。范围包括黎巴嫩山麓的部分沿岸平原。原为中东地区的枢纽和国际都会,其显赫地位因黎巴嫩内战而受到破坏。现今,该省经济以贸易、金融和旅游业为主。除贝鲁特市外,比布鲁斯(朱拜勒)为主要城镇。人口约407 403(1996)。

Bayrūt (Lebanon) 参阅 **Beirut** 贝鲁特。

Baysān (Israel) 参阅 **Bet She'an** 贝特谢安。

Bayswater 贝斯沃特 伦敦威斯敏斯特帕丁顿区内居民区,位于埃奇韦尔路以西,肯辛顿花园和海德公园以北。贝斯沃特一名源于1380年始有记录的贝厄兹矿泉。此地原来多为乡村,与世隔绝。19世纪30年代开始在海德公园周围修建道路和住宅楼。此后不久开发北部和东部以远地区。著名街区有萨塞克斯、格洛斯特、康诺特和海德公园。作家、博物学家W.H.赫德森和社会学家、哲学家H.斯宾塞都曾在此居住。伦敦玩具和模型博物馆位于该区。

Bayt al-Muqaddas (Israel) 参阅 **Jerusalem** 耶路撒冷。

Bayt Laḥm (Israeli-occupied Jordan) 参阅 **Bethlehem** 伯利恒。

Bayt Mirsham, Tall (Jordan) **泰勒贝特米夏姆** 参阅 **Kiriath-sepher** 基列西弗。

Baytown 贝敦 美国得克萨斯州东南部哈里斯县城市。临加尔维斯顿湾,在休斯敦以东35千米处。1822年始有人定居,1948年设市。1864年南方联盟在古斯溪兴建造船厂。1916年发现石油。现有炼油厂、石油化工厂、合成橡胶厂和钢板轧制厂。所产石油经贝敦的休斯敦航道码头外运。1934年建李学院。人口66 430(2000)。

Bayun Kuangqu 白云矿区 中国内蒙古自治区包头市辖区。位于自治区西部,包白铁路终点。距包头市中心约150千米。面积303平方千米。以蕴藏铁和稀土矿为主的多金

白云矿区铁矿采矿场
中国大百科全书出版社供图

属共生矿驰名。1927年北京大学地质系助教丁道衡随外国考察团西行时发现该地蕴藏多金属共生矿。1949年后在山脚建立新镇。为包头钢铁联合企业的铁矿石和稀土资源基地。有主矿、东矿、西矿3个矿体,主矿和东矿富含稀土元素,其储量占全国储量的90%以上,占世界总储量的36%。铌氧化物储量居中国之首。公路通往百灵庙、包头等地。有蒙、汉等民族。人口约20 000(2005)。

Baza 巴萨 西班牙南部安达卢西亚自治区格拉纳达省城市。位于巴萨山麓,格拉纳达市东北。摩尔人征服前曾为主教驻地。后为格拉纳达王国主要城市之一。1489年被天主教徒斐迪南国王和伊莎贝拉王后收复。现生产水泥、陶器等。附近有矿泉。人口21 336(1999)。

bazaar 集市 原指波斯城镇中公共交易的场所。这一名称从波斯传到阿拉伯、土耳其和北非。在印度这个词曾表示单独一家商店;而在现代英语中,它既表示单独一家销售杂品的商店或市场,也表示出售杂物的集市。《一千零一夜》中传统的民间故事对这种古代伊斯兰国家人们所熟悉的集市有生动的描述。集市是城镇中引人注目的地方,太阳落山后不得入内,白天这里熙攘喧闹的景象和宁静的居住区形成鲜明对照。这种集市分成不同区域,出售同类商品的小贩集中在一起。在小城镇中,集市仅是一条布满货摊的狭窄街道。在伊斯坦布尔这样大的城市里,集市常达数英里之长。有些集市,如17世纪在伊朗的卡尚和伊斯法罕建造的集市,其建筑设计都达到了高度完美的程度。这些集市通常都有遮蔽物,用以抵御沙漠地带炎热的日照,有些用单一的顶篷,有些用许多拱形小圆顶或天篷。经过许多世纪,多数古老的集市都已逐渐现代化。20世纪90年代在互联网上出现了新型集市。所谓的互联网集市将世界上任何地方的买卖双方相联系,无需考虑双方所在地。典型的互联网集市按照主题、所售商品种类或参与者的兴趣进行组织。

摩洛哥马拉喀什市内的集市
美国不列颠百科全书公司供图

Bazaine, Achille (-François) 巴赞 (1811-02-13,法国凡尔赛～1888-09-28,马德里)法国元帅。在第二帝国时期曾建立功勋,但在普法战争中,由于1870年10月27日向德国投降,交出梅斯城与完整无损的14万军队而被判死刑。1833年授少尉衔。在任上校时,曾率领一个旅在克里米亚作战。1855年

美国不列颠百科全书公司供图

晋升少将，任塞瓦斯托波尔总督。在反对奥地利的法国-撒丁战争中，他于1859年6月24日攻克索尔费里诺。1863年被派往墨西哥，5月攻占普埃布拉，任法国远征军司令。1864年9月5月擢升元帅。1870年8月10日普法战争第一场大战结束后，巴赞立即被任命为法军总司令。法国在色当败北后，他与普鲁士宰相俾斯麦进行谈判，并向德国投降。因此，于1873年12月10日被军事法庭判处死刑。后经法国总统麦克马洪元帅核准，减为20年徒刑。1874年8月9日越狱，在流亡中死于贫困。

Bazalgette, Sir Joseph William 巴泽尔杰特（1819-03-28，英格兰米德尔塞克斯恩菲尔德～1891-03-15，伦敦） 土木工程师，设计了伦敦的主排水系统。在北爱尔兰参加排水和开垦工程后，1842年在威斯敏斯特任顾问工程师。7年后参加伦敦市下水道委员会，1852年任总工程师，1855年任首都工程局总工程师。伦敦排水系统工程于1859年动工，这个包括83英里截流污水管的系统在1865年开始使用，到1875年全部竣工。巴泽尔杰特修建的其他工程有维多利亚堤坝、艾伯特堤坝（1860～1870）和切尔西堤坝（1871～1874）、诺森伯兰林荫道（1876）、帕特尼和巴特西的新建大桥，以及伍利奇轮船渡口。1874年受封为爵士，曾任土木工程师学会会长（1883～1884）。

Bazargan, Mehdi 巴扎尔甘（1907? -09，伊朗德黑兰～1995-01-20，瑞士苏黎世） 又拼Mahdī Bāzargān。伊朗教育家和政治人物，1979年出任伊朗伊斯兰共和国第一任总理，因未能阻挡以霍梅尼为首的狂热极端主义浪潮，在任仅9个月即辞职。阿塞拜疆商人之子，就读于巴黎中央工艺与制造学院，攻读热力与工程学。回国后在德黑兰大学讲授工程学，后出任工学院院长。他支持摩萨台首相，受命在其政府中主管刚刚国有化的石油工业。摩萨台权力逐渐膨胀，终于迫使国王巴列维于1953年短期逃亡国外。但那年晚些时候一场由美国中央情报局支持的政变又将摩萨台赶下台。这一插曲导致巴扎尔甘几次被捕入狱，但他继续进行反对君主制的活动，联合发起成立反对党民族抵抗运动（1953）和伊朗民族解放运动（1961）。1979年伊朗革命期间霍梅尼取代伊朗国王之后，任命巴扎尔甘领导临时政府。然而巴扎尔甘抱怨权力过小。当霍梅尼支持占领美国大使馆并扣留50多名美国外交官和雇员时，他即于1979年11月6日辞职。次年，当选议会议员，为伊朗民族解放运动议员团的领袖。他的党抵制了1984年的议会选举，因此宪法监护委员会拒绝了他1985年竞选总统的要求。

Bazaruto Island 巴扎鲁托岛 葡萄牙语作Ilha do Bazaruto。莫桑比克岛屿。位于印度洋莫桑比克海峡内，距海岸城镇伊尼亚索罗约24千米，在贝拉港西南209千米。巴扎鲁托岛在1975年莫桑比克独立之前，是非洲最重要的捕钓中心之一。近海水域渔业发达，生产鱼虾，供大量出口。

Bazille, Jean-Frédéric 巴齐耶（1841-12-06，法国蒙彼利埃～1870-11-28，博讷拉罗朗德） 法国画家。在印象派形成时期起过重要作用。在巴黎求学时曾结识莫奈和雷诺阿，一

巴齐耶绘《家庭团聚》（1868）
美国不列颠百科全书公司供图

起工作，旅行，作画。参加过1866和1868年的画家作品展览会，其中油画《家庭团聚》（巴黎罗浮宫藏）比较成功。巴齐耶是一个擅长把质朴与对自然的灵感及雅致的色调结合起来的画家，其风景画中的人物具有轮廓清晰的特点。死于普法战争中。

Bazin, Henri-Émile 巴赞（1829-01-10，法国南锡～1917-02-07，第戎） 法国工程师，桥梁公路部队成员，对水力学和流体力学的贡献中包括对明渠内水流的经典性研究。他是著名的水利工程师H.-P.-G.达西（1803～1858）的助手，达西死后，他完成了达西明渠内水流阻力试验的计划，所得结果于1865年发表，随后转向研究波传播和液体经流孔时的收缩问题。1854年领导扩建勃艮第运河，以便商业航行。1867年提出利用水泵疏浚河道，从而建造了第一艘吸泥船。1875年任桥梁公路部队总工程师，负责主管勃艮第运河系统。1886年任总监，1900年退休，1913年被选入法国科学院。

Bazin, Hervé 巴赞（1911-04-17，法国昂热～1996-02-17，昂热） 原名让-皮埃尔-马里·埃尔韦-巴赞。法国诗人、小说家。天主教传统主义小说家R.巴赞的侄孙。他给第二

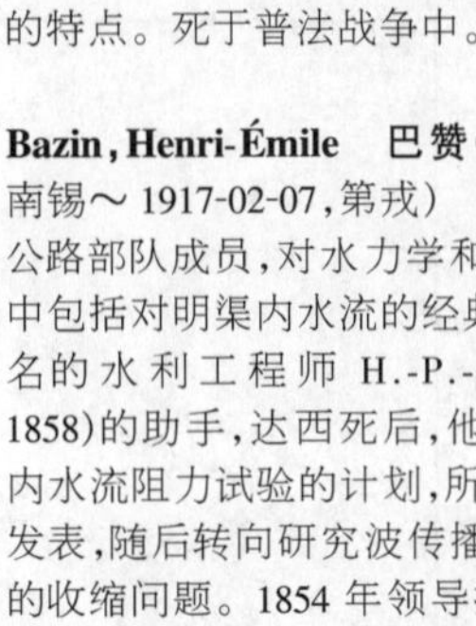

美国不列颠百科全书公司供图

次世界大战后法国小说的自然主义流派带来了生机。曾受过扎实的学院式教育，在经历了多年家庭纠纷和经济事业上的挫折之后，终于在1948年以自传体小说《就擒之蛇》蜚声文坛。他对家庭、教会和母道的无情攻击，在许多法国人看来简直就是亵渎神明。以谴责刑法制度和作为刑法制度基础的整个法律制度为主题的小说《碰壁》（1949）和第二部自传体小说《小马之死》（1950）进一步表现了这一叛逆思想。在清除了年轻时代附身的邪魔之后，巴赞的思想发生了极大转变，俨然成为一个道德家。他发现了父爱（《为了儿子》，1960），发现了坚强的精神力量（《站起来，向前走！》，1952，《康斯坦茨》，1955），也发现了夫妻间应尽的职责（《婚姻生活》，1967）。后期作品有《X太太》（1975）、《一场火吞噬了另一场火》（1978），两部诗集《特征》（1976）和《我的信仰》（1977）。1957年获摩纳哥文学大奖。

Bazin, René(-François-Nicolas-Marie) 巴赞（1853-12-26，法国昂热～1932-07-20，巴黎） 有影响的专写外省生活的法国小说家。思想上带有浓厚的传统意识，其作品以简练而优美的风格表现了作者对大自然、朴素的美德和劳动，特别是田间劳动的热爱。巴赞曾在巴黎和昂热两地读书，后任昂热的公教大学法律教授，始终未曾脱离家乡的人民和家乡的山水。早期作品表现的农民生活过于理想化，自1893年起游历西班牙和意大利后，开始对广泛的农民生活题材产生深刻认识，这反映在他后来更有分量的作品之中。《死去的土地》（1899）通过一个旺代省农民家庭中的青年人纷纷逃离贫瘠的土地到城市或美国去寻找出路的故事，深刻地分析了农村人口外流的问题。《奥贝莱一家》（1901）是一部有关德国人在阿尔萨斯、洛林两省实行日耳曼化的小说，写奥贝莱一家人由于在忠于祖国的问题上发生分歧而导致的家庭纠纷。《多纳西安娜》（1903）讲述一对布列塔尼年轻夫妇的命运：多纳西安娜，一个年轻的母亲，为饥寒所迫，不得不进城当女仆，最后在腐朽的城市生活中堕落。年轻的丈夫在失掉土地后，带着孩子四处流浪，过着季节工人的悲惨生活。多年后，堕落的多纳西安娜重新与丈夫和孩子团聚，再次担负起一个农民妻子应尽的义务。虽然巴赞的作品今日看来是陈旧过时的，但在当时他毕竟是有影响的传统主义者，并且是法国天主教作家中可敬的一员，

这些作家当中包括了M.巴雷斯、G.贝尔纳诺斯和F.莫里亚克等人。

Baziotes, William　巴齐奥特（1912-06-11，美国宾夕法尼亚匹兹堡～1963-06-04，纽约州纽约）　美国画家，纽约抽象表现派代表人物之一。曾在纽约全国设计学会学习绘画

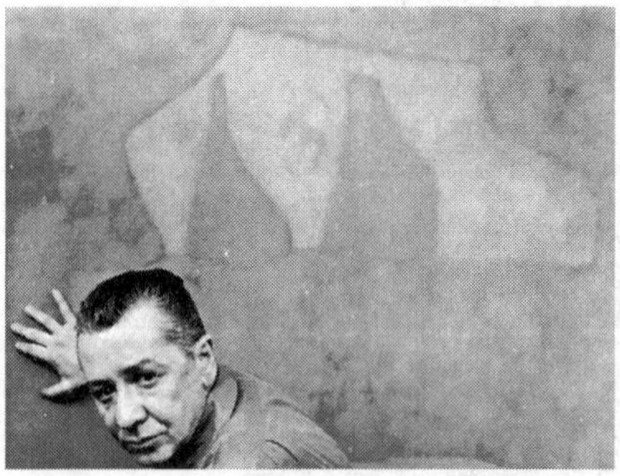

美国不列颠百科全书公司供图

（1933～1936），后担任教师直到1941年。40年代后期，与R.马瑟韦尔、B.纽曼和M.罗思科在纽约创建"艺术家主题"画派，举办研讨会，讲座，产生了很大影响。其作品在强调结构方面受立体派的影响；在表达潜意识手法方面则受超现实主义的影响。

Bazna, Elyesa　巴兹纳　参阅 **Cicero 西塞罗**。

bazooka　巴祖卡火箭筒　第二次世界大战中美国陆军使用的肩射火箭发射器。这种武器包括一个滑膛钢筒，最初有1.5米长，两端开口，装有握把、肩托、击发机构和瞄准具。正式名称为M9A1火箭发射器，因为它的形状就像广播喜剧演员B.伯恩斯用的一种称为巴祖卡的原始乐器，故称为巴祖卡。巴祖卡火箭筒主要用于在近距离上突击坦克和坚固阵地。它发射1枚直径60毫米、长483毫米、重1.6千克的火箭，内装225克喷特莱特烈性炸药，能击穿厚127毫米的装甲。为了避免后喷火焰的影响，发射手将巴祖卡火箭筒置于肩上，发射筒约有一半伸出身后。朝鲜战争期间，美军使用过M20"超级巴祖卡"火箭筒，这是一种能发射1枚89毫米、4千克重，携带0.9千克黑索今/梯恩梯（RDX/TNT）混合炸药的火箭弹的铝筒。这两种火箭筒的缺点是笨重和太长，而有效射程短（约110米）。因此，越南战争初期，美国陆军淘汰了巴祖卡火箭筒，开始使用轻型反坦克武器（LAW），如M72，这是一种单发便携式武器，全重为2.3千克，在320米距离发射，命中率相当高。

Bazzāz, ʿAbd al-Raḥmān　巴扎兹（1913，奥斯曼帝国[今伊拉克]巴格达～1973-06-28，巴格达）　伊拉克政治家。1955～1956年巴格达法学院院长。1958年推翻费萨尔二世后任上诉法院院长。1960年因与总理卡西姆发生冲突被短期监禁，后退职前往开罗。1963年政变，卡西姆被杀，巴扎兹回到伊拉克从事外交。第二年任石油输出国组织秘书长。1965年任总理至1966年总统阿里夫因直升机失事去世。他坚决支持阿拉伯民族主义、民主和法治。任职期间得罪了许多军方和部族的人物，被迫离职，后被捕。1969年复兴社会党宣称他与另外19人犯有阴谋推翻政府罪，但1970年获释。

Bazzi, Giovanni Antonio　巴齐　参阅 **Sodoma, Il 索多马**。

BBC　参阅 **British Broadcasting Corporation 英国广播公司**。

BCG vaccine　卡介苗　由减毒结核杆菌菌株——卡尔梅特-介兰二氏杆菌（*Bacillus Calmette-Guérin*）制成的结核菌苗。能保护护士、医生及生活于高结核病发病率国家的人们免受感染。在结核病已不多见的西欧许多地区及北美已很少应用。

BCS theory　BCS理论　1957年美国J.巴丁、L.N.库珀、J.R.施里弗三人为解释超导材料的性状而创立的一种综合性理论（BCS就由他们姓氏的首字母构成）。当超导体被冷却到接近于绝对零度时，对电流的全部阻力就突然消失。库珀发现，超导体中的电子都集结成对，今称库珀对。单超导体中的全部库珀对的运动都是相关的，它们形成一个电子系统，像一个统一体那样起作用。对超导体加上电压，就会使库珀对全部动起来，形成电流。电压去掉后，因为库珀对没有遇到任何阻碍，所以电流无限期地流下去。要使电流中断，就要使所有库珀对同时停下来，这是不大可能出现的情况。当超导体变热时，它的库珀对就分离成单个电子，材料就回复到正常态，或非超导态。BCS理论还可以解释超导体的许多其他方面的性状。利用该理论提供的方法，使库珀对分离为单个电子所需要的能量便可以从实验上加以测定；它还可以解释同位素效应，即如果所用超导材料是由元素的较重同位素构成，则出现超导性的温度就要再降低。

BD　《波恩星表》　BD是《波恩星表》（**Bonner Durchmusterung**）的缩写。

be　部　日本早期（约5～7世纪中叶）的世袭职业集团。部这种组织大多数是农业单位，有些部则从事手工业、渔业或者为皇室服务。公元645年大化革新后取消部的组织。仅保留一些诸如乐师、工匠等具有特殊技艺的人员，他们从为皇室服务转向为政府的各部门服务。

beach　海滩　沿海岸（或湖岸）堆积的沉积物，其形态和轮廓取决于海岸作用过程、所含沉积物的种类和沉积物运移速度。海滩有3种类型：①邻接岩石悬崖海岸产生的沉积带；②海洋或河流堆积平原的外缘（开放型海滩）；③沙坝、潟湖海滩。很特殊，它由狭长的沉积物沙坝组成，沙坝平行于海岸总的方向，延伸数十乃至数百千米。这些沙坝把潟湖与开阔外海分开，一般也被潮流通道所分割。某些沉积前沿地，如沙嘴、岬角、连岛沙洲也通称为海滩。

海滩上限位于大风暴时最高潮位海水能冲刷到的地方。海滩的下边缘在水面以下，它只能这样来确定，就是看在沉积层与岩石质阶地的裸露表面之间是否存在确切的边界。如果沉积覆盖层延伸到深水里，那么，海滩最下限就被定在水面之下最强波浪不能使泥沙分选和运动的地方，此处的水深约为1/3波长或10倍波高。

海滩剖面的变化很大，其形状和大小取决于很多因素，如波浪参数、潮位高度及沉积物的组成和分布等。但是，以下这些剖面要素是普遍存在的。高潮位以上是海滩阶地，也许会有许多滩脊或以前的风暴潮形成的滩肩。这阶地表面向海倾斜。向下是较陡的前沿海滩坡或海滩面，其下可发育低潮阶地。如果海潮足够高（超过2米），在砂质丰富和海底较浅的地区，前沿海滩坡宽度可超过1千米。在一些地区，如果近海岸带较深，低潮阶地就以另一个倾斜坡面而终止。最后就是沿砂质海岸分布的一个或数个互相平行的海底沙坝，其间存在着插入的沙沟。砂质海滩表面常有一些微地形，包括沙波纹、冲刷沟和滩角（位于海滩边缘向海凹入）。

假如已建立起对海岸线来说是正常的强烈波浪系统，水下沙洲就会分裂开并转化成凸向海方的新月形地貌。这些地形形态反映出具有垂向轴的水下漩涡的存在，这漩涡是由于水的涨落而形成的。水流经常是以线状激流的形式进行。这些激流可以强到使在水下斜坡上侵蚀出深深的沟。

在许多国家，风的作用强烈影响着海滩的动态。海滩暴露在海风中，通常风把沙吹

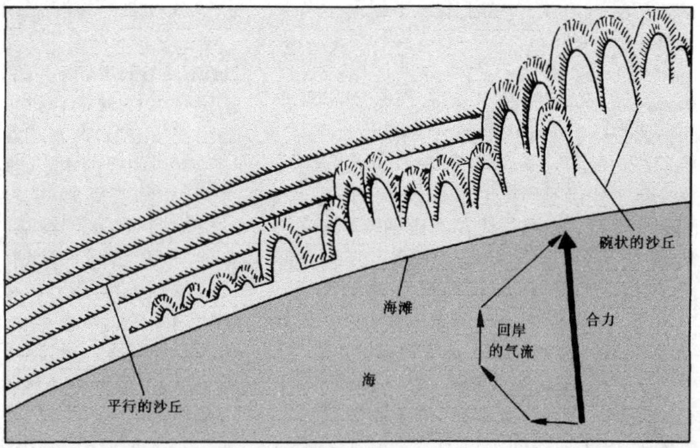

海滩后的前沿海岸沙丘、抛物线形海岸沙丘及向岸海风的综合方向示意图

到海滩后部形成小沙丘，当这些小沙丘联在一起时，就形成岸前沙丘，如果海滩在前方有充分沙子供应，则形成几行沙丘。当沙量供应充足时，沙丘向邻近的低处平原移动并覆没肥沃的土地、树林及建筑物。

如果砂子不再被送到发育了沙丘的地区，在平行于海岸的岭脊中就会出现间隔。在这样的地带，会造成顶端凸向海岸一方的抛物线形沙丘。在长期的稳定之后，抛物线形沙丘的顶部可能被风所破坏，逐渐形成一系列平行于主要风向的砂岭脊。

在中纬度地区，海滩砂主要由石英、一些长石和百分比很小的重矿物组成。但是，在热带，由海洋生物遗体和沉积物颗粒（例如鲕石）组成的钙质海滩是分布广泛的。

有时，海滩的基底层被由地下水中沉淀出的碳酸钙所胶结；如果淡水从海滩后面的沼泽渗透到海滩里，通常会产生这样的结果。如果海滩遭到侵蚀并因此而后退，则已胶结的岩层就暴露出来，这种岩石称为海滩岩，在热带和地中海、黑海、里海沿岸分布很广。

海滩的实际意义不限于保护海岸和作为娱乐场所的功能。近岸海浪和海流的分选机制决定了重矿物（比重大于2.7的矿物）的富集。在任何一个砂质海滩，都有可以看得见的薄薄的暗色砂层。一些重矿物含有有价值的金属，如钛、锆、锗、锡、铀和金。在很多地方，富集程度大得具有工业意义，在印度、巴西、日本、澳大利亚、俄罗斯和美国阿拉斯加，砂矿床已在开采。重矿物精矿也用挖泥船从海水下开采。

Beach, Alfred Ely　比奇（1826-09-01，美国马萨诸塞斯普林菲尔德～1896-01-01，纽约州纽约）　美国出版家和发明家。他主办的杂志《科学的美国人》在促进19世纪的技术革新方面做出了显著的贡献，并成为19世纪世界上最有声望的科学杂志之一。比奇本人也发明了隧道铠框和气动输送管等。22岁时是纽约《太阳报》的发行人之一，然而，新杂志《科学的美国人》使他更感兴趣，于是他购买了该杂志，并在第一期上宣告该杂志将维护美国发明人的专利权。为了履行其诺言，在以后数十年中他每两周去华盛顿一次。1847年他申请第一个有关打字机的专利，几年后在纽约市1853年的水晶宫展览会上他展出了能打盲文的机器。比奇原拟将气动输送管作为城市商业区发送邮件的工具，但在19世纪60年代，他设想了一种气动地下道。1867年在纽约市展出了一条管道，管道内用大功率鼓风机驱动一辆10人客车来回运行。1868年获得特许建造直径4英尺的气动输送管以进行传送邮件的实验，他实际上在百老汇大街地下挖了直径8英尺、长300英尺的隧道。为了不因挖掘隧道妨碍街道交通，他不得不采取地下作业，因而发明了用水压机作动力的圆柱形隧道铠框，比J.H.格雷特黑德给伦敦塔地下道所造的隧道铠框还要早。实验时一台交替起抽风机和鼓风机作用的100马力机器，驱动隧道里的一部车辆来回运行。这次实验虽然很成功，但由于纽约市当局的反对、1873年的经济恐慌和电力牵引的出现，这个设计未被采用。到20世纪60年代，因有人建议制造远距离高速运输用的重力-真空列车才重新提出比奇的设计。

Beach, Amy Marcy　比奇（1867-09-05，美国新罕布什尔赫尼克～1944-12-27，纽约市）　母家姓Cheney。美国女钢琴家和作曲家。以《钢琴协奏曲》（1900）和《盖尔交响曲》闻名于世，后者是第一部美国女作曲家所写的交响曲。16岁成为职业钢琴手。作曲主要靠自学成才，是美国波士顿乐派唯一的女作曲家，受德国浪漫主义风格的影响很深。作有大量合唱作品、钢琴曲、歌曲，其中《唉！爱情，只不过一天》和《一年又春光》尤其流行。

Beach, Sir Michael Edward Hicks　比奇　参阅 **Hicks Beach, Sir Michael Edward, 9th Baronet** 希克斯·比奇准男爵（第九）。

Beach, Sylvia　比奇（1887-03-14，巴尔的摩～1962-10-05，巴黎）　美国女书商，在巴黎文学界居重要地位，尤以20世纪20年代为最。当时她的书店是各国旅法作家聚会的场所；也是法国作家们经常探讨美国文学的一个中心。她是长老会牧师的女儿。14岁时随在留法美国学生中任牧师的父亲来到巴黎，从此对法国产生终生不渝的热爱。1919年，在巴黎塞纳河左岸开设书店，名为"莎士比亚公司"，内设收费图书馆。她对文学事业最大的贡献大概算是她于1922年出版了乔伊斯的《尤利西斯》。此书曾因其赤裸裸的色情内容而被其他几家出版商所拒绝。她容许乔伊斯在清样上随意修改，并对不熟悉英语的排字工人亲自进行指导。她的书店在1941年关闭，她本人被德国占领当局囚禁了7个月。著有《莎士比亚公司》（1959）一书，叙述她的书店及文人墨客集会之盛况。

BeachBoys, the　海滩男孩　美国摇滚乐队。最初成员是B.威尔逊（1942年生）、D.威尔逊（1944-12-04～1983-12-28）、C.威尔逊（1946年生）、M.洛夫（1941年生）、A.贾丁（1942年生）。后来的重要成员包括D.马克斯（1948年生）和B.约翰斯顿（原名William Baldwin；1944年生）。威尔逊兄弟成长于洛杉矶郊区（霍桑区），父母鼓励他们探索音乐。1961年海滩男孩的第一首单曲《冲浪》在当时获得成功，致使1962年他们签下合约，成为国会唱片公司最早的摇滚乐手。随后的专辑《冲浪美国》、《冲浪女孩》、《宠物声》（1966）均很成功。在一次版税诉讼之后，他们离开国会唱片公司，1970年与华纳公司签约。1974年一曲《无尽的夏季》高居排行榜冠军。1985年推出优秀的专辑《海滩男孩》。1988年该乐队人选摇滚名人堂。1998年海滩男孩推出《无尽的和声》，选自受到好评的乐队电视纪录片。

beach flea　滩蚤　参阅 **sand flea** 沙蚤。

beach grass　滩草　又作marram grass，psamma或sand reed。又称沙茅草。早熟禾科沙茅草属（*Ammophila*）固沙植物。为表面粗糙的多年生禾草，高约1米，分布欧洲温带、北美和非洲北部的沙岸。美洲滩草（美洲沙茅草、短舌沙茅草，*A. breviligulata*）生长于大西洋沿岸和大湖区。欧洲滩草（欧洲沙茅草、沙地生沙茅草，*A. arenaria*）已引种到美国北部太平洋沿岸作为固沙植物。两个种均簇生，叶穗状并卷曲；花聚生，形成紧密的长筒状花束。坚韧的地下茎具鳞片，展长可达10～13米，能在沙丘上长出新的枝条。有些地方滩草受到法律保护。

美洲滩草（*A. breviligulata*）
美国不列颠百科全书公司供图

beach hopper　滩跳虾　参阅 **sand flea** 沙蚤。

Beach-la-Mar（language）　**洋泾浜**　参阅 **Melanesian Pidgin** 美拉尼西亚混杂语。

beach pea（*Lathyrus maritimus*, sometimes *L. japonicus*）　**海滨山黧豆**　豆科多年生蔓生植物，遍布北温带多沙石的沿海地区。茎长30～60厘米；叶互生，羽状复叶，小叶6～12枚；花淡紫蓝色，整个夏季开放；荚果长约3厘米，被毛。

海滨山黧豆（*Lathyrus maritimus*）
美国不列颠百科全书公司供图

Beachy Head　比奇角　在英格兰东萨塞克斯行政郡的英吉利海峡沿岸，在伊斯特本自治市内。属萨塞克斯历史郡。为南部丘陵向海的延伸部分，白垩岩壁高逾150米。因受西南大风吹蚀，形成7根岩柱；最后一根于1875年倒坍。

Beacon　比肯　美国纽约州东南部达奇斯县城市，地处哈得孙河东岸比肯山麓，在纽约市北93千米，有桥通纽堡。1913年由两个17世纪村庄马蒂万和菲什基尔-兰丁合并建市。比肯山现为游览胜地，有登山铁路（1901）可达西山嘴（高出河面469米）。1812年战争后开始工业化。现产服装、铝和橡胶制品、电扇等。位于比肯的布雷特夫人故居（1709）和位于菲什基尔的范怀克故居(1732)被辟为博物馆。人口13 808(2000)。

Beaconsfield 比肯斯菲尔德 澳大利亚塔斯马尼亚州北部城镇,在朗塞斯顿西北46千米。临塔马河。早年开始开采金矿。现亦开采铜、铅、锌矿。作为农业中心,出产苹果、乳品和牡蛎。1908年设镇。人口1 014(1996)。

Beaconsfield 比肯斯菲尔德 英格兰白金汉郡行政、历史郡南巴克(原比肯斯菲尔德)区的城镇。地处奇尔特恩丘陵。旧城主要大街两侧为18世纪的建筑,与新建伦敦雇员住宅形成对照。人口12 292(1991)。

Beaconsfield, Benjamin Disraeli, Earl of 比肯斯菲尔德伯爵 参阅 **Disraeli, Benjamin** 迪斯累里。

bead 穿孔挂饰 用玻璃、木料、金属、坚果、贝壳、甲壳、骨料、种子或类似材料穿孔连成的小饰物,通常呈圆形。在原始民族中,人们为了装饰的目的,也为了巫术的目的,而戴上穿孔挂饰;因此其形状和材料可以有所不同。在20世纪的阿拉伯国家中,单一蓝色的辟邪穿孔挂饰挂在家畜、儿童和新娘身上,甚至系在汽车上,以避开恶运。由于穿孔挂饰具有作为小商品和货币代用品的价值,它为研究古代贸易和文化模式提供了宝贵的资料。史前时期,穿孔挂饰不仅挂在颈部,还环绕在臂部,挂在两耳上,穿过鼻孔,甚至贴在睫毛上。在石器时代,最早的穿孔挂饰可能是植物种子;阿舍利时期,出现了钻孔海贝和小化石项圈,而从奥瑞纳时期和马格德林时期起,全部用穿孔的贝壳制成的项圈至今犹存,其中有些是从远方海运来的。用北极狐和小羚羊的犬齿乃至人齿穿孔制成的项圈也被发现了。一种用古代长毛象的象牙雕刻成的双叶式穿孔挂饰在西伯利亚旧石器时代的村落里常被发现。一种双斧式的骨制或石制穿孔挂饰在新石器时期颇为流行。石料、骨料和琥珀穿孔挂饰,在新石器时期后期,在斯堪的纳维亚相当普遍。最古老的埃及穿孔挂饰可追溯至公元前4000年左右,一般用石料制成,通常为皂石,上面涂有一层类似玻璃的釉料。其形状通常呈球形、琵琶桶形或圆盘形。公元前3000年初期,苏美尔和印度河流域有各种形状的黄金穿孔挂饰。到公元前2000年,使用一种酷似旱金莲种子的圆形穿孔挂饰。与此同时,克里特和爱琴海的米诺斯人和迈锡尼人发展了颇具独创性和十分美观的、形似水螅、百合花和莲花的黄金穿孔挂饰。青铜器时代晚期,在不透明玻璃制成的穿孔挂饰上,有用另一种颜色的玻璃压制成的小圈。这种曾传至英国和西欧的挂饰,不知发源何地,可能是地中海地区的居民制造的。北美和南美印第安人,普遍挂戴大量石制和壳制的穿孔挂饰。有些是秘鲁人制造的,也有阿兹台克人和印加人用翡翠和其他彩色石料精制而成的穿孔挂饰,形状如青蛙或人的头盖骨等。中世纪起,穿孔挂饰被广泛用来进行贸易和易货贸易。探险者们发现,穿孔挂饰作为礼物赠送给原始民族具有不可估量的价值。在整个历史发展中,穿孔挂饰作为个人饰物时断时续,随时尚而变化。

bead lightning 珠状闪电 又称链状闪电(chain lightning),一种长时间的闪电的形式,表现为一串发光段而不是连续的闪道。它很少发生,但被多次观测到。其成因还不清楚,但提出的解释有:部分闪道朝目击者或离目击者倾斜,因而显得更加光亮;雨或云使部分闪道变暗;截面半径大的闪道比半径小的冷却要慢。

Beadle, George Wells 比德尔(1903-10-22,美国内布拉斯加瓦胡～1989-06-09,加利福尼亚波莫纳) 美国遗传学家,诺贝尔奖获得者,芝加哥大学第6任校长(1960～1968)。

美国不列颠百科全书公司供图

由于确定酶的结构而发现基因对遗传的影响,从而帮助建立了生物化学遗传学。在康奈尔大学获遗传学博士学位(1931)后,到加利福尼亚理工学院摩尔根实验室研究果蝇,不久认识到基因会在化学上影响遗传性。1935年,与鲍里斯·埃弗吕西在巴黎理化生物学研究所工作时,设计了一套复杂的技术来测定果蝇体内这种化学效应的实质。实验结果表明,果蝇眼的颜色这一十分简单的性状,也是一长串化学反应的产物,而基因又以某种方式影响这些反应。1937年到斯坦福大学与E.塔特姆共同研究,发现可以改变链孢霉的整个环境,使研究者比较容易地查明和鉴定遗传的变化(或突变)。他们用X射线照射霉菌,并研究这样产生的突变体对营养要求有何改变。他们得出结论:每个基因决定着专一酶的结构,这个酶又促成一个化学反应("一个基因一个酶"概念)。他们因此与J.莱德伯格共获1958年诺贝尔生理学或医学奖。他们两人还写了划时代的论文《链孢霉属生物化学反应的遗传控制》(1941),概括了遗传学在研究微生物的生物化学方面的用途,从而开辟了意义深远的新的研究领域。他们的方法立即彻底改革了青霉素的制造工艺,并帮助领悟了许多生物化学过程。比德尔的主要著作是:《遗传学概论》(与A.H.斯特蒂文特合著,1939)、《遗传学与现代生物学》(1963)、《生命的语言》(与M.M.比德尔合著,1966)。

beadwork 珠饰品 用小珠子装饰的织物,珠子可分别钉缀,也可用线成串穿缀,或在纺织前先把珠子穿在纬线上再织入织物中。在古埃及、希腊和罗马用玻璃珠作装饰,巫师在宗教仪式中使用。中世纪时刺绣成为重要的艺术形式,珠子有时用于最精美的绣品中。文艺复兴时期,珍珠和珠子被缝缀于富室服装图案中。在英国伊丽莎白女王时代,钱包及其他小件物品常饰以金丝、珠子和米珠;

约1890年的珠饰品——阿拉帕霍人的珠饰贮物袋

美国科罗拉多丹佛美术馆供图

1651～1675年,英国盛行珠饰品,装潢精美的盒子、小图片和特制的篮子等,物品整个都用珠子装饰。17世纪和后来在意大利南部和西西里制造一种用金丝和大量珊瑚色的珠子制成的豪华装饰品。18世纪珠饰品一度在欧洲不受欢迎,但19世纪又流行起来。1800年后不久,用串穿珠子的棉线编织的钱包特别流行;在整个19世纪,手套、腰带、袜带、长统袜和阳伞套等大都饰有珠子;许多女装大量地用各种珠子装饰。珠饰服装曾断断续续地在20世纪流行。最原始和最早的美洲印第安人的珠饰品可能由骨头、贝壳或果核制成。北美洲和格陵兰的爱斯基摩人用珠子装饰小船、披肩和外衣。非洲普遍用珠饰品作庆典头饰、妇女外衣、面具、篮子和其他容器、玩偶以及各种其他物品的装饰。非洲人还用珠饰品传递信息,如祖鲁人用珠饰品作情书。大部分东南亚地区主要用珠子作为服装和武器上的装饰。婆罗洲珠饰品则与众不同,用于带有曲线动物图形的装饰品上,且大部分颜色为黑、黄、红。大洋洲的珠饰品比较简朴,除美拉尼西亚外,大多使用木材、贝壳等天然材料。

beagle 小猎兔狗 一种小型猎狗。作为宠物及用于狩猎。外貌似小型的猎狐狗。眼大、棕色,耳悬垂,被毛短,黑、棕和白色相间。

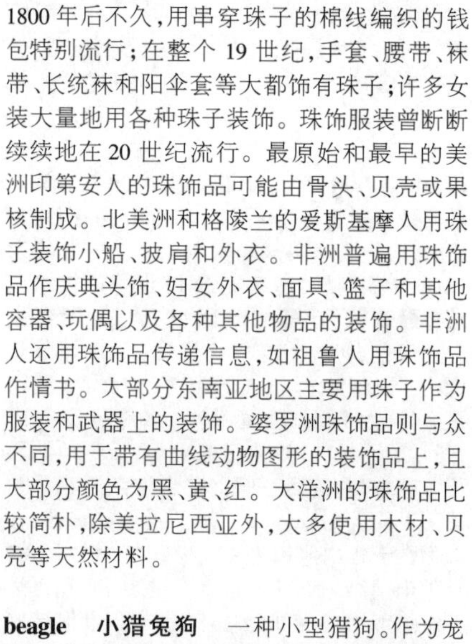

小猎兔狗

美国不列颠百科全书公司供图

体壮,常用于猎兔。性机敏温顺。从体高上看为重型。有两种小猎兔狗,一种体高低于33厘米,体重8千克左右;另一种体高约38厘米,体重约13.5千克。

Beagle “比格尔”号 或译“小猎兔狗”号。英国海军的一艘方帆双桅船,排水量为240吨。1831年12月27日驶离英国的德文波特前往太平洋等地区进行考察时,C.达尔文以博物学家身份参加。环球航行后该船于1836年10月2日返回英国的法尔茅斯。此次考察所得对达尔文后来创立的进化论有很大帮助。当时船长是R.菲茨罗伊(**Fitzroy, Robert**)。

Beagle Channel 比格尔海峡 南美洲南端火地岛岛群中的海峡。东西向,长约150英里(240千米),宽约3～8英里。北为岛群主岛,南为纳瓦里诺、奥斯特等小岛。海峡西端绕戈登岛分为两支。东部为智利-阿根廷边界的一部,西部在智利境内。皮克顿、努埃瓦和伦诺克斯三岛自19世纪40年代起,为智利和阿根廷领土争端的起因;1985年5月2日,两国签订一项条约,将三岛划归智利。为纪念达尔文于1833～1834年考察该地时所乘英轮“比格尔”号,故名。

beak 喙 又作bill。某些动物的硬而突出的口部结构。见于少数无脊椎动物(头足类和一些昆虫),一些鱼类和哺乳类(单孔目),所有鸟类和龟类。许多恐龙有喙。包括鸟、龟在内的许多有喙的动物无齿。鸟喙由上、下颌组成,外包一角质皮鞘。背面有鼻孔,常在喙基。喙的用途为取食、整理羽毛、筑巢等,故其形状和大小有多种。单供取食用的喙就有各式各样,例如鹈鹕的喙袋状,能兜鱼;鹬的喙有锯缘,能割草;蜂鸟的喙细长,能吸蜜;鹦鹉的喙坚而弯,能破坚果。

beak style 喙形风格 出自巴布亚新几内亚的塞皮克和拉穆低地以鸟形为特色的人像木雕。人像头部一般通过短颈与粗壮的身躯相连。头上有一突出的长钩形鼻子,颜面瘦长,加强了鼻子向下突伸的形象。面部和强健四肢形成对比。面具、雕像和实用物品上常可见到喙形风格的实例。在瓦努阿图和新喀里多尼亚也有类似的雕刻形式。

约1870年的彩绘喙形风格木雕

美国不列颠百科全书公司供图

beaked nightshade(plant) 参阅**buffalo bur 刺萼茄**。

beaked whale 喙鲸 又称剑吻鲸。剑吻鲸科(Ziphiidae,有的分类系统作巨齿鲸科[Hyperoodontidae])动物,凡6属18个种(包括胆鼻鲸)。此科的特征为:吻似鸟嘴,鳍状肢小而圆形,背鳍远位于体中的后方,两个咽喉槽在颏下汇合,宽阔的尾叶后缘中央无缺刻。胃被分隔为14个部分。几乎所有的种只在下颌出现1～2对有功能的牙齿,并且通常仅有雄鲸的牙才穿出牙龈。雄性带齿鲸(莱亚德氏喙鲸,*Mesoplodon layardi*)下颌中间的牙齿弯向外上方,绕过上颌骨与对侧的牙齿共同构成一个拱形,使口只能张开到一定程度。塔斯马尼亚喙鲸属(*Tasmacetus*)的种类(谢泼德氏喙鲸)也与一般不同,具多数有功能的牙齿。剑吻鲸遍布世界,但某些种局限一个大洋。体长3.5米(赫克托氏剑吻鲸[赫克托氏喙鲸,*M. hectori*])～12.8米(巨胆鼻鲸[槌鲸、贝尔德氏贝拉氏鲸,*Berardius bairdii*]),重1 000～11 000千克。体色多样,一般为灰色或黑色与白色相间。躯体上常有互相争斗所致的长长的伤痕。剑吻鲸是了解得最少的大型哺乳动物,偶有未定种的鲸体漂上海岸因而一直存在对剑吻鲸的未解之谜。剑吻鲸游泳迅速,潜水很深,主要以乌贼为食,但多数种亦食鱼及底栖无脊椎动物。一些种独栖或成小群活动,一些可以结成30头以上的群体出现。群体常常一起沉浮。参阅**bottlenose whale**。

Beaker folk 宽口陶器人 大约6 000年前居住在欧洲温带地区的新石器时代晚期至青铜时代早期的民族,以其饰有横向精美齿形印纹的钟形宽口陶器而得名(其文化通常称

英国林肯郡登顿出土的宽口陶器

美国不列颠百科全书公司供图

为钟杯文化)。其墓葬一般是简朴的单人葬,不过在西欧的许多地区常建巨石墓。他们为一好战民族,主要使用弓箭,也用短剑或铜矛,以及护腕。他们到处寻找铜和黄金,大大促进了青铜冶炼技术在欧洲的传播。宽口陶器人大概起源于西班牙,因寻找金属而迅速分布至中欧和西欧。他们在中欧与战斧文化(又称单人墓文化)发生接触,战斧文化也以宽口陶器为其特点(虽然细部有所差别),同时养马,使用中部开柄孔的战斧。两种文化逐渐融合,后来从中欧扩展到英国东部。

Beals, Jessie Tarbox 比尔斯(1870,加拿大安大略汉密尔顿～1942-05-30,美国纽约州纽约) 原名Jessie Tarbox。美国摄影师,美国最早的女摄影记者之一。18岁开始教书。10年后,改为从事摄影工作。1897年与A.比尔斯结婚,二人在各处巡回摄影。1900年,所摄佛蒙特博览会照片在当地报纸上发表,使她获得了世界首位女新闻摄影师的头衔。1901年成为《布法罗信使报》摄影师。1904年参加在密苏里州圣路易斯举行的世界博览会,她拍摄的照片刊登在若干重要的全国期刊上。1905年和丈夫在纽约市格林尼治村创建自己的工作室。作为技艺精湛的摄影师,她拍摄了许多纽约的建筑物,并且通过走访唐人街、中央公园、纽约下东区等地方,以摄影的方式捕捉“纽约的灵魂”。1917年离婚,独自抚养女儿,继续从事职业摄影工作。20年代在国内园艺杂志上发表富人的花园及房屋照片。在经济大萧条期间处境艰难,最终死于贫困。

beam 梁 在房屋构造中,跨越一个空间并承受上方荷载的水平构件。这种梁常称为过梁(参阅**post-and-lintel system**)。当上部荷载为楼板或屋顶时,称为楼板梁或屋顶梁。在桥面中,荷载较小的纵向梁称为桥面纵梁,荷载较大的横向梁称为桥面横梁。较大的梁,在支承其他与之正交的梁的端部时,则通常称为大梁。金属大梁可以是整根滚轧成型,或者为了增大强度和跨度,用钢板和角钢铆接或焊接成工字形截面。梁可以用木材、钢或其他金属、钢筋混凝土或预应力钢筋混凝土、塑料,甚至在砖砌体的灰缝间加入钢筋制成。为了减轻重量,金属梁制成工字形或其他截面,使其垂直的梁腹较薄,而受力较大的水平翼缘较厚。

Beamon, Bob 比蒙(1946-08-29,纽约市布朗克斯～) 美国跳远运动员。在1968年墨西哥城奥运会上创8.9米的世界跳远纪录,超过原纪录0.55米,当时是得克萨斯大学学生。其后多次参加非正式比赛。1973年转为职业运动员。后成为田径教练,训练年轻人,并参加各种与体育有关的活动,包括1984年为美国奥委会筹款。

bean 豆 某些豆科植物的种子或荚果。英语中,bean一词最初指蚕豆(*Vicia faba*,一个旧大陆种)的种子。除大豆(**soybean**)外,主要食用豆类的成熟种子的成分都很相似,但食用品质差异很大。富含蛋白质及中等数量的铁和维生素B_1、B_2。全世界广泛烹食鲜豆、干豆及豆制品。豆的多数种类直立丛生或攀缘,直立的高30～75厘米,攀缘的长达1.2～2.1米,但几个重要品种为中间类型。矮生或半攀缘种类广泛栽培。种植攀缘种类

以收取其未成熟荚果时,需要安置人工支架以便于收获。各个品种幼嫩豆荚的大小、形状、色泽、纤维素多少和嫩软程度差别很大。一般说,为收获成熟干燥种子而种植的种类

菜豆(*Phaseolus vulgaris*)
美国不列颠百科全书公司供图

其荚果所含纤维素的数量在各个发育阶段均过多,不宜食用。大多数食用豆荚的种类,其成熟种子的产量和食用质量均较低。豆粒的颜色有白、绿、黄、棕黄、粉红、红、褐、紫、黑等单色或呈各种各样的杂色,形状由近球形、扁平、长形至肾形。荚果也有绿、黄、红、紫诸色,有时具红斑或紫斑,形状从扁至圆,平滑至不规则,直或弧形,长约75～200毫米。

菜豆(普通豆,*Phaseolus vulgaris*)原产于中美和南美,其重要性仅次于大豆。在不同的国家有不同的俗名:法国豆、四季豆、肾豆等。但肾豆一词在美国专指一个外形似肾,红色、深红色或白色的种类。一些菜豆品种仅栽培以收获其干燥种子,一些种类用以收取未成熟的可食荚果,另一些则收取成熟及不成熟种子。巴西、中国和美国菜豆种子的产量占世界产量的1/3以上。在拉丁美洲和克里奥尔人的菜肴中占重要地位。蚕豆的重要性占第三位,是欧洲的主要豆种,但在美国鲜为人知。蚕豆又称温莎豆,不耐热,仅在温带的凉爽地区能于夏天生长,在温暖地区可于冬天生长。不同的是蚕豆能忍受轻微冰冻。蚕豆植株直立,高600～1 500毫米;稀分枝;叶密生于茎和枝上,具短柄;豆荚几乎朝上直立,簇生于叶腋;种子大,不规则扁平形。大多数食用豆荚的豆类可在世界广大地区种植,在许多国家尤其在欧洲都很受欢迎;在美国食用最多的是菜豆。原产于中美洲的豆类中,利马豆(*P. limensis*)在美洲国家以外很少进行商业化生产,在美国占干豆总产量的2.5%。无论是丛生型或攀缘型,豆荚大小和形状,种子的大小、形状、厚薄及颜色差异都很大。其豆荚宽扁,稍弯曲;种皮上有由种脐向外辐射的特有细棱,容易辨认。利马豆在热带为多年生,在其他地区则作一年生植物种植,但与其他美洲豆类相比需要较长的生长季节和较暖和的气候。红花菜豆(荷包豆、龙爪豆,*P. coccineus*)原产热带美洲,在当地为多年生,在温带小规模地作一年生作物种植;为攀缘植物,植株茁壮,总状花序,花鲜红色而艳丽,荚果大而粗糙,种子大而色彩鲜明。红花菜豆栽培于英国和欧洲,可供观赏,幼嫩豆荚可食。绿豆(印度菜豆,*P. aureus*)原产印度,豆荚和种子比上述诸种小得多,荚果纤细,长75～100毫米,内有10～14粒球形至长圆形的种子,直径3毫米,在东方广泛种植食用,用作豆芽或其他用途,除豆芽外欧美人对之所知甚少。绿豆豆苗含丰富的维生素C。原产印度的双花扁豆(马豆、马粮豆,*Dolichos biflorus*)和靓豆有亲缘关系,均是大型热带攀缘植物,在亚洲普遍食用其幼嫩种子;干种粒大,颜色近黑,稍扁长至圆球形。

Bean, Alan L(aVern)　比恩(1932-03-15,美国得克萨斯惠勒～　　)　美国航天员。1969年11月14～22日参加"阿波罗"12号飞行。他和小康拉德驾驶登月舱在月球上定

美国不列颠百科全书公司供图

点着陆后,在月面上进行了两次共计近8小时的长时间步行;航天员小戈登则驾驶指令舱在上空绕月飞行。比恩毕业于得克萨斯大学,后加入美国海军,任试飞员。1963年参加载人航天计划,曾任"太空实验室"3号(1973-07-28～09-25)的指令长,同O.K.加里奥特、J.R.朱斯马组成第二乘员组进入轨道实验室工作。1975年从海军退役,在国家航空航天局负责航天员训练。

Bean, Roy　比恩(1825?,美国肯塔基梅森县～1903-03-16,得克萨斯兰特里)　美国治安法官和酒店老板,自誉为"佩科斯河以西的法律"。自1847年离开肯塔基家乡后,浪迹墨西哥、南加利福尼亚、新墨西哥和得克萨斯各城镇,历尽艰辛,其间曾在决斗中至少杀死2人。南北战争中先服务于南部邦联正规军,后在得克萨斯成为专门偷越封锁线的人,并由此致富,使他在圣安东尼奥结婚后的16年过得相当安逸。1882年迁至佩科斯河西岸,并在一条穿越死人谷的铁路线旁,开设一家名叫泽西·利利的酒店。他称当地为兰特里(根据一女演员之姓)。自荐为治安法官,后经得克萨斯巡逻队批准。他并不懂法律或法院程序,而以各种严峻的、通情达理的和带有恶作剧意味的判决闻名。据说,某次他因一个死人私藏武器判罚40美元,随后将罚款据为己有。

bear　熊　熊科大型食肉动物。与狗(犬科)和浣熊(浣熊科)近缘,是食肉目动物中进化最晚者。原始世代系似在中新世期间从犬系分出,通过诸如上新世的鬣熊属(*Hyaenarctos*)之类的动物(分布欧、亚和北美)进化到现代的黑熊和棕熊类型(熊属 *Ursus*),种类及名称很多(见附表)。体粗大,腿短,最小的是马来熊(太阳熊,27～46千克),最大的是阿拉斯加棕熊(参阅 **grizzly bear**),体重可达780千克。尽管身体笨大但大多数都能爬树和擅长游泳。熊为跖行性,以脚掌行走,与人一样足跟着地。足有5趾,趾尖具不能缩进的爪(有时特别适应于挖掘,如懒熊)。熊科牙齿的特点是:犬牙增长,头三颗前磨牙缩小或缺如,磨牙形态改变(牙冠阔而平)以适应碾碎食物,切牙则为典型形态。熊通常杂食性,但偏爱的食物很不相同,从完全肉食性的以海豹为食的北极熊,到大部分以草为食的眼镜熊;多数都爱吃蜂蜜。熊在积累脂肪后,冬天的大部分时间都在断续地睡眠,但这只是长期蛰伏,并非真正的冬眠。野生时能活15～30年。圈养时寿命长得多。人们猎熊或作为陈列品,或为其经济价值:用熊皮制衣或地毯,熊肉及脂肪可食。熊类的地方性俗名常来自产地的地名。

熊类的地方名和常用名对照表

地方名和偶用名	常用名
美洲熊 American bear	黑熊 black bear
安第斯熊 Andean bear	眼镜熊 spectacled bear
月熊 moon bear	亚洲黑熊(狗熊) Asiatic black bear
印度熊 bhalu	懒熊 sloth bear
棕熊 brown bear	棕熊 brown bear(或黑熊 black bear)
布鲁昂熊 bruang	太阳熊 sun bear
肉桂色熊 cinnamon bear	黑熊 black bear
喜马拉雅熊 Himalayan bear	亚洲黑熊(狗熊) Asiatic black bear
冰熊 ice bear	北极熊 polar bear
日本熊 Japanese bear	棕熊(马熊) brown bear
马来熊 Malay bear	太阳熊 sun bear
蒙古熊 Mongolian bear	棕熊(马熊) brown bear
海熊 sea bear	北极熊 polar bear
西伯利亚熊 Siberian bear	棕熊 brown bear
银尖熊 silvertip	灰熊 grizzly bear
西藏熊 Tibetan bear	棕熊 brown bear(或狗熊 Asiatic black bear)
水熊 water bear	北极熊 polar bear
白熊 white bear	北极熊 polar bear

Bear Flag Revolt　熊旗暴动(1846-06～07)　美国加利福尼亚萨克拉门托河谷的移民为反对墨西哥当局而发起的短暂的独立暴动。

1846年居住在加利福尼亚的美国人大约不满500人,而墨西哥人却有8 000～12 000人。6月初,10多个美国人夺取了墨西哥军事指挥官的一批马,另一群人于6月14日占领了圣弗兰西斯科以北的主要移民区索诺马。在W.B.艾德的领导下,美国人发表独立宣言,并升起一面在白底上绘有一只面向一颗红星的灰熊的旗帜。J.C.弗里蒙特上尉于6月25日抵达索诺马,对熊旗暴动表示支持。7月5日,暴动者推选弗里蒙特领导"加利福尼亚共和国"。但共和国很快垮台。J.D.斯洛特海军准将的部队于7月9日占领圣弗兰西斯科和索诺马后,宣布加利福尼亚属于合众国,并以美国国旗取代熊旗。

bear grass　旱叶草　又作 turkey beard。百合科旱叶草属(*Xerophyllum*)植物,2种,产于北美。西部种强韧旱叶草(*X. tenax*)又称狎草、老婆草或火百合,山地多年生草本;地上茎粗壮,光滑,浅绿色,不分枝,高0.6～2米;从木质的块茎状的根状茎上生出;根绳索状;基生叶密集,禾草状,长约1米,叶缘粗糙;茎上部叶似基生叶但小得多;5～7年始花,花序生于茎顶,花小,多数,乳白色。阿福花状旱叶草(*X. asphodeloides*)产于北美南部生长有松树的干旱贫瘠的土地上,外形似旱叶草。在美国南部和西南部,bear grass一词泛指丝兰属(*Yucca*)植物,尤指丝状丝兰(*Y. filamentosa*)和粉绿丝兰(小丝兰,*Y. glauca*),以及绵枣儿样甜百合(*Camassia scilloides*)和芦荟状的得克萨斯假丝兰(厚莲,*Dasylirion texanum*)。这些植物都具禾草状叶。

bear market　空头市场　又称熊市。指有价证券和商品交易中价格不断下跌的市场。空头是期望价格下跌的投资者。他基于这种设想,卖出借来的有价证券或商品,企图日后以较低价格买回,这一投机行为称为卖空。

bearbaiting　逗熊　又称逗牛。用铁索将熊或牛的脖子或腿锁在木桩上,然后放狗咬它。12～19世纪流行,后来被认为残忍而遭禁。一般在通称为熊园的场地进行。英国为此而

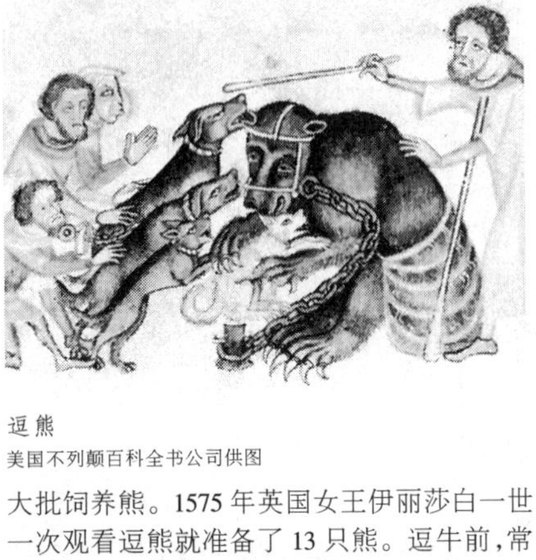

逗熊
美国不列颠百科全书公司供图

大批饲养熊。1575年英国女王伊丽莎白一世一次观看逗熊就准备了13只熊。逗牛前,常往牛鼻里喷胡椒粉以刺激它,然后将经过训练的狗逐只放出去咬牛的鼻子。地上常挖一洞,以便牛将鼻子插入其中。类似逗熊和逗牛的活动有多种,如将熊蒙上眼睛加以鞭打,将无尾猴捆在小马背上挑逗小马。有些地方有一种追牛游戏,一般每年举行一次,市民拿着棍棒,追逐一头牛,直到众人精疲力尽为止,然后将牛杀掉。

bearberry　(*Arctostaphylos uva-ursi*)　**熊果**　又作 kinnikinnick。杜鹃花科匍匐生长的常绿灌木。广布于北美多岩石沙地的树林及开阔地。茎木质,通常长1.5～1.8米,根从茎节

熊果(*Arctostaphylos uva-ursi*)的花
美国不列颠百科全书公司供图

熊果(*Arctostaphylos uva-ursi*)的果
美国不列颠百科全书公司供图

上长出。植株扩展,形成宽大厚实的地被。叶丛到冬季变紫铜色,叶缘下卷,有流苏状毛。花呈小口的钟状,白色、粉红色或花瓣尖端粉红色。浆果红色。

Beard, Charles A(ustin)　比尔德(1874-11-27,美国印第安纳奈茨敦附近～1948-09-01,康涅狄格纽黑文)　美国历史学家,因在美国政治制度的发展研究中破除传统观念而享盛名。强调社会经济的冲突和变动起着动力作用,分析了制度建立中的推动因素,这使他成为20世纪美国最有影响的历史学家之一。比尔德出身于富裕家庭。1898年毕业于印第安纳州格林卡斯尔的德波大学后,入牛津大学深造。1899年在牛津参与创办一所工人学校。1904年回到美国,在哥伦比亚大学教授政治学。随后他成为进步运动和美国自由主义的领导人之一。他和J.H.鲁宾逊合作撰写过几本广为使用的欧洲史教科书。他还制订了一个解释历史的纲要,《从经济角度解释美国宪法》(1913)一书就是这一纲要的最好说明。他在该书中声称,宪法是由利益集团制订的,其动机是谋求个人的经济或政治目

美国国会图书馆供图

的。尽管美国政治家们普遍反对这种冒犯父辈们的解释,但学者们仍把它视为创新的研究。他在《杰斐逊民主制度的经济根源》(1915)一书中,更进一步强调政治斗争的观念,但仍然重申经济利益在政府活动中具有重要地位的观点。1917年,比尔德辞去在哥伦比亚大学的职务,以抗议几名教师因被指控不忠诚和从事颠覆活动而被解雇。1919年参与创办纽约市社会研究新学院。在以后的年代中,他的学术研究方向开始转向历史知识问题(他在30年代初期即从事这项工作)和美国战争年代的对外政策问题。1934年开始写书和文章,评论F.D.罗斯福总统的对外政策:如《美国对外政策在形成中,1932～1940》(1946)和《罗斯福总统与战争的来临,1941》(1948),指责罗斯福使美国卷入对日战争。他因此被批评为孤立主义者,声誉有所下降。

beard grass　参阅 **bluestem** 须芒草。

beard lichen　胡须地衣　松萝属(*Usnea*)地衣。黄色或微绿色,丛生,分枝。具长茎(柄)和一个像线团的盘状固着器。极地和热带均有分布,为野生动物食料,也可作为饲料。吊

老人须(*U. barbata*)
美国不列颠百科全书公司供图

藓(长松萝,*U. longissima*)生于潮湿山区,形似从树枝上垂下的灰色线,长约1.5米。有些种产生一种橙色染料。胡须地衣可用作收敛药、强壮药、利尿药。曾用来治疗百日咳、黏膜炎、癫痫及水肿等病症。公元前300年,

就有用老人须(须松萝,*U. barbata*)刺激毛发生长的记载。胡须地衣即诗人提到的"胡须藓"或"树藓",亦即莎士比亚所说的"懒藓"。有时与西班牙藓相混淆,西班牙藓形状与之相似,但与地衣无亲缘关系。

bearded seal (*Erignathus barbatus*) **髯海豹** 海豹科非迁徙性动物,吻部生长密而直的粗硬须状毛,故名。前鳍肢长方形,故又称方鳍海豹。浅灰色或黄褐色。独栖或以小群生活,栖息在北极沿岸水域。体长约2.4～3.7米,体重约225～454千克。雌体较雄体小。善潜水。主要以蛤和其他底栖动物为食,可能用其须状毛来刮捕猎物。每隔一年生育一次,妊娠期11个月,幼仔深灰色。爱斯基摩人常猎取其皮、肉及脂肪。

bearded tit (bird) **文须雀** 参阅 **reedling** 苇雀。

bearded vulture **髭兀鹫** 参阅**lammergeier** 髯鹫。

Bearden, Romare (Howard) **比尔敦**(1911-09-02,美国北卡罗来纳夏洛特～1988-03-12,纽约州纽约) 美国画家。其拼贴画反映了美国黑人文化的面貌出自立体派的风格。被认为是20世纪最重要的非洲裔美国艺术家之一。曾和G.格罗兹一起在纽约艺术学生联合会学习(1936～1937),后到哥伦比亚大学学习(1943)。其早期作品写实,以宗教题材为主(如《圣母领报》,1942)。第二次世界大战期间在军队服务,战后到巴黎居住(1950～1951),曾在巴黎大学学习,并到欧洲各国旅行。此时其半抽象拼贴画风格已趋成熟。40年代中期,他的艺术初获成功,到了60年代,成为公认的美国最重要拼贴画家。绘画的叙事性结构简练而具有古风,多以礼仪、音乐和家庭生活为主题。画中凝聚的色层和纸块体现出节奏、质感和人生经历的神秘性(如《家》,1969)。也是歌曲作家和图书插图画家。1990年罗马勒·比尔敦基金会成立,旨在发扬其艺术,并支持非洲裔美国艺术家。

beardfish **须鲷** 金眼鲷目须鲷科须鲷属(*Polymixia*)3种海鱼的统称,生活于太平洋、大西洋热带及温带地区的深海(一般栖于约200～600米深处)。特点是具颏须一对。体型不太大。显赫须鲷(*P. nobilis*)长度不及20厘米。

Beardmore Glacier **比尔德莫尔冰川** 南极洲中部的冰川。从南极高原下降约2 200米至罗斯冰架,将南极洲横贯山地分隔成毛德皇后山和亚历山德拉王后岭。是世界上已知的最大的山谷冰川之一。长200千米,宽40千米。英国探险家E.H.沙克尔顿(1908)和R.斯科特(1911)在去南极点的途中发现了该冰川,并冠以其赞助者之名。以后的科学考察,发现冰川含有石化木、蕨类植物和珊瑚的化石。这是南极洲一度有过温暖气候的证据。

Beardsley, Aubrey (Vincent) **比尔兹利**(1872-08-21,英格兰苏塞克斯布赖顿～1898-03-16,法国芒通) 19世纪英国插图画家,继O.王尔德之后唯美主义运动的突出人物。1891年在威斯敏斯特艺术学校上过几个月夜校。1893年为托马斯·马洛礼子爵的《阿瑟之

比尔兹利自画像,1896年
美国不列颠百科全书公司供图

死》新版本画插图。1894年任新创季刊《黄书》的艺术编辑和插图作者。为王尔德的剧本《莎乐美》(1894)所作的插画,使其遐迩闻名。其画风深受**新艺术**(**Art Nouveau**)优美的装饰风格和构思大胆,轮廓鲜明的日本版画的影响,但画中女性常常表现出一种病态的肉感使批评家和公众吃惊。以后又成为新杂志《卷心菜》的主要插图作者。给许多书籍画了插图,包括A.蒲柏的《秀发劫》(1896)。他从小身体虚弱,患过肺结核,1897年后迁居法国,25岁去世。

beardworm **须虫** 又作pogonophoran。又称须腕动物。须腕动物门(Pogonophora)海生无脊椎动物。在世界各处的海底于细长的有保护作用的管中营固着生活。许多种类身体前端有羽状的触手,须虫之名因此而来。胚胎发育过程中有肠道,后肠道逐渐消失。一般雌雄体的外形相似。须腕动物是唯一没有口和肛门的多细胞动物。须腕动物到20世纪中叶才被分类为独立的门。1914年于马来群岛海域发现第一种须腕动物——威伯氏西伯达虫(*Siboglinum weberi*);1933年于鄂霍次克海发现第二种——扎克斯氏瓣形须腕虫(*Lamellisabella zachsi*)。1937年为瓣形须腕虫属(*Lamellisabella*)建立一个新纲——须腕虫纲(Pogonophora)。1955年证明西伯达虫属与瓣形须腕虫属有密切的亲缘关系,于是建立起须腕动物门。须腕动物通常栖于深度达1 000米以上的海水水域中,有些种曾发现于7 000～10 000米深处。一个本地种群栖于太平洋和印度洋的海沟中。许多属的分布不连续。

自然史 须腕动物具触手,其数量依体形大小而异,功能可能为取食。触手为长形的突起,其内部有体腔和血管伸入。触手上可见由单个细胞延伸形成的极细的羽枝,羽枝排列成行。触手相互游离或愈合,触手间有触手间腔。羽枝伸入触手间腔,交织形成滤器。每个羽枝基部有一个纤毛束。纤毛束在触手间区产生水流,其中带有微生物和其他营养物质,这些物质通过羽枝滤器滤出。羽枝基部的腺细胞可能分泌出消化酶。水从某些羽枝基部的开口流出。被消化的食物可被羽枝吸收。曾观察到羽枝外层摄取微小颗粒的现象(胞饮现象)。也曾报道过氨基酸直接从海水中渗入触手的现象。

生殖方式为有性生殖。雌体将卵产在管的前段,其卵富含卵黄。卵也在管内受精并发育成自由游泳的幼体。受精卵细胞分裂后形成两侧对称的胚胎。一层内胚层由少量富含卵黄细胞组成,后发育为原始的肠道;卵黄用完后肠道消失。口和肛门均得不到发育。体腔囊从原始肠管分离时形成次级体腔。胚胎发育成具有两个纤毛带和三个体节的幼体。

形态和功能 躯体呈蠕虫状,长数厘米

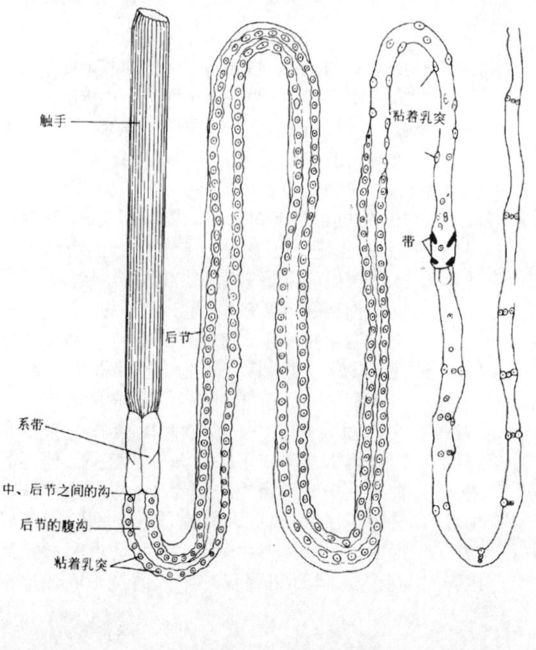

别克列米舍夫氏旋腕虫(*Spirobrachia beklemischevi*)的雌体腹面观,躯干部的后端1/6未绘

至0.5米。直径0.06～4毫米。巴勒姆氏瓣腕虫(*Lamellibrachia barhami*)是体形最大的种类之一。须虫的身体可分为三部分:两个小的前部,称为前体和中体,及称为后体的长躯干部。每一部分各有自己的体腔。前体小,具触手。中体有一对斜行的角质嵴,称为系带,向后延伸,于腹中线处相连;虫体伸出管外时用以在边缘处支持虫体。后体由一对平行的嵴(称为腰带)分为两部分,腰带上有排列成行的具齿的小板;位于腰带前的后体部分有一条沟,沟边有低矮的褶。虫体有特别的腺体,其分泌物含坚硬的几丁质,形成司保护作用的管。管的下端埋入泥中,但*Sclerolinum*属的管极薄,可刺入沉没水中的木块里。虽然须虫从不离开其管,但可在管内移动。体壁由一层表皮细胞组成,上覆以角质层。表皮细胞层下是一层纵行排列的肌细胞。神经系统位于表皮内,形成一个几乎是连续的网。无感觉器官。循环系统由两条长血管组成,一条血管中的血液向前流动;另一条血管中的血液向后流动。在触手的基部,血液向前流动的血管分化为肌肉质的心脏,用以将血液推入触手的血管内。血液中含血红蛋白。排泄器官为原肾或体腔管,连接体腔和外界环境。生殖系统包括位于躯干的成对的生殖腺。在雌体,卵巢位于后体的前段,雌性生殖孔位于身体中段。在雄体,睾丸位于身体的后部,而雄性生殖孔位于身体前部。输精管内有无数包含精子的小囊。

进化和分类　须腕动物可分为两纲:无系带纲(Afrenulata),仅一种:巴勒姆氏瓣腕虫(*Lamellibrachia barhami*),曾在加利福尼亚近海的太平洋中发现。系带纲(Frenulata)含6科,16属,至今已鉴定出110种须腕动物,可能还有许多种有待鉴定。须腕动物应与那些具有次生体腔的动物类群归为一类;这些类群包括:毛颚动物门(Chaetognatha)、触手动物门(Tentaculata)、半索动物门(Hemichordata)和棘皮动物门(Echinodermata)。在圣彼得堡附近、波兰和西伯利亚的寒武纪(5.70亿年前至5.05亿年前)和奥陶纪(5.05亿年前至4.38亿年前)已发现须腕动物区系丰富的化石。

bearing　轴承　在机器结构中,允许被连接件彼此相对转动或作直线运动的连接器。在应用中,其中一个构件固定,轴承起支承运动件的作用。大多数轴承都支承径向或轴向负

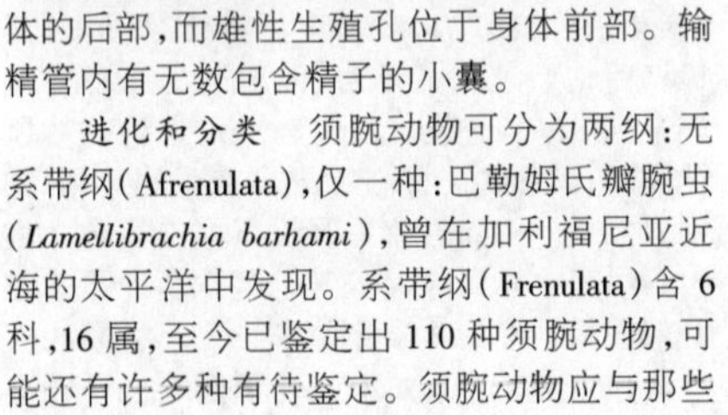

滚动轴承:(左)滚柱轴承;(右)滚珠轴承

荷的转轴。为了减小摩擦,轴承内的两个接触面可以部分或完全被一层油膜或气膜隔开,这类轴承称作滑动轴承。轴在轴承内转动的部分叫轴颈。轴承相对运动的两个面也可以用滚珠或滚柱隔开,这类轴承称作滚动轴承(见图),图中的内圈随轴一起转动。在滑动轴承内,当负荷、速度、流体黏度和轴承几何形状满足某一组合时,就形成油膜并将接触面隔开;这种油膜叫液体动压油膜。用一组单独的泵组供给轴承以压力油也可形成油膜,这种油膜被称作液体静压油膜。由于需要用轴的转速来形成液体动压油膜,在这些轴承内的起动摩擦较滚珠轴承或滚柱轴承为高。为了减小金属与金属接触面之间的摩擦,已研究出摩擦小的轴承材料,青铜合金和巴氏合金就属于这种材料。参阅**ball bearing;roller bearing**。

Béarn　贝阿恩　法国历史文化区。范围包括法国西南部大西洋比利牛斯省,相当于前贝阿恩省。公元6世纪被古代巴斯克人征服。819年成为子爵领地。1290年转属福瓦公爵。1589年为法国国王领地。20世纪初以前,贝阿恩境内山区居民大部为半游牧民。中部谷地居民点渐多,人口以城镇居民为主。居民多信奉天主教。基督教新教仅限于厄尔泰兹城。1589～1789年,公共法令使用地区方言。加斯东·费布斯学校(1897)在保护本地区文字传统方面发挥了作用。贝阿恩地方风味食品有鳟鱼、蘑菇和羊奶酪。出产名葡萄酒。

Béarn, Henri de Bourbon, prince de　贝阿恩亲王　参阅**Henry**(France)亨利(法国)项下的**Henry IV**亨利四世。

Beartooth Range　贝尔图斯岭　在美国落基山北段。从蒙大拿州南部的斯蒂尔沃特河向东南偏东延伸,至怀俄明州西北部黄石河的克拉克斯福克,长80千米。多3 700米以上山峰。其中格拉尼特峰(3 901米)为蒙大拿州最高点。克拉克斯河源出于此。境内有西北支脉格拉尼特岭和加拉廷、卡斯特、肖肖尼国家森林的一部分及贝尔图斯公共莽原区。风景幽美的岩层、高峰、高原、冰河和湖泊,吸引许多旅客。

Beās River　贝阿斯河　又拼Biās River,古希腊语作Hyphasis,梵语作Vipāśā。流经印度西北部喜马偕尔邦与旁遮普邦的河。为旁遮普5条河之一。发源于喜马偕尔邦中部旁遮普喜马拉雅山的罗唐山口,海拔4 361米。向南流经古卢谷地,然后向西流经门迪和冈格拉谷地进入旁遮普邦。转向南,在赫里盖汇入苏特莱杰河。全长470千米。

beast epic　动物叙事诗　各种文学中都有的一种通俗文学体裁,由一组篇幅较长的讽喻人类社会的动物故事组成。尽管个别情节取自寓言,但是动物叙事诗不仅在长度上有别于寓言,也不像寓言那样强调道德教育。欧洲最早的动物叙事诗是用拉丁文写的。然而中世纪后期,已有法语、德语和荷兰语的动物叙事诗,其中最有名的是10～11世纪的一组叙事诗,其主人公是列那狐。这组诗包括列那狐的故事和尚蒂克莱公鸡的故事。后来乔叟以它为蓝本写成《坎特伯雷故事集》中"修女讲的教士的故事"。德莱顿以动物叙事诗为框架,写了《牡鹿与豹》(1687)一诗,哈里斯的《雷穆斯叔叔》(1880)中的许多情节来自非洲黑奴带到美国的动物故事;G.奥威尔的反乌托邦讽刺作品《兽园》(1945)是动物故事的现代改编本。印度的《五卷书》是亚洲最著名的动物故事集。

beast fable　动物寓言　通常指含有寓意的散文或韵文寓言或短篇故事。在动物寓言中,动物角色表现为按人的感受和动机行事。西方文学中最著名的动物寓言为古希腊作家伊索的寓言。亚洲最著名的动物寓言集是印度的《五卷书》。

beast tale　动物故事　类似动物寓言的散文或韵文体叙事作品,也描述拟人的动物,但通常并无寓意。J.C.哈里斯的《雷穆斯叔叔的歌和话》(1880)即源自非洲黑人带到美国的动物故事的许多情节。G.奥威尔的《动物农庄》(1945)是动物故事的现代版,为一部反乌托邦的讽刺作品。

Beastie Boys, the　野孩子　美国嘻哈和摇滚乐队,是第一个拥有大批乐迷的白人说唱乐队,使说唱乐有了主流乐迷。1981年由几个中产阶级的犹太男孩组建,原为地道的朋克乐队。1985年参加麦当娜的巡回演出终于引起媒体注意。直到与著名的黑人说唱乐手Run-D.M.C巡回演出才赢得说唱乐迷的认可。首张专辑《获准生病》(1986)因融入了硬摇滚而畅销。1998年专辑《喂,下流坯》获格莱美奖。

beat　拍　在音乐中,指小节中的基本节奏单位。但不能与节奏混同。拍也不一定与特定音乐作品的基本脉搏一致,后者可以延续一拍以上。重拍与非重拍的数目和相对位置是表达正确节拍的根据,一般最强音在小节线后第一拍上。西方音乐记谱法中,每小节的拍数以作品开始处的拍号中的上方数字表示,而每拍的时值(如4分或8分音符)则以下方数字表示。参阅**metre;rhythm**。

beat　拍　物理学中,频率略有不同的两列波合成时所造成的脉动。声波的拍效应原理可在钢琴上演示出来,在低音部位按下一个白键和紧邻的一个黑键,结果发出一强一弱的交替声响,即,具有特征性的脉动,称为拍。愈趋向于键盘的高音部分,拍的频率——拍频——也愈高,因为这里相邻两键的频率差

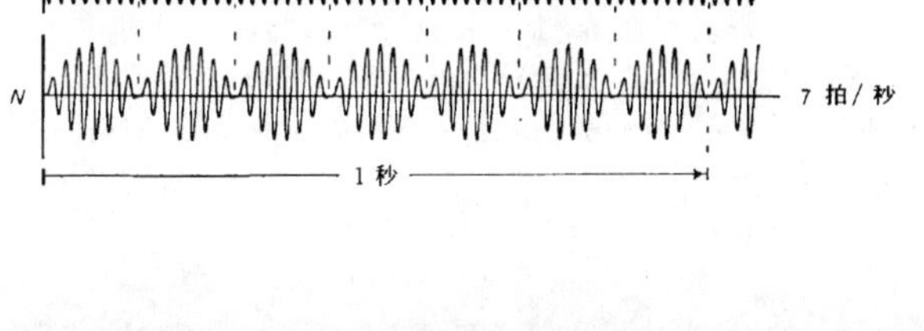

由两不同频率的波产生拍音的示意图

比低音部分大，附图表示两列波n_1与n_2，它们的频率分别是49赫与56赫，拍频N等于二者之差，即每秒7拍。拍现象有多种应用，例如给乐器调音。如果同时敲击音叉与钢琴上和它音调相同的琴键而听不出拍音，那末它们的音高就是完全一致的。超声振动（如蝙蝠和海豚发出的声音具有高于人耳能听到的频率）可通过不同声频的叠加产生出可听拍频去探测。这一原理还应用在无线电波的超外差接收上，这时，由振荡器发出的信号与输入的无线电信号一起经放大后成为可以听到的拍音。

Beat movement　避世运动　又译“垮掉的一代”。美国的社会和文学运动。始于20世纪50年代，盛行于旧金山的北海滩，加利福尼亚州的威尼斯韦斯特和纽约格林尼治村的一些玩世不恭的艺术家团体中。该运动的追随者自称为“避世”（原意是“厌倦”；后又解释为“极乐”），但被谑称为避世派。他们一律衣衫褴褛，模仿下流举止，并采用从爵士乐师那里学来的颓废的“嬉皮派”词汇，以示他们与传统的和“古板的”社会相决裂。他们一般对政治和社会问题漠不关心，提倡通过吸毒、爵士乐、性放纵或佛教禅宗宗教规来引起感觉意识的提高，以期达到个性解放、净化和启迪的目的。他们的诗人试图把诗从学院派追求词藻华丽中解放出来，并且把诗“带回到街头”。他们在爵士乐的伴奏下朗诵他们的诗。诗句往往混乱不堪，随意掺杂一些淫秽的词句，但有些，如A.金斯堡的《嚎叫》（1956），却强劲有力，富有感染力。金斯堡和这一派的其他主要作家，如小说家J.凯鲁亚克提倡一种自由的无确定格式的文体，作家可以在事先没有计划、事后也不作任何改动的情况下，把他的思想和感情记载下来。大约到1960年，这一派已经产生出一批富有特色和有前途的作家如L.弗林格蒂、G.柯尔索、P.惠伦和G.斯奈德等。

Beata Ridge　贝阿塔海岭　南加勒比海的海底山岭。从伊斯帕尼奥拉岛的贝阿塔角向南偏西方向延伸，成为哥伦比亚深海平原和委内瑞拉深海平原的分界线。这两个深海盆之间的狭窄通道——阿鲁巴峡口，在该海岭延伸至南美洲的大陆坡以前，将其截断。

beatification　宣福礼　天主教谥圣典仪（canonization）中的第二阶段。

Beatitude　耶稣福祉　《圣经·新约》中《马太福音》第5章第3～12节“登山宝训”和《路加福音》第6章第20～23节“平地宝训”中所载耶稣讲述的各种福分。英文此词源出公认拉丁文本《圣经》中此段经文开头语词（beati sunt，有福）；福祉指明特别具有进天国的资格或经历的人可得的福分。

“平地宝训”中所列四福可能是核心，扩展而成为“登山宝训”中的九福。除这两种编排外，《新约》另有几处列有福分（如《马太福音》第11章第6节、《路加福音》第7章第23节和《约翰福音》第20章第29节，据修订标准版英文《圣经》，《马太福音》第5章第3～12节论九福的经文如下：

虚心的人有福了，因为天国是他们的。

哀恸的人有福了，因为他们必得安慰。

温柔的人有福了，因为他们必承受地土。

饥渴慕义的人有福了，因为他们必得饱足。

怜恤人的人有福了，因为他们必蒙怜恤。

清心的人有福了，因为他们必得见上帝。

使人和睦的人有福了，因为他们必称为上帝的儿子。

为正义受逼迫的人有福了，因为天国是他们的。

人若因为我辱骂你们，逼迫你们，捏造各样坏话毁谤你们，你们就有福了。应当欢喜快乐，因为在天上的赏赐是大的。在你们以前的先知，人也是这样逼迫他们。

《路加福音》第6章第20～23节所载的四福如下：

你们贫穷的人有福了，因为上帝的国是你们的。

你们饥饿的人有福了，因为你们将要饱足。

你们哀哭的人有福了，因为你们将要喜笑。

人为人子恨恶你们，拒绝你们，辱骂你们，弃掉你们的名，以为是恶，你们就有福了。当那日你们要欢喜跳跃，因为你们在天上的赏赐是大的；他们的祖先待先知也是这样。

Beatles, the　甲壳虫乐队　又译披头士乐队。20世纪60年代受到全世界过分崇拜的一个英国音乐小组。它在60年代中期至70年代把摇滚乐推向高潮。小组的4名成员P.麦卡特尼（1942-06-18）、J.列农（1940-10-09～1980-12-08，纽约市）、G.哈里森（1943-02-25）与R.斯塔尔（原名R.斯塔基，1940-07-07）均出身于利物浦工人家庭，在开始合作前都曾在不同摇滚乐小组演出。该小组先由麦卡特尼和列农结成对子（1956），然后哈里森于1957年加盟。3人小组以“甲壳虫”命名，在利物浦和汉堡的一些俱乐部演出。1962年又吸收斯塔尔。其后（1962～1963）《请爱我》、《请使我高兴》、《她爱你》和《我愿握着你的手》这样一些歌曲的上柜发行使他们成为英国最著名的摇滚乐小组。1964年初他们发行了上述最后两个歌曲的唱片，并首次在美国电视的“埃德·沙利文展演”中露面后，震惊美国。人们不久即把这次冲击称为“甲壳虫人浪潮”。甲壳虫小组的音乐，最初受美国演员如C.贝里、E.普雷斯利、B.哈利的启发。他们恢复了很多早期摇滚音乐的新鲜感和兴奋精神，并且与列农和麦卡特尼所写的简单而动人的歌词相结合，使这个小组在几年内一直享有最高盛名。他们以荣获音乐界所颁发的演出及歌曲奖和女王伊丽莎白二世封以每人英帝国勋位等形式而受到公认。他们的长发和穿着趣味，以及众所周知的致幻药与印第安神秘主义的试验，在全世界都影响巨大。他们有雄厚的经济基础（每张唱片都保证畅销100多万份），因而可以随心所欲地在音乐曲式和改编曲方面进行试验。结果就产生了许多丰富多彩的歌曲，从叙事歌（如《昨天》）到复杂的节奏曲调（如《平装书作者》），从儿童歌曲（如《黄色潜艇》）到社会评论歌曲（如《埃莉诺·里格比》）。1966年停止公开演出。1967年他们录制了名为《佩珀军士寂寞的心俱乐部乐队》的音乐。这是一套完整的戏剧性作品，其新颖之处在于电子音乐的运用，并且显然是一种录音室作品而不能在舞台上演出。甲壳虫乐队亦参与其他艺术事业。曾在两部很受欢迎的电影《忙乱了一天之后的夜晚》（1964）和《救命》（1965）中露面。由于社会生活的压力和其他兴趣的不断增加，该乐队终于在1971年解散。

甲壳虫乐队（从左至右）：G.哈里森、R.斯塔尔、P.麦卡特尼、J.列农

美国不列颠百科全书公司供图

Beaton, Sir Cecil (Walter Hardy)　比顿（1904-01-14，伦敦～1980-01-18，英格兰威尔特郡索尔兹伯里布罗德乔克）　英国摄影家，主要以拍摄名人的艺术肖像著名。早在儿童时代就对摄影发生兴趣。11岁得到第一架照相机时，就摹仿那些刊登在明信片和报纸上的社交妇女和女演员的肖像照，给其姐妹们化装摆姿势拍照。在20世纪20年代，成为两个时装杂志《名利场》和《时装》的专职摄

美国不列颠百科全书公司供图

影师。并继续发展自己的肖像摄影风格，用铝箔或造型纸作为背景，使被摄者在整个装饰性图形中，成为唯一的主体。效果精美、奇特、潇洒，具有异国情调。这些照片收集在摄影画册《美之书》、《受欢迎的人》和《其乐无穷》之中。在第二次世界大战期间，在英国情报部工作，采访了非洲和远东的战争。在战时摄影作品中，最有影响的是英国被围困时的作品，刊登在摄影画册《飞行中队》(1942)中。战后，重新开始肖像摄影，不过其风格远不如从前那么潇洒。他还扩大创作范围，设计王尔德的剧本《少奶奶的扇子》中的服装和布景，以及音乐喜剧《美丽的女士》中的服装。

Beaton, David **比顿**（约1494～1546-05-29，苏格兰法夫圣安德鲁斯） Beaton 又拼 Bethune。苏格兰的枢机主教、政治家，苏格兰与法国联盟的推动者，苏格兰宗教改革的反

美国不列颠百科全书公司供图

对者。1539 年成为圣安德鲁斯大主教。1544 年任罗马教廷驻苏格兰公使。1529 年进入政界，成为国王詹姆斯五世信赖的顾问。他劝阻国王奉行宗教改革政策，安排国王两次与法国贵族联姻。1542 年詹姆斯死后，1543 年因反对摄政王詹姆斯·汉密尔顿的亲英格兰政策而入狱。汉密尔顿改变立场后，他出任大法官，成为苏格兰的实际统治者。他开始镇压基督教新教徒，粉碎英格兰国王亨利八世征服苏格兰的计划。1546 年 3 月 1 日下令将宗教改革家乔治·威沙特处以火刑。作为报复，一群基督教新教贵族在圣安德鲁斯城堡将他杀害。

Beaton, James **比顿**（1470?～1539，苏格兰法夫圣安德鲁斯） Beaton 又拼 Bethune。苏格兰大主教（自 1522 年起）、大法官（1513 ～ 1526）。曾任丹弗姆林、基尔温宁和阿布罗斯等地隐修院的院长，格拉斯哥大主教（1509 ～ 1522）和圣安德鲁斯大主教（1522 ～ 1539）。作为苏格兰财政大臣和大法官，他在詹姆斯五世未成年时期是个很有权势的人物。主张保持苏格兰与法国的密切关系，并安排詹姆斯与法国国王弗兰西斯一世之女的婚姻。作为大主教，他于 1528 年烧死帕特里克·汉密尔顿，后来又烧死另外 3 名宗教改革者。

Beaton, James **比顿**（1517～1603-04-30，巴黎） 又名贝休恩。苏格兰最后一任格拉斯哥天主教大主教。奥克穆蒂的约翰·贝休恩之子，戴维·比顿之侄。他是詹姆斯五世的遗孀、苏格兰摄政王洛林的玛丽所信赖的顾问，也是基督教新教改革者的顽固敌人。曾在法国受教育，1552 年成为格拉斯哥大主教。从 1560 年起直至去世，任苏格兰玛丽女王和詹姆斯六世的驻巴黎大使。

Beatrice **贝雅特里齐** 意大利大诗人但丁为之奉献所作大部分诗歌和几乎一生的女人。贝雅特里齐通常被认为就是贝雅特里齐·波尔蒂纳里，一个佛罗伦萨贵族家庭的女儿，后嫁西蒙·德巴尔迪，1290 年 6 月 8 日 24 岁时死去。但丁在《新生》（约 1293）中写了他和她的关系的历史，叙述如何与她见面，赞美她的美丽和善良，描写自己由于她的亲切与否而引起的强烈反应，也叙述了双方生活中的事件，说明他对她的感情的性质。《新生》还谈到但丁得悉噩耗时那天的情况，并包含几首哀诗。在最后一章里，但丁立誓在他"用人们从未对任何一位女性所作的描述来谈她"以前，不再写贝雅特里齐。这就是他创作《神曲》的诺言。许多年之后，他写成《神曲》，实现了这个诺言，表达了他对贝雅特里齐崇高的精神爱。她是他游"地狱"的说情者，是他游"炼狱"时所追求的目标，是他游"天国"时的向导。但丁在"炼狱"初见她的时候，和他在 9 岁初见她时同样神魂颠倒，在整个旅程中，她的在场一直使他目眩神迷，直至她重新上升到她在天国的位置。这种升华的精神爱，当但丁完完全全贯注于神界时才告消失。

Beatrice **比阿特丽斯** 美国内布拉斯加州东南部城市，盖奇县县城。位于大布卢河谷地。1873 年建市。有马丁·路德弱智儿童教养院和州立比阿特丽斯精神病学研究中心。

垦荒者农场国家保护区
美国不列颠百科全书公司供图

西北面 6 千米处有垦荒者农场国家保护区。该市经济以多种经营的农业和轻工业为基础。人口 12 354（1990）。

Beatrijs **比阿特里斯** 抒情叙事诗，包含一个知名的中世纪欧洲马利亚传说。现存的最早手稿写于 1374 年，被认为采自凯撒利乌斯（海斯特尔巴赫的）编著的《关于神迹的对话》（约 1200）。原为无名氏以东佛兰芒方言所作，描写一个修女逃出隐修院，嫁给一个从小相爱的男子，生下两个孩子之后，丈夫抛弃了她，她被迫过着堕落的生活，但是悔恨最终使她回到隐修院，却发现没有人发觉她的出走，因为圣母马利亚化身代替了她。该传说成了后来许多艺术作品的主题。

Beatrix **贝娅特丽克丝**（1938-01-31，荷兰苏斯特代克～　　） 全名 Beatrix Wilhelmina Armgard。荷兰女王。朱丽安娜女王长女。第二次世界大战期间随王室流亡英国和加拿

美国不列颠百科全书公司供图

大。1956 ～ 1961 年在国立莱顿大学求学，攻读社会科学、法律和历史。1965 年与德国外交官克劳斯·格奥尔格·威廉·奥托·弗雷德里克·格尔特·封·阿姆斯贝尔格订婚，举国哗然，因为他曾加入希特勒青年团及德军，尽管盟国非纳粹化法庭宣告他无罪。他们结婚生子后，举国的敌意渐消。1980 年 4 月 30 日继承王位。

Beattie, James **贝蒂**（1735-11-05，苏格兰金卡丁劳伦斯柯克～ 1803-08-18，阿伯丁） 苏格兰诗人和随笔作家。他那首一度流行的诗《吟游诗人》是浪漫主义运动最早作品之一。出身农民家庭。毕业于阿伯丁的马歇尔学院，后在该院任伦理学教授。他的《诗集和译诗集》（1760）表现出对大自然的浪漫主义态度。《论自然和真理的不变性、反对诡辩和怀疑论》（1770）一文，强有力地维护了正统观念，驳斥了 D. 休姆的唯理论，使他得以一举成名。1771 年发表《吟游诗人》第一部，描写一个诗人的思想在大自然影响下的发展。第二部于 1774 年出版。尽管所写景物不大自然，说教也令人厌烦，但还是反映出作者的柔情和对自然美的敏感，对他那一代人来说，不啻是一种启发，对 R. 彭斯、W. 司各特和 L. 拜伦等人也都有影响。诗人作为基督教的护卫者以及诗歌新时代的开创者的双重成功，使

美国不列颠百科全书公司供图

一切都向他敞开了大门。他在 S.约翰逊的圈子里受到欢迎,J.雷诺兹为他画肖像,而乔治三世赐予他终身年金。但成功并未给他带来幸福。他的妻子精神失常,他的几个儿子都死得很早,其中一个是很有前途的诗人。1794 年出版他长子的作品《随笔及散文和诗稿残篇》,并附有他的回忆录。他因小儿子的死而悲痛欲绝,从此未能康复。

Beatty, Sir (Alfred) Chester 贝蒂(1875-02-07,纽约市～1968-01-19,摩纳哥) 英籍采矿工程师和公司董事,对中非铜矿床的开发起过重大作用。在哥伦比亚矿业学院和普林斯顿大学学习之后,最初作为咨询工程师,以后又以几个铜矿公司董事会董事的身份帮助开发美国的斑岩铜矿。1913 年放弃在美国的矿业股权,移居英国,并于 1933 年取得英国国籍。1921 年成立一家勘探公司,率先开发北罗德西亚(今赞比亚)的铜矿带地区。贝蒂积极推动癌症的研究,于 1936 年建立了伦敦切斯特·贝蒂研究所。1954 年被封为爵士。

Beatty, Clyde (Raymond) 贝蒂(1903-06-10,美国俄亥俄班布里奇～1965-07-19,加利福尼亚文图拉) 美国驯兽师,以表演斗兽闻名。这是一个为表现他驾驭猛兽的勇敢和熟练而设计的节目。在马戏表演历史上最大胆的节目之一是:他把 40 只狮子、老虎不分雌雄地混在一起,并且把老虎、狮子、豹、美洲豹、鬣狗和熊编成危险的兽群来表演。他 18 岁离家,在马戏团看管兽笼。一年以后,就有了自己的驯兽节目。曾先后参加一些马戏团的巡回演出。1945 年他买下一个马戏团,后同科尔兄弟马戏团合并(1958),成为当时在美国巡回表演的最大的帐篷马戏团。他还演过几部电影,其中包括《大兽笼》(1933)和《恐怖的马戏场》(1957)。

Beatty, David, 1st Earl Beatty, Viscount Borodale of Wexford, Baron Beatty of the North Sea and of Brooksby **比提** (1871-01-17,英格兰柴郡楠特威奇附近的斯塔皮利的豪贝克洛奇～1936-03-11,伦敦) 英国海军元帅,1916 年日德兰半岛之战中英国战斗巡洋舰队司令。1884 年为海军军官候补生。1896～1898 年在埃及和苏丹服役。1900 年在中国服役。29 岁晋升海军上校。1911 年以海军少将衔给当时的海军大臣丘吉尔当秘书。1913 年指挥战斗巡洋舰中队。第一次世界大战爆发后不久,他的军舰驶入黑尔戈兰湾,击沉敌人巡洋舰 3 艘和驱逐舰 1 艘。几个月后截击第 3 次企图袭击英国沿岸城镇的德国海军中队,击沉敌舰"布吕歇尔"号。此役以多格滩之战而闻名。在 1916 年 5 月 31 日的日德兰半岛之战中,他指挥的英国战斗巡洋舰队与希佩尔指挥的德国战斗巡洋舰队展开一场恶战。虽"不倦"号和"玛丽女王"号二舰被击沉,但达到了吸引德国公海联合舰队北上的目的。1916 年 12 月任大舰队总司令。1919～1927 年任海军大臣。1921 年代表英国出席华盛顿限制军备会议。1914 年获得巴思高级勋位爵士爵位,1919 年被封为比提伯爵并获得勋章。

Beatty, Louise Dilworth 贝蒂 参阅**Homer, Louise 霍默**。

Beatty, (Henry) Warren 贝蒂(1937-03-30,美国弗吉尼亚里士满～) 原名 Henry Warren Beaty。美国电影演员、制片人、导演及编剧。与他的姐姐 S.麦克莱恩一起跟随担任戏剧指导的母亲学习表演。1960 年在 W.英奇的《失落的玫瑰》剧中登上百老汇舞台,1961 年在《天涯何处无芳草》片中首次登上银幕,后演出及制作两部大获成功的电影:《邦妮和克莱德》(1967)和《洗发剂》(1975)。他经常在其主演的电影中担任共同编剧、导演或制作,后来演出的电影还包括《天堂可以等待》(1978)、《赤色分子》(1981;获奥斯卡奖)、《狄克·特雷西》(1990)、《巴格西》(1991),以及《选举追缉令》(1998)等片。

Beatus Rhenanus 比亚图斯·雷纳努斯(1485-08-22,阿尔萨斯施莱特施塔德～1547-07-20,斯特拉斯堡) 人文学家、作家和宗教改革运动的拥护者。其编订工作有助于保存大量的古典文献。曾在巴黎大学研习亚里士多德哲学,1505 年取得文学硕士学位。1511 年定居在瑞士巴塞尔,为学者兼出版家弗罗本工作。他尽量利用当时刚发现的莱茵兰手稿,编订德尔图良的著作(1521)以及一些史学家的著作,并在 1531 年撰写《日耳曼事物三书》。他在巴塞尔结识了荷兰人文学家伊拉斯谟,两人都同情路德所宣布的宗教改革的原则。曾接受伊拉斯谟遗留的信件和论文,是为伊拉斯谟的著作编目和编订的第一人(1540),此外还著有伊拉斯谟传。

Beau Bassin-Rose Hill 博巴桑-罗斯希尔 毛里求斯第二大城市。在首都路易港正南。由博巴桑和罗斯希尔两城合并而成。为繁忙的商业贸易中心和住宅区。设有英国文化委员会图书馆。人口约 87 520(1983)。

Reau de Rochas, Alphonse(-Eugène) 博·德·罗夏(1815-04-09,法国迪涅～1893-03-27,万塞讷) 法国工程师,发现四冲程内燃机的原理,并强调在点火前对燃料、空气混合物进行压缩的必要性。1862 年取得了专利,但没有制造这种发动机。由德国 N.A.奥托和法国 E.勒努瓦制成的四冲程内燃机,几乎全部替代了其他类型的内燃机而得到普遍应用。

Beaubourg, Centre (museum) **博堡中心** 参阅 **Pompidou Centre 蓬皮杜中心**。

Beaucaire 博凯尔 法国东南部朗格多克-鲁西永地区加尔省城镇。隔罗讷河与塔拉斯孔相望。13 世纪图卢兹公爵在此建立城堡,其教堂和三角形塔楼保存至今。从城堡花园可广览罗讷河三角洲和卡马尔格地区风光。其他著名建筑有 15 世纪建圣保罗教堂和 1683 年建市政厅。博凯尔曾是重要河港,它的 7 月交易会闻名全欧达 6 个多世纪(13～20 世纪),每年参观者达 30 万。物资大部由水路运入,通铁路后市场衰落。现交易会仅为地方性并以皮货为主。港口通艾格莫尔特

博凯尔的蒙莫朗西城堡
美国不列颠百科全书公司供图

和南运河,也是当地产品重要的商业中心,特别是葡萄酒。有一些小型工业(如食品加工业)和化学制造业。人口 13 748(1999)。

Beauce 博斯 法国西北部地区。在巴黎西南和奥尔良森林之间。为法国传统大谷仓之一。境内地势平坦,土地肥沃,没有树木。一度主要种植小麦和甜菜。从 1956 年"黄色革命"起,当地改种玉米为主,夏季进行灌溉。位于卢瓦河和卢瓦尔河之间的小博斯是一个类似的地区。农业现代化,完全实现机械化,产量很高。教堂尖塔、粮仓和水塔耸立在平川上。主要城镇沙特尔、沙托丹、埃唐普和皮蒂维耶都有农产品市场。

Beauchamp, Alphonse de 博尚(1767,摩纳哥～1832-06-01,巴黎) 法国历史学家。1784 年在撒丁的团队当军官。1792 年撒丁与法兰西共和国开战,他认为非正义事业、拒绝为其战斗而下狱一年左右。1793 年被释后去巴黎,在公安委员会工作。在参加导致革命领袖 M.de 罗伯斯比尔倒台和就义的密谋后,他 1794 年调警察局负责检查新闻。他因职务之便而掌握有关资料,写出自己第一部最受大众欢迎的著作《旺代和朱安党人的历史》(3 卷,1806),记述了 18 世纪 90 年代法国西部的反革命暴乱情况。他被控为泄露国家机密而被解职。1809 年该书第 3 版问世时,他从巴黎被放逐到兰斯。1811 年获准返巴黎重在政府任职。他还为报纸杂志写过大量传记和历史的文章。

Beauchamp, Edward Seymour, Baron 博尚男爵 参阅 **Hertford, Edward Seymour, earl of 赫特福德伯爵**。

Beauchamp (of Hache), Edward Seymour, Viscount 博尚(阿什的)子爵 参阅 **Somerset, Edward Seymour, 1st duke of 萨默塞特公爵(第一)**。

Beauchamp, Kathleen Mansfield 博尚 参阅 **Mansfield, Katherine 曼斯菲尔德**。

Beauchamp, Pierre 博尚(1636,法国凡尔赛～1705,巴黎) 法国芭蕾舞蹈家和教师。对芭蕾发展做出的贡献包括确定脚的五个基本步位。1661 年任法国皇家舞蹈学院(属皇家音乐院一部分——今巴黎歌剧院)院长。以严谨的风格和技巧,特别是脚尖旋转技巧而闻名。1681 年在吕里的舞剧《爱情的胜利》

中扮演过路易十四的女舞伴。据认为,他是巴黎歌剧院第一个舞蹈编导,曾改编许多宫廷芭蕾舞剧,并为莫里哀的戏剧和吕里歌剧中的舞蹈编舞。博尚还设计过一种舞谱,虽从未发表,但却由他的学生 R.弗依耶等在最早出版的舞谱中加以采用。在吕里与路易十四的参与下,他是芭蕾职业化的主要推动人。通过教学工作促进了芭蕾技术水平的提高,使专业训练成为必要手段,宫廷的非专业舞蹈家们不再是芭蕾的唯一演员。吕里逝世后,博尚于 1687 年退休。

Beauchamp, Richard 博尚 参阅 **Warwick, Richard Beauchamp, 5th Earl of** 沃里克伯爵(第五)。

Beauchamp, Thomas II de 博尚 参阅 **Warwick, Thomas II de Beauchamp, 4th Earl of** 沃里克伯爵(第四)。

Beauchemin, Nérée 博舍曼(1850-02-20,加拿大魁北克亚马钦切～1931-06-29,魁北克三河城) 加拿大法语诗人和医生,被认为是魁北克地方色彩诗歌乡土派的主要诗人。作为一个以诗的形式完美著称的传统主义者,他从魁北克的宗教和文化,以及对加拿大秀丽风光的热爱中汲取素材。《清晨之花》(1897)、《亲爱的故乡》(1928)是他仅有的两本诗集。

Beaudesert 博德瑟特 澳大利亚昆士兰州东南部城镇。1842 年建成牲畜集散地。1863 年在附近始建该州第一个棉花种植园,使用南太平洋岛民作劳动力。1876 年发展为镇。通公路和铁路。产乳品、水果、猪、玉米等的地区中心。有锯木和肉类加工等工厂。亦为发展中的游览地。每年9月举办农业展览会。人口 3 734(1996)。

Beaufort 博福特 美国北卡罗来纳州南部殖民时期港口城镇,卡特雷特县县城。位于博福特港的莫尔黑德市对面。1715 年始建。1723 年设镇。有百余座殖民时代建筑物,排列在栎树成荫的狭窄街道两旁。镇内旧墓地中有异趣的殖民时期墓碑。博福特港是海盗 E.蒂奇(黑胡子)和他的船"女王安妮复仇"号的基地。旅游业为经济支柱。鱼粉是主要产品。此外还有造船厂、锯木厂等。汉普顿海员博物馆以展出有关航海的历史文物著称。人口 3 854(2003)。

Beaufort 博福特 美国南卡罗来纳州南部城市,博福特县县城。位于波特罗亚尔岛上。早期试图在此定居的有法国胡格诺派教徒(1562)、英国人(1670)和苏格兰誓约派教徒(1684)。1803 年设市。曾在种植园经济基础上繁荣一时,出口靛青染料、稻米和棉花等。市内保留南北战争前的风貌,有许多早期建筑和古迹。其中如基督教圣公会教堂(1724)和兵工厂(1795)等。主要经济部门有海鲜加工、蔬菜种植、牲畜饲养、服装制作、木材加工和旅游业。美国海军陆战队新兵兵站设于此。1959 年后,博福特学院(1852)改为南卡罗来纳大学分校。设有博福特技术教育中

博福特市约建于 1814 年的建筑

美国不列颠百科全书公司供图

心。每年 7 月在该市举行南大西洋航海赛船会。人口 12 950(2000)。

Beaufort FAMILY **博福特家族** 英格兰的一个家族,由爱德华三世的儿子兰开斯特公爵冈特的约翰与 C.斯温福德私通所生的后代构成。在 1396 年父母正式结婚后,其 4 个子女亦随之合法化;但他们却被其同父异母弟兄亨利四世公开排斥,不得继承王位。博福特家族第 1 代包括封为萨默塞特侯爵和多塞特侯爵的约翰(1410 卒),温切斯特的枢机主教亨利,托马斯(1426 卒)以及他们的妹妹琼。在第 2 代中,由于约翰第 3 子(当时存活中的长子)第 1 代萨默塞特公爵 E.博福特(1455 卒)要求王位而演变成玫瑰战争。在这场战争中,博福特家族的男子全部战死。E.博福特的侄女 M.博福特成为未来国王亨利七世的母亲。

Beaufort, Edmund 博福特 参阅 **Somerset, Edmund Beaufort, 1st Duke of** 萨默塞特公爵(第一)。

Beaufort, François de Vendôme, duc de 博福尔公爵(1616-01-16,巴黎～1669-06-25,克里特岛) 法国亲王,投石党运动(1648～1653)领袖之一,海军上将。他曾参与反对路

美国不列颠百科全书公司供图

易十三的首相黎塞留,为王后(奥地利的安娜)的忠诚支持者。1642 年为躲避对森-马尔密谋的审问而逃往英国;同年黎塞留死后,他回到法国。1643 年路易十三死后,J.马萨林成为首相,博福尔因参加推翻马萨林的密谋,9 月被捕入狱。1648 年 5 月逃脱。1649 年 1 月参加叛乱的巴黎议会,成为第一次投石党运动的将领之一。他英俊的相貌、诚挚的举止及对封锁巴黎的王室军队的出击赢得了平民大众的喝彩。在《吕埃和约》签订(1649-03)后,他与 J.F.P.de 贡迪(后来为雷茨枢机主教)结成联盟。贡迪在宫廷活动,使他获海军上将头衔。1650 年 1 月贡迪同安娜和马萨林一起策划逮捕他们的敌对者孔代亲王,这触发了第二次投石党运动,马萨林不得不于 1651 年 2 月逃离巴黎。1652 年 1 月马萨林重返巴黎,博福尔公爵率奥尔良公爵加斯东的军队参加到孔代一边,反对王家的军队。投石党运动失败后,他被逐出巴黎。1658 年重获国王的宠信,他身为海军上将专治海军。1664 年率法国海军进攻阿尔及利亚。后被派往克里特岛,帮助干地亚的威尼斯人抗击土耳其人,他在战斗中死去。

Beaufort, Gabrielle d'Estrées, duchesse de (duchess of) **博福尔女公爵** 参阅 **Estrées, Gabrielle d'** 埃特雷。

Beaufort, Henry 博福特(约1374～1447-04-11,英格兰汉普郡温切斯特) 英格兰枢机主教,15 世纪上半期英格兰的实权人物。爱德华三世之孙、兰开斯特公爵冈特的约翰

美国不列颠百科全书公司供图

之子。1397 年任牛津大学名誉校长,1398 年任林肯教区主教。1399 年其同父异母弟兄亨利四世即位,博福特在政治上便享有显赫地位。1403 年成为英格兰的大臣和枢密顾问官。次年任温切斯特教区(英国最富有的教区之一)主教。后来辞去大臣职务,领导枢密院内的反对派,反对亨利四世的首席大臣、坎特伯雷大主教 T.阿伦德尔。1413 年其侄和政治同盟者亨利五世即位,他再次被任命为大臣。为了爬得更高,他在罗马教廷谋职,1417 年教皇马丁五世任命他为枢机主教和罗马教皇使节,但不久亨利五世怕他在教廷中的权势太大,便迫使他辞去这些教职。1422 年幼王亨利六世登基后,他得以发挥自己的才能。他本已富有,仍以高利率向王国政府放贷,以此扩大其财富和巩固其权力。1426 年他又被任命为枢机主教和教皇使节。到

15世纪30年代中期,博福特已经牢牢地控制了政府。1435和1439年他试图通过谈判结束英法之间的百年战争,但未成功。1443年退隐。

Beaufort, Henry　博福特　参阅**Somerset, Henry Beaufort, 2nd duke of** *萨默塞特公爵(第二)*。

Beaufort scale　蒲福风级　全称蒲福风力等级,由英国海军中校弗朗西斯·蒲福(后为海军上将和巴斯高级爵士)在1805年为观测和区分海上风力而拟定。起初根据风对张满帆的军舰的作用来判断,1838年把它定为皇家海军所有舰船航海日志的必备项目。国际气象委员会将蒲福风级作了修改,即海洋状况和陆上现象也作为蒲福风级标准,1874年国际气象委员会通过在国际通用天气电报中采用蒲福风级。蒲福风级起初拟定时不涉及风速,后来由于各种需求,特别是在20世纪,有必要把两者联系起来。1912年国际天气报务员委员会作了尝试,后因第一次世界大战而中断。1921年G.C.辛普森受委托制定蒲福风级与风速之间的对应关系,其结果于1926年获得国际气象委员会认可。1939年6月,该委员会通过了一张换算表,即蒲福风级对应6米高度上风速表数值的表。这张表没有被美国和英国官方气象机构采用,而这两个气象机构采用早先对应11米高度上风速表的数值的标度。蒲福风力等级12～17是美国气象局1955年所补充的(见表)。蒲福风级目前已很少使用了,因为已经有更客观的风速测定法。不过蒲福风级在判定大范围风的特性时仍然有用,而且还可在无测风仪器的地区用来判定风,并用来测量和描述不同的风速对陆上和海面物体的影响。如表所示,美国国家气象局所使用的有关风的术语,有时与其他国家不一致。

蒲福风级表

蒲福风力等级	风的名称	风速 海里/小时	风速 千米/小时	海表面状况	海扰动等级	平均浪高 英尺	平均浪高 米
0	无风	<1	<1	海平如镜	0	0	0
1	软风	1～3	1～5	仅见涟漪,没有浪峰	0	0	0
2	轻风	4～6	6～11	子波较短,浪峰稍高,闪亮但不破碎	1	0～1	0～0.3
3	微风	7～10	12～19	子波大,浪峰开始破碎,泡沫如玻璃状,有时出现白浪沫	2	1～2	0.3～0.6
4	和风	11～16	20～28	小浪变长,具白浪沫	3	2～4	0.6～1.2
5	清劲风	17～21	29～38	中浪,浪型更长,具许多白浪沫,有时出现飞沫	4	4～8	1.2～2.4
6	强风	22～27	39～49	大浪开始形成,普遍出现带白沫的浪峰,有些飞沫	5	8～13	2.4～4
7	疾风	28～33	50～61	海浪卷起,碎浪成沫,沿风向呈条状,开始出现海浪溅沫	6	13～20	4～6
8	大风	34～40	62～74	海浪更高更长,碎浪峰巅碎成溅沫,沿风向更明显地呈条状	6	13～20	4～6
9	烈风	41～47	75～88	高浪,沿风向浪沫呈密集条状,海水开始翻腾,飞沫影响能见度	6	13～20	4～6
10	狂风	48～55	89～102	极高浪,带有长悬垂峰,浪沫成团,沿风向呈密集白条状,海面泛白,翻腾程度更大,能见度受影响	7	20～30	6～9
11	暴风	56～63	103～117	罕见的高浪,能挡住中小型船只,海面被长的浪沫团覆盖着,浪峰被吹成沫,能见度受影响	8	30～45	9～14
12～17	飓风	≥64	≥117	空气中充满飞沫,海面全为汹涌的浪沫,能见度严重受影响	9	>45	>14

Beaufort Sea　波弗特海　加拿大和阿拉斯加北部的北冰洋边缘海。从阿拉斯加的巴罗角向东北伸延至帕特里克王子岛的兰兹角;东起班克斯岛,西迄楚克奇海。面积184 000平方英里(476 000平方千米)。平均水深3 239英尺(1 004米),最深15 360英尺。以英国海军少将之名命名。几乎终年为冰覆盖。近岸处每年8、9月间化冻。南部沿岸水域8月中旬至9月下旬可通航。巴罗角附近大陆架最窄,马更些河口北面大陆架稍宽,但也不超过145千米。大陆坡被许多海底峡谷切断。海底地质结构为一巨大台地。地震波指数与加拿大盆地及各大洋的地壳相类似。水层可分表层、次表层、深层和底层四部分。表层厚330英尺。水温最低。平均夏温－1.4 ℃,冬温－1.8 ℃。盐度28‰～32‰。次表层水温较高,由太平洋和白令海水通过白令海峡流入形成。深层水来自大西洋,水温最高,为0～1℃。底层水温－0.8～－0.4 ℃。水流方向与北冰洋洋流系统关系密切。波弗特海大部分海流向西或向西南流。仅在马更些河口附近观察到向东的海流。马更些河每年流入海的沉积物约1 500万吨,包括高含量的白云石和碳酸钙,大陆架上处处有砾石、卵石和砂,有时与泥混合。海水中有70种浮游植物和80种浮游动物。底栖动物多达700种。沿岸居民以渔猎为生。

Beaufort Series　博福特统　南非卡鲁系的二叠-三叠纪岩层,位于埃卡统之上和斯托姆博格统之下。博福特统在南非发育特别好,研究最彻底。它主要由砂岩组成,夹有页岩和扁豆状煤层,最大厚度达3 000米。特别重要的是该统富含各种爬行动物化石,并以含独特的几乎近似哺乳动物的兽孔类化石组合为特征。这个组合可把该统进一步分为6个动物群带,其中每一个带都具有独特的、彼此不同的化石组合。上博福特与下博福特之间的界线已被公认为二叠系同三叠系的界线(也就是约2.45亿年前)。虽然有些兽孔类群在三叠纪发生衰减,动物群的连续性穿过二叠纪与三叠纪界线是明显的,但是,仔细的分析揭露出动物群组合上的关键性替换。丽齿亚目的兽孔类(特化的剑齿型食肉动物类)在二叠纪末绝灭,槽头类和二齿兽类衰减,但较广义的二齿兽孔类仍保持繁盛。随着时间推移,中生代以初龙类和槽齿类为特征的典型爬行动物组合渐占优势。

Beaufre, André　博弗尔(1902-01-25,法国塞纳河畔讷伊～1975-02-13,南斯拉夫贝尔格莱德[今在塞尔维亚])　法国战略家,法国独立核力量的鼓吹者。1921年进入圣西尔军校,结识当时任教官、后来任法国总统的戴高乐。在高级军事学院和政治学院学习后,他被分配到陆军总参谋部工作。第二次世界大战期间(1940～1941)在任驻阿尔及利亚常务国防秘书时被法国维希政权逮捕。1942年获释后参加自由法兰西陆军,曾在几条战线上作战,直到1945年战争结束为止。后调往印度支那和阿尔及利亚,1956年在苏伊士战役中指挥法军对埃及作战。1958年任欧洲盟军最高司令部总参谋长。1960年以上将衔任法国驻华盛顿的北大西洋公约组织常设代表团首席代表。60年代初成为著名军事战略理论家,主张法国拥有独立的核力量。他有很多著作,如《战略导论》(1963)、《1940年法国的陷落》(1965)、《北大西洋公约组织与欧洲》(1966)、《1920～1940～1945年回忆录》(1969)和《历史的本质》(1974)。

Beaugency　博让西　法国中北部卢瓦雷省城镇。位于卢瓦尔河右岸。11～13世纪当地贵族势力强大。早为卢瓦尔河的重要桥头镇。经修复的13世纪建26墩大桥现仍在使用。百年战争中城镇四次被英军占领,1429年被贞德收复。1567年被新教徒放火焚烧。1870年12月德军在城西北击败法军。15世纪城堡现为地区博物馆。附近有11世纪方形无顶要塞。是小型服务和旅游中心,也有一些轻工业。人口7 106(1999)。

Beauharnais, Alexandre, Viscount (vicomte) **de　博阿尔内子爵**(1760-05-28,马提尼克～1794-06-23,法国巴黎)　约瑟芬(后为法国皇后)的前夫,拿破仑三世的外祖父。法国大革命中的知名人物,以开明贵族著称。1779年在马提尼克岛与约瑟芬结婚。大革命爆发后,他青云直上,曾主持1791年的制宪议会。1793年任莱茵方面军军长。在恐怖统治时期被捕(主要由于他是贵族),被送上断头台。通过与约瑟芬的婚姻,他成为E.博阿尔内、奥尔唐斯(荷兰王后和拿破仑三世之母)的父亲。

Beauharnais, Eugène de　博阿尔内(1781-09-03,巴黎～1824-02-21,慕尼黑)　法国军人,法兰西第一帝国的亲王,拿破仑一世的驻意大利总督。其父博阿尔内子爵亚历山

美国不列颠百科全书公司供图

大将军于1794年6月23日被送上断头台。拿破仑与将军的遗孀约瑟芬于1796年3月9日结婚,1806年收博阿尔内为养子。拿破仑对约瑟芬前夫的子女很慈善,而且真心关怀他们的幸福。博阿尔内对拿破仑来说也是有用的军事助手,特别在雾月十八日政变(1799-11-09)时期和在马伦戈战胜奥地利人时(1800-06-14)是如此。1804年,博阿尔内被封为亲王,出任国务大臣。1805年拿破仑自立为意大利国王时,派他任意大利总督。他整顿财政和民政,修筑公路,并引进法国的司法制度。在1809年对奥地利作战时任意大利军司令,在拉布(杰尔)赢得重大的胜利,在瓦格拉姆打了一场漂亮仗。1812年在俄国作战,次年在德意志作战,他都立下重大功劳。1814年他尽力长期坚持抵抗奥地利和那不勒斯的诱降,但最后被迫缔结《斯基亚里诺-里齐诺停战协定》(1814-04-16)。然后,他退隐慕尼黑,因为在1806年他已与巴伐利亚国王马克西米连一世的女儿阿梅里娅·奥古斯塔结婚,他获得洛伊希滕贝格公爵的称号。

Beauharnais, Eugénie-Hortense de　博阿尔内　参阅 **Hortense** *奥尔唐斯*。

Beauharnais, Marie-Josèphe-Rose, Vicomtesse de (viscountess of)　**博阿尔内子爵夫人**　参阅 **Joséphine** *约瑟芬*。

Beauharnois　博阿努瓦　加拿大魁北克省南部蒙特利尔区城市,位于圣路易斯河河口处的圣路易斯湖(圣劳伦斯河展宽而形成)南岸。在蒙特利尔市西南35千米处。1819年始建。与梅洛奇维尔村同为博阿努瓦运河(连接圣劳伦斯航道的主要水道)东口的工业中心和铁路枢纽。市西博阿努瓦水坝上建有大型水电站,供该省大部分用电,促进了该地炼钢、造纸、印刷、制铝、金属合金、化学制品、家具、门窗等工业的发展。人口6 449(1991)。

Beaujeu, Pierre, seigneur de (lord of)　**博热领主**　参阅 **Bourbon, Pierre II, 7ᵉ duc de (7th duke of)** *波旁公爵(第七)*。

Beaujolais　博若莱　法国古省名,博热和维勒弗朗什先后为其首府,面积相当于现今罗讷省大部和卢瓦尔省一小部分。该地区土地肥沃,以产佳酿闻名。10～13世纪,博热的领主将所属领土逐渐扩大为可观的封建贵族领地。1531年归法国王室管辖,1560年国王弗兰西斯二世归还给波旁-蒙庞西耶家族,并再转到奥尔良家族。博若莱伯爵称号由菲利普(平等者)的幼子路易-查理·德·奥尔良承袭。

Beaujolais　博若莱　法国东南部一个大区,位于中央高原正东,里昂以西。地势起伏不平,最高点圣里戈峰海拔1 012米。境内多林木。圣里戈峰西侧地区以家庭小农庄为特色;以东地区有世界闻名的红葡萄酒酿造业,名牌有博若莱、福勒里耶和尤里耶纳等。

Beaujolais　博若莱葡萄酒　法国勃艮第南部博若莱地区所产的葡萄酒,它是世界上最广泛饮用的红葡萄酒之一。该酒用加迈葡萄制成,色泽中红,醇度较低,有清凉的果味。该地区南部所产葡萄酒简单地称为博若莱葡萄酒。该地区北部某些地方所产葡萄酒称作博若莱村庄葡萄酒;通常色泽较深,醇度较高,人们认为这种酒质量较高。北部有10个村庄生产最佳的博若莱葡萄酒,其中大名鼎鼎的有"慕玲纳凡"和"弗勒利"。在20世纪后半叶博若莱葡萄酒的声誉迅速提高。在葡萄收获后不久饮用博若莱葡萄酒成为一种时尚,这种新酿造出来的酒叫新博若莱葡萄酒。到20世纪90年代初期,所产的博若莱葡萄酒有一半以上是作为新酒而饮用的。博若莱葡萄酒,特别是新博若莱葡萄酒,常常在冷却后供饮用。

Beaujoyeulx, Balthazar de　博若耶(16世纪初,意大利皮埃蒙特地区～1587,巴黎)　意大利语作 Baltazarini di Belgioioso。作曲家和舞蹈编导,对表演舞蹈和歌剧的发展有过影响。1555年作为小提琴手由布里萨克公爵带到法国卡特琳·德·梅迪契王后宫廷,后成为王室"御前侍从",非正式地为宫廷安排节日活动。曾为王后妹妹玛格丽特与茹瓦约斯公爵的婚礼编导上演了《王后喜剧芭蕾》,长达5个半小时,耗资360万金法郎。该剧包含诗歌、对白、歌唱、管弦乐和舞蹈。他的编舞包括了综合的结构花样和演员的几何图形排列,这些创新对表演舞蹈的发展做出贡献。这部作品是大约20年后在意大利发展起来的歌剧的前驱,是当时宫廷娱乐节目中唯一的一个有统一情节的舞剧。虽然由于耗费巨大,《王后喜剧芭蕾》不能重复上演,但模仿它的以及同它相似的芭蕾舞剧随后却出现了,特别是该剧台本在1582年出版之后,具有国际性的和美学上的影响,各国君主争相仿效,大搞豪华的宫廷芭蕾舞。100年后,这就成了职业芭蕾舞的先河。

Beaumanoir, Philippe de Remi, sire de　博马努瓦尔(约1246,法国贡比涅附近～1296-01-07,葬于贡比涅)　贵族出身,行政官和法学家,他的主要著作《博韦人的习惯法》(约1280～1283编订)是一部较早的旧法国法律的汇编。1279年他继承哥哥吉拉尔的职务,任巴黎东南加蒂奈地区的执法官。

Beaumarchais, Pierre-Augustin Caron de　博马舍(1732-01-24,巴黎～1799-05-18,巴黎)　法国著名喜剧《塞维尔的理发师》(1775)和《费加罗的婚礼》(1784)的作者。他虽然不是诡计多端的男仆这类人物的创造者(这种人物远在古罗马时代的喜剧中即已出现),但这两剧中的主角费加罗仍然是这类人物的最深刻表现。博马舍对笔下这位足智多谋和乖巧伶俐的男仆抱有明显的带有阶级意识的同情。《塞维利亚的理发师》成为意大利作曲家

美国不列颠百科全书公司供图

罗西尼创作极受欢迎的同名歌剧的蓝本,而《费加罗的婚礼》则为莫扎特创作同名歌剧(1786)带来灵感,此剧公开抨击了贵族特权并在某种程度上预示了1789年革命将引起的社会动荡。博马舍的一生像他的作品一样,也是一出充满论争、冒险和纠葛的戏剧。他是钟表匠之子,发明了一种擒纵机,但因专利权的问题导致他涉及多次法律上的申诉。为在诉讼中进行辩护,他写了一系列才气横溢的辩驳性文章(《回忆录》),名声鹊起,但在法庭上却只获得部分胜诉。1773年以后,由于卷入法律纠纷,曾离开法国,为执行法王路易十五和路易十六的秘密使命到过英国和德国。他作为戏剧家,尽管日益受人欢迎,但最使他着迷的却是进行金融投机。他为美国的革命者采办军火,又把伏尔泰作品的第一个全版版权买到手。作品中,只有上述那两出经典喜剧具有永久性的魅力。因过于富有,在法国大革命(1792)期间曾被监禁,由于他从前情妇的干预才得以获释。

Beaumaris　博马里斯　威尔士圭内斯郡安格尔西岛区城镇。在梅奈海峡的东北端。根据1294年特许证建立的中世纪小集镇。现为旅游胜地和游艇运动中心。邻近的帕芬岛

为大群海鸟繁殖地。人口约2 088(1981)。

Beauménard, Mademoiselle (French actress) **博梅纳尔(小姐)** 参阅 **Bellecour, Madame** 贝勒库尔夫人。

Beaumont 博蒙特 美国得克萨斯州东南部城市,杰斐逊县县城。与阿瑟港、奥兰治合为石油化学和工业综合体“金三角”。早期经济活动为伐木、种稻和航运。19世纪90年代

博蒙特市的卢卡斯油井纪念碑
美国得克萨斯州公路局供图

建有5条过境铁路。1901年,附近的卢卡斯油井喷油,从而发现了得克萨斯第一个斯平德尔托普大油田,一跃成为新兴石油城市。1916年建成深水河道,成为该州石油化学工业的重要港口,拥有大炼油厂、造船厂和谷物储藏及大米加工等各种装备。市郊还开采岩盐及硫磺。市内有拉马尔大学。为纪念斯平德尔托普油田的发现而建有卢卡斯油井纪念碑和格拉迪斯纪念馆。1838年设镇;1881年设市。人口:市113 866;博蒙特-阿瑟港都会统计区385 090(2000)。

Beaumont, Charles, chevalier d'Éon de 参阅 **Éon de Beaumont, Charles(-Geneviève-Louis-Auguste-André-Timothée), chevalier d'** 埃翁·德·博蒙。

Beaumont, (Jean-Baptiste-Armand-Louis-Léonce) Élie de 博蒙(1798-09-25,法国卡农~1874-09-21,卡农) 法国地质学家,与另一法国地质学家O.P.迪弗雷努瓦合作完成了法国大地质图。1835年任巴黎矿业学院地质学教授。1833~1847年任法国采矿总工程师,1847年任总监。1861年任矿务总委员

美国不列颠百科全书公司供图

会副主席。所著《山系成因述评》(1852),提出山脉是由于地球缓慢冷却而收缩引起的灾变性隆起造成的。

Beaumont, Francis 鲍蒙特(约1584,英格兰莱斯特郡格雷斯-迪厄~1616-03-06,伦敦) 英国詹姆斯一世时代的诗人和剧作家,曾和J.弗莱彻(Fletcher, John)共同写作喜剧和悲剧。莱斯特郡查恩伍德福雷斯特格雷斯-迪厄小修道院民事诉讼法官之子。1597年入牛津求学,次年因父去世而离校,未能取得学位。1600年进入伦敦内殿法学协会,但对法律研究无大兴趣而成为酒店常客。23岁时曾在B.琼森的《狐狸》(1607)一剧的卷首题诗,以向其“亲密的朋友”作者致贺,弗莱彻也为这本集子提供几首诗。约在这时,他们两人正在合作写剧本。他们的合作长达7年,1613年鲍蒙特结婚并退休,死后葬于威斯敏斯特教堂。作为剧作家,鲍蒙特给人的形象比较朦胧,对戏剧的贡献不如弗莱彻那样明显。由他俩或与其他合作者共同署名的剧作有54部,其中由鲍蒙特独立写作的只有一部,和弗莱彻合写的也只有10部,有3部是和第3个合作者P.马辛杰合写的。鲍蒙特独立

美国不列颠百科全书公司供图

写的剧本《燃杵骑士》是对当时流行的剧本形式的拙劣模仿,枝蔓丛生,结构松散,写多愁善感的情侣和具有骑士气概的冒险活动。剧情开始时一位市民与其妻子在剧院观赏戏剧《伦敦商人》,此剧本身是在讽刺同时代剧作家T.德克的作品。市民夫妇打断演出,提出并坚持由其学徒来担任主角。在这出戏中,鲍蒙特极力讽刺当时的中产阶级对艺术的无知。该剧并未立即受到欢迎。在鲍蒙特与弗莱彻合写的3部杰出戏剧《少女的悲剧》、《菲拉斯特》、《是国王,又不是国王》中,鲍蒙特被认为是主要撰写者,因为剧本显示出较严谨的结构,而弗莱彻的风格则较单纯。要区分鲍蒙特和弗莱彻在任何作品中各写多少是复杂的,事实上鲍蒙特有时修改弗莱彻所写场景,而弗莱彻也校订某些鲍蒙特的作品。

Beaumont, Sir John 鲍蒙特(1583,英格兰莱斯特郡格雷斯-迪约?~1627-04,伦敦?) 英国诗人。写有一个献给詹姆斯一世的剧本《阿波罗剧院》(1625),一首关于博斯沃思战役(1485)的诗,其他一些献给詹姆斯一世和查理一世的诗,以及死后才发表的悼念朋友和亲戚的挽歌。他是天主教徒。1627年1月被封为准男爵。

Beaumont, William 博蒙特(1785-11-21,美国康涅狄格莱巴嫩~1853-04-25,密苏里圣路易斯) 美国外科军医。首次观察和研究了胃内的消化过程。1822年6月6日应召前去

美国不列颠百科全书公司供图

抢救一位在近距离受枪伤的,19岁的法裔加拿大捕兽人A.圣马丁,子弹击穿其腹壁及胃的前壁,当年误认为枪伤已经痊愈,但实际上腹腔伤口并未愈合,遗留下胃瘘,用手指按压,可观察到胃内的情况。3年后他对圣马丁的胃进行了生理学研究。他搜集多份胃液标本送验,证实胃液内有游离盐酸,证明消化过程主要是化学过程。他还发现不同的食物对胃的作用也不同,蔬菜比其他食物更难消化,牛奶在消化开始之前先要凝固,冷的胃液没有消化作用。他描述了胃液的性质和消化过程并确定酒精是胃炎病因之一。1833年发表《胃液的实验与观察及消化生理学》一书。

Beaune 博讷 法国中东部勃艮第大区科多尔省城镇。位于第戎西南,临布辛斯河。史前时代这里便有人定居。罗马统治时期为繁荣的养牛和葡萄种植业中心。现仍为勃艮

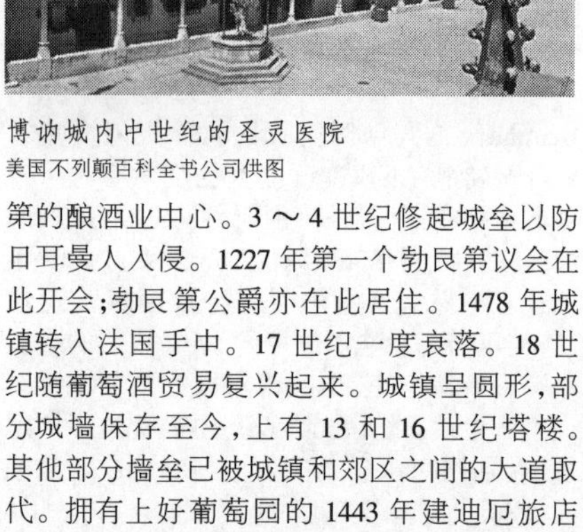

博讷城内中世纪的圣灵医院
美国不列颠百科全书公司供图

第的酿酒业中心。3~4世纪修起城垒以防日耳曼人入侵。1227年第一个勃艮第议会在此开会;勃艮第公爵亦在此居住。1478年城镇转入法国手中。17世纪一度衰落。18世纪随葡萄酒贸易复兴起来。城镇呈圆形,部分城墙保存至今,上有13和16世纪塔楼。其他部分墙垒已被城镇和郊区之间的大道取代。拥有上好葡萄园的1443年建迪厄旅店仍在开业。其他名胜有圣母院(始建于12世

纪)和葡萄酒博物馆,每年 11 月举办地区性葡萄酒大销售。人口 21 923(1999)。

Beauport 博波尔 加拿大魁北克省东南部魁北克区城市。在魁北克市东北郊,圣劳伦斯河北岸。1634 年成为加拿大第一批欧洲人殖民点之一。1976 年将周围一些城镇并入。现主要为住宅区,有一些轻工业。人口69 158(1991)。

Beauregard, P(ierre) G(ustave) T(outant) 博雷加德(1818-05-28,新奥尔良附近~1893-02-20,新奥尔良) 美国南北战争时期南部邦联的将领。1838年毕业于西点军校。1846~

美国国家档案馆供图

1848 年在墨西哥战争中服役。1861 年路易斯安那州脱离联邦后,他在南部邦联军队中成为准将,最后成为四星上将,几乎参加每次重要战役。他曾指挥部队炮轰南卡罗来纳州的萨姆特堡,亲身参加第一次布尔溪战役。后指挥查尔斯顿保卫战,防守里士满的南部通路。战后回路易斯安那州任铁路局长、州民兵指挥官和路易斯安那彩票公司经理。著有《战争艺术的原则与准则》(1863)和《查尔斯顿保卫战报告书》(1864)。

beauty bush (*Kolkwitzia amabilis*) **猬实** 忍冬科一个单种属(猬实属)的植物,原产于中国中部。为观赏灌木。植株最高可达2.5

猬实(*Kolkwitzia amabilis*)
美国不列颠百科全书公司供图

米。叶广椭圆形。初夏开花,花成对,生于叶腋,并丛聚于枝端;花冠钟形,白色至粉红色;果实被刺毛,棕色,宿存至冬季。

beauty leaf (*Calophyllum inophyllum*) **美叶树** 又作 dilo oil tree 或 Alexandrian laurel。即马达加斯加红厚壳。又称亚力山大月桂。藤黄科观赏乔木,原产于亚洲热带。栽作观

美叶树(*Calophyllum*)
美国不列颠百科全书公司供图

赏植物。叶革质,光泽,美观;花白色,芳香,黄心,花序直立,花梗白色。株高达 16 ~ 19 米,分枝密茂而弯曲,外形优美。能抗盐水溅泼,常植于近海地区。种子可提取一种气味浓郁的药用油——迪洛油(dilo)。

beauty -of -the -night (plant) 参阅 **four-o'clock** 紫茉莉。

Beauvais 博韦 法国北部皮卡第大区瓦兹省省会。位于巴黎北面,泰兰和阿韦隆两河汇流处。公元前 52 年被凯撒攻占。公元 9 世纪成为伯爵领地。当地圣皮埃尔大教堂

博韦镇的圣皮埃尔大教堂和司法厅尖塔
美国不列颠百科全书公司供图

(10 ~ 16 世纪)曾被认为是欧洲最大教堂,部分建筑保存至今。其他公用建筑为 14 ~ 16 世纪建。每年 6 月纪念 J.阿歇特,1472 年他从勃艮第包围军中夺得一面军旗。1918 年 F.福煦元帅曾在市政厅指挥作战。1940 年博韦遭猛烈轰炸,后按原城进行了重建。生产地毯、绒毯、毛毡、化工品和拖拉机。人口 55 392(1999)。

Beauvais tapestry 博韦挂毯 佛兰德织毯匠人 L.伊纳尔和 P.贝哈格于 1664 年在法国博韦建立的挂毯工厂的产品。博韦挂毯为富有的资产阶级和法国贵族生产,同时也供出口。到 19 世纪此种挂毯质量下降,产量减少。

Beauvoir, Simone (Lucie-Ernestine-Marie-Bertrand) de 波伏瓦(1908-01-09,巴黎~1986-04-14,巴黎) 又译波伏娃。法国女作家及女权主义者。哲学家-作家组成的知识分子团体的成员,该团体曾对存在主义的主题以文学形式进行阐述。她主要以专著《第二性》(2 卷,1949)而闻名。她在书中为呼吁取消她称作"永恒的女性柔弱"的荒诞说法,而从事引经据典和慷慨激昂的抗辩。该书在 20 世纪 60 年代为男女平等主义文献中的一部优秀作品。波伏瓦在私立学校接受教育后,进入巴黎大学;1929 年通过哲学方面的学

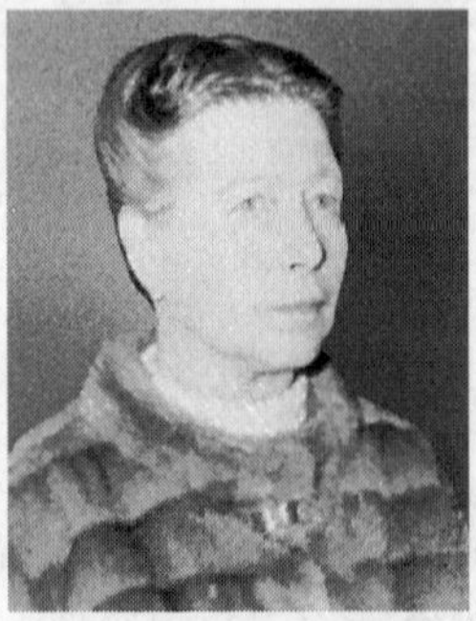

美国不列颠百科全书公司供图

衔考试后,她遇到了萨特,开始同他缔结自由的终生伙伴关系。她在以写作为生之前,曾在许多学校执教(1931 ~ 1943)。1945 年她与萨特开始出版一份名为《现代》的月刊。她在小说中陈述存在主义的主要论点,证实了她认为作家应投身于时代的主张。小说《邀请来的女客》(1943)描写一位少女在一对夫妇家中长期作客,而使夫妇关系不知不觉地遭到破坏的故事。该小说还探讨了一个复杂的问题,即一个人的内心同"别人"的关系,每个人的内心对别人来说都是损人利己者。在她的其他小说中,也许最著名的一本是使她获得龚古尔文学奖的《名流》(1954)。小说叙述第二次世界大战后,知识分子试图放弃他们的"名流"(受过教育的杰出人物)地位,而投身政治活动的情况。她

还著有4本讨论哲学的书籍，其中一本为《关于模棱两可的道德问题》(1947)。她还写过一些游记，有关中国的为《长征：论中国》(1957)；有关美国的为《美国逐日纪游》(1948)。另外还发表过许多论文，有些篇幅和书籍相等，其中最脍炙人口者即是《第二性》。她的作品中有几本纯属自传。其中有《一位规矩少女的回忆录》(1958)、《壮年时期》(1960)、《事实的力量》(1963)和《归根到底》(1972)。这一套作品不仅涉及个人经历，还对20世纪30～70年代这段时期中法国知识分子的生活作了清晰生动的描写。波伏瓦除阐述男女平等主义的论点外，还关注老年问题。她在其母病逝时，以《极其安静地辞世》(1964)一文谈论老年；她又有感于社会对老年人的漠不关心，而发表了《暮年》(1970)，以抒发悲愤的心情。1981年，她写了《永诀的仪式》，这是她悲痛地对萨特临终前最后几年情况的叙述。波伏瓦向世人显示，她是一位具有非凡勇气和正直性格的妇女，她的一生证实了她的论点，即每个人的基本选择必须以承认男女具有相同才能为前提，因为他们拥有共同的人体结构，而与性别无关。

Beaux, Cecilia　博(1855-05-01，美国宾夕法尼亚费城～1942-09-17，马萨诸塞格洛斯特)　全名Eliza Cecilia Beaux。美国画家，被认为是19世纪末20世纪初最好的肖像画家之一。由纽约和西费城的亲戚抚养成人。早期在家接受教育，随后在费城女子精修学校学习两年，并在16岁时开始学习绘画。在亲戚的指导下，她迅速成为一名高超的画家。1883年，在费城建立了一间画室。第一件重要作品是题名为《幼年的最后时光》的等身肖像，于1885年在宾夕法尼亚美术学院展出，后于1886年参加了巴黎画展。1888～1889年，到欧洲旅行和学习，在巴黎朱利安学院接受了几位艺术领军人物的指导。回到费城的画室后，得到了"城市最佳肖像画家之一"的赞誉，并且在随后的几年之内不断获得成功。1894年，当选为国家设计学会的会员(1902年升格为正式院士)。1985年，成为宾夕法尼亚美术学院首位女讲师；1896年，在巴黎画展上展出了6幅肖像作品。同年，凭借在画展上表现出来的实力，当选为国家艺术学会会员。1898年，完成了构图复杂的《多罗西娅和弗朗西斯卡》后，证明了自己在时尚肖像画技法上面可以和J.S.萨金特媲美。她受到法国印象派的影响，但是作品没有模仿任何大师。1900年迁居纽约后，完成了一系列名人肖像作品。1924年受伤之后，极少作画。1930年出版自传《画像的背景》。1933年当选为美国艺术文学会会员，两年后该学会为她举办了回顾展。

Beaux-Arts, École des　美术学校　全名国立高等美术学校，1671年在巴黎成立(当时为皇家建筑学会)，创建人是路易十四的大臣J.-B.柯尔贝尔，1793年与皇家绘画雕刻学院(成立于1648年)合并。开设素描、油画、雕塑、建筑、版画课程，学生经过考试择优录取，1968年后不再开设建筑课。

Beaux-Arts style (architecture)　**美术风格**　参阅 **Second Empire style** 第二帝国风格。

Beaver　比弗尔人　操阿塔巴斯卡语的印第安小部落。居住在今加拿大阿尔伯塔省北部多山、滨河的地区。18世纪初被扩张势力的克里人驱逐来此。克里人拥有枪支，从与欧洲毛皮贸易中取利。比弗尔人的名字来自其主要居住地点的印第安名称——"察迪斯"(意为比弗尔[海狸]之河)，今名皮斯河，部分比弗尔人至今仍在此居住。比弗尔人分散为许多独立的游牧群，各有其狩猎区，猎取驼鹿、北美驯鹿、海狸、美洲野牛。冬季居住在兽皮帐篷，夏季则居住在树枝架起的小屋或单倾斜面小屋中，旅行大多使用独木舟。除了相信保护精灵并相信来世之外，其他宗教仪式鲜为人知。

beaver　河狸　又称海狸。啮齿目河狸科河狸属(*Castor*)水栖哺乳动物。皮毛珍贵。以其筑坝行为著称。体壮实，耳小而圆，腿短，后足长而有蹼，尾扁平，具鳞片。体长可达1.3米(包括尾长0.3米)，体重27千克以上。雌雄两性均具麝腺，分泌液状的河狸香，可制香料。皮毛光泽，背侧棕黄至深褐色，腹侧色较浅。下层为细密的绒毛，上覆起保护作用的粗毛。19世纪早期，人们开发北美西北部的动机之一便是猎取河狸；未经鞣制的河狸皮是当时通用的交换媒介。新大陆河狸(加拿大河狸，*C. canadensis*)其分布范围一度自墨西哥北部至北极，但由于大规模捕猎数量已减少。旧大陆河狸(*C. fiber*)现仅见于欧洲易北河及罗讷河流域。这两个种现均受保护。河狸喜栖息于溪流及小河，亦生活于四周有树林的湖沼边缘。河狸用树枝、石块及软泥筑成的坝，可保存多年。堤坝截水成池，其面积可达数英亩。最后，水池为淤泥堵塞，变成草甸。河狸以枝条涂上软泥，筑成圆顶的巢穴，内部高1.8米。入冬后软泥冻结，猎

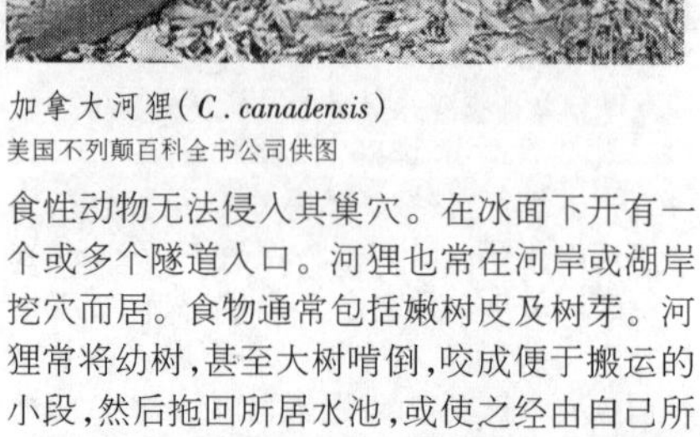

加拿大河狸(*C. canadensis*)
美国不列颠百科全书公司供图

食性动物无法侵入其巢穴。在冰面下开有一个或多个隧道入口。河狸也常在河岸或湖岸挖穴而居。食物通常包括嫩树皮及树芽。河狸常将幼树，甚至大树啃倒，咬成便于搬运的小段，然后拖回所居水池，或使之经由自己所挖的水渠漂回。又会将枝条及小段木材固定在深水底部软泥中以供冬季食用。河狸聚居生活，一个或多个家族同居一穴。每个家族通常包括一对配偶及二窝幼仔。仲冬交配，妊娠期4个月，每产2～8仔(通常4仔)。河狸性温顺，常成群活动。受惊即入水逃避。会用尾击水以向同类告警。

Beaver Island　比弗岛　又称大比弗岛。美国密歇根湖东北部一组岛屿中的最大岛，位于密歇根州胜地城市沙勒沃伊之西35英里(56千米)。长约14英里，宽3～6英里。属沙勒沃伊县。早期为法国人殖民点(1603年放弃)。1847年J.J.斯特朗占据该岛，成为摩门教"王国"并自封为"国王"，因施暴政，激起众怒，1856年被杀，"王国"亦解体。1895年摩门教徒迁离该岛。后由爱尔兰渔民占据，现为垂钓、狩猎和划船的著名场所。岛上唯一村庄圣詹姆斯有航空和轮渡与沙勒沃伊相通。人口：圣詹姆斯镇276(1990)。

Beaverbrook (of Beaverbrook and of Cherkley), Sir (William) Maxwell Aitken, 1st Baron　比弗布鲁克男爵(第一)(1879-05-25，加拿大安大略梅普尔～1964-06-09，英国萨里莱瑟黑德附近)　即W.M.艾特肯。加

美国不列颠百科全书公司供图

拿大金融家，英国政治家和报纸业主。两次世界大战期间均在英国内阁任职的三人之一(其他为W.丘吉尔和J.西蒙)。他是位具有高度独特风格和获得异常成功的报界人士，但从未充分获得他所追求的政治权力。原在蒙特利尔当证券经纪人，因垄断加拿大水泥工业致富。移居英国后，1910年被选进下院。担任A.B.劳的私人秘书，1911年帮助他取得保守党领导地位。1916年12月他与劳合作迫使自由党的H.H.阿斯奎斯辞去首相之职，代之以自由党的D.劳合·乔治。同月购入伦敦《每日快报》大部分股权。后创办伦敦《星期日快报》，并购得伦敦的《标准晚报》和格拉斯哥的《公民晚报》。1916年他没有得到劳合·乔治政府的任命，当年受封准男爵，次年接受了男爵爵位。1918年在内阁担任兰开斯特公爵郡大臣和情报大臣。1922年协助解散劳合·乔治的战后联合政府。20世纪30年代，他以"新闻界巨头"之一和联合帝国党领袖闻名。第二次世界大战期间，他是丘吉尔的战时内阁成员，任飞机生产大臣(1940～1941)和供应大臣(1941～1942)，还担任英国驻美租借法案主管人员(1942)和掌玺大臣(1943～1945)。主要著作有《政治家与报纸》(1925)和《政治家与战争》(2卷，1928)。

Beaverhead River (Montana, U.S.)　**比弗黑德河**　参阅 **Jefferson River** 杰斐逊河。

Beavers, Louise　比弗斯（1902-03-08，美国俄亥俄辛辛那提～1962-10-26，加利福尼亚好莱坞）　非洲裔美国影视女演员，以塑造性格角色见长。初到好莱坞时是L.乔伊的女仆，但很快出现在银幕上，出演的第一部影片是《淘金女郎》。后继续在其他默片中扮演角色，如《汤姆叔叔的小屋》等。随着有声影片的到来，她的事业开始腾飞。在1929～1960年期间，参演了100多部影片。尽管大多都是扮演聪明、欢快、忠心耿耿的女仆，但是她在《春风秋雨》中与C.科尔伯特平分秋色。不过和当时大多数黑人演员一样，只能扮演一些性格角色。她的表演在情景喜剧《比尤拉》和《丹尼·托马斯节目》中达到顶峰。去世后，1976年入选美国黑人电影人名人堂。

Beāwar　贝阿沃尔　印度西北部拉贾斯坦邦阿杰梅尔县城镇。为主要的铁路和公路枢纽。亦为农产品与羊毛贸易中心。工业有轧棉、手工织布、针织和木雕。以前也称作纳亚纳加尔，始建于1835年。由于地理位置优越，发展很快。设有拉贾斯坦大学分校。人口89 998（1981）。

bebeeru（tree）　**贝比鲁树**　参阅**greenheart 绿心木**。

Bebel, August　倍倍尔（1840-02-22，科隆附近多伊茨～1913-08-13，瑞士帕苏格）　德国社会主义者，德国社会民主党创始人之一，该党40多年来最有影响和最受欢迎的领导人，西欧社会党历史上的杰出人物之一。

一位普鲁士军士之子，于赤贫中在韦茨拉尔长大，在那里学习旋工手艺，后当短工，颠沛流离于德国南部和奥地利，1860年在莱

美国不列颠百科全书公司供图

比锡定居，开始其政治生涯。1861年参加莱比锡工人教育协会，1865任该协会主席。政治和经济环境使工人教育运动日益具有政治倾向性，这对倍倍尔政治思想的形成产生重大的影响。如果说1863年倍倍尔认为，工人阶级尚未作好准备迎接选举，那么当李卜克内西于1865年从柏林来到莱比锡两人开始结交时，他已经改变了观点。李卜克内西年长于倍倍尔，且受过大学教育，在很多方面成为倍倍尔的良师，但更能接纳新思想的倍倍尔却始终保持其独立性。1866年的普奥战争把德国人的信念分为拥护小德意志和拥护大德意志两派，后者为普鲁士宰相俾斯麦所提倡。由于工人领袖倍倍尔和李卜克内西是俾斯麦的不可调和的敌人，萨克森的各工人联合会与反普鲁士的激进民主派结成联盟，从而产生了萨克森人民党。1867年倍倍尔作为该党党员进入北德意志联邦议会。1869年该党与其他有着相似观点的党联合组成德国社会民主工党。

早在1867年，作为北德意志议会议员，他即反对俾斯麦的“大普鲁士”，认为这意味着“把德意志变成一个大兵营”。在德意志帝国建立前后，他在议会里继续这一斗争。1870年7月21日议会就战时公债进行表决时，只有他和李卜克内西投票反对。为此，1872年3月在莱比锡以叛国罪将他们判刑两年。在狱中，倍倍尔治好了肺结核，并有系统地进行自学。在不到20年的时间里，倍倍尔共坐了将近5年的牢。这些刑罚给倍倍尔的生计造成严重威胁。党只能提供最基本的消费，而联邦议员则没有津贴，倍倍尔只得继续靠当工匠获得收入。他是莱比锡出色的旋工。1864年与铁路工人的女儿结婚。直到19世纪80年代末，他才得以靠写作为生。

倍倍尔最成功的著作是《妇女与社会主义》（1883），再版多次，并有多种译本。该书是几十年中社会民主党最有力的宣传武器。最主要的是，它把科学与预见结合起来，成为1878～1890年在俾斯麦的《反社会党人法》所造成的形势下德国社会民主主义的行动计划。他的不可动摇的信心给他的同事们以勇气，使他们坚定地站在一起，但他反对一切武装报复的倾向，因为恐怖活动或颠覆企图可能危及党的存在。这些策略被证明是正确的，在1890年的选举中，社会民主党获得将近20%的选票。倍倍尔在党内的领袖地位无可争议。在议会里，他是最杰出的反对派人士。在党内，他反对一切“机会主义”的倾向。在1903年德累斯顿代表大会上，反对19世纪90年代末伯恩斯坦所鼓吹的改良主义和修正主义的斗争达到高潮。就像他谴责一切对党的法定的根本信念的背离一样，他不愿对来自左翼的滥用议会外斗争的压力作出让步。事实证明他的立场是正确的，在每次选举中党都获得了新的拥护者，1912年党以110个席位成为议会中最强大的党。从1867年起直至去世，他几乎一直担任联邦议会议员，获得了作为议员最值得称颂的成就。

Bebey, Francis　贝比（1929-07-15，喀麦隆杜阿拉～2001-05-28，法国巴黎）　世界闻名的喀麦隆作家、吉他演奏家和作曲家。曾在巴黎大学和纽约大学攻读音乐及英、法文学。初以音乐家成名。1967年所著小说《阿加塔·穆迪欧之子》荣获黑非洲文学大奖。翌年，发表《一连串的困境，短篇小说及诗歌集》（1968）。此后发表的作品有《阿尚蒂姑娘》（1973）、《埃菲迪王》（1973）等。自称其小说风格受曾任电台广播员这一经历的影响，故而其对象主要是听众而不是读者。评论界认为，其第一部小说是构思精巧的讽刺文学杰作。他还撰写过一部论述非洲广播事业的著作，以及两部论述非洲音乐的著作，并出有诗歌选集。他的唱片集一直深受广大音乐爱好者欢迎。

bebop　比博普　又称“博普”（bop）。最早的一种现代爵士乐。20世纪40年代后半期，它把爵士乐分割成两个相互对立的阵营。这个名称是这类音乐典型的一个不连贯的两音乐句的拟声表达。开始出现时不仅一般群众，就连许多音乐家也不能接受。因而首先是在老、少两代音乐家之间，其次是在爵士音乐家及其听众之间造成很深裂痕，后者至今没有完全愈合。早期的爵士乐主要是用自然音阶（即旋律与和声以西方传统的5个全音和2个半音的大、小调七声音阶为基础）创作的，而新爵士运动所特有的思路则是半音音阶的，从而大大扩大了爵士乐独奏演员的和声领域。比博普爵士乐除采用老式爵士乐的和声外，还增添了“代替”和弦，并使像节拍器那样有规则的鼓手节奏性拍子解体，产生了快速的独奏，有好几小节中塞满了16分音符。其结果是复杂的即兴演奏。这一运动起始于20世纪40年代初。后来又有一种“硬派比博普”，其中包含基督教福音音乐和“节奏与布鲁斯”的成分。

becard　比卡雀　美洲的多种热带鸟，属雀形目伞鸟科。常在无遮挡的树枝上靠近黄蜂群处筑大球形巢。*Platypsaris* 属和 *Pachyramphus* 属共15种，色泽单调，形小，喙厚，喙端钩曲。常盘旋取食树顶的果实和昆虫（喜食

比卡雀（*Pachyramphus*）
美国不列颠百科全书公司供图

鳞翅目幼虫）。红喉比卡雀（*Platypsaris aglaiae*）体长16厘米，分布于哥斯达黎加到美国－墨西哥边界，是比卡雀类和伞鸟科分布最北的种类。有人将比卡雀与霸鹟一同归入霸鹟科。

Beccafumi, Domenico　贝卡富米（约1486，威尼斯共和国科尔蒂纳～1551-05，锡耶纳共和国锡耶纳）　意大利画家和雕刻家，意大利后期文艺复兴风格即风格主义的主要画家。约1510年到罗马研究拉斐尔与米开朗琪罗的作品。1512年返回锡耶纳，1518～1546年为锡耶纳大教堂甬道设计了许多美丽的图案（白大理石镶嵌黑纹）。1541年到热那亚，作壁画《梅迪亚与杰逊生平中的一个场面》（现已毁坏）。后曾为锡耶纳大教堂制作一批青

贝卡富米绘《圣母降生》(1544)
美国不列颠百科全书公司供图

铜天使(约1548)。

Beccaria, Cesare　贝卡里亚(1738-03-15,米兰～1794-11-28,米兰)　意大利犯罪学家和经济学家。1758年在帕维亚大学获法学学位。后曾在米兰参加18世纪的启蒙运动,和P.韦里伯爵创设文学会社。1763年经韦里建

美国不列颠百科全书公司供图

议从事刑法研究,于1764年发表名著《犯罪与刑罚》,一举成名。该书后由法、英、德、波兰、西班牙、荷兰和美国翻译出版,法国在6个月内就再版7次。此后200年中,又译成许多其他文本。该书是关于犯罪刑罚原则的第一部明晰而系统的著作,尽管其中有许多概念并非他的创见,他显然得益于法国哲学家孟德斯鸠这样一些作者(他并不讳言这一点),但这部著作还是代表了刑法思潮的一个重大进展。其论点是基于功利主义的原则,即政府应力图为最大多数人谋求最大福利。他对当时的刑讯、秘密诉讼程序、地方官的反复无常和腐化,以及野蛮的和可耻的刑罚都加以批评,强调刑罚制度的目的应以达到安全和有秩序的适当目标为限,超过了这一点,就成为暴政。刑事审判的效力主要是依赖于刑罚的确定性,而不是依赖于其残酷性。因此量刑应按犯罪的严重性而定。贝卡里亚是第一个主张完全废除死刑的近代作家,因而可被认为是废除死刑运动的创始人,这个运动从那时起一直在大多数文明国家中延续至今。他的论著对欧美各国的刑法改革影响很大。在英国,功利主义哲学家和改革家J.边沁鼓吹贝卡里亚的理论,而边沁的弟子S.罗米利则在议会中致力于缩小死刑的适用范围。俄国、瑞典和哈布斯堡帝国的立法改革受到这本著作的影响。美国有几个州的立法反映了贝卡里亚的思想。他后期生活也富有成果。1768年他接受了米兰巴拉丁学院公共经济及商业的讲座,任教两年。因讲授“公共经济要素”获经济分析先驱之名,讲稿在他死后出版。关于劳动分工以及粮食供应与人口关系等概念,显然是他先于亚当·斯密和T.马尔萨斯提出的。1771年被任命为米兰的最高经济委员会成员,作出了许多贡献。他关心很多问题,包括货币改革、劳资关系和学校教育。他写的一个报告影响了后来在法国采用米制。他晚年的生活为家庭和健康问题所困扰。他曾热烈欢迎法国大革命,但对其过火行为感到震惊。贝卡里亚的通晓事理、多方面的才能和坚持知识的融会贯通,在当时的思想界具有代表性。他的论文是刑事司法方面前所未有的最重要的著作,在它最初问世以后的两个世纪至今仍然是有益的参考书。

Becchus (Greek Orthodox leader)　**贝楚斯**
参阅 **John XI Becchus 约翰十一世(贝楚斯)**。

Beccles　贝克尔斯　英格兰萨福克行政、历史郡瓦伦塞区的城镇(“堂区”),濒临韦弗尼河。早为渔村。14世纪因经营羊毛贸易和农业而繁荣起来。近数十年轻型机械制造业与以农业为基础的工业联系起来。航行和垂钓为主要的娱乐活动。人口10 337(1991)。

Béchar　贝沙尔　旧称科隆-贝沙尔。阿尔及利亚西部城镇,在撒哈拉沙漠北部,摩洛哥边界以南58千米处。因附近有高达488米的贝沙尔山而得名。该城的前欧洲人街区内

阿尔及利亚贝沙尔的椰枣树丛
美国不列颠百科全书公司供图

有一军事基地,并有现代建筑,而传统的街区则有带棚顶的狭窄街道。贝沙尔城以其皮革制品和珠宝驰名。周围有枣椰树,用贝沙尔河谷的水来灌溉。该城为穿越撒哈拉的公路交叉点的一贸易中心,是奥兰港西南线铁路终点站,并有一机场。城南5千米的新贝沙尔是附近凯纳德萨煤矿的职工住宅区。周围地区展现出多种景色。靠近摩洛哥边界的地方基本上由平坦多石的砂岩高原(石漠)构成。东南部景色以沙漠为典型,具体地说,即西部大沙漠、拉维沙漠和伊吉迪沙漠等地区。北部为萨乌拉河所切割,河谷上有绿洲城镇贝尼阿巴斯。沿萨乌拉河(更往南称迈萨乌德河)一带,枣椰树绵延约320千米。西部为许多干河道和冲沟的交错切割,形成一种称作古河道的景观。贝沙尔地区种植的重要作物有椰枣、谷物、蔬菜、无花果和杏仁。本地域内的烟煤储藏因运输费用昂贵,开采规模极小。人口154 400(2004)。

Beche, Sir Henry Thomas De La　贝施
(1796,伦敦～1855-04-13,伦敦)　英国地质学家,创建英国地质调查局(该局对全国进行第一次系统地质调查)。受过军事教育并于1815年离开军队,1817年加入伦敦地质学会。此后10年中,漫游欧洲并开始详细研究康沃尔郡和德文郡地质,其论文首次描述这两个地区的侏罗纪(2.08亿年前至1.44亿年前)和白垩纪(1.44亿年前至6640万年前)地层。还调查彭布罗克郡海岸、法国海岸和牙买加岛的地质。对本国采矿事业的兴趣,他建议编制联合王国地质图,以促进采矿业的科学发展。1835年在其努力下建立以他为局长的英国地质调查局。1848年晋封爵士,同年任地质学会主席。1851年,地质调查局、实践地质学博物馆、皇家矿业学会和矿业记录处的联合办公室在伦敦开始办公。著有《地质学手册》(1831)、《理论地质学研究》(1834)和《如何进行地质观测》(1835)等重要地质文献。

bêche-de-mer　食用海参　又作trepang。经煮沸、干燥和烟熏的海参(棘皮动物门)肉,可作汤。大多来自西南太平洋区,此地的海参(海参、刺参、梅花参等3属12种的任何一种)多在珊瑚礁上捕获。主要消费地是中国。bêche-de-mer一词出自新几内亚及附近岛屿上的洋泾浜英语名词。该处海参贸易一直很重要。

Becher, Johann Joachim　贝歇尔(1635-05-06,施派尔主教区施派尔～1682或1685-10,英格兰)　化学家、医生和冒险家。他的燃烧理论对G.施塔尔的燃素学说曾深有影响。

美国不列颠百科全书公司供图

他认为，万物是由能玻璃化的、汞状的以及可燃的三种“土质”构成，并断定，当物质燃烧时，可燃的土质就会释放出来。他年轻时需要供养母亲和弟兄，学习条件十分艰苦，但从19岁起，开始一种独特的生涯，时而搞出版，时而从事殖民事业，时而从事贸易。在1669年出版的著作《地下的物理学》中，贝歇尔陈述了对于矿物和其他物质本质的想法和实验结果。在慕尼黑，他鼓动巴伐利亚的选民到南美建立殖民地，并搞布匹贸易的垄断，但愤怒的商人迫使他逃走。在维也纳，他提议修建莱茵河-多瑙河运河，进行实验企图将多瑙河的砂点化成金。失败后蒙羞逃出德国。

Becher, Johannes Robert　贝希尔（1891-05-22，慕尼黑～1958-10-11，柏林）　德国诗人和评论家、编辑、政府官员，20年代在德国鼓吹革命的社会改革的最重要的人物之一。学过医学、文学和哲学，1918年参加德国共产党。这时他已经是社会和艺术领域中一个成名的评论家，并且是通过无产阶级革命改造德国社会的运动的领导人之一。1910～1920年间，表现主义风靡德国文坛，他被卷了进去，写过浪漫主义的和感情复杂的诗，这些诗反映出他激荡的内心和对新社会制度的憧憬。尽管1933年被选入德国国会，但是，纳粹掌握政权时，被迫流亡莫斯科，在那里编辑德文报纸（1935～1945）。莫斯科的生活使他对斯大林的共产主义感到失望，但是对共产主义意识形态本身并未失去信心。1945年回到德国，任德国民主革新联盟主席。1954年，任东德文化部长。他的1945～1955年间的日记可以使人深入了解使这个诗人和政治活动家在生活中感到痛苦的思想矛盾。

Bechet, Sidney　比切特（1897-05-14，新奥尔良～1959-05-14，巴黎）　爵士音乐家，高音萨克斯管大师。6岁开始吹单簧管。在新奥尔良与著名爵士乐演奏家C.威廉斯和K.奥利弗共事后迁居芝加哥，1919年迁往纽约市。同年与南方切分管弦乐团赴欧洲巡回演出，是有史以来受到一位杰出古典主义者（指瑞士指挥安泽尔梅特）赞扬的第一位爵士音乐家。20世纪20年代逐步专注于高音萨克斯管。1928～1938年断断续续在诺布耳·西斯勒管乐队工作，40年代后期常住巴黎。去世时已与M.谢瓦利埃和J.科克托等世界闻名的巴黎人齐名。像L.阿姆斯特朗一样，比切特也是最早凭爵士摇摆乐的感觉即兴演奏的音乐家之一，擅长吹奏大幅度的快速颤音，声音洪亮而富于感情。自传于1960年出版。

Bechtel, Friedrich　贝希特尔（1855-02-02，巴登杜拉赫［德国］～1924-03-09，德国哈雷）　德国古典语文学者，主要致力于希腊方言学和荷马史诗的考订工作。贝希特尔曾受教于几位最著名的19世纪语言学者，后任哈雷大学教授（1895～1924）。著述甚多，与费克合著《希腊人名之结构》（1894年第二版）；与德裔-美国学者戈里兹合著四卷本《希腊方言铭文集》（1884～1915）。他最后一部重要著作是3卷本《古希腊方言》（1921～1924）。

Bechtel, Stephen D(avison)　比奇特尔（1900-09-24，美国印第安纳奥罗拉～1989-03-14，旧金山）　美国建筑工程师，企业界首脑。1936～1960年任W.A.比奇特尔公司及其后继单位比奇特尔公司总裁。比奇特尔公司为世界上最大的建筑工程公司之一。该公司及其附属机构对下列工程曾作出重大贡献：胡佛水库大坝、旧金山-奥克兰海湾大桥、阿拉斯加输油管道、旧金山和华盛顿（哥伦比亚特区）的高速交通系统等。1925年其父在旧金山组成W.A.比奇特尔公司，年仅25岁的比奇特尔任副总经理，1936年任总经理。一年后他与麦科恩合作，组成比奇特尔-麦科恩公司，建造炼油厂和化工厂。第二次世界大战期间，比奇特尔的各公司建造舰只和飞机部件。战后新组建的比奇特尔公司在加拿大、中东及其他各地建造输油管，在全世界建发电厂。1977年美国运转中的核电厂估计约有一半为比奇特尔的各公司所设计或建造。1960年他从公司总裁的职位上退休，但仍任比奇特尔集团的资深董事。

Bechuana(people)　**贝专纳人**　参阅 **Tswana** 茨瓦纳人。

Beck, Józef　贝克（1894-10-04，华沙～1944-06-06，罗马尼亚斯特内什蒂）　波兰军官、外交部长（1932～1939），为J.毕苏斯基元帅的重要亲信之一，曾试图在维护波兰与法国和罗马尼亚的同盟的同时与苏联和德国保持友好关系。在第一次世界大战中从军，与沙皇俄国作战。战后在波兰国内担任过多种职务。1926年任毕苏斯基的内阁办公厅主任，1932年11月2日任外交部长。他努力与苏德两国保持友好关系，并试图提高波兰的国际地位。1939年4月与英国签订同盟条约。德苏两国瓜分波兰时，他在罗马尼亚被拘留。

Beck, Ludwig　贝克（1880-06-29，德国比布里希～1944-07-20，柏林）　德国将军。第一次世界大战时期进入总参谋部。希特勒上台后，晋升很快，1935年任陆军参谋总长。1938年因反对希特勒的扩张政策和征服捷克斯洛伐克的决定而辞职，后来成为反希特勒集团的领袖。1944年7月20日暗杀希特勒失败，自杀未遂，后被击毙。

Beck, Max Wladimir, Baron（Freiherr）**von　贝克男爵**（1854-09-06，奥地利帝国维也纳～1943-01-20，维也纳）　奥地利首相（1906～1908）。1906年12月他起草一项法案，其中规定男子有普选权、帝国议会实行各民族比例代表制。这一法案于1907年1月成为法律。在他执政期间，实施新的社会保险方案，并将两条铁路收归国有。由于他反对奥匈帝国兼并波斯尼亚，被迫于1908年11月辞职。他被公认为最干练的奥地利首相之一。

Becke, Friedrich Johann Karl　贝克（1855-12-31，奥地利帝国波希米亚布拉格～1931-06-18，奥地利维也纳）　矿物学家，1903年向国际地质大会提出了一篇关于结晶片岩的成分和结构的论文。该文于1913年经进一

美国不列颠百科全书公司供图

步充实后发表，文中有最早的关于变质岩的全面理论，是一篇促进这方面研究的具有非凡硕果的论文。曾在维也纳在G.切尔马克指导下研究矿物学，1899年后任《矿物学和岩类学评论》杂志编辑。1898年任维也纳大学矿物学教授，1921年任校长，1927年退休。

Becker, Carl (Lotus)　贝克尔（1873-09-07，美国艾奥瓦滑铁卢附近～1945-04-10，纽约州伊萨卡）　美国历史学家，以有关美国早期学术研究和18世纪启蒙运动的著作知名于世。

美国不列颠百科全书公司供图

曾在威斯康星大学、哥伦比亚大学学习。1902～1916年在堪萨斯大学任教，1917年起转康奈尔大学，1941年退休。著有《革命前夕》（1918）、《独立宣言》（1922）和《18世纪哲学家的天堂》（1932）等。

Becker, Gary S.　贝克尔（1930-12-02，美国宾夕法尼亚波茨维尔～　）　美国经济学家，曾获得1992年诺贝尔经济学纪念奖。他将经济学方法运用到研究人类行为诸方面，人类行为以前或多或少都认为是社会学、人类学和人口统计学的专门研究领域。他曾在普林斯顿大学和芝加哥大学学习（1955年获哲学博士学位）。1957年以前，在芝加哥大学讲授经济学；1957年到哥伦比亚大学；1970年回到芝加哥大学，1983年起任该校经济学和社会学教授。其著作的中心前题是：以个人利益为基础的理性经济选择控制着人类行为的大多数方面（不仅限于传统上认为是经济行为的采购和投资的决策）。在其1957年发表的论文《歧视经济学》中，他考察了劳务市场中的种族歧视，结论是受害者和施暴者双方都要为此付出代价。在《人力资本》（1964）中，他认为个人在教育和训练中的投资与公司在新机械和设备中的投资是异曲同工。在其《论家庭》（1981）之类专论中，他将家庭当作一种饮食、栖息、看护儿童等生产货

物与服务的工厂。他将生产理论运用到家庭行为上，能够做出关于家庭大小、离婚以及妇女在工作场所中的作用的预言。后来他的研究工作集中在犯罪行为、吸毒嗜好等问题上。

Becker, George Ferdinand　贝克尔（1847-01-05，美国纽约州纽约～1919-04-20，华盛顿[哥伦比亚特区]）　美国地质学家，用物理、化学和数学的方法促进了矿山地质学的研究。还在学童时期，他就在自然科学，特别是在植物学和动物学方面显示出一种天才。在哈佛大学学习时，他继续进行野外研究。1868年哈佛大学毕业后，他在德国海德堡大学进一步深造，并于1869年取得博士学位。他成了《纽约先驱报》的记者，报道了普法战争（1870～1871），后在柏林皇家矿业学院重新进行研究工作。贝克尔于1874年成为伯克利加利福尼亚大学的采矿和冶金学讲师，在那里遇见了美国地质勘探局第一任局长C.金，在该局获得一个职位，并开始对美国西海岸各采矿区进行研究。他这项工作的最著名的报告是《康斯托克矿脉和沃肖区地质概况》（1882）。贝克尔的主要兴趣在于研究地球内部，他关于这个专题的理论著作以19世纪90年代的一系列重要论文为代表；他最重要的理论贡献是《岩石的有限均匀应变、流变和破裂》（1893）。他预见到，如果没有大量的关于构成地球的岩石和矿物的物理数据，这类研究不可能顺利进行，因此，在华盛顿（哥伦比亚特区）卡内基研究院地球物理试验室的建立中，他起了主要作用。1896年，他到南非去研究黄金和金刚石矿田，并在1898～1899年作为地质专家在驻菲律宾的美国陆军中服役。

Becker, Wilhelm Adolf　贝克尔（1796，萨克森德累斯顿[德国]～1846-09-30，迈森）　德国古典考古学家，莱比锡大学教授，以关于古罗马人和古希腊人的日常生活的著作而闻名。曾在舒耳普福塔和莱比锡受教育，自1842年起任莱比锡大学古典考古学教授。他早期对普劳图斯喜剧的研究引起了他对罗马人日常生活的兴趣，发表了关于一位罗马青年的故事《加卢斯》（1838）。此书脱胎于苏埃托尼乌斯的《奥古斯都生平》，经过添加细节而包罗古罗马人生活和习俗的一切方面，成为这个领域的一部经典著作，其英译本于1844～1891年期间出了10版。一部关于古希腊人生活的类似著作《沙里克尔斯》（1840），也取得了同样的成功。他的5卷集《罗马文物手册》（1843～1868）是由古典学者T.蒙森和J.马夸特完成的。

Becket, Frederick Mark　贝克特（1875-01-11，加拿大魁北克蒙特利尔～1942-12-01，美国纽约州纽约）　冶金学家。在金属生产中发展了以硅代替碳作还原剂的方法，使低碳钢和某些钢种能实现工业生产。1895年他从蒙特利尔的麦吉尔大学毕业后，进入纽约市哥伦比亚大学，从事利用电能生产金属和各种化学品的工作，1906年入联合碳化物和碳公司，最后升为副总经理，晚年任公司顾问。他开创了用电弧炉生产钒铁、锰铁、钼铁、钨

美国不列颠百科全书公司供图

铁和制造不锈钢所必需的低碳铬铁。第一次世界大战时，他使锆铁能成吨地生产，这在过去是达不到的。还加快了制钢弹用硅和航空用铝合金的生产。他获得电炉和化学品生产方面的100多项专利。

Becket, Saint Thomas　贝克特（1118，伦敦奇普塞德～1170-12-29，英格兰肯特坎特伯雷）英格兰国王亨利二世的枢密大臣，坎特伯雷大主教。他长期与亨利二世争吵，终于被人杀害在坎特伯雷大教堂内。先后在默顿隐修院、伦敦市学校、巴黎等处受教育。成年后曾任市政职员和郡长会计。3年后由其父介绍到坎特伯雷大主教西奥博尔德宅第任职。1154年西奥博尔德任命他为坎特伯雷会吏总，不满3个月又向亨利二世推荐他任枢密大臣。他充分显露才能，拆除城堡，重修伦敦塔，主持外交，招募军队，指挥战争，深受国王信任。此时，教会内格列高利改革运动已由意大利发展到法国和神圣罗马帝国，并对英国教会产生影响。改革要点是：自由选举神职人员，教会财产不可侵犯，教士信徒可自由向罗马教廷提出申诉，神职人员不受世俗法庭审判。而亨利二世则力图完全恢复亨利一世在位期间的局面，由国王严格控制教会，贝克特也曾予以支持。1161年西奥博尔德死，亨利二世拟任命贝克特为坎特伯雷大主教以实现控制教会的全部计划。贝克特了解亨利二世的意图，提醒他此举可能引起的后果。亨利二世坚持，贝克特终于当选。贝克特任坎特伯雷大主教后即转而全面接受罗马教廷的纲领和法律。中世纪西欧惯例，神职人员犯罪后不受世俗法庭审判而由主教审讯，量刑也较世俗法庭为轻。英格兰在被诺曼人征服以前也是如此。诺曼人征服英格兰以后的60年间，教士犯罪判刑事例极少。此时在欧洲大陆，格列高利改革派又强调唯教会有权审判所雇用非神职人员。贝克特认为，教会雇员有罪可由主教予以降级或制裁，不可再由世俗当局判刑，而亨利二世则认为，当时教士犯罪者甚多，原因端在教会刑罚失之过宽。于是贝克特与亨利二世化友为敌，亨利二世以国王对领主的权力，传唤贝克特就受封领主义务问题接受审讯。贝克特化装潜逃，受法兰西国王路易七世的庇护。在罗马，教皇亚历山大三世礼遇贝克特，但因顾虑亨利二世会投向神圣罗马帝国皇帝腓特烈一世和敌对教皇帕斯加尔三世的怀抱，未敢明确表示支持他。1169年亨利二世在弗雷特瓦勒接见贝克特，根据两人的协议，贝克特可返回坎特伯雷，收回被国王没收的全部教产。但他复职后将国王手下敌视他的人们处以绝罚，拒绝撤销对约克大主教罗杰和伦敦主教佛里奥的绝罚处分，欣然接受狂热群众对他的欢呼。这些事都使当时驻在诺曼底的亨利二世大为

约1200年英译本诗篇歌集中的插图画——《贝克特被杀》

美国不列颠百科全书公司供图

恼怒。宫廷4名骑士长即行赶赴坎特伯雷，要求贝克特宣布拥护国王的各主教无罪，遭他拒绝。骑士长们把他押到教堂，经过争吵，用剑将他砍死。

Beckett, Sir Edmund　埃德蒙·贝克特爵士
参阅 **Grimthorpe (of Grimthorpe), Edmund Beckett, 1st Baron 格里姆索普男爵**。

Beckett, Margaret　贝克特（1943-01-15，英国兰开夏郡阿什顿安德莱姆～　）　婚前名 Margaret Mary Jackson。英国政治人物。从2006年起担任英国外交大臣，是第一位担任该职务的女性。毕业于曼彻斯特理工学院，后在曼彻斯特大学从事冶金研究工作。积极投身于工党活动当中，1974年10月入选下议院，翌年担任执政党组织秘书，1976年担任教育和科学部的政务次官。1979年失去在下议院的席位，但仍积极参与政治。1983年在下议院大选中重返议会。1992年在工党连续四次大选失败后，当选为工党新领导人J.史密斯的副手。史密斯于1994年突然去世，她担任该党领袖，但是她的领导时间只有十周，在党内选举中很快败给了T.布莱尔。1997年，工党重新成为执政党，布莱尔任命她为英国贸易委员会主席和贸易和工业大臣。第二年她担任下议院领导，2001年成为环境食品和农村事务大臣，积极关注全球气候变化问题，成为著名的谈判家。她的谈判才能以及她对布莱尔的忠诚使她在2006年5月受命为外交大臣。

Beckett, Samuel (Barclay)　贝克特（1906-04-13?，爱尔兰都柏林郡福克斯罗克～1989-12-22，法国巴黎）　爱尔兰著作家、评论家和剧

作家,诺贝尔文学奖获得者(1969)。他兼用法语和英语写作,他之成名或许主要在于剧本,特别是《等待戈多》(1952)。

生平 贝克特生于都柏林郊区。与另外几位爱尔兰作家萧伯纳、王尔德和叶芝相同,贝克特也是出身于基督教(新教)盎格鲁-爱

美国不列颠百科全书公司供图

尔兰家族。他14岁入今北爱尔兰地区的专为盎格鲁-爱尔兰中产阶级服务的波托拉皇家学校。1923～1927年他在都柏林三一学院学习罗曼诸语言,获学士学位。经过短期在贝尔法斯特任教后,于1928年改任巴黎高等师范学校英语高级讲师。在这里与侨居当地的爱尔兰作家乔伊斯相会,加入他的圈子。乔伊斯虽著有独出心裁的新异小说《尤利西斯》,但褒贬不一。盛传贝克特曾任乔伊斯的秘书,实际并无其事。1930年他返回爱尔兰,在三一学院任法语讲师,4个学期后即于1931年12月辞职,辗转于旅途之中,先后访问伦敦、法国、德国和意大利。

1937年贝克特决定定居巴黎。即使是在德军占领巴黎之后,由于他是第二次世界大战中中立国公民,他仍能留在该地,但于1941年参加地下抵抗组织。1942年他得知他所属组织的成员为盖世太保所逮捕,乃立即隐蔽,辗转迁到法国未被占领地区,靠作农业工人糊口,一直到法国解放。

1945年他返回爱尔兰,但又志愿参加爱尔兰红十字会,再到法国,在诺曼底地区圣洛的军医院任译员。1945年冬终于重返巴黎。

主要作品的产生 其后是贝克特勤奋创作的时期,亦即他一生中成果最集中的时期。战前他作品较少,其中有论乔伊斯和法国小说家普鲁斯特的两篇论文。短篇小说集《少踢多刺》(1934)包含10篇短篇小说,写都柏林的知识界人士舒阿的轶事。长篇小说《莫菲》(1938)写伦敦的一位爱尔兰人逃避他本来会娶的女子,到精神病院任男护士,过静思生活。他有两小部诗卷,一部是《婊子镜》(1930),是关于法国哲学家笛卡儿的诗篇;另一部《回声之骨》(1935)是诗集。一批短篇小说和诗歌散见于各期刊。

在潜居法国未被占领地区期间,贝克特完成了另一部长篇小说《瓦特》,直到1953年才出版。返回巴黎后,自1946～1949年贝克特创作了一批短篇小说和主要长篇小说《马洛伊》(1951)、《马洛纳之死》(1951)、《无名的人》(1953)以及两个剧本(即未得出版的三幕剧《埃勒泰里亚》和《等待戈多》)。

但是直到1951年这些作品才得见天日。贝克特的终身伴侣苏珊娜·德谢沃克斯-迪梅尼(日后的贝克特夫人)经过无数周折才使得一家出版社出版《马洛伊》。此书销路尚佳,而且激起法国评论界的热烈讨论,此时这家出版社遂又出版了贝克特的另外两部长篇小说和剧本《等待戈多》。该剧于1953年1月在巴黎的一家规模不大的剧场巴比伦剧院演出,上座率惊人,此时贝克特才一跃而闻名于世界。其后他继续写作,但速度不如战后最初几年。他主要致力于戏剧、广播剧和一批散文作品。

贝克特仍然住在巴黎,但是主要写作是在距巴黎不太远的马恩河谷一座僻静的小房子进行的。他专心致力于艺术,闭门不出,杜绝抛头露面,不在广播和电视上显露自己,绝对不接受新闻记者采访。1969年他获得诺贝尔文学奖,接受奖金而婉辞邀请,不去斯德哥尔摩,以免在典礼上当众讲话。

继续哲学探讨 从贝克特的作品可以窥知他博学广识。他巧妙地旁征博引,涉猎所及,既有大量文学材料,也有不少哲学及神学著作。毫无疑问,对他的思想发挥主要影响的人是意大利诗人但丁、法国哲学家笛卡儿、17世纪荷兰哲学家海林克斯(笛卡儿的门生,研究人的肉体与精神如何互相作用)以及他的同胞和尊敬的朋友乔伊斯。但是,要理解贝克特的作品,倒也不见得必须了解其中一切文学、哲学和神学典故。

经过新闻界鼓吹,许多人认为:贝克特专写人生中污七八糟的东西,诸如栖身于垃圾箱的流浪者和残疾不健全的人,其实这是一种根本性的误解。他之所以写处在这种极端情况的人,并不是因为他专门注意人生中的污秽病态侧面,而是因为他集中注意人类经历中的主要侧面。世界许多文学作品所写的主题,诸如人与人之间的社会关系、人的为人和财产、争夺地位、争夺性对象,在贝克特看来,无非是生存的外部表征,是偶然的、表面的现象,它们掩盖着基本的问题和人类处境的基本悲痛。在贝克特看来,基本的问题似乎是:我们根本未曾要求而被投入世界,投入存在;我们如何对待这个事实。而我们就成了我们,我们本身的真实性质是什么?人所说的"我",究竟是什么意思?

如此说来,肤浅见解所谓集中注意污七八糟的东西,实际上却是力图抓住人类处境的最本质的方面。例如,《等待戈多》中的两个主人公,有些评论家称之为流浪汉,但贝克特却决不是要把他们写成流浪汉。他们无非是处于"存在于世界上又不知在这里是为了什么"的人的最基本情况中的两个人。人是有理性的存在体,不能想象自己被投入某种境况完全是毫无意义之事,因而这两个人模模糊糊地假定,他们在世界上的存在(世界在舞台上体现的空荡荡的一片,孤树独立),其原因一定是他们在等待什么人。然而这两人并不知此人(他们称之为戈多)是否订过这项约会,也实际上不知是否实有其人。贝克特又安排另外两个角色,用他们的没头没脑而又同样无目的的奔忙来与前两个人的耐心消极等待形成对比。在最富感染力的文学中,写人物都追求明确的目标,或寻求权力、财富,或寻求可人的配偶等。但是,当他们如愿以偿时,他们或观众对于贝克特所提出的基本问题是否更加接近找到答案了?主人公在得到了自己所爱的女人之后是否更加幸福快乐?这显然就是贝克特不写他所认为非本质问题的东西而专写别人所不写的东西的主要原因。

贝克特正是这样把现实层层剥离而暴露其骨骼。作为一个作家,他的发展趋势是日益专注、空淡和简练。在他最早期的两部小说《少踢多刺》和《莫菲》中有很多细节描写。《瓦特》是贝克特用英语写作的长篇小说中的最后一部,其背景显然还是爱尔兰,但是,大多数事件发生在一个高度抽象化而不真实的世界中。主人公瓦特受一位神秘的诺特先生雇佣,为他效劳一段时间而未见其面,后来被他解雇。显然这是暗谕人生活在神秘之中。

贝克特的剧本也大都有同等水平的抽象化。《结局》(独幕,1957)写主人哈姆与仆人克洛夫的解除关系。两人同住一个球形结构之中,顶上两窗高开——这或许是像人的颅骨内部。可以把此剧看作象征人死时其人格的解体,亦即人的精神与物质两个侧面之间的联系的断绝。在《克拉普最后一盘录音带》(独幕,1958首演)中,一个老人在听他在更加幸福的昔日所录下的忏悔词。这是在显示自我的神秘,在老年的克拉普听来,往昔的克拉普的声音竟如陌生人。那么,怎么可以说今昔两个克拉普是同一个人呢?在《快乐的日子》(1961)中,一个实际上已是行将入土的女人仍在唠唠叨叨地计较生活琐事。换句话也许可以说,人在一步步接近死亡时,仍然佯称生活将永远正常延续。

在他的三部散文叙事作品(严格地讲它们不是通常所说的长篇小说)《马洛伊》、《马洛纳之死》、《无名的人》以及文集《短篇小说和无目的文字》(1967)中,贝克特提出了如何从内心认识自我的问题。简言之,这个基本问题是:当我说"我在写字"时,我是在说我自己,也就是我的一部分在介绍我的另外部分在做的事。我既是观察者,又是观察对象。两者之间哪一个是真"我"?贝克特在他的叙事散文中试图探讨关于自我的这个难以捉摸的问题。他认为,他所见到的自我是不断的思维流,是自我观察的常流之河。人的整个存在,人关于身在世界的自觉,可以视为思维流。"我思故我在"是贝克特所拥护的哲学家笛卡儿的出发点。因此,为了要抓住存在的实质,贝克特力图把握意识流(即人的存在)的实质。而他所找到的,是日益抑落的观察者(叙事者)的大合唱歌声,参加这种大合唱的人们,一旦被别人观察,也就变成了新观察者的观察对象。例如,在三部著作中的第一部《马洛伊》中,马洛伊和莫兰,被追求者和追求者,正是这样一对观察者和被观察者。第二部《马洛纳之死》中的马洛纳在垂死之际编造许多人的故事,而这些人正是他自己的多个侧面。第三部《无名的人》把问题说到了底。声音是一个莫名的某人的声音,不知这声音是来自坟墓的彼侧还是来自未生之前所在的灵薄狱中。我们不能想象我们会感觉自

己不存在，“我不能感觉我已不存在”——因此，感觉乃是无头无尾，通到无限的。剧本《戏剧》(1963首演)的主题也是此点。剧中写三个人物的感觉泯灭之前的几个瞬间，他们三人被生活中的不值得认真对待的三角恋系在一起，余恨绵绵不灭。

幽默和技巧 贝克特固然大胆地写人之存在的终极奥秘和失望，但他基本上是一位喜剧作家。法国闹剧以人疯狂追求些许的性满足而往往不得的场面博取观众一笑。贝克特的作品使观众摆脱虚妄无谓的挂虑，悟出人的追求大都无价值、无意义，从而也达到了解脱的效果。剧中人心高志大，强求其所不能而自命不凡，目空一切，令观众捧腹。人看了贝克特的剧或者读了他的剧本，不会感到郁悒忧伤，其最终效果反而是解脱和荡涤心灵，而这正是戏剧自古所追求的目的。

在技巧上，贝克特匠心独具。他善于运用形式，达到炉火纯青，天衣无缝。例如《马洛伊》和《等待戈多》都采取对衬布局，两部分互相对应。贝克特在为媒体所创作的作品中也能够独出心裁地精彩地把握其技术基本特色。他的广播剧，如《一切沦落者》(1957)，是结合运用音响、音乐和对话的典范。短电视剧《喂，乔!》(1967)则利用了摄像机可以逼近人面部的性能和小屏幕戏剧的种种特点。最后，他的电影脚本《影片》(1967)利用一系列镜头写受观察的自我如何努力逃脱他本人这个观察者的眼睛，给人留下难忘的印象。

贝克特较晚期的作品趋向于极度精练和简短。小品剧(他本人称之为微型剧)只有三个角色，台词不出121个词。短文《更小》只有60句，每句出现两次。他的系列剧《无道白戏剧》确乎名副其实。他最后写成的戏剧之一《洛卡比》演出时间不出15分钟。这种简短无非是表明贝克特要抓住实质而不在琐细事物上滥用冗词的决心。

Beckett，Sister Wendy **贝克特**（1930，南非～ ） 南非出生的英国修女，曾出现在一系列广受欢迎的电视节目中，并著有很多艺术评论书籍。被称为“艺术修女”。其艺术评论雄辩而务实，每个人都能通过她的评论来了解艺术。孩提时与家人移民苏格兰。年幼时期就立志成为修女的她在16岁时加入圣母会。1950年就读于牛津大学，1954年作为优等生毕业于英语专业。在英格兰利物浦的师范学院学习后，返回南非，在当地任教15年。1970年，返回英格兰，在诺福克奎登汉姆的加尔默莱特修道院定居。在修道院中，她生活在一个只配备了最基本生活条件的房车当中，每日劳动2个小时。在80年代中期，一直对艺术深感兴趣的贝克特开始为英国的报纸撰写文章，主要参考资料只有明信片和书籍。1988年，她的第一本书《现代女性艺术家》出版。在参加一个艺术展时，她的评论被摄影师偶然听见，于是受邀参加了拍摄。这一拍摄作品吸引了英国广播公司的制作人。1992年，《温迪嬷嬷的冒险旅行》电视节目开始播放。节目形式非常简单：温迪·贝克特站在一件艺术品旁边讲述她的看法。她的幽默和讲故事的天赋给予了这些艺术品生命和戏剧性。该系列节目大获成功，贝克特修女突然之间成为了明星。另外的两个系列艺术节目——《温迪嬷嬷的大旅行》(1994)和《温迪嬷嬷的绘画故事》(1997)在英国广播公司播放，并迅速传遍整个欧洲。1997年，温迪嬷嬷首次亮相美国的公共电视频道。4年后，《温迪嬷嬷的美国收藏》开播，介绍了6个知名的美国艺术馆。同时，她也撰写了一些艺术书籍，包括《绘画故事》(1994)和《温迪嬷嬷的美国名作》(2000)。她遵守誓言，将全部收入捐献给了加尔默莱特修道院。2001年，因健康状况不佳，同时也希望回归独居生活，宣布退出公共生活。

Beckford，William **贝克福德**（1709-12-19受洗，英属西印度群岛牙买加～1770-06-21，伦敦） 英国富商、下院议员和伦敦市长(1762～1763，1769～1770)，尤以激进运动的先驱者而著称。生长于牙买加，14岁时为完成学业而初至英国。当其兄彼得未婚而死去时，他继承相当多的财产——几代经营的牙买加甘蔗种植园。1747年被选为代表沙夫茨伯里的下院议员，1752年任比灵斯盖特高级市政官，自1754年直至逝世出任代表伦敦市的下院议员。自1756年起，他同老皮特建立了密切的政治联系。那些迄至当时本来常与政府对立的城市公众利益集团，通过他才同政府开始联合起来。这些利益集团对皮特的退休和巴黎和会的条件感到愤懑与不平，1763年贝克福德强烈支持直言不讳的记者J.威尔克斯。1761年他开始批评议院代表制度；在1769年的威尔克斯和米德尔塞克斯选举危机期间，他敦促取消衣袋选区(是装在一家或一人的“衣袋之中”的选区)。当威尔克斯以威氏同情者运动而深孚众望时，正是贝克福德鼓舞了运动的领袖，提供了改革的方案——缩短议会期和扩大选举权。

Beckford，William **贝克福德**（1760-09-29，英格兰伦敦～1844-05-02，萨默塞特巴斯） 英国小说家。出身富豪。曾从名师学音乐、建筑和绘画。10岁时丧父，继承大笔财产。

美国不列颠百科全书公司供图

在欧洲旅游和留学多年后于1778年回国。1796年开始在丰希尔营造豪华的哥特式住宅。他像隐士一样住在里边，专门搜集古董、昂贵家具和艺术珍品，阅读他所收藏的E.吉本的全部著作。由于挥霍过度，他于1822年被迫将房产卖掉。所著《瓦提克》情节离奇古怪，是典型的哥特式小说。

Beckley **贝克利** 美国西弗吉尼亚州南部城市，罗利县县城(1850)，在查尔斯顿东南80千米。1838年建立居民点。1890年开始外运无烟煤后发展起来。现为四周煤矿和农业区商业中心。生产采矿机械和电子设备。设有贝克利学院(1933)。附近有格兰德维尤与特温福尔斯州立公园和斯蒂芬斯湖。纽里弗市立公园中有贝克利煤矿展览。1927年设市。人口17 254(2000)。

Beckmann，Max **贝克曼**（1884-02-12，德国莱比锡～1950-12-27，美国纽约州纽约） 德国表现主义油画家和版画家。作品以强烈反映20世纪悲惨事件著称。1900～1903年在魏玛学院学习，受理想古典主义艺术影响。

贝克曼自画像，1920年

纽约现代艺术博物馆供图

1904年后，效仿德国印象派画家L.柯林特的画风。两年后参加柏林分离派。后遇到挪威表现派画家E.蒙克，受其病态的曲线构图影响而向表现主义风格发展。第一次世界大战时，贝克曼在军队里作看护兵。这段经历使其艺术风格有所改变，画面上充满色彩阴沉的、令人恐怖的形象，其成熟作品都具有这种特色。《耶稣下十字架》(1917)和《基督和因通奸被捉的妇人》表现出新的风格。《黑夜》(1918～1919)以恶梦般的气氛，令人不安的色彩处理和强烈冲突的构图昭示出贝克曼对人的兽性的悲哀。20世纪20年代，他所作的肖像画、静物画、风景画在情绪表达上则较为调和。1932年纳粹党宣称贝克曼的美术“颓

贝克曼绘《黑夜》(1918～1919)

美国不列颠百科全书公司供图

废”，被迫辞去法兰克福的施塔德尔艺术学校教授职务。回到柏林后，完成绘画《出发》(1932～1933)，该画是他最重要的作品。1947年移居美国，在密苏里州华盛顿大学任

教3年后到纽约。其最重要的艺术成果是三联画,如《演员们》(1942)、《狂欢节》(1943)和《盲人的恫吓》(1945)。后期所画的三联画,尤其是《淘金者》(1950),充分说明贝克曼相信人类精神是坚不可摧的。

Becknell, William 贝克内尔(1796?,美国弗吉尼亚阿默斯特～1865-04-30,得克萨斯) 美国西部商人,开辟了圣菲小道。他在密苏里定居以后,就从事对西南部的贸易。1822年他开辟了一条新的道路,即从密苏里河南下,经阿肯色河、锡马龙河进入落基山区,越过隘口到达新墨西哥州的圣菲。这条路线以圣菲小道为名。1836年他参加得克萨斯人摆脱墨西哥统治的独立战争 。其后加入得克萨斯巡逻队。

Beckwourth, Jim 贝克沃思(1798-04-26,美国弗吉尼亚～1867?,丹佛[美国科罗拉多]) 美国山地居民,曾长时期在印第安人中间生活。父为白人,母为穆拉托女奴,因此贝克沃思生为奴隶。原住弗吉尼亚,后随父迁至圣路易斯。在那里,他被解放成为"自由黑人"。据说他的外貌与印第安人相似。1823年给毛皮商队当仆从。翌年为前往落基山的商队照料马匹。他与印第安女子结婚,在印第安人部落定居6年,1833年返回白人地区。1848年加利福尼亚发现金矿后,他为美国东部人开辟了一条通往加利福尼亚的山间道路。漫游记者T.D.邦纳把他的轶事汇编为《山民贝克沃思的生活与冒险》(1856),使他闻名一时。1859年加入前往科罗拉多的移民潮。在1864年的沙伊安战争中,他充当美军的向导和译员。

Becque, Henry-François 贝克(1837-04-18,法国纳伊～1899-05-12,巴黎) 法国剧作家和评论家。他那些以人物及其动机而不是以剧情安排严密取胜的结构松散的剧作,对于当时统治舞台的"结构剧"是一个极大的挑战。他虽然不喜欢文艺理论且拒绝把自己归入某一流派,但却一直被视作自然主义运动的一位先驱,左拉则是这个运动的主要代表。从1867年起,他对各种类型的戏剧均曾试

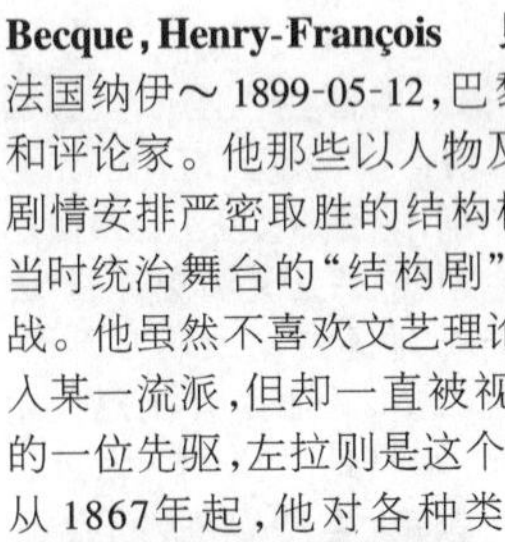

美国不列颠百科全书公司供图

笔,其中包括歌舞杂耍剧及一部以社会主义为题材的剧作。其代表剧《群鸦》(1882)描写为遗产继承问题而进行的明争暗斗。剧中人物间千篇一律的利己主义和现实主义的对白,除自然主义评论家之外,不甚受宠,因而只上演了3场。《巴黎女人》(1885)描写一个有夫之妇同时有两个情人,使观众震惊不已。该剧的重要性也和《群鸦》一样,直到它问世10年后才为人们所认识。

Bécquer, Gustavo Adolfo 贝克尔(1836-02-17,西班牙塞维利亚～1870-12-22,马德里) 原名古斯塔沃·阿道弗·多明格斯·巴斯蒂达。西班牙诗人,浪漫主义后期作家。11岁成为孤儿。17岁时迁居马德里,意欲从事文学生涯。1861～1868年,为《当代人》报撰稿。主要文学作品为《诗韵集》,包括近百首诗,死后于1871年出版。其诗歌敏感、压抑,有深刻的自我表现,它所探索的主题为爱情、人生和诗歌的奥秘等。他的抒情风格以音韵见长,纯朴而飘逸。迷人的散文作品《传说集》(1871),以中世纪背景、水仙等超自然人物,以及神秘和梦幻般的气氛为特色。叙事以抒情的风格为基础,其题材为爱情、死亡和来世。书信集《斗室书简》(1863～1864)是他的自传,也同样以独创性和敏感性使人感动。一生受婚姻不幸和经济拮据所困扰,直至34岁患肺结核辞世后,才得到承认和赞誉。

Becquerel, (Antoine-) Henri 贝可勒尔(1852-12-15,巴黎～1908-08-25,法国勒克鲁瓦西克) 放射性的发现者,19～20世纪交替期间法国最杰出的物理学家。他出身于巴

美国不列颠百科全书公司供图

黎一个科学世家。从他祖父A.-C.贝可勒尔起经他父亲、他本人和他儿子4代,蝉联国家自然博物馆应用物理学教授之职。

1872～1874年在巴黎综合工科学校接受理科教育,1874～1877年在公路桥梁学院工科方面深造。他在公路桥梁部任工程师多年,1894年任总工程师。1895年任巴黎综合工科学校物理学教授。早年曾研究由磁场引起平面偏振光的旋转,随后又研究红外辐射,尤其仔细观察在红外线激发下不同磷光晶体例如铀化合物的光谱,并研究光吸收与磷光发射之间的关系。1889年起成为科学院院士。1895年底,W.伦琴发现了X射线。贝可勒尔认识到玻璃真空管受阴极射线轰击而发射磷光的区域会发出X射线。根据受激的物质同时发出磷光和X射线现象,他试图研究这种不可见辐射与可见光之间的本质联系。他将受阳光照射数小时后而发射磷光的晶体置于用不透明纸包住的感光片上,并在它们中间搁上硬币或金属切口,于是照相片上就出现硬币或金属切口的像。1896年2月24日贝可勒尔在科学院会议上报告了研究结果,指出某些铀盐具特别活性。于是,他进一步证实他的观点:这种发光物质在发出可见辐射的同时,还射出某种与X射线非常类似的东西。贝可勒尔认识到他所用的铀盐,即使没有受太阳光紫外线作用,仍继续发出穿透性辐射。1896年,贝可勒尔发表了七篇论文,阐述他所发现的射线,即后来M.居里称为放射性的现象。但一度不为人所注意。1898年放射性研究的对象扩大到另一已知元素钍,并且发现了新的放射性物质钋和镭之后,贝可勒尔发现的放射性引起人们的重视。他在所开创的领域中还做出了另外三项重要贡献:①1899～1900年测定辐射的组分β粒子在电场和磁场里的偏转;根据测得的荷质比,他证明β粒子与J.J.汤姆孙不久前所认定的电子相同。②发现是铀中被指称为铀X的放射性物质在一定时间后失去辐射能力,而刚提取的无放射性的铀却恢复放射性。当E.卢瑟福和F.索迪在钍X和钍中发现类似的衰变和再生现象时,他们就据以建立放射性变换理论以解释亚原子化学变化,即一种元素自发地变成另一种元素。③贝可勒尔最后的一项主要成就是辐射的生理效应。别人也许在他之前就已经注意到了这一点,可是,在1901年他报道了他内衣口袋里装着居里夫妇提取的放射性的镭样品时遭到灼伤的消息,这才激起医生们对该课题的研究,终于在医学方面得到应用。贝可勒尔因发现放射性,和居里夫妇一起共获1903年诺贝尔物理奖;他还荣获国外学术团体颁发的奖章和授予的学会会员称号。法国科学院选举他为该院主席并为常务秘书之一。

Bécs (Austria) 参阅 **Vienna 维也纳**。

Bécu, (Marie-) Jeanne 贝屈 参阅 **Barry, (Marie-) Jeanne Bécu, comtesse de 巴里伯爵夫人**。

bed 床 供人在上面躺卧的家具。许多世纪以来被认为是室内最重要的家具,并用以表示人的身份。在古代文明社会中,床不仅作睡眠用,而且吃饭时作靠背用(埃及除外)。中世纪初期的床很简单。从12世纪起,开始出现富丽堂皇的床架,上面布满镶嵌、雕刻和绘画,还配有绣花的床罩和床垫。15世纪西

16世纪后期的英国大床

美国不列颠百科全书公司供图

欧的床,背部是一块镶板,床的正面两边是雕花的圆柱,上有天盖,用以垂挂帐帷。这些床的一个显著的特点是大,240厘米长,210厘米宽,可以睡好几个人。16世纪,床

的装饰更加讲究，床头和床柱满是雕刻。17世纪上半叶，床有两种类型：一种床很重，上有雕刻；一种床很轻，使用精致的帐帷。到17世纪中叶，后者在英国和欧洲盛行。17世纪下半叶至18世纪初，多使用华丽的大床。在路易十四的王室家具目录上登记的大床不下413张，其中有些床十分豪华。19世纪20年代随着弹簧床垫的使用，床的结构发生了变化。19世纪后半期，盛行金属制床架，起初用铸铁，后用铜管。20世纪床具设计的主要特征之一是不用传统的双人床或夫妻床而乐于使用两张单人床，或一种较大的大号床或特大号床。一种流行的形式是长沙发，白天作椅，晚上作床。另一种是可作床用的折叠沙发。在中东，人们习惯于在地板上铺上毯子当作床。中国约在2000年前已有用浮雕和天盖装饰的床。明朝(1368～1644)或在此之前，在某些地区，人们习惯常用薄纱或网状织物把床围起来；后来沿小小的后房的后墙筑床，后房与小小的前房用滑门隔开。床上铺席。日本传统的寝具由缝合的被褥和床单组成，叫做“蒲团”，一直沿用至20世纪后期。它直接铺在铺有榻榻米(一种用稻草编织成的有弹性的垫子)的地板上。白天，“蒲团”放入橱内，房间即作吃饭或聚会用。20世纪60年代在床具设计方面的一项奇异创新是充气床和水床，后者是在和床垫一样大小的塑料袋里充满水，然后放在木头床架上。水床最初是青年人喜爱的新奇物品，后为人们广泛接受。在医院、托儿所和康复医院中常使用水床。

bed-wetting　参阅 **enuresis** 遗尿症。

Bédard, Myriam　贝达德(1969-12-22，加拿大魁北克旧洛雷特～　　)　加拿大滑雪射击运动员，是第一个获奥运会冬季两项奖牌的北美洲运动员。原是少年花样滑冰运动员，后转向滑雪射击。17岁获加拿大少年锦标赛冠军。在1992年法国阿尔贝维尔冬奥会获铜牌，1993年第一次获世界冠军。在1994年挪威利勒哈默尔冬奥会冬季两项赛中获15公里和7.5公里两枚金牌。1998年参加了日本长野冬奥会，但未得奖牌。

bedbug　臭虫　异翅目臭虫科昆虫，约75种，吸食人和温血动物的血液。体扁宽，长4～5毫米，红褐色。翅退化呈鳞状，不显著，

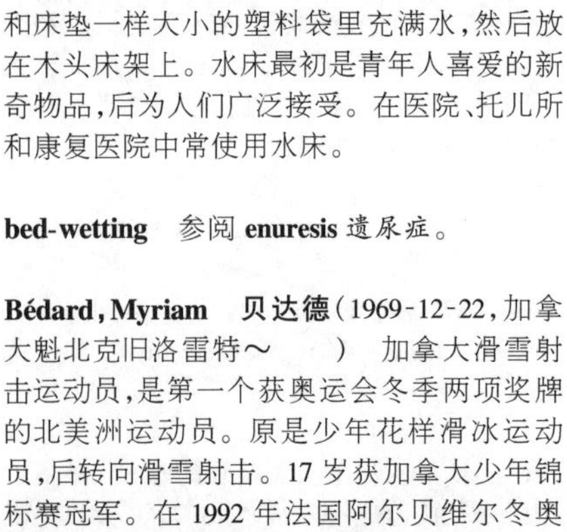

温带臭虫(*Cimex lectularius*)，5倍放大
美国不列颠百科全书公司供图

无功能。有臭腺，分泌物有特殊的气味。雌虫每个繁殖季节产卵200多个，一年繁殖3代或3代以上。是分布最广泛的人类寄生虫之一。昼伏夜出，吸血后即躲藏不出，所吸血需数天才能消化。成虫能耐饥1年以上。虽然臭虫叮咬令人不适，但未知能传播疾病。温带臭虫(*Cimex lectularius*)和热带臭虫(*C. hemipterus*)吸食人血。疏毛臭虫(*C. pilosellus*)吸食蝙蝠血，燕臭虫属(*Oeciacus*)的种类吸食燕科鸟的血，*Cimexopsis nyctalis*吸食烟囱刺尾雨燕的血，鸡臭虫(*Haematosiphon inodora*)吸家禽的血及人、猪的血。

Bedde　贝代　尼日利亚博尔努州世袭酋长国。14世纪为贝代人居地，受博尔努王国派驻的总督管辖。18世纪末受贝代人吉德王朝统治。约1808年被发动圣战的富拉尼人击败，沦为保护国，每年向博尔努进贡奴隶。约1825年贝代人首领拉万·巴布杰组织泛贝代联盟，以戈尔戈拉姆为首都，宣布贝代独立。其子阿尔哈吉(1842～1893在位)曾成功地抵御了富拉尼人和卡努里人的进犯。后首都戈尔戈拉姆曾被苏丹军队攻占。1902年英国殖民统治开始时，被承认为独立的酋长国。现居民主要为穆斯林贝代、恩吉津和卡努里人。属干燥的热带草原气候，人烟稀少。由哈代贾和卡塔古姆两季节河汇成的科马杜古约贝河逢雨季可捕鱼。经济作物以花生、棉花为主，亦有高粱、粟、豇豆、烟草和阿拉伯树胶。牛、山羊、绵羊为主要畜产。加舒阿为最大城镇和集市中心、地方政务会和贝代酋长驻地。

Beddoes, Thomas Lovell　贝多斯(1803-06-30，英格兰萨默塞特克利夫顿～1849-01-26，瑞士巴塞尔)　诗人，以诗剧《死亡的笑话》(或称《傻子的悲剧》)出名。父亲是著名科学

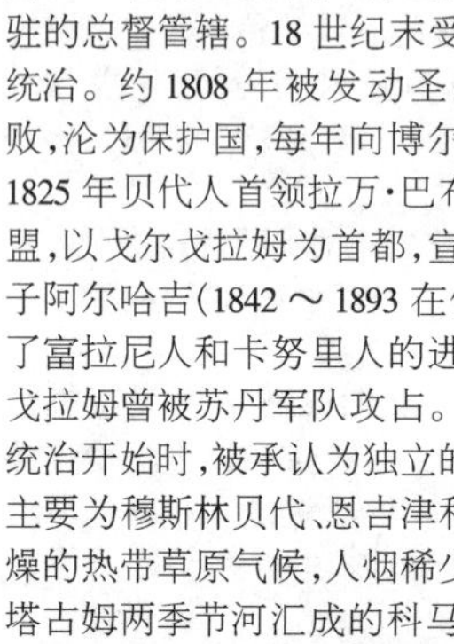

美国不列颠百科全书公司供图

家。他在父亲解剖人体和探索灵魂的影响下，一生始终摆脱不开死亡的观念。在查特豪斯上中学时喜欢戏剧，常常据18世纪的哥特式传奇故事进行种种构思。1820年入牛津大学，以某同学的杀人案为题材写出第一部重要作品《新娘的悲剧》(1822)。1825年去德国格丁根学习解剖学和医学，并继续写作《死亡的笑话》，目的在探究死亡与永生问题。这部剧本经累次修改，终生没有完成，直到死后(1850)方才出版。后参加政治活动，到处流浪，1849年自杀。

Bede the Venerable, Saint　比德(672或673，传说生于诺森伯里亚王国贾罗的芒克顿～735-05-25，贾罗)　又拼Baeda。盎格鲁-撒克逊神学家、历史学家。所著《英格兰人教会史》(731或732完成)是研究盎格鲁-撒克逊各部族信仰基督教的历史的重要资料。他以基督的生年作为纪元，这已为世界通用。7岁时被送进隐修院，19岁时被授予执事职，30岁升任神父。他一直在威尔茅斯和贾罗两地的隐修院活动。他的著作可以分为3类：一是文法和科学类，二是《圣经》注释类，三是历史与传记类。《英格兰人教会史》分5卷，记叙英格兰从凯撒入侵(公元前55～前54)至圣奥古斯丁到达肯特(597)为止的事件。1899年封为圣徒。

Bedford　(district, England)　**贝德福德**　参阅 **North Bedfordshire** 北贝德福德。

Bedford　贝德福德　英格兰贝德福德行政、历史郡北贝德福德自治市一处地方。位于富饶的大乌斯河谷地。曾为罗马渡口站和撒克逊城镇。914年由盎格鲁-撒克逊君主爱德华(大)从丹麦人手中夺回。是最初贝德福德郡首府，亨利二世在位(1154～1189)时获特许状，并为以后的君主承认。班扬会议厅(1850)建在J.班扬自1656年起在此布道的谷仓原址上。门(1876)的镶板上画着他的著作《天路历程》中的场景。客厅现为班扬博物馆。监狱改革者霍华德的故居在1772年建的公理会教堂附近。诺曼城堡附近的恩班克门特博物馆内有塞西尔·希金斯画廊和普里查德收藏室。现为郡级城镇和大农业地区的中心。通公路、铁路。生产水泵、内燃机、汽轮机、农具、磨粉机、开关、管筒设备、铸件、电灯、晶体管和糖果点心等。人口73 917(1991)。

Bedford　贝德福德　英格兰中南部贝德福德行政郡的一个自治市(区)。该市几乎完全位于贝德福德历史郡内，但不包括伯滕霍尔西北部的一小块地区(属亨廷登历史郡)。面积476平方千米，部分地区处于大乌斯河谷。首府贝德福德为大城镇，其西南有制砖业中心斯图尔特比镇，使用当地牛津泥。附近有轻工业中心肯普斯顿镇，生产彩色粉笔。人口约140 200(1998)。

Bedford　贝德福德　美国印第安纳州南部城市，劳伦斯县县城，在布卢明顿南40千米。1825年建为县城，1889年设市。19世纪30年代附近发现鲕状石灰岩，城市经济迅速发展。贝德福德石灰岩是优良的建筑材料，为美国许多著名建筑(如纽约帝国大厦)所采用。当地有大型采石场和加工厂。其他经济项目有铸造、纺织、电子和运输设备制造业及农业(家畜、谷物、水果)。市内有胡热尔和韦恩国家森林管理处。人口13 768(2000)。

Bedford　贝德福德　美国马萨诸塞州东北部米德尔塞克斯县城镇，邻康科德河，在波士顿西北。1642年始建，1729年设镇。该镇镇旗是1775年4月19日美国独立战争中民兵与英军在康科德桥交战时高举的唯一旗帜，现藏于镇图书馆。旗手C.N.佩奇的故

居辟为纪念馆。其他的地标有老墓地(如独立战争阵亡战士墓地)、第一教区教堂(1817)和菲奇酒店(1731)。经济以高科技研究和工程为基础。面积 36 平方千米。人口 12 595(2000)。

Bedford 贝德福德 美国纽约州东南部韦斯特切斯特县城镇,在怀特平原北面。1680 年建村。1682 年设镇。原属康涅狄格州,1700 年划归纽约州。包括贝德福德村、贝德福德希尔斯、卡托纳 3 小村,并与纽卡斯尔分辖芒特基斯科村(1874 年设村)。纽约市水库的建设使卡托纳村迁至现址(1897 年),改变了贝德福德镇的布局,并促使其向住宅区发展。面积 96 平方千米。人口 18 133(2000)。

Bedford 贝德福德 美国宾夕法尼亚州南部自治镇,贝尔福德县县城(1771)。位于阿勒格尼山区,阿尔图纳之南 61 千米。在宾州公路和朱尼亚塔河支流雷斯敦河畔。1750年

贝德福德镇的贝德福德泉旅馆,曾为布坎南总统的夏季白宫

美国不列颠百科全书公司供图

设立居民点,称雷斯敦。1758 年建立贝德福德要塞。1766 年设为镇。G.华盛顿曾于 1794 年在此检阅军队。附近有贝德福德泉疗养区、布卢山滑雪场、科拉尔洞穴、州立肖尼公园和贝德福德要塞公园博物馆。旧贝德福德村已重建 1750 ～ 1850 时期的建筑物。该镇的制造业有服装、采矿设备、玩具和木制品等。人口 3 141(2000)。

Bedford, EARLS AND DUKES OF 贝德福德伯爵和公爵 英国金雀花、都铎、罗素家族之贵族头衔。按年代顺序分列于后,并各以● 为标记。

● **Bedford, John Plantagenet, duke of 贝德福德公爵**(1389-06-20～1435-09-14,法国鲁昂) 英格兰军人、政治家,百年战争中英军司令。亨利四世的第 3 子。1414 年受封为贝德福德公爵。1415 ～ 1422 年,当亨利五世在法国作战时,他 3 次代理朝政。1422 年亨利死后,他成为幼王亨利六世的摄政王。1423 年,他通过与勃艮第公爵好人菲利普结盟以控制法国西北部,然后对法国国王查理七世展开进攻。1424 年 8 月在韦尔讷伊赢得重大的胜利。1426 年被召回国调解内争。1427 年重返法国,在战场上不断取得胜利,直到贞德率领的法国军队迫使他于1429年4月放

贝德福德公爵(跪者)

美国不列颠百科全书公司供图

弃围困奥尔良为止。他在勃艮第与法国单独媾和时死去。

● **Bedford, Jasper Tudor, duke of, EARL OF PEMBROKE 贝德福德公爵**(约 1430 ～ 1495-12-21 或 26) 即 J. 都铎。别名 Jasper of Hatfield。威尔士的兰开斯特家族首领,里奇蒙伯爵亨利(即后来的英格兰王亨利七世)的叔父和监护人。贝德福德公爵是这一家族的创业人 O.都铎的次子,1449 年封爵士,约 1452 年封彭布罗克伯爵。1456 ～ 1459 年,他努力扩大自己在西威尔士的势力。1459 年当约克派的军队在拉德福德(什罗普郡)被迫溃逃时,他追随亨利六世左右。1460 年他包围和攻占约克公爵在北威尔士的要塞登比城堡。1461 年 2 月兰开斯特派的军队在莫蒂默斯克罗斯败北后,他逃往爱尔兰,后又去苏格兰。1468 年在北威尔士登陆,企图解救亨利六世据守的哈莱奇城堡。他占领登比城堡,但后来被赫伯特勋爵威廉所击败。1471 年兰开斯特家族在蒂克斯伯里彻底垮台后,他带着侄子里奇蒙的亨利逃往布列塔尼。在那里,亨利由他监护长大成人。1485 年 8 月他与亨利在南威尔士登陆,并在博斯沃思原野作战。亨利七世赐给他贝德福德公爵领地(1485)和格拉摩根伯爵称号(1486),以酬谢他的功劳。1486 ～ 1494 年出任爱尔兰总督,在镇压1486 ～1487 年的叛乱中起过主要作用。

● **Bedford, John Russell, 1st earl of 贝德福德伯爵(第一)**(约1485～1555-03-14,伦敦) 英格兰国王亨利八世的宠臣。罗素家族财富和显赫地位的创始人。1520 年随亨利八世参加金缕地会谈。英法战争重开后,他回到军队,1522 年在莫尔莱包围战中失去右眼。1523 年秘密赴法,谈判亨利与欲背叛法王弗兰西斯一世的波旁公爵查理之间的条约。1524 年前往罗马访问教皇克雷芒七世。1525 年 2 月参加帕维亚战役,约年底回英格兰。1529 年进入宗教改革议会,但仍受到亨利八世的宠信,历任要职。1539 年受封为男爵。1545年在英格兰西部指挥军队。1547年

美国不列颠百科全书公司供图

1 月亨利死后,他是其遗嘱的执行人之一。在爱德华六世时代任王室事务总管和掌玺大臣。1550 年被封为伯爵,同年任与法国媾和的专使。他支持玛丽一世,1554 年前往西班牙缔结玛丽一世与腓力二世的婚约。

● **Bedford, Francis Russell, 2nd earl of 贝德福德伯爵(第二)**(约1527～1585-07-18,伦敦) 英格兰女王伊丽莎白一世的基督教新教支持者。第一代贝德福德伯爵的独生子。1552 年进入贵族院。他与新教改革者持同样观点,因而在玛丽时代曾被监禁。1555 年继承伯爵爵位后前往欧洲大陆。1557 年参加圣康坦战役。1558 年伊丽莎白一世登基后,他成为政界的风云人物。初任枢密官,后去法王查理九世处和玛丽·斯图亚特处执行外交任务。1564 ～ 1567 年任贝里克郡长和苏格兰东部边境地方长官,曾主持伊丽莎白与玛丽之间的历次谈判。1569 年北方叛乱发生后被派往威尔士,1572 年主持对诺福克公爵的审判。1576 年任威尔士地方议会主席。1581 年受权安排伊丽莎白和安茹公爵的婚事。

● **Bedford, Francis Russell, 4th earl of 贝德福德伯爵(第四)**(1593～约1641-05-09,伦敦) 英格兰议会派首领。桑豪的拉塞尔勋爵威廉的独生子。1627 年因表兄贝德福德伯爵(第三)爱德华去世,承袭伯爵爵位。1628 年查理一世与议会发生冲突时,他支持权利请愿书所体现的下院的要求。1629 年因参加写反对国王的小册子被捕,但迅即获释。在 1640 年召开的短期议会中,他是国王的主要反对者之一。1640 年 9 月他与另外一些贵族敦促查理召开议会,与苏格兰人言和,并任缔结《里彭条约》的英格兰特使之一。同年 11 月召开长期议会时,人们普遍认为他是议会派的领袖。1641 年成为枢密官,后任财政大臣。

● **Bedford, William Russell, 1st duke and 5th earl of 贝德福德(第一公爵和第五伯爵)**(1613 ～ 1700-09-07) 英格兰贵族。第 4 代贝德福德伯爵的长子。内战时期先在议会一方作战,后在查理一世一方作战。部分由于他的儿子威廉·拉塞尔勋爵(1639 ～ 1683)作为爱国烈士的声誉,他于 1694 年被封为公爵。

● **Bedford, John Russell, 4th duke of 贝德福德公爵(第四)**(1710-09-30～1771-01-15,英格兰贝德福德郡沃本) 18 世纪 50 ～ 70

年代英格兰主要议会派"贝德福德辉格党"领袖。1744年任海军大臣。1761年任掌玺大臣。他极力主张和平,1762年奉命前往法国进行谈判,翌年签订《巴黎和约》。1763年任枢密大臣。以他的名字命名的政治集团中有桑德威奇勋爵、高尔勋爵、韦默思勋爵和R.里格比等著名人物。1765年他因眼疾退出公职,其集团在他死后仍存在约10年之久。

● **Bedford, Francis Russell, 5th duke of 贝德福德公爵(第五)**(1765-07-23～1802-03-02,英格兰贝德福德郡沃本) 即F.拉塞尔。英格兰贵族。塔维斯托克侯爵弗兰西斯·拉塞尔之子。1771年继承祖父为贝德福德公爵。他在贵族院中参加辉格党,成为威尔士亲王(后来的乔治四世)的亲信。他对农业很有兴趣,曾在沃本建立模范农场,对繁殖绵羊进行实验。

● **Bedford, John Robert Russell, 13th duke of 贝德福德公爵(第十三)**(1917-05-24～2002-10-25,美国新墨西哥圣菲) 英格兰第12代贝德福德公爵之子,1953年继承爵位。为缴纳其父庄园,包括沃本修道院的遗产税,他向公众开放豪华住宅,展示精美陈设和艺术珍品,还利用其庭园包括野生动物园以吸引游客,使他和庄园为英国群众和外国旅游者所熟知。著有《一把镀银匙》(1959)等著作。

Bedfordshire 贝德福德郡 在英格兰中部地区南部的行政、地理和历史郡。首府*贝德福德*(**Bedford**)镇。行政郡下设3个区:中贝德福德、南贝德福德和贝德福德自治市。这3个区主要为乡村,分别为贝德福德、安特希尔和邓斯特布尔3个集镇的中心。地理郡还包括卢顿单一政区。历史郡与地理郡在地域上基本一致,但其边界与行政郡有3处不同。行政郡的南贝德福德区的林斯莱德镇位于白金汉历史郡内,中贝德福德区的桑迪南部一小块地方属剑桥历史郡。然而,贝德福德历史郡还包括伊顿索肯镇(位于剑桥行政郡的亨廷登区内)。该郡大部处在大乌斯河及其支流谷地。南端有西南-北东走向的奇尔特恩丘陵横贯本郡。除洪泛谷底区和沙地外,大部分地区为耕地。主要以牛奶、蔬菜供应伦敦市场。乌斯河谷地早在青铜器时代初就有比克人居住。1～5世纪罗马人在南部定居。后由入侵的盎格鲁-撒克逊和丹麦人居住。贝德福德城为丹麦人所建。该郡1010年作为政治单位首见记载,并在今郡范围内几乎原封不动延续下来。郡南缘的卢顿和邓斯特布尔,曾以制造草帽闻名,现在生产各种工业品及生产贝德福德牌机动车。卢顿地当公路、铁路线,建有机场。克兰菲尔德有航空学院。郡内著名古建筑有沃本隐修院(1747)等。面积:行政郡1 192平方千米;地理郡1 236平方千米。人口:行政郡373 300;地理郡556 600(1998)。

Bédier, (Charles-Marie-) Joseph 贝迪耶(1864-01-28,巴黎～1938-08-29,法国大塞尔) 法国学者。以其关于特里斯丹和绮瑟及罗兰的叙事诗的著述为研究中世纪法国文学做出了不可估量的贡献。1903年到法兰西学院任教。发表于1900年的《特里斯丹和绮瑟的传说》奠定了他的作家声誉。1902～1905年间

美国不列颠百科全书公司供图

出版了盎格鲁-诺曼语诗人托马所作《特里斯丹传说》评注本,这部论著充分显示了他渊博的学识。他证明关于特里斯丹的最早诗歌并非出自民间传说,而是一位天才的创作。他的著作《史诗传说》(4卷,1908～1921)阐述了关于法国最早的英雄史诗"武功歌"之起源的理论。1922年他出版《罗兰之歌》评注本。1921年被选为法兰西学院院士。

Bedlam 贝德兰姆 英国第一家精神病院伯利恒皇家医院的俗称。也是除西班牙格拉纳达的一所外,欧洲第一所精神病院。1247年伦敦郡长S.菲茨马利为圣诞星男女修会在主教门街建了一所小隐修院。1330年成为医院,到1403年收容病人。1547年由亨利八世移交给伦敦市,成为一所著名的精神病院,后来以对待精神病患者野蛮残忍而臭名远扬。今为国民保健制度的一个组成部分,亦称毛兹利医院。Bedlam一词在英语中亦泛指所有精神病院。

Bedlington terrier 贝德灵顿㹴狗 19世纪最初10年在英格兰的诺森伯兰培育起来的狗品种,以该处一个矿区——贝德灵顿而得名。当地用作斗狗,因其勇敢用以捕猎獾和

贝德灵顿㹴狗
美国不列颠百科全书公司供图

害兽,后来普遍用作宠物。貌似羊羔,背弓形,有顶毛,被毛厚而卷曲,似棉绒,蓝灰色、深红棕色或淡沙色,常带棕色斑点。体高38～43厘米,体重8～10千克。

Bedlingtonshire 贝德灵顿夏 又称贝德灵顿。英格兰诺森伯兰郡旺斯贝克区一处地方。近北海港口布莱斯。19世纪随布莱斯河北采煤业扩大人口迅速增长。19世纪60年代前钢铁厂已兴旺发达。第二次世界大战后采煤业衰落,现经济以轻工业为主。此处繁育的一种㹴犬即取名贝德灵顿。人口约26 707(1991)。

Bedloe's Island (New York, U.S.) **贝德卢岛** 参阅 **Liberty Island** *自由女神岛*。

Bednorz, J(ohannes) Georg 柏诺兹(1950-05-16,西德～) 德国物理学家。因和K.A.缪勒一起发现某些物质在远高于先前认为能够达到的温度时即具超导电性,而共获1987年诺贝尔物理学奖。柏诺兹1976年毕业于明斯特大学。1982年获苏黎世瑞士联邦理工学院哲学博士学位。同年进入国际商用机器公司(IBM)苏黎世研究实验室工作,在该室他被缪勒吸收,参加了后者的超导电性研究工作。1983年他们两人开始系统地试验新开发的一些氧化物陶瓷材料。他们期望它们能是超导体。在他们的工作中,柏诺兹作为实验者,负责这些氧化物的实际制造和测试。1986年他们在35K(－238°C)温度下成功地使钡-镧-铜氧化物获得超导电性。这一温度比先前在任何物质中能得到超导电性的最高温度要高12K。

Bedny, Demyan 别德内(1883-04-13,俄罗斯帝国乌克兰古博夫卡～1945-05-25,莫斯科附近的巴尔维哈) 苏联诗人,以其称颂革命的诗歌和讽刺性寓言著称。原名叶菲姆·阿列克谢耶维奇·普里德沃罗夫。在革命前就开始为社会主义报刊撰稿,用杰米扬·别德内(意为"穷人杰米扬")作为笔名。1912年他的讽刺作品开始问世,其风格受寓言作家I.克雷洛夫的影响。他的诗歌经常采取大众流行歌曲的形式。作品在1917～1930年间受到广大群众的热烈欢迎,并得到列宁的赞赏。列宁虽曾指出他的诗作粗糙,但肯定了它们的宣传价值。他的许多作品是关于时事的,因时过境迁而减少了吸引力。1936年,他为A.鲍罗丁的喜歌剧《勇士们》创作的新歌词按照原乐曲的精神,讽刺了俄国的历史和它的传奇式英雄人物。长期受斯大林宠爱的别德内,这时受到了斯大林本人的严厉斥责,并于1938年被开除出共产党。尽管在第二次世界大战期间他创作了许多在士兵中极为流行的爱国主义诗歌,但仍未能恢复过去的地位。只是在他死后很久的20世纪60年代,官方才同意让他的作品重新出版,并把他评价为杰出的共产党诗人,但他在公众中的名望始终未能完全恢复。

Bedouin 贝都因人 又拼Beduin。中东沙漠(特别是阿拉伯、伊拉克、叙利亚和约旦等地)讲阿拉伯语的游牧民族。虽为中东总人口中一小部分,却占据中东的大部分土地。大多数是畜牧者,冬季多雨时游牧到沙漠,夏

季干旱时返回已耕作的地区。贝都因人由于种姓关系,传统上鄙视农业及其他体力劳动,但因政治和经济的发展,特别是从第二次世界大战后,他们有不少人已经定居。20世纪

卡塔尔中部的贝都因人
美国不列颠百科全书公司供图

50年代中,沙特阿拉伯和叙利亚把贝都因人的放牧地收归国有,约旦限制山羊的放牧范围,于是贝都因牧民与定居农民之间不断发生冲突。传统的贝都因人可以根据他们赖以为生的动物类别如骆驼、山羊、绵羊和牛来区分。最受重视的是骆驼游牧人,他们占有大片土地,在撒哈拉、叙利亚、阿拉伯沙漠地区组成一些大部落。其次是山羊、绵羊游牧人,主要生活在约旦、叙利亚和伊拉克附近的耕种地带。牛的游牧人主要生活在南阿拉伯半岛及苏丹,当地称他们为巴加拉人。第一次世界大战后,贝都因部落不得不服从其游牧所在地的政府管理,尤其是第二次世界大战以后,有些人服兵役,有些还当建筑劳工,但仍保持其部落特点:族长制、父系社会、族内婚和一夫多妻家庭。在操阿拉伯语的诸部落中,一家之长及家以上各级社会单位之首领直至部落首领,均称为"舍赫"。舍赫由一个非正式的部落长老会议辅佐,进行统治。

Bedraja(Siamese king)　参阅 **Phetracha** 披叻差。

Bedreddin　贝德尔丁(1358-12-03,奥斯曼帝国塞马沃纳[土耳其]~ 1416或1420-12,塞雷[希腊])　原名Badr ad-din Ibn Qāḍīsāmāwnā。奥斯曼神学家、法学家和神秘主义者。其财产公有制的社会学说导致大规模的人民起义。苏非派信徒,1383年赴麦加朝觐。回开罗后,任埃及马木路克王储的导师。后来作为苏非派教士周游小亚细亚。1410年争夺奥斯曼王位的穆萨任命他为军事法官。1413年穆萨失败,他被流放到伊兹尼克城。流放中完善其学说,并与一个秘密团体保持联系,于1416年举行起义,失败后被捕,处绞刑。

bedsore　褥疮　又作decubitus ulcer或pressure sore。长期卧床患者由于局部受压及与被褥摩擦,造成皮肤供血不足所引起的皮肤和皮下组织的溃疡。好发于骨突出的部位,如肘、髋及骶部等处。其防治包括经常变换患者的卧姿、每日洗澡及局部使用药物。

bedspread　床罩　不是为取暖,而是为整洁美观而铺在床上的物品。早在古代就有使用床罩的习惯。最早的床罩可能用毛皮做成,后来品种繁多,包括各式纺织和刺绣珍品。罗马历史学家李维在公元前1世纪写道:奢侈品包括"贵重的床罩",最初是由亚洲的军队带到罗马来的。有一种用布片缝起来的床罩,在18世纪和19世纪是美国的一种重要的民间手工艺品。床罩上五彩缤纷的风格图案或几何图案都有富有想象力或唤起回忆的名字。每种图案都有一个其象征意义的起源故事。参阅 **quilting**。

bedstraw　猪殃殃　又作cleavers。茜草科猪殃殃属(拉拉藤属,*Galium*)低矮多年生草本植物的统称,约300种,分布全世界潮湿林地、沼泽、河岸和海滨。叶细齿裂,经常成针

一种猪殃殃属(*Galium*)植物
美国不列颠百科全书公司供图

状,4~8枚轮生。花小,簇生,绿色、黄色或白色。果坚硬,圆形,两个联生在一起。北方猪殃殃(砧草,*G. boreale*)、沼泽猪殃殃(*G. palustre*)和鹅草(猪殃殃、黏草,*G. aparine*)遍及欧洲,已移植于北美部分地区归化。香猪殃殃(甜车叶草,*G. odoratum* 或 *Asperula odorata*)具新割干草般的气味,幼嫩的上部分干后可用制香料、香囊及饮料调味品。黄猪殃殃(蓬子菜,*G. verum*)在欧洲用以凝结牛奶和使干酪着色。该属几个种的块根可制取红色染料。

Beduin(people)　参阅 **Bedouin** 贝都因人。

Bedworth　贝德沃思　英格兰沃里克郡行政、历史郡纳尼顿和贝德沃思自治市的城镇。有采煤和轻型机械制造业。采煤业于20世纪末停止。贝德沃思西面的科利-霍尔,因G.艾略特在其作品《亚当·比德》中作为霍尔农场的原型而扬名。人口31 932(1991)。

Będzin　本津　波兰南部卡托维兹省城市。位于卡托维兹市东北,靠近黑普热姆沙河。为(上西里西亚)煤矿区的最古老城镇之一,已发展成为采矿和重工业中心。在17世纪时以产精良布匹及工艺品闻名;到19世纪,经济以锌矿采掘、提炼和采煤为基础。第二次世界大战期间,德国人在该地设集中营,万余市民惨遭杀害。市内的栋布罗瓦盆地博物馆设于13世纪城堡(1952~1956年重建为哥特式)内。人口59 210(2002)。

bee　蜜蜂类　膜翅目蜜蜂超科昆虫。约2万种。蜜蜂超科除包括人们熟悉的蜜蜂(蜜蜂属[*Apis*])和熊蜂类(熊蜂属[*Bombus*]及拟熊蜂属[*Psithyrus*])外,还包括数以千计的黄蜂样或蝇样的种类。成体的体长各异,从约2毫米到4厘米。蜜蜂类与某些类型的黄蜂近缘,蜜蜂类与黄蜂类的主要区别是:蜜蜂类(除寄生性种类外)将花粉和蜂蜜混合而成的食物供给幼体;而黄蜂类则以动物性食物喂饲幼体或将昆虫、蜘蛛等放在巢内。两者的身体结构也有某些不同,这与其食物偏好的差异相应;黄蜂身上覆以不分支的毛,而蜜蜂类身上的毛分支少或羽毛状,花粉常沾附于其上。蜜蜂类完全依靠从花中取得花粉和花蜜为食,有时花蜜经变化为蜂蜜贮存起来。无疑蜜蜂与经其授粉的花同时进化。蜜蜂从一朵花飞到另一朵花采蜜时会将小量花粉丢失。花粉丢失是非常重要的,因为花粉丢失往往导致异花授粉。蜜蜂可以传粉,这方面的价值远远大于它所制造的蜂蜜和蜂蜡。

一种切叶蜂属(*Anthidium*)昆虫
美国不列颠百科全书公司供图

雄性的蜜蜂通常寿命短,从不采集花粉,也不参与育幼。所有筑巢、采集食物的工作由雌性成体完成,这些雌性成体具特别的解剖结构,有助于携带花粉。大多数蜜蜂为多选性,即能采集多种植物的花粉,但某些蜜蜂仅采集某几科植物的花粉,另一些蜜蜂仅从某种颜色的花中采集花粉。寡选性的蜜蜂采集花粉的花只有少数几种。蜜蜂的口器用以收集和携带花粉,似已适应于不同的花,大部分蜜蜂超科种类为独栖,或非社会性,即并不结成群体;每个雌体自己筑巢(通常为地上的一个洞),并将食物存放于其中,此类蜂中不存在阶级。某些蜜蜂类在其巢的进口处筑有烟囱样或塔楼样结构;另一些种类住在木头、小枝的木髓或藤条内。大部分独栖性的蜜蜂类的寿命短。有些种类一生的大部分时间处于卵、幼虫、蛹或年幼成虫的阶段,栖于小室中,一年中只有数星期的时间能飞行。独栖的蜜蜂类将卵室封闭前为幼虫准备下食物,而社会性的种类,如熊蜂和蜜蜂则不断喂饲其幼虫。社会性蜜蜂类的生活史参阅 **bum-**

blebee; honeybee。

蜜蜂超科包括 8 科：①舌蜂科(Colletidae)，原始的蜜蜂类，似黄蜂，有 5 或 6 个亚科，约 45 属，3 000余种；②地蜂科(Andrenidae)，体形中等大小，独栖，钻穴而居，包括一些寄生种类；③集蜂科(Halictidae，地花蜂)，最著名的是 *Dialictus zephyrus*(所谓汗蜂的一种，能被汗味所吸引)；④ Oxaeidae 科，体大，飞行迅速，某些解剖结构似地蜂科；⑤准蜜蜂科(Melittidae)，为低级蜜蜂类与高级蜜蜂类间的过渡类型；⑥切叶蜂科(Megachilidae，切叶蜂及瓦工蜂)，以能将叶切成小片铺垫卵室著称；⑦花蜂科(Anthophoridae，包括木匠蜂和杜鹃蜂)，为一个大科，一度视为蜜蜂科的一个亚科，在此分类系统中包括三个亚科；⑧蜜蜂科(Apidae)，包括蜜蜂、熊蜂及地花蜂。

所谓杀人蜂是蜜蜂属一个亚属的种类，见于非洲，1957 年人们试图培育一个产量更高的热带杂种时，杀人蜂偶然地在巴西出现。这些蜂每年向北移动 320 ～ 480 千米，80 年代到达墨西哥。数百人的死亡被认为与杀人蜂有关。非洲的蜜蜂的体形小于欧洲的蜜蜂，传粉的效能亦不及欧洲蜜蜂。虽然其毒性不比欧洲蜜蜂强，但非洲蜜蜂反应更快，攻击时成群结队，追赶被叮刺者的时间更长，被其叮刺后需更长的时间才能平静下来。

bee-eater　蜂虎　佛法僧目蜂虎科(Meropidae)色泽鲜明的鸟类，约 25 种。见于欧亚大陆热带和亚热带地区及非洲和澳大利亚，只有一种黄喉蜂虎(*Merops apiaster*)偶然分布于

黄喉蜂虎(*Merops apiaster*)
美国不列颠百科全书公司供图

不列颠群岛。蜂虎体长 15 ～ 35 厘米。喙中等长，稍下曲，尖端锐利。羽衣色鲜艳，大部分为绿色，许多种类的羽衣部分为红、黄、蓝或紫色。许多种类的中央尾羽长。以蜜蜂、黄蜂及其他昆虫为食。

bee fly　蜂虻　双翅目蜂虻科昆虫。许多种似蜂。多数有长吻，能从花中取蜜。体被密毛，故呈褐色、黑色或黄色，具金属光泽。许多种的体上(有时在翅上)有纤细易擦掉的鳞片形成的斑。有几种很小，其幼虫和蛹的发育阶段情况不详。多数种，包括最大的和最美丽的种，分布在热带。温带种体长 1 厘米多。常见于有阳光和有草的花丛。北半球的大蜂虻(*Bombylius major*)是春天最早见到的蜂虻之一，幼虫寄生于独栖蜂。绒蜂虻属(*Villa*)的某些种幼虫破坏蝗虫卵，另一些种寄生于毛虫。无翼卵蜂虻(*Anthrax anale*)是虎甲幼虫的寄生虫。欧洲的三纹卵蜂虻(*A. trifasciata*)寄生于壁蜂。绒蜂虻属及 *Thyri-*

蜂虻(*Sparmopolius fulvus*)
美国不列颠百科全书公司供图

danthrax 属的种类寄生于舌蝇蛹的表面。*Villa*(*Hemipenthes*) *morio* 寄生于益虫股栉姬蜂(*Banchus femoralis*)身上。食蚜蝇科的一些种类外形似蜂(拟态)，这些种类的英文俗名亦为 bee fly(蜂蝇)。

bee plant　蜜源植物　气味芳香或能产生花蜜以吸引蜜蜂的显花植物。种类甚多。尤指白花菜科的两种植物：黄色蜜源草即纯黄醉蝶花(*Cleome lutea*)和山地蜜源草即细锯齿醉蝶花(*C. serrulata*)，后者又名臭丁香，以往常栽于养蜂场边。某些乔木(如椴树)花香浓郁，吸引蜜蜂筑巢树上，以便就近取蜜，故常称蜜源树。

Beebe，(Charles) William　毕比(1877-07-29，美国纽约布鲁克林～ 1962-06-04，特立尼达阿里马附近西姆拉研究站)　美国生物学家、探险家、博物学作家，著作中结合了严谨的生物学研究和杰出的文学技巧。与 O.巴顿共同发明探海球(**bathysphere**)。1899 年起任纽约动物园鸟类馆长，1919 年起任纽约动物学会热带研究部主任。多次率领科学探险队到国外探险，并于 1934 年与巴顿到达百慕大海域，乘坐探海球下沉到当时创纪录的 923 米的深度。他是著名的演说家，并因科学研究和著作而多次获得奖金和荣誉。著作包括专业的和通俗的：《丛林岁月》(1925)、《野鸡的生活与家乡》(1926)、《热带海底》(1928)、《高大的丛林》(1949)、《丛林边缘》(1950)、《看不见的纽约生活》(1953)、《半英里以下》(1951)等。

beech　山毛榉类　几个不同类型的树种的通称，尤指山毛榉科山毛榉属(*Fagus*)约 10 种落叶观赏植物和材用树(原产于北半球温带和亚热带地区)。约 40 个外形相似的树种称为假山毛榉(假山毛榉属[*Nothofagus*])，原产于南半球气候较凉爽的地区。澳大利亚山毛榉指穆尔氏假山毛榉(*Nothofagus moorei*)和桃金娘科的红匣树；蓝山毛榉和水山毛榉是美国鹅耳枥(参阅 **hornbeam**)的别名；马来丛林山毛榉是马鞭草科的乔木种；红山毛榉是褐色假山毛榉(*N. fusca*)和大叶山毛榉(*F. grandifolia*)以及栎科的澳大利亚槭的俗称。山毛榉科的种类树形高大，枝条开展，树冠圆头状，树皮平滑而坚硬，灰色。叶互生，亮绿色，具锯齿及平行脉。雄花黄绿色，悬垂于线状的花枝；雌花通常成对地着生在同株的具毛短枝上。坚果具三棱，味甜，包在具刺的壳斗中。美洲山毛榉(大叶山毛榉)原产于北美东部，欧洲山毛榉(林山毛榉，*F. sylvatica*)分布于整个英国和欧亚大陆。两者均为重要的材用树种，在欧洲和北美常栽为观赏植物；可高达 30 米。美洲山毛榉的叶狭窄，有粗锯齿，蓝绿色，多叶脉，长 13 厘米，秋天变黄；欧洲山毛榉的叶稍短，卵形，深绿色，秋天变红褐色，但在气候适宜的地区经冬不凋。在亚洲种中，中国山毛榉(米心树、米心水青冈，*F. engleriana*)高约 20 米；日本山毛榉(*F. japonica*)高达 24 米，在基部即分为几条基干。中国山毛榉和日本山毛榉或西博尔德氏山毛

欧洲山毛榉(*F. sylvatica*)
美国不列颠百科全书公司供图

榉(*F. sieboldii*)在西半球栽为观赏植物。墨西哥山毛榉(*F. mexicana*)为材用树，通常高 40 米，叶楔形。东方山毛榉(*F. orientalis*)是高约 30 米的金字塔形欧亚树种，树干灰白色，叶楔形，长达 15 厘米，有波状边缘。山毛榉木材浅红褐色，在水下经久不腐，可制室内器件、工具柄和集装箱。坚果为狩猎动物的食料，亦可用来育肥家禽或生产食用油。山毛榉常栽作观赏树或林荫树，尤其是欧洲山毛榉的一些变种，如铜色叶山毛榉或称紫山毛榉，叶铜色；道威克氏山毛榉(Dawyck beech)的叶狭窄，光泽，螺旋状排列；蕨叶山毛榉或称裂叶山毛榉，叶狭窄，深裂，形如蕨叶；栎叶山毛榉的叶有粗齿，边缘波状，似栎叶；垂枝山毛榉枝条长而下垂广展，冠檐枝桠水平伸展。山毛榉在沙壤土上生长得最好。虽然生长缓慢，但能活到 400 年以上。通常用种子繁殖。广展的浅根系常常生出可长成植丛的根出条。波状叶的南极山毛榉(南极假山毛榉，*Nothofagus antarctica*)以及橡山毛榉(斜叶假山毛榉，*N. obliqua*)均原产于智利和阿根廷，乔木，高 30 米，落叶(这点与假山毛榉属的其他种类不同)，在其他大陆栽作观赏树。南极山毛榉淡红褐色的硬材适于铺地板和制造家具。其他假山毛榉是澳大拉西亚地区的常绿材用树，最著名的如：澳大利亚山毛榉(穆尔氏假山毛榉)见于新南威尔士，高达 46 米，叶长 7 厘米；山地山毛榉(*N. cliffortioides*)产于新西兰，高 12 米，叶光

滑无齿，长约 1 厘米；桃金娘山毛榉亦称塔斯马尼亚桃金娘、澳大利亚桃金娘、红桃金娘（坎宁安氏假山毛榉，*N. cunninghamii*），产于塔斯马尼亚，高 60 米，木材纹理细致。此外，本科中还包括另外一些品种，如红山毛榉（褐色假山毛榉）产于新西兰，树干细长，圆柱形，约 30 米高；银山毛榉或称南国山毛榉（孟席斯氏假山毛榉，*N. menziesii*）产于新西兰，高 30 米，叶具钝圆的重齿，叶背面生有细小的具毛的孔。

Beecham, Sir Thomas　比彻姆（1879-04-29，英格兰兰开夏圣海伦斯～1961-03-08，伦敦）　指挥家和剧团经理人。特别推崇 F.戴流士的音乐，曾以个人财产资助改进英国管弦乐与歌剧的演出。1905 年首次在伦敦登台指挥，1906 年以其"新交响乐团"开始一系列音乐会，4 年后又开创一系列歌剧演出季。1911 年邀请佳吉列夫的俄罗斯芭蕾舞团赴伦敦演出，1913 年聘请 F.夏里亚宾演唱俄国歌剧。第一次世界大战后创立英国国家歌剧团，1932 年创建伦敦爱乐乐团，1933 年任科文特加登剧院艺术总监。第二次世界大战期间在澳大利亚和美国巡回演出；1941～1944 年曾指挥西雅图交响乐队，1942～1944 年又在纽约市大都会歌剧院指挥演出。1946 年在伦敦创建皇家爱乐乐团，并管理至 1960 年。他的演出曲目上自韩德尔，下至 20 世纪中叶，但最喜爱18世纪音乐，对莫扎特和海顿

美国不列颠百科全书公司供图

情有独钟，也特别关注西贝柳斯的作品。因其表演中的气势与典雅而受到普遍赞扬。曾以机智的激烈演说抨击英国音乐标准的不足之处，从而赢得公众的拥护。1916 年封为爵士，同年晚期继承其父的准男爵爵位。自传《混合的乐声》1943 年问世；为戴流士所写传记于 1959 年出版。

Beecher, Catharine Esther　比彻尔（1800-09-06，美国纽约长岛东汉普顿～1878-05-12，纽约埃尔迈拉）　美国教育家、著作家。在美国推广并形成一种保守的思想运动，以从家庭领域提高并确立妇女在美国文化中的地位。她是一个极有影响力的家庭的成员。父亲莱曼·比彻尔是著名的长老会福音派新教会牧师及克己主义活动家；妹 H.B.斯托是作家；弟亨利·沃德是牧师。任学校教师时，她极力主张年轻妇女接受家政学和教育学的训练。她与玛丽姊妹二人共同创办哈特福德女子学校（1823），继而在俄亥俄州的辛辛那提成立西方女子学院（1832）。1852 年又组织美国女子教育协会，以在各地建立女子师范学院。比彻尔作为一个著作家最具影响力。其主要作品《论家庭经济》（1841）出版了 15 版，是美国第一本论述家庭生活各个方面的著作。该书有助于使家务标准化，加强家庭的价值，强调妇女在家中最能发挥作用，并通过家庭对美国社会产生强大的影响。其他作品有《女子教育》（1827）、《美国妇女对国家的责任》（1845）、《宗教常识》（1857），以及与 H.B.斯托合著的《美国妇女的家庭》（1869）。K.K.斯克拉所著《凯瑟琳·比彻尔：美国家庭生活的研究》于 1973 年出版。

Beecher, Henry Ward　比彻尔（1813-06-24，美国康涅狄格利奇菲尔德～1887-03-08，纽约布鲁克林）　美国基督教公理会开明派牧师。1847 年任纽约州布鲁克林的普利茅斯公理会牧师，激烈反对蓄奴，1863年到英格兰讲

美国不列颠百科全书公司供图

演，使得本来仇视他本人和美国北方派的英格兰人转变立场。美国南北战争后，比彻尔更加坦率直言，拥护稳健的重建南方政策，1884 年支持克里夫兰竞选总统，主张妇女参政，提倡进化论，赞成用科学考证《圣经》。1874 年蒂尔顿控诉比彻尔与其妻通奸。两次教会法庭都宣布比彻尔无罪，民事法庭陪审团意见不一，后人也未有定论。

Beecher, Lyman　比彻尔（1775-10-12，美国康涅狄格纽黑文～1863-01-10，纽约布鲁克林）　美国基督教长老会教士。1797 年毕业于耶鲁大学，先后在康涅狄格州利奇菲尔德

美国不列颠百科全书公司供图

和波士顿任牧师，驳斥理性主义，抨击天主教，反对贩酒商业。后来积极向西部地区传教，1832～1850 年任俄亥俄州辛辛那提市新成立的莱恩神学院院长，1832～1842 年任当地新成立的教区牧师。波士顿的信徒认为他过于拘泥于加尔文主义，而西部地区长老会人士则认为他过于变通，因而指控他为异端，加以审讯，但他所属大会宣告他无罪。

Beechworth　比奇沃思　澳大利亚维多利亚州东北部城镇。在维多利亚阿尔卑斯山山脚下。最初称梅迪丘陵。1856 年设镇。19 世纪中期为金矿中心，设有本州最早医院和精神病院。现出产木材、蛇麻子、葡萄、烟草和牲畜。周围地区有宝石矿。与墨尔本通铁路。气候温和，是垂钓与徒步旅行者的休闲胜地。人口 2 953（1996）。

Beecroft, John　比克罗夫特（1790，英格兰约克郡惠特比附近～1854-06-10，非洲西海岸克拉伦斯）　英国商人、探险家，英国在西非扩张的先驱人物。1829 年到费尔南多波岛任官员。1834 年英国放弃该岛，1843 年西班牙卷土重来后被任命为该岛总督。他还兼任英国领事，协助英国反奴隶贩卖队订立协议和解决纠纷。1849～1854 年任贝宁湾领事，使命是保护英国商人的利益。他的种种活动完全破坏了过去英国对非洲的不干涉政策。

beef　牛肉　成牛之肉，有别于小牛肉。早熟肉用品种牛的肉质最佳。优质牛肉包含结实、柔嫩而细密的瘦肉，色鲜红，肌肉组织中有适当的脂肪层，脂肪平滑、呈乳白色，分布均匀。小牛肉中的骨软，多孔隙而色红；成牛肉中的骨硬而色白，品位较低。牛肉经过熟化变得更为柔嫩和味美；一种常用的熟化方法是将屠宰后的牛肉悬挂约两周，环境气温在 2 ℃（36℉）上下，这样可以促进肌肉组织的物理变化，提高肉质。各国对牛肉的分级方法大同小异，国际上牛肉贸易规模甚大。在美国，按质分级依次为特级、精选级、良级、商品级、加工用级、绞肉级和罐用级。商品级牛肉主要为成牛，尤其是母牛肉。加工用、绞肉和罐用这三级牛肉用于加工成肉制品。牛皮可制革，是生产牛肉的有价值的副产品。世界上主要牛肉消费国（按人均消费量计）有乌拉圭、阿根廷、新西兰、澳大利亚和美国。在东南亚大部分地区、非洲和印度次大陆，牛肉较少，不特别受欢迎。印度教奉牛为神圣，禁止教徒食用牛肉。但是，在韩国和日本烹饪术中牛肉并不少见。在日本大阪附近的神户，人们大力对牛进行强有力的按摩，并用加啤酒的饲料喂养，所产牛肉质地优良。屠宰方法因国而异，因而牛身各部位肉的名称也很复杂。美国最受欢迎的肉类是牛肉。在美国，牛排（即牛体多肉部分的横切片）为最佳部分。牛脊肉在英国称为上等肋条肉，在美国也受人欢迎。肉质较次的部位可以炖食，也可作肉末（参阅 **hamburger**）。炖牛肉常见于某些菜系，如法国菜中的锅炖汤菜（用牛肉及牛仔肉、洋葱、甘笋、萝卜、芹菜煮成的牛肉汤菜，汤上放一片烘干的面包）。咸牛肉是在盐水中腌制的牛胸部或臀部肉。

Beehive (stars)　**蜂巢星团**　参阅 **Praesepe 鬼星团**。

Beehive, The　蜂窝　巴黎蒙帕纳斯郊区的艺术家居住区。20 世纪初为先锋派活动中心。"蜂窝"有许多著名画家和雕塑家的住所和画室，如：M.夏加尔、F.莱热、R.德洛内、C.苏蒂恩、J.里普希茨等。

beehive house 蜂巢屋 一种原始的居住房屋。用毛石块构筑成半球形状，中间部分较高，形似蜂巢。系公元前2000年苏格兰和爱尔兰的凯尔特人住房的典型形式。古希腊迈锡尼的国王阿伽门农墓也为蜂巢形，但用琢石，而不是毛石砌成。

爱尔兰丁格尔半岛文特里附近的蜂巢屋
美国不列颠百科全书公司供图

beehive tomb 蜂箱墓 参阅**Atreus, Treasury of 阿特柔斯宝库**。

beekeeping 养蜂 照顾及管理蜜蜂（蜜蜂属[*Apis*]种类）群体使之生产的蜂蜜多于其本身需要的实践。养蜂是最古老的动物饲养行业之一。最先人们让蜜蜂在树皮、芦苇、稻草或泥制作的圆柱体中建立群体，从而将其驯养；但将蜂巢移出时群体常常会被破坏。早期移民美洲的人观察到野蜂喜欢空心的原木，使设计了内容蜂窝的空心胶树，这是一段中空的原木，可从一端取出蜂巢。欧洲的养蜂人设计了一种草编蜂箱，形似倒扣着的篮筐，可从底端将蜂巢移出。到17世纪，欧洲的养蜂者在蜂箱里开一个洞，将一个草制或木制的盒子放在洞上，蜜蜂也会将盒子充满蜂蜜。

19世纪中叶，美国人设计了两种养蜂技术，开现代养蜂方法之先河。摩西·昆比发明了一种多层的养蜂系统：盒式蜂箱的顶部有孔，将一些小盒放在孔上，当小盒充满蜂蜜后将其移开，这操作并不影响蜂箱内的蜂群。1851年，L.L.朗斯特罗思牧师发明了一种移动巢框式蜂箱，蜜蜂可以在其内建造蜂巢，将充满蜂蜜的蜂巢移出和重新装入都很方便。经过一些改进后这种蜂箱以及一些与之相似的类型今天在世界上广泛应用，这种蜂箱包括几个部分：一个底座、一个巢箱、一个至多个可移动的箱体（继箱）和一个不透风雨的箱盖。巢箱用为繁殖箱，其中搁挂着巢框，蜂王产卵和幼蜂的喂饲均在此进行。继箱内也有巢框，其功能为贮藏蜂蜜。在巢箱与继箱之间有隔王板，上有小孔，只有体形较小的工蜂能通过小孔来往于巢箱与继箱之间，而体型较大的蜂王则被阻挡在外。

在夏季，蜂群的活动达到高峰，充满蜂蜜的继箱必须取出，用空的继箱代替，以免过于拥挤和最后发生分蜂（形成新的蜂群）。准备分蜂时，工蜂选择数条幼虫作为潜在的新蜂王，大量饲以称为王浆的物质。老蜂王飞离蜂巢后几个新蜂王马上钻出，并进行你死我活的争斗以获得作为蜂群中心的地位。雄蜂唯一的职能就是与蜂王交配，交配后即死去。对人工饲养的蜂群来说分蜂不受欢迎，因为分蜂之后蜂群要忙于孵育新的工蜂，不能制造更多的蜂蜜。为避免分蜂，须移去用来培育蜂王的蜂房王台，并扩大蜂箱。

养蜂人使用的工具包括面网、起刮刀（用以切下巢房）和喷烟器（打开蜂箱之前向蜂箱内喷入烟雾，蜜蜂恐将发生火灾便本能地吞食大量蜂蜜为重建蜂巢做准备，吞食大量蜂蜜后的蜜蜂更易处理，且不爱蛰人）。

现代的养蜂业中，继箱充满蜂蜜后用分蜜机将蜂蜜取出，分蜜机借离心力取出蜂蜜而不损坏蜂房，因此工蜂无须在继续制造蜂密前重新建造巢房。继箱中的蜂蜜取出后必须略微加热以撇去混入的蜂蜡。蜂蜡本身可以通过将蜂房置入加热至稍高于63 °C的水中而熬化制得；这时融化的蜡质浮到表面，容易收集。

养蜂者除照管蜂箱外，还必须保护蜂群免受疾病和天敌之害。蜜蜂对许多寄生虫、螨类、真菌病等易敏感。其他天敌还有浣熊、蜥蜴、鸟类和鼠类等。

美国各地和许多其他国家均建立了蜜蜂和养蜂研究中心。具体的养蜂技术，如蜂箱的结构、分蜜的方式等，可因传统习惯或业务的规模而异。参阅 **honeybee**。

Beelzebub 别西卜 又称Baalzebub（巴力西卜）。《圣经》中的鬼王。在《旧约》中为巴力西卜，是称谓埃克龙的菲利士城的神的名字（《列王纪下》1:1～18）。两个名字在《旧约》的其他地方都不见，在其他犹太文学作品中，仅有一处提及这一名字。参阅 **demon; devil**。

beer 啤酒 用谷物或其他植物的淀粉材料经过发酵而酿制的含酒精饮料。埃及人、巴比伦人乃至更为远古有一定文明的地区的人已知如何酿造啤酒，后来在不适宜种植葡萄的北方地区啤酒即成为普通饮料。啤酒和葡萄酒都是酿造而成，不经过蒸馏，但是，葡萄酒的基本原料富含天然糖分，而啤酒的原料则富含淀粉。淀粉必须先转化为糖才能发酵。世界上的啤酒大多用经过发芽处理的大麦酿制，而以啤酒花调味。啤酒的生产方法有上面发酵法和下面发酵法两种。前法使用上面发酵酵母，这种酵母释放二氧化碳，然后上升到表层，形成泡沫。后法使用深层发酵酵母，这种酵母完成了发酵过程后沉到容器底部。美国主要流行贮陈啤酒，是原产于德国的古老品种，其名称源出于德语 lagern（贮存）。这类啤酒采用下面发酵法：在低温条件下贮存数月，澄清，醇化，加充二氧化碳。贮陈啤酒大多色淡而二氧化碳含量高，酒花味适中，含酒精3%～5%（按容量计）。属于此类的啤酒有比尔森啤酒、多特蒙德啤酒、慕尼黑啤酒和加利福尼亚高泡沫啤酒。英国流行上面发酵啤酒，其中包括爱儿啤酒、烈性黑啤酒和介乎此两者之间的波特黑啤酒。这类啤酒更为香冽，啤酒花味较贮陈啤酒为重，按容量计酒精度4%～6.5%，也可能更高。不用大麦而用其他原料造的啤酒种类甚多，包括非洲各地的用小米、高粱和其他淀粉作物制造的几百种饮料；用黑麦面包发酵制成的俄罗斯克瓦斯；用大米酿造的中国米酒、韩国"萨克"和日本清酒；此外还有墨西哥人用龙舌兰汁液发酵制成的土产饮料龙舌兰酒。墨西哥人和日本人还酿造和出口几种品牌的西式啤酒。

Beer, Sir Gavin (Rylands) de 比尔 参阅 **de Beer, Sir Gavin (Rylands) 德比尔**。

Beer, Israel 贝尔（1912，奥地利维也纳～1966-05-01，以色列沙塔监狱） 以色列军事分析家，1962年被指控为苏联特务，犯有叛国罪。贝尔1938年到达巴勒斯坦，参加哈加纳军事组织，取得以色列陆军中校的军衔。1949年退伍后，在特拉维夫大学讲授军事历史，并受D.本古里安的委托编写1948～1949年以色列独立战争的正式历史。1961年以间谍罪被捕，受审并被判15年徒刑，后死于狱中。

Beer, Wilhelm 比尔（1797-01-04，柏林[德国]～1850-03-27，柏林） 德国银行家和天文学家。他同J.H.梅德勒合作，于1836年绘成当时最详尽的月球表面图——《月面图》。该图首次采用分象限画法，详细显示月面形象，1837年，又补发一卷载有148个环形山和830座山峰的测量数据。在1878年J.F.J.施密特的著名月面图出版以前，比尔的《月面图》一直是最好的。比尔和梅德勒还曾于1830年出版过描述火星的资料和火星表面图，图上标有火星的明暗区域，在当时也属创举。

Beer Hall Putsch 啤酒店暴动 又称慕尼黑暴动。1923年11月8～9日，希特勒企图在德国暴动以推翻魏玛共和国的事件。希特勒及其小股纳粹党徒与鲁登道夫将军共谋起事。11月8日晚，他们强行闯入慕尼黑一家啤酒店，举行右翼政治集会，希特勒及其同伙获得同意，由在场的领导官员与他们一起将"革命"推进到柏林去（按照前一年墨索里尼向罗马进军的模式）；但翌日队伍走向慕尼黑市中心马林广场时，这3 000名纳粹党徒却遭到警察的包围和排枪射击，有16名纳粹党徒与3名警察丧生。其后，在巴伐利亚法庭受审时，因得法官同情，鲁登道夫获释，希特勒以叛国罪处以5年监禁。他实际上仅服刑8个月，在兰德斯堡监狱写下自传《我的奋斗》的大部分。此次流产的暴动，使希特勒获得了国际声誉，同时使他决定用合法手段获得政权。

Beerbohm, Sir Max 比尔博姆（1872-08-24，英国伦敦～1956-05-20，意大利拉巴洛） 英国漫画家和作家。从小熟悉上流社会，所作漫画和游戏诗文刻画当代名流趾高气扬、装模作样和愚蠢可笑的神态入木三分。萧伯纳称他为"无人可比的马克斯"。在牛津大学求学时，就在《黄皮书》上发表诙谐的文章。1895年去美国旅行。1896年出版第一部文集《比尔博姆作品集》和第一部画集《二十五个绅士的漫画》。1898年继萧伯纳为《星期六评论》戏剧评论员。作品有：寓言《快乐的伪君子》(1897)、长篇小说《朱莱卡·多布森》(1911)、圣诞节故事集《圣诞花环》(1912)。短篇小说集《七个人》(1919)是他的一部杰作。1910年同女演员F.卡恩结婚,定居意大利的

美国不列颠百科全书公司供图

拉巴洛。他的漫画虽然极尽嘲讽之能事,但保持了君子作风,并无意中伤他人。尽管他用漫画讽刺过历代王室,1939 年仍受封为爵士。他猛烈抨击的目标只有两个:一个是英帝国主义,另一个是吉卜林。1951 年妻子去世后,他与女秘书尤曼同居,在他 84 岁去世前几个星期同她正式结婚。

Beernaert, Auguste-Marie-François　贝尔纳特(1829-07-26,比利时奥斯坦德～1912-10-06,瑞士卢塞恩)　比利时佛兰芒族政治家。与埃斯图内勒·德康斯坦共同获得 1909 年诺贝尔和平奖。职业律师,1873 年被选入众院,后任公共工程大臣。1884 ～ 1894 年任首相兼财政大臣。1895 年被选为众院议长。1903 ～ 1905 年担任国际法协会会长。1899 和 1907 年他以比利时首席代表身份出席海牙和平会议。

Beers, Ethel Lynn　比尔斯(1827-01-13,美国纽约戈申～1879-10-11,新泽西奥兰治)　婚前名 Ethelinda Eliot。美国诗人,以爱国和言情诗著称。为"向印第安人传教的使徒"J.埃利奥特的后裔,其南北战争诗篇《警戒哨》曾广为流传。年轻时即向杂志投稿,1861 年 11 月 30 日《哈珀周刊》刊印了她的诗作《警戒哨》,不久其第一行"今晚波托马克河无战事"即为人所称道,成为南北战争初期常见的报纸标题。1863 年发表《弗兰基将军:儿童故事》。她的诗作继续发表在各种期刊杂志,尤其是《纽约纪事报》。当时最受欢迎的有《给小宝宝称重》和《该是哪一个?》。1879 年 10 月 10 日诗集《今晚波托马克河无战事》出版,她于次日去世。

Beersheba　贝尔谢巴　以色列南部的圣经所述城镇,现为内盖夫地区中心城市。据《圣经》记载,该城为犹太民族始祖亚伯拉罕与非利士人的基拉耳王亚比米勒立约之处,亦为犹太人祖先以撒和雅各的居住地。在拜占廷统治下,成为巴勒斯坦边陲要隘。7 世纪时被阿拉伯人攻陷,16 世纪为土耳其人夺取。1917 年由英军攻占,成为进军巴勒斯坦和叙利亚的门户。1948年10月被以色列军队占

贝尔谢巴市的塔式公寓楼
美国不列颠百科全书公司供图

领后,移民涌入,成为本地区行政、文化及工业中心和以色列的大城市之一。有化学品、陶瓷、砖瓦和纺织等工业。设有内盖夫本古里安大学和内盖夫干旱地带研究所。铁路从以色列北部和中部通过该市。人口约181 500(2003)。

Beery, Wallace (Fitzgerald)　比利(1885-04-01,美国密苏里堪萨斯城～1949-04-15,加利福尼亚洛杉矶)　美国演员。1913 ～ 1949 年共拍摄 250 余部影片。最初在林林兄弟马戏团当驯象员。后投奔其在纽约当演员的哥哥 N.比利,参加戏剧演出。1913 年,加入芝加哥埃萨尼电影公司,从此开始其演员兼导演的电影生涯。主要饰演粗暴但很可爱的喜剧角色。在《冠军》(1931,因此片获奥斯卡最佳男演员奖)和《安妮号拖轮》(1933)两片中的表演最为出色。

Beeston, Christopher　比斯顿(1570?～约 1638-10-15,英格兰伦敦)　英国演员和剧院经理,17 世纪早期英国剧坛最有影响的人物之一。早年生活经历不详。1598 年同莎士比亚、A.菲利普斯和 R.伯比奇合作在《个性互异》一剧中扮演角色。1602 年为伍斯特剧团成员,1603 年随该剧团改为安妮王后供奉剧团演员,1612 年接替 T.格林为事务经理。1616 年将剧团成员安置在他的科克皮特剧院(即后来的菲尼克斯剧院)内。以后一直担任在该剧院演出的剧团经理。1637 年接办国王与王后青年剧团,这个剧团由皇家授权建立,人们称它为比斯顿青年剧团。他是 T.海伍德的终生朋友,上演过他的许多剧本,还为海伍德的《演员辩》(1612)一书提供诗文。他去世后,其子威廉(1606? ～ 1682)曾一度管理比斯顿青年剧团。有记载表明,在将伊丽莎白时期的表演风格带入王政复辟时期戏剧方面,比斯顿曾发挥过一定的影响。

Beeston and Stapleford　比斯顿-斯泰普尔福德　英格兰一处城区,在英格兰诺丁汉行政、历史郡布罗克斯托自治市。19 世纪中因靠近西诺丁汉郡煤田和通铁路以及修筑比斯顿运河而建成社区。比斯顿-斯泰普尔福德有制药和电信工业。人口 66 626(1991)。

beeswax　蜂蜡　工蜂在营造蜂巢壁时分泌的蜡质。其颜色决定于蜜蜂的年龄和食物等因素,从黄色到近于黑色不等;稍带蜜和淡淡的香脂气味,质地从柔软到松脆不等。比重约 0.95,熔点超过 60 °C,主要由游离蜡醇酸和蜂蜡素组成,并含一些高碳石蜡。不溶于水,能溶于如四氯化碳、氯仿或温热的乙醚等物质。取自东亚蜂类的蜂蜡可能与取自普通蜜蜂(西方蜜蜂)者稍有不同。蜜蜂产生 1 磅蜡约消耗 6 ～ 10 磅蜂蜜。蜂蜡由蜜蜂腹下很小的薄片腺体分泌。商业蜂蜡在提取蜂蜜后,融化蜂巢滤去杂物而得。提纯后的蜡倒入模里凝固。将蜡熔融于水而避免直接受热可保存其颜色及质地;蜂蜡亦可漂白。蜂蜡用于制做蜡烛、人造水果、假花、模型蜡等,也是蜡纸、家具蜡、地板蜡、皮革蜡、化妆品、软膏等的成分。

beet　甜菜　或称莙荙菜、糖萝卜。藜科植物 *Beta vulgaris* 的栽培品系,最重要的蔬菜之一。有 4 种类型:①作蔬菜的菜用甜菜(红菜头);②制糖的糖用甜菜;③作为牲畜多汁饲料的饲料甜菜;④供食用或作调料的叶用甜菜(莙荙菜)。菜用甜菜栽种第一年即生成粗厚的肉质直根,可供食用。第二年即长出高大、多分枝的茎,开绿色簇生小花;果棕色,质

甜菜(*Beta*)
美国不列颠百科全书公司供图

如软木,俗称"种球"。直根扁球状、球状、锥状直到长锥状,皮肉一般为深红色至深紫红色,间有近乎白色者,煮后肉色即变均匀。菜用甜菜在美国普遍烹食或腌食,甜菜浓汤是东欧的传统甜菜汤。**糖用甜菜**(**sugar beet**)是最重要的商业类型,18 世纪在德国育成。英国曾对法国封锁,使之得不到进口食糖,作为对策,拿破仑鼓励种植甜菜,从此糖用甜菜在欧洲广为栽种。现在甜菜糖约占世界糖产量的 2/5。主产国是乌克兰、俄罗斯、美国、法国、波兰、德国、土耳其、意大利、罗马尼亚和英国。饲料甜菜和叶用甜菜的栽培与大多数作物一样,始于史前时期。甜菜在深而富

含有机质的松软土壤上生长良好;施用化肥和粪肥均有良效。普遍实行灌溉,能在盐碱含量较高的土壤上生长;但对强酸性土壤和低硼敏感。缺硼则抑制生长并使根内出现黑心病。甜菜广泛种植于温带和寒温带地区,温热地区则在凉爽季节种植。在适宜的气候下,菜用甜菜生长期为8～10周,某些饲料甜菜则长达30周。甜菜叶是核黄素、铁以及维生素A和C的来源;多烹食,嫩时可做沙拉;挑选时要拣新鲜而柔嫩者。甜菜根需光滑、坚实、无瑕疵;常做成罐头(整个或切片),又可加香料腌食,或浸泡于糖醋汁中。

Beethoven, Ludwig van 贝多芬(1770-12-17受洗,科隆大主教管辖区波恩[今在德国]～1827-03-26,奥地利维也纳) 作为一位公认为有史以来最伟大作曲家的旷世奇才,贝多芬以前无古人后无来者之势主宰着音乐史中的一个时代。他的艺术植根于海顿和莫扎特的古典传统,又进一步延伸而包罗了他的两位年龄较大的文学界同时代人歌德和席勒的作品中,特别是法国大革命热情关注个人自由和尊严的理想中所表现的人文主义新精神。他比任何前辈都更加鲜明地显示出,音乐具有不借助语言文字而表达一种人生哲学的力量,在他的某些乐曲中可以见到比其他任何音乐(就算不是比其他任何艺术)都更为强烈的对人类意志的肯定。虽然他本人不是一位浪漫派作曲家,但他却成了后继的浪漫派作曲家的创作中许多典型特征的源头,这尤其表现在他的标题音乐(即描述性音乐)的理想中。他曾联系《第六(田园)交响曲》而将这一理想解释为"抒情多于写景"。在音乐形式方面,他是一位重要的革新者,开阔了奏鸣曲、交响曲、协奏曲和四重奏的范围;而在《第九交响曲》中则以前所未有的方式把声乐和器乐的世界融于一体。他的个人生活标志着一场与日益严重的耳聋进行的英勇搏斗,他有几首最重要的乐曲是在他生命的最后10年、已经完全听不见的情况下创作的。在宫廷和教会的赞助日益减少的时代,他不但靠发表和出卖作品维持了生计,而且在音乐家中,他是领了薪金只需作曲(爱怎么写就怎么写,什么时候想写就什么时候写)而无需做其他工作的第一人。

生平与创作 **早期** 贝多芬是约翰和玛丽亚·玛格达勒娜·范·贝多芬夫妇存活下来的子女中的长子。这一家族始祖为佛兰芒人,原先曾在马林定居。贝多芬的祖父入科隆大主教兼选侯府担任唱诗班歌手后移居波恩,后升任乐长。其子约翰亦为选侯府唱诗班歌手。因此,像大多数18世纪音乐家一样,贝多芬出身于音乐世家。起初家境相当殷富,但由于祖父在1773年去世,父亲又沉沦于酒,家道日趋贫困。贝多芬11岁不得不辍学,18岁便承担了养家糊口的重任。约翰在儿子身上发现弹奏钢琴的才华,曾试图培养他成为莫扎特那样的神童,但未能如愿。贝多芬直到青春期才开始略为引起人们的注意。

1780年约瑟夫二世成为神圣罗马帝国唯一的统治者,任命其弟马克西米连·弗朗西斯为科隆大主教兼选侯的副手和待命继承人。在马克西米连统治下,波恩从一个次要的外省城镇一跃而成为文明繁荣的首府。马克西米连是一位开明的罗马天主教徒,他资助波恩建立大学,限制手下神职人员的权限,使城市向莱辛、克洛卜施托克和青年歌德与席勒所倡导的德国文学复兴运动的激流开放。这一时代的标志之一是来自萨克森的新教徒C.G.内夫被任命为宫廷管风琴师(他后来成为贝多芬的老师)。作为音乐家,内夫的才华不过尔尔,但他却是一位具有崇高理想和渊博文化修养的人,是文学家,也是作曲家,作品有歌曲和轻快戏剧音乐。贝多芬留下的最早作品《德雷斯勒进行曲变奏曲》就是通过内夫而于1783年在曼海姆出版的。1782年6月

美国不列颠百科全书公司供图

贝多芬成为内夫的助手,担任宫廷副管风琴师。1783年他又应波恩歌剧院之聘,任通奏低音演奏员。到1787年时,由于他进步神速,马克西米连·弗朗西斯(自1784年开始担任大主教兼选侯)听从别人劝告而送他去维也纳师事莫扎特。但学习仅两个月,贝多芬便接到母亲去世的噩耗,于是访师活动中辍。据传贝多芬即兴弹奏的本领给莫扎特留下极其深刻的印象,他曾对一些朋友说:"这个青年一定会扬名世界。"

其后5年中,贝多芬始终留在波恩。除其他宫廷职务外,他还在剧院乐队拉中提琴。虽然大主教暂时尚未对他进一步给予特殊恩宠,他已开始有了一些重要交往。前不久他结识了掌玺官J.冯·布罗伊宁的遗孀,她聘请贝多芬担任她两个孩子的音乐教师。布罗伊宁宅邸从此成为他的第二个家,远比他自己的家还要融洽。他通过布罗伊宁夫人而收了许多有钱的学生。1788年F.冯·瓦尔德施泰因伯爵来到波恩;作为维也纳最上层贵族的成员,又是一位音乐爱好者,他成为贝多芬最有用的社会关系。他入盟布罗伊宁家庭圈子,听到贝多芬演奏,立刻成为他的忠实崇拜者。据一本专门记录贵族阶层社会活动的期刊《哥达年鉴》所载,1790年一次化装舞会上所用芭蕾音乐是瓦尔德施泰因伯爵所作,但尽人皆知这是贝多芬为他捉刀的。同年,约瑟夫二世驾崩。又是通过瓦尔德施泰因,贝多芬应邀写作一首由独唱、合唱和乐队演出的葬礼颂。但是,因为管乐演奏员觉得有些段落太难,排定的演出被取消。接着他又补作一曲庆祝约瑟夫之弟利奥波德二世登基。19世纪末,手稿在维也纳重新发现,经勃拉姆斯鉴定为贝多芬真迹。不过,在1790年还曾有一位大作曲家见到这些手稿,并大为赞赏:这一年,海顿在赴伦敦途中经过波恩,受到选侯及其音乐机构的盛情款待。有人向他出示贝多芬的作品,给他留下极其深刻的印象,于是他主动提出在他自伦敦回国后收贝多芬为学生。贝多芬接受了这一建议。

1792年秋,当法国革命的风暴袭击莱茵兰诸省时,他离开波恩,从此没有回来。他随身所带的一本纪念册(现藏波恩贝多芬纪念馆)表明他在波恩交游甚广,有不少朋友。纪念册中最具预言性的一条题词是瓦尔德施泰因伯爵在莫扎特去世不久后所作,他写道:"莫扎特的神灵还在为她所钟爱的人的去世而哀悼哭泣。在不知疲倦的海顿身上她找到了慰藉但仍无事可做。借助不懈努力,你必将通过海顿之手接受莫扎特的神灵。"

对波恩时期的作品——不包括那些可能是在波恩动笔但却是在维也纳修改和完工的乐曲——感兴趣的主要是研究贝多芬的学者而不是普通音乐爱好者。这些作品显示出他的艺术所由以产生的诸多影响以及他不得不去克服的、为他的早期训练所不足以排除的那些固有的困难。从作于1783年的三首钢琴奏鸣曲可以看出,从音乐的角度来看,波恩是曼海姆的一个前哨阵地(曼海姆是德国现代管弦乐队的摇篮,是将为古典主义交响乐做出重大贡献的那种音乐风格的温床)。不过,在贝多芬的童年时代,曼海姆乐派已日薄西山;一度声誉卓著的曼海姆乐队在1778年的普奥之战以后已是名存实亡。曼海姆风格已蜕化为风格主义,表现为力度对比上的一些无关紧要的、往往是不恰当的试验,这甚至在莫扎特《C大调钢琴奏鸣曲K309》中已有所反映。

在贝多芬的早期奏鸣曲以及他在这一时期所作的其他许多作品中,可以看到一味追求轻(piano)和强(forte)的极端的做法,每每与音乐分句相悖。这不足为怪,因为波恩宫廷乐队的演出曲目是以后期曼海姆作曲家的交响曲为主的。不过,在莫扎特仅只是偶一偏离标准风格的手法,在贝多芬却成了风格中贯彻始终的基本要素。那突如其来的"轻"、那出人意料的爆发、那被人称作"曼海姆火箭"的大步跳跃的琶音音型(指和弦各音跨越几个八度快速上行或下行)——这些全是贝多芬的音乐个性中的主要部分,将推动他去解放器乐使之不再从属于声乐风格。确实,贝多芬可说是曼海姆大树上最后的也是最纤丽的一朵奇葩。

早期的影响 像同一代的其他作曲家一样,贝多芬也受到通俗音乐和民间音乐的影响,这在1790年的瓦尔德施泰因芭蕾音乐和几首早期歌曲与同度合唱中特别强烈。在他的许多成熟作品中可以听到剧烈的莱茵兰地区的舞蹈节奏,但他也同样善于吸收其他地方性乐汇——意大利、法国、斯拉夫以及甚至凯尔特的。虽然他从来就不是20世纪意义上的民族主义者或民歌作曲家,但却常常听任民歌旋律的不同寻常的轮廓导引他背离传统的和声程序。法国音乐对他的影响来自两

个主要方向：一个是曼海姆，它一直和巴黎保持着紧密的艺术联系；另一个是波恩的国家剧院，该院的演出剧目主要依靠译自法文的喜歌剧。波恩社交界对法国革命的支持是很强烈的。贝多芬的许多交响曲快板乐章含有法国革命进行曲的风味。他的某些谐谑曲乐章中的轻快节奏显然也源自法国。

如同18世纪末所有钢琴家一样，贝多芬也是靠C.P.E.巴赫的奏鸣曲而成长起来的。在那个普遍把音乐看作"悦耳之声的艺术"的时代，巴赫是倡导"表情性"音乐的主要代表人物。这些奏鸣曲及其节奏上与和声上的曲折变化以及偶尔出现的无歌词宣叙调，同样为海顿和莫扎特所熟悉，但它们在贝多芬身上激起的反应却要迅捷得多，这不仅是出于气质上的原因，而且也是由于他本人在其中成长的那个智力环境。布罗伊宁一家及其亲朋好友所喜爱的文学食粮都与狂飙运动有关，这一运动是对18世纪初的理性主义的一种反动，颂扬感情和本能高于理智。它的信条在歌德的早期小说《少年维特之烦恼》中体现出来，该书的语言在贝多芬的某些信函以及特别是"海利根遗嘱"中得到共鸣。在这样一场运动中，音乐作为一种情感艺术获得了新的重要性。巴赫的奏鸣曲中典型的尖锐情绪矛盾在贝多芬的作品中表现得更加强烈。对贝多芬而言，重要的是"感情"的实践，而他的老师内夫则是在理论上重视"感情"，认为它是艺术价值的唯一前提。这一切并未使贝多芬成为一位浪漫派作曲家，虽然浪漫主义者们曾试图把他归入他们的阵营。他的文学世界——他博览群书，如饥似渴，尽管在正规教育中他的算术最多只学到乘法表——扎根于德国经典著作，尤其是歌德和席勒的著作。像他们一样，他将在音乐中求得形式与感情的平衡，这种平衡只能说是古典主义的。

可以预料，波恩时期最经久不衰的作品写于最后几年：管乐《小回旋曲》和《八重奏》(1792，可能是为选侯的管乐队而作)、《G大调长笛、大管和钢琴三重奏》(1791)和两首康塔塔。显然是在内夫授意下所作的几首歌曲没有表现出他对独唱这一形式有什么好感。对于一位祖、父两辈均为歌手的人来说，这种现象令人诧异，但它始终是贝多芬生涯中的一个缺陷。特别耐人寻味的是根据意大利作曲家V.里吉尼的主题而写的24首变奏曲；像《降E大调弦乐三重奏》(作品第3号)一样，这些变奏曲也是很久以后才修订出版的。它们集中体现了贝多芬钢琴技巧的各个方面，在很长时期内一直是他在维也纳一些沙龙中演奏的主要曲目。

维也纳 贝多芬在离开波恩之前，作为钢琴演奏大师早已盛名远扬德国西北部，尤以其特殊的即兴弹奏才华而著称。莫扎特曾是他那个时代最杰出的即兴演奏家之一，贝多芬则比他更胜一筹。在那个感情时代，他能比当时任何其他钢琴家更轻易地使听众感动得泫然泪下。正是由于这一原因，他几乎是一到维也纳就得到那里的贵族阶层的提携，当然，瓦尔德施泰因关于莫扎特继任者问题的谈话也起了铺平道路的作用；重要的是，贝多芬在维也纳最早的赞助人是范·斯维滕男爵和K.利希诺夫斯基亲王，他们是贵族中支持莫扎特直至他去世为止的仅有的二人。在18世纪90年代的维也纳，音乐越来越成为有修养的贵族阶层所钟爱的娱乐；他们认为在反动的弗兰茨二世统治下，政治是有损体面而又危险的，而且他们对任何其他艺术门类都从未像对音乐这样欣赏。很多人自己会演奏乐器，而且技巧精湛，与专业演奏家不相上下。

在贝多芬时代的维也纳，业余的和半职业化的音乐活动的水平之高，在任何其他时代和城市可能都是闻所未闻的。但是，作为一位作曲家，贝多芬还有许多技术难题需要解决；他很快就看清楚海顿不是能帮他提高的最佳人选。表面上他们的关系仍很融洽，但贝多芬不久就开始暗中另找老师上课。其中有一位圣斯梯芬大教堂的管风琴师J.G.阿尔布雷希茨贝格，是一位学识渊博的旧派对位法专家，他使贝多芬全面掌握了所需要的技巧。贝多芬还跟帝国宫廷乐长A.萨利埃里学习声乐作曲法。至1794年海顿第二次访问伦敦时，波恩已沦入法国人之手，贝多芬也就不再考虑回去的事。选侯本人已经离开波恩，贝多芬的津贴因此告终。不过，他无需为此担忧，因为除演出和教学所得外，他还享受利希诺夫斯基亲王免费提供的膳宿。1795年，贝多芬第一次以钢琴家身份在维也纳公开亮相，弹奏自己的(作品第19号，No.2)和莫扎特的协奏曲各一首；还参加了为海顿举办的义演音乐会。更重要的是，他的《钢琴、小提琴与大提琴三重奏3首》(作品第1号)出版时，贵族赞助者的名单长长一串。其后三年他巡回演出于柏林和布拉格；若是国际形势许可，他旅行的地方可能还要多。1800年他发起一场规模盛大的公开音乐会，演出曲目包括他自己的一首钢琴协奏曲、《七重奏》(作品第20号)和《第一交响曲》，还有海顿和莫扎特的作品。音乐会为贝多芬的扬名国外起了很大的推动作用。

18、19世纪之交标志着人们通常所指的贝多芬第一阶段的结束；在这一阶段中，他的艺术始终没有超越18世纪技巧和思想的界限。这段时间内出版的他的作品大多为钢琴曲，有独奏，亦有与其他乐器合奏的。不在此例的重要作品有《降E大调弦乐三重奏》(作品第3号)、《弦乐三重奏3首》(作品第9号)、《弦乐四重奏6首》(作品第18号)和《第一交响曲》。他缓慢而有条不紊地扩展自己的创作领域，但最出类拔萃的仍是钢琴曲。

逼近的失聪之虞 当贝多芬逐渐意识到他将双耳失聪时，他开始改变方向。耳聋的最早症状甚至在1800年以前即已出现，但其后几年他的生活依然如故。他继续在贵族宅邸中演奏钢琴，同其他钢琴家较量争雄；还曾和小提琴家G.布里奇托尔(《克鲁采奏鸣曲》原先曾题献给他)等来访的演奏大师一起公开演出。但是，及至1802年，他的痼疾不但是永久性的，而且会越来越严重，这已是不容置疑的事实。于是有一年，在当时还是农村的海利根施塔特度夏时他写了"海利根遗嘱"。"遗嘱"在名义上是写给他的两个弟弟的，它这样开始："啊，你们这些人，认为或宣称我为人恶毒、固执、愤世嫉俗，你们对我多么不公正！你们不了解我貌似如此的原因何在。从童年起我的心灵就温情地以友善为怀。我一直渴望完成伟大的业绩，但是，你们想想，6年来我始终为顽症所苦，庸医误人使病情愈益恶化；我希望病情能有所好转，但年复一年希望落空，最后不得不面对经年累月难以治愈或甚至是不治之症的前景。"

他产生了自杀的念头。"但是，唯有艺术能阻挡我。因为，唉，假如我没有把我感到有责任创作的全部音乐写出来就永远离开这个世界，那是不可思议的。"后来又写了一段维特式的"又及"："秋天的树叶枯萎飘落，我的生命也同样贫瘠荒芜：几乎像我来时一样，我也将同样与世长辞。甚至连明朗夏日中曾激励我的那种极大的勇气现已荡然无存。"更加意味深长的也许是他给友人F.韦格勒的信中所写的话："我要扼住命运的咽喉……"在另一处他又指出："只要我能摆脱我的苦恼，我将拥抱整个世界。"虽然他所希望的条件未能实现，但这两条他后来都做到了。

从那以后他作为演奏大师的生涯便为时不多了。虽然两耳完全失聪(以致不得不采用谈话本，让朋友们写下问题而他口头回答)是1819年前后的事，但随着听力日益衰退，他的演奏也江河日下。他仍不时地公开露面，但绝大部分精力都投入作曲之中。他往往会在5月至10月的一连几个月中在维也纳近郊的某一小村度过。许多乐思就是在长时间的乡间漫步中涌上心头并记入草稿本的。这些草稿本有很多被保存下来，揭示出贝多芬工作方法的很多方面。这样一个全凭一时兴之所至就能即兴奏出最最错综复杂的幻想曲的人，在设计一首深思熟虑的作品时却是煞费苦心的。从这些草稿本中，可以看到一些家喻户晓的旋律，诸如《皇帝协奏曲》中的柔板或《克鲁采奏鸣曲》中的行板，如何从平淡无奇毫无特性的开端发展为定稿的形式。还有，贝多芬好像同时写作不止一首作品，而且很少急匆匆去完成手头的工作。例如，《第五交响曲》最初起草于1804年，而完成的作品却直到1808年才问世。有时音乐的草稿还带有文字说明，起备忘录的作用。有时，例如在为《第三(英雄)交响曲》打草稿时，他会留下好几小节的空白，这就清楚地说明，在他头脑中节奏布局先于旋律布局。有许多草稿只有一条旋律线和一个低声部——确切地说，只是为下一步的发展提供足够素材而已。不过，也有许多作品，特别是较晚的几首，初稿就确实是精雕细琢的，不断修订改动，直到出版的日期为止。如果一般说来留存下来的只是一些原始的草稿和摘记，那是因为贝多芬把它们留在手边是作为日后作曲时可用的素材资料。作品一旦完成，他就不再对其中所有细枝末节的展开有任何兴趣。

贝多芬与戏剧 在接着的几年中，贝多芬和戏剧有了一些联系，但为时不久。1801年，他曾为芭蕾舞剧《普罗米修斯的生民》谱写音乐。两年后，有人约他根据E.希卡内德的台本创作一部古典题材的歌剧(希卡内德作为莫扎特《魔笛》的台本作者名利双收，此时正担任维也纳剧院经理)。贝多芬动笔写作，完成了两或三首唱段，但因希卡内德被免去经理之职而取消合同——这使贝多芬颇有如释重负之感，因为他发现希卡内德的诗句

“就像出自我们维也纳卖苹果的女摊贩之口”。翌年，剧院新经理再度聘请贝多芬，主要是为了写作现已几乎湮没无闻的清唱剧《基督在橄榄山上》。该剧在一次贝多芬作品义演音乐会上公演，同时演出的还有第一、第二交响曲和《第三钢琴协奏曲》。

1804年，被大多数传记作者公认为贝多芬发展过程中一座里程碑的《第三交响曲》完成。这是对“海利根遗嘱”的一个回答：一首空前规模的交响曲，同时也是对人类意志的一个绝对肯定。作品原来打算题献给贝多芬心目中的英雄拿破仑，但当他听说拿破仑称帝，便划掉了献词。共和主义原则使他义愤填膺，于是把题词改为“为了纪念一位伟人”。自那以后，杰作接踵而至：《F小调钢琴奏鸣曲》（作品第57号，即著名的《热情》），《G大调第四钢琴协奏曲》（作品第58号），3首《拉祖莫夫斯基四重奏》（作品第59号），《第四交响曲》（作品第60号），《小提琴协奏曲》（作品第61号）。属于这一时期的还有他应约为1805年冬天演出季而作的他的唯一歌剧《菲岱里奥》，叙述妻子女扮男装拯救被囚禁的丈夫的故事。在这部音乐中，贝多芬受帕尔和L.凯鲁比尼的影响，凯鲁比尼有几部类似的“拯救”歌剧，是贝多芬极为赞赏的音乐家。《菲岱里奥》最初并未获得很大成功，部分原因是，在奥斯特利茨战役后法军占领维也纳，由于他们在场，许多维也纳人不愿去看戏。人们好不容易才说服贝多芬为翌年春季的重新演出根据改动的台本而作了一些修改。这次演出由于贝多芬和剧院经理处发生争执、致使作曲家在盛怒之下收回总谱，仅演出两场。直到8年后，《菲岱里奥》经贝多芬本人和一位新的台本作者进行重大修改后才重返维也纳舞台，从此成为德国经典戏剧之一。后来贝多芬还考虑过其他许多歌剧的方案，但一部也没有写成。

社会公认的作曲家　在整个这段时间内，贝多芬像莫扎特一样，也没有正式的收入来维持生活。由于无需赡养家庭，他的日子过得比莫扎特好得多。无论是在奥地利还是在国外，他的作曲家声望持续上升。莱比锡一家在欧洲最具权威性的音乐报纸《综合音乐报》，原先曾对他吹毛求疵，出言不逊，此时却转而无保留地赞誉备至；因此，虽然当时尚无版权法以保证版税制度，但贝多芬和出版商谈交易，比起早于他的海顿和莫扎特以及迟于他的舒伯特，都要顺利得多。尽管因为同法国交战而使维也纳的音乐生活受到种种限制，贝多芬的一些鸿篇巨作仍能轻而易举地得以演出，主要是由于利希诺夫斯基亲王等赞助人的慷慨解囊；有一段时间利希诺夫斯基每年定期给他600弗罗林的津贴。另外一些人则往往为了一次作品题献而付给他一笔可观的巨款，例如题献给奥佩尔斯朵夫伯爵的《第四交响曲》。再说，贝多芬的学生中还有一位鲁道夫大公，是当朝皇帝的幼弟。因此，经济上他从未受到严重的威胁。但是，无疑是由于日益严重的耳聋以及动不动就生气的习惯，他和维也纳一些音乐家（他们的合作对他是举足轻重的）的关系不断恶化。1808年，在一次义演音乐会上（第五、第六交响曲首演，还演出了《合唱幻想曲》，作品第80号）发生一起剑拔弩张的争吵，以致贝多芬打算干脆离开维也纳。但是，他扬言要走，已足以激发他的赞助人起而采取行动。鲁道夫大公、洛布科维茨亲王和金斯基亲王联名给他提供4 000弗罗林的年俸，只要求他留在维也纳从事作曲。这一协议直到贝多芬去世始终有效，虽然它在未来会受到形势变化的影响，例如1811年的货币贬值。大公相应提高了捐助款，但他的合伙人却过了一些时间以后才跟上。不过，从1809年起，贝多芬的生活费一直比较宽裕，虽然他的生活习惯常使来访者感到他一贫如洗。不可避免的，他公开露面的机会较前减少了。

贝多芬和女人　也是在这一时期，他比以前更认真地考虑婚姻问题。早在1801年致友人韦格勒的信中他就曾提到过“一个温柔可爱的姑娘，她爱我，我也爱她”。据传这是他的钢琴学生朱列塔·圭恰迪尔伯爵小姐，她和他的另外两个学生冯·布隆斯维克伯爵之女特蕾泽和约瑟芬是表姐妹。《升C小调钢琴奏鸣曲》（作品第27号，No.2）亦即著名的《月光奏鸣曲》就是题献给朱列塔的，但她于1803年和加仑贝格伯爵结婚；在以后的岁月中，贝多芬想起她时似乎总怀着一丝轻蔑的感情。他显然肯定曾向朱列塔的表姐约瑟芬求婚（约瑟芬的上了岁数的丈夫冯·戴姆于1804年去世），二人取得默契，爱情持续了约3年之久，最后终成泡影，一半是由于贝多芬自己的优柔寡断，一半是由于约瑟芬家庭的压力。

1810年，给贝多芬治病的一位医生的女儿特蕾泽·马尔法蒂一度有望成为他的新娘，但是，像其他几次一样，这次结婚的计划也落空，贝多芬终身未娶。他去世后人们整理遗物时在一只锁着的抽屉里发现一样珍奇的东西：3封写好但始终没有发出的“给不朽的爱人”的信。信的内容有不切实际的诗意抒情，也有诉说自己健康情况和疾病的枯燥乏味的呻吟，很清楚，这不是什么文字操练，而是收件者实有其人的。信上注明写信的月份和星期几，但没有年份。有人提出是1801～1802、1806～1807和1811～1812这3个时期，但估计最后一个可能性最大。收信人是谁，至今不详。

更广泛的承认　1810年E.T.A.霍夫曼在柏林发表评论，赞扬《第五交响曲》，这毫无疑问推动了该曲在全世界所向披靡的成功，更重要的是引起浪漫派作曲家们对其作曲者的关注。同年，贝多芬结识女作家贝蒂娜，她是德国诗人兼小说家C.布伦坦诺之妹，后与A.冯·阿尔尼姆结婚，这两人就是著名的德国民间诗歌集《少年魔角》的编纂者。在贝蒂娜作为贝多芬给她的手书而发表的信件中，只有一封可以信为真迹；在其余的信件中，有一封竟让作曲家以最最不典型的浪漫主义术语就音乐问题大发议论，至少这一封必须斥之为伪造而加以摒弃。1812年贝多芬和歌德在特普利茨会晤，引荐人据说也是贝蒂娜，但此说法未必可靠。在贝多芬一方是无限景仰，而对歌德而言，则贝多芬不过是一个家喻户晓的名人而已。这次会晤并不成功。贝多芬写信给音乐出版商布赖特科夫和黑特尔说：“歌德太热衷于宫廷氛围，与他的诗人身份不相称……”歌德认为贝多芬“是一个绝对桀骜不驯的人”：“他说这个世界极其可恶，这也不无道理，但是他的态度并不能使世界变得对他本人或对别人更加有趣。”贝多芬对作于1810年的《埃格蒙特》戏剧配乐表现出一定兴趣，这是“出于对这一题材的挚爱”。

1811～1812年的主要作品有第七和第八交响曲，前者于1813年首演。在同一场音乐会上公演的另一新作是为庆祝A.韦尔斯利（后为威灵顿公爵）在维多利亚对J.波拿巴的决定性胜利而作的《战斗交响曲》。此曲原来是供J.N.梅尔采尔发明的机械乐器百音琴演奏的，后来贝多芬改写为管弦乐曲。他坦率地承认这是一首最糟糕的标题音乐，与他在《田园交响曲》中所体现的“抒情多于写景”的理想不可同日而语。但是，由于它取得的成功，他非常乐意地把它改成管弦乐曲，甚至还给英国摄政王送去一份总谱；使贝多芬恼火的是，摄政王竟未对他表示谢意。音乐会尽管对作曲者来说是有利可图，但却引起一场与梅尔采尔的激烈争吵，结果对贝多芬的声望没有什么增色。《第七交响曲》的首次公演成绩斐然，听众坚持要求将小快板乐章重演一次。1814年维也纳会议召开时，贝多芬的音乐已是全球闻名，欧洲各国君主对他大献殷勤。《菲岱里奥》的重演引起轰动，贝多芬写了一首宏大的爱国主义康塔塔《光荣的时刻》来庆祝法国的垮台。在1814年，经过多年战争后，维也纳将享有一段短暂的鼎盛时期，但曾几何时，奥地利的经济便一蹶不振，这个城市于是陷入俗不可耐的地方主义状态，持续近40年之久。

最后的岁月　随着梅特涅的长久统治和以艺术与设计的简单平庸为标志的所谓“比德迈”时期的开始，贝多芬的创作生涯进入其第三阶段（最后阶段）。由于耳聋，他越来越离群索居，创作的速度也开始递减，1815～1827年间所写的乐曲只是他自1792年以来全部作品的一小部分，但它们的音乐思想的浓度却远远超过以前的任何创作。虽然他现在很少投身社会，但他对生意经却越来越关心，不过结局并非总是令他满意。几乎同时，他与伦敦爱乐协会开始有所接触。更早一些，在1803年，爱丁堡出版商G.汤姆森曾和他联络，建议他根据苏格兰民歌曲调写几首奏鸣曲。虽说当时此事一无结果，但汤姆森在晚些时候还是得以约请他将民族民间旋律改编为声乐、小提琴、大提琴和钢琴曲，各有一序奏和尾声。这些改编曲在很多年内一直是贝多芬的一个方便而丰裕的收入来源。不过，英国的音乐爱好者开始积极宣传贝多芬的作品却是1815年他的学生F.里斯在伦敦定居并成为爱乐协会创始人之一以后的事。另一位协会会员C.尼特先在维也纳访问贝多芬，然后又落实3首新序曲（供协会演出之用）的约稿。《斯蒂芬王》、《命名日》和《雅典的废墟》序曲姗姗来迟；对方发现它们并非新作，终于引起极大反感，因此双方关系一度很紧张。里斯鼎力斡旋，使之重修旧好，但早在1813年就着手筹划的伦敦之行始终未能实现，虽然贝多芬仍然希望能够成行。爱乐协会从未中止对贝多芬音乐的关注：它对《第九交响曲》的诞生无疑起了重要的作用，从某种

意义来看,该曲是协会约写的。协会的档案中藏有第一乐章的一份有作曲家题词的亲笔手稿。不过,首演不是在伦敦而是在维也纳,而印刷的版本是题献给普鲁士国王腓特烈·威廉三世的。贝多芬临终时收到协会100英镑的馈赠,这使他深为感动。

1815年,由于弟弟卡斯帕·安东·卡尔去世,贝多芬出国旅行的指望全部搁浅。弟弟留下寡妻约翰娜和年仅9岁的儿子卡尔。遗嘱指定由贝多芬和弟媳担任联合监护人,对此贝多芬提出异议,理由是那寡妇道德败坏。经过3年诉讼后,他胜诉。但是,尽管他对小卡尔宠爱有加,他却绝不是一位理想的监护人。伯侄之间频频发生激烈争吵,至1826年一发而不可收拾,以至卡尔在即将参加大学考试前企图自杀。卡尔在医院中康复后,贝多芬听从友人劝告,勉强同意侄子投笔从戎。卡尔一旦脱离伯父约束,好像倒是奉公守法、一帆风顺了。但1826年发生的事使贝多芬痛定思痛,几乎肯定加速了他的死亡。

最后阶段的重要作品从《钢琴与大提琴奏鸣曲》二首(作品第102号)、《A大调钢琴奏鸣曲》(作品第101号)和《降B大调钢琴奏鸣曲》(作品第106号)开始,后者即著名的《槌子键琴奏鸣曲》。接着贝多芬重新拿起已为《第九交响曲》所写的草稿。这一工作因鲁道夫大公将荣升奥尔米茨大主教的喜讯而中断;贝多芬决定为大主教就职仪式写一首规模宏大的庄严弥撒曲。写作进度很慢,像上次为约瑟夫二世所作康塔塔一样,未能在盛典举行以前完成。直到1823年,即就职仪式3年后,贝多芬才完成《庄严弥撒曲》的手稿送呈新任大主教。

在此期间,贝多芬已写成最后3首钢琴奏鸣曲(1820～1822),并断断续续为交响曲打草稿。继弥撒曲之后他写了最后一部重要钢琴曲(1823年完成),即根据出版商兼作曲家A.迪亚贝利送给一些作曲家(包括贝多芬)的一个主题而写的变奏曲。大部分拿到主题的作曲家都答应了,包括舒伯特和鲁道夫大公本人;贝多芬起初婉辞,后又改变初衷,决定写一套33首变奏曲。

《第九交响曲》初具雏形,翌年(1824)完成并与《庄严弥撒曲》中的几个乐章和作品第124号的序曲一起在康顿剧院公演,成绩斐然。首演由作曲家亲自指挥,但他全然没有察觉听众的掌声,直到一位独奏演员扶他转身面向听众才恍然大悟。《第九交响曲》是贝多芬最后一部动用大规模演出力量的作品。他的最后一次约稿于1823年来自N.加利钦亲王,3首弦乐四重奏,每首报酬为50达克特。贝多芬欣然同意,直到1825年才完成3首中的第一首《降E大调弦乐四重奏》(作品第127号)。

接着完成的不是两首而是4首,包括一个额外的乐章,用以取代《降B大调弦乐四重奏》(作品第130号)中原来的赋格式末乐章(《大赋格曲》)。最后一首四重奏完成于1826年,大约就在卡尔自杀未遂的那个时期。那年夏季贝多芬在他活着的弟弟尼古拉斯·约翰的庄园度过。回维也纳后他感染了肺炎,此后从未完全康复,一直缠绵病榻,后因肝硬化辞世。3天后举行葬礼,送葬者达2万人。执绋者包括著名钢琴家洪梅尔;舒伯特是执炬者之一;葬礼演说出自当时奥地利最伟大的剧作家F.格里尔帕策的手笔。

声誉与影响 *贝多芬的成就* 贝多芬最伟大的成就是,他将一向被认为次于声乐的器乐提高到艺术的最高层次。在18世纪,音乐作为非模仿性的艺术,地位在文学与绘画之下。人们认为它和最高表现形式是那些辅以唱词的作品,换言之,是康塔塔、歌剧和清唱剧,而奏鸣曲和组曲则难登大雅之堂。由于多种因素,人们的观点逐渐发生变化,包括:曼海姆乐队的器乐绝技(它使交响乐有了发展的可能);一些作家反对纯理性主义而赞成情感;以及海顿和莫扎特的作品。但是,最重要的还是因为有了贝多芬的榜样,才使英国散文作家兼评论家W.佩特那句晚期浪漫主义名言"所有艺术都向往音乐的地位"得以兑现。在贝多芬以后就不再能说音乐只是"悦耳之声的艺术"了。

他的器乐作品将强烈的感情和前人难以想像的完美构思结合起来。与前辈相比,他把除歌剧与歌曲之外的所有传统音乐形式带到一个新的发展点,尤其是交响乐和四重奏。就此而言,他是海顿而不是莫扎特的传人,因为莫扎特最突出的成就更多的在于歌剧和协奏曲。

三个创作时期 最早将贝多芬的创作分成三个时期(在波恩的训练期不计在内)的是他的传记作者W.冯·伦茨。第一时期从1794年的《钢琴、小提琴和大提琴三重奏3首》(作品第1号)开始,到1800年(即《第一交响曲》和《七重奏》首演的那年)前后为止。第二时期包括从1801年到1814年,自《升C小调钢琴奏鸣曲(月光)》开始,至《E小调钢琴奏鸣曲》(作品第90号)为止。第三时期从1814年到他去世的1827年。这一划分固有其实用意义,但却无法严格执行。有的作品可能动笔于一个时期而完成于另一时期,因而出现《第三钢琴协奏曲》和《第二交响曲》之类一半属于第一时期,又一半属于第二时期的过渡性作品,而且,贝多芬的成熟期到来的速度是因他对所用创作媒体的熟悉程度而异的。钢琴是他的看家本领,因此第二时期的特征首先表现于钢琴奏鸣曲,时间甚至早于1800年。另一方面,弥撒曲是他不熟悉的领域。因此,与《第四钢琴协奏曲》和《拉祖莫夫斯基弦乐四重奏》作于同一时期的《C大调弥撒曲》在很多方面听来颇像一首早期作品。

①第一时期。除《第一交响曲》和最早两首钢琴协奏曲外,第一时期的作品都是室内乐,而且大多以贝多芬自己演奏的乐器钢琴为基础。所有作品都表现出18世纪那种一味注重技艺的倾向。素材大多与海顿和莫扎特的相类似,但又与他那个时代的风格一致而略嫌粗糙生硬。贝多芬通常把当时常用的形式处理得很扩展。呈示部是长而多主题的,展开部相对较短。慢乐章长而抒情,带有丰富的装饰。第三乐章虽有时称为谐谑曲,却仍然具有原来的小步舞曲风格,只是它的表面常被一些非小步舞曲的重音所打扰。末乐章既精神焕发又温文尔雅。不过,有两个特征使贝多芬迥然有别于当时的其他作曲家:一是对比性力度的独特运用,特别是由"渐强"引向突然的"轻"的手法;另一是在钢琴奏鸣曲中最为明显的逐渐引用即兴技巧,诸如突然的重音;模棱两可的节奏(这是为了让听众猜测而设计的);以及特别是采用一些显然是浅薄的、几乎毫无意义的素材来构成令人信服的音乐论证。

②第二时期。就钢琴音乐而言,第二时期可说是开始于1801年的两首"如幻想曲的奏鸣曲"(作品第27号);但是就交响曲和协奏曲来说,则这一时期的特征在《英雄》(1804)和《第四钢琴协奏曲》(1806)问世以前尚未明显表现出来。在这一时期中,即兴素材的应用越来越引人注目,但是,如果说在前一时期中贝多芬更多地是着意显示它如何才能自然地适应18世纪的传统框架,那么,在这一时期中,则每一个偏离规范之处,他都更详尽地探究其逻辑内涵。他的和声仍然基本上是简朴的,譬如说,比莫扎特的很多和声要简朴得多;创新之处在于他根据基本的脉动而运用和声的方式。因此贝多芬在其主要主题中创造出变化无穷的强音和重音,从中形成每一乐章的曲式。结果是,在所有作曲家中,贝多芬是最不喜欢重复他自己的;他所有的作品,尤其是中、晚期的作品,都各有其独特的曲式世界。第二时期还有一些特点,即呈示部较短;展开部和尾声较长;慢乐章也比以前短得多,有时完全消失。第三乐章永远是谐谑曲,而不是小步舞曲,并频繁采用出人意料的重音和切分音。末乐章的分量大为加重,在某些情况下成为主要乐章。由于每一音符都在旋律上与和声上具有更强的功能性,装饰开始消失。这一时期的作品的另一特点是其即时性。在这时期贝多芬的功力是最明显的,演出最多的曲目大多属于这一时期。

③第三时期。这一时期的特征是越来越集中的乐思和越来越宽阔的和声与织体的结合。贝多芬对韩德尔的狂热开始结出果实,表现为更加全面地运用对位法。但是,他又从未丢掉早期简朴的风格,因此这些晚期作品中表情和情绪的幅度之广至今无人可望其项背。这时他越来越感兴趣的一种曲式是变奏曲。作为一位即兴演奏家,他一向觉得这一曲式最能投其所好;虽然他早年发表的变奏曲中有几套只不过是装饰性的,但他也创作过像《英雄》末乐章和《普罗米修斯》变奏曲(二者采用同一主题)那样出类拔萃的变奏曲范例。他在最后阶段中悉心追求的正是这种类型的变奏曲。在最后几首弦乐四重奏和奏鸣曲中出现的变奏曲有其独特的特点,即不仅从一段变奏到另一变奏,而且在一段变奏之内,都有一种累积发展的感觉。这些四重奏调动了作曲家的全部音乐装备:赋格、变奏、舞曲、奏鸣曲乐章、进行曲以及甚至是教会调式的和五声音阶的旋律。

结构的革新 贝多芬始终是所谓"调性的体系化应用"的最高倡导者。在他那些最杰出的奏鸣曲乐章,例如《英雄》的第一快板乐章中,即使是在用到最远的调时,听众的下意识也总是定位于降E大调;因此,当早在再现部之前音乐涉及属调(降B)时,它立刻就被认出是属调。至于他在交响曲和四重奏中的革新,最值得注意的是用动力性更强的谐

谐曲来代替小步舞曲。他用音响和织体变化的新的幅度丰富了乐队和四重奏。协奏曲的情况也是如此。

严格地说，在协奏曲中他没有在曲式上作出任何革新；《第四》和《第五》钢琴协奏曲中独奏乐器在乐队全奏段之前出现的做法，莫扎特早已用过。虽然在《第九交响曲》末乐章和《庄严弥撒曲》中贝多芬表现出自己是一位合唱效果的大师，但独唱始终是他难以驾驭的。他的许多歌曲也许是他的作品中最不重要的部分。他唯一的歌剧《菲岱里奥》之所以出类拔萃，主要是由于音乐的卓越，而不是由于他对歌剧的真正了解。但即使是这种声乐意识的不足也可以成为有利因素，因为它使他的才智可以在其他方向自由驰骋。像莫扎特或海顿这样的作曲家，其旋律概念始终立足于“可唱性”，他们是绝对写不出《英雄》的开端那样的音乐的，在那里，旋律由3个此起彼伏的器乐线条组成。瓦格纳曾赞扬贝多芬是器乐旋律的发现者。

贝多芬在钢琴史上占有重要地位。当时，钢琴奏鸣曲是室内乐中最适合小范围演奏的形式，比弦乐四重奏要亲切得多，四重奏往往是公开演奏的。对贝多芬来说，钢琴奏鸣曲是表达他最大胆最内在思想的工具。他没有先于肖邦和李斯特等较晚作曲家为了抵销钢琴的敲击性而设计技术手法，部分地是因为他本人具有的钢琴功力，是以使构思最简单的旋律歌唱；部分地也因为钢琴在当时还处于相当早的发展阶段；同时还因为他本人珍视钢琴的敲击特性，并且善于化腐朽为神奇。

钢琴的音是由琴槌敲击弦线而发声的，不像小提琴上用弓子拉出的持续音那样能够向前进行，但是，如果弹奏者仔细分句的话，也能使之听上去有此效果。不管怎么说，贝多芬几乎是唯一能写出容纳这一限制的旋律的人；那是一些绝对平静的旋律，其中每一个和弦就像一块丢入平静池塘的石头。贝多芬在将钢琴和一件其他乐器结合起来时，成效不太大，他的二重奏鸣曲总是水平略低。但是，即兴技巧作为一种结构要素最突出的应用主要是在钢琴奏鸣曲中。贝多芬将结构重点从第一乐章转移到末乐章；这一原则在后来的作曲家中主要是由李斯特加以发展，使之成为他的两部协奏曲和交响诗的基础。贝多芬对后世影响最大的两部作品无疑是《第五》和《第九》交响曲，它们表现了从风云变幻走向胜利的过程。勃拉姆斯的《C小调第一交响曲》、柴可夫斯基的《E小调第五交响曲》、弗兰克的《D小调交响曲》、马勒的《C小调第二交响曲》都是贝多芬精神上的后裔，虽然很少有人认为这些作品能与其样板分庭抗礼，更不用说后来居上了。

beetle　甲虫　鞘翅目（*Coleoptera*，动物界中最大的目）昆虫，至少有25万种。特征为前翅成为硬的鞘翅，覆盖在能飞的后翅上。鞘翅目包括一些最大的和最小的昆虫，而且分布最广。多以动、植物为食，但也有以腐败物质为食者。有的具重要经济意义，成虫和幼虫可能毁坏作物、木材、纺织品以及传播寄生虫和疾病。有的吃害虫而对人有益。

Beets, Nicolaas　贝茨（1814-09-13，荷兰哈勒姆～1903-03-13，乌得勒支）　荷兰牧师、作家。所著《暗箱》一书是荷兰文学的经典作品。在莱顿大学读拜伦作品，受其影响，是荷

美国不列颠百科全书公司供图

兰最早写浪漫主义诗歌的人之一。他的诗篇（如《何塞》等）是对古典主义的挑战。当时他还写过随笔、故事和散文，收在《暗箱》（1839）中。这些作品继承了荷兰文学的现实主义传统，同时使用了从L.斯特恩、C.兰姆和C.狄更斯等人的作品中学来的幽默笔调。1839年受按立，后在海姆斯泰德（1840～1853）和乌得勒支（1854～1874）任牧师。1874～1884年任国立乌得勒支大学教授。

Befana　比法娜　意大利传说中的女仙，以老妇人的面目出现。她在显现节把礼物装在孩子们的长袜里。因为太忙，没见到前往朝觐耶稣的东方三博士，她说她要在他们回来

约1830年的版画（细部）——《受农民欢迎的比法娜》
美国不列颠百科全书公司供图

的路上见到他们。根据传说，他们从另一条路返回，结果她命里注定要永远等候他们。

Beg-tse　别则　藏传佛教信奉的凶猛的护法神之一。参阅 **dharmapāla**。

Bega　比加　澳大利亚新南威尔士州南部沿岸地区城镇。本博卡和布罗格河在此汇成比加河。1839年始有人定居。1851年设镇。当地乳品业、综合性农业、牧业和花岗岩开采业的服务中心。有大型乳品加工厂。亦生产鱼罐头、家具、塑料、瓦和农业机械等。该地区出产上好乳酪。附近小港塔斯拉以冲浪运动设施著称。人口4 294（1986）。

Begas, Reinhold　贝加斯（1831-07-15，普鲁士柏林［德国］～1911-08-03，柏林）　雕刻家，1870年以后曾主宰普鲁士雕刻界达一代人之久。1856～1858年在意大利学习时，受到米开朗琪罗作品和巴罗克时期艺术的深刻影响，如《席勒纪念碑》（1871）和《俾斯麦纪念碑》（1901）。他喜爱神话和装饰题材（如《墨丘利与普绪喀》，1874），也是当时德国最有名的肖像雕刻家，为同时代的许多伟人制作了胸像。

Begin, Menachem　贝京（1913-08-16，俄罗斯布列斯特-立陶夫斯克［今在白俄罗斯］～1992-03-09，以色列特拉维夫）　全名Menachem Wolfovitch Begin。犹太复国主义领袖，

美国不列颠百科全书公司供图

1977～1983年任以色列总理。贝京1935年在华沙大学取得法学学位。30年代积极从事犹太复国主义运动，1938年成为贝塔青年运动波兰支部领导人，致力于在约旦河两岸建立犹太国。1939年德军侵入华沙时，他逃往维尔纽斯，双亲和兄弟死在集中营里。1940年贝京被苏联当局放逐到西伯利亚，1941年获释，参加流亡的波兰军队，1942年随部队开入巴勒斯坦。贝京参加武装组织“伊尔贡·兹瓦伊·卢米”，1943～1948年任司令。1948年以色列独立后，“伊尔贡”组成自由党，贝京任党魁，至1967年一直为议会中反对党领袖。贝京1967～1970年参加民族联合政府，任不管部部长，1970年任利库德集团领袖。1977年5月17日利库德集团在全国选举中获胜，6月21日贝京组阁。他或许因在1967年阿以战争中以色列所占领的西岸和加沙地带问题上持毫不妥协的立场最为闻名，但在美国总统卡特的推动下，贝京与埃及总统萨达特举行了中东和平谈判，于1978年9月17日达成著名的《戴维营协议》，1979年3月26日签署了《以埃和平条约》。贝京和萨达特共同获得1978年诺贝尔和平奖。80年代初期，他仍坚决反对成立巴勒斯坦国。利库德集团在1980年的大选中未能获得绝对多数票，但他组成了联合政府。两年后，以色列入侵黎巴嫩，驱逐其境内的巴勒斯坦解放组织，但造成大量的巴勒斯坦平民伤亡，世界舆论转向反对以色列。1983年贝京辞职。

begonia　秋海棠　秋海棠科的秋海棠属（*Begonia*）植物，约1 000种，多为肉质植物，有许多种的花和叶色彩鲜艳，用作室内盆景植物或花园植物。该属原产于热带和亚热带。突出的特征是通常有4枚花被片，两大两小

(雌花基部有3个翅),花色为粉红、红、黄或白色,子房下位,颜色与花相同。叶互生,叶形两侧不对称,叶形和颜色因种而异。秋海棠的栽培品种极多,有记载的就有1万多种,分为须根类、根茎类、块茎类和稀有秋海棠等类。1.须根类,可进一步分成蜡(或床植)秋海棠(四季海棠组,包括四季海棠[*B. semperflorens*]的支系,是夏天最常见的花坛植物)、秆茎型秋海棠(或称天使翼秋海棠,特征是茎高)及多毛秋海棠(具有毡状叶)。2.根茎类秋海棠,包括毛叶秋海棠组(包含毛叶秋海棠[*B. rex*]的旁系及与其关系密切的一些种,因叶色艳丽,上有美观的银白色的环带而受珍视)。3.块茎类秋海棠,包括:(1)温室秋海棠

一种园艺变种秋海棠属(*Begonia*)植物——卡门
美国不列颠百科全书公司供图

组(冬天开花),该组可再进一步分成①Cheimantha组,为索科特拉秋海棠(*B. socotrana*)与*B. dregei*的杂种;②Elatior组,为索科特拉秋海棠与几种块茎安第斯秋海棠的杂种。(2)块茎杂交秋海棠组(花大而美丽,花期从初夏直到第一次霜冻,可种于室外)。块茎杂交组根据花的特征或生长习性分为下列类型:单花类;皱波类,花被皱波状;鸡冠类,花被呈鸡冠状突起;水仙花类;山茶花类;波缘山茶花类;玫瑰花苞类,中心突出,呈玫瑰花芽样;流苏花类,花似石竹;红边黄花型,山茶花状,花被片色彩渐变;镶边花类,花被边缘的颜色与其他部分不同;大理石纹类,山茶花状,玫瑰色,有白色斑点;悬吊类,为吊篮植物;多花类,密集簇生。该属多数种类都较柔嫩,不耐干旱,不宜受强烈光照。

Begoniales 秋海棠目 双子叶有花植物的一目。多为肉质草本,亦有多年生灌木状草本及大型乔木,委内瑞拉的施泰埃尔马克氏秋海棠(*Begonia steyrmarkii*)为高数厘米的草本,巴西的五叶秋海棠(*B. pentaphylla*)及指状秋海棠(*B. digitata*)为高5～6米的乔木状灌木或小乔木。秋海棠科(Begoniaceae)多为有茎的植物,茎直立、匍匐,或为地下根状茎;无地下茎的种类具块茎;还有一些借助真根、支持根或由腋芽变态而成的钩攀附生长。四数木科四数木属和*Octomeles*属是乔木,高可逾30米,而达提斯卡属(*Datisca*)则是多年生草本。本目单叶或复叶,羽状脉或掌状脉;互生。托叶有(早落)或无。秋海棠科为单叶或复叶,叶缘光滑或成裂片,其中一裂片往往较大。在枝条一侧的所有叶中,较大的裂片亦在该侧;而枝条另一侧的所有叶中,较大的裂片生在该对侧;因此形成实物和镜影般的关

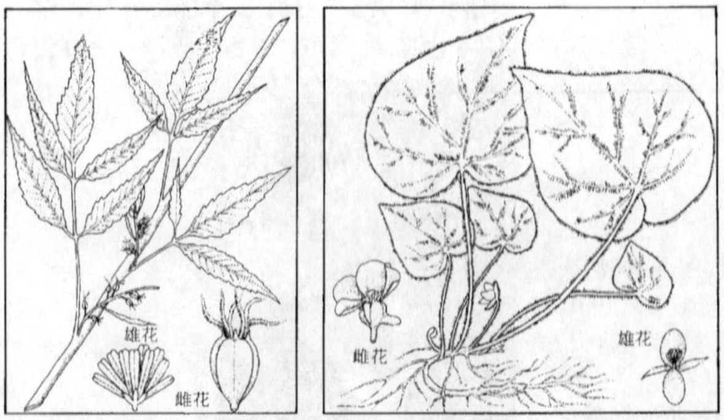

秋海棠目两科的代表植物:(左)四数木科似大麻达提斯卡(*Datisca cannabina*);(右)秋海棠科具泡状突起秋海棠(*Begonia pustalata*)

系。花多单性,萼片花瓣状2～9;花瓣2～8或更多,少数种缺。雄蕊4～25以上,稀5或2。花托2～5,胚珠多数。四数木科的四数木属和*Octomeles*属雌雄异株,可能是风媒花,花粉粒多,卵圆形,光滑。秋海棠科的花单性,雌雄同株或异株,雌雄同株者同一植株上两种性别的花不同时成熟,因此只能异株授粉。传粉虫媒有蜂属、熊蜂属、条蜂属等。果为蒴果,干燥后纵裂。种子小而数多,似传播不远,有靠鸟类传播的记录。秋海棠科许多种的细胞汁液含游离有机酸(如草酸、苹果酸),可用以防虫。四数木科的花极度退化,分布间断,故有科学研究价值。四数木属和*Octomeles*属的木材可用于制茶叶货箱。似大麻达提斯卡(*Datisca cannabina*)的根含达提斯卡碱,东方人用作黄色染料。秋海棠是一个较为重要的室内或庭园观赏植物类群。其叶的颜色、花序类型、花的大小和颜色以及花期长短各式各样,通常被栽培者分为观花、观叶或二者兼之的三个类群。有许多著名的种,如毛叶秋海棠(*Begonia rex*,观叶)、四季秋海棠(*B. semperflorens*,观花)、沙夫氏秋海棠(*B. scharffiana*)和金属光泽秋海棠(*B. metallica*,花和叶都很美观)。秋海棠的种类容易杂交,沙夫氏秋海棠和金属光泽秋海棠的杂交种×*credneri*栽培较其两个亲本种更为广泛。某些亚非种的叶可食。南美一些种的根状茎可用作收敛药、降热药、抗梅毒药及轻泻药。秋海棠科在进化研究上亦有意义。秋海棠科分布广泛,几乎遍布热带潮湿地区。四数木科多分布于南亚或东南亚,团聚达提斯卡(*Datisca glomerata*)分布于加利福尼亚至墨西哥北部。该科的亲缘关系尚不肯定。一般根据其种子与秋海棠科有相同特征而认为两科近缘。其分布呈间断性,仅分布于亚洲及美洲,可能从前在欧洲亦有分布,但化石材料尚缺。秋海棠科的现代分布有两个中心,一为从巴西、安第斯山到墨西哥;另一个在喜马拉雅山至菲律宾和巴布亚新几内亚。它们的原始类型大概是分布于美洲和亚洲的Begoniastrum组。

秋海棠目分为2科。秋海棠科3属:*Hillebrandia*属(1种)、秋海棠属(*Begonia*,包括旧视为独立的属的*Begoniella*及*Semibegoniella*,约1 000种)及*Symbegonia*属(12种)。四数木科3属、4种:四数木属(*Tetramoles*,1种),*Octomeles*属(1种),达提斯卡属(*Datisca*,2种)。

Beguines 贝居安会女修士 自中世纪起出现在北欧城市的一批女修士,她们不参加正式批准的修会而过虔修生活。这些所谓"圣女"最早于12世纪末出现在列日,在13世纪30年代正式确定以贝居安为名。此词来源不详。贝居安运动到了13世纪中叶即已传遍低地国家、德意志和法兰西北部。运动源起于上层阶级妇女,后来扩展到中产阶级。它一方面试图满足修女们的灵性需要,另一方面也是对城市中未许配女子过剩而产生的社会-经济问题作出的反应。贝居安修女大都生活在教团中,这种教团称为贝居安会。在德意志,多达60或70名妇女共同居住在一所房子里;在低地国家,她们通常住在有围墙的大院的单独的房屋中,即所谓"城中城"。贝居安修女大多自食其力,一般是靠护理、成衣或编织花边,用不少时间沉思默念。她们发愿身在会中时守贞不嫁,但可以自由退会嫁人。贝居安会中不少与多明我会和方济各会修士有密切联系,还有些教团和个人修习多种神秘主义课目,遂使不少人怀疑她们有异端倾向。13世纪中她们受有偏见之人的误解,而且受立法方面的限制,1311年,维埃纳会议提出教令,解散贝居安会组织。其后官方政策不一,15世纪才确定了宽容政策,此时贝居安运动日见衰落,许多修女转而参加正式的修会。有些贝居安教团继续存在,主要在比利时,大多办理慈善机构。M.波莱特是一位著名的贝居安修女,她于1310年以异端罪在巴黎受火刑而死。她的神修著作《纯朴灵魂宝鉴》(约1300)被人认为用古法语所写的最伟大的宗教小册子。与贝居安会相对应的男修会是贝格哈德会,但从未受到与贝居安会同等的重视。

Begusarai 贝古瑟赖 印度东北部比哈尔邦中部城市。重要商业中心。位于恒河中游平原,地势平坦,具冲积土,河流众多。经济以自给性农业为主。工业生产纺织品、水果罐头、乳制品、植物油、化学药剂和纸张。人口:市约71 362;都会区约83 907(1991)。

Behaghel, Otto 贝哈格尔(1854-05-03,巴登卡尔斯鲁厄[德国]～1936-10-09,慕尼黑)德国语言学者,专精德语,其4卷本《德语句法》(1923～1932)是一部巨型的8～20世纪德语用法范例分类汇编。曾任德国海德堡大学、瑞士巴塞尔大学及德国吉森大学教授。

美国不列颠百科全书公司供图

主编两种重要的日耳曼学刊物，另著《德语研究》(1886，1958年第13版)和《德语史》(1901，1928年第5版)，两书迄今仍被视为典范。

Behaim, Martin **贝海姆**(1459-10-06，纽伦堡[德国]～1507-07-29，里斯本[葡萄牙]) 葡萄牙语作 Martinho de Boémia。航海家、地理学家，他制作的纽伦堡地球仪是现存最早的地球仪。约在1480年作为佛兰芒贸易商人初次访问葡萄牙，自称是纽伦堡天文学家J.米勒的学生，成为约翰二世的航海顾问。用黄铜代替木材制造星盘可能由他创始，当时航海者用星盘测定日、月、星辰的高度，以推算时间和纬度。他可能曾和D.康航行到非洲西岸(1485～1486)。回纽伦堡(1490)后，在画家G.格洛肯东的协助下开始绘制他设计的地球仪，1492年完成。所画的世界地形既不准确又已过时，特别是非洲西海岸，如以当时葡萄牙探险的范围而论，错误之多实在惊人。不过有趣的是在发现北美洲的前夕他绘制的地球仪为人们提供了关于地理上的一些有益设想。该地球仪现收藏于纽伦堡的德意志国家博物馆。

Beham, Hans Sebald **贝哈姆**(1500，纽伦堡[德国]～1550-11-22，美因河畔法兰克福) 德国版画家。他在"画坛小大师"成员中作品最多。这个团体还包括其弟B.贝哈姆(1502～1540)以及G.彭茨(约1500～1550)。三人都以擅长小型铜版画著称，均受A.丢勒晚期古典风格影响。他的252幅版画中有圣经和神话的题材，也有寓言画、风俗画以及装饰画。以风俗画为最佳，如《农民的节日》铜版组画(1537)。其作品中亦有若干供装饰墙壁的大型版画。

Behan, Brendan (Francis) **贝汉**(1923-02-09，爱尔兰都柏林～1964-03-20，都柏林) 爱尔兰作家。以其率直的讽刺和有力的政治评论而知名。出生在一个积极从事反英革命和左翼活动的家庭。1937年中学毕业后，做油漆工学徒并同时担任爱尔兰共和军的信使。在英格兰执行破坏任务时被捕，1940年2月被判处管教3年。《管教所的少年》(1958)写他身居囹圄的情况。1942年被遣返都柏林，但不久即因参与枪伤警察事件，再度被捕，被判14年徒刑。剧本《怪人》(1954)即以都柏林监狱为背景写成。1946年遇大赦获释。他在狱中提高了他的爱尔兰语水平，一些优秀诗篇和剧本《人质》(1958)的初稿都是用这种语言写成的。以后数度因革命活动或酗酒被捕。1948年前往巴黎从事写作。1950年返回都柏林，为电台写短篇小说和广播剧本，每星期六晚在电台的连续节目《民谣作者的星期六之夜》中唱民歌。1953年开始在《爱尔兰新闻》撰写关于都柏林的专栏文章。1955年结婚。《怪人》于1954年在都柏林的小派克剧院上演，取得成功。后在伦敦(1956)和纽约(1958)上演。《人质》被认为是他的杰作，写爱尔兰共和军为防止自己的一个成员被英军处死，在妓院捉了个英军士兵作人质。该剧在伦敦上演获得成功。1960年在纽约上演，使贝汉闻名美国。晚期作品有：《贝汉的海岛》(1962)、《逃跑者》(1964)、《贝汉的纽约》(1964)和《一个爱尔兰革命者的自白》(1965)。

美国不列颠百科全书公司供图

behavioral science **行为科学** 以人类行动为课题的学科，一般包括：社会学、社会和文化人类学、心理学、生物学中的诸有关行为问题，经济学、地理学、法学、精神病学，以及政治学。这个术语20世纪50年代才在美国流行开来。虽然有些作者把它和社会科学区别开，但它还是经常作为社会科学的同义语使用。行为科学这个术语表示了一种比社会科学这个旧词更富有实验性研究方法。

behaviour **行为** 又拼 behavior。参阅 **animal behaviour** *动物行为*；**human behaviour** *人类行为*。

behaviour genetics **行为遗传学** 又称心理遗传学。心理学的一个分支。研究生物基因型对其行为的影响，以及在行为形成过程中遗传和环境之间的相互作用。总的来说，关于这个问题争论的焦点是：个体的行为能力究竟是"先天"的，还是"后天"获得的。F.高尔顿和C.达尔文最早从事这项研究。达尔文指出："天才……精神病和智力迟钝都有明显的家族性。"高尔顿曾研究当时许多杰出人物的身世。1869年发表《遗传天赋》一书，探讨达尔文的假说；他证明天才人物的家庭成员大多也是天才，而能力也有家族遗传倾向。他首次用双胎法进行遗传研究，首创许多现代仍沿用的统计分析方法。他首次指出获得性行为性状不能遗传。1918年苏格兰的R.A.费希尔撰文试图证明从孟德尔遗传定律的理论角度看，基因和环境因素都可影响个体行为。科学家们花了半个多世纪的时间研究智商和基因的关系，但仍没有肯定的结论。1937年，美国心理遗传学家H.纽曼、F.弗里曼和K.霍尔金格等人对在不同家庭中养育的同卵双生儿进行研究后发现：在一般情况下，遗传因素对他们智力的影响远远大于环境因素的影响。但是另外一名美国遗传学家R.普罗明(1980)却不同意这种说法，他认为遗传因素对一个人智商的影响顶多只占一半。

研究方法 人类的发育时间较长，必须寻找同卵双生儿并进行长期的观察和研究，这些是对人进行长期遗传研究遇到的严重困难。但动物研究却较易进行对照实验，而且容易取得重要研究成果。有下面几种动物研究：①近亲交配法。在同窝动物之间进行交配，可连续交配20代，这样就可以获得一种"纯系"动物，它们的后代在遗传表现上都极相似。1978年，美国遗传学家J.C.德弗里斯和R.普罗明用这种方法进行研究后指出：在实验动物身上有一种遗传性状，可以影响动物的学习、性活动、嗜酒、攻击、味觉和疾病的易感性等各种行为。②选择性育种法。用表现出某种特殊行为特征的动物进行交配。例如用攻击性很强的大鼠进行交配，来研究这种行为的遗传性质。根据遗传理论可以预知，虽然在同一环境中喂养，针对某种行为特征进行选择性育种，但随着各群之间的遗传差异变得更大时，该行为也变得更加分离。③血缘研究法。其理论根据是：个体间的血缘关系越近，相似品性出现的机会也越多。例如1978年有人指出：精神分裂症患者的父母该病发病率远远超过一般人群。内向性、外向性、活动能力和气质等行为据信也受遗传的影响。关于人类智力，则证据尚不充分。

争论 行为遗传学中最大的争论是遗传因素对种族智商差异的影响问题。1969年美国教育家A.詹森指出："在智力测验中黑人和白人得分的不同可能是由于种族集团的遗传差别所致。"但他的观点受到很多人的反对，说他根本没有充分考虑到各种环境因素和智力测验中存在的"有种族偏向的"因素的影响。参阅 **intelligence**。

behaviour therapy **行为疗法** 心理疗法的一种，用根据实验得出的学习原理来治疗精神障碍。行为疗法的概念源出I.巴甫洛夫的研究工作。他在20世纪20及30年代发表了大量著作，讨论应用条件反射的技术和理论来解决异常行为的问题。行为治疗技术不同于一些精神病学方法，尤其不同于精神分析法，主要是针对症状行为，而不涉及潜意识过程，不要求达到新的领悟，不改变基本人格。行为疗法的推广应归功于美国心理学家B.F.斯金纳。他从动物实验中发现：强化和奖励措施既可以建立、也可以消除条件反射。从时间和频率二方面设计的奖励方式即所谓"强化程序"；受试者身上逐渐出现理想行为模式的过程即为"塑形"。现代行为疗法强调自然认识过程的适应性。最主要的行为疗法之一为系统脱敏法，又称交互抑制法、消退法或反条件化法，系以50年代的动物实验为基础。其中一个实验是：电击关着的猫，使形成拒绝进食的条件反射；然后在与原来的处境很少相似之处的处境中喂猫，再逐渐使处境变得与原来的处境越来越相似，直至所有的焦虑征象都消失,条件反射性的恐惧感也就被克服。此技术应用于人时,可让患者想象产生焦虑的情境,亦可让患者接触实有的他所恐惧的物体或处境。治疗过程中,最重要的是列出恐惧的等级,这主要应依据患者的自述,亦可依据诊断性测验及患者亲友所提供的情况。松弛训练也常用来对付导致焦虑的外在刺激。但这些方法到底是减轻了焦虑反应的习惯强度,还是建立了别的适应性反应,这个理论问题至今仍未解决。大量证据表明:所谓"角色责任训练"是以某种社会组织形式把病人组织起来,并让他们切实地进入某一社会角色。这是一种行之有效的行为疗法。责任意识的建立会极大地促进带有情绪表达的行为模式。这种治疗方法是基于一个重要的行为理论概念:习惯成自然,也就是说,某种习得性情绪表达方式一经建立,并经反复实践和强化,就会变成一种主观感觉,一种习惯。1975年,美国心理学家R.P.利伯曼把这种角色责任训练列为社区健康中心的基本服务项目。其他行为疗法有反感激发条件反射法,即将不良行为与电击或其他形式的惩罚结合起来。操作条件化法则是用表扬、食物等奖励来强化所需要的反应。以上方法也可以结合起来使用。行为疗法对遗尿、抽动、恐怖症、口吃、强迫行为、性变态、酒精中毒、药瘾、"正常"人的性格异常及某些精神病状态有一定的效果。此外,"行为自我控制"的概念引起了学术界越来越大的兴趣。尤其是通过*生物反馈*(**biofeedback**)来调节、控制某些植物神经功能活动,如心率、血压、肠蠕动等。这种行为自我控制治疗的理论和实践以激发人的责任意识为主要内容,代表了改造不良行为领域中的人道主义方向。参阅**behaviourism**;**conditioning**。

behaviourism 行为主义 一个有深远影响的心理学学派,它在两次世界大战之间曾统治心理学的理论。经典行为主义只研究能测量与可观察的材料而排斥观念、情绪、内在的精神体验、精神活动。在行为主义者看来,有机体不过是能对来自外部环境和体内生物过程的各种刺激产生反应的个体。行为主义流行之前最为盛行的心理学理论学派是构造主义,它认为心理学是一门研究意识、经验或心理的科学;他们虽然也讨论躯体活动,但考虑的重点还是躯体活动与心理现象之间的关系。当时心理学特有的研究方法就是对自己的心理活动进行观察和报告的内省法。而行为主义的奠基人J.B.沃森(又译华生)则极力反对这种观点。因此,行为主义的产生和发展实际上是新、旧两个学派激烈论战的产物。沃森在《行为主义》(1924)一书中指出:"行为主义认为,所谓'意识'是一个既无法下定义,又不能使用的概念,它只不过是古代所谓'灵魂'的别名而已。旧的心理学体系中充满了宗教哲学的诡辩。"行为主义的宗旨在于"彻底推翻当时的理论和传统的概念及术语而开创一个心理学新纪元"(《在行为主义者看来的心理学》,第3版,1929)。行为主义抛弃传统的内省法,只接受研究同一事物的科学家能各自独立观察到的东西,正如物理学和化学中所做的那样。这种方法使心理学成为"自然科学中的一个纯客观的和实验性的分支"。这些议论听起来很抽象,但对于现代心理学和社会科学以及对于人们对自身的理解,都产生了革命性的影响。事实上,沃森的客观主义倾向代表了19世纪后期已出现于生物学和心理学界的一股强大趋势,因而他要"埋葬主观题材"的愿望赢得了广泛的合作。20世纪20年代初至20世纪中期,行为主义在方法论方面支配着美国心理学,并有广泛的国际反响。虽然另外几大学派(如格式塔心理学和精神分析学派)的研究方法采用经验资料,但也适应这个潮流,以经验为基础的假说也越来越需要客观验证,1912～1930年可称为经典行为主义时期。当时,沃森占支配地位,但很快,行为主义中就分成好几个派别,他们各有自己的学说体系。而经典行为主义的作用能证明,以前只相信用内省法去研究的现象(如思维、意象、情绪、情感等)现在都能用刺激和反应的术语来处理了。经典行为主义是一种严格的决定论,其基本信条是:凡反应必存在引起反应的刺激。

20世纪30～40年代的行为主义称为新行为主义,理论特点是试图将经典行为主义的一般性方法程序转变为详尽的以实验为基础的适应性行为学说。这一时期的代表人物是学习理论家C.L.赫尔和B.F.斯金纳。在思想传统方面,斯金纳完全继承了沃森的衣钵,并在20世纪50年代后期成势。和他同时代的重要代表人物有赫尔派的K.W.斯彭斯、N.米勒(主张神经科学是心理学研究中最有研究前景的领域)、E.C.托尔曼和E.R.格思里。在此时期的最初阶段,由于认知理论家托尔曼的影响,行为主义的信条无论是在方法上还是在概念上都有所放宽。虽然,它们的客观主义大方向还保持不变,但已开始承认中介变量的作用,开始接受言语报告这种方法,也开始把他们的研究领域扩大到以前认为的禁区,如知觉。

行为主义理论的自然延伸就是*行为疗法*(**behaviour therapy**)。行为疗法是第二次世界大战以后才发展起来的治疗技术,目的在于矫正可以观察到的行为,而不是调整病人的思想和情感(属心理分析范围)。人发生情绪障碍的原因有两个:一是错误的获得性行为方式;二是没能学会如何有效地反应。行为疗法(又称行为矫正)的目的是改变人的行为模式。参阅**conditioning**。

Behbehān 贝赫贝汉 伊朗西南部胡齐斯坦省的主要城镇和县。在扎格罗斯山麓,近马伦河。随着附近油田的开发而繁荣。有公路通阿瓦士和卡泽伦。附近有萨珊王朝阿拉贾恩城和单拱桥遗址。人口:镇79 434;县114 372(1976)。

Behdet(Egypt) **贝赫代特** 参阅 **Idfū** *伊德富*。

beheading 斩首 执行死刑的一种方式。古希腊人和古罗马人认为斩首是最体面的处死方式。执行前,罪犯被绑在柱子上受鞭笞。早期用斧子,后用刀,刀被认为是较为体面的处死器械,并用于处死罗马公民。据说斩首是由征服者威廉于11世纪从法国诺曼底引进到英国的。虽然早期的一些手稿记载斩首也施加于普通重罪犯,但这一刑罚通常专用于高级罪犯。法国大革命的结果之一是用*断头台*(**guillotine**)把斩首的特权扩大到出身普通的罪犯身上。斩首只是惩治男性卖国贼的普通法方法中的一种,这种普通法方法极端残忍,还包括绞刑、断肢、剖腹掏肠以及分尸。1814年王室委托书授权英国国王颁布以绞刑代替斩首作为处决罪犯的一种通常的方式;在卖国贼被绞死后,由一个戴着假面具的人把他们的头割下,这种做法迟至1820年才结束。目前斩首在欧洲国家已经罕见,大多数欧洲国家已废除或限制了死刑。某些穆斯林国家偶尔仍使用斩首这种刑罚。

Beheira(Egypt) 参阅 **Buḥayrah, al-** *布海拉*。

Behemoth 比希莫特 《圣经·旧约》中提到的食草巨兽。其"肢体像铁棍"(《约伯记》40:18)。或云义人将在末世目睹比希莫特和利维坦鏖战,然后用此两兽的肉为筵席。有些专家认为比希莫特即河马,利维坦即是鳄鱼、鲸或蛇。

Beheshti, Mohammad Hosayn 贝赫什提(1929,伊朗伊斯法罕～1981-06-28,德黑兰)又拼Muḥammad Husayn Bihishtī。伊朗神职人员,1979年在将伊朗建成伊斯兰共和国的过程中发挥了重要作用。在库姆市一所宗教学校毕业后,赴欧洲旅游,60年代担任在西德的伊朗穆斯林学生的毛拉。后来回到伊朗,70年代初期任教育部的宗教顾问。因积极参与反巴列维国王的活动,加入了霍梅尼的反对派阵营,并被捕入狱。1979年参加推翻伊朗国王政权,霍梅尼掌握政权。1979年2月3日霍梅尼任命他为伊朗伊斯兰革命委员会委员,不久成为该委员会第一书记。还担任新建立的伊斯兰共和党总书记。被认为是伊朗仅次于霍梅尼的最有权力的人物。参与了美国人质事件和1981年6月罢免伊斯兰共和国第一任总统巴尼-萨德尔的事件中。反政府组织在伊斯兰共和党总部的一次会议上制造爆炸事件,他和该党的几名其他领袖遇害身亡。

Behistun(Iran) 参阅**Bīsitūn***比索通*。

Behn, Aphra 贝恩(1640-07～1689-04-16,伦敦) 英国戏剧家、小说家、诗人,第一位以写作为生的英国妇女。她的小说《奥鲁诺科》(1688;1933年重印)讲自己在南美听到的一个曾是非洲王子的奴隶的故事。所写诗作优劣参半,可能被人低估;但生前颇享盛名,成为流言蜚语之的。虽然她的作品主要是剧本,但今天人们对她的小说更感兴趣。出身不明,幼时曾随一对姓艾米斯的夫妇到过苏里南(荷属圭亚那),该地当时为英国领地。1658年返回英国,嫁给伦敦商人贝恩。后者于1666年身故,她由于机智与才能颇受人尊敬,结果为查理二世所雇用,在荷兰做秘密工作。但未得奖赏,却因债务坐牢,乃从事写作

美国不列颠百科全书公司供图

维持生计。第一个剧本《逼婚》上演于1671年。她的喜剧,如《流浪者》(分上、下两部,分别发表于1677和1681年),机智活跃,十分成功。贝恩读书甚多,常改写老一辈剧作家的剧本,多才多艺又多产。

Behn, Sosthenes　贝恩(1882-01-30,丹麦维尔京群岛圣托马斯～1957-06-06,纽约市)　美国的国际电话电报公司总经理与创建人,该公司乃世界上最大的电话公司之一。曾在科西嘉岛与巴黎求学。1901年入纽约市一家银行工作。5年后,他与弟兄赫南德去波多黎各经营继父的糖业;在该岛期间,先后买下波多黎各电话公司和古巴电话公司。1920年,弟兄俩和另一个合股人创办国际电话电报公司,将波多黎各和古巴两家电话公司并入其中。1931年的大萧条给他带来了财务困难,但由于他巧妙处理债务,公司不但渡过难关,而且有所发展。1933年赫南德去世后,他掌管公司的全部业务。第二次世界大战期间,希特勒攫取了该公司在欧洲的一些股权,带来了更多的困难。但该公司却能够卖掉公司在罗马尼亚的股权,并在1945～1946年间成功地处理了在西班牙和阿根廷的财产。无论战时和战后,该公司在拉丁美洲的业务都有所扩展。1956年贝恩退休。

Behrens, Peter　贝伦斯(1868-04-14,汉堡～1940-02-27,柏林)　德国建筑师,以对德国现代建筑的发展具有深刻的影响而闻名,他又是工业产品设计的先驱。在汉堡的美术学校学习后,于1897年赴慕尼黑。1900年黑森大

美国不列颠百科全书公司供图

公召他到达姆施塔特艺术家新村,他在那里为自己建造了一座住宅并设计了其中所有的家具及陈设(1901)。1903年任杜塞尔多夫工艺美术学校校长。他一生最重要的成就开始于1907年。当时世界上最大的制造企业之一通用电气公司的总经理E.拉特瑙,预见到工业产品亟需艺术加工,聘请贝伦斯任该公司的产品艺术顾问。他致力于工业产品的设计创作,包括公司的商标、产品目录、办公用笺,以及电扇、路灯之类的产品,还有厂房、零售店等建筑。1909～1912年间,建造了公司的厂房建筑群,他设计的装有玻璃幕墙的涡轮机车间成为当时德国最有影响的建筑物。这一时期,W.格罗皮厄斯、L.M.范·德·罗厄和科比西埃都曾在他的事务所工作。后期作品包括工厂和办公楼:圣彼得堡的德国大使馆(1911～1912)、奥地利烟草公司(1930)等。1922～1927年任维也纳美术学院教授。

Behring, Emil (Adolf) von　贝林(1854-03-15,普鲁士汉斯多夫～1917-03-31,德国马尔堡)　德国细菌学家,公认的免疫学奠基人。由于对血清疗法,特别是抗白喉血清疗法的

美国不列颠百科全书公司供图

研究而获1901年首次颁发的诺贝尔生理学或医学奖。1889年入柏林罗伯特·科赫卫生研究所,在那里与北里柴三郎一起证明给动物注射感染过破伤风的另一动物的血清,可使之获得对破伤风的被动免疫,并提出"抗毒免疫"一词。后贝林用这种抗毒免疫技术预防白喉。1892年白喉抗毒素能够成批生产,注射白喉抗毒素成为白喉的常规治疗手段。1894年在哈雷大学任教,1895年在马尔堡大学任教。他得到赫希斯特的卢修斯和布吕宁染厂的资助从事研究,包括对结核病的研究。他发明了一种疫苗(牛菌苗),用以接种牛犊预防结核病。著有《血清疗法的实用目的》(1892)及《破伤风的病原学及病原学治疗》(1904)。

Behrman, S(amuel) N(athaniel)　贝尔曼(1893-06-09,美国马萨诸塞伍斯特～1973-09-09,纽约市)　美国短篇小说家、戏剧家,因在百老汇受欢迎的评论当今道德问题的剧作而闻名。贝尔曼写社会中富有的知识阶层,剧中人物聪明智慧、能言善辩。曾在哈佛大学研究戏剧。第一部剧作《第二个人》(1927)出版后,即获成功。以后的成功之作包括《流星》(1929)、《瞬间》(1931)、《传记》(1932)。20世纪30年代,他开始与同那个严峻的战争时代很不协调的喜剧写作作斗争。《雨自天堂来》(1934)写法西斯主义这一主题。虽然贝尔曼越来越多地触及当时严肃的政治主题,但人们还是批评他没有表明自己的观点,只是让书中人物替他说话。为了回答这种责难,贝尔曼写了《不是喜剧的时代》(1939)。剧中的主角、一个写轻松喜剧的作者作了自我批评,说他未能有效地处理当代严肃的问题。他在剧作中处理复杂的、难以捉摸的问题,不创作浅薄的人物,因而使他在有名的剧作家中间显得卓然不群。他在40年的创作生涯中写了24部喜剧,几乎每个剧本都受到欢迎。他还写有许多短篇小说、两部传记及几部电影剧本。

Behzād　贝赫扎德(约1455?,呼罗珊赫拉特～约1536?,阿塞拜疆大不里士)　波斯名画家,其细密画的风格和教学工作给波斯的伊斯兰绘画艺术以极大影响。他幼年成为孤

贝赫扎德绘《卡瓦尔纳克城堡兴建图》(约1494)
美国不列颠百科全书公司供图

儿,在赫拉特城由画师米拉克·纳卡什抚养成人,并在其监护下学画。1486～1506年就任赫拉特学院院长,使学院成为重要艺术中心。1506年,伊朗萨非王朝奠基人伊斯梅尔攻占赫拉特。1522年随伊斯梅尔之子塔赫马斯普至大不里士,任王家图书馆馆长直至辞世,受命负责制作装帧精美有插图的手抄本书籍。他终生教学作画,对于大不里士成为艺术中心起了主导作用。画家卡西姆·阿里、米尔·赛伊德·阿里、阿迦·米拉克及穆宰费尔·阿里均为其弟子。被确认出自其手的作品仅32幅,皆绘于1486～1495年间。其画风格和谐,娴美动人,富于人情味,使细密画摆脱呆板和过分注重细部的桎梏,给波斯绘画艺术增添了新的活力和现实主义风格。其留传至今的最早作品有两幅是为诗人萨阿迪手稿《蔷薇园》所作插图。另为萨阿迪手抄本所绘的5幅细密画,被许多学者视为其现存作品最佳范例(现藏开罗埃及国家图书馆)。1494年前后所绘《卡瓦尔纳克城堡兴建图》(现藏

不列颠博物馆）鲜明地表现出其长于以丰富而流畅的构图描绘错综复杂场面的特点。

bei and tie 碑帖 中国碑、帖有别。碑，旨在宣扬，如朝廷规章、法令、各地名胜沿革以及某人之事迹等，文字书写一般都比较工整大方；而帖的艺术性目的则甚为浓厚，是把手迹临摹下来，刻在木上或石上，再翻拓在纸上，供人欣赏学习。由于其中多有名人手迹、是学习的典范，故又名曰“法帖”。从形式上分，大致竖者为碑，横者为帖。在学术研究上，考订碑刻的源流、时代、体制、拓本真伪与文字内容以订补史传者，称为碑学；考订法帖源流、优劣、拓本先后、善否以及书迹的真伪和文字内容以订补史传者，称为帖学。在书法艺术上，崇尚碑刻者曰碑学，崇尚法帖者曰帖学。清代中叶以后崇尚碑刻（主要是北魏），亦称碑学为北派，帖学为南派。碑、帖拓本在学术上与艺术上所起作用很大。由于碑刻原石、名家手迹沦没毁坏太多，故著名碑帖的精拓已成为非常珍贵的历史文物。

Bei Jiang 北江 中国珠江的支流。在广东省中部。正源是浈水，发源于江西省信丰县的西溪湾，在广东韶关汇武水后称北江，到三水同西江相通。三水以下经珠江三角洲，主干从洪奇沥入南海。全长468千米，流域面积约4.6万平方千米。中游多峡谷，以英德市盲仔峡、清远市飞来峡最著名。上源武水自乐昌市坪石以下，浈水自南雄市以下均可通木船，北江段曲江县以下可通航。

北江风光
中国大百科全书出版社供图

Bei Shizhang 贝时璋（1903-10-10，中国浙江镇海～2009-10-29，北京） 中国生物学家。1921～1928年留学德国，获德国蒂宾根大学博士学位并留校任教。1930～1950年任浙江大学生物系教授、主任及理学院院长。后历任中国科学院上海、北京实验生物研究所研究员、所长，科学院生物物理研究所研究员、所长，中国科学院学部委员，中国动物学会、生物物理学会理事长。他一直从事实验生物学研究。曾对鳗形线虫、臂尾轮虫、干吻虫的再生、细胞分裂与细胞常数，南京丰年虫的中间性与性转变问题，线虫染色体的结构和行为等进行研究，并发表多篇论文。曾在早期鸡胚中发现其成上层和成下层细胞内卵黄颗粒有处于不同变化时相的形态。在离体培养条件下也可观察到卵黄颗粒的各种发育阶段，并发现卵黄颗粒的线渗释放物或提取物中含有染色质状结构。他还观察到从受精到孵育12小时的鸡胚，其DNA量与胚下表层卵黄的DNA量有平行增加的趋势。他根据这些发现认为：在生物体内除了细胞分裂外，当原料和条件具备时，

中国大百科全书出版社供图

也可能在一定部位逐步形成完整的细胞。他的“细胞重建”见解受到国内外生物学界的注意，促进了生物学的发展。

Bei Wei DYNASTY 参阅**Northern Wei dynasty** 北魏。

Beibei 北碚 又称北温泉。中国重庆市辖区。地处重庆市北部的嘉陵江沿岸，距市中心50千米。辖5个街道、12个镇。面积755平方千米。抗日战争时期，北碚是“陪都”重庆文化、政治活动的要地。当时区内有一批内迁的院校和科研机构。中国许多政界人士、知名作家、艺术家、科学家和教育家都曾在这里居住。当时还是四川省的乡村建设实验区。1951年设市，是川东行署所在地，1952年划归重庆市，1953年撤市改区，1955年改称北碚区。北碚山川秀丽，风景优美。区内有“小峨眉”之称的缙云山、观音峡、温汤峡、牛鼻峡（有“嘉陵江小三峡”之称），还有疗养胜地北温泉。龙凤溪、磨滩河瀑布、乳花洞等风景区，为缙云山国家级风景名胜区的主体部分。区内辟有5个不同类型的疗养院。此外，还有坐落梅花山上的抗日名将张自忠墓。区内有西南大学及中国农业科学院柑橘研究所、重庆自然博物馆与北碚图书馆。北碚有实力雄厚的仪表工业和光学玻璃工业，电子、机械、煤炭、制药、纺织、食品等工业也较发展。人口650 000（2005）。

北温泉景色
中国大百科全书出版社供图

Beibu Gulf 北部湾 位于中国南海海域北部，故名。东起雷州半岛、琼州海峡，东南为海南岛，北至广西壮族自治区，西迄越南，面积约44 238平方千米。水深由岸边向中央逐渐加深，最深处不超过90米。主要有中国的九州江、南流江、大风江、钦江、防城河、北仑河、昌江及越南的先安河、红河、马江等河流流入。湾内岛屿众多，主要有中国三围洲岛、斜阳岛以及越南的拜子龙群岛等。北部湾是中国重要热带渔场，鱼类达500余种。因海域辽阔，水质优良，故适宜海产养殖。海域蕴藏丰富的石油。主要港口有中国的北海、防城港以及越南的边水、海防。

北部湾合浦珍珠养殖
中国大百科全书出版社供图

Beidaihe 北戴河 中国避暑胜地、国家级风景区。位于河北省秦皇岛市境内，背依燕山，属冀东低丘陵。自鸽子窝、金山嘴起，西至戴河口，南临渤海，北靠联峰山、赤土山，为一沿海的狭长地带，因有戴河流经而得名。汉为舟楫聚泊物资集散之地，明设金山卫。北戴河依山滨海，气候温和，冬无严寒，夏无酷暑，为避暑佳地。东、西联峰山和赤土山高耸，岩石风化及海蚀造成的奇石、怪洞、石台、石门，有骆驼石、对语石、鸽子窝、鹰角亭、南天门、金山嘴、莲花石、老虎石、观音寺、韦驮像等胜景。区内建有鸟类自然保护区。

Beiderbecke，Bix 贝德贝克（1903-03-10，美国艾奥瓦达文波特～1931-08-07，纽约长岛）

美国爵士乐短号演奏家，20世纪20年代杰出的即兴演奏家和作曲家，也可能是爵士乐史上最有创造性的白人小号演奏家。1923年就学于芝加哥市郊的莱克福里斯特学院，参加学生音乐小组“狼獾”，但他的迅速成熟的鉴

美国不列颠百科全书公司供图

赏力很快就把小组的音乐家典范远远抛在后面。1925年在芝加哥工作时第一次听到著名黑人爵士乐革新者L.阿姆斯特朗、K.奥利弗和J.努尼的演奏，并和他们一起演出。1926年在圣路易斯加入特朗博尔乐队，并与之结为终生好友。后又加入戈德凯特（1927）和怀特曼管乐队（1928～1930），生命的最后几年疾病缠身。1927年灌的唱片《歌唱布鲁斯》和《好男人难找》，至今仍为爵士乐的经典之作。钢琴曲《在薄雾中》受法国印象派作曲家启发而写成。

Beihai　北海　中国广西壮族自治区辖地级市，自治区南部沿海重要港口城市，重要的外贸口岸和广西最大的渔港。位于北部湾东北岸，南流江出海处，三面临海的北海半岛上。市辖区还包括涠洲岛、斜阳岛等岛屿。秦属

北海市皇都大酒店
中国大百科全书出版社供图

象郡，汉以后为合浦县地。清康熙元年（1662）设北海镇，是北海建制和得名之始。1950年前和1955～1964年间隶属广东省。1951年设市，1983年为自治区辖市。1987年合浦县划为市辖县。面积3 337平方千米，其中市区面积957平方千米。北海港与100多个国家和地区有贸易往来。港区宽阔水深，有天然深槽，风浪小，无暗礁，已建有万吨码头两座。陆路交通也很方便，公路通湛江、玉林、浦北、灵山、南宁、钦州、防城、东兴以至越南。还有汽车轮渡抵海南。航空班机可直飞北京、广州、成都、昆明、南宁、深圳、香港等地。北海是中国重要的渔港之一，中国六大渔场之一的北部湾，海产丰富，鱼类有500多种，盛产石斑鱼、红鱼、大眼鲷、蓝圆鲹、鳗鱼以及对虾、青蟹、贝类、鱿鱼、墨鱼、沙虫等海产。还有花刺参、文蛤、鱼翅、鲍鱼、大蚝（牡蛎）、带子（日月贝肌）、鳝胶等海产珍品。珍稀海洋动物有：儒艮（美人鱼）、中国鲎、海马、玳瑁、海龟、龙虾等。天然和养殖的“南珠”颗大圆润、晶莹艳丽。北海贝雕厂利用珍珠贝、夜光螺制成精美的贝雕画，远销世界各国。以地角为基地的沿海渔港，新建了许多为渔业服务和鱼产加工的工厂，有水产联合加工厂、鱼肝油厂、罐头厂、网具厂、海洋化工厂和造船厂等。20世纪80年代末以来北海市工业发展迅速，主要有机械、电力、电子、化工、冶金、纺织、建筑材料、食品、玻璃、印刷、炼油、造纸和农产品加工工业等。白虎头附近的海滩——银滩，广阔平缓，石英砂质纯洁白，风浪小，气候暖热，条件优越，有“南方北戴河”之称。十里长滩边，营建有度假村和各种服务设施，是海水浴和旅游度假的好去处。有冠头岭、草花岭、高墩古遗址等风景游览点。人口：全市1 480 000（2005）；市区540 000（2004）。

Beihai Park　北海公园　中国北京市的著名公园。历史最悠久、保存最完整的皇家园林。位于北京市区中部。原是高梁河水系的湖泊。公元10世纪，辽代在此建遥屿行宫，

北海公园琼岛白塔
中国大百科全书出版社供图

金代扩建为离宫，命名大宁宫。元、明、清都是皇家御苑。总面积70万平方米，1925年辟为公园，园内以琼岛为中心，岛上及湖岸分布有建造精巧的亭台楼阁。山顶矗立巨大的白塔（1651年建），湖塔相映，风格独具。湖北岸有彩色琉璃砖砌成的九龙壁，两面的蟠龙栩栩如生，历经几百年风霜，仍保持原有色彩。北海公园大门右侧有高5米的圆城台，称团城。城上石亭中有元代玉瓮。

Beijing　北京　英语又作Peking。中华人民共和国首都。中央直辖市，简称“京”。位于华北平原的西北部。东南局部地区与天津市相连，其余均为河北省所环绕。北京市辖东城、西城、宣武、崇文、海淀、朝阳、房山、丰台、门头沟、石景山、通州、顺义、昌平、大兴、怀柔、平谷16区，及密云、延庆2县。面积1.7万平方千米，其中市区面积1 040平方千米。汉族占大多数，余为回、满、蒙古、维吾尔、藏等民族。

自然条件　北京地处平原与山地交接带，地势西北高、东南低。西、北和东北部群山连绵，山地占总面积近2/3，海拔大部为500～1 500米。西部山地统称西山，属太行山北支，由一系列东北-西南向的平行山脉组成，南北延伸达200千米，岩石以石灰岩、砂页岩、火山岩为主。山峰有东灵山、百花山、妙峰山等，最高峰东灵山海拔2 303米。这里有丰富的无烟煤、石灰石、大理石和铝土矿，京西煤田是中国重要的无烟煤田之一。北部山地统称军都山，属燕山，由镶嵌着若干山间盆地的断块山地组成，走向由北东逐渐转为东西。这里在地质史上岩浆活动比较强烈，岩石多为古老的变质岩、片麻岩、白云岩和花岗岩。富铁、铜、铅、锌、钼、金等矿藏。以上两组山地在南口附近会合形成一个向东南展开的大山湾，习称“北京湾”或“北京小平原”，系海河水系永定河、潮白河、拒马河等切穿重山，把从各河上游高原、山地带来的泥沙沉积而成。其出山口部分呈向东南缓倾的冲积扇平原，海拔20～60米。北京市中心区坐落在永定河冲积扇脊背上，海拔44米。扇形平原下部海拔最低约8～10米。平原土层深厚，适于机械化耕作；河流纵横，地下水丰富，有利于农田灌溉和生活饮用。东南一隅地势低洼易涝，多盐碱地。属暖温带半湿润大陆性季风气候，冬季寒冷干燥，夏季高温多雨，春秋短促。年平均气温11.8°C，1月平均气温-4.7°C，7月平均气温26.1°C，年降水量644.2毫米，大部集中在夏季。山地迎风坡降水量超过700毫米，是华北多雨区之一。山前因丛山屏蔽，形成小气候“暖带”。北京自古有“幽州之地，左环沧海，右拥太行，北枕居庸，南襟河济，诚天府之国”称誉，是中国政治中心的理想所在。

沿革　北京地区开发历史悠久，距今约50万年前，在西南部房山区周口店龙骨山曾居住有“北京人”原始人群。其后还有“新洞人”、“山顶洞人”、“东胡林人”等。北京因位居华北平原、东北平原和内蒙古高原间的交通要冲，春秋战国时就曾建有蓟和匽（同燕）两个方国。后燕灭蓟，迁都于蓟城，为北京地区最早的城市所在。秦于蓟设广阳郡。以后一直是郡、州治所，为中国北方军事重镇和政治、经济中心。辽建陪都，称燕京。金时正式建都，称中都。元为全国性政治中心，称大都，建成周长为28 600米、面积达50平方千米的大都城，规模宏大，宫殿壮丽，户口繁庶，商业发达。全城约有50万居民，是当时世界少有的大城市。明永乐元年（1403），成祖将他做燕王时的封地北平府改名顺天府，并在大都城基础上，改建、扩建成包括内、外两城和皇城、紫禁城的明代北京城。外城仅建成包环南侧的部分城垣，使明清北京城平面呈“凸”字形，城池雄伟壮观，固若金汤，总面积62平方千米。其工程之浩大，耗资之惊人，创中国历史之冠。永乐十九年迁都于此，正式改北平为北京。清代沿用明城规制，先后在京城内外增建了许多园林、宫殿、庙宇，构成了极其壮观的古典建筑群。1911年辛亥革命后仍以北京为国都。1928年国民党政府迁都南京，一度改称北平。在漫长的历史时期

北京天安门广场
中国大百科全书出版社供图

里，中心区的高度繁荣和“京畿”广大郊、县的破败凋敝，形成了鲜明的对照。中心区经济上严重的寄生性质，使其政治职能建立在极其脆弱的基础上。这一切，直到 1949 年 10 月 1 日中华人民共和国成立，北京再次成为中国的首都以后，才得到根本改变，并取得了重大的成功和辉煌的成就。

经济和文教卫生 1949 年以来，先后对号称“小黄河”的永定河和灾害深重的潮白河进行了治理，修建了官厅、密云、怀柔、十三陵等水库 80 余座，建成农用机井 4 万多眼和万亩以上灌区 44 处，使京郊有效灌溉面积达到耕地面积的 80%。在工业和科学的有力支援下，农业已基本实现水利化和机械化。农作物主要有小麦、水稻、玉米、蔬菜等。名特产品有北京板栗、京白梨、密云金丝小枣、丰台花乡芍药、北京鸭、北京稻等 100 多种。原来只供宫廷食用的“贡米”京西稻，播种面积和产量均有大幅度提高。传统风味食品北京果脯、宫廷烤肉、北京烤鸭、宫廷糕点等驰名中外。现在北京已形成近郊以蔬菜、禽蛋、肉类、乳品；远郊平原以粮、油、猪；远郊山区以农、林、果、牧等功能不同的农业生产用地圈带。工业门类比较齐全，总计 149 个，是中国仅次于上海的第二大工业城市。钢铁、石油化工、电子仪表、机械、汽车、轻纺等工业在中国占重要地位。建有中国著名的大型工业企业首都钢铁集团、燕山石化有限公司等。主要工业产品合成橡胶、塑料、乙烯、家用电器、铁矿石、焦炭、发电和起重设备、电子计算机、彩色电视机、呢绒、汽车等产量居全国前列。工业 80% 集中分布于以城区为圆心的市区和近郊区，主要有以机械、纺织、轻工为主的东郊工业区；以冶金、电力、建材为主的石景山工业区；以毛纺、建材为主的清河工业区；以化工为主的东南郊工业区；以电子工业为主的酒仙桥工业区；以木材加工为主的南郊工业区；以铁路工业为主的丰台工业区；以煤炭开采为主的门头沟矿区。在远郊已形成燕山、通州、黄村、琉璃河等工业城镇。近年来北京新技术产业发展迅速，航天、微电子、生物工程、新型材料等高新技术产品已具一定规模。北京传统工艺品，如景泰蓝、地毯、玉雕、石刻等更是驰誉中外。在城市建设方面，北京新建各类房屋相当于旧北京全部建筑的 7 倍，人均建筑使用面积由 2 平方米提高到 19.5 平方米。大型公共建筑如人民大会堂、中国历史博物馆、农业展览馆、北京工人体育场、奥林匹克体育中心、中央电视台和电视塔、中国国家图书馆、北京国际展览中心、北京西客站等相继建成。北京国际饭店、长城饭店、和平宾馆、京广中心等 250 多座现代化宾馆、饭店拔地而起。城市基础设施建设也有很大发展，北京先后开通了内环、二环、三环、四环和五环路等环线和 9 条主要放射干路、14 条次要放射干路，形成了棋盘式、环形、放射状 3 种形式相结合的道路网布局，坐落在各环路和主干道上的 100 多座立交桥，如西直门桥、建国门桥、复兴门桥、三元桥、四元桥、玉蜓桥等把各类道路连为一个整体。其他城市基础设施，如能源、供水、通讯、邮政和综合服务商业网点等都有飞跃发展。城市绿化覆盖率达到 32.4%。北京是具有优秀文化传统的城市，目前已形成包括高等、基础、职业、成人等各类教育的中国最大教育基地。高等学府有北京大学、清华大学、北京师范大学、中国人民大学等 66 所。自然和社会科学等各类研究机构 500 多所。其他如新闻、出版、广播、电视、戏剧、体育、医疗等大型建筑设施星罗棋布。

北京古观象台
中国大百科全书出版社供图

交通运输 北京是中国陆空运输的总枢纽。京哈、京秦、京沪、京广、京包、京承、京通、京原、京九等铁路在此交会。北京与大陆上所有省、直辖市、自治区的首府和大城市都有直达火车。北京还是全国公路网的主要中心，环城公路和由此向外辐射的国道，其中特别是京石、京津塘、京昌、机场路、京通等高速公路，是中国工程质量最好、日通车量最大的路段。东郊首都机场是现代化国际航空港，有 30 多条国内航线和 33 条国际航线，通至全国近百个重要城市及东京、纽约、莫斯科、巴黎、伦敦等世界大城市。市内建有中国第 1 条、第 2 条地下铁道，城铁 13 号线和八通线也相继投入使用。

北京是中国历史文化名城和最大的旅游城市，悠久的历史给它留下了众多的名胜古迹。属国家级、市级、县级文物保护单位有 600 多个。著名游览点有天安门、故宫、天坛公园、北海公园、颐和园、明十三陵和八达岭长城等。其中故宫为明清两朝帝王的皇宫；颐和园为明清皇帝在西郊的夏宫；北海公园为中国最古老的皇家禁苑。位于延庆县境的八达岭长城，雄伟壮观，保存完好。人口：全市11 680 000(2005)；市区7 230 000万(2004)。

Beijing Agricultural University 北京农业大学 参见 China Agricultural University 中国农业大学。

Beijing duck 北京烤鸭 又作Peking duck。中国北京名菜。古代称炙鸭，唐（7 ～ 10 世纪）已有记载。元（13 ～ 14 世纪）称烧鸭子，已成为宫廷佳肴。清朝（17 ～ 20 世纪）的挂炉鸭常为御膳，成为汉人和满族人盛宴席中大菜。典型的烤鸭用专门喂养的北京鸭。北京鸭用填食法关在小笼内喂养，使鸭肉肥嫩。杀鸭煺毛时保持鸭头和颈的完整。在鸭腹下部开口取出内脏后缝合，再向鸭子的皮肉之间充气，使鸭皮鼓胀。炙烤时鸭皮下的油脂析出，保持鸭皮（此肴的最可口部分）香脆。将鸭子充气后涂以甜汁，晾挂数小时后悬在黏土制作的筒形烤炉中炙烤。烤法除挂炉烤外还有转炉烤（已失传）和缸炉烤、叉烧等。随烤制方法不同，风味略异。北京烤鸭通常分为三道菜进食：用薄煎饼或蒸饼包卷蘸有

北京烤鸭
中国大百科全书出版社供图

面酱的鸭皮和葱段,像三明治那样进食。第二道菜是鸭肉炒蔬菜。第三道是加青菜的鸭骨汤。烤鸭由于必须专用炉子炙烤,所以都由餐馆供应。

Beijing Jiulong Railway 参阅 **Jing Jiu Railway** 京九铁路。

Beijing Normal University **北京师范大学** 中国高等师范学校。校址在北京。前身是创建于1902年的北京大学堂师范馆。1931年与北平大学女子师范学院合并,成立国立北平师范大学。1949年9月改称北京师范大学。1952年中国人民大学、燕京大学的教育系科和辅仁大学先后并入该校。至2004年,有55个本科专业可授予学士学位,有127个硕士点、73个博士点,16个国家重点学科。有7个国家文科、理科基础科学研究和教学人才培养基地;7个教育部人文社会科学重点研究基地;1个国家级重点实验室,并与有关单位共建2个国家重点实验室,1个国家专业实验室,6个教育部重点实验室;有1个教育部工程中心,1个网上合作研究中心,1个教育部高等学校蛋白质组学研究院;有6个北京市重点学科,5个北京市重点实验室,2个北京市工程技术研究中心。学校有20个学院,6个系。在校学生20 000余人,其中全日制本科生8 300余人,研究生8 000余人,留学生1 500余人。有专职教师近1 300人,其中教授420人、副教授510人。中国科学院、中国工程院院士16人。学校占地71万平方米,建筑总面积56万平方米。图书馆藏书刊282万册。出版《北京师范大学学报》等十几种学术刊物。

北京师范大学教学区鸟瞰
中国大百科全书出版社供图

Beijing Planetarium **北京天文馆** 中国第一所传播天文知识的科普机构。1957年9月在北京建成。20世纪末,在原馆址扩建成现代化的新馆。馆内有天象厅、小天文台、展览厅、讲演厅和太阳能展览坪等。建于明代的古观象台现已改建为北京天文馆的古代天文仪器陈列馆,位于北京建国门西南角。其中陈列有8件清代制造的大型天文仪器。北京天文馆出版《天文爱好者》月刊、《天文普及年历》;经常举办天文讲座,组织业余爱好者和青少年开展天文观测活动。还与其他天文机构合作进行太阳黑子和恒星观测。

北京天文馆
中国大百科全书出版社供图

Beijing University 参阅 **Peking University** 北京大学。

Beijing Zoological Garden **北京动物园** 中国首都北京西直门外的一座具有世界水平的大型动物园。园内展览面积8万多平方米,展出动物达580余种,7 000余只。每天游客人次最多曾高达30万。这里最早是明代皇室的庄园,东部名乐善园,西部称为继园。清初为皇族私人家园。后慈禧太后为了自己观赏,在园内东侧开辟了1.5公顷的动物园,通称万牲园。清光绪三十二年(1906)在此筹办中央农事试验场,把广善、慧安两寺并入,于1908年正式开放。当时园内大部为农田、苗圃和果园,全年游客不过五六万人。后历经变乱沧桑,到1949年初,这座名园渐趋荒废。经过大力整修和扩建后,1950年3月重新开放。1955年改为今名。

Beijing-Hangzhou Canal(China) **京杭运河** 参阅 **Grand Canal** 大运河。

Beijingren 参阅 **Peking man** 北京人。

Beilby, Sir George Thomas **贝耳俾**(1850-11-17,苏格兰爱丁堡～1924-08-01,英格兰伦敦汉普斯特德) 英国工业化学家,发明了氨通过加热的木炭和碳酸钾混合物制造氰化钾的方法。这种方法有助于满足从低品位矿石提取黄金所用氰化物的日益增长的需求。从爱丁堡大学毕业后,1869年开始从事油页岩工业的工作,采用连续蒸馏罐大大地提高了石蜡和氨的产量。1890年,他把注意力转向氰化物的生产。贝耳俾对氨在高温下破坏金属的作用发生兴趣,曾从事过固体的流变的研究。他推断固体在抛光等情况下发生流变,这时晶体表面遭到破坏,变为更坚硬、更致密的面层。这一理论虽受到许多批评,但它解释了金属在冷加工时变硬的原因,而且对进一步的研究有宝贵的启发。贝耳俾1917～1923年任燃料研究委员会主任。还曾先后任化学学会会长(1909～1912)和金属学会会长(1916～1918),于1906年成为伦敦皇家学会会员,并于1916年被封为爵士。

Beilstein, Friedrich Konrad **贝尔斯坦**(1838-02-17,俄罗斯圣彼得堡～1906-10-18,圣彼得堡) 化学家。1866年为圣彼得堡皇家工学院教授。1880～1883年编了两卷本《有机化学手册》,成为有机化学工作者的必备工具书。第一版对1.5万种有机化合物的物理和化学性质有详细介绍,于1886～1889年间再版为3卷。鉴于有机化学迅速发展,1900年他将该工作转交给德国化学学会。1937年第4版即为现在熟知的《贝尔斯坦手册》(27卷),并定期以补编形式补充最新资料。

Beinum, Eduard (Alexander) van **贝纳姆**(1901-09-03,荷兰阿纳姆～1959-04-13,阿姆斯特丹) 荷兰指挥家、钢琴家和中提琴家。曾在欧洲和美国指挥管弦乐队。先在阿纳姆爱乐乐队弦乐组拉琴,一年后17岁时入阿姆斯特丹音乐学院。1931年起任阿姆斯特丹音乐厅乐团副指挥,1938年与B.瓦尔特同为第一指挥。1944年荷兰解放后恢复音乐活动,他接任该团首席指挥直至去世。同一时期开始广泛地巡回演出。1949～1951年指挥伦敦爱乐乐团,1954年赴美国指挥费城管弦乐团。以后率音乐厅管弦乐团在美国巡回演出。1956年被任命为洛杉矶爱乐乐团音乐总监。他指挥手法精炼，不用指挥棒，手势也不多。表演富有灵性，不标新立异，对乐谱仔细领会，这是他成名的基础。

Beipiao 北票 中国辽宁省辖县级市，省境西部的矿业城镇。位于大凌河以西，努鲁儿虎山以东。1946 年设县，1985 年改为北票市。辖 6 个街道、7 个镇、18 个乡、2 个民族乡。面积 4 583 平方千米。矿区竖坑深近 1 000米，是中国大陆最深的矿场之一。阜新盆地西南的延伸部出产焦煤。工业有采矿、机械、建材、化肥、纺织、食品等。农产以高粱、玉米、谷子为主，并产棉花和油料作物。古迹有清代惠宁寺。人口 620 000(2006)。

beiqu 北曲 中国最早的戏曲声腔之一。13 世纪由诸宫调与金院本综合形成的元杂剧采用北方流行曲调演唱，称北曲。北曲与南曲的五声音阶不同，用七声音阶，即宫、商、角、变徵、徵、变宫、羽，相当于 do、re、mi、fa、sol、la、si。用弦乐器伴奏，旋律多跳进，曲调急促。魏良辅《曲律》说：“北曲以遒劲为主，南曲以宛转为主”，形成各自的特色。

Beira 贝拉 莫桑比克中部港口城市，濒莫桑比克海峡。原为穆斯林居民点，1891 年建立莫桑比克公司总部。1942 年归葡萄牙政府管理。1975年由独立的莫桑比克管理。它是

贝拉市的火车站
美国不列颠百科全书公司供图

通南非、津巴布韦、赞比亚、刚果(金)和马拉维各条铁路在印度洋岸上的终点站，也是津巴布韦和马拉维的主要通海港口。出口矿石、烟草、食品、棉花、皮革和毛皮。进口液体燃料、化肥、小麦、重型设备、纺织品和饮料。20 世纪 80 年代初修建渔港，设罐头厂、加工厂和冷藏库。乌姆塔利—贝拉铁路在津巴布韦 1980 年独立以前遭到罗得西亚游击队的轰炸，80 年代初又受到莫桑比克全国抵抗运动的轰炸，因此铁路经常中断。人口约298 847(1991)。

Beira 贝拉 葡萄牙中北部前公国和早期省份。范围从杜罗河扩及塔古斯河上游。8 世纪从摩尔人手中收复，但摩尔人仍不断侵扰该地直至 15 世纪。1835 年划分成若干区。1936 年在此地区(23 913 平方千米)建立 3 个省，1959 年这些省被一些新区所取代。其中 8 个区构成部分贝拉。当地作家 A.里贝罗曾描写过贝拉的乡间生活。

Beirut 贝鲁特 阿拉伯语拉丁字母转写作 Bayrūt，法语作 Beyrouth。黎巴嫩首都、最大城市和主要港口。位于地中海岸、黎巴嫩山麓。是一个驳杂的世界性与狭隘的地方性相互综合的城市。1975 年以前，贝鲁特被广泛认为是中东最彻底西方化的城市；然而，后来 15 年的内战破坏了城市的绝大部分，以前隐藏着的其性格中阿拉伯性——不同于地中海东部地区——一面的光彩大部消失。尽管内战激发了教派和意识形态激情，贝鲁特在情况已变化后基本上仍保持着开明和宽容的生活方式。20 世纪 90 年代，贝鲁特开始了广泛的重建工作，试图恢复它的经济基础和文化建筑。辖区面积 18 平方千米，都会区面积 67 平方千米。人口：市 1 500 000(1998)；大都会区 2 115 000(2001)。

自然地理和人文地理

景观 城市位置 在阿什拉菲亚(东贝鲁特)和穆赛提拜(西贝鲁特)两座小山顶上，略似三角形半岛伸入海内。紧靠海岸的内地，由北面的凯勒卜河(狗河)口到南面的达穆尔河口，为狭长的平原(萨赫勒)。

气候 为亚热带气候，冬季凉爽温和，夏季炎热潮湿。在最冷的 1 月份，下午最高平均气温为 17 °C，夜间最低气温为11°C。7 月份相应最高和最低气温为 31 °C和 23 °C。雨季从中秋到早春，年平均降雨量为 914 毫米。

城市布局 在奥斯曼帝国设省管理和法国委托统治时期，贝鲁特曾制定发展规划，但 1943 年独立后，发展迅速而漫无计划。据估计，城市人口从 20 世纪 30 年代初至 70 年代初增加 10 倍，城市面积增为 1900 年之 3 倍。及至 50 年代，旧城遗迹已所剩无几，剩下的遗迹也大都毁于 1975 ～ 1990 年黎巴嫩内战。

城内和郊区的街道规划及街区布置不一致、不协调。在大部分地方，现代高层建筑、无电梯公寓、贫民住房、现代别墅和传统的红瓦两层楼房——修缮状况各不相同并列在一起。1975 年以后，特别在西贝鲁特，无数住房和公寓被难民和从农业地区、尤其是黎巴嫩南部什叶派地区来的人强占。

贝鲁特中部(旧城)繁华区在内战期间被毁，成为东、西贝鲁特之间一长条废墟，为擅自占房者所用。由于对立的派别断断续续交战，贝鲁特中部在战争期间不能重建，所有的商店迁出该区，在城市的基督徒地区与穆斯林地区另建新址。1990 年战争结束后，官方与公众对于旧城的重建规划有严重的意见分歧。永久产权大都掌握在逊尼派穆斯林和基督徒土地所有者手里，而当时的实际情况是住在该区的大部分擅自占房者为什叶派穆斯林，两者发生矛盾。重建工作因此进展缓慢。

人民 据政府称，贝鲁特常住人口中穆斯林和基督徒约各占一半。但由于缺少可靠的统计，这一官方推测一直未能核实。什叶派在内战期间大量涌入贝鲁特西区和中部，大概已使人口的天平倒向穆斯林一边。两个宗教群体——基督徒与穆斯林——中绝大多数属阿拉伯民族，包括巴勒斯坦难民、叙利亚居民等。信奉基督教的亚美尼亚人是最重要的少数民族；穆斯林中还有库尔德少数民族。东贝鲁特几乎全都是基督徒，西贝鲁特主要是穆斯林，若干混合居民点(特别在拉斯贝鲁特区)为国际性的。一度集中在繁华的瓦迪·阿布·贾密尔居民点的犹太人小社团，因战争期间向外迁移而更小了。留下的人大多已移居东贝鲁特及毗邻的基督徒郊区。较大的基督徒社团为马龙派和希腊东正教；除亚美尼亚人外，人数较少的基督徒包括希腊天主教徒、新教徒、天主教徒等。逊尼派原为占主导地位的穆斯林社团，但 20 世纪 60 年代以后越来越多的什叶派穆斯林开始迁入城内。

经济与政治状况 1952 年至 1975 年间，贝鲁特是阿拉伯中东的经济、社会、知识与文化生活的中心。处在独裁或军国主义政权统治的地区内，黎巴嫩首都一般被视为自由主义的庇护所，尽管不牢靠。贝鲁特有海港和机场，加以黎巴嫩实行的自由经济和外汇体制、以雄厚黄金为后盾的货币、银行保密法和高利率，于是成了阿拉伯富豪们公认的金融中心。阿拉伯财富大多投资在建筑业、商业和工业(以纺织品和鞋类制造、食品加工和印刷为主)。外国银行和商社发现贝鲁特是在阿拉伯中东经营的理想基地。贝鲁特港的“免税区”是该地区首要的中转港。有一个熟练的专业阶层为泛阿拉伯主顾提供各种高级服务。贝鲁特并且是一个旅游中心。大量的日报、周报、杂志和期刊，通常不受检查，使阿拉伯世界了解该地区和世界形势的发展，发

贝鲁特城鸟瞰
中国大百科全书出版社供图

表各家报刊的评论。贝鲁特的学校和大专院校——贝鲁特美国大学、圣约瑟夫大学、黎巴嫩大学和贝鲁特阿拉伯大学——当时吸引着许多阿拉伯国家的学生。但是，人们那时已注意到，其基础是不连贯和无组织的，而且潜伏着社会动荡、政治动乱和教派纷争。

1967年阿-以战争后，贝鲁特成为各巴勒斯坦抵抗组织的重要中心；在约旦的巴勒斯坦解放组织（PLO）于1970年遭破坏后，贝鲁特又成为该运动的总部所在地。阿拉伯民族主义政党和左派政党建立起自己的武装民兵，往往与巴勒斯坦抵抗运动有联系。1982年巴解在西贝鲁特陷入以色列军队设的圈套后，被多国部队从黎巴嫩撵走。以色列撤走后，教派暴力仍在继续，破坏了贝鲁特原有的秩序。

贝鲁特能否重新恢复其作为阿拉伯中东中心的地位，尚不肯定。1975年以后它肯定已不再是这样的中心。内战开始后战斗不止，以色列轰炸西贝鲁特，以色列撤走后长期遭炮轰，这一切渐渐毁掉了城市的基础设施。自70年代至1990年，为分隔开东贝鲁特的基督徒和西贝鲁特的穆斯林而设立的绿线，成为将城市一分为二的危险的路障。停火的希望渺茫，商店和居民离开了城市，连水、电等基本服务也时断时续。

但是，即使在那些苦难的岁月，贝鲁特的经济活动从未完全停止。许多工业生产由工厂转到家庭，继续供应仍大量需求黎巴嫩货品的国内和阿拉伯市场。在许多阿拉伯国家照例仍实行新闻检查的情况下，黎巴嫩的出版业适应阿拉伯世界的需要，在战争年代实际上发展为国家的主要产业之一。

历史

早期 贝鲁特的古代，由其名称所示，来源于迦南名 Be'erōt（井），指当地居民至今抽取供一般使用的地下水。这个城市虽在公元前第二千纪的埃及记载中提到，但直到公元前14年取得罗马殖民地朱莉亚·奥古斯塔·菲利克斯·贝里杜斯殖民地地位后才出名。原来位于阿什拉菲亚山与穆赛提拜山之间的峡谷里。在罗马人统治下，其郊区也是时髦的居住区。从3世纪至6世纪，贝鲁特以其法律学派著称。罗马时代的城市毁于连续几次地震，其中551年的地震和海啸最为严重。穆斯林征服者在635年占领贝鲁特时，该城大部分仍为废墟。

阿拉伯和基督徒统治 贝鲁特由穆斯林重建，重新出现一座有围墙的小要塞城市，作为大马士革省的一部分，属巴勒贝克管辖。直至9世纪或10世纪，贝鲁特在商业上还无足轻重，主要因当地两位法学家奥扎伊（774卒）和马胡尔（933卒）的成功经历而著名。10世纪时，地中海的海上贸易再度繁荣，特别是叙利亚在977年受埃及法蒂玛王朝的哈里发统治后，才使该城恢复了重要性。1110年，贝鲁特被第一次十字军征服，与沿海郊区组成耶路撒冷拉丁王国的领地。

贝鲁特作为十字军的前哨基地，与热那亚等意大利城市贸易兴旺；但是受到山区腹地德鲁兹部落人的经常侵袭，因而在战略上处境危险。萨拉丁在1187年从十字军手里收复贝鲁特，但10年后他的继承人使该城再次被十字军攻陷。马木路克军人终于在1291年将十字军赶走。在马木路克统治下，贝鲁特成为威尼斯香料商人在叙利亚的主要停靠港。

奥斯曼统治 贝鲁特及叙利亚其他地区于1516年落入奥斯曼统治之下。这不久以前，葡萄牙人绕非洲大陆而行（1498），使东方的香料贸易不经过叙利亚和埃及；贝鲁特在商业上的重要性于是下降。但是，及至17世纪，重新成为黎巴嫩丝出口运往欧洲主要是意大利和法国的地方。贝鲁特当时严格地说是奥斯曼帝国大马士革省的一部分，1660年后是西顿的一部分。但是，1598～1633年，1749～1774年，它落入德鲁兹人和马龙派山区腹地马安和希哈布的埃米尔的控制之下。从17世纪中叶到18世纪末叶，来自山区的马龙派显要人物在贝鲁特任法国领事，在当地相当有势力。1768～1774年俄土战争期间，贝鲁特受到俄国人猛烈轰击。其后，被奥斯曼人从希哈布埃米尔手里夺走，不久缩小为一个约6 000人的村子。

现代贝鲁特的发展是欧洲工业革命的结果。西方世界工厂生产的物品开始侵入奥斯曼叙利亚的市场，贝鲁特几乎从零开始，只会从现代工业世界得到好处。埃及人在穆罕默德·阿里帕夏领导下占领叙利亚（1832～1840），为贝鲁特进入商业发展新时期提供了所需要的刺激。埃及人占领结束后，曾一度受到挫折，但到1848年城市已发展到城墙外，人口已增至约1.5万。山区的内战发展为1860年德鲁兹人屠杀基督徒，大批基督徒难民的到来使贝鲁特人口更加膨胀。同时，由大国保证，山区在自治政体下实行和解（1861～1914），稳定了该城与内地的关系。1888年贝鲁特成为一个单独的省的首府，该省由整个叙利亚沿海地区构成，包括巴勒斯坦在内。及至世纪之交，贝鲁特是个约有12万人口的城市。

同时，英国、美国和德国的基督教新教传教士，与主要来自法国的罗马天主教传教士在贝鲁特活跃起来，特别在教育方面。1866年美国的新教传教士成立了叙利亚基督教新教学院，即后来的贝鲁特美国大学。1881年法国的耶稣会传教士成立了圣约瑟夫大学。早些时候由基督教新教和天主教传教士引进的印刷机促进了贝鲁特出版业的发展，主要用阿拉伯语，也用法语和英语出版。及至1900年贝鲁特已成为阿拉伯新闻业的先驱。有一批知识分子致力于恢复阿拉伯文化遗产，终于成为新的阿拉伯民族主义的第一批发言人。

现代贝鲁特 第一次世界大战结束后贝鲁特被协约国占领，1920年被法国委托统治当局定为大黎巴嫩国首都，大黎巴嫩国于1926年成为黎巴嫩共和国。贝鲁特的穆斯林反对该城被包括在基督徒占统治地位的黎巴嫩内，宣布忠于比多数基督徒愿意支持的范围更广的泛阿拉伯主义。由此引起的冲突连绵不断。贝鲁特在法国委任统治下（1920～1943）经济加速发展，后来造成城市人口迅速增长，社会关系更加紧张。这种紧张关系由于1948年后数以千计的巴勒斯坦难民涌入而加剧。贝鲁特及黎巴嫩其他地方的政治社会紧张关系，加上基督徒与穆斯林的紧张关系，于1958年爆发为公开的战争，1975～1990年更形激烈。多年的暴力行动使贝鲁特成为一个分裂的城市。长期由来自各国的人构成的巨大外国人社会曾丰富了贝鲁特的社会文化生活，使之享有鲜明世界性的美誉，至此荡然无存。

西贝鲁特主要毁于1982年以色列军队与巴勒斯坦解放组织成员的激烈战斗，当时以色列对在该城活动的巴解基地发动了全面进攻。以色列军队包围了大部分巴解游击队基地所在的西贝鲁特。经过一系列谈判，巴解军队及领导人从黎巴嫩撤往其他阿拉伯国家。

以色列军队撤走后，造成分裂的派别忠诚有增无已。无论叙利亚保持军事存在，或组成联合政府，都不能平息暴力。炮轰持续不断，许多人逃离。

1984年初，基督徒领导的黎巴嫩军队企图用武力巩固对西贝鲁特的控制，遭到失败后，城内两方彻底分裂。在东贝鲁特，军队协同"黎巴嫩力量"所属统一的基督教民兵，维持秩序直至1990年。但在西贝鲁特，各派穆斯林民兵在街上不断发生冲突以解决教派或党派的宿怨，局势几乎陷于一片混乱。在这种情况下，安全不复存在。许多黎巴嫩人和常住的外国人被各政治集团扣作人质，经年累月遭到囚禁。有些人质甚至被决心要推行某一政治主张的集团所杀害。1986年西贝鲁特的领导人呼吁叙利亚人再次强行进城，以控制局势。3年以后，东贝鲁特的黎巴嫩军队猛烈炮轰西贝鲁特达数月之久，显然要将首都的穆斯林部分从叙利亚占领下解放出来。在内战最后阶段，黎巴嫩军队与黎巴嫩力量冲突时，东贝鲁特很大部分及基督徒居住的郊区被毁或遭严重破坏。导致这些前盟友疏远乃至最后对峙的问题，涉及1989年达成的恢复黎巴嫩和平的《塔伊夫协议》是否能为基督徒方面接受。与黎巴嫩力量及其他信仰基督教的黎巴嫩领袖不同，黎巴嫩军队司令奥恩将军认为该协议在原则上根本不能接受。他指挥的部队与黎巴嫩力量的冲突最终被叙利亚的军事干涉制止。奥恩将军后来被迫赴法国。

Beirut, American University of 贝鲁特美国大学 设在黎巴嫩贝鲁特的美国大学。是一所非教派的、男女同校的、国际性的、多种文化的私立大学。原为叙利亚基督教新教学院，1863年由美国纽约州发给许可证，1866年开课。学校虽曾由美国在黎巴嫩的新教教会创办，但它是自治机构，与任何宗教团体无正式关系。1920年采用现名。其教育宗旨与美国大学类似，但其教学计划则根据中东的需要制定。学生约80%来自中东与北非的阿拉伯国家。1867年建医学院，1871年建药学院，1905年建护士学校和医院。这些院校在黎巴嫩发挥了重大作用。1975～1990年内战的最初几年，该医院是贝鲁特主要的医疗中心。在战争时期学院虽然在开课，但各院系大部分非阿拉伯教学人员都在80年代末离开黎巴嫩。

beisa 东非大羚羊 大羚羊(*Oryx gazella*)的一个亚种。参阅 **oryx**。

Beisān(Israel) 参阅**Bet She'an贝特谢安**。

Beissel, Conrad 拜塞尔(1690-04,巴拉丁领地埃伯巴赫[今在德国]～1768-07-06,美国宾夕法尼亚埃夫拉塔) 全名 Johann Conrad Beissel。美国基督教人士、赞美诗作家埃弗拉塔会(1732)的创立者。他原是德意志面包商的遗腹子,27 岁经历了一次宗教思想的转变。1720 年移居美洲,1724 年参加宾夕法尼亚的登卡尔派,后因主张应在每周第七日而不是第一日礼拜而退出该派。由他所组成并领导的埃弗拉塔会根据他的主张以禁绝嫁娶为对虔诚信徒的基本要求。(埃弗拉塔会在拜塞尔死后衰落,到 19 世纪末消声匿迹)。拜塞尔出版了几本赞美诗集,包括《斑鸠》(1747),对美国赞美诗学产生了影响。

Beit Alpha(Israel) 参阅 **Bet Alfa 贝特阿勒法**。

Beit Bridge 拜特布里奇 津巴布韦南部城镇。位于林波波河上的桥梁(因英属南非的财政家 A. 拜特而命名)附近。建于 1929 年。有铁路通往鲁滕加和比勒陀利亚。亦是牲畜、马铃薯、甜瓜和番茄的贸易中心。人口 11 596(1992)。

Beja 贝贾人 阿拉伯语拉丁字母转写作 Bujah。游牧民族,分为若干部落。住在介于红海和尼罗河及阿特巴拉河之间的山区,其范围自阿斯旺到厄立特里亚高原,即由埃及

埃及红海附近的游牧部落帐篷

Shostal 供图

东南部经苏丹至厄立特里亚的地区内。贝贾人是公元前 4000 年或更早的当地诸民族后裔,20 世纪晚期有人口 190 万。部分人口使用称为托贝达语的闪语,部分使用提格雷语,其余使用阿拉伯语。6 世纪时信奉基督教,但 13 世纪后又改信穆斯林。喜分散居住,不喜经商,不喜新兴事物,基本上是牧民,随牛羊群游牧,几乎完全依赖乳、奶油及肉为生。实行父系制,其亲属结构类似阿拉伯人,权力集于族长。根据穆斯林律法,富者可一夫多妻,提倡堂兄妹通婚,用牲畜作彩礼。男女均行割礼。没有年龄群之类的社会组织形式。

Beja 贝雅 葡萄牙南部的区,为全国最大的区。出产橄榄、橄榄油、小麦、黑麦、软木塞、乳制品和皮革制品。按照韦迪堡项目,在贝雅城附近已开始开采铜、银、铅和锌。葡萄牙政府于 1974 年推行土地改革计划,该区多数私有土地被迫转成合作社,由以前无地的农业工人耕种。新政府又改变决定,从 1978 年起把这些土地的一部分又归还原主人。面积 10 223平方千米。人口约 166 500(1993)。

Beja 贝雅 葡萄牙南部城市,贝雅区首府,在里斯本东南。据传为尤利西斯所建。罗马人称之为帕克斯朱利厄。1162 年被阿丰索一世攻占。修女玛丽亚·阿尔科福拉多(1640 ～ 1723)从当地隐修院写给一名法国军官的情书《葡萄牙修女书简》为法国文学史上名篇。城市周围的平原产谷物、水果,并饲养牛、猪。旅游业在当地经济中发挥着日益重要的作用。20 世纪 90 年代,当地政府将贝雅 13 世纪的圣芳济会隐修院改造成高档宾馆。人口:市 23 353(2001)。

Bejaïa 贝贾亚 阿尔及利亚东北部城镇和地中海港口。在苏马姆河河口。年平均降雨量 1 000 毫米,周围是富庶平原。旧城建在山坡上,坡下为法国人建造的工商业区。1067 年成为哈马迪德的都城。中世纪为海盗据点。1510 ～ 1555 年被西班牙占领;后为土耳其人获得。1833 年被法国人占领。1905 ～ 1909 年港口进行了改建。贝贾亚是卡比利亚地区兴旺的贸易城镇,输出铁矿、磷酸盐、橄榄油、葡萄酒和软木。1959 年后,与哈西迈斯欧德之间的输油管线修通,该地成为撒哈拉石油外运的主要港口。人口 114 534(1987)。

Béjart FAMILY **贝雅尔家族** 17世纪法国戏剧世家。同剧作家莫里哀有密切关系。其成员有:约瑟夫、马德莱娜、热纳维埃夫、阿尔芒和路易诸兄弟姐妹。

约瑟夫(约 1617 ～ 1659)是一位跑码头的演员,后来成为莫里哀第一个剧团"盛名剧团"的成员。曾陪同莫里哀进行戏剧漫游演出,并随他回巴黎定居,不久后去世。曾分别在这位剧作家的《冒失鬼》(1655)和《爱情的埋怨》(1656)中塑造赖利和埃拉斯特两个角色。他的弟弟路易(1630 ～ 1678)也是莫里哀"盛名剧团"成员,曾在莫里哀戏剧中创造过许多角色,包括《爱情的埋怨》中的瓦莱尔、《愤世嫉俗》(1666)中的杜布瓦、《逼婚记》(1664)中的阿尔康托尔和《唐璜或石宴》(1665)中的唐路易等。在一次殴斗中成为残废,1670 年退休,靠养老金度日。

贝雅尔家族中比较著名的成员是两位姐妹。姐姐马德莱娜(1618 ～ 1672)是该旅行剧团的首脑,她妹妹热纳维埃夫(约 1622 ～ 1675)和她的兄弟们均属于这个旅行剧团,热纳维埃夫曾以其母埃尔韦的名字演出。在他们加入莫里哀 1643 年组建的"盛名剧团"之前,马德莱娜一直与莫里哀在一起,直到 1672 年 2 月 17 日去世。她是位杰出的女演员,尤其擅长演风骚女仆角色,莫里哀曾专门为她写过若干这类角色。她创造的角色有《可笑的女才子》(1659)中的玛罗特、《丈夫学堂》(1661)中的利塞特和《达尔杜弗》(1664 ～ 1669)中的多丽娜。

马德莱娜的妹妹(也可能是她的女儿)阿尔芒(1642 ～ 1700)最初似乎于 1653 年在里昂加入莫里哀的剧团。1662 年莫里哀与她结婚,当时她 19 岁,莫里哀 40 岁,两人都不幸福,妻子喜欢卖弄风情,丈夫爱吃醋。1665 年他们女儿出生后即分居,直到 1671 年他们在剧院会面时才得以和解。《贵人迷》(1670)第 3 幕第 9 场中对她形象有所描述。阿尔芒于 1663 年首次在舞台上露面,在《太太学堂》中扮演埃利兹一角。1664 年曾短期离开剧组,为莫里哀生下一个儿子,但同年春天她即开始塑造一系列重要的莫里哀戏剧角色。她在《愤世嫉俗》中扮演的塞利梅(实际上就是她自己的写照)是她最成功的角色,在《没病找病》(1674)中塑造的昂热利克也毫不逊色。在《达尔杜弗》首演时,她扮演剧中的埃尔米尔,又在《贵人迷》中扮演吕西尔。

莫里哀去世后,阿尔芒租借了巴黎的盖内戈剧院,并按照皇家训令将莫里哀剧团剩下的人员和经营失败的马雷剧院的演员合并,使用"国王剧团"的名称。起初不太顺利,但在 1679 年他们得到当时主要悲剧女演员之一玛丽·尚梅莱的参与,并与巴黎勃艮第宫剧院剧团合并改组为法兰西喜剧院。1677 年阿尔芒与演员德埃斯特里谢结婚。她于 1694 年退休,6 年后去世。

Béjart, Maurice 贝热(1927-01-01,法国马赛～2007-11-22,瑞士洛桑) 原名 Maurice-Jean de Berger。法国舞蹈家、舞蹈编导和歌剧导演。把古典芭蕾舞和现代舞蹈与爵士音乐、杂技及"具体音乐"(用磁带录音的创作)结为一体,因而知名。学艺于巴黎,曾随小罗兰巴黎芭蕾舞团(1947 ～1949)、国际芭蕾舞团(1949 ～ 1950)和瑞典皇家芭蕾舞团(1951 ～ 1952)巡回演出。1954 年创立明星芭蕾舞团(后为贝热芭蕾剧院),并为该团编导他的杰作《孤独者交响乐》。其他芭蕾舞作品还有《那就是普罗米修斯》和《三人奏鸣曲》。1960 年,在成功地排演了斯特拉文斯基的名作《春之祭》(1959)以后,担任布鲁塞尔蒙奈皇家剧院院长。同年任"20 世纪芭蕾舞团"艺术指导,该团成为世界一流的舞团。1987 年该团迁往瑞士洛桑市,并改名为"洛桑贝热芭蕾舞团"。1961 年以导演奥芬巴赫的《霍夫曼故事》开始他的歌剧导演生涯,1964 年又导演了柏辽兹的《浮士德罚入地狱》。其作品包括一部音乐剧《绿色女王》(1963)以及芭蕾作品《博列罗》(1960)、《第九交响曲》(1964)、《火鸟》(1970)、《上帝的小丑尼仁斯基》(1971)和《我们的浮士德》(1975)等。

bejel 非性病性梅毒 发生于贝都因部落及中东其他地方的一种地方性梅毒。临床表现与散发性(性病性)梅毒不同,但诊断试验、治疗药物、病原体(苍白密螺旋体)、组织基本病理变化均与之相同。先天性者罕见,亦很少通过性交传播,而是通过接触在处于不良卫生环境中的儿童之间播散。发病时口和皮肤先出现多数皮疹,皮疹具高度接触传染性,传染性持续一年以上,最后皮疹消退,病情潜伏,但血液试验仍为阳性。此后,早期症状可能再发或病程转入后期,特征为皮肤、骨骼及面部中央出现软的树胶样溃疡,斑状皮肤色素消退等等。神经系统不常累及。

Bekaa（Lebanon） 参阅**Biqāʿ,al-**贝卡。

Bekabad 别卡巴德 乌兹别克斯坦东部塔什干州城市。位于州的最南端，跨锡尔河两岸。最初随一水泥厂而建立。直至第二次世界大战时，均以水泥、棉花生产中心著称。战时，建立一座小型钢厂，利用从卡拉干达和新库兹涅茨克运来的废铁和生铁生产钢和钢材。最初的主要能源来自1948年建成之法尔哈德小型水电站（12.6万千瓦），后又在附近希林兴建了水电和热电站。人口约82 800（1991）。

Beke,Charles Tilstone 贝克（1800-10-10，斯特普尼［今在大伦敦］～1874-07-31，肯特布罗姆利［今在大伦敦］） 英国圣经学者，地理学家兼商人。在发现尼罗河源头的最后阶段发挥了重要作用。1820年进入商界，后改学法律。对古代史和圣经史的兴趣促使他写下《圣经起源，或远古史研究》（1834），这是依据地质原则来审视历史的一本书。1840年去埃塞俄比亚探险，与居民建立了商业关系，并帮助废除了奴隶贸易。他在商业方面不很成功，但却大致确定了青尼罗河的河道，为约18万平方千米地区绘制了地图，还收集了14种埃塞俄比亚方言的词汇。1845年发起从东非海岸探寻白尼罗河源头的探险。这项计划虽未完成，但鼓舞了后人对尼罗河的探险。1861～1862年到叙利亚、巴勒斯坦和埃及旅行。1865年回到埃塞俄比亚。他的经验对1868年的英国为解救其被囚的臣民而派出的使团很有参考价值。1873年出发寻找他认为在亚喀巴湾顶端的真正的西奈山。著作有《关于尼罗河及其支流的论文》（1847）和《尼罗河探源》（1860）。

Békés 贝凯什 匈牙利东南部一州，在匈牙利大平原平坦的农业地区，面积5 632平方千米。夏热、冬冷，降雨量不大，自然植被稀疏。北部克勒什河和拜赖焦河流域的广大地区是灌溉区。生产粮食作物以及罂粟籽和酸樱桃。饲养牛、猪和家禽。首府贝凯什乔包（**Békéscsaba**）是市场中心。在久洛可包装肉类、蔬菜和乳制品。欧罗什哈佐附近有几家公立试验农场。由于农民要求土地改革发生持续的骚乱，贝凯什州在匈牙利历史中被称为“暴风雨的角落”。人口约411 959（1990）。

Békéscsaba 贝凯什乔包 匈牙利东南部贝凯什州城镇和首府。公路和铁路枢纽。通过运河与克勒什河相连，是广阔而肥沃的农村地区的工农业中心。一座13世纪的天主教教堂（18世纪重建）证明该城镇曾被长期占领。18世纪的居留地发展成一个面积广阔的大村庄。两个明显特点是：在20世纪初，斯洛伐克人相当多（50%以上），有强烈的路德教派传统。1950年，在人民共和国领导下进行了大规模行政改革，城镇四周的农村地区与城镇分开。除其传统工业（磨粉、食品仓储、烟草生产和当地香肠制作）外，还增加了家禽包装、服装制作和机床及制砖等。为这一地区众多斯洛伐克人的悠久文化中心。人口约67 621（1990）。

Békésy,Georg von 贝凯西（1899-06-03，匈牙利布达佩斯～1972-06-13，美国夏威夷檀香山） 美籍匈牙利物理学家、生理学家。发现内耳耳蜗部分分析和传送声音的物理机制，因而获得1961年诺贝尔生理学或医学奖。他曾在几个国家的研究机构工作，对听觉进行了深入细致的研究；制作了两个耳蜗模型和一些高度敏感的仪器，从而能解释听觉过程、区分某些类型的聋、更精确地选择治疗方法。19世纪中叶以来，人们就已经知道耳蜗的基底膜是听觉最重要的振动组织，他发现声音以一连串波的形式沿基底膜传播，证明这些波在膜的不同部位达到最大振幅：低频率声波的最大振幅部位接近耳蜗的末梢而高频率声波的最大振幅部位接近入口或底部。他发现音调和响度主要决定于神经感受器的位置以及所涉及的感受器的数量。其著作包括《听觉实验》（1960）和《感觉的抑制》（1967）。1966年出任夏威夷大学感官科学教授。

Bekhterev,Vladimir 别赫捷列夫（1857-02-01，俄罗斯维亚特卡索拉利～1927-12-24，苏联俄罗斯莫斯科） 苏联神经生理学家、精神病学家。他对条件反射的研究，为后来在行为研究中建立操作性条件反射方法作了准备。1881年他获圣彼得堡内、外科学院医学博士学位，后被邀请到国外学习、研究。曾与J.夏尔科等合作。在莱比锡发现脑中的上前庭核（今称别赫捷列夫氏核）。1885年回到俄国任喀山大学精神病学教授，次年建立了俄国第一所实验心理学研究室，并开始了精神病学的临床研究。这项研究工作在他1893年被任命为圣彼得堡军事医学科学院精神病学教授之后一直在继续进行。1907年他在该院建立并主持了心理神经病学研究所，甚至到1913年在政府的压力下被迫辞去医学院的职务后，仍任研究所所长。十月革命后他受到苏维埃政府的重视，1918年任彼得格勒大学心理学及反射学系主任直至去世。他作为巴甫洛夫科学上的对手，独立地提出了条件反射理论，在实验室内研究了先天性及获得性反射。他反对精神分析学家在研究行为时所用的主观方法，主张人类的行为及精神病应当作客观现象来研究。他认为主观的心理现象决不能直接研究，因此以主观心理现象为基础的精神病学方法，不一定可靠。认为精神病学的基础，是可以观察的物质现象（如反射）。1896年创办《神经病学通报》，并发表了许多专著和论文，对后来美国客观心理学派的建立作出贡献。他也积累了相当数量的有关骨反射的资料，这些资料后来被用于神经病学的研究。重要著作有《脑和脊髓中的传导径路》（1882）及《客观心理学》（1907）等。

Bektashi 比克特西 指伊斯兰神秘主义一个教团的成员。该派自称由波斯呼罗珊的哈吉·比克特西·吾力开创。它是16世纪在土耳其的安纳托利亚最终形成的，并传播于奥斯曼帝国巴尔干半岛各国，特别是阿尔巴尼亚。比克特西教团原是伊斯兰教正统逊尼派内的众多苏非教团中的一支，在16世纪它接受了什叶派的教义，包括尊奉先知穆罕默德的第四个继承者阿里与安拉以及先知本人一起成为三位一体的一个成员。与许多苏非主义者一样，比克特西成员在遵奉伊斯兰教日常律法方面很不严格，妇女们和男人一样在虔诚的祈祷仪式中喝酒和跳舞。比克特西派人还认为，对上帝和邻人的爱必须扩展至其他教派和宗教。这种宽容尤其是在巴尔干半岛地区，甚至导致了接纳基督教的教规，如领圣餐和对罪过的忏悔。比克特西神秘主义的著作，大大丰富了苏非主义的诗歌。15世纪，当教团控制了禁卫军，即在基督教地区募集的奥斯曼帝国的一支精锐部队，比克特西在政治上获得了重要地位。1826年当禁卫军被解散后，其势力日趋衰退，但在19世纪后期，随着在土耳其和阿尔巴尼亚寺院的重建和文学活动的繁荣，该教团经历了一次复兴。1925年后，当土耳其的所有苏非教团被解散后，比克特西的领袖们转移到了阿尔巴尼亚。在阿尔巴尼亚1967年取缔宗教后，比克特西的祈祷由在土耳其、南斯拉夫的阿尔巴尼亚人地区和美国的社团举行。

Bel and the Dragon 《比勒与大龙》 希腊文外典，附于《旧约·但以理书》之后，天主教列为正典。此书叙犹太英雄但以理不拜比勒神并杀死大龙，被投入狮圈，七日未受伤害而获释；主张拜偶像而又想谋害他的敌人，反被投入狮圈，为狮所食。

bel canto 美声唱法 歌剧演唱风格。源于16世纪末意大利复调声乐曲以及意大利宫廷独唱曲的唱法，在17、18世纪和19世纪初在意大利歌剧中获得发展。它以对嗓音强度的严格控制为基础，其力度的幅度较小；对喉位较低的“基音”与喉位较高的“笛音”，加以区分。它要求嗓音灵活、发音清晰、吐字清楚。18、19世纪的美声唱法大师有阉人女高音法里内利、男高音M.加西亚及其女、戏剧女高音马利布兰和女高音林德等人。19、20世纪之交，美声唱法的技巧已经逐渐消失，这在一定程度上是因为管弦乐队越来越大，要求歌剧演唱更加嘹亮的原故。

bel fruit（species *Aegle marmelos*） **孟加拉苹果** 又拼bael fruit，又称Bengal quince。芸香科乔木木橘树的果实。木橘树分布于全印度，野生或栽培。植株生有硬刺。叶为三出

孟加拉苹果（*Aegle marmelos*）
美国不列颠百科全书公司供图

复叶,互生。花白色,芳香,圆锥花序。果椭圆形至梨形,直径 5 ～ 25 厘米,果皮灰色或黄色;果肉厚而甜,橘黄色。未成熟的果切片晒干,可治痢疾。成熟果甜、香、清凉。木橘树木材黄白色,坚硬但不耐用。

Bel-usur 参阅**Berosus贝罗索斯**。

Béla III 贝洛三世(?～1196) 匈牙利国王(1173 ～ 1196)。在其治下,匈牙利成为中南欧的主要强国。在拜占廷宫廷中长大。1173 年拜占廷皇帝曼努埃尔一世用武力将他扶上王位。他信奉天主教,谋求罗马的援助并同法国建立密切联系。第一个妻子死后,与法王腓力二世之妹结婚。他在位期间,匈牙利的许多外交官都是在巴黎培养出来的。他请西多会和普雷蒙特雷会僧侣到匈牙利传授先进的农业技术。他为了收复达尔马提亚,曾同威尼斯进行两次战争(1181 ～ 1188,1190 ～ 1191)。他帮助塞尔维亚人从希腊人手中赢得独立。他还帮助拜占廷皇帝伊萨克二世反对保加利亚。他是阿尔帕德家族中强有力的统治者之一。

Béla IV 贝洛四世(1206～1270-05-03) 匈牙利国王(1235 ～ 1270)。在其治下,蒙古人的入侵使 3/4 的国土惨遭蹂躏。安德鲁二世之子。1241 年在绍约河畔遭受拔都可汗率领的蒙古军队袭击之后,他逃往达尔马提亚,王国几乎完全沦陷。蒙古人因内乱退走之后,他开始重建自己的王国。1246 年打败奥地利的腓特烈。1261 年击退蒙古人对匈牙利的再次入侵。

Bélain, Pierre, SIEUR (sire) D'ESNAMBUC 贝兰(1585,法国阿卢维尔～1637) 法国商人。1635 年为美洲群岛公司在加勒比海的马提尼克岛建立第一个殖民地,这是法国在西印度群岛的第一个永久性殖民地。贝兰出生于诺曼底,1625 或 1627 年在圣基茨岛建立一个法国殖民地,但为时不久便为英国人占领。1635 年 9 月 1 日,他在马提尼克岛的现圣皮埃尔的位置登陆,9 月 17 日代表国王路易十三及美洲群岛公司正式占有马提尼克岛(同年,另外一些法国商人探险家占据了瓜德罗普岛)。贝兰去世那年,其侄 D. du 帕凯就任马提尼克都督。

Belalcázar, Sebastián de 贝拉尔卡萨尔(约 1495,西班牙贝纳尔卡萨尔～1551,新格拉纳达卡塔赫纳[今在哥伦比亚]) 又名塞瓦斯蒂安·莫亚诺。征服尼加拉瓜、厄瓜多尔和哥伦比亚西南部地区的西班牙军人。贝拉尔卡萨尔 1519 年到新大陆,曾在 P. A. 达维拉部队任军官。1524 年征服尼加拉瓜。1531 年随 F. 皮萨罗远征秘鲁。1533 年出征厄瓜多尔。1534 年 12 月击败印加酋长鲁米尼亚韦,占领基多城。1535 年建立定居点,后在此基础上发展起今瓜亚基尔。为寻求一传说中黄金城市"埃尔多拉多",他进入哥伦比亚,1537 年创建波帕扬城,成为当地总督。贝拉尔卡萨尔与其他西班牙殖民者的争执使其晚境坎坷。

Belarus 白俄罗斯 全称白俄罗斯共和国。前称 Belorussia 或 Byelorussia。东欧国家,原是苏联 3 个斯拉夫共和国中最小的一个。白俄罗斯西与波兰接壤,西北与拉脱维亚和立陶宛相连,北和东与俄罗斯交界,南邻乌克兰。首都明斯克。面积 207 600 平方千米。人口约10 332 000(1995)。

自然地理与人文地理 白俄罗斯大部为平坦低地,间有低丘和高地,最高点捷尔任斯卡娅山海拔仅 345 米。境内森林覆盖面占总面积的 1/3。在白俄罗斯与波兰交界处的别洛韦日森林中有珍贵的欧洲野牛。南部大部分是普里佩特沼泽地。

白俄罗斯南部和中部有向南流动的第聂伯河和两条支流,别列津纳河和普里佩特河。西德维纳河向北流经白俄罗斯北部。白俄罗斯为大陆性气候,但受大西洋海洋气候的调剂,冬季寒冷,夏季宜人,雨量适中。

白俄罗斯人占人口总数的 3/4 以上,讲一种与俄语及乌克兰语十分相近的东斯拉夫语。在少数民族中俄罗斯人最多,其次为波兰人和乌克兰人,但人数远远少于俄罗斯人。由于实行工业化,城市人口从第二次世界大战末只占人口总数的 1/5 增加至 90 年代的 2/3,从而使某些乡村地区人口减少。从第二次世界大战到 1991 年共和国独立的这段时间里,首都明斯克一直是苏联发展最快的一批城市之一。

白俄罗斯大部分土地宜于作物生长,尤其是饲料作物。主要作物有谷物(燕麦和黑麦)、亚麻、马铃薯和甜菜。牛和猪的饲养也十分重要。明斯克附近有乳品厂和商品蔬菜种植基地。在总体上,白俄罗斯矿产资源贫乏,但在明斯克南面的索利戈尔斯克有相当丰富的钾盐储量,生产的钾肥出口到欧洲各国。

该国一半以上的收入来自工业,主要是加工进口原材料和碳氢化合物燃料以生产化肥,精炼石油和石油化工产品。该国重工业比例较小,生产重型卡车、拖拉机和自卸车。其他行业生产车床和电视机、收音机、钟表、自行车和计算机等产品。国内电力生产依靠

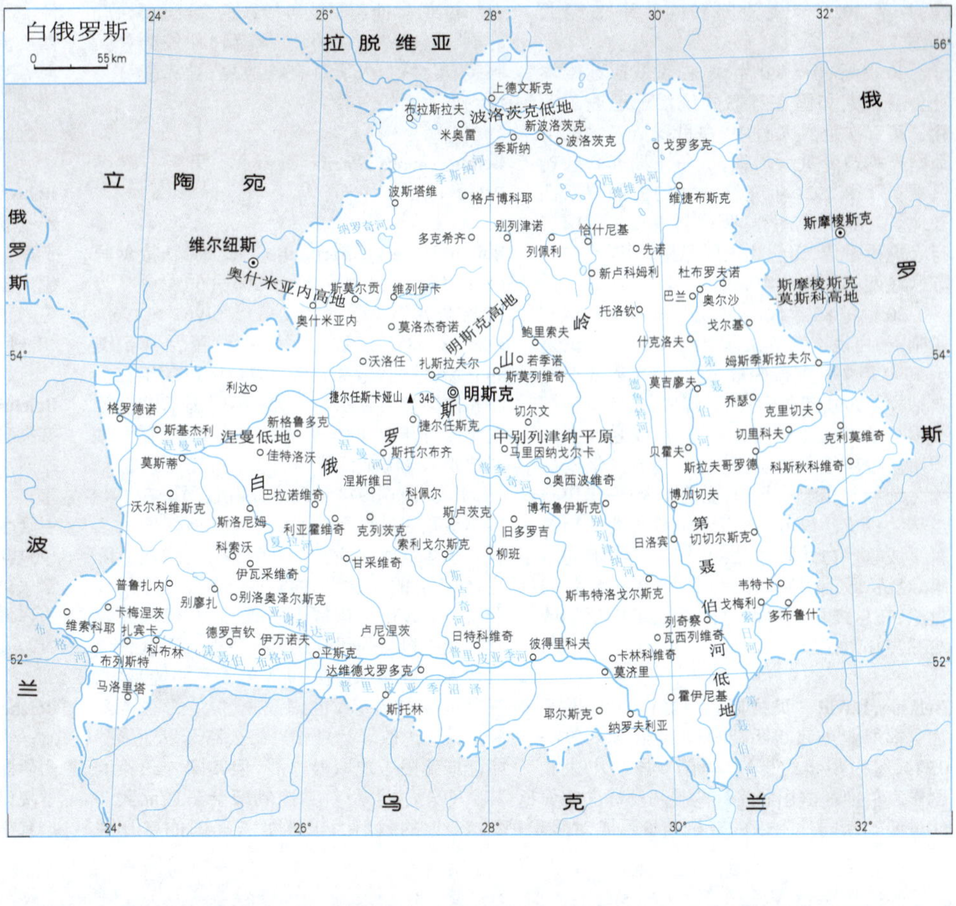

美国不列颠百科全书公司供图

从俄罗斯和乌克兰的管道输送的石油和天然气。

自从20世纪90年代初共产主义统治崩溃,苏联解体,白俄罗斯于1991年独立以来,其政治体制经历了一个转换时期。按照1994年通过的宪法,总统是国家元首和行政首脑,由直接选举产生,任期5年。一院制议会称最高会议,亦由直接选举产生,每届任期5年。

白俄罗斯的中、小学教育为免费义务教育,约有30所高等院校。第二次世界大战期间,白俄罗斯受到严重的战争破坏,3/4城市房屋被毁,几乎所有工业建筑荡然无存。战后因大量使用预制件修建房屋大大加快了重建的速度。

历史 白俄罗斯发现有早期史前居民的遗迹。在6～8世纪间,斯拉夫部族进入此地区,建立了一些小的公国。到9世纪中叶,这些公国处在基辅罗斯宗主国管辖之下。1240年蒙古人推翻了基辅罗斯国,白俄罗斯的土地大部转属立陶宛,但白俄罗斯人还保留有实质上的自治权。1386年亚盖沃王朝将波兰与立陶宛统一,在白俄罗斯形成了一个主要讲波兰语,信奉天主教的地主阶级。农民多数仍然信奉俄罗斯正教,在16世纪沦落为农奴。

18世纪末,俄罗斯通过3次瓜分波兰,得到了今白俄罗斯的全部土地。此地区经济直到19世纪初才开始发展,因当时发展缓慢,导致数量相当大的居民外迁。1918～1921年间,德国人、俄罗斯的布尔什维克政府和重建的波兰相互争夺白俄罗斯,结果白俄罗斯西部由布尔什维克政府交给波兰。与此同时,1919年布尔什维克政府在他们占领的地区宣布成立白俄罗斯苏维埃社会主义共和国,并于1922年成为苏联的一个加盟共和国。

20世纪30～40年代,白俄罗斯苏维埃社会主义共和国在苏联的统治下迅速工业化。第二次世界大战中,白俄罗斯人民的生命财产均遭受重大损失,战争末期苏联政府又重新获得1921年交给波兰的白俄罗斯西部地区。战后,白俄罗斯社会主义共和国进行大规模重建,工业化进展迅猛,明斯克成为苏联最西部的工业中心。

20世纪80年代后期,苏联的中央权威有所削弱,白俄罗斯苏维埃社会主义共和国遂于1990年7月宣布拥有主权,1991年8月宣布独立。1991年12月苏联解体,白俄罗斯苏维埃社会主义共和国完全独立,改名为白俄罗斯。1994年通过了新宪法,规定白俄罗斯为总统制共和国。此后,亚历山大·卢卡申科当选为总统。1996年,卢卡申科同俄罗斯签署了成立俄白共同体条约,加强了两国的军事、经济、政治关系。20世纪90年代直至21世纪,在总统和反对派之间发生了广泛的政治冲突和对抗。

Belasco, David **贝拉斯科**(1853-07-25,美国加利福尼亚圣弗朗西斯科[旧金山]～1931-05-14,纽约州纽约市) 美国戏剧演出人和剧作家。他在演出和设计的技巧及标准方面的重要革新同他上演的戏剧质量形成对照。

美国国会图书馆供图

作为儿童演员曾同基恩一起出现在《理查三世》中,以后当过演员、经理和剧作家。1880年迁至纽约,任麦迪逊广场剧院经理,后又任兰心剧院经理。1890年他租赁一家剧院,成为独立演出人。由于剧院辛迪加的压力,1906年建立自己的剧院。他是美国第一个单凭自己名字就足以吸引戏剧赞助人、而不论明星演员和剧本的戏剧演出人。他选用不知名的演员,把他们提到明星地位。他还偏爱那些依靠与他合作而取得成功的剧作家。他以细节和非凡的现实主义手法、豪华的舞台布景、惊人的机械效果和对灯光的实验而赢得声誉。在演出中取消舞台脚光的运用并开始第一次使用透镜聚光灯。他的工作给剧院带来了美国舞台演出的新标准。不过,许多评论家抱怨他的戏剧风格,批评他缺乏艺术判断力,还对他未能鼓励当时欧美正在涌现的比较好的剧作家表示不满。他自称同374个剧本的演出有关,其中大部分是他自己写作或改编的,比较著名的有:《马里兰的心脏》(1895)、《蝴蝶夫人》(1900)、《西部女郎》(1905)(后两部都由普契尼改编成歌剧)、《迪巴里》(1901)、《音乐大师》(1904)、《出众的美女》(1926)。他还写了自传体的《穿过舞台门的剧院》(1919)。由于他身穿牧师般的朴素服装以及他个人所具有的风度,被人们称为百老汇大街的主教。

Belau (country, Pacific Ocean) **贝劳** 参阅**Palau**帕劳。

Belaúnde Terry, Fernando **贝朗德·特尔里**(1912-10-07,秘鲁利马～2002-06-04,利马) 秘鲁政治家、建筑师、总统(1963～1968,1980～1985),以致力于民主改革及其亲美的立场著称。出身显贵,1924～1935年在美国和法国学习建筑学,1936年回国前曾短期在墨西哥开业,回国后成为著名的建筑师,创办建筑杂志《秘鲁建筑师》。在其父任总理时,于1945～1948年任众议院议员。在1948年军事政变推翻政府后,他重又担任国立工程大学建筑学院院长。协助建立全国民主阵线,作为它的代表于1945～1948年任利马议会议员。1956年恢复自由选举后,代表新建立的民主青年阵线竞选总统失败。不久该党改名人民行动党。在1963年6月的选举中,获得40%的选票,组成改良主义的联合政府。其土地改革计划和兴修公路开发亚马孙河流域新拓居地取得进展,但其国内政策的其余部分,由于反对党控制国会多数而大多受挫。他的政府力求维护与美国的密切关系,支持美国的"争取进步联盟"计划。公众对与美国国际石油公司就开发秘鲁北部油田达成协议提出强烈抗议,导致军人执政团于1968年10月将他废黜,他逃往美国。1970年12月回到秘鲁,1971年1月再次被放逐,直至1976年1月回国。1980年5月在他被废黜后的第一次总统选举中,击败了其他14位

美国不列颠百科全书公司供图

候选人而当选。对他的紧缩措施的不满,以及他在同恐怖分子的斗争中没有能够控制军队,导致他在1985年5月的选举中遭到惨败。他是个多产作家,是《为秘鲁人征服秘鲁》(1959)的作者。

Belawan **勿拉湾** 印度尼西亚苏门答腊东北部的重要港口。位于勿拉湾岛上。勿拉湾的现代化港口现在整修一新,以适应棉兰迅速增加的交通需求。出口烟叶、橡胶、茶叶、树脂、椰干、香料、棕油和西沙尔麻,进口食品和工业品。人口83 666(1990)。

Belaya River **别拉亚河** 俄罗斯中西部巴什科尔托斯坦共和国的河流,是卡马河的最大支流,卡马河本身又是伏尔加河的重要支流。源出伊雷梅尔山脚的乌拉尔斯南面。向西南流经一狭窄的山谷后突然转向北流,其河谷变宽并成为台地。全长1 420千米。在德尔贝辛斯基以北汇入卡马河。别拉亚河主要支流为乌法河。

Belaya Tserkov **白采尔科维** 乌克兰中北部基辅州城市。临罗斯河。建于11世纪。长期为一小的地区中心。现代则工业发展,生产机械、轮胎、家具、罐头、面粉和针织品等。市内有18世纪建亚历山大里亚植物园和一所农业学院。人口约204 400(1991)。

Bełchatów **贝乌哈图夫** 波兰中南部彼得库夫省城市,为贝乌哈图夫-什切尔楚夫-卡缅斯克工业三角区的一部分。位于省会彼得库夫-特雷布纳尔斯基市以西25千米;市内主要生产亚麻织品,周围出产黑麦和马铃薯。1960年该市附近发现有大片褐煤矿藏,1975年采矿-发电工程项目开始实施。此后,人口快速增长。这里建有波兰最大的热电厂。人口约63 122(2002)。

Belcher, Jonathan **贝尔彻**(1681或1682-01-08,马萨诸塞剑桥[美国]～1757-08-31,新泽西伊丽莎白敦) 殖民地总督和商人,新泽西学院(今普林斯顿大学)的赞助人。1699年在哈佛学院毕业后漫游欧洲,后回波士顿成为

富商。1718年选入马萨诸塞州参议会。1730年被委任为新罕布什尔和马萨诸塞两殖民地总督。1741年因两殖民地边界纠纷而去职。后又任新泽西州总督。

Belcher Islands 贝尔彻群岛 在哈得孙湾东南。属加拿大努纳武特地区巴芬行政区，在詹姆斯湾口北面。陆地面积2 896平方千米。英国航海家H.哈得孙于1610年发现该群岛，以爱德华·贝尔彻爵士的姓氏命名，1915年始对其勘测。当地居民稀少。与安大略省的蒂明斯之间通飞机。贝尔彻群岛及其附近的纳斯塔波卡群岛上有大量铁矿藏。

Belcredi, Richard, Count（Graf） 贝尔克雷迪伯爵（1823-02-12，摩拉维亚斯维塔维［兹维陶］附近的因格罗维茨～1902-12-02，奥地利格蒙登） 奥地利帝国政治家。他以瑞士

美国不列颠百科全书公司供图

宪法为蓝本制定一部联邦宪法。他的所谓“伯爵内阁”（1865-07-27～1867-02-03）是主张实行保守的联邦制的最后一届奥地利政府。出身地主家庭，1842年出任公职，1860年任西里西亚总督，1864年任帝国驻布拉格代表。任首相后，他取消了1861年的《2月特许令》（该令目的在于将奥地利建成为一个中央集权、说德语的国家）作为对斯拉夫民族集团，特别是对捷克人的让步。他还规定波希米亚各学校要以捷克语为教学语言。这些措施激怒了约瑟夫一世皇帝信任的德国官员。在奥地利对意大利和普鲁士的七星期战争失败之后，他辞去首相职务。1881～1895年任奥地利行政法院院长。

Belcy（Moldova） 参阅**Belts**别利齐。

Belém 贝伦 又称帕拉。巴西北部帕拉州首府和港口。临亚马孙河三角洲的瓜雅拉湾，近瓜马河口。属赤道气候。年平均温度27 ℃。年降雨量2 175毫米。1655年建市。1772年为州首府。19世纪前几十年政治局势不稳。17世纪末以前蔗糖贸易兴盛。18世纪前牧牛业取代了蔗糖。1910～1912年橡胶业发展，后又衰落。但仍是巴西北部主要商业中心和亚马孙流域的货物集散地。经亚马孙河输出的主要产品为各种坚果（主要是巴西果）、黑胡椒、木薯、黄麻、装饰板和铝。日本移民于20世纪30年代以后在发展黄麻和黑胡椒业方面起了重要作用。与贝伦隔帕拉河相望的马拉若岛是世界最大冲积岛。贝伦港有一些家畜饲养业。距贝伦以南300千米的托坎廷斯河上建有大型的图库鲁伊水电站。建有巴西最大的教堂（1917）之一。有巴拉恩塞·埃米里奥·戈埃尔迪博物馆、古典式剧场、公共图书馆和档案馆等著名建筑。还设有帕拉联邦大学（1957）、师范学校、农业研究所和热带疾病研究所。亚马孙河的主要港

贝伦市的大教堂

美国不列颠百科全书公司供图

口。有国际和沿海地区航运业以及向南通往巴西利亚的内河航运业。公路通皮奥伊州和戈亚斯州。有铁路通布拉干萨。该市国际机场是巴西北部最大的机场。人口1 272 354；大都会区1 807 554（2000）。

Belém 贝伦 又称圣玛丽亚-德贝伦。葡萄牙里斯本市西区。前为王室住地。以部教马努埃尔建筑风格（16世纪初）闻名。其中热罗尼莫斯隐修院系1499年为纪念探险家

贝伦白塔

美国不列颠百科全书公司供图

V.da伽马发现通印度海上路线而建。贝伦白塔建于1515～1521年，以保护塔古斯（特茹河）的入口。其他名胜有旧王宫（1802年始建，未完成）、总统府和民间艺术博物馆。人口11 820（1991）。

belemnoid 箭石 又作belemnite。绝灭的头足类动物，与现代的鱿鱼和章鱼有亲缘关系，但具有一个很大的内壳。最初出现于早石炭世（3.45亿年前），始新世（3 660万年前）期间绝灭。大多数种的内壳是直的，但有些种的内壳松卷。壳的构造复杂，用以支撑身体，并附着肌肉，又如同流体静力装置，使动物得以代偿水深及自己身体的重量。侏罗纪和白垩纪期间，其多样性和丰度都达到最高。箭石很可能起源于更原始的头足类单壳鹦鹉

箭石

美国不列颠百科全书公司供图

螺。已知许多特殊而易辨认的箭石类，有些分布广泛，能够对比分隔很远的地层。

Belenus 贝勒努斯 未信奉基督教以前的凯尔特人所崇奉的神灵。在凯尔特人的诸神中，其崇拜历史最为悠久，崇拜地区也最为广泛。此神与畜牧有关。凯尔特人每年5月1日过贝勒丁节，即火节，这个习俗可能与对此神的崇拜有关。届时用火对牛实行净化和保护，然后才把牛赶到草地过夏。崇拜贝勒努斯的地区包括意大利北部、阿尔卑斯山东段的诺里克、高卢南部，可能还有不列颠。

Bélep, Îles 贝莱普群岛 法属海外领地新喀里多尼亚的珊瑚岛群，在太平洋西南部。由波特岛、阿尔岛（最大，10英里×3英里）等岛屿组成。位于新喀里多尼亚主岛四周堤礁的北部延伸地带。总陆地面积26平方英里（67平方千米），人口约923（1996）。

Belfast 贝尔法斯特 爱尔兰语作Béal Feirste。北爱尔兰的市、区和首府，在拉根河注入贝尔法斯特湾（小海湾）的河口处。根据1888年的皇家法令建市。在1920年通过了爱尔兰政府法后，成为北爱尔兰政府所在地。当地政府1973年改组后，贝尔法斯特区（前郡级市）的范围扩大到115平方千米。

在石器时代和铜器时代，贝尔法斯特有人居住，在市中心附近山坡上仍依稀可见铁器时代要塞遗迹。征服阿尔斯特的诺曼人库西约于1177年在那里建立的一个城堡似乎一直保留到17世纪初。这一城市的名字来自盖尔语Béal Feirste（意为沙洲之嘴或渡河）。贝尔法斯特的现代史始于1611年，当时奇切斯特男爵在该城建立一座新城堡。他做了许多工作鼓励这一城市的发展，该城1613年得到建制的法令。贝尔法斯特经历了1641年的爱尔兰起义，至1685年人口已达2 000人左右，主要从事砖、绳、网和帆布制作。至18世纪30年代后期，城堡被毁，但贝尔法斯特已开始取得经济上的重要地位，作为主要的桥镇取代利斯本，作为港口取代卡里克弗格斯。它成为阿尔斯特亚麻业的市场中心，亚麻业是法国胡格诺派难民于17世纪末在大不列颠威廉三世的庇护下发展的。在该城建立棉纺工业的努力持续不久，但在亚麻纺织实现机械化之后，贝尔法斯特成为世界上最大的亚麻中心地之一。到17世纪该城已是一个繁忙的港口，拥有一些造船业，在里奇建立了一个造船厂（1791）和一个（干）船坞（1796）后，造船业有了牢固基础。自工业革命

后,主要的造船公司是哈兰和渥尔夫公司("泰坦尼克"号的建造者),现在其造船场有约120公顷,其设施可建造长300米的船只。自1975年以来,该公司完全为北爱尔兰商业部所拥有,为桥梁和超级油轮生产钢板。同时贝尔法斯特继续作为一个港口而发展,该城在1941年空袭时被严重破坏。

1968年在阿尔斯特兴起一个天主教公民权运动,从1969年起贝尔法斯特发生街头骚乱和日益激烈的暴力行为。英军被召入治理天主教——基督新教的骚乱,骚乱的特点是天主教和基督新教极端主义者更多地使用武器和炸弹,爱尔兰共和军的临时(激进)派屠杀平民、警察和士兵。不间断的暴力行为持续到90年代。1994年双方暂时停火。1998年签订的《贝尔法斯特协议》结束了暴乱。此后,该城大量吸收投资,促进了经济的增长。

该城是北爱尔兰的购物、零售、教育、商业、娱乐和服务中心。主要输出船舶、飞机、农产品、牲畜和亚麻织品。其他工业包括烟草加工和食品加工。

教育机构包括设在贝尔法斯特的皇后大学(1845年建立的皇后大学分院)、阿尔斯特大学(1849)和联合神学院(1853)。附近是北爱尔兰政府所在地**斯托蒙特(Stormont)**。该城西北21千米的奥尔德格罗夫有机场,班机飞往世界各大城市;轮船通英格兰的希舍姆、利物浦、曼彻斯特、苏格兰的格拉斯哥、阿德罗森和威尔士的霍利黑德。由于宗派暴力行为和边远地区计划中的经济发展,20世纪70年代至80年代人口明显减少。人口:城市和区348 291(2001)。

Belfast 贝尔法斯特 美国缅因州南部城市,沃尔多县县城(1827)。位于班戈西南偏南55千米,帕萨加斯-萨瓦凯格河在此注入大西洋沿岸的佩诺布斯科特湾。1770年始有人定居。不久成为海港和口岸。1773年设镇,1853年建市。保存有航海时期的古建筑。现主要停泊拖船和游艇。旅游、沙丁鱼捕捞、养禽业、滑雪场和制鞋业为主要经济项目。附近有州立诺克斯堡公园和州立圣乔治湖公园。人口6 381(2000)。

Belfast Lough 贝尔法斯特湾 在北爱尔兰东北岸,爱尔兰海与大西洋之间的北海峡内的水湾。长20千米,宽4.8～8千米。港湾优良,有利于贝尔法斯特城市和港口的发展。其北为玄武岩的安特里姆山,南为较古老的奥陶纪和志留纪岩石。

Belfort 贝尔福 法国东部弗朗什孔泰大区贝尔福地区城镇及首府。位于米卢斯西南,临萨沃勒斯河。高卢-罗马时期便有人居住。13世纪首有记录,为蒙贝利亚尔诸伯爵的领地。后转属奥地利公爵。1648年根据《艾克斯拉沙佩勒条约》被让与路易十四。因地理位置重要,屡受围攻。第二次世界大战中曾被德军占领。河东岸带要塞旧城有城堡和公用建筑。市政厅(1721～1724)前有纪念普法战争(1870～1871)中城镇被围困104天的(高11米,长22米)"贝尔福之狮"大雕像。贝尔福是重要的电力冶金中心。生产涡轮机和铁路车辆。产业结构多样化,有新兴的塑料工业、电子工业以及服务业(包括旅游业)。还是高教中心,有弗朗什孔泰大学。人口50 417(1999)。

贝尔福城堡及市政厅前的以孚日沙石塑成的"贝尔福之狮"
美国不列颠百科全书公司供图

Belfort, Territoire de 贝尔福地区 法国东部阿尔萨斯-洛林,弗朗什孔泰大区的省份。由原上莱茵省南部地区组成。南与瑞士交界,北为孚日山脉。面积610平方千米,是法国最小的行政区。是莱茵河流域和巴黎盆地之间的战略通道,有运河和重要公路、铁路线。1/3地区为可耕地、森林和牧场。工业集中在贝尔福、代勒和博库尔等城镇。1871～1919年间阿尔萨斯其他地方都被割让予德国时,本地区仍保留在法国版图之内。人口137 408(1999)。

belfry 钟楼 独立的或附在建筑上的钟楼。原词又特指塔楼上挂钟的部分,甚至专指钟的木支架。钟楼是比利时哥特式建筑的一种特征,特别在佛兰德地区,由于乡间地势平坦,塔楼显得特别高耸,布鲁赫的行会厅和钟楼(13世纪晚期)是典型的例子。中世纪英国钟楼最好的例子在林肯郡赫金顿的圣安得烈教堂,钟楼上有百页窗以避风雨而不影响钟声的传播。有时并不单独设钟楼而将钟悬挂在屋脊小阁上,或延伸的山墙尖上,以及附在墙上的支架上。

Belgae 比利其人 指塞夸纳河和马特罗纳河(今塞纳河和马恩河)以北的高卢居民。此词显然由凯撒首先采用。罗马人约在公元前150年进入那个地区。凯撒第一次征高卢后,高卢的比利其人组成联盟抵抗,但次年(公元前57)即被打败。公元前53年,一支北方部落埃布隆人起事,并杀死15名罗马步兵队士兵。罗马人大肆报复,实际上对该族实行灭绝政策。公元前1世纪上半叶,比利其人渡海到不列颠建立王国。比利其人对不列颠的主要贡献是引入重犁,使以前无法开发的许多地方得以垦植。

Belgaum 贝尔高姆 印度南部卡纳塔克(旧称迈索尔)邦西北部贝尔高姆县县城。位于西高止山区,海拔760米。始建于12世纪。是从德干高原通往果阿与西海岸的交通要冲,战略地位重要。旧称维努格拉马,为坎纳达、贡根、马拉塔与果阿文化的熔炉。现为商业中心,有铁路向北通往浦那,向南通往班加罗尔。有织布、皮革、砖瓦、肥皂、陶器、金属器皿等制造厂。以金银器制作而著名。附近的桑布里有机场。设有卡纳塔克大学的几所学院。贝尔高姆县属克里希纳河与默尔布勒帕河流域,面积13 410平方千米,富藏铝土矿,默尔布勒帕河工程灌溉广大土地,出产粟、棉花、稻米和烟草等。其他主要城镇有卡纳布尔、隆达、拉姆杜尔格、杰姆肯迪和阿特尼。人口:城市326 399;都会区402 412(1991)。

Belgian Congo 比属刚果 Belgian又拼Belge。1908～1960年非洲受比利时统治的一个殖民地,疆域同今刚果民主共和国。在国际义愤和要求监督调查的压力下,比利时议会建立此殖民地以取代原先属国王个人所有的**刚果自由邦(Congo Free State)**。比利时对殖民地实行家长式的统治,非洲人不得参与立法活动,传统的酋长们被当作收税和征募劳工的代理人。不顺从者即被废黜。第一次世界大战后,欧美私营公司在比属刚果大量投资,大型种植园(种植棉花、油棕榈、咖啡、可可和橡胶)和畜牧场得到发展。内地开采黄金、钻石、铜、锡、钴和锌。第二次世界大战期间,比属刚果成为美国用铀的重要产地。比利时殖民当局使用强迫劳动在那里修建了公路、铁路、发电站和公共建筑。1919年比属刚果东部数区发生暴乱,至1923年才被镇压下去。在大萧条时代(1931～1936)和第二次世界大战期间,社会更加动荡不安。1958年P.卢蒙巴成立刚果民族运动党,1959年1月利奥波德维尔(今金沙萨)发生暴动。结果,比利时作出让步,刚果在1960年6月30日成为独立的共和国。参阅**Zaire**。

Belgian Congo dog 比属刚果狗 参阅**basenji 巴森吉猎狗**。

Belgian horse 比利时马 一种身材硕大的挽马,其祖先为佛兰芒"大马"——中世纪原产低地国家的战马。比利时马品种古老,

1880年后改良甚多。1866年引入美国,为人所爱养,但不及佩尔什马(**Percheron**)之受欢迎。性驯顺,有耐力。身躯硕大,肌肉发达,腿短。身高163～173厘米,体重820～1 000千克。佛兰芒马体毛黑色,但比利时马多为深红棕色、栗色、浅红棕色或红棕色夹杂白色。美国比利时挽马公司的前身组织于1887年建立。

Belgian literature 比利时文学 比利时人以佛兰芒文(在比利时使用的荷兰文)、法文或瓦隆方言所写文学作品的总称。从文化角度讲,比利时的佛兰芒语文学构成了荷兰文学的组成部分,而在比利时的法语文学则是法国文学的一部分。

比利时佛兰芒语文学 比利时说佛兰芒语的各省在1579年以前与荷兰联合,因此,直到17世纪早期,佛兰德地区文学和荷兰文学被认为一体(参阅 **Dutch literature**)。当北部各省成为独立的荷兰共和国时,南部则仍受西班牙(后为奥地利)的控制,在经济和文化上停滞不前,虽然许多佛兰芒语的作家仍在创作有价值的作品。直到19世纪初期,文坛随佛兰芒运动而复兴。当时的K.L.莱德汉克为浪漫派诗人,多产作家H.孔西延斯写作历史及社会小说,A.贝格曼、V.洛弗林为现实主义小说家。然而这一世纪的卓越诗才应推西佛兰芒人W.F.G.赫泽勒。世纪末出现的期刊《现在与今后》集合了评论家A.弗尔梅伦、诗人P.范·朗琴登克和K.武斯泰纳、小说家S.史都维尔和H.泰尔林克。第一次世界大战期间及以后,地方文学兴起,激进的革新家P.奥斯泰耶引进欧洲现代主义诗作。大体说来,在两次世界大战之间,小说主宰了文坛,主要作家有M.罗兰茨、G.瓦尔斯哈普,尤以W.埃尔斯霍特和文体家M.吉勒姆斯最为有名。第二次世界大战以来,代表传统小说的有M.海瑟和P.范·阿肯,较重探索试验的L.-P.博恩和多才多艺的H.克劳斯。克劳斯也是剧作家,且与H.佩尔纳思和P.斯诺克并称战后著名诗人。

比利时法语文学 法语文学作品早在佛兰德、皮卡第和瓦隆尼亚就有发现;9世纪的《圣女欧拉丽赞歌》的发源地,可能在今之比利时。早期作品中有12世纪的中篇故事《奥卡森与尼柯莱特》(半诗半散文,可能为埃诺一地作品)、《男孩子和盲人的趣事》(图尔奈一地的作品)、《劝善诗篇》(列日一地作品)、P.穆斯凯的韵文编年史和J.德·杜英的史诗体诗作。讽刺作品《列那狐的故事》前后有数种版本,其中以《列那狐的加冕》最有趣味。13世纪,布拉班特诗人A.勒鲁瓦写作爱情诗和史诗体诗《克莱奥马代》。14世纪,J.勒贝尔的编年史为J.傅华萨提供了一个样板。生动有趣的《新短篇小说百篇》是在15世纪的勃艮第宫廷内写成的,编年史家G.夏特兰和P.科明尼斯也在此宫廷从事著述。16世纪基督教改革时,兼通兰芒语和法语的作家P.范·马尼克斯为宗教改革辩护甚力。

与法国相比,17、18世纪的比利时,除利涅王子外,不见名家高手。19世纪后半期则有浪漫主义诗人A.哈塞尔特和两位鹤立鸡群的小说家,一为信奉自然主义的C.勒蒙尼耶,一为科斯特。世纪之交,驰骋文坛的有为《青年比利时》和《瓦隆地区》两份期刊撰稿的作家,以及象征主义运动的诗人与剧作家,如G.罗登巴赫、E.维尔哈伦、M.梅特林克、C.范·勒伯克和M.埃尔斯康普。20世纪主要的剧作家为F.克罗姆兰克和M.德·盖尔德罗德;小说则以F.埃伦斯、C.普列斯尼耶、M.热韦尔和备受欢迎的多产作家G.西默农为代表;最著名的诗人有M.蒂里、J.德·巴士雪儿、M.卡雷梅和超现实主义诗人H.米绍。

瓦隆语文学 在组成当年称为瓦隆地区的埃诺、列日、那慕尔、卢森堡各省及布拉班特省南部,以法语和拉丁语的当地方言写成的作品自成一种文学。这些乡土作品最早的可推至12世纪,以后的三个世纪瓦隆的作家主要写作当地的编年史和宗教戏剧。17世纪,列日成为瓦隆文学活动中心,一个瓦隆地区剧团于18世纪在该地成立。1856年成立的列日瓦隆文学学会鼓励在文学中使用瓦隆方言。这个地区诗人和剧作家在作品中特别反映了欧洲文学的主要倾向。20世纪,学者们所从事的方言研究重新引起了对瓦隆方言的兴趣。由于拼法和文法规则的标准化,瓦隆方言用于文学写作上的可能性更为扩大。

Belgian sheepdog 比利时牧羊狗 又作Groenendael。又称绿谷狗。1885年在比利时绿谷村培育的狗品种。毛长、黑色,嘴长,耳直立、三角形。聪明能干,用作牧羊犬、军犬,

比利时牧羊狗
美国不列颠百科全书公司供图

亦用于看门,能为盲人领路。强壮,机警。体高56～66厘米,体重23～27千克。原来培育狗品种的目的是育成使役能力强而非外形美观,19世纪最初10年末期在比利时育成约7个品种的牧羊狗,当时人们开始试图使品种的外形标准化。除黑毛类型外,美国养狗俱乐部也承认比利时泰尔伏伦狗和比利时马利诺瓦狗为独立的品种(后者在夜间几乎看不见)。

Belgic Confession 《比利时信纲》 拉丁语作Confessio Belgica。基督教新教的信仰声明,共37条。由在低地国家(今比利时)南部和法国北部活动的宗教改革家圭多(布莱斯的)执笔,1561年在鲁昂印行,后经过1566年安特卫普会议修订,同年在日内瓦印行,原为法文,其后译成荷兰文、德文和拉丁文。这部信纲是尼德兰归正会和美国荷兰裔归正会的标准教义文献。

Belgica 贝尔吉卡 全名Gallia Belgica。罗马帝国统治下高卢四行省之一,公元前27年由奥古斯都建立。疆域西起塞纳河,东至莱茵河,北面包括低地国家,南面包括赫维尔提亚地区。首府杜罗科托鲁姆·雷摩伦(今法国兰斯)。在罗马皇帝图密善(公元81～96在位)统治下,贝尔吉卡的北部和最南部分别成为下日耳曼与上日耳曼两省。5世纪时被法兰克人的王国吞并。

Belgioioso 贝尔焦约索 意大利北部伦巴第区帕维亚省城镇。位于波河左岸,处于灌溉良好的高原区。谷物、乳酪和猪产区农业和商业中心。有一中世纪城堡和一条建于14世纪的水渠。人口:城市区约5 242(1993)。

Belgioioso, Baltazarini di(composer and choreographer) 参阅 **Beaujoyeulx, Balthazar de 博若耶**。

Belgium 比利时 全称比利时王国。欧洲最小的国家之一,位于欧洲大陆西北部,南北长193千米,东西最宽处约240千米。北和东北与荷兰接壤,东与德国和卢森堡为邻,南和西南与法国相连,西北有一长66千米的地带濒临北海。首都布鲁塞尔。面积30 528平方千米。人口约10 185 000(1996)。

土地 比利时由东南至西北,可分为几个地理区域。上比利时(在东南部)为森林茂密的阿登高原,位于默兹河谷以南,有比利时最高峰博特朗日山(海拔694米)。阿登高原以南的比利时洛林地区为丘陵地带,多北向陡坡,有时被视为一个单独地区。中比利时,海拔45～200米,为起伏的黄土平原和中部高原,土地肥沃,有斯海尔德河(埃斯科河)支流穿流其间。下比利时为欧洲大平原的一部分,系位于西北部佛兰德平原的大片低地(海拔100米以下)和位于东北部的肯彭兰高原。这一间有沼泽及树丛的地区中运河和水道纵横交错。北海沿岸的佛兰德滨海地区为连续不断的沙丘和圩田(填海造地以堤坝围护),该地带宽8～16千米,农业兴旺。比利时的主要河流默兹河和斯海尔德河是重要的商业通道,在东南方(上比利时)和北方(下比利时)均有广阔流域。

比利时属海洋性气候,夏季凉爽,冬季温和,常刮潮湿的西风和西南风。冬季平均气温沿海地区为3 °C,中部地区为0 °C,阿登高原为-1 °C;夏季平均气温各地区依次为16、19和14 °C。年平均降水量约750～1 000毫米。比利时的气候适宜大片牧草生长及耕种,全国土地约1/4用于农耕,森林和牧场各占1/5。

比利时的天然矿产资源不丰,多数必需的原料均购自国外。煤矿蕴藏位于桑布尔-默兹河谷及肯彭兰地区,易开采的储量业已开采殆尽。阿登山区有少量铁、铅、锌和铜的蕴藏。石灰石以及花岗岩、砂岩和大理石等建筑石材的数量也相当可观。

人民 该国大部分人口为佛兰芒人和瓦隆人。佛兰芒人(占全国人口1/2以上)讲佛兰芒语(荷兰语的一种),居住在该国北半部。

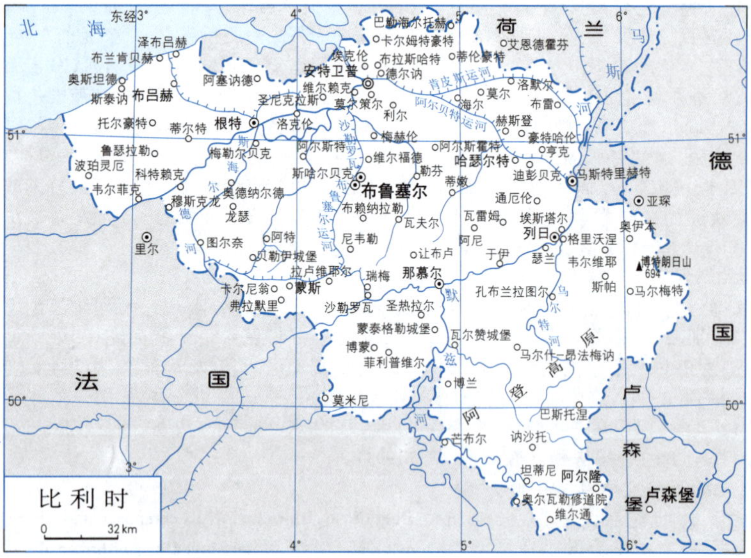

美国不列颠百科全书公司供图

瓦隆人(约占全国人口的 1/3)讲法语,居住在该国南半部。比利时约有 1/10 的人口讲两种语言,另有一个人数极少的少数民族讲德语,大多居住在邻近德国的东部边境地区。居民中约有 90% 为天主教徒,其余大部为新教徒或穆斯林。

由于比利时的人口出生率和死亡率大致相等,移民进出平衡,故人口增长率极低。比利时的佛兰芒语区人口增长适度,而法语区的自然增长率则极低。自第二次世界大战结束以来,外国出生的居民人口增长率已超过比利时本国人。60 岁以上的比利时人已多于 15 岁以下的比利时人。平均预期寿命男性 72 岁,女性 79 岁。虽然该国人口密度在欧洲属最高之列,但分布极不平均,阿登高原为每平方英里 130 人,布鲁塞尔都会区则高达每平方英里 15 600 人。比利时已高度城市化,居住在乡村的人口已不到 4%。

经济 比利时有发达的市场经济,主要以服务业、轻工业和重工业以及国际贸易为基础。来料加工在经济中起主要作用。北方的经济增长快于南方。比利时南方的采矿与重工业正处于衰退状态。创立于 1822 年的比利时通用公司现为一投资和控股公司,控制着该国大部分煤、钢、有色金属和电力的生产,另有其他 5 家公司控制着比利时的大部分工业产品。国民生产总值的增长大大超过人口增长,人均国民生产总值在欧洲联盟各国中约处于中等水平。

农业在国内生产总值中约占 2%,占用约同样比例的劳动力。主要作物包括甜菜、马铃薯、小麦、大麦、苹果、蕃茄、燕麦、玉米、菊苣和亚麻。小麦、甜菜、马铃薯和牛奶的平均产量与其他欧盟国家相比居最高水平之列,在全世界也属最高之列。牲畜的繁殖和饲养(主要是猪和牛)以及牛奶生产高度发达,占农业总产值的 2/3 以上。

该国农场规模较小,且高度分散,但机械化程度很高,政府现已提倡进行合并。大多数农场由佃农经营,受到政府保护。政府与欧盟对农民的培训与退休计划实行补贴。

制造业在国内生产总值中约占 1/5,雇用的工人亦约为劳动力总数的 1/5。金属制造尤其是钢的生产,居工业生产之首,产品大部分出口。依赖进口铁矿的炼钢工业已于 20 世纪 80 年代初进行重组,并由政府给予补贴。其他制成品有:食品、饮料和烟草制品;化学产品;纸张、印刷品和出版物;纺织品;建筑产品。石油需大量进口。

电力生产多采用核能。用本国和进口矿物燃料发电不到总发电量的 2/5。

基督教工会联合会是该国主要劳工组织,它与基督教人民党结盟,在佛兰芒语地区势力强大。失业救济金、新工作岗位和社会服务等方面的支出增加已迫使政府向国外贷款。20 世纪 80 年代,政府已对主要行业进行改造并在公共开支方面采取节约措施。

比利时具有世界上最密集的铁路网线之一,并有范围广泛的内陆水运系统。斯海尔德河畔的安特卫普是主要港口。几乎所有比利时的公路均铺设路面。主要国际机场位于布鲁塞尔。

比利时高度依赖国际贸易。在其对外贸易中,其他欧盟成员国占主要部分,主要贸易伙伴有德国、荷兰、法国和英国。由比利时、荷兰和卢森堡组成的比荷卢经济联盟是一个关税和经济联盟。

政体与社会状况 比利时是一个实行议会政治的君主立宪国家。1993 年 2 月国会投票修改了 1831 年采用的宪法,将比利时建成联邦制国家。宪法修政案规定建立 3 个大体上自治的地区:讲法语的瓦隆区、讲荷兰语的佛兰德区和讲这两种语言的布鲁塞尔区。对于讲荷兰语、法语和德语的少数民族社区也给予自治的保证。按照修改后的宪法,中央政府保留外交政策、国防、税收和社会安全的职责;各地方政府则负责教育、运输、环境保护和贸易促进。宪法赋予世袭的国王及其大臣们以国家行政权,立法权则由国王与众参两院组成的两院制国会共享。众议院全部议员和大约半数的参议员由直接选举产生;有些参议员由各省议会选出,其余的由参议院的其他参议员选举产生。两院议员任期均为 4 年。主要政党有基督教人民党、社会党、自由进步党和自由革新党等。除共产党外,所有政党均有法语派和荷兰语派。独立司法体系的最高机构是最高法院。

社会福利计划几乎惠及全体人民,提供健康保险、养老金、家庭补助、工伤补偿、失业救济和对老年及贫困者的救助。

全国几乎无文盲。国家实行世俗及私立教会学校的双重教育制度。教会学校通常属天主教会。国家对学校系统的补贴标准一直是产生矛盾的根源,1958 年达成一项协议,规定政府对国立和私立学校的资助应大体相等,矛盾才得以解决。6 ~ 18 岁的本国居民须接受义务教育。比利时有数所高等学府和其他一些专科高等院校。

新闻出版业大部归家族所有。广播电台和电视台节目按荷兰语和法语分别组织播出。

文化生活 佛兰芒人和瓦隆人之间存在着基本的文化差异。在音乐方面,先锋派在布鲁塞尔、列日、根特和安特卫普颇具影响力,而埃诺则仍为古典和流行音乐传统的中心。在佛兰德创作的文学作品有其独特的风格,而在瓦隆区和布鲁塞尔区多数作者倾向于为喜爱法国文化,尤其是巴黎风格作品的读者写作。最著名的当代佛兰芒语作家有小说家廷默曼斯和诗人克劳斯。20 世纪文坛的象征派作家代表则有诗人维尔哈伦和诗人、剧作家和小品文作家梅特林克。两人均影响了许多代法国诗人。超现实主义画家马格里特可能是该国 20 世纪最著名的画家。在表演艺术方面,比利时的 20 世纪芭蕾舞剧具有相当高的水平。

历史 罗马人征服比利时之际(公元前 1 世纪),凯尔特人与日耳曼人部落已在该地定居。罗马人在比利时的统治一直持续到 5 世纪初,之后,法兰克墨洛温王朝(5 世纪中至 7 世纪末)和加洛林王朝(8 世纪初至 9 世纪中)也先后统治过比利时。

在 10 世纪初至 14 世纪中这段时期里,出现了世俗和教会的公国。此时佛兰德侯爵成为法国国王的附庸。14 世纪末叶,勃艮第的腓力取得了对佛兰德的控制。勃艮第王朝与哈布斯堡王朝于 15 世纪末联姻,1504 年,令比利时落入西班牙哈布斯堡家族手中。1579 年,西班牙人统治的南部各省组成阿拉斯(阿图瓦)同盟,宣布效忠西班牙国王和罗马天主教。信奉新教的北方各省则组成了荷兰联省。1700 年以前所属的荷兰一直受哈布斯堡家族统治,后来法国国王路易十四之孙腓力五世登上西班牙王位。在西班牙王位继承战争中(1704 ~ 1714),西班牙属荷兰,包括比利时,被割让给奥地利的哈布斯堡家族。在拿破仑战争和短时期被法国兼并之后,比利时又与荷兰统一为一个国家,由奥兰治家族统治。1830 年比利时人奋起反抗荷兰统治,于 1831 年建成独立的比利时。萨克森-科堡的利奥波德亲王被推举为国王,称利奥波德一世。利奥波德二世在位期间(1865 ~ 1909),比利时被卷人法国与德国的争斗,但在法德战争中(1870 ~ 1871)始终保持中立。随着佛兰芒平等运动的兴起,讲荷兰语与讲法语的比利时人关系日趋紧张。利奥波德于 1885 年占领刚果自由邦,即今刚果(金),并于 1893 年授予 21 岁以上的男子以普选权。1898 年佛兰芒语成为比利时官方语言。

阿尔贝特一世在位时期(1909～1934),整个社会动荡不安,最终酿成1913年的总罢工。第一次世界大战爆发时,德军先后占领列日、那慕尔和布鲁塞尔等地。比利时军队退守到佛兰德西部的伊瑟河之后。《凡尔赛和约》废除了比利时的中立地位,1920年该国与法国签订了防御协定。1930年,比利时国会将该国按语言划分为两个不同行政区域。利奥波德三世于1934年继承王位,他试图恢复比利时的中立地位,但未获成功。

1940年德国军队占领比利时。在4年的纳粹统治时期,比利时人进行了顽强的抵抗。战后,利奥波德于1950年退位,其子博杜安一世成为比利时国王。佛兰芒人与瓦隆人的分裂加剧,语言的区域化和互相敌对的程度有所增长。通过60年代后期的联邦化进程,这两个集团的关系开始改善,1970年在佛兰芒和瓦隆两区的文化自治得到确立。在20世纪最后的几十年中,经济和教育领域的自治又得到进一步推动。1993年比利时成为由3个自治区组成的联邦国家。同年,博杜安国王逝世,其弟阿尔贝特二世继位。

Belgorod 别尔哥罗德 俄罗斯西部一州,大部在沃尔斯克拉河、顿涅茨河及奥斯科尔河上游流域。面积2.71万平方千米。1954年设州,首府别尔哥罗德市。地处森林草原带,土壤肥沃。农业高度发达,农村人口居优势。主要农作物为小麦、大麦、粟和玉米,西部产甜菜,东部种向日葵。有许多果园。20世纪50年代在库尔斯克地磁异常区发现巨大铁矿床,现已在古布金、列别季和亚科夫列沃等地大规模开采。人口约1 512 400(2002)。

Belgorod 别尔哥罗德 俄罗斯西部别尔哥罗德州首府。位于顿涅茨河上游。莫斯科至哈尔科夫和苏梅至顿涅茨盆地铁路交会处。1237年首见记载。现有轻型机械制造、建材(白垩、水泥)和食品加工。设有师范学院。人口约337 600(2002)。

Belgorod-Dnestrovsky 别尔哥罗德-德涅斯特罗夫斯基 乌克兰最南部敖德萨州城市。在德涅斯特河河口湾西南岸。公元前6世纪希腊人在此设殖民城市。基辅时期9世纪被斯拉夫人占居。鞑靼人统治时期为摩尔达维亚大公统治下的共和制城邦。1484年被土耳其占领,名阿克尔曼。1812年被让与俄国。1918～1940年属罗马尼亚称阿尔巴堡。1944年恢复基辅时代旧名。现为地区中心,有轻工业,主要生产鱼罐头。人口约56 800(1991)。

Belgrade 贝尔格莱德 塞尔维亚-克罗地亚语作Beograd(意为白色的城堡)。塞尔维亚的行政中心。在多瑙河与萨瓦河汇合处,位于欧洲和巴尔干半岛之间3条有历史意义的交通要道交叉处。这一地区有石器时代居留地遗迹。城市是在卡莱梅格丹陆岬上的古城堡四周发展起来的。第一座古城堡是凯尔特人在公元前4世纪建造的,罗马人称之为辛吉杜努姆,442年为匈奴人摧毁,先后被萨尔马特人、哥德人和格庇德人占领,后由查士丁尼皇帝收复。随后又为法兰克人、保加利亚人统治,11世纪成为拜占廷的边界城市。1284年由塞尔维亚人统治,1402年拉扎雷维奇在此建立塞尔维亚的首都。土耳其人1440年包围这一城市,1521年后一直控制该城,只有奥地利人占领的3个时期除外(1688～1690,1717～1739和1789～1791)。在土耳其统治时期,贝尔格莱德是一个活跃的商业中心。1804年在卡拉乔尔杰领导下爆发第一次塞尔维亚起义,此后在1807～1813年,贝尔格莱德成为塞尔维亚首都,但又为土耳其人收复。塞尔维亚人1867年控制城堡,贝尔格莱德再一次成为塞尔维亚首都。1921年贝尔格莱德成为相继三个南斯拉夫政权的首都,其中包括塞尔维亚和黑山共和国。2006

萨瓦河上的贝尔格莱德老城,背景为东正教大教堂

美国不列颠百科全书公司供图

年6月3日黑山共和国宣布独立后,贝尔格莱德成为塞尔维亚共和国首都。第二次世界大战后实行工业化,因塞尔维亚农村地区居民迁移,人口迅速增加。居民大多为塞尔维亚人。贝尔格莱德是工业城市。生产汽车、拖拉机、联合收割机、机床、电气设备、化工品、纺织品和建筑材料。为巴尔干半岛最大商业中心之一,通3条国际铁路线,公路和水上交通便利。市西苏尔钦有机场。有许多文化和教育机构,包括建于1863年的贝尔格莱德大学。有多座博物馆和美术馆,1844年建立的国家博物馆最古老。人口:市1 130 241(1991);都会区约1 120 092(2002)。

Belgrade, Treaty of 《贝尔格莱德条约》(1739-09) 指奥斯曼帝国结束与俄国的4年战争、与奥地利的两年战争的和平条约。1735年 俄国以乌克兰与奥斯曼控制的克里米亚鞑靼人之间的边界纠纷为借口进占黑海北岸。1737年奥地利站在俄国一方参战。由于军事失利,奥地利于1739年9月与奥斯曼帝国缔结单独和约。俄国人本来打了胜仗,但因奥地利的背叛,也不得不于同月接受屈辱性的和平条款:亚速成为非军事区;俄国战舰不得驶入亚速海或黑海;俄国在黑海上的贸易要完全由奥斯曼的货船装运。以上两个条约皆由法国任中介担保。

Belgrano, Manuel 贝尔格拉诺(1770-06-03,布宜诺斯艾利斯～1820-06-20,布宜诺斯艾利斯) 阿根廷独立战争军事领导人。曾在西班牙学习法律。1794年任布宜诺斯艾利斯官方商业行会秘书,鼓吹自由主义思想,并且强调教育和经济改革。1806～1807年英国入侵拉普拉塔总督辖区时进入军界。1810年拉普拉塔总督辖区脱离西班牙时,他是主张保持统一的执政委员会委员。曾奉命率兵到今乌拉圭一带,企图使该地区归执政委员会管辖,但未成功。后在阿根廷西北部图库曼和萨尔塔击败亲西班牙军。但1813年又在上秘鲁(今玻利维亚)被击败。1814年何塞·德·圣马丁接替他的指挥职务。他主张建立君主制政府,曾与后来成为阿根廷共和国首任总统的贝纳迪诺·里瓦达维亚一起前往欧洲物色君主,但未能完成使命。

Belgravia 贝尔格拉维亚 英国伦敦威斯敏斯特区内的住宅区。位于切尔西以东、海德公园以南,白金汉宫公园的西南,是时尚的西区的一部分,有许多以19世纪宅邸为特色的街区。贝尔格拉维亚是整个住宅区的核心街区,始建于19世纪30～40年代,现有一些外国使馆和许多科学、教育、商业机构。主要住宅区有卡多根宫和伊顿住宅区。西南角有19世纪的圣三一教堂。

Belice(Belize) 参阅**Belize City**伯利兹城。

Belidor, Bernard Forest de 贝利多尔(1698,西班牙加泰罗尼亚～1761-09-08,巴黎) 军事工程师和土木工程师,著有关于水力学的经典著作。他早年在法国陆军服役,热爱科学,曾研究测量地球弧度的方法。他对弹道学也深感兴趣,在拉费尔的法国军事学校任炮兵教员。他写过许多关于工程学、火炮学、弹道学、防御工事学等著作,但成名之作主要是一部4卷本的《水利建筑》(1737～1753),内容包括:工程力学、水磨与水轮、水泵、港口、海上工程等。

belief 信仰 在无充分的理智认识足以保证一个命题为真实的情况下,就对它予以接受或同意的一种心理定势(或态度)。信仰显然是一种由内省产生的现象,它或是一种智力的判断或者如18世纪苏格兰不可知论者D.休谟所主张的是有别于怀疑感觉的一种特殊感觉。信仰因其肯定的程度不同而有所差别,如推测、主张或坚信。只有在对信仰者来说一个命题显然是真的时,信仰才能变成知识。相信某人或相信某件事,与信仰某一命题是真实的,这完全是两回事。

Belin, Édouard 伯兰(1876-03-05,法国沃苏勒～1963-03-04,瑞士泰里泰) 法国工程师,1907年用自己发明的仪器进行了从巴黎到里昂,到波尔多,再回到巴黎的传真照片的传送。第一次越洋传送是在1921年,从美国马里兰州的安纳波利斯到法国拉马勒迈松的伯兰实验室。1928年其传真设备被英国所采用,在30和40年代,几乎为欧洲的新闻机构所垄断。

Belinga 贝林加 加蓬东北部矿区。有铁矿。20 世纪 70 和 80 年代修建了使贝林加同奥文多港相连的铁路。林产品对当地经济起重要作用。

Belinsky, Vissarion Grigoryevich 别林斯基（1811-06-11，俄国芬兰斯威阿堡～1848-06-07，俄国圣彼得堡） 杰出的俄国文学批评家，常被称为俄国激进知识分子之“父”。1832年被莫斯科大学开除后，即以报刊工作

美国不列颠百科全书公司供图

为生。他的第一篇有重大价值的评论文章《文学的幻想》（发表在《杂谈报》，1834），阐述德国哲学家 F. W. J. 谢林关于民族性的浪漫主义观点，并将它运用于俄国文化。后又接受黑格尔的历史哲学，但到 1840 年已表现出背叛正统黑格尔主义的迹象。1839 年他在《祖国纪事》杂志获得了一份固定工作。某些苏联批评家断章取义地摘录他为数不多的政治言论，把他几乎只是偶然提出的关于俄罗斯“民族”式社会主义的见解看作是他的主要成就。1846 年，别林斯基参加编辑《现代人》杂志，并为杂志撰写了许多他最后的评论文章。1847 年写了著名的给作家 N. 果戈理的信，谴责后者的《与友人书简选》是对俄国人民的背叛，因为它劝诫人们顺从教会和政府。他对普希金、莱蒙托夫、果戈理和陀思妥耶夫斯基等的分析，为现代俄国文学批评奠定了基础。他认为俄国文学应忠实地反映社会现实。文学艺术的好坏应以其社会性和美学性双重标准来评判。

Belisarius 贝利萨留（约505，伊利里亚日耳曼尼亚？［希腊］～565-03） 拜占廷大将，查士丁尼一世（527～565）时期杰出的军事家。作为罗马军事史上最后一名重要人物，他曾率领帝国军队抗击萨珊帝国（波斯）、北非的汪达尔王国、意大利的东哥特政权以及入侵君士坦丁堡的蛮族。出身不详。原为查士丁尼卫士，颇受赏识，25 岁时即受命指挥一支部队。其业绩，见于他的记室参军、历史家普罗科匹厄斯的记载。530 年在抗击东邻强敌萨珊王朝的达拉战役中战果辉煌。翌年虽有苏拉（加林尼库姆）之挫，但在查士丁尼与波斯谈判结束战争时，他俨然已成英雄。532 年元月，君士坦丁堡发生“尼卡之乱”，贝利萨留奉命平叛，进一步得到查士丁尼的信任。同时，他与皇后狄奥多拉的老友、寡妇安东尼娜结婚，对以后的升迁也关系重大。533 年受命收复蛮族占领的西罗马疆土，率少量人马进攻北非的汪达尔人。数月之内，他出奇制胜，两度大捷便灭掉汪达尔王国。凯旋归来时，君士坦丁堡为他举行盛大庆祝活动。535 年，意大利亦自东哥特人手中解放出来。他乘胜攻取西西里，然后由陆上向北挺进，猛攻那不勒斯并进据罗马城。537～538 年，哥特人在新王维蒂吉斯领导下重整兵力，包围罗马城，他则严阵以待。由于指挥将领意见分歧，他的北进计划受阻。但到 540 年，哥特人由于财力耗尽，便提出投降，条件是要贝利萨留做他们的皇帝。查士丁尼早有戒心，以为如此名将，一旦众望所归，将会篡夺其帝位。贝利萨留掩饰住真情，接受哥特人的投降而拒绝其帝号，此举激怒了哥特人而未能消除查士丁尼的疑虑，可谓失策。由于一时失宠，他自意大利被召回。次年受命出征美索不达米亚，与萨珊作战。他虽取得一些胜利，但深感部下抗命，不易指挥，后来便以违抗君命而去职。此次幸亏狄奥多拉出于对安东尼娜的友谊而为贝利萨留说情，他才免于罢黜，保住性命。意大利因贝利萨留的继任者无能而使帝国统治崩溃。544 年，他再度衔命赴意大利，但此次查士丁尼疑虑更深，兵力及军费均大为缩减。贝利萨留此后数年转战于意大利沿海地区，一度再占罗马城，但局面不稳，无法有效地与东哥特人抗衡。狄奥多拉死于 548 年，贝利萨留旋被召回。他返回君士坦丁堡后，获准拥有其财产及大批私人卫队。559 年，匈奴诸部落到处劫掠，危及首都，皇帝再召他出山。他选拔精壮士卒及谋略之士以壮大其所部，施妙计而退敌，然后辞职。3 年后，他被控卷入一场暗杀查士丁尼的阴谋事件，虽属无辜但终遭贬斥。563 年，稍获眷顾，退入平静生活，乃得终其天年。

Belit-ili（Mesopotamian goddess） 参阅 **Ninhursag 宁呼尔萨格**。

Belitoeng（Indonesia） 参阅 **Billiton 比利顿**。

Béliveau, Jean 贝利沃（1931-08-31，加拿大魁北克省三河城～　　） 全名Jean Arthur Béliveau。别名 Le Gros Bill。加拿大职业冰球中锋。1953～1971 年始终是全国冰球联盟蒙特利尔法裔加拿大人队队员，自 1961 年起任该队队长。在他整个冰球生涯中共射门成功 507 次，创中锋射门纪录。共参加 17 次斯坦利杯决赛，10 次获胜。1956 年荣获阿尔特·罗斯奖（最高得分），1956 和 1964 年获哈特奖（最有价值运动员），1965 年获康恩·斯迈思奖（最有价值运动员）。退出比赛后成为法裔加拿大人队副主席。1972 年入选冰球名人堂。

Belize 伯利兹 中美洲东北部国家，面积 22 965 平方千米。首都贝尔莫潘。北部和西北部与墨西哥接壤，南部和西部与危地马拉交界，东濒加勒比海，海岸线长 280 千米。人口约 251 000（2002）。

土地　伯利兹境内多山地、沼泽和热带丛林。北半部为海拔不到 60 米的低沼泽地，有可航行的伯利兹河、纽河和翁多河流经，后者构成北部与墨西哥相连的界河。伯利兹南半部主要为玛雅山脉，这是一个石灰岩（喀斯特）高原，被侵蚀为山地和峡谷从危地马拉边界一直向东北延伸。玛雅山脉的支脉科克斯科姆山向大海延伸，维多利亚峰海拔高达1 122米，为伯利兹最高点。近海岸有世界第 2 大珊瑚堡礁。

美国不列颠百科全书公司供图

属亚热带气候，干（2～5 月）湿（6～11 月）两季分明，湿季自 8～9 月有一短暂的干旱时期。伯利兹市 12 月平均气温为 23 °C，7 月 29 °C。年均降雨量从北部的 1 295 毫米急剧升至南方的 4 445 毫米，但各地区每年都有相当大的变化。每年 7～11 月间的飓风是伯利兹一大威胁，1961 年飓风席卷伯利兹市造成严重灾害，迫使政府将首都从伯利兹市迁往贝尔莫潘。

伯利兹约 45% 的土地为森林所覆盖，至少有 50 种不同的树木。北部多为落叶林，以人心果树、桃花心木和铁树为最多；南方树木较高大，主要为楝、松树及杉木。河岸多为沼泽森林所包围。沿海开阔的大平原上有橡、松树及矮棕榈树散布其间。海岸边缘则长有美洲红树。伯利兹丰富的野生动物资源包括美洲虎、獏、各种鹿、美洲鳄和海牛以及种类繁多的海龟、鸟和鱼。

伯利兹资源贫乏，只有大量的石灰岩、沙和砾石。1981 年在北部勘探性开采中发现石油。

人民　伯利兹人口多为混血种人，被称为克里奥尔人的非洲和欧洲人混血后裔多居住在沿海地区，马雅印第安人和被称为梅斯蒂索的欧洲和印第安人混血后裔多居住在人烟稀少的内陆。加勒比黑人为非洲及 18 世纪被英属西印度群岛放逐的加勒比印第安人的后裔，现居住在南部海岸屯垦区。另外有少数欧洲人、东印度群岛人及萨尔瓦多人居住在沿海一带。英语是官方语言，但一般多使用克里奥尔土语。印第安人则讲西班牙语或某种印第安方言。天主教为主要宗教，但循道宗和安立甘宗的势力也不可小视。1958 年以后从墨西哥及加拿大移居到此的门诺宗教徒已在伯利兹河内陆流域建立起自己的聚居地。

伯利兹的出生和死亡率都相对较高，由于萨尔瓦多及危地马拉大批难民的涌入，使年人口增长率上升。

经济　属有政府参与正在发展中的自由市场经济。国民生产总值的增长速度一直高于人口增长速度。人均国民生产总值也高于中美洲各国的平均值。农业、贸易和制造业

伯利兹苏南土尼奇约650～890年的马雅文化遗址
美国不列颠百科全书公司供图

为国内生产总值的重要组成部分。

农业产值约占国内生产总值的1/5。全国耕作的土地不足总面积的1/3，但从事农业的人口却占劳动力总量的1/4以上。经济作物包括甘蔗、柑橘、柚子和香蕉。20世纪80年代初期引种了具有商业意义的可可、椰子和花生。当地农作物有玉米、水稻、菜豆、甘薯、山药和蔬菜。

牧场约占土地面积的2%，主要牲畜有牛和猪，门诺教徒已开始经营乳品业。商业化的养蜂业生产蜂蜜。

20世纪70年代末，一直不景气的木材生产开始复苏，每年砍伐的木材大部分被当作燃料烧掉。政府引进石梓属、桉树和松树等速生林种实施造林计划并鼓励砍伐非传统的树种用于家具制造和建筑。伯利兹还生产从人心果树中提取的糖胶树胶。

渔业主要由几家合作社经营，大部分产品如龙虾、虾、鳞鱼和海龟，经冷冻或制成罐头后出口。

制造业产值约占国内生产总值的1/8，生产部分出口产品。主要行业有食品、服装、锯木、木制品、化肥和饲料。电力生产全部依靠火力发电厂。

建筑业在国内生产总值中的比例不到1/10，由公共工程部与私人承包商合作，利用当地的劳动力资源。

联合工人总会是最大的联合会。此外，农业、渔业、销售业和房屋建造业亦都有合作社和信用互助会等组织。随着工业的发展，熟练工人的短缺成为一个主要劳工问题。

伯利兹依赖外国的开发援助，主要包括英国、美国和加拿大。通过仔细调节国内的政策，政府在利用外援作为资本预算的同时，在经常性开支的预算方面已经做到每年都有盈余，从而有效地控制了公债。

全国仅有1/7的道路铺有路面，可行驶浅水船的内陆水道总长约800千米。伯利兹市有一深水港，科默斯湾建有一远洋货轮码头。菲利普·戈尔德松国际机场位于伯利兹市附近。

出口额通常远远低于进口。糖、服装、鱼、糖蜜以及柑橘类水果为主要出口产品，进口产品有制成品、食品、机械和运输设备以及精炼燃料。主要贸易伙伴有美国、英国、墨西哥、荷兰和加拿大。贸易逆差因在国外工作的伯利兹人的汇款而有所减少。

政体与社会状况 伯利兹是一个君主立宪制国家，英国君主为名义上的国家元首，由伯利兹总督为其代表。1981年的宪法规定国民议会为两院制，负责立法。参议院由8名议员、众议院由18名议员组成。行政权归总理掌管，总理由总督任命并且是众议院多数党领袖。内阁成员经总理提名，由总督任命。众议员由全国18岁以上的成年人普选产生，参议员则由内阁总理提出5名人选，参议院反对党领袖提出2名人选，伯利兹顾问委员会提出一名人选，最后由总督任命。主要政党包括人民联合党和统一民主党。伯利兹的国家安全经常受到危地马拉的威胁，后者视伯利兹为一个"失陷的省份"，随时想以武力收回，而伯利兹则依靠驻扎在国内的一支英国军队来对付这种威胁。

病人、残疾人、失业人口以及已去世的投保工人的家属均可享受社会保险福利。大多数伯利兹人享有免费医疗，政府开设医院、牙医诊所、儿童保健站、农村医疗中心及流动诊所，并为这些机构配备工作人员。卫生状况不佳，饮水污染和肠道病是婴儿死亡率高的主要原因。预期寿命约为70岁。

6～14岁的少年儿童必须接受义务教育，多数学校为教会所办，由政府和学校各自的教会组织共同出资。15岁以上公民的识字率占90%以上。

伯利兹的报刊一般免受新闻检查。国内建有广播电台和电视台。

文化生活 伯利兹市内的布利斯男爵学会展有马雅古物。本地最重要的节日是"丹格里加定居节"，加勒比海的歌曲和舞蹈为节日的主要内容。伯利兹在文化上与其他讲英语的加勒比海各国联系紧密。

历史 马雅文明在公元前300年至公元900年期间曾一度辉煌。马雅祭典中心的遗址，特别是卡拉科尔和苏南土尼奇的遗址至今依然可见，6世纪后的某个时期，马雅人的拓居达到高潮，人口大约有25 000人。

西班牙人虽然对该地拥有名义上的主权，但从未打算到这里定居。尽管如此他们始终将在此定居的英国人看作是闯入者。17世纪中叶，一群英国水手，大多是海盗和冒险者在圣乔治岛定居，并开始砍伐洋苏木（用于制作染料），这种木材一直是伯利兹的主要出口产品，直至18世纪末被桃花心木所取代。

英国人的拓居在好几个条约中得到承认，西班牙想用武力收复该地的最后企图于1798年被挫败。当沿海一带的木材被砍伐殆尽后，英国殖民者开始向内陆发展。印第安人对英国人的侵入进行抵抗，19世纪双方冲突不断。奴隶制也是伐木厂兴盛的一个因素，但工作条件要比加勒比海地区的甘蔗种植园好得多，1838年奴隶获得解放。1862年当时被称为英属洪都拉斯的伯利兹成为英国政府的直辖殖民地，但1859年英国与危地马拉订立的条约中有一条款没有履行，这使得危地马拉对英属洪都拉斯提出领土要求。1981年英国承认伯利兹独立之后，危地马拉仍坚持其要求。尽管伯利兹加入了英联邦，但它仍没有被接纳为美洲国家组织成员。

Belize Barrier Reef 伯利兹堡礁 仅次于澳大利亚大堡礁的第二大珊瑚礁，是北半球和西半球最大的堡礁。位于伯利兹加勒比海岸，长度超过290千米，北部离岸约300

美国不列颠百科全书公司供图

米，南部离岸约40千米，只有在落矶角与海岸线相接。设有多个保护区以保护这一片960平方千米的地区。堡礁和环礁内约有450个大小不等的红树林珊瑚礁和沙岛，包括西半球唯一的珊瑚环礁。该区有几种稀有和濒危动物，如美洲鳄，也有世界最大的西印度海牛群。当地的热带气候（平均温度为冬季16℃，夏季31℃）和珍稀动物使之成为观光胜地。在历史上，曾是主要的捕鱼和贸易中心。1996年被联合国教科文组织列为世界遗产。

Belize City 伯利兹城 西班牙语作Belice。原伯利兹（前英属洪都拉斯）的首都和主要海港。地处霍奥弗湾两岸，该湾是伯利兹河注

伯利兹市的最高法院
中国大百科全书出版社供图

入加勒比海的河口三角洲。10世纪前是马雅帝国的贸易要道。17世纪英国冒险家们在此定居伐木。伯利兹城建于略高于海面的地面上,四周环绕着红树沼泽。1961年遭飓风和海潮的严重破坏。为免受洪水侵袭,1970年迁都内陆的贝尔莫潘(Belmopan)。出口品有食糖、红木、雪松、柑橘、椰子、椰仁干、香蕉、玉米等。制造家具、船舶和木制品。周围地区饲养猪、牛,捕鱼,锯木。20世纪末,供船只停泊的深水港建成。市西北有国际机场。有艺术、戏剧、技术和师范等学院。著名建筑物有圣约翰圣公会大教堂(建于1812)和政府大厦(1814)。人口:市59 400;区84 200(2004)。

Belize River 伯利兹河 又称旧河。源出危地马拉东北部莫潘河,向东北流经本克别霍、圣伊格纳西奥和罗灵克里克在伯利兹城注入加勒比海,全长290千米。在前哥伦比亚时代曾是马雅印第安人的贸易要道。小船可自河口上行至危地马拉边界,运输木材供出口,运输糖胶树胶供应市场。

伯利兹河上停泊的船只
中国大百科全书出版社供图

Belkis(Turkey) 贝尔基斯 参阅**Aspendus 阿斯彭杜斯**。

bell 钟 一般用金属偶或用角、木、玻璃或黏土制成的中空器,从内部以钟舌或从外部以钟槌撞击其边缘可发出清脆声音。钟可以归入体鸣乐器之类(靠质地坚实而具有共振性的物体发出声音),依更广泛的分类法则属于打击乐器。钟的形状因文化环境、用途和材料而异。钟壳有直面形、凸面形、凹面形、半球形、桶形(见于东亚),各不相同,而有音弓(靠近钟缘的凸出部分)的郁金香花形是西方塔楼悬钟的共同形式。从横断面看,钟可能是圆形、方形、矩形、椭圆形或多边形。中国钟缘多为莲叶形。

锣面中部凹陷,其振动最烈之处为中心,而钟则与之不同,最剧烈的振动发生在钟缘附近(在西方钟上则为音弓)。钟声的声学结构复杂,直到现代才完全被了解。凡钟都产生一系列分音,即高低不等的声波频率,但只有乐钟才既有和谐的分音又有不和谐的较高的分音。西方的钟一律以金属打击器打击发声,而亚洲的钟一般以手执木槌敲击,或以悬挂的撞钟杠自外横向撞击钟壳。亚洲钟没有音弓,也从不摇动。

钟在地理上分布甚广,一般都具有鲜明的文化功能。自古人们就相信钟声能净化身心,自古钟就用作礼器,特别是在东亚和南亚的各种宗教中。中国人鸣钟以直接与鬼神相通,俄罗斯正教也利用钟声直接求告上帝,因而,中国人和俄罗斯人都铸大钟,以冀增益其效力。在佛教和基督教中,钟在用作礼器之前要经过启用仪式;而在东亚,钟声余韵被认为传达玄意灵机。天主教认为钟声象征乐园,还象征上帝的声音。钟的最基本、最普通的用途之一是发出信号——以钟声表示礼仪活动中的重要关节,招集信徒礼拜,报知日课开始,宣告重大事件,表示喜庆,报警,或表示哀悼。在基督教的隐修院和亚洲佛教寺院中,日常作息全靠钟声支配,而在中世纪和基督教会中,钟声各因其功用而定有专名,如开饭钟、唱诗班集合钟等等。

中国东周时期的青铜钟,约公元前5世纪
美国不列颠百科全书公司供图

中国人最早在音乐上使用排列成组的群钟,称为"编钟"。在西方,9世纪起有了排钟,规模不大,各钟按固定位置悬挂,一般依自然音阶排列,包含七音,这种排钟相当普遍(参阅**bell chime**)。组钟钟数至少23个者称为钟琴。两个以上的自由摇振的钟齐鸣称为"共响";一口固定的钟缓缓连响称为"连鸣"。一切钟目前都可用电力鸣奏。英国的"鸣钟术"讲究按数学排列鸣奏5～12口钟。俄罗斯正教的钟乐要求按固定的节奏格式反复鸣奏。自从19世纪以来,英格兰和美国流行利用多至5个八度音程的手钟组成一组,奏出旋律和简单的和声。总的趋势是,钟的礼仪功能和实用功能衰减,而其音乐功能增长。

锻造和铆接而成的金属钟早于铸成者。最早的铸钟术出现在青铜器时代。古代中国人掌握精湛的冶炼术,其工艺在周代(约公元前1122～前221)发扬光大。典型制品是椭圆形庙堂用钟,钟的表面用失蜡铸造法铸出精美的象征性图形,作为装饰。欧洲的造钟术源起于隐修院。最早的基督教会用钟的制法是把铁板锤成方块,然后铆接。铸铜术虽然行之于基督教传入以前的欧洲,但是一度中断,直到8世纪才恢复。铸钟时,将熔化的金属(通常是青铜)浇入铸模,铸模由内核和外模(上型)构成,上型轮廓一如钟形。铸模大多表面附以壤土(铸手钟时附以普通砂)。金属熔浆温度约1 100 °C,自模顶孔穴注入。要容许模中形成的气体排出,以免钟上出现不应有的孔隙。冷却过程加以严格控制,以免外表冷却快于内层,形成张力而导致日后破裂。大型钟的冷却需时一两周。脱去铸模之后,钟的毛坯用喷砂法打磨,再擦亮。假如要求钟有一定音高,则旋转钟体,从钟的内壁磨去少量金属。铸钟所用的金属青铜是铜与锡的合金。含锡重量自13%～25%不等,再高者绝少。锡增加脆性,大钟含锡较小钟为少。钟琴上的钟大多含锡20%。

球铃(球形而内装松散的颗粒)在历史上也列为钟的一种,现在权威学者把它列在拨浪鼓一类,常见的有马车铃和雪橇铃。球铃历史悠久,与钟一样发挥礼仪和法术功能。

Bell, Adam Schall von 参阅**Schall von Bell, Adam 汤若望**。

Bell, Alexander Graham 贝尔(1847-03-03,苏格兰爱丁堡～1922-08-02,加拿大新斯科舍省布雷顿角岛弗里格山) 苏格兰出生的美国听觉学家,以电话发明人(1876)著称。他家庭的两代人被认为是朗诵法和语言校正方面的最高权威,其中A.M.贝尔的《标准朗诵者》一书在英国再版约200次。年轻的贝尔兄弟们被培训为他们家传职业的继承人。他早期为聋人取得的成就和他在30岁前发明的电话表明他已全面掌握所受的训练。

美国不列颠百科全书公司供图

亚历山大("格雷姆"是他11岁以后才加上的名字)是A.M.贝尔和E.G.S.贝尔的三个儿子之中的老二。贝尔除了在私立学校学习一年,在爱丁堡皇家中学学习两年(14岁毕业于该校),在爱丁堡大学和伦敦的大学学院听过一些课外,主要受的是家庭教育,并且自学成材。他的第一个职位是在马里郡埃尔金的斯金纳学校教儿童音乐和朗诵法。1864年他成为埃尔金的威斯顿寄宿学院的住校教师,在此他进行了他的首批发声学研究。贝尔就这样开始了他的教师-科学家这个终身职业。

1868年他在伦敦成为他父亲的助手,当老贝尔在美国讲学时,他就负起全责。结核病使他的哥哥突然死亡,又击倒了他的弟弟。这个打击加上职业上的过劳,使年轻的贝尔健康受损。出于对唯一幸存的儿子的关心,全家在1870年8月迁往加拿大,住在安大略省的布兰特福德附近,贝尔的健康迅速得到改善。

1871年贝尔在波士顿度过数周,讲解并演示他父亲1866年出版的《可见的语言》一书中的方法，这是一本教聋人语言的工具书。每个语音符号指出发音器官，例如唇、舌和软颚的一定位置，并可被聋人用来模仿正常的发音。年轻的贝尔当时希望为人所知，遂利用他父亲的方法证明可以教会聋人说话。他的惊人成果不久导致他受邀作更多的演讲。

贝尔即使在他父母的家里度假期间，也继续他的发音试验。1872年在波士顿开办他自己的聋人教师培训学校，编著了他的《可见的语言先导》小册子，并继续研究和当家庭教师；1873年他成为波士顿大学的发声生理学教授。贝尔始终不善于使用双手，但是幸好发现并任用了一个年轻的机修工兼模型工T.沃森，沃森热情地帮助贝尔设计一种用电传送声音的设备。他们长期的晚间授课开始收到实效。他帮助的两位聋人G.桑德斯和M.哈伯德的父亲，对这个年轻教师印象很深，并在经济上帮助他进行科学研究。然而，贝尔和沃森在日常工作时间内仍然要完成日程表上规定的繁忙工作。因此，贝尔的健康再次受损。1875年4月6日，他获得多路电报专利；但是，经过6个月在车间里长期劳累的夜间工作，同时还要维持白天的正常工作进程，贝尔不得不返回加拿大他父母的家里以恢复健康。1875年9月他开始撰写电话说明书。1876年3月7日，美国专利局颁发给贝尔174465号专利，内容包括："用电传送嗓音或其他声音的方法和设备……其方式为产生一种电波，其形式与发出嗓音或其他声音时的空气振动相似。"

不出一年，该专利在商业上开始应用后数月，就有人提出无数件诉讼中的第一件专利法律诉讼。令人啼笑皆非的是，电话——过去常被认为是一个笑话，其发明人——提倡者则起码被认为是一个古怪的人。这是历史上引起争执最多的一项专利诉讼。两件最著名的早期诉讼是多德案和德劳鲍案，在这两个案件中，初出茅庐的贝尔电话公司成功地控告了巨大的西部联合电报公司的两个子公司侵犯专利。控告和指责对于贝尔的苏格兰式的道德是很痛苦的，但是全部诉讼的后果是：贝尔的专利权项被确认为第一个构思和应用波动电流的权利要求，并持续贯穿在他多项专利的有效期中。1877年贝尔与比他小10岁的M.哈伯德结婚。

贝尔的传记没有以他发明电话而结束，确实，从许多方面来讲，它只是一个开端。贝尔居住在华盛顿（哥伦比亚特区）时，继续他的通讯实验，这些实验终于导致发明光电话机——用光束传声；他还继续进行医学实验研究，以及教授聋人语言的技术方面的实验。

1880年法国授予贝尔伏特奖金，这50 000法郎（约等于10 000美金）资助了伏特实验室。在此实验室中，贝尔与C.S.泰恩特和自己的侄子C.A.贝尔合作，发明了"格拉弗风留声机"。它利用一只刻笔、可控的速度和蜡筒及圆盘，提供了一种实用的录音方法。贝尔将自己那份专利权税资助了伏特基金会和美国聋人语言教学促进会（1956年起改为A.G.贝尔聋人协会）。1893年5月8日是贝尔的最高兴的日子之一，他的13岁浪子H.凯勒参加了新的伏特基金会大楼——现在的国际聋人口语教育信息中心——的奠基礼。

1885年贝尔得到加拿大新斯科舍省布雷顿角岛上的一块土地。在那里，他在使人联想起他在苏格兰的早期岁月的环境中建造一座夏季别墅弗里格山，其内设有完备的研究实验室。

1898年贝尔接任他岳父的国家地理学会主席职位。他确信可以通过图片进行地理教学，因此力求在旅行尚限于少数有特权人的时代能促进对于遥远各国的了解。他又发现一位合适的助手（他未来的女婿）G.格罗夫纳，他将一本朴实的小册子改编为普及到全世界数百万人中的罕见的教育刊物。

20世纪初，他出于对飞行可能性的增大感到兴趣，用巨大的载人风筝进行了实验。贝尔又找到一个热心实行他的学说的4人青年小组。还有一件令人鼓舞的事，就是M.哈伯德·贝尔为了保持该小组的激励性影响，不久就成立了航空实验协会。这是由一位妇女组建和资助的第一个研究机构。耳聋不是贝尔教授夫人的障碍。在弗里格山，贝尔开始了新的研究课题，例如声呐探测、太阳能蒸馏、四面体构件和水翼船等。其中一艘水翼船重10 000磅以上，在1919年达到70英里/小时的速度纪录。

除了终身从事的聋人事业外，贝尔从不停留在一个科研项目上。他的研究兴趣集中在基本原理而不是改进上。粗略地检查一下他的许多笔记，便可看到与他手头的课题常常完全无关的页边备忘录和简单笔记——他想要研究的问题和想法的提示。他不可能将他的各种创造性思想都贯彻到实用的终点。他的许多想法只有到今天才看到结果，当然，其中有些无疑尚须发展。授予他个人的18项专利和他与合作者共享的12项专利，只能代表他全部天才的一部分。其中包括14项关于电话和电报的，4项关于光电话机的，1项关于留声机的，5项关于飞行器的，4项关于水上飞机的和2项关于硒电池的。

直到他死前数日，贝尔还继续在为他的刊物撰写文章。他在最后的口述中，关于"不要着急"的屡次劝慰，还是作出"我必须这样"的回答。

Bell, Andrew 贝尔（1726，苏格兰爱丁堡～1809-05-10，爱丁堡） 苏格兰雕刻家，与麦克法夸尔共同创办《不列颠百科全书》。一生在爱丁堡度过。原为雕刻师，专刻各种铭牌，作品当时未受重视。他为1～3版《不列颠百科全书》和W.斯梅利翻译的布丰的《博物学》所作插画后来受到高度赞扬。1793年麦克法夸尔去世，百科全书由他独资经营。

Bell, Andrew 贝尔（1753-03-27，苏格兰法夫圣安德鲁斯～1832-01-27，英格兰切尔滕纳姆） 苏格兰教士。采用有指导的学生互教法发展了大众教育。毕业于圣安德鲁斯大学。在美国弗吉尼亚州当过私人教师，以种烟草而成为小康之家。在圣公会受神职后，前往印度马德拉斯，将一种"班长"制引进一所孤儿学校，用较好的学生教较差的学生，从而解决了缺少教师的问题。1797年回伦敦，发表《教育上的一项实验》，解释他的教育方法。1811年任"根据国教原则促进贫民教育全国协会"会长，该会宗旨是实施他的方案。亦曾任教区长，医院院长及大教堂牧师。死后遗留下大批财产，用于苏格兰教育计划。

Bell, Sir Charles 贝尔（1774-11，苏格兰爱丁堡～1842-04-28，英格兰伍斯特郡北哈洛） 英国解剖学家。所著《脑解剖学的新概念》（1811）一书被称作"神经病学的大宪章"。

美国不列颠百科全书公司供图

1830年又根据研究成果将该书扩写为《人体的神经系统》。在著作中他区分了感觉神经和运动神经，认为脊神经前根具有运动功能，而后根具有感觉功能。11年后这一观察由F.马让迪加以确认并进一步完善。贝尔毕业于爱丁堡大学，1804年去伦敦从事外科和教学工作。1829年首次接受皇家学会奖章；1831年封爵士；1836年任爱丁堡大学外科学教授。

Bell, Charles Frederic Moberly 贝尔（1847-04-02，埃及亚历山大～1911-04-05，英国伦敦） 英国新闻记者，在《泰晤士报》遇到困难的时期他主持该报发挥了杰出的作用。贝尔在英国受教育，1865年回到亚历山大，在一家商业公司工作。1875年任《泰晤士报》通讯记者。1880年协助创办《埃及新闻报》。1890年受《泰晤士报》大股东A.F.沃尔特聘请，主持该报工作。当时该报正因有关爱尔兰民族主义者C.巴涅尔的错误报道而陷于低潮。他以坚强的意志和勇气使该报度过难关。他改组国外部，亲自向国外通讯员下达指示，成立出版部，创办《泰晤士报文学副刊》（1902）和《泰晤士报教育副刊》（1910）。他联合H.E.胡珀销售《不列颠百科全书》第九版（1898）和第十版（1902～1903），并积极支持胡珀于1905年创立泰晤士图书俱乐部。1908年，他力排众议，促成《泰晤士报》转售给诺思克利夫勋爵一事，并担任新组建的出版公司的经理，直至去世。

Bell, Clive 贝尔（1881-09-16，英格兰伯克郡东谢福德～1964-09-17，伦敦） 全名Arthur Clive Heward Bell。英国艺术评论家，20世纪初期致力于使后印象主义艺术为英国大众所接受。1902年毕业于剑桥三一学院，此后数年在巴黎研习艺术，学成返回伦敦。1907年与维尼萨·史蒂芬结婚，她的妹妹是维吉尼亚（与L.吴尔夫结婚后称V.吴尔夫），他们四人是英国作家和艺术家的**布卢姆斯伯里团体**（**Bloomsbury group**）的核心人物。1910年贝尔和英国艺术评论家R.弗赖成为挚友。

1912 年二人于伦敦共同主持划时代的第二次后印象主义展览会。贝尔对艺术批评的最大贡献是在《艺术》(1914)和《塞尚以来》(1922)两部著作中阐述的"有意义的形式"理论,他认为纯形式上的特征,例如线条和色彩的关系与组合是艺术作品中最重要的因素。一幅画所以能唤起观赏人的美感,主要是由于他领悟它的"有意义的形式",而不是由于"阅读"它的主题。贝尔指出塞尚的作品最纯正地表达了形式的特征,同时也抨击一般人专门注重传统写实绘画的故事记叙性和道德说教性的功能。贝尔主张,艺术鉴赏就是要对纯形式的特征产生情绪上的反应,这一论点影响极广,时间长达数十年。其他著作尚有《19 世纪法国绘画里程碑》(1927)和回忆录《老朋友——个人回忆录》(1956)。

Bell, Cool Papa　贝尔(1903-05-17,美国密西西比斯塔克维尔～1991-03-07,密苏里圣路易斯)　原名 James Thomas Bell。美国职业棒球运动员,号称速度最快的跑垒员。19 岁时在美国全国黑人联盟的圣路易斯明星队担任投手。他使传奇式击球员 O. 查尔斯顿三击不中出局,从而赢得"无情投手"的绰号。他先后在明星队(1922～1928)、匹兹堡克劳福德队(1933～1937)、墨西哥联盟队(1938～1942)和美国全国黑人联盟霍姆斯泰德·格雷队(1943～1945)担任中场手。1948～1950 年在全国黑人联盟堪萨斯城君主队任队员兼经理。他还参加过加利福尼亚冬季联赛,去古巴和多米尼加共和国参加过比赛,有时参加其他美国黑人队的比赛。他起初用右手击球,后来左右手并用。平均击球率为 0.308～0.480。据说他曾在一个赛季的 200 场比赛中偷垒成功 175 次。贝尔同美国所有最好的黑人棒球队以及白人全明星队都较量过,在 5 年多时间里他的平均击球率为 0.391。1974 年他入选棒球名人堂。

Bell, Daniel　贝尔(1919-05-10,美国纽约州纽约～2011-01-25,马萨诸塞坎布里奇)　美国社会学家、新闻记者。其主要研究是应用社会学理论以调和他所认为的资本主义社会中固有的诸矛盾。1939 年获纽约市立学院理学士学位。曾担任新闻记者 20 余年。他于 1941～1945 年任《新领袖》杂志的责任编辑;1948～1958 年任《幸福》杂志劳工问题编辑,撰写大量有关各种社会主题的文章。1956～1957 年在巴黎任文化自由会议讲习班主任。1960 年获哥伦比亚大学博士学位,1959～1969 年任该校社会学教授。以后任哈佛大学社会学教授。著述甚多,大都反映他对政治及经济制度的关心以及不同制度对个人成长的影响,包括《马克思主义的社会主义在美国》(1952;1967 重版)、《基本权利》(1963)和《普通教育之改革》(1966)。另著有《后工业社会之来临》(1973)及《资本主义制度中的文化矛盾》(1976)两书,试图阐明科学、技术和资本主义之间的关系。《弯路》(1980)一书反映了当代社会中不满现实者的各种观点。

Bell, Eric Temple　贝尔(1883-02-07,英格兰阿伯丁～1960-12-21,美国加利福尼亚沃森维尔)　苏格兰裔美籍数学家、教育家和作家。曾发现数条重要数论定理。数论是论述整数性质的一个数学分支。19 岁时移民美国,进入斯坦福大学就读,两年后即获学士学位。1908 年获华盛顿大学硕士学位。1912 年获哥伦比亚大学数学博士学位,随即至华盛顿大学讲授数学,到 1926 年转任加利福尼亚理工学院数学教授。他将教学与数学研究工作两者结合起来,发展了他有关数论的观点并出版了这方面的著作。1931～1933 年任美国数学协会会长。贝尔发表过 250 多篇学术论文,其中大多为数论方面的。1921 年以《算术释义》获博彻尔奖。《代数算术》(1927)和《数学之发展》(1940)两书则成为数学界的标准论著,后者以清晰而明确的笔调概述了他对数学重要发展方向的看法。并为非专业者撰有两书,其一为《数学家》(1937),主要介绍数学的重要发现及其发现者;其二为《数学——科学的皇后和仆人》(1951),此书使数学这一既玄奥又实用的学科得到了普及。《最后问题》(1961)则以 17 世纪数学家 P. 费马的成就为基础,记述了数论的发展史。他并以笔名约翰·泰恩撰写了许多科幻小说,其中包括《时光之流》(1946)一书。

Bell, Sir Francis Henry Dillon　贝尔(1851-03-31,新西兰纳尔逊～1936-03-13,惠灵顿附近的劳里湾)　新西兰政治家,在 1912～1925 年历届梅西内阁中起过主要作用。1925 年曾短时期任新西兰总理。原为律师。入政界后曾 3 次任惠灵顿市长。1893～1896 年任众议院议员期间与 W. F. 梅西建立密切感情。1912 年大选中梅西以改革党领袖成为总理,他任立法议会议长。1915 年封为爵士。第一次世界大战后为梅西总理的左右臂,曾 3 次代理总理。1925 年梅西死后出任总理,至改革党选出新领袖为止。

Bell, George Kennedy Allen　贝尔(1883-02-04,英格兰南汉普郡海灵岛～1958-10-03,肯特坎特伯雷)　基督教圣公会奇切斯特主教。他曾于1924年任坎特伯雷大教堂教长,

美国不列颠百科全书公司供图

1929 年任奇切斯特主教。希特勒在德国当政后,贝尔在英格兰收容前来避难的犹太人和非雅利安人基督教徒。1929～1939 年他大力宣传教会归一,与反对希特勒政权的德国宣信会建立密切关系。在第二次世界大战期间反对饱和轰炸。战后同德国教会恢复接触,并以世界基督教协进会主席和会长身份到许多地方访问,鼓吹普世教会运动。曾多次在英国上议院阐明自己的观点,包括反对英国制造核武器等。

Bell, Gertrude (Margaret Lowthian)　贝尔(1868-07-14,英格兰达勒姆华盛顿哈尔～1926-07-12,伊拉克巴格达)　英国女旅行家、驻阿拉伯半岛行政官员、作家。哈希姆王朝在巴格达的建立,她起了主要的作用。牛津大学毕业后,贝尔在德黑兰居住过一个时期。后来回国,过了 10 年沙龙生活。1899 年开始到阿拉伯世界进行活动。当年访问巴勒斯坦和叙利亚。此后 10 年经常来往中东,并去过小亚细亚。1913 年访问哈伊勒。第一次世界大战以前,她写过大量文学作品,如《旅行日记》(1894)、《哈菲兹诗选》(1897)、《沙漠和耕地》(1907)、《一千零一座教堂》(1909)、《从欧麦赖到欧麦赖》(1911)等。她大量的书信 1927 年由其继母编成两卷出版。晚年在巴格达创立考古学博物馆。她首先提出,挖掘出的古代文物应留在其所属的国家,从而使伊拉克国立博物馆得以收藏极其珍贵的本国文物。

Bell, Henry　贝尔(1767,苏格兰林利斯戈郡托非琴～1830-11-14,邓巴顿郡海伦斯堡)　苏格兰工程师,建造欧洲第 1 艘可供商用的汽船。曾在伦敦师从苏格兰工程师J. 伦尼,

美国不列颠百科全书公司供图

1790 年返回苏格兰,先后在格拉斯哥和海伦斯堡定居。1800 年他建议英国海军部采用蒸汽机来推动船只。贝尔建造的"彗星"号汽船重 28 吨,于 1812 年从格拉斯哥港下水,在克莱德河上运输旅客和货物。这只船的成功预示欧洲蒸汽航行时代的来临。

Bell, John　贝尔(1691,苏格兰斯特灵郡安特莫尼～1780-07-01,安特莫尼)　苏格兰物理学家和旅行家。他的游记使西方人了解到俄国和东方,特别是中国人的生活方式。1714 年去圣彼得堡,在那里随同俄国外交使团出访波斯。在以后的 4 年中任驻中国的外交使节,曾穿过西伯利亚和蒙古。1722 年陪同彼得大帝对里海西岸的杰尔宾特城进行了考察。1737 年被派出使伊斯坦布尔,随后作为商人留住当地,直到 1747 年回到苏格兰。他的著作《从俄国彼得堡到亚洲各地游记》出版过许多版本,并被译为法文。

Bell, John　贝尔(1745～1831,伦敦富勒姆)　英国最早组织图书出版股份公司的出版商。1777年起出版109卷《英国诗人全集》。书中

加入名家所绘插图，对后来的出版事业影响很大。此外，还创办一种周刊、一种有插图的月刊和其他期刊。

Bell, John 贝尔(1797-02-15，美国田纳西纳什维尔附近～1869-09-10，田纳西多佛) 美国政治家，南北战争前夕总统提名候选人。1827～1841年在国会众议院为民主党议员。后加入辉格党，1841年在W.H.哈里森政府中任陆军部长。哈里森死后因反对J.泰勒总统而辞职。退隐6年后，当选参议员(1847～1859)。他虽然是个大奴隶主，但反对扩大奴隶制度。1860年被提名为立宪联邦党的总统候选人，但只在弗吉尼亚州、肯塔基州、田纳西州获胜。他反对脱离联邦，但在林肯总统征召军队后，他公开主张进行抵制，自称是反叛者。南北战争中退隐佐治亚州。

Bell, Lawrence Dale 贝尔(1894-04-05，美国印第安纳门托尼～1956-10-20，布法罗) 美国飞机设计家，他设计的X-1型火箭推进式试验机于1947年首次在平飞中突破音障。

美国不列颠百科全书公司供图

1912年进入航空界，担任其兄格罗弗的机械师。1913年其兄在飞行事故中丧生，贝尔一度退出航空界，但飞行的收引力甚尤，他又为另一航空先驱G.L.马丁工作，并将余生献给航空事业，直到死时还在积极经营设在布法罗的贝尔飞机公司。该公司生产的P-39型空中眼镜蛇和P-63型眼镜王蛇战斗机曾在第二次世界大战中广泛使用。他还设计了美国第1架喷气式战斗机XP-59A型空中彗星飞机。该机原使用两台英国惠特尔发动机，于1942年10月1日首飞。

Bell Bay 贝尔贝 澳大利亚塔斯马尼亚州北部港口和大铝业基地。位于泰马河河口湾岸，乔治镇市。电力由南埃斯克河畔的特雷瓦林热电站供应。1955年建铝厂，年产量达9万多吨。还制造铝涂料以及制炸药用的铝粉和铝浆。港口建有锰铁厂和石油码头。

bell, book, and candle 钟、书和烛 天主教过去使用的宣告"大绝罚"或"咒诅"(参阅**ex-communication**)的仪式。来源不详，但9世纪后期确已存在。钟表示仪式的公开性，书表示主持仪式的主教的语言的权威性。据说烛象征着如果受处分的人悔罪改过，处分可以解除。仪式在引人注目的地方举行，结束后发信通报其他教区的主教。举行仪式时，由12位司铎陪同主教出场，13人均手持蜡烛。在着紫袍的主教朗诵固定的判词后，主教及12位司铎将蜡烛在地上掼灭，典礼遂告结束。

bell chime 组钟 一组固定的钟，按音乐的音列定音，传统上按自然音阶(七声音阶)定音，加上几个临时记号(升高或降低半音)。钟的数目通常是2～20个。比利时与荷兰的自鸣组钟达到3个八度或更大的音域。主要作用是在教堂或市政厅钟塔的钟报时前先自动鸣响，引起人们的注意。也有按半小时、一刻钟，甚至1/8小时鸣响一次的。次要作用是由人来演奏简单的、没有和声的旋律。从13世纪起，人们用手拉系在钟舌上的绳来演奏。从18世纪末起，用杠杆键盘，有时还用踏板(称组钟台)。20世纪用有电动装置的象牙键盘，通常与自动演奏滚筒连在一起演奏。组钟与大钟琴不同的地方在于前者的音域比较狭窄，可能不包括完整的12个音(半音)的音阶。直到20世纪，组钟的钟通常都没有内部调音装置或固定数学比例的泛音关系以便运用和声，也没有力度的变化。但比利时与荷兰的自鸣组钟发出相当复杂的、有充分和声的音乐，他们的钟能内部调音。所有编钟的机械装置均以一卷筒勾住一脱扣杠杆而构成，杠杆用金属丝与钟锤相缚，由一悬挂的砣转动，靠发条而启动。最早的编组乐器是中国的编磬，这是一套悬挂在一个木架上的L形玉石片，用木槌击奏。中国的编钟大约出现在公元前2000年左右。从周朝(约公元前1122～前221)起编磬和编钟(钟或磬悬挂两排，每排有8个钟或磬)就一直在中国的寺院礼拜和世俗音乐中占重要地位。后来，朝鲜、印度、日本也都有编钟。9世纪有4～15个蜂房形小钟的组钟传入西方隐修院。西方的组钟像中国的一样，平放在支座上，用槌敲击。这种乐器叫"奇姆巴拉"，12世纪有人把它用金属线连到管风琴键上，从而形成第一架管风琴组钟。由于"奇姆巴拉"而获得的调音知识导致设计不同音高的钟，把这样的编钟放在钟楼上，由击钟男仆(通常是一对穿盔甲的武士)来报时。用砣的重量开动楼钟的技术导致14世纪齿筒敲钟装置的发明。17世纪约有500架组钟采用了这种自动装置。18世纪末，有10～20个用木制键盘来演奏的钟的组钟，在法国和大不列颠已经变成时髦。美国约1850～1930年有成百架这样的组钟安装在教堂、市政厅和其他顶楼上。俄国的组钟是一套固定的钟，拉动系在钟舌上的绳索以鸣响。这种组钟始于9世纪，但今日已经很少使用。它反复演奏的节奏型成为东正教教会仪式的组成部分。参阅**bell；carillon；change ringing**条。

Bell Island 贝尔岛 加拿大纽芬兰省东南部岛屿。距阿瓦朗半岛5千米，在康塞普申湾。面积28平方千米。因西端海面有一钟形岩石故名。1895～1966年曾为世界主要铁矿石产地之一。小岛人口稠密，经济以渔业和自给农业为主。岛上最大城镇沃巴纳有定期轮渡通阿瓦朗半岛的葡萄牙港。

Bell Laboratories 贝尔实验室 长期以来，为美国电话电报公司的研发机构。现为朗讯科技公司(1996年从美国电话电报公司分离出来)的所属机构。自1925年创建(当时名为贝尔电话实验室，为美国电话电报公司的子公司)以来，该实验室已有成千上万项科学和工程技术革新。例如1926年公布了同声活动电影系统；1937年制成最早的电继电器数字计算机；同年，研究员C.戴维孙由于证明电子的波粒二相性而与人共获诺贝尔物理奖；1947年发明晶体管，研究员J.巴丁、W.H.布喇顿和W.B.肖克莱因此获1956年诺贝尔物理学奖。20世纪60年代，贝尔实验室首先开发出电子电话交换机，并设计出通信卫星——世界上第一个卫星通讯系统。1978年研究员A.彭齐亚斯和R.W威耳孙由于发现宇宙微波本底辐射而获诺贝尔奖。贝尔实验室也是声纳、激光、太阳能电池开发的先驱。它还根据军事合同，从事与国防有关的研究与开发。由于上述和其他成就，加上研究人员所发表的科技论文，贝尔实验室成为全世界最有权威性的研究机构之一。

bell-magpie 钟鹊 澳大拉西亚鸣禽，属于雀形目钟鹊科。因其洪亮的具金属音的鸣声和像喜鹊的黑白两色羽衣而得名。大多数权威认为只有黑背钟鹊(*Gymnorhina tibicen*)一种，分布广。有人认为有三种：白背钟鹊(*G. hypoleuca*)、西钟鹊(*G. dorsalis*)和黑背钟鹊(*G. tibicen*)。钟鹊长30～50厘米，与喜鹊不同之处为尾短。在开阔地捕食蜥蜴、蛇和大型昆虫。富进攻性，尤其在繁殖季节，会攻击较大的鸟类甚至人。巢敞开，筑在农村，其中除草和枝条外，还可有大量金属丝。

bell moth 钟蛾 参阅**leaf roller moth 卷叶蛾**。

bell pepper 灯笼辣椒 辣椒属(*Capsicum*)植物，肉质厚而柔软的辣椒。

Bell Rock 贝尔罗克 又称因奇凯普罗克礁。苏格兰北海砂岩暗礁。距阿布罗思东南19千米。长600米，落潮时露出海面数英尺，涨潮时没入海中。在船只进出泰河和福斯河以及更北面各港口的中途，为航海险滩。1779年的一次风暴中有70艘船在此触礁遇难。1807～1811年由R.斯蒂文森设计而建造的灯塔高达35米。相传，一位阿布罗思的修道院长曾下令将警铃(暗礁因此得名)系在礁石上，以反映波涛活动情况，后被海盗拉尔夫毁掉。后来拉尔夫的船也在此地失事。R.骚塞曾以该事件为题材写成叙事诗《因奇凯普罗克礁》。

Bell System 贝尔系统 美国以前的电话系统，由**美国电话电报公司(AT&T)**所控制。该系统的附属机构有：器材制造商**西方电气公司(Western Electric Company Inc.)**；研究和开发机构**贝尔实验室(Bell Laboratories)**；其他部门和22家营业公司。1983年根据法院命令22家营业公司脱离美国电话电报公司，该系统随之解散。

Bell Trade Act **《贝尔贸易法案》** 旧称《1946年菲律宾贸易法案》是美国国会通过的一个规定菲律宾共和国脱离美国统治的经济条件的法案。其中包括许多使菲律宾经济从属美国经济的引起争议的条款,例如其中规定菲律宾对美贸易的限额,菲律宾比索对美元的汇率为2:1,以及两国之间在8年内自由贸易,然后逐步增收关税,等等。另外还有一个遭到许多菲律宾人反对的所谓《对等修正案》,要求菲律宾修改宪法,允许美国公民在开发自然资源和经营公用事业方面与菲律宾人享有同等权利。参与这些谈判的某些掌权的菲律宾人似乎从这些安排中得到了好处。促使菲律宾人勉强同意的强大动力是这样一个事实:美国付给8亿美元的战争损害赔偿金是以菲律宾批准贝尔法案为条件的。这个法案在菲律宾一直极端不受欢迎。后来为一项对菲律宾比较有利的《劳雷尔-兰利协议》所取代,该协议于1956年生效。

Bella, Stefano della **贝拉**(1610-05-18,佛罗伦萨~1664-07-12,佛罗伦萨) 法语作Étienne de La Belle。意大利巴罗克风格版画家。以具有J.卡洛风格的战争题材版画著名。曾当金匠艺徒,后师事R.坎塔加利纳学铜版画。经L.德梅迪契资助,在罗马学习3年。1642年赴巴黎,受聘于红衣主教黎塞留,制作法军攻克阿拉斯城的版画。1647年赴阿姆斯特丹,受荷兰风景画派和伦勃朗画法的影响。此后作品愈加完美和精致,常制作小型版画。1650年返佛罗伦萨。其版画作品逾1 400幅,题材广泛。

Bella Coola **贝拉库拉人** 北太平洋沿岸印第安人。他们的村落多在迪安河、伯克河上游及贝拉库拉河下游即现今不列颠哥伦比亚中部沿海地区。操萨利什语,与南面的**沿海萨利什人(Coast Salish)**的语言接近。贝拉库拉人的祖先可能由内地萨利什人那里分出后向北迁徙而来。虽然贝拉库拉人的物质文化、祭祀礼仪及神话传说等与其邻族海尔楚克人(参阅 **Kwakiutl**)相似,但其社会结构却与相距更远的萨利什人十分近似。贝拉库拉人与欧洲人最初接触时约有5 000居民,19世纪因疫病流行减为不足1 000人,居住在一个村庄里。20世纪末,人口呈增加之势,永久性村庄增多,每村有若干家庭组成,住房为大木板结构。木材还供制作独木舟及家庭贮水容器之用。以赤杨及香柏雕为假面具及其他礼器,其中以19世纪的图腾柱最为壮观。鱼为主要食物来源,辅以猎物及浆果、根茎等。生活以村落为基地,身份以世袭官阶及财富来论定。重视秘密结社,信奉众多神祇。

belladonna(*Atropa belladonna*) **颠茄** 茄科高大灌木状草本植物,用其干叶和根制成的生药亦称颠茄。植株高约1.5米,原产欧亚大陆中部和南部,生长于林地或荒地。叶暗绿色。花紫堇色或淡绿色,着生于叶腋或小枝分叉处。浆果黑亮,樱桃大小。根粗大,锥状。颠茄在法国等地栽培,用以提取莨菪碱、东莨菪碱和阿托品等药物。但这些生物碱有毒性和副作用,正被合成药物代替。

Bellamy, Edward **贝拉米**(1850-03-26,美国马萨诸塞奇科皮福尔斯~1898-05-22,奇科皮福尔斯) 美国作家。主要因他的乌托邦式小说《回顾2000~1887年》而闻名。父亲是浸礼会牧师。18岁时在德国求学一年,开始

美国国会图书馆供图

认识到城市贫民的困苦境遇。1871年进入律师界,不久转入新闻界。先在《斯普林菲尔德联合报》(马萨诸塞州)任副主编,后在《纽约晚邮报》任社论作者。早期文章和短篇小说间接地批评美国的墨守成规。《回顾》(1888)以2000年的波士顿为背景,描绘了在理想的社会主义制度下的美国。这部销售超过百万册的小说颇受当时正遭受1883年经济萧条的影响和芝加哥1886年秩市骚乱震动的公众的欢迎。他成为公共事业国有化的积极宣传者,其主张促进了国家主义者俱乐部的成立。在欧洲,特别是在荷兰,也出现由于受其著作鼓舞而成立的政治团体。他曾通过《国家主义者》(1889~1891)这个刊物对平民党政纲施加影响。《平等》(1897),是《回顾》的续集,成就较小。其他著作收在《贝拉米又说话了》(1937)和《谈国家主义》(1938)。

Bellanca, Dorothy Jacobs **贝兰卡**(1894-08-10,拉脱维亚泽梅尔~1946-08-16,美国纽约州纽约) 婚前名Dorothy Jacobs。拉脱维亚出生的美国工人领袖。1900年随家人移民美国马里兰州巴尔的摩。13岁到服装厂做工。1908或1909年参与组织美国联合成衣工人工会在当地的分会。到1914年已是分会领导。后成衣工人工会分裂,她带领年轻的会员组织美国成衣工人统一工会,成为该组织巴尔的摩委员会的委员;1915年任委员会秘书。1916年当选总会执行委员会委员。1917年成为第一个专职女组织干事。1918年与A.贝兰卡结婚。20~30年代在纽约、新泽西、宾夕法尼亚、康涅狄格和俄亥俄等地从事组织工作,安排纠察线,组织罢工工人救济,并吸收新会员。她始终为争取妇女在工会事务中的平等地位而奋斗。1934年再次当选总委员会委员,是成衣工人统一工会唯一的一名女副主席,直至去世。她在许多政府和国际组织中担任职务,第二次世界大战初期是战时人力委员会和劳工部的顾问。

Bellanca, Giuseppe Mario **贝兰卡**(1886-03-19,意大利夏卡~1960-12-26,纽约市) 飞机设计师和制造家,在美国制造了第一架有封闭座舱的单翼机。毕业于米兰工业学院,获工程学位。1911年到美国,他认为飞机设计前途光明。他在学生时代曾设计并制造过飞机,未获成功。但他在纽约长岛制造第一架飞机,办了一所飞行学校(1912~1916),并学会了飞行。1917年设计并制造出第一架有封闭座舱的单翼机,在飞行竞赛中获奖。1924~1926年,在最早的特技表演飞行家C.钱伯林介绍下到莱特飞机公司工作。钱伯林于1927年驾驶贝兰卡造的飞机,空运一名旅客作第一次横越大西洋的飞行,从纽约飞到德国艾斯莱本,创造远距离飞行的新纪录。20年代末和30年代初,远距离飞行的飞行员都喜欢用贝兰卡的飞机,林白也首先选中一架贝兰卡飞机。1931年贝兰卡飞机曾完成从日本到美国的第一次不着陆飞行。贝兰卡飞机公司(1927~1954)专门制造私人公务飞机。1929年加入美国籍。1954年出售其公司后,与其子经营贝兰卡飞机工程公司,继续设计和制造飞机。

Bellarmine, Saint Robert **贝拉明**(1542-10-04,托斯卡纳蒙特普尔恰诺[意大利]~1621-09-17,罗马) 天主教枢机主教和神学家,在欧洲宗教改革运动时期为天主教辩护。1560年加入耶稣会。曾先后在罗马、蒙多维和帕多瓦等地学习,后被派至卢万。1570年在卢万受神职并开始教授神学。当时,基督教新教和奥古斯丁派关于恩宠与人的自由意志的学说在低地国家盛行,贝拉明不得不阐明自己的神学见解。嗣后返回罗马在新成立的耶稣会学院讲学。1599年任枢机主教。1602年任卡普阿大主教。作为圣职部顾问,他是初审伽利略著作的主要人员之一。贝拉明在一定程度上赞成伽利略的论点,因而允许伽利略为自己申辩,并警告他不要为哥白尼学说辩护,而仅将它作为一种假说。贝拉明站在圣职部的立场上,碍于当时天主教与基督教新教的纠纷,主张最好仅宣布伽利略所拥护的哥白尼学说为"谬误"。1616年天主教会照此宣布。贝拉明捐献全部私产赒济贫寒。他生前对基督教新教著作持开明公正态度。

Bellary **贝拉里** 印度南部卡纳塔克(前迈索尔)邦中东部城镇。起源于中世纪。一个16世纪的要塞俯视整个城镇。要塞建在一个周长3千米的大花岗岩上。花岗岩耸立在四周的平原之中,高140米。据称,迈索尔邦18世纪的穆斯林统治者海德尔·阿里在一个法国工程师帮助下扩大要塞,以后他又将法国工程师绞死,因为他未把要塞建在附近一块更大的岩石上。贝拉里为公路与铁路中心。加工棉花,棉花是这一地区主要的经济作物。有酿造、制糖工业。有医学院、法学院、教育学院,均为设在塔尔瓦尔的卡纳塔克大学的分校。人口201 579(1981)。

Bellas Artes, Museo de(Caracas, Venez.) 参阅 **Fine Arts, Museum of 美术博物馆**。

Bellas Artes, Palacio de(Mexico City) 参阅 **Fine Arts, Palace of 美术宫**。

Bellay, Guillaume du, SEIGNEUR(lord) DE LANGER **贝莱** (1491,法国格拉蒂尼~1543-01-09,圣桑福里安德莱) 法国军人、著作家,法国国

王弗兰西斯一世时期以外交上卓著功勋而闻名。曾在佛兰德和意大利两地作战。在帕维亚战役(1525)中,同弗兰西斯一世一起为神圣罗马帝国军队所俘。后来,弗兰西斯任命

美国不列颠百科全书公司供图

他为外交官,1529年参与拟订《康布雷条约》。1532～1536年联合德意志诸侯反对查理五世。他没有参加基督教新教,但保护新教徒对抗反对派。他与许多作家和学者交游。最重要的著作是一部关于弗兰西斯一世和查理五世争雄的历史,仅残存片断。

Bellay, Jean du　贝莱(1492或1498,法国格拉蒂尼～1560-02-16,教皇国罗马[意大利])法国枢机主教和外交家,法兰西国王弗兰西斯一世的主要顾问之一,人文主义者和宗教改革家的一位保护人。生于显贵家庭,吉尧

美国不列颠百科全书公司供图

姆·杜·贝莱之弟。1526年任巴约讷主教,1530年任国王私人顾问,1532年任巴黎主教。弗兰西斯一世命他办理外交,在1527年9月至1534年1月期间5次派他出使英格兰,并派他于1534年出使罗马,为英格兰国王亨利八世的离婚辩护。1535年5月,他被任为枢机主教。在弗兰西斯一世与神圣罗马帝国皇帝查理五世之间的1536～1537年战争时期,他被任命为法国陆军中将。弗兰西斯在位最后几年,贝莱得到许多封地。1547年国王亨利二世登基后,贝莱失宠。他于1553年引退罗马,在那里成为奥斯蒂亚主教和枢机团团长(1555)。贝莱曾协助友人比代说服弗兰西斯一世创办法兰西学院。作家F.拉伯雷是他的秘书和医师。其他一些文人,如É.多雷,以及诗人S.马克兰,都受过他的帮助。他自己的著作有3部用拉丁文写的诗和一篇为弗兰西斯一世辩护的文章(1542)。他的信件收藏于巴黎国立图书馆。

Bellay, Joachim du　贝莱(约1522,法国利雷～1560-01-01,巴黎)　法国诗人,与龙萨同为七星诗社的领袖,该社宣言《保卫与发扬法兰西语言》(1549)的作者。在宣言中他认为法兰西有能力产生一种至少可以同意大利文学并驾齐驱的现代文学。生于卢瓦尔流域的一个贵族家庭。曾在普瓦捷和巴黎学习法律和人文科学。在意大利诗人彼得拉克影响下,于1549～1550年间发表了第一批十四行

美国不列颠百科全书公司供图

诗。1553年随堂兄若望驻节罗马,其堂兄为著名的枢机主教和外交官。此时他已开始写作宗教题材的诗篇。但是在梵蒂冈的宫廷生活经历似乎使他感到失望,于是他转向对古罗马光辉业绩的缅怀(《罗马怀古集》),并在他最细腻纤巧的作品《追思集》中发出带有阴郁色彩的讽刺。两部作品均发表在作者1558年返回法国之后。贝莱终生疾病缠身,遭受间歇性耳聋的折磨。他的肖像展现出一副孤独和严峻的面容,更加深了人们对这位把整个身心奉献给艺术的诗人的印象。他对祖国怀有诚挚的热爱,断言法国将有一种"可与任何其他民族相匹敌的文学"。他用法语写作的颂歌诗集和爱情十四行诗,在法语历史上首开先河,从而为法语引进了崭新的文学形式。

bellbird　钟雀　雀形目中数种嗓音像钟声的鸟,彼此并不近缘。伞鸟科普洛克涅鸟属

裸喉钟雀(*P. nudicollis*)
美国不列颠百科全书公司供图

(*Procnias*)的4种钟雀主要分布于南美热带地区,多少呈白色,其中3种有肉质装饰物。白钟雀(*P. alba*)的额部有羽毛稀疏的、尖端渐细的黑色穗状物。须钟雀(苔喉钟雀、黑翅钟雀,*P. averano*)的喉部有多个细肉垂。三肉垂钟雀(*P. tricarunculata*)喙有3个肉垂,只分布于中美洲。裸喉钟雀(*P. nudicollis*)的面和喉绿色。上述各种大小如松鸦,吃果实,在很远处都可听到鸣声。新西兰的吸蜜鸟科钟吸蜜鸟(*Anthornis melanura*)两性均长23厘米;暗绿色,栖居原始森林中;鸣声和谐动听。钟矿鸟(*Manorina melanophrys*)亦属吸蜜鸟科,为澳大利亚的吸蜜鸟。澳大利亚的鹟科厚头啸鹟亚科的冠钟鹟(*Oreoica gutturalis*)通常称冠钟雀。某些伯劳亦称钟雀或钟伯劳。参阅**shrike**。

Belle, Étienne de la　参阅**Bella, Stefano della 贝拉**。

Belle Fourche　贝尔富什　美国南达科他州西部城市,比尤特县县城(1883)。在雷德沃特河和贝尔富什河汇合处,邻怀俄明州边界。1878年开始有人定居,1903年设市。早期即为重要牲畜贸易和航运中心。现仍是牲畜贸易中心,以牛、马和绵羊为主。也是美国最大的毛纺中心之一。为周围大片农业地区的贸易中心。农作物有玉米、小麦、大麦、干草和燕麦。其他工业有斑脱土的开采和处理及木材业。城北24千米处有布莱克山国家森林北部入口,每年7月举行布莱克丘陵骑术竞技会。附近贝尔富什坝水库有灌溉和游乐之利。人口4 565(2000)。

Belle Glade　贝尔格莱德　美国佛罗里达州东南部棕榈滩县城市。原为奥基乔比湖东南岸一居民点。1928年遭飓风破坏,同年重建并设镇。1945年设市。现经济以农业为主。最主要的农作物有甘蔗和蔬菜。市东3千米处有大沼泽研究教育中心(附属于佛罗里达大学)。有棕榈滩社区学院的一个分校。市东南30千米处有洛克赛哈奇国家野生动物保护区。人口14 906(2000)。

Belle-Île-en-Mer　贝勒岛　法国布列塔尼南岸外岛屿。面积83平方千米。行政上属莫尔比昂省。作为大陆港口圣纳泽尔和洛里昂的前哨基地。岛上城堡从1572年到19世纪对法国具有战略重要性。1761～1763年

贝勒岛及其港口
美国不列颠百科全书公司供图

被英国占领,后归还法国。现有数处渔村,以勒帕莱为最大。经济以农业为基础,尤以谷物为最重要,辅以渔业。人口 4 489(1999)。

Belle-Isle, Charles(-Louis-Auguste) Fouquet, duc de (duke of), DUC DE GISORS **贝尔岛公爵**(1684-09-24,法国维勒弗朗什～1761-01-26,凡尔赛) 即C.富凯。法国元帅和政治家,主要由于他在促使法国卷入奥地利王位继承战争中所起的作用而占有重要地位。路易十四的财政大臣 N.富凯之孙。早年进入军队,曾在西班牙王位继承战争和 1718～1719 年反对西班牙的战争中作战。后作投机生意致富。他想继弗勒里为首相,在宫廷中施展种种阴谋。他对 1742 年 1 月查理·阿伯特当选为神圣罗马帝国皇帝(查理七世)起过很大作用,为此被封为日索尔公爵。后作为军事指挥官,他巧妙地率领法军撤出布拉格(1742),并成功地抗击了奥地利人和撒丁人(1746～1747),保卫住普罗旺斯。在七年战争中任陆军大臣(1758～1760)。由于他未能增援魁北克的法军,从而使法国丢失了加拿大。

Belle Isle, Strait of 贝尔岛海峡 在加拿大东部,为大西洋至圣劳伦斯湾的北部入口。海峡长 90 英里(145 千米),宽 10～17 英里,为从圣劳伦斯水道和五大湖港口去欧洲的最短路线。因有寒冷的拉布拉多洋流,故冰冻期长,仅 6～11 月底通航。

Belleau, Rémy 贝洛(1528,法国沙特尔附近的诺让勒罗特鲁～1577-03-06,巴黎) 文艺复兴时期的学者和诗人。写过多篇被称为工笔画的精雕细琢的肖像作品。七星诗社的成

美国不列颠百科全书公司供图

员之一,该社寻求通过复兴古典传统的途径来丰富法国文学。与诗人龙萨同时代。先后取得舒瓦瑟尔隐修院院长、查理九世以及亨利三世的庇护,亨利三世还任命他为王室秘书。曾参加 1557 年攻打那不勒斯的战役,约 1563 年起在茹安维尔市天主教望族吉斯家中任家庭教师和顾问。《羊圈》(1565～1572)正是从吉斯家城堡中取得创作灵感的,其中收有他的牧歌、十四行诗、赞美诗以及爱情韵文等不同体裁的诗作。对大自然和艺术品的描写和刻画精细入微,从而赢得了诗歌领域的"工笔画家"的美誉,龙萨也称他为"大自然的画师"。其他作品包括教谕性的韵文《宝石情深》(1576),以中世纪宝石鉴赏家的口吻评论奇石异玉及其内在的美质。《女名流》(1577)是取材于普劳图斯的《赌场》的韵文喜剧。所译阿那克里翁的《颂歌》(1556)显示了他的博学多识并为他赢得七星诗社的第七把交椅。

Bellecour 贝勒库尔(1725-01-16,巴黎～1778-11-19,巴黎) 原名让-克洛德-吉勒·科尔松。法国剧作家和法兰西喜剧院(**Comédie-Française**)主要喜剧演员之一。父亲是位肖像画家。贝勒库尔青年时代曾是位画家,同时又从事各种业余戏剧演出。舞台上的成功使他放弃绘画而开始演员生涯。1750 年 12 月 21 日首次在法兰西喜剧院演出,饰拉辛《伊菲热妮》中的阿希尔。和法国著名悲剧演员列肯同时进入法兰西喜剧院。由于他的舞台表演风度极佳,受到观众偏爱。在列肯正式进入剧团后,贝勒库尔就失去了饰演悲剧角色的机会,他成了一位著名的喜剧演员,事实上他演喜剧更为合适。1761 年他写的剧本《虚假的外貌》取得很大成功。

Bellecour, Madame 贝勒库尔夫人(1730-12-20,法国朗巴尔～1799-08-05,巴黎) 原名罗丝-佩里内·勒鲁瓦·德拉科比纳耶,又名博梅纳尔小姐。法国女演员,以演莫里哀和勒尼亚尔的剧作而著称。13 岁离家,与一个名叫博梅纳尔的巡游喜剧演员交往。1743 年在圣日耳曼集会的喜剧歌剧院中首次登台,立即获得成功。其后巡回演出多年。1749 年首次在法兰西喜剧院登台,扮演莫里哀《达尔杜弗》中的多丽娜,又获成功。她擅长扮演风骚女仆,非常受欢迎。1756 年引退。直到 1761 年同贝勒库尔结婚后作为贝勒库尔夫人重上舞台,又取得很高的艺术成就,所饰莫里哀和勒尼亚尔戏剧中的风骚女仆受到广泛称赞。1790 年再次引退。法国革命终止了她的退休金,迫使她最后一次重返舞台,但遭到可悲的失败,在穷困中去世。

Belleek ware 比利克陶瓷 爱尔兰的弗马纳(今属北爱尔兰)比利克工厂出产的瓷器。由于当地有大量白长石和柯尼什瓷土矿,加上雇用了从英格兰来的技工,这座由 D.麦克宾尼和 R.W.阿姆斯特朗在 1857 年创建的工厂一开始就取得了成功。与比利克陶瓷器有关的白色闪光陶瓷器和帕罗斯瓷塑像于建厂的当年即已面世。比利克所产装饰华丽的古典风格半身塑像、自然形态的器皿(例如贝壳形器皿)以及实用器皿都是当时维多利亚薄胎瓷中的精品。该工厂的产品以其凝霜似的外观、光洁明亮的虹彩釉料,以及雅致精巧的造型而引人注目。著名的比利克镂空花篮堪为佐证。这种花篮呈椭圆形或圆形,手工制作,用花叶装饰。以海洋生物为题材的制品也博得赞赏。比利克陶瓷包括 19 世纪的传统制品,至今仍在生产。美国比利克陶瓷(或称伦诺克斯比利克陶瓷)展现了它自己的热情奔放而又有所克制的完美性,它是由 W.S.伦诺克斯于 1889 年在陶瓷艺术公司创始的,自 1906 年起一直由伦诺克斯公司生产。

Bellefontaine 贝尔方丹 美国俄亥俄州中西部城市,洛根县县城(1820)。在哥伦布西北 72 千米。原为肖尼人村落,1806 年始有白人定居。1835 年建村。1895 年设市。曾为铁路镇。后为农区服务中心。工业产品有动力工具、断路开关、电动机、机械、电镀等。市内有美国第 1 条混凝土街道(1891)。市东有本州最高点坎贝尔山(472 米)。附近有州立印第安湖公园、俄亥俄和赞恩洞穴以及 19 世纪城堡。人口 12 142(1990)。

Bellenden, John 贝伦登(创作时期1533～1587) Bellenden 又拼 Ballenden, Ballantyne 或 Bannatyne。苏格兰作家,所译 H.博伊斯的《苏格兰史》(拉丁文)对苏格兰民族感情曾产生深刻影响。在苏格兰和巴黎上大学,当过詹姆斯五世的会计,并奉命翻译刚在巴黎出版的《苏格兰史》(1526)。1536 年出版了译本,该书为现存最早的苏格兰散文作品之一。贝伦登还奉旨翻译李维《罗马史》的头 5 卷,并作一序《历史的问题》。该书 1822 年才公开印行。1533 年任莫里郡副主教和罗斯郡的议事司铎。后来,似乎失去国王的恩宠。因顽固地反对宗教改革,而不得不流亡异国。有些材料表明他于 1550 年客死罗马,但其他材料证明 1587 年他仍活着。

Bellenden Ker Range 贝伦登克尔岭 在澳大利亚昆士兰州东北部。属东部高地。山体为花岗岩构成。由内拉达沿东北海岸延伸到凯恩斯正南的戈登韦尔,长 65 千米。东界马尔格雷夫河,南接因尼斯费尔丘陵,西连阿瑟顿高原。最高点巴特尔弗里尔峰,海拔 1 611米。1921 年辟为国家公园。占地 325 平方千米。有热带雨林和灌木丛等各种植被。多野生动物(包括袋鼠)。著名古迹有土著居民举行部落仪式的环状土墩(布拉)。

Bellerophon 柏勒洛丰 又作 Bellerophontes。希腊传说中的英雄。在《伊利亚特》中,他是科林斯国王西绪福斯的儿子格劳科斯的儿子。阿尔戈斯国王普洛托斯的妻子安忒亚

石浮雕:柏勒洛丰和他的飞马珀伽索斯

美国不列颠百科全书公司供图

爱上了他;她求爱不成便向丈夫诬陷他。普洛托斯于是派他去吕西亚国王之处,并在所带书信中要求国王把他杀掉。国王屡次想下毒手,均未得逞,最后看出他并非凡人,就把自己的女儿许配给他。后失去诸神恩宠,丧子二人,忧伤地在阿列亚平原上游荡。据后世作者描述,他还在科林斯时,曾用雅典娜女神送给他的缰绳驯服飞马珀伽索斯(**Pegasus**)。他乘飞马同喀迈拉作战,后来还惩罚了安忒亚。他由于想乘飞马上天,触怒诸神,使他坠地变跛。索福克勒斯和欧里庇得斯有以他的故事为主题的作品。

Bellerophon 神螺属 腹足动物(螺类)的绝灭属。化石见于奥陶纪到三叠纪(5.05亿年前至2.08亿年前)地层,是神螺类(螺的一大类)的代表。螺壳原始,与中线在同一个平面

神螺(*Bellerophon*)
美国不列颠百科全书公司供图

上卷曲。壳体上下对称,生长线自壳的中脊改变角度,壳前缘向外张开,被狭的裂口、裂带分隔。

belles lettres 纯文学 以文学本身为目的的文学,并不注重实用或纯为提供信息。一般指诗歌、小说、戏剧等等,或更专指轻松、令人愉快、意义深奥的文学。亦常用以指文学研究,特别是论说文。此词源自法语,原意为“美的文学”。

Belleville 贝勒维尔 加拿大安大略省东南部城市,黑斯廷斯县行政中心(1792)。位于莫伊拉河口,濒临安大略湖的昆蒂湾。1615年法国探险家S.de尚普兰首先到此。1776年后美国一些保皇党人到此定居。原名迈耶斯克里克,1816年更现名以纪念上加拿大副总督F.戈尔的妻子阿拉贝拉。1855年通铁路后成为重要铁路终点站和服务中心。1850年设镇,1877年设市。现生产乳品、水泥、传送机械、塑料制品和电子设备等。为度假胜地,设有艾伯特学院、皇家应用美术与技术学院和聋人学校。有横穿大陆的铁路和高速公路通温莎、多伦多及蒙特利尔等地。人口45 986(2001)。

Belleville 贝尔维尔 美国伊利诺伊州西南部城市,圣克莱尔县县城。位于密西西比河泛滥平原的东边陡坡,毗邻东圣路易斯。1814年创建。1819年设镇。1850年设市。原为农业中心。19世纪50年代中期附近始有采煤业。其后大批德国移民涌入,经济发展多样化,以采煤、饮料、炊具和取暖器制造业为主。设有贝尔维尔初级学院(1946)。市东有斯科特空军基地(1917)。人口41410(2000)。

Bellevue 贝尔维尤 美国内布拉斯加州东部萨皮县城市。临密苏里河,在奥马哈市东南。19世纪初叶原为皮毛贸易站,1835年成为河港。市区迁移到俯瞰河谷的陡岸上。该州第一份报纸《内布拉斯加智慧女神报》1854年在此出版。1855年设市。旧的移民区和旧市政厅(1856)均保存至今。附近建有马丁轰炸机厂(1941)、奥福特空军基地(1948)、战略航天博物馆和战略空军司令部。市内有贝尔维尤学院(1965)。东北郊有丰特内尔森林自然保护区。人口约31 268(1991)。

bellflower 风铃草 桔梗科风铃草属(*Campanula*)植物,约300种,一年生、二年生或多年生草本。花钟状,通常蓝色。原产于北温带、地中海地区和热带山地。有许多庭园栽培的观赏种。美洲风铃草(高大风铃草,*C. americana*)原产于北美潮湿林地,花穗可高达2米,花浅碟状,花柱长而弯曲。喀尔巴阡风铃草(*C. carpatica*)高15～25厘米,在欧洲的草甸及林地生长成丛;多数花朵着生茎上,花梗长;花形式多样,碗状,浅紫色至白色。仙女顶针(匙状叶风铃草,*C. cochleariifolia*)花钟状,花管深而下垂,蓝色至白色,随风摇摆,丛生于山地石堆。伯利恒之星(同型叶风铃草,*C. isophylla*)是一种蔓生种,原产意大利,常盆栽,花星状,着生于小枝,紫堇色、蓝色或白色。坎特伯雷风铃草(中间风铃草,*C. medium*)产于欧洲南部,两年生,花杯状,粉红、蓝色或白色,花穗较大。桃叶风铃草(*C. persicifolia*)产于欧亚大陆,见于林地和草

一种风铃草属(*Campanula*)植物
美国不列颠百科全书公司供图

甸,花穗梗细,高30～90厘米,钟状花具长柄,开口向外。匍匐风铃草(类牧根草样风铃草,*C. rapunculoides*)产欧洲,因其根状茎延伸而得名,已在北美归化。*C. trachelium* 产于欧亚大陆,在北美归化;粗糙,直立,被毛;花淡紫色,漏斗状,簇生。牧根草风铃草(*C. rapunculus*)产于欧亚大陆和北非,二年生,栽培为食用其芜菁状根及叶,味辛辣,常用做沙拉。花穗直立向上,钟状花具长柄,淡紫色;茎生叶窄;基生叶宽椭圆形,形成莲座围绕茎部。其他欧洲产的栽培观赏种有阿德里亚风铃草(加尔冈风铃草,*C. garganica*,有时被视为沟繁缕风铃草[*C. elatines*]的变种)、丛生风铃草(*C. glomerata*)、乳白花风铃草(喉痛草、疗喉风铃草,*C. lactiflora*)、大风铃草(阔叶风铃草,*C. latifolia*)及索伊斯风铃草(*C. zoysii*)。参阅 **harebell**。

Belli, Carlos Germán 贝利(1927-09-15,利马～) 秘鲁诗人,以作品中的虚无主义观点和语言的工整精确而著名。他也是翻译家,有时从事新闻工作,到过南美洲各地,多次在西班牙、意大利、美国居住。曾在利马和美国任教。《诗集》(1958)和《在内与在外》(1960)虽然有超现实主义的格调,但诗句和用词接近西班牙黄金世纪的工整与精确。他的这种语言表明当前迫切需要努力去理解基本上不人道的世界。《噢,自动控制的仙女啊!》(1961)是一首讽刺、嘲笑现实的谴责诗。诗集《踩在喉咙上的脚》(1967)和《六行诗及其他》(1970)继续表达对现实的虚无主义观点。有些评论家指出,贝利强调生活中的否定的一面,其实隐藏着他对人类社会交流、友谊和秩序的向往。

Belli, Giuseppe Gioacchino 贝利(1791-09-10,罗马～1863-12-21,罗马) 意大利诗人。他的十四行讽刺诗生动地描述了19世纪初期教皇统治下的罗马生活。用罗马方言写成的2 000余首十四行诗(主要写于1830～1839年间)表达了他对文学传统、学术界心态及天主教制度下社会不平等现象的反抗。

Belli, Pierino 贝利(1502-03-20,蒙费拉阿尔巴[意大利]～1575-12-31,萨伏依都灵) 皮埃蒙特的军人、法学家以及战争法权威,被认为是近代国际法的创始人之一。在他担任驻皮埃蒙特的神圣罗马帝国军队总司令之后,被萨伏依的公爵伊曼纽尔·菲利贝托任命为顾问(1560)。他的《论军法和战争》(1563)一书是当时一部全面论述军法和作战规则的非凡著作。

belligerency 交战状态 指事实上从事战争的状态。一个国家即使为抵抗或惩罚侵略者而诉诸战争,也被认为是交战国。宣战并不是构成交战状态的必要条件。例如,美国和中华人民共和国在朝鲜冲突期间是交战国,尽管双方都避免使敌对行动具有战争性质。1949年《关于战俘待遇的日内瓦公约》(日内瓦第三公约)不仅适用于正式宣战的战争,也适用于各缔约国之间发生的任何武装冲突以及对任何缔约国领土的占领,即使未遭受抵抗。根据1949年日内瓦第三公约,合法的交战人员包括武装部队、民兵、志愿军和有组织的抵抗团体,这些团体受一个对其部下负责的人指挥,有明显的标志,公开携带武器和合法地进行战斗。在某些情况下,一个国家即使背离严格的中立立场,向交战国的一方提供支援,仍可当作非交战国看待。参阅 **Geneva convention; neutrality**。

Bellingham 贝灵汉 美国华盛顿州西北部城市,霍特科姆县县城(1854)。在加拿大边界以南29千米处。临贝灵汉湾。1852年罗

德船长在下霍特科姆福尔斯开设锯木厂。1854年开始采煤。19世纪80年代在贝灵汉湾建起4个社区,1904年联合设市。通铁路和改善港口设施后,发展纸浆、鱼罐头和游艇制造业。设有西华盛顿大学(1899)和霍特科

贝灵汉市的原木池
美国不列颠百科全书公司供图

姆社区学院(1967)。有霍特科姆历史和艺术博物馆,藏有与当地历史有关的文献和器物。附近为贝克-斯诺夸尔米山国家森林。市西北8千米处有伦米印第安人保留地。人口:市67 171;贝灵汉都会统计区166 814(2000)。

Bellingshausen, Fabian Gottlieb von 别林斯高晋(1778-08-18,俄国爱沙尼亚奥谢尔～1852-01-13,喀琅施塔得) 俄国探险家,第二次环行南极洲(1819～1821)探险的领导者。因此,南极洲有一片海域以他名字命名。10

美国不列颠百科全书公司供图

岁时加入俄国海军,逝世时为海军上将和喀琅施塔得要塞司令。在指挥"东方"号与"和平"号两只约500吨的单桅帆船航行南极时,发现了南桑维奇群岛中的彼得一世岛(1821-01-22)和亚历山大一世岛(01-29)。他有关此行的游记于1945年译成英语。

Bellini, duct of 贝利尼氏管 参阅 renal collecting tubule 肾集合小管。

Bellini, Gentile 贝利尼(约1429,威尼斯[意大利]～1507-02-23入葬,威尼斯) 意大利画家,为文艺复兴时期威尼斯画派奠定基础的画家族成员,以画肖像和威尼斯风光著称。从其父J.贝利尼学画。1466年受圣马可学校之托装饰该校大门。1479年到君士坦丁堡为苏丹穆罕默德二世作画。现存重要作品是《穆罕默德二世像》(约1480)。其羽毛笔水粉画《土耳其男童像》(1479～1480)类似土耳其细密画的画法。这种画法也表现在他晚期的作品中,如《乔凡尼·莫切尼戈总督像》(1478～1485)。其名作是为福音传教士圣约

贝利尼绘《圣十字架寻回》(1500)
美国不列颠百科全书公司供图

翰学校画的威尼斯风光。这些画如实描绘了15世纪的威尼斯生活和建筑。

Bellini, Giovanni 贝利尼(约1430,威尼斯[意大利]～1516,威尼斯) 威尼斯画派奠基者,著名画家乔尔乔涅和提香的老师。其艺术使威尼斯绘画脱离了对拜占廷传统的依

贝利尼绘《圣乔贝尊崇圣母马利亚》(15世纪80年代)
美国不列颠百科全书公司供图

赖,而成为与罗马和佛罗伦萨并驾齐驱的意大利文艺复兴的中心之一。其父雅各布、兄秦梯利均为威尼斯画派的画家。贝利尼与其兄都是作为父亲作坊助手开始走上艺术道路的。早期作品主要受其姐夫A.曼特尼亚严肃僵硬的帕多瓦画派影响。画圣母像则追随其父甜美画风。

贝利尼注意对自然光的观察,逐步摆脱曼特尼亚影响,形成了自己的风格。在《花园里的悲哀》(约1460)中,人物被缩小了,黎明的光线笼罩着深远、宽广的景色,阴影中反射着水与天空的光亮。他的风景画使四面环水的威尼斯风光重新显露出它的价值。《圣母加冕》(约1470)是具有文艺复兴典型风格的第一幅威尼斯绘画作品,可以发现弗朗切斯卡和马萨乔的影响。圣母与圣徒的形象以及衣饰的质感都非常准确逼真,透视与色形体现的空间感与明亮的景色浑然一体,具有威尼斯画派独有的美感。他的早期作品是蛋彩画,后来以油画为主。他发展了油画技法,熟练地运用油画颜料易于调和及可以覆盖的性质,显示了威尼斯画派在色彩上的独到之处。他的作品主要限于圣母、哀悼基督或基督受难等宗教题材,但到后期,画面上的场面和背景日益丰富,他成为最伟大的风景画家之一。德国画家丢勒1506年到威尼斯时,评价他是威尼斯最伟大的画家。

Bellini, Jacopo 贝利尼(约1400,威尼斯～约1470,威尼斯) 意大利画家,把佛罗伦萨早期文艺复兴艺术原则引入威尼斯。1423年前随其师法布里亚诺的秦梯利到佛罗伦萨,追随多纳泰罗等人的画风。1429年定居威尼斯,其作品融入了拜占廷艺术的成分,并表现出画家对哥特式装饰趣味的兴趣。其现存的主要作品是两本素描集(约1450,现分藏于巴黎罗浮宫博物馆和伦敦不列颠博物馆),描绘极其多种多样的场面,被当时和16世纪的艺术家们作为构图的参考。在《基督受难》(伦敦不列颠博物馆藏)作品中作了最大胆的构图试验。不从正面而从一角看到三个十字架,士兵背向观众,造成自发性和直接性的感觉,这种作法在艺术中还是第一次出现。他对威尼斯绘画的影响通过其子秦梯利和乔凡尼以及女婿A.曼特尼亚的作品而扩大。

Bellini, Lorenzo 贝利尼(1643-09-03,佛罗伦萨～1704-01-08,佛罗伦萨) 意大利医师、

解剖学家。描述肾脏的集合小管(贝利尼氏管),第一次揭示肾脏是由无数微小的导管组成。1662年在他的《肾脏结构和功能的解剖学实习》一书出版时,他只是比萨大学一个

美国不列颠百科全书公司供图

19岁的学生。后留校任教授30年。曾描述味觉器官(1665);并强调尿液分析在确定诊断中的价值(1683)。从佛罗伦萨大学退休后,就任科西莫三世公爵和克雷芒十一世教皇的御医。

Bellini, Vincenzo **贝利尼**(1801-11-03,西西里卡塔尼亚～1835-09-23,巴黎附近皮托) 意大利歌剧作曲家,善于创作形式单纯而表现丰富的声乐旋律,不仅对稍后的歌剧作曲

美国不列颠百科全书公司供图

家、而且对瓦格纳的早期作品及肖邦和李斯特的器乐作品都产生过影响。贝利尼出身于音乐之家,曾在那不勒斯音乐学院学习。他创作的第一部歌剧《比安卡和费尔南多》在那不勒斯歌剧院演出。1827年在米兰拉斯卡拉歌剧院演出他创作的《海盗》以后,获得国际声誉。曾与意大利当时最优秀的诗人罗马尼合作,创作了6部歌剧,其中以《卡普列蒂家族和蒙太基家族》(1830)、《梦游女》(1831)和《诺尔马》(1831)最为著名。1833年去伦敦小住,然后转赴巴黎。1835年贝利尼完成最后一部歌剧《清教徒》。一生共写有9部歌剧。创作中力求结构清晰,旋律高雅,词、曲和谐一致。

Bellinzona **贝林佐纳** 瑞士南部提契诺州首府,在洛迦诺之东,临提契诺河,在通向圣哥达山口、卢克马尼尔山口和圣贝纳迪诺山口的几条公路的交叉点上。590年首见记载。由于战略地位重要,在意大利伦巴第区的早期历史中起了重大作用。1499年被法国占领。1798年成为海尔维第共和国贝林佐纳州的首府。从1878年以后一直是提契诺州的永久性首府。市内有15世纪几位米兰公爵的3座城堡,并有几所16世纪的教堂。自1882年开辟圣哥达铁路后,旅游业增长迅速,现在是最重要的行业,也有小工业。居民讲意大利语,信仰天主教。人口:市16 889(2002);大都会区45 196(2000)。

Bellman, Carl Michael **贝尔曼**(1740-02-04,斯德哥尔摩～1795-02-11,斯德哥尔摩) 18世纪瑞典杰出诗人、音乐家。他的歌曲在斯堪的纳维亚至今仍为人所喜爱。曾就读于

美国不列颠百科全书公司供图

乌普萨拉大学,后步入仕途。青年时代发表过宗教和讽刺作品,翻译过德、法著作。18世纪60年代,其脍炙人口的饮酒歌和仿《圣经》诗作在斯堪的纳维亚到处有人歌唱。1765年开始写组歌《弗列德曼诗体书信》,采用法国乐曲,但有其独特风格。直至1790年,《弗雷德曼诗体书信》才初次问世。由著名批评家谢尔格仑作序,该集的最后一版收有82首歌,反映了他的诗歌创作和个性发展的过程。作品对大自然的感情和人物的生动刻画,在瑞典诗歌中实属罕见。继《诗体书信》之后,1791年又出版了《弗列德曼之歌》,主要内容为饮酒歌。其他戏剧作品和诗作在死后问世。

Bello **贝约** 哥伦比亚西北部安蒂奥基亚省城市。临波尔塞河,在安第斯山脉的西科迪勒拉山和中科迪勒拉山之间。海拔1 495米。以前为一富饶农业区的商业和制造业中心。现为以麦德林为中心的工业联合区的一部分。主要工业有纺织业,亦制造毛刷。人口372 857(2003)。

Bello, Andrés **贝略**(1781-11-29,加拉加斯～1865-10-15,智利圣地亚哥) 诗人和学者,被认为是南美洲知识界之父。早年所学古典文学,尤其是维吉尔,影响了他的风格和理论。贝略以《美洲颂歌》确立文学上的地位。这两首长诗(1826～1827)是在旅英期间写成,描写南美洲风景的雄伟气魄。其中第二首《热带地区农业颂歌》,叙述美洲热带地区的物产,颂扬农村生活中的美德,风格颇像维吉尔,是19世纪西班牙美洲文学中最有名的诗歌之一。1829年定居圣地亚哥,在该城的文化、政治生活中享有突出地位。被侨居国任命为参议员,同时创建智利大学(1843),并任校长至去世。贝略负责制定智利民法典。他的散文作品包括各种题材,如法律、哲

美洲国家组织供图

学、文学评论以及语言学,后者以《西班牙语语法》(1847)一书为最重要,长期以来一直是语言学领域的权威著作。

Belloc, (Joseph-Pierre) Hilaire **贝洛克**(1870-07-27,法国拉塞勒-圣克卢～1953-07-16,英国萨里吉尔福德) 法国出生的诗人、史学家和散文作家,20世纪初期最多才多艺

美国不列颠百科全书公司供图

的英国作家之一。1894年入牛津大学攻读历史,以优异成绩毕业。1896年同美国女子霍根结婚。1902年加入英国籍,1906～1910年为国会议员。贝洛克的早期作品有:《韵文和十四行诗》(1895)、《坏孩子的动物故事书》(1896)、《丹东》(1899)和《罗伯斯比尔》(1901),富有敏锐的历史感,文笔生动。《兰布金的遗物》(1900)和《伯登先生》(1904)显示出他的讽刺才能,《通往罗马之路》(1902)夹叙夹议,既记录他从图勒到罗马朝圣的徒步旅行,又评论欧洲的历史和山水。他是天主教徒,几乎在所有作品中都流露出自己的虔诚信仰。《欧洲和信仰》(1920)、《英国史》4卷(1925～1931)和一系列传记作品,都过分强调宗教。《四个人》(1912)描写他在苏塞克斯郡漫游时的见闻。《诺纳号的巡航》(1925)生动地表现出他对航海的热爱。他写有轻松诗集多卷,如《现代旅行家》(1898)和《酒颂》(1932)。另外写过一些讽刺小说,由好友G.K.切斯特顿作插图。他曾与H.G.威尔斯论战,猛烈攻击威尔斯的《世界史纲》。另外,他同历史学家G.C.库尔顿也打过笔仗。他是现代英国散文大师、优秀的诗人和十分有趣的文人。

Bellona **贝娄娜** 原名杜埃娄娜。古罗马宗教所崇奉的女战神。后来人们把她与希腊女神厄尼俄融为一神。她的庙在罗马城门外战神广场。庙前有战柱,是在具有祭司身份的众官员主持下举行宣战典礼之处。

Bellotto, Bernardo 贝洛托（1720-01-30，威尼斯[意大利]～1780-10-17，波兰华沙） 又名小加纳列托。威尼斯画派风景画家，以精心绘制意大利中部及东欧城市风景闻名。所绘都市风景画写实细致，与其叔父和老师加纳列托风格近似，只是光度较暗、色彩阴沉。1747年从意大利到慕尼黑，任选帝侯腓特烈·奥古斯特二世的宫廷画师。1747～1766年间住在德累斯顿。1767年到圣彼得堡，受波兰国王斯坦尼斯瓦夫二世邀请到华沙任宫廷画师。其精确详细的波兰首都风景画，在第二次世界大战后作为该城史迹复建工程的参考。

Bellow, Saul 贝洛（1915-06-10，加拿大魁北克省蒙特利尔附近拉欣～2005-04-05，美国马萨诸塞布鲁克莱恩） 美国小说家。因成功地刻划了那些尽管为社会所鄙弃但精神不屈

美国不列颠百科全书公司供图

的现代城市居民而荣获1976年诺贝尔文学奖。他在犹太人家庭中长大，能讲流利的意第绪语，他的遒劲英文行文风格颇受意第绪语的影响。他是第二次世界大战后活跃于美国文坛的美籍犹太作家的代表。

贝洛的双亲于1913年从俄国移居加拿大的蒙特利尔。他9岁时，全家移居芝加哥。他在芝加哥大学和西北大学学习，1937年毕业于西北大学。以后在明尼苏达大学、普林斯顿大学、纽约大学、巴德学院和芝加哥大学教课，同时从事写作。

他的最早两部小说是《没着落的人》（1944）和《牺牲品》（1947）。前者是一个等着被征入伍的人的日记体小说，后者刻划一个犹太人和一个非犹太人的基督教徒之间的微妙关系，两人彼此成为对方的牺牲品。两部小说在少数的读者群中受到赞誉。《奥吉·玛琪历险记》（1953）使他获得较为广泛的声誉及全国图书奖（1954）。这是用流浪汉历险记的体裁写一个来自芝加哥的穷苦犹太青年，他在20世纪社会中有时极为滑稽的上升经历以及他企图弄清这一切到底是怎么回事的努力。在这部小说中，他初次用一种散漫而若不经意的文字风格写作。当时的作家往往一心追求形式的完美，贝洛的尝试则有意反其道而行之。在《雨王亨德森》（1959）中，作者再次用流浪汉历险记体裁讲一个性情怪僻的美国百万富翁在非洲的一次经历的故事。中篇小说《争此朝夕》（1956）写在一个只有成功本身才是成功的社会中的一次失败，写法十分独特。他还写了一本短篇小说集《莫斯比的回忆录》（1968）和一本以色列游记《耶路撒冷去来》（1976）。在后期的小说中，贝洛形成了一种与众不同的风格。这些小说有《赫尔索格》（1964，获1965年全国图书奖）、《赛姆勒先生的行星》（1970，获1971年全国图书奖）、《洪堡的礼物》（1975，获1976年普利策奖）、《副主教的十二月》（1982）、《又有一些人伤心而死》（1987）、《一桩窃案》（1989）和《贝拉罗萨路子》（1989）。这些作品的主人公往往是犹太知识分子。他们的内心独白时而机智深刻，时而滑稽可笑，上至崇高，下至荒诞，应有尽有。同时，他们的周围世界中一些精力充沛、坚定不移的现实主义者则起着匡正补救他们的学究式思辨的作用。正是这种高深的文化修养与市井平民的智慧的结合构成了贝洛的最卓越的独创性。

bellows 风箱 产生空气射流的机械装置，通常是一个带挠性侧壁的铰接箱体。箱体胀开时通过向内开启的阀吸入空气，压缩时通过排气嘴排出空气。风箱于中世纪发明，或用于锻工锻造时加速燃烧，或用于操作簧管乐器。手用吹风器是最简单的形式，它用两块矩形、圆形或梨形板做成，一头铰接并围绕其边缘用宽挠性皮带联结，以形成气密结合。在木板突然分离，箱内压强小于大气压时，钢丝环使皮囊不被压扁。其中一块木板的中心有一个由只能向内开启的皮瓣或阀门盖住的孔。排气嘴上有一个相当小的口。当木板分离时，形成部分真空，使空气经阀门吸入箱内；当木板合在一起时，阀门关闭，箱内空气经排气嘴吹出。

Bellows, George Wesley 贝洛斯（1882-08-12，美国俄亥俄哥伦布～1925-01-08，纽约州纽约） 美国擅长描绘运动和动作的油画家和版画家。青年时期是一位杰出的运动员。

贝洛斯绘《夏基家里的男人集会》（1907）
美国不列颠百科全书公司供图

1907年开始绘制了一组拳击画（即《夏基家里的男人集会》，《两人都是这个俱乐部的成员》），轰动一时。他同时也画妇女和儿童的群像，油画《42个孩子》（1907）巩固了其在画坛的声誉。其肖像画也很有名。在纽约市艺术学生同盟和芝加哥艺术学院都任过教。27岁时被选入全国设计学会，成为当时获此殊荣的最年轻的艺术家。

Bellows Falls 贝洛斯福尔斯 美国佛蒙特州东南部温德姆县罗金厄姆镇所属村庄。濒康涅狄格河。1753年建居民点。1785年在康涅狄格河上建起第一座桥梁。1792～1802年间在当地瀑布附近开凿一条运河。瀑布及康涅狄格河水力资源丰富，促进了当地工业发展。主要生产木制品、纸张及钢丝绳。附近有火车头博物馆和罗金厄姆会议大厦（1787年建，1909年重修）。人口3 165（2000）。

bells of Ireland 爱尔兰铃铛花 参阅**shell flower** 贝壳花。

Bellson, Louie 贝尔森（1924-07-26，美国伊利诺伊罗克福尔斯～2009-02-14，加利福尼亚洛杉矶） 原名Luigi Paulino Alfredo Francesco Antonic Balassoni，又称Louis Bellson。美国爵士鼓艺术的先驱之一，他高度熟练的演奏技巧以具有独特志趣和罕有的控制力而闻名。从小就显露出特殊才能。中学时就发明了双低音鼓器材，一直受爵士乐和摇滚乐鼓手的喜爱。17岁时参加了全国击鼓大赛，在40 000名参赛者中夺得了最高名次。40～50年代，曾参加过众多的乐队。50年代初作为埃林顿公爵管弦乐团的鼓手，成了名人。埃林顿常称他为全世界最好的鼓手。贝尔森为埃林顿创作了三首热门歌曲。1953年离开埃林顿乐团，成为歌唱家兼女演员P.贝利的音乐总监，二人于1952年结婚。贝尔森从来未被认为是一位音乐革新人物，相反熟练的技艺使他能演奏多种风格和流派的音乐。他还是一位爵士乐的传播大使，曾花费不少时间为几个大学和高中排练爵士乐节目。他还常到大学乐队（如著名的北伊利诺伊大学爵士乐队）作客串。是一位多产的艺术家，共录有个人唱片60多张。

Belluno 贝卢诺 意大利东北部威尼托区贝卢诺省省会。在皮亚韦河和阿尔多河汇合处，地处威尼斯以北的多洛米蒂-阿尔卑斯山。1797年被法国占领，1813年转属奥地利，1866年归属意大利王国。著名建筑有16世纪大教堂（在1873年地震后，部分重建）、文艺复兴时期的雷托里宫殿（1491～1496）、圣斯特凡诺教堂（1980～1986）和朱里斯蒂宫（1664，内有地方博物馆和美术画廊）。农业

和旅游业为该市经济收入的主要来源。人口:城市区约35 497(1993)。

Belluschi, Pietro 贝卢斯奇(1899-08-18,意大利安科纳～1994-02-14,美国俄勒冈波特兰) 建筑师。以美国西北部的地方性建筑为其特点,其影响遍及世界各地。善于运用地方材料,尤其按他的名言"生动的简洁"

美国不列颠百科全书公司供图

的精神,精巧地在住宅建筑中使用木材和在高层办公楼中使用铝材。1922年毕业于罗马大学土木工程系,后得美国康奈尔大学奖学金,继续攻读土木工程。他从事建筑设计业务直至1950年,此后任麻省理工学院建筑与规划学院院长。1965年退休后,仍继续在各地讲学。他在俄勒冈州波特兰设计的地方性建筑有苏托住宅和信义宗教堂。其他著名作品(有一些同其他建筑师合作设计)有:波特兰艺术博物馆(1931),波士顿的波士顿大楼和基斯通大楼,旧金山美洲银行总部(1969),纽约林肯表演艺术中心的朱利亚德学校(1969)等。

Bellville 贝尔维尔 南非西开普省城镇。位于开普敦以东坐落在高415米的蒂格尔伯格山坡上。1940年成为市镇。埃尔西斯河流经该城。河谷有一公园。其工业区南贝尔维尔生产纸张、食品、砖瓦和化肥。贝尔维尔在从开普敦到约翰内斯堡的铁路干线上,南贝尔维尔有铁道编组车场。设有西开普大学(1960)。西南8千米处有马兰国际机场。人口78 822(1991)。

bellwort 铃铛花 百合科颚花属(*Uvularia*)植物的俗称。5种,原产于北美东部,分布于林地,均为多年生低矮植物。具细长匍匐的根状茎,地上茎高15～50厘米,多叶。花大,浅黄色,通常单生于枝端,下垂,4月至6月开花。最引人注意的种为大花铃铛花(大花颚花,*U. grandiflora*),叶卵圆形,花呈狭长的铃形,柠檬黄色,花被片6裂,长约4厘米。分布范围北至魁北克,西至明尼苏达,南至佐治亚及堪萨斯。穿孔铃铛花(穿孔颚花,*U. perfoliata*)株形稍小,叶更尖,分布范围从魁北克和安大略南至佛罗里达和密西西比。两个种的叶看来均好像刺在茎上。另外三个种株形小得多,叶无柄。

belly(musical instrument) 参阅 **soundboard** 音板。

Belmondo, Jean-Paul 贝尔蒙多(1933-04-09,法国巴黎附近塞纳河畔讷伊～) 法国电影演员,以扮演具有特殊魅力的反英雄人物而著称。著名雕塑家保罗·贝尔蒙多之子,在度过短暂的业余拳击手生涯之后,进入国立戏剧艺术学院学习表演。他在让-吕克·戈达尔执导的法国新浪潮重要影片《精疲力尽》(1959)中扮演一个大胆反叛的、易于冲动的罪犯,赢得了国际赞誉。这一亡命徒角色在欧洲青年中激起了一股所谓的"贝尔蒙多热"。之后的影片《两个女人》(1960)、《莱昂·莫兰神父》(1961)和《里约来的男人》(1964),显示了他的多才多艺。贝尔蒙多出演的其他影片有:戈达尔执导的《狂人比埃洛》(1965)、路易·马勒执导的《小偷》(1967)、《波萨利诺》(1970)和《斯塔维斯基》(1974)等。他逐渐与新浪潮导演们分手,集中演出商业性的动作片,受到了欧洲观众的欢迎。他的自传《30年生涯——25部影片》于1963年出版。

Belmont 贝尔蒙特 美国加利福尼亚州西部圣马特奥县城市。1850年设居民点。初为驿站,后成为花卉转运点。1926年设市,建有几个疗养院(包括一个神经精神病疗养中心)。1950年后成为旧金山东南郊住宅区。人口约25 123(2000)。

Belmont 贝尔蒙特 美国威斯康星州西南部拉斐特县村庄。在麦迪逊西南100千米处。最早的村庄是1836年建立的威斯康星准州的第一个行政中心,第一次州立法会议即在这里仓促盖起的棚户中举行。后因不在铁路线上,立法机构迁往伯灵顿(1838年又移至麦迪逊),旧村凋落。现贝尔蒙特村地当铁路线。旧村址辟为州立首次议会公园,内有复原的会议厅和最高法院建筑。人口约871(2000)。

Belmont FAMILY 贝尔蒙特家族 美国银行、财经、政治和艺术收藏方面的名门望族。家族在美国的创始人奥古斯特·贝尔蒙特(August Belmont,1816-12-08,莱茵普鲁士[德

奥古斯特·贝尔蒙特

美国不列颠百科全书公司供图

国]阿尔蔡～1890-11-24美国纽约州纽约),为出生于犹太家庭的银行家和外交家。14岁时参加罗恩柴尔德在法兰克福的银行工作。3年后因能力卓越迁升往那不勒斯营业所任较重要职务。1837年去纽约,在华尔街开设一小营业所,充任罗恩柴尔德银行在美国的代理,为日后开设银行——贝尔蒙特公司奠定基础。他白手起家,短短数年内便将自家的公司建成美国最大的银行之一。他是民主党人,还积极参与政治活动。1853～1855年任美国驻海牙代办,1855～1857年升任常驻公使。他强烈反对奴隶制度,尽管开始时曾支持过道格拉斯,但在南北战争爆发后便成为林肯的忠实支持者;他对英法等国的商界和金融界发挥强烈的影响,使其在战时同情和声援联邦政府。1860～1872年担任民主党全国委员会主席。晚年成为著名的艺术收藏家和体育运动爱好者。他将纯种马赛马引进美国,并长期任美国骑师俱乐部总裁。1849年他与海军准将佩理之女卡罗琳·斯莱德尔·佩理结婚,育有三男一女。长子佩理·贝尔蒙特(Perry Belmont,1850-12-20,美国纽约州纽约～1947-05-25,美国罗得岛纽波特)先就读于哈佛大学,1872年获文学士学位;后在哥伦比亚法律学院学习,1876年获法学学位。1876～1881年从事法律工作。1881年当选为代表纽约的民主党众议员,连任四届;1885～1888年任众议院外交委员会主席。1888～1889年出使西班牙。著有美国历史和政治书籍数册。次子小奥古斯特·贝尔蒙特(August Belmont, Jr., 1853-02-18,美国纽约州纽约～1924-12-10,纽约),1874年毕业于哈佛大学,随后参加其父的贝尔蒙特公司工作。1890年其父去世后,接管公司全部业务。在他领导下,公司仍为美国最大和最有实力的银行之一。小奥古斯特深深介入公众运输业的融资,1900年组织捷运建筑工程公司,从事纽约市地铁的融资和建设。他也积极参与民主党全国性事务。三子奥利弗·哈泽德·佩理·贝尔蒙特(Oliver Hazard Perry Belmont,1858-11-12,美国纽约州纽约～1908-06-10,纽约)参加贝尔蒙特银行工作,1896年与杰出的社会名流阿尔瓦·范德比尔特(Alva Vanderbilt)结婚。埃莉诺·贝尔蒙特(Eleanor Belmont,1879-12-13,英国兰开夏威根～1979-10-24,美国纽约州纽约)母家姓罗布森(Robson),系小奥古斯特·贝尔蒙特之妻。开始时,她是圣弗朗西斯科的名演员;从1903年主演《唯有玛莉安》起在百老汇舞台取得一系列的成功。1910年她与小奥古斯特结婚并退出演艺圈,往后50年间她投身于社会慈善事业。她对歌剧特别感兴趣,1935年组织大都会歌剧院同业公会,监督纽约市大都会歌剧院混乱的财务。其子贝尔蒙特第三,其孙贝尔蒙特第四都是杰出的银行家。

Belmont, Alva 贝尔蒙特(1853-01-17,美国亚拉巴马莫比尔～1933-01-26,法国巴黎) 1875～1896年又名Alva Vanderbilt,全名Alva Ertskin Smith Vanderbilt Belmont,母家名Alva Ertskin Smith。美国纽约市和罗得岛纽波特杰出的社会名流,晚年成为直言不讳的女权运动活动家。南方小康的棉花种植农兼商人之女,在法国度过其青年的大部分时光。1875年嫁给纽约富豪范德比尔特。他们在纽约市第五大道660号的雄伟的住宅是R.M.亨特仿法国布卢瓦堡设计的,1881年建成;1883年3月26日曾在此举行过该市社交史上最富丽的化装舞会(来宾1 200人),其排场使范德比尔特一家较阿斯特一家有过之而无不及。随后亨特为她在纽波特建成夏季别墅大

理石宫。在这里、在纽约市和在其私人游艇阿尔瓦号上，她时常豪华地招待宾客，使其成为历史上奢侈挥霍的典型。1895年由于私通与范德比尔特离婚；在安排好其女孔苏埃洛与莫尔伯勒公爵（第九）的婚事后，她与富有的律师奥利弗·哈泽德·佩理·贝尔蒙特于1896年结婚。在1908年奥利弗逝世后，她有了巨大的转变，放弃了大部分社会活动，成为争取选举权和男女平等权的斗士。她敞开纽约和纽波特的私人住宅，供争取选举权的集会使用，为争取选举权运动捐献大量金钱，支援全美妇女选举权协会，并创建纽约妇女参政组织的政治公平联盟。1913年她参加更加富有战斗性的国会联盟（后改为全国妇女党），1921年成为该组织的主席。她还支持其他改革和慈善事业，其中有妇女工会联盟和儿童医院等。1923年她70岁时为与其女孔苏埃洛（1921年曾再婚）住得较近，便迁至法国。她在法国巴黎有住宅，在里维埃拉有别墅，在奥格维尔-拉-里维耶尔有15世纪的城堡。她在纽约第五大道著名的住宅于1926年出卖并被拆毁。

Belmont Stakes 贝尔蒙特大奖赛 创始于1867年，以金融家、外交家和运动员A.贝尔蒙特的名字命名，为美国三项传统马赛中历史最悠久的一项，与肯塔基大赛和普里克内斯有奖赛合称为美国三王冠赛。历史上贝尔蒙特大奖赛的距离和跑道时有变动，1905年起固定在纽约市郊贝尔蒙特公园举行。1926年起跑道长度定为1.5英里（约2 400米）。每年6月初举行。关于优胜者，参阅**Sporting Record**：Horse racing。

Belmonte, Juan 贝尔蒙特（1892-04-14，西班牙塞维利亚附近特里亚纳～1962-04-08，乌特雷拉） 全名Juan Belmonte y García。西班牙斗牛士，是最伟大并且最具有革命风格的徒步斗牛士之一。1910～1935年从事斗牛。大约在1914年，即在他斗牛生涯的早期，他创造了一种技术，身体直立着几乎一动也不动，并且十分贴近牛角，而以前的斗牛士是不敢这样做的。他娴熟地使用斗篷来引开公牛从而能刚刚避免和牛角接触，而不是用步法来躲避伤害（在他那个时代之前这种做法被公认为标准的方法，但是后来就被视为懦夫的表现了）。1919年贝尔蒙特创下了一个赛季内出场109次的西班牙斗牛纪录（这一纪录直到43年以后他逝世时也未被打破）。著名的斗牛士何塞利托作为贝尔蒙特的主要对手和挚友达8年之久。贝尔蒙特被牛角牴过很多次，但仍幸免于死。退休后，他在他的乌特雷拉畜牧场饲养斗牛用的公牛。其自传经他口述后由M.C.诺加莱斯写成，由小说家L.查特里斯翻译成英文，名为《公牛的杀手贝尔蒙特》，于1937年出版。

Belmopan 贝尔莫潘 伯利兹首都。临伯利兹河。1961年原首都伯利兹遭飓风和海潮破坏后被定为新都。此址深入内地以免再受洪水之害。1966年开始兴建。1970年5月政府机构迁来。住宅建设不断发展。人口约5 256（1990）。

Belo Horizonte 贝洛奥里藏特 巴西东南部米纳斯吉拉斯州南部城市。位于埃斯皮尼亚苏山的西坡。海拔830米。是巴西第一个规划建设的城市。坐落在四周为库拉尔-

贝洛奥里藏特市的圣弗兰西斯科教堂
美国不列颠百科全书公司供图

德尔雷伊山脉环绕的高原上，一圈丘陵山冈形成"美丽的地平圈"，音译即贝洛奥里藏特，城市由此得名。该城建设系纵横布局，以美国华盛顿（哥伦比亚特区）和阿根廷拉普拉塔为模型，1897年定为米纳斯吉拉斯州首府。1901年用现名。现面积较最初设计20平方千米超过若干倍，人口也超过1925年拟定20万人的指标。该市是主要生产甘蔗、棉花的大农业地区的中心，也是矿业、畜牧业和商业中心。传统产业有出版、纺织、家具及食品加工，1950年后重工业稳步发展，使贝洛奥里藏特成为巴西最大的工业中心之一。有发电厂、钢铁冶炼与加工厂、一家大型炼油厂和汽车制造厂。虽然工业不断发展，污染却相对轻微。中心区的建筑物和宽阔的林荫大道，潘普拉花园郊区的圣弗兰西斯科教堂，吸引着许多游客。该市是重要的文化中心，有数座博物馆和音乐、芭蕾舞、技术等学校以及普通中小学校。米纳斯吉拉斯联邦大学（1927）和米纳斯吉拉斯天主教大学（1958）设在该市。市内的米内兰运动场是全国最大的足球运动场之一。铁路公路干线四通八达，联系内地各处以及巴西大西洋沿岸各城市。在潘普拉区建有国内机场，康芬斯有国际机场。人口：市约1 529 566；都会区约3 431 755（1991）。

Beloeil 伯勒伊 比利时埃诺省村庄，位于蒙斯与图尔奈之间。从14世纪起，是利涅亲王家族所在地，这个家族中最著名的成员是作家和陆军元帅夏尔-约瑟夫（1735～1814）。对外开放的城堡中收藏有挂毯、肖像和贵重的手工制品。现今城堡中多为20世纪建筑，是1900年大火后重建的，但其旧侧厅和入口通道（1682～1695）皆完整无损。村中有一风景优美的公园，园内有湖和泉水。公园是夏尔-约瑟夫的父亲克劳德·拉莫雷亲王开辟的，后经法国建筑师舍沃泰按18世纪时兴式样进行了改造，可和凡尔赛的公园相媲美。人口约13 207（1992）。

Beloeil 伯勒伊 加拿大魁北克省南部蒙特利尔区城镇。在黎塞留河西岸，初建于1694年。为蒙特利尔市西面29千米的郊区镇。为著名避暑胜地。是水果、马铃薯、乳制品及畜产品的集市中心。制造业有炸药、农药和陶瓷。人口18 516（1991）。

Belogorsk 别洛戈尔斯克 原名亚历山德罗夫卡（Aleksandrovka，1860～1935）或东古比雪夫卡（Kuybyshevka-Vostochnaya，1935～1957）。俄罗斯远东地区阿穆尔州的城市。位于托木河畔的结雅-布列亚草原，1860年建立，1926年设市。是铁路的联轨点，为小麦生产区的农业中心，还有食品加工业。人口约75 500（1994）。

Beloit 伯洛伊特 美国威斯康星州南部罗克县的城市。该市位于接近伊利诺伊州边境沿线，在罗克和图特尔两河汇流处。1837年新英格兰移民公司在此设居民点，1846年伯洛伊特学院在此成立。1856年设市。为富饶的农业中心，出产玉米、大豆和烟草。也是地区商业的焦点。有制造业（造纸、木工机械、柴油发动机、动力传动设备、工具、食品服务设备）和食品加工业（肉类和快餐食品）。人口：市约35 775；简斯维尔-伯洛伊特都会统计区约152 307（2000）。

Belon, Pierre 贝隆（1517，法国勒芒附近～1564-04，巴黎） 法国博物学家。研究海豚胚胎，比较鸟和人的骨骼系统，开创现代胚胎学和比较解剖学。1540年在威滕贝格大学攻

美国国会图书馆供图

读植物学，1546～1548年，在枢机主教弗朗索瓦的资助下，为鉴定古代作家描述过的动植物、地区和事物，开始游历地中海东部各国。1553年著《若干珍品和纪念物考察》，描述欧洲人前所未知的许多动物、植物、药材、风俗、文物和遗迹，并为后来约3个世纪的科学旅游者制定出一条旅游路线。所著《稀有海洋鱼类自然史》（1551）虽以亚里士多德的分类学为基础，但大部分是讨论海豚；另一著作《鸟类自然史》（1555）有插图说明，分类描述约200种鸟，书中既有原始的观察又有论点，该书对当时和后来的科学影响很深。他在布洛涅森林中被人暗杀，凶手不明。

Beloretsk 别洛列茨克 俄罗斯中西部巴什基尔斯坦城市。靠近卡马河支流别拉亚河的源头。1762年建采矿居民点，当时附近建有冶金厂，现在仍为冶金中心。设有医学院和师范学院。1923年设市。人口约73 700（1994）。

Belorussia 参阅 **Belarus** 白俄罗斯。

Belorussian language 白俄罗斯语 又拼Byelorussian，白俄罗斯语拉丁字母转写作Beloruska Mova，英语作 White Russian。白俄罗斯语属于东斯拉夫语支，是白俄罗斯的主要语言。白俄罗斯语因保存着俄语及乌克兰语的一些传统方言，所以是两者之间的一种中介形式。白俄罗斯语有两个方言区，标准语是以其首都明斯克的方言为基础而形成的。白俄罗斯语中多波兰语借词，使用一种西里尔字母书写。公元14世纪时，立陶宛人一度统治现今白俄罗斯地区，当时一种古老形式的白俄罗斯语被用作行政上的正式语言。

Belorussian Ridge　白俄罗斯岭　又拼 Byelorussian Ridge，俄语拉丁字母转写作 Belorusskaya Gryada 或 Belorusskaja Gr' ada。白俄罗斯的高地地区。从波兰东北部向东南延伸，进入白俄罗斯西部转向东北。全长520千米。山岭上覆盖着海沙和泥土，实际上为一串不相连接的高地，最高处为346米高的明斯克高地。山岭南面是广阔的普里佩特沼泽。

Belousov, Vladimir Vladimirovich　别洛乌索夫（1907-10-30，俄国莫斯科～1990-11-25）苏联地质学家和地球物理学家。1942年提出地球物质按密度发生缓慢分异，形成地球现

美国不列颠百科全书公司供图

在的内部构造，这种缓慢的分异运动是地壳运动的基本原因。1942年起任苏联科学院地球动力学部主任。1961年任苏联地球物理联合委员会主席。他于1960～1964年任国际地球物理委员会副主席，1964～1970年任国际地球上地幔计划委员会主席。

Belovezhskaya Forest　别洛韦日森林　白俄罗斯语拉丁字母转写作 Belovezhskaya Pushcha，波兰语作 Puszcza Białowieska。白俄罗斯西部和波兰东部的森林。欧洲保存下来的最大原始混合林区之一，占地约1 250平方千米。别洛韦日森林位于白俄罗斯的布列斯特州和格罗德诺州以及波兰东部的比亚韦斯托克、苏瓦乌基和沃姆扎三省境内，靠近布格河支流纳雷夫河和莱希纳河的源头。别洛韦日森林是欧洲历史最悠久的自然保护区，内有种类繁多的东、西欧动植物群。林区有其他地方已绝迹的动物，并且是欧洲野牛的饲养场。波兰和白俄罗斯均保护该森林，它曾是国王和沙皇的狩猎地。

Belovo　别洛沃　俄罗斯中南部克麦罗沃州城市。位于巴恰特河畔。建于1930年。为库兹涅茨克煤田的重要城镇。1931年建大型炼锌厂（其精矿石来自东西伯利亚）。生产硫酸和电影工业设备。人口约82 425（2002）。

Belper　贝尔珀　英格兰德比行政、历史郡安伯谷区城镇（“堂区”），位于德文特河东岸。贝尔珀可能是博尔派尔的传讹，博尔派尔是兰开斯特伯爵（驼背）埃德蒙，即亨利三世（1216～1272在位）之子的狩猎场地名。斯特拉特发明一种重要的罗纹机器，约于1780年在该镇建造第一座棉纺厂。堂区原主要产品是铁钉，后改为棉织品与针织品生产；有少量工业。人口18 213（1991）。

Belsen（German Nazi concentration camp）**贝尔森**　参阅 **Bergen-Belsen** 贝尔根-贝尔森。

Belsen, Beast of　“贝尔森野兽”　参阅 **Kramer, Josef** 克拉默。

Belshazzar　伯沙撒（？～约公元前539）希腊语作 Baltasar 或 Balthasar。巴比伦王国摄政，波斯人攻占巴比伦城时被杀。伯沙撒一名起初仅见于《圣经·但以理书》（第5章7～8节）和色诺芬的《居鲁士的教育》两种文献中，直到1854年才从巴比伦楔形文字铭文中发现有关他的记述。《但以理书》记载着他是尼布甲尼撒的儿子，而巴比伦铭文则说明他实际上是国王拿波尼度（公元前555～前539在位）及王后尼托克莉丝的长子，而尼托克莉丝则可能是尼布甲尼撒的一个女儿。公元前550年拿波尼度在外流亡时，曾把王位及他的军队的主要兵力都交给了伯沙撒。在伯沙撒与其父共治期间，曾主持政务并管理他和父亲各自拥有的土地和财产，但据《但以理书》所载，他执政后期，巴比伦发生饥荒，经济受挫。按照《圣经》和色诺芬的记载，伯沙撒在他最后一次摆设盛筵时，忽然看见有一只手在墙上用阿拉米语写着：“弥尼，弥尼，泰克尔，厄布哈辛”。先知但以理对此解释为上帝对巴比伦王的天谴，预言巴比伦城的即将毁掉。公元前539年10月12日，巴比伦城在毫无抵抗的情况下为波斯将军戈比拉斯的部队攻陷。17天后，波斯国王居鲁士二世进驻该城。伯沙撒死于城陷之后，居鲁士入城之前。

belt drive　带传动　在机器中，一对带轮装于通常是平行的两轴上，并用一环形挠性带连接，能传递和变换从一轴到另一轴的旋转

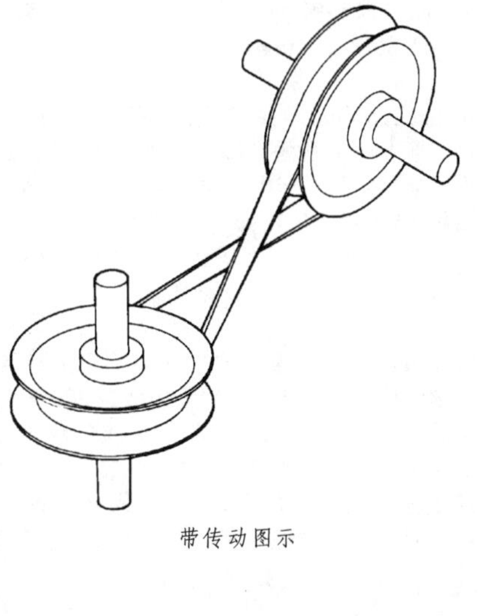

带传动图示

运动。多数带传动，或是在圆柱形带轮上用平的皮带或纤维带传动，或是在槽轮上用三角带传动。为了在带轮上产生有效的摩擦力，必须把带张紧。由于三角带在槽中有楔入作用，它所需的张力比平带要小，特别适用于连接相距不远的两轴。不论是平带还是三角带，过载时均有滑动。在某些应用中，这比刚性传动更为理想，因为它限制了所传递的力矩，可使零件免遭损坏。用平带连接不平行轴时，带轮应安装得不使带跑离带轮；在某些情况下，还可能要用附加的导轮（即惰轮）来引导皮带。用开口平带时，两轴转向相同；用交叉带时，则两轴转向相反。另一类用在内燃机上连接曲轴与凸轮轴的带，是带齿的（即定时的）带。这是一种具有与带轮圆周上的槽相配合的均匀间隔横齿的带。这些带提供的实际传动具有许多优点，但却缺乏过载保护。

Belt Series　贝尔特统　北美先寒武纪（39.6亿年前至5.7亿年前）晚期的主要地层单元。因蒙大拿州西南部贝尔特山脉显著的露头而命名。向北伸入加拿大，西部厚度约11 000米，东部约4 000米。其上部未出现明显间断，逐渐过渡到寒武系，下部据放射性年代测定，至少为15亿年。该统可分为4部分：最上部是米苏拉群，向下依次为皮甘群和拉瓦利群，最下部为先拉瓦利群。该统位于片麻岩基底之上，由巨厚的砂岩、页岩、砂质页岩和灰岩组成。虽然发现泥裂浅红色页岩，但仍以灰色页岩占优势。灰岩和页岩在东部占支配地位，西部则以砂岩和页岩为主。沉积物在西部变粗，可能指示当时再向西有一个较大的陆块，或许是在现今的华盛顿州或不列颠哥伦比亚省。灰色页岩中的波痕表示该统大部分沉积于浅水中；而浅红色页岩则可能表示它是低凹泛滥平原的沉积，但其成因仍有争论。该统中发现包括叠层石（碳酸盐藻丛）和蠕虫状生物潜穴等先寒武纪生物遗迹。归入该统的较进化的化石，可能属于寒武纪。

Beltane　夏节　又拼 Beltine，爱尔兰语作 Beltaine 或 Belltaine，又作 Cétamain。讲盖尔语的地区的节日，每年5月1日举行，庆祝夏季和野外放牧的开始。这个节日的名字最早见于一注释词汇编中，一般认为该注释词出自卡舍尔主教兼芒斯特国王科马克之手，此人于908年被杀。科马克曾描述每逢夏节村民举火相庆，牛群从各火堆之间穿过，作为保护牛只免于疫病的一种巫术。这一习俗到19世纪仍盛行于爱尔兰。在早期爱尔兰传说中，夏节要举办许多重大庆祝活动，这些活动长期以来也是爱尔兰、苏格兰及马恩岛等地民间传说和民间故事的重点。爱尔兰人也像前基督教时期其他各凯尔特民族那样，把一年分成两个主要季节，冬季和岁首，自11月1日始，爱尔兰历称之为冬节；年中和夏季，自5月1日始，称为夏节。这两个时刻被视为重大节候，其时人间与天上的界限临时打破；夏节前夕，巫者与仙人自由漫步于人间，人们必须采取相应措施，以防受其蛊惑。

Belter, John Henry　贝尔特（1804，德国～1863，美国纽约州纽约）　家具工匠和设计

师，创制出精美的维多利亚时期洛可可式家具。曾在符腾堡一家具工匠处学艺，掌握了19世纪崇尚的黑林山区的传统雕饰技艺。1844年移居美国纽约市，在百老汇大街开设

贝尔特制作的大理石桌面客厅用红木桌
美国不列颠百科全书公司供图

一家木器店。擅长用红木制作家具，流行一时，有时也采用胡桃木和桃花心木。发明将多层红木薄片拼成薄镶板，放在模子内用蒸汽加热成形，然后施以雕刻的技法，1856年取得专利权。其家具风格属于路易十五复兴式样，是一种比较凝重而又流畅的洛可可式。贝尔特木器制造厂1858年在纽约市开始营业，雇用了许多学徒；他制作的家具素以富丽的雕饰、漂亮的花纹和大胆的不对称著称。获得社会名流赏识的有竞争力的法国进口家具以及美国内战（1861～1865）时期的经济衰退，使他的木器厂生意萧条。他死后生产还继续了一段时间，于1867年工厂倒闭。

Beltrami, Eugenio 贝尔特拉米（1835-11-16，奥地利帝国伦巴第克雷莫纳［今在意大利］～1900-02-18，意大利罗马） 意大利数学家，以他的非欧几里得几何的概念，特别是他的常曲率曲面理论而闻名。1853～1856年在帕维亚大学，后在米兰受教育。1862年被聘为博洛尼亚大学代数和解析几何的访问教授，4年后任理性力学教授。他还曾在比萨、罗马和帕维亚等大学执教。贝尔特拉米深受N.I.罗巴切夫斯基、C.F.高斯和B.黎曼等人的影响，他关于曲线和曲面的微分几何的研究工作完全消除了对非欧几里得几何真实性的任何怀疑。他的方法不久就被德国数学家F.克莱因所掌握。其著作《数学的功用》（1902～1920，4卷）在死后出版，书中包含了他对物理学与数学主题（包括热力学、弹性力学、磁学、光学、电学等领域）的广博见解。他是林琴科学院的院士，1898年任院长；去世前一年当选为参议员。

Beltrán, Pedro Gerado 贝尔特兰（1897-02-17，秘鲁利马～1979-02-16，利马） 秘鲁经济学家、外交家和报纸发行人，1959～1961年短期出任过总理兼财政部长，稳定了秘鲁经济。1918年毕业于伦敦经济学院。他是利马有影响的《新闻报》长达40年（1934～1974）的业主和发行人。他在社会和经济事务上是极端保守派。1936年他协助组织国民党，同年该党总统候选人竞选失败。1944～1945年出任秘鲁驻美国大使，卸任归国后他利用自己的报纸领导促进改良主义政党美洲人民革命联盟（APRA）非法化运动。在奥德里亚总统独裁统治时期（1948～1956），他因鼓吹放松奥德里亚的高压统治被监禁在弗龙托岛监狱一个月。1959年被马加特切总统任命为总理兼财政部长。他偿还了秘鲁欠国际货币基金组织的债务，抑制了通货膨胀，增加了外汇储备和强化了贸易平衡。1962年他在竞选总统运动中首次集会仅吸引少数支持者参加之后，放弃了竞选计划。他继续编辑《新闻报》直至1974年该报被阿尔瓦拉多总统没收时为止。

Belts 别利齐 又拼Beltsy或Belcy。摩尔多瓦城市。在列乌特河畔。建于15世纪，现为重要铁路枢纽和富饶农业区别利齐草原的中心。工业以农产品加工为主，重要的有磨粉、制糖和酿酒，亦生产家具、农业机械和毛皮服装。设有师范学院和医科学校。人口约164 900（1991）。

Beluchi（group of tribes） 参阅**Balochi俾路支人**。

Beluchi rug 参阅**Balochi rug俾路支地毯**。

beluga（*Delphinapterus leucas*） **白鲸** 又作white whale。独角鲸科广泛分布的一种鲸，栖息在北冰洋及附近诸海，于近海深水区及沿岸水域，也游入流入远北诸海的河流中。体型中等，前额圆形，无背鳍，通常体长约4

白鲸（*Delphinapterus leucas*）
美国不列颠百科全书公司供图

米。初生时体色深蓝灰或黑灰色，后来愈来愈浅，3或4龄时变成白色或乳白色。白鲸以鱼、头足纲动物和甲壳纲动物为食。多5～10只组成一群。常被猎获以取其油、皮和肉（在北极地区供人及狗食用）。

beluga 欧洲鳇 又作hausen。又称欧鳇。一种大型鲟鱼（**sturgeon**）。

Belukha, Mount 别卢哈山 又拼Belucha。俄罗斯卡通山脉的山峰。山顶终年积雪，是俄罗斯境内阿尔泰山脉中最高的山。最高点海拔4 506米。冰川面积约70平方千米，最高处达1 950米。别卢哈山所处地区终年降雪。

belvedere 观景楼 建在居高临下的位置以俯瞰风景的建筑。有屋顶但墙身有一面或多面开敞，可设在房屋上部或作成一幢独立的建筑。常建成敞廊的形式。从文艺复兴时起就已在意大利使用，而在气候较冷的北欧主要作为装饰性建筑。有时指专为观景用

A.利比建筑的双塔式观景楼
美国不列颠百科全书公司供图

的整幢建筑，如梵蒂冈的观景台和维也纳的观景宫。眺台（**gazebo**）是独立式的观景楼，通常各面均开敞，但常围有金属网。

Belvedere Torso 观景殿的躯干 梵蒂冈博物馆收藏的一件古代希腊裸体男子雕像局部（高1.6米）。上面有雅典雕刻家内斯托之子阿波罗尼奥斯的署名。现在确认，这是阿波罗尼奥斯临摹一件公元前2世纪原作的复制品。米开朗琪罗曾从这一躯干的动势中受到雄劲有力的人体运动的影响，后来风格主义或文艺复兴晚期与巴罗克时期的许多艺术家，也都从中获得不少启示。

Belvidere 贝尔维迪尔 美国伊利诺伊州北部城市，布恩县县城（1837）。位于芝加哥市中心西北120千米处。临基什沃基河。1836年创建。1852年设市。因系芝加哥至加利纳间的重要驿站，遂发展成向芝加哥运送牛奶和谷物的农业贸易中心。1965年克莱斯勒公司在此建大型工厂后，成为重要工业区。制造业、生产机械、汽车和罐装冷冻蔬菜。该市还以市区建筑上的华美壁画而闻名。人口约20 820（2000）。

Bely, Andrey 别雷（1880-10-26，俄罗斯莫斯科～1934-01-07，莫斯科） 鲍里斯·尼古拉耶维奇·布加耶夫的笔名。俄国象征派最主要的理论家和诗人。俄国象征派是由西欧文学艺术的现代派运动和土生土长的东正教精神衍生而来的文学流派，它通过取材于生活和自然界的讽喻，来表达神秘和抽象的理想。出生于数学教授家庭，在学术环境中长大，和莫斯科文学界名流交往甚密，接受了19世纪晚期神秘主义哲学家V.索洛维约夫的末世论思想。唯心主义使他从严酷的现实转向纯理论的思维，于1901年完成了第一部主要作品：散文诗《北方交响乐》（1902）。这部作品试图将散文、诗歌、音乐以至绘画结合起来。之后又写了3部采用这种新的文学形式的“交响乐”。在其他诗作中，也以重复地运用不规则的韵律，发起了俄国诗歌在形式上的革命，并由他在美学上的同事A.勃洛克加以实现。他最早的3部诗作：《蓝色天空中的金子》（1904）、《灰烬》（1909）和《瓮》（1909），与勃洛克的作品一样，采取诗体日记的形式。1909年完成第一部长篇小说《银鸽》（1910）。最驰名的作品《彼得堡》（1913～1914分批出

版），被认为是以巴罗克风格继续发展了他早期的“交响乐”作品。在瑞士，他开始写作自传体中篇小说，《柯吉克·列达耶夫》(1922)的风格近似爱尔兰作家乔伊斯。1916年回到莫斯科，起初，他像其他象征派一样，欣喜若狂地欢迎布尔什维克革命。他的短诗《基督复活了》(1918)赞美俄国社会主义的救世主似的许诺，但在勃洛克逝世和他的文学同行们被苏维埃政权杀害后，心情沮丧的别雷去了国外，但他在1923年又回到了俄国。他在发展写作新技巧方面对后来的俄国诗歌和散文的风格影响很大。

Bely Gorod　别雷哥罗德　Bely 又拼 Belyi。俄语意为“白城”。围绕莫斯科的碉堡和居民点，把莫斯科河左岸的克里姆林宫和基塔格勒连在一起，1585～1593年用石头建筑城墙，构成莫斯科第三道防线。18世纪70和80年代，城墙和碉堡被拆毁，改作街道。

Belyayev, Pavel　别利亚耶夫（1925-06-26，苏联俄罗斯契利什切沃～1970-01-10，莫斯科）　苏联航天员，在苏联第8次载人航天飞行中，驾驶“上升2号”航天飞船于1965

美国不列颠百科全书公司供图

年3月18日发射。在这次飞行中他的副驾驶员A.列昂诺夫成为第一个在太空行走的航天员。1943年开始接受战斗机飞行员训练，第二次世界大战末期参加对日作战。战后继续在海军航空兵服役。后就读于莫斯科苏联空军学院。1959年他被选入最早的航天员小组接受训练。由于在“上升2号”飞行中的贡献，被授予苏联英雄称号。

Belyi Gorod（Russia）　参阅**Bely Gorod 别雷哥罗德**。

Belzec　贝乌热茨　纳粹德国集中营和灭绝营，在波兰卢布林省贝乌热茨村及其附近。1940年初，在此建立第一个波兰犹太人劳役集中营。同年秋天，在贝乌热茨村内又建成3个集中营，在村周围建成一些卫星营，可同时容纳1.1万余名囚徒。许多人死于劳累过度、饥饿、疾病和恶劣的生活条件。贝乌热茨集中营于1940年12月关闭，1942年初又在此建立灭绝营，收容来自波兰、德国、捷克斯洛伐克和罗马尼亚的犹太人。纳粹起初向牢房灌柴油烟以杀害囚徒，1942年8月开始使用氢化氰毒气齐克隆-B。灭绝营于1943年春关闭。有约60万人在贝乌热茨被杀害。已知在第二次世界大战结束时仅发现一名幸存者。参阅 **Holocaust**。

Belzoni, Giovanni Battista　贝尔佐尼（1778-11-05，威尼斯共和国帕多瓦～1823-12-03，贝宁瓜托）　埃及古迹的发掘者。1803年去英国，1817年去埃及发掘墓葬和寺庙，掠夺珍

美国不列颠百科全书公司供图

宝。曾在底比斯获得拉美西斯二世的头像，把塞提一世的石棺运往伦敦，从阿斯旺附近弄走一个方尖碑，但在法国利益代理人的枪口威胁下此碑又被夺走。1819年返回英国，发表探险记《埃及和努比亚考古发掘记》(2卷，1820)。

B.E.M.　大英帝国奖章　British Empire Medal 之缩写。参阅 **British Empire, The Most Excellent Order of the 英帝国特等勋位**。

Bem, Józef Zachariasz　贝姆（1794-03-14，加利西亚塔尔努夫[今属波兰]～1850-12-10，叙利亚阿勒颇）　别名穆拉德帕夏。波兰军官，在特兰西瓦尼亚和巴纳特所建立的战功使他成为1848～1849年匈牙利革命中的英雄。华沙军事学院毕业。1812年在拿破仑的俄罗斯战役中率波兰炮兵团英勇作战。翌年在但泽保卫战中功勋卓著。1815年回波兰服役，在1830～1831年的反俄起义中表现突出。1848年在匈牙利领袖科苏特·拉

美国不列颠百科全书公司供图

约什麾下服役，负责保卫特兰西瓦尼亚。1849年2月在守卫皮斯基桥的战斗中击退优势敌军。他曾占领巴纳特地区，但当俄军入侵时不得不返回保卫特兰西瓦尼亚。同年7月末因寡不敌众而败北。匈牙利起义失败后亡命土耳其，改信伊斯兰教，成为阿勒颇总督。曾冒生命危险保卫基督徒免遭屠杀。

bema　讲坛　隆起的平台。古代用石砌筑，现代则通常为长方形的带有台阶的木制平

始建于4世纪的罗马一教堂内的讲坛

美国不列颠百科全书公司供图

台。原先在雅典，用作审判官席，后成为基督教教堂中的设置。在早期基督教的长方形教堂里，牧师席位初设于圣坛上，后来移至后堂。在犹太教的会堂里也设讲坛，在其上诵读经文，其位置并不固定。

Bemba　本巴人　又称巴本巴人或阿温巴人。班图部落。20世纪70年代约有15万人。居住在赞比亚东北高原和毗邻的刚果(金)、津巴布韦地区。本巴人的班图语已成为赞比亚的交际语。本巴人实行轮作耕种法，截取林中树梢，烧成灰烬，在其中种植主要作物“穇子”。土地贫瘠，交通不便，难于引进经济作物。在20世纪60和70年代，很多人前往南距该地640千米的铜矿谋生。本巴人自称源于卢巴帝国（参阅 **Luba-Lunda states**），大概在18世纪或19世纪初离开刚果地区。本巴人的丧礼及践位典礼，其繁缛程度为班图人之最。他们分为40个母系族外婚的氏族，遍布全国各地。当地的群体主要是由头人的母系亲属组成的村庄。每村约有草舍30处，地力不足时，每4～5年迁移一次。行一夫多妻制，但原配之妻享有特权，妻妾单独居住。

Bembo, Pietro　本博（1470-05-20，威尼斯～1547-01-18，罗马）　意大利文艺复兴时期枢机主教。写过一部意大利语语法书，在确立意大利文学语言上起了不小的作用。1529年任威尼斯史官。起初用拉丁文创作格调优美的抒情诗歌，后又转用当地方言，仿照彼特拉克的风格写诗，以“本博体”而闻名。他的意大利文诗集《韵文》1530年问世。用方言写成的著作有：《切利·阿索拉尼》(1505)、《威尼斯历史》、《意大利语言探讨》(1525)等。

Bemidji　伯米吉　美国明尼苏达州中北部城市，贝尔特拉米县县城。临伯米吉湖。1888年建贸易点。作为主要伐木和锯木业中心曾达30年之久。它是方圆160千米内的最大城市，现为一重要零售、教育、医疗和行政管理中心。四周湖泊、森林地区风景宜人，

冬夏游人纷至。旅游业和大学是该城首要的经济组成部分。生产木材制品和电子器件。1919年建立州立伯米吉大学。附近有州立伯米吉湖公园和南面的州立保罗·布尼安森林。该市被几个州的森林所包围。市东有齐佩瓦国家森林。附近有怀特厄斯、雷德湖、利奇湖的奥吉布瓦人的保留地。市西南50千米处是密西西比河的源头艾塔斯卡湖。神话中手执蓝斧的樵夫保罗·布尼安和其青牛塑像(高5.5米)矗立在湖畔。1896年设村,1905年设市。人口11 917(2000)。

Bemmelen, Reinout Willem van　贝梅伦(1904-04-14,荷属东印度群岛巴达维亚[今印度尼西亚雅加达]～1983)　荷兰地球物理学家。他对印度尼西亚区域地质的研究,使人们认识到岛屿地区在地壳发展中的重要性。是印度尼西亚地质调查所的成员(1927～1946),曾任该所火山调查部主任(1940～1946)。1949年任荷兰国立乌得勒支大学地质研究所研究员。还曾从事过大陆漂移的研究和赤道带平流层中风的测定。著有《印度尼西亚地质》(1949)、《造山作用》(1954)和《地球动力学模式》(1972)。

Ben Ali, Zine al-Abidine　本·阿里(1936-09-03,突尼斯苏塞附近～　)　突尼斯总统(自1987年起)。受过军事训练,曾任国防部军事情报主管10年(1964～1974),后进入外交领域,任驻波兰大使。回国之后历任多种政府职位,升至总理兼内政部长。1987年H.布尔吉巴因健康状况不适合续任总统职,由本·阿里接任。他在1989年的选举中当选,并于1994、1999、2004年获连任。

Ben Barka, Mehdi　本·巴尔卡(1920,摩洛哥～1965-10?,法国巴黎?)　摩洛哥流亡巴黎的革命政治家。1965年10月被绑架,大概被暗杀。这一事件使法国戴高乐政府经历一场政治危机,法国与摩洛哥断交达4年之久。他是摩洛哥警察的儿子。在参加独立党以后,成为全国协商会议的发言人。1959年建立左翼人民力量全国联盟。1963年摩洛哥和阿尔及利亚短期交战,他站在阿尔及利亚一边。他流亡国外,以叛国罪被缺席判处死刑。他移居巴黎后,成为反对摩洛哥国王哈桑二世的流亡领袖。1965年10月29日失踪,一直未被找到。调查人员认为,有人出钱雇用匪徒,将他绑架后谋害;并多次暗示,阴谋是哈桑的内政部长乌弗基尔策划的。法国对乌弗基尔发出国际通缉令,两国关系由此恶化,1966年1月断交。

Ben Bella, Ahmed　本·贝拉(1918-12-25?,阿尔及利亚马格尼耶～2012-04-11,阿尔及尔)　阿尔及利亚抗法独立战争的主要领导人,阿尔及利亚共和国的首任总理(1962～1963)和首任当选总统(1963～1965),他领导国家走向社会主义经济。他是农民和小商人之子,在家乡法国学校完成早年教育后,到邻近城市特莱姆森深造,在那里参加民族主义运动。1937年被征入法国军队服役,参加第二次世界大战,被授予战争十字勋章(1940)

广宇图片公司供图

和军事奖章(1944)。战后回到马格尼耶,重又参加民族主义活动。后又离开马格尼耶,加入梅萨利·哈吉领导的地下运动,很快成为青年土耳其党的一员。该党在有控制地选举了内热伦作为党魁(1948)之后,认识到民主方式获得独立的任何希望仅是幻想。他和梅萨利·哈吉党内的一些朋友建立"特别组织"(OS),其目的是尽快拿起武器。

1950年他抢劫了奥兰邮局,以获得民族主义运动的经费,后被判入狱,但服刑两年后设法越狱。他又参加地下活动,随后去了埃及,得到革命支持者纳赛尔的帮助。1954年11月本·贝拉与流亡在埃及的阿尔及利亚革命领袖(曾同留在阿尔及利亚的革命领导人在瑞士秘密集会)作出两项重要决定:成立民族解放阵线(简称民阵,FLN)和发动反对法国殖民主义者的武装起义。

本·贝拉担任民阵领导中重要政治角色,同时购置军火运入阿尔及利亚。1956年在开罗和利比亚的黎波里两次逃脱杀害他的阴谋。同年正当他与法国总理居伊·摩勒谈判和平条件的时候,在阿尔及尔被法国军事当局逮捕。他被囚禁(1956～1962)使他与民阵所犯许多军事错误没有牵连,在与法国签订《埃维昂协定》后获释,声誉毫未受损。

独立后的阿尔及利亚情况混乱。民阵领袖组织了一个保守的临时政府阿尔及利亚共和国临时政府。战争结束时在的黎波里举行的党的代表大会已选举了一个具有社会主义倾向的政府。本·贝拉领导了后一个政府的"政治局"。民族解放军(ALN)司令胡阿里·布迈丁上校的支持,保证了政治局和本·贝拉的成功,1963年他无可争议地得到大多数人的拥护当选阿尔及利亚共和国的总统。本·贝拉重建了由于法国殖民主义者大规模撤离和军事集团互相冲突破坏了的国家秩序。他从一无所有中创立国家,把预算的1/4用于国民教育。此外在自立的名义下进行了一系列重大的农业改革,包括把前殖民主义者的巨大农场国有化,但并非由国家直接控制。

本·贝拉与反犹太复国主义的阿拉伯国家建立联盟,同法国发展文化和经济关系。他还使国家从同摩洛哥的重大边界纠纷中解脱出来。本·贝拉治理政府的方法使阿尔及利亚人民感到高兴,但他的政策的效果并不总是像他想象的那样顺利。由于缺乏时间、政治透明度或者计划,本·贝拉一天又一天采取一些临时措施,有些——像他呼吁阿尔及利亚妇女向国家捐献珠宝首饰——只是更多地引人注目而并不实用。本·贝拉未能恢复民阵,亦未能赢得大众的支持以钳制布迈丁。

1965年6月19日,本·贝拉被布迈丁领导的一次政变废黜,布迈丁自任总统。本·贝拉被拘留,隔绝与外界接触达14年之久。随着1978年布迈丁去世,1979年7月对本·贝拉的监禁放宽,但仍被软禁家中。1980年10月30日他获得释放。在国外流亡10年后,1990年才回到阿尔及利亚。

Ben-Gurion, David　本-古里安(1886-10-16,俄罗斯帝国波兰普翁斯克[今在波兰]～1973-12-01,以色列特拉维夫-雅法)　犹太复国主义政治家,以色列总理(1948～1953,1955～1963)兼国防部长(1948～1953,1955～1963)。1948年5月14日,本-古里安在特拉维夫宣告以色列独立。他的领袖魅力赢得了群众的爱戴,在退出政府和后来退出议会后,被尊称为"国父"。

原名戴维·格伦,父亲维克托·格伦是"锡安山热爱者"运动在普翁斯克的领导人之一,该运动在东欧被压迫的犹太人中间传

美国不列颠百科全书公司供图

播返回他们最初的以色列家园的思想。犹太复国主义深深地吸引着年轻的戴维·格伦,他相信,对希望恢复以色列国家的犹太人来说,第一步是移居巴勒斯坦,作为农民在那里定居下来。1906年20岁的格伦到达巴勒斯坦,作为农民在巴勒斯坦北部地区沿海平原和加利利的犹太农业定居点干了几年活。这时他改用古希伯来语名字本-古里安。由于他的努力,1907年"犹太工人党"这一犹太复国主义社会党的大会将如下宣言写进党纲中:"本党追求犹太人在这块土地上的政治独立。"

第一次世界大战爆发后,犹太复国主义活动引起了巴勒斯坦土耳其总督的怀疑,本-古里安被逮捕,并被逐出奥斯曼帝国。战事正酣时,他前往纽约。大战后期,英军取代了土耳其在中东的统治。1917年11月2日,英国政府发表《贝尔福宣言》,允许犹太人在巴勒斯坦建立"民族之家",本-古里安应召加入英军犹太军团,回到中东,参加从奥斯曼统治下解放巴勒斯坦的战争。

当犹太军团抵达战场时,英军已经打败土耳其军队;当英国获得对巴勒斯坦的托管时,实现"犹太民族之家"的工作已经开始。本-古里安认为,"民族之家"是走向政治独立的第一步。1920年本-古里安及其同事们成立巴勒斯坦犹太工人总联合会,他当选为首任总书记。该组织很快成为社会、经济以至安全事务的中心力量。10年后的1930年,几个劳工派别联合起来组成以色列工人党,本-古里安为党的领袖。1935年他当选为世界犹

太复国主义最高指导机构——犹太复国主义执行委员会主席，兼该运动分支执行机构——犹太代办处的领导人。

当犹太居民点日益强大并在巴勒斯坦深深扎根后，巴勒斯坦阿拉伯人的忧虑随之日增，终于导致两个社团之间的暴力冲突。1939年英国改变其中东政策，对犹太移民及其在巴勒斯坦建立定居点加以严格的限制。本-古里安号召犹太人社团起来反对英国，从而开始了"战斗的犹太复国主义"的10年。1942年5月12日，他在纽约市召开美国犹太复国主义者紧急会议，会议决定战后在巴勒斯坦建立犹太人的国家。第二次世界大战结束时，他再次领导犹太社团成功地反对英国的托管。1948年5月，根据联合国大会的决定，在美国和苏联的支持下，建立了以色列国。

本-古里安成为总理兼国防部长。通过内部政治斗争，他成功地解散了抗击英军的地下军队，把他们改组为国防军，抵御叙利亚、约旦、伊拉克和埃及的阿拉伯军队的进攻。战争虽然以以色列的胜利告终，但阿拉伯领导人拒绝与以色列国进行正式和谈。

为巩固和发展这一新生国家，本-古里安采取了一系列措施：向全世界大量吸收移民；对来自各个不同社区的背景的移民实行同化；建立统一的公共教育制度；在沙漠地区建立定居点。在外交政策方面，他采取独立和务实的路线。他的国防政策强硬，对违反停火协议的阿拉伯邻国实行军事报复。

本-古里安的强硬政策并未得到美、英政府的同情。他们欣赏较温和的领导人，如以色列第一任总统魏茨曼和短期担任总理的沙雷特(1953～1955)。苏联力求在中东找到一个立足点，疏远以色列，而向阿拉伯军队提供大量武器。这时，本-古里安得到了法国的支持。1956年7月埃及总统纳赛尔将苏伊士运河收归国有，在法国的倡议下，以色列加入英、法对埃及的军事行动，1956年10月29日，本-古里安下令以军占领西奈半岛。在获得自由航行蒂朗海峡的保证和埃以边境事实上的和平后，以色列撤出西奈半岛。

1963年6月，本-古里安以没有说明的"个人原因"辞去政府职务，显然他的辞职部分是由于激烈的内部争吵。1965年，本-古里安及一些支持者退出以色列工人党，另建立小反对党——拉菲党。

1970年本-古里安退出议会和一切政治活动，在内盖夫的斯德博克集体农庄专心写作回忆录。他出版了许多书，多为演讲集和文选。他还长期从事巴勒斯坦犹太社团历史和《圣经》的研究。

Ben ha-Mizrah 参阅 **Oriental Jew** 东方犹太人。

Ben-hadad I 本·哈达德一世(？～约公元前841) 大马士革国王，曾抵御亚述国王撒缦以色三世的入侵军，公元前853年在甲加将其击退。以色列国王亚哈在与他战斗时被杀。他被篡位者哈萨艾勒谋杀。

Ben Jelloun, Tahar 本·杰隆(1944-12-21，摩洛哥非斯～) 摩洛哥诗人、小说家、剧作家。开始攻读哲学，后获社会心理学博士学位，当过教师，为《新文学》、《世界报》等多种报刊撰文。第一部诗集《沉默笼罩下的人们》(1971)与《太阳的创伤》(1972)相继出版。其他诗集有：《骆驼的话》(1974)、《痣》(1974)、《不为记忆所知》(1980)等。小说有：《阿鲁达》(1973)、《寂寞的隐居》(1976)和《愚人莫阿，智者莫阿》(1978)。《寂寞的隐居》是根据他自己的剧本《独处记事》写成，主要内容写北非移民工人的生活，曾在阿维尼翁戏剧节上演。《愚人莫阿，智者莫阿》是对现代北非状况的讽刺，曾获当年法国图书馆管理员奖和蒙特卡洛电台奖。另外本·杰隆还发表过两部杂文集。《扁桃树受伤死去》(1976)是有关他祖母之死、巴勒斯坦问题、北非向法国移民、爱情及色情等问题的杂文集，曾获阿拉伯-法国友谊奖。《公众的作家》(1983)是写第三世界知识分子的杂文，是他成熟的标志，显示出他通过想象、抒情及隐喻表现现实的能力以及他长期以来的信念：艺术必须反映人类为争取政治、经济和社会的自由而进行的斗争。

Ben Lomond 本洛蒙德山 澳大利亚塔斯马尼亚州东北部山岳。为火成岩层构成的高原。面积78平方千米。高度大多在1 400米以上。其最高部分长11千米，由莱格斯突岩(1 573米)向东南到斯塔克斯断崖(1 527米)。也有许多小山和湖泊，位于一占地161平方千米的国家公园内。该公园是塔斯马尼亚北部主要冬季运动区。东南坡产锡和钨。

Ben Nevis 本尼维斯山 不列颠群岛最高山。在苏格兰海兰行政区洛哈伯区。峰高1 343米，高原占地约40公顷，南坡较缓，东

本尼维斯山
美国不列颠百科全书公司供图

北面为峭壁。部分山峦终年积雪。

Ben Rinnes 本林尼斯 苏格兰马里地区的山脉，在基斯西南24千米，埃文河及斯佩河汇合处以东约8千米。本林尼斯山有一处名胜——鲁塞的林恩瀑布，这是从山上流下的许多山溪中的一条所形成的。

Ben Slimane 本苏莱曼 旧称布勒豪特。摩洛哥中北部城镇。本苏莱曼镇为地方贸易中心，位于拉巴特和卡萨布兰卡之间，距大西洋岸20千米。海拔299米。地形为低高原和谷地。沿海地区耕作集约化，产小麦、柑橘和葡萄。内地有成片栓皮栎树、阿勒颇松、桉树林，盛产含羞草。人口约24 125(1982)。

Ben Thuy 边水 越南北部城镇。在荣市东南，濒蓝江，紧靠其人海口。作为荣市的外港，越南中部地区贸易有很大部分须经过这里。

Ben Tre 槟知 越南南部城市。位于湄公河三角洲平原。槟知市与东北85千米处的胡志明市通公路和轮渡，且建有机场。在美荻-富荣运河系统中起到连接作用。周围地区主要用于种植水稻和椰子。其他作物有枣、玉米、马铃薯、棉花、甘蔗、烟草和菠萝。

Ben Wyvis 本威维斯 苏格兰高地政务会辖区北部的山岭。最高峰在克罗马蒂海湾岸边的丁沃尔西北14千米。克罗马蒂海湾又是马里海湾的一个内港。本威维斯山海拔1 045米，高处有利奥德城堡(1616)，山脚在18世纪时是斯特拉斯佩弗的矿泉旅游胜地。

Ben-Zvi, Itzhak 本-兹维(1884-11-24，乌克兰波尔塔瓦～1963-04-23，耶路撒冷[以色列]) 原名伊萨克·希姆谢列维奇。以色列第2任总统(1952～1963)，巴勒斯坦的犹太

美国不列颠百科全书公司供图

复国主义运动早期领导人。他帮助建立了为成立以色列国奠定基础的政治、经济和军事体制。本-兹维自青年时代即为犹太复国主义者。1905年参加创立俄罗斯犹太劳工组织，这是一个奉行社会主义方针的犹太复国主义团体，为后来在巴勒斯坦和其他地方的组织在思想意识上开创了重要的先例，并于1907年成立了世界犹太劳工联盟。他定居巴勒斯坦，于1908年参加建立犹太农村居民点自卫组织"哈绍莫"。1909年在耶路撒冷建立巴勒斯坦第一所用希伯来语教学的中学。1915年本-兹维被土耳其人驱逐出巴勒斯坦而去美国，与后来成为以色列总理的本-古里安共同创立犹太复国主义青年先锋组织和犹太军团，第一次世界大战中在巴勒斯坦与英军一起对德军和土耳其军作战。1918年随军团返回巴勒斯坦，两年后参加建立工人总联合会，该组织成为以色列的主要工人组织。1920～1929年任总联合会书记处书记，并与本-古里安创建以色列工人党，该党成为以色列的主要政治力量。他是犹太国民会议创建人之一，在英国委任统治巴勒斯坦期间(1920～1948)，犹太国民会议代表着当地90%的犹太人，本-兹维1931～1944年担任会议主席，1944～1949年任理事长。1948年5月14日，本-兹维签署了以色列独立宣言，

次年选入国会。1952 年任总统直至去世。他还是著名的中东历史和考古学者,1948 年创立中东犹太社会研究所(现称本-兹维研究所),任所长直到 1960 年。著有犹太历史《放逐和赦还》(1958)。

Benacerraf, Baruj　贝纳塞拉夫(1920-10-29,委内瑞拉加拉加斯～2011-08-02,美国马萨诸塞波士顿)　美籍免疫学家。曾研究免疫应答的机制和遗传基础,以及免疫应答在自身免疫疾病中所起的作用,由于这方面的贡献,与 G. 斯内尔、J. 多塞共获 1980 年诺贝尔生理学或医学奖。从 5 岁起至第二次世界大战爆发时住在巴黎,1940 年入哥伦比亚大学,1942 年毕业,1943 年在弗吉尼亚医学院学习时入美国籍。1945 年获医学博士学位。1946～1948 年在美军中服役。贝纳塞拉夫曾先后在哥伦比亚大学、巴黎布鲁塞医院、纽约大学医学院、国立卫生研究院、国立变态反应及传染病研究所、哈佛大学等处任职。

Benaco(lake, Italy)　贝纳科湖　参阅**Garda, Lake 加尔达湖**。

Benadir　贝纳迪尔　索马里南部沿海地区。中世纪为波斯和阿拉伯商人去东非进行贸易的港口。1871 年归属桑给巴尔苏丹。1895 年被意大利租借。此后与索马里(第二次世界大战以前为意属索马里兰)的政治命运相同。面积约 45 000 平方千米,大部分为农业地区。

Benalla　贝纳拉　澳大利亚维多利亚州中部城市。临布罗肯河。始建于 1848 年。1965 年设市。为铁路、公路枢纽和四周农牧业区的商业中心。亦为冬季游览地。也有磨面、锯木、食品加工和服装厂。人口约 9 020(1988)。

Bénard, Abraham-Joseph　贝尔纳　参阅**Fleury 弗勒里**。

Benares(India)　贝拿勒斯　参阅**Vārānasi 瓦拉纳西**。

Benaud, Richie　贝纳乌德(1930-10-06,澳大利亚新南威尔士彭里斯～　)　澳大利亚板球运动员,澳大利亚最富于想象力的板球队长之一。1951 年首次参加国际对抗赛。1958 年任澳大利亚国家队队长。在他率领下,澳大利亚队连续 4 次在国际对抗赛中获胜(1958～1961)。

Benavente y Martínez, Jacinto　贝纳文特-马丁内斯(1866-08-12,西班牙马德里～1954-07-14,马德里)　20 世纪西班牙最重要的剧作家之一,1922 年获诺贝尔文学奖。他使戏剧作为社会批评回到现实中去:改诗朗诵对白为散文对白;改情节剧为喜剧;改程式表演为生活体验;改冲动性动作为舞台对话和心情的表白。他对美学和伦理学非常关心。他为戏剧开拓的新境界,可以从他的剧作所包含的内容看出,如《利害关系》(1907)。他最成功的剧作还包括《星期六晚上》(1903)、《不吉祥的姑娘》(1913)等。1928 年,他的剧本《走上天堂和祭坛》,由于预言西班牙王政的垮台,被政府禁演。1941 年,他以新发表的剧本《不可信的》重新获得观众的爱戴。他作为令人惊奇的多产剧作家(一生共著有 150 多部剧本),使人回想起洛佩·德·维加的"黄金世纪"。

Benbecula　本贝丘拉　苏格兰因弗内斯历史郡西部群岛区外赫布里底群岛中的岛屿。本贝丘拉(意为"浅滩之山")位于北尤伊斯特岛和南尤伊斯特岛之间。在浅滩之上通过一条堤道(1960)与北面相接,通过奥雷甘桥(1943)与南面相连。面积 18 平方千米左右,中部附近有一座孤零的吕瓦尔山,海拔 125 米。东部为高沼地,西部为肥沃的草场和小块耕地,内有许多小湖。人口1 803(1991)。

Benbow, John　班鲍(1653-03-10～1702-11-04,牙买加罗亚尔港)　英国海军上将,因对法作战功勋卓著并战死而成为尽人皆知的英雄。制革工人之子。早年在海军中和商船上

美国不列颠百科全书公司供图

服务,1689 年成为海军的舰长。1692 年 5 月在拉乌格战役中,参加消灭法国舰队的战斗。1693 年 11 月轰击法国圣马洛港。1698～1700 年在西印度群岛任英国舰队司令。1702 年 8 月 19 日,他所率领的 7 艘军舰在圣玛尔塔(在今哥伦比亚)外的洋面上发现 9 艘法国舰艇,一直追赶 5 天,但他手下的 4 艘军舰的舰长落在后面,拒绝迎敌。8 月 24 日双方交战,他的右腿被法军炮火打伤,但仍坚持在甲板上。手下的舰长强迫他返回牙买加,他将其中 2 人军法从事,以抗命罪而枪决,他因伤重而死。

Bencao Gangmu　《本草纲目》　又拼Pen-ts'ao kang-mu,英语作 Great Pharmacopoeia。参阅 **Li Shizhen 李时珍**。

bench　长凳　一种长形的坐具。可以是自立式的,也可与墙筑在一起,或靠墙放置。中世纪,当椅子还是一种稀贵之物时,长凳是罗马人大厅里最普通的坐具。当时长凳一般都很宽,不仅可以坐,而且可以在上面睡觉或用餐。长凳适宜置在室内窗台凹入处,因此一直很流行。但到 16 世纪,当椅子被广泛使用后,那种自立式的长凳很快就不时兴了。17 世纪西班牙南美洲殖民地制造的长凳十分富丽堂皇,特别是在秘鲁的库斯科制造的长凳,带有雕刻装饰,并加彩绘和漆金。

Bench, Johnny (Lee)　本奇(1947-12-07,美国俄克拉何马州俄克拉何马城～　)　美国全国棒球联盟辛辛那提印第安人队职业运动员。参加过 1970、1972、1975、1976 年 4 次世界系列赛。在 1976 年世界系列赛中表现突出,击球率为 0.533。他在印第安人队的 17 个赛季中被确认为是最优秀的接手之一。从 1968 年起是印第安人队的正式接手。80 年代成绩下降,最后改打三垒。1970、1972 和 1974 年本奇在全国联盟中作为击球员创造跑垒得分机会最多,1970 年和 1972 年本垒打数最高。

Benchley, Robert (Charles)　本奇利(1889-09-15,美国马萨诸塞伍斯特～1945-11-21,纽约州纽约)　美国戏剧评论家、演员、幽默作家。1912 年毕业于哈佛大学。1920 年在旧《生活》杂志任戏剧评论员。他的独角滑稽短剧《理财者的报告》发表于 1922 年。其后创作了若干电影短片并参加演出。《怎样睡觉》于 1935 年获电影艺术与科学学院奖。共创作了 46 部电影短片,在大约 50 部电影中扮演次要角色。虽然电影和广播使他备受赞扬,但只有他的文学作品才算得上他的持久成就。他的随笔文集共 15 部,其中有:《我怎样度过十年窘境》(1936)及《发狂的本奇利》(1943)。他以稳重、异想天开的幽默主要描写一个完全被世界所迷惑的普通小人物——他自己——的奋斗;他的幽默常通过几乎注意不到的手段上升为十足的荒谬。曾任《纽约人》杂志戏剧评论员(1929～1940),还曾以笔名盖伊·福克斯为该杂志撰写专栏。

Benckendorff, Aleksandr Khristoforovich, Count (Graf)　本肯多夫(1783,俄罗斯塔林[今在爱沙尼亚]～1844-10-05,圣彼得堡)　俄国的将军和政治家,伯爵。在拿破仑战争期间起过重要作用,后为沙皇尼古拉一世的警察头子。原为日耳曼族。后参加俄国军队,为 1801 年刺杀沙皇保罗一世的军官之一。1806～1815 年参加许多战役。尤以任莫斯科司令时,参加追逐逃离俄国的法军(1812)而著名。1819～1821 年给沙皇亚历山大一世当侍从武官。1821 年晋升中将,并任骑兵警卫师长。1825 年镇压十二月党人起义。后来主持俄国的警察和特务工作。

Bend　本德　美国俄勒冈州中部城市,德舒特县县城(1916),位于喀斯喀特岭东麓,东界贝尔克里克比尤特,临德舒特河。1904 年设市。1909 年德舒特灌溉与电力公司为拓居地开辟农田后逐渐发展。丰富的森林资源促使铁路繁荣(1911),该市木材工业甚为发达。设有德舒特国家森林管理处。附近有湖泊、熔岩层、岩洞和山冈,是旅游和滑雪胜地。市内有中俄勒冈社区学院(1949)。人口约52 029(2000)。

Benda, František　本达(1709-11-22,波希米亚斯塔雷贝纳特基[今在捷克共和国]～1786-03-07,普鲁士波茨坦[德国])　18 世纪德国杰出小提琴家,J. J. 本达与 D. 勃里克西(二人皆为天才音乐家)的长子。师承格劳

恩,并任职于腓特烈大帝(当时为王储)的管弦乐队。腓特烈即普鲁士帝位(1740)后,本达定居柏林,1771年任该乐队首脑。作品有小提琴协奏曲17首、交响曲15首以及多首小提琴独奏曲、三重奏和奏鸣曲等。其子F.W.H.本达(1745～1814)也是知名小提琴家和作曲家。

Benda, Georg (Anton)　本达(1722-06-30,波希米亚斯塔雷贝纳特基[今在捷克共和国]～1795-11-06,萨克森克斯特里茨[德国])　作曲家,一生以其戏剧音乐作品受到广泛敬仰。J.J.本达与D.勃里克西(二人皆为音乐家)的第三子,小提琴家F.本达之弟。1742年随全家至柏林。1742～1749年任皇家管弦乐队小提琴手。1750年后近30年间任哥达公爵教堂主管。1765～1766年去意大利旅行并创作意大利式的歌剧与间奏曲。使他名闻欧洲的作品是情节剧《阿里阿德尼在纳克索斯》、《美狄亚》(二剧均为1775年创作)和《皮格马利翁》(1779),其中的表演和说白由管弦乐队伴奏。还作有几部歌唱剧,以《乡村集市》最著名。其子F.L.本达(1752～1792)亦为作曲家,作有戏剧音乐、康塔塔和器乐曲。

Benda, Julien　邦达(1867-12-26,巴黎～1956-06-07,巴黎附近丰特奈-欧罗斯)　小说家和哲学家,法国评论界反浪漫主义运动领袖,理性和智能的辩护人,反对亨利·柏格森的哲学直观主义。1894年在巴黎大学毕业后所写的早期著作中,有关于德雷福斯事件的若干篇文章(1898)。他毕生从事的对于柏格

美国不列颠百科全书公司供图

森哲学的抨击开始于1912年写的《柏格森主义》。而其文名则来自1911年发表的第一部长篇小说《叙品式》。在邦达最重要的作品《学者的背叛》(1927)中,指控那些为了种族和政治的原因而出卖真理和正义的人是道德上的叛徒。从以下两部自传性作品中可探索其思想发展状况:《一个学人的青年时代》(1937)和《世纪的调整者》(1938)。

Benda, Wladyslaw Theodor　本达(1873-01-15,波兰波兹南～1948-11-30,美国新泽西纽瓦克)　波兰裔美国画家、插图画家和设计师。原在波兰克拉科夫和维也纳学习艺术,后于1899年去美国,定居纽约市,1911年成为美国公民。本达的插图画发表在一些书籍和许多杂志上。他以画假面具见称,而假面具当时被用于全世界的戏剧和舞蹈表演舞台上。著有《脸谱大观》(1944)一书。

bendahara　盘陀诃罗　旧马来诸邦的首席大臣,地位仅次于苏丹。1400年以后,马六甲苏丹国的盘陀诃罗的地位日益重要,执行苏丹命令,兼有国家总理和军队总司令的职能。盘陀诃罗往往由苏丹的亲戚担任,并且可以继承。马六甲苏丹国衰败后,马来诸邦皆设盘陀诃罗。

Bender, Charles Albert　本德(1883-05-05,美国明尼苏达布雷纳德～1954-05-22,宾夕法尼亚费城)　绰号头领本德。美国职业棒球选手,右投手。本德的母亲有奥吉布瓦人血

本德在为费城竞技队投球
美国不列颠百科全书公司供图

统,本德孩提时期是在印第安人保留地度过的,并在美国土著人的学校上学。1903～1914年他担任费城竞技队的投手,赢了近200场正规比赛和6场世界系列赛;在1910年和1914年他的投球成功率居美国联赛之首。本德除了投球外,还不时担任外场手或一垒手,有时在关键时刻上场当替补击球员。1915年本德代表巴尔的摩队参加联盟联赛,但此项赛事不久便告吹。1916和1917年他代表费城菲力士队参加了全国联赛。本德结束运动员生涯之后,为几个棒球队担任物色人材的"侦察员",还当过领队和教练。1953年人选全国棒球名人堂。

Bendel　本代尔　尼日利亚南部一州。1976年建立。面积35 500平方千米。居民有埃多人(北)、伊博人(东)、伊策基里人、乌尔霍博人、伊索科人和伊乔人(尼日尔河三角洲)。州首府贝宁市为州内最大城市,以生产精美的青铜、黄铜和象牙艺术品著称。大部地区海拔不到150米。地面大多覆盖着热带雨林。尼日尔河三角洲河网密集,航运便利。经济以农业为主,产山药、木薯、油棕、稻米和玉米。大量石油、橡胶(占全国总产量3/4以上)、木材、棕榈油与棕榈仁经尼日尔三角洲的港口运出。矿产有天然气、石灰石和褐煤。工业有玻璃和瓶子、纺织、塑料、制药、橡胶、胶合板、天然气、造船、锯木和水泥等部门。20世纪80年代初开始兴建一钢铁联合企业。公路交通发达。贝宁市有机场。市内有石油和棕榈研究所、橡胶研究所及贝宁大学(1970年建立)。人口约5 400 800(1991)。

Bender-Ereğli(Turkey)　**本德-埃雷利**　参阅**Ereğli**埃雷利。

Bendery　宾杰里　摩尔多瓦城市。位于德涅斯特河右岸,在与贝克河汇流处下游。公元前2世纪已有人定居。先后属基辅、摩尔达维亚、热那亚和土耳其。1818年归属俄国。两次世界大战之间曾属罗马尼亚。现今工业有纺织、食品、电缆和电气设备等。古迹有16世纪土耳其要塞。人口约141 500(1991)。

Bendigo　本迪戈(1811-10-11,英格兰诺丁汉郡诺丁汉～1880-08-23,诺丁汉郡比斯顿)　威廉·汤普逊的别名。拳击家、小旅馆老板,后成为基督教循道宗传教士。澳大利亚维多利亚州本迪戈市即由他得名。作为拳击家,他在1832～1850年的20多年期间仅于1838年败给康特一次,但次年即击败伯克而成为英格兰冠军。他曾一度退休,后重返拳击场,1845年击败康特而雪前耻。1850年最后一次参加比赛。拳斗扰乱治安,因此本迪戈往往在比赛后被捕入狱,在狱中听牧师讲道而决心从事宗教活动。他在诺丁汉声望甚高,1891年该市为他建造纪念碑。

Bendigo　本迪戈　澳大利亚维多利亚州城市,在州中部的高地上。1840年始建为羊群放牧场。1851年附近发现大金矿后迅速发展起来。建有精美的维多利亚时期建筑。1871年设市。1955年采矿停止。现为本地区商业中心。有本国第三大牲畜市场。工业项目有炼铁、服装、陶瓷、纤维板制造和食品加工等。为铁路公路交通中心。设有本迪戈高等教育学院。人口30 133(1991)。

Bendis　本狄斯　色雷斯的战争和狩猎女神,希腊人认为她相当于他们自己的阿耳忒弥斯。除色雷斯附近地区,只有雅典特别崇拜她。在伯罗奔尼撒战争开始时,雅典人允许为这一女神建立圣所,不久之后又为她制定一全国性节日。这个节日首次在公元前429年萨尔盖里昂月(5～6月)19日举行,为柏拉图《理想国》提供了演出的场景。

Bendix, Vincent　本迪克斯(1882-08-12,美国伊利诺伊莫林～1945-03-27,纽约市)　发明家和工业家,对汽车和飞机的发展做出了贡献。1907年他创办芝加哥本迪克斯公司,生产了7 000多辆汽车,并研制成汽车起动装置。1924年他创办的本迪克斯公司,在印第安纳州南本德设有专门生产汽车制动设备的工厂,1929年这家工厂改为本迪克斯航空公司,制造各种汽车、航空、航海、无线电与雷达设备。本迪克斯本人及其公司持有的专利总数在5 500项以上。他热心推进航空事业,1931年发起"本迪克斯飞越大陆航空竞赛"。1942年筹办本迪克斯直升飞机公司。

Bendix Corporation　本迪克斯公司　美国制造汽车制动系统的公司,创立于1924年。

自1982年迄今，是联合公司的子公司。现为汽车元件、房屋建筑材料及其他设备的国际性生产商与供应商。该公司的创建人V.本迪克斯是发明家。他于1924年在印第安纳州与法国发明家H.佩罗一起制造制动系统。到1928年公司每年生产360万件制动器，主要是为通用汽车公司生产的。自1914年起，纽约州埃尔迈拉的伊克利普斯机器公司一直在生产本迪克斯的汽车启动器，1928年本迪克斯公司购得该公司的控股权。1929年本迪克斯公司转而制造航空产品并改名为本迪克斯航空公司，至1960年方恢复原名本迪克斯公司。1928～1948年，通用汽车公司为该公司的主要股东；但1948年通用汽车公司却将剩余的该公司的股份全部处理掉。

bends（syndrome）　参阅**decompression sickness** *减压病*。

Bene Beraq　贝内贝拉克　以色列中西部城市。位于特拉维夫-雅法市东北郊。在沙龙平原南部。据亚述文献记载，该城在公元前701年被亚述王辛那赫里布征服。又为塔木德经（犹太法典）编纂时期著名学术中心。今城于1924年由波兰籍正统派犹太教徒定居而建。起初以农业为主（柑橘林），后来实现工业化。但仍保持作为正统派犹太教基地的特点。1950年设市。设有数所研究塔木德经的学校。人口约136 895（2000）。

Bene-Israel　本尼以色列人　印度犹太人。他们许多世纪以来居住在孟买一带，与其他犹太人完全隔绝。一说他们是在大约2 000年前因船只失事而到印度；另传他们是以色列散失的10个支派的残部（公元前721年，由12支派中的10个支派所建的以色列王国被亚述灭亡，其民不知所终）。这两说都不完全可靠。本尼以色列人不讲希伯来语，而操印度马拉塔语，外表与印度人并无区别，但自称纯犹太血统。1948年本尼以色列人大多移居以色列国，大拉比不许他们同其他犹太人通婚。1964年达成妥协，本尼以色列人的正式犹太人的身份获得承认，但与其他犹太人通婚之事仍须经过大拉比逐一审核批准。

Benedek, Ludwig August, Ritter von（knight of）　**贝内德克骑士**（1804-07-14，奥地利帝国厄登堡[今匈牙利肖普朗]～1881-04-27，奥地利格拉茨）　奥地利陆军元帅。1822年参加奥地利陆军，在加利西亚（1846）、匈牙利（1849），特别在意大利（1848，1849，1859）均战功卓著。1860年任总参谋长兼匈牙利总督。1861～1866年任驻意大利奥军司令官。1866年在克尼格雷茨战役中指挥奥军对普鲁士军作战，失败后引咎退休。

美国不列颠百科全书公司供图

Beneden, Edouard（Joseph Louis-Marie）van　贝内登（1846-03-05，比利时卢万～1910-04-28，列日）　比利时动物学家，由于在受精方面的发现及发现性细胞和体细胞的染色体数而著名。早年随其父P.-J. van贝内登工作，老贝内登曾任卢万天主教大学动物学教授，以研究原生动物、线虫及其他动物而闻名。年轻的贝内登把这一研究扩大到以两种胚胎形式生产的另一类蠕虫样生物（二胚虫类）。1870年他到列日大学任职，在这里集中研究比较形态学。他的研究发展了俄国动物学家A.O.科瓦列夫斯基的被囊类即是脊索动物的学说，把这些动物的系统发育关系应用于其他动物。他研究被囊类胚胎的分节，在系统发育上搞清被囊类与其他动物的关系。1883年发表一系列重要论文，论述对马消化道寄生虫大头蛔虫（*Ascaris megalocephala*）卵的研究，证明受精过程中，一个雄性来自精细胞及一个雌性来自卵细胞的两个"半核"（其中所含染色体数为其他该物种体细胞的一半）结合起来，结果产生一个细胞，其中所含染色体数与该物种其他细胞相同。研究了大头蛔虫一个亚种（*A. megalocephala univalens*）的体细胞仅含两条染色体，揭示了染色体是独立存在的。他进一步论证了物种的每一体细胞的染色体数目是固定的。他还提出了哺乳动物的胚胎形成学说，该学说后来成为标准的科学原则。

Beneden, Pierre-Joseph van　贝内登（1809-12-19，比利时梅赫伦～1894-01-08，卢万）比利时寄生虫学家和古生物学家，以发现绦虫的生活史而著名。从药剂师L.斯托费尔学徒期满后，入卢万大学学医。1835年后终身任卢万天主教大学动物学教授。1842年选入比利时科学院，1881年任院长。1845年起研究绦虫约15年。以前，人们已发现并命名了绦虫的某些生活期，但未想到它们相互有关，甚至把其中某些阶段认为是寄主的畸变组织。他研究了多种鱼类的消化道后，证明囊尾蚴就是绦虫的幼虫。他研究过多种动物的寄生虫，1875年写成《动物界的共生及寄生》一书。约1859年开始研究鲸化石及现代鲸，1868～1880年与比利时解剖学家P.热尔韦合写成巨著《现代鲸及化石鲸的骨学》。

Benédette, Le　参阅**Castiglione, Giovanni Benedetto** *卡斯蒂廖内*。

Benedetti, Mario　贝内德蒂（1920-09-14，乌拉圭塔夸伦博帕索-德洛斯托罗斯～2009-05-17，蒙得维的亚）　拉丁美洲小说家、诗人和散文作家。第一部作品是短篇小说集《今天早晨》（1949），写城市中产阶级问题。第一本长篇小说《我们之中的谁》（1953），表现了3个生活互相关联的人物的挫折。1954～1960年，他3次主编乌拉圭最有威望的《前进》周刊。他的《办公室的诗》（1956）写得朴素而口语化，立即获得成功。1957年以记者身份第一次游历欧洲。描写城市日常生活中的悲喜剧故事的《蒙得维的亚人》（1959）出版后，他被认为是乌拉圭最有观察力的作家之一。《麦草尾巴的国家》（1960）是一本散文集，写出乌拉圭的没落。《谢谢你给的火》（1965），是一部具有公开革命观点的长篇小说。1967年后，任职于古巴政府的国际文化机构。《古巴笔记》（1969）记录古巴生活的印象。《胡安·安赫尔的生日》（1971）出版于墨西哥，是一本自传体小说，反映了作者政治意识上的危机。《有没有怀乡病》（1977），是写暴力和流放的短篇小说集。

Benedetti, Vincent, Comte（Count）　**贝内德蒂伯爵**（1817-04-29，科西嘉岛巴斯蒂亚～1900-03-28，巴黎）　法国外交家，主要由于他在导致1870年普法战争的事件中所起的作用而知名。原在巴黎学习法律，1840年从事领事工作。1845～1864年在驻欧洲和中东的几个大使馆工作。1864年出任驻普鲁士大使。拿破仑三世指示他阻止普奥同盟，但经过6年连续不断的谈判，结果陷入僵局。1870年7月，霍亨索伦王朝的一位亲王成为西班牙王位的候选人，贝内德蒂又受命去力劝国王威廉一世废弃这一候选人资格，并且保证不再发生此事。威廉未能应允。公开发表的会见记录经过编辑加工，使贝内德蒂显得不但遭到拒绝，而且受辱。法国叫嚷开战，并将贝内德蒂召回。他退隐科西嘉岛，以律师为业。在《出使普鲁士》（1871）一书中，他为自己的外交活动进行辩护。

Benedetto DA MAJANO　贝内德托（1442，威尼斯共和国马亚诺～1497-05-24，佛罗伦萨）Majano又拼Maiano。文艺复兴初期雕刻家。其作品装饰雅致，细节写实。受佛罗伦萨雕刻家狄赛德里奥及A.罗塞利诺的影响颇深。现存最早的作品是法恩扎大教堂圣萨维诺神龛（1468～1472）。1470～1475年间曾为圣吉米尼亚诺学院圣费纳教堂作祭坛雕刻，该小礼拜堂为其兄朱利亚诺所设计（1468），由吉兰达约作湿壁画。佛罗伦萨圣克罗齐教堂布道坛（1472～1475）是其杰作，上有吉兰达约作的5幅叙事性浮雕，风格细致、写实。后又参加了那不勒斯奥利韦托山教堂的两项较大工程，一是阿拉贡·玛丽（卒于1470）之墓，一是圣母领报祭坛雕刻（1489）。同时还曾受雇于佛罗伦萨银行家斯特罗齐，为其作半身雕像（大理石雕与赤陶塑）。1491年后完成佛罗伦萨新圣母院的斯特罗齐陵墓，较少独创性。其男性胸像的自然主义表现与其雅致的、理想化的女性胸像形成鲜明对照。但在石料磨光方面都显示了精湛的技巧，其表面显示出宝石般的光泽。

Benedict　本尼狄克　天主教几代教皇和敌对教皇的称号。按年代顺序分列于后，并各以●为标记。

● **Benedict I　本尼狄克一世**（?，罗马[意大利]～579-07-30，罗马）　教皇（575～579在

位)。在位期间祝圣主教21名;将今意大利境内明图尔诺附近的韦内里斯宅第赐与圣马可隐修院司提反院长。时值战乱天灾频仍,他在伦巴第人围困罗马期间努力解决由此而产生的种种问题,事未竟而卒。

● **Benedict Ⅱ, SAINT 本尼狄克二世,圣**(?,罗马~685-05-08,罗马) 教皇(684~685在位)。683年当选,但经过将近一年之久于次年6月才获得拜占廷皇帝君士坦丁四世批准即位。他曾要求君士坦丁四世发出通令以宣布教皇即位无须经过皇帝批准。但后来此项制度继续存在。他坚持前代教皇阿加托的指示,同意圣威尔夫里德重任英格兰约克大主教。他在位期间恢复罗马市内教堂多处。

● **Benedict Ⅲ 本尼狄克三世**(?,罗马~858-04-1,罗马) 教皇(855~858在位)。他当选教皇,神圣罗马帝国皇帝巴伐利亚的路易二世不予批准,另立梵蒂冈图书馆馆长阿纳斯塔修斯为敌对教皇,并将他监禁。后来帝国政府不再反对他。本尼狄克即位后谴责法兰克帝国境内各主教,认为帝国境内灾祸之根源在于这些主教的无所作为。他修复846年被萨拉森人破坏的一批罗马教堂。

● **Benedict Ⅳ 本尼狄克四世**(?,罗马~903-07,罗马) 教皇(900~903在位)。在位正值教廷史上最黑暗时期。900年法兰西境内兰斯大主教被暗杀,为此他判处佛兰德伯爵博杜安二世以绝罚。901年他为神圣罗马帝国皇帝瞎子路易三世加冕。

● **Benedict Ⅴ 本尼狄克五世**(?~966-07-04,汉堡) 教皇或敌对教皇(964~966在位)。教皇约翰十二世死后,罗马人选本尼狄克为教皇。此事激怒了神圣罗马帝国皇帝奥托一世,因为他早已将约翰十二世废黜并指定利奥八世继位。奥托到罗马召集宗教会议,废黜本尼狄克,贬为助祭,令利奥复位,并将本尼狄克带往汉堡。利奥和本尼狄克都可看作敌对教皇。

● **Benedict Ⅵ 本尼狄克六世**(?,罗马~974-07,罗马) 教皇(973~974在位)。当选后曾因等待保护他的神圣罗马帝国皇帝奥托一世批准而一时未能即位。973年奥托死,他的命运由罗马豪门克雷申蒂家族掌握。该家族成员克雷申蒂一世率领罗马贵族发动叛乱,974年将他囚禁,另立助祭弗兰克为教皇,后世称敌对教皇卜尼法斯七世。可能是根据克雷申蒂的指示,卜尼法斯七世将本尼狄克六世处以绞刑。

● **Benedict Ⅶ 本尼狄克七世**(?,罗马~983-07-10,罗马) 教皇(974~983在位)。他促进隐修事业,反对买卖神职。原是教皇领地内苏特里城主教。起初,罗马一派人害死教皇本尼狄克六世,立敌对教皇卜尼法斯七世。后来神圣罗马帝国皇帝奥托二世的代表西科伯爵驱逐卜尼法斯七世,使本尼狄克七世得以当选。他在位期间和平无事。

● **Benedict Ⅷ 本尼狄克八世**(?,图斯库鲁姆[意大利]?~1024-04-09) 原名狄奥菲拉托,拉丁文拼作 Theophylactus。教皇(1012~1024在位)。第一个出身于豪门图斯库拉尼家族的教皇。其弟罗曼努斯在他在位期间任罗马民政长官,在他死后继位称教皇约翰十九世。本尼狄克八世在位的举措,得到日耳曼国王亨利二世的赞许。亨利二世由他在1014年加冕成为神圣罗马帝国皇帝。本尼狄克身为教皇,一生活动却颇似封建诸侯:以武力恢复教廷对罗马大平原和罗马所属托斯卡纳地区的统治权;击败进犯意大利北部的萨拉森人(1016~1017);并曾鼓励诺曼海盗打击拜占廷在南方的势力。他支持本笃会修士在法国克吕尼发动的隐修院改革运动。1022年在伦巴第的帕维亚召集宗教会议,邀请亨利二世出席,宣布教士必须独身,禁止出卖神职。

● **Benedict Ⅸ 本尼狄克九世**(?~1055或1056,教皇国格罗塔费拉塔[意大利]) 原名狄奥菲拉托,拉丁文拼作 Theophylactus。教皇。出身于图斯库拉尼家族的最后一代教皇。他是图斯库鲁姆伯爵阿尔贝里克之子,教皇本尼狄克八世和约翰十九世的侄子。1032年就被家族安置在教皇宝座上。他以绝罚排斥异己,残暴荒淫,激起罗马人起事,迫使他逃离罗马。1045年罗马人推选萨比纳主教约翰为教皇,称西尔维斯特三世。西尔维斯特三世不久被本尼狄克九世的众兄弟赶走,本尼狄克九世将教皇之位出售给他的教父格拉齐亚诺 。1045年格拉齐亚诺登位,称教皇格列高利六世。次年本尼狄克九世和西尔维斯特三世都返回罗马而自称教皇,不承认格列高利六世。1046年德意志国王亨利三世召集宗教会议,宣布西尔维斯特冒充教皇而予以监禁,废黜本尼狄克九世,认定格列高利六世犯有购买神职罪,也予以废黜。这次会议决定推选萨克森主教苏伊格尔继位为教皇,称克雷芒二世。1047年克雷芒二世卒,本尼狄克九世又出现于罗马,重新登位。1048年卜尼法斯(托斯卡纳的)奉亨利三世之命,将本尼狄克九世逐出罗马,另立布里克森主教波普为教皇,称达马苏斯二世。

● **Benedict (Ⅹ) 本尼狄克(十世)**(?~约1080,意大利圣阿涅塞) 原名明西奥,拉丁文拼作 Johannes Mincius。敌对教皇(1058~1059在位)。他靠豪门图斯库拉尼家族的活动登上教皇法座,不久被废黜。自他被废黜后,有关选立教皇的法律经过改革。改革后的新法律于1059年生效,规定成立专门负责推选教皇的机构,该机构日后发展成为枢机主教院。本尼狄克十世原是罗马附近韦莱特里的主教。由于改革派修士希尔德布兰德(日后成为教皇格列高利七世)和德意志王国政府的努力,本尼狄克十世被废,终身囚禁于圣阿涅塞隐修院。

● **Benedict Ⅺ, BLESSED 本尼狄克十一世(蒙福者)**(1240,特雷维吉亚纳边区特雷维索~1304-07-07,翁布里亚佩鲁贾) 原名博卡西尼。教皇(1303~1304在位)。在位短短期间,忙于处理由于前代教皇卜尼法斯八世与法兰西国王美男子腓力四世及其盟友罗马科隆纳家族发生争执而遗留下的问题。原来卜尼法斯八世正准备宣判腓力四世以绝罚,拥护腓力四世而要求废黜卜尼法斯八世的人们闯入阿纳尼教皇宫,俘获教皇,博卡西尼是当时在场的两位枢机主教之一。卜尼法斯八世被当地居民释放,不久死去。双方的争执起因于腓力四世企图向法兰西神职人员征税。本尼狄克十一世登位后尽力与卜尼法斯八世树立的敌人和解。

● **Benedict Ⅻ 本尼狄克十二世**(?,法兰西图卢兹附近萨韦尔丹~1342-04-25,普罗旺斯阿维尼翁) 原名富尼埃。教皇(1334~1342在位),是驻在阿维尼翁的第三代教皇。他未

美国不列颠百科全书公司供图

能阻止英法冲突,这种冲突日后发展成为百年战争(1337~1453)。他设法解决在蒙福信徒亲见天主荣颜问题上所引起的争论。前代教皇约翰二十二世屡次宣讲,此事只能在末日审判之后实现。他于1336年发布通谕指出,义者死后其灵魂立即可见天主,此说日后即成为教义。他曾设法整顿各修会,严格教规,招致反对,其后各代教皇逐渐将他的各项改革废弃。

● **Benedict (ⅩⅢ) 本尼狄克(十三世)**(约1328,阿拉贡王国伊柳埃卡~1423,巴伦西亚境内佩尼斯科拉) 原名鲁纳。敌对教皇(1394~1423在位)。在西方教会大分裂期间,驻在普罗旺斯的阿维尼翁,与驻在罗马的教皇对立。大分裂开始于1378年,当时罗贝尔(日内瓦的)当选为教皇,称克雷芒七世,与乌尔班六世对立。鲁纳拥护克雷芒,克雷芒死后阿维尼翁派各枢机主教推选鲁纳继位,但说明如他在位不利于消除分裂时即应主动逊位。后来,本来也曾支持他的法兰西诸侯要求他退位,遭他拒绝。23名枢机主教中有18人声称不再拥护他。1398年阿维尼翁教皇宫被法兰西军队围困,1403年本尼狄克十三世逃往普罗旺斯召集拥护他的枢机主教,主要借助于奥尔良大公路易,重新获得法兰西的支持。1407年谋求与教皇格列高利十二世通过谈判达成妥协未果。1408年法兰西诸侯宣布他们对争议持中立态度。1409年由对立的两个枢机主教院召开的比萨会议为了消除分歧,宣布废黜本尼狄克十三世和格列高利

十二世，另选出亚历山大五世。1417年康斯坦茨会议再次宣布废黜本尼狄克十三世。但本尼狄克十三世至死坚持自己是合法教皇，迟至1422年11月还曾任命四名枢机主教。

● **Benedict（XIV） 本尼狄克（十四世）**（？～约1433） 原名加尼埃。敌对敌对教皇（1425～约1433在位）。1417年康斯坦茨会议废黜教皇本尼狄克十三世，另选马丁五世，阿维尼翁与罗马两处教皇对立局面宣告结束。本尼狄克十三世抗拒此项决定，直到1423年死去，并曾任命四名枢机主教。阿拉贡国王阿方索五世希望教会继续分裂，指使这些枢机主教再选立新的敌对教皇克雷芒八世（1429退位）；1425年拥护本尼狄克十三世的枢机主教之一卡里埃另行召开会议，选出加尼埃为教皇，称本尼狄克十四世，成为与敌对教皇对立的敌对敌对教皇。本尼狄克十四世行踪诡秘，莫知所居，世称“隐秘教皇”。1433年卡里埃被俘入狱，加尼埃死于此时。其后，枢机主教法拉尔德推选卡里埃为教皇，亦称本尼狄克十四世。在狱中登位，死期不详。

● **Benedict XIII 本尼狄克十三世**（1649-02-02，那不勒斯王国格拉维纳～1730-02-21，罗马） 原名奥尔西尼。教皇（1724～1730在位）。他一向抨击各枢机主教奢侈，教士追逐物欲，尤以1725年在罗马教省会议上的发言最为激烈，但是效果不大。他本人生活简朴，

美国不列颠百科全书公司供图

可惜把政务几乎完全委之于不得人心的枢机主教科夏，该人滥用职权搜刮钱财。18世纪欧洲君主追求专制权力，教廷与统治法兰西及西班牙的波旁家族关系恶化。他继续抨击詹森主义，但允许多明我会会士讲授与詹森派教义接近的奥古斯丁关于天主恩宠的学说。他有大量神学著作。

● **Benedict XIV 本尼狄克十四世**（1675-03-31，教皇国博洛尼亚～1758-05-03，罗马） 原名兰贝蒂尼。教皇（1740～1758在位）。他赞助科学研究，并曾指示在编订禁书目录时放宽尺度。在教皇领地范围内减轻赋税，鼓励农业，提倡自由贸易。对世俗当局采取和解态度，在神职授予、主教叙任以及国家干预教会人事等问题上，向西班牙、葡萄牙、撒丁、那不勒斯等国国王作出重大让步。本来耶稣会传教士允许中国和印度的天主教徒保留若干民族礼仪，例如对于祖先的崇拜等等仪式，他先后于1742和1744年发出通谕予以禁止。

美国不列颠百科全书公司供图

此举使亚洲传教事业受到挫折。1939年天主教会允许不含宗教色彩的祖先崇拜，才使这种现象有所改变。

● **Benedict XV 本尼狄克十五世**（1854-11-21，撒丁王国佩利～1922-01-22，罗马） 原名基耶萨（Giacomo della Chiesa）。教皇（1914～1922在位）。第一次世界大战爆发一个月后

美国不列颠百科全书公司供图

当选，在位期间用大部分时间处理战争问题。他力图采取中立政策，对交战双方任何行动不予谴责。起初集中教会力量减轻人民的苦难，后来积极谋求恢复和平，但因大部分枢机主教左袒奥地利而受到牵制。美国参战后，协约国一致认为只有打败德国方能恢复和平，1917年他的调解活动失败。到了1919年教廷声望已大大不如利奥十三世在位期间，因此他被排除于和谈之外。在位后期致力于调整教廷机构以适应战后疆域之变化并指导传教工作。

Benedict XVI 本尼狄克十六世（1927-04-16，德国因河畔马克特尔～　　） 原名Joseph Alois Ratzinger（约瑟夫·阿莱士·拉辛格）。罗马主教和天主教领袖（2005年起）。父亲是警察，母亲是饭店厨师。1933年纳粹掌权时才6岁；父母都是虔诚的天主教徒，坚决反对纳粹政权。1939年进入神学院就读，1941年被迫加入希特勒青年团。1943年应征入伍。1945年4月逃跑，遭美军逮捕并一度沦为阶下囚。第二次世界大战后，返回神学院继续求学，1951年6月受按立为神父。1953年获得慕尼黑大学神学博士学位。1957年取得教师执照后，先后在多所大学任教。1969年转往里根斯堡大学任教，后来成为该校副校长。在多年的学术生涯中，撰写了一些重要的神学著作，其中包括《基督教入门》（1968）和《教义与启示》（1973）。其著作引起科隆大主教弗林斯的注意，并在第二次梵蒂冈会议（1962～1965）期间，聘请他担任自己的专家助理。当时拉辛格属于会议中的革新派。他写了一份猛烈抨击圣职部的文件，最终促使教皇保罗六世（1963～1978）将圣职部改组为教义部。然而，在大学执教的经历已让他改变了一些观点，他的神学观点逐渐趋于保守。1977年3月，被任命为慕尼黑大主教。1981年11月25日，教皇约翰·保罗二世（1978～2005）任命他担任教义部部长。20多年来，他一直是教皇最亲密的顾问。担任教义部部长期间，他被公认是维护教义统一的强硬执行者。他谴责解放神学，并压制主张更自由开放的神学家，他也以客观、公正无私的态度，谦逊和温和的作风以及多才多艺为人所称道。他坚持天主教信仰的优越性，也积极投入约翰·保罗二世接触其他宗教的划时代工作，尤其是犹太教和伊斯兰教。在枢机主教举行选举教皇的秘密会议的第二天就当选为新教皇，这个结局出人意料。虽然他表示祈祷自己不要获选，但仍于2005年4月19日谦恭地接受胜选结果，78岁的高龄使他成为继克雷芒十二世（1730～1740年在位）之后年纪最大的新任教皇。继位后立刻采取措施继续约翰·保罗同犹太教、伊斯兰教及其他基督教派之间的对话；并公开宣布他在教皇任期内的一大目标就是要振兴欧洲的天主教。他也表示在处理性以及教士独身、教会组织等事务方面将尊重前任教皇的保守正统态度。

Benedict Biscop，Saint 本尼狄克·比斯科普，圣（约628，英格兰诺森伯里亚～689或690-01-12，诺森伯里亚威尔茅斯） 又称本尼特·比斯科普（Benet Biscop）或比斯科普·巴杜辛（Biscop Baducing）。著名的双隐修院——圣彼得隐修院（在威尔茅斯）和圣保罗隐修院（在附近的泰恩河畔贾罗）的创办人和首任院长，被公认为是英格兰本笃会隐修事业之父。他出身贵族，653年舍弃世间名利前往罗马。第二次访问罗马后，入法兰西境内勒兰隐修院为修士。一度离开罗马后，返回该城，任甫经祝圣为英格兰坎特伯雷大主教的圣狄奥多尔（塔尔苏斯的）的教师（668～669）。本尼狄克于669年被任命为英格兰肯特坎特伯雷的圣彼得隐修院和圣保罗隐修院（后改名圣奥古斯丁隐修院）院长。671年四访罗马，674年他在诺森伯里亚国王埃克弗里思所赠地产上（在威尔茅斯）建圣彼得隐修院，采用本笃会规则。约678年再访罗马，682年在贾罗建圣保罗隐修院，687年又到罗马。他多次访问罗马搜集到大量手稿、圣人遗物和绘画，悉数捐赠给各隐修院，使坎特伯雷成为7世纪末、8世纪初西欧基督教学术及艺术最繁荣的中心之一。著名史学家比德是他的学生。

Benedict of Nursia，Saint 本尼狄克（努尔西亚的），圣（约480，伦巴第王国努尔西亚～约547） 卡西诺山本笃会隐修院创办人、西方隐修制度之父。他所制订的隐修规章后来成为全欧洲隐修事业的规范。本尼狄克出身

殷实家族，父母送他到罗马上学。他青年时代，罗马城在东哥特国王狄奥多里克的统治下仍然保留着一部分旧的行政体制，元老院和执政官犹存。546年，罗马城遭哥特国王托提拉洗劫，居民逃亡。皇帝查士丁尼一世力图收复并据守意大利而未果，教廷遂填补行政真空，不久成为一个主权小国，不受东罗马帝国管辖。他痛感罗马人荒淫无度，隐居于辛布鲁伊尼山中的恩费达（今阿费拉），后迁往罗马东40英里阿布鲁齐山麓一洞穴中。在该处独居三年，由附近修士罗曼努斯供应衣食。因圣洁之名远扬，被聘为一隐修院院长。他锐意整顿，遭到反对，有人企图毒害他。于是返回洞穴，但许多人慕名来求教于

美国不列颠百科全书公司供图

他，其后他建成12所隐修院，每院收容修士12人，由他统一管理。由于附近教会一名司铎多方与他为难，他被迫离去，但12所隐修院则继续存在。少数修士随他南迁，定居于卡西诺附近一山顶。该地居民大多信奉异教，经过本尼狄克劝说后纷纷入教。以本尼狄克命名的隐修院规章规定由修士推选院长，院长权力最大，是终生制，由他指派手下负责人员。修士在入隐修院以后必须经过一年观察期，然后发愿终身居于隐修院，在院长监督下遵守规章，不得拥有任何私人财物。隐修院每日生活分三部分，祈祷礼拜5～6小时，劳动5小时，读经、读灵修书籍4小时。隐修院自给自足，分工十分具体，一切活动均系集体进行，违反规章的各种处罚亦十分明细。不少贵族送幼子入隐修院受教育，修士亦以抄写各种古代基督教文献为每日工作。日后采纳这一套规章的修会，称本笃会；"本笃"是"本尼狄克"的另译。

Benedict, Ruth　本尼迪克特（1887-06-05，纽约市～1948-09-17，纽约市）　美国人类学家。她的理论对文化人类学、特别是对文化与个性这个领域产生了深刻的影响，最著名的作品是《文化模式》（1934）。本尼迪克特在1905～1909年间就读于纽约州波基普西市瓦瑟学院，主修英国文学，因此她是具备了坚实的人文科学基础才开始攻读人类学的。即使在20世纪20年代致力于人类学之后，她继续用笔名安娜·辛格尔顿发表诗作，直至30年代初。自投身于社会科学研究之日起，她就把人类诸文化看成是知识、宗教及美学等各种成分的综合结构。她的题为《论北美

霍顿·梅夫林公司供图

洲监护精灵的概念》的博士论文（1923），对北美印第安文化作了广泛探讨。1948年任哥伦比亚大学教授。她曾在美国西南部加利福尼亚州塞拉诺部落和加拿大黑脚部落中进行实地考察，其民俗和宗教的研究成果发表在《祖尼印第安人的神话》（2卷；1935）一书中。在译成14种语言的《文化模式》这部著作中，她着重指出，在任一社会中，人类可能产生的行为范畴，只能有一小部分得到发挥或受到重视；她还描述了这些行为方式是怎样结合成各种模式的，从而表示赞成文化相对论，根据文化发生的来龙去脉来评价文化现象。本尼迪克特对人类平等问题所做的贡献，是写了《种族：科学与政治》（1940）一书；她用人类学的方法研究日本文化的结果，又写成《菊花和剑》（1946）这部著作。直到逝世前，她还在指导一项庞大计划，研究欧亚两洲的当代文化。由M.米德撰写的题名《露丝·本尼迪克特》的传记于1974年出版。

Benedictine　本笃会会士　天主教神职人员和在俗信徒修会本笃会的成员。本笃会遵循圣本笃（本尼狄克，约480～约547）所制定的规章，继承中世纪初期意大利和高卢等地流行的隐修传统。严格说来本笃会并不是单一的修会，因为该派各隐修院都实行自治。圣本笃所制定的规章将祈祷、体力劳动、学习合理地安排在作息时间内。到了9世纪初查理曼大帝时代，本笃规章已在西欧和北欧取代了其他隐修规章。本笃会隐修院逐渐成为欧洲主要经籍研究与学术中心。本笃会最著名的隐修院是勃艮第的克吕尼隐修院。到了12世纪中期，本笃会盛极而衰，此后3个世纪内一直未见起色。15世纪新的本笃修会兴起。1424年帕多瓦圣朱斯蒂娜本笃会隐修院实行改革，使本笃会隐修制度获得新生。经过一个世纪，这种重大改革传遍意大利，随后传遍全欧。通过这种改革出现了卡西尼修会。16世纪宗教改革运动发生，数年内男女隐修院在北欧几乎绝迹，在法兰西和中欧也经历困难将近100年。17世纪本笃会在法兰西和日耳曼境内有起色，18世纪再衰，19世纪再振。教皇利奥十三世希望把各自分立的本笃会修会联合起来，乃于1893年成立办事处，统管各修会。本笃会修士除默念和遵礼进行崇拜外，还从事教育、学术研究、教区工作和传教等活动。

Benedictine Armenian Antonine Monks, Congregation of　亚美尼亚修会麦基塔尔会
参阅 Mechitarist 麦基塔尔会修士。

benediction　祝福　基督教名词，指司铎或牧师通常在礼拜结束时奉上帝之名对人或物发出的口头祝福。"亚伦祝福词"由路德收进《日耳曼弥撒》，现代信义宗各派别仍在使用。另有一些教会采用"保罗祝福词"。天主教所云祝福，特指对人（如病人）或物（礼仪用品）的祝福。

Benedictsson, Victoria　贝奈迪克特松（1850-03-06，瑞典斯科讷～1888-07-21，哥本哈根）　瑞典女作家。曾用恩斯特·阿尔格伦的笔名写过一些自然和质朴的描写瑞典民间生活的短篇和一些以当时社会问题为题材的小说。她父母不睦，本人婚姻也极为不幸。后因病终身残废，遂寄托于文学创作。1884年发表描绘故乡农村生活的第一部短篇小说集《来自斯科纳》和长篇小说《钱》（1885），批判那种妇女只有通过结婚，才能获得地位和保障的社会。另一部小说《玛丽阳夫人》（1887），描写一个美貌无知的妻子改变了以前的浪漫想法，与丈夫共同劳动，并从中找到了生活的乐趣。此书的成功使她得以认识并深深地爱上了丹麦文学批评的一代宗师布兰代斯，但他不能回报她的爱情。在她死后发表的书信和日记中，描写了她的单恋和驱使她自杀的绝望心情。这些书信日记在披露自己心理之坦率上，堪与A.斯特林堡的书信、日记相媲美。

Benedictus　《以色列颂》　又称《撒迦利亚之歌》。对上帝感恩颂赞之诗，为犹太教祭司撒迦利亚在为其子施洗约翰行割礼和命名时所吟诵，载《新约·路加福音》第1章第68～79节。此诗的开头为：主以色列的神，是应当称颂的。此诗表达以色列人长期盼望弥赛亚的心情，称约翰为先知，即将建立太平之国的弥赛亚的先驱。

Benediktsson, Einar　贝内迪克松（1864-10-31，冰岛埃利德哈瓦顿～1940-01-14，海尔迪萨维克）　有人称之为20世纪冰岛最伟大的诗人。1892年在哥本哈根获得法律学位，曾短期编报，鼓吹冰岛独立。他的5卷象征主义的诗：《故事与诗》（1897）、《一平如镜的海洋》（1906）、《波浪》（1913）、《巨涛》（1921）、《草谷》（1930），显示了他语言运用的纯熟，洋溢着爱国主义感情和神秘主义、对自然的热爱以及到处旅行对他的影响。

benefice　惠佃制　原为8世纪法兰克王国所实行的土地租佃制。12世纪逐渐消失，而在西方教会及后来的英国圣公会的教会法典中却保持重要地位。到8世纪，农村教会由绅士（通常为在俗信徒）开办并任命司铎。从而乡村教堂分为两类：一类由主教管辖，另一

类由在俗绅士控制。各主教和各绅士逐渐都以教堂及教产为自己财产之一部，同样可以出租。他们任命司铎的方法就是把教堂和教产出租给他，由他履行宗教职责，往往同时还要缴纳地租。除非租契上另有规定，司铎终身管理教堂。12 世纪教会按照教皇格列高利七世的主张对惠佃制度进行改革，自此在俗领主仅为教会的赞助人，当然有权决定司铎人选，但无权把教堂直接租给司铎，也无权向他收租。在惠佃制度下，农村教堂司铎在收入和任职长短上都不仰人鼻息，得以不受限制地履行职责。

beneficiary　信托受益人　在英美法中，指为本身的利益而设立信托的人。私人信托的受益人应为可辨认的法律实体（自然人或法人）或一批人（如信托设立人的子女）。信托受益人必须是确定的，要新增信托受益人（如因出生或发生其他事件），就必须另行作出规定。因此，信托受益人的成员有时可能发生变化。公益信托的受益人不是可辨认的若干人，因为该受益人就是社会。所以凡是救济穷人的信托，每年被挑选来领取信托收益的人并不被认为是信托受益人，因济贫而得到好处的社会才是信托受益人。

beneficiation　精选　从粉碎的金属矿石中除掉无用的颗粒。参阅 **ore dressing**。

benefit of clergy（law）　参阅 **clergy, benefit of** 教会人员特权。

benefit performance　加演　原指剧场中某个男、女演员因收入不足而补充演出的节目，其中全部或部分票房收入为其所有。现在，加演是由演员、文娱表演者或全体演员表演，为赞助某个慈善机构而演，票房收入归该慈善机构所有。有时加演也指慈善机构以折价方式包下演出，然后以全价或高出全价将票出售，以达到筹款目的。加演制随时间的推移，已成为对演员是否成功、是否为观众所欢迎的考验。这一体制迫使演员要求他们的朋友或熟人购票。19 世纪 60 年代以来，当剧院从订季节合同转为按一出戏上演期的长短来签订合同后，加演制便随之衰落。

Beneke, Friedrich Eduard　贝内克（1798-02-17，普鲁士柏林～1854-03-01，柏林）　德国哲学家、心理学家。论证归纳心理学是研究各种哲学学说的基础，否认当时的唯心主义看法——受康德和洛克影响的联想心理学。其最初几部反黑格尔学派的著作包括：《基于纯粹理性意识的知识理论》（1820）和《作为一切知识基础的有关灵魂的经验理论》（1820）。两书均系他在哈雷和柏林大学研究神学与哲学之后完成，这些著作导致他当时未能进入学术界。1832 年柏林大学任命他为哲学教授。其他重要著作包括：《心理学概论》2 卷（1825～1827）、《实践哲学的自然体系之本质》（1837）及《实用主义心理学》（1850）等。

Benelux Countries（Belgium, The Netherlands, and Luxembourg）　**比荷卢三国**　参阅 **Low Countries** 低地国家。

Benelux Economic Union　比荷卢经济联盟　比利时、荷兰和卢森堡的经济联盟，目的是通过①保证人员、货物、资本和劳务的自由流通；②实行经济、金融和社会领域的协调政策；③执行对外贸易的共同政策，以达到全面经济一体化。1921 年比、卢两国已形成双边经济联盟；1944 年 9 月《伦敦关税公约》拟出三国关税同盟计划，并于 1948 年开始实行。到 1956 年该同盟几乎所有的内部贸易皆已免除关税。《比荷卢经济联盟条约》于 1958 年 2 月 3 日签订，1960 年开始生效。比荷卢经济联盟成为第一个完全自由的国际劳工市场，资本和服务亦自由流动；邮资和运费已标准化；社会福利政策得到了协调；1970 年取消了边境检查。该联盟的日常事务由总秘书处处理，该组织的执行权属于每季召开一次的部长委员会。比荷卢经济联盟曾一度被视为很有希望的试验，由此可将各邻国形成关税同盟，然后再联合成更加广泛的经济同盟。然而继 1952 年建立欧洲煤钢联营之后，对这类发展的兴趣已转移到欧洲经济共同体计划之上。现在比、荷、卢三国都是欧共体的成员国。

Benemérita de San Cristóbal（Dominican Republic）　**贝内梅里塔-德圣克里斯托瓦尔**　参阅 **San Cristóbal** 圣克里斯托瓦尔。

Beneš, Edvard　贝奈斯（1884-05-28，奥匈帝国波希米亚科日拉尼～1948-09-03，捷克斯洛伐克塞济莫沃乌斯季）　捷克斯洛伐克政治家、外交部长、总统、现代捷克斯洛伐克的缔

美国不列颠百科全书公司供图

造者，在两次世界大战之间推行重视西方的外交政策，但在 1938 年捷克危机中却屈从于希特勒的要求。先后在布拉格、巴黎和第戎求学。1908 年得法学博士学位。第一次世界大战前，在布拉格商学院和捷克布拉格大学任教。在 T. 马萨里克的民族主义思想影响下，他在第一次世界大战期间前往瑞士。他与马萨里克和 M. 什特凡尼克建立宣传组织，它于 1918 年 10 月成为捷克斯洛伐克临时政府。11 月建立共和国，他就任外交部长（直至 1935）。1919 年率代表团出席巴黎和会。他在两次大战之间支持国际联盟，曾 6 次担任国联理事会主席。他反对德奥结盟的计划，企图重建东欧的势力平衡。1921 年同罗马尼亚和南斯拉夫协商，建立小协约国对付德国。1935 年与苏联签订捷苏互助条约。同年马萨里克辞职后，他当选为第 2 任总统。1938 年屈服于德国，使捷克斯洛伐克丧失苏台德地区。1938 年 10 月辞去总统职务，流亡国外。第二次世界大战爆发后，他在法国成立捷克斯洛伐克民族委员会，1940 年迁至伦敦。1945 年 4 月 3 日在本国领土上建立新政府，5 月 16 日回布拉格时，受到群众的热烈欢迎。1948 年 2 月，他批准政府总理 K. 哥特瓦尔德提出的由共产党人领导的内阁名单。同年 6 月，因拒绝签署新宪法而辞去总统职务。著有回忆录《从慕尼黑走向新战争和新胜利》。

Benét, Stephen Vincent　贝尼特（1898-07-22，美国宾夕法尼亚伯利恒～1943-03-13，纽约州纽约）　美国诗人、小说家。以《约翰·布朗的遗体》闻名于世。这是一部关于美国内

美国国会图书馆供图

战的叙事长诗。生于一个爱好文学的军人家庭，从小在军营长大。父亲大声给他、他的兄弟和妹妹朗诵诗歌，后来他们都成了作家。早年便开始写作，17 岁时出版第一本书。第一次世界大战期间在政府中任文职，中断了在耶鲁大学的学习。战后获文学硕士学位，他所提交的不是论文而是他的第 3 部诗集。在发表了备受赞赏的《威廉·西卡莫尔的民歌 1790～1880 年》（1923）、3 部小说及若干短篇小说之后，他前往法国，并写下了最受欢迎的作品《约翰·布朗的遗体》（1928）。1953 年，C. 劳顿将它改编成戏剧，在全美国上演。贝尼特对历史题材的专注，也是他写《西方的明星》的基础。这是一部关于美国的巨著，原计划写 5 卷，但在他去世时尚未完成。第 1 卷本身是完整的，于 1942 年脱稿，在作者死后出版。他总共出版了 17 卷以上的散文和诗歌。最著名的短篇小说《魔鬼和丹尼尔·韦伯斯特》（1937）是以民间传说为素材的幽默作品，被改编成戏剧、歌剧和电影。

Benet Biscop　本尼特·比斯科普　参阅 **Benedict Biscop, Saint** 本尼狄克·比斯科普，圣。

Benet Goita, Juan　贝内·戈伊塔（1927，西班牙马德里～1993-01-05，马德里）　西班牙作家，以结构复杂的小说和实验性散文文体闻名。西班牙内战期间（1936～1939）随父母侨居国外。回国后，学习工程。1954 年获得高级学位，在西班牙农村任公路工程师。1961 年发表短篇小说集《你将一事无成》。1964 年定居马德里。第一本长篇小说《你要回到勒吉昂去》（1967），描写在一个类似莱昂的勒吉昂城居住的各种人物的态度。这部作

品引起人们对西班牙产生广泛兴趣。它与其他两部作品《沉思》(1969)、《冬天的旅行》(1972),构成三部曲。

Beneventan script 贝内文托字体 系意大利南部的书写体,是在蒙特卡西诺本笃会的母会中形成的。该字体有一种急促的节奏感,保留了个别草书字,加之许多省略和连字,使人很难看懂。尽管它源于本土,不受重视,却演变成一种令人赞誉的文学书体,独领风骚500多年直到13世纪。

Benevento 贝内文托 意大利南部城市,坎帕尼亚区贝内文托省省会和大主教区。位于那不勒斯东北的卡洛雷河和萨巴托河之间的一山脊上。曾为古罗马军用大道上的重镇和罗马向意大利南部扩张的基地。571年成为伦巴第公国首府。11世纪受拜占廷统治。后并入教皇区。1860年归属意大利。虽遭受地震和第二次世界大战的破坏,但仍保存许多古建筑。有图拉真拱门(114～117)、古罗马剧院、萨巴托河上一座桥——勒布罗索桥、中世纪大教堂(建于7世纪)、12世纪的圣索菲亚教堂隐修院(教堂是8世纪所建,1688年重建)和古城堡(1321)。现为小麦、葡萄、橄榄、蔬菜等农产品集散地。生产杏仁糕、斯特雷加酒、巧克力、饼干和农业机械等。亦制造葡萄酒、砖和火柴。人口:城市区约62 683(1991)。

benevolence 贡金 在英国史上,自爱德华四世至詹姆斯一世历代国王不经议会同意以赠金为名向臣民勒索的金钱。1473年首次使用此名称。理查三世征收贡金遭到议会反对,议会认为他"非法巧立名目",曾于1484年加以废止。亨利七世置法律于不顾,普遍征收贡金。亨利八世在1528和1545年索取过贡金。詹姆斯一世在1614～1622年曾数次进行勒索,因而引起极大的抗议。结果,终于废止贡金的征收。

Bénézet, SAINT 贝内泽,圣(约1165～约1184) 基督教圣徒,阿维尼翁桥的建造者。原为未受教育的牧羊人。罗讷河在阿维尼翁(今法国境内)附近水流湍急,古代罗马人曾企图在该处建桥而未果。贝内泽自称奉上帝谕旨要建造这座桥。1177年动工,贝内泽死后4年完成。

Benezet, Anthony 贝内泽(1713-01-31,法国圣康坦～1784-05-03,美国宾夕法尼亚费城) 18世纪美国著名的教师、废奴主义者和社会改革家。为躲避法国胡格诺派的迫害,全家先后逃往荷兰和伦敦。他在一家商号当学徒,加入贵格会派。1731年全家移民到费城。他不愿经商,也曾试过其他各种职业,最后决定当教师,任教于费城公谊会办的英语公学。他看到妇女未得到平等的教育机会,乃于1755年创办一所女子学校。他将余生献给教学工作。坚信人的仁慈是社会关系调协的关键,并将此原则作为其教学方法的基础。18世纪60年代他成为热情的废奴主义者,写作并自费散发一些鼓励人们反对奴隶制和奴隶买卖的小册子。晚年又为黑人建立一所学校,并亲自任教。遗嘱中说明将不多的遗产全部留赠该校。在长期的慈善生涯中,曾多次帮助法国的阿凯迪亚难民、美国的印第安人及其他受迫害的少数民族。和平主义、素食主义和节欲则是他为之奋斗的另一种事业。其著作有:《对英国及其殖民地的警告》、《对英国自治领内被奴役的黑人悲惨情况的简述》(1767)和《几内亚的历史叙述——附对奴隶买卖兴起及其发展的调查》(1772)等。

Benfey, Theodor 本费(1809-01-28,汉诺威格丁根附近的讷尔滕[德国]～1881-06-26,德国格丁根) 德国梵语和比较语言学学者。他的著作,特别是编订出版的古印度动物寓言

美国不列颠百科全书公司供图

集《五卷书》提供了一种研究梵语的重要方法。本费作为教师居住在美因河畔的法兰克福(1830～1832),最初致力于研究古典语言,翻译拉丁语剧作家泰伦提乌斯的喜剧。1834年任格丁根大学名誉讲师,讲授古典语言研究课程。从事梵语研究的同时,出版一本希腊语根辞典(1839～1842)和一篇关于闪语和埃及语关系的论文(1844)。1848年任助理教授,编辑出版《娑摩吠陀》的译注本。继两本梵语语法书(1852～1854及1858)之后,发表《五卷书》校译本(1859),所附注释对比较文学研究富有价值。1862年任教授,其后出版英语本梵语语法(1863～1866)和梵英词典(1866)。他的最后的重要著作是19世纪德国语言学研究史(1869)。

Bengal 孟加拉 孟加拉语作Baṅga。印度次大陆东北部一历史地区。通常指讲孟加拉语居民的地区,现分属印度西孟加拉邦和孟加拉人民共和国。古代统治印度北部的许多帝国,都以孟加拉为其疆域的一部分。8～12世纪,孟加拉由其近邻比哈尔为基地的信奉佛教的巴拉王朝统治。大约在1200年归半独立的穆斯林统治者治理。1576年起归莫卧儿帝国管辖。18世纪莫卧儿帝国衰落后,在孟加拉、比哈尔、奥里萨出现了单独的王朝。孟加拉统治者不久就和英国发生冲突,当时英国已于1690年在西孟加拉的加尔各答站稳了脚跟。1757～1764年占领了孟加拉统治者的所有地区。从此孟加拉便成了英国在印度进行扩张的基地。从1773年起,英国驻孟加拉总督成了英属印度的首席行政长官。1834年起加上了"印度总督"头衔。1838～1874年,阿萨姆并入孟加拉。1854年印度政府与孟加拉分开治理,但加尔各答直到1912年仍是印度首都。1947年英国统治结束后,西孟加拉、比哈尔、奥里萨划归印度共和国。东孟加拉归巴基斯坦,但在1971年成为独立的孟加拉国。

Bengal, Bay of 孟加拉湾 印度洋东北部广阔但较浅的海湾。西岸为印度和斯里兰卡,北岸为孟加拉国,东接缅甸和马来半岛北部,南以斯里兰卡南端的栋德勒角和苏门答腊北端之间的一条假想线为界。平均深800米,最深4 500米(在最南部)。面积2 172 000平方千米。入湾的南亚大河,北有恒河、布拉马普特拉河;东有伊洛瓦底江。湾内有安达曼群岛和尼科巴群岛。沿湾重要港口有印度的加尔各答和马德拉斯等。北部大陆架宽160千米,沿东、西海岸渐窄。

Bengal, Partition of 孟加拉分省(1905) 自从1765年起,英印政府就把孟加拉、比哈尔、奥里萨合成一个省。到20世纪初,这个省的范围已经过大,无法统一管理。1905年英国驻印度总督寇松实施一项分省的方案。即将东孟加拉的15个县与阿萨姆合在一起,建立一个新省,人口3 100万,主要是穆斯林,省会达卡。西孟加拉的印度教徒表示反对,认为这样一来,孟加拉民族将分裂为二,在比哈尔和奥里萨等省份中,孟加拉人会处于少数地位。1911年,东西孟加拉重新合并,阿萨姆再度成为专区,比哈尔、奥里萨组成新的省份。其目的是为了缓解孟加拉人的不满情绪和便于管理,但却引起了穆斯林的不满。

Bengal quince 参阅**bel fruit** 孟加拉苹果。

Bengali language 孟加拉语 孟加拉语作Bāṅglā。属印度-雅利安语东部语支,通行于孟加拉国和印度的西孟加拉邦。有两个重要方言:一是萨都语,包含很多未受教育者难以理解的梵语词汇,为文学语言;一是加利特语,有许多缩写词,为受过教育的人们和普通人习用的口语。后者以加尔各答及其附近的方言为基础。孟加拉语名词和代词有格的词尾变化,而印度-雅利安语的西部语支的印地语已产生格变化消失的倾向。孟加拉语有4～6个格,表示有理性或无理性的人或物。按照这种用法,动词单数形式只用于说话者所熟悉或所轻视的事物,第三人称则用于无理性的事物。孟加拉语是世界闻名的作家泰戈尔所使用的语言。是印地诸语言中第一个具有西方世俗文体如小说、剧本、颂歌的语言。

Bengali literature 孟加拉语文学 指用印度次大陆孟加拉语创作的作品。现存最早的作品是12世纪前的一部抒情诗集,反映了自然教派的信念和习俗。1199年穆斯林入侵,诗人们被逐,致使全部诗歌创作活动处于停顿状态,直至14世纪中叶才得以恢复。此后,孟加拉语文学分为中世纪(1360～1800)和现代(1800以后)两个时期。

Bengasi (Libya) 参阅**Banghāzī** 班加西。

Bengbu 蚌埠 又拼Pang-pu。中国安徽省辖市。位于省境中部偏北,跨淮河两岸。主要

市区在淮河南岸。原为凤阳县的蚌步集,盛产河蚌,后改名蚌埠。1947年设市。1952年改省辖市。辖蚌山、龙子湖、禹会、淮上4区和怀远、固镇、五河3县。面积5 945平方千米,

淮河铁路桥
中国大百科全书出版社供图

其中市区面积601.5平方千米。1911年,津浦铁路通车后发展迅速。转运淮河南北所产棉花、花生、大豆等,成为交通和商业中心。1935年淮南铁路建成,后北延到蚌埠。蚌埠又是淮河最大港口,有“千里长淮第一大港”之誉,它成为皖北重要水陆交通枢纽。1949年后随着淮河水系的大规模整治,淮北煤矿的兴建,蚌埠工业得到进一步发展。现已形成以食品工业为主,并拥有机械、电子、化工、建材、纺织、冶金、皮革、造纸等部门的工业体系。蚌埠位于京沪、淮南两铁路和淮河航运交会点上,建有新淮河大桥沟通两淮公路网,已成为安徽省对外联系的主要陆上门户。名胜古迹有市郊的明汤和墓和钓鱼台遗址,及怀远县的白乳泉和禹王庙等。人口:全市3 470 000(2006);市区712 000(1994)。

Bengel, J(ohann) A(lbrecht) 本格尔 (1687-06-24,符腾堡斯图加特附近温嫩登[德国]~1752-11-02,斯图加特) 德意志信义宗神学家;《圣经》学者,斯瓦比亚虔诚派的创始人,《新约》考据学的先驱。本格尔曾求学于蒂宾根大学,1713年任登肯多夫某神学院教授,开始出版有关《新约》的著作。在学生时代,他就发现《新约》经文有不同版本,乃决心编写严格的统一文本。他提出“越是难读的越要采纳”的原则。他1741年任黑布雷希廷根首席牧师,1749年任阿尔皮斯巴赫首席牧师。本格尔在《新约》考证和神学方面的影响一直持续到今天。他认为,学者不应对经文穿凿附会,但应不漏原意,揭示一切隐义。本格尔的主要著作包括《希腊文新约》(1734),附有详尽考据材料;还有《新约箴言》(1742),是解经评注文集。

Benghazi (Libya) 参阅**Banghāzī** 班加西。

Bengkalis Island 望加丽岛 印度尼西亚廖内省岛屿。位于苏门答腊东面马六甲海峡。在新加坡西面约195千米处。西北-东南长约68千米,东-西宽约19千米,海拔在100～200米。地势低洼,多沼泽,为珊瑚建造,雨量充沛,人口稀少,大部分地区不宜耕种。岛上仅有的两个重要城镇是岛西端的港口望加丽(装运木材、橡胶、松香和烟草)以及西北端的默斯昆。与廖内省其他各地的来往依靠船舶。

Bengkulu 明古鲁 印度尼西亚苏门答腊西南部省份。西临印度洋,北与西苏门答腊省、东与占碑省和南苏门答腊省、东南与楠榜省接壤。面积19 786平方千米(包括印度洋上的默加岛和恩加诺岛)。该省境内南北走向的明古鲁山脉既有活火山又有死火山峰,与海岸平行伸展并横贯全省。其中,塞布拉山海拔2 383米,卡巴山海拔1 938米。山脉两侧为肥沃的沿海平原地带。省内有塞拉甘河和塞布拉河等河流和溪流向西南流入印度洋。该省农业实行轮作,出产稻米、茶叶、咖啡、椰干、棕榈油、乌檀、铁木和橡胶。工业和手工业有食品加工、纺织、木雕,以及金属制造、制革、纸编和运输设备制造等。公路与海岸平行延伸,通往麻拉阿曼、朱鲁普、明古鲁、曼纳和宾图汉。米南卡保人和勒姜楠榜人为当地主要民族,他们大部分是穆斯林。阿拉伯人和华人在沿海地区定居。人口约1 567 432(2000)。

Bengkulu 明古鲁 印度尼西亚苏门答腊岛西南部明古鲁省的省会。明古鲁为印度洋港口,位于巨港西南289千米。17世纪,英国在此建有贸易站。1824年根据《伦敦条约》移交给荷兰。印度尼西亚民族主义领袖、后印度尼西亚共和国第一任总统苏加诺,因反对荷兰殖民统治于1938年被放逐到明古鲁。现为主要的矿业和农业贸易中心。出口黄金、白银、咖啡、胡椒、玉米和金鸡纳树皮等。工业有木雕、金属加工、编筐、纺织、制陶、制砖瓦和蜡染印花等。与沿海城镇曼纳、穆科穆科和巴东通公路。建有机场。有一处古老的基督教公墓和一座植物园。人口279 753(2000)。

Bengtsson, Frans Gunnar 本特松(1894-10-04,瑞典托斯育～1954-12-19,斯德哥尔摩) 瑞典诗人、传记作者、小说家。但使他在瑞典文坛上获得盛誉的则是他的大量信笔写来不拘一格的散文,可以说他是这一文体在瑞典的开创人。他学识渊博,较大部头的著作有《查理十二世传》(2卷,1935～1936)及小说《鲁德·奥尔姆》(2卷,1941,1945)。他历史知识广博,散文风格多姿多彩,随意抒写涉笔成趣,以此写的随笔文章引人入胜。有随笔集《散步到蚁穴及其他》(1938)。

Benguela 本格拉 又拼Benguella,前称圣费利佩-德本格拉。安哥拉西部城市。建于1617年,为葡萄牙在非洲扩张的基地之一。现为政治与工商业中心,有铁路通刚果(金)和津巴布韦。出口农产品。地方工业有榨糖,鱼加工,生产肥皂、工具、陶瓷制品。主要建筑有政府大厦和蒙巴卡旅馆。腹地种植咖啡、玉米、烟草、甘蔗和西沙尔麻。城市南郊有锰矿。人口约155 000(1983)。

Benguela Current 本格拉洋流 南半球西风飘流的分支。在南大西洋沿非洲南部的西岸北流,在赤道附近与向西流的大西洋南赤道洋流汇合。盛行的南风和西南风使低温、盐度较低、浮游生物含量大的海水涌升,形成优良渔场。沃尔维斯海岭从纳米比亚的弗里亚角岸外向西南延伸到戈夫岛,阻挡了大西洋底非常冷的水北流。接近洋流的海滨地区海风温度、湿度均低,气候十分干旱。

Benha (Egypt) 参阅**Banhā** 本哈。

Beni Abbès 贝尼阿巴斯 阿尔及利亚中西部绿洲城镇。在西部大沙漠西部边缘。萨乌拉河在多石沙漠及沙丘之间流过。该镇为一小镇,镇内街道带有顶盖,白天也常需以火炬照明。设有撒哈拉博物馆和撒哈拉研究中心。人口:城市区约6 469(1987)。

beni-e 红绘 日本的木刻版画。手工着色时采用藏红花作为染料,呈玫瑰红色。浮世绘(**ukiyo-e**)的美术家们首先于1710年使用这种技术,此后延续使用,直至1742年前后红摺绘(benizuri-e)发明为止。

Beni Hasan 贝尼哈桑 又拼Banī Ḥasan。埃及中王国时期考古遗址,位于尼罗河东岸开罗以南大约245千米处。贝尼哈桑遗址以其石凿墓穴著称。墓穴都是第十一王朝和第十二王朝期间上埃及第十六州亦即奥里克斯州高级官吏的埋葬之处。已发现的39座墓穴之中,有些绘有死者日常生活画面及重要的生平事迹等内容。该州历任州长治理东沙漠地区,首邑建于孟那特胡夫,该地原是第四王朝诸法老的祖籍所在。赫努姆荷太普二世法老的墓穴,绘有闪米特贝都因商人盛装来埃及朝觐的场景。一处石凿巴赫特神祠系由第十八王朝的女王哈特谢普苏特及法老图特摩斯三世先后修造的,位于孟那特胡夫以北1英里处,坐落在一个古代采石场上。这个神祠曾以“贝尼哈桑洞穴”而为世人所知,其附近凿有一座小型的亚历山大二世的神祠。

Beni Isguene 拜尼阿斯甘 阿尔及利亚中部姆扎卜(**M'zab**)绿洲五城镇之一,位于撒哈拉沙漠。拜尼阿斯甘为柏柏尔语,意为“虔诚人们之子”。11世纪中叶创建,1860年重建城墙。该镇自古以来被尊为圣地,其西缘的棕榈丛林旁建有12世纪的清真寺。外乡人在约4小时的日中祷告时不得进城,日落后不准在城内逗留,更不许过夜;若无向导,亦不准入内;某些地点即令有向导指引也不开放。镇内的居民为保持自己的纯洁,一般不走出当地的绿洲。然而现代技术也已输入城内。有发动机水泵用于灌溉,有天然气用于烹饪。主要手工艺为陶瓷、铜器、珠宝和地毯。

Beni Mellal 贝尼迈拉勒 摩洛哥中部城镇。贝尼迈拉勒镇在中阿特拉斯山麓,俯瞰贝尼阿米尔平原,是塔德莱灌溉区农产品(柑橘、橄榄、无花果等)和牲畜主要市场。镇西南58千米处有水坝和水库。公路通非斯、马拉喀什和卡萨布兰卡。人口140 212(1994)。

Beni River 贝尼河 在玻利维亚境内。源出拉巴斯附近的雷亚尔山脉北段,向东北流

经安第斯山东北坡和平原，在里韦拉尔塔接纳马德雷德迪奥斯河后，至巴西边界与马莫雷河汇合，全长1 600千米。贝尼河和马莫雷河形成马德拉河，为玻利维亚东北端边界。涨水季节（12月至5月），鲁雷纳瓦克与埃斯佩兰萨湍滩之间河段可通航。

Beni Saf 贝尼萨夫 阿尔及利亚西北部城镇及港口。在法尔孔角和水角之间。随着四周铁矿的开发，1876～1881年修建了有18公顷水域的人工港湾。西迪艾哈迈德河东侧为一矿区。最近的矿点在镇南3千米处。有架空索道及隧道与其他矿点连接。除铁矿外还出产锌、大理石以及缟玛瑙矿。有渔业和渔产加工业。人口：城市区约29 921（1987）。

Beni Suef（Egypt） 参阅**Banī Suwayf**贝尼苏韦夫。

benign pemphigus（medicine） **良性天疱疮** 参阅**bullous pemphigoid**大疱性类天疱疮。

Benin 贝宁 西非森林地区历史上主要的王国之一（昌盛时期13～19世纪）。据传统说法，埃多人在13世纪请伊夫族的奥兰米扬王公来统治他们。其子埃维卡被认为是贝宁第1代国王（"奥巴"）。最著名的国王埃瓦雷（约1440～约1480在位）确立王位世袭制，扩大王国版图，并重建首都（今贝宁城），使国王成为人民最高的政治、司法、经济和精神领袖。到16世纪中期，贝宁疆土东至尼日尔河三角洲，西至今拉各斯。继承埃瓦雷王位的几位国王都很有才干，主要的有奥佐卢阿（埃瓦雷之子；约1481～约1504在位）和埃西吉（奥佐卢阿之子；16世纪初至16世纪中在位），他们同葡萄牙人保持良好关系，并派出使节。在这几位国王的领导下，贝宁成为一个组织严密的国家。众多的手工匠人组成行会，王国以其象牙雕刻和木雕闻名。贝宁的铜工擅长制作自然主义的头像和浮雕。15～18世纪，贝宁同葡萄牙及荷兰商人进行频繁的象牙、棕榈油和胡椒贸易，还从奴隶贸易获得巨额利润。但在18世纪和19世纪初，王室成员争权夺利，甚至爆发内战。查禁奴隶贸易后，王国益衰，疆界缩小。1897年英国人焚烧贝宁城后，王国并入英属尼日利亚。王朝的后代虽仍据有贝宁城王位，但仅在政府中起咨询作用。

Benin 贝宁 全称贝宁共和国。前称达荷美（1975年以前）或贝宁人民共和国（1975～1990）。西非国家，从贝宁湾向北方内陆延伸675千米，北临尼日尔河、南濒大西洋，面积112 600平方千米。正式首都波多诺伏，但政府所在地实际上位于科托努。西与多哥接壤，西北接布基纳法索（旧称上沃尔特），东北与尼日尔相邻，东与尼日利亚交界。东西最宽处仅约320千米，南部海岸线长约120千米。人口约6 788 000（2002）。

土地 全境从南到北大致可分为5个自然区：沿海区、黏土区、贝宁高原区、阿塔科拉山区和尼日尔平原区。沿海区地势低平，多沙，有潮后沼泽和潟湖网分布；黏土区在沿海区以北，为土质肥沃的砖红壤黏土高原，有一面积广大的沼泽洼地，称拉马沼泽；贝宁高原区位于中南部，由以结晶岩为基底的黏土构成，海拔90～230米；西北部阿塔科拉山区是南面的多哥山脉的延伸，最高峰海拔614米；尼日尔平原区位于东北部，向下倾斜至尼日尔河谷，由黏土沙岩构成。韦梅河是境内最大河流，向南流入波多诺伏潟湖，全长450千米，通航河段200千米。

美国不列颠百科全书公司供图

沿海区属赤道气候，常年气温在22～34°C之间；南部有两个雨季，3～7月和9月末～11月，中间隔有两个旱季，北部雨季为5～9月，其余月份为旱季。年平均降雨量760～1 270毫米，雨量由南向北递减。南部原始雨林区大多开拓为耕地，盛产油棕、扇叶树头榈、椰子树、木棉、桃花心木和乌木。阿波美以北为森林和大草原混合区，更北部则全部是草原。境内有多种野生动物，如大象、豹、狮子、羚羊、猴子、野猪、鳄鱼和水牛等。约1/6的土地适于耕种，几乎没有可供放牧的土地。

人民 南部以丰人和与之有血缘关系的族群为主，占总人口的3/5以上；约鲁巴人居住在东部，占总人口的1/10；北部主要是讲沃尔特语的族群，由松巴人、巴里巴人等有血缘关系的部落组成，约占总人口的1/5。过着游牧和半游牧生活的富拉尼人则居住在半沙漠地带。

虽然法语是官方语言，但丰族语使用最为普遍，有可能成为国语。约2/3的人民仍信奉非洲各传统宗教，北部及东南部的伊斯兰教徒与基督教徒共占全国人口的1/3。

15岁以下的人口几乎占全国人口的1/2。该国人口分布不均，有2/3的人口集中在仅占国土1/3的南部；北部有些地区，除富拉尼游牧民族外，无人居住。城市人口仅约占1/5。科托努为全国商业和政治生活中心，是欧洲人建设的一座现代化城市；而首都波多诺伏则为非洲人所建，具有非洲和欧洲两地的风格。

人口年增长率相当高，超过整个西非的增长率。政府正在执行旨在降低人口增长率，并使人口空间分布趋于均衡的方针。

经济 贝宁实行的是发展中的中央计划经济，主要以农业和过境贸易为基础。20世纪70年代末，由于旱灾和世界石油涨价的影响，经济的适度增长中断；80年代和90年代又因技术工人严重缺乏，公共部门耗费太大，经济复苏受阻。国民生产总值的增长远远低于人口增长的速度。人均国民生产总值属世界最低之列。

农业产值约占国内生产总值的2/5，占用约2/3的劳动力。棕榈油一度为农业出口大宗，但70年代和80年代连遭旱灾后产量急剧减少。棉花、花生、咖啡和可可豆等作物也出口国外，但产量并不稳定。粮食作物主要有木薯、甘薯和玉米等，产量稳步增长。贝宁的主要粮食能自给自足。由于开发项目上马导致沿海潟湖盐化，传统的捕鱼业衰退；但对深海捕鱼等现代产业部门的投资有所增加。石灰岩矿的开采主要用于水泥生产。80年代由挪威萨加石油公司开发的塞梅近海油田，其石油产量比国内需求量高出数倍；原油已成为该国主要出口物资。

工业产值约占国内生产总值的1/2，仅占用了一小部分劳动力。制造业大部分为小规模经营，多数企业由政府控制。位于帕拉库的纺织综合企业是该国最重要的工厂，其他工业以初级产品加工为主，产品供出口或用以取代一般消费品的进口。

国内所需电力约有1/2来自加纳的沃尔特河发电站。1988年，贝宁和多哥两国在南部边界共同修建的莫诺河大坝开始发电。

服务业约占国内生产总值的1/2，占用了1/3以上的劳动力。旅游业正处在发展之中。

近年来政府支出明显上升，大部分资金用于支付国家机关工作人员的薪金。开发经费大多靠国外资助。进口额比出口额大约高出2倍，但至少有部分赤字可由对尼日利亚的非官方过境贸易（尤其是食品贸易）及海外贝宁人的汇款来抵消。贝宁的主要贸易伙伴有法国、葡萄牙、泰国和意大利。

政体与社会状况 1990年12月贝宁通过新宪法，规定实行多党民主政体。根据新宪法成立的一院制立法机关国民议会，有64名成员，由全民投票直接选出。国家总统亦由直接选举产生，与议会共同行使国家行政管理权。该国政党有贝宁人民革命党和民主力量大会。司法机关由最高法院和许多下级法院组成。

教育体制又进行了改革，除传统课程外，对实际应用技能的培训也有加强。6～11岁未成年人须接受义务教育，但仅约有60%的小学适龄儿童和约10%的中学适龄少年入学，大部分为男生。

人民的健康状况不佳，医疗水平甚低。贝宁和西非大部分地区一样，医生和其他医务人员严重短缺，平均预期寿命仅50岁。

文化生活　贝宁丰富文化的实例包括木刻面具、花边绣帷、陶器和青铜小塑像等，均在市集上有售，并陈列于波多诺伏、阿波美和帕拉库的博物馆内。在村落和邻近地方的庆典中可欣赏到传统风格的音乐和舞蹈。

新闻媒介受到执政党的严格控制。电台、电视台均属国家所有，由政府管理，主要日报《革命报》亦然。

历史　贝宁北部民族的历史尚待撰集。1625年，贝宁南方的达荷美人，即丰人，建立起阿波美王国。阿波美王国第一位强大的统治者韦格巴贾（约1645～1685）攻打并战胜了毗邻的一个小国，并将国王达（丹）的尸体投入韦格巴贾正在兴建的宫殿的基层；达荷美（意为"在达的肚子上"）即由此而得名。韦格巴贾之子阿加扎国王（1708～1732）最终攻占了阿拉达和维达，17世纪法国东印度公司在两地建立起多处法国要塞。在格祖国王统治时期（1818～1858），达荷美王国多次攻打尼日利亚的约鲁巴人，获取大批奴隶，并向北扩大疆土。

1857年法国人在大波波登陆。1878年达荷美国王贝汉津拒绝将科托努让与法国人，导致法国与达荷美开战（1892～1894）。1894年1月贝汉津投降，达荷美成为法国的一个保护国。

1904年达荷美并入法属西非联邦。第一次世界大战爆发时驻扎在达荷美的法军参加了征服受德国统治的多哥兰的战争（1914）。第二次世界大战期间，达荷美仿效法属西非加入同盟国。1959年该国成为法兰西共同体内的一个自治国。1960年达荷美宣布独立，同年通过一部新宪法。在经过了11次政权更迭，包括5次军事干涉、2次新宪法之后，马蒂厄·克雷库少校于1972年接管了政府。

1975年达荷美成为贝宁人民共和国，1980年国民议会一致选举克雷库为总统。1974～1989年期间政府一直奉行革命的社会主义，1989年的东欧革命之后，贝宁也正式放弃了马列主义，并于1990年改国名为贝宁共和国。1991年，贝宁举行首次多党派自由选举，前内阁成员尼塞福尔·索格洛击败克雷库而当选为总统。1996年的总统换届选举中，克雷库击败索格洛而重新当选，并于2001年连任。尽管自20世纪80年代以来，贝宁社会在不断前进，但直至21世纪初，贝宁的经济仍不发达，政治改革也不够彻底。

Benin ,Bight of　贝宁湾　又称邦尼湾（Bight of Bonny）。西非海岸的大西洋海湾。从圣保罗角（加纳）向东延伸640千米至尼日尔河河口（尼日利亚）。位于几内亚湾内，与加纳东南部、多哥、贝宁和尼日利亚西南部接界。有尼日尔河三角洲部分水系以及锡奥、哈霍、莫诺、库福、韦梅、贝宁和福卡多斯等河流注入。沿湾主要港口有洛美（多哥）、科托努（贝宁）和拉各斯（尼日利亚）。16～19世纪时湾区为奴隶贸易场所，尼日尔河三角洲以西沿海环礁湖地区有"奴隶海岸"之称。至19世纪30年代，棕榈油贸易已成为主要经济活动，持续至今。20世纪50年代末在尼日尔河三角洲发现石油，现仍为尼日利亚主要资产。沿岸其他出口物品有棕榈仁、可可、咖啡、硬木和橡胶。参阅 **Slave Coast**。

Benin City　贝宁城　又称埃多。尼日利亚埃多州首府和最大城市。临贝宁河一支流。在拉各斯—阿萨巴公路干线上。有公路通萨佩莱、锡卢科、奥凯内和乌比亚贾。通航空

贝宁城王宫内的泥浮雕
美国不列颠百科全书公司供图

线。有尼日尔三角洲的科科和萨佩莱两外港。原为埃多人建立的贝宁王国主要城市。1897年遭英军焚毁和抢掠（近2 500件珍贵铜器被抢走）。现古城墙和护城河遗址犹在。新城以王宫、王城和政府机构为中心，街道房屋密集。以所产黄铜器（始自13世纪）、牙雕和木刻闻名。市内博物馆（1960）收藏贝宁王国早期黄铜器。现为全国橡胶业中心。附近的伊亚诺莫设有尼日利亚橡胶研究所（1964）。自20世纪30年代以来，以锯木业闻名。产品有家具、啤酒和软饮料。棕榈油和棕榈仁等传统出口商品亦为重要经济来源。市郊设有尼日利亚油棕研究所。市内有贝宁大学（1970）。有几所中学、几家医院和师范学院。人口约229 400（1996）。

Benítez Rojo, Antonio　贝尼特斯·罗霍（1931-03-14，古巴哈瓦那～　　）　古巴小说家、散文家，是20世纪后半叶最著名的拉美作家之一。其处女作短篇小说集《国王的同花》于1976年赢得古巴主要文学奖项美洲之家奖。1969年，以其《干叶盾》获作家协会年度短篇小说奖。原在哈瓦那大学学经济与会计，35岁时涉猎文学。古巴革命初期曾在劳动部工作，以其处女作参赛获奖，遂转入文化部门，升至加勒比研究中心主任。因不满卡斯特罗政权，1980年离开古巴前往美国，出任马萨诸塞州阿默斯特学院西班牙语教授。其小说《兵豆的海洋》（1979）是以殖民时期加勒比海为背景。获奖论文集《重现的岛屿：加勒比和后现代视角》（1989）影响深远。他的小说主要分为两个主题：加勒比历史和古巴中产阶级在革命后的分崩离析。前者讲的是加勒比如何在争取自由的黑奴与白人殖民者的冲突中崭露头角。后者是以E.A.坡、H.基罗加、J.L.博尔赫斯及J.科塔萨尔的方式探讨怪异事物。其最为出众也是拉丁美洲历来最好的小说之一当属《淹没的雕像》，讲的是先前一个富有人家，独处豪宅，与世隔绝，对周围发生的超乎寻常的转变一无所知、只能凭直觉感受的故事。

Benivieni, Girolamo　贝尼维耶尼（1453，佛罗伦萨［意大利］～1542，佛罗伦萨）　意大利诗人。文艺复兴时期佛罗伦萨的几位名人的密友。由于把哲学家M.菲奇诺翻译柏拉图的《对话录》改写为诗歌，从而影响了文艺复兴时期及稍后的作家。深受文艺复兴时期宗教改革者萨沃那洛拉的影响，在改变信仰后，改写过去所写的一些关于男女之爱的诗歌，并将萨沃那洛拉的《论基督教徒的朴素生活》译成意大利文，还写了一些宗教诗。

Benjamin　便雅悯　《圣经》时代以色列人12支派之一。以色列人就是后世的犹太人的祖先。这一支派因雅各（即以色列）与妻子拉结所生次子便雅悯得名。摩西死后，约书亚率领以色列人进入迦南（即巴勒斯坦），将中南部地区分配给便雅悯支派。公元前922年国王所罗门死，其国分裂为二，便雅悯人分属南北两国。归属南部犹大国者为较强大的犹大支派所同化。以色列国第一代国王扫罗和后世的使徒保罗，都是便雅悯人。

Benjamin of Tudela　便雅悯（图德拉的）（活动时期12世纪，纳瓦拉［法国］）　法国纳瓦尔出生的犹太人拉比，第一个到达中国边境的欧洲人。所著《图德拉的便雅悯旅行记》（1907年出版）对12世纪欧、亚两洲犹太人情况有所介绍。他为了经商并了解犹太人处境，自1159～1173年大约13年内，先后到达意大利、希腊、巴勒斯坦、波斯和中国西部边境，然后经埃及和西西里返回。虽然《旅行记》有些错误，也讲到他可能未去过的地方，但仍然有价值。

Benjamin, Asher　本杰明（1773-06-15，马萨诸塞格林菲尔德［美国］～1845-07-26，马萨诸塞斯普林菲尔德）　美国建筑师。他所编著的几本手册，如《美国营造手册》、《实用住房木工》、《建筑实践》以及《营造者指南》等，直到1860年对美国的建筑界仍有极大的影响。这些著作在20世纪下半叶曾重新出版。本杰明早年学做木工，在马萨诸塞州格林菲尔德附近设计过许多幢住宅。1803年迁居波士顿，深受C.布尔芬奇的影响，作品遍布全州各地，如斯普林菲尔德的林登住宅（1811）、波士顿的西教堂（1806）和总部大厦（1807～1808）等。

Benjamin, Judah P(hilip)　本杰明（1811-08-06，维尔京群岛圣克罗伊岛～1884-05-06，法国巴黎）　在美国南北战争（1861～1865）前是美国，以后是英国的著名律师，曾在美国南部邦联政府中担任过高级职务。他是被选

美国国会图书馆供图

入(1852;1858 重新当选)美国参议院的第一个宣称信教的犹太人。据说在19世纪,他是最杰出的美国犹太人。他生为英国臣民,少年时被带到美国,居住在南卡罗来纳州查尔斯顿;在耶鲁大学读了两年法律(1825～1827)后,移居路易斯安那州新奥尔良,1832年在路易斯安那州取得律师资格,在商业和保险法方面有极大成就。作为蔗糖种植园主,一度十分成功。他帮助组织了伊利诺伊中央铁路,并于1842年被选入路易斯安那州议会。在美国参议院中,以发表主张蓄奴的演说著称。在他的州脱离联邦后,被任命为南部邦联政府司法部长(1861-02-21)。同年晚些时候,被友人杰斐逊·戴维斯任命为陆军部长。人们指责他对陆军部管理不善,结果造成了几次重大的军事失利,他因此辞职。但戴维斯很快就任命他为国务卿(1862-02-07)。在南北战争后期,他竭力主张召募黑人参加南部邦联军队,服役期满后予以解放,曾触怒许多南部白人。南北战争结束后,本杰明逃往英国,在那里只住了5个月就取得了律师资格(1866-06),并在律师界获得了极大成功。1872年成为英国王室法律顾问。1868年他发表的《私人财产出售法论》是多年来在英国和美国研究这一课题的主要教科书。

Benjamin, Walter 本亚明(1892-07-15,德国柏林～1940-09-26,法国布港附近) 文学和美学家,现被视为20世纪前半期德国最重要的文学评论家。出身犹太望族,先后在柏林、布赖斯高地区弗赖堡、慕尼黑和伯尔尼等地研读哲学,1920年定居柏林,从事文学评论及翻译工作。他的精彩的,然而是离经叛道的博士论文《德国悲剧的起源》(1928)遭到法兰克福大学拒绝后,他即终止了对学院生涯半心半意的追求。1933年纳粹上台后,本亚明离开了德国,最后在巴黎定居,继续为文学期刊撰写文章和评论,1940年法国陷于德国,他南逃,企图取道西班牙去美国,但在法西边境从布港警方获悉将被送交盖世太保后,他自杀而死。本亚明的大量著作于身后出版,在20世纪后期为他赢得愈来愈高的声誉;他行文凝炼,在作品中进行哲学的思考,写来饶有诗味。他将社会批判、语言分析及历史怀旧情绪融为一体,字里行间流露出感伤与悲观情绪。30年代他早期抽象的批判思想变而具有马克思主义倾向,在《歌德的亲和力》(1924～1925)这一长篇论文及收在《启迪》(1961)一书中的文章中,他的思想的独立性与独创性表现得非常鲜明。

Benkei 弁庆(?～1189,日本) 日本武僧。因武艺高强,英勇侠义,成为日本家喻户晓的传奇人物。许多小说、戏剧甚至电影都以他为主人公。据说,他为了收集1 000把剑,每天晚上在京都五座桥上与过路的武士进行决斗,赢得了999把剑。他本来打算再交战一次,就会凑足1 000把。但是这次遇到了源义经,由于没有打赢,他就拜义经为主人,随义经出征。他在作战时曾多次机智地搭救义经,最后在衣川战役中义经遭敌人包围被迫自杀。他也为保卫主人而牺牲。死时身上多处中箭,但身体一直没有倒下。

Benlowes, Edward 本洛斯(1602-07-12,英格兰埃塞克斯芬兴菲尔德～1676-12-18,牛津郡牛津) 英国玄学派诗人、文艺赞助者。他用继承的产业从事文艺活动;请人制作雕版

美国不列颠百科全书公司供图

为自己和朋友的诗作插图,自己拥有印刷机。写有长诗《西奥菲拉或爱之牺牲》(1652),描述灵魂如何逐步与上帝进行神秘交流。因内战与诉讼,家业败落,在牛津度过余年。

Benn, Sir Ernest John Pickstone, 2nd Baronet 本(1875-06-25,英国米德尔塞克斯哈克尼～1954-01-17,萨里奥克斯泰德) 英国出版商。其六便士丛书和六便士诗集是最早的大众化读物。早年接手其父之出版事

美国不列颠百科全书公司供图

业,扩展业务,出版精装和平装书籍,并发行期刊。所出版的《蓝色指南》是有名的导游丛书。著有《一个资本家的自白》(1925)和《国家就是敌人》(1953)等书。

Benn, Gottfried 贝恩(1886-05-02,德国曼斯菲尔德～1956-07-07,柏林) 德国诗人和杂文作家。其表现主义的悲观情绪和对腐败的诅咒,在第一次世界大战后逐渐转变为实用主义哲学。在希特勒灭亡后的德国,也许是最有影响的作家,常被认为是德国的T.S.艾略特。父为牧师。因此他曾在马尔堡大学攻读神学,后转入当地的军医学院,并成为性病和皮肤病专家。曾在旅游船上担任医务工作,认识了地中海地区(他的诗中常出现的背景)。第一次世界大战期间,他作为军官在德军占领的布鲁塞尔任监狱和妓院的医务监督。堕落和从医学观点描写的腐烂是他早期诗作中的重要隐喻;这些诗还由于发妻去世(1914)和一个女演员朋友的自杀蒙上悲伤的阴影。第1部和第3部诗集分别题为《陈尸所》(1912)和《肉欲》(1917)。由于他的表现主义,尽管持有右翼政见,纳粹政权还是以作家和医生的罪名处罚了他;1937年,他的作品不准出版。为了逃避骚扰,他再度参军。贝恩以《静态诗》(1948)和同时再版的旧诗再次引起文学界注目。虽忙于写作,但仍然行医至68岁。其愤世嫉俗、冷嘲热讽的态度逐渐消失,这充分反映在他的自传《双重生活》(1950)中。

Benn, Tony 本(1925-04-03,英国伦敦～) 原名 Anthony Neil Wedgwood Benn,又名 2nd Viscount Stansgate of Stansgate(1960～1963)。英国政治家,工党党员。从70年代起成为工党激进派左派非正式领袖。本出身于富裕的有特殊地位的家庭,但他对英国阶级制度却提出猛烈抨击。祖父和外祖父都是议会议员,其父威廉·本(1877～1960)原是自由党员,后为工党下院议员,1942年以斯坦斯盖特子爵身份进入上院。年轻的本于1943年参加工党,后进牛津大学新学院,1949年获硕士学位后,于1950年首次选入议会。鉴于承袭其父爵位便没有资格任下院议员,于是提出允许放弃爵位法案,但未获通过。但他在父亲去世后,继续争取,1963年《贵族爵位法》终于通过,允许贵族终身放弃爵位。本不仅在1963年7月31日放弃了他的子爵爵位,还抛弃了受洗时的姓名,改名托尼·本。1964年哈罗德·威尔逊组成工党政府后,本于同年任邮政大臣,1966～1970年任技术大臣。1974～1979年工党再度执政时,本先在威尔逊,后又在詹姆斯·卡拉汉内阁任工业大臣,后又任邮电大臣(1974～1975)、能源大臣(1975～1979)。1983年大选中他失去议院席位,但1984年在补缺选举中重入下院。在20世纪70和80年代,本成为工党内最有影响的左翼思想家,经常与党内领导人和其他持论温和的党员政见分歧。他把自己的思想写成《为社会主义辩论》一书,于1979年出版。据他的看法,英国以舆论为基础、凯恩斯学说为指导的福利国家经济已经崩溃。他提出的"民主社会主义"则主张大量公共投资、增加公共支出、实行公共所有制,同工作场所自行管理相结合。本还认为英国应撤出北爱尔兰,退出北大西洋公约组织与欧洲共同体。

benne 参阅 **sesame** 芝麻。

Bennet, Henry 贝内特 参阅 **Arlington, Henry Bennet, 1st Earl of** 阿林顿伯爵(第一)。

Bennet, John 贝内特(约生于1575年;活动时期1599～1614) 英国作曲家,主要因其牧歌而闻名。所作牧歌或轻盈欢快,有节日气氛;或端庄凝重乃至严正肃穆,各种性格均有表现。贝内特的生平鲜为人知,但有迹象表明他可能来自兰开夏与柴郡接壤地区。他偶尔借用现成曲集中的牧歌唱词,而谱以新创作的曲调,但从不借用他人曲调。此类借用歌词的出处之一是莫利的作品;他的著名牧歌《众生万物齐欢欣》亦为莫利的《奥里安娜的胜利》曲集所作。除两集牧歌外,尚作有一首赞美伊丽莎白女王的严肃乐曲(由维奥尔琴伴奏)和为国王登基而作的诗体颂歌《啊,众神之主》。

Bennett, (Enoch) Arnold 本涅特(1867-05-27,英国斯塔福德郡汉利～1931-03-27,伦敦)

英国小说家、剧作家、批评家和随笔作者。他的主要作品构成联系英国小说和欧洲现实主义主流的重要一环。本涅特以细致入微的“五镇”小说而闻名。他曾认真研究法国现实主义小说家,特别是福楼拜和巴尔扎克的写作技巧,所写批评文字十分犀利。本涅特出身于村镇律师家庭。中学毕业后,入父亲的律师事务所当职员。1889年迁往伦敦,不久即

美国不列颠百科全书公司供图

踏上文坛,写作通俗连载小说及编辑一本妇女杂志。第一部长篇小说《北方来的人》(1898)发表后,成为职业作家。1903 年去巴黎,1907 年与法国女演员苏利耶结婚,1921 年离异。早在 1893 年,他就以“五镇”为背景写短篇小说。长篇小说《五镇的安娜》(1902)、《老妇人的故事》(1908)和《克莱汉格》(1910),都以“五镇”为背景。只有《里西曼的步伐》(1923)描写伦敦的中下阶层。他旅居巴黎 8 年,除研究生活外,还努力钻研音乐、美术和文学。他保持了对乡村生活的了解,但摆脱了狭隘的观点而成为最少岛国意识的英国人之一。在评论涌现的新书时,他准确无误地发现了 J.乔伊斯、D.H.劳伦斯、W.福克纳、E.海明威等下一代重要作家并作了中肯的评价。他写过 30 部长篇小说,每一部都显示出这位作家的主要特征:善意的嘲讽和宽容的批评。

Bennett, Belle Harris **贝内特**(1852-12-03,美国肯塔基里士满附近的怀特霍尔 ～ 1922-07-20,里士满)全名 Isabel Harris Bennett。美国教会工作者。她代表基督教教育和布道团所作的种种努力最终使妇女在南方循道宗教会中获得完全非神职的身份。1876 年加入南方循道宗教会。不久便开始在主日学校讲课。1889 年,从芝加哥城市、国内和国外布道培训学校(几年前 L.R.梅厄为北方循道宗教会建立的)了解到有关办校资料后,她计划在南方也建立一所类似的培训学校。计划获得南方循道宗教会的采纳,她走遍南部各州,到处演讲以募集款项。她募集到的建校费用和定期捐赠款项总数超过 13 万美元。1897 年她在肯塔基州伦敦市设立一所用她姐姐名字命名的学校。1896 年当选为妇女堂区与国内布道协会主席,1898 年任新建立的妇女国内布道委员会主席。1910 年担任统一的妇女传教委员会主席,负责国内外布道工作。一直到去世前她始终担任此职位。她特别热心于在里约热内卢建立一所女子学院和在上海建立妇女基督教医学院。被选为参加基督教全体代表会议的第一位妇女代表,但她在会议开幕之前去世。

Bennett, Floyd **贝内特**(1890-10-25,美国纽约沃伦斯堡～1928-04-25,加拿大魁北克) 美国有先驱精神的飞行家。1926 年 5 月 9 日驾驶飞机载着探险家 R.E.伯德第一次成功地飞越北极。两人因此都获得了美国国会荣誉勋章。纽约布鲁克林的弗洛伊德·贝内特机场就是于 1931 年以他的姓名命名的。年轻时进机械学校,后在纽约州经营汽车修理厂。1917 年应征入海军,接受飞机驾驶员及机械士训练。在飞越北极后,为证明开辟长途航线的适用性,又曾作一次 12 000 千米飞行,环航美国一周,以证明航空公司经营远程运营是可行的。

Bennett, James Gordon **贝内特**(1795-09-01,苏格兰班夫郡纽密尔～ 1872-06-01,美国纽约州纽约) 苏格兰裔美国报刊编辑,对现代新闻体制做出过众多贡献。1819 年移居美国。在纽约办过学校,并为报刊做过辅助性工作。随后 10 年间受雇于多种报纸。后曾任《纽约问讯报》驻华盛顿记者、《早晨信使和纽约问讯报》副主编。1833 ～ 1834 年是费城《宾夕法尼亚人》的主编和股东。1835 年靠 500 美元资金在一个地下室里出版四页的廉价报纸《纽约先驱报》,获得商业上的巨大成功。他重视新闻的采集,并在新闻报道上做出过多种首创,如首先登载华尔街金融消息,生动而详尽地报导 1835 年纽约大火,1838 年率先建立驻欧洲通讯记者网,1846 年首次使用电报传送长篇政治演讲,在南北战争时期派出 63 名战地记者,首先使用插画,设立社会新闻版以及报导发生于 1836 年的海伦·朱厄特案件,从而开创美国新闻公布此类情杀案件之先河等。

Bennett, Michael **贝内特**(1943-04-08,美国纽约布法罗～ 1987-07-02,亚利桑那图森) 美国舞蹈演员、编导和舞台音乐总监。学过多种风格的舞蹈,初次上演的节目是《西部故事》和《地铁里好睡眠》。曾任百老汇音乐剧的编导及导演,从而对舞蹈场面做出了重要贡献。编导过《诺言,诺言》(1968)、《胡闹》(1971)、《合唱行列》(1975)和《梦幻女郎》(1981)等。贝内特构思、导演、编舞且合作演出的《合唱行列》充分反映了他早年的舞蹈生涯。此剧九获托尼奖,1976 年又获普利策戏剧奖,成为百老汇戏剧史上上演时间最长的音乐剧。此外,贝内特还获得 8 次托尼奖和多次新纽约戏剧评论奖。

Bennett (of Mickleham and of Calgary and Hopewell), Richard Bedford Bennett, Viscount **贝内特**(1870-07-03,加拿大新不伦瑞克霍普韦尔～ 1947-06-27,英国萨里米克勒姆) 加拿大政治家,大萧条时期的加拿大总理(1930 ～ 1935)。1893 年取得律师资格,在故乡新不伦瑞克省开业。1897 年迁居西部,并进入政界,任西北地区和艾伯塔省立法会议议员。1911 年为加拿大众议院议员,1916 年任全国兵役局局长,1921 年任司法部长。1927年成为保守党领袖,1930年向选民许诺

美国不列颠百科全书公司供图

积极消除大萧条的恶果,出任总理。但他低估大萧条的严重性与长期性,未能解决全国性的失业问题。加拿大经济经过 4 年停滞后,他于 1935 年 1 月提出一项大胆的法案,类似美国总统 F.D.罗斯福的“新政”。但他的改革措施引起本党的不信任,公众对此亦无热情,因此在 1935 年 10 月大选中被自由党击败。迄 1938 年一直任保守党领袖。1939 年退休,前往英国,1941 年被封为子爵。终身未婚。

Bennett, Tony **贝内特**(1926-08-03,美国纽约昆斯阿斯托里亚～　　) 原名 Anthony (Dominick) Benedetto。美国流行歌手。杂货商之子。他的第一个工作是唱歌的服务生,后来便以乔·巴里的艺名演唱。1949 年 P.贝利邀请他加入她在夜总会的歌舞剧表演,1950 年 B.霍普给他取了新名字。他在 20 世纪 50 年代出了多张专辑,代表作是 1962 年的《我把心遗落在旧金山》。随着年岁的增长,他的风格越来越趋向于爵士乐,90 年代中期,他在 MTV 的特别出演宣告了他的复出。

Bennett, Willard Harrison **本涅脱**(1903-06-13,美国俄亥俄芬德利～ 1987-09-28) 美国物理学家,发现箍缩效应(1934),这是一种电磁过程,它提供了一种途径,可以在足以发生受控核聚变的高温下对等离子体施加磁约束。1930 年起在哥伦布市俄亥俄州立大学任教,1938 年任电子研究公司研究主任。后以军官(1941 ～ 1945)身份发展飞机设备,并在华盛顿(哥伦比亚特区)任国家标准局物理电子科科长(1946 ～ 1950)。以后又任美国海军研究实验室顾问(1961 ～ 1976)和设在罗利的北卡罗来纳州立大学贝林顿物理学教授。他除了发现箍缩效应外,还提出范德格拉夫串列静电加速器(1936),以后在核研究中广泛应用。他还发明了空间研究用的非磁性质谱仪。

Bennett, Sir William Sterndale **贝内特**(1816-04-13,英国约克郡设菲尔德～ 1875-02-01,伦敦) 英国钢琴家、指挥家和作曲家。当时音乐生活中的杰出人物。曾在剑桥大学国王学院任唱诗班男童歌手。1826 年入皇家音乐学院学习。1833 年第一首钢琴协奏曲深为门德尔松赞赏,两人结为好友。1842 年成为伦敦爱乐乐团总监之一。1849 年创建伦敦巴赫学会。1854 年指挥巴赫《马太受难曲》,在英国首次演出。1856 年受聘为伦敦爱乐乐团专职指挥,并任剑桥大学音乐教授。1866 年任皇家音乐学院院长。1871年被封为爵

美国不列颠百科全书公司供图

士。作品在英、德享有盛名,主要有钢琴独奏曲和协奏曲。康塔塔《五月皇后》(1858)是为节日写的。清唱剧《撒马利亚的女人》(1867)中的四重唱《上帝是灵》至今仍在乡村和教堂唱诗班演唱。

Bennettitales (plant fossil) **贝尼特氏苏铁目** 参阅 **Cycadeoidales** 拟苏铁目。

Bennigsen, Leonty Leontyevich, Graf von (Count of) **本尼格森**(1745-02-10,不伦瑞克公国不伦瑞克[德国]～1826-10-03,汉诺威希尔德斯海姆附近班特尔恩) 将军、伯爵。拿破仑战争期间在俄军中起过重要作用。初在汉诺威的军队中服役。1773年参加俄军。1774年和1778年同土耳其人作战。1787年成为上校。1793年参加镇压波兰起义。1796年参加入侵波斯。因反对保罗一世的政策,积极参与暗杀保罗一世的阴谋活动。1801年任立陶宛总督。1802年升骑兵上将。1805年俄国加入第三次反法联盟,他出任集团军司令,曾保卫普乌图斯克和击退法国的进攻。1807年6月在弗里德兰战役中惨败,辞去军职。1812年东山再起,在博罗季诺战役中任俄军中路指挥官,在塔鲁季诺打败法国穆拉元帅。由于与最高统帅库图佐夫将军发生争论,再次辞职。库图佐夫死后,他又复职。因在莱比锡战役中作战有功,封伯爵。1818年退隐故国。

Bennigsen, (Karl Wilhelm) Rudolf von **本尼格森**(1824-07-10,汉诺威吕讷堡[德国]～1902-08-07,汉诺威本宁森) 汉诺威政治家,他在统一的德意志国家将自由主义的政治思

美国不列颠百科全书公司供图

想与支持普鲁士霸权主义相结合。汉诺威一少将之子。在格丁根大学攻读法律后,进入汉诺威政界。1856年任下院议员。他积极维护宗教自由,成为开明的反对派的领袖。1859年任民族协会主席。1867年民族协会解散后,他参加创建民族自由党。在七星期战争(1866)以后,汉诺威成为普鲁士一个州。他进入普鲁士众议院和北德意志联邦议会,但拒绝俾斯麦要他任汉诺威州临时政府首脑的建议。1871～1897年间任全德国会议员,1873～1879年担任议长。1888年威廉二世皇帝任命他为汉诺威州州长。1897年退休。

Bennington **本宁顿** 美国佛蒙特州西南端城镇,本宁顿两县城之一(另一为曼彻斯特)。在格林岭和塔科尼克岭之间,濒瓦隆萨克河。包括旧本宁顿、本宁顿和北本宁顿等村。1761年建立。19世纪成为纺织、陶瓷、木制品及纸张生产中心。目前经济以制造业(家具、纺织品、电池、平板印刷及晶体管)、农业(乳制品、苹果、槭糖及家禽)及旅游业为基础。附近滑雪场吸引许多游客。现存殖民时期的建筑物有瓦隆塞克旅店(约1763年以来一直营业)和J.杜威牧师、I.蒂奇纳总督、D.

本宁顿市的公理会教堂
美国不列颠百科全书公司供图

鲁宾逊将军的宅邸。第一老教堂(1806)1937年重修后改为州立纪念馆。本宁顿博物馆建于1876年,主要收藏与1777年本宁顿战役有关的地区性历史文物,其中包括家谱、最古老的星条旗,以及绘画和当地生产的瓷器。设有南佛蒙特学院(1926)和本宁顿学院(1932)。人口15 737(2000)。

Bennington, Battle of **本宁顿战役**(1777-08-16) 美国独立战争中,美国民兵保卫佛蒙特州本宁顿的军用物资仓库的战斗。8月初,英军司令J.伯戈因将军派遣德国上校F.鲍姆率领精锐部队(由800名英、德、印第安人及亲英分子组成)前去本宁顿夺取军需品,但被J.斯塔克将军指挥的约1 600名民兵彻底击溃,生俘英军700人。本宁顿战役导致伯戈因将军最后的失败。参阅 **Saratoga, Battles of**。今纽约州瓦卢姆萨克村(战场原址)建有历史公园,旧本宁顿村立有高达93米的方尖塔作为战役的纪念。

Benno, Saint **本诺,圣**(约1010,萨克森希尔德斯海姆?～约1106-06-16,图林根边区迈森) 基督教教士,1066年任迈森主教。神圣罗马帝国皇帝亨利四世与教皇格列高利七世发生争执时,本诺反对皇帝,因而被撤职囚禁。格列高利七世死后,本诺屈服于皇帝,得以复职。后来,教皇阿德里安六世追谥本诺为圣人,路德为此发表小册子,题为《反对即将在迈森树立的新偶像老魔鬼》。

Benny, Jack **本尼**(1894-02-14,美国芝加哥～1974-12-27,加利福尼亚贝弗利希尔斯) 原名本杰明·库贝尔斯基。美国演员。他具有非凡的喜剧表现手法,并掌握熟练的时机选择,因而使他在广播和电视方面的表演获得极大成功,历时达30多年。幼时喜爱小提琴,中学时代已演奏熟练,自1912年起,在歌舞剧中演奏小提琴。1918年参加海军,被分派担任安排文娱节目之职务,从而显露了他的喜剧才能。第一次世界大战之后,本尼回到歌舞团任喜剧演员,1927年他首次担任电影角色。1930～1945年间,他演过18部电影。但在1932年他的经历发生了转折,他参加了广播工作,并迅速地赢得大批拥护者。听众们都对本尼的幽默类型抱有好感。那个喜剧时代的特点是下流的笑话和迅速的讲话,而本尼的风格则是精巧和慢吞吞的。多年来,他和他的班底——包括埃迪·安德森扮演他的汽车司机和贴身男仆罗彻斯特,他的妻子萨迪·马克斯扮演他的难以对付的敌手玛丽·利文斯通——共同细心地发展了他的舞台形象,将他扮演成一个爱虚荣的、吝啬的人和自封的小提琴手。他以其言语上的曲折变化和敏锐的时机选择而著名。"杰克·本尼节目"在广播中保持了23年,后本尼转而从事电视演出直到1965年。

Benois, Alexandre **贝努瓦**(1870-05-04,俄国圣彼得堡～1960-02-09,巴黎) 全名Aleksandr Nikolayevich Benois。俄国戏剧美术指导、画家和芭蕾舞台本作家。曾与L.巴克斯特和S.佳吉列夫共同创办有影响的《艺术世界》杂志,由此产生了佳吉列夫的俄罗斯芭蕾舞团。追求把西欧新潮流和传统的俄罗斯民间艺术的某些成分综合起来。1899年创办的《艺术世界》杂志抨击现实主义的巡回展览派艺术水平低,使俄罗斯学院派失去活力;强调个人主义和艺术家个性,很快就对舞台设计产生重大影响。贝努瓦大约于1901年在圣彼得堡玛丽亚剧院开始他的事业,为芭蕾舞剧《西尔维亚》和《丘比特的复仇》做过舞台设计。1909年佳吉列夫的俄罗斯芭蕾舞团创办时,贝努瓦为《仙女》(1909)、《吉赛尔》(1910)和《彼得鲁什卡》(1911)等舞剧设计过舞台布景和服装,《彼特鲁什卡》是他和I.斯特拉文斯基合作的。他后来又为《华尔兹》(1929,鲁宾斯坦剧团)、《胡桃夹子》(1940,蒙特卡洛俄罗斯芭蕾舞团)和《毕业舞会》(1957,伦敦节日芭蕾舞团)做过雄伟壮丽的舞台设计,《毕业舞会》的台本是他写的。贝努瓦还著有《回忆俄罗斯芭蕾舞团》(1941)和《回忆录》(1960)。他和斯特拉文斯基与M.福金合作,上演了一些历史上最著名的舞剧并共同为现代芭蕾奠定了基础。

Benoît de Sainte-Maure **伯努瓦·德·圣莫尔**(创作时期12世纪,可能在法国普瓦捷附近的圣莫尔) 近3万行八音节双行体的古法文诗《特洛伊传奇》的作者。他的诗模仿《伊利亚特》中的故事,其根据是古希腊后期的达勒斯(弗里吉亚的)和狄克提斯(克里特岛的)的传奇,这些传奇声称以亲眼目睹的见闻记述了荷马所描写的事件。《特洛伊传奇》

是一幅希腊传说和寓言的丰富多彩的画面。他是把特洛伊罗斯与克瑞西达的故事写成文字的第一个人。伯努瓦的诗对各种形式的爱情均作了分析，在当时颇为流行。

Benoit, Peter (Léonard Léopold)　伯努瓦(1834-08-17，比利时哈勒尔贝克～1901-03-08，安特卫普)　比利时作曲家和教师，对近代的佛兰德斯音乐复兴运动贡献甚大。曾在布鲁塞尔音乐学院求学，1857年获罗马大奖。1861年去法国，在巴黎喜歌剧院任指挥，1863年后回国，受小说家H.孔西延斯影响，成为佛兰德斯民族音乐运动的热诚倡导者，发表大量论文和小册子宣传佛兰德斯音乐。1867年在安特卫普创建佛兰德斯音乐学校(后改名皇家佛兰德斯音乐学院)，自任校长，直至去世。作品包括《鲁本斯康塔塔》(1877)；歌剧《山村》(1857)和《庞佩亚》(1895)；清唱剧《魔王》(1866)，该剧被公认为他的杰作；儿童清唱剧《在世上》(1878)等。早期追求创新的合声风格，后转而趋向质朴清纯。作品大多为合唱曲，其中许多是为平民百姓演唱而作。

Benoni　伯诺尼　南非德兰士瓦省城镇。在约翰内斯堡东面，海拔1 652米。1887年发现黄金后建为矿区。1907年正式建镇。现为威特沃特斯兰德工业联合体一部分。以其钢铁厂和铸铜厂闻名。西北面有约翰内斯堡国际机场。人口：城市区约113 501(1991)。

Bénoué River (West Africa)　参阅 **Benue River** 贝努埃河。

Benozzo di Lese　参阅 **Gozzoli, Benozzo** 戈佐利。

Benserade, Isaac de　邦塞拉德(1612，法国诺曼底或1613，巴黎～1691-10-20，巴黎)　路易十三和路易十四时代宫廷文人。1634年跻身于当时巴黎文学中心朗布耶侯爵夫人的沙

美国不列颠百科全书公司供图

龙，写过一系列有浪漫色彩的韵文，使他在1649年的“十四行诗论争”期间达到声誉的顶峰。在关于诗歌风格的一场激烈的宫廷辩论中，他以十四行诗《约伯》与瓦蒂尔的作品《乌拉尼》相抗衡，虽遭败北，仍受到国王的赏识，经常应召为皇家芭蕾舞团编写脚本。这一任务他完成得巧妙机智，却被宫廷贵族视为狂妄无礼。1674年当选法兰西学院院士。1676年其《回旋诗体奥维德变形记》遭到批评，但由于支持拉封丹在法兰西学院的席位和为P.培尔的理性主义进行辩护，得以扬名。在书报检查机关的威胁下，那篇辩词险些未能发表。

Benson, Edward White　本森(1829-07-14，英格兰沃里克郡伯明翰～1896-10-11，柴郡霍华登)　英国基督教圣公会教士。1883～1896年任坎特伯雷大主教。曾于1873年在

美国不列颠百科全书公司供图

林肯教区代理主教。1877年受按立任康沃尔郡特鲁罗主教，1883年任坎特伯雷大主教。他谋求改革神职授予制和教规，终于使议会先后于1892和1898年通过相应的法案。他成功地挫败了在威尔士废除圣公会为国定宗教的企图。本森在任期间所处理的最重大案件发生在1889～1890年：有人指控林肯主教金主持圣餐礼不按礼仪规定办事。本森作出《林肯裁断》，宣布圣餐礼上一部分项目合法，另一部分非法。他促成圣公会内部各派和解，使19世纪多次出现的有关礼仪问题的互相指控现象基本上停止。

Benson, Sir Frank (Robert)　本森(1858-11-04，英国汉普郡奥尔斯福德～1939-12-31，伦敦)　英国演员兼剧团经理，所办巡回剧团和表演学校对当代戏剧有重要影响。在牛津大学新立学院时曾上演《阿伽门农》，这是那里第一出用希腊文演出的戏。1882年，在欧文爵士指导下，在伦敦兰心剧院首次作职业性演出，扮演《罗密欧与朱丽叶》中的帕里斯。次年组成自己的剧团，除在伦敦演出外，还定期到英国各地演出莎士比亚戏剧，并于1913年和1921年分别到过加拿大和南非。他饰演最成功的角色是哈姆雷特、科里奥拉努斯、理查二世、李尔王和佩特鲁奇奥。他大部分时间献身于莎士比亚戏剧演出。1888年后，他组织过26次“埃文河畔斯特拉特福莎士比亚戏剧节”的年度演出。他的表演学校建立于1901年。1916年被封为爵士。1930年出版

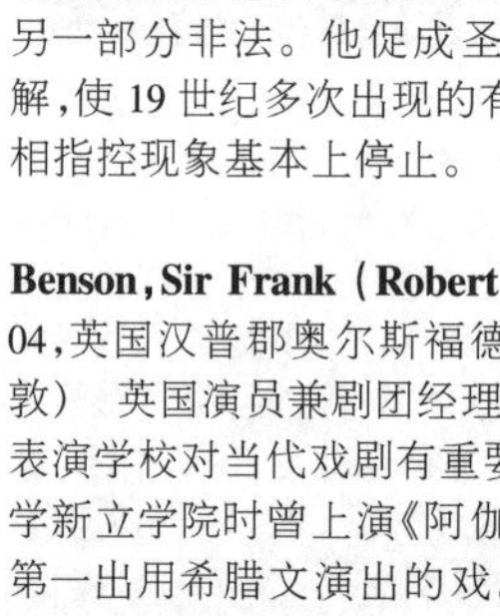

美国不列颠百科全书公司供图

《我的回忆录》一书。

Bent, Charles　本特(1799-11-11，美国弗吉尼亚查尔斯顿～1847-01-19，陶斯[新墨西哥])　美国毛皮贸易开拓者，美国新占领的新墨西哥省的民政长官。1806年随家迁居圣路易。19世纪20年代初可能为J.J.阿斯特美国毛皮公司工作。1824年与弟威廉偕同C.圣弗兰去阿肯色河上游收购毛皮。1828年3人组成本特-圣弗兰公司。他们在科罗拉多的拉洪塔附近合建的本茨堡，成为最著名的山区贸易站。其后与圣弗兰去墨西哥的新墨西哥省开拓毛皮贸易。1835年定居陶斯费尔南多。在墨西哥战争期间，本特任美国新占领的新墨西哥的民政长官。4个月后美军撤走，墨西哥人和印第安普埃布洛族举行叛乱，本特和其他几个美国人被杀死。

Bent, James Theodore　本特(1852-03-30，英格兰约克郡利兹～1897-05-05，伦敦)　英国探险家和考古学家。曾在东罗得西亚绍纳人地区发掘酋长坟墓。著有《马绍纳兰的古城遗址》(1892)。后来又去埃塞俄比亚、尼罗河苏丹和阿拉伯半岛南部进行考古勘察。

bent grass　剪股颖　早熟禾科剪股颖属(*Agrostis*)植物。约125种，一年生或多年生，分布世界温暖和寒冷地区以及热带、亚热带高海拔地区。美国至少有40种，有些是杂

匍茎剪股颖(*A. stolonifera* variety *palustris*)花穗
美国不列颠百科全书公司供图

草，有些作草料或草皮植物。该属植物茎细，叶扁平，小穗状花序，花稀疏或密集。许多种茎匍匐。大剪股颖(*A. gigantea*)高1～1.5米；殖民时期引入北美，用作干草和牧场禾草；靠地下茎蔓延，花淡红色。匍茎剪股颖(*A. stolonifera* var. *palustris*)的匍匐茎每季能生长1.2米。细弱剪股颖(殖民地剪股颖，*A. tenuis*)是普遍种植的草坪禾草。这两个种的许多品系在世界各地栽植作高尔夫球场或滚木球草坪。

Benten 弁天 又称弁才天。日本神话中的七福神之一，司文学、音乐、财富以及女性。祀奉弁天的许多神社，都位于近海之处。有

弹日本琵琶的弁天
美国不列颠百科全书公司供图

人认为弁天即印度女神辩才天女，随佛教传到日本。参阅 **Shichi-fuku-jin**。

Bentham, George 边沁（1800-09-22，英格兰德文斯托克～1884-09-10，伦敦） 英国植物学家。他的种子植物分类法以对所有已知种的详细研究为依据，已成为现代维管植物分

美国不列颠百科全书公司供图

类体系的基础。在 P.康多尔的法国植物区系分析表的影响下，他在法国蒙彼利埃附近经管父亲的种植园期间，开始研究植物学。1826～1832 年任其伯父、哲学家、法学家 J.边沁的秘书，1833 年接受父亲和伯父的遗产后全力进行植物学研究。1854 年他将 10 多万件植物标本赠给了位于萨里郡的基尤皇家植物园。园长 W.胡克邀请他在园内建立永久性的研究点。他曾参加过植物园对英国殖民地和属地植物区系的权威性考察，他编写了《香港植物区系》（1861）和《澳大利亚植物区系》（7 卷，1863～1878）两书，辑录并描述了 7 000 多个种。考虑到当时分类标准的缺陷，他对当时已知的所有种子植物进行了确切的描述性分类。为了撰写《植物属志》（3 卷，1862～1883），他与胡克之子约瑟夫爵士合作，花费了 27 年时间对标本进行鉴定和研究。该书用拉丁文写成，包括 200 个“目”（与现在的科相似），7 569 个属，97 200 多个种。虽然他们的分类系统不比康多尔的系统改进多少，也未能认识 C.达尔文生物进化原理所假设的植物物种形成的动态性质，但还是建立了一个权威性的属和种分类体系，现代的分类系统在进化论的基础上接受了他们的分类系统。他们的分类学经过修改后在英联邦广为应用。他的《英国植物区系手册》（1858；第 7 版，1924）一书至今仍不失为一部权威性的著作。

Bentham, Jeremy 边沁（1748-02-15，伦敦～1832-06-06，伦敦） 英国哲学家、经济学家和法学理论家，功利主义最早的和主要的阐释者。

早期生活和著作 边沁是律师的儿子，据说 4 岁时便酷爱读书并开始学习拉丁文。童年的大部分时光是在他的两个祖母的乡村房屋中幸福地度过的。在威斯敏斯特学校里，他以用希腊文和拉丁文写诗而闻名。1760 年进入牛津大学女王学院，1763 年获得学位。同年 11 月进入林肯律师学院学习法律，并在高等法院王座法庭当见习生，在那里他高兴地倾听了首席法官曼斯菲尔德勋爵所作的一些判决。1763 年 12 月，他设法去听威廉·布莱克斯通爵士在牛津大学的讲座，但说他立即发现了在这位未来法官的华丽词藻中存在的谬误。他把时间花在做化学实验和思考关于滥用法律问题的理论方面，而不是花在阅读法律书籍上。在获得律师资格时，他“发现有一二次为他营造的机遇，但他决意予以放弃”，这使他那殷切期望他成为大法官的父亲大为失望。

边沁的第一部著作《政府片论》于 1776 年问世。其副标题“对于威廉·布莱克斯通的《英国法释义》导论中发表的关于政府这个一般主题的论点的研究”说明了这部著作的性质。边沁发现《英国法释义》中“巨大的和根本的”错误是布莱克斯通“厌恶改革”。边沁这部以简洁的风格写成的著作与他后来的一些著作不同，可以说是标志着哲学激进主义的开始。这也是一篇关于君权问题的杰出的论文。政治家谢尔本勋爵（即后来的兰斯多恩侯爵第一）阅读了这本书后于 1781 年拜访了作者。边沁后来成了谢尔本家的常客。这一时期，边沁集中精力撰写一部题为《刑罚与补偿理论》的著作，后来于 1811 年由其崇拜者埃蒂安内·迪蒙以法文出版。这部著作最终用英文发表时分为《奖励原理》（1825）和《惩罚原理》（1830）。1785 年，边沁出发途经意大利和君士坦丁堡前去看望他在俄国军队中任工程师的兄弟塞缪尔·边沁；在俄国期间他写成了《为高利贷辩》一书（1787 年出版）。这是他在经济学方面的第一篇论文，是以从俄国发出的一系列书信的形式发表，表明他是经济学家亚当·斯密的弟子，但这个弟子指出亚当·斯密没有遵循他自己的理论的逻辑。边沁认为每个人都是其自身利益的最好的裁判者，因而从公众的观点看，他应该不受阻碍地追求其利益，这是可取的；而且没有理由在贷款取息的问题上限制这一理论的应用。他后来的一些关于政治经济学的著作遵循自由放任原则，尽管作了一些限制。在《政治经济学手册》中，他列出了什么是政府应当做的和什么是政府不应当做的清单，后一张清单远比前一张清单长得多。

成熟的著作 1788 年回到英国后，由于想要涉足政界的希望落空，他潜心研究立法原则。他倾注了多年心血写成的伟大著作《道德和立法原则导论》于1789年出版。在

美国不列颠百科全书公司供图

该书中，他对功利原则下的定义是“任何事物的这样一种性质，根据这种性质似乎会产生快乐、美好或幸福，或者防止对有利害关系的一方发生灾害、痛苦、邪恶或不幸。”他说，人类受两个至高无上的动机的支配，即苦与乐；功利原则承认事物的这种状态。所有立法的目标必须是“最大多数人的最大幸福。”他从功利原则得出的推论是，由于所有的刑罚都包含痛苦，因而也包含邪恶，所以只应用于“它可能消除某种更大的邪恶”的情况。

他的著作迅速而广泛地为人称道。1792 年他被选为法国荣誉公民，在他后来的岁月中，他的建议受到欧洲和美洲的几个国家的尊重。他同这些国家的很多领导人保持经常的通信关系。编纂法典是边沁主要关注的工作之一，他渴望能让他为自己的国家或某个外国编纂一部法典。他被指责为低估了这一工作的潜在困难和低估了用不同的制度适应不同的国家的传统和文化的必要性。即使是这样，边沁也必须被列为监狱改革的先驱者之一。他制定的具体计划的确是奇怪的而且被他所喜欢的琐碎细节所损害。他认为，如果他的关于一个模范监狱即“圆形监狱”的计划得以实现的话，其结果将是“道德得以重整，健康得以维持，勤劳得以激励，教化得以宏扬”以及其他类似的当务之急得以落实。他花了许多年的时间试图说服政府采用这个计划。然而，他的努力徒劳无功；而且尽管他在 1813 年得到 23 000 英镑的报酬，但他对政

治家和官员们的改革热情完全丧失了信心。

1823年，他支持创办《威斯敏斯特评论》，宣传哲学激进主义的原则。边沁曾成长为一个托利党人，但是在启蒙运动的政治理论影响下他成了一个民主主义者。早在1809年他就写了一本题为《议会改革问答》的小册子，主张年度选举、选区平等、普选制度和无记名投票，但这本小册子迟至1817年才出版。在这本小册子的基础上，他起草了一系列的决议案，这些决议草案于1818年在下议院提出。他在生前未及完成的《宪法典》中的一卷于1830年出版。

在边沁死后，根据他本人的遗愿，遗体在其友人们的监护下解剖。然后将骨骸重新组合，配上一个腊制的头代替原来的头（已被弄干保存），穿上边沁生前的衣服，直立保存在一个前面有玻璃框的龛内。这具俑和头都保存在伦敦的大学学院内。

边沁的一生是幸福的。他身边聚集了一群志趣相投的朋友和学生，例如哲学家詹姆斯·穆勒（约翰·斯图尔特·穆勒的父亲），边沁同他能够讨论他正在研究的问题。他的朋友们实际上根据边沁本人所写的大量粗略然而条理清楚的笔记重写了他的几部著作。例如，《司法证据原理》（5卷，1827）和《谬误集》（1824）是分别由J.S.穆勒和P.宾厄姆完成并最后定稿的。É.迪蒙对边沁的著作的修改和翻译工作尤为重要。

评价　边沁既是一位哲学家，更是一位对法律和对司法制度与政治制度的批评家。不幸的是，他没有意识到他的局限性。他试图给他认为的伦理学的基本概念下定义，但他的大多数定义过于简单或含糊不清或二者兼有，而他的"快乐计算"，即一种用来计算快乐的数量的方法，甚至他的最狂热的信徒也承认无法应用。作为一个道德学家和心理学家，边沁同样显得有不足之处；他的论述尽管有时很详尽，但往往建立在不充分和不明确的前提上。他对人们用来描述和解释人类行为的那些概念的分析过于简单。他似乎既认为人是完全自私的，又认为每个人都应促进最大的幸福，无论是谁的幸福。即使是他经常使用的那个公式"最大多数人的最大幸福"也没有明确的含义。

除了如上所述以外，应当指出的是，从第二次世界大战以来边沁的一些以前湮没无闻的手稿的发表，提高了他作为一位法理学家的声誉。维多利亚女王时代编辑他的著作的约翰·鲍林爵士从他的著作中删掉了很多具有独创性和说服力的东西。一些比较现代的边沁派学者，例如H.L.A.哈特、J.H.伯恩斯、F.罗森和L.孔波-博拉莱维揭示出边沁是一个比较严谨的和自成体系的思想家，而不是那个在前几代人心目中的传奇式的杂乱无章的功利主义者边沁。

作为一个对制度的批评者，边沁是值得尊重的。在他的《司法证据原理》中，他描述了法院应当采用的尽可能迅速地弄清真相的方法。在《政治策略论文》中，他描述了他认为立法会议最有效的辩论形式，这是一个大体上根据下院的程序写出来的报告。在这些和在其他一些著作里，边沁致力于发现怎样提高效率。尽管他从幸福的角度来为效率下定义，他的读者并不需要这样做；或者，如果读者这样做了的话，他也不需要像边沁那样思考幸福。边沁关于怎样获取幸福的想法通常是极平常和合理的；读者可以接受这些想法但仍然坚持不应从快乐的角度来为幸福下定义，而且坚持幸福是不能计量的。无论边沁身上具有怎样卓越、机智和富于创见的品质（他的确有大量的这样的品质），这些品质都并不必要以"快乐计算"和"最大多数人的最大幸福"这样的说法来论定。

Bentham, Sir Samuel　边沁（1757-01-11，英格兰～1831-05-31，伦敦）　英国工程师。造船技师，先后在俄国（1780～1791）和英国（1795年起）任海军军官，最早提倡在军舰上使用爆破弹。1788年6月7日，他率领俄国军舰用爆破弹战胜了一支较大的土耳其舰队。在英国海军工厂任监察时，发展了用于对法战争的箭级炮舰。他是哲学家J.边沁的弟弟，植物学家G.边沁的父亲。

benthos　海底生物　栖于海底的生物群落。海底表面动物区系生活于海床表面或海底的物体上；所谓内动物区系则生活于海底的沉积物中。研究得最多的海底生物是大型海底生物，体长在1毫米以上，主要是多毛纲环虫、瓣鳃纲软体动物、珊瑚虫、棘皮动物、海绵、海鞘及甲壳动物。小型海底生物体长在0.1～1毫米之间，包括多毛纲环虫、瓣鳃纲、桡足类、甲壳类、介形类、涟虫、线虫、蜗虫及有孔虫。0.1毫米以下的称为微型底栖动物，包括细菌、硅藻、纤毛虫、阿米巴、鞭毛虫类。海底生物的种类和数量因纬度、水深和温度、盐度不同而异。地区性条件则为基质性质和生境，如捕食和竞争。在浅水中迅速改变的自然环境较生物因素更为重要。内动物区系的环境条件受环境改变的影响小于表面动物区系。海底生物的主要食物来源是浮游生物和来自陆地的有机物残渣。在浅水中，大型藻类和显花植物以及海底的光合硅藻（在光线能射到海底的地方）是主要食物来源。硬的沙质海底栖居着以悬浮体为食的动物，如海绵和瓣鳃纲动物；软质海底则以食沉积物的动物为主，最主要的是多毛纲动物。鱼类、海星、螺、头足类和较大的甲壳类是主要的捕食者和食腐肉的动物。

Benti　本提　又拼Benty。几内亚西部城镇和海港。在梅利科胡雷河河口，距大西洋海岸16千米。以输出香蕉为主。可泊吃水6米的远洋货轮。是菠萝、稻米、鱼类、食盐、椰子和棕榈油及棕榈仁的集散地和贸易中心。19世纪60年代建立了法国军事据点。设有农业技术学校。

Bentinck, Lord George　本廷克（1802-02-27，英格兰诺丁汉郡韦尔贝克～1848-09-21，韦尔贝克）　英国政治家。1846～1847年以他为首的保护关税派反对罗伯特·皮尔首相奉行的自由贸易政策。波特兰第4代公爵之子。曾在陆军中服役。1828年进入下院。最初为稳健的辉格党人，1829年投票赞成天主教徒拥有选举权，并赞成1832年《改革法案》。但后来日趋保守。1846年当皮尔首相宣布赞成自由贸易和反对《谷物法》时，他成为保护贸易派的首领。除关税问题外，他在一些观点上也与他的大多数同僚格格不入，如他曾支持一项取消对犹太人在政治上的限制的法案，结果辞去保护关税派领袖的职务。

美国不列颠百科全书公司供图

Bentinck, Lord William　本廷克（1774-09-14，英格兰白金汉郡布尔斯特罗德～1839-06-17，巴黎）　英国驻马德拉斯（实际上即印度）总督（1828～1835）。第3代波特兰公爵之子。17岁在科尔德斯特里姆卫队当旗手，1794年晋升中校，1803年29岁时即出任马德拉斯地方长官。1806年7月发生兵变，本廷克因有处理不当之责被召回国。拿破仑战争爆发后，他被派往西班牙指挥一个旅。此后，在西西里担任英国驻军司令。曾征召1万名西西里军队，与英军共同参加反对拿破仑的战争。因曾企图废黜西西里的波旁国王，采取英国议会式的开明宪法，并计划入侵意大利等不为英国政府所支持的举措，1815年奉召回国，当选为下院议员。1827年任印度总督和孟加拉地方长官。他首先整理印度的财政，使每年约150万英镑的赤字变成同样数字的结余。然后，实行司法和行政改革，使印度人能够得到更多的司法和行政职位，提高印度法官的薪金；以英语作为高等法院和高等学校的正式用语；给各学院以财政的支持，并使他们西方化。本廷克大胆废除了寡妇同亡夫一道火化的习俗，并采取措施取缔虐杀不需要的儿童、以人为牺牲献祭、以宗教为名杀人抢劫、军队中的鞭刑等弊端。他于1835年3月离任。本廷克应算得上是最有成就的

美国不列颠百科全书公司供图

总督之一。

Bentinck，William Henry Cavendish　本廷克　参阅 **Portland，William Henry Cavendish Bentinck，3rd Duke of** 波特兰公爵(第三)。

Bentivoglio FAMILY　本蒂沃廖家族　曾于15世纪后半叶控制博洛尼亚的意大利贵族世家，1323年首见记载。1420年A.加莱亚佐夺得政权。其子安尼巴莱(？～1445)为博洛尼亚大统领(1443～1445)。安尼巴莱遭暗杀后，由桑蒂(1424～1463)统治全城。他与教廷达成协议(1447)，扩展了博洛尼亚的独立，并与米兰的斯福尔扎家族结盟。其继承者焦旺尼二世(1443～1508)改善了城市面貌和水道，提高了军队的作战能力。但由于残暴不仁，他很不得人心。当教皇尤里乌斯二世发动进攻时，他的家族被逐出博洛尼亚(1506)，迁往费拉拉。

Bentivoglio，Guido　本蒂沃廖(1579-10-04，费拉拉[意大利]～1644-09-07，罗马)　意大利教会人士、外交家、历史学家，其著作精确记载了他的外交活动和他出访各国的事务。罗马教皇派他到佛兰德(1607～1615)和法国(1616～1621)当教廷大使，1621年封他为枢机主教。他的主要著作有《联合省和佛兰德的历史关系》(1629)和《佛兰德战争全史》(1632～1639)。

Bentley，Arthur F(isher)　本特利(1870-10-16，美国伊利诺伊弗里波特～1957-05-21，印第安纳佩奥利)　美国政治学家和哲学家，以研究认识论、逻辑学和语言学以及对政治学行为方法论的发展所做的贡献著称。1892年在约翰·霍普金斯大学获文学士学位，1895年获哲学博士学位，次年执教于芝加哥大学社会学研究班。后在芝加哥《时报·先锋报》和《纪录报·先锋报》从事采访和编辑工作，直至1910年隐退印第安纳州佩奥利经营果园和著书。第一次世界大战期间积极参加红十字会工作。1924年进步党罗伯特·拉福莱特参议员竞选总统时，他为印第安纳州竞选领导人。

他在最著名的著作《政府的程序：关于社会压力的研究》(1908)中，试图讲述行为社会学研究的方法论，极力主张集中力量研究人类的公开活动，也就是政治程序的原始材料。他从集团、利益和压力这3方面去整理政治问题资料，即可以把一种特定活动看做是集团的活动、利益的表现和压力的运用。他没有试图有系统地提出一般集团理论，而在此后的著作中准备把个人当作探讨政治程序的焦点。他不注重理论而注重方法，认为研究明显的行为是更深入理解人类事态的途径。他与哲学家杜威一道，提出解释社会现象的"超行动"观点，远比当时流行的未经科学验证的"一人行动论"和机械的"相互作用论"前进一大步，并主张知识是一种社会现象。本特利在《政府的程序》中讲到语言的社会性质，包括他对这一问题的全部论述和想法。其他著作有：《人与社会相对论》(1926)、《数学语言分析》(1932)、《行为、知识、事实》(1935)、《求知与已知》(1949，与杜威合著)和《对探讨的探讨：社会理论文集》(1954)。

Bentley，E(dmund) C(lerihew)　本特利(1875-07-10，英国伦敦～1956-03-30，伦敦)　英国新闻记者、作家、克莱里休诗体(clerihew)的创始人。这种诗每节4行，2行用一个韵，第一个韵由所咏人物的名字来决定。1905年，他在《传记入门》中首先使用这一体裁，立即有许多人模仿。随后出版《续传》(1929)和《无根据的传记》(1939)。《克莱里休诗全集》收入本特利所写的全部这种体裁的诗。他的侦探小说《特伦特的最后案件》(1913)是因为对福尔摩斯的一贯正确感到愤慨而作，曾被称为标志着侦探小说的福尔摩斯时代的结束。这一侦探小说的杰作至今仍为畅销书。

Bentley，Eric (Russell)　本特利(1916-09-14，英格兰兰开夏郡博尔顿～　　)　英国评论家、翻译家和戏剧导演。他把欧洲许多剧作家的作品介绍到美国，并因一些独具见解和颇有文采的评论文章和剧评著作而闻名。曾在牛津大学学习，1941年他在耶鲁大学写的博士论文于1944年扩展为《英雄崇拜的世纪》一书(1969年再次发行时改名为《超人的崇拜》)。1948～1951年在都柏林、苏黎世和帕多瓦等许多欧洲城市担任导演。1950年在慕尼黑与贝托尔特·布莱希特合作上演了布莱希特的《大胆妈妈和她的孩子们》一剧。在从事导演的同时，他还向美国的《戏剧艺术》和《凯尼翁评论》报道欧洲戏剧舞台情况。他翻译的布莱希特剧作和撰写的欧洲戏剧评论为他在美国赢得承认，并获得多项奖金。1974～1982年他在布法罗的纽约州立大学任戏剧教授，并从1982年起在科勒吉帕克的马里兰大学任教。本特利的戏剧评论颇引人注意，涉及戏剧实践、美学和哲学各个方面。

本图贡萨尔维斯的葡萄丰收
美国不列颠百科全书公司供图

他基于这样一种信念：艺术应该使人超脱无聊。他的著作摒弃简单的理论阐述，既有理性又有创造性，表现出的热情令人感奋。他对百老汇戏剧舞台和一般通俗戏剧所持的否定意见遭到一些人的批评，同时也得到另一些人的支持。这些人认为本特利的信念建立在一种牢固的评论手段基础之上。他的《戏剧的生命》(1964)被誉为概述戏剧的最佳著作之一。其他著作有：《作为思想家的剧作家》(1946；1948英文版名为《现代戏剧》)、《戏剧探索》(1953)、《现代戏剧理论》(1968，1976修订)、《布莱希特评论》(1981)和《回忆剧作家》(1987)。

Bentley，Richard　本特利(1662-01-27，英格兰约克郡奥尔顿～1742-07-14，剑桥郡剑桥)　英国教士、古典学术研究史上的一位重要人物。学识渊博，长于校勘。他资禀敏悟，善于

美国不列颠百科全书公司供图

推理，能恢复古代文献本来面目并指出校勘和研究方面的新的发展途径。他曾就学于韦克菲尔德文法学校和剑桥大学圣约翰学院。1689年结识J.穆勒，穆勒请他审核编年史作家J.马拉拉斯的著作牛津版的校样，为此他写出了《致约翰·穆勒书》(1691)，此文惊人地表现了他订正原文的本领和他的古代韵律知识。1700年任剑桥大学三一学院院长，1717年又被任命为钦定神学讲座教授。1709年他发表了为J.戴维斯编校的西塞罗著作《图斯库卢姆论辩集》所写的校勘性的附录，1711年又发表了贺拉斯诗集的一个编订本。晚期编辑有1726年发表的泰伦斯著作的一个版本，还有伊索寓言和P.西鲁斯的《言论集》及1739年发表的马尼利乌斯的一部著作。

Bento Gonçalves　本图贡萨尔维斯　巴西南部南里奥格兰德州东北部城市。周围富庶农业区的贸易中心。19世纪末意大利人在农业区定居，栽培葡萄为主要经济活动。该市为一铁路支线的终点站，亦通公路。人口：市约63 594；都会区约78 680(1991)。

Bentol　本托尔　西非利比里亚西北部城市。因地近蒙罗维亚-邦加公路而发展迅速，现为农产品集散地和商业中心。工业有碾米、锯木、肥皂、塑料、颜料、家具、水泥板、油、鱼类加工和糖果制造。人口1 802(1974)。

Benton　本顿　美国阿肯色州中部城市，萨林县县城(1835)，小石城西南40千米，临萨林河，在密苏里-得克萨斯干道上。约1815

年设居民点。1848年设市。早期经营采盐、制陶和伐木业。第二次世界大战期间利用当地铝土矿发展起铝加工业，但这些加工业到20世纪70年代已经停业。现生产钢制品、陶制品、胶合板、沥青、船舶零件等。附近有州医院分部、温泉（豪特斯普林斯）和沃希托国家森林。人口约18 177（2000）。

Benton, Thomas Hart　本顿（1782-03-14，美国北卡罗来纳希尔斯伯勒附近～1858-04-10，华盛顿［哥伦比亚特区］）　美国作家、民主党领袖，在担任美国参议员30年期间一贯维护农民利益和主张开发西部。曾参加1812年战争。1815年在密苏里州圣路易斯定居，不久担任《圣路易斯探询者》主编，极力主张西部必须“与国家同呼吸共命运”。1820年当选国会参议员，主张将公共土地分配给开拓民。他在许多问题上与A.杰克逊总统看法一致，在参议院中成为民主党的主要发言人。19

美国国会图书馆供图

世纪30年代，他在国会协助杰克逊成功地解散美国银行。他支持独立的国库和硬通货政策。尽管一般认为他维护奴隶制度，但在19世纪40年代，他反对将奴隶制度扩展到密苏里州，因为他认为这种制度阻碍国家的发展，对美国西部构成威胁。由于坚决反对奴隶制度，他在1851年失去参议员的席位。1853～1855年，他在众议院中继续反对奴隶制度。

Benton, Thomas Hart　本顿（1889-04-15，美国密苏里尼欧肖～1975-01-19，密苏里堪萨斯市）　20世纪30年代美国地方主义油画家和

本顿绘《七月割草》（1943）
美国不列颠百科全书公司供图

壁画家。曾在芝加哥艺术学院和巴黎朱利昂学院学习。1906年为密苏里的《乔普林的美国人》杂志画漫画，从此开始了艺术生涯。在壁画《西方的美术》中（1932，康涅狄格州新不列颠美国艺术博物馆藏），采用了一种别开生面的设计技巧，给人以某种摄影蒙太奇的感觉。其他主要壁画作品包括为纽约社会研究新学院（1931）和惠特尼美国艺术博物馆所作的壁画（1932）。曾在纽约艺术学生同盟任教。1935～1941年在堪萨斯市美术学院和堪萨斯市设计学校任教。

Benton, William（Burnett）　本顿（1900-04-01，美国明尼苏达明尼阿波利斯～1973-03-18，纽约州纽约）　美国《不列颠百科全书》的出版人（1943～1973）、广告商和政府官员。出

纽约布莱克斯通-谢尔本公司供图

身于教士和教育家的家庭。在卡尔顿学院就读一年后转入耶鲁大学，1921年毕业。在校时已显示出写作的才能，担任过《耶鲁记事》的主持人；还与同班同学R.M.哈钦斯成为终身之友。离校后在纽约和芝加哥从事广告业，营业日益发达，1929年与切斯特·鲍尔斯合伙成立本顿-鲍尔斯纽约广告公司。由于经营得法，部分归因于改进了由广告客户资助的无线电文娱节目，该公司在大萧条期间仍颇繁荣。1935年已成为世界上第六家大广告商。后本顿无意于广告业，遂以100万美元代价将他的股份出售给其他合作者。当时哈钦斯已担任芝加哥大学校长，力促本顿去该校任副校长，于1937年赴任。他热衷于教育事业，又因他具有广告与无线电广播的经验，将原由芝加哥大学主办的广播发展成为极受欢迎的全国无线电广播论坛。他还帮助该校理事P.G.霍夫曼组织经济发展委员会。在美国参加第二次世界大战之前曾和哈钦斯积极参加“美国第一”运动，并因此结识了西尔斯-娄巴克公司的董事长R.E.伍德。伍德告诉他西尔斯公司不愿经营《不列颠百科全书》，他感到惊奇，建议西尔斯将该书赠送给芝加哥大学，伍德立刻同意。但大学的董事们不愿承担筹集经费和经营管理的责任，他提出自行投资。芝加哥大学接受了这项赠予，责成本顿负责经营和持有普通股，学校保留优先股和版税合约。后本顿得到全部股票，版税规定也进行了修改。在他去世后学校所获累计版税已达4 780万美元。1945年他辞去学校职务，担任美国助理国务卿，致力于战后恢复美国新闻处、文化交流项目以及“美国之音”；筹划参加联合国教科文组织，后任美国驻该组织代表（1963～1969）。他还进行活动，使《富布赖特奖学金法案》及1946年《国外服务法案》得以在国会通过。1949年他递补康涅狄格州的国会参议员空缺，1950年又连选连任两年。他是最早在参议院竭力反对麦卡锡的计谋的参议员之一，麦卡锡最后因此受到非难。1952年竞选连任失败。此后他持续地致力于《不列颠百科全书》事业，使它迅速发展和扩大。在购入教育电影厂后于1943年改名不列颠百科影片公司；出版了54卷《西方世界巨著》，《巴萨百科全书》（1957年西班牙文版；1964年葡萄牙文版）；法文版《通用百科全书》（1968～1975）；日文版《不列颠国际大百科事典》（1972～1975）。此外还购入《康普顿插图百科全书》，G.& C.梅里亚姆公司（出版韦氏大辞典）等。他决定将工程浩大的《不列颠百科全书》第15版付诸实施，耗资约3 000万美元。他在出版前一年去世。根据他的遗嘱，《不列颠百科全书》的产权归本顿基金会所有，为芝加哥大学的一笔资助性基金。他的著作有《这是挑战》（1958）、《拉丁美洲之声》（1961）。1968年本顿荣膺芝加哥大学设置的第一枚“本顿荣誉奖章”，以表彰其杰出贡献。

Benton Harbor　本顿港　美国密歇根州西南部贝林县城市。临密歇根湖。地近圣约

本顿港市的大卫教派之家
美国不列颠百科全书公司供图

瑟夫河口，与圣约瑟夫城相对。原属圣约瑟夫城，1869年分立为村。1891年设市。现为该州水果产区的重要销售和转运中心，亦有多种制造业。旅游中心。设有密歇根湖学院(1946)。20世纪60～70年代，该市人口下降，现居民约90%为黑人。80年代中期商业区大部分店铺关闭，面临破产。人口：市约13 186；本顿港都会统计区约161 845(1994)。

Bentong　文冬　马来西亚西部城镇。在吉隆坡东北，濒临文冬河。是当地橡胶园和锡矿的商业中心。附近的根廷高地是名胜区，根廷山口景色壮观，周围山峰峡谷一览无遗。比卢特河谷有农业开发工程。游览区还有拉卡山(914米)和查曼瀑布。人口：大都会区40 775(2000)。

bentonite　膨润土　又称班脱岩。由火山灰的玻璃微粒蚀变形成的黏土，以发现地点附近的美国本顿堡（Fort Benton）山命名。其形成过程是把火山玻璃蚀变为黏土矿物；这需经水合作用，并失去碱金属、盐基，可能还失去氧化硅，但保存了火山玻璃的原始结构。膨润土主要由蒙脱石类的晶质黏土矿物构成。有两种类型（一种是含铁和镁的含水铝硅酸盐，另一种是含钠或钙的含水铝硅酸盐），其用途取决于各自特有的物理性质。钠质膨润土能吸收大量的水，体积可膨胀许多倍，并生成胶状物质的永久悬浮液。这种悬浮液已被用于封闭堤坝，黏结铸造砂、石棉和矿质毛，用作钻井泥浆，用于波特兰水泥和混凝土、陶瓷、乳胶、杀虫剂、肥皂、药剂和油漆涂料中，可用于造纸，并用来净化水、果汁和饮料；还作为水的软化剂从硬水中去掉钙。钙质膨润土是不膨胀的，并能破碎成细粒集合体，被广泛地用来当作一种吸收剂，有时称为漂白土。膨润土矿床产于奥陶纪到第三纪（约5.05亿年前至160万年前）的岩石中。产地有美国的怀俄明、蒙大拿、加利福尼亚、亚利桑那、科罗拉多。世界上的重要产地有希腊、日本、意大利、巴西、罗马尼亚、德国、墨西哥、阿根廷、西班牙、印度、匈牙利、波兰、加拿大、土耳其和塞浦路斯。

bentwood furniture　曲木家具　用蒸汽将木条加热后再按要求的形状弯曲制成的家具。虽然在18世纪温莎椅的制造者们就已采用这种方法，但直到19世纪40年代才得到广泛运用。奥地利家具师迈克尔·索涅特用弯成曲线形的桦木条制造家具。他的曲木椅是早期成批生产的这类家具中最成功的制品。这种曲木椅子在1851年的伦敦大博览会上展出，19世纪后半期在欧洲和美国大量出售。由于曲木家具轻便、舒适、便宜且结实美观，致使俱乐部、旅馆、商店和饭店等普遍采用。早期的曲木家具大多为黑色或深褐色。椅座由藤或胶合板制成，是唯一不用曲木制造的部分。曲木家具中最为美观舒适者，可能是索涅特摇椅。20世纪的建筑师科比西埃以及其他起主导作用的设计师和建筑家使曲木技巧获得了新生；20年代早期的钢管家具也是按照索涅特和他的儿子们的图样设计的。

约1870年索涅特兄弟制造的曲木扶手椅

美国不列颠百科全书公司供图

Benty（Guinea）　参阅 **Benti** 本提。

Benue　贝努埃　尼日利亚中东部一州。长满树木的热带草原，面积45 174平方千米。居民以从事农耕的蒂夫(州内人数最多的种族)、伊多马和伊加拉人为主。种植的经济作物包括芝麻、大豆、牛油果、棉花、薯蓣、玉米和稻等。粮食作物有薯蓣、高粱、粟、花生和木薯。贝努埃河南岸、伊比西南有盐矿。阿夸纳附近有铅矿。塔库姆附近有金矿。贝努埃河谷有盐矿泉，锡、铌矿和大理石。凯菲、拉菲亚和纳萨拉瓦有石油。扬代夫有石灰石。首府马库尔迪和拉菲亚为全州最大城市。尼日尔河西岸的伊达为主要贸易港和渡口。该州大城镇还有塔库姆和卡齐纳阿拉。人口2 780 398(1991)。

Benue-Congo languages　贝努埃-刚果诸语言　尼日尔-刚果语系的最大语族。从操用者的人数和地区来说，都是最大的。通行地区从尼日利亚直到南非好望角。贝努埃-刚果语族包括一些小语言以及尼日利亚和喀麦隆境内的各亚支，还包括通行于整个南部非洲的班图语支。

Benue River　贝努埃河　Benue又拼Bénoué。非洲西部河流，为尼日尔河最长支流。全长1 083千米。该河发源于喀麦隆北部海拔1 340米的地区。其上游240千米河段落差大，多瀑布和急流。以下河段大部畅通无阻。涨水时经凯比河支流与注入乍得湖的洛贡河相连。凯比河以下河段全年可通航。经此河运入大量物资(特别是石油)，乍得地区出产的棉花、花生也经此河运出。贝努埃河流至约拉与马库尔迪之间接纳重要支流贡戈拉河。之后向东和南流480千米，在与尼日尔河汇合处有沙洲。

Benvenuti, Nino　本韦努蒂（1938-04-26，意大利的里雅斯特～　）　Giovanni Benvennti的别名。意大利职业拳击运动员。1960年获奥运会次中量级冠军，翌年转入职业，获意大利中量级冠军。1965年获世界次中量级冠军和欧洲中量级冠军。1967年到美国，4月17日被判定击败E.格里菲思获中量级世界冠军。9月28日再赛，格里菲思胜，1968年第三次比赛本韦努蒂胜。1968～1970年间多次卫冕成功。但1970年11月7日在比赛第12回合被C.蒙松击倒，1971年5月8日再赛，又在第三回合被击倒。其拳击生涯总共82胜(35次击倒对方获胜)，7负，1平。1992年入选国际拳击名人堂。

Benxi　本溪　又拼Pen-hsi或Pen-ch'i。中国辽宁省辖市，新兴的重工业城市。位于省境东部太子河谷地。市区旧称本溪湖，别名窑街。辖平山、溪湖、明山、南芬4个市辖区，本溪、桓仁2个满族自治县。面积8 435平方千米，其中市区1 308平方千米。历史悠久，庙后山发现旧石器时代文化遗址。战国、汉以后属辽东郡、玄菟郡管辖，唐属安东都护府，辽、金属辽阳县，明属东宁卫。清光绪三十二年(1906)划辽阳、新宾、凤城各一部分设本溪县，因境内有本溪湖得名。1938年设本溪湖市，1945年改现名。煤、铁蕴藏丰富。辽代起建有小型炼铁工业。18世纪末开始采煤。1911年开始炼铁。生产优质炼焦煤、低磷铁、特种钢和钢材，冶金工业产值占全市工业总产值1/2，以“煤铁之城”著称。还有纺织、化工、机械等工业。四面环山，太子河由东向西流经市区，沈丹铁路纵贯境内，并有支线西通辽阳，东达田师傅镇。丹霍、沈环、本桓及304国道等公路干线在此通过。有本溪湖、铁刹山、谢

本溪市区一角

中国大百科全书出版社供图

家崴子古洞等名胜。人口1 550 000(2006)。

Benz, Karl (Friedrich)　本茨 (1844-11-25，巴登卡尔斯鲁厄[德国]～1929-04-04，德国曼海姆附近拉登堡)　德国机械工程师，设计并于1885年制造了世界上第一辆实用的内燃机汽车。最早的本茨汽车(3轮汽车，现保存在慕尼黑)在1885年初试车成功，以后本茨公司于1893年制造出第一辆4轮汽车，1899年生产出第一批赛车。1926年本茨公司同戴姆勒汽车公司合并。约1906年本茨同他两个儿子在拉登堡建立本茨父子公司。

Benzaiten (Japanese goddess)　**弁才天**　参阅 **Benten 弁天**。

benzaldehyde　苯甲醛 (C_6H_5CHO)　最简单而又有代表性的芳香醛，以扁桃甙形式存在于自然界。合成的苯甲醛主要用于合成其他有机化合物，也用一些于香料和调味品中。1803年首次分离出苯甲醛。19世纪30年代德国化学家J.冯·李比希和F.维勒在有机化学结构理论奠基性的工作中研究过这个化合物。工业上是通过甲苯首先氯化生成苄基氯或二氯甲苯的过程生产苯甲醛。用二氧化锰直接氧化甲苯也可制得。苯甲醛易被氧化成苯甲酸；与氢氰酸或亚硫酸氢钠反应可得加成产物；与氢氧化钾的乙醇溶液作用，可同时发生氧化和还原，得到苯甲酸钾和苯甲醇；与氰化钾的乙醇溶液作用可转变成安息香；与无水醋酸钠和醋酸酐作用可生成肉桂酸。

benzaldehyde green　苯醛绿　参阅 **malachite green 孔雀绿**。

benzene　苯 (C_6H_6)　最简单的芳香烃，广泛用于工业。1825年，英国科学家M.法拉第在鲸鱼油制得的照明气中发现苯。1845年，德国化学家A.W.冯·霍夫曼在煤焦油中发现苯并加以命名。苯主要从焦炉气中得到，所得纯度不同的粗苯可满足多种市场需要。自1950年以来，也从石油制取苯。苯的毒性很大，长期接触能引起白血病。自发现苯以来，人们一直对它的结构很感兴趣。1865年，德国化学家A.凯库勒提出苯具有单、双键交替排列的六角形结构式。这种结构式一直沿用迄今，虽然它有两个弱点：即苯并不显示双键通常所具有的性能，而且二取代苯异构体数比预计的为少。凯库勒因而假定双键振荡，以使苯环具有已知异构体数目所要求的对称性。1931年，美国化学家L.泡令应用量子力学描述了由于凯库勒假定两种处于平衡结构的共振而引起的杂化状态。这种杂化状态可解释苯的反应性之所以低，是因为苯环中碳-碳键性质介于正常双键和单键之间。X射线数据支持这种观点：正常双键的碳原子间距为1.34埃，单键的碳原子间距为1.54埃，而苯键的碳原子间距为1.39埃。分子轨道原理也指出一种类似的对称结构。苯是一大类化合物的母体。在工业上用于合成乙苯、苯酚、顺丁烯二酸酐(用于制塑料)、苯胺(染料用)、十二烷基苯(洗涤剂用)和氯苯(杀虫剂用)等。苯与硫酸、硝酸反应生成单取代、二取代和三取代产品。与氯和溴可发生取代或加成反应。苯有非凡的抗氧化性，在450 °C与氧化钒作用才生成苯醌和顺丁烯二酸酐。在180 °C，有氢和镍存在时，苯可被还原成环己烷。苯从一赤热管中通过，可生成联苯、二苯基苯类、乙炔和氢。苯是无色透明液体，有特殊气味，沸点80.1 °C，凝固点5.5 °C，仅微溶于水。是橡胶、树胶、脂肪和多种树脂的优良溶剂。

benzene hexachloride (BHC)　**六氯化苯**　由氯气和苯在光照下反应生成的几种异构化合物(即组成相同结构不同)的总称。其中包括林丹或六六六杀虫剂。六氯化苯于1825年首次制成。1944年对γ-异构体的杀虫性能作出鉴定，它比反应中形成的其他异构体的毒性约大1 000倍。各异构体之间的结构差别在于氯原子相对于碳原子环的取向不同。氯与苯加成所得混合物至少含有8种可能的BHC异构体中的6种，γ-异构体占混合物的20%～25%，它比其他异构体易溶于某些溶剂中，因而可把它提浓。BHC比DDT易挥发，对昆虫的作用较快，但持续较短。由于其他杀虫剂的竞争，也因为它在水中的浓度即使低到百万分之一也能杀死鱼类，到20世纪60年代它的应用下降。

Benzer, Seymour　本泽 (1921-10-15，纽约市～2007-11-30，加利福尼亚州帕萨迪纳)　美国分子生物学家，1955年研究出一种测定病毒基因精细构造的方法，并创造顺反子一词以表示基因的功能亚单位。又根据DNA中核苷酸的排列顺序来解释无意义突变。并在某些细菌中发现这些突变的回复或抑制。本泽于1947年获印第安纳州西拉斐特的珀杜大学博士学位，后在多处任职，1953年回珀杜大学，1967年在加利福尼亚理工学院任教。1975年任该学院博斯韦尔讲座教授。

benzidine　联苯胺　一种胺类有机化合物，用于制造多种染料。由联苯胺衍生的偶氮染料很重要，与较简单的偶氮染料不同，不用媒染剂就能牢固地附着于棉纱上。将硝基苯在碱性介质中还原成氢化偶氮苯($C_6H_5NHNHC_6H_5$)，再经强酸处理转变成联苯胺。此过程是一种普通反应，即联苯胺重排的最简单实例。联苯胺具有典型的芳香族伯胺的化学性质；与亚硝酸反应生成双重氮盐，此盐可与芳香族胺基或羟基化合物偶联生成偶氮染料。联苯胺为无色晶体，基本不溶于水，有毒，能引起皮炎和膀胱肿瘤。在法医学中联苯胺用于鉴定血迹。

benzoic acid　苯甲酸　又称安息香酸。白色、晶状羧酸类有机化合物，广泛用作食品防腐剂，并用于制造各种化妆品、染料、塑料和驱虫剂。最初，于16世纪记载了苯甲酸存在于许多植物中。例如安息香胶(一种植物树脂)中就含有约20%安息香。约在1860年首次用合成方法从煤焦油得到的化合物中制得。在工业上苯甲酸由甲苯在约200 °C温度下，以钴和锰盐作催化剂与氧反应而制得。纯苯甲酸熔点122 °C，在水中的溶解度极小。苯甲酸的重要衍生物中有：苯甲酸钠(用作食物防腐剂)、苯甲酸苄酯(用作灭蛆虱药)和过氧化苯甲酰(用于漂白面粉，在某些塑料生产中引发重要的化学反应)。

benzoquinone　苯醌　有机化合物醌类中最简单的一种。参阅 **quinone**。

benzyl alcohol　苯甲醇　有机化合物，分子式$C_6H_5CH_2OH$。以与羧酸化合形成酯的形式存在于香脂、茉莉油以及其他花卉中。数种苯甲醇的天然酯和合成酯，长期用于香料。20世纪后半叶，苯甲醇变得相当重要，是彩色电影胶片的显影助剂，也是尼龙丝的助染剂。苯甲醇是将苄基氯经纯碱水解而制得。

Beograd (Yugoslavia)　参阅 **Belgrade 贝尔格莱德**。

Beorhtric　贝奥赫特里克 (? ～802)　西撒克逊(或韦塞克斯)国王(786年起)。韦塞克斯的缔造者塞迪克的后裔。他在位时，丹麦人在多塞特郡登陆，首次入侵英格兰。他苦于埃格伯特(最后成为他的继承者)与他争夺王位，虽未能将埃格伯特杀死，却在其岳父麦西亚国王奥法的援助下，迫使其流亡到欧洲大陆。据传他被有野心的妻子伊德伯格毒死。

Beothuk　贝奥图克人　已绝灭的美洲印第安部落。原住于纽芬兰岛上，以狩猎采集为生。操贝奥图克语，可能与阿尔冈昆语有关，但有些学者认为它是一种独立语言。1497年J.卡伯特发现这个部落时，其人数不过500。以后数世纪中，被欧洲人及来自新斯科舍省的米克马克人所屠杀。少数幸存者也许逃往拉布拉多半岛，与蒙塔格奈人通婚。最后一个贝奥图克人名叫南希·沙瓦纳迪特，死于1829年。对贝奥图克人的文化所知甚少。居民分成由几户有亲戚关系的家庭组成的小宗族，每族都有首领。贝奥图克人长于驾驶独木舟，曾见于许多早期作家的记述。他们使用原始鱼叉猎捕海豹，捕捉鲑鱼及贝壳动物；也习于林居，用弓箭猎取驯鹿，用桦树皮制作食具及覆盖棚屋。大概出于宗教原因或为了驱虫，贝奥图克人都用红赭石涂脸、涂身，这种习惯可能就是欧洲人所指的“红”印第安人的来由。

Beowulf　《贝奥武甫》　英雄史诗。古英语文学的最高成就，是最早用欧洲地方语言写成的史诗，见于大约公元1000年留存下来的孤本手稿，讲述6世纪初期发生的事件，据信于700～750年之间写成，直至1815年才排印出版。没有证据表明历史上真有贝奥武甫其人，但诗中有的人物、地点和事件在历史上都有据可考。史诗分为两部分。故事开场于丹麦。国王赫罗斯加有座华美的酒宴厅——“鹿厅”，12年来，一个叫格伦德尔的巨妖常来进行夜袭，抢走并吞食赫罗斯加的战士。一天，一些不速之客——瑞典南部耶阿特族青年王子贝奥武甫带领一小队扈从来到丹麦,表示愿意灭除骚扰鹿厅的巨妖。国王对这位很少听说的英雄的勇气感到惊奇,但对他表示欢迎。晚宴上,双方各尽宾主之礼,也有些不逊的言行。宴罢,国王就寝,留下贝奥武甫看守大厅。夜间,格伦德尔从沼泽来,冲破重重沉重的宫门而入,吞吃了一个睡着的耶阿特人,然后与贝奥武甫扭斗。贝奥武甫腕力强大,巨妖欲逃不能,拽断手臂才得以脱身,带着致命伤逃走。次日,鹿厅一片欢腾。但是夜里战士们睡着时,格伦德尔的母亲来为儿子复仇,杀死赫罗斯加的一个部下。翌晨,贝奥武甫在她的湖底洞窟里找到她,把她杀死。他割下格伦德尔尸体的头,回到鹿厅。丹麦人又一次欢庆胜利。赫罗斯加发表了送别辞,表彰这个真正英雄的品质,然后,贝奥武甫满载荣誉和御赐礼物回乡,回到耶阿特国王许耶拉克身边。第二部分先简述国王许耶拉克随后在一场战斗中牺牲,他儿子逝世,贝奥武甫继承王位,平安统治 50 年。后来,贝奥武甫的国土被一条喷火巨龙蹂躏,勇猛但年事已高的贝奥武甫与火龙交战,杀死火龙,自己也受了致命伤。史诗最后以贝奥武甫的葬礼和一首挽歌结束。

Beppu 别府 日本九州大分县城市,濒别府湾。自 19 世纪末一直为温泉疗养地。第二次世界大战后原有别墅改为旅馆和疗养所。设有国家医疗设施和火山研究机构。当

别府市的温泉
美国不列颠百科全书公司供图

地有 8 处矿泉及闻名的沸塘,人称"地狱",有泥浆喷入空中。其他胜地有鹤见山、志高湖和城岛高原。人口约 129 387(1994)。

Beqaa(Lebanon) 参阅 **Biqāʿ, Al-** 贝卡。

bequest(law) **遗赠** 参阅 **legacy** 遗赠产。

berādarī(Hindu council) 参阅 **bhāīband** 贝班特。

Berain, Jean, THE ELDER **贝兰(大)**(1637-10-28,法国圣米耶勒~1711-01-24,巴黎) 法国著名工艺家、铜版画家、油画家和设计师,时人称为装饰领域审美大师。曾受业于法国装饰家勒布朗。1674 年任路易十四王家设计师,1690 年开始负责法王船舶外部装饰的设计和监修;并为歌剧、宫廷节日和公共集会精心设计挂帷、家具、服装和装饰品。为路易十四豪华的宴会所设计的壁炉、柴架、挂帘、装饰性托架、瓷瓶、灯架、烛台和墙壁嵌板等都饰有奇特的图像。由于路易十四喜爱东方艺术,贝兰就钻研中国艺术,使中国艺术的设计风尚在 18 世纪中叶风行一时。路易十四在位的后期,贝兰的装饰风格在从家具到瓷器等方面对洛可可艺术家有影响。他还为莫里哀设计过豪华的舞台布景。他的儿子贝兰(小,1678～1726)从父学艺,也是著名的雕刻师。他的兄弟 C.贝兰(卒于 1726?)为御前雕刻师。

berakah 祝福词 犹太教名词,指向上帝表达赞美或感恩之词,在会堂礼拜仪式进行中、私人祈祷中或其他场合(如执行诫命前或脱险后)诵念。祝福词一律以"蒙福"一词发端,常用的起语是"愿主我们的上帝、宇宙之王蒙福",许多祝福词还表达感谢上帝选择犹太人以这种方式来遵守节日和纪念他。

Béranger, Pierre-Jean de 贝朗瑞(1780-08-19,巴黎～1857-07-16,巴黎) 法国诗人、民歌作家。在法国社会迅猛变动时期,持有自由派和人道主义观点,并因此而知名。曾参

美国不列颠百科全书公司供图

与其父的商业活动直至破产。1809 年在巴黎大学当小职员,蛰居阁楼,业余写点文章卖钱,收支勉强相抵。拿破仑倒台后,写了些诗歌,猛烈抨击波旁复辟王朝当局。这些诗歌由于表达了人民大众的情感,很快给他带来了声誉,但也导致他的被解雇(1821)和 3 个月的拘禁。贝朗瑞抒情婉约的歌谣发出了刚刚过去的拿破仑时代的回声,他讥讽君主专制和反动教士的讽刺诗明白晓畅,富于魅力。他的歌谣和讽刺诗使他不论在法国老百姓当中,还是在巴黎的自由派文学团体当中,都十分知名。他因此成为当时有影响和受人尊敬的人物。他以自己的文稿收入为生,拒绝所有官方的荣誉,甚至拒绝进入法兰西学院。1848 年革命后,被选进新的民主议会。就其个人性格来看,贝朗瑞以谦和近人和宽容大度著称,正像他乐于向许多巴黎文学界朋友提供力所能及的帮助一样,他也愿意接受朋友的帮助。他的最有名的诗歌有《意弗托国王》(1813)、《穷人的上帝》、《头脑简单的查理的加冕礼》、《老奶奶》、《老军士》等。

Berār 贝拉尔 印度西部马哈拉施特拉邦东部诸县,特指阿姆劳蒂、阿科拉、布尔达纳和耶奥德马尔等县。梅尔卡德山为贝拉尔的自然界线。河流向北流入达布蒂河,向南流入布尔纳河。南部布尔达纳-耶奥德马尔高原地区一般不如布尔纳盆地富饶棉区发达。矿藏有煤、铁和锰。该区经济以农业为主,1/2耕地种植棉花和油菜籽等经济作物。工业几乎全是农产品加工。

Berat 培拉特 阿尔巴尼亚南部城市,培拉特区首府。在托莫里山正西,奥苏姆河畔,位于被该河切割的陡峭山峦之中。在斜坡阶地上建造的房屋以及几座清真寺和教堂的上方留有古城堡的废墟。市北 11 千米处斯大林城有油田。培拉特为伊利里亚和伊庇鲁斯两古代地区之间战略要地,古时曾发生过多次激战。19 世纪后期,作为阿尔巴尼亚南部首府,曾是民族主义运动的中心和阿尔巴尼亚同盟的主要根据地。1944 年,共产党领导的阿尔巴尼亚反法西斯民族解放委员会在这里宣告成立阿尔巴尼亚临时政府。人口约 43 800(1990)。

Berazategui 贝拉萨特吉 阿根廷布宜诺斯艾利斯省的行政区。1960 年 10 月由基尔梅斯行政区划出。该地原为巴拉甘家族所有,1860 年售与 J.C. 贝拉萨特吉和 J. 埃切韦里。他们在那里建起大面积牧牛场;1890 年创办第一座肉类工厂,从此牛肉成为重要的产品。1906 年 G.F. 里戈洛建立一家玻璃厂,继而工业和商业进一步发展起来,亦是纺织业中心。1936 年首先建立了纱线制造业。人口 201 862(1980)。

Berber 柏柏尔人 北非土著。主要散居于摩洛哥、阿尔及利亚、突尼斯、利比亚和埃及的部落里。尽管罗马人曾把这个地区变为殖民地,7世纪时阿拉伯人又侵入,农村的柏柏

柏柏尔姑娘
美国不列颠百科全书公司供图

尔部落在 12 世纪前仍相对地保有自治权。后由于贝都因阿拉伯人入侵,农业经济被毁坏,很多定居部落变为游牧部落。大量的现代柏柏尔人在西班牙、法国和其他一些地方做工,是移民劳动者。但还有许多柏柏尔人仍为定居农民。其他则是常年牧民。柏柏尔人的主要作物是小麦、大麦、水果、蔬菜、硬果和橄榄。成群饲养牛羊,公牛、骡、骆驼和马用于运输。妇女从事家庭工业,如制陶、纺织。最简单的柏柏尔政治机构,是村中所有

受人尊敬的壮丁会议,名为“贾玛赫”,见于阿尔及利亚和大阿特拉斯山区的一些村庄。全年的游牧部落选出一个常任的酋长和议会。而季节性的游牧者则每年夏季选一个首领指挥迁移。多数柏柏尔人自认为穆斯林。

Berber languages　柏柏尔诸语言　通行于从埃及到大西洋沿岸、从尼日尔河到地中海的整个北非地区。柏柏尔诸语言和闪米特诸语言、库施特诸语言以及乍得诸语言同属含-闪语系。这个语族包括:塔马舍克语,通行于撒哈拉中部和尼日尔河北部的图阿雷格人中;沙维亚语,通行于阿尔及利亚的沙维亚人和卡比尔人当中;里夫语和塔马齐格特语,通行于摩洛哥;施卢赫语,通行于摩洛哥和毛里塔尼亚的施卢赫人当中;泽纳加语,通行于塞内加尔;还有已消亡的古利比亚语。柏柏尔诸语言在语音体系上相互差别很大,在语法和词汇上仅有少许区别。除操塔马舍克语者仍在使用稍加改变的古利比亚文字外,本语支所有的语言至今都使用阿拉伯文字。柏柏尔语有许多阿拉伯语借词,同时也包括古代拉丁语和迦太基语的借词。除了有用古利比亚语所写的许多简短铭文及少数现代宗教文献外,柏柏尔语没有别的书面文学作品。

Berbera　柏培拉　东非索马里西北部港口。濒临亚丁湾。有公路通往哈尔格萨和布尔科,有机场。早为中世纪阿达尔国的穆斯林居民点,1518 年,被葡萄牙人所掠夺,17 世纪又被穆哈的酋长们所占领,1875 年为埃及占领。1884 年被英国人占领,至 1941 年为英属索马里兰的首府。饮水由南部的杜巴通过输水管供应。第二次世界大战后随港口扩建和现代化,主要与其北 240 千米的亚丁的贸易有所增加。输出羊、皮革、酥油、乳香、没药和阿拉伯树胶等。炎热季节,部分人移居加尔戈登(奥戈)高地。人口约 70 000(1985)。

Berberidaceae　小檗科　毛茛目的一科,共 12 属,为多年生草本和灌木。广布于温带地区。灌木种类叶具刺状边缘。花形极为多样。小檗属(*Berberis*)最重要且最大,约 500 种,其中许多种类是观赏植物。其他重要种类还有室内盆栽植物南天竺(*Nandina domestica*)、林地野生花卉盾叶鬼臼(足叶草,*Podophyllum peltatum*)、地面覆盖植物淫羊藿属(*Epimedium*)以及阔叶常绿灌木俄勒冈葡萄(十大功劳属 *Mahonia*)。

Berbice River　伯比斯河　在圭亚那东部。源出鲁普努尼地区高地。向北流经密林和沿海平原,在新阿姆斯特丹注入大西洋,全长 595 千米。伯比斯流域被其邻近较大的埃塞奎博河和科兰太因河所限制,其唯一重要支流为坎赫河。上游多急流,有 160 千米河段可通小船。

Berceo, Gonzalo de　贝尔塞奥(约 1198,西班牙贝尔塞奥～约 1264)　第一个用卡斯提方言写作的西班牙诗人,是一个与隐修院有联系的世俗教士,在隐修院做行政工作。他的作品把古典的修辞风格、民间诗体和讲道的劝戒口吻结合起来,主题是宗教题材。著作有:《圣米良传》(约 1234)、《圣奥里亚传》(约 1265)、《圣母神迹》(约 1245 ～ 1260)等。歌曲很少达到诗的高度,但纯朴可爱,其中村野的形象和当时的骑士史诗成为鲜明对比,从中可以窥见中世纪的思想及其发展。

berceuse　摇篮曲　具有催眠曲特性的 19 世纪典型乐曲。这一术语并不特指某一曲式,但通常以摇摆节奏的 6/8 拍子写成。摇篮曲不局限于声乐曲,也有器乐曲,一般以钢琴曲为主。后者著名的例子有肖邦的《摇篮曲》(作品第 57 号),它在左手部分模进的和弦之上用了丰富的装饰音。其后李斯特、圣-桑和拉威尔均为出色的摇篮曲作曲家。20 世纪初荷兰作曲家 A.迪彭布罗克的一首为人声、钢琴和大提琴而作的摇篮曲极富感染力。

Berchem, Nicolaes Pietersz(oon)　贝尔赫姆(1620-10-01,尼德兰哈勒姆～1683-02-18,阿姆斯特丹)　又称 Claes Pietersz(oon) Berghem。Berchem 又拼 Berghem 或 Berrighen。荷兰风景画家、铜版画家,享有广泛的声誉。曾受教于其父——著名静物画家 P.克拉斯和其他几位荷兰大师。他到意大利进修后,创作了许多暖色调意大利风格的风景画。他还采用鲜明的色彩、明快的光线,以荷兰传统的自然主义手法创作了一些城市景色、冬景和田园景色的作品。他的杰作分别收藏在阿姆斯特丹的国立博物馆和圣彼得堡埃尔米塔什博物馆。

贝尔赫姆绘《意大利风景》(1656)
美国不列颠百科全书公司供图

Berchtesgaden　贝希特斯加登　德国南部巴伐利亚州城镇。位于贝希特斯加登河深谷中,三面是奥地利国土。12 世纪有采盐业,几个世纪与萨尔茨堡和哈莱因对抗即从此时开始。1704 年被奥地利军队占领。1805 年并入奥地利。后属巴伐利亚王国。第二次世界大战后盟军占领期间为主要疗养地和娱乐中心。现存中世纪建筑有隐修院教堂和巴伐利亚国王夏宫城堡(现为博物馆)等。附近上萨尔茨山上原有希特勒、戈林、博尔曼等纳粹领导人的别墅等建筑,1945 年毁于空袭,1952 年遗址被铲平后种植树木,岩石隧道中有电梯通山顶处希特勒的私人修养所“鹰巢”(今为茶室)。经济以旅游业为主。古盐矿仍在开采。有农业、木雕、酿造、瓷绘、袜子和纽扣制造等行业。人口约 7 660(1999)。

贝希特斯加登,背景为萨尔茨堡阿尔卑斯山的瓦茨曼峰
美国不列颠百科全书公司供图

Berchtold, Leopold (Anton Johann Sigismund Joseph Korsinus Ferdinand), Graf von (count of)　**贝希托尔德伯爵**(1863-04-18,维也纳～1942-11-21,匈牙利柴普赖格附近)奥匈帝国外交大臣。他向塞尔维亚提出的最后通牒(1914-07-23)导致第一次世界大战的爆

美国不列颠百科全书公司供图

发(-08-01)。原是匈牙利和摩拉维亚的富有地主,通过联姻成为奥匈帝国最大的富豪之一。1893年进入外交界,曾在伦敦和巴黎任职,1906年任驻俄国大使。1912年2月19日任外交大臣。在第一次巴尔干战争(1912-10～12)开始时,他企图维持现状。战后,他又阻止塞尔维亚取得通向亚得里亚海的走廊。他曾向塞尔维亚政府提出条件极为苛刻、肯定会被对方拒绝的最后通牒。1915年1月13日被迫辞职。后在法院任高级职务。

Berdiaev, Nikolay Aleksandrovich 参阅 **Berdyayev, Nikolay Aleksandrovich** 别尔佳耶夫。

Berdiansk (Ukraine) 参阅 **Berdyansk** 别尔江斯克。

Berdichev 别尔季切夫 又拼 Berdičev 或 Berdychiv。乌克兰西北部城市,在日托米尔州。1482年建立时为立陶宛要塞,1569～1793年属于波兰。现保存有16世纪要塞城墙和一座天主教堂。法国小说家H. de 巴尔扎克经过18年的求婚后,于1850年和俄国富孀E. 汉斯卡在此教堂举行婚礼。1917年前此地为重要贸易点,现有机械制造、制糖、制革和服装业。日托米尔一文尼察以及罗夫诺一卡扎京两条铁路线于此处交会。人口约93 400(1991)。

Berdichevsky, Micah Joseph 别尔季切夫斯基(1865-08-19,俄罗斯帝国波多利亚梅吉博日[今乌克兰梅吉比日]～1921-11-18,德国柏林) 希伯来语、德语和意第绪语作家。与其他犹太作家相比,他的充满激情的作品比其他任何犹太作家的作品都更为深刻地阐明了19世纪动摇于传统与同化之间的犹太人"内心里的裂痕"。曾改写长期流传的犹太民间故事和传说。他是一位犹太教神秘主义哈西德派拉比的儿子,少年时就向往犹太启蒙运动,当时的启蒙运动主张犹太教徒深入社会,提倡世俗的现代教育。曾一度就读于沃洛津神学院,25岁时进入布雷斯劳大学(今波兰弗罗茨瓦夫)。这时期他所受的教养和他追求精神解放的愿望在他内心里引起更加激烈的冲突。此后几十年的时间里,他在大量故事、杂文和小说中表现了这一斗争。生命的最后10年在柏林度过。他一面当牙医,一面以他的深入的洞察力和诗人般的鉴赏力,改编收有民间故事和传说的犹太名著《阿加达》中的若干部分,并用希伯来文发表其中的一部分,题名为《取自阿加达宝库》(1913～1914)。曾出版小说集多卷,其中如《越出藩篱》(1922～1923)、《大墙之间》等,均以描写犹太人的苦难生活为题材。小说风格不一,不是描写主人公通过归化以求摆脱犹太传统的重压,结果枉然,就是描写犹太人在犹太区的范围内力图生存下去的种种努力。他去世后,1922年出版了他的杂文集9卷,其中有《在文学园地里》、《途中》以及《思考与教育》等。作品内容相当广泛,包括文学评论、针对犹太民族传统势力的论战,以及把哈西德教派加以理想化的文章等。他的这类杂文题名为《何列山》(1910或1911年,《圣经》中对西奈山的称呼),以赞同的观点解释了《阿加达》中某些美好和富有人情味的思想。某些权威人士认为,他对文学最不朽的贡献就是他改编《阿加达》。

Berdsk 别尔茨克 俄罗斯中部新西伯利亚州城市,位于新西伯利亚市正南面新西伯利亚水库旁。18世纪初建为要塞,1944年设市。生产面粉和收音机。在土西铁路沿线上。为旅游胜地,郊区有疗养所。人口约81 900(1993)。

Berdyansk 别尔江斯克 又拼 Berdiansk。1939～1958年称奥西片科。乌克兰东南部扎波罗热州港口城市。濒临亚速海别尔江斯克湾。建于1827年。现为度假和疗养胜地。有机器制造、榨油、磨粉业和渔业。人口约138 700(1991)。

Berdyayev, Nikolay Aleksandrovich 别尔佳耶夫(1874-03-06,基辅～1948-03-23,法国克拉马) Berdyayev 又拼 Berdiaev。宗教思想家、哲学家和马克思主义者。曾对俄国人采用卡尔·马克思的观点进行批判。又是基督教存在主义的主要代表人物(这一哲学学派强调要在基督教的范围内考察人的状况)。在基辅大学求学时(从1894年起),就从事马克思主义活动,1899年被判处在俄国北部沃洛格达流放3年。获释后赴德国游历,1904年回国。在圣彼得堡参加广泛的宗教与文化复兴运动。1907年再度出国,回国后移居莫斯科,并参加俄罗斯正教会。他有反国教倾向,在一篇文章中攻击东正教圣会议,为此在1914年受迫害。1917年俄国革命爆发才使他结束了受迫害的生涯。他拥护新政权,1920年被任命为莫斯科大学哲学教授。两年后因不接受正统的马克思主义而被逐出苏联。1922年和其他流亡者在柏林建立哲学与宗教学院。1924年将学院迁往巴黎,并创办期刊《路》(1925～1940),在该刊中批判俄国共产主义。在法国的俄国流亡者中,最为有名。在进一步发展其存在主义哲学时,他倾向于更多使用非系统的和神秘的表现方式,而忽视逻辑性与合理性。他认为真理不是理性探索的产物,而是"超验的精神世界的闪电"。认为人的伟大在于他在精神世界所占有的地位,在于他有神圣的创造能力。他对于当时的变化无常的气氛十分敏感,认为"现代史的矛盾"预示着一个"神人创造"的新时代,而人在这个时代里可以使世界重新充满活力。尽管他谴责"苏维埃制度的罪恶和暴力行为",但仍声称十月革命后在俄国取得的进步中,看到了"神人创造"的迹象。重要著作有《自由与精神》(1927)、《论人的命运》(1931)、《俄国共产主义之起源》(1937)等。

Bérégovoy, Pierre 贝雷戈瓦(1925-12-23,法国德维尔莱鲁昂～1993-05-01,讷韦尔) 全名 Pierre Eugène Bérégovoy。法国政治家。1992年4月至1993年3月任总理。1941年15岁时离校任机械师,后在国家铁路工作,参加法国抵抗运动。1950年在全国煤气公用事业法国煤气公司任职。他在该公司工作31年,最后升任行政主管职务。第二次世界大战结束后,参加社会党(SFIO)。作为该党党员,他同左翼政治家孟戴斯-弗朗斯一起工作,并受其影响。1958年由于反对法国在阿尔及利亚的军事行动,同社会党决裂。他是各种社会主义团体的领导人,1969年重新加入改组后的社会党(PS),成为其领导机构成员。密特朗1981年当选法国总统后,贝雷戈瓦任爱丽舍宫秘书长。1982年任社会事务部长,1984年任经济、财政和预算部长。贝雷戈瓦是温和派社会党人,推行经济紧缩计划,支持法郎坚挺,改革法国金融市场使之现代化。当社会党政府1986年下台后,他不再担任部长,1988年社会党人重新上台后,他又被任命为部长。1992年4月,密特朗任命贝雷戈瓦接替克勒松任总理。1993年3月,社会党人在大选中败北,贝雷戈瓦辞职。贝雷戈瓦的威望随其党威望下降而下降,人们把失业率猛增和经济萧条归咎于他的政策;他和其他社会党领导人亦被指责贪污。贝雷戈瓦下台几个星期后开枪自杀。

Berengar 贝伦加尔 国家统治者之名,按国别分列于后,并各以● 为标记。

与此相等之外语:

德语	Berengar
意大利语	Berengario

德意志/神圣罗马帝国

● **Berengar 贝伦加尔**(?～924-04-07) 意大利国王(888起,称贝伦加尔一世)、神圣罗马帝国皇帝(915起)。虔诚者路易一世的外孙。查理三世(胖子查理)垮台后,他于888年当选为意大利国王。即位初期,只领有意大利的东北部。898年成为整个王国的统治者。899年被入侵的马扎尔人打败。他两度击败入侵的普罗旺斯国王路易。915年被教皇约翰十世加冕为皇帝。922年反叛的贵族引入勃艮第国王鲁道夫二世。鲁道夫于次年两次打败贝伦加尔。贝氏后为属下谋杀。

意 大 利

● **Berengar I 贝伦加尔一世** 参阅 **Berengar** (Germany/Holy Roman Empire) 贝伦加尔(德意志/神圣罗马帝国)。

● **Berengar II 贝伦加尔二世**(约900～966) 意大利国王(950～952)。贝伦加尔一世之孙。他在日耳曼国王和神圣罗马帝国皇帝奥托一世的政治生活中起过重要作用。951年他一度俘获意大利国王遗孀阿德莱德,后她逃脱并与奥托结婚。奥托自立为伦巴第国王,使贝伦加尔成为封臣。960年开始,贝伦加尔进攻教皇约翰十二世。奥托应约翰之请进军罗马,962年加冕为皇帝。随后约翰因与贝伦加尔谈判而被奥托废黜,贝伦加尔也被送到德意志囚禁起来(963)。

Berengar of Tours 贝朗瑞(图尔的)(约999,图赖讷图尔?[今在法国]～1088-01-10,图尔附近圣科姆隐修院) 神学家。曾在沙特尔学习。1029年后回到图尔任司铎兼圣马丁学校校长。约于1040年在昂热任大助祭。贝朗瑞素有主见,言论不合时流;他反对变体论(这种理论认为圣餐礼上的饼和酒经过祝圣即变成耶稣基督的肉和血),他认为,饼和酒的转化无非是象征。教皇利奥九世于1050年判处他绝罚。其后他被法兰西国王亨利一世监禁,并在缺席情况下被认定有罪。最后被迫入隐修院。贝朗瑞以独特的见解运用辩证法研究神学。他认为中世纪前期神学家帕斯卡西乌斯的论点既违背圣经和早期教父的教导,而且不合理。因此,贝朗瑞可以算是宗教改革运动的先驱。

Berengario da Carpi, Jacopo　贝伦加里奥·达·卡尔皮(约1460,卡尔皮[意大利]～约1530,费拉拉)　意大利医师、解剖学家。最先描述了心脏瓣膜,也最早在医学著作中使用根据实物描绘的插图。1502～1527年在博洛尼亚任教授时以用含汞软膏治疗梅毒而闻名。

Berenguer (y Fusté), Dámaso, Count (conde) DE XAUEN　贝伦格尔(1873-08-04,古巴～1953-05-19,西班牙马德里)　即沙文伯爵。西班牙将军,第二共和国成立前曾任首相(1930-01～1931-02)。贝伦格尔1889年参加陆军,曾在古巴和摩洛哥服役。1909年晋升将军。1918年任陆军大臣,后任驻摩洛哥高级专员。当德里维拉的独裁统治结束时,阿方索十三世任命他为首相,希望他作好恢复宪政的准备。但共和派、社会主义派和加泰隆左派要求国王退位。贝伦格尔与各党派进行协商,没有成功。随后,在哈卡发生了小规模的军事叛乱。1931年2月14日贝伦格尔辞职,但仍任陆军大臣。1931年4月市政选举揭晓后,共和派接管政权,把贝伦格尔关入监狱。1946年他发表辩护书,为其执政时期的措施申辩。

Berenice　贝勒奈西　又拼Bernice,希腊语作Bereniche或Berenikhe。埃及托勒密王朝的公主和皇后名,按年代顺序分列于后,并各以●为标记。

● Berenice I　贝勒奈西一世(活动时期约公元前317～约前275)　埃及王后,托勒密一世的第3个妻子,阿尔西诺伊二世和托勒密二世的母亲。她随托勒密一世的第2个妻子欧里狄斯到达埃及。约公元前317年,托勒密一世和贝勒奈西一世结婚。她伪造家谱,成为国王的异母姐妹。公元前308年,贝勒奈西一世生育托勒密二世。公元前290年,托勒密一世封她为埃及王后。公元前285年,托勒密二世成为共同摄政和父王的继承人。托勒密二世的第2个妻子阿尔西诺伊二世也是贝勒奈西一世所生。

● Berenice II　贝勒奈西二世(约公元前269～前221)　昔兰尼(今利比亚)国王马格斯之女。约公元前245年与托勒密三世结婚,这一婚姻使她的国家和埃及再度统一。当托勒密三世准备去叙利亚为惨遭杀害的姐妹(安条克二世的遗孀)报仇时,她献出一缕

公元前3世纪钱币上的贝勒奈西二世像
美国不列颠百科全书公司供图

头发,以祈求神灵保佑他平安生还。据说这缕头发已经送往天国,成为后发星座,即"贝勒奈西之发"。托勒密三世死后,其子托勒密四世认为其母贝勒奈西二世同外祖父马格斯的一个阴谋有牵连,遂将她毒死。

● Berenice III　贝勒奈西三世(?～公元前80)　埃及王后,托勒密九世之女。王室中意志最坚强的成员,在激烈的内乱时期进行统治。公元前101年以前与叔父托勒密十世结婚。托勒密八世遗孀、皇太后克娄巴特拉三世在公元前101年去世后,贝勒奈西成为正式王后。公元前87年,托勒密十世被亚历山大的人民起义军逐出埃及。托勒密十世在叙利亚招募一支雇佣军。他回埃及后劫掠亚历山大大帝的陵墓以充军饷。亚历山大人民义愤填膺,再次把他驱逐出境。他携带贝勒奈西三世逃到小亚细亚的吕基亚。贝勒奈西三世在其夫被杀害后回到埃及,与托勒密十一世结婚。公元前80年托勒密十一世死后,她成为埃及唯一的统治者。托勒密十世之子托勒密·亚历山大在罗马独裁者苏拉帮助下返回埃及与她结婚。当托勒密·亚历山大见她不肯交出政权时,就定计将她杀害。亚历山大的人民十分愤怒,遂将埃及托勒密王朝最后的合法统治者杀死。

● Berenice IV　贝勒奈西四世(?～公元前55)　埃及托勒密十二世之长女,克娄巴特拉七世之妹,公元前58～前55年其父不在国内时的埃及统治者。其父回国后将她处死。托勒密在公元前58年由于担心民众造反,遂去罗马。不久王后逝世。贝勒奈西被立为女王。公元前57年,托勒密通过行贿和实施阴谋,说服罗马人支持他重返埃及。但亚历山大人民坚决反对他,派出一个代表团去罗马反驳托勒密对他们的指控,并斥责他的虐政。托勒密却收买了罗马驻叙利亚的总督A.加比尼乌斯,得到他的支持。这时亚历山大人为贝勒奈西找到一位王子阿基劳斯,把她嫁与这位王子。加比尼乌斯带领军队前去亚历山大,翌年使托勒密复位。托勒密立即处决了贝勒奈西及其支持者。

Berenice　贝勒奈西(?～约公元前246)　埃及托勒密二世(爱其姊者)和阿尔西诺伊一世之女。与塞琉西统治者安条克二世(神)结婚,将其第1个妻子莱奥迪西排挤掉,并说服其不让莱奥迪西的子女继承王位,而同意由自己的子女继承。但莱奥迪西劝诱安条克前往以弗所(在小亚细亚),他在那里于公元前246年去世,可能死于她的阴谋。这位前王后接着命令她的党羽杀死在叙利亚安条克附近的达夫尼避难的贝勒奈西及其子女。为这一谋杀所激怒,贝勒奈西的兄弟托勒密三世(施主)发动了反对莱奥迪西及其子塞琉古二世的战争(第3次叙利亚战争),并获胜。

Berenice　贝勒奈斯(约公元28～?)　罗马皇帝提图斯的情妇。希律·亚基帕一世的长女,初与哈尔基斯国王希律结婚。公元48年希律死,她与自己的兄弟亚基帕二世同居。65年对耶路撒冷的犹太人进行大屠杀时,她冒着生命危险替犹太人说情。罗马皇帝提图斯是在犹太人地区居住期间(公元60～70)爱上了貌美的贝勒奈斯的。耶路撒冷城陷后,她前往罗马(约75)与提图斯公开同居一段时间。因其外国出身,提图斯不敢与她成婚,并最终将她遣走。79年她回到罗马,但与提图斯的爱情未能死灰重燃。

Berenson, Bernard　贝伦森(1865-06-26,俄罗斯帝国立陶宛维尔纽斯～1959-10-06,意大利塞廷纳诺)　美国艺术评论家,专门研究意大利文艺复兴时期艺术作品。在波士顿长

美国不列颠百科全书公司供图

大,1887年毕业于哈佛大学。第一部著作《文艺复兴时期的威尼斯画家》(1894)以文笔简洁见称。精于鉴别,长于记忆,才智敏捷,学识丰富。曾为国际艺术品商人杜维恩的顾问。美国博物馆收藏的许多名画多是经他推荐购入的。虽加入美国籍,但大半生住在意大利。1952年出版日记《谣言和反应,1941～1944》。去世后其别墅和艺术收藏品都赠给哈佛大学,作为研究意大利文艺复兴文化中心。主要著作有《视觉艺术的美学与历史》(1948)、《佛罗伦萨画派的绘画》(1938)和《文艺复兴时期的意大利画家》(1952)。

Berenson, Senda　贝伦森(1868-03-19,俄国布特雷尔曼齐[今立陶宛维尔纽斯附近]～1954-02-16,美国加利福尼亚圣巴巴拉)　原名Senda Valvrojenski。美国教育家和女运动员。1875年随家人移居美国,在波士顿定居。幼年体弱常耽误上学。1890年进入波士顿体育师范学校,不久身体状况大有改善。两年后到史密斯学院当体育训练教员。1897年到斯德哥尔摩皇家中央体育学院进修高级击剑运动。1901年为史密斯学院引进曲棍球。但主要贡献是设计了女子篮球,1892年开始在

史密斯学院推行。她的女子篮球不强调控球和全场跑动，而提倡传球和跑位。球员可以运球3次，但持球时间不得超过3秒。这项运动很快在各女校展开。贝伦森在1899～1917年编写的篮球规则被定为正式版本。1905～1917年任女子篮球委员会主席。她的篮球规则作为比赛标准实行了70年。1911年离开史密斯学院，在一家私立女校任体育指导至1921年。

Berent, Wacław　贝兰特(1873-09-28，波兰华沙～1940-11-22，华沙)　波兰小说家，青年波兰运动成员。这一运动的主旨是强调在文学中表现感情和想象。第一部小说《行家》(1895)是他在苏黎世大学学习生物学期间以现实主义风格创作的，描写一个大学生离校后当了一名普通劳动者。嗣后，他在慕尼黑研究生物学，创作出最有名和颇具特色的作品《朽木》(1903)，讽刺19世纪后期柏林的艺术生活和精神生活。

Beresford, John　贝雷斯福德(1738-03-14，爱尔兰都柏林～1805-11-05，伦敦德里附近[今在北爱尔兰])　为维护爱尔兰新教土地贵族的政治垄断地位而奋斗的政治领袖，一

美国不列颠百科全书公司供图

度曾有"爱尔兰王"之称。曾任爱尔兰枢密官(1768起)和英国枢密官(1786起)。作为爱尔兰税务局科员(1770～1780)和局长(1780～1802)，他干练地管理和改革税收制度，但他却将政府职位给予许多亲戚和政治盟友。他参加起草W.皮特的《英爱商约》，该约因受到爱尔兰民族主义者的反对而失败。1795年被英国新任爱尔兰总督菲茨威廉撤职。1800年参与按照《英爱合并法案》而规划英爱财政关系的工作。

Beresford, William Carr Beresford, Viscount　贝雷斯福德子爵(1768-10-02～1854-01-08，英国肯特贝奇伯里)　英国将军和葡萄牙元帅。在1808～1814年的伊比利亚半岛战争中表现突出。蒂龙第2代伯爵的私生子。1785年参加英军。任准将时，曾率领部队袭击西班牙的殖民城市布宜诺斯艾利斯。他一举攻占该城，但后来被迫投降，被关押6个月。脱狱逃回后，任当时由英国占领的马德拉群岛的总督。1809年阿瑟·韦尔斯利将军(后来的威灵顿公爵)命他重新组织葡萄牙陆军，升为元帅。1811年5月16日率英军在西班牙巴达霍斯附近的拉阿尔武埃拉打败法国元帅

美国不列颠百科全书公司供图

N.-J. de D.苏尔特，但因损失1/4的兵力而在国内遭到激烈批评。1812年7月在萨拉曼卡作战时受伤。他为葡萄牙服役到1819年，后封为葡萄牙的公爵。威灵顿初次任首相时，他任军械总监(1828～1830)。

Beresteczko, Battle of　别列斯捷奇科战役(1651-06-28～30)　波兰国王J.卡齐米尔(1648～1668年在位)大胜哥萨克叛军首领B.赫梅利尼茨基的一次战役。1648年赫梅利尼茨基号召居住在第聂伯河两岸的哥萨克人起来反对他们的波兰统治者。哥萨克人节节胜利，迫使波兰国王签署《兹博罗夫和约》(1649)。和约虽然给予"在册"哥萨克人(即特权阶级)很大的自治权，但未能满足"不在册"哥萨克人的要求。不到18个月，战火复燃。哥萨克人于1651年春臣附土耳其苏丹。苏丹派克里米亚鞑靼可汗前去支援。6月，哥萨克人在鞑靼部队的支援下进攻波兰，在斯特尔河畔的别列斯捷奇科展开战斗。但在交战中，鞑靼可汗率军撤出战场。波兰军队转败为胜，击溃了哥萨克人。1651年9月28日在比亚瓦谢尔基耶夫签订新约，把"在册"哥萨克人从4万人减少到2万人。然而无论哥萨克人或波兰议会均未批准此条约。1654年1月，哥萨克人转而臣属俄国沙皇。

Beretta SpA　贝雷塔公司　全称Fabbrica D'Armi Pietro Beretta SpA。生产基地在意大利，制造体育运动用、军用和个人防身用枪支的厂商，是世界上历史最悠久的工业企业之一。在法国、希腊和美国它都有附属公司。贝雷塔公司的总部位于意大利米兰市附近的加尔多内-瓦尔特龙皮亚。该公司的创始人贝雷塔早在1526年就是威尼斯共和国著名的造枪管能手。其子焦万尼诺继承父业，随后数世纪，这种家族的生意不间断地父子相传，后来也传给侄子。彼得罗·贝雷塔(1791～1853)为拿破仑的远征军提供过枪管，到1815年和平后决定转而生产完整的武器，并增加品种，生产猎枪。另一位彼得罗·贝雷塔(1870～1957)采用了现代的生产技术，使该公司的厂房扩大了3倍以上。到20世纪后期，该公司由贝雷塔家族的第12和第13代领导。该公司在世界范围内生产和销售猎枪、竞赛用枪、执法人员和军人用枪，产品包括猎枪和高级体育运动枪、步枪、手枪、军用武器、刀，以及瞄准具、观察仪器和双管望远镜等辅助用品。

Berezina River　别列津纳河　在白俄罗斯境内。源出明斯克高地，向东南偏南蜿蜒流经沼泽和森林茂密的盆地，在列奇察附近注入第聂伯河。全长613千米，流域面积2.45

别列津纳河
美国不列颠百科全书公司供图

万平方千米。通航小船。1812年拿破仑从莫斯科撤退时，河上曾发生激战。

Berezniki　别列兹尼基　俄罗斯西-中部彼尔姆州城市。在卡马河左岸卡马水库上端。当地有丰富的盐矿和钾矿，使该市发展为俄罗斯最大的化工中心之一。生产氮肥、钾碱、硝酸和硫酸、苏打、氯、钛棉和农药。1932年建市。人口约200 700(1991)。

Berg　贝格　前神圣罗马帝国的公国，在莱茵河右岸，今德国杜塞尔多夫和科隆两行政区内。11世纪贝格诸伯爵占有科隆以东的威斯特伐利亚领地。1161年以后由贝格年长的一支和阿尔特纳(后为马克)年幼的一支瓜分，后者于1368年获克莱沃伯爵封号。贝格一支于1225年绝嗣。1288年阿道夫伯爵五世将杜塞尔多夫(后为贝格的首都)发展成为港口。1348年，于利希家族的格哈德六世(死于1360)与贝格的嗣女结婚。1380年，其子威廉被封公爵。1423年，阿道夫公爵又继承于利希，从此两公国联成一体。1511年男系绝嗣，领地转归克莱沃公爵约翰三世。17～18世纪贝格为主要的制铁业、纺织业中心。1806年拿破仑使该地成为莱茵联盟的大公国，并封其姻兄弟J.缪拉为大公。1814～1815年维也纳会议决定贝格为普鲁士莱茵省的一部分。

Berg, Alban　贝尔格(1885-02-09，维也纳～1935-12-24，维也纳)　奥地利无调性风格作曲家。作有管弦乐(包括《管弦乐歌曲5首》，1912)、室内乐、歌曲和两部轰动一时的歌剧《沃伊采克》(1925)和《卢卢》(1937)。除了少数几次到国外的短期音乐之旅和一年一度在奥地利阿尔卑斯山区的夏季休假外，贝尔格的一生都在他出生的城市度过。起初这位有浪漫主义倾向的青年曾有志于文学生涯。但是，像在大多数维也纳中产阶级家庭中一样，为了与整个城市的音乐气氛协调，他家里经常有人演奏音乐。在父亲和兄长的鼓励下，贝尔格未经正规教育即开始作曲，写了100余首歌曲和钢琴二重奏，大多未出版。

1904年9月贝尔格与勋伯格相识，此事

对他的一生有着至关重大的影响。父亲去世后他无力负担作曲课的费用，但勋伯格很快就看出他的才华，免费收他为学生。勋伯格在音乐上和为人处世上的言传身教在其后的6年中塑造了贝尔格的艺术个性。1907年秋，在勋伯格的学生圈子里他第一次公开演出了《钢琴奏鸣曲》(作品第1号，1908)。接着又是《歌曲4首》(作品第2号，1909)和《弦乐四重奏》(作品第3号，1910)，二者各自受到这位青年作曲家的音乐上帝马勒和瓦格纳的强烈影响。贝尔格的创作活动的一个特点是，他的乐思大多是心血来潮的结果，但最后定形却要殚精竭虑，犹豫再三。这种字斟句酌、精益求精的作曲态度正是他作品量较少的原因。结束随勋伯格学艺后的第一部作品是1912年的《管弦乐歌曲5首》(作品第4号)。这部作品的灵感来自维也纳怪僻诗人P.阿尔滕贝格给朋友和给敌人的明信片上的词句。当其中两首于1913年3月在文学与音乐学术协会的一场音乐会上演出时，几乎引起骚乱。

美国不列颠百科全书公司供图

贝尔格第一部戏剧音乐缘起于一次难忘的戏剧感受：G.毕希纳的《沃伊采克》的演出；该剧叙述一贫穷工人杀死其不贞的妻子后自尽，而他们的孩子不理解这一悲剧仍在一旁玩耍的故事。这一题材使贝尔格深深着迷，但歌剧的写作因第一次世界大战而推迟。当他真正着手作曲时，他面临一个艰巨的任务，要求将25场压缩为3幕。虽然他得以在1917年写成了台本，但音乐却是直至战争结束后才动笔的。歌剧于1921年完成，题献给马勒的遗孀阿尔玛·马勒(马勒是贝尔格年轻时代主宰着维也纳音乐生活的一位作曲家和指挥家)。《沃伊采克》可能是无调性乐汇的戏剧作品演出最频繁的一部，这是贝尔格第一次试图在歌剧的框架内处理社会问题。从他所作的大量陈述中可以明显地看到，他希望这部歌剧刻画的远不只是主人公的悲惨命运。事实上他是要使它成为人类生存的象征。虽然它的创作早于勋伯格的早期12音作品，其中有一个主题采用了半音音阶的12个音。经过137次排练后，《沃伊采克》于1925年12月在柏林国家歌剧院首次上演，指挥是克莱伯。评论界的反应五花八门。《沃伊采克》一完成，贝尔格(这时他也已成为一位出色的作曲教师)便将注意力转向室内乐。1925年为庆祝勋伯格50诞辰创作由小提琴、钢琴和13件管乐器演奏的《室内协奏曲》(作品第8号)。接着他又从德国剧作家魏德金德的两部戏剧中选取素材而创作歌剧《卢卢》。这部作品花了他7年时间(其间有一些小的间断)，他去世时第三幕的配器尚未完成，后由奥地利作曲家策尔哈续完，1979年在巴黎首演。此剧完全用12音体系写成，具有深奥的象征意义，音乐上错综复杂，所用语汇具有强烈的表现主义色彩。

1933年纳粹执掌德国政权后，贝尔格丧失了大部分经济来源。虽然他和他的朋友兼同事韦伯恩不像他们的老师那样是犹太血统，但是他们却同勋伯格一起被划为"颓废艺术"的代表人物，越来越被排斥在德国的演出曲目之外。贝尔格的作品在奥地利反应平平，使他感到非常痛苦；在国外他越来越被认为是具有代表性的奥地利作曲家，他的作品在一些第一流的音乐节上演出。贝尔格的最后一首作品《小提琴协奏曲》产生于不寻常的机缘。1935年美国小提琴家克拉斯纳委托贝尔格为他创作一首小提琴协奏曲，起初贝尔格迟迟没有动笔。但是在阿尔玛·马勒的18岁的女儿曼侬去世后，他决定把它写成一首类似安魂曲的作品，献给"一位天使的纪念"。找到灵感后，贝尔格开始以狂热的情绪工作，不到六个星期便大功告成。当这首作品最后于1936年4月由克拉斯纳在巴塞罗那演出时，它不仅是对曼侬，而且也是对贝尔格的安魂曲了。1935年11月中旬贝尔格回到维也纳时已是重病在身。虽然他仍一心想完成歌剧《卢卢》，但败血症使他不得不住院治疗，在起初的虚假好转之后，遽然去世。

贝尔格一表人才，气度不凡，生性矜持却慷慨大方。他是一位出色的作曲教师，对学生循循善诱，鼓励他们创作自己的重大作品。他生前获得的荣誉不多，但去世后不多几年便被公认为是一位背弃传统、掌握了一种激进技巧的作曲家，和勋伯格与韦伯恩一起，创造出20世纪的维也纳音乐学派。

Berg, Gertrude 伯格(1899-10-03，美国纽约州纽约～1966-09-14，纽约)　婚前名Gertrude Edelstein。美国演员、制片人和编剧。曾在哥伦比亚大学学剧本创作。1918年12月结识并嫁给L.伯格。她自编自演的家庭琐事和奇事的系列情景喜剧《戈德贝格一家》1929年11月20日在全国广播公司首播，后在许多广播、电视、舞台和电影上连续演出，1929～1953年间受到几百万观众的欢迎。她后来出版了一本书，名为《戈德贝格一家的兴起》。1935年创作了第二部系列剧《玻璃之家》，后又写了电影剧本《许愿》(1937)，自编自演百老汇舞台剧《我和莫莉》(1948)。1949～1951年和1952～1953年间《戈德贝格一家》在电视上常演不衰，1950年获艾美奖。其后多年她只在夏季轮演剧场演出。1959年在百老汇演出广受好评的《天涯知己》，获托尼奖。

Berg, Lev Simonovich 贝尔格(1876-03-14，俄罗斯比萨拉比亚宾杰里[今在摩尔多瓦]～1950-12-24，列宁格勒[圣彼得堡])　地理学家和动物学家，对淡水(特别是湖沼)的物理、化学和生物环境做了系统研究，为俄国的湖沼学奠定了基础。对鱼类学也做了重要研究，对俄国鱼类的古生物学、解剖学和胚胎学提供了许多有用的资料。有更广泛意义的是他发现了鱼类生殖的周期性和气候变化对迁徙种的影响。在发现八月鳗和鲑之间的共生关系方面也有贡献。他把鱼类学的研究扩大到动物地理学，这是研究动物分布的学科。根据动物地理学的分析资料，重建了相当精确的主要冰期的年表。又应用这类古气候学的资料来研究各种沉积岩的成因和土壤的形成，这证明现代地理学与历史地质学结合，便能收到成效。

Berg, Patty 伯格(1918-02-13，美国明尼苏达明尼阿波利斯～　　)　在美国80多场高尔夫球比赛中获胜的运动员，1950年女子职业高尔夫球运动员协会第一届主席。出身于高尔夫球运动员家庭，最初为速滑运动员，曾获1933年美国女子速滑锦标赛亚军。15岁时因受伤改打高尔夫球。在取得40多场业余比赛胜利后，1940年转为职业运动员。在女子职业高尔夫球运动员协会所主办的历次重大比赛中均获胜，例如，1946年美国女子高尔夫球公开赛中以及1953～1955和1957年世界锦标赛中均获冠军。1954～1955和1957年3次成为协会中获奖金最多的运动员。对于女子高尔夫球运动的普及贡献甚大。伯格被美联社提名为1900～1977年15名最佳女运动员之一。同M.考克斯合著《高尔夫球运动图解》(1950，又作《女子高尔夫球运动》。

Berg, Paul 伯格(1926-06-30，美国纽约州纽约～　　)　美国生物化学家，因其研究出DNA重组体技术而与F.桑格、W.吉尔伯特共获1980年诺贝尔化学奖。1948年毕业于宾夕法尼亚州立学院，1952年获西部保留地大学哲学博士学位。曾在哥本哈根细胞生理学研究所进修，后在华盛顿大学任微生物学助理教授。1959年在斯坦福大学医学院任副教授，1969～1974年任生物化学系主任，1970年成为威尔逊席位教授。他在研究分离基因的过程中，设计了多种方法，以在选定位点分裂DNA分子并使该分子的片段连接到病毒DNA或质体上，然后使该DNA或质体进入细菌或动物细胞。外来DNA被结合到宿主细胞中去，并使宿主合成正常情况下不能合成的蛋白质。最早的重组技术实例之一便是育成含有哺乳动物激素胰岛素编码基因的菌株。

Bergama 贝尔加马 土耳其西部伊兹密尔省城市，位于伊兹密尔（士麦那）城以北80千米处。为古城帕加马（**Pergamum**）的遗址所在地，拥有大量废墟。现在的城市即建在罗马城遗址上面，东北方贝尔加马河对岸则有古希腊城及其卫城的遗址，位于一座高岗上，山坡有梯田。西部郊区也有古希腊城遗址。城内考古博物馆收藏有本地区大量人工制品，包括从旧石器时代到拜占廷时期。本城有棉纺织及皮革工业，附近地区有棉花、烟草及葡萄种植。人口42 554（1990）。

Bergama carpet 贝尔加马地毯 土耳其西部贝尔加马附近各村或该国内地运至该地出售的手织铺地用品。大多系19和20世纪产品，但也有自17世纪保存下来为数极少的产品。图案鲜明，式样繁多，一般为红、蓝

19世纪的贝尔加马地毯
美国不列颠百科全书公司供图

和白色。有的为成排的格子或中心奎心，保留了数世纪前的式样。例如中心大菱形图案就是来自17世纪奥斯曼宫廷祈祷毯的花环图案。贝尔加马地毯接近正方形，少数祈祷毯特别小。酸性染红方法有时使毯面犹如浮雕。

bergamasca 贝加马斯卡 又拼bergomask。刚健有力的16世纪舞蹈。因描绘盛传的意大利北部贝加莫居民的笨拙举止而得名。舞蹈表现男女求爱。男女舞蹈者相对围成两圈，男子向前旋转，女子向后旋转，直至乐曲改变；然后男女舞伴互相拥抱，略为旋转几步，如此周而复始。莎士比亚《仲夏夜之梦》一剧中，乡民所跳的即为此舞。此种舞蹈从未进入宫廷。

Bergamo 贝加莫 意大利北部城市，伦巴第区贝加莫省省会。位于米兰东北面布伦博河与塞里奥河之间的阿尔卑斯山山麓。原为奥洛比部落的中心。公元前196年成为古罗马城镇。后为伦巴第一个公国的中心。1428年归属威尼斯。1797年由法国统治。1815年成为奥地利领土。1859年归属意大利王国。现分为上、下两城区，由缆索铁路连接。古老的上城区有罗马式大教堂（1483和1639年重建）和科尔莱奥尼小教堂（1470～1476）等著名古迹。14世纪罗卡城堡内设有古罗马和意大利复兴运动博物馆、地质和自然历

贝加莫市的科尔莱奥尼小教堂
美国不列颠百科全书公司供图

史博物馆。作曲家G.唐尼采蒂的诞生地现辟为纪念馆。现代的下城区，自19世纪起即为社区中心，在卡拉拉学院内收集有许多绘画珍品。为工业中心，有纺织、机械、水泥、电器等工业。人口：城市区约117 584（1990）。

bergamot 香柠檬 唇形科几种多年生植物的统称。原产北美。其叶可用作香料和草药。美国产的大红香蜂草（*Monarda didyma*）被美洲印第安人奥斯威戈族用来泡茶。美洲移民在抵制英国茶叶时也开始饮用这种茶。其叶又用作果汁饮料、柠檬水和其他饮料的调味品。香柠檬橘（*Citrus bergamia*）主要产于意大利南部的卡拉布里亚省，果实呈梨状，以其香与味受到重视。从其果皮上提取的香精油用于香料工业。香柠檬梨是一种从罗马时代即在不列颠普遍种植的冬梨，果实硕大呈圆形，皮色黄绿杂有赤褐色斑点。

Berganza, Teresa 贝尔甘萨（1935-03-16，西班牙马德里～　　）西班牙次女高音歌唱家，以演唱罗西尼和莫扎特歌剧中的花腔角色及在音乐会中的歌唱而闻名。曾在马德里音乐学院学习。1955年作为独唱家在马德里首次演出，然后巡回演出于西班牙、葡萄牙、法国、意大利、奥地利和德国。1957年在法国普罗旺斯地区艾克斯音乐节首次登上歌剧舞台，饰演莫扎特《女人心》中的多拉贝拉。翌年在米兰拉斯卡拉歌剧院演唱罗西尼的《奥理伯爵》。1960年在伦敦科文特加登剧院首次演唱罗西尼《塞维利亚的理发师》中的罗西娜。1967年在纽约首次登上大都会歌剧院的舞台，演唱《费加罗的婚礼》。贝尔甘萨曾在全世界许多歌剧院演唱，并举行许多巡回音乐会，由其丈夫、钢琴家兼作曲家F.拉维利亚伴奏。

Bergbom, Kaarlo 伯格波姆（1843-10-02，俄罗斯维堡～1906-01-17，芬兰赫尔辛基） 第一座固定性的芬兰语剧院芬兰国立剧院的创立者和导演，一部浪漫悲剧的作者。曾指导基维的独幕圣经剧《牧场》（1869）的演出，这标志着用芬兰语演出的职业戏剧的诞生。1872年创立芬兰国立剧院并率团进行巡回演出，此后在其姊妹埃米莉协助下，终生经营此剧院。第一年，剧院上演36部戏剧，其中芬兰作家的剧作只有13部，皆独幕剧。经过20个季度，这个比率被颠倒过来，2/3的剧作为芬兰人所写，其中六部是首次用芬兰语创作的大型剧。他还上演译成芬兰语的经典剧作和外国剧作，其中有第一批用芬兰语演出的《罗密欧与朱丽叶》（1881）和《浮士德》（1885）等。1902年在赫尔辛基建立了一座永久性建筑，作为他领导的剧团的驻地。重要的芬兰语剧作家康特对该剧院有所赞助，其有关妇女解放的剧作即由该剧团首演。

Bergdama 伯格达马人 又称达马拉人。游牧的尼格罗民族。住在纳米比亚的中部山区，人口约3万。操带有吸气音的科伊科伊（霍屯督）语，但在种族分类上，更像中非和西非人。许多伯格达马人在17和18世纪初次遇见欧洲人时为科伊科伊人和赫雷罗人的奴隶，他们有打铁和制陶的手艺，为主人制作铁器和装饰品，并为主人养牛。伯格达马人以野生植物为生，有些群体也饲养山羊。由一些流动性家庭组成的家族分布于各地，家庭内包括几个关系密切的亲属。过去信奉一个集雨神与农神为一体的最高神明，现在很多人已改信基督教。

Bergen（Belgium） **贝亨** 参阅**Mons**蒙斯。

Bergen 卑尔根 挪威西南部霍达兰郡首府和港口城市。其主要港口和商业区位于伸入比峡湾的一个半岛上，北濒（小船出入的）沃根港湾，南临（大船来往的）普代湾和大伦盖加德斯湖。原名比约干温，为奥拉夫三世1070年所建。约于1100年沃根港北岸建造了一座城堡，卑尔根遂成为重要的商业和政治重镇。12～13世纪时曾是挪威的首都。12世纪建立一个主教辖区。卑尔根为贸易中心长达数百年，出口鱼和毛皮，进口谷物及工业品。14世纪德国汉萨商人控制了该城的贸易，其势力在衰弱的挪威一直持续到18世纪。尽管多次遭到大火（尤其是1702年和1916年）的破坏，卑尔根现仍为挪威西海岸最重要港口。为对付火灾，建造了砖石结构的房舍并拓宽了街道。现代的卑尔根发展了多样化经济，主要有渔业、造船及相关产业（维修和设备）、机械、金属制品和食品加工业。现为挪威第二大城市。著名建筑有该市最古老的12世纪所建的圣马利亚教堂，包括哈康宫（建于13世纪）在内的卑尔根胡斯城堡以及罗森布兰茨塔。后两大建筑于德国占领期间（1940～1945）遭受严重破坏。设有一所大学（1948）和挪威经济和商业管理学院（1936）。西挪威实用美术博物馆（1887）收藏丰富。卑尔根是作曲家E.格里格、小提琴家O.布尔、风景画家J.C.达尔和戏剧家L.霍尔堡的诞生地。

卑尔根市的港口
美国不列颠百科全书公司供图

人口209 375(2002)。

Bergen, Edgar　伯根(1903-02-16,美国伊利诺伊芝加哥～1978-09-30,内华达拉斯韦加斯)　美国著名口技表演者及广播喜剧演员。他在歌舞杂耍、广播、电影等方面的经历长达近60年。伯根是其口技表演中的傀儡查利·麦卡锡的配角,并以此而十分闻名。《埃德加·伯根-查利·麦卡锡表演》是美国无线电广播网的一个固定节目(1937～1957)。伯根塑造的其他人物,如:莫尔提末·斯纳德及埃菲·克林克,成为长期受欢迎的节目中的角色,是广播中最为流行的(1937～1940,1942～1943),并列入1937～1952年这一时期的七个最佳节目之中。他11岁入芝加哥公立学校读书,即显示出能言善辩、巧作戏谑的才能,遂对口技感兴趣。他在中学时雕刻出傀儡查利·麦卡锡的头部,他就读于西北大学时已可靠口技和魔术表演维持生活。曾在美国和欧洲的夜总会作口技表演。第二次世界大战期间,他带着傀儡查利巡游阿留申群岛、阿拉斯加及格陵兰等地,慰问美国军事人员,并在许多特别的广播节目中出现。

Bergen-Belsen　贝尔根-贝尔森　又称贝尔森。纳粹德国集中营,在距汉诺威州采勒(当时属普鲁士)西北16千米处的贝尔根和贝尔森两村附近。1943年7月建立,部分为战俘营,部分为犹太人转运营。设计容量为1万人,但在第二次世界大战结束时,关押达4.1万人。这个集中营虽然没有毒气室,但死于饥饿、疾病、过度劳累以及肮脏的生活环境者达3.7万人之多。纳粹用推土机将尸体推入万人坑掩埋。安娜·弗兰克于1945年3月死在贝尔根-贝尔森集中营内,她的战时日记后来轰动了全世界。1945年4月15日英军占领贝尔根-贝尔森,党卫军司令"贝尔森野兽"克拉默(**Kramer, Josef**)被英国军事法庭判处绞刑。

Bergen op Zoom　贝亨奥普佐姆　荷兰西南部北布拉班特省城市。濒临佐姆河,位于其运河与东斯海尔德水道交汇处附近。15世纪开始成为贸易中心。1747和1795年贝亨奥普佐姆被法军占领,第二次占领直至1814年拿破仑倒台。有中世纪城垣遗迹。拉费林堡垒保存着1740年的护墙残迹。历史性建筑有中世纪的市政厅、14世纪的圣格特鲁德大教堂和侯爵府(1485～1520)。经济活动有捕鱼、养殖牡蛎和种植芦笋。贝亨奥普佐姆的工业种类繁多,有冶金、机械厂,糖果厂,饼干厂和全欧最大的酒厂之一。人口约46 842(1989)。

Berger, Victor (Louis)　伯格尔(1860-02-28,奥匈帝国下雷巴赫～1929-08-07,美国威斯康星密尔沃基)　美国社会党创建人。1878年移居美国。曾在密尔沃基公立学校教书。1892年起先后任《前进报》(德文)和《社会民主先驱报》主编。他与E.V.德布兹共同创建社会民主党(1901年改称社会党)。1910年,他当选为美国众议员。在第一次世界大战期间,他因与其他社会党人一起竭力反对美国参战,触犯《间谍法案》,判处徒刑20年。1918和1919年两度被选入国会,但均被拒绝接纳为议员。他上诉最高法院,1921年得到平反。1922年再次当选为美国众议员。1927年继德布兹任社会党执行委员会主席,直到去世。

Bergerac　贝尔热拉克　法国西南部阿基坦大区多尔多涅省城镇。位于波尔多东面,临多尔多涅河。1152～1450年断断续续被英国人占领。16、17世纪为法国基督教新教中心。1577年在此签订《贝尔热拉克条约》以结束宗教战争,未果。名胜有19世纪的圣母教堂、旧王宫、市政厅内的烟草博物馆以及改革派教士的隐修院地下室等。该镇为周围农村地区提供服务。为当地农产品出口的批发中心。工业十分有限,仅有造纸业和塑料工业。人口26 053(1999)。

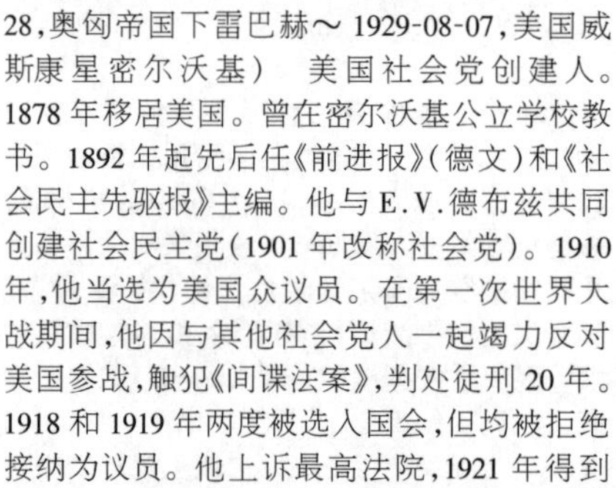

贝尔热拉克的圣母教堂
美国不列颠百科全书公司供图

Bergerac, Savinien Cyrano de　贝尔热拉克
参阅 **Cyrano de Bergerac, Savinien** 西哈诺·德·贝尔热拉克。

Bergeron, Tor Harold Percival　伯杰龙
(1891-08-15,英国伦敦附近的戈德斯通～1977-06-13,瑞典斯德哥尔摩)　瑞典气象学家,以其云物理学方面的研究而著名。曾在斯德哥尔摩和奥斯陆的大学中受教育,1928年获奥斯陆大学博士学位。1935～1945年在斯德哥尔摩大学任教,1946～1960年在瑞典乌普萨拉大学任教。1918～1921年是气象学先驱V.皮叶克尼斯的学生和合作者,并积极参与天气预报新方法的研究。以对气团的分析和冷、暖锋形成的研究成名,并首先考虑到高层大气现象以及它们对气候的影响。他的关于降水成因的理论有助于对云物理学的进一步探索。有大量著作,包括:关于锋、云中的冰核,天气预报的问题和方法,冰盖的形成,以及地球淡水供应远景等方面的内容。

Bergey, David Hendricks　伯杰(1860-12-27,美国宾夕法尼亚斯基珀克～1937-09-05,费城)　美国细菌学家。《伯杰氏细菌学鉴定手册》最早的作者,该书是一本价值很高的分类学参考书。伯杰曾于宾夕法尼亚蒙哥马利县的学校中任教,随后到宾夕法尼亚大学学习。1884年获理学士及医学博士学位。并开业行医至1893年。当年到宾夕法尼亚大学任职,1894年被任命为卫生实验室T.A.斯科特席位研究员。1916年获公共卫生博士学位,在大学及大学的研究生院任卫生学及细菌学教授。1929年任实验室主任,并在其他大学兼职至1932年退休。他担任国立医药公司(位于费城)的生物学研究负责人直至1937年去世。伯杰的著作包括《实用卫生学手册》(1899)及《卫生学原理》(1901)。他的研究涉及不同的问题,如结核、食品保存、吞噬现象(细胞吞入颗粒的现象)、过敏反应(机体对异物产生的反应)以及裂殖菌的系统分类等。

Berghem, Claes Pietersz(oon) (Dutch painter)　参阅 **Berchem, Nicolaes Pietersz(oon)** 贝尔赫姆。

Bergisch Gladbach　贝吉施-格拉德巴赫
德国西部北莱茵-威斯特伐利亚州城市。在科隆的东北偏东。1856年设市。保存有12世纪罗马式教堂等古建筑。工业以造纸为主,也生产机械和电器。该市为贝吉施的旅游基地。人口约106 053(2003)。

Bergisches Land　贝吉施　德国西部北莱茵-威斯特伐利亚州地区。沿莱茵河东岸伸延,在锡格河(科隆以南)和鲁尔河(靠近杜伊斯堡)之间,向东并入绍尔厄兰丘陵区。地形为起伏平缓的高原。少农业,多工业。工业主要依赖北面的鲁尔煤田。

Bergius, Friedrich 伯吉尤斯（1884-10-11，德国布雷斯劳附近的戈尔德施米登～1949-03-30，布宜诺斯艾利斯） 德国化学家。成功地把煤屑和氢直接转化为汽油和润滑油，而不须分离中间产物。由于他对上述过程的加氢方法的研究，与本国的C.博施共获1931年诺贝尔化学奖。伯吉尤斯曾在布雷斯劳大学、莱比锡大学、柏林大学、卡尔斯鲁厄和汉诺威的技术学校学习。他的研究成果发表在《高压在化学作用中的应用》（1913）中。这些研究使他完成了把煤转化为液态烃的工作。伯吉尤斯还对木材转化为糖、糖转化为其他食品作过研究。这项研究有助于德国在第二次世界大战期间的食品供应。

Bergman, Bo Hjalmar 贝里曼（1869-10-06，斯德哥尔摩～1967-11-17，斯德哥尔摩） 瑞典抒情诗人。他早年悲观宿命的人生观后来在当时政治社会险境的压力下一转而成为战斗的人道主义。其质朴明晰的风格对20世纪瑞典的诗歌颇有影响。开始写作时为邮局职员，1933年退休。第一部诗作《傀儡》（1903）情调抑郁、消沉，但以后的作品日益强烈地抨击欧洲政治形势的发展，尤其是最后3部诗作《尽管这一切》（1931）、《老旧诸神》（1939）及《王国》（1944）。他的散文作品，包括5本短篇小说集、5部长篇小说、5篇专论，以及一些自传片断。

Bergman, Hjalmar Fredrik Elgérus 贝里曼（1883-11-19，瑞典厄勒布鲁～1931-01-01，柏林） 瑞典戏剧家、小说家。以善于刻画复杂心理状态闻名。出身于富有的银行家家庭。

美国不列颠百科全书公司供图

1900～1901年在乌普萨拉大学读书，1901～1908年在意大利和欧洲其他国家旅行。他神经脆弱，双目有失明的危险，幸有妻子斯蒂娜多方照顾。一生大部分时间在瑞典和欧洲其他各地过着不安定和与世隔绝的生活。第一部戏剧《马利亚，耶稣的母亲》（1905），汲取19世纪90年代的文学思想，但对基督和圣母马利亚的心理描写颇为新颖。其他早年剧作均受易卜生的影响。他对戏剧创新的贡献是《木偶剧》（1917），但表现出和他后期的小说同样的悲观思想。他的第一部受欢迎的小说《男爵大人的遗嘱》（1910），用丰富的喜剧场面刻画性情古怪的罗吉尔男爵和他的男仆维克贝格。在幽默的外表下面，有着悲剧的意味，这也是他后期作品的一个特点。他的短篇小说集《恋人》（1910），大部分以意大利为背景，表现出他对非理性是人类行为的决定因素之一的认识。他写了一系列长篇和中篇小说，其中有《一个死者的回忆录》（1918）等。初期著作只受到少数人的赏识，直到《瓦德雪平的马库雷尔一家》（1919）出版，才获得广泛读者。这部小说用讽刺笔调写成，但洋溢着悲剧意味。其后又发表了一些成功的小说，有《棍子和您的杖》（1921）、《商行老板》（1924）和《小丑约克》（1930）。他写的喜剧至今为人所称道。贝里曼对常人的弱点极为敏感，但能用一种幽默情趣和怜悯之心对它们表示谅解。

Bergman, (Ernst) Ingmar 伯格曼（1918-07-14，瑞典乌普萨拉～2007-07-30，法罗） 又译贝里曼。瑞典电影剧作家、导演，以影片《第七封印》（1956）、《野草莓》（1957），三部

美国不列颠百科全书公司供图

曲《犹在镜中》（1961）、《冬日之光》（1961）、《沉默》（1963），以及《呼喊与细语》（1972）而闻名于世。他的影片具有丰富多彩的摄影和片断的叙事风格，对人的孤独、脆弱和痛苦所作的悲观描写更为动人。

生平 伯格曼是一位路德派牧师之子。童年背景对他的思想和道德见解的形成具有重要影响。甚至当他影片中人物的苦难并不明显带有宗教性质时，这些人物也总是像出身严格宗教家庭的人那样寻求道德的判断标准，以善与恶、对与错来严厉审视行为和动机。童年时代对他的另一重要影响是他接触到的宗教艺术，特别是瑞典乡村教堂里那些描写圣经故事和寓言的原始绘画，使他对用视觉形象表现思想、特别是魔鬼所体现的恶的思想具有强烈的兴趣。伯格曼在斯德哥尔摩大学学习艺术、历史和文学时便醉心于戏剧，积极从事戏剧活动。后遂成为迈斯特·乌洛夫斯加登剧院和萨加斯剧院的见习导演，在萨加斯剧院上演了瑞典剧作家斯特林堡打破常规和情节悲惨的《鬼魂奏鸣曲》。1944年他任海尔辛堡市立剧院导演，从此开始以导演作为职业。同年，结识了斯文斯克电影公司的主管迪姆林，受他委托编写了电影剧本《折磨》（1944），由当时瑞典主要电影导演舍贝里执导，在国内外获得巨大成功。主要由于这一成功，伯格曼于1945年才得以编导他自己的影片《危机》，从此正式步入影坛。此后五年中伯格曼编写或执导或自编自导的影片大多带有自传性质。1948年底，他执导了根据他自己的剧本拍摄的影片《监狱》（1949）。这部影片重新概括了他以前影片的全部主题。可以说，他想象中的世界明显地分为善与恶两个世界，而后者总是给前者投上阴影。1952年他又拍摄了两部影片：《等待中的女人》和《和莫尼卡在一起的夏天》，标志着他的创作走向成熟。他同时被任命为马尔默市立剧院导演，担任这一职务直至1959年。这一新的阶段，给他的作品带来两个显著的新特点。在主题方面，已结婚的伯格曼一再回到婚姻问题上来。他从许多不同的角度来仔细观察这个问题，研究两人生活在一起所走过的道路，他们相互忠实或不忠实的动机，以及他们对孩子出世的反应。这一时期，伯格曼开始在自己周围建立起一个固定的演员班子，通过经常的合作达到配合默契并形成风格。1955年，伯格曼的《夏夜的微笑》首次在国际上获得巨大成功。此后数年，他的新片相继问世，其中包括两部杰作：《第七封印》（1956），一部中世纪道德剧；《野草莓》（1957），描写迟暮之年的沉思，同时他早期的作品也全部上映，在国际影坛上形成了一股伯格曼热。伯格曼被公认为电影界最重要的人物之一。他继续以不减的精力拍摄影片和导演戏剧；他的电影三部曲《犹在镜中》、《冬日之光》和《沉默》，探索清醒与疯狂之间、互相往来与离群索居之间的界限，被许多人认为是他最高的成就。在此前后，他在荒凉的福勒岛上购置了一座乡村宅第，以这个小岛为背景拍摄了一系列影片，其中包括《假面》（1966）、《狼的时刻》（1968）、《耻辱》（1968）和《热情》（1969）。1971年，他拍摄了他的第一部英语片《接触》，重又以城市为背景，描写更为浪漫的题材。接着拍摄的《呼喊与细语》（1972）、《婚姻生活场景》（1974）和《秋天奏鸣曲》（1978），以同情的笔触描写了家庭关系，赢得了广大观众和评论界的赞誉。以后几年，他继续导演舞台剧，主要为斯德哥尔摩皇家剧院导戏。1977年他获得瑞典文学院的大金奖章，翌年瑞典电影学会设立了以他的名字命名的奖金，奖励在电影制作方面的卓越成就。他后期的影片有《芳妮和亚历山大》（1983），描写一个男孩所目睹的20世纪初瑞典一个富有的戏剧之家的幸福和不幸。

评价 伯格曼在电影编剧和导演两方面树立了国际声望，他的影片有着鲜明的特色，通过探讨人与自己、与别人和与上帝的关系来考察道德问题。伯格曼对人类处境的痛苦思索并没有随着岁月的推移而减轻，相反，他逐渐去掉影片中使人分散注意的装饰，创造了一种关于人与人之间的关系的抽象戏剧。

Bergman, Ingrid 褒曼（1915-08-29，瑞典斯德哥尔摩～1982-08-29，英国伦敦） 20世纪40年代起直至去世美国最受欢迎的电影女演员之一。也是瑞典、法国、德国、意大利和英国影坛上一位国际明星，在银幕上是一个忠实的、理想的女性形象。曾在斯德哥尔摩皇家剧院学习。她的第一部影片是《修道士桥伯爵》（1935），接着又在瑞典影片《妇女面部》（1938）和《插曲》（1939）中扮演角色。1939年去美国主演好莱坞重拍的影片《插曲》，获得极大成功。取得成就的影片还有《卡萨布兰卡》（1942）、《战地钟声》（1943）、《煤气灯下》

(1944)、《女用旅行箱》(1945)、《迷魂咒》(1945)、《圣玛丽的钟声》(1945)和《声名狼藉》(1946)。《煤气灯下》使她获奥斯卡最佳女演员奖。她与意大利导演 R.罗塞里尼在拍摄影片《斯特隆波里》(1950)期间相爱,与前夫离婚,这一轰动一时的事件迫使她回到欧洲后,在意大利影片和法国影片中扮演角色,如《欧洲51年》(1952)和《意大利游记》

美国不列颠百科全书公司供图

(1954)。与罗塞里尼的婚姻破裂后她又凯旋般地重返好莱坞,拍摄《阿娜斯塔茜娅公主》(1956),这部影片使她第二次获得奥斯卡奖。她还因在极为成功的影片《东方快车谋杀案》(1974)中扮演角色而获得奥斯卡最佳女配角奖。她在英格玛·伯格曼导演的瑞典影片《秋天奏鸣曲》扮演一女钢琴家再度获奥斯卡奖提名。除电影外,她在舞台剧和电视剧中也同样获得成功。

Bergman, Torbern Olof　贝里曼(1735-03-20,瑞典卡特琳娜贝里～1784-07-08,梅德维)　瑞典化学家和博物学家,在化学分析方面做了很多改进,并在晶体结构理论方面取得重要进展。1761 年任乌普萨拉大学数学副教授,6 年过后成为化学教授。他早期研究了虹和北极光,估算北极光的高度为 740 千米。他还研究了电气石的热电性质。发现电气石

美国不列颠百科全书公司供图

晶体加热时,两端产生相反电荷。贝里曼在其最重要的论文《有择吸引论》(1775)中按亲合力(元素起化学反应和从化合物中置换其他元素的能力)顺序将各种元素列表。这些表受到广泛的赞扬,并且迟至 1808 年的化学文献还有记载。贝里曼引进了很多新试剂并为化学分析设计一些分析方法。他的著作《论水的分析》(1778)是第一部有关矿质水分析的详尽大全。

Bergmann, Ernst (Gustav Benjamin) von　贝格曼(1836-12-16,拉脱维亚里加～1907-03-25,德国威斯巴登)　德国外科医生。《脑部疾患的外科治疗》(1888)一书的作者。自

美国不列颠百科全书公司供图

多尔帕特医学院毕业,1871 ～ 1878 年在该校任教授;后转至维尔茨堡大学;1882 年后又执教于柏林大学。除对颅脑外科的贡献外,贝格曼还以首创蒸汽灭菌法(1886)和外科消毒技术(1891)而闻名。

Bergmann's Rule　贝格曼氏规律　一条动物学原理,论述环境温度和温血动物的体表面积与体重比率间的相互关系。由 19 世纪德国生物学家 C. 贝格曼提出,说明动物依气候条件的不同而保存体热或发散体热的适应机制。该规律指明,寒冷地区的鸟类及哺乳类与温暖地区的同种个体相比,体型较大。

Bergner, Elisabeth　伯格纳(1900-08-22,维也纳～1986-05-12,伦敦)　奥地利女演员,以其舞台和电影表演及其病态美著称。1919 年在苏黎世开始其表演生涯,1924 年在柏林演出由莱因哈特导演的萧伯纳的《圣女贞德》,获得国际声誉。虽然她是一位受到高度赞扬的舞台女演员——整个 60 年代她继续在舞台演出,但她在伤感的抒情片中所扮演的角色为她赢得了极其热情的观众。1923 年拍摄了她的第一部影片:由其未来的丈夫津纳尔导演的《妞》(1924),立即获得成功,随后拍摄的其他影片亦复如此。由于受到纳粹的指责,伯格纳与津纳尔移居英国。在那里她的首次舞台演出是在《我永远忘不了》(1933)一剧中扮演琼斯,受到了热烈欢迎。1935 年她在纽约,并在由津纳尔导演的同名影片(1935)中再度扮演这一角色。她在这部影片中的出色表演使她获得奥斯卡奖提名。伯格纳的其他英语片有《凯瑟琳大帝》(1934)、《皆大欢喜》(1936)、《巴黎在召唤》(1942,她唯一的一部美国影片)和《预报死亡的女鬼的嚎啕》(1970)。她在瓦尔的《两个卡罗尔斯太太》中扮演萨莉,连演两季不衰。第二次世界大战后,她多次重返家乡,巡回演出,在那里,她成为第一个获得"席勒奖"的女演员。她还在 1963 和 1965 年柏林电影节上获奖。

bergomask(dance)　参阅 **bergamasca 贝加马斯卡**。

bergschrund　冰后隙　德语意为"山中裂隙"。山地冰川源头附近的裂隙或裂隙群。冰后隙下岩石的侵蚀常形成冰斗(**cirque**),或天然围谷。

Bergslagen　贝里斯拉根　瑞典中部主要矿区。位于斯德哥尔摩西北,自维纳恩湖延伸到波的尼亚湾。主要在科帕尔贝里、厄勒布鲁、韦姆兰和西曼兰诸省境内。早在中世纪已开始大规模开采铁矿,用木炭进行冶炼。18 世纪早期又开始开采新铁矿。1877 年在波罗的海沿岸的乌克瑟勒松德修建了矿石出口港,并以铁路与格兰厄斯贝里及斯特罗萨的矿井连接。闻名世界的瑞典钢铁工业即依靠该地所提供的原料。铁矿资源丰富,并产铜、银、铅、锌等。现有很多重型机械和金属制品工厂。在阿沃斯塔有重要的炼钢、纸浆和造纸工业。

Bergson, Henri(-Louis)　柏格森(1859-10-18,巴黎～1941-01-04,巴黎)　20 世纪初法国著名哲学家,首倡"演进"哲学而摈弃"静止"的哲学理论;也是一位大手笔,既长于学

美国不列颠百科全书公司供图

术之作,也能写大众喜闻乐见的文章。早年就读于巴黎高等师范学校。1881 ～ 1888 年在巴黎郊外昂热、克莱蒙费朗执教。直觉是其最初哲学著作的基础。曾受斯宾塞著作影响,自称在分析了力学和物理学中的时间概念之后,即完全改变其机械论观点。1889 年《时间与自由意志:论知觉的直接资料》问世,同年获博士学位。试图建立"持续时间"的概念,与科学中使用的受空间限定的时间概念相对立;从分析人的内在认识着手批判费希纳的规律。认为"绵延"与"广延"、"连续性"与"同时性"、"质"与"量"的混淆一旦消除,科学决定论反对人的自由便失去根据。此书出版后,回巴黎执教,开始研究身心关系。1896 年发表《物质与记忆》,该书极难理解,但有些评论家认为是柏格森著作中最完善的一部作品。他采用独特的研究哲学的方法,从特殊问题入手,根据最新科学资料,分析记忆及失语的心理现象。认为失语症的出现并非如心理生物学心身平行论所称:大脑中的损伤也影响心理能力的基础,失语者的说话器官并未瘫痪,因此丧失的是表达记忆的身体结构,而非记忆本身。从而得出结论:记忆及心灵独立于身体,利用身体达到其目的。1897 年回母校任哲学教授。1900 年受聘于法国最高学府法兰西学院,蜚声讲坛。此后到第一次

世界大战爆发，出现柏格森热，对其哲学的解释和评论比比皆是，其影响遍及文学（普鲁斯特、萧伯纳）、政治学（索列尔）、绘画（印象画派莫奈）、音乐（德彪西）、宗教等方面。1907年“演进哲学”的代表作《创造进化论》问世。他在考察生命概念时承认进化是被科学证明的事实，认为整个进化过程是“生命冲动”的绵延，不断发展，不断产生新形式。总之，进化是创造性的，而非机械的，其发展过程有两条主线：一由本能，导致昆虫的生命；另一通过智力进化而产生人；二者都是生命冲动的结果。该书最后一章评论哲学思想史，表明思想史未能正确评介自然界与生成的重要性，因而歪曲了实在的本性。1915年被选为法兰西学院院士，1927年获诺贝尔文学奖，1932年发表另一名著《道德和宗教的两个泉源》。有两种道德或两个泉源：其一来源于智力，导致科学及其静止的、机械的理想；其二基于直觉，表现为艺术与哲学的自由创造力，及基督教徒的直觉经验。柏格森学派虽未形成，但其影响很大，如前所述，已超出哲学界。在哲学家中，他对法国影响最大，从美、英哲学家W.詹姆斯、G.桑塔亚那以及A.N.怀特海的著作中也能看出其影响。

Bergström, Sune K. 贝里斯特罗姆（1916-01-10，瑞典斯德哥尔摩～2004-08-15，斯德哥尔摩） 瑞典生物化学家。1982年与瑞典的B.I.萨米尔松（**Samuelsson, B.I.**）、英国的J.R.文（**Vane, J.R.**）共获诺贝尔生理学或医学奖。他们分离、鉴定并分析了多种前列腺素。贝里斯特罗姆最先证明有多种前列腺素存在，并测定了其中2种元素的组成。他于1944年获斯德哥尔摩卡罗林斯卡学院医学及生物化学的博士学位。曾在哥伦比亚大学及巴塞尔大学任研究员，然后任隆德大学化学教授。1958年后回卡罗林斯卡学院，1963年任医学院院长，1969年任校长。1977年退休后仍从事研究。

Berhampur（India） 参阅**Baharampur 巴哈兰布尔**。

Beria, Lavrenty Pavlovich 贝利亚（1899-03-29，俄罗斯麦尔赫乌利～1953-12-23，莫斯科） Beria又拼Beriya。苏联秘密警察的首脑，在清洗斯大林的反对者的过程中曾发挥重要作用。1917年加入共产党，在阿塞拜疆和格鲁吉亚参加革命活动，1921年参加情报和反情报工作，并被任命为格鲁吉亚契卡（秘密警察）头目。1932年成为外高加索各共和国党的头目，在1936～1938年斯大林大清洗期间，对这些共和国的政治清洗进行个人监督。1938年调至莫斯科，任内务人民委员部（苏联秘密警察）头目叶若夫的副手，显然根据斯大林的命令，叶若夫被捕并被枪决，1938～1953年贝利亚任秘密警察头目。他监督清洗警察官僚机构本身，并管理在全国建立的庞大的劳动营网。1941年2月任苏联副总理。第二次世界大战期间，作为国防委员会委员，他不仅控制苏联内部安全系统，并且在使用劳动营的奴隶劳动生产原料方面起主要作用。1945年成为苏联元帅。从1934年起，任共产党中央委员会委员；并从1946年起，任党的决策机构政治局的委员。1952年政治局改组为主席团，贝利亚继续保有这一席位。1953年3月斯大林逝世后不久，贝利亚成为4位副总理之一，兼内务部长。在随后的权力斗争中，显然贝利亚企图利用其秘密警察头目的地位继承斯大林，成为唯一的领袖。但到1953年7月，被由马林科夫、莫洛托夫和赫鲁晓夫领导的反贝利亚联盟击败。他被捕并被撤销一切党政职务，被公开指控为“帝国主义代理人”和进行“反党反国家的罪恶活动”。在1953年12月的审讯中，贝利亚被宣判犯有上述罪行并被立即枪决。

美国不列颠百科全书公司供图

beriberi 脚气病 又称维生素B_1缺乏症。缺乏维生素B_1引起的营养障碍，以神经及心脏损害为特征。一般症状有食欲不振、全身倦怠、消化紊乱、四肢麻木无力。患干性脚气病时长神经（先是两腿，然后是两臂的长神经）逐渐变性，同时伴有肌肉萎缩及反射消失。湿性脚气病病情较急，可有心力衰竭、循环不良及主要由此造成的水肿。若乳母患有脚气病，则母乳中缺乏维生素B_1，婴儿也会患脚气病，并很快发展成心力衰竭。无论是婴儿还是成人，若患脚气病出现心力衰竭，服用维生素B_1后均能很快缓解。受损神经的恢复较慢，重症病例的神经细胞的器质性损害不可恢复。正常情况下，维生素B_1在糖代谢过程中作为辅酶起着重要作用。维生素B_1缺乏时，糖代谢的产物丙酮酸和乳酸就会在组织中蓄积，引起神经及心脏方面的病变。维生素B_1广泛存在于食物中，但在粮食加工（尤其是碾磨）过程中很容易损失。在远东一些以精白米为主食的国家中，脚气病已有1 000多年的历史。然而，直到19世纪末，日本海军报道了由于在常规饮食中增加了肉、鱼、蔬菜等，海员中间的脚气病已经根除这一情况之后，人们才认识到脚气病的发生与饮食有关。在此之前，几乎有半数的海员易发生脚气病，并且有不少人因此丧命。脚气病在亚洲的发病率后来明显降低，部分原因是由于生活水平提高，使饮食变得多样化，另一部分原因则是由于人们逐渐接受了部分脱壳米、蒸谷米及强化米。在西方国家，维生素B_1缺乏症几乎只见于慢性酒精中毒的患者。

Bering, Vitus (Jonassen) 白令（1681，丹麦霍森斯～1741-12-19，堪察加半岛附近的白令岛） 丹麦航海家。1724年俄皇彼得大帝命他率一支探险队，考察亚洲与北美洲是否在陆上相连。1728年7月13日，白令从堪察加的西伯利亚半岛出航，在8月穿过白令海峡进入北冰洋。气候恶劣使他无法进行清晰观察，虽未看到北美洲海岸，但断定西伯利亚同美洲是不相连的。在安娜女皇统治时期，白令筹组第2次探险。1741年6月4日，白令乘“圣彼得”号从堪察加出发，A.奇里科夫率“圣保罗”号同行。后来，两船被暴风吹散，奇里科夫继续航行，独自发现了阿留申群岛中的几个岛屿。白令在8月20日进入阿拉斯加湾。因急于安全返航，他只踏勘了该海湾的西南海岸、阿拉斯加半岛和阿留申群岛。他因患坏血病不能进行有效的指挥，该船于11月初在堪察加附近的白令岛海滨失事，死于该地。仅少数幸存者回到了西伯利亚。

Bering Canyon 白令海底峡谷 在白令海中，长400千米。可能是世界上最长的海底峡谷。谷首位于阿留申群岛的乌姆纳克岛以北的陆架边缘。其上半段由许多支谷汇合而成，向西南延伸，随着深度增大而逐渐折向西北，然后在其以下72千米的一段又突然转为向北延伸，直到位于3 200米深度陆隆上的谷口。峡谷横剖面不对称。在北段，西侧谷壁坡度为13°，东侧谷壁坡度仅为2°～3°。最大起伏至少为800米。峡谷的容积估算为4 300立方千米（1 030立方英里），远超过大多数其他峡谷的容积，后者一般不到75立方英里。据认为，该峡谷是在晚第三纪和更新世由阿拉斯加和西伯利亚河流挟带大量沉积物沿大陆坡向下滑塌而形成的。

Bering Sea 白令海 俄语拉丁字母转写作Beringovo More。位于太平洋最北端的水域。它将亚洲大陆（西伯利亚东北部）与北美洲大陆（阿拉斯加）分隔开。面积2 304 000平方千米，并经白令海峡连接北冰洋。美、俄国界即在白令海和白令海峡上。白令海大致呈三角形，顶端向北，底部为由阿拉斯加半岛与阿留申群岛连接而成的1 600千米的长弧，阿留申群岛为美国阿拉斯加州的一部分。东西最宽为2 400千米，南北为1 600千米。海中岛屿很多，有阿留申群岛、努尼瓦克岛、圣劳伦斯岛、纳尔逊岛和卡拉金岛。白令海可分为大小几乎相等的两部分。东部和北部为较浅的平原，水深约150米。西南部为较深的平原，水深3 700至4 000米。东部和北部属亚极地气候，冬季气温 - 35 ～ - 45 °C。有强风，时有暴风雨雪。海水几乎全部来自太平洋。水中生物丰富，有鲑、鲱、鳕、鲽、大比目鱼等，均有经济价值。岛屿也是海狗、海獭的滋生地。北部海区有海象、海豹、海狮。1648年俄国探险家S.I.杰日尼奥夫率船队首先来此探险。1728年丹麦船长V.白令航行到此海域，该地因而以他的姓氏命名。

Bering Sea Dispute 白令海争端 美国与英国-加拿大之间在白令海国际地位问题上的争端。美国为了垄断阿拉斯加沿海的海豹狩猎，1881年声称它对白令海全部海域行使权力，英国拒绝承认这一要求。1886年美国政府下令扣留在白令海捕捉海豹的所有船只，加拿大和英国提出抗议。但美国坚持说，白令海原是闭海(即在一国统治下的封闭的海洋),属俄国人管辖,美国已经继承了俄国人的权利。1891 年达成一项协议,由英国和美国的船只在这一领域进行巡逻,次年签订一项仲裁条约。这导致 1893 年国际法庭在巴黎开庭,谴责美国扣留船只。法庭认为,白令海是公海的一部分,不属任何一国管辖。法庭并判定美国赔偿由于扣留船只所造成的 473 151 美元的损失。对夏季海豹繁殖期以及普里比洛夫群岛周围海域的海豹捕捉量作出限制。1911 年美国、加拿大和日本签订《北太平洋捕捉海豹协定》,进一步限制远洋捕捉海豹的范围,但从每年捕捉海豹的收入中提取一部分分给加拿大。1941 年日本退出该协定。1956 年加拿大、美国、日本和苏联签订临时协定,次年生效。

Bering Strait 白令海峡 连接北冰洋和白令海,并将亚洲和北美洲在其最狭窄处分开的海峡。平均水深 30 ～ 50 米,最狭处约 85 千米。峡内有许多岛屿,包括两个代奥米德群岛(约 6 平方英里);峡南为圣劳伦斯岛(约 1 000 平方英里)。美国和俄国的分界线即在峡中穿过。白令海部分海水通过海峡流入北冰洋,但大部回流太平洋。冬季有暴风雪,海面冰封,平均厚达 4 ～ 5 英尺。仲夏时节仍有浮冰。海峡以丹麦船长 V.白令的名字命名。冰河时期海平面下落几百英尺,使海峡成为亚洲和北美洲之间的陆桥,从而有许多动植物,以及人类(约 2 万～ 3.5 万年前)得以迁徙。

Berio, Luciano 贝利奥(1925-10-24,意大利奥内利亚～ 2003-05-27,罗马) 意大利音乐家,在理论、指挥、作曲及教学等方面所取得的成绩使他成为先锋派音乐中的杰出代表。

美国胜利唱片公司供图

风格以抒情而富于表现力的音乐素质与最先进的电子音乐和偶然音乐的技巧相结合而闻名。贝利奥曾在米兰威尔地音乐学院学习作曲和指挥。1952 年在美国马萨诸塞州坦格尔伍德获库塞维茨基基金会奖学金,在该地师从有影响的作曲家 L.达拉皮科拉。1954 年与另一位杰出的意大利作曲家 B.马代尔纳在米兰电台建立电子音乐实验室。在贝利奥主持下(直到 1959 年),它成为欧洲最著名的电子音乐实验室之一,在那里他着手研究电子音乐和具体音乐(即作曲时以预先录制的声音如暴风雨或街头噪声为素材,而不是用实验室制造的声音)的结合问题。贝利奥和马代尔纳还创办了一本先锋派音乐的评论杂志《音乐汇编》。贝利奥所有作品中的清晰而富有逻辑性的结构都被认为是高度幻想性而富有诗意的,汲取斯特拉文斯基和韦伯恩等作曲家的风格特点。他最后一首主要的序列音乐作品《小夜曲 Ⅰ》(1957)题献给 P.布莱兹。《分歧》(1958 ～ 1959,1967 年修订)将现场演奏的和事先录制的乐器加以对比。《序列曲》系列(1958 ～ 2002)中包括长笛、竖琴、女声、钢琴和小提琴的独奏曲,采用偶然音乐的因素。其他作品还有《迷宫 Ⅱ》(1965)和《交响曲》(1968),二者都大量引用文学和音乐资料。《交响曲》还动用了巨大的演出力量,包括管弦乐队、管风琴、拨弦键琴、钢琴、合唱队和朗诵者。《合唱》(1976)由 40 名歌手和 40 件乐器演出。除了作曲,贝利奥也在几所大学任教,2000 年担任圣切契里亚音乐学院主席兼艺术总监,直至去世。

Beriosova, Svetlana 别廖索娃(1932-09-24,立陶宛考纳斯～ 1998-11-10,英国伦敦) 出生于立陶宛的首席芭蕾演员。N.别廖索夫(英籍俄罗斯人)之女,1940 年去美国学芭蕾。曾在蒙特卡洛大芭蕾舞团和大都会芭蕾舞团参加演出。1952 年加入萨德勒的韦尔斯芭蕾舞团(即现在的皇家芭蕾舞团),1955 年成为该团的首席演员。除表演全部古典剧目外,还在一些现代舞剧中担任主角,如 K.麦克米伦的《仙女之吻》(1960)、《安提戈涅》(1959)中主角等。她主演的《吉赛尔》是此剧在历史上最成功的一次。1975 年退休。

Bériot, Charles-Auguste de 贝里奥(1802-02-20,比利时卢万～ 1870-04-08,布鲁塞尔) 比利时小提琴家,法-比小提琴学派创始人。9 岁公开演奏,其老师与监护人为让-弗朗索瓦·蒂比。后随巴约学琴,双方均不满意。1826 年在巴黎和伦敦首演。回布鲁塞尔后任荷兰国王威廉一世独奏小提琴家。随着 1830 年的革命,这一任命宣告结束,旋即与歌唱家 M.马利布兰广泛巡回演出,1836 年两人结婚。婚后数月妻子即去世,他停止音乐活动两年之久。1842 年谢绝巴黎音乐学院教授职而就任布鲁塞尔音乐学院小提琴系主任。1852 年因面临失明的威胁不得已而退休。作品与演奏风格兼有帕格尼尼式的华丽技巧和法国古典传统的典雅与表情的细腻。

Berkeley 伯克利 美国加利福尼亚州中西部阿拉梅达县城市。在旧金山湾东北岸,金门正东,靠近南面的奥克兰。1853 年设居民点。1878 年设市。1906 年旧金山地震后难民拥入,人口激增。1853 年加利福尼亚学院在奥克兰建立,其校园选址在伯克利。1868 年加利福尼亚大学创建,两校合并,于 1873 年开学。校名以哲学家乔治·伯克利之名命名。20 世纪 30 年代在湾内建桥,改善市内交通,促进城市发展。20 世纪 60 年代和 70 年代该市盛行嬉皮文化,现今伯克利的日常生活仍受这股风潮影响。A.沃特斯大厨把这座城市打造成现今知名的"慢食"(Slow Food)运动的中心,她强调吃新鲜、有机和当地生长的食物。伯克利主要是教育和住宅区。设有各种神学院,其中包括太平洋宗教学校(1866)。加利福尼亚大学校园内有几座著名的博物馆,如伯克利美术馆和太平洋影片档案馆、赫斯特人类学博物馆、埃西格昆虫学博物馆,以及大学和杰普森标本馆。其他知名的博物馆有马格内斯博物馆,强调犹太人的艺术和历史,以及哈比托特儿童博物馆。该市的许多艺术节吸引了大批观众。伯克利海洋公园面向海湾,而伯克利马里纳区盛行垂钓。邻近该市的狄尔登地区公园以一座植物园为特色。人口 102 743(2000)。

Berkeley, Busby 伯克利(1895-11-29,美国洛杉矶～ 1976-03-14,加利福尼亚帕姆斯普林) 又译贝克莱。原名 William Berkeley Enos(威廉·伯克利·伊诺斯)。美国电影导演、舞蹈编导,以其在银幕上创造的众多舞女的精巧华丽场面而闻名。1930 年,应 S.高德温聘请到好莱坞时,已是一位颇负盛名的舞台导演。在华纳兄弟公司导演《掘金女郎》(1933)和《舞台巡礼》(1933),影片以宏伟壮观的场面取胜,而不重视故事情节。他使用人数众多的群舞和一些新创的技法(如镜面、特殊布光和架在单轨上能自由移动的摄影机)造成富丽堂皇的气氛。评论认为,伯克利把歌舞片从传统样式中解放出来,给大萧条时期的观众带来一种轻松的感觉。

Berkeley, George 伯克利(1685-03-12,爱尔兰基尔肯尼郡托马斯敦附近[?]的迪塞特卡斯尔附近～ 1753-01-14,牛津) 又译贝克莱。爱尔兰哲学家、科学家和主教。提出新的感觉理论,抛弃传统的物质实体的概念。其理

美国不列颠百科全书公司供图

论在 18 和 19 世纪时曾被误解,现已根据其修订笔记《哲学纪事》(又称《备忘录》)的观点重新评价。1700 年入都柏林三一学院,毕业后在该院任教,1724 年任德里副主教,1734 年升任爱尔兰克罗因主教。主要受英国哲学家洛克所代表的经验主义和以马勒伯朗士、培里所代表的大陆怀疑主义之影响。他在修订笔记中提出:他早先反唯物主义的论证,是立足于颜色、气味和其他感觉性质的主观性,而现在代之以对"存在"之意义的简明、深刻的分析。客体的"存在"意即被感知;主体的"存在"意即感知。知觉者和被知觉者只是两项关系,其间并无第三项,所谓客体的"观念"。其《视觉新论》(1709)考察视觉和触觉的各种问题,结论是:"视觉的真正对象不在心外。"《人类和知识原理》第一卷(1710)将全部感觉对象移入心内;否认物质实体、物质原

因和抽象的一般观念。肯定精神实体,并得出神学的和认识论的结论。《希勒斯和斐洛诺斯三篇对话》(1713)对前者的主要论证作了补充。《论运动》(1721)否认牛顿的绝对空间、绝对时间和运动,进一步粉饰其反唯物主义。因而获得"马赫和爱因斯坦的先驱"称号。他的《阿尔希佛朗,或渺小的哲学家》(1732)更坚决地维护有神论和基督教,同时还攻击自然神论和自由思想家,特别讨论了语词在宗教论证中的作用。

Berkeley, Sir Lennox 伯克利(1903-05-12,英国牛津郡牛津附近博斯希尔～1989-12-26,伦敦) 又译贝克莱。全名 Lennox Randall Francis Berkeley。英国作曲家,作品以古典色彩著称。伯克利出身于贵族家庭。1926 年在牛津默顿学院获文学士学位。1927～1932 年期间在巴黎师从著名音乐教师 N. 布朗热。在巴黎时与 I. 斯特拉文斯基和 F. 普朗克邂逅,后二人对他的创作风格都有影响。普朗

美国不列颠百科全书公司供图

克并成为他终身不渝的至交。1935 年伯克利返回英国,同年写成他的第一部巨作清唱剧《约拿》。1936 年在西班牙参加音乐节时,与 B. 布里顿相遇。二人合作管弦乐曲《蒙特·惠克》(1937),并始终保持密切交往。伯克利作品的特点是旋律富丽、处理管弦乐织体才藻艳逸。比较著名的作品有:精美绝伦的管弦乐曲《嬉游曲》(1943);《钢琴奏鸣曲》(作品第 20 号,1945),该曲体现作曲者对和声的巧妙运用;他的声乐曲大多为宗教内容,例如为布里顿的英国歌剧小组所作的美妙动听的《圣母悼歌》(1947)。他还为特定的演奏家创作音乐,例如吉他演奏家 J. 布里姆和双簧管演奏家 J. 克拉克斯顿。作有歌剧数部,包括《尼尔森》(1954)和《路得》(1956)。后期作品略带无调性倾向;如《小奏鸣曲》(作品第 61 号,1962)和《第四交响曲》(1977)均属此类名作。他曾任皇家音乐学院作曲教授(1946～1968)、基尔大学名誉音乐教授(自 1976 年起)。1977 年起为切尔滕纳姆音乐节主席。他获得了许多荣誉称号,1974 年被封为爵士。

Berkeley, Sir William 伯克利(1606,英格兰萨默塞特～1677-07-09,米德尔塞克斯特威克纳姆) 英国驻弗吉尼亚殖民地总督,任内曾发生反对其温和的印第安人政策的武装暴动(1676),即培根反叛事件。莫里斯·伯克利爵士的幼子。其兄约翰·伯克利为斯特拉顿的伯克利男爵(第一),卡罗来纳和新泽西的特许领主之一。伯克利从牛津大学毕业(1624 年获文学士,1629 年获文学硕士)后不久,即于王室内得一席之地,出任殖民部加拿

美国不列颠百科全书公司供图

大事务专员。1638 年为伦敦剧场创作剧本《迷失的女子》。1639 年由查理一世封爵。1641 年派任弗吉尼亚总督。除共和时期的大部分年代(1652～1659)外,伯克利从 1641 年直至去世始终任弗吉尼亚总督。任职初年非常成功。进行作物多样化试验,鼓励工业生产,提倡向外扩展,并成功地应付了印第安人和荷兰人两方面的敌对状态。英国内战期间,他效忠王室,宣称弗吉尼亚为查理二世及其支持者的避难所,为此他被迫卸职(1652～1659),但挂冠期间仍留在自己的弗吉尼亚种植园中。1660 年复辟后官复原职,但由于印第安人袭击边境、经济不景气、作物种植失败以及高额税收,他任总督的第 2 个任期情况不佳。他的姻亲 N. 培根的野心更如火上浇油。伯克利计划与印第安人通商,培根则主张将他们逐出殖民地,并于 1676 年率领远征军去攻击印第安人。伯克利称此举为叛乱,于是两人的武装力量交火。伯克利对叛军作战时大加杀戮,血流成河(培根在叛乱期间由于自然原因死亡)。查理二世召伯克利回国解释他的行动,但未及面谒国王陈述详情,他即去世。

berkelium 锫(Bk) 周期表Ⅲb族锕系人工合成化学元素。在自然界中不存在。1949 年 12 月,在伯克利加利福尼亚大学,S.G. 汤普森、A. 吉奥索和 G.T. 西博格在 152 厘米回旋加速器中用氦离子轰击镅 241(原子序数 95)发现了元素锫(同位素锫 243)。锫的所有同位素都是放射性的,锫 247 寿命最长,半衰期1 400年。锫 249(半衰期 314 天)因能生产出可称量的量,而广泛用于元素的化学研究中。从锔 244 开始进行核反应可得纯同位素锫 249。金属锫至今尚未制备出来,但它应该像其他锕系金属一样,是一电正性的、活泼的银白色金属,比重约 14。示踪化学研究表明:锫在水溶液中呈 +3 和 +4 氧化态,可能以 Bk^{3+} 和 Bk^{4+} 离子形式存在。锫在两种氧化态下的溶解性质和锕系元素以及镧系元素的相应氧化态的溶解性质非常相似。锫的固体化合物,包括氧化物 BkO_2、Bk_2O_3 和氯化物 $BkCl_3$,已能亚微克级合成出来。锫原子序数 97。最稳定同位素为锫 247。化合价 3、4。电子组态 2,8,18,32,26,9,2(27,8,2)或(Rn)$5f^8 6d^1 7s^2$ 或(Rn)$5f^9 7s^2$。

Berkhamsted 伯克姆斯特德 英格兰赫特福德行政、历史郡达科鲁姆区的一个城镇(教区)。位于伦敦西北 45 千米处,在奇尔特恩丘陵布尔蓬峡谷的一条古马车道上,现修有公路、铁路和运河。生产纸张和家具。该地区还保存有已发掘的诺曼人城堡。人口约 18 044(1991)。

Berkner, Lloyd Viel 伯克纳(1905-02-01,密尔沃基～1967-06-04,华盛顿[哥伦比亚特区]) 美国物理学家、工程师,最先测出电离层的范围,包括高度和密度,使人们对无线电波传播有了完整的认识。后来把注意力转到探索地球大气层的起源和发展。由于需要世界范围的资料,他倡议以 1950 年为国际地球物理年。这是一次空前大规模的研究地球的协作,由国际科学联合会理事会主持。他在 1957～1959 年任该会主席。1963 年,与 L. C. 马歇尔一起提出了描述太阳系的内行星大气层演变情况的理论。1926 年初,作为海军军官他还积极参加发展雷达、导航系统、海军飞机电子工程和建立远程预警系统的研究。这种预警系统由一系列雷达站组成,一旦发生穿越北极的导弹袭击,就能给美国发出预先警报。他写过 100 多篇论文和若干本书,其中包括《火箭与卫星》(1958)、《空间科学》(1961)和《科学时代》(1964)。

Berkshire 伯克郡 英格兰南部地理、礼仪郡。地理郡在伦敦西面,地处泰晤士河中游和其支流肯尼特河谷地。下设布拉克内尔福雷斯特、雷丁、斯劳、温莎-梅登黑德、沃金厄姆和西伯克郡 6 个单一政区。历史郡占地更大,所辖范围与地理郡稍有不同。不包括斯劳单一政区(属白金汉历史郡),但包括怀特霍斯各行政区和位于泰晤士河西岸南牛津政务会辖区的部分区域,两者现都属牛津行政郡。1998 年,伯克行政郡被取消,它的行政权分配给 6 个单一行政区。地理郡东端多为河砂砾和泰晤士河阶丘铺垫,有瘠瘦林地,包括温莎森林。郡西部为白垩丘陵,在英克潘-比肯处达到 297 米,泰晤士河横切这些高地形成戈灵峡。泰晤士河和肯尼特峡谷成为伦敦西行的通道,沿河谷有铁路通往牛津、布里斯托尔和英格兰西部。伦敦至南威尔士的公路也通过本郡。伯克郡丘陵多史前居民区,由山脊路相连,并在附近威尔特郡的斯通亨奇汇聚。河谷和伯克郡东部的居民区可追溯到铁器时代。雷丁西南锡尔恰斯特的贝尔吉克遗址后来成为古罗马人道路中心。1066 年诺曼征服后,泰晤士河谷战略地位受到重视,修建了第一座温莎城堡(后成为英国王室在伦敦外主要行宫)。郡东边境泰晤士河两岸的温莎和伊顿,建有本郡最著名的建筑。伊顿公学是英格兰最著名男童学校,为亨利六世所资建,即坐落在此,一部分建于 15 世纪。紧靠伦敦和主要交通线促进了郡工业和都市的发展。19 世纪郡治雷丁就是发展的中心。第一次世界大战后,斯劳和布拉克内尔发展成为新兴工业中心。随伦敦向西扩展,加之

公路、铁路的便利,郡西端亨格福德和纽伯里也成为伦敦居民区。M4高速公路沿线的许多城镇,如梅登黑德和沃金厄姆,吸引了很多高科技和软件开发公司在此建立办事处和工厂。地理郡的农业现主要限于西伯克郡。白垩丘陵地产谷物。纽伯里和兰伯恩以饲养赛马闻名。面积:地理郡1 259平方千米。人口:地理郡800 200(1998)。

Berkshire 伯克郡猪 又译伯克夏猪。起源于英格兰的家猪品种,19世纪初在当地被视为杂交良种猪的同义语。曾由东亚输入猪种以改良当地猪种,获得了显著成绩,1885年建立血统登记,固定了这个品系。体型中等,以黑色为主。脸部、四肢和尾端为白色。脸部短而凹陷,耳直立,耳尖微向前倾。该品种在英国、日本、南美、北美以及世界其他地区用以生产鲜肉。在澳大利亚和新西兰育成大型腌肉品系。

Berkshire Hills 伯克希尔山 美国阿巴拉契亚山脉一部分,主要在马萨诸塞州西部的伯克希尔县。有许多高逾600米的山峰。其中格雷洛克山海拔1 064米,为全州最高点。景色优美、林木繁茂的山丘是佛蒙特州格林山脉的延续,包括胡塞克岭和塔科尼克岭(马萨诸塞州)和利奇菲尔德丘陵(康涅狄格州)。主要河流东有狄尔菲尔德河和韦斯特菲尔德河,西有胡西克河和胡萨托尼克河。伯克希尔县风景如画,起伏不平的高地衬以林荫覆盖的平顶山岭,有深峡谷横切其中。由于湖泊星罗棋布,有"美国湖区"之称,风景可与英国湖区媲美。徒步旅游者有"阿巴拉契亚小道"可走,可观赏国家公园和森林以及在坦格尔伍德(莱诺克斯)的夏季音乐节之家,伯克希尔早已成为常年游览区。

Berlage, Hendrik Petrus 伯尔拉赫(1856-02-21,阿姆斯特丹～1934-08-12,海牙) 荷兰建筑师。其作品的特点是根据材料的基本性能进行设计,避免装饰,对荷兰现代建筑有相当的影响。在苏黎世学建筑,并到欧洲各地旅游。1889年在阿姆斯特丹开始建筑师业

美国不列颠百科全书公司供图

务,最有名的作品是阿姆斯特丹的证券交易所(1897～1903),以圆形的罗马式拱、直率地利用钢结构和传统的砖而著名,表达了他真实地表现材料的设计思想。早在20世纪初他就从事城市居住区的规划,也设计家具、壁纸,对手工艺品也颇感兴趣。1911年赴美研究美国的建筑方法,并将L.沙利文和F.L.赖特的设计思想介绍至欧洲。著名的设计还有阿姆斯特丹的钻石工会大厦(1899～1900)和伦敦的荷兰大厦(1934)等。

Berle, Milton 伯利(1908-07-12,美国纽约州纽约～2002-03-27,加利福尼亚洛杉矶) 原名米尔顿·伯林格。美国喜剧演员。他是美国电视初期很受观众欢迎的演员,有"电视先生"之称。10岁时登上歌舞杂耍舞台,整个青年时代都在歌舞杂耍中度过,还演过50多部无声电影。他曾在一所为有职业的儿童设立的学校上学,不久便开始担任主持人,并在"正统的"剧院中担任喜剧演员。他以善于借用其他喜剧演员创造的笑料和固定节目而闻名。1939年后的几年里,伯利主要是在夜总会工作,同时努力获取广播听众的重视但未见成效。他的广播节目没有一项能维持到一年以上。1937～1968年间他演出的影片达19部之多。他的迅速讲话腔调、伴之以敲板和面部丑态成为他的喜剧表现类型,以及他不惜任何代价要引起笑声的热情,似乎构成他的观赏表现手段。当他走上荧屏时,他终于得到全美国电视观众的赏识和极大欢迎。从20世纪40年代后期直到1966年,他一直在电视界工作。伯利的写作作品有:《脱离我的躯体》(1945)、《米尔顿·伯利自传》(1974)和《B.S.,我爱你:与著名者和不著名者一起度过的60年有趣生涯》(1988)。

Berlichingen, Götz von 贝利欣根(1480,符滕堡雅克斯豪森城堡[德国]～1562-07-23,霍恩贝格城堡) 外号铁手葛兹。德意志帝国骑士、罗宾汉式的传奇人物,后来成为歌德名

美国不列颠百科全书公司供图

剧《铁手骑士葛兹·封·贝利欣根》的主人公,因而闻名于世。1504年在兰茨胡特战役中失去一只手,装一个铁的假手。他为不同的雇主参加一系列征战。后来绑架贵族勒索赎金、攻击商队掠夺货物,因而两度入狱。在自传(1731)中他讲述了自己漫长的一生,对多事之秋的叙述引人入胜。

Berlin 柏林 德国首都及主要城市中心,位于德国北部平原中央,扼东西贸易和地理要冲,因此先后为普鲁士王国和统一的德意志的首都。柏林往昔的辉煌历史至1945年都成过去,但从第二次世界大战的破坏中幸存下来。战后城市重建,经济和文化都有惊人的发展。战争结束,德国分裂,柏林全城在德意志民主共和国(又称东德)国境之内。城市本身亦反映了国家的分裂状态:东柏林为东德首都,西柏林是德意志联邦共和国(又称西德)的一个州。西柏林孤悬于境外的状况后来因1961年建造称为柏林墙的混凝土壁垒而加强。西柏林此种飞地的地位使之在45年中持续成为东、西方大国对峙的焦点,同时又是西方生活方式的象征。1989年底东德共产党政权的倒台以及随之而来的柏林墙开放,意料不到地出现了柏林重新成为全德国首都的前景。东、西德统一条约中,规定1990年柏林恢复此种地位,随后又在柏林设州,成为德国16州之一。上述事态发展预示该市将回复到历史上享有的、在欧洲文化和贸易上的卓越地位。面积891平方千米。人口约3 388 477(2003)。

自然地理与人文地理

景观 **城市位置** 柏林在波罗的海之南约112英里(180千米),捷克-德国边界之北118英里(190千米),在前东、西德疆界之东110英里(177千米),东距波兰55英里(89千米)。柏林位于施普雷河广阔的冰河河谷之中,河流流贯城市中心。柏林平均海拔为115英尺(35米)。最高点克罗伊茨贝格,是柏林市中心一座海拔218英尺(66米)的山峰。

柏林城南北约23英里(37千米),东西28英里(45千米),比德国其他城市大得多。该城大部分建在砂质的冰河土上,在一个湖边有森林围绕的广阔的湖泊地带之中。东南面湖泊是由达默河河水形成,西面湖泊是由哈弗尔河河水灌注而成。大柏林约有1/3面积目前仍为砂土上所植松树和桦木混合林、湖泊以及沙滩所覆盖。魔鬼山是第二次世界大战中轰炸后的瓦砾碎石堆成的几个山岗之一,高380英尺(116米),现已改建为冬季滑雪的运动场所。

气候 柏林位于大西洋海洋气候影响逐渐消失而大陆平原气候开始出现之处。城市全年平均温度约为9 °C,冬季平均温度为-1 °C,夏季为18 °C。平均降水量为22英寸(568毫米),其中约有1/5至1/4为雪。

城市布局 柏林原与科恩为姊妹城,13世纪初开始在施普雷河一个岛屿(科恩城址)上和岛屿对面河北岸的一小块土地(柏林城址)上兴建城市。15世纪末,当时只不过是一小城镇的柏林便成为勃兰登堡选侯国首府。17世纪末与18世纪初,当勃兰登堡选侯(从1701年起,还有普鲁士诸国王)在欧洲政治舞台上成为权势显赫的人物时,该城亦得到发展,呈现出巴罗克式的风貌,兴建了如夏洛滕堡宫等新的城堡。市中心部分扩大了,因建成宽阔的道路、大方美观的广场和雄伟的石砌建筑物而得到美化。中央区有宽阔的南北向大道,如威廉大街和腓特烈大街;还有具有特色的东西向主道。除去此主轴线外,附有多条通向城外的道路,现在用作主要的交通干线。19世纪后半期,在这些干线及其次要街道周围,建成了一些郊区。在第二次世界大战期间遭受严重破坏的地方,已陆续以很大规模由许多国家的著名建筑师参与建

成现代化的公寓楼和办公楼，其中最著名的是汉莎区。虽然市中心附近只有一座在勃兰登堡门正西的蒂尔加滕公园，但柏林仍是一座异常显著的绿色城市。城内处处水波荡漾，施普雷河穿过市中心，东、西两面都有广阔的湖泊区，城中很多地方都有运河流过。

传统风格与现代化相融合。显著的例子是威廉一世纪念堂。1961年，该纪念堂与原建于19世纪、第二次世界大战中被毁的钟楼合建成一座令人惊叹不已的玻璃-混凝土结构式教堂。更多地保存历史传统风格、有纪念意义的建筑物是经彻底重建的国会大厦。1990

柏林市的勃兰登堡门

美国不列颠百科全书公司供图

年初，该建筑物的会议大厅经重新装修供议会使用，其周围部分将在21世纪初用作联邦政府的办公地点。其他重要的建筑物有音乐厅(1963年由沙龙所建)和国立现代艺术新画廊。室内音乐厅是音乐厅的配套机构，于1987年开幕。建于17世纪后期的夏洛滕堡宫可能是本市巴罗克式建筑物中最优秀的典范。

市中心的圣尼古拉教堂约建于1200年，是本市建筑物的象征和战争纪念堂。这是柏林市最古老的一座红砖房屋，经第二次世界大战的一次空袭，只剩下砖墙屋架，1987年纪念柏林市建市750周年时完全修复。这座有两尖顶的教堂是旧城圣尼古拉区的中心装饰物，旧城区中有3个世纪的城市住宅复制品。

柏林市中央区最高的两座建筑物是共产党政府所建，其一是高达1197英尺(365米)的电视塔，另一座是共和国宫，都在亚历山大广场附近。电视塔为纪念东德建国20周年于1969年建成，高耸于柏林市建筑物群之中。共和国宫于1976年落成，建造在普鲁士和德意志诸帝王王宫原址上，是东德国会所在地。建造在亚历山大广场上高39层的柏林市饭店是柏林最高层建筑物之一，此广场将再次成为柏林市的活动中心。

在同一地区有柏林现存最古老的教堂马利亚教堂和博物馆岛，岛上有新、旧博物馆和国家画廊，以及博德博物馆；还有佩加蒙博物馆，其中有著名的希腊神宙斯祭坛。该市区还有州议会所在地的市政厅，为红砖结构；原国会和中央委员会大楼；建于1747年后经改建的圣赫德维希大教堂，这是宗教改革运动后在柏林建造的第一座天主教教堂。博物馆岛北面的奥拉宁贝格街上有柏林主要的犹太教会堂。

从亚历山大广场附近通向勃兰登堡门宽阔的“下椴树街”两旁是文化区，此地区亦反映出新、旧结合的风格。大街东端是柏林天主教堂，在20世纪70年代后期与90年代初之间修复。大街两旁有现代化的饭店和商店以及历史性的大建筑物，其中有：经修复的军火库、新警卫厅、柏林宫(原王储宫)、公主宫、歌剧院、国立图书馆、威廉皇帝皇宫和洪堡大学。

“下椴树街”之南是亨达梅集市，这是柏林市建筑最精美的中心之一。20世纪80年代后期和90年代初期在当地完成了修复德国与法国天主教堂以及原皇家剧院今大剧院的工作。南北走向的威廉大街旁，过去有普鲁士和德意志帝国的政府大厦。大街西面的城墙拆除后，可看到希特勒的地堡残余部分和过去市内最繁忙的交通中心波茨达默广场。东德政府倒台前，曾填平地堡并开始建造公寓楼。考古学家重新打开结构复杂的地下室，此地又成为历史研究的焦点。城墙拆除之后，波茨达默广场成为当前都市计划与发展的主要地点之一。柏林因曾经是普鲁士和德意志的国都而受到建筑家和城市规划者

直到1989年的“和平革命”以前，柏林市在地形上名声最坏的就是柏林墙。这是1961年东德共产党政府为了制止东柏林(事实上是东德)与西柏林之间的自由来往而建。这道拦在东、西柏林和西柏林与东德之间的界墙共长103英里(166千米)，是一条大部分以混凝土预制板砌成的坚固的环形壁垒，封闭至1989年。在若干重兵把守的出入口中，腓特烈大街上的查理检查哨卡最著名。此处还有一些柏林墙的残迹和有关此墙历史的一座小博物馆。有些地方，建筑物直接与城墙相连，隔离的初期，有人曾从楼房上层跳向自由区而因此丧生。现在有些地方用十字架标示这些人及其他欲逃离东柏林的人(至少有191人)的丧生之处。

柏林在政治上和实体上的分裂对都市规划产生广泛而深远的影响。柏林墙就筑在原来市中心的行政、商业和文化区即柏林中心区的西面，而这个地区是东柏林的一部分，因此西柏林不得不在选侯大堤(Kurfürstendamm)周围和原夏洛滕堡郊区中动物园火车站附近另建一个市中心区。此地区自19世纪后期以来，曾是有特色的商业和娱乐区，第二次世界大战中受到严重破坏，重建后完全改变为现代化的城市。

在市内到处都可明显看到，人们努力将

的重视。第一次世界大战后,该市是先锋派建筑家聚集的国际中心。这些建筑家有 E. 门德尔松、W. 格罗皮厄斯、L. 密斯·范德·罗厄、布鲁诺和 M. 陶特、M. 瓦格纳和 H. 沙龙等。柏林的许多建筑物代表着多种建筑风格,有巴罗克式的、古典主义的、浪漫主义的、1871～1890 创作年派(Gründerjahre)和威廉时代的、新艺术派的、包豪斯设计学校(Bauhaus)的、战后现代主义的和后现代主义的,以及社会主义国家时期的,等等,为研究 18～20 世纪的建筑学的丰富资料来源。

人民 虽然柏林墙两侧地区面积大致相等,但东柏林人口不及西柏林人口的 2/3。由于西柏林居民的平均年龄高于西德其他地区的居民,因此政府鼓励年青的西德人及外国工人迁入该市。国家分裂结束后,迅速地出现了人口增长的新模式。有些人因房价低廉而从西部移居至东部。全城的不动产价值及房租上升。许多国际公司寻求设在柏林。20 世纪 90 年代早期,该市永久居民有 30 万人以上是非德国人、"客籍工人"和难民。克罗伊茨伯格区内有欧洲最大的土耳其人居民社区。共产党政权倒台后,柏林吸引众多的移民,有相当数量的犹太人来自东欧各国和苏联。

经济 *工业与贸易* 大部分传统经济活动在第二次世界大战中大幅度减少,现整个大柏林得到复苏。其中有纺织品、金属制品、服装、瓷器、自行车和机器等的生产。电子产品生产成为战后的主要行业。食品、化工产品、香烟和糖果点心的生产甚为发达。柏林是德国的最大工业城和贸易及技术重要发展中心。

运输 19 世纪以来,本市就有现代快速运输系统。城市铁路或高速铁路始建于 1871 年,是大部分线路在城市上空、一部分线路在地下的铁道网;地铁则在 1897 年开始修建,到第二次世界大战时,柏林已建有全欧洲最完善的城市铁路和地铁系统。修建柏林墙之后,公共汽车成为主要的交通工具。统一以来,联营铁路线迅速增加,重新将柏林与德国和欧洲各大城市联系起来。

自 1945 年后,空运起重要作用。1948 年苏联封锁西部各区之时,西柏林的空运尤为重要。20 世纪 70 年代中,主要空运点滕珀尔霍夫机场已失去其传统上作为柏林空中交通中心的地位,但继续起与欧洲内部联系的作用。增修的柏林-泰格尔和柏林-舍讷费尔德两机场正在使用。90 年代后期,舍讷费尔德机场开始扩张,以期在城外建成一个独立的商用机场。

柏林的国家高速公路是第二次世界大战前开始修建的全国高级公路网的一部分。它与柏林环城公路相连,使柏林成为通往各方向的公路的中心。由西德出资兴建了一条联系柏林与汉堡的高速公路。

行政与社会状况 *政府* 柏林设市政府和 12 个区政府,有州级市长一人,以及由 16 人组成的市政府和市议会;区一级有区长、区政府和区议会。该市有各区和州的法院,包括一个州宪法法院。原西柏林的宪法经 1990 年修改后用作柏林州的过渡性宪法,直至 1995 年,修订过的宪法由公民投票通过。1990 年举行自 1948 年以来的第一次柏林普选。此后十年,柏林市由一位基督教民主党人任市长,并与基督教民主联盟和社会民主党组成广泛的联合政权。市政府所在地仍设在旧城中心红砖结构的市政厅。

按照东、西德统一条约及 1991 年联邦议会的一项决定,柏林再次被定为国都,至 20 世纪末,成为联邦政府所在地。少数联邦和欧洲的机构,如联邦反托拉斯局、联邦环境局、联邦卫生局、联邦和欧洲职业教育局等,在统一以前已设在柏林。从 1949 年到 1990 年,东柏林是德意志民主共和国的首都,也是东德 15 个专区之一,而西柏林则是西德的第 11 个州。东、西柏林正式统一结束了四大国对柏林的管辖。

保健 全市有广泛而有效的健康保险。柏林是德国最大的医疗中心。市内有公立、私立医院的综合系统,其中有著名的慈善医院(Charité,1710 年始建时,为皇家医院)。曾在此工作过的最优秀的学者有 R. 科赫、R. 菲尔绍和 E. 绍尔布鲁赫。此医院有施泰格利茨和鲁道夫·菲尔绍两个实习医院,是柏林 3 所大医学院的主要教学中心。

教育与科学 柏林一向在德国教育上起表率作用。中等教育分为两个系统,一个是学生按成绩优劣分别进入不同学校的三轨制系统;另一个系统是统一的由综合性初中(7 至 10 年级)、高中(11 至 13 年级)以及各种类型的全日制或半日制的职业学校或技术专科学校组成。该市共有约 20 所公立和私立大学和学院,其中有洪堡大学、自由大学和工科大学,大学生超过 14 万人。1933 年前,洪堡大学一直是德国最著名的大学。由于共产党的统治,持不同政见的师生于 1948 年纷纷离开东柏林,在同年下半年主要由美国资助建自由大学。以此为开端,自由大学特别是其政治科学系(德国最大的政治科学系)聚集了全国的政治活动家。1967 年出现了新的左派集团,其激烈行动发展至走上街头与警察发生冲突。由此引发了 1968 年的德国学生动乱,因而在 20 世纪 70 年代初期,高等教育进行了彻底的改革。自 70 年代后期以来,学生运动逐渐平息。

市内有若干重要档案馆和图书馆。备受欢迎的有美国资助建立的美国纪念图书馆,1867 年建立的、称为艺术图书馆的州立博物馆和国立图书馆,后者同时也是主要的文化教育中心。

19 世纪后期以来,柏林一直是德国的科学和研究的最主要的中心。威廉科学促进学会建于 1910 年,1948 年更名为马克斯·普朗克学会。柏林享有最高国际声誉的学者是 A. 爱因斯坦和 M. 普朗克。战后成立得到国际承认的学术机构有高级科学研究所、包括研究分子遗传和教育的 8 个马克斯·普朗克研究所和研究中心、从事核研究的哈恩-梅特纳研究所、联邦材料研究与测试研究所、德国国际开发基金会、科学中心、夫琅和费学会 4 所研究所、历史学委员会和阿斯彭人文研究所等。1991 年以来,由规模巨大而高度集中的科学院分设的新的重要的研究机构有:马克斯·德尔布吕克分子医学中心和设在柏林-阿德勒肖夫的研究与发展中心。1991 年,勃兰登堡当局和柏林政府决定,重建原普鲁士科学院作为柏林与勃兰登堡第一个共设的机构。

文化生活 当柏林只是一个地方性的首府时,文化上的吸引力很难与伦敦、巴黎等城市相比。同时,由于德国人生活上的地区主义,在柏林很少有其他国家的首都那样的杰出人物。然而从 18 世纪以来,该市在文化上便有重大建树。1750 年在下椴树街上的普鲁士国立歌剧院可排名于欧洲最佳歌剧院之列,使柏林成为有高尚音乐情趣的城市。虽然柏林没有像维也纳那样出现过众多的德国作曲家,但也产生过伟大的作曲家如 F. 门德尔松和 P. 兴德米特。

虽然有过纳粹耻辱的烙印,有过战争的破坏,也有过分裂,但柏林仍然能够重新取得世界文化名城的声誉。事实上,分为东、西柏林,反而使许多文化机构和活动增多了一倍;此外,西柏林与本土隔绝的地位,使之更有理由成为主要发展科学、文化与教育的地方。因此,今天的柏林,在文化机构的数量及多样性上,都是无与伦比的。

18 世纪后期德国的文学复兴,柏林至少是基地之一。19 世纪最优秀的作家与柏林有关的是 T. 冯塔纳,他为该市《十字架报》和《沃西斯切报》两家报纸写文章,并使德国现实主义小说趋于完美。其他 19 世纪柏林的重要作家有剧作家 H. von 克莱斯特和以写作短篇幻想小说著名的 E.T.A. 霍夫曼。

从 18 世纪开始,为普鲁士王国服务的有许多优秀的建筑家。其中有创作了晚期德国巴罗克风格的 A. 施吕特尔;为腓特烈大帝在柏林城外的波茨坦建造忘忧宫的 G.V. von 诺贝尔斯多尔夫和赋予柏林中心区以富丽堂皇的新古典主义风格的 K.F. 申克尔。宫廷画师 A. 佩恩和 A. 门采尔以及雕刻家 C.D. 劳赫等人都曾住在柏林。

1809 年建立腓特烈·威廉大学之后,柏林便成为德国知识界活动最集中的地方之一。在出版业上,柏林一度与莱比锡媲美,但出版业集中的街道在战时几乎被炸平。19 世纪中,柏林也曾是德国报纸出版中心,目前出版的日报仍较许多大城市为多。现在柏林的出版社有 200 多家。

柏林作为一座富有想象力、象征意义和神话色彩的城市,其全盛时期不在显赫的帝国时代,而在随后 20 世纪 20 年代纷乱的魏玛共和国时期,即"黄金的二十年代"。此时柏林以人文荟萃著名。在 20 年代中使柏林享有盛誉的剧院、俱乐部、餐馆及其他各种娱乐性设施一直继续至战后。魏玛辉煌的文化形象,是由许多犹太艺术家和知识分子参与塑造成的;继这个光辉形象之后出现的,是柏林市受到法西斯的独裁专断、道德沦丧和种族灭绝政策所玷污的形象。12 年纳粹统治所带来的损失,有些永远也不能完全弥补,尤其是在犹太人对文化的贡献方面。但目前柏林市内有全德国最大的犹太人居民社区和相当数量的犹太人机构。

新建的柏林德国歌剧院于 1961 年在西柏林落成,很快便奠定了西方世界最著名的歌剧院之一的地位。位于东柏林的歌剧院于第二次世界大战中被毁,1951 年重建,为历史悠久的德国国立歌剧院所在地。古典音乐在柏林甚为盛行,最著名的音乐团体是1882年建立的、举世闻名的柏林交响乐团,20世纪后半期,在乐队指挥W.富特文格勒和H.von卡拉扬的领导下声誉更隆。

100多家剧院上演国际上各种流派的古典与现代戏剧,其中有:国际知名的柏林剧团,为剧作家B.布莱希特于1948年创建;席勒剧院附属实验剧团;西方剧院;许多评论家称为最好的德语剧院绍比纳剧院;施洛斯帕克剧院。20世纪初,柏林是德国电影制片业中心。从60年代起,西柏林的电影制片业开始得到值得注意的复兴。1951年初次举办的柏林电影节是国际上最重要的电影节之一。

柏林以其众多优良的博物馆闻名。由于战前博物馆馆址及部分旧有收藏品都在东柏林,因此在达勒姆区新建一座规模宏大的博物馆建筑群,通称为达勒姆博物馆。埃及博物馆以其珍贵的收藏品而闻名,藏有埃及王后奈费尔提蒂著名的半身雕像。柏林另一个新文化建筑群是柏林文化广场,广场上建有国立新画廊和工艺美术博物馆。

历史

早期 起源 1244年柏林始载入史册,其姊妹城科恩7年后见于史籍,后二城合并。此二城均建于近13世纪之初,因其地理位置在施普雷河上,扼东西贸易通道,因而建城。

此地原为日耳曼部族所居,后弃西去,为斯拉夫人所有,后因此地区日耳曼人势力复兴,乃得建城。撒克逊的大熊阿尔贝特一世从西面渡易北河而至,征服斯拉夫人。其继位者被封为勃兰登堡边界地区侯爵。至今柏林还保存有傲慢地以后足立起的黑熊作为其象征。至1250年,柏林-科恩在奥得河以东勃兰登堡边界地区占支配地位,1214年,该地曾建一碉堡。14世纪中,此城成为勃兰登堡边境地区城市同盟(建于1308年)的中心,并加入由北部德国城镇组成的汉萨同盟。

霍亨索伦王朝 1411年,勃兰登堡边界区归入纽伦堡封建诸侯腓特烈六世管辖。这是柏林与霍亨索伦王朝有联系的开始。自15世纪末,霍亨索伦家族为勃兰登堡选侯,将柏林-科恩设为其首府及永久驻地。

1618～1648年的"三十年战争"中,柏林经济负担甚重,人口从12 000减至7 500。1640年,腓特烈·威廉登位后,兴建工程,修筑堡垒要塞,拒瑞典入侵者于境外。其继位人腓特烈三世1701年在柯尼斯堡(今俄罗斯的加里宁格勒)登位为普鲁士王(称腓特烈一世),定柏林为王都。1709年,当柏林-科恩和腓特烈斯韦德、多罗斯恩施塔特和腓特烈施塔特等新建城市都在一个行政长官管属下时,已定下大柏林的格局,人口从1670年的1.2万人增至1712年的6.1万人。

18世纪上半叶,柏林向四周扩展。腓特烈大帝在城内兴建新的建筑物,促进该城经济和基本设施的发展。1806～1808年拿破仑占领期间,柏林的发展受到严重阻碍。部分行政、经济和文化得以复兴的基础是1810年设立腓特烈·威廉大学(该校为学者兼教育大臣W.von洪堡所建,1949年更名为洪堡大学)。但17世纪中叶以来,柏林已有若干学院和大学。柏林很早就吸引优秀的思想家到来,如哲学家G.W.F.黑格尔、F.施莱艾尔马赫和卡尔·马克思。1830年初次发生人民起义,裁缝工学徒为抗议工作条件恶劣走上街头。1848年革命中,与兵士冲突的市民受到血腥镇压。此时该市居民已从一个世纪前约10万人增加至41.5万人。1838年柏林-波茨坦铁路通车,柏林成为大铁路网的中心。

工业革命时期适逢O.von俾斯麦当政,他是1871年普鲁士统一德国时的普鲁士宰相,此时德意志帝国首都柏林人口为82.6万。后来人口迅速增加,1880年为130万人,1925年为400万人。从18世纪到20世纪后期,都市区混合居住有法国人、犹太人、荷兰人、波兰人、俄罗斯人、奥地利人及土耳其人等移民。

20世纪 *共和国与希特勒* 20世纪中,11月9日曾4次成为德国和柏林发生重大事件的日子。1918年的这一天,柏林成为第一个德意志共和国的首都;5年后,希特勒在慕尼黑的暴动被镇压下去;1938年,纳粹党卫军在称为打砸之夜的晚上用暴力破坏了犹太人的犹太教会堂、商店和其他不动产;1989年11月9日,东德当局开放了将柏林分隔达28年的柏林墙。

1918～1933年,通货膨胀失控,大批人失业,希特勒攫取政权。1933年1月31日,希特勒任总理,同年,国会以大多数通过一项臭名昭著的授权法案,使希特勒取得绝对的权力。

1933年,纳粹党徒开始迫害共产党人、社会民主党人和工会负责人,剥夺犹太人的德国公民身份。由于自愿的及被迫的向外移民,柏林市的犹太人从1925年占人口的4.3%即17万人减少到1939年的1.8%。1936年在柏林举行的奥林匹克运动会上壮观的场面不过是在纳粹德国的现实上盖上一层薄薄的面纱而已,而这层薄纱不久也就被打砸之夜撕破了。在柏林的这场大屠杀中,全城幸免的犹太人只有5 000人。1990年,世界犹太人代表大会首次会议在德国柏林召开。

第二次世界大战中盟军对柏林的空袭使约5.2万人丧生。1945年4月16日苏军攻陷柏林时,10万平民死亡,柏林大部分住宅区、工厂、军事设施、街道和文化建筑物被毁。1945年4月30日,希特勒在总理府地堡中自杀。

柏林的分裂 大柏林是1920年由7个区、59个乡村社区和27处陆地庄园合并而成。合并后的20个区(今为12个)成为统一的柏林都市区的组成部分,但仍有很大的自治权。第二次世界大战结束时,苏联占领了8个区。旧柏林市扩大后发展而称为新西区的,成为西柏林。南面6个区为美国占领区;英国占领区包括中央和西部4个区;法国占领北部2个区。

这种分配以1944年在伦敦达成的一项协议为基础;1945年的波茨坦会议上由美国、英国和苏联予以肯定。根据协定的条款,德国划分为各占领地带,大柏林分为各占领区。大柏林在苏联占领地带之中,但不是苏联占领地带的一部分。

1948年3月,西方大国决定把他们在德国的占领区合成一个单一的经济区。苏联代表在盟国控制会议上退席以示抗议。1948年6月,在包括西柏林在内的经济区实行货币改革。苏联对西柏林进行陆地封锁作为报复。

苏联欲基本上切断该市补给的企图为西方盟国建立的强大空中补给线所打破,盟国飞机将几近200万吨的食物、煤和其他必需品空运入该城。1949年5月,苏联人解除封锁,但西方盟国继续空中运输至9月,积累下一年的必需品。1948年11月,东柏林独自成立市政府并设市长,至此柏林完全分裂。

1953年6月,东柏林约5万工人不满限制太严的政策,发动动乱。动乱蔓延至东德全境,被苏联武装干涉镇压下去。1958年苏联发出关于西柏林地位的最后通牒,引起一场新的柏林危机,再次使数十万人取道西柏林离开东德。为了阻止居民离境,东德政府在苏联的完全同意下构筑柏林墙,将西柏林与东柏林隔绝。于是西柏林这个事实上是在东德包围中的孤岛,便成为西方自由的象征。20世纪70年代中,以1971年4大国协议为基础签订了一系列条约,逐渐缓和了东、西方的关系,增加了活动的自由度,至少对西柏林人和西方来访者是如此。

柏林的统一 1989年夏,大量东德居民取道匈牙利逃往西方以及1989年秋在莱比锡、柏林和东德各地发生的群众示威运动导致了共产党统治的倒台。柏林墙的开放结束了长达28年的柏林的分裂,而德国的重新统一又结束了该市长达45年的被占领状态。1991年夏,除保留几段墙体作为历史文物之外,柏林墙被全部拆毁。

柏林重新统一后面临一系列的难题。其中有:在一座本来是连接而完整的城市及其公路和公共交通运输规划上有过30年的分裂;高失业率,尤其是在前东德的政府雇员中;原东、西两半城市中有许多公共机构和服务业重复;东柏林人和西柏林人之间的心理隔阂("头脑隔阂");住宅奇缺,房地产价格和租金猛涨,柏林重定为首都后这个问题更形严重;大量移民入境,多来自东欧,因为对他们说来,柏林是在最东面的"西方"都市区。

90年代,大量的建设工程使得柏林市中心面貌全然改观。商业建筑矗立在波茨坦广场(柏林墙的旧址),再次成为活跃的市中心。而在弗里德里希大街的旅馆与零售业建筑再度成为展示城市的窗口。与此同时,重新整修过的国会大厦也换上新的圆顶,1999年再次成为德国国会会所;2000年之前,一系列全新或翻修的政府建筑,也成为多数德国联邦部长的办公处。大规模的基础结构工程连结了这城市长久以来处于分离状态的交通系统。也许最重要的是,市内的疆界线开始瓦解,西柏林人到前东柏林地区生活或工作,而东柏林人到前西柏林地区生活或工作。东欧的民主化和苏联的解体,使欧洲重心东移。同时德国联邦政府将要从莱茵河地区迁往施普雷河地区所表现的这种转移,也强烈地预示柏林将成为欧洲中部的政治、经济和文化中心。

Berlin 柏林 美国康涅狄格州中西部哈特福德县城镇。临马塔贝塞特河。1660年由第一位白人定居者纽黑文的 R.伯克利创建。原名肯辛顿,1785 年由法明顿、米德尔敦和韦瑟斯菲尔德等的一部分组成镇,更名柏林。范围包括东柏林和肯辛顿两村,是早期的工业城镇。生产手枪、工具、货车、眼镜、皮革和棉线。1740 年由早期流动摊贩爱德华和威廉·帕蒂森制成全国第一件马口铁器皿。现经济以制造业为主。面积 69 平方千米。人口 18 215(2000)。

Berlin 柏林 美国新罕布什尔州北部库斯县城市。在安德罗斯科金河瀑布和怀特山北缘处。1771 年创建,为迈纳斯自治镇,1821 年始有人定居,1829 年更名柏林。1897 年设市。1825 年开始利用水力发展木材和纸浆业。现经济仍以纸浆和造纸业为主。该市的柏林(南森)滑雪跳台是全国最高的钢架跳台(55 米)之一。柏林就在怀特山国家森林北面。州立米兰丘陵公园也在附近。设有新罕布什尔职业工学院。人口约10 331(2000)。

Berlin, Congress of 柏林会议 (1878-06-13 ～ 07-13) 欧洲主要国家外交会议,签署《柏林条约》以取代《圣斯特凡诺条约》,后者原是俄国和土耳其结束 1877 ～ 1878 年的俄土战争而于 1878 年 3 月 3 日签订的。柏林会议是由奥地利外交大臣安德拉希发起召开的,但会议实际上是在德国首相俾斯麦操纵下进行,它修改了俄土《圣斯特凡诺条约》,以满足英国和奥匈帝国的利益,从而缓和了一场国际危机。但是,会议使俄国受到损失,感到蒙受耻辱。此外,会议未能充分考虑巴尔干各民族的愿望,因此给未来的巴尔干危机埋下了种子。

Berlin, Free University of 柏林自由大学 享有行政管理自治权,接受国家资助的一所德国大学。1948 年建于西柏林。柏林分为东、西两部分之后,一些教授和学生为了寻求学术自由,从东柏林腓特烈·威廉大学(今洪堡大学,建于 1809 ～ 1810)分离出来,建立此校。该大学于 1970 和 1974 年先后进行两次机构改革,该校管理委员会由政府、学校教职员工及学生代表组成。

Berlin, Humboldt University of 柏林洪堡大学 又名柏林大学。原为腓特烈·威廉大学(1810 ～ 1949)。柏林的一所由国家资助的男女合校的高等学府。1809 ～ 1810 年由学者、教育改革家、普鲁士教育大臣 W.冯·洪堡创办。这所原来以普鲁士国王腓特烈·威廉三世的名字命名的大学,在洪堡的指导下发展成为德国最大的学府。1840 年该校招生人数达 1 750 名以上,成为教学和研究方面的先导,并以其现代课程设置、公正和非教条的知识探索精神及专门设置的科研机构而著称于世。19 世纪该大学的著名教授有:哲学家 G. W.F.黑格尔、J.G.费希特和叔本华;历史学家兰克、蒙森和 B.G.尼布尔;科学家亥姆霍兹和菲尔绍;神学家施莱艾尔马赫;民俗学家雅各布和格里姆。20 世纪 30 年代教职员和课程均纳粹化,许多学术界人士逃往国外。第二次世界大战后,该校置于德意志民主共和国的控制之下,以其创始人之名重新命名为洪堡大学,并在学校的许多课程中确定了马列主义的方针。

Berlin, Irving 伯林(1888-05-11,俄国莫吉廖夫[今在贝拉勒斯]～ 1989-09-22,美国纽约州纽约) 原名Israel Baline。美国作曲家,在流行歌曲从早期雷格泰姆与爵士乐时代演变

美国不列颠百科全书公司供图

到歌舞剧黄金时代的过程中起了主要作用。由于他掌握了广泛的歌曲风格,无论是创作舞台剧还是电影中的歌曲都得心应手,他可算是美国歌曲作家中最杰出、最历久不衰的一人。出身于犹太唱诗班领唱歌手家庭,1893 年举家迁往纽约。伯林 8 岁丧父,只受过两年正规教育,曾在纽约东区街头卖唱和担任歌唱侍者。后开始写抒情歌词。伯林第一首出版的歌曲《来自阳光明媚的意大利的玛丽》于 1907 年问世。几年内已经是个成功的"歌曲宣传员",演唱新的曲调。他因未受过音乐教育而不识乐谱,亦不会记谱,学习音乐全凭耳听。伯林在写词的同时也开始作曲。1911 年写了《亚历山大雷格泰姆乐队》,立即轰动纽约。后开始为百老汇的歌舞剧和音乐娱乐节目作曲,其中有《齐格飞活报剧》。1919 年创办欧文·伯林音乐公司,出版自己创作的音乐。此后数十年,伯林为多部歌舞剧谱曲,最受欢迎的是《安妮拿你的枪》(1946、1950 年拍成电影)。伯林作有歌曲 800 余首,其中很多成为经典之作。在大型歌舞剧电影盛行时期他又写了许多成功的电影音乐,为电影《假日旅舍》(1942)所作配乐中有一首感人的叙事歌《白色圣诞节》是录制成唱片的最流行歌曲之一。伯林共作有百老汇戏剧表演配乐 19 部、电影音乐 18 部。

Berlin, Sir Isaiah 伯林(1909-06-06,俄罗斯帝国拉脱维亚里加[今在拉脱维亚]～ 1997-11-05,英国牛津) 英国历史学家和著作家,以其政治哲学著作著称。1920 年,伯林及其一家自苏联移居英国。就读于圣保罗学校,后获得奖学金而进入牛津大学基督圣体学院。学业优异,于 1935 年获硕士学位。在此期间,伯林即在牛津大学新学院开始任哲学讲师(1932 ～ 1938),后成为该校评议会会员(1938 ～ 1950)。1950 ～ 1966 年执教于牛津大学万灵学院。曾任牛津大学沃尔夫森学院院长(1966 ～ 1975),从 1975 年起为万灵学院教授。伯林最重要的著作有《卡尔·马克思:他的生平和环境》(1939;1959、1963 修订),这部书是对马克思所受的影响的考查;《历史必然性》(1955),这是一部重要的批评决定论学说的著作;《启蒙时代》(1956),是对 18 世纪哲学家的讨论;还有《论自由的四篇论文》(1969)。他的政治哲学著作主要涉及在日益增长的极权主义和机械论的社会中的自由和自由意志问题。伯林的选集已出版多卷,重要的有:《俄国思想家》(1978),《概念与范畴》(1978),《反潮流》(1979),《亲身感受》(1980),《扭曲的人性:思想史若干问题之探讨》(1990)。1957 年被授予爵士,1971 年获功绩勋章。

Berlin, Isaiah ben Judah Loeb 贝林(1725-10,匈牙利艾森施塔特[今在奥地利]～ 1799-05-13,普鲁士西里西亚布雷斯劳[今波兰弗罗茨瓦夫]) 犹太学者,以其对《塔木德》及其他著作的校勘评论而闻名。所著《塔木德传统》是对法兰克福某拉比之著作的补充,是他许多集解本中最著名的。贝林是著名《塔木德》学者之子,青年时代迁居柏林,1793 年在布雷斯劳当选拉比。其著作辨义辨事观察深入,包括对绝大部分犹太教早期教义作品的评注诠释。

Berlin blockade and airlift 柏林封锁和空运 1948～1949年因苏联企图迫使西方盟国放弃第二次世界大战后其在西柏林的权利而引起的国际危机。1948 年 3 月西方盟国决定将其在德国的各占领区联合成一个经济单元,对此,苏联代表退出盟国管制委员会以示抗议。西柏林(也在西德)发行新德国马克,苏联认为这是对东德货币的威胁,于是苏联占领军封锁了柏林和西方之间的一切铁路、公路和水路交通。6 月 24 日苏联宣布:柏林的四强当局应停止存在,盟国在柏林不再有任何权利。6 月26 日美国和英国开始从外部向柏林空运生活必需品。两国还组织"空运",运出西柏林锐减的出口工业品。到 7 月中旬,苏联在东德的占领军已增加到 40 个师,而盟国占领区的驻军为 8 个师。7 月底美国派了 3 个战略轰炸机大队到英国增援。形势一直很紧张,但没有爆发战争。虽然燃料和电力严重缺乏,空运使西柏林维持生活达 11 个月,直到 1949 年 5 月 12 日苏联解除封锁。空运持续到 9 月 30 日,耗资共 2.24 亿美元,运送食物、燃料、机器和其他物资 2 323 738吨。结束封锁的原因是,盟国对东德的交通运输也采取了针锋相对的措施,特别是西方禁止进口东欧集团的全部重要出口物品。

Berlin-Dahlem Botanical Garden and Botanical Museum 柏林-达勒姆植物园和植物博物馆 德语全名作 Botanischer Garten und Botanisches Museum Berlin-Dahlem。德国历史最久的植物园,原是皇家种植花卉、药用植物、蔬菜和啤酒花(用于皇家啤酒厂)的花园。始建于 17 世纪,但最后处于严重的无人管理状态。1801 年,植物学家卡尔·路德维希·维尔登诺任园长,开始整顿园地,10 年后就把它建成当时欧洲杰出的植物研究中心和展览

场所之一。第二次世界大战期间，几乎全部被毁，后来只得重建。现在柏林-达勒姆植物园设有专门陈列室、服务性温室和数英亩露地庭园，约种植有1.8万种植物。附属的植物博物馆设有一间巨大的标本室，约存有185万号标本。博物馆设有图书馆。该中心出版两种刊物——《维尔登诺学报》及《恩格勒学报》。

Berlin Painter 柏林画家（活动时期公元前500～前460） 雅典杰出的陶瓶画家，与克莱奥弗拉德斯齐名，所作双耳陶瓶现藏柏林，故名。陶瓶按新的设计原则装饰，抛弃了

约公元前490年绘制的双耳瓶
美国不列颠百科全书公司供图

传统的边框，使人物占主要地位。陶瓶瓶身黑地衬托着占面积较大的人物，特别醒目。有的学者认为柏林画家早期作品（约公元前500～前480）最新颖。也有些学者认为其后期作品（约公元前470～前460）可能是由一工场或一批艺术家复制。有200多个彩绘陶瓶被认为是柏林画家绘制的，现藏欧美各大博物馆，如慕尼黑的博物馆、罗浮宫、纽约大都会艺术博物馆、不列颠博物馆以及梵蒂冈博物馆等。

Berlin Wall 柏林墙 1961～1989年间为防止从东柏林及其邻近区域进入西柏林而修筑的一道围墙。1949～1961年间约有250万东德人逃往西德，包括日益增多的熟练技工、专业人员和知识分子，从而威胁到东德的经济独立。因此东德决定建道墙封锁进入西柏林（即西德）的路。该墙是根据人民议院1961年8月12日法令，于8月12～13日夜间筑成的。原为刺铁丝网和煤渣砖墙，后为混凝土墙取代（高达5米），墙上设有刺铁丝网，观察塔、枪炮阵地和地雷。至80年代，装有电网和防御工事的墙穿过柏林长达45千米，将该市一分为二；又围着西柏林延长120千米，将它与东德完全隔离开。柏林墙成为东、西德和东欧、西欧之间的冷战象征。约有5 000名东德人用各种方法越过柏林墙安全到达西柏林，有5 000名被东德当局捕获，至少有191人在越墙时被击毙。1989年10月，在民主化浪潮席卷东欧之际，东德共产党被迫交出权力。11月9日东德政府开放与西德（包括西柏林）的边界同时也开放了柏林墙，从此东德人可自由进入西德。这座墙在东、西德之间也不再起政治障碍作用。

1989年以前的柏林墙
美国不列颠百科全书公司供图

Berlin ware 柏林陶瓷 1678年以后柏林制造的彩陶和瓷器。彼得·范·德·李于是年在该地建立了第一家彩陶工厂。另一些工厂则由考耐留斯·冯克于1699年和卡尔·弗里德里希·吕狄克于1756年建立。但是到18世纪末，这些工厂均已关闭。得到来自荷赫斯特的陶瓷器秘方拥有者约翰·本肯格拉夫的帮助和腓特烈二世国王的庇护，威廉·卡斯帕·维盖利于1751年建立了第一家瓷器工厂。但是他于1757年放弃了该厂，因为腓特烈国王在占领撒克逊后，专注于当地的迈森工厂而撤销了对维盖利的庇护。早期柏林瓷现已成稀有品，其质量好，但其釉上彩色料很难黏附，常有部分剥落。1761年，约翰·恩斯特·哥兹考斯基得到了瓷器配方，并开设了一家工厂。该厂于1763年出售给国王，1918年成为州属工厂。要想完全肯定地鉴别18世纪的柏林陶瓷器是不可能的。不过，柏林陶瓷最兴旺的时期是1781～1786年，然而，镶嵌边花是一种精心制作的鱼鳞状均匀排列的菱形花饰，它于1763年问世，并以多种形式出现。柏林瓷花瓶通常都具有造型复杂的捏塑贴花，一直受人喜爱。柏林瓷因其经久不衰的精湛绘画而赢得声誉。在19世纪初期，柏林瓷就以贝德迈耶风格的大型花瓶引人注目，同时也以精美的彩绘瓷画屏而著名。暗花装饰陶瓷的生产始于1830年，还引进了一种“锡釉彩陶”并在1867年巴黎博览会上展

约1775年的柏林陶瓷寓言人物
美国不列颠百科全书公司供图

出。工厂在第二次世界大战期间毁于战火，战后不久即获重建并重新开业。

Berlin West Africa Conference 柏林西非会议 1884年11月15日至1885年2月26日在柏林举行的一系列谈判。会议因葡萄牙欲控制刚果河口而提议召开，欧洲列强也欲在非洲进行殖民扩张而相互猜疑，也非得开会不可。会议的总决议宣布：刚果河盆地中立；该盆地所有国家享有贸易和航运自由；拒绝葡萄牙对刚果河口的要求。由此导致成立了英、法、德早已原则上同意的刚果自由邦。

Berlin woolwork 柏林绒绣 19世纪的德国业余刺绣品，图案为手绘，用戈塔纺制的并在柏林染色的极软刺绣毛线以十字针法绣

19世纪下半叶的柏林绒绣
美国不列颠百科全书公司供图

制。这类图案系在柏林印制并着色。第一幅图绘于1804年，1810～1840年间又有1.4万多种图案印制出。至1840年此种图案在英、

美已取代其他刺绣图案。绣品所用毛线按德国风格染成鲜明的颜色，由于颜色鲜明、刺绣丰富多彩，因而得以广泛流行。除使用在绣花十字布中常用的十字针法和点绣针法(斜针绣)外，还采用一种称为萨里(Surrey)的拉毛并修剪成形的针法使毛线起绒增厚，加强花卉图案的颜色和深浅层次。也用彩色玻璃珠来突出花卉和风景图案。

Berlin Zoo　柏林动物园　德语为 Tierpark Berlin。柏林的一座动物园。以收集饲养动物种类繁多见称。应公众要求，由原东柏林市政府于1955年开放。老柏林动物园经第二次世界大战破坏后残余部分当时在西柏林，原东柏林的居民不能进入。柏林动物园在腓特烈斯费尔德，占地160公顷，已迅速发展成为世界上收集动物种类最多的大动物园之一，饲养着约885种共5 350只动物。著名的特色是布雷姆动物馆，它是世界上最大动物园建筑物之一。馆内设有能容纳几百种鸟类的巨大鸟舍。鸟舍两侧是猫科野兽的笼子以及蜥蜴类和蛇类的育养箱，而整个建筑又长满了从国外引进的热带植物。该动物园还有异常巨大的自然露天围栏，用于饲养美洲野牛、骆驼、美洲驼以及其他有蹄类动物，并用于养北极熊。柏林动物园出版科学刊物《动物园》和《鸟类学论文集》，并出版通俗读物《麋鹿》。

Berlin Zoological Garden and Aquarium　柏林动物园及水族馆　德语为 Zoologischer Garten und Aquarium Berlin。世界上收集饲养动物种类最多、规模最大的场馆之一，一般认为是德国最老的动物园。1841年建成，当时普鲁士国王腓特烈·威廉四世将其养雉场和览牲园赐予国民。该动物园得市政方面支持于1844年正式开放。园内饲养了许多种珍稀动物，其中有矮种河马、印度象和猩猩。到1939年第二次世界大战爆发前，园内曾饲养4 000只各种鸟和哺乳动物，还有8 300尾水生动物。然而，场馆在大战中全部被毁，残存动物仅91只。重建工作于1952年开始，到20世纪后半期，柏林动物园及水族馆已有近1 350种陆生脊椎动物5 000多只和为数约7 000尾淡水的和海水的鱼类以及无脊椎动物的水族动物群。动物园占地约40公顷，水族馆为一座四层大楼。柏林动物园拥有世界上最好的野牲畜收集品，曾是世界上第一家繁殖印尼小野牛的动物园，并拥有各种猛禽、鹤类和羚羊的优异收集品。该动物园还保持着印度野牛以及黑犀牛和白犀牛的国际血统记录簿。

Berliner, Emil　伯林纳(1851-05-20，德国汉诺威区汉诺威市～1929-08-03，美国华盛顿[哥伦比亚特区])　Emil又拼Emile。德国出生的美国发明家，对电话技术有重大贡献，并研制出留声机唱片。1870年移居美国。1877年，即A.G.贝尔发明电话的次年，伯林纳发明一种采用金属疏接触的送话器，试验时有重要发现：这种装置可兼作优良的受话器使用。后来伯林纳对电话机的发展又有新的发明。1887年他转而研究留声机并作了重要贡献。他把唱片设计成平面，唱针在上面作水平运动，而不是垂直(如在圆柱面上)运动，同T.爱迪生的唱针相比，减少了由于受重力影响而产生的失真。他还发明了一种生产唱片的方法。后来，伯林纳的兴趣转向航空方面。1908年他设计出一台重量很轻的内燃机，成了飞机用内燃机广泛效仿的样本。在他的指导下，他的儿子H.伯林纳设计了一架直升机，并早在1919年就成功地完成了试飞。在声学问题上，老伯林纳1925年还发明了吸声砖，用于建造礼堂和音乐厅。

Berliner Ensemble　柏林剧团　德国剧作家、诗人贝托尔特·布莱希特1949年在东柏林建立的戏剧团体。原为德意志剧院的一部分，布莱希特曾于1949年1月在该院导演他的剧本《大胆妈妈和她的孩子们》。起初仅计划成立一个巡回演出剧团，主要由德意志剧院比较年轻的成员组成，由布莱希特的妻子海伦·韦格尔担任主要女演员和合作导演。剧团主要上演布莱希特创作或改编的剧目，并以布莱希特的叙事体戏剧风格演出，后来这种风格对整个西欧和美国的导演均产生影响。1954年柏林剧团迁入自建的剧场造船坝剧院，成为民主德国一个独立的国家剧团。剧团在欧洲进行过多次巡回演出，其中包括两次去巴黎演出，1954年的《大胆妈妈》和1955年的《高加索灰阑记》赢得了国际声誉和高度评价。1956年布莱希特去世后，由韦格尔继任剧团导演，直到1971年她去世为止。

Berlinghieri, Bonaventura　贝林吉耶里(活动时期1235～1244)　意大利卢卡的画家。以在佩夏圣方济各教堂描绘圣方济各生平的祭坛画著称。这是最早描绘这个阿西西圣徒故事的绘画之一，显然受拜占廷艺术传统的影响。另一作品《圣方济各受伤》是在佛罗伦萨美术学院发现的。

贝林吉耶里绘祭坛画《圣方济各及其生平片断》(1235)

美国不列颠百科全书公司供图

Berlinguer, Enrico　贝林格(1922-05-25，意大利撒丁区萨萨里～1984-06-11，帕多瓦)　从1972年3月到去世任意大利共产党总书记。他是"民族共产主义"的主要发言人之一，谋求从莫斯科独立出来，并赞成使马克思主义适合当地的需要。贝林格出身于中产阶级家庭。父亲是一个社会主义者，任众议员，后来任参议员。贝林格1943年参加共产党，负责其家乡萨萨里的青年共产党人工作。1944年因参加反对意大利法西斯政权的多次示威而被捕，坐牢3个月。战后，他在米兰、后来在罗马继续担任共产主义青年的组织者，1945年成为意共中央委员会委员，1948年成为意共执行委员会委员。贝林格在罗马和撒丁曾担任一系列党内职务，1969年当选为助理书记，1972年当选为总书记。作为西欧最大的共产党组织的总书记，贝林格经常表示愿意在他所谓基督教民主党与共产党"历史性妥协"的政府中起积极作用。虽然他关于这样一个联合政府的建议从未充分实现，但贝林格作为一个全国欢迎的人物，作为控制全国许多地方政府的政党之领袖，确有相当大的影响。1976年他受聘充当总理的正式顾问——15年来意大利共产党人第一次担任这样的职务。1979年他成为欧洲议会的议员。70年代后期和80年代初期，贝林格感到自己与苏联的共产党政府越来越格格不入。在此期间，他一再宣称支持北大西洋公约组织，并谴责苏联干涉阿富汗。

Berlioz, (Louis-) Hector　柏辽兹(1803-12-11，法国拉科特-圣安德烈～1869-03-08，巴黎)　法国浪漫主义时期作曲家、评论家和指挥家，主要以其《幻想交响曲》(1830)、合唱交响曲《罗密欧与朱丽叶》(1839)和戏剧音乐《浮士德的劫罚》(1846)闻名。晚年在国外声誉卓著，而在国内则受到敌视。

早年经历　因法国战乱频繁，学校解散，幼时仅从其父受教育，学习音乐和拉丁语。但早年所受正规音乐训练不多，靠自学而理解了和声的一些要素，12岁时已在为当地的室内乐小组作曲。又受乐师指点，学会演奏长笛和吉他，并成为吉他大师。1821年父亲送他去巴黎学医，但他却利用一切机会去巴黎歌剧院，钻研整套曲目，其中对他最有感染力和说服力的是格鲁克的作品。他的音乐使命感越来越明显，因此他千方百计投入巴黎音乐学院作曲教授J.-F.勒絮尔门下学习。他在音乐学院修习必修课，并于1830年获得罗马大奖。同年他完成并上演他的第一部杰作，也是19世纪音乐中的开创性之作的《幻想交响曲》。但在这一成绩之后他没能再接再厉，而是不得不根据大奖的条款去国外逗留3年，其中两年在意大利。在巴黎长时间的学习期间，他体验到了两位现代音乐家贝多芬和韦伯以及两位伟大诗人莎士比亚和歌德的"启示"。与此同时他暗恋上莎剧女演员H.史密森，单相思不成，他便与技巧辉煌而风姿绰约的钢琴家C.莫克订婚。当时整个欧洲(包括维也纳的贝多芬和舒伯特)都认为格雷特里、梅于尔、凯鲁比尼及其追随者的作品在音乐界处于领先地位。柏辽兹却推崇韦伯和贝多芬，并鼓吹为了音乐中的戏剧性表达而回归到戏剧大师格鲁克身边。这3位音乐家在某种意义上都是戏剧家，而柏辽兹认为,音乐首先必须具有戏剧表现力。这一主张他从1823年开始就在他最早的音乐评论中加以阐述,并一直是他的艺术信条。他曾国在德、比利时、英国、俄国和匈牙利等国旅

美国不列颠百科全书公司供图

行,其成果是他教会了欧洲各大管弦乐团一种新的风格,并通过它们教会了那些总是簇拥他身边的年轻作曲家和评论家一种新的语汇。不过,在这些"战役"开始以前,柏辽兹在意大利有过一段反省的时间。在《回忆录》(1870)中他讲到自己在硕果累累的巴黎时期以后作品是多么贫乏。但是不管怎么说,即使是在意大利,柏辽兹还是记满了一本本札记,结识了俄国作曲家格林卡,并与门德尔松成为终身挚友,又肩背吉他,翻山越岭为农民演奏。在意大利积累的印象始终是他的音乐和戏剧灵感的源泉,直到最后的作品《特洛伊人》和《贝雅特丽丝和本尼狄克》(1862年首演)。此时他的爱情陷入僵局,在罗马的生活到了无法忍受的地步。于是在18个月之后他放弃部分奖金而回到法国。

成熟时期 回到巴黎后,柏辽兹努力重振雄风。他将一些早期作品拼凑成一部当时时兴的单人剧(由一位演员朗诵,中间缀以音乐场景),题为《起死回生》,1832年首演获得极大成功。一连串的偶然事件使他和女演员史密森发生联系,他们于1833年10月3日结婚,在蒙特马特度过一段平静生活,但最后婚姻破裂。在蒙特马特期间他创作了安魂曲《纪念亡灵大弥撒》(1837),交响曲《哈罗德在意大利》(1834)和《罗密欧与朱丽叶》(1839),以及歌剧《本维努托·切利尼》(1838)。《哈罗德在意大利》首演后柏辽兹惊喜地发现著名小提琴大师帕格尼尼拜倒在他脚下并宣称他是一位天才,注定要继承贝多芬所开创的新音乐传统。次日柏辽兹收到2万法郎和帕格尼尼的一封信,重申自己的评价。柏辽兹作合唱交响曲《罗密欧与朱丽叶》题献给帕格尼尼。1837年的《安魂曲》是为政府一次庆典活动委约而作。接着柏辽兹又应邀为纪念七月革命10周年而创作由军乐队、合唱和弦乐器演出的《葬礼与凯旋交响曲》(1840)。1840年以后柏辽兹的生活由一系列横跨欧洲的巡回演出组成。最后一次是1867年的圣彼得堡和莫斯科的令他心力交瘁的系列音乐会,这时他已病得很厉害,但是通过他的总谱手稿和他的指挥,音乐会使俄国的五人团,尤其是穆索尔斯基,初步了解了他的风格。关于配器法,柏辽兹发表了一本重要论著《论现代配器法与乐器法》(1844)。它不仅是一本技术性手册,而且是帮助后世掌握音乐表情的美学的入门教材。在柏辽兹的戏剧作品中,《浮士德的劫罚》(1846)和《基督的童年》(1854)是世界闻名的。另外两部在第一次世界大战后从人们的淡漠中重露头角,《特洛伊人》(1855～1858)和《贝雅特丽丝与本尼狄克》。这几部戏的台本全由柏辽兹撰写。他还写了一首《赞美颂》(1849,1855年公演)。1843～1856年间他为自己的歌曲配器,包括声乐套曲《夏夜》。最著名的序曲有《李尔王》(1831)和《罗马狂欢节》(1844)。晚年疾病缠身,力不从心,加以亲人多故,心情忧伤。

评价 柏辽兹音乐的突出特点——富于戏剧表现力和多样化——是导致听众对它或喜爱或憎恶的原因。多样化也意味着一首作品的爱好者可能对其他作品不屑一顾,正如莎士比亚的信徒也许会讨厌《奥瑟罗》一样。他的旋律丰富而扩展,因此往往不讨4小节乐句爱好者的喜欢;他的和声可以是一目了然,也可以是深奥难测,但却总是功能性的,并经常决定于音质的因素。他的转调可能很刺耳,而他的配器则通常都很轻盈透明,从不黏黏糊糊。比利时作曲家弗兰克说过,柏辽兹的全部作品无一不是杰作。他的意思是说,这位作曲家的10多首伟大作品中,每一首都体现了一个不同于所有其他作品的概念。他几乎从不重复他自己。相反,他为他的每个题材都设计一种新颖的风格,结果是,你熟悉了一种风格,未必一定能轻而易举地了解另一种。没有比《葬礼与凯旋交响曲》和《罗密欧与朱丽叶》或是《安魂曲》和《基督的童年》之间更不相像的了。诚然。柏辽兹的和声体系似乎自始至终是一样的;在他的旋律和自由对位中,他的特征无往而不在。但是他用这些典型因素为他的每一部戏剧和其中的每一个剧中人营造出截然不同的氛围。只有反复聆听才能揭示一部作品的活力和艺术。这并不是说这些作品如白璧无瑕,而只是说它们体现出独一无二的构思,是任何其他作曲家所没有提供的。在创造戏剧效果以及艺术氛围方面,柏辽兹以忧思、内省、爱情——温和的或热情的——等场景取胜。他的意图始终是把真实性和音乐感觉相结合。应该说,柏辽兹的音乐还需要大量精确而冷静的研究。可以肯定的是,属于19世纪或反映其观点的书籍,无论是否偏袒瓦格纳或德彪西,都会把学者引入歧途,并可能闭塞听众的耳朵,很容易把柏辽兹描绘为只是一个音色方面的能工巧匠,并曾协助开发了乐队的资源。但是随着一些主要作品在整个西方世界的反复演出,一个更为综合性的评价开始盛行:柏辽兹是一位第一流的戏剧音乐家。

Berlusconi, Silvio 贝卢斯科尼(1936-09-29,意大利米兰～) 意大利媒体大亨和总理(1994;2001～2006)。自米兰大学毕业后,从事房地产投资,在20世纪70年代累积了一笔可观的财富。到了90年代,他拥有的公司逾150家,其中包括三家电视网和一家意大利最大的出版公司。1994年成立了一个保守派政党"意大利前进党",并当选为总理。由于利益冲突和其他各种指控,贝卢斯科尼于1994年12月辞去总理职位。虽然后来逃漏税的罪名没有成立,他仍被判犯诈骗和贪污罪。尽管被判罪,且因控制意大利许多媒体而备受批评,他仍是意大利前进党党魁,并于2001年再度出任总理。

berm 后滨阶地 形成于高潮水位以上后滨带的海滩阶地。多见于粗砂海滩,是低能波浪堆积的产物。向海侧具有明显的坡折,和一个略高于平均高潮面的水平或反倾的平台。在宽阔的海滩可能出现3条或更多的大致平行的后滨阶地,各阶地形成于不同的波浪条件下。在某些海滩,每年夏天都可能堆积一条宽数米的后滨阶地,而在冬天却又被高的暴风浪毁坏。

Bermejo, Bartolomé 贝尔梅霍(生地科尔多瓦,活动时期1474～1495,卒地巴塞罗那) 又称B.de卡德纳斯。西班牙画家。受佛兰德斯风格熏陶,被认为是埃尔·格列柯之前最杰出的西班牙画家。其风格为当时许多画家所模仿。注明年代的最早作品是《西洛

贝尔梅霍绘《哀悼耶稣》(1490)
美国不列颠百科全书公司供图

斯·马德里的圣多明戈》(1474,普拉多博物馆),具有典型的哥特式风格。最能显示其精湛的文艺复兴期技艺的作品是巴塞罗那大教堂的《哀悼耶稣》(1490),风格颇似佛兰芒画家韦登,细部清晰、色彩丰富、非常逼真。画中的捐献人卡农·吕伊斯·代斯普拉像,被认为是当时欧洲最杰出的肖像之一。

Bermejo River 贝尔梅霍河 南美洲中南部巴拉圭河西岸支流。源出玻利维亚塔里哈附近,下泻查科低地后折向东南(河道多变)流入阿根廷,经贝尔梅霍、恩巴卡西翁、埃尔平塔多、罗卡总统镇于巴拉圭皮拉尔对面汇入巴拉圭河,长1 046千米。该河由于夹带大量泥沙,因以得名贝尔梅霍(意为"微红")。为阿根廷福莫萨和查科两省界河。中游(通常称特乌科河)可通小船。

Bermondsey 伯蒙德西 英国伦敦萨瑟克区内一地区,位于纽因顿以东、伦敦桥东南。中世纪时是制革中心,18～19世纪时为典型的码头区。第二次世界大战中遭到轰炸,破

坏殆尽，20 世纪后半叶重建住宅和商业楼宇。当地有第二条泰晤士河隧道（1869），并且是铁路终点。伦敦桥火车站、伦敦地牢、乔治客栈（1677）和盖伊医院均在北部。

Bermuda 百慕大 北大西洋西部的英属自治殖民地，是由 7 个大岛和大约 150 个小岛以及一些礁群组成的群岛，位于哈特勒斯角（美国北卡罗来纳州）以东 900 千米处。陆地总面积 54 平方千米，首府哈密尔顿。群岛长约 39 千米，平均宽度不到 1.6 千米，呈鱼钩状分布，各岛之间有桥梁连接。几个大岛在地理上被看作是一个整体，称为主岛或大百慕大岛（长 22.5 千米，宽 1.6 千米）。

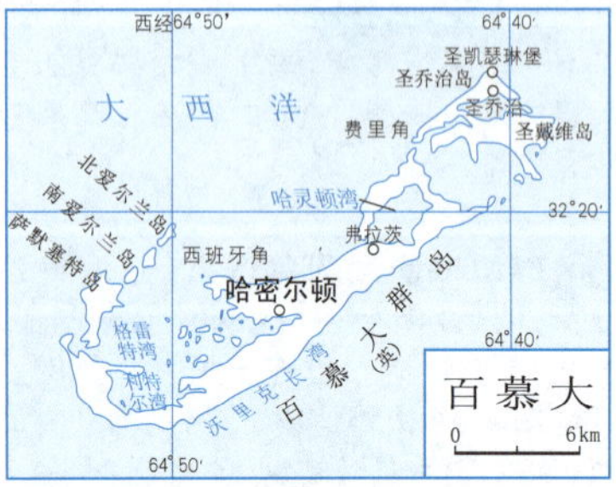

美国不列颠百科全书公司供图

土地 百慕大珊瑚岛由海底高达 4 300 米的死火山锥上覆盖的石灰岩构成，厚度达 60 米，石灰岩上有一浅层沃土。群岛四周由珊瑚礁环绕，很少地表水，无河流或湖泊，但土壤的孔隙度高，可储存水分。

气候温和、潮湿，没有太大变化。8 月最为温暖，昼间平均最高气温 30 ℃，2 月最冷，夜间平均最低气温 14 ℃。年均降雨量约 1 450毫米。偶尔发生的干旱期可能会造成严重影响，因为当地饮用水的供应完全依赖于雨水。相对湿度持续较高。植被属亚热带型，包括开花灌木，如九重葛、百合、夹竹桃、木槿和猩猩木。大部分岛屿长有棕榈树、松树、木麻黄和红树。野生动物只有蜥蜴和蛙。岛上每年都有候鸟飞来。

人民 大约 3/5 的人口是非洲奴隶的后裔，其祖先是 1807 年英国宣布贩卖奴隶为非法之前被带到这里的。白人当中包括英国人和 19 世纪来自马德拉岛及亚速尔岛的葡萄牙劳工的后裔。英语是主要语言，也是官方语言。当地也有人讲葡萄牙语。基督教是主要宗教，约 1/3 的人口属于英国圣公会。百慕大人口的年均增长率按世界标准偏低，出生率和死亡率也在西印度群岛地区属最低之列。有近 1/4 的人口年龄不到 15 岁。人口约 58 000（1995）。百慕大诸岛中大约只有 20 个岛屿有人居住。大百慕大岛上的人口最为稠密。岛上居民分布相当均匀。

经济 百慕大经济是以旅游业、国际金融服务以及美军人员的消费为基础的市场经济。国民生产总值的增长高于人口增长，人均国民生产总值在西印度群岛诸国中居首位，水平可以与世界主要工业国相比。在整个经济中，农业的位置微不足道，大部分食品必须依赖进口。当地生产新鲜蔬菜、香蕉、柑橘和牛奶。有小规模的捕鱼业。矿业生产只限于供当地建筑业所需的砂石和石灰。有少量轻型制造业，主要生产油漆、药品、电器和印刷材料。

旅游业在国民生产总值中的比例很大，几乎所有劳动力都直接或间接地从事旅游业。每年有大批旅游者来百慕大观光，多数来自美国。百慕大不征收所得税，政府的主要岁入来自关税和对房地产业及旅游业征收的各种税款。该殖民地因此成为一个主要的外国金融中心，许多保险公司和投资公司纷纷前来设立办事机构。主要贸易伙伴有美国、加拿大、日本和荷属安的列斯；进口商品的 3/4 来自美国。

政体与社会状况 百慕大是一个国内事务自治的英属殖民地，有议会制政府。根据 1968 年宪法，以总督作为代表的英国君主是国家元首。总督控制着对外事务、国防、国内治安和警察。在其他事务上，总督依据内阁的意见行事，内阁以总理为首，他既是政府首脑又是立法机构中的多数党领袖。两院制的立法机构由有 40 名民选议员的众议院和 11 名议员的参议院组成。这 11 名参议院议员中有 5 名由总理提名，3 名由反对党领袖提名，3 名由总督决定，最后均须经过总督任命。两院议员的任期均为 5 年。司法系统的最高权力机关是最高法院。

1965 年开始实施的社会保障条例包括为老年人、残疾人和鳏寡者提供养老金，对全体公民提供强制性医疗保险。百慕大居民的健康水平很高，平均预期寿命男性为 73 岁，女性 79 岁，婴儿死亡率也相对较低。

百慕大几乎没有文盲。5～16 岁的少年儿童须接受免费义务教育。有一所学院。到国外留学可得到政府奖学金。

历史 1515 年西班牙航海家费尔南德斯·德·奥维耶多曾驶近该岛群，并将他们的发现归功于他的同胞胡安·百慕德斯。据认为他大约在 1503～1511 年间发现了百慕大。1612 年百慕大被写进弗吉尼亚公司的第 3 个特许状，60 名英国人被派到该群岛进行殖民。从 1616 年便开始有非洲的奴隶被贩卖到百慕大，奴隶人数很快便超过了白人殖民者。1684 年该殖民地由英国和弗吉尼亚公司联合管理。从 1797 年起直到 20 世纪 50 年代末，该群岛一直是一个军事要塞和海军基地。1815 年殖民地首府由圣乔治迁移到大百慕大岛的哈密尔顿。1834 年奴隶制在百慕大及英帝国的其他地方被废除。

美国南北战争期间，百慕大成为一些准备穿越封锁线前往南方各港口的走私船的集结区。禁酒时期（1919～1933）大批朗姆酒从该岛被走私到美国。20世纪旅游业在该岛

百慕大首府哈密尔顿港湾
美国不列颠百科全书公司供图

迅猛发展。1941 年美国政府获得为期 99 年的海空军基地租借权，1995 年终止。1957 年英国驻军撤离，但仍保留有一个小型海军基地。该基地于 1995 年停止运作。1993 年加拿大军事基地关闭。

百慕大第一个政党进步工党成立于 1963 年，该党宣布自己为非白人公民利益的代表者，鼓吹脱离英国完全独立。1968 年新宪法赋予立法机构中多数党的当选领袖以极大的权力，并在紧接的一次大选中使百慕大联合党以绝对多数取胜；在随后的几次选举中该党又重新掌权。

1973 年总督理查德·沙普尔斯爵士被暗杀，百慕大的政治局势日益紧张。1977 年的政治动乱、暗杀和暴乱，促使官方做出努力结束事实上的种族歧视并开始独立谈判，后来谈判中断，问题仍待解决。1995 年 8 月举行了一次公民投票，但是百慕大 3/4 的人民似乎都反对独立。90 年代，经济和环境的问题（后者有些是因人口密度过高而引起），以及不断扩大的非法贩毒成为几个主要的政治问题。

Bermuda grass（*Cynodon dactylon*） **绊根草** 又称狗牙草。早熟禾科多年生禾草，原产地中海地区。通常高 10～40 厘米，叶短而平展。茎直立，细长穗状花序 4～5 枚，顶生，其上生小穗。匍匐茎和根状茎延伸而长成密集的草皮。在北美温暖地区种作草坪及牧草，又用于高尔夫球场。

Bermuda high **百慕大高压** 夏季在北大西洋西部重复出现的高气压中心。参阅 **Azores high**。

Bermuda Race **百慕大赛** 世界主要的海洋帆船比赛之一。始于 1906 年，从 1924 年起每两年举行一次（第二次世界大战期间除外）。自 1936 年起，赛程从美国罗得岛的纽波特到百慕大，航程 1 020 千米。比赛由美国航海俱乐部和皇家百慕大帆船俱乐部共同举办，根据一种优待弱者的方式来确定优胜者。1986 年开始向参加百慕大赛的两个主要组别的优胜者分别授奖，一个奖颁给航行最快的巡航帆船，另一个奖颁给最快的大奖竞速船。这两个组的帆船分别依照国际丈量制度（原名丈量平衡制度）和国际近海规则进行比赛。参阅 **Sporting Record**：Yachting。

Bermuda Triangle **百慕大三角区** 北美海岸外北大西洋的一部分。据说已有 50 多只船和 20 多架飞机在此处神秘失踪。该地区的边界没有一致的说法，约略呈三角形，位于美国南岸、百慕大岛和大安的列斯群岛之间。该地区无法解释的事件可上溯至 19 世纪中叶。曾经发现有些船只没有明显原因即被离弃，有时还没有发出遇难讯号即无影无踪。有的飞机曾有报告，但随即消失，救援飞机也在该地区飞行中消失。然而没有发现过残骸。有些理论认为这一反复出现的神秘事件只是幻想。科学调查也没有发现什么足以证实这一地区的危险究竟在哪里。船员和飞行员们仍在继续冒险穿过该区。

Bern 伯尔尼 又拼Borne。瑞士中西部一州。人口和面积在瑞士各州中都占第二位。面积6 049平方千米，其中约260平方千米被冰川覆盖。北部与侏罗州（1979年前为伯尔尼州的一部分）交界，西邻为纳沙泰尔、弗里堡和瓦特（也称沃州）诸州；南邻为瓦莱州，东邻为乌里、翁特瓦尔登、卢塞恩和索洛图恩等州。主要在阿勒河及其支流流域内。明显分为三个自然区域。南部的伯尔尼高地，包括阿尔卑斯山脉，最高峰有芬斯特拉峰（4 274米）、少女峰（4 158米）和风景优美的旅游胜地因特拉肯、图恩、迈林根、格林德尔瓦尔德、米伦、坎德施泰格等。。中部地区包括图恩下游的阿勒河谷、埃默河谷、阿尔卑斯的山麓小丘以及伯尔尼四周的平原。北部是比尔湖四周的湖区。该州包括14～16世纪伯尔尼（**Bern**）城所辖各个地区。1803～1814年，伯尔尼是瑞士联邦的6个主权州之一。现行的宪法为1893年所订，但对9名成员的行政机构的普选则始于1906年。在山区，旅游业、农业、养牛、生产干酪（在埃门泰尔）和水力发电是主要经济部门。在布里恩茨有木雕，图恩附近有陶器制造。中部地区是一个土地肥沃的农业区，也是全州最工业化的地区。米勒贝格有一个核电站。比尔湖四周栽培葡萄。该州居民主要讲德语，信仰基督教新教。人口约947 100（2001）。

瑞士伯尔尼州劳特布伦嫩河谷

美国不列颠百科全书公司供图

Bern 伯尔尼 瑞士首都和伯尔尼州首府，位于瑞士中西部，临阿勒河成狭环形。有尼德格古城堡护卫着阿勒河渡口，遂使贝托尔德五世（策林根公爵）于1191年在说德语的勒曼尼人和说法语的勃艮第人间的分界线上建立伯尔尼为军事哨所。1218年策林根王朝覆灭后伯尔尼成为一个自由特别城市。1353年作为一个独立州加入1291年建立的瑞士联邦，很快就在联邦中取得领导地位。1528年罗马天主教和宗教改革派在此发生争吵，导致它接受并捍卫了新教教义。18世纪伯尔尼统治着52块领地，贵族们拥有极大的权力。但其贵族政权于1798年被法国人一扫而光，尽管1815年部分恢复，但1831年即行告终。1848年成为瑞士联邦的政治首都。几座桥梁使伯尔尼的旧城与右岸的新城连接。旧区的古城风貌以拱廊、高塔以及16世纪喷泉为特征。著名建筑有哥特式大教堂（1421～1598）及其100米高的尖塔（1893年竣工）。还有市政厅（1406～1416，1942年重新修复）和尼德格教堂（1494）以及联邦议会和联邦政府大厦——联邦宫（1852～1901）。著名的钟楼上有以木偶为指针的16世纪大钟。还有残存的古城墙的两座城楼（现为牢房）。市徽为熊（古高地德语为bero），据说市名即源于此。著名标志是熊苑。1513年起该市府养几头熊供展览。伯尔尼大学建于1834年，1528年成立的神学院也并入该校。市立图书馆和大学图书馆藏有许多手稿和珍本书。瑞士国立图书馆和瑞士国家银行总行均设在伯尔尼。还有历史、自然史、艺术、兵器和阿尔卑斯山脉等博物馆。伯尔尼还是邮政、电报、铁路和版权等国际组织总部的所在地。工业有巧克力、机械、电器设备、纺织品、化工产品和药品等制造业。亦是农产品的集散地和繁忙的铁路枢纽。伯尔尼东南10千米的贝尔普穆斯机场夏季有定期班机，把伯尔尼和苏黎世的国际机场连接起来。居民多讲德语和信仰基督教新教。人口约122 469（2001）。

伯尔尼市的中世纪钟楼

美国不列颠百科全书公司供图

Bern Convention（copyright） 参阅**Berne Convention** 伯尔尼公约。

Bernadette of Lourdes, Saint **贝尔娜黛特（卢尔德的），圣**（1844-01-07，法国卢尔德～1879-04-16，讷韦尔） 原名苏比鲁。天主教虔诚女信徒。出身贫寒，自幼体弱多病。14岁时即1858年于卢尔德屡次在异像中见到圣母马利亚。1866年被讷韦尔女隐修院接纳为修女。后来卢尔德建立教堂以纪念她见异像之事。

Bernadotte, House of **贝纳多特王朝** 1818年创立的瑞典王朝。1810年，拿破仑手下的法国著名元帅让·巴蒂斯特-朱尔·贝纳多特被选为瑞典王储，前去斯德哥尔摩。年迈无子的查理十三世国王卧病时，贝纳多特任摄政。1818年登王位，称查理十四世约翰。后来，他的儿子奥斯卡一世继承王位（1844～1859）。此后继位的有：查理十五世（1859～1872）、奥斯卡二世（1872～1907）、古斯塔夫五世（1907～1950）、古斯塔夫六世阿道夫（1950～1973）和查理十六世古斯塔夫（或称卡尔十六世古斯塔夫，1973～ ）。

Bernadotte（af Wisborg），Folke，Greve（Count） **贝纳多特**（1895-01-02，斯德哥尔摩～1948-09-17，耶路撒冷） 瑞典军人、人道主义者和外交家，在担任阿拉伯人与以色列人之间的联合国调停人时被暗杀。他是瑞典国王古斯塔夫五世的侄子，第二次世界大战期间任瑞典红十字会会长，促成了很多战俘的交换。人们认为他从德国集中营中救出了大约两万人。1948年5月20日，他被联合国安全理事会任命为巴勒斯坦的调停人。他使阿拉伯国家和以色列勉强地接受了一项于6月11日生效的联合国停火命令。随后，他建议允许阿拉伯难民返回他们已成为以色列国家的家园，因而遭到敌视。他的生命多次受到威胁，终于和法国空军上校、联合国观察员A.-P.塞罗一起被犹太极端分子杀害。

美国不列颠百科全书公司供图

Bernadotte, Jean-Baptiste 贝纳多特 参阅**Charles（Sweden）**查理（瑞典）项下的**Charles XIV John** 查理十四世约翰。

Bernal, John Desmond 贝尔纳（1901-05-10，爱尔兰蒂珀雷里郡尼纳～1971-09-15，伦敦） 英国物理学家和X射线结晶学家，以对固体化合物原子结构的研究闻名，在研究过程中对X射线结晶学作了重大贡献。1938～1963年，贝尔纳任伦敦大学物理学教授，1963～1968年任结晶学教授，并对分子生物学、生命的起源和地壳的结构与成分也进行了研究。

Bernanos, Georges 贝尔纳诺斯（1888-02-20，巴黎～1948-07-05，法国塞纳河畔讷伊） 法国小说家、政论作家。他的杰作《一个乡村教士的日记》奠定了他作为当时最富独创性和独立性的天主教作家之一的地位。他以一个保皇派新闻记者开始其生涯，后曾在一保险公司供职。他是一位幻想家，认为超自然的世界并不遥远，同时亦富于幽默和人情味，厌恶实利主义，反对同邪恶妥协。政论小册子《持正统观念者的大恐惧》（1931）是一部抨击中产阶级实利主义的论战作品，书中表明作者的执着信念。1938年发表《月光下的公墓》，毫不容情地抨击西班牙内战时期的法西斯行径以及支持它们的教会权贵。作为小说家，贝尔纳诺斯以善与恶这两种力量争夺人类灵魂的斗争作为他的主题，这一冲突特别表现在他对教士的研究中。他笔下的人物体现了人类行为的两个对立的方面：高尚的德

美国不列颠百科全书公司供图

行和彻底的堕落。他的小说中的人物表现出作者丰富的想象力，而又是以现实的手法刻画出来的。第一部小说《在撒旦的阳光照耀下》（1926）部分取材于阿尔斯司铎的生活经历。1936年发表《一个乡村牧师的日记》，描写一个身患绝症的年轻牧师百折不挠地与罪恶抗争的故事。其他重要作品有：《欢乐》（1929）、《穆赛特新传》（1937）和《乌义纳先生》（1943）。政治风云日益使贝尔纳诺斯感到忧虑。1938年7月，他携妻子和6个孩子自愿流寓巴西，从事并不成功的农业活动。他深刻觉察到他所称之为道德沦丧的慕尼黑协定意味着什么（《真理的丑闻》，1939）。1940年6月他声援原同班同学戴高乐。他的广播讲话和《致英国人的信》在第二次世界大战期间影响了自己的同胞们。1945年返回法国时发现祖国缺少精神上的新气象，感到幻想破灭。此后他留居突尼斯，直至临终生病时才返回法国。去世前不久，完成电影《加尔默罗会修女的对话》的脚本原稿，作品描写在法国大革命时期牺牲的16个修女，F.普朗克据此编成一部歌剧。

Bernard de Chartres　**贝尔纳（沙特尔的）**（11世纪末，布列塔尼～约1130，可能在巴黎）　人文主义者和哲学家，法国著名的沙特尔学派领袖。试图调和柏拉图和亚里士多德的思想，因而成为12世纪西方柏拉图主义的主要代表人物。1114年起为沙特尔教堂学校逻辑与语法教员，1119年当选为该校校长。在把语法纳入哲学思考范围的运动中，他曾发挥相当的作用。

作为语法学家，他认为原始的语词同其派生词的关系，有如柏拉图的理念同它之进入物质世界的关系。这样，一个白色的物体会使贝尔纳立刻联想到在白这个永恒的理念中它的现实的源泉。1124年他被招聘到巴黎讲授哲学，学生中有索尔兹伯里人约翰（后来是坎特伯雷大主教托马斯·贝克特的秘书和沙特尔的主教）。约翰的论文成为了解贝尔纳生平和思想的主要依据。据约翰说，贝尔纳写过3部作品：一篇论文《论对于波菲利的解释》（波菲利是4世纪新柏拉图主义的逻辑学家）；诗体的同一论文；关于柏拉图和亚里士多德的比较研究。尽管贝尔纳的诗歌只有3个断片传世，但他的哲学学说却可以根据约翰作品中关于他学说的摘要加以确定。贝尔纳认为现实由三个无形的、永远不变的原则构成：上帝、理念和物质。理念并不能和上帝共同不朽，它们只有一种派生的不朽。理念在物质世界中存在的方式是一种“产生出来的形式”。他认为，“产生出来的形式”进入物质之后构成了可以活动的实物。物质本身是不动的。

Bernard de Clairvaux, Saint　**伯尔纳（明谷的），圣**（1090，可能在勃艮第第戎附近方丹德第戎～1153-08-20，尚帕涅明谷）　天主教西多会修士、神秘主义者。在政治、文学、宗教等方面对西方文化有重大影响。1115年创立明谷隐修院。1130～1145年伯尔纳在明谷和罗马都是重要人物。在罗马教廷内部互相倾轧的7年中，他曾数次在宗教和世俗会议及神学辩论会上任仲裁人或顾问。先后成为5位教皇的心腹，努力参与消除各敌对教皇给教会造成的损害，极力抵制当时最著名的唯名论哲学家阿伯拉尔的唯理论，广泛结交重要教会人物。他也曾对教皇英诺森二世提出批评，在教皇尤金三世和法兰西国王路易

美国不列颠百科全书公司供图

七世授意下，发起组织第二次十字军行动，旨在防止伊斯兰教势力压倒天主教会和希腊正教会。由于伯尔纳不善于处理各种矛盾，这次东征以失败告终。晚年，圣伯尔纳（明谷的）著有《〈雅歌〉讲道集》，在书中阐明他的中心思想，即“唯有纯真地爱上帝才能充分认识上帝”。

Bernard de Cluny　**贝尔纳（克吕尼的）**（活动时期12世纪中叶）　修士、诗人、新柏拉图主义道德家。其著作谴责人们对世俗快乐的追求，并且非难当时道德的堕落。还因曾撰述一部有价值的关于隐修院风习之纪事而知名。有关贝尔纳生平的资料很少，其中一个未经证实的传说：认为他是英国人或布列塔尼人，是法国中部阿尼亚纳的圣索沃隐修院的修士。1125年左右，贝尔纳转到里昂附近克吕尼的本笃会的一个大机构中，在博学的院长于格指导下研究文学和神学。其主要著作《论谴责俗世》写于1140年左右。该书是一首约3 000行的叙事诗（扬抑抑六音步格），表现了对于物质世界的蔑视态度，这是新柏拉图主义的特点（这个哲学学派把现实仅仅归之于理念的世界）。贝尔纳对俗世生活的短暂性极力贬低其价值，认为人只有在来世精神生活中才能得到满足，而实行严格的禁欲主义则可以最直接地达到这一点。书中还对西方教会的腐败进行了谴责，以一篇生动的天堂与地狱的描述作结，虽不免落入天启之说的格局，而很可能影响了但丁《神曲》的产生。

Bernard de Menthon, Saint　**贝尔纳德（芒通的），圣**（?～1081?）　奥斯塔教区（今在意大利）代理主教。在阿尔卑斯山的两个山口附近山上重建招待所以照料去罗马朝圣途中路过山口的旅客。这两个山口在他死后改名为大圣贝尔纳德山口和小圣贝尔纳德山口。这两处招待所用以援救迷失旅客的狗，通称圣贝尔纳德之狗。

Bernard de Ventadour　**贝尔纳·德·旺塔杜尔**（?，阿基坦的利穆赞省［今在法国］～1195?，达隆）　又拼 Bernart de Ventadorn。普罗旺斯行吟诗人。他的诗被视为普罗旺斯语中最杰出的作品。据知他曾于1152～1155年间在英格兰游历。他生活在图卢兹的阿基坦的埃利诺宫廷，晚年退隐于达隆的隐修院。他的爱情短诗（尚存45首）描写细腻，语言简洁，感人肺腑。他还为自己的诗谱曲，其中有19首保留至今。

Bernard of Siena, Saint　**贝尔纳德（锡耶纳的），圣**（1380-09-08，锡耶纳马萨马里蒂马［意大利］～1444-05-20，两西西里王国拉奎拉）　神学家，方济各会严修派的首创人之一。1404年任司铎，1417年开始到意大利各地传教。他痛感西方教会大分裂造成人心涣散、法纪废弛、争权夺利等现象，因而力图唤起众人热爱耶稣基督，从而恢复伦理道德。1439年参加佛罗伦萨会议，促使希腊教会与罗马教会合一，但不久再次发生分裂。

Bernard of Pisa (pope)　**贝纳尔德（比萨的）**　参阅 **Eugenius III, Blessed** *犹金三世（蒙福者）*。

Bernard, Claude　**贝尔纳**（1813-07-12，法国圣于连～1878-02-10，巴黎）　法国生理学家。以发现胰腺的消化功能、肝脏的糖元生成功能和血管运动神经对血液供应的调控作用而闻名。此外，因为他在确立生命科学的实验技术原则和超越早期生理学家的“生机论”和“不可知论”方面发挥了重要作用，而成为实验医学的奠基者之一。他的最伟大的贡献是

关于有机体内环境的概念,使我们今天能够理解“体内平衡”,也就是生命过程的自我调节。

早年教育　贝尔纳家境贫寒。一家四口靠父亲酿酒为生,母亲是农民。贝尔纳很小时,父亲的葡萄酒生意失败,只好靠教书维持家计,劳苦终日,死后还给家人留下一大笔债。母亲含辛茹苦地把他们兄妹扶养成人。

美国马里兰州贝塞斯达市全国医学图书馆供图

在法国路易十八的年代,一个穷酿酒工的儿子是没有机会读书的。小贝尔纳就在当地的一座教会学校里跟牧师学拉丁文。18岁中学毕业后,跟着里昂郊区的一位药师学徒。实际上是当仆人的贝尔纳时常借出差办事的机会往戏院跑,并对写剧本发生兴趣,没想到还挣了100法郎。师傅盛怒之下,把他赶了出去。次年(1834)11月,他又带着剧本和一封推荐信到了巴黎,找到文艺评论家圣-马克·吉拉丹。吉拉丹劝他不要当剧作家,还是去行医吧！多年后这两人又见面了,不过这时的他们都已经是法国科学院的院士了。同年冬天,他进了一家医学院。经过考试,他只获准以走读生的资格进医院实习。表面上沉默寡言、甚至有几分羞涩的贝尔纳暗下决心:“不就是个穷吗？别泄气!”在通过考试的29名学生中,他名列第26。当时的著名医生皮埃尔·雷耶和弗朗索瓦·马让迪正在巴黎的几家医院供职。贝尔纳就跟着马让迪先后去了法国中世纪的病人收容院和法兰西学院。马让迪很欣赏贝尔纳的机敏和能力,但他的脾气却令贝尔纳头痛。要不是雷耶从中斡旋,贝尔纳可能就去了博若莱。最后贝尔纳受雇于马让迪,当了一名研究助理,参加他的脊髓神经方面的研究组。但他的第一篇论文却是关于鼓索神经的;毕业论文的选题则是营养活动中的胃液功能(1843)。他日后的主要成就大都也是在神经学和新陈代谢方面创造的。他本想留校教书,但考试不及格。于是他找了几个合作者,进行消化功能和箭毒中毒方面的研究。但是,31岁的贝尔纳不甘心当一名助理,1844年辞职。为了谋生,他只好再去行医。为了顾全他的事业,经朋友介绍,贝尔纳和一位医生的女儿玛丽·弗朗索瓦·马丁小姐结了婚,她给他带来了60 000法郎的嫁妆。但他们的婚姻很不幸。后来,在贝尔纳当选法兰西科学院院士和受命参议院议员时,他们正式分居。

关于胰腺和肝脏的研究　1845～1847年间是贝尔纳的多事之秋:他的第一个儿子夭折,父亲过世,女儿出生;同期,他接替马让迪,执教法兰西学院;这几年也是他事业腾飞的起点。1846年的一天,他偶然发现食肉野兔的尿和其他食肉动物一样都是清的。从解剖野兔中他发现:胰腺分泌的消化液能把脂肪分解成脂肪酸和甘油。他想就此进一步解释糖尿病的机制问题,但未能如愿。作为两大消化腺,他还发现肝脏有糖元生成的功能。这篇论文使他于1853年获理学博士学位。此期,他的第三项伟大成就:血管运动神经对血液供应的调控作用也已经接近完成。约在同期,贝尔纳的第四项发现问世:箭毒可以通过麻痹运动神经末梢(现代医学证实:箭毒不是麻痹了神经末梢,而是阻断了终板的烟碱型乙酰胆碱受体)而使肌肉不能收缩,并可致命;但对感觉神经却没有任何影响。贝尔纳指出,箭毒选择性神经麻痹作用的意义在于:可以用它来鉴别是神经-肌肉型麻痹,还是单纯性肌肉麻痹。

国际社会的承认和晚年贡献　在短短不到10年的功夫,贝尔纳就从马让迪身影下的一名默默无闻的实验员,一跃而成为耀眼的科学明星。1854年受聘巴黎大学生理学教授,同年当选法国科学院院士,1855年接替逝世的马让迪执教法兰西学院。贝尔纳的历史作用就在于他向世人宣告:马让迪的随意性经验主义实验方法已经完成了历史使命。现代科学实验必须有明确的方向,不管是要证明什么,还是要否定什么,“立论”是实验研究的前提。1860年,由于健康原因,贝尔纳回到家乡圣于连养病。因无法进行科学实验,他的研究兴趣开始转向哲学。L.巴斯德把他这位朋友的病归罪于恶劣的工作环境,因为贝尔纳得的病(慢性肠炎、肝功能不好、胰腺受累)都和他的研究课题有关。不甘寂寞的贝尔纳坚持挤出时间来思考问题,并于1865年完成了《实验医学研究导言》一书。按原计划,贝尔纳只是要为一部巨著写序言,可是巨著没有完成,而他的序言倒成了历史文献。这篇著作的中心思想是:实验生理学是医学发展的基础。主要论点有:物理、化学是生理学的基础,但生理学不能还原为物理、化学;“活力”不能用来解释生理现象;活体解剖(指动物实验)对生理学研究必不可少;生理学需要科学宿命论原则(在相同的条件下会出现相同的现象);对统计学的作用表示怀疑。他提出内环境的概念,由此引出内环境稳定的现代认识。这本书又给贝尔纳带来了新的荣誉,他因此而人选法兰西科学院。婚姻破裂后,他便从一位漂亮的俄国犹太女人玛丽那里寻求柏拉图式的安慰,玛丽听他讲课、帮他翻译文稿。他的友人有L.巴斯德、龚古尔兄弟、E.勒南、H.泰纳、M.贝特洛等。学生有A.达斯特尔、P.贝尔及A.达松伐耳等。后来,贝尔接了他在巴黎大学的职位。贝尔纳本人有了新的研究兴趣,如动、植物共有的生命现象成了他讲课的主题;发酵也在涉猎之中。所有这些讲稿和论文大都是在他逝世后,由他的学生们发表的。关于发酵问题,他和巴斯德观点不同。这种细菌杀手也就成了这对朋友友谊中的一片乌云。1877年冬,贝尔纳的健康状态急剧恶化。新年那天他患了感冒并泌尿系感染,很快卧床不起。逝世后举行了国葬,为举行国葬的第一位法国科学家。

Bernard, Émile　贝尔纳(1868～1941-04-16,巴黎)　法国画家,被认为是掐丝法琅画派(参阅 **Pont-Aven school; Synthetism**)的创始人。1886年到阿旺桥创立景泰蓝主义画派的理论。其画风注重大面积原色和黑色宽轮廓线的运用,曾给高庚一定影响。贝尔纳也从事雕刻、木刻和家具与壁毯设计。其诗文说明他对宗教神秘主义和哲学都有所研究。1904年后创办《美学革新》,自任编辑,经常在该刊发表与好友凡高、高庚、雷东和塞尚的来往书信,对使人们了解现代美术产生了较大影响。

Bernard, Henriette Rosine (actress)　**贝尔纳**　参阅 **Bernhardt, Sarah 伯恩哈特**。

Bernard, Jean-Jacques　贝尔纳(1888-07-30,法国昂吉安莱班～1972-09-12,巴黎)　法国剧作家和“无声派戏剧”的主要代表。在这种戏剧里,对白并不表达人物的真实态度和看法,例如在也许是他的代表作《马丁》(1922)

美国不列颠百科全书公司供图

里,人物的情感均通过手势、面部表情、只言片语和沉默来暗示。戏剧家特里斯坦·贝尔纳之子,他于第一次世界大战前开始戏剧创作。潜意识中的妒忌是他《死灰难复燃》(1921)和《别人的春天》(1924)两剧的主题。在《痛苦的灵魂》(1926)中,剧中永不相逢的人物一到他们快走到一起时,便感到一种莫名其妙的不安。后期剧作比较接近传统戏剧。其他非戏剧性著作有描写贡比涅德国集中营的《慢性死亡集中营》(1944)和《我的朋友戏剧》(1958)等。

Bernard, Jessie (Shirley)　伯纳德(1903-06-08,美国明尼苏达明尼阿波利斯～1996-10-06,华盛顿[哥伦比亚特区])　美国社会学家。从女性角度对妇女、性行为、婚姻及家庭同社区的相互关系提出了新的论点。1935年获得华盛顿大学哲学博士学位。1935～1939年在劳工统计局担任社会科学分析工作,1940～1947年在密苏里州林登伍德女子学院任教。1947～1964年任宾夕法尼亚大学社会学教授。著有《美国家庭行为》(1942;1973年再版),见解独特,后又深入探讨;《美国社区行为》(1949;1962再版);《女学者》

(1964;1974 年再版);《黑人的婚姻与家庭》(1966)就种族主义对黑人文化的影响进行了剖析。以后的著作反映了更为明显的女权主义,包括《性游戏》(1968;1972 年再版)、《妇女与公益》(1971)、《婚姻制度之未来》(1972;1973 年再版)、《母性之未来》(1974)和《女性世界》(1981)。

Bernard, Samuel, COMTE (count) DE COUBERT **贝尔纳**(1651-10-29,法国桑塞尔～1739-01-18,巴黎) 即古贝尔伯爵。法国金融家,新教徒银行业的象征。开始时经营金丝锦缎和珠宝玉器,但不久在其他国家流亡的新教徒的帮助下,转而从事银行业。1676 年他宣称放弃新教信仰,然而此乃骗不了任何人的骗局。到 1695 年他被认为是欧洲最伟大的银行家。他应路易十四的要求,1697 年借给法国政府 1 100 万法郎,1708 年又借给 1 900 万法郎。为此,路易授予他贵族称号,其非同寻常的条件是贝尔纳应留在商业界,以便国家总可以拿他作靠山。因其对国王极尽谄媚阿谀之能事,贝尔讷被封为古贝尔伯爵(1725),并被任命为临时摄政王(1730)。他是靠发战争财和从事投机活动起家的,许多人都认为他是拿国家的钱财填满了自己的腰包。他去世时遗留有 3 300 万法郎的财产。

Bernard, Tristan 贝尔纳(1866-09-07,法国贝桑松～1947-12-07,巴黎) 法国剧作家、小说家、新闻记者和律师。主要写作"通俗喜剧",这种戏剧旨在于星期日下午给巴黎的中产阶级观众提供娱乐。其作品微带愤世嫉俗情调,对话生动而又针锋相对,对市民观众的弱点有着深刻的洞察力。最成功的剧作有:《地道的英语》(1899)、《三脚物》(1905,与戈福诺合写)及《科多马先生》(1907)。还写有几部幽默的长篇小说:《一个循规蹈矩的年轻人的回忆录》(1899)、《小市民的仙境》(1924)等。其子让-雅克·贝尔纳也是剧作家,并写有回忆录《我的父亲特里斯坦·贝尔纳》(1955)。

Bernardin de Saint-Pierre, Jacques-Henri 贝尔纳丹·德·圣皮埃尔(1737-01-19,法国勒阿弗尔～1814-01-21,伊拉尼) 法国作家。因其歌颂纯真爱情的田园恋歌式的小说《保

美国不列颠百科全书公司供图

尔和薇吉妮》而名传后世。曾作为工程师在印度洋上的毛里求斯岛上服军役,他的第一部作品《法兰西岛纪游》(1773)即取材于此。在《大自然的研究》(1784)一书中表达的思想之所以形成,受卢梭对他的友谊的影响极大。《保尔和薇吉妮》为《大自然的研究》第 3 版(1788)的附录。故事描写一对青梅竹马的海岛青年的恋爱经历,他们生活在不染世尘的大自然风光当中,但是文明的侵入导致了故事的悲惨结局。稍后的一部作品《印度的茅舍》(1790)描写一个旅行家在一间农舍里发现一位印度流浪者身上蕴藏着的聪明睿智。贝尔纳丹是最早颂扬文化原始主义的人物之一,这种主义是浪漫主义运动的一种中心思想。

Bernardine 伯尔纳会 参阅 **Cistercian** 西多会士。

Bernart DE VENTADORN (troubadour) 参阅 **Bernard de Ventadour** 贝尔纳·德·旺塔杜尔。

Bernays, Edward L. 伯奈斯(1891-11-22,维也纳～1995-03-09,美国马萨诸塞剑桥) 美国公共关系业先驱者。被公认为第一个提出设立职业性公共关系顾问的人,这类顾问研究社会科学,以便促进并形成所需要的群众反应。伯奈斯 1 岁时随父母从奥地利移居纽约市。1912 年获康奈尔大学农业学位。但他放弃了专业,而成为一家医学杂志的编辑。他注意到一个剧本《被损坏的货物》,其作者认为性病这一禁忌难以超越。伯奈斯争取民众领袖支持该剧,获得成功,伯奈斯找到了他的使命感。第一次世界大战后,与多丽丝·弗莱施曼(后为其妻)共同开设公共关系事务所。首批客户包括国防部,它当时正为复员军人的就业问题而操心。他向客户宣传在工厂和餐馆中,留披肩发的妇女们会遇到危险。结果,美国几个州制订法律要求工厂和饮食业女工戴发网。伯奈斯的著作甚多,其中最具影响力的包括:《使舆论具体化》(1923),《公共关系》(1952)和《如何取得一致意见》(1955),在后者中说明了公共关系的定义。

Bernays, Paul (Isaak) 伯奈斯(1888-10-17,伦敦～1977,苏黎世) 瑞士数学家和逻辑学家,因力图发展一个统一的数学理论而闻名于世。1912 年在格丁根大学获博士学位,后任教于苏黎世大学(1912～1917)、格丁根大学(1917～1933)、苏黎世工学院(1934～1959)。在格丁根,开始了同杰出的数学家 D.希尔伯特交往。希尔伯特是他的老师、指导人和合作者,他们合写了 2 卷本被认为是经典著作的《数学基础》(1934～1939,1968～1970 再版),它是在希尔伯特早期观点的基础上写成的。1956 年伯奈斯修改了希尔伯特的多次再版的《几何基础》(1899)一书。希尔伯特相信全部数学的基础结构可以统一为一个单一的、协调的整体;伯奈斯受其影响,钻研集合论,试图发现一套公理,以在其基础上展开这种统一的数学体系。以《公理集合论体系》为题写了一系列论文,发表在《符号逻辑杂志》(1937～1954)上,其中一些主要内容已辑成《公理集合论》(1958)一书,在书中他整理和简化了逻辑学家 J.冯·诺伊曼关于逻辑和集合论的工作;而这些以后又被数学家 K.哥德尔进一步发展。

Bernbach, William 伯恩巴克(1911-08-13,纽约市～1982-10-02,纽约市) 美国广告经理人员和撰稿人。首倡精美巧妙而具有说服力的广告文字。少年时即喜好艺术和写诗。在纽约大学获文学士学位后去申利酒厂工作。他为该厂设计的广告被《纽约时报》采用,以后转而从事广告工作。在第二次世界大战中服兵役后,加入格雷广告公司任撰稿人,与内德·多伊尔相识,1949 年与多伊尔和马克斯韦尔·戴恩创办多伊尔-戴恩-伯恩巴克广告公司。由于他是撰稿人出身,就负责该公司广告创作业务,致力于使广告文字生动、新颖,具有独创性。他任该公司总经理至 1967 年,接着任董事长,后又任执行委员会主席,至 1982 年去世。他创建公司时,营业额为 100 万美元,至他去世时猛增至 10 亿美元。他是美国广告社协会事务的领导人。

Bernburg 贝恩堡 德国萨克森-安哈尔特州城市。濒萨勒河,在维珀河口,马格德堡以南。961 年首见记载。中世纪因地当商路而重要。曾为公爵领地首府。有两个完全独立的乡镇,两个都在 1311 年获准设立,于 1561 年合并。山区(现称贝格施塔特)于 1457 年成为城镇,于 1825 年同贝恩堡合并。现有钾碱和岩盐矿以及一家大苏打厂、制糖厂和机械厂。1961 年设立一所农业学校。人口约 34 400(2002)。

Berne (canton and city, Switzerland) 参阅 **Bern** 伯尔尼。

Berne Convention 《伯尔尼公约》 Berne 又拼 Bern。前称《保护文学和艺术作品的国际公约》,是 1886 年在伯尔尼召开的一次国际会议上通过的国际著作权协议,后来又进行了几次修改(1908 年在柏林、1928 年在罗马、1948 年在布鲁塞尔、1967 年在斯德哥尔摩、1971 年在巴黎)。这个公约的签字国组成了伯尔尼著作权联盟。《伯尔尼公约》的核心是它规定每个缔约国都应自动保护在伯尔尼联盟所属的其他各国中首先出版的著作和自动保护其作者是上述其他各国的公民或居民的未出版的著作。联盟各国必须保证使其他成员国国民的作者享受各该国的法律给予其本国国民的权利。如果著作最初是在一个伯尔尼联盟成员国内出版,但其作者是非联盟成员国的国民,则该成员国对这一著作的保护可以只限于作者系其国民的国家对这种著作给予保护的程度。1928 年罗马修订后,公约所保护的著作包括:①文学、科学和艺术领域的一切作品,其表现形式如书籍、小册子和其他著作;②演说、谈话、讲道和其他同类性质的作品;③戏剧或戏剧音乐作品,其表演方式是用文字或其他手段记录下来的舞蹈设计作品和哑剧节目;④乐曲;⑤绘画、油画、建筑、雕塑、雕刻和石印作品;⑥图解、地图、图样和草图;⑦地理、地形、建筑或科学有关的塑料作品。此外,它还包括翻译、改编、编曲,文学或艺术作品的以另一种形式出现的其他复制品,以及对不同作品的选集。1948 年布鲁塞尔修订,增加了电影摄影作品

和摄影作品。此外,在罗马和布鲁塞尔所作的修订保护用于工业目的的艺术作品,只要各国的国内立法允许这种保护。在罗马的修订中,著作权的有效期限对大多数作品而言是作者终身另加50年,但是承认有些国家可以规定较短的期限。在罗马和布鲁塞尔所作的修订都保护翻译权;但是斯德哥尔摩议定书和巴黎修订多少放宽了翻译权,这是发展中国家与发达国家之间达成的一项妥协。

Berners, John Bourchier, 2nd Baron 伯纳斯男爵(第二)(约1467,英格兰赫特福德郡塞菲尔德～1532/1533-03-16,法国加来?) 即J.鲍彻。英国作家、政治家。以从法文翻译傅华萨所著《闻见录》,得其清新、生动、简朴的神韵而闻名。15岁即参与拥立亨利·都铎(后为亨利七世)为国王之事,后失败。曾协助镇压1497年支持英国王位觊觎者的叛乱,在法国和苏格兰为王室作战,并参与亨利八世与法国、西班牙结盟的外交活动。1520年任加来议员,有稳定收入,任此职一直至去世。所译法国传奇故事《波尔多的于翁》几乎与所译傅华萨的著作一样成功。这一译著把众仙之王奥伯伦引入英国文学。晚年又翻译了《爱情的城堡》和《马可·奥勒利乌斯的宝书》。

Berners-Lee, Sir Tim 伯纳斯-李(1955-06-08,英国伦敦～　　) 英国计算机科学家,公认的万维网创始人。2004年被英国女王伊丽莎白二世授予爵士并获得芬兰技术奖励基金会颁发的第一届千禧科技奖(100万欧元)。由于父母都从事第一台商业计算机Ferranti Mark I的研发,他从小就能接触到计算机。1976年从牛津大学毕业后,在多塞特的普莱西通信有限公司从事两年的软件开发工作。1980年6～11月间在日内瓦的欧洲粒子物理实验室CERN担任软件工程顾问期间,他为自己开发了一个名叫Enquire(查询)的程序。该程序即为大家熟知的超文本链接。1989年起草了一个利用因特网创建通用的超文本文件系统协议。从1990年10月到1991年夏天,为第一台网络服务器和网络客户端或"浏览器"编制出软件。在CERN,第一个万维网"杀手级应用程序"是实验室的电话目录,这标志着计算机时代的技术奇迹已经开始出现。还与他人在2000年合著《织网:万维网的原始设计和终极目标》一书。

Bernese Alps 伯尔尼兹山 法语作Alpes Bernoises。中阿尔卑斯山脉的一部分,位于瑞士西南部伯尔尼州和瓦莱州两州境内罗讷河上游北岸和布里恩茨湖及图恩湖的南面。从马蒂尼城附近的罗讷河弯道起,向东-东北延伸到格里姆瑟尔山口和哈斯利河谷(阿勒河上游谷地)。许多山峰高达3 660米以上,芬斯特拉峰(4 274米)、少女峰和阿莱奇峰是其中最高的三座山峰。山脉上有许多冰川,阿莱奇冰川是阿尔卑斯山中最长的一条冰川。通过勒奇山口、盖米山口和皮永山口以及勒奇山隧道可穿过伯尔尼兹山。名闻遐迩的壮丽的阿尔卑斯山景色,使邻近的因特拉肯、格林德尔瓦尔德、米伦、文根、坎德施泰格、洛伊克巴德

伯尔尼兹山
美国不列颠百科全书公司供图

和格施塔德等地成为游览胜地。登山是这一地区长期以来盛行的运动。

Bernese mountain dog 伯尔尼兹山地狗 一个瑞士役使狗品种,2000多年前罗马人入侵时带入瑞士。广泛用于拉车、驱赶牲畜。性耐劳。胸宽,耳悬垂呈V字形,被毛黑色,

伯尔尼兹山地狗
美国不列颠百科全书公司供图

长而发亮,胸部、前肢和眼上部有棕色斑点,有时胸部、鼻端、脚和尾尖为白色。体高63.5～70厘米,体重约40千克。

Bernhard 伯恩哈德(1604-08-16,萨克森-魏玛魏玛～1639-07-18,布赖斯高诺因堡) 萨克森-魏玛公爵。三十年战争(1618～1648)时期的基督教新教将领,在政治上有野心。1622～1631年在莱茵巴拉丁、巴登和丹麦的军队中服役。1631年投效瑞典国王古斯塔夫二世·阿道夫。到1632年便从国王卫队上校晋升将军。古斯塔夫在吕岑战役(1632-11-16)中阵亡后,由他负责指挥瑞典军队与哈布斯堡皇帝斐迪南二世的军队进行决战,结果获胜。然后他与瑞典将军G.霍恩侵入德意志南部。由于屡建战功,被授予法兰克尼亚公爵。1634年9月5～6日在讷德林根战败,失去新获得的领地。1635年投效法国国王,获得阿尔萨斯方伯兼哈格瑙执行官的职位。他在德意志西南部侵城夺地,有效地解除了奥地利和西班牙对法国的钳制。后因天花或伤寒猝死。

Bernhard, Prince of The Netherlands, Prince of Lippe-Biesterfeld 伯恩哈德(1911-06-29,德国耶拿～2004-12-01,荷兰乌得勒支) 荷兰亲王,第二次世界大战期间负责荷兰流亡政府和英国军队之间的联络工作。卡齐米尔亲王之子。曾在洛桑、慕尼黑和柏林各大学攻读政治学。1937年与后来的荷兰女王朱丽安娜结婚,入籍荷兰,封荷兰亲王。1940年在荷兰军队中抵抗德国的入侵,以后成为飞行员,同英国皇家空军一起作战(1942～1944)。1945年5月5日出席在荷兰瓦赫宁恩举行的德国投降仪式。朱丽安娜即位后,他担任荷兰的亲善使节,促进国际贸易和文化活动。1976年卷入洛克希德公司行贿的丑闻。调查证明美国洛克希德公司为了促使荷兰购买它们的飞机,曾向他行贿巨款。该丑闻导致了一次宪法危机,且败坏了王室威信。

Bernhard, Thomas 伯恩哈德(1931-09-11或1931-02-09或10,荷兰海尔伦克洛斯特～1989-02-12,奥地利格蒙登) 奥地利作家。作品探索死亡、社会不公以及人的苦难,对现代文明,特别是奥地利文化极为悲观,因而引起争议。伯恩哈德出生于荷兰一女隐修院中,当时他的未婚的奥地利籍母亲为了分娩避居女隐修院中。一年后她回到维也纳她的父母家中,于是伯恩哈德的外祖父,作家弗罗伊姆比希勒(1881～1949)成为对他有重大影响的人。经历了一场几乎危及生命的昏迷以及多次进肺结核疗养院治疗(1948～1951)之后,伯恩哈德在萨尔茨堡和维也纳学习音乐和戏剧。20世纪50年代后期,他出版了好几本诗集,然而并无多大成就。1963年,他的第一本小说《霜冻》问世,招来一片贬斥声。在《精神错乱》(1967)、《石灰窑》(1970)以及《更正》(1975)这几本小说中,他使复杂的叙事结构和越来越厌世的哲学交织在一起。1973年,由于在演出上的不同意见,伯恩哈德把他的剧本《名人》从著名的萨尔茨堡戏剧节的剧目中撤出。1984年,他的长篇小说《伐木人》由于被人指控为批评一位名流而被警察没收。伯恩哈德在最后一个剧本《英雄广场》中痛切陈辞,谴责当时奥地利的反犹太主义,为

此甚至在其1988年11月首演之前就引起了猛烈的抗议。伯恩哈德的回忆录英译本题为《累积的证据》(1985),系将他在1975～1982年间发表的5本德文作品编集而成。

Bernhardt, Sarah　伯恩哈特(1844-10-22或23,法国巴黎～1923-03-26,巴黎)　原名亨里特-罗西娜·贝尔纳,别名非凡的萨拉。法国著名女演员,曾在欧美各地演出,是舞台演出史上的知名人物之一。1914年获得荣誉勋位。

美国国会图书馆供图

早年生活与训练　伯恩哈特是私生女,母亲是巴黎有声望的荷兰名妓,父亲的身份不明。16岁时被送入公立戏剧表演学校。伯恩哈特于1862年离开戏剧学院,借助于其母的情人莫尔尼公爵的影响力,进入国家剧团法兰西喜剧院成为一名见习演员。见习期里她三次登台试演,但却几乎没有引起剧评家们对她的注意。1863年她与法兰西喜剧院签订的合同被取消,因为她打了该院一位资深女演员,这位女演员曾粗暴对待她的妹妹。一段时间里她受雇于体育戏剧团。在扮演一个愚笨的俄国公主角色之后,她进入一个心灵探索和研究自己表演才能的时期。她一生中曾经历一系列恋爱事件,同一些著名的男子有交往,据说其中包括作家维克多·雨果、演员路·特列金和威尔士亲王(即后来的爱德华七世)。

1866年伯恩哈特与奥德翁剧院签订合同,在6年的紧张工作中,同那里的一个意气相投的剧团携手创作,逐渐树立起自己的名望。她第一个无可置疑的成功,是在1868年上演的《凯恩》中扮演安娜·丹比,这部戏是小说家兼剧作家大仲马的作品。伯恩哈特在奥德翁剧院的最大成功是在1869年取得的,是年她在青年剧作家弗朗索瓦·科佩的独幕诗剧《过路人》中扮演吟游诗人札奈托。拿破仑三世曾点演此戏,仍由伯恩哈特扮演该角。

1870年普法战争期间,她在奥德翁剧院组织一所军医院。战后,奥德翁剧院重新开放,上演法国19世纪伟大作家维克多·雨果的诗剧《吕伊·布拉斯》。伯恩哈特饰演玛丽亚王后,并以其迷人的抒情歌喉倾倒了观众。雨果曾用"金嗓子"的词语赞美她,尽管剧评家们通常称她"银嗓子",因为她的音调与长笛的音调相似。

1872年她离开奥德翁,重返法兰西喜剧院。在那里最成功的作品之一是饰演伏尔泰《萨伊》(1874)中的主角,尽管她通常仅扮演一些小角色。后来,她终于有机会在让·拉辛的《菲德拉》中扮演剧名角色。剧评家最初曾推断说她缺乏扮演这个角色所需要的强烈激情,然而,她的表演使得他们改变了看法,并为她写出了热情洋溢的评论文章。在雨果的《爱尔那尼》中,她塑造了多娜·索尔一角,据说使得剧作家本人都为之流泪。

1879年法兰西喜剧院去伦敦演出,伯恩哈特主演《菲德拉》的第二幕,演出非常成功,一项国际性的艺术事业展现在她的面前。

国际成功　1880年伯恩哈特组建起自己的旅行剧团,并且很快成为在国际上受欢迎的剧团。她相当有规律地去英国演出,并且把她的巡回演出扩展到美国、加拿大和整个欧洲大陆。1880年11月8日她首次到纽约演出,接着连续8次去美国访问。1891～1893年间伯恩哈特进行世界性巡回演出,其中包括澳洲和南美洲。除菲德拉之外,还有两个她扮演的角色也是世界各地的观众十分渴望看到的,一个是小仲马《茶花女》中已赎身的妓女玛格丽特·戈蒂埃,另一个是通俗剧作家欧仁·斯克里布《阿特利叶娜·勒库弗勒》中的剧名角色。

在19世纪80年代,随着维克多里安·萨尔都作为重要情节剧剧作家出现,伯恩哈特的艺术生命中添进一种新的成分。萨尔都专门为她编剧,包括《费多拉》(1882)、《泰多拉》(1884)、《拉托斯卡》(1887)和《克娄巴特拉》(1890)等剧。萨尔都亲自导演由伯恩哈特担任主角的剧目,教导她一种明白而华丽的表演风格,借助于丰富的装饰、新奇的服装和无言的行动等戏剧效果。

1905年她去南美洲巡回演出期间,在上演《拉托斯卡》最后一场戏跳越栏杆时右膝受伤。1915年不得不截去右下肢。在第一次世界大战期间,爱国的伯恩哈特坚持坐着担架赴前线慰问士兵。1916年她开始最后一次赴美国巡回演出,她那不屈不挠的精神使她坚持了18个月的艰辛旅途。1918年11月她返回法国,但不久又开始另一次欧洲巡回演出,饰演坐着表演的角色。剧作家路易·维尔纳叶、莫里斯·罗斯丹和萨查·吉特里都曾为她提供新的角色。以后还出演过吉特里的剧本《一个浪漫话题》和好莱坞影片《女先知》。

有一段时间伯恩哈特曾试图将雕塑和绘画作为一种业余爱好。1920年她出版小说《小偶像》。这本书十分有趣,因为书中的女演员兼女主角是伯恩哈特本人事业和抱负的理想化身。事实与虚构是很难截然分开的,这在她的自传《我的双重生活:萨拉·伯恩哈特回忆录》(1907)中有所反映,写作该书的目的部分是想以此抵消玛丽·科隆比埃1883年写的《萨拉·巴尔尼姆回忆录》一书里的中伤和猥亵之词,此书利用了这位女演员私生活中真实的和杜撰的离奇故事。伯恩哈特关于表演的论文《戏剧的艺术》(1923)中有几节是论声音训练的,她一直把声音看做是塑造戏剧人物的基本素质。

Berni, Francesco　贝尔尼(1497或1498,意大利托斯卡纳兰波雷基奥～1535-05-26,佛罗伦萨)　意大利诗人、翻译家。曾将博亚尔多的史诗《热恋的罗兰》(1483)译成托斯卡纳方

美国不列颠百科全书公司供图

言。他的意大利文讽刺诗具有独特风格,人们誉之为"贝尔尼体"。他的闹剧《卡特里娜》(1567)也得到很高的评价。

Bernice P. Bishop Museum(Honolulu)　**伯尼斯·帕瓦希-毕晓普博物馆**　参阅**Bishop Museum 毕晓普博物馆**。

Bernicia　伯尼西亚　英国古代的一个盎格鲁-撒克逊小王国。其版图南起蒂斯河,北至福斯湾,并越过索尔韦湾。在海滨的班堡和距海32千米的耶弗林各有一座王宫。耶弗林现已发掘出宏伟的建筑群。首见记载的伯尼西亚国王是艾达(547年即位)。593～616年其孙艾特尔弗里思统治时期,把伯尼西亚与邻国德伊勒联合起来。641年,这两个小王国又各立国王。

Bernina Alps　伯尔尼纳山　瑞士东部沿意大利边境伸展的雷蒂亚山脉的一部分,在恩

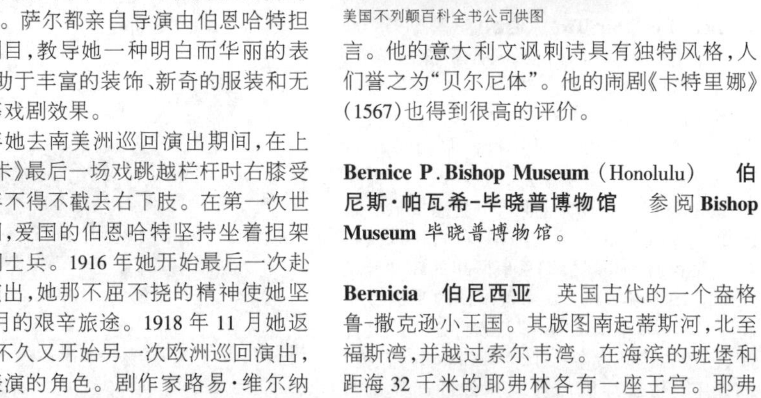

伯尔尼纳山的伯尔尼纳峰

美国不列颠百科全书公司供图

加丁(上因河河谷)东南。景色秀丽,伯尔尼纳峰高达 4 049 米。1850 年首次被瑞士登山者登上。有一条铁路和一条公路通过伯尔尼纳山口(2 328 米,通常每年 11 月至次年 5 月被大雪封闭)。山脉的一部分向东北延伸入瑞士国家公园。是登山和各项冬季运动胜地。

Bernini, Gian Lorenzo **贝尔尼尼**(1598-12-07,那不勒斯王国那不勒斯[意大利]~1680-11-28,教皇国罗马) 意大利巴罗克时期最伟大的雕刻家,又是一位建筑师、画家和戏剧家。

贝尔尼尼的弗朗切斯科一世大理石胸像(1650～1651)
美国不列颠百科全书公司供图

早年 贝尔尼尼的艺术生涯是在父亲手下开始的。父彼得罗·贝尔尼尼(1562～1629)是佛罗伦萨有几分才能的雕刻家,最后移居罗马。贝尔尼尼是个神童,工作又极为勤奋,因而得到画家 A.卡拉齐的赞赏和教皇保罗五世的资助,不久自立门户,成为一位完全独立的雕刻家。他仔细研究梵蒂冈的古希腊罗马大理石雕刻品,受到强烈的影响。他早期的群像之一《母山羊阿玛尔忒亚与童年朱庇特和半人半羊农牧神》可能是仿制一古代作品而成。他对 16 世纪初文艺复兴盛期的绘画也造诣很深。在为枢机主教巴尔贝里尼雕刻的《圣塞巴斯蒂安》(约 1617)中显示出他对米开朗琪罗的研究。巴尔贝里尼后来成为教皇乌尔班八世,是贝尔尼尼最主要的资助人。

贝尔尼尼的早期作品引起枢机主教博盖塞的重视,此人为当时在任教皇的家族成员,在他的资助下,贝尔尼尼雕刻出他第一座重要的与真人同大的群像。这一群像表明贝尔尼尼已经从《埃涅阿斯、安喀塞斯和阿斯卡尼俄斯逃离特洛亚》的几乎杂乱无章的单视域进展到《阿波罗和达佛涅》的充满美妙想象的立体感,并产生浮雕般的视觉效果。在这一类作品中,他对皮肤和头发的表面纹理观察入微,对于明暗有别开生面的处理方法,从而打破米开朗琪罗的陈规旧套,标志着西方雕刻历史出现了一个新时期。

乌尔班八世的资助 乌尔班八世任教皇时期(1623～1644),贝尔尼尼开始大量创作,技艺不断提高。乌尔班八世要求他的被保护人绘画和从事建筑工作。虽然贝尔尼尼的绘画价值不大,但少数几幅,特别是两幅自画像(约 1620 和约 1640)是值得赞扬的。他的第一次建筑任务是改建罗马的圣比比亚纳教堂。

与此同时,贝尔尼尼受委托在罗马圣彼得大教堂内的圣彼得墓上造一象征性的结构。这就是 1624～1633 年间完成的著名巨型青铜镀金华盖。螺旋形柱子和金属的"幕帘"令人想起置在重要人物或场所上方的荣誉伞。贝尔尼尼对于收尾工程最有独创性的贡献是用 4 位天使来支承檐部上方的宝球与十字架构造。这一华盖也是教皇个人的象征:在华盖顶端附近是教皇的三重冕,整个纪念物都嵌着巴尔贝里尼家族的纹章图形——蜜蜂、太阳和月桂卷须。华盖的形体与周围环境配合得十分相宜,人们几乎体会不到它有 4 层楼那么高。华盖也是圣彼得大教堂内部有规划的装饰的中心,4 根支承穹顶的柱了用巨型雕像装饰,其中之一《圣朗吉努斯》是贝尔尼尼设计的。

1629 年 C.马代尔诺去世后,贝尔尼尼承担了建筑的主要责任。这一年,他成为圣彼得大教堂和巴尔贝里尼宫的建筑师。当时,由于受委托的工程项目日益增多,他不仅亲自动手去干,而且也依靠他人的协助。他在组织工作班子和工程设计方面取得卓越成效,以致由多人雕制和装饰的物件竟如出一人之手。贝尔尼尼的作品也是由他那热烈的罗马天主教信仰形成的,当时如此,而且始终如此(他每天望弥撒,每周领两次圣餐)。他赞同特伦托会议(1545～1563)的意见:宗教艺术的宗旨是教育和启发虔诚信徒,并为罗马天主教会做宣传工作。宗教艺术永远应该明白易懂而且写实,首先是要从情感上激发虔诚。贝尔尼尼的宗教艺术的发展主要取决于他自觉地努力遵从这些原则。

在乌尔班八世手下,贝尔尼尼还开始制作新的和不同种类的纪念性艺术品——陵墓和喷泉。他为乌尔班八世的陵墓雕刻的坐像,教皇举起一支胳臂,作指挥的姿态。坐像下面是青铜镀金的棺材,棺材两侧各有一位道德天使,即博爱与正义,均用白色大理石刻成。棺材上方有一死神形象似乎正在一片树叶上书写乌尔班的名字,以此作为墓碑。这是贝尔尼尼运用"想象"(意大利语 concetto,英语作 idea 或古语 conceit)的一个典范。灵活的想象把新颖别致的色彩富丽的陵墓的各种不同要素结为统一的整体。在这些年代里,贝尔尼尼还设计了一系列革命性的小型陵墓纪念物,其中给人印象最为深刻的是玛丽亚·拉吉墓(1643)。

贝尔尼尼的喷泉是他对罗马市最显著的贡献。他的第一个喷泉是在西班牙广场的《破船》(1627～1629),与华盖同样把雕刻和建筑融合在一起。《海神特里同》是罗马式喷泉的大变样,传统的几何形式广场喷泉的重叠水池看起来栩栩如生。4 条弯形鱼举起一个巨大的贝壳,海神站在贝壳上由一个海螺壳号角向上方喷水。

但是,贝尔尼尼早期的建筑设计并不是始终成功的。1637 年他开始建造圣彼得大教堂正面上方的钟楼,但是 1646 年,当钟楼的重量开始使建筑物破裂而不得不拆掉它们时,贝尔尼尼一时失宠。

英诺森十世和亚历山大七世的资助 贝尔尼尼最出色的公共纪念性创作是在 17 世纪 40 年代中期至 60 年代完成的。罗马纳沃纳广场的《四河喷泉》是在一大块空心岩石上方竖立一个古代埃及的方尖碑,岩石顶上有 4 座大理石像,象征着 17 世纪的世界四大江河,即欧洲的多瑙河、非洲的尼罗河、亚洲的恒河和美洲的拉普拉塔河。方尖碑顶端有教皇的盾形纹章和衔棕榈枝的鸽子(教皇英诺森十世的家徽),其意义表示得很清楚:罗马教廷已经恢复而且生气勃勃,它以上帝的名义统治全世界。尽管具有明显的象征意义,贝尔尼尼的喷泉乃是他最出色的永久性作品。

贝尔尼尼所作的舞台设计现有少量存世,在这方面也表现出他那善于综合的想象力。贝尔尼尼的舞台设计与他的艺术基点相同。他冲破陈规旧套,与观众建立直接的而且往往出人意外的接触。他以在演出时使用真火闻名,有一次他甚至用大水淹没舞台,至少在一瞬间使得观众成为参加演出的热情演员。

贝尔尼尼的成熟艺术最杰出的范例是罗马维多利亚圣母堂的科尔纳罗小礼拜堂。他从艺术生涯初始的不断摸索前进至此臻于大成。小礼拜堂由枢机主教科尔纳罗委托建造,设在小教堂的一个不深的耳堂中。正中心为《圣特雷萨的沉迷》,描绘西班牙加尔默罗会伟大改革家阿维拉的特雷萨(1515～1582)的一次神秘体验。特雷萨梦见一位天使用上帝之爱的火红的箭穿入她的心。贝尔尼尼是根据特雷萨本人叙述的情况进行艺术创作的。这一作品把建筑艺术和装饰艺术的许多因素结合在一起,而且有条不紊,层次分明。在左右两边类似歌剧院包厢的空间可以看到科尔纳罗家族的许多成员,他们或是交谈,或是读书,或是祈祷,都是精神饱满的样子。科尔纳罗小礼拜堂完美地体现了贝尔尼尼的立体图画的理想。圣特雷萨和天使的形象是用白色大理石雕刻的,天然的日光构成这一雕刻作品的组成部分。《圣特雷萨的沉迷》不是传统意义的雕刻,而是一幅有组织的风景画,它由雕刻、绘画和光线构成,还包括宗教剧中的崇拜者。

贝尔尼尼最伟大的建筑艺术成就是圣彼得大教堂前环绕广场的柱廊。巨大空间的主要功能是在复活节和其他特殊场合容纳前来聆听教宗祝福的群众。贝尔尼尼设计的是一个巨大的椭圆形图案,而连接教堂处则为一梯形前庭。他用这种形式比喻教堂是母亲,两臂作环抱状。广场引导游人走向教堂,并弥补圣彼得大教堂正面过宽的缺点。椭圆形广场正中为 1586 年被西克斯图斯五世移至教堂前面的梵蒂冈方尖碑。贝尔尼尼把过去马代尔诺建造的一个喷泉移入广场的长轴,而为了配景完美,又在对面加建了一个与前者同样的喷泉。这一设计与他设计的奎里纳尔丘圣安德烈亚广场形象相似,而意义与功能又不相同,两个椭圆形图案同样令人心旷神怡。

贝尔尼尼最华丽的宗教装饰是 1657～1666 年完成的圣彼得宝座,亦即教皇座椅,在仿中世纪木制教皇宝座(座椅)上加青铜镀金面。宝座由4位名人的青铜像支承,即早期基督教神学家圣安布罗斯、圣亚大纳西、圣约翰·克里索斯托和圣奥古斯丁。上方有云端

贝尔尼尼的大理石雕刻《阿波罗和达佛涅》(1622～1624)
美国不列颠百科全书公司供图

天使们的金色光轮和绘在椭圆形窗户上的圣灵发出的灵光。座椅的创作时间与广场大致相同。这两件作品的明显不同显示出贝尔尼尼惊人的艺术才华。两件作品都是为齐吉家族出身的教皇亚历山大七世(1655～1667在位)所做。

出游法国 贝尔尼尼于1665年4月底前往巴黎,在那里住到11月中旬。这是他唯一的一次长时间不在罗马。这次旅行是回报法王路易十四多年以来对他的邀请,同时也得到了耶稣会修道会长奥利瓦神父的鼓励,目的是设计一座新宫邸。

当时的贝尔尼尼已是名声显赫,他每经一地,都有人群沿街守望。他如同凯旋的将军一样受到巴黎的隆重接待。但是不久由于他傲慢地夸耀意大利的艺术和建筑而贬低法国的作品触怒了敏感的主人,使他在法国宫廷中失去人心,并成为他的罗浮宫设计未被采纳的部分原因。

贝尔尼尼访问法国留下的唯一纪念品是他所作的路易十四大型胸像。胸像线条分明,立体感强并且稳固,"太阳王"以天神一般的威严凝视远方。这一形象为帝王标准像定下调子,沿用达百年之久。

晚年 贝尔尼尼的晚期雕刻作品,与他为圣彼得大教堂所作的宏伟设计相比必然逊色,但其中也有少数杰作。1655～1661年间他为罗马波波洛圣母堂的齐吉小礼拜堂雕刻了两件群像——《狮窟中的但以理》和《哈巴谷和天使》。这些作品反映出他的晚期风格的开端,即:拉长的身体,富于表情的姿势,以及简化但是加强了的情感表现。在支承圣彼得宝座的几个形象中已经具有这样的特点。1667年和1671年贝尔尼尼曾带领助手们两次重新装饰罗马的圣安杰洛桥,这些特点在他为该桥所作的活动"天使"中得到最充分的体现。教皇克雷芒九世(1667～1669在位)对贝尔尼尼雕刻的"天使"极为珍视,因而始终没有把它们安装到桥上,现存圣安德烈亚(弗拉特的)的天主教会。它们已由复制品代替。

晚年时,贝尔尼尼在圣彼得大教堂又完成一项装饰工作,即圣体小礼拜堂的祭坛(1673～1674)。人类对天使的崇敬随时有变,而天使守护的青铜神龛则是永世长存的建筑物,两者形成对比,并成为贝尔尼尼晚期风格的典型。他在晚年似乎发现将建筑艺术的固定法则与瞬息万变的人类状况进行对比是一件令人欣慰的事情。

贝尔尼尼最伟大的晚期作品是罗马"河岸圣方济各教堂"简朴的阿尔提利小礼拜堂(约1674)。祭坛上方较深的空间现出一尊描绘圣卢多维卡·亚伯托尼死亡的雕像。贝尔尼尼一反在科尔纳罗小教堂充分发挥的艺术手法,而有意识地把建筑、雕刻和绘画三者分开,让它们起到不同的作用。在这一意义上,阿尔提利小礼拜堂是比较守旧的,是他早年所作的教堂内部装饰的变形。"卢多维卡·亚伯托尼"不是占据拱形的洞孔,而是躺在一个巨大空间的底部,由天空的光线照亮她的尸体,上方有一幅画描绘虔诚的形象,以表示她坚定的信仰,得到圣灵的守护。

贝尔尼尼81岁时去世。他曾为8位教皇服务。当他去世时,人们普遍认为他不仅是欧洲最伟大的艺术家,也是欧洲最卓越的人物之一。

Bernini, Pietro 贝尔尼尼(1562,托斯卡纳[意大利]～1629,罗马) 意大利晚期风格主义雕刻家,1605或1606年应邀到罗马,为教皇保罗五世装饰圣玛利亚·马焦雷教堂保利纳礼拜堂(博盖塞别墅)。在此之前在那不勒斯完成3件雕像——蒙特·迪·皮耶塔教堂的《上帝之爱》,新杰苏教堂的《圣徒马太》,圣马蒂诺国立博物馆的《圣母》。还作了梅迪纳喷水池雕刻。他的儿子G.L.贝尔尼尼(1598～1680)是巴罗克艺术的伟大代表人物。

贝尔尼尼的大理石浮雕《升天》
美国不列颠百科全书公司供图

Bernis, François-Joachim de Pierre de 贝尼斯(1717-05-22,法国圣马塞尔-德阿尔代什～1794-11-03,教皇国罗马[意大利]) 法国政治家和枢机主教,在1756～1757年的外交变革、1773年教皇对耶稣会的取缔、1790～1791年法国革命政府与教皇庇护六世就承认大革命的宗教改革所进行的失败谈判中,均起过重要作用。贵族出身。曾受神职教育,1745年成为蓬巴杜夫人的随从人员,在法国政坛崭露头角。1752～1755年任驻威尼斯大使。1755年8月作为秘密使节与奥地利驻巴黎大使磋商奥法结盟问题。在路易十五的支持下,缔结法奥第一个凡尔赛条约(防御性的,1756-05-01)和第二个凡尔赛条约(进攻性的,1757-05-01)。这种与法国宿敌结盟而抛弃原先盟友普鲁士的变化构成了七年战争的外交前奏曲。1757～1758年任法国外交大臣。同年成为枢机主教,1764年任阿尔比大主教。他利用对教皇克莱芒十四世的影响,使耶稣会遭到取缔。1769～1794年任法国驻罗马大使。他对法国大革命的宗教改革持敌对态度。

Bernkastel-Kues 贝恩卡斯特尔-屈斯 德国西部莱茵兰-普法尔茨州城市。濒临摩泽尔河,在特里尔的东北面。原为两个城镇,贝恩卡斯特尔在河左岸,屈斯在河右岸。文艺复兴式市政厅(1608)十分引人注目。科学家、哲学家和枢机主教库萨的尼古拉斯在此出生(1401)。他所建立的医院(1447)现仍维持原状。该市以产莫赛尔葡萄酒和香槟而闻名。人口约7 026(1992)。

Bernoises, Alpes(Switzerland) 参阅 **Bernese Alps 伯尔尼兹山**。

Bernoulli, Daniel 伯努利(1700-02-08[旧历01-29],尼德兰格罗宁根～1782-03-17,瑞士巴塞尔) 瑞士伯努利家族第二代中最杰出的数学家。他不仅研究数学,还研究医学、生物学、生理学、力学、物理学、天文学和海洋学等领域。作为流体力学基础的**伯努利定理(Bernoulli's theorem)**是由他导出的。他是约翰·伯努利的次子,父亲最早教他数学。在海德堡大学、斯特拉斯堡大学和巴塞尔大学学习哲学、逻辑学和医学后,获医学博士学位(1721)。1723～1724年他写了关于微分方程和水流物理学的论文,从而在圣彼得堡科学院取得职位,在那里讲学直到1732年。此后,回巴塞尔,教授解剖学和植物学。此时他已受到欧洲学者和公众的广泛尊敬。1738年,发表《流体动力学》,其中阐述了流体压强、密度和速度之间的关系,即伯努利定理。1725～1749年他因对天文、重力、潮汐、磁学和洋流等方面的研究而10次获法国科学院

奖。他对概率论也有贡献。

Bernoulli, Jakob　伯努利(1655-01-06[旧历1654-12-27],瑞士巴塞尔～1705-08-16,巴塞尔)　瑞士伯努利家族中第一位数学家。最早提出变分法原理。他发展的伯努利数是以

美国不列颠百科全书公司供图

他的名字命名的。他出身于药材商人家庭,最初不得不学神学,但后来不顾父亲反对却醉心于数学。他同许多数学家有广泛的交往和通信联系。1687年他拒绝了教会的任命而接受了巴塞尔大学数学教授的职位。他钻研了J.沃利斯、I.巴罗、R.笛卡儿和G.W.莱布尼兹的著作,对微积分创建的早期工作有重要的贡献。1690年他首先使用"积分"一词。1691年研究了悬链线,并很快应用于吊桥设计。1695年他又把微积分应用于桥梁设计。他的开拓性著作《猜度术》(1713年他死后出版)包含了他许多最好的研究成果:他的排列组合理论、导出指数级数的伯努利数以及概率论中的伯努利大数定律等。

Bernoulli, Johann　伯努利(1667-08-06[旧历07-27],瑞士巴塞尔～1748-01-01,巴塞尔)　瑞士数学家,伯努利家族中的主要成员。他研究当时的新数学——微积分,并把它用于测量曲线的长度、微分方程和力学问题。他是J.伯努利(**Bernoulli, Jakob**)的弟弟。最初学医,1694年在巴塞尔以肌肉收缩的论文获博士学位。但后来不顾父亲的反对随哥哥雅

美国不列颠百科全书公司供图

各布学数学。1692年曾教过数学家G.-F.-A.洛必达微积分。1695～1705年在荷兰的格罗宁根教数学。雅各布去世后,他继任巴塞尔大学教授。他对数学的贡献在数量上超过雅各布。他用微积分计算了等速降线、等时线等曲线的长度和面积。他还提出求一个分数当分子和分母都趋于零时的极限的方法,后由他的学生洛必达收编在《无穷小分析》中,现在通称为洛必达法则。他与雅各布常有争辩,最激烈的是关于他提出的求最速降线的问题,即一个仅受重力作用的质点无摩擦地由一点下滑到另一较低点,沿什么曲线所用的时间最短的问题。这个争辩标志了变分法这一新学科的诞生。

Bernoulli's theorem　伯努利定理　运动流体(液体或气体)的压强、流速和落差之间的关系式。该流动是定常的,或为层流,其压缩性和黏性(内摩擦)忽略不计。1738年由瑞士数学家D.伯努利首先导出。定理实际上是说,运动流体的总机械能,即包括与流体压强有关的能量、落差的重力势能以及流体运动动能在一起的总能量保持恒定。伯努利定理是关于定常流或沿流线流动理想流体的能量守恒方程。按照伯努利定理,如果流体水平流动,重力势能则无变化,而流体压强随流速增加而降低。例如,流体流经横截面积有变化的水平管子时,由于狭窄处流速增加,结果使得横截面积最小处流体经受的压强最低。此现象有时称作文丘里效应,以纪念首先注意到管道狭窄处对流体流动的影响的意大利科学家G.B.文丘里(1746～1822)。伯努利定理是许多工程应用的理论基础。如飞机的机翼设计,就是利用流经机翼上部弯曲面的气流速度比下部快,使得机翼下部的压强比上部大,从而产生升力。

Bernstein, Aline Frankau　伯恩斯坦(1882-12-22,美国纽约州纽约～1955-09-07,纽约)　婚前名Hazel Frankau。美国第一位重要的女舞台设计师兼作家。曾在亨特学院和纽约应用设计学院学习,1902年与T.伯恩斯坦结婚。对舞台设计产生兴趣,两年后成为美国舞台美术设计师协会第一位女性会员,开始在一些业余剧团进行舞台设计。1915年,A.莱维松和I.莱维松创建芳邻剧院,伯恩斯坦成为其首席布景及服装设计师。20～30年代主要在戏剧公会和民间保留剧目剧院工作。这个阶段的成功作品有《艾莉森的房子》、《动物王国》和《海鸥》。与L.赫尔曼合作的《孩子们的时光》、《未来的日子》和《小狐狸》尤受赞赏。1925～1930年,与年轻的小说家T.沃尔夫热恋,1929年沃尔夫把《天使望家乡》一书奉献给她。两人的爱情是伯恩斯坦的故事集《三套蓝衣服》和小说《旅途》的主题。1937年帮助I.莱维松成立古装艺术博物馆并担任董事。该博物馆1946年成为大都会艺术博物馆服装研究院,伯恩斯坦任院长。后期舞台设计中著名的有《雄性动物》、芭蕾舞剧《被咒语镇住的孩子》,以及获得1949年托尼奖的歌剧《小狐狸》。其他作品有自传《演员的女儿》、小说《康顿小姐》以及去世后出版的《18、19世纪女性服饰精品》。

Bernstein, Eduard　伯恩施坦(1850-01-06,柏林～1932-12-18,柏林)　社会民主党宣传家、政治理论家和历史学家,企图修正马克思的原则,例如放弃资本主义经济即将崩溃和无产阶级夺取政权等思想的最早的社会党人之一。伯恩施坦虽不是一位杰出的理论家,但他设想一种将个人的首创精神与社会改革相结合的社会民主模式,被称之为"修正主义之父"。出身犹太家庭,父亲是铁路工程师,叔父阿伦·伯恩施坦是进步的工人阶级广为阅读的报纸《柏林人民报》的编辑。青年时代的伯恩施坦像许多有教养的德国人那样怀有要求国家统一和民主的壮志,1872年加入社会民主党。1871年普鲁士战胜法国后的动乱岁月,有助于促进他政治信仰的形成。和蔼的伯恩施坦倾向于非教条的、重实效的社会主义,而不是激进的马克思主义。他宁愿选择民主的、和平主义的社会民主党而不是多

美国不列颠百科全书公司供图

少有些极权主义的全德工人联合会。1873年的经济危机增强了他关于资本主义脆弱性的信念。俾斯麦首相反对社会主义的法律迫使他转向较为激进的立场。他被逐出德国后移居瑞士,放弃了霍赫贝格的"道德社会主义"。经马克思同意,他出任《社会民主党人》杂志苏黎世版的编辑。1888年在俾斯麦的要求下,伯恩施坦被逐出瑞士,他将刊物迁至伦敦继续出版。他在那里成为马克思的合作者和保护人恩格斯的好友,并与主张社会主义应渐进发展的有影响的费边社领导人交往甚密。伯恩施坦在一系列文章和在给1898年社会民主党斯图加特大会的一封信中阐述了他的修正的观点。翌年出版了他的《社会主义的先决条件与社会民主的教训》一书。1901年伯恩施坦回到德国,成为改良主义劳工运动中日益兴起的修正主义派的理论家。他认为社会主义是人类强烈愿望中所固有的自由主义的最后结果,而不仅是反对资本主义中产阶级的产物。他不再相信资本主义即将崩溃,也不再把资产阶级看做只是个寄生的和暴虐的阶级。他还认为生产性工业的集中并不像马克思所预言的那样发生在一切领

域里。他以工厂立法和工会从法律束缚中获得自由的改革为例，指出在社会主义运动的压力下，对资本的剥削倾向已开始作出反应。为此，他争辩说，持久胜利的前景不在于暴力剧变，而在于平稳地前进。1902年伯恩施坦当选议员，后连选连任，直至1928年。当社会主义理论家考茨基的教条主义的马克思主义和德国工人领袖倍倍尔的折衷主义的马克思主义衰落后，修正主义成为社会民主党的指导思想。然而，反对国家之间和阶级之间暴力行动的伯恩施坦，居然支持左派反对军国主义的斗争。第一次世界大战期间，作为党内右翼的领导成员，他却与德国独立社会民主党人站在一起抗议他的党支持战争。和平恢复后他随即返回原来的党，并反对把1918年11月的政治革命转变为社会革命，他相信，议会制共和国的建立开辟了不断进步的道路。1919年他出任经济和财政国务秘书。社会民主党终于成为拥有广大民众的改良主义运动。他帮助阻挡了德国人追随1917年俄国的榜样，但他却未能劝阻他们不要仿效1922年意大利法西斯的模式。他未能了解国家社会主义的性质，无力阻止其攫取政权。他去世后不到6个星期，他曾寄予一切希望的这个民主国家即为希特勒的独裁统治所取代。

Bernstein, Henry(-Léon-Gustave-Charles) 伯恩斯坦(1876-01-20，法国巴黎～1953-11-27，巴黎) 法国剧作家。他的几部引起轰动的情节剧一开始就极受观众欢迎，但他后来却转向比较严肃的题材，进行各种新形式的试验，并积极参加反对迫害犹太人和反对纳粹主义的斗争。父为犹太人银行家。曾就读于剑桥大学，后继承其母财产。第一部剧作《市场》于1900年在巴黎自由剧院上演。与韦贝尔合写的喜剧《雅克兄弟》(1904)在很大程度上提高了他的声誉，该剧后被译成外文并在美国上演。《旋风》(1905)、《利爪》(1906)和《参孙》(1907)强调刻画个性，节奏快而猛烈。《以色列人》(1908)和《在我之后》(1911)对法国的排犹进行批评，后者首演后曾引起骚乱，被迫停演。心理分析学的创始人弗洛伊德及意大利富于创新的剧作家皮兰德娄对他的影响明显见于《镜廊》(1924)及他在20年代的其他剧作中。在《梅洛》(1929)一剧中他采用了各种电影技巧，而在《旅途》(1937)中则试验了小说的某些技巧。1940年，他的反纳粹的剧作《埃尔维尔》在巴黎上演，直到该市被德国人攻占。后逃到美国，投身于反纳粹和维希伪政府的运动。战后返回巴黎，继续戏剧创作，去世前一年才搁笔。

Bernstein, Jeremy 伯恩斯坦(1929-12-31，美国纽约罗切斯特～) 美国物理学家、教育家和作家，以其就现代物理学中的主要问题为一般读者写作清晰明了的读物而广为知名。从哈佛大学毕业(1955年获哲学博士)后，曾在哈佛和新泽西州普林斯顿的高级研究院工作。1962年受聘为纽约大学物理学副教授。1967年起在设于新泽西州霍博肯的史蒂文斯理工学院任物理学教授，并一直担任该职。他还是《纽约人》杂志的工作人员，并在美国各地以及瑞士、法国和巴基斯坦任多种职务。在向一般公众讲解科学知识时，伯恩斯坦阐述的主题范围从宇宙学直至计算机的起源。他就这些主题出版了许多本书，并为一家名为《美国学人》的期刊撰写题为《发自我心扉》的专栏。1986年出版了自传《生命的历程》。

Bernstein, Leonard 伯恩斯坦(1918-08-25，美国马萨诸塞劳伦斯～1990-10-14，纽约州纽约) 美国指挥家和作曲家。在严肃音乐和流行音乐方面均有很高造诣，指挥风格靡丽

美国不列颠百科全书公司供图

辉煌；具有教学天赋，尤其是在为青年举办的音乐会中表现突出。10岁开始学钢琴，曾就读于波士顿拉丁学校和哈佛大学(文学士学位，1939)；1939～1941年在费城柯蒂斯音乐学院学习。曾从F.赖纳和S.库塞维茨基学习指挥。1943年受聘担任新纽约爱乐乐团助理指挥；1943年11月14日意外地应邀代替指挥B.瓦尔特，取得第一次非凡的成功。在困难条件下的技术上的自信和出色的表演使他一举成名，从此开始他的锦绣前程。其后又指挥纽约市中心管弦乐队(1945～1947)，并在美国、欧洲和以色列任客座指挥。1953年成为在米兰拉斯卡拉歌剧院担任指挥的第一位美国人。1958～1969年任纽约爱乐乐团指挥和音乐总监，有时还担任钢琴独奏，弹奏钢琴指挥乐团演奏。曾多次率领该团在拉美、欧洲、苏联和日本巡回演出。他不仅以指挥和钢琴家身份、而且还作为评论员和表演者在电视中出现，从而声望蒸蒸日上。1969年以后他继续音乐创作，并在世界各地以客座指挥身份指挥多部交响乐的演出。作为一位严肃音乐作曲家，他把形形色色的因素运用得挥洒自如，从犹太教仪式主题到爵士乐节奏，应有尽有。前者如在《耶利米交响曲》(1942)和清唱剧《犹太祷文》(1963)中，后者如在钢琴与管弦乐队的《焦虑的年代》(1949，取材于W.H.奥登作品)中。曾为基督教仪式写了《奇切斯特诗篇》(1965)，还专为华盛顿(哥伦比亚特区)肯尼迪表演艺术中心于1971年9月举行的开幕典礼写了《弥撒曲》。有3部作品于1977年在肯尼迪表演艺术中心由罗斯特罗波维奇指挥国家交响乐团首演：《荣耀！(政治序曲)》，大提琴与管弦乐队《沉思曲》3首，由6位歌唱家和管弦乐队演出的套曲《合唱会》。其他作品还有音乐剧和芭蕾舞剧音乐，前者例如《在城里作乐》(1944)、《奇妙的小镇》(1953)、《天真汉》(1956)，以及非常受欢迎的《西城故事》(1957)；后者有《自由的想象》(1944)、《传真》(1946)和《恶鬼》(1974)。电影《在滨水区》(1954)的音乐也出自他的手笔。曾出版一演讲集。

Bernstorff, Albrecht, Count(Graf) von 贝恩斯托夫伯爵(1809-03-22，梅克伦堡德莱吕特索夫[德国]～1873-03-26，英国伦敦) 普鲁士政治家，以其魅力和外交手腕著称。1848年革命期间出使维也纳，后因主张在普鲁士领导下实现德国的统一和反对奥地利的对德政策而被召回。克里米亚战争爆发前夕，他任普鲁士驻伦敦大使，大大增进了英普之间的良好关系。1861年回国任外交大臣，1862年去职。后再次出使伦敦，先为普鲁士大使，1871年后为德意志帝国大使，直至去世。

Bernstorff, Andreas Peter, Count (Graf) von 伯恩斯托夫伯爵(1735-08-28，汉诺威[德国]～1797-06-21，丹麦哥本哈根) 丹麦政治家。1773年任丹麦外交大臣，同年8月12日与

美国不列颠百科全书公司供图

俄国签订半防御性、半反瑞典的条约。在美国独立战争期间，英国虽声称它有权在公海上搜查战时违禁品，而伯恩斯托夫同情英国。1779年支持英国提出的英国、丹麦-挪威、俄国同盟的建议。然而丹麦王室支持俄国提出的中立国家缔结军事同盟保护中立海运的建议，他于同年11月在俄国的压力下辞职。1784年复职，一直任外交大臣。他始终遵循中立政策，在法国发生革命后，他反对各国对法国内部事务进行任何干涉。1794年3月为保护两国的商业海运，他与瑞典签订中立条约。他的外交政策受到欧洲各国外交家的称赞。在内政上他支持一系列改革措施，如调整地主与农民关系、解放农奴等，深得民心。人民将其逝世视为国家的灾难。

Bernstorff, Christian Günther, Count (Graf) von 伯恩斯托夫伯爵(1769-04-03，丹麦哥本哈根～1835-03-28，普鲁士柏林[德国]) 丹麦外交家，曾任普鲁士外交大臣(1818～1832)，是德意志关税同盟的创始人。伯恩斯托夫伯爵A.彼得之子。1794～1797年5月任丹麦驻斯德哥尔摩大使，6月继其父任外交大臣。1812年任丹麦驻奥地利大使，曾出席1814年5月在巴黎举行的和约签字仪式，并代表丹麦参加维也纳会议。1816年任丹麦驻柏林大使。1818年任普鲁士公职。1818年

美国不列颠百科全书公司供图

10月以普鲁士外交官身份参加艾克斯拉沙佩勒大会，回柏林后任外交大臣。他生来就反对法国大革命原则，作为外交大臣，被指责将普鲁士利益从属于梅特涅和神圣同盟的欧洲政策。

Bernstorff, J. H. E., Count (Graf) von 伯恩斯托夫（1712-05-13，汉诺威[德国]～1772-02-18，荷尔斯泰因） 丹麦政治家。1733年因权贵亲属推荐而进入外交界，任丹麦驻萨

美国不列颠百科全书公司供图

克森公使，1744年改任驻法国大使。1751年任外交大臣。此后19年中，他在丹麦的政务会议中具有决定性的影响，并使丹麦在七年战争中保持中立。1767年与俄国女皇叶卡捷琳娜二世进行缔结条约的谈判，使俄国放弃对荷尔斯泰因公爵部分领地的要求。1766年克利斯蒂安七世即位，1770年他被解除职务而退休。

Bernstorff, Johann-Heinrich, Count (Graf) von 贝恩斯托夫伯爵（1862-11-14，英国伦敦～1939-10-06，瑞士日内瓦） 德意志外交官。普鲁士外交官A.贝恩斯托夫伯爵之子。1899年进入外交界，历任驻贝尔格莱德、德累斯顿、圣彼得堡和慕尼黑公使馆秘书。1902～1906年任驻伦敦大使馆参赞。后任驻开罗总领事。1908年任驻华盛顿大使，1917年4月美国对德宣战后去职。后任驻君士坦丁堡大使。1918年离开外交界，以民主党员身份积极参加德国国会的政治活动。1933年前任德意志国际联盟协会主席。希特勒上台后亡命日内瓦。

Beroea（Greece） **贝罗亚** 参阅 **Véroia 韦里亚**。

Berosus 贝罗索斯（活动时期约公元前290） 阿卡德语作Bel-usur。巴比伦迦勒底的比勒神祭司。曾写过一部讲述巴比伦尼亚历史和文化的著作，共3卷（希腊文本），被后来的希腊编纂家们广泛使用，而优西比乌斯和约瑟夫斯等宗教史家则从那些希腊人的著述中转引。因此，贝罗索斯的著作虽然仅存被引用的一鳞半爪，他由于把巴比伦起源的情况转告给古希腊人而万古留名。第1卷描述巴比伦尼亚的土地，半人半鱼的奥安尼斯和其他一些神从海中出来传播文明。贝罗索斯根据民间传说讲创世的故事，因而记载了迦勒底的占星术。第2、3卷包括巴比伦尼亚和后来亚述的年代记和历史，从“洪水前十代国王”开始，随后是洪水本身的故事，接着是恢复国王统治及一大串“洪水后”诸王的名字，再后是“五代”，最末是晚期历史，包括亚述人统治的最后一个巴比伦王国以及波斯人政权。用阿卡德（亚述-巴比伦）语写成的楔形文字资料已经证明贝罗索斯的一些叙述内容确切无疑。在乌鲁克（今瓦尔卡）发现的一块巴比伦晚期书板上有贝罗索斯所讲7位文明传来者（奥安尼斯弟兄）原来的名字。他的年代记和历史体系，虽然在引文中保存得很不完整，现代的学者们已经仔细研究，并以楔形文字的文献勘正。

Berr, Henri 贝尔（1863-01-31，法国吕内维尔～1954-11-19，巴黎） 法国历史学家、哲学家，在巴黎建立研究中心和创办杂志，专门从事综合性的历史与科学研究。1881～1884年在巴黎高等师范学校求学，1899年获博士学位。曾在杜埃和图尔执教多年。1896～1925年任巴黎亨利四世中学教授。1900年创办《历史综合研究杂志》。1924年在巴黎建立国际综合研究中心，同时开始主编《人类的进化》100卷，1920～1954年出版了65卷。他提出一个相当复杂难懂的历史综合研究理论。该理论以区分3种不同类型的因果关系为基础，即一连串的事实、不断的交往或需要、事实间内在和合理的联系。1936年创办《科学》杂志，1942年出版哲理小说《生命的赞歌》。还就阿尔萨斯-洛林和德国问题写过几本书。

Berra, Yogi 贝拉（1925-05-12，美国密苏里圣路易斯～ ） 美国职业棒球接手、领队和教练。创接手本垒打313个，连续不失误148场和接球防守成功950次的纪录。最早在基督教青年会队参加棒球正式比赛，后加入美国军团棒球队。1942年与美国棒球联盟纽约扬基队签约，在小联合会中参加了一个赛季的比赛后，第二次世界大战中（1943～1946）在海军服役。1946年又参加小联合会比赛。该赛季快要结束时升入纽约扬基队，成为该队正式接手，一直到1963年。1951、1954和1955年三度被美国棒球联盟命名为最有价值选手。在1947年、1949～1953年、1955～1958年和1960～1963年参加了14届世界系列赛，在75场比赛中担任接手，比任何其他接手都多。退出比赛后于1964年出任扬基队领队。1965～1972年任全国联盟纽约梅茨队教练，1972～1975年任梅茨队领队，后又任扬基队教练、领队等。1972年入选棒球名人堂。

Berrighen, Claes Pietersz(oon) (Dutch painter) 参阅 **Berchem, Nicolaes Pietersz(oon) 贝尔赫姆**。

Berruguete, Alonso 贝鲁格特（约1488，卡斯蒂利亚帕雷德斯-德纳瓦[今在西班牙帕伦西亚]～1561，卡斯蒂利亚托莱多） 文艺复兴时期最重要的西班牙雕刻家，以强烈的、富于感情的风格主义人物雕刻闻名，人物或表现精神上的痛苦，或处于宗教狂热的激动状态。早年随其父佩德罗学画，后去意大利（约1504或1508），大部分时间在佛罗伦萨及罗马度过。米开朗琪罗的作品以及梵蒂冈收藏的古希腊雕刻如《拉奥孔》等，对他均有影响。其作品《莎乐美》（佛罗伦萨乌菲奇美术馆）及在意大利的绘画作品都属于J.蓬托莫和R.菲奥伦梯诺的早期风格主义。约1517年回到西班牙，1518年成为查理五世的宫廷画家，并在巴利阿多利德定居。1520年未随皇帝去德国，因此未得到皇室绘画任务，乃转而从事雕刻和建筑。1518～1521年为萨拉戈萨的圣安格拉西亚教堂的塞尔瓦吉欧陵墓作雕刻，又为瓦兰西阿大教堂作浮雕《耶稣复活》（约1517）。在巴利阿多利德居住期间，曾为奥尔梅多的梅霍拉达隐修院作祭坛高架或祭坛画（1526），并曾作圣贝尼托教堂祭坛画（1527～1532）、萨拉曼卡的爱尔兰公会祭坛画、圣地亚哥教堂祭坛画（1537）。1539年应西班牙人文主义者及艺术赞助者塔韦拉枢机主教之请，到托莱多工作，作大教堂唱诗班席的牧师座（1539～1543）和雪花石膏雕塑《主显圣容》（1543～1548）。临终前还在托莱多圣胡安·德·包蒂斯塔医院为塔韦拉大主教墓作雕刻（1552～1561）。

Berruguete, Pedro 贝鲁格特（15世纪中期，卡斯蒂利亚巴利阿多利德帕雷德斯-德纳瓦

贝鲁格特绘《圣多明我主持宗教裁判所的判决仪式》（约1503）

美国不列颠百科全书公司供图

[今在西班牙]～1504-01-06，卡斯蒂利亚阿维拉） 又名P.Spagnuolo。西班牙文艺复兴时代第一个大画家，西班牙16世纪最伟大的雕刻家A.贝鲁格特的父亲。据说他早年在那不勒斯学画，并曾在乌尔比诺（今属意大利）宫邸工作过。1483年返回西班牙，先后在托莱多和阿维拉的主教堂工作。其作品庄严、雅致，富有空间感和气氛感。其风格具有浓厚的折衷色彩，是佛兰芒、西班牙哥特式和意大利文艺复兴风格的混合。代表作为阿维拉圣托马斯女隐修院的主要祭坛画（1499～1503），画面表现阿维拉的圣托马斯的生平，把精美的图案、金饰与朴素而流畅的笔法结合在一起。

Berry 贝里 法国中部历史文化地区。其范围相当于由谢尔省（上贝里）和安德尔省（下贝里）构成的前贝里省。罗马时代为比图里热·库比族的家乡，后转入西哥特人（475）、法兰克人（约507）和加洛林王朝手中。曾为布尔日子爵领地。1101年被卖与王室。英国的亨利二世取得阿基坦时，贝里成为英法两国争端的焦点。1360年以后，它被法国王室据为采邑，通常归属某一王族。贝里公爵让·德·弗朗士（1340～1416）是一位重要的艺术赞助人。1601年成为法王室领地。路易十四的孙子查理（1686～1714）和路易十六的侄子查理-费迪南（1778～1820），都获得贝里公爵的称号。其西北部为邻接中央高原的高地，分布有小片森林、草场、麦田、果园和葡萄园。宗教以天主教为主。居民多为凯尔特人后裔，也有1950年以来同化的波兰、意大利、西班牙移民。地区方言源出法语，近似波旁地区和图赖讷方言。该区民间文化深受来自奥弗涅、布列塔尼、苏格兰和爱尔兰的凯尔特人影响。一些地方仍然在生产传统陶器。

berry 浆果 一种肉质单果。常含多数种子。如香蕉、番茄、酸果蔓。中果皮与内果皮一般难以区分。任何形小肉质的果实，尤为可食者，亦俗称为berry。木莓（raspberry）、黑莓（blackberry）及草莓（strawberry）的英语名中虽均有berry但不是浆果，而是聚合果。椰枣（海枣）是一种单籽浆果，其核是坚硬的营养组织。柑橘类的革质果皮浆果称为柑果。西瓜、黄瓜、葫芦等的浆果状果实形长、外皮坚韧，称为瓠果。

Berry, DUKES OF 贝里公爵 法国皇家贵族头衔，按年代分列于后，并各以● 为标记。

● Berry, Jean de France, duc de (duke of) **贝里公爵**（1340-11-30，法国万塞讷～1416-06-15，巴黎） 法国国王好人约翰二世第三子。首要的艺术赞助人；在百年战争中期控制着至少1/3的法国领土。1358年任国王驻奥弗涅、朗格多克、佩里戈尔和普瓦图的副总督。1364年后，他对领地横征暴敛，引起农民起义（1381～1384）。幼王查理六世（1380～1422在位）即位后，他参加摄政会议，分享王权。一生赞助艺术，不惜重金收藏珍品。

● Berry, Louis-Auguste, duc de (duke of) **贝里公爵** 参阅**Louis**(France)路易（法国）项下的Louis XVI路易十六。

● Berry, Charles-Ferdinand de Bourbon, duc de (duke of) **贝里公爵**（1778-01-24，法国凡尔赛～1820-02-14，巴黎） 法国亲王。他遭狂热宗教徒L.-P.卢韦尔杀害，标志着王政复辟（1814～1830）历史的转折点。他的死亡加速了德卡兹政府的垮台和被取代以及两极分化为自由派与保皇派。1789年大革命爆发时，他随父亲阿图瓦伯爵（即后来的查理十世）逃到国外。1792～1797年在孔代亲王的军中服役，曾随孔代去俄国。沙皇保罗任命他为骑兵团长。1801～1814年他住在英国。1815年回国。百日统治期间，他退隐到根特。第2次复辟期间，他重返巴黎。1820年2月13日在离开巴黎歌剧院时，被马鞍匠卢韦尔刺伤，次日死去。

Berry, Chuck 贝里（1926-10-18，美国密苏里圣路易斯～ ） 原名Charles Edward Anderson Berry。美国歌曲作家和歌唱家。使蓝调歌曲转变成摇滚音乐的最早也是最优秀的代表之一，并使这种音乐在白人听众中广泛流行。年轻时曾因盗窃未遂罪在少年犯管教所拘押3年。早期对乡村音乐发生兴趣。20世纪50年代初，白天从事各种不同工作，夜间率领一组蓝调三重唱在圣路易斯地区黑人夜总会演唱。1955年，带着自己创作的一些歌曲前往芝加哥，那里的一群杰出黑人音乐家已使该市的南区成为传奇式的世界蓝调首府。同年录制其第一张唱片《梅贝伦》，在青少年中引起轰动。这一新奇形式逐渐发展成为一种流行体裁，称为"摇滚乐"，吸引了一大批追随者。在此期间以《摇起来，贝多芬》、《学校岁月》、《甜蜜的16岁》、《摇滚音乐》、《J.B.古德》和《孟斐斯》等歌曲，一连数年雄踞当红作曲家和演唱家的宝座。所有这些歌曲都把规范化的强烈节奏和旋律型同作曲家别具一格的讽刺性歌词结合在一起。他还曾在4部影片中参加演出。1959年因触犯曼恩法案而被判罪，服刑两年。1964年获释后，作为歌唱家和录音艺术家他一帆风顺直到70年代。1979年被控逃税，并服罪，被判4个月监禁和1 000小时社区服务（举行义演音乐会）。

Berry, Halle 贝瑞（1966-08-14，美国俄亥俄克利夫兰～ ） 美国电影演员，第一位获得奥斯卡最佳女主角奖的非洲裔美国人。在《死囚之舞》中细致入微地刻画了倒霉的莱蒂西亚的形象，赢得2001年奥斯卡金像奖。十几岁时即入围全国选美决赛，曾当过模特，1989年开始演电视剧。在《热带丛林》和《偷心情圣》中的表演引起人们的注意。后与J.兰格合演《失踪的艾赛亚》，并在《红颜血泪》中扮演多萝西，获奥斯卡奖最佳女演员提名，并获得艾美奖和金球奖。此外，还出演了动作片《X战警》、《剑鱼行动》和007系列之一《择日再死》。《歌西卡》和《猫女》更使她跻身大牌影星之列。

Berry, Marie-Caroline de Bourbon-Sicile, duchesse de (duchess of) **贝里公爵夫人**（1798-11-05，意大利卡塞塔～1870-04-16，奥地利布伦塞） 两西西里国王弗兰西斯一世之女。法王查理十世之子贝里公爵（1820年被谋杀）的妻子。1830年查理十世被推翻时，她竭力为自己的儿子尚博尔伯爵亨利·迪厄多内争取王位。事败后逃亡国外。1832年她又乔装进入国内，到旺代发动反对国王路易-菲利普的叛乱，结果被捕。1833年7月获释，后与一位微贱的意大利贵族E.卢克切西-帕利结婚，因此丧失了继承王位的资格。在此之后一直浪迹奥地利和意大利两国，最终客死异乡。

Berry, Marthe McChesney 贝里（1866-10-07，美国佐治亚罗马附近～1942-02-27，佐治亚亚特兰大） 美国教育家，她个人的努力使得佐治亚州农村地区数千名儿童获得受教育和半工半读的机会。1887年父亲去世后她继承了一大笔遗产。一个偶然机会接触到缺乏受教育机会的山区儿童使她大为震惊。她开设了一所传统日校。1902年开设技工男校。

美国不列颠百科全书公司供图

起初学校经费全由她负担。为了弥补学校经费的缺口，她开始了一个开拓性计划：让普遍已达到高中学龄的学生参加半工半读活动，一天工作两小时。很快申请上学的人数超过学校招生人数，她开始向外界寻求支持。获得了北方A.卡内基这样的慈善家们的赞助，特别是H.福特，多年共赞助近400万美元。1909年贝里还在半工半读的基础上开设了贝里女校。这两所学校一直强调职业、农业和家政培训和自立精神。1916年扩建一所文法学校，10年后设立一所两年制专科学校，1930年改为四年制学院。到1929年，贝里的各类学校已有约7 000名毕业生。她去世前，各类学校的规模扩大到共占地3.5万英亩（14 200公顷），有建筑物125幢。到1960年，毕业生已超过1.6万。

Berryman, John 贝里曼（1914-10-25，美国俄克拉何马麦卡莱斯特～1972-01-07，明尼苏达明尼阿波利斯） 美国诗人。1956年发表长诗《对布雷兹特里特太太的敬意》，确立他在文学界的重要地位。出生在俄克拉何马州阿纳达科小镇上的一个天主教家庭。10岁时全家移居佛罗里达州的坦帕。毕业于哥伦比亚大学，曾受老师、诗人M.范多伦的影响。1938年在剑桥大学学习后回美国，在底特律的州立韦恩大学执教，从此开始在大学，包括哈佛、普林斯顿和明尼苏达大学任教的教师生涯。20世纪30年代末开始在小杂志上发表作品，1940年出版的《5位美国青年诗人》

中收入他的诗作 20 首。随后又出版了两卷诗集:《诗集》(1942)和《被剥夺的人》(1948)。《贝里曼 14 行诗》发表于 1967 年,这是关于恋爱和富于性爱的自传组诗。《情侣》发表在

美国不列颠百科全书公司供图

《1946 年美国最佳短篇小说集》。《虚构的犹太人》(1945)常被收入各种选集。他写的传记《斯蒂芬·克莱恩》于 1950 年出版。《对布雷兹特里特太太的敬意》是一篇独白式文学作品,赞颂第一个美国女诗人安妮·布雷兹特里特。他的新的、大胆的手法在《梦歌 77 首》(1964)中也很明显,《他的玩具、他的梦、他的休息》(1968)扩大为有 385 首"梦歌"的组诗。《复原》叙述他与酗酒的斗争,发表于 1973 年。贝里曼后来从桥上跳到密西西比河的冰上自杀身死。

berserker　狂暴武士　在中世纪前和中世纪北欧和日耳曼历史与民间传说中,崇拜北欧最高神奥丁的狂暴不驯的武士,他们给王室和贵族当卫士和打手。他们的勇猛善战和兽皮穿着,促进了欧洲关于狼人传说的发展。不过,他们究竟披着熊皮和狼皮作战,还是赤身作战,现已无从稽考。这些武士恣意奸淫杀戮,因而在挪威的英雄故事中,他们往往以坏蛋的角色出现。

Bert, Paul　贝尔(1833-10-17,法国约讷欧塞尔～1886-11-11,河内)　法国生理学家、政治家、现代航空及航天医学的奠基人。研究过空气压力对人体的作用,促进了空间和深海

美国不列颠百科全书公司供图

的开发。1869～1886 年在巴黎大学任生理学教授时,发现高海拔地区的动物疾病主要是由于空气稀薄、含氧量太低所致。贝尔还对减压病(又名沉箱病)做了深入的研究。这种病主要见于深水潜水员,当他们从深海作业区的高压环境迅速回到地面时,就会患减压病。贝尔证明:当体外压力过高时,空气中的氮就会大量地溶入血液;当体外压力迅速减低时,溶解氮又会游离出来形成气泡,造成气体栓塞。其经典著作《大气压的实验生理学研究》(1878)为第二次世界大战时的航空医学及航天研究奠定了基本原则。1872～1886 年为约讷省下院左翼议员,1881～1882 年任教育大臣,支持法国在印度支那的殖民政策,1886 年任安南和东京总督。尽管他任职时间不长,对印度支那的影响却不小。他采取措施放松对这一地区的殖民控制,增加政府中越南人的比例,减少军界对民政事务的介入,大大地缓解了这一地区的紧张局势。

Bertani, Agostino　贝尔塔尼(1812-10-19,米兰～1886-04-10,罗马)　在意大利解放运动中同马志尼和加里波第合作的医师。1848 年他参加米兰暴动,组织过战地医疗队。1859 年在加里波第的部队中当外科医师。1860 年给加里波第当秘书长。1862 年加里波第负伤,由他治疗。在 1866 年的对奥地利战争中,他组织医疗队随军服务。1867 年,他虽反对加里波第进军罗马的计划,仍参加门塔纳战役。1861 年进入意大利新议会,成为极左派领袖。1866 年创办《改革报》。1876 年左派掌权后,他反对 A.德普雷蒂斯首相的进化论制度。

Berthelier, Philibert　贝尔特利埃(约1465,勃艮第大维里约～1519-08-23,日内瓦)　日内瓦反萨伏依派领袖。他虽然只是一个小官吏,但是积极参与日内瓦的政治斗争。1513 年反对萨伏依派的傀儡约翰就任日内瓦主教。1515 年组织爱国团体"日内瓦之子",反对主教对公民权利的侵犯。1518 年被捕,遭处决。他反对萨伏依派在日内瓦势力的斗争持续下去,最后在其友人 B.于格领导下获得成功。

Berthelot, (Pierre-Eugène-) Marcellin　贝特洛(1827-10-27,巴黎～1907-03-18,巴黎)　法国有机化学家、物理化学家、科学史学家,也是政府官员。他的创造性思想及工作,对 19 世纪末叶的化学发展有很大影响。1851 年在法兰西学院任 A.-J.巴拉尔的助手,他的博士论文继承并发展了 M.-E.谢夫勒尔对于甘油的研究,为他树立了声望。1859 年被任为巴黎药学院有机化学教授。1865 年接受法兰西学院为他特设的有机化学讲座。1876 年作为高等教育监察员继续关心教育问题。1881 年被选为终身上议员。曾任公共教育部长(1886～1887)和外交部长(1895～1896)。曾对醇、羧酸、烃(包括乙炔)的合成和化学反应速度等作过重要研究。发现炸药的爆炸波。他怀疑一般人认为有机物是在生命过程中形成的论点,认为化学现象并不由其特有的规律支配,而可用宇宙普遍适用的力学定律来解释。提出"吸热"和"放热"这两个术语,并再次发现微生物在土壤中的固氮作用。他的有关炼丹术史和化学史的著述都是这些方面的经典著作。共出版约 1 600 本(篇)化学方面的书和论文。他的其他工作包括翻译希腊、叙利亚和阿拉伯有关炼丹术和化学论著,为其支持的法国大百科全书撰稿。晚年

美国不列颠百科全书公司供图

致力于农业化学研究和他的历史著述。1889 年接替 L.巴斯德任法国科学院秘书。

Berthelot, Philippe (-Joseph-Louis)　贝特洛(1866-10-09,法国塞夫尔～1934-11-22,巴黎)　法国外交家,长期在外交部供职,对第一次世界大战期间的国际关系及战后 A.白里安的政府均有影响。贝特洛是著名化学家马塞兰·贝特洛之子。少年时代在杰出的文学界和科学界人士当中成长。1889 年进入外交部,开始了外交生涯。1902～1904 年在中国当外交官。第一次世界大战爆发时,他活跃

美国不列颠百科全书公司供图

于巴尔干的谈判中,并为协约国间的联系而工作。参加凡尔赛和会后任外交部政治及贸易司司长。1920 年任外交部秘书长。1921 年因被指控有利用职权与中国实业银行舞弊行为而辞职。1925 年重任秘书长,随白里安前往洛迦诺和伦敦谈判恢复法苏关系。此后直至 1932 年,他实际上控制外交部的内部机构,奉行他称之谓"与英国密切结盟,与德国恢复友好关系"的政策。1932 年因病辞职。

Berthier, Louis-Alexandre, PRINCE DE WAGRAM　贝尔蒂埃(1753-11-20,凡尔赛～1815-06-01,巴伐利亚班贝格)　法国军人,拿破仑麾下的第一元帅。尽管不是卓越的指挥员,但拿破仑对他评价甚高。贵族出身。在美国独立战争时期追随拉斐德,获得军事经验。在法国大革命期间,任军队参谋,1791～1792 年任总参谋长。1793 年 3 月在法国西部与保王党人作战,但因贵族出身被召回,一度失宠。后出任师长,及在阿尔卑斯、意大利作战的法军参谋长。1798 年 2 月率兵占领罗马。后在埃及参加拿破仑的军队,任参谋长,负责向各元帅直接传达拿破仑的命令。由于对拿破仑矢忠不贰,1806 年受封纳沙泰尔亲王,1809 年被赐予瓦格拉姆亲王称号。拿破仑退

位后,他给路易十八当侍卫长。在拿破仑实行百日统治时,他护送路易十八离开法国。后退休到巴伐利亚,不久去世。

Berthold von Henneberg **贝托尔德(亨讷贝格的)**(1442,德意志～1504-12-21,德意志) 又称贝托尔德(美因茨的)。美因茨大主教-选侯,帝国首相、改革者,他力图牺牲神

美国不列颠百科全书公司供图

圣罗马皇帝的利益以增加神职和世俗贵族的权力,未成。1484 年为美因茨大主教。1486 年努力促使马克西米连一世当选罗马人国王。1493 年任帝国首相,奉行 10 年改革内政的政策,提出建立帝国高等法庭和由 17 人组成的贵族会议。

Bertholet, Alfred 贝托莱(1868-11-09,瑞士巴塞尔～1951-08-24,明斯特林根) 基督教(新教)《旧约》学者。除研究《旧约》外,还就宗教现象学有所论述。所著《外典与伪经》(1906)是对犹太文学史研究的重大贡献,而他为了阐述《旧约》时代宗教历史而著的《圣经神学》第二卷(1911)又有所创新。他的其他宗教史著作也以取材审慎、善于提出问题和解决问题著称。

Berthollet, Claude-Louis, Comte (Count) **贝托莱**(1748-12-09,法国阿讷西附近塔卢瓦尔～1822-11-06,阿尔克伊) 法国化学家。他最早指出,化学反应的完全程度部分地取决于反应物的质量,此论断已接近质量作用定律。虽然他错误地认为各种元素能以任意比例化合,因而与化学家 J.-L.普鲁斯特发生争论,却导致定比定律的建立。贝托莱在意大利都灵学医后,与 A.拉瓦锡合作,协助他改革化学命名法。他对氢氰酸和硫化氢所作的研究,使他不同意拉瓦锡关于在所有的酸中氧都是不可少的元素的论点。1785 年贝托莱发现了氨的组成,还采用氯作为漂白剂。法国大革命期间他曾在许多科学机构任职,1792 年任国家造币厂专员,1794 年被任命为农业专员及巴黎综合工科学校和高等师范学校的教授。在此期间他协助将专科院校改组成为国立学院(1795)。1796 年他率领一个专业委员会到意大利为巴黎国立美术馆挑选古代和现代图片。1798 年随拿破仑远征埃及。在埃及期间,他以法国国立学院为样板,帮助兴办了一所学院。1803 年贝托莱在其著作《论化学静力学》中首次介绍了化学平衡概念。在拿破仑战争期间,贝托莱解决了矿石炼铁和由生铁炼钢的方法。他制备的氯酸钾,虽未能代替黑色火药中的硝酸钾,但可制成彩色烟火。他退休后仍保留一个实验室,并倡议召开著名科学家讨论会,会议记录于 1807～1817 年间发表。

Berthoud, Ferdinand 贝尔图(1727-03-19,瑞士普朗斯蒙特～1807-06-20,法国格罗莱) 杰出的钟表制造家。在计时方面有大量著作。先跟当钟表工的哥哥学艺,后来到巴黎学习。由于不断发明创造,著作又多而成为钟表业中极有影响的人物。他还试图解决在海上确定经度的问题。他的主要成就是研制成功一种精确实用的航海时计,其昂贵和精致的原型过去已由法国人 P.勒鲁瓦和英国人 J.哈里森制出。他对时计的种种改进,大部分为现代设计所采用。

Bertillon, Alphonse 贝蒂荣(1853-04-23,巴黎～1914-02-13,瑞士明斯特林根) 巴黎警察机构罪犯识别部门的负责人(1880 年起)。他发展了一种被称为人体测定学或"贝蒂荣式识别法"的罪犯识别系统,在法国和其他国家得到广泛运用。他是统计学家和人口统计学家 J.贝蒂荣之弟,于 1882 年开始使用他的识别系统,这个系统包括一系列细致的身体

美国不列颠百科全书公司供图

测量、身体特征描述和照相。尽管"贝蒂荣式识别法"对侦察人员说来仍然是一种提供连续不断描述形象的好方法,但指纹学已取代它成为识别罪犯的主要手段。他关于识别法的著述甚多,其中之一是《司法摄影》(1890)。1954 年出版了 H.T.F.罗兹撰写的一本关于他的传记,书名是《贝蒂荣:科学侦察之父》。

Bertillon, Jacques 贝蒂荣(1851-11-11,巴黎～1922-07-07,法国瓦尔蒙杜瓦) 法国统计学家兼人口学家。曾使用定量方法分析各种社会问题,促进了统计学在社会科学中的广泛应用。原学医,19 世纪 70 年代开始研究统计学,发表一些比较各国离婚率和自杀率的文章。1883 年继其父任巴黎市人口动态统计局局长。致力于确立统一的国际统计标准,并使得分析死亡原因的"贝蒂荣分类法"在某些国家得以应用。为促进法国政府各部门的资料收集工作,曾编写行政统计基础教程(1895)。他着重研究法国酒精中毒现象增加和人口增长率低于其他国家的问题,著有《酒精中毒和消除方法》(1904)和《论法国人口减少问题》(1911)等书。

Bertinoro, Obadiah (ben Abraham Yare) of 贝尔蒂诺罗(约1450,教皇国贝尔蒂诺罗～1516前) 意大利犹太教教义问题著作家。注解《密西拿》时引用中世纪注释家拉西的词义注解和哲学家迈蒙尼德的判例,树立犹太教经籍的典范。曾在 1486～1488 年 3 次访问耶路撒冷,有 3 封书信介绍自意大利至巴勒斯坦一路所见各地犹太社区情况和风俗习惯。1488 年以后他主要住在耶路撒冷,是当地犹太社区的精神领袖。

Bertoia, Harry 贝尔托亚(1915-03-10,意大利弗留利-威尼斯朱利亚乌迪内圣洛伦索～1978-11-06,美国宾夕法尼亚巴托) 意大利出生的美国雕刻家和设计师,以巨型建筑雕

贝尔托亚设计的"钻石椅"(1952)

美国不列颠百科全书公司供图

刻和自创的第一流的贝尔托亚式椅而闻名。他求学于密歇根州的克兰布鲁克艺术学院,并于 1937～1943 年在该院教授绘画和金属工艺。后赴加利福尼亚与设计师埃姆斯(Eames, charles)一起工作,1950 年赴纽约市加入诺尔公司。他在那里的主要成就有"钻石椅"(通常称贝尔托亚式椅),由抛光的钢丝(有时涂以乙烯基涂料)制成,蒙以棉花或弹性的诺格海德软垫。贝尔托亚声称,他的雕刻技巧是随着他设计的珠宝饰物"越来越大"的趋势而发展的;他的一些晚期作品,所谓"发声雕刻",设计奇特,经风吹或手触能产生悦耳的金属声音或空气声音。他有许多为公共场地设计的巨大作品,如为大公司和教育机构设计的大型铸焊金属的装饰性"屏雕"、为费城市中心设计的大型黄铜和青铜喷泉"海浪"、在华盛顿附近杜勒斯国际机场的青铜雕"自太空看地球"和在芝加哥美孚石油公司办公大楼门外下陷广场的"音响喷泉"。

Bertoldo di Giovanni **贝托尔多**(1420～1491,佛罗伦萨共和国波焦阿卡亚诺) 意大利文艺复兴时期雕刻家,多那太罗的学生,米

开朗琪罗的老师。和帕多瓦的巴托洛米奥·贝拉诺都是与多那太罗合作的青铜专家。早期名作有1460～1470年间完成的圣·罗伦佐布道坛(多那太罗未完成的作品),贝托尔多主要负责制作横饰带和墓室浮雕。后期为罗伦佐·梅迪契掌管文物,兼任绘画雕刻学校校监和教师。该校设在圣·马可附近梅迪契的花园里,米开朗琪罗曾在这个学校学习。其他著名作品有《耶稣殉难与侍伴圣徒》浮雕、俄尔甫斯和阿波罗青铜雕像。

Bertolucci, Bernardo　贝尔托卢奇(1940-03-16,意大利帕尔马～　　)　意大利电影导演,以其影片《巴黎最后的探戈》(1972)而闻名,这部影片的色情内容在国际上引起了轰动。从小在安逸而文雅的环境中长大。父亲是一位诗人、选集编者、美术史教师和电影评论家,对他的早年有强烈的影响。因常跟随父亲去看电影,在童年时代就对电影发生兴趣。他最初的两部关于儿童的短片是他在15岁时拍摄的。其第一本书《探求奥秘》(1962)获得了意大利最高文学奖之一的维亚雷焦奖。不久,作为帕索利尼的助理导演开始电影生涯。在参加了帕索利尼的《乞丐》(1961)的拍摄工作后,贝尔托卢奇从罗马大学辍学,开始独立学习电影。他以罗马为外景拍摄了故事片《死神》(1962),使他被公认为是个有前途的青年导演,但卖座率不高。他的第二部影片《革命之前》(1964),卖座率虽然同样不好,但在戛纳电影节上赢得了人们的青睐。由于他的电影拍摄计划在经费上得不到支持,他导演了几部纪录片,并与朱利安·贝克合作,参加其舞台剧《极度痛苦》、《爱情与愤怒》等的演出工作。他的下一部影片《蜘蛛的谋略》(1970)反映了他对人物的内心世界越来越加关注。影片《随波逐流的人》(1970)表明他已是一位成熟的导演。影片主角是一位年轻的公务员,他企图通过迎合墨索里尼统治下的法西斯意大利的社会风尚来改善自己的处境。两年后上映的《巴黎最后的探戈》,在一个中年鳏夫(马龙·白兰度饰)与一位年轻女演员之间爱情故事中,色情描写达到了以前普通影片中被认为是禁忌的程度。贝尔托卢奇后期影片包括场面宏伟的《1900年》(1976),描写亲密关系的《月亮》(1979)和《一个可笑的人的悲剧》(1981)。他以《末代皇帝》(1987)而获得令人注目的极大成功。这部影片对中国最后一个被废黜的皇帝溥仪悲剧性的一生作了史诗式的描述,赢得了9项美国奥斯卡金像奖,包括最佳影片奖和授给贝尔托卢奇的最佳导演奖。

Bertran DE BORN　贝特朗(博恩的)(约1140,法国利摩日子爵领地～1212至1215,达隆修道院)　法国军人,著名的中世纪行吟诗人。原为欧特福尔子爵,拥有大片领地。曾因独霸家族遗产而与兄弟康斯坦丁两次交战。1189年狮心理查即英格兰王位后,他随理查参加进攻巴勒斯坦的十字军。回法国后写过一些极其优美的诗篇,有45首存世。

Bertrand DU GUESCLIN (French soldier)　**贝特朗(盖克兰的)**　参阅**Guesclin, Bertrand du 盖克兰**。

Bertrand, Henri-Gratien, comte (Count)　**贝特朗伯爵**(1773-03-28,法国沙托鲁～1884-01-31,沙托鲁)　法国军事工程师和将军,拿破仑一世的朋友。是拿破仑最初在厄尔巴岛

美国不列颠百科全书公司供图

(1814～1815),后在圣赫勒拿岛(1815～1821)流放时期的伴侣。他的《圣赫勒拿日记》坦率地描述了拿破仑的品格及流放期间的生活,是极其珍贵的史料。贝特朗19岁参军。1797年在意大利见到拿破仑。1798～1799年奉派远征埃及,并负责亚历山大港的防卫工作。1800年任准将,1804年任拿破仑的副官,在奥地利战役中立有殊勋。1808年封为伯爵。1809年他为法军跨越多瑙河在瓦格拉姆建造的桥,被拿破仑誉为古罗马以来最精巧的桥。1813年任宫廷大典礼官,后随拿破仑一起流放。1821年拿破仑去世以后,贝特朗于1840年护送拿破仑遗体回法国安葬。

Bertrand, Joseph(-Louis-François)　贝特朗(1822-03-11,法国巴黎～1900-04-05,巴黎)　法国数学家和教育家。在分析力学,尤其是热力学中的微分方程应用上,以及在统计概率和曲线、曲面的理论研究方面贡献甚多。贝特朗于1839年获巴黎综合工科学校热力学博士学位,后继续在矿业学院深造,其间曾任教于圣路易大学,后又执教于师范学院和法兰西学院。贝特朗的著作有数本已被采用为数学教科书。贝特朗曲线是指第一曲率与第二曲率之间具有线性关系的一组曲线。在1899年完成的重要著作《概率论》是他对无穷小分析的研究成果,书中并介绍了称为贝特朗悖论的连续概率问题。贝特朗是法国科学院院士,并于1884年当选为法兰西学院院士。

Bertrand, Louis(-Jacques-Napoléon)　贝特朗(1807-04-20,皮埃蒙特切瓦[意大利]～1841-04-29,法国巴黎)　法国作家。他的《夜间的加斯帕》将散文诗引进法国文学并成为象征派诗人的灵感源泉之一。1815年,贝特朗全家定居第戎市,此后他对这个古勃艮第首府发生了浓厚的兴趣,参加"研究学社"并搜集历史资料,在他以《情欲》为题发表的最初的诗作中便利用了这方面的材料。他在他经营的当地报纸上发表的作品博得了雨果和圣伯夫的好评,因而前往巴黎,但未谋得合适的职位。回到第戎后,一直为一家自由派报纸撰稿,直到查理十世下令取消出版和言论自由、该报停刊为止。这道诏令导致1830年七月革命的爆发。革命后的3年间,他主编革命的《黄金海岸的爱国者》。1836年将以中世纪第戎为题材的《夜间的加斯帕》卖给一出版商,但后者以此稿不合当时古典主义的时尚,未予出版。贝特朗死于因饥饿而恶化的肺结核。《夜间的加斯帕》在他身后于1842年刊行时并未引起人们多大兴趣,但数年后此书被波特莱尔和马拉梅发现,从而为这本书的作者贝特朗在文学史上争得一席之位。

Bertrand, Marcel-Alexandre　贝特朗(1847-07-02,法国巴黎～1907-02-13,巴黎)　法国地质学家,提出某些山脉(特别是阿尔卑斯山)是由地壳的褶皱形成的理论。他在首次提出其造山运动理论两年后的1886年任国立高等矿业学校教员。暑假期间为法国地质调查局做野外工作,并研究欧洲山脉成因问题。1887年他发展了造山运动的波状概念,提出地壳的大规模褶皱作用连续有几个周期,其间加里东期、海西期和阿尔卑斯期的造山运动逐渐造成了欧洲的山系。稍后他又提出第4个造山期,即前寒武纪的休伦造山幕。贝特朗的工作和著作建立了现代大地构造学研究,特别是阿尔卑斯大地构造研究之基础,但他的著作较少,他的思想主要由他的学生们传播出去。贝特朗于1896年被选入法国科学院。

Bérulle, Pierre de　贝律尔(1575-02-04,法国特鲁瓦附近塞里利～1629-10-02,巴黎)　枢机主教和政治家。贝律尔从耶稣会教士学习神学,后入索邦神学院学习。1599年被任命

美国不列颠百科全书公司供图

为司铎。1604年去西班牙,返回法兰西时带来七名修女,成立赤足加尔默罗会革新派法国分会。1545～1563年间,特伦托会议建议整顿教会组织,贝律尔赞成这项建议,于1611年成立法兰西奥拉托利会。该会以圣内里创建的奥拉托利会为典范,但与它没有组织关系。法兰西奥拉托利会由教士组成,入会者不必发大愿。该会开办神学院,改进传教工作,促进神学研究,在法兰西天主教会内掀起奋兴运动。贝律尔曾反对法兰西国王路易十三的大臣黎塞留大主教及其敌对西班牙的政策,未发生效果。

Beruni (India)　参阅**Bāruni 巴鲁尼**。

Berwald, Franz (Adolf)　贝瓦尔德(1796-07-23,瑞典斯德哥尔摩～1868-04-03,斯德哥

尔摩） 瑞典19世纪最重要的作曲家。生于知名音乐家庭，从父学习小提琴，从迪皮伊学习作曲。曾寓居柏林（1829～1841）和维也纳（1842），后返回瑞典，1846～1849年间旅居巴黎与维也纳。因无法靠音乐维持生计，在翁厄曼兰经营一家玻璃工厂。1864～1867年任教于斯德哥尔摩学院，后在斯德哥尔摩音乐学院任作曲教授。他是瑞典浪漫主义音乐的奠基人，也是瑞典第一位重要的交响乐作曲家。其创作受施波尔与韦伯的影响，在曲式结构与和声运用方面具有高度独创性。作品包括6部交响乐（1820～1845，第四部已遗失），其中G小调（《严肃》）与C大调（《离奇》）尤受推崇，此外还有歌剧《来自索里亚的明星》、5首康塔塔，以及为小提琴、大管与钢琴写的一些协奏曲。

Berwick-upon-Tweed 特威德河畔贝里克 英格兰诺森伯兰行政、历史郡城镇和自治市（区）。为英格兰最北部的区。沿北海海岸向东南延伸，向西南到切维厄特丘陵。包括*霍利岛*（**Holy Island**）和*法恩群岛*（**Farne Islands**）。因地处英格兰和苏格兰界河特威德河畔，从12世纪起就是兵家必争之地，双方易手达13次之多，最终于1482年归属英格兰。爱德华一世在此筑城墙，并于1302年特许建镇。市内的堂区教堂（1648～1652）是共和时期的建筑。跨特威德河的3座大桥中最古老的一座建于1634年。面积：自治市976平方千米。人口：城镇13 544（1991）；自治市约26 500（1998）。

Berwick-upon-Tweed, James Fitzjames, Duke of, EARL OF TINMOUTH, BARON OF BOSWORTH, DUC (duke) DE FITZJAMES **贝里克公爵**（1670-08-21，法国穆兰～1734-06-12，符腾堡公国菲利普斯堡［德国］） 即J.菲茨詹姆斯。英国贵族、法国元帅，18世纪初历次战争中法国主要军事指挥官。英王詹姆斯二世在即位以前的私生子。在法国受教育。1687年由詹姆斯二世封为贝里克公爵。次年任朴

美国不列颠百科全书公司供图

次茅斯总督。詹姆斯被废黜后，他逃往法国。1693年任法国陆军中将。1701年由于西班牙王位继承问题发生争执，引起以法国和西班牙为一方，英国、奥地利和荷兰为另一方的战争。1706年，贝里克公爵从萨伏依的欧仁手中夺得尼斯，获法国元帅称号。回师西班牙后，再夺马德里。在1707年4月25日的阿尔曼萨战役中，他彻底打垮英国人，迫使英军撤出阿拉贡。1714年9月11日，率军直捣加泰隆人抵抗腓力五世的最后据点巴塞罗那。在波兰王位继承战争期间，他在围攻菲利普斯堡时被炮弹击中身亡。

Berwickshire 贝里克郡 又称Berwick（贝里克）。苏格兰东南部历史郡，濒临北海。贝里克郡完全位于苏格兰边界政务会辖区内。南部（占贝里克郡2/3的低地）被称为默斯，支撑着农业，特别是自18世纪以来的牧羊业。北部的多山地带是兰默缪尔。西贝里克郡包括劳德代尔各地的绝大部分区域。罗马人和早期不列颠人即在此设营居住。卡汉战役（1016或1018）后并入苏格兰，1482年最终并入英格兰。

Berwickshire 贝里克希尔 苏格兰东南部博德斯行政区的一个区。1975年行政区划改组时设置，包括原贝里克郡的大部。面积875平方千米。北起兰默缪尔丘陵；南至宽阔的默斯河谷，与英格兰以特威德河为界；东临北海，多悬崖。高地荒野产绵羊和松鸡。有怀特德和布莱克德等小河流入肥沃的默斯河谷，河中产鳟鱼。邓斯为区首府，艾茅斯为主要渔港。人口约18 600（1986）。

Berwiński, Ryszard Wincenty 贝尔温斯基（1819-02-28，波兰波兹南波尔维察～1879-11-09，奥斯曼帝国君士坦丁堡［今土耳其伊斯坦布尔］） 波兰诗人和作家。以《诗集》（1844）而闻名。诗集说明他是一位拥护社会激进主义的诗人。曾被奥地利人和普鲁士人监禁。他在1848年革命中获释，成为普鲁士议会波兰议员。后弃职赴克里米亚旅行，在克里米亚协助波兰诗人密茨凯维奇组织波兰武装部队。战后，普鲁士人拒绝他返回，遂在君士坦丁堡继续其工作。

beryl 绿柱石 铍-铝硅酸盐组成的矿物$[Be_3Al_2(SiO_3)_6]$，是铍的工业来源。绿柱石由于有几个变种被当作宝石，所以长期受人注意。这些变种是海蓝宝石（淡蓝绿色）、祖母绿（深绿色）、金绿柱石（金黄色）和绝绿柱石（粉红色）。绿柱石是许多花岗岩质岩石及与其伴生的伟晶岩脉的次要组分，见于片麻岩和云母片岩。绿柱石的宝石变种（除祖母绿外）一般见于伟晶岩的晶洞中，而祖母绿产于云母片岩和沥青质石灰岩中。非宝石级的普通绿柱石出现在许多伟晶岩中，往往成浸染状小晶体。然而也曾经发现过大晶体：在巴西发现过一个重200吨的晶体；在美国南达科他州的布莱克山发现过一个长5.8米、直径1.5米的晶体；在缅因州的奥尔巴尼发现过大晶体的放射状集合体，其中最大的晶体重18吨，长5米，直径1米。绿柱石在碎屑沉积物中不常见。详细物理性质参阅**aquamarine; emerald; morganite**。1925年以前，绿柱石只用作宝石。此后，发现了铍的许多重要用途，因而到处寻找普通绿柱石作为这种稀有元素的矿石。还没有发现过绿柱石的大矿床，许多绿柱石是开采长石和云母时的副产品。虽然绿柱石的开采数量每年变化不定，但是自1930年以来，产量在相当稳定地增加。巴西已成为重要生产国，其他还有津巴布韦、南非、纳米比亚和美国。

berylliosis 铍中毒 金属铍或铍化合物引起的一种全身性工业病，常累及肺部，偶仅影响皮肤。急性铍中毒常发生于采铍矿工或铍合金冶炼工。慢性铍中毒发生于接触含铍烟雾及尘埃的科学工作者或产业工人。急性铍中毒常累及肺和皮肤，引起有灼痛感的皮疹、眼部刺激症状、流涕、咳嗽、胸闷。皮损因直接接触铍盐而引起。吸入铍尘或铍化合物可造成肺部病损。急性铍中毒多于数月内恢复，若在短时期内吸入大量铍或铍化合物，则72小时内少数患者可发生致死性肺部炎症。慢性铍中毒可于接触铍15年后发病，发病越晚，病情越轻。通常呈呼吸短促（特别在活动后）、虚弱、干咳，劳动能力持久性地中度减退。

beryllium 铍（Be） 1957年以前称glucinium。周期表Ⅱa族碱土金属元素。冶金工业中用作硬化剂，在航天技术和核技术中亦有很多应用。1798年L.-N.沃克兰在绿柱石和祖母绿中发现了铍的氧化物。1828年F.维勒和A.-A.-B.毕西分别独立地用钾还原铍的氯化物而分离得到金属铍。铍为青灰色金属，室温下很脆。自然界不存在单质铍。据估计地壳火成岩中铍约占0.0006%。现已发现其数量足以构成有工业价值矿床的绿柱石（硅酸铍铝）和硅铍石（硅酸铍），从中可以工业规模提取氢氧化铍。工业上，用镁还原氟化铍和电解熔融氯化铍制取金属铍。铍是唯一具有较高熔点的稳定的轻金属。加之铍具有良好的导电性、高的热容和导热性、良好的高温机械性能、耐氧化性以及很高的弹性系数（比钢高1/3），所有这些优良的性能使得铍成为重要的结构和热学材料并在核反应堆中有着重要应用。铍透过X射线的能力为铝的17倍，因此广泛用来制造X射线管的窗口。铍用来制作陀螺仪、加速计、惯性制导导航仪的计算机部件，以及制造导弹、飞机、航天器的某些装置，制造重型制动器鼓轮和其他需有良好散热性能的部件。大部分铍作为低百分率组分加入到用于制造弹簧等产品的以铜为主要组分以及以镍和铁等为主要成分的硬质合金中。在火药制造厂等处，打火花是很危险的，在那儿应使用铍-铜工具。虽然铍本身并不能减少火花，但它能提高铜的强度，使铜在碰撞时不打火花。在可氧化的合金中加入少量铍可在其表面形成保护膜，镁中加入少量铍则降低可燃性，银合金中加入铍可避免锈蚀。1932年J.查德威克用α粒子轰击铍时发现射出一种粒子即中子。此后，便将铍与镭等α发射体混合作为中子源。例如E.费米用镭铍中子源在铀中触发了第一个可控裂变链锁反应（1942）。自然界仅存在一种铍同位素即稳定的铍9。人工生产的同位素有铍10（半衰期为2 700 000年）和铍8（在不到10^{-15}秒内可自发裂变为两个α粒子）。铍在所有的化合物中只呈现+2氧化态。铍的化合物一般是无色而具有明显甜味的物质，因此铍曾经被叫做甜金属。可溶性铍化合物的溶液、干燥粉尘或烟雾都是有毒的。它们可能会引起皮炎，吸入时还可能引

起类似于光气毒气所引起的严重症状。氧化铍(BeO)是一种高温耐火材料,它的特点是既有很高的电阻和绝缘能力又具很高的导热性,因而有多方面的应用,例如由氧化铍制造的陶瓷制品可用于高温核装置中。氯化铍($BeCl_2$)能催化弗里德-克雷夫茨反应,且可应用于电解池中电解冶炼制取或提纯铍。由氨(NH_3)和二氧化碳(CO_2)可以沉淀得到碱式碳酸铍[$BeCO_3 \cdot x\ Be(OH)_2$],它可用作合成铍盐的原料。碱式醋酸铍[$Be_4O(C_2H_3O_2)_6$]也可用于同一目的。铍可形成若干有机配位化合物,而且在某些有机金属化合物如在烷基铍和芳基铍中铍直接跟碳原子成键。铍原子序数4。原子量9.0122。熔点1 278 °C。沸点2 970 °C。比重1.85(20 °C)。化合价2。电子组态2,2或$1s^22s^2$。

Berzelius, Jöns Jacob　贝采利乌斯(1779-08-20,瑞典林雪平附近～1848-08-07,斯德哥尔摩)　瑞典科学家,现代化学的奠基人之一。特别以他对原子量的测定、现代化学符号的发明、电化学理论、几种元素的发现和分离、经典分析技术的发展、对于同分异构现象和催化的研究而著称。这后两个术语都是由他命名的。贝采利乌斯是一位严谨的经验主义者,他坚持任何新理论必须与化学知识的总和相一致。他童年就对化学有兴趣。除了物理学成绩优异外,他在乌普萨拉的医学学习几乎失败。但是,1802年还是得到医学博士学位,并在斯德哥尔摩成为医学、植物学和药学助理教授。1807年成为教授,翌年被选入斯德哥尔摩皇家科学院,1818年为常任秘书。1815～1832年间是斯德哥尔摩皇家卡罗林外科医学研究院化学教授。1835年被查理十四封为男爵。大约在1807年,贝采利乌斯开始分析化合物的组成。在业余时间,用他自己改进和研制的少量的实验设备和技术,用10年多时间,研究了大约2 000种化合物。用氧作其他元素原子量的参比基准,并以倍比定律、原子论、类质同晶原理及盖-吕萨克定律为指导。1818年发表的化合比及原子量表,1826年经过修订,达到相当的准确度。同时,贝采利乌斯开始各种溶液的电解实验。由此产生了二元电化学理论,即化合物都是由两种电性不同(带正电和负电的)组分组成。他试图将此假说延伸,以使其既包括有机化合物,也包括无机化合物,他对基团学说的建立做出了贡献。贝采利乌斯发现了元素铈(1803)、硒(1817)和钍(1828)。他分离了硅(1823)、锆(1824)和钛(1825);把矿物按化学组成分类;并对碲、钒、钼、钨、铀和其他元素的化合物做了详细研究。有时他被称为重量分析之父,他开始应用水浴、干燥器、洗瓶、滤纸、橡胶管,并改进了吹管技术。他的250多篇原始论文,大部分用瑞典文在斯德哥尔摩科学院院刊上发表。他的关于化学和物理进展报告及化学教科书发行了5版,并译为德文和法文,对当时化学的发展产生了极大的影响。

Berzsenyi, Dániel　拜尔扎伊尼(1776-05-07,匈牙利艾吉哈佐谢杰～1836-02-24,尼克拉)　第一个把古典诗的韵律和主题成功地引进匈牙利诗歌的诗人。他本人是个乡绅,身居穷乡僻壤,多年来和文学界没有任何接触。他的成名则是由于鼓吹匈牙利诗体改革的领袖

美国不列颠百科全书公司供图

人物F.克尔切伊出力所致。拜尔扎伊尼深受古典文学精神的感染,拉丁诗歌特别是贺拉斯的作品不仅对其诗作的形式,而且在其辞汇、主题选择和诗的哲理上,都有十分明显的影响。他的思想宏伟,表现手法简洁生动,给人深刻印象;对匈牙利的爱、刚直不阿的品德和忠于理想的精神是一些优秀诗篇的源泉。所写《致匈牙利人民》一诗,严厉批评了他的同胞的萎靡不振。

Bes　贝斯　古埃及的一个次要的神。其形象为大头侏儒,双目突出、伸舌、两膝内翻、有尾多毛,常戴大羽冠。他的形象可以带来欢

侏儒形象的贝斯

美国不列颠百科全书公司供图

乐,驱散痛苦和悲伤。镜子、香膏瓶和其他化妆用品上都有他的画像。他同婴儿和分娩有关,供奉送子神的庙里也有他的画像。

Besançon　贝桑松　法国东部弗朗什孔泰大区杜省城市及省会。位于第戎东75千米处。临杜河马蹄形弯处。曾为塞卡尼高卢人的主要城镇。公元前58年被凯撒占领。1184年成为神圣罗马帝国自由城市。14世纪落入勃艮第诸公爵之手,后由于姻亲又归附哈布斯堡皇帝马克西米连一世。1674年归属法国。城防工事由17世纪法国著名军事工程师沃邦设计,一座城堡保存至今。1676年贝桑松取代多勒成为弗朗什孔泰省省会,议会、大学和铸币厂均迁此。1814年遭到奥地利人的炮轰,第二次世界大战中遭到德国人的破坏。现存罗马建筑有凯旋门、圆形剧场、水道和桥梁。4世纪建圣让大教堂已经多次改建。市中心的格朗韦尔宫(1534～1540)建有带拱廊的庭院。沿路多名建筑的格朗德吕大街现仍为主要街道;本街140号为雨果出生地。旧城和新住宅工业区之间隔一条主要公路。河北岸有工业郊区,有钟表制造(由瑞士难民于18世纪引进,现仍为法国钟表业中心)、纺织、制革等行业。贝桑松也是弗朗什孔泰经济规划区首府。人口119 194(1990)。

Besant, Annie　贝赞特夫人(1847-10-01,英国伦敦～1933-09-20,马德拉斯阿迪阿尔[今在印度泰米尔纳德邦])　英国社会改革家,一度为费边社会主义者、通神学者,印度独立运动领袖。她很早就主张节制生育。19世纪80年代后期在萧伯纳影响下成为杰出的费边社会主义者。1889年改信俄国出生的宗教神秘主义者海伦娜·勃拉瓦茨基的学说,到处演讲,大力写作,专注于通神学。1907年起直至去世担任通神学会的国际主席,大部分时间居住在马德拉斯。她在印度积极从事教育和慈善事业,并参加印度的独立运动。1916年创立印度自治同盟。

Besant, Sir Walter　贝赞特(1836-08-14,英国汉普郡朴次茅斯～1901-06-09,伦敦)　英国小说家、慈善家。1861～1867年在毛里求斯皇家学院教书,1868年任巴勒斯坦开发基金会秘书。1871年开始同《周刊》编辑J.赖斯合作,直至1882年后者去世,期间合作写有14部浪漫主义小说。1882年出版第一部独立写作的长篇小说,题名《形形色色的人物》,根据他对伦敦东区贫民窟的印象写成。

美国不列颠百科全书公司供图

他认为贫民窟是缺少欢乐的地方而不是罪恶之地,所以就在书中设计了一个"欢乐宫"。1887年伦敦东区建造了"人民宫",使他的理想变成现实。他在赖斯死后19年间写了32部小说,另外还写了《拉伯雷传》(1879)和研究伦敦历史和地志的长篇连载文章。1884年参与筹建作家协会,并编辑协会会刊直至去世。1895年被封为爵士。

Besenyo(Turkic people)　参阅 **Pechenegs 佩切涅格人**。

Besht（Jewish mystic） **贝什特** 参阅 **Ba'al Shem Tov** 美名大师。

Beskid Mountains **贝斯基德山脉** 捷克共和国东部、斯洛伐克西北部和波兰南部一系列不连续、林木覆盖的山峦。喀尔巴阡山西端捷克境内的几段山峦位于摩拉维亚门以南和以东，每小段都各有当地名称。摩拉维亚-西里西亚贝斯基德山是由拉德霍什特山链和利萨山链组成的，从捷克共和国东部延伸至波兰的南部。环绕这一中心山段，北有特辛斯克-贝斯基德山，西南有霍斯廷斯克山，南有弗萨特斯克山，再南沿捷克-斯洛伐克边境为亚沃尔尼基山。斯洛伐克贝斯基德山位于东部斯洛伐克与波兰边界线的斯洛伐克境内。贝斯基德山脉的最高点为波兰的巴比亚山（1 725米）和斯洛伐克的比尔斯克山（1 557米）。西北部山麓丘陵有铁矿，因此俄斯特拉发（捷克共和国境内）建立了钢铁厂。当地为山区气候：夏季干燥，适于发展牧场养羊；冬季多雪，有利于发展以弗伦什塔特和弗塞廷为中心的冬季体育运动。

Beskra（Algeria） **贝斯克拉** 参阅 **Biskra** 比斯克拉。

bess beetle **黑蜣** 又作bess-bug、betsy bug或horned passalus beetle。鞘翅目黑蜣科（Passalidae）昆虫。约800种。多产于热带，亦见于北美，如有角黑蜣（*Passaluscornutus*）。体相

黑蜣（*Popilius disjunctus*）
美国不列颠百科全书公司供图

当大，在30～40毫米之间。体扁，近方形，头前方有角状突。鞘翅黑色，有光泽，故又称漆皮甲虫。栖于腐木的树皮下，具原始的社会组织。雌雄成虫啮碎木屑饲喂幼虫。类似的雌雄性共同喂饲幼虫的现象仅见于白蚁社会。成虫以翅与腹部的粗斑摩擦而发声，幼虫以退化的后足与中足摩擦而发声以互相联络。

Bessa Luís, Maria Agustina **贝萨·路易斯**（1922-10-15，葡萄牙维拉梅亚～ ） 受普鲁斯特和卡夫卡影响的葡萄牙女小说家。其作品从20世纪中期葡萄牙文学主流的地区新现实主义解脱出来，采用了超现实主义的表现手法。所著10多部小说中最有名的是《女巫》（1954）。在这部作品里，物质的、心理的和嘲讽的现实之间界限淡薄，人物几乎具有神话中的品格。她的散文被称为"形而上学的"和"极端心理学的"；在她所创造的小说世界里，卡夫卡的影响显而易见。其他小说有：《无可救药者》（1956）、《石墙》（1957）、《惊恐》（1958）、《斗篷》（1961）、《火的启示》（1963）。

Bessa Victor, Geraldo **贝萨·维克托**（1917-01-20，安哥拉罗安达的圣保罗～ ） Victor又拼Vítor。安哥拉抒情诗人。他的诗表达了种族和睦相处的梦想和人们恢复坦诚纯洁的童心的必要性。贝萨·维克托用葡萄牙文所写的诗包括《散乱的回声》（1941）、《应木琴之声》（1943）、《穆坎达》（1946）、《天空下》（1949）、《被抛弃的大桶》（1958）和《幼童》（1973）。他的一部诗选由奥弗雷尔译成法文出版，书名为《非洲诗集》（1967）。贝萨·维克托是一个有争议的诗人，人们批评他的异国情调，以及未能表达被压迫的非洲人的愤怒，亦有人赞扬他的想象力及诗的音乐美，以及他能够看到欧、非两洲文明中最优秀的部分。贝萨·维克托还著有短篇小说集《充满欢乐的奴隶住房》（1967）及研究金本杜语谚语、安哥拉历史和非洲文学问题的著作。在《安哥拉金汉戈诺民间传说》（1970）中，他描述、分析了安哥拉的民间传说。他继承了安哥拉19世纪末以来一直突出的诗人兼学者传统。其所有作品语调热情、语句温和。贝萨·维克托曾在里斯本居住多年。

Bessarabia **比萨拉比亚** 东欧一地区，15～20世纪先后归属摩尔达维亚、奥斯曼帝国、俄罗斯、罗马尼亚、苏联、乌克兰和摩尔多瓦。这一地区西临普鲁特河，北面和东面有德涅斯特河环绕，东南为黑海，南部濒多瑙河三角洲上的基利亚支流。早期历史无考，已知公元前7世纪黑海沿岸已建有希腊殖民地。公元2世纪，此地还可能包括在达契亚王国境内。6世纪斯拉夫人开始进入该地区，但由于东方来的民族入侵，斯拉夫人的定居受到阻扰。东方民族的入侵至13世纪蒙古人来到而告结束。14世纪末，该地区的南部成为瓦拉几亚的一部分。比萨拉比亚的名称可能就是从瓦拉几亚巴萨拉布王朝的名称而来。15世纪整个地区并入摩尔达维亚公国。其后不久，土耳其人侵占了阿克尔曼和基利亚（1484），吞并比萨拉比亚南部，将其划分为奥斯曼帝国的两个区。16世纪摩尔达维亚臣服土耳其，比萨拉比亚的其他地区也归土耳其统治，直至19世纪。18世纪时俄国已对此地垂涎三尺，1711～1812年5次侵占该地。俄国根据1812年《布加勒斯特条约》攫取了比萨拉比亚和摩尔达维亚一半的土地，整个地区使用比萨拉比亚的名称。直到第一次世界大战止，俄国一直占有此地区，仅比萨拉比亚南部一狭长地带1856～1878年属摩尔达维亚。19世纪初，俄国给予比萨拉比亚自治权（1818～1828），并允许其设立摩尔达维亚地方长官和大主教。但到了19世纪末，不论行政上还是宗教事务上的政策都完全听命于俄国。俄国1905年革命后，比萨拉比亚兴起民族主义运动；俄国十月革命后，比萨拉比亚设立一行政机构。1918年1月24日，比萨拉比亚宣布独立并于12月投票决定和罗马尼亚合并。1920年10月28日的《巴黎条约》肯定了此合并，但苏联始终拒绝承认比萨拉比亚属于罗马尼亚。1939年8月23日《德-苏互不侵犯条约》签署后，1940年6月26日苏联要求罗马尼亚割让比萨拉比亚和布科维纳北部。罗马尼亚政府依允，苏军遂于6月28日进驻该地区。1940年8月，在比萨拉比亚中部地区和德涅斯特河对岸的乌克兰一条狭长地带建立摩尔达维亚苏维埃社会主义共和国，以基什尼奥夫为首都。比萨拉比亚的北部地区霍京和多瑙河至德涅斯特河之间的沿岸平原则并入乌克兰（乌克兰苏维埃社会主义共和国）。第二次世界大战期间，罗马尼亚人占领了比萨拉比亚，并短期将其并入罗马尼亚。1944年苏联再次夺取该地区，原在1940年达成的领土划分协议又作改动。1991年乌克兰和摩尔达维亚（现为摩尔多瓦）宣布独立后，比萨拉比亚分属于两国。参阅 **Moldova**。

Bessarion, John **贝萨里翁**（1403-01-02，特拉布宗帝国特拉布宗［今土耳其特拉布宗］～1472-11-18，拉韦纳［意大利］） 原名Basil Bessarion。拜占廷人文主义者、神学家，后来成为天主教枢机主教，对15世纪学术复兴有重要贡献。他受教育于君士坦丁堡（伊斯坦布尔），1423年成为修士后便采用贝萨里翁之名，并被授予圣巴兹尔勋位。1437年由拜占廷帝国皇帝约翰八世帕里奥洛加斯任命为尼西亚（今土耳其伊兹尼克）大主教，随同约翰八世前往意大利谈判拜占廷教会与西派教会联合支援反抗土耳其的行动，那时土耳其人侵入巴尔干半岛，正威胁君士坦丁堡。在意大利城市费拉拉和佛罗伦萨举行的会议上，贝萨里翁主张联合，而拜占廷教会内其他人士反对联合。贝萨里翁与罗马教廷保持关系，获得教皇尤金四世的宠信，于1439年被任命为枢机主教，其后即长住意大利。他在罗马参与发展罗马历史与考古学院，并与过去的老师、著名新柏拉图主义学者柏莱图一起，吸引了一批专门研究柏拉图的哲学家。1450～1455年任教廷驻波萨那行政长官。贝萨里翁是当时最博学的学者之一，他资助学者，著书立说，从而传播有关希腊语言和学术的知识，他后来把藏书捐赠给威尼斯参议院。贝萨里翁于1463年任君士坦丁堡牧首。一般认为，他最重要的著作是《驳对柏拉图的诽谤》，它是针对乔治（特拉布宗的）的狂热亚里士多德主义为柏拉图辩护的论文。他力图融合这两派哲学，从而影响意大利哲学。意大利哲学在1453年君士坦丁堡陷落之后吸收了拜占廷哲学传统。

Bessel, Friedrich Wilhelm **贝塞尔**（1784-07-22，勃兰登堡明登～1846-03-17，普鲁士柯尼斯堡） 德国天文学家。15岁时到一家进出口商行当学徒。他因向往周游世界，业余勤奋学习外语、地理民俗和航海知识，并进而钻研天文和数学。1804年，他写成一篇论哈雷彗星的文章。文中根据1607年的观测资料，推算出彗星的轨道，得到天文学家W.奥伯斯的赏识。在他的推荐下，贝塞尔受聘任利林塔尔天文台助理。1810年，普鲁士政府委任他筹建第一座大型天文台——柯尼斯堡天文台。同年，贝塞尔晋升为天文学教授，从此，他致力于建设以观测为基础的天文科学直到逝世。贝塞尔的最大贡献是把宇宙的探索建筑在精确测量恒星的方位和近距恒星的运动之上。他根据5万个恒星方位的精确资料，

试图测定恒星的距离。他挑选一颗在天球上具有高速相对运动的暗星——天鹅座 61 作为测量视差的对象，并测出其距离为 10.3 光年。他的另一项重要成就是发现两颗亮星

美国不列颠百科全书公司供图

（天狼和南河三）在天球上有独特的运动，他把这种运动解释为看不见的暗伴星所施加的摄动。在他逝世以后，这一预言被更强力的望远镜观测所证实。贝塞尔在测地学领域也做出了贡献。他改进了钟摆、测量了东普鲁士的子午线弧长，算出了地球的椭率，广泛使用测量太阳视直径的仪器，等等。此外，他在研究行星摄动中还发明了所谓贝塞尔函数。

Bessel function　贝塞尔函数　又称柱函数。1817 年左右，德国天文学家 F.W.贝塞尔在研究行星运动的开普勒方程组的一个方程的解时，系统地推导出的一组数学函数中

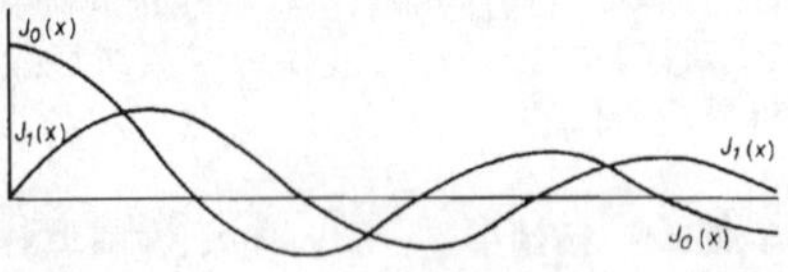

贝塞尔函数

的一个函数。这组特殊的函数较早已由瑞士数学家丹尼尔第一·伯努利在研究悬链的振荡和 L.欧拉在分析张紧膜的振动时表述过。在贝塞尔发表他的研究成果之后，其他科学家发现，贝塞尔函数出现在许多物理现象的数学描述中，例如热或电在圆柱体内的流动，电磁波沿导线的传播，光的衍射，流体的运动和弹性体的变形等。瑞利勋爵是这些研究者之一，他在较大的背景下也提出了贝塞尔函数，并指出它们是在解柱面坐标系（不是笛卡儿坐标系或球面坐标系）中的**拉普拉斯方程（Laplace's equation）**时产生的。特别地说，贝塞尔函数是微分方程

$$x^2\frac{\mathrm{d}^2y}{\mathrm{d}x^2}+x\frac{\mathrm{d}y}{\mathrm{d}x}+(x^2-n^2)y=0$$

的解，这个微分方程就叫贝塞尔方程。对于整数 n，贝塞尔函数是

$$J_n(x)=\frac{x^n}{2^n n!}\left[1-\frac{x^2}{2(2n+2)}+\frac{x^4}{2\cdot4(2n+2)(2n+4)}-\cdots\right]$$

$J_0(x)$的图形看起来像是衰减的余弦曲线，而 $J_1(x)$像是衰减的正弦曲线（见图）。某些物理问题导致与贝塞尔方程类似的微分方程，它们的解采取贝塞尔函数的组合形式，称为第二类或第三类贝塞尔函数。

Bessemer　贝瑟默　美国亚拉巴马州中北部杰斐逊县城市。1886 年成立贝瑟默地产公司（今贝瑟默煤铁地产公司）。1887 年始建。1888 年设市。被规划为钢铁中心。生产火车车厢、管道、建筑材料、化工品和爆破器材。人口约 29 672(2000)。

Bessemer, Sir Henry　贝塞麦（1813-01-19，英国哈福德郡查尔顿～1898-03-15，伦敦）工程师和发明家。1856 年首创成本不高的炼钢法，发明贝塞麦转炉。1879年被封为爵士。

美国不列颠百科全书公司供图

贝塞麦是一位工程师和打字机奠基人的儿子。幼年时即显出很有机械技能和创造力。在发明能记日期的活动打印机和改进了排字机后，他又用黄铜粉制备"黄金"作为颜料，当时华丽的装饰需大量使用这种物质。贝塞麦的秘密方法使他很快致富起来。他的其他发明中最为有名的是设计先进的甘蔗榨汁机，但他很快献身于冶金学。当时只有两种铁基结构材料：由铁矿和焦炭经高炉冶炼出的生铁，以及用"搅炼法"在原始的炉子内用人工处理生铁而得到的熟铁（搅动熔化的铁以除去碳并扒出渣子）。生铁是一种优良的承载材料，如制作柱子、桥墩或发动机部件，但是对于制造桁架和其他横梁尤其是铁轨来说，熟铁更为合适。搅炼法可以除去碳（碳使生铁发脆）并生产仅仅能用于轧制或锻造的 100～200 磅重的"钢锭"或大铁块，而且里面充斥了渣子。铁块在轧制到所需的长度和形状之前，必须用人工操作的蒸汽锤把几块铁块轧制在一起。当时仅有一种叫做钢的材料可以通过把碳加进纯熟铁而制得，所用的方法很慢而且又不连续；材料很硬，可打出刃口，几乎全部用于制造切削工具。在克里米亚战争期间，贝塞麦发明了一种细长的用火药发射的炮弹。在和法国当局谈判时，后者提出用生铁铸造的大炮对此种炮弹强度不够。贝塞麦随即试图生产强度更高的生铁。他在试验中发现炉子热气体中多余的氧可除去经过预热的铁块中的碳，除去的量和搅铁炉内除去的一样多，留下一层由纯铁构成的外壳。并发现鼓入的空气通过熔化的生铁时不仅可起提纯作用，而且还能进一步加热，使纯化后的铁更易于浇注。这种加热效应是由氧与铁中的碳和硅发生反应而产生的。利用后来被称之为**贝塞麦炼钢法（Bessemer process）**的技术，他很快生产出了大的无渣钢锭，其加工性能和任何熟铁块一样，而且可以做得更大。他发明了可以倾斜的转炉，在从炉底鼓风之前，可把熔化的生铁倒入炉中。他还发现可用锰铁合金除去脱碳后的生铁中多余的氧。1856 年他在格洛斯特郡切尔滕纳姆的英国科学促进会公布了这项炼钢法，但是不久他发现这种方法不能除去对铁有害的元素磷和硫，或者至少靠贝塞麦转炉的耐火黏土炉衬无法除去它们。直到 1877 年英国冶金学家 S.G.托马斯发明了可以除去磷的炉衬，才使欧洲大陆的含磷铁矿获得了使用。19 世纪 60 年代末平炉（西门子-马丁炉）炼钢法的发明最终超过了贝塞麦炼钢法，它是贝塞麦炼钢法的进一步发展和改进。贝塞麦晚年仍继续进行研究和发明，制造了小型太阳炉、天文望远镜；发明了金刚石的抛光机。获得过许多荣誉称号，如皇家学会会员、伦敦市自由市民、钢铁学会会长以及来自国外的许多荣誉称号或勋章。

Bessemer process　贝塞麦炼钢法　最早用于大规模炼钢的方法。尽管它以英国的 H.贝塞麦的姓氏命名，但在它投入广泛的商业应用以前，已有许多研究者对之做出过贡献。从表面上看它是由贝塞麦和美国的 W.凯利各自独立并几乎同时构想出来的。早在 1847 年美国匹兹堡实业家兼科学家凯利开始进行实验，目的在于发展一种以喷吹空气从生铁中除掉杂质的革命性的方法。凯利从理论上认为，喷入熔融铁水中的空气不仅提供氧气使与杂质反应，将杂质转变成可进入炉渣从而分离出的氧化物，而且在反应中产生的热量还增加铁水温度，使铁水在操作过程中不致凝固。经几次失败后，他成功地证明了他的理论是正确的，并迅速生产出钢锭。1856 年贝塞麦在设菲尔德独立地工作，发明了相同的方法并获得专利。当时凯利由于缺乏资金而未能使该法趋于完善，贝塞麦则将其发展到可以进入商业应用的地步。另一位英国人 R.F.马希特发现，吹气后加入含碳、锰、铁的合金可完全恢复钢的含碳量，同时抵消剩余杂质（主要是硫）的影响。瑞典铁器制造商 G.约兰松重新设计了贝塞麦炉（或称转炉），使其操作变得可靠，最终实现了钢材的大规模生产。在英、美，低成本钢材的产量迅速上升，从而彻底地改变了建筑结构，并在铁轨和其他许多方面以钢代铁。贝塞麦转炉是高达 6 米的圆柱形钢罐，最初以硅质耐火材料为衬里。通过炉底附近的风嘴吹进空气，产生硅和锰的氧化物构成炉渣的一部分，同时生成碳的氧化物随气流带出。在几分钟内即可浇铸成钢锭，以供锻造和轧制。最初的贝塞麦转炉对去磷（大量存在于英国和欧洲铁矿石中）并不十分有效。英国人 S.G.托马斯发明一种炉，以碱性材料（如煅烧过的白云石）而不是以硅质材料为炉衬，解决了这个问题。这种炉子现称托马斯转炉。贝塞麦钢另一缺点是含有来自空气的少量的氮，这缺点直到

20世纪50年代才得到克服。平炉法不存在这种缺点,因此成为20世纪中叶的主要炼钢法。平炉法后来又被碱性氧气炼钢法所代替,目前后者已成为贝塞麦炼钢法的延伸和改进。

Bessey,Charles E.　贝西(1845-05-21,美国俄亥俄米尔顿附近～1915-02-25,内布拉斯加林肯)　全名 Charles Edwin Bessey。美国植物学家,把植物形态学的系统研究和学院水

美国不列颠百科全书公司供图

平的植物学教学实验引入美国。许多人认为他强调进化趋异的被子植物排列法最有可能成为植物界现代综合分类体系的基础。1893～1915年,该体系也在不断发展,但因为它着重北美的植物种,故仅应用于美国中北部地区。在埃姆斯的艾奥瓦州立农学院讲授植物学期间(1870～1884),他用简陋的设备(包括一台单眼复式显微镜)建立起了欧洲式的实验教学方法。到1884年担任内布拉斯加大学植物学教授时(任此职直到1915年),他已经把植物形态学的实验研究发展到了相当的程度,以致这所新建的大学立即成为全国杰出的植物学研究中心之一。他的著作包括《高等院校植物学》(1880)、《植物学基础》(1884)和《大学植物学基础》(1914)。他撰写的教科书在美国植物学教学中统治了半个多世纪。

Bessières,Jean-Baptiste, DUC D'ISTRIE　**贝西埃尔**(1768-08-06,法国普赖萨克～1813-05-01,萨克森里帕赫[德国])　法国军人、拿破仑麾下的元帅,1804年后任帝国近卫军司令。1792年在路易十六的宪政警卫队当兵。1796年拿破仑远征意大利时,他任警卫队长。1798～1800年在埃及作战十分英勇。1805年12月2日率9 000名卫队在奥斯特利茨向

美国不列颠百科全书公司供图

俄国近卫骑兵展开白刃战。1808年在里奥塞科城战役告捷,使拿破仑的长兄约瑟夫得以在马德里登上西班牙王位。1809年受封为伊斯特里亚公爵。1812年率警卫队骑兵进入俄国,但未经战斗已人马尽失。吕岑战役(1813-05-02)前一天,在附近的里帕赫阵亡。

Besson,Jacques　贝松(1540,法国格勒诺布尔～1576,奥尔良)　法国工程师,他在车床方面的革新,对机床工业和科学仪器制造的发展极为重要。他在1569年出版的《仪器一览》中介绍了这项革新,即在螺丝车床上加装凸轮和模板(用以控制加工工件的形状)以加强对工具和工件的机械控制,使之能生产出更精确更复杂的金属制品。他还改进了车床上的驱动装置和进刀机构,设计了效率更高的水车,这种水车被视为水轮机的原型。

Bessus　贝苏斯(?～约公元前329)　波斯阿契美尼德王朝大流士三世治下的大夏和粟特两地的总督。公元前330年亚历山大击败大流士后,贝苏斯谋杀大流士,自立为阿尔塔薛西斯四世。他试图在帝国东部地区继续抵抗亚历山大,但被俘获处死。

Best,Charles H(erbert)　贝斯特(1899-02-27,美国缅因西彭布罗克～1978-03-31,加拿大安大略多伦多)　加拿大生理学家。1921年与F.班廷首次获得能控制狗糖尿病的胰

加拿大多伦多大学供图

岛素,随后又成功地运用于糖尿病患者。他发现胆碱及组织胺酶。还最先采用抗凝药治疗血栓。1921年在多伦多大学求学时就成为班廷的实验室助手,1923年在新创立的班廷与贝斯特医学研究室从事研究,1941～1967年继班廷任该室主任。1922年与班廷合著经典著作《胰腺内分泌》。

Best Friend of Charleston　"好友"号(查尔斯顿)　美国第一辆用于铁路定期运行的机车。由纽约西点铸造厂建造,它由一辆4轮车和立式锅炉组成。南卡罗来纳运河和铁路公司于1830年12月25日用来在查尔斯顿到南卡罗来纳州汉堡的宽轨铁路上行驶。

"好友"号(查尔斯顿)
美国不列颠百科全书公司供图

best of all possible worlds　一切可能有的世界中之最佳者　在17～18世纪哲学家莱布尼兹的哲学中,指处于预定和谐的单子(无限小的心身合一体)的现实世界。在上帝已经创造的一切可能世界中,他在实际上选这个而不选其他,需要有个"充足的理由"。在莱布尼兹看来,所谓"充足理由",就是这个世界尽管还存在着明显的罪恶却是"最好"的世界。因为任何其他"可能的世界"一定会有更多的它自身所特有的罪恶。伏尔泰的讽刺故事《天真汉》(1759)一书,就是针对莱布尼兹的世界观所作的批判。

best-seller　畅销书　一个时期内,在同类书的销售量中居领先地位的书,作为表明公众的文学趣味和评价的一种标志。美国的文学和文学评论杂志《文人》1895年创刊时,开始刊登畅销书目。该书目根据全国书店销售情况编纂。之后,类似的书目也开始在其他文学杂志和大城市报纸上刊出。在美国,一般认为最权威的畅销书目刊登在《出版者周刊》和《纽约时报》上。美国的这种做法传至国外。在英国,最权威的畅销书目刊登在《星期日泰晤士报》(伦敦)上,《书商》周刊加以转载。显然,这类书目对出版者和书商具有极大的用处。起初,在文学批评家和公众中出现一种倾向,认为一本书因是畅销书,它不可能具有文学价值。但也并非必然如此。具有大众文学兴趣的学生们指出,从销售的情况看,最领先的是宗教和"神灵启示"一类的书、自我修养类的书、传奇小说和历史演义,以及内容涉及海淫诲盗之类的小说。莎士比亚的作品、《圣经》以及直接邮购和读书俱乐部销售的书均不列入书目。在英语世界,《圣经》是最畅销的书。在美国,自1895年以来,在特定的一个月内的销售量超过《圣经》的唯一的书是马格丽特·米切尔的小说《飘》(1936)。20世纪30年代后期平装本的大量发行,使得商家于1976年开始单独刊登平装本畅销书目录。其

他畅销书目有烹调类书籍(《家庭和庭园烹调指南》一书自1930年以来共销售了1 800万册)以及描写犯罪行为的作品——小说类和非小说类。20世纪下半叶,对以前诲淫之作的查禁或指责已不复存在,从而使得杰奎琳·苏珊的小说《少女的幽谷》(1966)和戴维·鲁本的《你总想知道但又不敢问的有关性的种种》(1969),成为20本最畅销书中的两本。

bestiary 动物寓言 欧洲中世纪时的一种文学体裁、一种故事集,每篇都以描写一只动物或一棵植物,甚至一块石头的某些特性为基础。故事介绍基督教的寓言,给人以道德和宗教方面的教导和告诫。

12世纪晚期拉丁动物寓言中独角兽故事的首页
美国不列颠百科全书公司供图

许多中世纪动物寓言的手稿基本上源自希腊的《博物学家》——2世纪中叶前由一位不知名的作者编写的一本教科书。该书由某个被称为博物学家的人(关于此人,人们没有更多的了解)所承认的自然科学的"事实"为依据而写成的故事组成,此外,书中还掺杂有编者本人的宗教见解。《博物学家》分为48节,每节描绘一种动物、植物或石头,而每一节都与《圣经》中的一段文字有关。该书可能源自亚历山大,在某些手稿中却称它为4世纪时的大主教巴西尔或伊壁芬尼奥斯所作,然而其来源很可能追溯到更古老的年代。故事可能来自民间流传的动植物寓言。其中有些显然受印度的影响,例如在《博物学家》里,讲到大象和佩利德希安树时,就称它们为"印度的"。印度也可能是独角兽故事的发源地,这个故事后来在西方流传很广。

《博物学家》这本教科书在中世纪初期流传之广仅次于《圣经》,现存的许多早期的译本说明了这一点。它被翻译成拉丁文(最早于4或5世纪)、埃塞俄比亚文、古叙利亚文、阿拉伯文、科普特文和亚美尼亚文。早期的译本还有从希腊文译为格鲁吉亚文和各斯拉夫诸文字的。

早在公元1000年之前就有了从拉丁文翻译成古英语的译本。11世纪时,一个在其他方面鲜为人知的名叫塞特巴尔杜斯的人用诗体将《博物学家》中的13节翻译成拉丁文。在仅存的13世纪的中古英语《动物寓言》里,这个译本又被译为英文并作了一些改动。它和其他已失传的中古英语和盎格鲁-诺曼译本影响了动物寓言的发展。佛兰德和德文的早期译本影响了动物讽刺诗。13世纪时,动物寓言在法国和低地国家很流行。一本14世纪的法国《动物爱情寓言》将这种寓言用于爱情。名为《托斯卡纳动物寓言》的《博物学家》的意大利译本成书于13世纪。

许多中世纪动物寓言都有插图。这些手稿中已知最早的出自9世纪。像文艺复兴时期很长一段时间里的雕塑(尤其教堂里的)、壁画和绘画一样,其他中世纪手稿的插图常以《博物学家》中的插图为依据。

《博物学家》中的宗教章节(源自它的动物寓言)主要涉及禁欲与贞洁,它们还告诫人们不要信奉异教。包含这些告诫的故事常常深奥难懂,它们所依据的常常是对自然历史事实的错觉:如描写牡鹿将它的仇敌蛇淹死在其窝里;獴从鳄鱼的嘴里爬进去吃掉它的肠子。许多与真实的或虚构的动物已形成传统联系的说法均源自动物寓言:例如,长生鸟自焚以再生、塘鹅有双亲之爱,以及刺猬用它的刺收集过冬的食物。这些已成为民间传说的一部分,并成为文学和艺术,影响了寓言、象征主义和比喻的发展,尽管它们源自动物寓言这一点也许常被人忽略。

Bestuzhev-Ryumin, Aleksey Petrovich, Count (Graf) 别斯图热夫-留明(1693-06-01[旧历05-22],俄国莫斯科~1766-04-21[旧历04-10],俄国) 俄国外交家和政治家,伯爵。叶利扎维塔女皇统治时期掌管俄国外交事务。早年,彼得大帝送他到哥本哈根和柏林留学。后在汉诺威选侯的乌得勒支议会中工作,当选侯成为英国国王乔治一世时,他去伦敦,后在安娜(未来的俄国女皇)的宫廷中服务。1721年任俄国驻哥本哈根公使。1740年被安娜女皇的首席顾问比龙召回俄国。比龙垮台后,1741年被新女皇叶利扎维塔任命为副总理大臣,次年12月缔结英俄防御联盟。1744年出任总理大臣。1746年5月与奥地利结成联盟。他坚决反对俄国与法国结成任何联盟。1758年因参与叛国活动被捕,次年流放到他在戈列托沃的庄园。1762年叶卡捷琳娜即位时被赦免,但一直未在公共事务中起过重要作用。

Besztercebánya (Now Slovakia) **拜斯泰采巴尼亚** 参阅**Banská Bystrica** 班斯卡-比斯特里察。

Bet Alfa 贝特阿勒法 又拼 Beit Alpha。以色列东北部的古代遗址。1928年聚居区工人挖排水沟时偶然发现此地犹太会堂(6世纪建)废墟,因而著名。1929年彻底发掘犹太会堂,除地板和墙壁轮廓外,其他遗存所见极少。在3块嵌花地板上,描绘着挪亚方舟、黄道十二宫图和以以撒为牺牲的祭祀。犹太会堂大概是在6世纪为地震所毁。

bet din 犹太教法庭 又拼 beth din。犹太教的宗教法庭,可审理有关刑法、民法或宗教律法的案件。古代以色列十二支派都任命审判官并设置法庭(见《旧约·申命记》16:18)。现在世界各地有犹太人聚居之处都有犹太教法庭,由著名拉比学者主持。在以色列,凡属私人案件(如离婚、结婚)均由宗教法庭裁断。在规定离婚须经民事法庭审理的各国,正统派和保守派犹太教徒离婚仍须先获得宗教法庭批准然后才能另行结婚。

Bet Leḥem (Israeli-occupied Jordan) 参阅**Bethlehem** 伯利恒。

Bet Sheʾan 贝特谢安 又拼 Beth-Shan,阿拉伯语作 Baysān、Beisān。以色列东北部城镇和贝特谢安谷地主要居民点。约低于海平面120米。历史可上溯至红铜时代后期。为古代巴勒斯坦最早城市之一。图特摩斯三世至拉美西斯三世时期属埃及。希腊化时代易名斯基索波利斯。公元前64年为罗马人所占,设为自治市,成为希腊化的十城邦之一。拜占廷时期为北部省份第二巴勒斯坦的省会。636年被阿拉伯人征服后衰落。虽然数百年来贝特谢安为阿拉伯城镇,但长期存有犹太人居留地。据1947年11月的联合国分治计划,其部分地区划归以色列。1948年5月12日,即以色列宣布开国的前3天,被哈加纳犹太自卫军占领,镇内阿拉伯居民逃离。阿以战争(1948 ~ 1949)后迁入新移民,包括来自各阿拉伯国家的难民。现为主要产棉区中心,许多居民在附近的集体农场工作,当地工业有纺织和服装工厂。人口约13 400(1982)。

贝特谢安的罗马圆形剧场
美国不列颠百科全书公司供图

Bet Sheʿarim 贝特舍阿里姆 以色列北部合作农业村和考古遗址。地近埃斯德赖隆平原西端。遗址在1936年建的新村东北偏东约5千米。其名称屡见于拉比文献。据记载,拉比犹大·哈纳西(约公元135 ~ 220)曾在此主持犹太教公会,死后遗体又迁葬于此。嗣后两世纪中,当地为犹太族中心墓场,死于海外的显要犹太人尸体多归葬于此。毁于4世纪,以后数百年该处被人遗忘,1875年重被发现。从1936年开始在犹太巴勒斯坦勘探学会主持下发掘出352年被毁的古代巴勒斯坦最大犹太教会堂废墟(现已部分修复)。墓场的石棺和墓穴壁上刻有希伯来、阿拉米及希腊文墓志,为塔木德时期犹太历史的宝贵原始资料。许多石棺上的装饰基调与摩西律法不同,显示希腊文化的巨大影响。该址在考古学文献中多被称为谢赫阿布雷克。人口约370(1982)。

Bet Yeraḥ 参阅 **Beth Yerah** 贝特耶拉。

beta-aminoisobutyric acid excretion β-氨基异丁酸排泄 又称BAIB排泄。是人类和高等灵长类在单纯遗传控制下的一种新陈代谢过程,其意义目前尚不完全清楚。β-氨基异丁酸(BAIB)是嘧啶新陈代谢后的一种氨基酸末端产物。几乎每人尿里都含有微量BAIB,但如含有大量BAIB排泄物,则似乎是由于一种单纯常染色体的隐性等位基因所引起的结果。已观察到妇女在妊娠期尿中BAIB含量增高,这是一种非遗传性高量BAIB排泄的例子。BAIB高量排泄的人数(指受隐性等位基因支配而具有这种特征的人的出现率),其分布与种族有关:欧洲人、澳大利亚土著居民,以及印度各民族出现率较低(低于人口总数的12%);亚洲人和美洲印第安人中,呈中等出现率(45%～50%);而美拉尼西亚人中BAIB排泄出现率最高(大约占85%)。

beta-blocker β阻滞药 全称β-肾上腺素能阻滞药,又称β受体阻断药。用以治疗多种交感神经系统疾患的合成药。β受体在心肌细胞中占优势,也存在于血管及其他平滑肌中;肾上腺素能使之兴奋。β阻滞药能对抗肾上腺素的效应,用于控制焦虑、高血压及治疗多种心脏疾患(包括心绞痛和心律失常),能有效地预防心绞痛再次发作。

Beta Centauri 半人马座β 即马腹一。夜空中第11颗最亮的星,视星等为0.61等的目视双星。它是南天半人马座中的第2亮星(最亮星为半人马座α),离地球约300光年。

beta decay β衰变 某些不稳定原子核自发耗散其过剩能量并产生一个单位正电荷的变化而质量数不变的放射性衰变过程。β衰变由E.卢瑟福命名(1899)。他把穿透力较弱的射线叫α射线,较强的叫β射线。大多数β粒子的速率接近光速。β衰变分为电子发射、正电子发射和电子俘获三种过程。所有重于普通氢的原子,都有由中子和质子组成的核,核外由电子环绕,这些轨道电子不参与电子发射。

电子发射亦称β^-衰变,即一不稳定核自身射出一个电子(质量相对地可以忽略)和一个反中微子(静质量为零)。两个粒子的发射都是由核内一个中子变为质子(留在子核内)而产生的。经β^-衰变产生的子核原子序数比母核大1,但质量数不变。如氢3(^3_1H)衰变为氦3(^3_2He)射出的电子(β粒子)和反中微子分享母核失去的能量,所以同一放射性物质的β粒子的能量范围从0到某一明确的最大值,其值由母核决定。

正电子发射亦称β^+衰变,即一个不稳定核发射一个正电子和一个中微子以耗散过剩的能量。正电子的质量和电子相等,但带正电。这两个出射粒子是由母核内的一个质子衰变为中子(留在子核内)时产生的,结果是正电荷减少一个单位,但中子和质子的总数不变。这样,β^+衰变产生的子核,原子序数比母核少1而质量数不变。正电子发射是由约里奥-居里夫妇在研究人工放射性时首先观察到的。

电子俘获,即一个在轨道上绕核运行的电子,与核内一个质子结合、成为一个核内中子并射出一个中微子。最常见的是俘获最内层即K层的电子,因此,这个过程常称为K俘获。其原子序数也少1而质量数不变。每种化学元素都由一组质子数相同而中子数不同的同位素组成。其中质量居中的稳定或较稳定。较轻的同位素中子不足,通常经由正电子发射或电子俘获而趋于稳定;较重的同位素则中子有余,通常经由电子发射而趋于稳定。与γ衰变或α衰变等其他放射形式相比,β衰变是一个慢过程,其半衰期不会短于几毫秒。

Beta Lyrae 天琴座β 即渐台二。一颗食双星,它的两子星彼此相距太近,以致它们因相互吸引而大大变形,并发生物质交流而为一个共同的大气层所包围。天琴座β约为三等星,位于北半天球天琴座内。英国天文爱好者J.古德利克于1784年发现天琴座β有光变性。它的光变周期约为13天,而且每年约增长10秒,其原因可能是两子星不断地抛射质量到包围它们的那个不断膨胀的气体环中。

beta particle β粒子 某些不稳定核在β衰变(beta decay)的放射性蜕变过程中自发发射的电子或正电子。

Betancourt, Rómulo 贝坦科尔特(1908-02-22,委内瑞拉米兰达瓜蒂雷～1981-09-28,纽约市) 委内瑞拉反共左翼政治家,任委内瑞拉总统期间,实行土地改革、发展工业和民众

美国不列颠百科全书公司供图

参与政府治理的政策。在加拉加斯大学求学时,因进行反对戈麦斯独裁统治的活动而入狱。数星期后获释,继续反对戈麦斯,被流放国外,直至1936年。在这期间写了一本回忆他的经历的书,并在哥斯达黎加短期加入共产党。1937年回到委内瑞拉,1939年再次被流放。1941年获准回国,同年参加创立民主行动党,这是个反共左翼政党,在1945年推翻安加里塔将军政府的政变后上台。贝坦科尔特任临时总统,制定新宪法和温和的社会改革计划,向农民提供土地,对石油工业实行更严格的控制。1948年辞去总统职务。数月后发生希门尼斯领导的政变,他被迫再度流亡,在美国、古巴、波多黎各和哥斯达黎加漂泊10年,领导民主行动党的残余分子进行活动。1958年希门尼斯被推翻,他回到委内瑞拉,再次当选总统。在共产主义者和保守派的两面夹攻下,他采取中间路线:制定土地法,没收大地产;提出庞大的公共工程建设规划;为防止单纯依赖石油收入而促进工业的发展。1964年辞去总统职务后前往瑞士。1972年回国,再次参加1973年总统竞选,但没有成功。在访问纽约市时去世。

betatron 电子感应加速器 循圆形轨道将电子(β粒子)加速到高速率的设备。1940年在美国物理学家D.W.克斯特指导下首次制成,他推演出管理和操作这类设备的详细原则。

加速器由嵌入电磁铁中的环形真空盒组成,电磁铁的绕组都同环形盒的中心面平行。这些绕组中的交流电产生周期换向的变化磁场。在电流的1/4周期内,可以将轨道上磁场的方向和强度以及轨道内的磁场变化率等数值都设定成符合电子始终加速的需要。加速度是由两个力产生的,一个力作用于电子运动的方向,另一个和运动方向垂直。前者起源于磁场变化引起的感应电场,后者起源于电子在磁场中的运动。在合适的1/4周期始端,电子射入加速器,旋转数十万圈,不断增加能量。在1/4周期末端,电子偏转射到靶上,产生X射线或其他现象。大型电子感应加速器已经获得供研究用的能量超过340兆电子伏的电子束。高能电子感应加速器的重量成为严峻的问题;产生340兆电子伏的电磁铁约重330吨。由电子感应加速器加速到能量约20兆电子伏的电子束所产生的X射线,广泛地用于工业X射线照相术。

betel 槟榔 又作areca nut, pinang或penang。两种不同植物的总称,在南亚和东印度人们取之咀嚼。估计世界上有1/10的人有嚼槟榔的习惯。槟榔子是棕榈科槟榔树(*Areca*

槟榔子

美国不列颠百科全书公司供图

catechu)的种子,而槟榔叶是胡椒科蒟(蒌叶,*Piper betle*)的叶。槟榔树在印度、斯里兰卡、泰国、马来西亚和菲律宾都有栽培。树干细长,周长约45厘米,不分枝,高达12～15米。叶大,6～9枚簇生于茎顶,果略小于鸡蛋,果皮纤维质,内含一粒种子,即槟榔子。胚乳坚硬,具灰褐色斑点。于8～11月份果实完全成熟之前即予采收,去皮,煮沸,切成薄片晒干,干后呈深褐色或黑色。咀嚼时,卷少许于蒟叶内,加少量酸橙共嚼,以促使唾液分泌和放出刺激性的生物碱。有时还加入少许小豆蔻、姜黄或其他芳香剂。结果产生大量砖红色的唾液。把嘴、嘴唇和牙龈都染成橘红色。但与一般的设想相反,爱嚼槟榔者的牙齿并不是被槟榔汁液染黑,而是人为染黑的。槟榔子是劣等儿茶(**catechu**)的原料,其主要生物碱是槟榔碱,兽医用作驱虫药。

Betelgeuse 参宿四 又名猎户座α,是猎户座中最亮的恒星,位于猎户的东肩上。参宿四的阿拉伯文的字意就是"巨人之肩"。参宿四的目视星等为0.4等,是全天最亮的恒星之一。英国天文学家J.赫歇尔于1836年声称发现参宿四的光度有微小且不规则的变化,但现代天文学家却没有发现这种变化。一个不专门从事观察的人也很易辨认出参宿四,不仅因为它的亮度出众和位于灿烂的猎户座中,也因为它具有深红的颜色。它距地球约310光年。参宿四是已知体积最大的恒星之一。它属于红超巨星,平均直径为太阳直径的530倍(变化于430～625倍之间,周期5.8年)。然而,火星绕日公转的轨道直径才只有太阳的328倍。

beth din (Judaism) 参阅 **bet din** *犹太教法庭*。

Beth-Shan (Israel) 参阅 **Bet She'an** *贝特谢安*。

Beth Yerah 贝特耶拉 又拼Bet Yeraḥ,阿拉伯语作Khirbet Kerak(希尔拜卡拉克)。古代设防居民点,位于加利利海(亦称太巴列湖)南端,青铜器早期时代(约公元前3100～前2300)建立。考古发现表明该地可能为托勒密二世所建菲洛泰里亚城旧址。在考古发现中,较为重要的有罗马堡垒和浴室、犹太教会堂,以及建于5世纪而毁于7世纪的基督教长方形教堂。还发现一种原产安纳托利亚地区的青铜器早期时代的红黑陶器。

Bethanie 贝塔尼 纳米比亚南部村落。位于一干燥区的水泉附近,西部边界已进入极端干燥的纳米布沙漠区。海拔1 150米,南面31千米处有国家主要铁路线的车站。大西洋渔港吕德里茨距此265千米。1814年伦敦传教会传教士施梅伦在此建立了西南非第一个教堂。该教堂是为纳马人(当地称科伊科伊人或霍屯督人)和奥尔兰姆人(同施梅伦一起从开普殖民地来到这里的白人和科伊科伊人的祖先)而建立的。施梅伦在贝塔尼的住所被视为纳米比亚最古老的欧式住宅。不久该教堂便被弃置,但是赖纳(德国路德派)传教会的挪威传教士努森于19世纪40年代初期又重新开放教堂。施梅伦和努森是最早各自尝试将困难的纳马语(科伊桑语)转为书写形态的人。1894年德国殖民军队在贝塔尼驻军。贝塔尼周围地区长久以来即为纳米比亚主要的卡拉库尔羊(波斯羔羊)牧场之一,而贝塔尼是本地区最重要的交易中心。人口约4 400(1991)。

Bethany 贝瑟尼 阿拉伯语拉丁字母转写作Al-ʿAyzarīyah(艾扎里艾赫)。以色列耶路撒冷郊区小村庄。坐落在橄榄山东坡上,位于约旦河西岸。贝瑟尼这个名字在《圣经》中多次出现,是马利亚、马大、拉撒路姐弟和患麻风的西门的家乡。耶稣使拉撒路复活的奇迹据说即发生在贝瑟尼;后耶稣进耶路撒冷居于此地,与门徒诀别也在此地。3世纪时建有许多教堂,但多数已坍圮。1949～1967年间属约旦管辖。1967年"六日战争"后,成为以色列管辖的西岸领地的一部分。现为基督教圣地。人口3 560(最新统计)。

Bethany 贝瑟尼 美国俄克拉何马州中部俄克拉何马县城市,在俄克拉何马市以西。建于1909年,1910年设市。原为教民住地,中心为贝瑟尼纳扎伦学院(1899)。至今仍保留当年教规:禁止开设酒吧、赌场、舞厅和戏院。工业以飞机制造和农产品加工为主。城外的欧弗霍斯尔河是受欢迎的娱乐区。河北岸是斯廷奇卡姆野生保护区,为许多燕雀和水禽提供了栖息地,被作为美国国内鸟类环志站。人口20 307(2000)。

Bethe, Hans Albrecht 贝特(1906-07-02,德国斯特拉斯堡[今法国斯特拉斯堡]～2005-03-06,美国纽约伊萨卡) 德国出生的美国理论物理学家,参与了将经典物理学发展为

美国康奈尔大学供图

量子物理学,增进了对决定物质性能的原子过程以及控制原子核结构的力的了解。因发现热核反应是太阳和恒星的能源的理论而获1967年诺贝尔物理学奖。曾在法兰克福大学攻读物理学,在慕尼黑大学作理论物理学研究并于1928年获博士学位。次年研究晶体的谱项分裂并证明对称电场对晶体中原子能态的影响。1931年在罗马和意大利物理学家费米一道工作,不久回到德国,在蒂宾根大学任讲师至1933年,在英国曼彻斯特短暂居留后移居美国,1934年在设于纽约州伊萨卡的康奈尔大学任讲师,并在该地定居。1937年为教授,1975年为荣誉教授。1939年计算出太阳的能量是从四个氢原子通过四步碳循环聚变为一个氦原子的结果。贝特于1941年加入美国籍。在第二次世界大战之初,他还未获美国授权从事军事工作。但是在从《不列颠百科全书》中得知枪榴弹的穿甲机制尚未充分了解之后,他发展了一种理论,为研究这个问题打下了基础。在麻省理工学院从事雷达的研制之后,参加曼哈顿原子弹工程并领导理论物理小组。广岛和长崎的原子弹轰炸引起贝特和其他物理学家强烈的社会责任感。他是《原子科学家公报》的组织者和撰稿人之一,并经常口头或书面发表有关核危害的言论以提高公众警惕性。1946年获美国总统的功勋奖章,1954年就任美国物理学会会长,1955年获得普朗克奖章,1961年得费米奖金。他是美国科学院院士、英国皇家学会的外籍会员(1957)。由于中子星的发现,1970年他又回到天体物理学的基础研究。在其他方面,他仍应用经典的数学方法来计算晶体的电子密度、合金中的有序无序状态、反应堆的工作状态、冲击波的电离过程以及从地震记录探测地下爆炸等问题。贝特的后期著作包括《初级核理论》(1948)和《中级量子力学》(1968,第2版),前者讨论作用于原子核内部的各种力的有关实验证据,后者是关于原子结构的理论描述。

Bethel 伯特利 巴勒斯坦古城,位于耶路撒冷正北。从出土文物可见:《圣经·旧约》所载以色列人进占迦南时发生在艾城的事件,可能就发生于伯特利。以色列国分裂后,北朝国王耶罗波安一世(公元前10世纪)定此地为主要宗教活动中心。后世先知阿摩司以此地为活动中心。公元前721年撒马利亚陷落时几乎为亚述人所毁,后来被犹大族的约西亚(约公元前640～前609)所占领。

Béthencourt, Jean de 贝当古(约1360～1422,法国格兰维勒) 诺曼-法国探险家。因征服加那利群岛而闻名。1402年5月1日与戈迪菲从拉罗谢尔出发前往加那利群岛探险。到达以后不久,贝当古去西班牙求援,18个月以后,带着卡斯蒂利亚国王亨利三世所授予的国王头衔和敌对教皇本尼狄克十三世承认其征服的通谕回来,因此与戈迪菲发生争吵,伙伴们设法请国王公断。国王裁决群岛归贝当古,于是戈迪菲就返回法国。贝当古与诺曼人一起把加那利群岛开拓为殖民地,并将它托付给他的侄子M.德·贝当古,自己于1406年返回法国。

Bethesda-Chevy Chase 贝塞斯达-切维蔡斯 美国华盛顿(哥伦比亚特区)的西北郊区,位于马里兰州蒙哥马利县。1949年前无建制,由地方长官治理。名称源出贝塞斯达长老会教堂(1820)和切维蔡斯村。第二次世界大战之后住宅建设规模巨大,政府机构占很大部分。建有国家恶性肿瘤研究所、国家卫生研究院、全国海军医疗中心(1942)和各种研究机构。建在此地的国立医学图书馆是

贝塞斯达-切维蔡斯的全国海军医疗中心
美国不列颠百科全书公司供图

世界上最大的医学图书馆。人口：贝塞斯达55 277；切维蔡斯9 381(2000)。

Bethlehem 伯利恒 阿拉伯语拉丁字母转写作Bayt laḥm，意为“肉之家”，希伯来语作Bet leḥem，意为“面包之家”。巴勒斯坦中部古代犹大城镇。位于耶路撒冷以南8千米的朱迪亚山区。据福音书载，该镇是耶稣基督诞生地。尽管某些现代新约学者认为并非如此，但正统的基督徒认为基督诞生伯利恒一说是神圣不可侵犯的。在近代，伯利恒属巴勒斯坦托管地(1923～1948)；1948～1949年阿以战争后，1950年它划归约旦的古兹省(耶路撒冷)。1967年“六日战争”后，又划入以色列所辖的约旦河西岸地区(犹地亚和撒马利亚地区)。首先提到伯利恒的是在《圣经·创世纪》第35章第19节。《旧约·路得记》认为伯利恒是路得的家乡，他的后代大卫王的诞生地。大卫王在此由先知撒母耳行涂膏礼立为以色列王。大卫孙罗波安在此筑城，并在以色列和犹大分裂后(《历代志下》第11章)成为第一任犹大国王。在巴比伦囚虏(公元前516年及第2年)之后，犹太人回到巴勒斯坦重新定居该地。公元135年巴尔·科赫巴领导第2次犹太人反叛时，有一支罗马卫戍部队驻扎在此。2世纪基督教护教士圣查士丁认定耶稣诞生在“近村庄的一个洞穴里”的马槽内，这个洞穴现在在镇中心的圣诞堂的中殿下，从那时起一直受到基督徒的顶礼膜拜。第一位基督徒罗马皇帝(君士坦丁一世)之母圣海伦娜(约248～约328)曾在洞穴上建教堂，后被毁；查士丁尼皇帝(527～565在位)重建，酷似现在的形式。因而圣诞堂是现存最古老的教堂之一。长期以来，不同教派争夺圣地管辖权。1847年作为圣诞传统中心的标志银星失窃，造成圣地国际危机，导致克里米亚战争(1854～1856)。该教堂现分属希腊正教、天主教及亚美尼亚正教会。若干世纪以来，该城镇还是隐修中心，圣哲罗姆曾在此建一隐修院，他在巴勒斯坦拉比的协助下，在此将《旧约》从希伯来文译成拉丁文(5世纪)，连同他来巴勒斯坦前从希腊文译成的《新约》构成天主教会所使用的标准拉丁文本《圣经》。现代伯利恒是农产品贸易市场，与附近耶路撒冷有密切联系。长期以来，该城镇还是重要的朝圣和旅游中心。宗教用品的制造主要为珍珠母以及橄榄木的雕刻，是传统工业。它与邻近的拜特贾拉和拜特萨胡尔结为集合城市。伯利恒及其郊区有许多由全世界基督教派资助的教堂、女隐修院、学校和医院。1973年在此设立的一所大学既教阿拉伯语又教英语。人口：伯利恒城镇内(不包括难民营内的1 874人)约20 000(1984)；集合城市约58 819(1980)。

伯利恒耶稣降生教堂圣诞节时的仪仗队列
美国不列颠百科全书公司供图

Bethlehem 伯利恒 南非奥兰治自由邦东北部城镇。位于莱索托最北端附近。海拔1 636米。建于1860年。当地盛产小麦，故以《圣经》上相对应的地名“面包之家”伯利恒称之。流经该城镇的河流名为约旦河。1900年南非战争时期，为奥兰治自由邦政府的临时所在地。有铁路工场、冷藏厂、面粉厂、乳制品和啤酒厂、家具厂和纺织厂。为农产品销售中心。有铁路、航空和公路干线。附近建有比勒陀利乌斯峡谷鸟类禁猎区和阿斯隆湖游览区。都市人口约54 100(1984)。

Bethlehem 伯利恒 美国宾夕法尼亚州东部北安普敦和利哈伊县城市。跨利哈伊河两岸，与阿伦敦和伊斯敦组成城市工业联合城。1741年由摩拉维亚传教士建立。华盛顿、富兰克林和汉考克等大陆会议参加者曾在这里的太阳旅店居住。北美的首批泵汲供水系统之一于1755年6月27日在此开始运转。城市工业化随着利哈伊运河的通航(1829)和煤炭水陆联运的形成而起步。伯利恒成为利哈伊河谷铁路(1855)的一站，1857年4月8日成立索科纳钢铁公司(现伯利恒钢铁公司)。1917年伯利恒河北、南两岸自治镇(分别设于1845和1865)合并。经济以伯利恒钢铁企业为主，还生产纺织品、水泥、铸件、机械、手工金属制品、家具和化工品。市内设有利哈伊大学(1865)、摩拉维亚学院(1742)和北安普敦县社区学院(1967)。伯利恒市在全国有音乐中心之称，每年5月举办巴赫音乐节。市圣诞节庆典都遵从摩拉维亚传统。在殖民区(历史上的伯利恒)的鞣皮业(1761)和供水系统(1762)均已恢复。洛斯特里弗山洞就在附近。人口：市约71 329；阿伦敦-伯利恒-伊斯敦大都会区约637 958(2000)。

伯利恒市的住宅区
美国不列颠百科全书公司供图

Bethlehem, Star of 圣诞星 基督教圣经《新约·马太福音》所载的天文现象，据说此星引导“东方博士”到达耶稣的出生地伯利恒。耶稣的生年难以确定，但可以定在公元前6～前4年之间。中国史书载，公元前5年和前4年都有新星出现。17世纪初期开普勒提出，圣诞星可能是出现在亮行星聚合处或其附近的新星。在包括公元元年在内的10年中，有几次重要的行星聚合现象。公元前6年初，火星、木星和土星三星聚合，呈鼎足状，学者往往以此来解释圣诞星。更早一些，公元前7年木星和土星有8个月相去不足3度，其中还有3次相去不足1度。几年后，公元前2年6月17日，从巴比伦可以看到两颗最明亮的行星金星和木星在降落前正好位于西面，即伯利恒方向，有的学者认为这就是《马太福音》中所提到的大星。

Bethlehem Royal Hospital (United Kingdom) **伯利恒皇家医院** 参阅**Bedlam**贝德兰姆。

Bethlehem Steel Corporation 伯利恒钢铁公司 美国公司，1904年12月10日由宾夕法尼亚州的伯利恒钢铁公司、联合铁厂(在旧金山设有造船厂)和其他几家较小的公司合并组成，主要创建人为C.M.施瓦布，1919年7月1日改组。总公司现设在宾夕法尼亚州的伯利恒。公司之所以繁荣昌盛，部分原因是由于第一次世界大战以前和大战期间欧洲列强扩大定购枪炮、弹药和海军舰船。在成立后最初的40年间，在全国各地兼并了若干铁矿、煤矿和钢铁厂。由于掌握大量重要的资源，在原料方面能够自给。第二次世界大战期间及战后年代，公司继续扩大。20世纪70年代，开始多样化经营，进入塑料和有关化学产品及开采有色金属矿等领域。

Bethlen, Gábor 拜特伦(1580～1629-11-15，特兰西瓦尼亚久洛费赫尔堡[今罗马尼亚阿尔巴尤利亚]) 特兰西瓦尼亚公爵和徒具虚名的匈牙利国王(1620～1621)。信奉加尔文

美国不列颠百科全书公司供图

宗,反对信奉天主教的斐迪南二世皇帝。出生在匈牙利北部的一个著名基督教新教徒家庭。年幼时被送到特兰西瓦尼亚公爵 S. 巴托里的宫中。后因与巴托里发生纷争,逃往土耳其避难。奥斯曼苏丹艾哈迈德一世当时是特兰西瓦尼亚的领主,曾拨给他一支军队,并宣布他是特兰西瓦尼亚公爵。三十年战争(1618～1648)期间,当神圣罗马帝国皇帝斐迪南二世忙于对付 1618 年的波希米亚叛乱时,他夺得匈牙利北部的大部分地区,占领了波若尼。1620 年 8 月 20 日议会选举他为匈牙利国王。但考虑到匈牙利信奉天主教的贵族不会允许一个新教徒当国王,他并未加冕。这时,他与斐迪南重新开战。1620 年同斐迪南签订和约。1621 年放弃王位,成为神圣罗马帝国的公爵。1623 年又对斐迪南开战,结果以失败告终,翌年签订《维也纳条约》。此后,他计划建立东方联盟,目的在于把土耳其人赶出匈牙利和欧洲。他希望得到斐迪南的支持,向斐迪南的一个女儿求婚,但是遭到拒绝。于是,他联合德意志诸侯,1626 年再次占领哈布斯堡王朝统治下的匈牙利。由于神圣罗马帝国的军队节节胜利,他又被迫在 1626 年同斐迪南签订《波若尼条约》。

Bethlen, István, Count **拜特伦**(1874-10-08,奥匈帝国特兰西瓦尼亚盖尔涅宰格[今罗马尼亚戈尔内什蒂]～1946-10-05,莫斯科?) 匈牙利政治家、总理(1921～1931),第一次世界大战后致力于维护匈牙利的旧有秩序。特兰西瓦尼亚贵族家庭出身。1901 年作为自由党人选入国会。后来带头反对库恩·贝拉的共产党政权(1918～1919),积极进行反革命活动。1921 年 4 月任总理。他实行独裁,维护贵族特权,停止土地改革,并限制选举权。在对外政策方面,他的最终目的是修订丧权辱国的《特里亚农条约》。通过他的谈判,匈牙利加入了国际联盟,获得一笔善后贷款。1927 年他打破小协约国的包围,同意大利订立友好条约。1931 年由于无法应付财政局面而辞职,但仍保有一定的政治地位。1944 年 3 月德军占领匈牙利后隐居。1945 年为苏联所俘,押往莫斯科,据说在那里死去。

Bethmann Hollweg, Theobald von **贝特曼·霍尔韦格**(1856-11-29,普鲁士霍恩菲瑙[今在德国]～1921-01-01,德国霍恩菲瑙) 第一次世界大战前及大战中的德意志帝国首相,有很高的行政才能但不善治理。出身于法兰克福银行家的家庭,曾在斯特拉斯堡、莱比锡及柏林攻读法律,后进入政界。1905 年被任命为普鲁士内政大臣,1907 年为帝国内政部国务秘书。1909 年 7 月 14 日伯恩哈德·冯·比洛亲王辞职后,继任首相。贝特曼的对内政策在当时当地是属于温和的自由派。在外交政策方面,由于受威廉二世支持的海军上将阿尔弗雷德·冯·提尔皮茨的反对,他和英国就裁减海军军备的谈判(1909-03 及 1912-02)没有成功。贝特曼与英国外交大臣爱德华·格雷爵士合作,使巴尔干战争没有扩大成为奥匈帝国与俄国之间的一场大战,这或许是他在外交方面的最大成功。虽然他相信建筑在国会多数派基础上的民主君主政体是势在必行,但他并不热心于议会政体,而他半心

美国不列颠百科全书公司供图

半意的选举改革也并无多大成效。尽管贝特曼并不希望发生战争,一般认为是他引发了 1914 年的 7 月危机,让奥匈帝国采取自由行动来反对塞尔维亚。随后德国对奥匈帝国及俄国发出的警告未能阻止战争的爆发。他接受了德国总参谋部立即参战的要求。1916 年他试图要求美国进行调解,在了解到美国参战会起决定作用时,他拒绝了进行无限制潜艇战争的主张。1917 年 7 月国会通过和平决议,贝特曼被迫辞职。著有《回顾世界大战》。

Bethsabee (Old Testament) 参阅 **Bathsheba** 拔示巴。

Béthune **贝蒂讷** 法国北部北加来海峡大区加来海峡省城镇。位于里尔西南,拉韦河和艾尔运河汇流处。建于 12 世纪。1248 年前为一独立郡。后依次被阿尔图瓦伯爵、佛兰德伯爵、勃艮第公爵和哈布斯堡王朝所占有。1678 年让与法国。贝蒂讷在两次世界大战中均遭严重破坏。14 世纪高大钟楼保存至今。该市的传统采煤业已被汽车工业所取代。人口 27 808(1999)。

贝蒂讷镇的 14 世纪钟楼

美国不列颠百科全书公司供图

Bethune, David **贝休恩** 参阅 **Beaton, David** 比顿。

Bethune, James **贝休恩** 参阅 **Beaton, James**(1470?～1539)比顿;**Beaton, James**(1517～1603)比顿。

Bethune, Louise Blanchard **贝休恩**(1856-07-21,美国纽约州滑铁卢～1913-12-18,纽约州布法罗) 母家姓 Jennie Louise Blanchard。美国第一位女专业建筑师。1876 年在布法罗的韦特设计公司任见习制图员。1881 年自设建筑公司,她的新丈夫 R. A. 贝休恩不久参加该公司。贝休恩夫妇建筑公司在布法罗和纽约州各处设计了几百幢房屋。设计以学校为主,兼及饭店、公寓、教堂、工厂和银行,喜用 19 世纪末流行的罗马复兴式。1886 年与人共同组成布法罗建筑学会,后改名美国建筑学会布法罗分会。她还支持建筑师执照法和建筑业男女同工同酬法等立法。1888 年当选为美国建筑学会会员,成为该会第一位女会员。

Bethune, Mary McLeod **贝休恩**(1875-07-10,美国南卡罗莱纳梅斯维尔～1955-05-18,佛罗里达代托纳比奇) 美国女教育家。曾致力于美国黑人事业,担任过 F. D. 罗斯福总统的少数民族事务特别顾问。美国内战前,她的父母都是奴隶。她于 1893 年毕业于南卡罗莱纳州康科德的斯科舍神学院(后为巴伯-斯科舍学院),1895 年又毕业于芝加哥穆迪圣经学院。后在南方各地任教,1904 年在佛罗里达州代托纳比奇开办一所女子学院。这所学院于 1923 年与佛罗里达州杰克逊维尔的库克曼男子学院合并,改组为贝休恩-库克曼学院,校址设于代托纳比奇,贝休恩任院长,至 1942 年退休。以后又于 1946～1947 年再度出任该院院长。贝休恩在 1936～1944 年任全国青少年局黑人事务处处长。第二次世界大战期间,协助国防部长为妇女勤务部队选拔候补军官。1945 年贝休恩作为美国国务院观察员出席旧金山的联合国国际组织会议。

Béthune, Maximilien de **贝蒂讷** 参阅 **Sully, Maximilien de Béthune, duc de (duke of)** 苏利公爵。

Beti, Mongo **贝蒂**(1932-06-30,喀麦隆姆巴尔马约～2001-08-08,杜阿拉) 又名埃扎·博托,原名亚历山大·比伊迪。喀麦隆小说家和政论作家。他的早期小说号召消除一切殖民主义残余,它们的一个基本主题是非洲社会的传统模式与殖民统治制度的根本冲突。贝蒂的第一部重要小说《可怜的邦巴的基督》

(1956)通过书中人物德鲁蒙神父揭露了在喀麦隆的传教活动的破坏性影响。神父在非洲为教会服务多年之后不得不承认在殖民主义制度下,传教士即使怀着好意也会不由自主地成为政府的奴仆。《完成的使命》(1957)通过一个青年的遭遇抨击了法国的政策。这个青年由于大学考试不及格,不得已回到本村,发现他由于自己的成就而受到村民的敬重,然而同时却也脱离了他们的生活方式。小说获圣伯夫大奖。贝蒂由于家庭拖累、从事政治活动和攻读博士学位,停止写作 10 多年。《劫掠喀麦隆》(1972)是一部说明新殖民主义的统治如何在他的祖国建立起来的力作,该书出版后立即在法国和非洲被查禁。两年以后,出版了《贝尔彼杜》(1974)和《牢记路本》(1974)两部姊妹篇。《贝尔彼杜》描写落后的传统和新殖民主义的恶势力如何纠合起来谋杀一个有抱负有出息的女青年的神秘故事;《牢记路本》记叙了好几个革命者在国家"独立"以前的生活经历:他们被赶进丛林,与法国支持的新政权的军队进行游击战争。《牢记路本》的续篇《一个傀儡近乎喜剧性的垮台》(1979)记述了战斗在乡村的游击战士所赢得的胜利。随后出版的《未来的卡车司机纪尧姆·泽瓦塔玛的两个母亲》(1983)是写不同种族之间通婚的系列小说的第一部。1978 年贝蒂创办了《黑色民族、非洲民族》这一政治文化双月刊,致力于揭露和挫败非洲的新殖民主义。20 世纪 50 年代晚期,他流亡国外,寄居法国鲁昂,在一大学预科学校讲授西方古典名著。直至 90 年代初,他才重回喀麦隆。

Betjeman, Sir John　贝杰曼(1906-08-28,英国伦敦～1984-05-19,康沃尔特雷贝塞里克)英国诗人。因其对过去的怀念、严格的地域观念和对社会差别的精确描写而著称。当时他所描写的东西正迅速消失,使他在英国拥有大批读者。诗人以近似丁尼生的韵律轻巧地讽刺了提倡空洞而常常是破坏性的"进步"的人及他自己的舒适阶级的弱点。作为英国建筑和地形学的权威,他为推广维多利亚和爱德华时代的建筑风格及保护遗留下来的这类建筑不遭破坏做了大量工作。贝杰曼是一个生意兴隆的商人的儿子,在伦敦郊外长大,T.S.艾略特是他在那里的老师之一。他后来就读于马尔伯勒学校(一所公学)和牛津大学的马格达伦学院。贝杰曼的童年早期至离开牛津的岁月在《钟声的召唤》(1960)——他的一首抒情诗句穿插其间的无韵诗——中有详细的描述。他的第一部诗集《锡安山》和第一部关于建筑的著作《最佳趣味》出版于 1933 年。教堂、铁路车站和城市风光的其他成分在两书中都有很突出的描绘。在《诗集》(1958)出版之前又出有 4 本诗。贝杰曼后来出版的诗集有《高与低》(1966)、《寒风刺骨》(1974)、《礼拜诗》(1981)和《未收诗集》(1982)等。他对不久之前较为安定的英国的赞颂似乎打动了因战争而流离失所并遭受其苦果的公众的心弦。贝杰曼的散文著作有关于各市镇和建筑的散文《最初和最后的爱》(1952)、《近百年来的英国市镇》(1956)和《英国教堂》(1964,与 B.克拉克合著)等。1969 年被封为爵士,1972 年继 C.戴-刘易斯之后成为英国桂冠诗人。

Betpak-Dala　别特帕克达拉草原　又称"北饥饿草原",哈萨克斯坦东部沙漠。位于巴尔喀什湖以东,面积约 7.5 万平方千米,平均海拔 300～350 米。地势除东部外一般较平坦。年降水量仅 100～150 毫米,1 月平均气温 -14 °C,7 月 26 °C。多浅咸水湖。西部为苦艾遍地的黏土荒漠,东部多砾石。当地几乎无人居住,仅作为春秋牧场。

betrothal　订婚　男女之间在结婚前所作的婚配许诺或约定。在宽恕婚前性关系的社会里,在男女普遍自愿结合的社会里,订婚可能并不重要。不过在其他的社会里,订婚实际上是婚姻过程的一部分。订婚后的一方如改变主意,则是严重的事,在某些情况下要涉讼并处以罚金或其他惩罚。从历史上看,婚姻经常是亲属集团之间的一种联盟,因此,配偶选择权常从当事人手中落到亲属集团重要代表或其委派的代表手中。在上述多数但非全部情况下,订婚就标志着两个家庭之间以各种形式及不同程度进行互访和交换礼物的一种过程。有时采用"指腹为婚"的办法以维系持续不断的社会、经济或政治上的协调局面,特别在两个具有潜在敌对情绪的亲属集团之间,这种方式更为普遍。

Betsileo　贝齐寮人　马尔加什民族,居住在马达加斯加岛中南部的中部高地地区。操马达加斯加语的一种方言,马达加斯加语为马尔加什诸民族所通用的西澳斯特罗西亚语。贝齐寮人居住和耕作的各个河谷之间都被山区森林隔开。贝齐寮人原来分为许多氏族,19 世纪初被北方的梅里纳王国征服,后来又被法国殖民当局统治。贝齐寮人长于种植水稻,在其本土菲亚纳兰楚阿省山麓地带开辟梯田,辛勤灌溉,收获甚丰。其他作物有木薯、玉米、薯蓣、香蕉、甘蔗等。另有许多人已是木工、建筑工或其他手工艺者。此外,还有一些人已移居岛上其他地区经商或为政府雇员。

Betsimisaraka　贝齐米萨拉卡人　马尔加什民族,生活在马达加斯加岛中东部及东北部沿岸地带。操马达加斯加语的一种方言,马达加斯加语为马尔加什诸民族所通用的西澳斯特罗尼西亚语。贝齐米萨拉卡人一名意为"密集的群众"。他们的聚居区的地势沿东岸狭长地带隆起,延伸至茂密的山区森林之中。他们种植水稻、木薯、玉米等,实行传统的烧荒耕作法;许多人已改种咖啡、香草、丁香及其他出口作物。贝齐米萨拉卡王国于 18 世纪初由一名英国混血的马尔加什人拉齐米拉霍所缔造,于 1791 年崩溃。此后大多数贝齐米萨拉卡人由其西面的梅里纳王国统治,到 19 世纪 90 年代又转入法国殖民统治之下。贝齐米萨拉卡人历史上一直以水手和海盗著称。他们使用可容纳 50 人以上的大独木舟结队航海,往往聚集数千人劫掠马达加斯加西北方面的科摩罗群岛。贝齐米萨拉卡人自早期起热心于捕鱼、猎鲸,并在欧洲船上充当水手。

betsy bug　参阅 **bess beetle** 黑蜣。

Bettelheim, Bruno　贝特尔海姆(1903-08-28,奥地利维也纳～1990-03-13,美国马里兰银泉)　奥地利出生的美国心理学家,以其在治疗情绪障碍儿童,特别是孤独症患儿方面

美国芝加哥大学供图

所做的大量工作而著称。于 1938 年获维也纳大学博士学位。纳粹掌权后,他被囚于达豪和布痕瓦尔德集中营。1939 年被释后,移居美国,任芝加哥大学进步教育学会的研究助理。后任伊利诺伊州的罗克福德学院副教授(1942～1944)。1943 年 10 月,他的论文《极端情境中个人及群众行为》发表后立即引起广泛重视。这篇开创性的论文以他在达豪和布痕瓦尔德的观察和经验为基础,考察了人类对集中营生活磨难的适应性以及纳粹恐怖主义对人格的影响。1944 年贝特尔海姆被任命为芝加哥大学的心理学助理教授以及附属索尼亚·香克曼障碍矫治学校校长,后者是一所专为 6～14 岁有严重情绪问题的儿童设立的实验住宿学校。他以此校作为研究孤独症患儿的中心。1947 年起任副教授,1952 年起任正教授,他一直试用精神分析方法来解决社会问题,特别是在培育儿童方面。他的一些著作就来源于这方面工作,包括:《爱还不够》(1950)和《生活现实的逃避者》(1954)。1973 年退休不再任教和担任校长工作。贝特尔海姆在其著作和研究中寻求治疗途径,试图解除患儿的情绪烦恼并帮助他们学习能从事对社会有益的工作的能力。对于处理正常儿童问题,他的著作也提供了许多启示。他的其他著作还有:《明达的心》(1960);《空虚的堡垒》(1967),这本书专论孤独症患儿;《梦中的儿童》(1967),这是研究以色列聚居区中集体抚养儿童的经验,他建议应根据以色列聚居区生活方式来重新评价传统的家庭组织和传统的教育青年的方法;最后还有《魔法的种种用场》(1976),在此书中贝特尔海姆强调神话故事对儿童发育的重要性。贝特尔海姆在 1984 年妻子亡故和 1987 年身患中风之后自杀。

Better Business Bureau　商业改进局　美国和加拿大的一种民间组织,旨在维护社会风尚,使人们免遭不正当、骗人或欺诈性广告和推销行为的诓骗,成立于 1912 年。当时,主管广告的经理们发觉,一些刊登广告者的欺骗行为正使广告业遭到公众的冷遇。为此,他们组织全国警戒委员会以监察此行业,并

成立地方一级的附属机构——商业改进局，通过全国商业改进局协会协调其职能。现在，商业改进局得到商业界各部门的支持。它们调查研究，对各项商业行为定出规范，接受对不正当业务行为的申诉，开展教育运动，使公众警惕广告和推销中各种欺骗的手段。

Betterton, Thomas　贝特顿（约1635，英格兰伦敦～1710-04-28，伦敦）　王政复辟时期英格兰主要演员，曾改编几部流行作品。1660年首次登台，1661年入威廉·戴夫南特爵士主持的公爵剧团。1682年该剧团同国王供奉剧团合并，他成为艺术领导人，在特鲁里街剧院

美国不列颠百科全书公司供图

演出到1695年，当时他和一批老演员因反对专利权持有者的代言人里奇而从剧团分裂出去，加入林肯律师学院菲尔兹剧院，后又参加新成立的草市剧院。其妻是一位饰演莎士比亚剧的名演员，他们以对年轻演员的鼓励和培养而闻名。他戏路特别广，除了扮演哈姆雷特、麦克白、亨利八世、梅库蒂奥、李尔王、奥瑟罗、布鲁图和霍特斯帕等主要角色外，还创造了大约130个新角色。据说他扮演的哈姆雷特和《第十二夜》中的托比·贝尔契爵士十分可信。当代观察家们认为他的表演一般是适度的。

Betterton-Kroll process　贝特顿-克罗尔法　在熔融的铅-铋熔池中加入钙和镁，将铋从铅中除掉的广泛应用的方法。铋的化合物熔点比铅高，密度比铅低，所以作为固体熔渣分离出来。然后可用氯气处理，从钙和镁中回收铋。此法由美国熔炼公司于20世纪30年代发明，故也称Asarco（美国熔炼公司的缩写）法。

Betti, Enrico　贝蒂（1823-10-21，托斯卡纳皮斯托亚～1892-08-11，意大利王国比萨）　意大利数学家，著有关于拓扑学（研究曲面和空间的数学分支）的开创性论文；并对由法国数学家E.伽罗瓦（1811～1832）所发展的方程论首次作出严谨的阐述。就读于比萨大学，1857年获得比萨大学数学教授席位。早期著作涉及方程论和代数。他扩展了伽罗瓦的工作，并提供了证明。贝蒂首次把单复变量整函数分解为准素因子之积。1863年德国数学家B.黎曼来到比萨，对贝蒂后期的工作有决定性影响。两人成为挚友，黎曼唤起了贝蒂对数学物理特别是位势论和弹性理论的兴趣，并且鼓舞他写作关于拓扑学的论文。

Betti, Ugo　贝蒂（1892-02-04，意大利卡梅里诺～1953-06-09，罗马）　意大利剧作家。继皮兰德娄之后，在20世纪上半叶享有国际声誉。他参加了第一次世界大战，在被德国人拘禁期间（1917～1918），写下一部诗集《思虑周密的国王》（1922）。第一个剧本《房东太太》1927年首演，反应毁誉不一。后来成功的剧目有：《北部山崩》（1933）、《山羊岛上的罪恶》（1950）、《女王与叛逆》（1951）、《亡命者》（1953）、《法庭的腐败》（1949）等。

Bettiah　贝蒂亚　印度东北部比哈尔邦西坚巴兰县县城。农产品贸易中心。生产铜器、五金和皮革制品。1869年设建制。设有比哈尔大学分校。人口92 583（1991）。

Betty, William Henry West　贝蒂（1791-09-13，英国什罗普郡什鲁斯伯里～1874-08-24，伦敦）　别名小罗西乌斯。童年成名的英国演员。12岁以前就演出伏尔泰的《扎伊尔》（英文译本），在都柏林、格拉斯哥和爱丁堡均获得成功。1804年第1次在伦敦科文特加登剧院演出时，观众异常拥挤，无法正常进场，只好请军队维持秩序。后在科文特加登剧院和特鲁里街剧院扮演莎士比亚戏剧中的悲剧角色，并在特鲁里街剧院领取前所未有的高

美国不列颠百科全书公司供图

额薪金。乔治三世曾将他介绍给皇后；威廉·皮特有一次甚至宣布下议院休会，以便让议员们看到贝蒂演出的哈姆雷特。1808年作为儿童演员进行了最后一次演出，接着进入剑桥基督学院。1812年试图重登剧坛，结果反应不佳，1824年退休，靠已有财产生活。

Betūl　贝杜尔　印度中部中央邦贝杜尔县县城。公路与农产品贸易中心。有锯木、榨油、香料油和蚕丝业。前称巴德努尔。设有索加尔大学分校。贝杜尔县包括索德布尔岭中的一片肥沃平原及其周围森林覆盖的丘陵带。面积10 061平方千米。小麦、谷子、油籽、棉花和甘蔗为主要农作物。森林茂密，出产竹、柚木和其他木材。普遍养牛。开采煤和石墨。贡德部族和科尔库部族居住在北部。人口约63 489（1991）。

Betulaceae　桦木科　前称榛木科（Corylaceae），桦木目唯一的科，包括6个属，100多种落叶乔木和灌木，原产于北半球温带和凉爽地区。桦木属（*Betula*）、桤木属（*Alnus*）、鹅耳枥属（*Carpinus*）、榛属（*Corylus*）和铁木属（*Ostrya*）都有经济价值。桦木科具有单生有

纸皮桦（*Betula papyrifera*）
美国不列颠百科全书公司供图

锯齿的互生叶。雌雄同株，花先叶或同时出现。雄花生在长而下垂的柔荑花序上；而雌花排成较短而直立的穗状花序。果通常为小坚果或短翅翅果。桦木科植物木材可用，有的坚果可食；许多种供观赏。

Betwa River　贝德瓦河　梵语作Vetravatī，其意为"有芦苇"。位于印度北部的河流。发源于温迪亚山区的霍申加巴德以北。向东北流，在北方邦的赫米尔布尔城东注入亚穆纳河。全长610千米。约1/2河段的流经马尔瓦高原，不能航行。其主要支流为杰姆尼河与特桑河。贝德瓦河在杜格万与代奥格尔已筑坝。

Beust, Friedrich Ferdinand, Graf von　博伊斯特（1809-01-13，萨克森德累斯顿[德国]～1886-10-24，维也纳附近的阿尔滕贝格城堡）　萨克森王国首相兼外交大臣（1858～1866）和

美国不列颠百科全书公司供图

奥地利帝国首相兼外交大臣（1867～1871），谈判缔结奥匈协约（1867），建立奥地利-匈牙利君主政体，帮助恢复哈布斯堡王朝在国际上的地位。古代贵族家族萨克森一支的后裔，高级司法裁判官K. L. von博伊斯特的幼子。在格丁根大学和莱比锡大学学习法律，倾向于自由立宪主义。1830年完成学业后，在萨克森驻柏林和巴黎使团工作，开始其外交生涯，后任驻慕尼黑、伦敦和柏林（1848）使

团团长。1849年出任萨克森国王腓特烈·奥古斯特斯二世的外交大臣。是年5月，博伊斯特请普鲁士军队前来镇压德累斯顿民众起义，并谈判成立保守的萨克森、普鲁士和汉诺威联盟。作为内政大臣(1853起)，他力求通过温和的内部改革发展萨克森经济。他的外交政策旨在保存德意志诸小邦，作为奥地利与普鲁士之间的第3种力量。虽然萨克森的经济利益自然地倾向于普鲁士，但他的外交政策却使他越来越接近奥地利，与俾斯麦发生尖锐的对立。1866年普鲁士战胜奥地利及其盟国萨克森之后，博伊斯特在俾斯麦的压力下辞职。1866年10月，弗兰西斯·约瑟夫皇帝任命他为奥地利外交大臣，1867年2月任哈布斯堡王朝首相。他恢复立宪政体，通过与匈牙利和解、将奥匈帝国东部的领导权划给匈牙利人而暂时地解决了最棘手的内政问题。但博伊斯特通过建立典型的自由主义政权以重新获得德意志民族同情的企图却注定要失败。他无法使奥匈帝国西部地区占统治地位的德意志民族的状况与臣服于哈布斯堡王朝的其他民族特别是捷克族的要求相协调。他的外交政策终于被他低估了的、抱有民族野心的人们所击败。弗兰西斯·约瑟夫和他都不愿接受1866年普鲁士打败奥地利的后果，即奥地利被排斥在德意志联邦之外。博伊斯特充满复仇之心，满怀对俾斯麦的敌意，担心普鲁士夺取哈布斯堡王朝的德族领土。为此，他首先力图阻止南德诸邦与普鲁士统一，想为日后重建那怕是经过改变的奥地利昔日的霸权创立先决条件。他执行与法国和意大利结盟以便把普鲁士困在东部的计划，表明他是俾斯麦的劲敌。虽然他的政策把奥地利与普鲁士间的一场新的战争推向边缘，但他却采取现实的态度不使奥匈帝国卷入普法战争。博伊斯特最终未能实现其政治目的，1871年他不得不承认，普鲁士领导下的、奥地利被排斥在外的德意志帝国已成为历史现实。1868年晋升他为公爵的弗兰西斯·约瑟夫于1871年10月免去他的首相职务。此后，博伊斯特出任驻伦敦大使、巴黎大使(1878～1882)。

Beuve -Méry, Hubert　伯夫-梅里(1902-01-05，巴黎～1989-08-06，巴黎附近的枫丹白露)　法国出版商和编辑，自《世界报》1944年创办起至1969年一直任该报主编。在他的经营下，该报成为不依靠他人津贴的独立报纸，驰名国内外。1935～1938年曾任《时报》外交记者。该报对希特勒的行为没有反应，他公开提出批评并辞职。1944年戴高乐总统请伯夫-梅里创办一家全国的自由报纸以取代《时报》，他遂创办了《世界报》。多年来，他以"天狼星"的笔名，撰写评论性专栏文章，该报不时受到攻击。著有《走向大德意志》(1939)、《政治反省》(1951)、《第四共和国的自我毁灭》(1958)和《11年的统治：1958～1969》(1974)等书。

Beuys, Joseph　博伊斯(1921-05-12，德国克雷费尔德～1986-01-23，杜塞尔多夫)　德国先锋派雕刻家和行动艺术家，他的作品以其非正统的素材和仪式性的动作为特色，引起许多争议。博伊斯在德国林登受教育，第二次世界大战期间一直服役于德国空军，1943年所驾飞机坠毁于冰冻的克里米亚，救难人员将他裹在油脂和保温的毛毡中取暖急救，这些东西竟成为他日后在雕刻作品中重现的主题。1947～1951年他在杜塞尔多夫学习艺术，1961年被任命为国立杜塞尔多夫艺术学院雕刻教授，并积极参与德国的政治活动。20世纪60年代中期，博伊斯加入名为"流动"(Fluxus)的国际性先锋派艺术团体。在这一时期，他开始把能够表现宗教仪式动作的"行动"搬上舞台。他的最著名的行动之一是《如何给死兔讲解图画》(1965)。博伊斯以蜂蜜和金叶覆头，一只鞋底用毛毡制成，一只鞋底用铁制成，以约两小时的时间走过一个艺术画廊，一边走一边向他抱着的死兔平静地讲解艺术。有些评论家将他的艺术与德国表现主义者的艺术相比拟，认为两者皆具迷人而又令人惴惴不安的性质，两者都把艺术革命与社会革命联结在一起。

Bevan, Aneurin　比万(1897-11-15，英国蒙茅斯郡特里迪格～1960-07-06，白金汉郡切舍姆)　第二次世界大战后英国政坛上有争议的人物，英国工党左派(比万派)领袖，国民保

美国不列颠百科全书公司供图

健署的缔造者。矿工之子，13岁给挖煤工人当助手。在伦敦中央劳工学院学习两年后进入政界。1929年选入下院。他是那个时代最优秀的演说家之一。在整个第二次世界大战期间，他是W.丘吉尔联合政府和自己的政党的强有力的批评者。1940～1945年任《论坛报》主编。1945年在工党政府中任卫生大臣，推动住房计划和建立了国民保健署。1951年1月任劳工大臣，同年4月为抗议重整军备计划而辞职。此后数年，他成为工党内部争论的中心。1955年竞选工党领袖失败。写有自传《提心吊胆》(1952)。

bevel siding　互搭板　参阅 **clapboard 楔形板**。

Beveridge, Albert J.　贝弗里奇(1862-10-06，美国俄亥俄海兰县～1927-04-27，印第安纳印第安纳波利斯)　美国演说家、参议员和历史学家。1887年在印第安纳州当律师。曾发表雄辩的演说，鼓吹美国向海外扩张领土。1899年当选为共和党参议员，支持T.罗斯福总统提出的进步立法。1912年以后专心撰写历史著作，《约翰·马歇尔传》(4卷，1916～1919)获普利策奖。遗著为A.林肯的传记(2卷)，1928年出版。

Beveridge (of Tuggal), William Henry Beveridge, 1st Baron　贝弗里奇(1879-03-05，印度朗布尔～1963-03-16，英国牛津郡牛津)　英国经济学家。英国驻印度文官之子，在牛

美国不列颠百科全书公司供图

津大学巴利奥尔学院受过教育。1903年他任伦敦托因比服务所所长助理时开始研究失业原因和对策，这成为他毕生研究的课题。1909～1916年任劳工介绍所所长，1919年为粮食部常务次官。1919～1937年任伦敦经济政治学院院长。1937年被选任为牛津大学的大学学院院长。1919年封为爵士，1946年成为男爵。在《失业：工业问题》(1909)中，他论证失业在很大程度上是由于工业组织所造成的，后受凯恩斯经济学的影响，在《自由社会的充分就业》(1944)中改变了看法。他突出的成就是在第二次世界大战期间，应政府邀请写出《社会保险和联合服务》(1942，常被称为"贝弗里奇报告")，制订出英国战后福利国家的蓝图。

Beverley　贝弗利　英格兰约克历史郡约克东区单一政区城镇。贝弗利镇因7世纪建大教堂而兴起。806年被荷兰人所毁，艾特尔斯坦国王在位时(925～939)重建。城内最突出建筑为哥特式贝弗利大教堂。1129年获自治特许状。后发展成为重要集市中心，与欧洲间的服装贸易十分昌盛。现为约克东区的行政中心，亦为附近城市区的住宅郊区。人口约23 632(1991)。

Beverly　贝弗利　美国马萨诸塞州东北部埃塞克斯县城市。位于塞勒姆之北，临贝弗利湾。约1626年始建。1668年设镇，1894年设市。早年为海运中心。所造"汉纳"号纵帆船于1775年服役，为美国海军第一艘军舰。1789年始有棉纺业。市内有全国最大的制鞋机械厂之一，还有电子工业。夏季旅游业发达。设有恩迪科特女子学院(1939)和北肖尔社区学院(1965)。还有17世纪的宅邸多处。人口39 862(2000)。

Beverly Hills　贝弗利希尔斯　美国加利福尼亚州洛杉矶县西的城市。完全被洛杉矶市所包围。19世纪时该地原为阿瓜斯竞技场。1906年创设为居住区，起名贝弗利。1912年贝弗利希尔斯旅馆建成，1914年建镇，约有人口500。1919年电影明星玛丽·璧克馥和老范朋克在山顶建成他们的皮克费尔庄园，开了好莱坞的名流和行政人员在贝弗利希尔斯建筑华丽宅第的风气。有3条东西向主要大道横贯该市。日落大道北面

是山麓,包括一家贝弗利希尔斯旅馆(内有著名的马球场和粉红色有游廊的平房)和建于蜿蜒车道中的豪华大厦;日落大道的南面是平地,其上另有一些华美的住宅;在圣莫尼卡大道和威尔希亚大道之间,许多时髦商店、珠宝店、百货公司、最高级的商店都坐落在旧竞技场路和新建的双道竞技场路上(模拟地中海风格的多层次购物大街)。威尔希亚大道南面有一些轻工业。贝弗利希尔斯面积总共有14.8平方千米,有7座公园,种植了许多树木和灌木丛,还铺了许多草地。市西南面为20世纪福克斯电影制片厂,这片土地的极大部分现在已转化为世纪城,是一个购物区、办公大楼中心和影剧院的综合体。人口33 784(2000)。

Bevin, Ernest 贝文(1881-03-09,英国萨默塞特郡温斯福德～1951-04-14,伦敦) 英国工联主义者、政治家,20世纪上半叶最有影响的工会领袖之一。出身贫寒。11岁失学,做过许多种零工。1905年成为布里斯托尔争取工作权利委员会的义务书记。1910年在该城组织码头工会货车驾驶工分会。1921年将几家工会合并成为运输和杂务工工会,担任总书记至1940年。1925年起成为职工大会总理事会理事,1937年当选为理事会主席。他在组织并解决1926年5月3～12日的英国大罢工时崭露头角。大萧条初期抨击R.

美国不列颠百科全书公司供图

麦克唐纳的工党政府未采取强有力措施缓和失业,拒绝支持其国民联合政府。在整个20世纪30年代,他主张英国重整军备并采取坚定的外交政策,以对抗纳粹德国和法西斯意大利的威胁。1940年5月W.丘吉尔组成战时联合政府时,他出任劳工和国民事务大臣,为战时内阁成员。当C.艾德礼于1945年7月组成工党政府时,他出任外交大臣。1945年秋,极力反对承认苏联在巴尔干国家扶植的新政府。他参加建立由联合王国、法国、比利时、荷兰和卢森堡组成的布鲁塞尔条约联盟(1948-03-17)和欧洲经济合作组织(1948-04-16),后来又签订《北大西洋公约》(1949-04-04于华盛顿)。他关于建立犹太-阿拉伯国家和关于巴勒斯坦分治的各种计划(1947～1948)因阿以冲突而失败。1950年1月6日联合王国承认中华人民共和国。1951年贝文提出发展南亚和东南亚经济的科伦坡计划(1951年6月30日生效)。他一生的最后5个星期任掌玺大臣。

Bewa (Liberia) 贝瓦 参阅 **Mano River 马诺河**。

Bewcastle Cross 比尤卡斯尔十字碑 在英格兰坎布里亚发现的刻有古代北欧如尼文字铭文的石碑,年代约为7世纪末期或8世纪初期。十字碑上部虽已佚失,但被风雨剥蚀的4.5米高的碑身还保存着。碑身的一面刻有踏在群兽头上的基督像,其下刻有如尼字母的铭文。基督像上面有携鹰行猎者,可能是传播福音的圣约翰和他的鹰。另一面则有精心雕刻的树、树枝、树根、树叶、果实和鸟兽。根据依稀可辨的铭文,得知此碑是为纪念诺森伯里亚的奥斯威之子埃尔科弗里思及其妻西内布尔而立的。从雕刻的精湛程度、艺术技巧及其气韵风格来看,与鲁斯韦尔十字碑为同一时期、同一流派。

Bewick, Thomas 比尤伊克(1753-08-12,英国诺森伯兰切里伯恩～1828-11-08,达勒姆盖茨黑德) 促使木刻画重新流行并成为主要版画技法的英国版画家和插图画家。14岁

《英国鸟类史》中比尤伊克所绘版画《灰林鸮》
美国不列颠百科全书公司供图

即学金属雕版,后与师合伙经营,在纽卡斯尔度过大半生。他是卓越的版画技法革新者,曾发明使用錾刀把图像刻入木版的技法。用平行线取代交叉阴影线,以获得丰富的色调和结构。他使白线印法重新流行(将油墨涂在凸面印成白线黑底版画)。他还发明了挖低背景部分使压印时受力较轻,从而所印背景便呈灰色,提高大气云雾和空间层次的美感效果。其最重要书籍插图有:《四足动物通史》(1790)及《英国鸟类史》(《陆鸟》1797,《水鸟》1804)。他是一位鸟类观察家和博物学家,因此,其插图都出自写生的水彩习作。

Bexhill 贝克斯希尔 英格兰东萨塞克斯行政郡罗瑟区一城镇。属萨塞克斯历史郡。位于黑斯廷斯西侧,临英吉利海峡。19世纪80年代即成为海滨胜地。峭壁顶上有旧村庄和古教堂。该地每年都举行音乐节。人口38 905(1991)。

Bexley 贝克斯利 伦敦外围自治市,在伦敦东部周界。为肯特历史郡的一部分,在泰晤士河南岸。向南延伸至布罗姆利自治市。1965年由原贝克斯利和伊里斯自治市、克雷福德市区以及奇斯尔赫斯特和锡德卡普合并而成。下设以下几个区(从北到南):泰晤士米德、阿比伍德、贝尔韦代雷、伊里斯、诺森伯兰希恩、东威克姆、韦灵、贝克斯利希恩、贝恩赫斯特、克雷福德、布莱克芬、布伦登、布里詹、贝克斯利、哈夫韦街、朗兰兹、北克雷、锡德卡普和富茨克雷。19世纪作为伦敦附近的住宅区迅速发展起来。现辟有一些公园和广场,著名的有丹森公园和莱斯内斯隐修院森林,保存有11、13世纪教堂建筑等古迹。工业有机械、油菜籽和食物加工、印刷、造纸、塑料和化工等。商业和金融业也十分重要。人口约218 307(2001)。

bey 贝伊 土耳其人对小部落酋长、王室成员和高官的称呼。在奥斯曼帝国时代,称省督为贝伊。1705年后在突尼斯成为统治者的世袭称号。后来在土耳其人和阿拉伯人的国家中,"贝伊"成为加在人名后面的尊称,相当于英语中的"老爷"或"先生"。在20世纪的土耳其共和国,"贝伊"作为礼貌的称呼置于名字之前(相当于"先生")。

Beyer, Absalon Pederssøn 拜耶(1528,挪威松恩～1575) 挪威基督教信义宗人文主义学者,当时挪威最先进的思想家之一。曾在哥本哈根大学和维滕贝格大学读书,在著名的宗教改革学者梅兰希顿指导下学习。他任过卑尔根教会学校的讲师。1567年写成他的主要作品《关于挪威王国》,表现了挪威初期的民族主义情绪,后于1781年出版。他的日记具有史料价值,其评注本于1963年问世。

Beyer, Jinny 拜尔(1941-07-27,美国科罗拉多丹佛～) 全名Geraldine Elizabeth Kahle Beyer。第一个专门为拼布师之需而创作出一系列织物的美国拼布设计师。20世纪80年代,成为使70年代晚期开始风靡全美的拼布艺术复苏的主要人物。拜尔是偶然开始进入拼布艺术领域的。作为一名热心的编织者,她居住在印度时产生灵感的设计之一《光之芒》,获得了1977年《好家政》杂志两百周年纪念的拼布比赛大奖。其拼布设计职业生涯从此开始。后来,她著有多本拼布艺术的历史和技巧的图书,并出了三盘录像带。到2000年,共设计了2 000多件织物,每年平均有4～6件收藏品。最有名的收藏品是《便携调色板》(1990),特点是大规模的单色印花,包括了彩虹各种色度的150种颜色。1984年被列入拼布师名人堂。

Beyers, C.F. 拜尔斯(1869-09-23,开普殖民地斯泰伦博斯附近[今在南非开普省]～

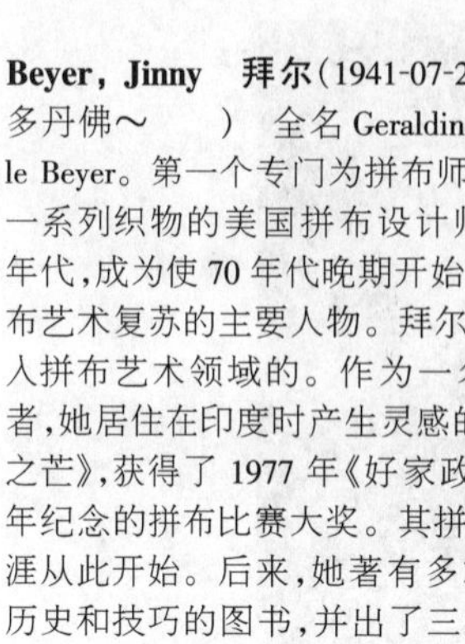

美国不列颠百科全书公司供图

1914-12-07，南非奥兰治自由邦） 南非律师、政治家，南非战争（1899 ～ 1902）中的将领。维多利亚学院（今斯泰伦博斯大学）毕业，后移居德兰士瓦省，执律师业。1899 年参加布尔人军队，很快升为将军，统率北德兰士瓦的军队。他曾加入 L.博塔的人民党。1907 年当选为德兰士瓦议会议长。1910 年成立南非联邦，两年后建立国防军，他任总司令。他反对博塔对英和解的政策。第一次世界大战爆发后，博塔政府决定支持英国，夺取德属西南非洲。他于 1914 年 9 月 15 日辞职。后发动武装叛乱。在政府军追击时，溺死于瓦尔河中。

Beyla 贝拉 几内亚东南部城镇。位于几内亚高地。建于 13 世纪初，曾是奴隶市场所在地和可拉果收集站。现为大米、牲畜、烟草、咖啡和棕榈油贸易中心。公路通恩泽雷科雷和康康。有医院、烟厂及火柴工厂。附近有冲积金刚石矿。居民主要是穆斯林马林克-科尼安族。人口约 10 970（1983）。

Beyrouth（Lebanon） 参阅 **Beirut 贝鲁特**。

Beza, Theodore 贝札（1519-06-24，法兰西韦兹莱～1605-10-13，日内瓦） 作家、翻译家、教育家和神学家。1535 ～ 1539 年在奥尔良学习法律，后在巴黎当律师。1548年发表情

美国不列颠百科全书公司供图

诗《青春集》，一跃而成为著名拉丁语诗人。1548 年到日内瓦，会见加尔文，当时加尔文正对瑞士的政治和教育制度进行改革，使之服从于基督教新教教义。一年后贝札任洛桑大学希腊文教授。其后数年内他到欧洲许多地方宣传基督教新教思想，1558 年返回日内瓦。1559 年与加尔文合作创办日内瓦学院，并任首任院长，该学院日后成为传播加尔文主义的教育中心。1564 年加尔文卒，贝札顺理成章地继承他的职位，任日内瓦教会首席牧师终生。他的大量著作对归正宗神学的发展影响甚大。贝札在大多数问题上重申加尔文的观点，但强调教会纪律和严格顺服权威。他所编订的希腊文本《新约》和翻译的拉丁文本《新约》，是日后日内瓦版《圣经》和 1611 年英文钦定本《圣经》的基本依据。

Bezborodko, Aleksandr Andreyevich, Knyaz（Prince） **别兹博罗德科**（1747-03-25［旧历 03-14］，俄罗斯帝国乌克兰格鲁霍沃～1799-

美国不列颠百科全书公司供图

04-17［旧历 04-06］，圣彼得堡） 俄国外交大臣，公爵。与叶卡捷琳娜二世的主要外交事务有密切联系。经 P.A.鲁勉采夫伯爵举荐，1775 年以后任邮政大臣和外交部“参加一切谈判的全权代表”。1786 年进入参政院。1792 年与土耳其缔结《雅西条约》，该条约把俄国边界扩展到德涅斯特河。他还建议叶卡捷琳娜二世参加第二、第三次瓜分波兰（1793、1795）。1796 年保罗一世赐予他“俄罗斯帝国公爵”称号，并任命他为帝国总理大臣。

Béziers 贝济耶 法国南部朗格多克-鲁西永大区埃罗省城市。位于蒙彼利埃西南，奥尔布河和南运河的汇流处，距地中海 14 千米。保存有罗马竞技场遗迹。旧城的圣纳泽尔大教堂为典型 13 ～ 14 世纪基督教城堡。旧城和新城之间的 P.里凯大街是以南运河修建工程师名字命名的。生产酒精和用于葡萄园的人工肥、喷洒化学药剂。为重要铁路枢纽。葡萄酒为当地传统贸易商品。人口 72 362（1990）。

Bezique 比齐克牌 纸牌游戏，为皮纳克尔（Pinochle）牌戏的前身。此游戏由两人玩，用 64 张牌，这是由两副去掉 2 ～ 6 点牌的扑克牌组成的。牌的大小顺序为：A、10、K、Q、J、9、8、7。每人发 8 张牌，先发 3 张，再发 2 张，最后发 3 张。剩下的牌面朝下放着，作为底牌。然后把最上面的一张牌翻开，以便确定将牌花色。打牌分两个阶段。第一阶段，非发牌人先出一张牌，面朝上；发牌人可跟牌、垫牌或将吃。同花色牌中大者或将吃者即赢墩。有两种得分方法：一种是通过赢得 A 和 10 点牌而得分（每一墩称为一个比齐克，记 10 分）；另一种是赢了一圈后，叫不同组合的牌而得分。计分的组合如下：

配对（同花色的 K 和 Q，将牌除外）	20
将牌配对（将牌的 K 和 Q）	40
顺子（将牌的 A 到 J）	250
比齐克（黑桃 Q 和方块 J）	40
双比齐克	500
任何 4 个 A	100
任何 4 个 K	80
任何 4 个 Q	60
任何 4 个 J	40

在一种组合中使用过并且得过分的牌不能在另一个级别较低的组合中再得分（级别是顺子、比齐克和 4 张一组的牌）。叫牌高的一方从底牌摞抓走最上面的一张牌，然后由对方抓牌。接着，叫牌高的一方从手中牌或摊在桌上的牌中出牌。当底牌只剩最后一张牌时，上圈的赢家抓最后这张牌。若最后一张牌是将牌，则归输家。底牌抓完时，第二阶段开始，双方把已摊在桌上的牌拿在手上。在以后几圈牌戏中，跟牌人必须跟出同花色的牌，而且，只要可能就必须出比对方大的牌。无同花色牌时，必须吃将而赢得这一墩，即必须想方设法赢得这墩牌。一局通常为 1 000分或 1 500 分。用 6 副纸牌玩比齐克（又称中国比齐克）名为卢比孔比齐克，这种玩法十分流行。不管是卢比孔比齐克还是 6 副牌游戏，都是通过叫牌、计分组合而得分。游戏中间可以有间歇，加上等量的牌之后继续进行，并可以再得分。玩卢比孔比齐克时用 4 副 32 张为一副的纸牌。每人拿 9 张牌。用 6 副牌玩的比齐克，各拿 12 张牌。在这两种牌戏中，第一个配对就是将牌花色。

Bezos, Jeff(rey P.) 贝佐斯（1964-01-12，美国新墨西哥阿尔伯克基～ ） 美国因特网企业家。就读于普林斯顿大学，并在银行信托公司和避险基金公司的银行及投资部门工作，1995 年创立亚马孙网站。这家因特网公司一开始在网上售书，后来扩及录制音乐、录像带、电子设备、工具及其他领域，也开始进行在线拍卖。尽管公司每年亏损，但仍因股票暴涨而出名，反映出投资人对在线零售前景的信心。

Bezruč, Petr 贝兹鲁奇（1867-09-15，奥地利帝国西里西亚奥帕瓦［今在捷克共和国］～1958-02-17，捷克科斯泰莱茨） 符拉基米尔·瓦谢克的笔名，捷克最杰出和独具匠心的诗人之一。曾在布拉格求学，后在摩拉维亚邮局当职员，1927 年退休。1899 ～ 1903 年在《时代》杂志上发表的一批诗歌，使他在文学上享有盛誉，几乎所有这些诗都是以捷克西里西亚地区的人民为题材。他认为在德国实业家和波兰修士的统治下，这里的人民注定将失去民族性，是垂死的民族。在《时代》杂志西里西亚专号（1903）上发表的 32 首诗歌，最后增补成 88 首，收成一集，题名为《西里西亚之歌》（1956）。

Bezwāda（India） **贝兹瓦达** 参阅 **Vijayawāda 维杰亚瓦达**。

BFBS 参阅 **British and Foreign Bible Society 英国国内外圣经协会**。

BGN 参阅 **Geographic Names, Board on 美国地名委员会**。

Bhadrabāhu I 婆陀罗波霍第一（？～公元前 298，印度） 耆那教领袖、哲学家。公元前 310 年，因为所在印度东北部耆那教徒聚居地区遭到连续 12 年饥荒，遂率领教徒迁往印度西南部迈索尔的斯拉瓦纳贝尔戈拉地区。他在迈索尔创立教团，日后发展成为天衣派，信徒都裸体。据说，婆陀罗波霍第一著有 3 部耆那教经籍。传说他是按照耆那教的崇尚禁食而死。

Bhadracaryā-praṇidhāna 《行愿品》 又名《普贤行愿品》，大乘佛教经典。此经中所述十愿，据说是过去和未来一切诸佛的誓愿与行持的精髓，它逐步成为中国内地佛教寺院日常课诵的经文。在西藏地区，十愿和若干种仪式的念诵词结合在一起，对密宗礼仪的形成有一定影响。简略而言，十愿内容如下：侍奉诸佛，无有疲厌；学习和遵从诸佛教义；祈求诸佛降生世间；教授诸法及波罗蜜多；纳受一切宇宙；令诸佛国土合而为一；成全佛的智慧与权能救助众生；众多菩萨和谐如一；以智慧与涅槃的教义使众生和睦。

Bhadrāvati 珀德拉沃蒂 印度南部卡纳塔克邦中部城市。临帕德拉河。靠近铁、锰、石灰石矿区，建有帕德拉河水电工程，发展工业的理想地点。是经过规划的现代化城市，有公路和铁路交通。辅助工业出产焦炭、焦油产品、水泥、造纸、砖瓦、木醇、檀香油。人口：市约55 413；都会区约149 131(1991)。

Bhāgalpur 帕戈尔布尔 印度东北部比哈尔邦东部城市。位于恒河南岸。通主要公路和铁路，为农产品和布匹贸易中心。主要工业有碾米、制糖、毛纺织和丝织等。建有养蚕研究所和农业研究站及帕戈尔布尔大学。其周围地区北部为冲积平原，南部属森林覆盖的焦达讷格布尔高原。有恒河与坚登河流贯。主要农作物是谷物和油料作物，开采瓷土、耐火黏土和云母。人口约254 993(1991)。

Bhagavadgītā 《薄伽梵歌》 印度教经籍，是印度史诗《摩诃婆罗多》第6篇的一部分。其体裁是武士阿周那王子与为他驱车的友人黑天(毗湿奴大神的化身)对话。《薄伽梵歌》的写作时间晚于《摩诃婆罗多》大部分篇章，可能在公元1世纪或2世纪。共有梵文诗偈700首，分为18章。对话发生在般度族和俱卢族两军相对的战场上。阿周那王子见敌阵中有他许多亲友而犹豫不决。他想是否放下武器而任人杀戮也许比进行这场正义而残酷的战争要好。黑天向他指出：忠于神而不考虑个人胜败得失，冷静地履行天职，才更为高尚，于是阿周那王子重新以武士的职责为念，决心作战。

Bhāgavata 薄伽梵 又译世尊派。有文献可考的最早的印度教部派的成员。该部派是一神论崇拜和现代毗湿奴派的起源，现在通常指毗湿奴派。薄伽梵派主张礼拜仪式从简，反对吠陀教的祭献和忏法。上层正统印度教徒中间流传拜像之俗，主要是由于该派的提倡。

Bhāgavata-Purāṇa 《薄伽梵往世书》 印度教梵文经籍《往世书》中最著名的一部，薄伽梵教派奉之为正典。学者公认《薄伽梵往世书》在公元10世纪成书于印度南部泰米尔国某地。此书约有1.8万偈颂，分成12卷，第10卷述黑天童年以及他在沃林达文纳牧牛人中度过的岁月，因此此书为各地毗湿奴派所喜爱。黑天的舅舅恶人庚斯企图谋害

《薄伽梵往世书》中的插图
美国不列颠百科全书公司供图

他，黑天捉弄养母耶输陀。黑天恋爱众牧女而众牧女迷恋黑天等等情节，尽管强调其中宗教含义，仍写得细腻逼真，引人入胜。

Bhāgīrathi River 帕吉勒提河 印度东北部西孟加拉邦河流，为恒河三角洲西界。在金吉布尔东北从恒河分出，向南流经190千米后，与贾兰吉河在讷伯德维普会合成为胡格利河。16世纪以前曾为恒河主道，现为印度教圣河之一。

Bhāī Jeṭhā (Sikh Gurū) **巴伊·杰塔** 参阅 **Rām Dās** 罗姆·达斯。

bhāīband(Hindi) **贝班特** 此词为印地语形式，乌尔都-波斯语作 berādarī，意为“兄弟关系”。印度重要的种姓自治机构。是一个特定地区中同一世系的各族族长组成的族长会，因之构成族内婚制种姓集团内部的一个族外婚制单元。除了负责处理因共同世系而引起的各种问题之外，贝班特的职司之一是寻求族外婚的同盟单位和各种保障措施以防出现世系内的近亲婚配现象。地方贝班特常和某一种姓部落的潘查耶特或理事会的管辖范围相连接。

Bhaiṣajya-guru (Sanskrit) **药师佛** 藏语拼作 Sman-bla-rgyal-po，威妥玛拼音作 Yao-shih-fo。佛名。东方净琉璃世界的教主。药师佛在中国、日本都备受崇敬。民间信仰认为只要一触药师佛像，病痛就爽然若失。药师佛同自生无量佛、阿殊佛一起统辖东方极乐世界。日本平安时代(794～1185)崇拜药师佛最盛，特别是在天台宗、真言宗和禅宗。在日本，此佛皮肤色蓝，手执药钵。在中国西藏，此佛手执榄仁树果。《药师佛经》在中国有4种译本，最早者成书于东晋时代(317～420)，还有两种藏文译本。

Bhaktapur 巴克塔普尔 又称帕德冈。尼泊尔中部市镇。位于加德满都东南尼泊尔谷地。杜尔巴尔广场的旧王宫建于1700年，现仍保存完好，有美丽的木雕和一个精致的镀金入口。对面的石柱上有布帕廷德拉马拉(Bhūpatīndra Malla)国王的铜像。广场上还有其他寺庙。在南边另一广场上，矗立着一座18世纪的5层庙宇和一座拜拉瓦神庙，门

巴克塔普尔旧王宫的金门
美国不列颠百科全书公司供图

口守卫着一对镀金的辛哈斯(神狮)铜雕。市内有一个精美木雕博物馆。人口72 543(2001)。

bhakti 守贞专奉 印度教内部的虔修运动，强调信徒必须专心恋慕一位神。与不二吠檀多哲学的一元论主张不同，守贞专奉学说用二元观点看待信徒与神的关系。守贞专奉派寻求解脱之道与智道、世道和苦行等道迥然不同，据该派自称是最佳之道，不论性别、阶级或种姓，人人可以采用。虽然毗湿奴、湿婆和萨克蒂等大神都可以是守贞专奉的对象，但典型的守贞专奉运动是以毗湿奴特别是他的两个化身罗摩和黑天为本尊的。12～18世纪中叶，各教派纷纷以主仆、亲子、子亲和男女之情比拟神与信徒的关系。15、16世纪之交的神秘主义者查伊塔尼亚认为，信徒与神之间的情谊应如同女人对情郎的痴情。同时代的伐拉彼则以黑天为子或恋人而为他的业绩庆幸。多罗悉陀沙在《罗摩功行录》中复述罗摩传奇时，着力渲染信徒对他的友谊与忠诚。

Bhaktivedanta, A(bhay) C(haranaravinda) 跋蒂吠檀多(1896-09-01,加尔各答～1977-11-14,印度北方邦沃林达文) 又名斯瓦米·普拉布帕达。印度宗教领袖和作家。1965年创建"国际黑天觉悟会"。1920年在加尔各答苏格兰长老会学院获化学学士学位,后来开设药房。1922年后,发表演说并从事著述、编辑、翻译工作,宣传印度教毗湿奴派教义。1954年跋蒂吠檀多弃家从事宗教工作。1959年受"圣师"称号。1965年到美国波士顿,几个月后移居纽约,在该市建立国际黑天觉悟会总部,讲授吠陀文化。他宣称,在唯物主义猖獗时代,吠陀文化会作用于世人的思想。该派教义主要在青年中间流行,许多高等学校里都有人研究跋蒂吠檀多的著作。

bhāṇavāra 背诵文 巴利文佛经为了便于背诵而划分的段落,一般包含8 000音节。经典尚未记载成文和书面典籍尚未通用以前,分段背诵是保存和传授经典的方法。起初,各部经有专门的"诵士",例如《长部》有"长部诵士"。后来,在锡兰(斯里兰卡),这些专门诵士即演化成为早期各派注释家。

Bhandāra 彭达拉 印度西部马哈拉施特拉邦东北部城镇。位于那格浦尔以东,临韦恩根格河。原为渡口,后发展成为商业中心。有黄铜制品工业与卷烟工业。设有那格浦尔大学分校。其周围地区耕地大都为稻田。富矿藏,特别是锰、铁和铬。人口85 034(2001)。

Bhānder Plateau 潘代尔高原 印度中北部的高原。位于中央邦,面积约1万平方千米。构成北德干高原、东部高原和恒河冲积平原之间的过渡地带。为温迪亚山的一部分。地势自西向东倾斜。平均海拔500米。栋斯河和索纳尔河峡谷深邃,形成众多瀑布和急流。当地有许多柚木和儿茶树林。农业为经济基础,出产稻米、小麦、高粱、鹰嘴豆、大麦、玉米、豆类、芝麻和芥菜籽。有丰富的煤和其他矿藏以及森林资源,唯一大型工厂为吉莫尔(格德尼镇)的水泥厂,利用当地的石灰石和煤。小型工业有砖瓦、石器、水泥、玻璃、虫胶、磨粉和榨油等部门。人口密度不大;唯一的主要公路是经过格德尼的国家公路。重要市镇还有达莫、迈赫尔和赫达。

bhāngrā 彭戈拉 旁遮普(印度和巴基斯坦)境内每逢节庆都要表演的最流行的民间舞蹈,尤以欢庆播种和丰收时为最盛。村民们盛装艳服围起大圆圈激情起舞,由振奋的鼓声,以及击掌和歌唱伴和。成对的舞蹈者自发单独表演,包括强力弹跳甚至杂技。过去只有男子参加,现全体村民都加入。

Bhārat 参阅**India** *印度*。

bharata natya 婆罗多舞 梵语作bhārata-nāṭya。印度6种主要古典舞蹈中最重要的一种,其余5种为库奇普迪舞、卡塔克舞、卡塔卡利舞、曼尼普里舞和奥蒂西舞。起源于泰米尔纳德邦(前称马德拉斯邦),流行于印度南部。此种舞蹈用以表现印度宗教主题并为祈祷服务,其技巧与艺术特色见于《*舞论*》(**Nāṭya-śāstra**)一类古代论著。此书为婆罗门教圣者及僧侣婆罗多所撰。婆罗多舞原先仅限于寺庙的舞姬跳,直到1930年左右才开始在舞台上公开表演。此种舞蹈是一种独舞,通常连续跳2小时,有其一套独特程序,舞蹈者不离开舞台亦不更换服装。舞台后方有鼓和低音风笛等乐器伴奏,还有伴唱,都由舞蹈者的宗教教师指挥。纯正的婆罗多舞的舞技有标准规定。双足踏出复杂的交错节奏,双腿弯曲成特有的低蹲姿势,双臂、颈和两肩都是舞蹈动作的一部分。在哑剧部分中用传统的手语叙述故事,用面部表达情绪。在纯舞蹈中双手限用11种手势。

珀勒德布尔市一座城堡的大门

美国不列颠百科全书公司供图

Bhārata Nāṭya-śāstra 《婆罗多舞论》 参阅**Nāṭya-śāstra**《*舞论*》。

Bhārati, Subrahmaṇya C. 苏比拉马尼亚(1882-12-11,印度马德拉斯辖区埃代耶布勒姆～1921-09-12,马德拉斯) 民族主义时期的杰出印度作家,被认为是现代泰米尔语文体之父。生于一个博学的婆罗门家庭。早年就已成为泰米尔语学者。然而他几乎未受正式教育,1904年移居马德拉斯,为几家杂志社翻译英文稿。后加入泰米尔文日报《祖国之友报》。对政治事件的披露使他卷入印度国大党极端派,结果被迫流亡到法属殖民地本地治里,1910～1919年在那里生活达10年之久。其间,他的民族主义诗文大获成功,颇为流行。他最著名的作品包括《耿嫩之歌》(1917)、《巴姆扎利的誓言》(1912)和《百灵鸟之歌》(1912)。

Bharatiya Janata Party(BJP) 印度人民党 英语作Indian People's Party。印度的亲印度教的政党。其前身为印度人民同盟(1951年创建),鼓吹以印度教文化来重建印度。1980年正式成立印度人民党。1989年该党在大选中第一次获胜,不过在1992年因破坏阿约提亚的巴布尔清真寺而引起人民的反感。1996年组建了一个为时甚短的政府。两年后,该党与它的支持党派联合组成一个多数派政府,瓦杰帕伊担任总理。1999年瓦杰帕伊再次当选总理,领导一个由印度人民党和其他政党联合组成的内阁。联合政府在2004年的选举中未能获胜,瓦杰帕伊离职。

Bharatpur 珀勒德布尔 印度过去的一个邦,位于印度拉杰布达纳东部,由贾特族王公统治。19～20世纪时面积约5 200平方千米,人口近100万。前穆斯林时期由拉杰普特人的两个部族分治,后直属德里。贾特族在莫卧儿皇帝奥朗则布统治行将结束时独立。1722年莫卧儿王朝再次承认珀勒德布尔自治。1826年为英军征服。1947年印度独立后并入拉贾斯坦邦。

Bharatpur 珀勒德布尔 印度西北部拉贾斯坦邦东部城镇。为斋浦尔、阿格拉与马图拉之间的陆路交通中心,也为重要的工业中心和农产品市场。主要工业有榨油、金属加工、铁路修配与小型汽车制造。设有几所医院和拉贾斯坦大学2所分校。珀勒德布尔县地处广阔冲积平原,北部与南部散见丘陵,面积8 093平方千米,20世纪70年代开始引昌巴尔河进行灌溉。该县有几处渔场;粟、鹰嘴豆、大麦、小麦和油料作物为主要农作物。开采重晶石与铁矿。附近的盖奥拉德奥国家公园是著名的多种迁徙候鸟的栖息地,包括稀有的西伯利亚鹤(白鹤)。1985年被列为世界遗产。人口:204 456(2001)。

Bhārhut 帕鲁德 印度中央邦东北部的

帕鲁德古代窣堵波上的浮雕

印度驻美国大使馆新闻处供图

村落,在安拉阿巴德西南190千米处。以1873年发现佛教窣堵波闻名。这座窣堵波为约公元前250年遗物,用砖砌成,公元前2世纪扩建,增筑四面有入口的石头围栏。约公元前1世纪初增加4个雕刻精美的石门。其神殿的装饰雕刻是印度佛教艺术最早、最优美的典型。

Bhārhut sculpture　帕鲁德雕刻　公元前2世纪中叶印度巽伽王朝时期的雕刻,用以装饰帕鲁德(中央邦)的大塔,现大部分已毁。其遗物如栏杆和门廊保存在加尔各答的印度

公元前2世纪中叶的帕鲁德浮雕
美国不列颠百科全书公司供图

博物馆。帕鲁德雕刻虽然在构思上显得古老和原始,却创立了佛教叙事体浮雕和神庙圣殿雕饰艺术的风格,在其后几个世纪持久不衰。这种雕刻形象呆板,饰物精细,药叉(自然界男、女神)的立像及抱树女人是常被采用的题材。石头栏杆上有圆形饰和半月形饰,多雕莲花,有的当中雕男人或女人头像。一些圆饰和顶盖上雕有佛本生或佛传故事。由于这些雕饰都注明年代,所以有助于佛教肖像学的研究。

Bhartendu(Indian author)　**帕勒登杜**　参阅 **Harishchandra 赫里谢全德尔**。

Bhartṛhari　婆利睹梨诃利(570?,印度马尔瓦乌贾因～651?,乌贾因)　印度教哲学家、诗人、语法学家,所著《词学》是一部论述语言哲学的重要著作,并使他在印度思想界声不二论派中的声誉永久不衰。出身贵族,一度在伐腊毗国(今古吉拉特邦瓦拉)弥陀罗迦朝王宫中供职。他希望效仿印度教圣人的榜样,出家追求高尚的生活。经过长期辗转思念,婆利睹梨诃利终于成为瑜伽师,在乌贾因附近洞穴里修行终身。

Bharūch　布罗奇　又作 Broach。史称布鲁克查或博尔古卡查。印度中西部古吉拉特邦东南部一县城。该县傍讷尔默达河,东临马哈拉施特邦,西濒阿拉伯海的坎贝湾,面积9 045平方千米。古印度最著名港口之一,托勒密时期称为巴里加札。2世纪时受沙特罗巴斯统治,7世纪时受瞿折罗统治。建镇时属穆斯林古吉拉特邦,1572年并入莫卧儿帝国。1685年受马拉塔人统治,1782年被英国人占领。几经转手后,1803年转让与东印度公司。现为商业、工业与手工织布业以及油墨和玻璃制造业中心。输出棉花、小麦、瓦、豆类和薪材。有铁路和国道通此。经济以农业(棉花、粟、稻米、小麦)为主。东有森林,沿岸有盐池。人口:城镇133 102;大都会区139 029(1991)。

Bhāsa　跋娑(2或3世纪,印度)　已知最早的印度梵文剧作家,已经发现他的许多完整剧本。1912年一位印度学者找到并发表了跋娑的13篇剧本原文。最佳作品《惊梦记》,描述一位国王丧失了国土,然后又从篡夺者手中夺回的故事。他的剧本大多根据印度两大史诗《摩诃婆罗多》与《罗摩衍那》中的英雄主义和浪漫的爱情主题改编而成。在公元5世纪杰出的印度剧作家迦梨陀娑的作品中可以看到跋娑的影响。

Bhaskara I　婆什迦罗第一(?～约629,印度伐腊毗[今萨乌拉施特拉邦包纳加尔])　印度天文学家和数学家,帮助传播了阿亚哈塔I(生于476年)的数学成果。人们对婆什迦罗的一生知之甚少;名字中的"Ⅰ"用于区分他和另一位12世纪同名的印度天文学家。在他的著作中有一些关于他的居住地的线索,例如迈特拉卡王朝的首都伐腊毗,以及阿什马卡。主要因撰写与阿亚哈塔的工作有关的三篇论文而为世人所知:《婆什迦罗的伟大著作》和《婆什迦罗的小册子》是韵文体的天文学著作,《阿亚哈塔书注释》(629)是阿亚哈塔的《阿亚哈塔书》的散文注解。婆什迦罗的工作在南印度深受重视。婆什迦罗在他的天文学论文讨论了行星的经度、与太阳同升落的行星、行星和恒星之间的合、日月蚀以及月相等问题,还包括了对正弦函数的异常精确的近似结果:用现代的表达方式就是

$\sin x = 4x(180 - x)/([40\,500 - x(180 - x)]$,

x以度为单位。在他对《阿亚哈塔书》的注释中,婆什迦罗解释了阿亚哈塔求解线性方程的细节,并举出了大量的天文学实例。他尤其强调了数学规律的重要性强过仅仅依赖传统或便利。在支持阿亚哈塔对π的近似计算时,他批判了对π的传统取值10(耆那教数学家常用的数值)。

Bhāskara II　婆什迦罗第二(1114,印度比德杜尔～约1185,可能是乌贾因)　12世纪印度最主要的数学家,其著作中首次充分而又系统地使用了十进制数系。作为古代印度最重要的数学中心乌贾因天文台的领导人,是印度著名数学家婆罗门笈多(598～约665)的嫡系继承人。在他的数学著作中,特别是在《美论》和《种籽计数论》中,不但使用了十进制,而且汇编了来自婆罗门笈多以及其他数学家的问题。他填补了婆罗门笈多著作中的许多缺漏,尤其是在求得佩尔方程($x^2 = 1 + py^2$)的通解和给出许多特解。他提前使用了代数符号的现代约定(负负得正、正负得负),并且显然是最早对除以零的意义有所理解,因为他特地指出3/0的值是一个无限量;但他的理解看来仍有局限,错误地认为$(a/0) \times 0 = a$。他使用字母表示未知数,颇似现代代数的用法,并且解出了一次、二次不定方程。把二次方程简化为一种类型并且求出了它的解。研究了一直到具有384条边的正多边形,从而得到了π的很好的近似值3.141 666。在《精确之珍》和《天文奇观之计算》中,他写出了对行星位置、天体会合、日食月食、宇宙结构、地理等的天文观察,以及在这些研究中所用的数学方法和天文装置。

bhāṣya　注　梵文意思是"必须讨论的东西"。在印度哲学中,指长篇注释某一体系或某一派别的基本经文(较短的注释称为释补)。注有初注、复注甚至三注之分。初注专门注解基本经文,如正理经、吠檀多经以及波你尼的文法。注的杰出实例有波怛阇利的《大疏》,注解波你尼;商羯罗的《梵经注》和罗摩努阇的《梵经注》,注解吠檀多派经文。

Bhatgaon(Nepal)　**帕德冈**　参阅 **Bhaktapur 巴克塔普尔**。

Bhatinda　珀丁达　又拼 Bathinda。印度西北部旁遮普邦中南部城市。珀丁达为重要铁路枢纽和当地农产品贸易中心,有磨粉与手工纺织业。设有拉津德拉学院。有一处大要塞和穆斯林圣地。其周围地区地处苏特莱杰河以南平原,雨水较少,但有灌溉渠道。小麦、棉花、甘蔗和鹰嘴豆为主要农作物。人口159 042(1991)。

Bhātpāra　帕德巴拉　印度东北部西孟加拉邦东南部城镇。位于胡格利河东岸。与加尔各答通公路和铁路。为重要的黄麻纺织、棉纺织和造纸中心。古代曾是学术中心。1899年设建制。人口304 952(1991)。

Bhaunagar(India)　参阅 **Bhavnagar 保讷格尔**。

bhava　有　佛教名词,指该教所讲的一连串因果关系("因缘")中的一项;"有"指变化的过程,由"有"而有"生"。参阅 **pratītya-samutpāda**。

bhava-cakra　有轮　又称"生命之轮"。佛教标记,其形为无常鬼所抱大轮,象征由因缘法则所决定的无穷尽的生死轮回。轮中央画有三毒:红鸽表示贪欲、绿蛇表示嗔恚、黑猪表示愚痴。轮分为6部分,分别显示人可能在来世转生的境界:天神、大力神、人、畜、鬼和魔。轮辋上绘有象征12因缘的图形。

Bhavabhūti　薄婆菩提(活动时期公元700)　印度剧作家和诗人。其用梵文创作的剧本以

悬念和生动的性格刻画著称，堪与迦梨陀娑的杰出戏剧媲美。最著名的作品是3部剧本：《大雄传》，有7幕，内容大体是《罗摩衍那》中的事件，到战败罗波那和罗摩复位为止；《茉莉和青春》，有10幕，是关于家事的戏剧，所叙事件虽激动人心，但有时不大现实；《罗摩传后篇》从罗摩复位写到悉多放逐，以及他们最后的团聚。这部剧本虽然比前两部剧情少，但显示出作者在人物塑造上以及在安排悬念和高潮上的高深造诣。

Bhave, Vinoba 巴韦（1895-09-11，印度古吉拉特加戈代～1982-11-15，马哈拉施特拉沃尔塔） 甘地的受到尊敬的信徒，印度最著名的社会改革家之一。捐地运动的倡导人。出身高级种姓婆罗门家庭，1916年放弃中学学业，参加甘地的净修林；接受甘地思想，过俭朴生活，专心探索改善印度农村生活的途径。1951年提出捐地主张。周游各村，呼吁人们捐献土地以分给无地者，他说这种行动符合甘地的非暴力主义。巴韦认为，土地改革要靠转变人心，而不是靠强制性法令去完成。有多篇论文阐述自己的主张和生活哲学，辑为《捐地运动》一书（1953；1957年再版）。

Bhavnagar 保讷格尔 又拼Bhaunagar。印度中西部古吉拉特邦中南部城镇。位于坎贝湾西岸。始建于1723年。重要的商业与工业中心。有纺织厂、金属加工厂、砖瓦厂、锯木厂、铸造厂与化工厂。与西部铁路网相通，北部有停靠小型船只的港口。设有甘地博物馆。其周围地区主要农产品有棉花和谷物；有盐加工业。人口：城镇402 338；都会区405 225（1991）。

Bhawani（India） **珀瓦尼** 参阅**Bhiwāni**皮瓦尼。

BHC 参阅**benzene hexachloride**六氯化苯。

bhedābheda 异同派 印度正统哲学吠檀多派的一个重要学派。这一派的主要创始人是薄什迦罗。他大概是不二论（非二元论）学派伟大思想家商羯罗同时代的而年纪较轻的人。他的哲学主旨是确信：行动和认识并不是相互排斥的而是相互支持的。商羯罗的看法则不同，他认为要得到解脱，最后只有完全放弃和摆脱行动才行。薄什迦罗为了驳斥这一看法而提出了"行动和认识的累积效果"的学说，并宣称一个人只应该在积极生活中完成了自己的义务之后才退隐。关于梵（绝对）与世界之间关系这一重要问题，薄什迦罗教导人们说，二者是同一的。他说，如果梵是世界的物质原因，那末世界本身就是实在的。如果给梵加上某些限制的条件，那就发生了差别。薄什迦罗的学说从来不曾得到广泛的承认，因为商羯罗已经阐述了他自己的不久便得到巨大影响的观点。但薄什迦罗的著作却始终是重要的，因为它证明典型的婆罗门（僧侣阶级）非常关注"正法"（即保持世界平衡并造成良好社会的那些种姓的和个人的义务）的履行。在薄什迦罗看来，世界最终是虚幻的这种信条侵袭了这种"正法"的正确性，对世界持否认态度则阻碍这种"正法"的实现。

Bhêly-Quénum, Olympe 贝利-凯南（1928-09-26，达荷美多努科帕[今贝宁]～ ） 非洲法语小说家、新闻工作者、短篇小说作家。先后在家乡（今贝宁科托努）、法国巴黎大学求学。获文学和外交学位，当过教师，担任过几个外交职务，从1968年起任联合国教科文组织记者。编过《非洲生活》（1962～1965）及《当代非洲》（1965～1968）杂志。主要作品有小说《无尽头的罗网》（1960）、《湖之歌》（1965）和《新人会者》（1979），短篇小说集《夏天的事》（1968）。人们赞扬他的作品高雅华贵，富有诗意，充满隐喻，雄辩流畅，带有悲观色彩。

bhikku 比丘 佛教用语。指舍弃世俗生活，参加僧团乞食静坐的人。女性称比丘尼。青年或少年固然有出家者，但根据要求，受戒者必须年满21周岁，征得父母同意，身体健康，不欠债务，精神健全。比丘一举一动都必须注意遵守寺院戒律，戒律从227条到250条不等，其数因教派不同而异，比丘尼必须遵守的戒条更多。违犯戒律者必须在每半月一次的僧众集会（布萨）上忏悔。以下4条戒律，如有违犯必须永远逐出僧团：①不淫欲；②不杀生和不命人杀生；③不取他人未给与之物；④不妄称本人有精神成就和神通变化或已证圣果。比丘应剃除须发，穿着三衣（大衣、上衣与内衣）。三衣是用他人所弃碎布用藏红花染过缝制，现在则多是俗人所布施。比丘只许保存最低限度的物品——三衣、一条腰带、一个钵、一把剃刀以及缝补衣服所用针线和防止饮水时伤害小虫的滤水器。

Bhīl 比尔人 印度西部约250万人口的种族集团。多数是部落民族，以粗鲁朴实、不受羁縻著称，有时从事抢劫。分布广泛，其范围北到拉贾斯坦邦的阿杰梅尔，南到马哈拉施特拉邦的塔纳县的高地，东到中央邦印多尔地区。几乎全部从事农业，其中有些人采用原始的刀耕火种方法，但多数人用犁。高地比尔人多数居住分散，房屋系草顶及篱笆墙结构。比尔人与邻族的族系关系尚不清楚。住在拉贾斯坦邦的比尔人采用拉贾斯坦人的亲属关系的风俗，而住在马哈拉施特拉邦的则采用马哈拉施特拉人的习惯，但结婚离婚都很容易。比尔人崇拜很多当地神灵，偶尔也采用一些更高级的印度教仪式，少数贵族和平原比尔人雇用婆罗门祭司，其他则改宗伊斯兰教。方言接近古吉拉特语或其他印度-雅利安语，而与多数部落民族所用的蒙达语或达罗毗荼语不同。比尔人显然从更高的印度种姓那里获得许多遗传优点，因而现在他们彼此之间更为相似；相形之下，比尔人与那些孤立的土著民族则不太相似。

Bhilai Nagar 比莱讷格尔 印度中央邦东南部城镇和重要工业中心。位于切蒂斯格尔地区。在印度第2个五年计划（1956～1961）期间同苏联合作建立一国营钢铁厂。铁矿石来自达利拉恰拉，石灰石来自嫩迪尼，煤来自切里亚，锰来自巴拉卡德，电力依靠戈萨电站供应，水从登杜拉水渠引来，均在附近。生产钢轨和建筑钢材，也有水泥、硫酸、硫氨和锯木厂。人口319 450（1981）。

Bhīlwāra 皮尔瓦拉 印度西北部拉贾斯坦邦中南部城镇。铁路和公路中心与市场。工业有棉纺织、手工织布、针织与金属加工。有一所医院和拉贾斯坦大学的数所学院。皮尔瓦拉周围地区地处高原，东北部下倾为森林覆盖的丘陵区。生产燃料和木炭供市场销售。小麦、玉米、大麦和棉花为主要农作物，开采铍、云母和铁矿。人口183 965（1991）。

Bhīma River 皮马河 印度西部河流，克里希纳河主要支流。发源于西高止山的皮马尚格尔高地，向东南流725千米，经马哈拉施特拉邦，在卡纳塔克邦注入克里希纳河。皮马河主要支流为锡纳河和尼拉河。皮马河谷深嵌，沿岸人口密集。水位深受季风影响，8月泛滥，3～4月为枯水期，河谷为肥沃冲积土地，并有灌溉设施。主要农作物为高粱、粟和油料作物。甘蔗为重要灌溉经济作物。

Bhind 平德 印度中央邦中北部城镇。有公路和铁路通瓜廖尔，为农产品市场。棉花加工与铜器制造为主要工业。1902年设市。有吉瓦吉大学数所学院。其周围地区位于恒河-亚穆纳河平原顶端，地处劣地，其土地遭到几条河流深谷的切割。豆类、小麦、棉花和粟为主要农产品。人口109 755（1991）。

Bhir 比尔 又拼Bīr。印度西部马哈拉施特拉邦中部城镇。傍克里希纳河支流。位于山口。古称昌帕瓦廷纳加尔，其现代名称源于波斯语bhir（意为"水"）。设有马拉特瓦达大学的几所学院。比尔及其附近地区位于哥达瓦里河（比尔族视为圣河）流域。经济高度依赖农业，人口稀少。主要农作物为棉花与高粱。计划在沿河发展灌溉，以缓解干旱，加强农业生产。人口138 091（2001）。

Bhiwāni 皮瓦尼 又称珀瓦尼。印度西北部哈里亚纳邦西部城市。濒临恒河支流，位于塔尔沙漠东北边缘。为公路、铁路枢纽和与拉贾斯坦邦贸易的中心。有轧棉等轻工业。设有古鲁格舍德拉大学几所学院和工艺研究所。其周围地区包括阿拉瓦利岭的外围丘陵。农产品有谷物、棉花、甘蔗和油籽。农业发展因缺水受到妨碍。人口169 424（2001）。

Bhojpur 波杰布尔 印度中部中央邦的一个历史村庄。位于贝德瓦河东岸。该村有建于11世纪（也可能是12或13世纪）的湿婆教庙。庙呈长方形，4根巨柱支承雕刻精美但未完成的拱顶，内有2.3米高的湿婆像。旁有同时代未建成的耆那教庙宇。

Bhonsle DYNASTY **邦斯勒王朝** 印度马拉塔国王西瓦吉家族的王朝。统治之地在今马哈拉施特拉邦的那格浦尔。为18世纪马拉塔联盟中的主要成员之一。1818～1853年依附英国。该王朝于1730年由拉古杰·邦斯勒建立,共传8代。

Bhopāl 波帕尔 印度中部中央邦城市与首府。坐落在沙岩山脊的坡地上。重要铁路枢纽。有飞机场。工业有棉纺织、磨粉、印染以及重型电工设备;还有火柴、封蜡与体育用品的制造部门。城南两个湖泊周围建有宫殿与城堡。市内有几个清真寺。其中泰吉-乌尔-马斯基德寺为印度最大清真寺,建于19世纪。设有几所医院、一所音乐学院和波帕

波帕尔市的泰吉-乌尔-马斯基德清真寺
美国不列颠百科全书公司供图

尔大学。1984年12月发生过历史上最严重的毒气泄露事件。该地区原为波帕尔土邦一部分,印度独立后设为一省。1956年并入中央邦。波帕尔城取代那格浦尔成为中央邦首府。人口1 433 875(2001)。

Bhote(people) 参阅**Bhutia菩提亚人**。

BHP Billiton 必和必拓集团 2001年由布罗肯希尔持股公司(BHP Ltd.)和比利顿公司合并成立的自然资源跨国公司。是世界最大的矿业公司之一,从事铁、钢、铜、铝、石油和天然气的生产。也从事工程和运输行业。总部设在澳大利亚墨尔本。BHP公司于1885年8月13日在维多利亚州注册成立。公司名称来自澳大利亚新南威尔士州山脉旁的**布罗肯希尔(Broken Hill)**城,山中丰富的银、铅和锌的矿脉是在1883年发现的。在19世纪80年代末期和90年代,布罗肯希尔公司占有世界上最富饶的银矿,不过各种矿产的收入已逐渐减少。1900年布罗肯希尔公司开始向钢铁业过渡;1915年在新南威尔士州开办大型纽卡斯尔钢铁厂。为了运输煤、铁等原材料和制成品,公司现有一庞大的船队,乃世界最大的船队之一。布罗肯希尔公司1954年开始寻找石油和天然气,1964年以后才积极从事钻探和开采。就在1964年,布罗肯希尔公司和埃索澳大利亚勘探公司正式合作,后者是埃克森公司(当时名为新泽西美孚石油公司)的子公司。布罗肯希尔公司还拥有一些从事其他业务的子公司,它们生产金属丝、造船、制造设备和生产水泥、砖和有关材料。布罗肯希尔公司的厂矿几乎都在澳大利亚,只有少数在新西兰、新几内亚、马来西亚、印度尼西亚和菲律宾。2000年公司正式更名为布肯希尔持股公司。2001年BHP宣布与英国比利顿公司合并。比利顿公司于1860年在印尼比利顿岛成立,后在南非、加拿大和澳大利亚开办矿厂。同时从事铅、铜和镍的生产。合并后的必和必拓公司一度曾是世界最大的综合性能源公司,约在20多个国家开展业务。

Bhubaneshwar 布巴内斯瓦尔 史称布瓦内斯瓦拉。印度东部奥里萨邦首府。始建于公元前3世纪,多历史建筑遗迹。5～10世纪,是许多印度王朝的省会和湿婆教信仰的

布巴内斯瓦尔的古寺庙
美国不列颠百科全书公司供图

中心。它的许多建于7～16世纪的寺庙呈现出奥里萨的建筑风格。该城包括老城与1984年以后建的新城。老城约有30座古寺庙。奥里萨邦首府于1948年从克塔克迁至布巴内斯瓦尔。有邦政府建筑、邦博物馆和乌特卡尔大学(1944年建于克塔克)以及奥里萨农业与技术大学。甘地纪念公园设在市中心。布巴内斯瓦尔位于加尔各答至马德拉斯间的国道上,又在东南铁路线上,有一座飞机场。人口411 542(1991)。

Bhuj 普杰 印度中西部古吉拉特邦西北部城镇。位于兰恩(沼泽)与卡奇湾之间的低地。为内地小麦、大麦、牛、棉花和盐的贸易中心。生产棉布、银器等手工业品。为数条国家公路交会点和铁路的终点站。有飞机场。城镇在2001年发生的大地震中受到毁坏。政府认为此地不适于人居住。

bhūmi 地 大乘佛教用语,指菩萨修行过程中的阶位。《十地经》载有10地,次第为:①欢喜地(因开始行菩萨道,自知将来成佛并帮助他人而欢喜);②离垢地(脱离污垢);③发光地(因教法高尚而发光);④焰慧地(自己德行的火焰,消毁邪恶的贪欲与愚痴);⑤极难胜地(常胜不败);⑥现前地(轮回与涅槃同时现前);⑦远行地;⑧不动地;⑨善慧地(心地善良);⑩法云地(受法云之雨的滋润)。

Bhumibol Adulyadej 普密蓬·阿杜德(1927-12-05,美国马萨诸塞剑桥～　　) 又称拉玛九世。泰国却克里王朝第9代国王。朱拉隆功之孙。1946年6月9日其兄阿南塔·玛希敦死于枪伤后继承王位,1950年5月5日正式加冕。根据宪法他虽然是国家元首和武装部队司令,但并不掌握实权。20世纪50年代末沙立·他那叻组成政府后,普密蓬经常出席一些礼仪性活动,有时在各党派间进行协调工作。普密蓬的王位指定继承人是他的独子——哇集拉隆功王储。

Bhusāwal 普萨沃尔 印度西部马哈拉施特拉邦北部城镇。位于索德布尔岭与阿旃陀山之间,濒临达布蒂河。有重要铁路与公路通过。为周围棉产区商业中心,从事香蕉、小米和花生贸易。有一大型榨油厂、铁路机车工厂。有浦那大学文学院。人口:城镇145 143;都会区159 799(1991)。

bhut 部多 印度教神话中的一种好动的精灵。据说,部多如果是横死或死而未有丧礼就会作祟害人。妇女、儿童和新婚夫妇最为畏惧部多。部多经常出没于树上、荒漠、弃屋、居家的炉边和屋顶、十字路口和地边,但从不在地面休息。有时人们建造简陋的龛位供奉部多;信徒惧怕部多时向湿婆求告,因为据说湿婆是众部多之主。

Bhutan 不丹 全称不丹王国,宗卡语Druk-Yul。位于喜马拉雅山间的独立君主国,北面和西面同中国的西藏接界,南面、西南和东面与印度相邻。土地面积38 394平方千米。1865～1949年,不丹在对外事务方面一直接受英国政府的"指导",并接受其补助金。1949年它同印度签订了一项条约,依约,英国在这一关系中的角色实质上转由印度政府承担。人口(不包括在尼泊尔的100 000难民)约700 000(2004)。

土地 不丹可以分为颇不相同的3个自然区域:大喜马拉雅山区、小喜马拉雅山区和杜阿尔斯平原区。

不丹的北部处于大喜马拉雅山区之内,该区积雪的山峰高达7 300米以上。谷地高度亦在海拔3 700～5 500米之间,由北部的巨大冰川倾斜而下。高山上的山地草原用于夏季放牧牦牛。大喜马拉雅山的北面是若干西藏高原的"边缘"山脉,为南、北不同流向河流的主要分水岭。大喜马拉雅山区的气候以干旱为特征。直到1960年左右,这里的生活节拍数个世纪大体未变。不丹商贩的活动长期无人惊扰。他们把布匹、香料和谷物向北

美国不列颠百科全书公司供图

运过山口，进入西藏，然后带回食盐、羊毛，有时也带回牦牛群。

若干尖坡从大喜马拉雅山向南呈放射状延伸开来，形成小喜马拉雅山区，或称内喜马拉雅山区。南北走向的小喜马拉雅山是不丹主要河流的分水岭。其中，黑山山脉是桑科什河与马纳斯河之间的分水岭。由于海拔高度的不同和迎受潮湿西南季风大小的不同，这里的植被从迎风多雨山坡的茂密森林，到高海拔的高山植物都有。不丹中部一些肥沃的谷地即在小喜马拉雅山中，海拔 1 500 ～2 700米。这些山谷比较宽阔平坦，雨量适中（每年约 1 016 ～1 270 毫米或更少），人口稠密，耕作精细。该国山区一个独有的特色是“宗”。这些设防的寺院兼行政中心最初建于 17 世纪，并且一直作为国家政治、经济和文化生活的焦点而起着作用。

在内喜马拉雅山山麓及其南面，是狭窄的杜阿尔斯平原。该平原沿着不丹的南境延伸，形成一片宽 13 ～ 16 千米的地带。狭窄的杜阿尔斯平原扼守着去往战略性山口的通路，这些山口又称“门户”，它们向北顺着河流通向内喜马拉雅山肥沃的河谷。由于雨量过多（约达每年 5 080 ～ 7 620 毫米），整个杜阿尔斯地区都是对人健康不利的地方，溽热、多雾气，密布亚热带森林和低矮林丛。杜阿尔斯北部直接与群山邻界的地方地表倾斜崎岖而不规则。山脚下，在林间的空地上，可以找到一些小村庄，而大多数地方则植被深密，有象、鹿、虎等野生动物出没。杜阿尔斯南部同印度接壤的地方是热带大草原和竹林。为了种植水稻，该地区不少地方的草地已被割除。

人民 不丹 3 个主要的种族集团是菩提亚族（波特族）、沙绰族（阿萨姆族）和尼泊尔族（包括古隆族）。沙绰族可能是最早来到这里的，他们属印度-蒙古种，来自邻近的印度地区，定居于不丹东部。沙绰族信仰佛教，但是他们的文化与北印度和缅甸的藏-缅文化更为接近。菩提亚族大约占人口的 3/5，在国家的政治生活中居主导地位。他们的祖先是从中国西藏向南来到不丹的。菩提亚族居住在不丹的北部、中部和西部，信仰喇嘛教。他们所操语言为藏语的一个变种，其中最通用的是宗卡语，为不丹的官方语言。尼泊尔族在历史上到得最晚，大约占人口的 1/3，住在西南部，操尼泊尔语，信仰印度教。由于他们数量巨大，不丹人在 1959 年禁止尼泊尔移民进入，而他们在不丹国内的行动亦受到限制。沿不丹南部的边界地区，现在还有一些印度人居住着。

经济 不丹的经济主要为农业类型。人口大多数从事农耕和饲养牲畜。不丹人种植稻米、玉米、土豆、大麦、小麦、荞麦以及其他谷类作物，还有柑橘属水果和蔬菜。饲养的牲畜有牛、猪、绵羊、山羊、牦牛和矮种马。他们还生产木刻、金属制品和编织物。几乎所有不丹出口的食品和其他物品（如木制品及非金属矿物制品）都是输往印度的。

政府 君主称作“龙王”，享有最高权力，但是还有一个大臣会议同他分担行政责任。由 150 个成员组成的国民议会在行政上有时起十分关键的作用，政府不能无视它的审议结果。国民议会的代表 2/3 由直接选举产生，其余由国王指定或由国家寺院决定。不丹不存在有组织的政党。

最近设立的最高法院推动了不丹的进一步现代化。最高法院位于行政部门之上，为受理上诉的权威机构。但是，“龙王”仍保有最高裁决权。

历史 不丹的早期历史不甚清楚，不过可以肯定的是，西藏人南下来此定居始于 9 世纪。不丹开始成为一个明确的政治实体可能在 17 世纪，当时有一个叫夏仲·拉巴的西藏佛僧在不丹称王并取得了“法王”的称号。作为法王，拉巴的几位继承者通过任命“彭洛普”（地区统治者）和“宗彭”（要塞统治者）巩固了不丹内部的行政体制。后法王的权力逐渐局限于精神事务和藏传佛教竹巴噶举派的教务管理，而该派佛教乃是不丹的国教。由法王任命，得以行使世俗权力的大臣可获“德布王”称号。这一两种最高权威——负责精神事务的法王和负责世俗事务的德布王——并存的体制一直延续到 20 世纪初期。法王职位继承一事靠寻找身份无误的去世法王转世化身的方式来解决，而这个人通常可在统治家族的儿童中找到。德布王的职位则由彭洛普中最强大者充任。为了争夺权势和影响，这些彭洛普总是处在无休止的争战之中。1907 年，当时最强大的彭洛普乌羌·旺楚克被选为不丹的世袭君主（“龙王”）。不丹现任君主吉格梅·辛格·旺楚克即是这一世袭统治世系的第 4 位。

不丹崎岖的山峦和茂密的森林使它长期不为外界所认识，而它的封建统治者为巩固这种封闭状态，直到进入 20 世纪多年后仍限制外国人入内。不过数个世纪以来，它还是成了若干外来入侵的对象。1865 年英国人入侵成功，将它置于自己的影响之下。1907 年乌羌·旺楚克在英国人首肯后成为“龙王”。1910 年开始，英国每年向不丹支付补助金，作为回报，它同意接受英国在外交事务上的指导。其后几十年间，不丹一直唯英属印度马首是瞻，尽管同它进行大量贸易的依然是中国西藏。1949 年印度取英国而代之。1950 年后，不丹与印度的联系变得更加紧密。来自中国的明显威胁使不丹统治者认识到利用外援实现国家现代化和发展的必要。20 世纪 60 年代修建的连接不丹和印度的公路网，最终结束了不丹历史上的闭锁状态。嗣后不丹即着手实行一个修建公路和医院，建立世俗教育体系的计划。虽然国王依旧保持着对于国家政治生活的牢固控制，不丹的政府机构还是实现了现代化。政治的不稳定时而会显露出来，特别是 1964 年首相被谋杀事件和 1965 年的刺杀国王未遂事件。1971 年，不丹加入联合国，结束了它的政治孤立。1972 年，16 岁的吉格梅·辛格·旺楚克国王即位。新国王同意遵守同印度的协议，并同中国加强联系。国王继续其父的现代化的发展政策，但他也着手保护不丹丰富的文化遗产和自然环境。自 70 年代开始，不丹对进入境内的旅游者的人数进行限制。1988 年，不丹制定一项政策要求国民完全遵循佛教传统。尼泊尔血统的不丹人认为这项政策企图压制尼泊尔文化。激烈的抗议和种族对抗爆发，数千名不丹尼泊尔人逃亡尼泊尔。到 20 世纪 90 年代早期，约有 10 万不丹尼泊尔人收容在尼泊尔的难民营。直至 21 世纪早期，不丹政府和尼泊尔政府进行了多次正式会议试图解决难民问题，均未达成最终协议。与此同时，国王使不丹走向民主化。90 年代后期，他放弃了绝对权威，但还是拥有重要的权力（特别是在安全事务上）。大臣委员会也享有一定权力，行使政府内阁职能。国民议会实行对国王的信任投票机制。不丹国王发布命令，要求政府筹备起草宪法，宪法草案于 2002 年提出。1999 年不丹撤销了电视广播的限制，市民还被允许上互联网。致力于发展的政策方针取得了成功，不丹的经济显著增长。然而，不丹政府无力解决尼泊尔的难民问题，导致种族暴力事件时有发生。

Bhutia 菩提亚人 又拼 Bhotia 或 Bhote。喜马拉雅山区民族。据说是 9 世纪或以后自西藏迁移到这里。他们在不丹是多数民族（约90万人），在尼泊尔（9万人）及印度（3.7 万人）均为少数民族。语言属各种不同的藏缅语。菩提亚人居住在山区小村，家舍分散，彼此为岩群阻隔，几乎无法相通。他们耕种山坡梯田，主要作物有稻谷、玉米、马铃薯等。有些人以畜养牛和牦牛为生。菩提亚人的宗教是喇嘛教，混杂着佛教以前的萨满教，即钵教。他们承认达赖喇嘛为精神领袖，在寺庙中供养许多喇嘛。过去菩提亚人的社会结构是封建式的，居民中多数是地主贵族的佃农，不过两者在生活方式上无大差别。他们还有奴隶，多是在袭击印度边境时捕掳的人们。20 世纪 60 年代，尼泊尔政府正式废除蓄奴制度并把大片田产分给佃农及奴隶耕种，同时还剥夺了贵族的世袭称号。现在菩提亚人按父系追溯家世。他们多数实行一夫一妻制，偶有一夫多妻或一妻多夫现象。

喜马拉雅山脉脚下的菩提亚人村落
美国不列颠百科全书公司供图

Bhutto, Benazir 布托（1953-06-21，巴基斯坦卡拉奇～2007-12-27，拉瓦尔品第） 巴基斯坦政治家，1988 ～ 1990 和 1993 ～ 1996 年两度出任巴基斯坦总理，成为近代史上一个穆斯林占主要地位的国家的第一位女领导人。布托是杰出的政治家、1971 ～ 1977 年巴基斯坦的领袖佐勒菲卡尔·阿里·布托的女儿。她在哈佛大学受教育，1973 年获文学士学位，其后在牛津大学学哲学、政治学和经济学，1977 年获文学士学位。军事独裁者穆罕默德·齐亚·哈克统治时期，在布托的父亲于1979年被处决后，她成为其父的巴基斯坦人民党(PPP)名义上的领袖，1979～1984年屡遭软禁，1984～1986年流亡国外。戒严令解除后回到巴基斯坦，不久便成为政治上反对齐亚的首要人物。齐亚总统1988年8月死于一次神秘的空难，在巴基斯坦的政治中心留下权力真空。在随后举行的选举中，布托的巴基斯坦人民党赢得国民议会中单一的最大集团的席位。1988年12月1日，她出任总理，领导联合政府。布托就职后便释放政治犯和恢复公民权利，但后来几年对普遍贫困、政府腐败和犯罪增多等遗留下来的严峻情况未能有多大作为。1990年8月，巴基斯坦总统以贪污腐败和渎职罪名解散了布托政府，并提出举行新的选举。布托的巴基斯坦人民党在1990年10月举行的全国选举中遭到惨败，她本人因贪污和其他指控受到政府起诉。1993年10月，巴基斯坦人民党赢得多数选票，布托再次担任总理。她的政府因再次受到贪污腐败、管理不善的指控而于1996年11月解散。

Bhutto, Zulfikar Ali 布托(1928-01-05，印度信德拉尔卡纳附近[今在巴基斯坦]～1979-04-04，巴基斯坦拉瓦尔品第) 巴基斯坦政治家。总统(1971～1973)、总理(1973～1977)，深受群众爱戴的领袖，但被军人推翻和处决。贵族穆斯林家庭出身。曾在孟买和美国加利福尼亚大学学习，后在牛津大学研习法律并在英国开律师业和执教。1953年回巴基斯坦，在卡拉奇开律师业。1957年任巴驻联合国使团成员。1958年阿尤布·汗夺取政权后，他任商业部长。1963～1966年任外交部长，他极力使巴基斯坦摆脱对西方强国的依赖，进一步密切与中国的关系。1965年克什米尔战争后，因反对与印度媾和而辞职。1967年12月他建立了巴基斯坦人民党。他申斥阿尤布·汗政权为独裁，旋被捕入狱(1968～1969)。后来，阿尤布·汗的政府被叶海亚·汗将军推翻。东巴基斯坦独立成为孟加拉国以后，1971年12月20日叶海亚·汗又把政权移交给布托。布托出任总统，他软禁叶海亚·汗，把关键性的工业收归国有，并且向土地占有者征税。1973年新宪法将总统改成礼仪性的职位，布托改任总理兼外交、国防和内政部长。1977年人民党在新的选举中获胜，但反对派指责选举舞弊；7月陆军参谋长穆罕默德·齐亚·哈克将军夺取了政权并逮捕布托。布托因1974年下令杀害政敌的罪名受审，1978年3月18日被判处死刑，布托上诉失败。尽管许多国家领导人呼吁赦免，但他仍被绞杀。著有《独立的神话》(1969)和《伟大的悲剧》(1971)。

Bhuvaneśvara(India) **布瓦内斯瓦拉** 参阅 **Bhubaneswar** 布巴内斯瓦尔。

bi 璧 中国古代玉器。扁平，圆形，正中有圆孔。一般素面磨光，有的刻有花纹。是商(约公元前1766～约前1066)周(约公元前1066～约前256)时期贵族朝聘、祭祀、丧葬用的礼器，大、中型墓葬中常有出土。据《周礼》，不同等级贵族用璧的大小、色泽、花纹有

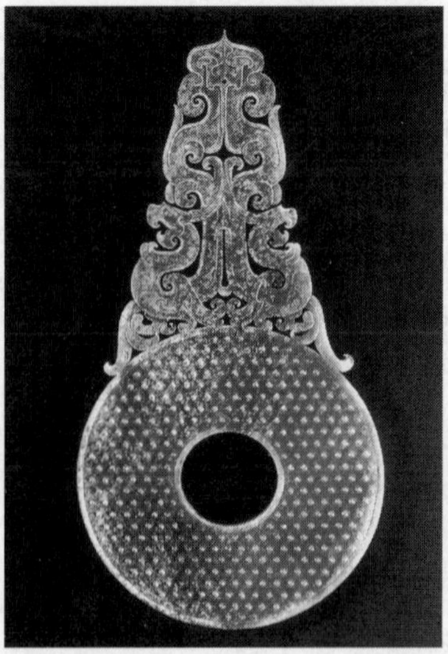

玉璧
中国大百科全书出版社供图

区别。璧起源于新石器时代末期，在良渚文化、石峡文化和龙山文化中均有发现。

Bi Sheng 毕昇 中国活字版印刷术的发明人。北宋(960～1127)时人。其同时代科学家沈括(1031～1095)所著《梦溪笔谈》中对其发明有详细记述。活字印刷在1041～1048年间发明，方法是用泥土制成泥印，刻字后烧硬。每字一印，在铁板上排版印刷。使用时两块铁板一块排字，一块印刷。毕昇发明的活字印刷比德国用铅活字印刷早约400年，是中国古代四大发明之一。13世纪末王祯改泥活字为木活字，并发明转轮排字法。后又有铜、锡、铅等金属活字。中国还最早采用雕版印刷图案，至迟在10世纪末即掌握套色印刷技术。

Bia River 比亚河 西非河流，发源于加纳西部苏尼亚尼，进入科特迪瓦后，南流汇入阿比潟湖(大西洋的一个小海湾)。全程为260千米。靠近阿亚梅处有两个水力发电厂，供应阿比让和科特迪瓦东南部电力。来自上游的原木和农产品经过阿比潟湖运至阿西尼转船。

Biafra 比夫拉 1967年5月单方面宣布脱离尼日利亚独立的西非国家。由尼日利亚的前东区组成，主要居民是伊博人。至1970年1月，比夫拉不再是独立国家。20世纪60年代中期，尼日利亚公众生活的特点是经济和政治局势不稳，发生种族冲突。在尼日利亚北部，豪萨人占多数，他们反对比较富裕和文明的占少数的伊博人，这种愤恨情绪引发了暴乱。1966年9月，约1～3万伊博人在北部地区被屠杀，或许还有100万人逃往伊博人居多数的东区。此后，非伊博人被豪萨人赶出东区。尼日利亚各地区的代表多次试图达成协议，均未果。1967年5月30日，东区首领奥朱古中校(后晋升将军)得到咨询议会的授权，宣布这一地区为独立的主权国家，定名比夫拉共和国。联邦政府领导人戈翁将军拒绝承认比夫拉脱离。同年7月双方发生敌对行动，比夫拉军队起初获得胜利，但不久人数占优势的联邦军队开始从南方、西方和北方压逼比夫拉的边界。在战争期间，比夫拉缩小到其原有面积的1/10。到1968年，比夫拉失去海港，成为内陆地区，只能靠空运物资。随后是饥饿和疾病，估计死亡人数50万至数百万。非洲统一组织、教皇和其他人试图使交战双方和解。许多国家继续承认戈翁政权为整个尼日利亚的政府，英国和苏联向该政府提供武器。另一方面，国际上对挨饿的比夫拉儿童的悲惨境遇表示同情，许多国家向他们空运食品和医药。科特迪瓦、加蓬、坦桑尼亚和赞比亚承认比夫拉为独立国家，法国向比夫拉运送武器。1969年12月末至1970年1月初，比夫拉军队连连败北。奥朱古逃往科特迪瓦，其余的比夫拉军官于1970年1月15日向联邦政府投降，比夫拉完全崩溃，不复存在。

Biafra, Bight of 比夫拉湾 西非海岸的大西洋海湾。从尼日尔河农河口(尼日利亚)向东南延伸600千米至洛佩斯角(加蓬)。与尼日利亚东南部、喀麦隆、赤道几内亚、加蓬西北部接界。有尼日尔、奥果韦、克罗斯、萨纳加等河流注入。湾内最大岛屿为比奥科(赤道几内亚)。主要港口有马拉博(比奥科岛)、哈科特港和卡拉巴尔(巴日利亚)、杜阿拉(喀麦隆)、巴塔(赤道几内亚)、利伯维尔和让蒂尔港(加蓬)。16～19世纪湾区有大规模奴隶贸易。到19世纪30年代，棕榈油贸易超过了奴隶贸易。20世纪50年代发现石油，为重要经济来源。

Biago, Bernardino di Betto di 比阿戈 参阅 **Pinturicchio** 平图里乔。

Biak Island 比亚克岛 又拼 Wiak Island(韦亚克岛)。印度尼西亚伊里安查亚北部海岸外斯考滕群岛(**Schouten Islands**)的最大岛屿。位于乌头湾入口处。岛长72千米，宽37千米，面积2 455平方千米。岛上主要城镇比亚克，是伊里安查亚的交通中心，有一机场，与伊里安查亚其他城镇、印度尼西亚的泗水和乌戎潘当以及巴布亚新几内亚首都莫尔兹比港均有航空班次，现在已成为新兴石油城镇。

Biała Podlaska 比亚瓦-波德拉斯卡 原为波兰东部一省(1975～1999)，现为卢布林省的一部分。

Biała Podlaska 比亚瓦-波德拉斯卡 波兰东部卢布林省城市。临克日纳河，位于华沙—莫斯科铁路线上。15世纪为拉济维乌大公们的大庄园。现以生产陶瓷器皿、地毯、亚麻制品著称。古迹有圣安娜教堂(1524)和巴西利亚教堂(1747～1759)。人口约58 311(2002)。

Bialik, Ḥayyim Naḥman 比亚利克(1873-01-09，俄罗斯帝国乌克兰沃利尼亚拉迪～1934-07-04，奥地利维也纳) 希伯来诗坛巨擘。因写下了体现犹太人民愿望的诗篇，使

美国不列颠百科全书公司供图

现代希伯来文成为诗歌表达的灵巧工具，也因其诗歌题材的广泛和深刻而受人尊崇。生在俄国贫寒的犹太人家庭，幼丧父，由笃信宗教而又知识渊博的祖父抚养成人。在接受了精深的犹太经典教育之后，曾短期就读于沃洛津(今在白俄罗斯)犹太教神学院。生活的贫困、孤儿地位以及对犹太宗教经典的研究是他诗歌创作的源泉。1891 年来到敖德萨，与犹太作家 A.哈阿姆结下终身友谊，哈阿姆鼓励他创作。翌年移居日托米尔(今在乌克兰)，在此后的几年中，当过木材商和教师。他的诗歌《犹太法典学生》(发表在 A.哈阿姆主编的期刊上)，使他一举成为当时著名的希伯来诗人。这首诗用赞赏的笔调描写了一个以令人敬佩的献身精神攻读犹太法典的学生，但是当今世界却不能为这种精神提供存在的基础。他也许以此暗示，这种情况正是犹太民族困境的缩影。写作生涯有了保障后，他回到敖德萨，在一所希伯来语学校里任教，同时还发表了不少诗作以及一些在现代希伯来文坛上最负盛名的小说。1903 年，有感于基什尼奥夫的大屠杀事件，写下希伯来诗坛上最慷慨和最痛苦的诗篇。在《杀戮之城》等诗中，他既痛斥了压迫者的暴戾恣睢，也指责了犹太民众的苟且屈从。其余诗作包括一首叙事诗的片断，《沙漠的死者》、《水塘》。他还将欧洲古典名著《堂·吉诃德》和《威廉·退尔》以及意第绪语剧本《魔鬼》译成希伯来文。他还是一位不知疲倦的编辑和文学活动的组织者，德维尔出版机构的创始人之一，曾编辑出版了《阿加达之书》(1907 或 1908 ～ 1910 或 1911)。这是一部传统的犹太教布道文和民间传说汇编。他还编辑了中世纪伟大的诗人、哲学家伊本·盖比鲁勒的诗集，并着手编辑犹太教法典《密西拿》的通俗注释本。1921 年离开苏联移居德国，当时一些犹太作家在那里建立了一个为期短暂的希伯来语中心。1924 年定居巴勒斯坦，一心致力于公共事务，写诗甚少，其中名篇为《孤儿》，这是一首回忆童年的长诗，写于逝世前不久。

Białystok　比亚韦斯托克　原为波兰东北部一省(1975 ～ 1999)，现为波德拉斯省的一部分。

Białystok　比亚韦斯托克　波兰东北部城市，波德拉斯省省会。据信约于 1320 年为立陶宛大公格迪米纳斯所建。1426 年首见史书记载。1749 年获得城镇地位。18 世纪，在富豪布朗尼茨克家族统治时期曾邀请许多美术家和理论家来此，使该城发展为全欧洲著名创作和教育中心。该城是波兰犹太人主要聚居区。第二次世界大战开始时，该市人口 10 万人，约有犹太人 4 万。但在 1941 ～ 1944 年间，德国人杀死半数居民，内有聚居区的全部犹太人，毁坏 3/4 的工业和建筑物。该城在战后重建为工业和文化中心、重要的铁路枢纽。主要工业产品为亚麻织物，其他工业有肉类加工和冶金厂。布朗尼茨克大厦于 1944 年修复，内设有医学院。市内还有技术学院和地区博物馆。人口291 383(2002)。

Bianco, José　比安科(1908-11-21，阿根廷布宜诺斯艾利斯～ 1986-04-24，布宜诺斯艾利斯)　阿根廷小说家，担任颇具影响的布宜诺斯艾利斯杂志《南方》主编达 23 年之久。该杂志创刊于 1931 年，刊登翻译的欧美作家作品，成为拉丁美洲历史上最为重要的文学刊物之一。其为人朴实无华，谦恭有礼。1932 年出版短篇小说集《小夏罗斯》，但却以两部中篇小说《影子戏》(1941)和《耗子》(1943)而出名。《耗子》是一部心理小说，情节复杂但结构严谨，叙述美妙，故事的发展出人意料，结局惊人。《影子戏》则是一个奇幻故事，以古典的、不引人注目的手法写来，使事实真相几乎在读者不知不觉间动荡不定。曾发表评论文章、出版回忆录和长篇小说《王国的毁灭》(1978)，但他的名声仍主要依靠两部小说和与《南方》及其周围一些作家的关系。

Bianco, Monte (France - Italy)　**比安科峰**　参阅 **Blanc, Mont** 勃朗峰。

bianco sopra bianco　白色堆饰　意大利语意为白上白。原在 16 世纪的意大利乌尔比诺和法恩扎花饰陶器或锡釉陶器上施行的装饰方式。这种装饰方式是将不透明的冷白色图案绘画在较暖的乳白色锡釉上。约 1745 年，这种技艺在罗尔斯特兰德的瑞典工厂里再次广泛流行，被施用于浅灰色底釉上。5

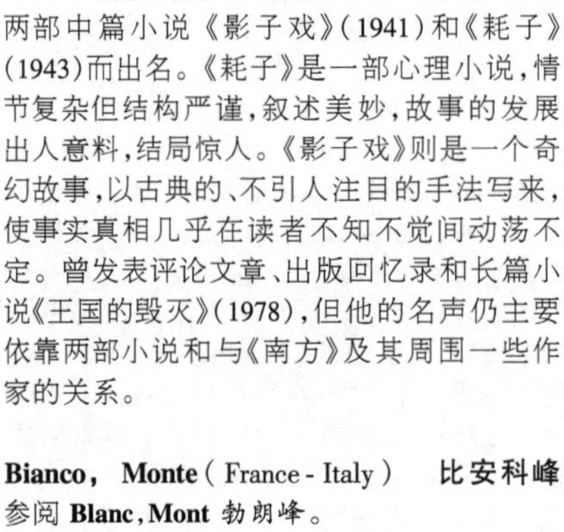

约 1750 年的白色堆饰钙质精陶盘
美国不列颠百科全书公司供图

年之中，它又进而在代尔夫特、兰贝斯和布里斯托尔被仿制，这些地方在白色堆饰中使用了喷彩叶饰和花卉，组成了流行款式的边缘装饰。这种技艺也出现在法国的讷韦尔和圣阿芒莱索，这两个市镇以生产在青白色底釉上加有白色花卉纹饰的陶器而知名。在斯堪的纳维亚的施特拉尔松德和赫雷伯工厂，情况也是如此。

Biankouma　比昂库马　科特迪瓦西部城镇。稻米、木薯、咖啡和牲畜贸易中心。居住在宁巴山脉东侧稀树草原高地的丹族和图拉族人，携带产品到这里赶集。当地居民以擅长舞蹈和编织著称。人口 4 533(1975)。

Bianque　扁鹊(约公元前5世纪)　又拼 Bian Chue。中国战国时期医学家。姓秦，名越人。渤海郡鄚(今河北任丘)人。精通内科、儿科、妇科、五官科医术，遍游河北、河南、陕西等地行医，疗效卓著。时人以吉祥鸟“扁鹊”称誉其高超医术医德。此后即以“扁鹊”之名著称于世。在中国医学史上最早运用望、闻、问、切四诊，尤精于切脉诊断，被推为中国脉学创始人。著有《扁鹊内经》、《外经》，已佚。

Biarritz　比亚里茨　法国西南部阿基坦大区大西洋岸比利牛斯省城镇。临比斯开湾，靠近巴约讷，距西班牙边界 18 千米。早为小渔村。1854年后被拿破仑三世建为繁华城镇。

比亚里茨的小岩石半岛和部分海滨
美国不列颠百科全书公司供图

维多利亚女王、爱德华七世和西班牙阿方索十三世均曾到此访问。当地气候温和，海滨风景多样。旅游设施豪华，因而国外游客不断，不过城镇孤傲的形象已发生改变。举办各类节日、会议、旅游业呈多样化发展。当地巴斯克人的民间艺术和传统更增加了城镇的魅力。是帆板和冲浪的运动胜地。人口 30 055(1999，每至夏季有 4 倍之多)。

Biās River (India)　参阅 **Beās River** 贝阿斯河。

biathlon　两项运动　冬季体育运动，包括越野滑雪和步枪射击，其前身可能是欧洲的军事滑雪比赛。国际现代五项和两项运动联合会(成立于 1948 年)致力于把现代五项和两项运动发展成为奥运会比赛项目，于 1949 年发起每年一次的现代五项世界锦标赛，于 1957 年发起两项运动世界锦标赛。1960 年两项运动首次被列为冬季奥运会比赛项目。冬季奥运会两项运动要求运动员进行 20 公里的越野滑雪，携带单发步枪和子弹，分别在 4、8、12、16 公里处或其附近向距离 100 ～ 250 米的小型射靶射击 5 次，如是 250 米距离，则须以卧姿射击，每次脱靶应受罚，最后评定占用时间最短者胜。1968 年冬季奥运会又增加 4 人接力两项运动，每人滑行两趟，每趟 7.5 公里并射击两次。第 1 次射击有 5 个 30 厘米的靶，取立姿射击；第 2 次射击有 5 个 10

厘米的靶，取卧姿射击。每人有8枚子弹用来射击一组靶，每次脱靶须罚加滑200米。1980年冬季奥运会设立了10公里的个人比赛。1968年英国创立了由赛跑和游泳组成的两项运动，其主旨是用以培训现代五项运动的选手。

bib(*Trisopterus* , or *Gadus* , *luscus*) **大眼鳕** 又作pout。鳕科的常见鱼种。见于欧洲沿岸海域。体高，具1颏须、3紧邻的背鳍和2紧邻的臀鳍，体长不足30厘米，铜红色而有暗色斑带。数量虽多，但不能食用。

Bibai 美呗 日本北海道城市，位于旭川(东北)和札幌(西南)之间。1891年辟为屯垦区，自1901年以来为空知地区主要产稻区。公路(1890)和铁路(1891)修通后城市迅速发展。1913年美呗山附近煤矿开始开发。60～70年代产量下降，人口减少。现生产电器和混凝土构件。人口35 176(1990)。

Bibaud, Michel 比鲍德(1782-01-19，蒙特利尔附近的科特德内日[加拿大魁北克]～1857-08-03，蒙特利尔) 加拿大第一卷法语诗集和第一部法属加拿大历史的作者。曾当

美国不列颠百科全书公司供图

过教师和记者，编过几种期刊，其中最著名的有《加拿大丛刊》。第一部历史著作为《法国统治下的加拿大史》(1837)，是第一部法裔加拿大人所写的法属加拿大历史。它从加拿大的建立写至1731年。第2卷(1844)写至1830年(第3卷记述1830～1837年发生的事件，由其子于1878年出版)。在他的时代，这本史书不大受欢迎，因为它缺乏想象力，并反映了亲英情绪。虽然他有些材料未经整理，他的述评为那一时期提供了可靠的记载。诗集《书简诗、讽刺诗、歌曲、短诗及其他》(1830)是法语加拿大文学的第一部作品，包括4篇针砭无知、贪婪、懒惰和妒嫉的讽刺诗。

Biber, Heinrich 比伯(1644-08-12，奥地利哈布斯堡领地波希米亚沃尔滕贝格[今在捷克共和国]～1704-05-03，萨尔茨堡大主教管辖区萨尔茨堡[奥地利]) 作曲家，巴罗克时期卓越的小提琴大师之一。一生大部时间在萨尔茨堡大主教府度过，从卑微的地位升到高级管事和音乐总监(1676)。以演奏家身份赴各国旅行演出。他主要为小提琴创作，所写小提琴与键盘乐器奏鸣曲及有通奏低音的小提琴独奏曲结构完美，技巧难度较大，表现出小提琴演奏手法的发展，特别是“变格定弦”的运用(指不按常规调音以取得特殊效果)。最著名的是关于圣母马利亚一生事件的15首《神秘奏鸣曲》，及无伴奏的小提琴曲《G小调帕萨卡里亚舞曲》。他也创作室内乐、协奏曲及一些戏剧音乐，包括歌剧《坚强者必胜》(1687)。

Bibiena, Galli da, FAMILY **比比恩纳家族** 意大利17～18世纪的艺术家家族，因其祖先乔万尼·玛丽亚·加利(1625～1665)出生在佛罗伦萨附近的比比恩纳而得名。乔万尼曾在阿尔巴尼的指导下学习绘画，为这一家族的艺术修养打下基础。其后代均献身于戏剧的布景艺术创作。

这个家族的各阶段成员自由运用意大利后期巴罗克建筑和雕刻的高度装饰性风格，创作出一系列设计作品；通过使用错综复杂的透视画技巧，他们取得了壮丽恢宏的比例均衡效果，令人惊叹不已。大约从1690至1787年，8位比比恩纳家族成员的设计使人眼花缭乱，他们的歌剧布景和婚葬仪式的装饰使欧洲宫廷为之倾倒。哈布斯堡家族是他们最慷慨的主顾。

费迪南多·加利·比比恩纳(1657～1743)生于博洛尼亚，是乔万尼·玛丽亚·加利之长子。曾跟随卡洛·奇尼亚尼学习绘画，并在朱利奥·特洛伊利指导下攻读建筑。经奇尼亚尼推荐，为帕尔马公爵服务。这个时期他主要是为帕尔马公爵设计了科洛尔诺的别墅和花园。不久他又在布景设计方面赢得声誉，并开始为剧院创作。1708年他应召到巴塞罗那为未来的查理六世皇帝布置婚礼大典。这位王子即位后，费迪南多即到维也纳为宫廷节日和上演歌剧设计布景和装饰。1717年回原籍博洛尼亚，被选为克莱门蒂纳学院成员。1731年他建造了曼图亚皇家剧院(1781年被烧毁)。著有《民用建筑》(1711，此书后曾以多种名称印刷发行)、《各种透视作品展望》(1703～1708)等。

弗朗切斯科·加利·比比恩纳(1659～1739)生于博洛尼亚，是乔万尼·玛丽亚·加利之次子。曾在帕西内利和奇尼亚尼指导下学习。先在皮亚琴察、帕尔马和罗马工作，后成为曼图亚公爵领地的建筑师。在热那亚和那不勒斯居住一段时间后，应召去维也纳，为那里建造一座大剧院。他是法国南锡的大剧院、维罗纳的菲拉莫尼科剧院和罗马的阿利贝尔剧院的建筑师。1726年回博洛尼亚领导克莱门蒂纳学院。

亚历山德罗·加利·比比恩纳(1687～1769)生于帕尔马，是费迪南多之长子。1719年成为德国巴拉丁领地选侯宫廷的建筑师和画家。他的作品有施洛斯城堡的右翼和歌剧院(两者均于1795年烧毁)以及曼海姆的耶稣教堂。

朱塞佩·加利·比比恩纳(1696～1757)为费迪南多之次子，是这个家族中最杰出的艺术家。生于帕尔马，青年时代曾陪其父去巴塞罗那和维也纳。其父离开维也纳后他依然留在那里，成为宫廷庆祝活动和盛大典礼的主要组织者。曾为30多个贵族和君主的葬礼设计过灵柩台，还设计过戏剧和舞蹈演出布景。他于1722年在慕尼黑、1723年在布拉格进行创作。1742年为维也纳歌剧院设计装潢。1747年受雇于萨克森州德累斯顿歌剧院。1748年为拜罗伊特剧院设计内部装饰。1750年指导修复德累斯顿歌剧院(该剧院于1849年烧毁)。朱塞佩逝于柏林。他把自己的舞台设计图案分成3部系列雕版印行：《奥尔希纳》(1716)、《坚定与刚毅》(1723)和《建筑学与透视法》(1740～1744)。

安东尼奥·加利·比比恩纳(1700～1774)系费迪南多·加利·比比恩纳之第3子。意大利曼图亚的弗吉利亚纳学院和博洛尼亚的公共剧院都是由他设计的。他还曾受雇于维也纳宫廷。

卡洛·加利·比比恩纳(1728～1787)系朱塞佩·加利·比比恩纳之子，生于维也纳。这个比比恩纳戏剧世家的最后一位艺术家，也是这个家族里周游最广的成员。他曾在德、法、荷兰工作(1746～1760)，后又在伦敦(1763)和那不勒斯(1772)创作。在那不勒斯期间他出版了5套歌剧布景设计图案。1774年去斯德哥尔摩工作，后去俄国圣彼得堡工作至1778年。他在佛罗伦萨去世。

由于比比恩纳家族艺术家们使用不耐久的材料来制作戏剧布景，并且由于他们设计制作的宫廷装潢必然带有临时应景的特点，所以作品很少能保存下来，现在只能通过图画来欣赏他们那些富丽堂皇的设计成就。这些绘画现仍大量收藏在维也纳、慕尼黑和德累斯顿。

Bible 《圣经》 犹太教和基督教的圣书。基督教《圣经》包括《旧约》(**Old Testament**)和《新约》(**New Testament**)，天主教版本《旧约》略长一些，因为有几卷书或有些章节，天主教予以承认，而基督教(新教)则列为外典。犹太教《圣经》仅有被新教称为《旧约》的那一部分。至于各卷的编排次序，犹太教正典与基督教正典大有差异，而新教正典与天主教正典则大致相同。

《圣经》内容的划分 犹太教传统上把《圣经》(即《旧约》)分为3部分：托拉(律法书)，又称五经；奈维印(先知书)；克图温(圣录)，又称哈吉奥格拉法(犹太教《圣经》第3部分)。五经(加上《约书亚记》即为六经)可谓关于以色列如何形成民族而占有上帝应许之地的叙述。列为先知书的这一部分继续叙述以色列人在“上帝应许之地”的历史，记叙王国的建立和发展，并传达众先知向百姓发出的信息。圣录中有关于罪恶与死亡在世间万事演变中之地位的思辨(《约伯记》和《传道书》)和诗歌，还有几卷历史书。

《旧约》外典包含几种不同的著作。外典的目的似乎是填补公认的正典所遗留的某些空白并继续把以色列人的历史叙到公元前2世纪。

在基督教《圣经》中，《新约》在篇幅上比《旧约》小得多。但是，随着基督教的传播，《新约》所发挥的影响，与它的较小的篇幅已大大不成比例。同《旧约》一样，《新约》也是汇编多卷而成，包括早期基督教的各种著作。四卷福音书记叙基督徒记忆中的耶稣生平、为人和学说。《使徒行传》叙述基督教的历史，从耶稣复活到保罗生平的结束。书信即

使徒书，是早期基督教会一些首脑主要是使徒保罗所写的信件，运用教会所传的信息去解决早期各个基督教会中的各类问题。早期基督教运动中曾出现许多启示著作，《启示录》是这类作品在正典中的唯一代表。

《圣经》的语言和早期译本 犹太教《圣经》即《旧约》原来基本上是用希伯来文写的，只有几篇短小内容是用阿拉米文写的。《新约》最初可能全部用希腊文写成或记录，虽然有些部分最初可能是阿拉米文。当波斯帝国控制地中海盆地时，阿拉米语成了该地区的通用语；为了礼仪原因，散居海外的犹太人必须把托拉(即五经)，从传统的希伯来文本译为这种普通语言。这样翻译出来的《塔古姆本》(阿拉米文原意"译者")存留了下来，而希伯来原文经卷则散失了。后来，在公元前3世纪中叶，希腊语占主导地位，于是犹太众学者把希伯来文正典《圣经》译成希腊文，推出了称为《**七十子希腊文本圣经**》(**Septuagint**)的版本。最后，为适应基督教弘传的需要，又出现了科普特、埃塞俄比亚、哥特和拉丁等文本。圣哲罗姆在公元405年前后完成了他的拉丁文译本，这个译本起初根据《七十子希腊文本圣经》，也参照其他文本。这个通称《**通俗拉丁文本圣经**》(**Vulgate**)的版本，尽管由于辗转抄写而有讹误，在1 000多年期间被基督教奉为标准。

《圣经》的原始资料 《旧约》中的著作大多是无名之作，而且，许多著作究竟是出自个人还是集体手笔，也不得而知。但是，学者们通过对内容的仔细考证，已经确认某些资料，并且排出了它们写成年代的先后顺序。

学者们运用辨明五经的基本资料，并确定它们年代先后的方法，第一次清楚了解了以色列人的文学和宗教发展。按年代先后顺序排列，现在所知这些资料的名称是：雅赫维典，又称J典；埃洛希姆典，又称E典；申典，又称D典；以及祭司经卷，又称P典。第一种资料中以希伯来词称主(上帝)的名音译成英语为"雅赫维"(YHWH)，德文作JHVH，故名雅赫维典。E典中称主(上帝)为埃洛希姆；D典的语汇和体例都与《申命记》相似；P典则记载了详细的礼仪规定。

在此之后，学者们又确认了《旧约》的其他许多资料来源，其中有最古老的两部希伯来著作(现已佚失)，其部分材料见于《旧约》的早期的叙事中。这两部书——《雅赫维战记》和《雅煞尔书》——可能在体裁上是诗歌，"雅煞尔"意为正直人。

《新约》的原始资料包括基督教圣书的原稿以及比它们更早的口传材料。前三部福音书称为同观福音书，因为它们所根据的是同一套资料。当代学术界认为，《马可福音》是《马太福音》和《路加福音》所依据，而后两部福音书还共有另外一套资料，它主要记录耶稣的言论。《约翰福音》显然代表另外一种独立的传播体系。

《旧约》各卷的作者大多不知其名，而《新约》各卷的来源大都有名有据。《新约》研究的基本任务是，尽量恢复原稿的面貌。证据的主要来源是：从公元2世纪到15世纪希腊文《新约》的抄本(现已知有约5 000种)；早期的其他语言文本，如古叙利亚文、科普特文、拉丁文、亚美尼亚文和乔治亚文；以及早期基督教著作家所引用的《新约》中的片段。

这些原始资料统称"证据"。当前，权威性的《圣经》译本往往根据折衷的文本，参考许多不同的证据而成。不局限于原始手稿而探讨原始手稿所依据的口传材料，属于"圣经"评注学中的口传考证的范畴。近年来，学者们努力用这种方法去再现耶稣的原话，除去在传播过程中所产生的添加成分。

Bible Communists (utopian religious group) **圣经共产主义派** 参阅 **Oneida Community** 奥奈达社团。

bible leaf (herb) 参阅 **costmary** 艾菊。

biblical criticism 圣经评注 研究有关《旧约全书》及《新约全书》的文本、编纂和历史问题的学科。圣经评注为解释《圣经》文意奠定基础。圣经评注主要类型有：①文本考证，核定原始的或最权威的版本；②语言评注，研究《圣经》的语言，以求精确地理解各成书时代的辞汇、语法和文体；③文学评注，主要研究经文中所包含的各种文学风格，以求考证出构成《圣经》的各种形式作品的撰写年代、作者和本来用意；④口传考证，追溯经文写成以前流传的口传材料的演变；⑤形式评注，按照其未写成以前的形式如比喻、赞美诗等，将书面材料加以分类。此外尚有其他流派的圣经评注学，其内容更富于解经性；也就是着重研究如何恢复经文的原意；这类评注学中有编纂考证，即考证文献的最终著作者和编订者是如何把它们编集起来的；还有历史考证，即参照圣经各卷成书的历史背景来解释经文。现代圣经评注学所依据的科学原则，在某种程度上是把《圣经》当做适于文学研究的对象而不是专门以它为圣书。评估经文以考证历史事件，这种考证过去称为"高级评注"，此词最初是指德国圣经学家J.G.艾希霍恩的著作，他运用这种方法研究《五经》。在20世

《圣经》各卷

犹太教正典	基督教正典	
	新教正典(英文修订标准本)	天主教正典(杜埃-兄弟会本)
托拉(律法书)	旧约	
创世记	创世记(摩西一书)	创世记
出埃及记	出埃及记(摩西二书)	出谷记
利未记	利未记(摩西三书)	肋未记
民数记	民数记(摩西四书)	户籍记
申命记	申命记(摩西五书)	申命记
奈维印(先知书)	约书亚记	若苏厄书
约书亚记	士师记	民长记
士师记	路得记	卢德记
撒母耳记上	撒母耳记上	列王纪第一卷
撒母耳记下	撒母耳记下	列王纪第二卷
列王纪上	列王纪上	列王纪第三卷
列王纪下	列王纪下	列王纪第四卷
以赛亚书	历代志上	编年纪上
耶利米书	历代志下	编年纪下
以西结书	以斯拉记	以斯拉记上
以西结书	尼希米记	以斯拉记下
何西阿书		多比传(修订标准本外典)
约珥书		犹滴传(修订标准本外典)
阿摩司书	以斯帖记	艾斯德安传(包括修订标准本以斯帖补篇)
俄巴底亚书	约伯记	约伯传
约拿书	诗篇	圣咏集
弥迦书	箴言	箴言
那鸿书	传道书	训道篇
哈巴谷书	雅歌	雅歌
西番雅书		撒落满颂
哈该书		智慧篇(修订标准本外典所罗门智训)
撒迦利亚书	以赛亚书	依撒意亚书(修订标准本外典以赛亚书)
玛拉基书	耶利米书	耶肋米亚哀歌
克图温(圣录)	耶利米哀歌	耶肋米亚哀歌
诗篇		巴路克书(修订标准本外典巴录书及耶利米书信)
箴言	以西结书	厄则克尔书
约伯记	但以理书	达尼尔书(包括修订标准本外典亚萨利亚祷言、三童歌、苏撒拿传彼勒与大龙)
雅歌	何西阿书	欧瑟亚书
路得记	约珥书	岳厄尔书
哀歌	阿摩司书	亚毛斯书

续表

犹太教正典	基督教正典	
	新教正典 （英文修订标准本）	天主教正典 （杜埃-兄弟会本）
传道书	俄巴底亚书	亚比底亚斯书
以斯帖记	约拿书	约纳书
但以理书	弥迦书	米该亚书
以斯拉记	那鸿书	纳鸿书
尼希米记	哈巴谷书	哈巴古克书
历代志上	西番雅书	索福尼亚书
历代志下	哈该书	哈基书
	撒迦利亚书	匝加利亚书
	玛拉基书	玛拉基亚书
		玛加伯传上（修订标准本外典马加比传第一卷）
		玛加伯传下（修订标准本外典马加比传第二卷）
	新约	
	马太福音	玛窦福音
	马可福音	马尔谷福音
	路加福音	路加福音
	约翰福音	若望福音
	使徒行传	宗徒大事录
	保罗达罗马人书	宗徒圣保禄致罗马人书
	保罗达哥林多人前书	宗徒圣保禄致格林多人前书
	保罗达哥林多人后书	宗徒圣保禄致格林多人后书
	保罗达加拉太人书	宗徒圣保禄致迦拉达人书
	保罗达以弗所人书	宗徒圣保禄致厄弗所人书
	保罗达腓立比人书	宗徒圣保禄致斐理伯人书
	保罗达歌罗西人书	宗徒圣保禄致哥罗森人书
	保罗达帖撒罗尼迦人前书	宗徒圣保禄致德撒洛尼人前书
	保罗达帖撒罗尼迦人后书	宗徒圣保禄致德撒洛尼人后书
	保罗达提摩太前书	宗徒圣保禄致弟茂德前书
	保罗达提摩太后书	宗徒圣保禄致弟茂德后书
	保罗达提多书	宗徒圣保禄致弟铎书
	保罗达腓利门书	宗徒圣保禄致费肋孟书
	希伯来书	宗徒圣保禄致希伯来人书
	雅各书	宗徒圣雅各伯书
	彼得前书	宗徒圣伯多禄前书
	彼得后书	宗徒圣伯多禄后书
	约翰一书	宗徒圣若望一书
	约翰二书	宗徒圣若望二书
	约翰三书	宗徒圣若望三书
	犹大书	宗徒圣犹达书
	约翰启示录	宗徒圣若望默示录
	外典	
	以斯拉记一 以斯拉记二 } 以斯拉记三	
	多比传	
	犹滴传	
	以斯帖记补篇	
	所罗门智训	
	便西拉智训（耶稣智慧书西拉之子）	
	巴录书	
	耶利米书信	
	亚萨利亚祷言及三童歌	
	苏撒拿传	
	彼勒与大龙	
	玛拿西祷言	
	马加比传第一卷	
	马加比传第二卷	

关于外典的说明：新教《旧约》中的以斯拉记和尼希米记，天主教分别称为以斯拉记上、下。外典以斯拉记一、二是完全不相关的两部书，天主教通常称之为以斯拉记三。以斯拉记一、二在新教和天主教都不列入《旧约》正典。东正教认为，以斯拉记一、二、三都是正典，列入《旧约》。玛拿西祷言仅见于通俗拉丁文本《圣经》。

纪，R. 布尔特曼和 M. 迪贝利乌斯提出形式考证，作为研究与经文有关的历史环境的另一途径。19 世纪语言学迅速发展，20 世纪考古学有重大发现，这都使圣经评注学发生了革命性的变化。

biblical translation　圣经翻译　把原始本《圣经》译成其他文本的技艺和实践。《旧约》和《新约》都有漫长的翻译过程。犹太教《圣经》，即《旧约》，几乎全由希伯来文写成，少数片段是阿拉米文写的。当波斯帝国控制东地中海盆地时，阿拉米语成了这一地区的通用语。为了满足礼拜的需要，该地区的犹太社区便把《律法书》即《五经》（《圣经》首五卷）由希伯来文译成阿拉米文。在希伯来文原卷消失后，阿拉米文的译本《塔古姆》（又称《圣经注疏》）留存了下来。到公元前 3 世纪中叶，希腊语占统治地位，犹太学者开始将希伯来文经典译成希腊文，但历经一百多年也未完成。由于以色列 12 支派各推出 6 名学者参加这项工作，故犹太教《圣经》的希腊文本后来（在拉丁语中）称之为《七十子希腊文本圣经》。

希伯来文《圣经》是早期基督教会唯一知道的《圣经》，随着这一宗教在希腊语世界的传播，基督教会接受了《七十子希腊文本圣经》。与此同时，《基督教圣经》即《新约》的许多卷最初以希腊文写成，其他的则以阿拉米文写成。基督教的传播需要进一步地把《旧约》、《新约》译成科普特文、埃塞俄比亚文、哥特文和最重要的拉丁文。405 年圣哲罗姆完成了以《七十子希腊文本圣经》为部分基础的拉丁文本的翻译，即通俗拉丁文本《圣经》。尽管这个译本在转抄过程中出现讹误，但在其后一千余年一直是西派基督教的标准本。

约公元 6 世纪，巴勒斯坦和巴比伦尼亚的塔木德学院的希伯来学者搜寻并整理希伯来文经典，重建了这些经典的权威性。经过几个世纪的努力，传统本即马所拉本于 10 世纪完成，并获得普遍接受。惊人忠实的马所拉版抄写本一直传播到 15 世纪活字印刷时代。圣哲罗姆通俗拉丁文本是《旧约》和《新约》译为叙利亚文、阿拉伯文、西班牙文以及包括英文在内的许多文本的母本。杜埃版（《新约》，1582；《旧约》，1609 ～ 1610）直到 20 世纪一直是天主教唯一权威的英文版《圣经》。

15 ～ 16 世纪的新学使古希腊文研究得以恢复，出现新的译本，其中重要的一本是荷兰人文学者 D. 伊拉斯谟于 1516 年刊行的《新约》，合刊希腊文本和自译的拉丁文本。同时，在德意志，M. 路德出版了由希腊文本和希伯来文本翻译成现代欧洲语言的全译本：他的德文本《新约》出版于 1522 年，《新旧约全书》出版于 1534 年。这是德意志新教的正式《圣经》，并是丹麦文本、瑞典文本以及其他译本的基础。

第一部足本英文版《圣经》见于 1382 年，是 J. 威克里夫及其追随者翻译的。但是，学者 W. 廷德尔在 1525 ～ 1535 年间翻译的《新约》和部分《旧约》成了日后一系列英译本的范本。取以前所有英译本之长而成的 1611 年钦定本，由国王詹姆斯一世任命的 54 位学者完成。这部力避拘泥于字面直译而大量使用转喻词的詹姆斯风格的杰出英译本，作为英语地区新教的主要《圣经》达 270 年之久。

到发明印刷术的 1450 年时，《圣经》的不同译本仅 33 种，约 1800 年时为 71 种；到 20 世纪后期，题名《圣经》的译本已超过 250 种文本，部分章节的出版物则超过 1 300 种语言。20 世纪出现许多新的英译本，其中最新的新教《圣经》有：1881 ～ 1885 年版的修订本、詹姆斯国王钦定版的修订本、修订标准本（1946 ～ 1952）和为美国新教徒普遍接受的新修订标准本（1989）、新的英文版《圣经》（1961 ～ 1970）以及英文修订版《圣经》（1989）。天主教的《圣经》有：R.诺克斯的译本（1945 ～ 1949）、耶路撒冷《圣经》（1966）、新耶路撒冷《圣经》（1989）和新版美国《圣经》（1970）。

Bibliographic Classification　书目分类法　参阅 **Bliss Classification** 布立斯分类法。

bibliography　目录学　研究和描述书籍的科学。目录学可以是：①按某种体系编制书目（称描述性目录学），或②研究书籍的实物（称版本目录学）。目录学一词还用来指称这种研究的成果：目录学著作可以是有关某一具体作者著作或某一学科著作的系统知识，或是有关某一国家或某一时期图书的完整资料。目录学著作也可以是对某些图书物理性状（包括纸张、装帧、印刷、字体以及所采用的印制方法）的详细描述。这种目录学著作可供学生和学者获取有关某一领域研究资料的信息，并有助于判断图书的印制年代、确切作者以及其版本价值。

描述性目录学　描述性目录学的首要目的是按一定体系从大量材料中逐条筛选详细信息以供他人获取之便。最早的目录学著作的编纂原则只是为某一具体作家的著作编目，可以是作者自编的书目，也可以是传记作者为其所记人物的著作所编的书目。早期西方作者自编书目的有 2 世纪的希腊医师加伦，还有尊者比德（书目列在他的《英格兰人教会史》[731]中）。最早在所传述的教会作家生平中编入书目的传记作家之一是 4 世纪的圣哲罗姆（在他的《名人传》中）。在中世纪欧洲，书籍还是寺院僧侣缮写的手抄本时，编目比较容易。15 世纪印刷术发明后，图书数量激增，编纂书目更加必要，也更为实际所需。早在 1545 年，瑞士德语作家 C.格斯纳便立意编纂《图书总汇》，计划把条目按学科分类。他的计划于 1555 年部分地付诸实现。他因既追求完备，又分类明细，而获"目录学之父"的美称。近代图书的大量出版要求有精细的分类方法。广泛通用的分类体系有杜威十进分类法、美国国会图书馆分类法和通用十进分类法。20 世纪末叶电子计算机的广泛应用使得建立总汇性目录学（包括期刊中的篇目）重新成为可能。实现这点的障碍是全世界图书编目法的标准化问题和多语种材料的程序编制问题，以及费用、人力和储存等当代的一般问题。为适应对综合性目录学资料库的需要，一些大型综合图书馆如不列颠博物馆和法国国家图书馆均出版书目，美国国会图书馆则印制并散发有关新出版的可供机器阅读的资料的信息。

版本目录学　版本目录学始于 20 世纪初，其时学者们研究出了分析图书物理性状的技术。运用这种技术首先成功地确认了 16 世纪所谓古版书的出版年代、作者和印刷者。R.普罗克特在不列颠博物馆和牛津大学博德利图书馆展示的方法不仅可以精确判断早期手印图书的国家和城市，且可确认具体的印刷者。这种方法也应用于研究 19 和 20 世纪的机印图书的物理性状。版本目录学技术应用于珍本、疑本和赝本的研究获得了版本校勘方面的重大成果。例如，C.J.K.欣曼对莎士比亚第一对开本排字情况的研究，证明该版本出自 5 个不同的排字工人之手。W.W.格雷格证明帕维尔莎士比亚四开本印制于 1619 年，而非早先所认为的 1610 年以前之制品。19 世纪 90 年代以高价出售的 T.J.怀斯伪造的 50 多种"初版书"，经对纸张的化学分析和对铅字面使用不当的揭示，于 1934 年被 J.卡特和 G.波拉德证明为伪造。

Biblioteca Apostolica Vaticana　参阅 **Vatican Apostolic Library** 梵蒂冈教廷图书馆。

Biblioteca Medicea-Laurenziana　参阅 **Medicean -Laurentian Library** 梅迪契-罗伦佐图书馆。

Bibliothèque Nationale　法国国家图书馆　法国最重要的图书馆，也是世界上最古老的图书馆之一。现在的馆址在巴黎。第一所皇家图书馆始自查理五世统治时期（1364 ～ 1380）。他将 1 200 件手写本安置在罗浮宫中。后散佚，路易十一（1461 ～ 1483 在位）重建。1544 年弗兰西斯一世将皇家图书馆移至枫丹白露，1567 ～ 1593 年间，该馆迁移到巴黎。1622 年编制第一部藏书目录。1692 年首次对公众开放。1795 年更名为法国国家图书馆。从 1537 年起，该馆可得到在法国出版的每一种出版物各一份（作为版权贮藏本），并出版《法国书目》。它的外文收藏着重于人文科学书籍。目前藏有印本书约 900 万册，手写本约 18 万编。

bicameral system　两院制　一种政治体制，其中的立法机构由两院组成。现代的两院制开始于 17 世纪英国的立宪政府，以及 18 世纪后期的欧洲大陆和美国。

英国议会成为两院制是为了承认贵族、僧侣和平民的区别。当英国在美洲建立殖民地时，殖民地的议会同样是两院制，因为要代表两种利益：总督代表母国的利益，殖民者选出的议员代表殖民者的利益。在 1776 年发表《独立宣言》以后，除佐治亚、宾夕法尼亚和佛蒙特 3 个州以外，所有其他的州都建立了两院制。在这 3 个州里建立了一院制的立法机构，但分别于 1789、1790 和 1830 年被两院制立法机构所取代。所有后来加入美利坚合众国的各新州都有两院制立法机构。虽然大陆会议和邦联议会曾是一院制的，1787 年的制宪会议决定，新的全国性立法机构应由两个部门组成，以便保持各州的特性，保证较小的州的影响和保护财产利益。

随着立宪政府在全世界的扩展，大多数国家按照英国模式或美国模式建立了两院制立法机构：一个较大的议院，由普选产生；另一个较小的议院，其成员由选举或任命（在某些情况下由世袭决定）产生，而且往往代表较小的政治单位，例如瑞士的州。两院制规划通常产生在联邦政府中，例如美国、澳大利亚、巴西和加拿大，以及产生在准联邦政府中，例如德国和印度。

从理论上看，两院制中的这种双重性，作为制约和平衡原则的一种适用是合理的。人们曾经争辩说，在避免仓促的和严峻的立法、限制民主和保证审议方面，两院制是可取的。虽然两院制在 20 世纪仍然盛行，但出现了针对它的反动。一院制的市政会或委员会开始在美国各城市中占优势，而在 19 世纪时它们通常是按两院制的模式组织的。对美国各州议会的广泛的不满导致 20 世纪 20 年代期间提出了很多要求一院制的建议，但 1934 年内布拉斯加州采用一院制议会（从 1937 年生效）是美国各州中脱离两院制的唯一例子。

第二次世界大战以后的宪政潮流反映出世界上的非联邦国家日益倾向一院制。在许多欧洲国家、中国和几个拉丁美洲国家中建立了一院制的全国性立法机构。在英国，上议院已经削弱了，而在法国，共和国会议（1958 年建立第五共和国时重新命名为参议院）实际上已不起作用，在这两个国家里，政府实际上是按照一院制的原则运作的。一院制的政府并不意味着有一院制的议会，现代的宪政国家往往仍然保留两个议院，尽管两院制主义已经衰落。

bicarbonate of soda　小苏打　碳酸氢钠。一种白色结晶状弱碱性钠盐。参阅 **sodium**。

Bicaz　比卡兹　罗马尼亚东北部尼亚姆茨县城镇，位于比卡兹河和比斯特里察河汇合处，比卡兹湖（比斯特里察河上筑坝拦河而形成）南端。比斯特里察河起源于西北边之罗德纳山，流速甚快；在比卡兹与布泽乌之间有 13 座水电站，以比卡兹水电站为最大。该镇生产水泥和石棉板。人口约 9 884（1982）。

biceps muscle　二头肌　有两个头（或起点）的肌肉。在人指肱二头肌及股二头肌。肱二头肌是上臂前侧的主要肌肉，起点有二：肩胛骨喙突及盂上粗隆。其肌腱止于桡骨粗隆。作用为屈肘、前举上臂及使前臂旋前。股二头肌属腘绳肌群，起于坐骨及股骨后侧，二头汇合后止于胫骨头及腓骨，其肌腱即外侧腘绳韧带。股二头肌的作用为伸及外旋大腿、屈膝。

Bicester　比斯特　英格兰牛津行政和历史郡查韦尔区的堂区（城镇）。位于经开垦的欧特沼地的北缘。早年开辟多处贸易集市。该区教堂具有撒克逊、诺曼等建筑风格。18 世纪起为一猎狐场（现称比斯特-沃顿山猎场）。附近大型军械库带来许多就业机会，工业有所扩大。人口约 22 128（1991）。

Bichat, Marie-François-Xavier　比沙（1771-11-11 或 14，法国图瓦雷特～1802-07-22，里

昂） 法国解剖学家、生理学家。系统地研究过人体组织，促进了组织学的创立。在人们尚未认识到细胞是生物的功能单位时，比沙等人首先设想人体器官是由结构简单的功能

美国不列颠百科全书公司供图

单位或"器官前体"分化而成，1800年他在《论膜》一文中系统提出了这一观点。虽然他未应用显微镜，但却区别出21种构成人体器官的组织。他曾从里昂主宫医院外科医师马克-安托万·珀蒂学习解剖学及外科学。1793年从巴黎外科医师、解剖学家皮埃尔-约瑟夫·德佐学医，后又成其助手。德佐1795年去世后，比沙完成了德佐的《外科日志》第4卷，并加上作者传略。他在主宫医院进行临床观察，又研究疾病引起的各器官死后的改变。1800及1801年，他相继出版了《生命与死亡的生理学研究》及《普通解剖学》，1801～1803年出版了《描述解剖学》1～2卷（第3卷在他逝世后由他的学生完成）。奉拿破仑之命，他的半身雕塑像与德佐的半身雕塑像一起安放在主宫医院内。

bichir　多鳍鱼　又作lobefin。多鳍鱼目多鳍鱼科多鳍鱼属（*Polypterus*）约10种热带非洲鱼类的统称。与芦鳗同属一科，或将多鳍鱼与鲟鱼及桨吻鲟同归入软骨硬鳞超目。多

多鳍鱼（*Polypterus delhezi*）
美国不列颠百科全书公司供图

鳍鱼长约0.6～0.9米。以蠕虫、小鱼等动物为食。洪水期在沼泽中产卵。胸鳍有肉质叶，体具厚硬鳞，鳔有呼吸功能。背鳍为一列以尖棘支持的旗状小鳍。多鳍鱼在一些地区可供食用。

Bichitr　比奇德尔（活动时期约17世纪，印度） 印度莫卧儿宫廷画家，活动于贾汉季、沙贾汉和奥朗则布统治时期。已知的最早作品约作于1615年，已显示出成熟的风格。直到1660年前后他可能一直在作画。1616年左右有自画像，是一个约30岁身着印度宫廷服装的男子。作为一个肖像画家和重大历史事件画家，比奇德尔的技艺超人，形式庄严。早期作品具有柔和、浪漫的特色；后期则线条清晰、刚劲，色调鲜明。比奇德尔曾复制过一些欧洲绘画及版画。塑造人物形象使用阴影，并绘有欧洲式的小天使。采用欧洲透视法绘制的印度风景画，能生动地反映其时代和环境。

bichloride of mercury　二氯化汞　氯化汞。一种无臭、无色、水溶性的汞化合物。参阅**mercury**。

bichon frise　鬈毛比雄犬　又译比雄犬。一种小狗品种，以蓬松的卷毛和活泼的性情著称。为泅水猎犬的后代。体高约23～30厘米。嘴粗短，耳朵下垂，有蓬松如丝般的卷毛和一层短绒毛。体色多为纯白，有些则头部带有乳白色、灰色或杏黄色影斑。原产于地中海地区，与其他3个比雄品种——马耳他狗、波伦亚小狗和哈瓦拉狗——有亲缘关系。据说是西班牙的航海者将比雄犬带到加那利群岛的特内里费岛；14世纪时，意大利水手在该岛发现了它们并带回欧洲。接下来4个世纪，这种狗博得了上至王宫贵族下至新兴中产阶级的欢心，尤其是在16世纪末的法国，当时的国王亨利三世把这种脖子上系有缎带的小狗放在篮子里到处携带。但到了19世纪末，贵族们把偏好转向了其他品种的狗，比雄犬则沦落到在马戏团里表演或与手摇风琴手一起表演，或者成为普通人的宠物。第一次世界大战后，法国的育种人员开始培育它们；20世纪30年代它们成为众所周知的表演犬。

Bickel, Frederick McIntyre　比克尔　参阅**March, Fredric**马奇。

Bickerdyke, Mary Ann　比克戴克（夫人）（1817-07-19，美国俄亥俄诺克斯县～1901-11-08，堪萨斯邦克希尔） 美国南北战争时期战地护理、医疗和福利工作的组织者和领导人，为U.S.格兰特将军所率西部军队服务。奥伯林学院毕业。后学习护理。南北战争爆发后随格兰特将军的军队沿密西西比河而下，开设战地医院。后来又随W.T.谢尔曼将军的部队经佐治亚向海岸地带进发，建立300所野战医院，并为不能行走的士兵提供运输工具。战后，她负责办理退伍军人养老金和安家工作。

Bickerstaffe, Isaac　比克斯塔夫（约1735，爱尔兰～约1812） 爱尔兰剧作家。他的笑剧和喜歌剧流行于18世纪后期。他的姓名与斯威夫特及艾迪生和斯梯尔较早时期在《闲谈者》上使用的笔名完全相同，但无甚联系。真正的伊萨克·比克斯塔夫据说曾经当过爱尔兰总督的小听差，并且在皇家海军陆战队中担任过军官。他第一部成功的剧本是《乡村中的爱情》（1762）。随后又写出了《磨坊少女》（以塞缪尔·理查森的《帕梅拉》为蓝本）、《挂锁》和《伪君子》等剧。他是个公开的剽窃者，并以抒情诗和精彩对话取得成功。直到1772年他看来前途光明，是年他受无根据的鸡奸罪指控被迫流亡，这种罪在当时是很严重的。许多年里他可能在法国过着穷困潦倒的生活，后来不知所终。

Bicol　比科尔人　又拼Bikol，西班牙语作Bicolano。菲律宾群岛第5个大文化语言集团。20世纪晚期，人口约409万。这个种族集团的土著地区，通常都认为是"比科兰迪亚"的全境，即比科尔半岛及毗邻吕宋东南诸岛的6省。比科尔人主要务农，种植稻谷、可可和大麻。几乎全部居民都是天主教徒。语言与菲律宾中部其他民族的语言关系密切，同属澳斯特罗尼西亚（马来-波利尼西亚）语系。

Bicol Peninsula　比科尔半岛　菲律宾吕宋东南部一个半岛。海岸线很长，参差不齐，有几个深水海湾和较大的次半岛。总面积约12 070平方千米，包括盛产大米的比科尔平原和火山高地。虽大部地区为农村，但水源充足，故人口稠密。居民多为比科尔人。那牙是教育与商业中心。境内有比科尔国家公园，占地5 201公顷。比科尔半岛是菲律宾共产党的据点。

bicycle　自行车　由骑车人蹬踏驱动并易于驾驶的轻便两轮车。标准的自行车，两个车轮是排成一线装在车架上，前轮支承在可转动的前叉子中。骑车人坐在鞍座上，用装在前叉子上的车把操纵方向，双脚蹬踏曲柄上的两只脚蹬，以转动与曲柄相连的驱动链轮。后轮上装有第二链轮，动力通过绕两个链轮运行的环链从驱动链轮传到第二链轮。自行车在全世界都得到广泛应用。它易于掌握，可以轻松地以16～24千米/小时的速度骑行，约为步行速度的4～5倍。自行车被誉为迄今已发明的将人力转换为推进力的最有效的工具。自行车易于存放和搬动，售价和维修费用低廉，构造简单，已成为一种有价值的代步器械。即使是在为各种实用目的而骑行时，也可从中获得健身和锻炼的乐趣。骑自行车旅游在英国和西欧最为流行，在其他国家也已成为时尚，尤以美国为甚。最古老的旅游俱乐部是1870年成立的伦敦匹克威克自行车俱乐部。自行车还广泛用于竞赛，特别是在西欧、英国和美国。

早期的自行车　第一辆有据可查的由骑车人驱动的两轮车是由K.de D.de绍尔布伦男爵发明的玩具木马（draisienne），于1818年4月6日在巴黎展出。坐在车上的人用双脚蹬地，推动车辆前进。1839年苏格兰邓弗里斯郡的一位铁匠K.麦克米伦经4年实验后，一种自行推进的自行车方告诞生。麦克米伦的车子有铁制轮缘，其前轮可操纵方向，直径约75厘米；后轮从动，直径约100厘米，能轻快地行驶。麦克米伦的自行车不是将脚蹬直接装在后轮上，而是在前面安装一对摆动的曲柄。骑手将双脚踏在曲柄上，使之前后摆动，带动一对连杆，连杆同位于后轮两侧的一对杠杆相连。向下蹬压一侧的曲柄，拉动连杆向前，连杆又拉着位于最上方的一根杠杆沿弧线前进，从而使车轮转动，并将另侧的杠杆转到最上方，然后用另一只脚重复上述动作。这种自行车虽经仿制，但从未流行便已过时；因此，虽然可以公平地承认麦克米伦是

自行车的发明家，但是第一种实用的、且其原理沿袭至今的结构，却是两位法国人米肖父子(Pierre Michaux 和 Ernest Michaux)的成果。1861 年米肖家族在巴黎制造了一辆在前轮上装有一对曲柄的自行车，骑手可用脚转动曲柄。这种自行车立即受到欢迎。当年他们只制造了两辆车。1862 年当这种自行车已经出名时，他们制造了 142 辆被称为 vélocipèdes 的早期自行车。1865 年的年产量达到 400 辆。1866 年他们的机械师 P. 拉勒芒移居美国，他和康涅狄格州安索尼亚的 J. 卡罗尔共同获得美国的第一项专利权。

英国考文垂缝纫机公司的一位有发明才能的年轻领班 J. 斯塔利在米肖式自行车机械装置的基础上继续进行研制，后来他在英国以自行车产业之父著称，现在考文垂还耸立着他的雕像。斯塔利着手减轻笨重的 vélocipèdes 的重量。1870 年他制造一种前轮大、后轮小的自行车。英国人谐谑地送它一个绰号“penny-farthing”，penny(便士)和 farthing(1/4 便士)是当时最大的和最小的英国铜币。他研制出一种齿轮，使脚蹬每转一周，车轮旋转两周；他还在铁轮上加装张紧的钢丝辐条，以减轻重量。他的辐条是用一卷金属线穿过轮缘和轮毂上的小孔来回环绕，并将多股线拧紧以增加张力。1874 年他又改进为用有孔的螺纹接套将一根根辐条单独地固定起来。同年斯塔利想到用切向轮辐(不同于径向轮辐)以减小辐条上的侧向应力。这种车的标准重量约为 50 磅，用于径赛时可减轻到只有 21 磅。根据车主的腿长，驱动轮的直径可以为 40 ~ 60 英寸不等。

H.J. 劳森在 1874 年制造了第一辆链条驱动的自行车。它有两个直径相等的中号车轮，后轮由一根与现代自行车链条相同的链条驱动。其胜过高前轮“常规车”的最大优点是稳定性好、便于制动和乘骑，因此被称为安全自行车。直到 1885 年斯塔利的侄子 J.K. 斯塔利所制造的漫游者安全型(Rover Safety model)自行车问世时，安全自行车的地位方告完全确立。到 1889 年，这种型号已主宰了市场。19 世纪 90 年代初，常规车已不再生产。早期自行车的橡胶轮胎是实心的。1888 年，贝尔法斯特的兽医 J.B. 邓洛普研制出一种充气轮胎。安全车和邓洛普的充气轮胎极大地推动了自行车工业，使之于 19 世纪 90 年代实行了改组，以制造廉价而实用的自行车。到 1893 年，自行车设计已经稳定在现代的样式：菱形车架、滚链驱动和装充气轮胎的车轮。新型自行车能作惯性滑行并易于制动。

下一项改进是增加了齿轮变速装置，由 H. 斯图尔米和 J. 阿切尔于 1901 ~ 1906 年间获得几项专利。他们根据周转圆的原理，在后轮毂内安装行星式齿轮。斯图尔米-阿切尔变速装置开始时为双速，后增至三速，重约 0.9 千克。

移链变速机构——即能使链条从一个链轮转挂到另一链轮上的传动装置——在开始时因路上溅起的泥浆影响其运转，不很成功；但最后证明这种装置非常方便可靠。自行车的基本设计从 19 世纪 90 年代后即处于停滞状态，仅在车架的强度和重量、变速和制动机构、鞍座的布局、车把的设计等方面作了某些改进。

现代自行车 大部分自行车不外乎 4 种主要类型：实用型、旅游型、赛车型和山地型自行车。实用型自行车普遍是供儿童或短距离骑行用的；具有一至五种速度，重型车架，宽轮胎和车座，以及简单的制动和变速系统；重量常在 14 千克(30 磅)以上；制作粗放，价格廉宜而维修简易。旅游型自行车具有轻型车架，至少 10 档的变速器，窄轮胎和鞍座，以及通常是向下弯的车把；重量为 9 ~ 14 千克(20 ~ 30 磅)。赛车型自行车是为取得最高速度而设计的，重量不足 20 磅；其车架极轻而强度极大，车轮、车把和鞍座细窄，变速器至少有 10 档；用于跑道赛车的车型则卸去制动器，并只有一个直接驱动的传动装置。山地型或越野型自行车是20世纪70年代中期发展并流行起来的；它结合了旅游型和实用型自行车二者的特点，具有轻型车架和车圈，多达 21 档的变速器，以及压有深花纹的宽轮胎，以便在离开公路的越野行驶中具有足够的牵引力；其重量为 11 ~ 16 千克(25 ~ 35 磅)。

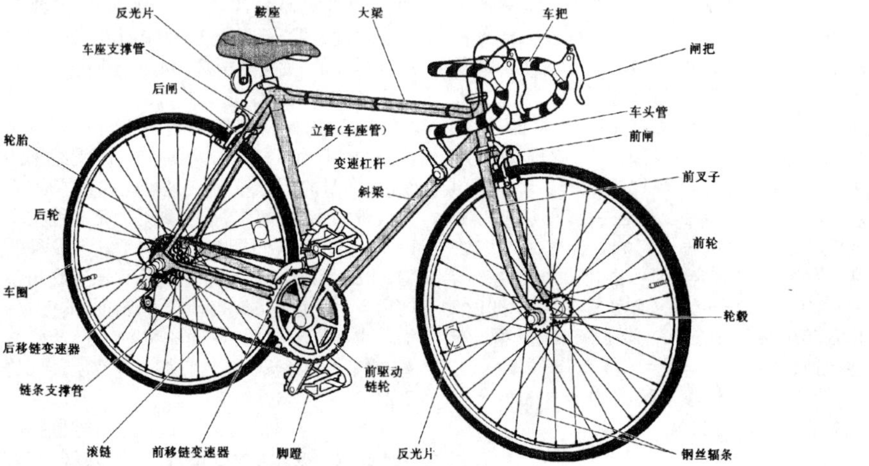

现代 10 速自行车

还有一些基于标准自行车设计的变种，包括三轮车、前后双座自行车、斜靠式自行车和原地不动的健身自行车。

基本部件 用以构成车架的管材通常由合金钢制造，以铬钼钢为最佳；也有使用铝和炭纤维复合材料的。自行车车架有 3 种主要类型。最常见的是菱形车架，它由管材焊接的 3 个三角形组成。一个三角形是由一根水平管(大梁)与一根近于垂直的管(车座管)连接，两管的端部由第 3 根管(斜梁)连在一起而形成的。车座管又是另外两个成窄 V 字形伸向后方的三角形的底边。这两个三角形的另外两边各由一根车座支撑管和一根链条支撑管形成，前者从车座管顶部向下延伸，后者则从车座管底部近于水平地向后伸出。在车座管顶部是鞍座，在其底部是驱动链轮，骑车人就坐在装在车座管顶部的鞍座上。在前伸三角形的角顶，有一根短的车头管，用以支承前叉子和车把；两个后伸三角形的顶点各自卡住后轮的一侧。除了故意作成曲线形的前叉子之外，每根管都只承受沿其长度方向的压应力。曲线形的前叉子有两个优点：它可以通过本身的弹性减轻道路引起的振动；在骑车人体重的作用下，在转弯之后它较易于恢复到正朝前方的位置。

第 2 种类型是十字形车架。1962 年英国工程师 A. 莫尔顿用十字型车架制造出一种新型的自行车。这种设计以一个单根的粗管作为主横梁。从主横梁伸出两根平行管作为车座管和车头管，车头管中装有前叉子的轴承。后面有两根与主横梁平行的变截面后叉子，用以卡住后轮。后叉子上装有一块橡胶，后叉子端部垂直运动时，橡胶受压缩而起到适度的悬浮作用。前叉子装有用花链接合的立柱，故可做垂直运动，并有螺旋弹簧和橡胶充作悬浮介质。上述设计形成了莫尔顿悬浮自行车和其他小轮自行车的基础，在英国备受欢迎。

第 3 种类型是斜靠式车架。其不同之处在于它使骑车人能以稍向后靠的姿式坐得离地面很近，用两腿驱动装在与地面平行的一根管子上的曲柄。车架的轮距加大，前轮尺寸缩小。

自行车的车轮由卡住轮胎的车圈、装有滚珠轴承的轮毂以及在轮毂和车圈之间张紧的钢丝辐条几部分组成。辐条用车圈上的螺纹接套沿轮毂切线方向交织装配，并能调节松紧，以保持车圈的外形规整。车圈的直径从 36 ~ 71 厘米不等，有 3 种基本型式：韦斯特伍德式、恩德里克式和管式。韦斯特伍德式车圈的外形比较简单，在车圈截面中央凹陷处有用来固定辐条的螺纹接套，两侧卷曲以嵌住外胎的钢丝边。恩德里克式车圈的两侧扁平，以便与钳型闸配合使用，刹车时，钳型闸夹住车圈。管式车圈呈扁平 U 形，它的中空截面是挤压成形的，用以容纳赛车的管状轮胎，轮胎是用胶合剂黏合而成，而不是用钢丝压嵌在车圈上。轮胎包括用帆布和橡胶制成的外胎和可以充气的内胎。外胎通常含有很大比例的天然橡胶，而内胎则常用丁基橡胶制成。

自行车一般采用滚链传动。滚链由销钉链节和滚柱链节组合而成。销钉链节是用两个销钉将两块侧片牢固地连接起来。滚柱链节是用两个套管将两块侧片牢固地连接起来，淬硬钢滚柱可自由地在套管上滚动。组接时，销钉在套管内为自由配合。

在蹬车速度一定的条件下，提高自行车行驶速度的装置有两种：一种是将链条在几个大小不同的链轮之间转换的移链变速机构;另一种是改变驱动链轮与车圈之间传动比的后轴变速机构。移链变速机构有一个将链条从一个链轮换到另一个不同尺寸的链轮上的装置。改变驱动链轮的尺寸,可使曲柄每旋转一周所引起的后轮转数增多或减少。骑车人利用后飞轮上的7个链轮和曲柄上的3个链轮,可得到21种不同的传动比。变速机构装有弹簧,以防链条下垂。利用车架或车把上与变速机构联结的钢缆选择所需的传动比。英国、德国、日本和美国都制造后轴变速机构。它由装在后轴壳内的行星齿轮组成,具有双速、三速、四速和五速等几种型号,利用车架或车把上的钢缆,通过杠杆或扭动把手进行操纵。最简单的制动装置是脚闸,制动可通过倒蹬动作由后轮完成,不须用手操纵。它是唯一不受油或水影响的一种制动装置,在正常使用情况下可与自行车有同等的使用寿命,只需偶加调整即可。除脚闸外,自行车制动装置的形式主要有3种:钳型闸、拉杆闸和轮毂闸。钳型闸将两块高摩擦力的材料紧压在车圈的两侧;拉杆闸同样包括两块高摩擦力的闸皮,并用车把上的手柄通过传动杆拉紧,使之紧压车圈的内侧;轮毂闸通过与手柄相连的钢缆或传动杆操纵,转动时,钢鼓内闸片上的两块弧形摩擦物质张开,压在轮毂上。

为舒适起见,骑车人所坐的鞍座通常用有弹性的材料制成,如皮革、橡胶或塑料。约占总数90%的鞍座都具有类似形状的钢制格框,其上安装由小钢簧和各种衬垫材料组成的悬吊鞍座,外复聚氯乙烯座皮。这种鞍座防水,易于清洗,成本低,便于批量生产。另一种形式是注模成形的塑料鞍座,流行于20世纪70年代。它是所有类型中成本最低的,其缺点是因材料坚韧并经过定形,在需要改变形状时不易就范。

在与车架焊接的凸缘上,有用螺栓固定的吊架,其上挂有篮子或筐子,可用以携带工具和随身物品。携带幼童时,则可将其安置于装在车架上的特殊座椅中。用螺栓固定在车架上的金属或塑料挡泥板可防车轮向骑车人身上溅泥,而钢丝撑条可使挡泥板不碰车轮。参阅 **cycling**。

Bida 比达 尼日利亚尼日尔州城镇和世袭酋长国名。酋长国最早居民为贝尼人。约1531年为努佩王国所征服。约1806年该王国被富拉尼人征服,其中部划为臣服于富拉尼帝国的酋长国。1835年乌斯曼·扎基自立为努佩王。1847～1856年在比达城战败富拉尼人后,建都比达。1859～1873年间比达王国成为尼日利亚中部最强国。1871年开始与英国皇家尼日尔公司进行贸易。1897年双方因贸易和奴隶交易争端而开战,英军击败比达的富拉尼军队。1901年英军占领比达镇。在英国统治下的努佩酋长国成为比达酋长国。1908年划入新设的尼日尔省。比达的埃米尔居住在该镇西门外的宫殿中。以出产黄铜器、铜酒杯、金属制品、玻璃念珠、环饰、酒椰纤维帽、土法染布和丝绸著称。努佩人多居住在泥筑的宅院里。为尼日尔河和卡杜纳河泛滥平原所产稻米的集散地。亦为薯蓣、高粱、小米、牛油果、烟草、棉花、花生、棕油、棕仁、靛青、甘蔗、水果、山羊、绵羊和陶器的销售中心。市内有联邦高等工学院和其他学院。人口城镇约116 500(1993)。

bid'ah 比达阿 伊斯兰教用语,指穆斯林社团内无教内传统习惯(逊奈)可据的标新。极端原教旨主义罕百里学派及继承该派传统的沙特阿拉伯的瓦哈比派坚决反对比达阿。他们认为穆斯林的职责端在遵循逊奈,不得有所更易。而大多数穆斯林认为,如要适应新的情况,势必有所创新。为了预防任何过度的行为,人们把比达阿加以区分,分为好的或可嘉许的、不好的或该受谴责的。

Bīdar 比德尔 印度南部卡纳塔克邦东北部城市。海拔700米。位于海得拉巴至孟买的公路和铁路线上。现有德干地区若干具有代表性的、最优美的穆斯林建筑。原为海得拉巴土邦一部分,1956年土邦被划分,比德尔市和县并入迈索尔邦(现今卡纳塔克邦)。以金属艺术器具著称。设有古尔伯加大学的几所学院。比德尔县地处加伦贾河低地。出产粟、小麦和油籽。人口约107 542(1991)。

Bidault, Georges(-Augustin) 皮杜尔(1899-10-05,法国穆兰～1983-01-27,巴约讷附近的康博莱班) 法国在第二次世界大战期间的抵抗运动领袖,3次出任外交部长。在其

美国不列颠百科全书公司供图

任职后期因强烈反对戴高乐将军的阿尔及利亚政策而被迫流亡国外。巴黎大学毕业,1925年获历史地理学位。1932年创办左翼天主教报纸《黎明报》,为外交专栏撰稿。1940年在德国被囚。1941年回到法国,开始参加全国抵抗委员会。1944年任戴高乐临时政府外交部长,参加签署联合国宪章。1946年主持临时政府。1947～1948年再度任外交部长。他一贯主张遏制德国,统一欧洲,连共产党国家在内一律参加美国的马歇尔欧洲复兴计划。1948年共产党在捷克斯洛伐克接管政权以后,他开始就建立强大的西欧关税联盟和北大西洋防务联盟进行谈判。在任国防部长(1951～1952)和外交部长(1953～1954)期间,他支持法国控制印度支那和阿尔及利亚。1958年第四共和国告终后,他强烈反对戴高乐的政策。同年,作为国民议会议员的他成立新的右翼基督教民主党。1961年他成立全国抵抗委员会,鼓吹恐怖活动以防止阿尔及利亚独立,并转入地下,宣布戴高乐政府为非法。1962年逃离法国,1963～1967年避居巴西。1968年回国后住在巴黎。嗣后不再积极参政,1977年任基督教民主党名誉主席。

Biddeford 比迪福德 美国缅因州西南部约克县城市。在波特兰西南26千米,地处索科河瀑布区,与大西洋畔的索科隔河相对。约1630年始有英格兰人在此定居。1762年两岸均形成社区。水利资源促进了工业发展。伐木和棉纺织业在经济中占重要地位。新英格兰骨科医学院已并入新英格兰大学。附近有比迪福德湖和希尔斯海滩等名胜。1718年设镇,1855年设市。人口20 942(2000)。

Biddle, James 譬珥(1783-02-18,费城～1848-10-01,费城) 美国海军军官,曾负责美中第一项条约的谈判。就读于宾夕法尼亚大学。1800年进入海军,在舰艇上受训。后为炮艇指挥。1807年任开往中国的商船的大副。他在任美国东印度分舰队司令时,负责美中第一项条约的谈判(1846)。

Biddle, John 比德尔(1615,英格兰格罗斯特郡沃顿-安德埃奇～1662-09-22,伦敦) 未担任神职的神学家。约在1644年著有《证明圣灵不具有神性的十二论点》,其手稿被发现后,圣公会斥他为异端。1645年被英国议会委员会传讯,不久被监禁。1647年假释出狱,同年该文刊行后比德尔再次受议会传讯并再次入狱。另两篇短文反对圣父、圣子、圣灵三位一体平等并列的教义,其后也被查禁。比德尔认为圣父占有较高地位,圣子与圣灵则从属于圣父。1648年议会规定凡这种异端分子应判处死刑,由于显要人士保护,他得免于死。1652年再次入狱,同年获释。其后比德尔派即上帝一位论派每星期日举行礼拜。1653年他翻译出版意大利反三位一体论神学家索齐尼的《传记》,1654年又将自己所著《双重教理问答》出版,因而于是年12月再次受议会传讯而入狱。翌月议会解散,比德尔得以暂时获释,不久又被捕受审。经克伦威尔营救,遣往锡利群岛。经友人奔走,1658年获释。回伦敦后,1662年又被捕,死于狱中。

Biddle, Nicholas 比德尔(1786-01-08,费城～1844-02-27,费城) 美国金融家。1806～1807年给门罗总统当秘书,后任驻英公使。1812年主编美国第一个文艺杂志《代表作选》,1814年发表《刘易斯船长和克拉克

美国国会图书馆供图

船长探险记》。1823～1836年任美国第二银行总裁，采取了许多有力的措施，如限制对全国银行的信贷供应，稳定投资、货币和贴现市场，调节货币供应量并保障政府存款，使第二银行成为美国历史上第一家起实际作用的中央银行。1832～1836年该行虽有辉格党支持，但受到杰克逊总统民主党的攻击，1836年政府迫令第二银行停业，比德尔改任宾夕法尼亚州美国银行总裁。1839年退休后，他在费城成立了吉拉德学院，并在安达卢西亚他的庄园举办驰名的文艺沙龙。

Bideford 比迪福德 英格兰德文行政、历史郡托里奇区的一个小港口。位于托里奇河口。中世纪时随羊毛贸易发展起来。1573年获市场特许状。1856年铁路开通，增加其作为游览地的重要性。工业以造船，生产混凝土制品和皮革制品为主。C.金斯利的小说《嗬！向西方！》(1855)中引用了此处的许多地名。人口约14 326(1991)。

Bidens 鬼针草属 菊科的一属，约230种杂草，广布世界。有些种的叶深裂，裂片具齿，边花长；另一些种的叶披针形，不分裂，边花短或无。盘花均为黄色。瘦果顶端有2～4

俯垂鬼针草(*Bidens cernua*)
美国不列颠百科全书公司供图

条倒刺，常借此附着动物毛皮上或人衣服上传播。阿魏叶鬼针草(*B. ferulaefolia*)在庭园中栽培。

Bidlack Treaty 《比德拉克条约》(1846-12-12) 又称《新格拉纳达条约》。新格拉纳达(今哥伦比亚和巴拿马)与美国所签订的条约。条约给予美国以横跨巴拿马地峡的通行权；作为交换，美国保证地峡的中立地位和新格拉纳达的主权。条约以美国驻新格拉纳达代办B.A.比德拉克的姓氏命名。1848年在加利福尼亚发现金矿后，一家美国公司开始修筑横贯巴拿马地峡的铁路。1855年铁路筑成后，美国在这一地区的势力日益增大。1902年美国国会授权总统用4 000万美元收购法国新巴拿马运河公司享有的运河开凿权，并要求哥伦比亚让出一条横跨地峡的狭长地带。1903年美国与哥伦比亚签订《海-埃兰条约》。但哥伦比亚参议院要求得到更优惠的条件，拒绝批准这一条约。于是美国政府怂恿巴拿马脱离哥伦比亚独立，并与新建立的巴拿马共和国达成《海约翰-比诺-瓦里亚条约》，巴拿马成为美国的保护国，美国政府全部控制了巴拿马运河区，得到开凿运河的许可。参阅 **Hay-Bunau-Varilla Treaty**。

Bidpai, The Fables of 《比德佩寓言》 印度梵文动物寓言集《五卷书》(**Pañca-tantra**)的欧洲译名。

Bīdrī ware 比德里器皿 用印度式镶嵌工艺装饰的金属制品。其名称源自产地安得拉邦的比德尔镇，除比德尔外，勒克瑙和穆尔希达巴德也是这种器皿的重要产地。通常用含

19世纪的比德里器皿
美国不列颠百科全书公司供图

少量铜的锌铜合金铸成，经过发黑处理使之呈现一种不消退的黑色。主要有两种形式，一种是先将图案刻成深槽，然后按刻槽把金或银切成同样大小，嵌进槽内，最后磨光修饰。另一种是包壳式，即先刻好图案，把铅倒进空槽内，然后将剪好的金箔或银箔贴上。比德里器皿一般包括水烟筒底座、杯、盘、瓶、罐和香料盒等。最普通的图案是整块钻石形，还有各种花卉、树叶、鱼和菱形。从未制过很大的器皿。

Bidwell, John 比德韦尔(1819-08-05，美国纽约州肖托夸县～1900-04-04，加利福尼亚萨克拉门托附近) 美国加利福尼亚州行政官员和政界领袖。1829年随家从纽约迁往宾夕法尼亚，1831年又移居俄亥俄。1836年进入金斯维尔学院。后来参加墨西哥战争。1847年协助海军准将R.F.斯托克顿收复洛杉矶。战后在费瑟河淘金。发财后购置一处面积达2.2万英亩的大牧场，成为加州农业大亨，从而在加州的政界举足轻重。南北战争爆发后，他坚决拥护A.林肯。1864年当选众议员。1867年竞选州长未成。1892年禁酒党提名他为总统候选人，未果。

Bidyasagar, Isvarcandra(1820～1991) 参阅 **Vidyasagar, Isvar Chandra** 维德亚萨格尔。

Bié 比耶 安哥拉中部一省。位于比耶高原，宽扎河几条北向支流流经境内。面积70 300平方千米，大部为高地热带稀树草原。由于地势高，气候较温和。农作物主要产于中部，有玉米、稻米、西沙尔麻、咖啡和甘蔗。省会为库伊托。本格拉铁路自东向西横贯本省中部。人口约1 246 000(1995)。

Bieber, Owen (Frederick) 比伯(1929-12-28，美国密歇根北多尔～) 美国劳工领袖，1983年起担任美国联合汽车工人工会(UAW；正式名称为美国联合汽车、航天和农机工人工会)主席。中学毕业后，在一家为哈得逊与雪佛兰汽车制造座椅的公司所属的工厂里找到一份工作。一年内担任职工均须为工会会员的企业的管理员。1956年担任工会大急流城地区第687地方分会主席。1980年当选为全国联合汽车工人工会副主席，兼通用汽车部主任，这一职位传统上是担任联合汽车工人工会主席的跳板。1983年继D.A.弗雷泽当选为该工会主席。

Biedermeier style 比德迈风格 艺术上一种介于新古典主义和浪漫主义之间的过渡时期风格，曾为德国、奥地利、意大利北部和斯堪的纳维亚各国资产阶级所乐道。其风格勃兴于拿破仑围攻之后，即1825～1835年的经济萧条时期。"比德迈"一词为贬意，来源于一幅漫画《比德迈老爹》——一个中产阶级贪图安逸的诙谐形象。最有代表性的比德迈风格画家有F.克鲁格、G.F.凯尔斯廷、J.奥尔达赫、C.施皮茨威格和F.G.瓦尔德缪勒。比德迈风格家具基本上衍生于帝国时期和五人执政内阁时期的风格；最大缺陷是笨重和稚拙，但以其技艺精湛简易和实用而受人称赞。家具表面饰以自然木纹、木节或仿乌木色加以变化，使之形成对比。以严谨的几何图形为明显特征。在比德迈风格上可以明显看出19世纪前半叶继续存在的古典主义同浪漫主义的思想冲突。比德迈风格曾一度浪漫主义化：直线变成曲线；简朴的表面受到越来越精致的修饰，已失去天然材料的特征；人文主

G.F.凯尔斯廷绘《绣花的姑娘》(约1814)
美国不列颠百科全书公司供图

义形式变得愈加离奇，质料结构开始实验化。但明快、方便实用和别具一格是20世纪60年代中期比德迈风格复兴的特色。

Biel 比尔 法语作Bienne(比安)。瑞士西北部伯尔尼州城镇，位于比尔湖的东北端，伯尔尼市西北。罗马时代即有人定居。11世纪建城，1275年设建制。1352年与伯尔尼结成永久联盟。1798年为法国占领，1815年成为伯尔尼州的一个组成部分。比尔位于语言的交界地区，居民中2/3讲德语，1/3讲法语，是瑞士唯一正式使用两种语言的城市。中世纪的纪念物有镶着15世纪精致彩色玻璃的后期哥特式市教堂(1451)、镇公所(1534)。施瓦布博物馆收藏有铁器时代湖边桩屋居民的手工艺品。工业以钟表、表链和机械制造为主。人口约49 328(2002)。

Biel, Gabriel 比尔(约1420，施派尔[在今德国]～1495-12-07，符腾堡蒂宾根) 德意志哲学家、经济学家和神学家。曾先后在德意志几所大学学习。1460年左右任美因茨教区代牧。1484年任蒂宾根大学哲学和神学教授，并于1485年和1489年任该校校长。1492年任舍恩布赫隐修院副院长。所著《教父名言四集注》，评论了中世纪神学家郎巴德的名著《教父名言集》，并系统介绍英格兰哲学家奥康姆的学说。该书由门人续成。比尔在具有进步倾向的经济著作《论货币的能力与利用》一书中，主张税收公平合理并控制物价。

Biela's Comet 比拉彗星 奥地利天文学家W. von比拉(1782～1856)于1826年发现的彗星，并以发现者的姓氏命名。比拉证认出它是一个回归周期为6.6年的周期彗星。比拉彗星经历了重大的变故：1846年观测到它一分为二；1852年成为两颗彗星按期联袂而归，但此后就再未出现；在1872年和1885年，当地球穿过比拉彗星的已知轨道时，观测到亮流星雨，即所谓的仙女座流星群或比拉流星群。从而使天文学家推测这些流星是分裂后的彗星的碎片所成。

Bielefeld 比勒费尔德 德国西北部北莱茵-威斯特伐利亚州城市。在条顿堡林山北缘。1015～1036年间首见记载。旧城约建于1214年。新城于13世纪末在圣马利亚教堂附近宗教居民点上发展起来。14世纪加入汉萨同盟。1647年属勃兰登堡。第二次世界大战遭到严重破坏，现已重建。保存有斯帕林贝格城堡和约多库教堂等中世纪建筑。建有音乐厅、歌剧院、纸牌博物馆、剧场、农庄住宅、现代美术馆、大学。作为拉文斯贝格亚麻工业的中心，有德国第一家机械化工厂(1851)。还有丝绸和长毛绒纺织厂。生产服装、缝纫机、自行车、现金出纳机、药品、纸张、机床、电子设备等。1973年几个邻近城市并入，城市规模几乎增加一倍。人口约328 452(2003)。

Biella 比耶拉 意大利西北部皮埃蒙特区城市，韦尔切利省省会。位于都灵东北塞尔沃河滨阿尔卑斯山脚下。分为上下二城区，有缆索铁路连接。上城区有许多中世纪和文艺复兴时代宅邸，下城区有著名大教堂(1402)、10世纪洗礼堂、文艺复兴时代的圣塞巴斯蒂亚诺教堂(1504)和圣吉罗拉莫教堂(1512～1517)。著名的朝圣胜地奥罗帕神殿位于该城上方的亚平宁山坡上，该市亦有考古博物馆和画廊。为全国毛纺工业的中心，亦生产棉、丝和亚麻制品。人口约45 740(2001)。

Bielsko-Biała 别尔斯克-比亚瓦 原波兰南部一省(1975～1999)，现为西里西亚省的一部分。

Bielsko-Biała 别尔斯克-比亚瓦 波兰南部城市，西里西亚省省会。位于喀尔巴阡山山麓。1951年建市。原为比亚瓦河两岸两个独立的镇别尔斯克和比亚瓦。现为重要纺织业中心和旅游胜地，风景如画，环境优美。市内有铁路和公路与克拉科夫省和捷克共和国连接。人口约178 028(2002)。

Bien Hoa 边和 越南南部城市。位于湄公河三角洲东北部，胡志明市东北30千米，濒同奈河。越南南部最古老城市之一。1861年被法军攻占。有几家医院和一所制陶学校。

同奈河畔边和市一角
Shostal 供图

工业园区产品种类繁多，但1975年因战争遭严重破坏。现许多工厂已恢复生产，还新建了一些工厂。主要生产纸浆、人造板、钢材、工具、精制糖、炼乳和奶粉及拖拉机等。电力由大稔水电厂提供。附近有大机场。人口384 400(2004)。

Biencourt, Charles de, BARON DE SAINT-JUST 比安库尔(1591或1592，法国香槟～1623或1624，新法兰西阿卡迪亚罗亚尔港[今加拿大]) 即圣茹斯特男爵。法国殖民者和商人，统治法国罗亚尔港殖民地。1606年随父航海到新法兰西(加拿大)。由于缺乏资金，次年放弃在罗亚尔港的设施和城堡，回到法国。1610年重返罗亚尔港。1611年其父任新法兰西海军副司令，把罗亚尔港交他管辖。但他未能实行有效的治理，1613～1614年又遭到英国人进攻。他和几个殖民者继续留在那里建立渔业和毛皮贸易，开办新公司。1618年要求巴黎政府给予支持，以增强对抗英国的防务，未获成功。这个殖民点始终未能繁荣起来。晚年与印第安人一起生活。

Bienerth, Richard, Freiherr von 比纳特男爵(1863-03-02，奥地利帝国威尼斯维罗纳[今意大利]～1918-06-03，奥地利维也纳) 奥地利首相(1908～1911)。1886年进入教育部，1905年任司长。后进入枢密院。1906年6月任内政大臣，支持政府的选举改革方案。1908年11月，比纳特男爵继贝克男爵出任奥地利首相。他萧规曹随，企图用领地自治方案来使在波希米亚的捷克人和德意志人实现和解。但因缺乏贝克的才能，这一计划多半落空。1911年大选后，他因不能掌握议会多数而辞职。1911～1915年，比纳特男爵任下奥地利总督。

Bienne (Switzerland) **比安** 参阅 **Biel** 比尔。

Bienville, Jean-Baptiste Le Moyne de 边维尔(1680-02-23受洗，新法兰西蒙特利尔[今加拿大]～1767-03-07，法国巴黎) 法国探险家、路易斯安那殖民地总督、新奥尔良的建立者。12岁加入法国海军，曾参加哈得孙湾和北大西洋的海战。1697年参加探险队，前去探查密西西比河口并在那里建立一个殖民地。1699年初在今比洛克西附近建立一个居民点。1699～1700年探查密西西比河下游和红河。1701年任国王代表(总督)。1702年在莫比尔湾建路易堡。1711年在今亚拉巴马州莫比尔处建殖民点。1718年在密西西比河畔建立新奥尔良居民点。他在路易斯安那第2次当总督时，从西班牙人手中夺取了彭萨科拉。此后一度被召回国。1733年又任总督，常与印第安人作战。1743年辞职，返回巴黎。

Bierce, Ambrose (Gwinnett) 比尔斯(1842-06-24，美国俄亥俄梅格斯县～1914，墨西哥？) 美国新闻记者、风趣幽默的讽刺小说作家，作品以死亡和恐怖为题材。在印第安纳州长大。中学肄业一年后，在一家印刷所当学徒。1861年加入印第安纳第九志愿队。1864年内战期间在凯纳索山作战时受重伤。1867年晋升少校。1868年任旧金山《新闻信札》杂志编辑。1871年发表第一部短篇小说《闹鬼的山谷》。同年12月，与M.埃伦结婚。1872～1875年旅居英国，为伦敦《玩笑》、《费加罗》等杂志撰稿，替流亡的法国王后欧仁妮编辑《灯笼》，并出版了3本书：《魔

美国不列颠百科全书公司供图

鬼的乐趣》和《在加利福尼亚淘出的金块和金粉》(均1872)、《来自空脑壳的陈腐思想》(1874)。1877年成为旧金山《淘金者》副主编，但1879～1880年离去，试图在达科他领地的罗克维尔开采沙金，但没有成功。此后，

任《旧金山黄蜂报》主编达5年之久。1887年成为W.R.赫斯特主办的《旧金山观察家》编辑部成员，为该杂志撰写《空谈者》专栏。1896年移居华盛顿(哥伦比亚特区)，继续为报纸和杂志写稿。1913年由于厌倦美国的生活，前往墨西哥，当时墨西哥正处于P.比利亚领导的革命高潮之中。他的死因是一个谜，但据一种合理的推测，他死于1914年1月奥希纳加的围攻战。主要作品有：《在人生中间》(1891，其中包括若干最精彩的短篇小说，如：《奥尔河桥的一次事件》、《空中骑手》、《豹之眼》和《被木板封死的窗》)、《这种事情可能吗？》(1893)和《魔鬼词典》(1906)。他的作品《全集》12卷于1909～1912年出版。《魔鬼词典》的增补本由E.J.霍普金斯编辑，1967年出版，2001年再版。

bieri　比埃里　非洲加蓬芳族部落的木制雕像，传统上用以护祐已故祖先的骷髅。这些多少属于自然主义的雕像代表其祖先，他的骷髅被藏在一个用树皮制成的小圆桶形容

加蓬芳族人的比埃里
美国不列颠百科全书公司供图

器内，按照传统，雕像总是系于其上。因为去世的祖先被赋予法力，故雕像最初用以护祐祖先的尸骨，使之不为恶鬼所缠附，并使部落人不致无意中接触颅骨的潜在的危险法力。由于雕刻家世世代代进行审美加工，雕像仅具有象征意义而无神灵色彩。

Bierstadt, Albert　比兹塔特(1830-01-07，威斯特伐利亚杜塞尔多夫附近[德国]～1902-02-19，美国纽约州纽约)　美国风景画家，以描绘美国西部各地风景著称。在哈得孙河画派的最后一代画家中，他在题材创新方面很有进展。曾多次在美国西部边远地区旅行，并以此创作了一些巨幅油画，闻名于世。如《落基山脉》(1863，纽约大都会艺术博物馆藏)和《科科伦山》(约1875～1877，华盛顿科科伦艺术馆藏)。善于运用风景画中细节制造壮观的效果。着色多依据格式而不是实地观察所得，如碧绿的树木、湛蓝的水、一抹如黛的山峦。而且从前景到背景的推移经常是大幅度的，缺少柔和细腻的过渡。

Bierut, Bolesław　贝鲁特(1892-04-18，波兰卢布林附近鲁雷耶祖伊凯～1956-03-12，莫斯科)　波兰政治家、共产党人，在第二次世界大战后共产党接管政府时起过重要作用，人称波兰的斯大林。1918年参加波兰共产党，在波兰、保加利亚、捷克斯洛伐克、奥地利宣传共产主义思想。20世纪20～30年代多次入狱。1938年获释后去苏联，1943年底返回波兰，竭力使波兰苏维埃化。他忠实执行苏共的指示。1945年就任波兰总统。1948年取代W.哥穆尔卡任波兰工人党书记，并改组该党为波兰统一工人党。1952～1954年任波兰总理。曾出席苏共二十大。

biform　两形　古代神话中的人物以不同于通常的体形出现在凡人面前。例如宙斯就经常变成不同体形：化为天鹅出现在勒达面前，化为公牛出现在欧罗巴面前。

big apple　大苹果舞　20世纪30年代方(阵)舞形式的吉特巴舞。起源于美国南卡罗来纳州哥伦比亚市的一同名俱乐部。舞蹈者围成大圈，跳基本的小曳步或其他吉特巴舞

大苹果舞
美国不列颠百科全书公司供图

步，如林蒂跳步等。指挥者发号令，如“右脚向前”或“拉住女伴转”，但富于想象力的舞蹈者常突然地独自或成对作短暂的即兴舞。

big-bang model　大爆炸宇宙模型　一种广为认可的宇宙演化理论。其要点是，宇宙是从温度和密度都极高的状态中由一次“大爆炸”产生。时间至少发生在100亿年前。这种模型是A.弗里德曼和A.G.勒梅特于20世纪20年代最先提出的，40年代，G.伽莫夫和他的同事把它发展成为现代的形式。这种宇宙模型基于两个假设：第一是爱因斯坦提出的，能正确描述宇宙物质的引力作用的广义相对论；第二是所谓宇宙学原理，即宇宙中的观测者所看到的事物既同观测的方向无关又同所处的位置无关。这个原理只适用于宇宙的大尺度上，而它也意味着宇宙是无边的。因此，宇宙的大爆炸源不是发生在空间的某一点，而是发生在同一时间的整个空间内。有这两个假设，就能计算出宇宙从某一确定时间(称为普朗克时间)起始的历史，而在此之前，何种物理规律在起作用迄今未明。宇宙从那时起迅速膨胀，使密度和温度从原先极高的数值降了下来，紧接着，预示质子衰变的一些过程也使物质的数量远超过反物质，如同我们今天所看到的一样。许多基本粒子在这一阶段也可能已出现。再过几秒钟后，宇宙温度就降低到能形成某些原子核，这一理论还预言能形成一定数量的氢、氦和锂的核素，丰度同今天所看到的一致。大约再过100万年后，宇宙进一步冷却，开始形成原子，而充满宇宙中的辐射则在宇宙空间中自由传播。这种早期宇宙爆炸的遗迹就是1965年A.A.彭齐亚斯和R.W.威耳逊所发现的宇宙微波背景辐射。除了原始物质和辐射以外大爆炸理论还预言，现在宇宙中应充满中微子，它们是无质量或无电荷的基本粒子。还有可能发现早期宇宙其他遗迹。

Big Belt Mountains　大贝尔特山　位于美国蒙大拿州中西部。与密苏里河东岸平行约129千米，为北落基山脉的一部分。最高峰伊迪斯山海拔2 897米。19世纪60年代后期曾在该山区勘探金矿。现在该山已纳入海伦娜国家森林区。山四周有显著的石灰石带环绕，因而得名。

Big Ben　大本钟　以准确度和重达13吨的铸钟而著名的塔式时钟。E.贝克特(格里姆索普男爵)设计，安装在大伦敦威斯敏斯特议会大厦东端的塔楼内。大本钟因本杰明·

E.贝克特设计的大本钟
美国不列颠百科全书公司供图

霍尔爵士而得名，他是1859年主持建钟的政府专员。

Big Bend National Park　大本德国家公园　美国得克萨斯州西南部一偏远地区。沿格兰德河与墨西哥相对，位于埃尔帕索东南400千米处。建于1944年，占地324 777公顷。内有雄伟的高山和沙漠风光，河流冲蚀成的深谷，以及壮观的地质构造。当地植物有千种以上，包括矮橡树、矮松、丝兰、草莓仙人掌、三齿拉瑞阿(一种蒺藜科常青灌木)等。野生

大本德国家公园内的圣埃伦娜峡谷
美国不列颠百科全书公司供图

动物有郊狼、美洲狮、小狐、黑尾鹿、红毛雀和走鹃等。

Big Bertha 贝尔塔巨炮 第一次世界大战时德国克虏伯公司制造的两门不同巨炮之统称。第一门为420毫米榴弹炮，1914年8月进攻的德军曾用以轰击比利时列日和那慕尔要塞。第二门为克虏伯公司1918年为炮击巴黎而特制的巨炮，射程约为122千米，是前所未有的。炮管总长33.5米，总重约200吨，下方需有支柱以保持身管平直。经改装后，该炮口径原为210毫米，但连续发射时炮膛内壁腐蚀，口径便增大至约240毫米。“巴黎大炮”用火车机动部署至德国前线，自1918年3月起，在140天的时间里断断续续地轰击巴黎。该火炮最远射程为35千米，弹道高达19千米的平流层，此处空气阻力几乎不存在。

Big Black River, Battle of 大布莱克河战役(1863-05-17) 美国南北战争中北部联邦军队的一次胜仗。U.S.格兰特将军率领联邦军队把J.C.彭伯顿将军指挥的南部邦联军队追赶至密西西比河的维克斯堡。5月16日，彭伯顿在钱皮恩山被打败后留下5 000名士兵在大布莱克河两岸进行抵抗，自己带领主力撤至维克斯堡附近。格兰特将军指挥处于攻势的1万名联邦军击溃了士气涣散的南部邦联抵抗者，重创敌军，俘获1 700多人，其余溃不成军而败退。

Big Boy “巨人”号机车 为适应第二次世界大战期间美国繁重的货运任务而设计的一种巨型蒸汽机车。1941～1944年专为联合太墙洋铁路公司生产了25台“巨人”号机车，以后逐渐为内燃-电力机车所取代，其最后一台于1959年停止正常运行。“巨人”号机车同其煤水车一起重约604吨，车身长约40米，最大功率为7 000马力，能以112千米的时速拖运4 000吨的货物。“巨人”号机车系按铰接方式设计：其前、后引擎共用一台锅炉，二者的底座之间用铰链连接。“巨人”号机车车轮的布局按4-8-8-4方式设计，即以4个导向轮引导8个成对的驱动轮作为一组，以8个成对的驱动轮和4个从轮作为另一组，二者相连合为一体。

Big Cypress Swamp 大赛普里斯沼泽 美国佛罗里达州南部大森林沼泽，面积6 200平方千米，大部在科利尔县境内。东部融入埃弗格莱兹大沼泽地。森林以柏树为主，多野生动物。迈尔斯堡东南64千米为该州第一口油井所在地森尼兰村。埃弗格莱兹大道横贯塞米诺尔印第安人保留地。

Big Dipper, The 北斗星 大熊座（**Ursa Major**）中7个最亮星组成的星群。

big-eared bat 大耳蝠 参阅**long-eared bat** 长耳蝠。

big-eared fox 参阅 **bat-eared fox** 大耳狐。

Big Eight Conference 八巨头联合会 美国中西部大学的体育组织。最初称为六巨头联合会。现在参加联合会的学校有堪萨斯大学、内布拉斯加大学、俄克拉何马大学、科罗拉多大学、密苏里大学，以及堪萨斯州立大学、俄克拉何马州立大学和艾奥瓦州立大学。

Big-Game Hunting culture 大型猎物狩猎文化 古代北美诸文化中的一种，以猎捕大型兽群为其特色，兽群包括猛犸及野牛。这些文化的遗迹主要发现于北美大平原、北美洲东部及西南部。大型猎物狩猎传统可追溯到公元前1.3万或1.4万年，公元前8000年后，这种传统开始衰退或改变。参阅 **Clovis complex; Folsom complex**。

Big Rock Candy Mountain 大罗克坎迪山 一处碳酸盐丘陵综合体，海拔1 675米，位于美国犹他州中南部马里斯维尔附近菲什湖国家森林的一个边缘处。其有条纹的山丘和玫瑰色的丘陵使丹佛-里奥格兰德的铁路工人联想到糖果，因此而得名。司闸员H.麦克林托克以此名谱写了一首歌曲，描绘一个流浪汉对美好生活的憧憬，这首歌曲20世纪20年代晚期风靡整个美国。当地现已成为游客涌至的旅游景点。

Big Sandy River 大桑迪河 由莱维萨河和塔格河在美国肯塔基州东部劳伦斯县的路易莎汇合而成。有一系列船闸和大坝，可通航。沿肯塔基和西弗吉尼亚州界北流43千米，在卡特利茨堡附近汇入俄亥俄河。桑迪峡（8千米的峡谷和湍流）在拉塞尔岔流（大桑迪河的一个支流）上。

Big Science 大科学 第二次世界大战期间和战后发展起来的科学研究风格，它确立了物理学和天文学以及后来的生物科学领域中许多研究工作的组织结构和特性。大科学的特点是使用大规模的仪器和设备，由政府或国际机构资助，由许多科学家和技术人员组成团队或小组从事研究工作。最著名的一些大科学计划包括高能物理机构欧洲核研究组织（CERN）、哈勃太空望远镜和阿波罗计划。

大科学具有其他工业和政府企业所具备的许多特性。大科学的一些最具雄心的项目——卫星与太空探索、粒子加速器和望远镜——规模大，花费昂贵，且有大量官方介入，其在规模和复杂性上都可以与军事和工业机构媲美。事实上，一些国家创建整整一个城市（如美国的橡树岭、日本的筑波科学城、苏联的科学城）来支持科学研究。对于研究人员来说，大科学的出现意味着科学家从独立的研究人员转变成一个等级森严的、有组织的团体成员。这种官方的行事风格反过来又改造了科学这个职业，使它能通过行政手段、募集资金的能力、管理才能，以及科学才华而使成功成为可能。它还顺应了高等教育界里的趋势——在研究型的大学里强调科学家们的研究工作而不是教学。

冷战结束后，大科学的命运和局面开始改变。事实上，人们从来没有停止过对这一现象的批评。20世纪90年代美国国家航空和航天局（NASA）开发较小的、成本较低的卫星也是出于在更经济的规模上进行研究的要求。同时，通过人类染色体组工程，大科学开始跨向生物医学领域。不过，在该项工程中，工作分散在许多研究地点进行，而不是集中在一个大型机构中。而且，它的目标不是一批研究论文，而是要建立一套人类基因序列的档案。而且，其中部分计划还得到私人企业的支持。

Big Sioux River 大苏河 源出美国南达科他州沃特敦北面的格兰特县。向南和东南流经苏瀑布（落差6米，有水电站），在艾奥瓦州的苏城附近汇入密苏里河。全长676千米。在苏瀑布和苏城之间形成129千米的艾奥瓦和南达科他州的边界，边界又处在东面玉米生长区和西面的牛饲养区之间。不通航。主要支流有罗克河和弗洛伊德河。

Big Spring 大斯普林 美国得克萨斯州西部城市，霍华德县县城，位于阿比林西西南179千米的卡普罗克悬崖下。因附近有一个硫磺大矿泉而得名。印第安族的科曼切人和肖尼人为此水源曾争论不休。1881年5月得克萨斯和太平洋铁路通车后，为铁路支线车站，白人居民增加。1925年发现石油后迅速发展。经济以炼油、石油化工及炭黑生产为主要部门。第二次世界大战时期建有韦伯空军基地（现为工业园区），经济更为蓬勃发展。市内有著名的医疗设施（集中在退伍军人管理局医院和康复中心）以及大斯普林霍华德学院(1945)。人口约25 233(2000)。

Big Star 巨星乐队 20世纪70年代早期存在时间很短的美国乐队。它的风格是用明亮的旋律和悦耳的、带有孩子气的嗓音，伴以急迫的节奏。成立于孟菲斯，是个著名的“走在时代前列”的乐队。唱片销售并不好，却是随后一代摇滚乐手所信服的偶像。1972年的首张专辑赋予3分钟的流行歌曲非同寻常的深度。下一张专辑《电台城》(1974)同样出色,产生了热门歌曲《九月的女孩》。后来,乐队成员或寻求独立发展,或死于车祸。

Big Stick Policy 大棒政策 美国历史上西奥多·罗斯福总统所命名和推行的政策,用以确立美国的支配地位,只要这种支配地位在道义上被认为是必要的。他在向国会要求批准提高海军的应变能力以支持国家的外交目标时,第一次公开使用这一著名短语。此语出自非洲谚语"手持大棒口如蜜,走遍天涯不着急"。它后来为罗斯福用来解释其与国内政治领袖的关系和他对管制垄断及对工会要求等问题的处理方法。此语又自动与罗斯福连在一起,并常为报界引用,特别见于漫画,专指罗斯福的外交政策。在拉丁美洲和加勒比,他制定大棒政策(在外交政策上,亦称为门罗主义的罗斯福推论)来控制政局不稳定的各负债小国。

Big Stone Lake 比格斯通湖 位于美国明尼苏达和南达科他州边界上,东东南距明尼阿波利斯480千米,为明尼苏达河发源地。湖水蓄于惠特斯通河三角洲旁的狭长溢洪道。长42千米,宽1.2～2千米,面积44平方千米。湖深293米处为南达科他州最低点。为明尼苏达河流域的春季蓄洪水库。

Big Sur 大瑟尔 美国加利福尼亚州西部风景区。沿太平洋有160千米长的崎岖美丽海滨,从蒙特雷正南的卡梅尔向南延伸至圣西米恩的赫斯特堡。一条蜿蜒、狭窄、崎岖的沿海山路可供观赏太平洋和洛斯帕德雷斯国家森林的壮丽风景。州立法伊弗-大瑟尔公园(324公顷)及其大瑟尔村(蒙特雷南48千米)濒临圣卢西亚岭中的大瑟尔河,吸引着众多旅游者和博物学家。诗人R.杰弗斯在其诗歌《瑟尔角的女人》(1927)中曾描绘了这里壮丽的景色和19世纪来此定居的移民的孤寂。诗人的故居(他用当地的石头建造的)是本地区一景。1986年蒙特雷县府当局通过一项综合分区规划,严厉禁止在大瑟尔蜿蜒崎岖的109千米海滨线上发展商业。

Big Ten Conference 十大学联合会 原称西部大学校际联合会(Western Intercollegiate Conference)。美国最早的大学橄榄球联合会之一。1896年组成,成员有芝加哥大学、伊利诺伊大学、密歇根大学、明尼苏达大学、西北大学、珀杜大学和威斯康星大学。1899年增加艾奥瓦大学和印第安纳大学。1912年又增加俄亥俄州立大学。芝加哥大学于1946年退出联合会。1949年密歇根州立大学加入,使成员总数达到10个队。1990年宾夕法尼亚州立大学加入联合会。十大学联合会一直是美国各橄榄球联合会中的一支劲旅,1947～2001年每年派一个代表队(通常是联合会的冠军)参加历史悠久的玫瑰体育馆橄榄球赛。这项规定在2002年1月玫瑰体育馆举行的第一次国家锦标赛时结束。联合会成员之间的比赛现已扩大到许多其他运动项目。

big tree (*Sequoiadendron giganteum*) **巨杉** 又作 giant sequoia, sierra redwood。陆生植物中体型最大的常绿针叶乔木。属杉科,见于加利福尼亚内华达山脉西坡零星分布的小丛林(海拔900～2 600米)。以前认为它是生物中最长寿者,但研究了最大的巨杉树桩的年轮后发现它不到4 000年,而较一株芒果松年轻。巨杉与另一巨大树种红杉的区别是:具一致的鳞片状或锥状叶,紧贴树枝生长;冬芽无鳞片;球果成熟需要两个生长季

巨杉(*Sequoiadendron giganteum*)
美国不列颠百科全书公司供图

节。二者的相同点是:树冠呈金字塔形;树皮淡红棕色,有沟;树枝下垂等。最大的一株是北美红杉国家公园内的谢尔曼将军树。该树基部周长31米,树高83米,估计重量6 167吨。还有几株高达91米,但体积小于谢尔曼将军树。虽然几处巨杉树林被砍伐,但巨杉木材较红杉木材易碎;正因为其木材不适用,所以巨杉更容易得到保存。美国现存70处巨杉树大部分置于州或国家的森林公园的保护之下。

Bigelow, Erastus Brigham 比奇洛(1814-04-02,美国马萨诸塞西博伊尔斯顿～1879-12-06,波士顿) 美国工业家,研制成功地毯力织机,并创办麻省理工学院。23岁时他第一次发明了一台花边织机,接着又发明用来编织各种提花织物、印经绒圈地毯和双面提花地毯的力织机。1843年他和他的兄弟霍雷肖创办方格花布厂,克林顿城就在该厂的周围发展起来。几年之后,他在克林顿建立比奇洛地毯厂。1845～1851年,逐渐完成了他最重要的发明,制造出一种用于编织布鲁塞尔和威尔顿地毯的力织机。他的发明极大地推动了欧洲和美国地毯业的发展。他在经济学著作中为保护关税而辩护。1861年他出任麻省理工学院筹建委员会领导人。

Bigelow, John 比奇洛(1817-11-25,美国纽约州布里斯托尔～1911-12-19,纽约市) 美国作家、新闻记者、外交家,为遗失多年的B.富兰克林《自传》的发现者和首位编者。1838年在纽约当律师。1849～1861年任《纽约晚邮报》责任编辑。1856年竞选运动中为共和党总统候选人J.C.弗里蒙特的主要顾问。

美国国会图书馆供图

1861年任美国驻巴黎领事,设法阻止法国把定造的军舰交与南部邦联。在巴黎时发现并编辑富兰克林《自传》的手稿,后又编辑《富兰克林全集》(10卷,1887～1888)。

bigeye 大眼鲷 鲈形目大眼鲷科约18种海鱼的统称。其中一些种类称为花毡鲷。体鲜红色,深浅不一,也有色暗而具杂色斑的。多具圆形大眼。栖于各大洋的热带与亚热带海区。皆肉食性。夜间活动。大西洋的普通大眼鲷(*Priacanthus arenatus*)长可达41厘米。斑鳍大眼鲷(玻眼啮鱼、花毡鲷,*P. cruentatus*)见于大西洋及太平洋,长达约30厘米。锯大眼鲷(突眼斑鳍大眼鲷,*Pristigenys serrula*)为太平洋种。

Biggs, E(dward George) Power 比格斯(1906-03-29,英国埃塞克斯韦斯特克利夫海上～1977-03-10,波士顿) 管风琴家。不少听众通过他的演奏首次接触到巴罗克时期管风琴独特的辛辣色彩和不朽作品。在伦敦皇家音乐学院学习,1930年定居美国。通过与主要管弦乐团的合作演出及每周广播音乐会(1942～1958),确立了管风琴作为音乐会乐器的地位。他不愿演奏电子风琴,设法找到J.S.巴赫、G.F.韩德尔时代遗留下来的管风琴录制唱片。也曾委托W.皮斯顿、R.哈里斯以及其他20世纪作曲家为管风琴创作。因关节炎终止演出后,编订出版早期管风琴音乐。其演奏风格古雅、清晰而严谨。

bighorn 大角羊 又作 mountain sheep。又称山绵羊。两种相似的北美绵羊的统称。这两种是加拿大大角羊(加拿大盘羊,*Ovis canadensis*)和多尔氏绵羊(多尔氏盘羊,*O.*

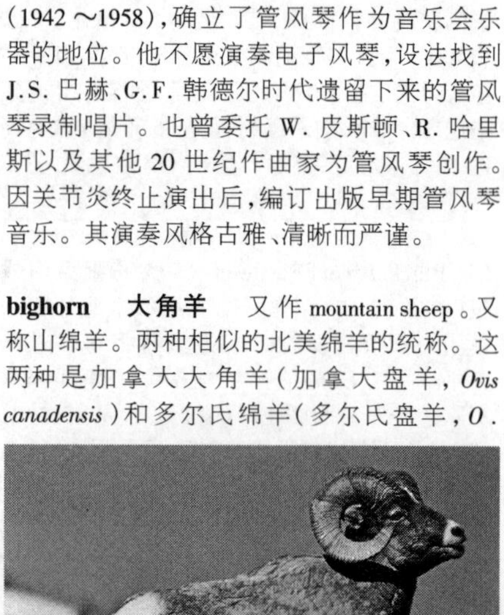

加拿大大角羊(*Ovis canadensis*)
美国不列颠百科全书公司供图

dalli)，均属偶蹄目牛科。肌肉发达；吻部窄而尖；耳短而尖；尾短。雌雄均具有横脊的角，雄体的角可能弯曲成螺旋形，外侧的弯曲部分可长1米以上。毛似鹿，呈褐色；臀部有一块灰白色斑，该斑在多尔氏绵羊呈白色乃至近乎黑色。肩高约1米；多尔氏绵羊雄体体重约90千克，加拿大大角羊为155千克。大角羊生活在偏僻山地悬崖峭壁上。从前加拿大大角羊分布于从墨西哥北部到加拿大一带，而现在仅存一些小群，躲在人类难以接近的生境。多尔氏绵羊分布于从阿拉斯加到不列颠哥伦比亚一带。大角羊主要以草为食，但在西南的荒漠山地亦食灌木，甚至仙人掌。脚步稳健，能轻松地跳跃于岩石间，攀登陡峭的悬崖。蹄锋利，呈凹形，富有弹性。11月和12月繁殖。妊娠期6个月，每产1、2仔。群居，但到夏天雄体离开雌体及幼体而居。

Bighorn Mountains　比格霍恩山脉　位于美国蒙大拿州南部，落基山北段。向东南呈弧形延伸，长193千米，宽50～80千米，平均海拔2 400～4 000米。最高峰克劳德峰

比格霍恩山脉中的耶洛泰尔保护区
美国不列颠百科全书公司供图

(4 013米)在怀俄明州境内。地质构造独特，比格霍恩国家森林使山坡景色更加秀丽。狩猎、野营和捕鱼在该区域颇为流行。保德河源出比格霍恩山脉南麓。梅迪辛山中的"梅迪辛石轮"是史前时期的遗物，它由粗石排列成直径20米的环形轮，有28个轮辐，中心毂直径约3.5米。

Bighorn River　比格霍恩河　美国黄石河最大支流。流经怀俄明州中西部和蒙大拿州中南部一小块地域。按地形自上游而下分为温德河、比格霍恩和下比格霍恩3个亚流域区。温德河为上游主流，源出阿布萨罗卡山，向东南流转北，经温德河峡谷，在峡谷以北成为比格霍恩河。汇入格雷布尔与肖肖尼河后，经怀俄明蒙大拿边界后，转向东北，于比格霍恩注入黄石河。在该河的里弗顿和比格霍恩处有灌溉工程。比格霍恩峡谷两岸为比格霍恩峡谷国家旅游区。

Bignoniaceae　紫葳科　又称凌霄科。玄参目的一科，约112属，725种。有乔木、灌木，但多为藤本。主要原产于热带美洲、热带非洲和印度-马来亚地区，是热带森林植被的重要组成部分。少数见于温带地区。著名的有梓树属(*Catalpa*)、凌霄属(*Campsis*)和紫葳属(*Bignonia*)。本科植物叶对生，常为复叶。花钟状或漏斗状，两性，花萼与花冠5裂；雄蕊4枚，2长2短，着生于花冠管上；雌蕊生在花盘上，位置高于其他花器的附着点，由两个合

非洲郁金香树(*Spathodea campanulata*)
美国不列颠百科全书公司供图

生心皮组成，两室，稀一室，特立中央胎座；种子通常扁平，有翅。本科中重要的观赏植物和经济植物包括非洲郁金香树(火焰树属，*Spathodea*)、葫芦瓢树(炮弹果，*Crescentia cujete*)、香肠树(吊灯树，*Kigelia pinnata*)、紫葳藤(*Bignonia capreolata*)、猫爪藤(*Doxantha unguis-cati*)、西印度黄杨木(*Tabebuia* 属)、蓝花楹(蓝花楹属，*Jacaranda*)、泡桐树(泡桐属，*Paulownia*)、沙漠葳(沙漠葳属，*Chilopsis*)和硬骨凌霄(*Tecomaria capensis*)等。

Bigot, François　比戈(1703-01-30，法国波尔多～约1777)　法国文官、律师，最后一任新法兰西监督官(1748～1760)。因任内贪污腐化，加速了英国对加拿大的占领。1731年在法国罗什福尔任海军军需官。1739年调至布雷顿角岛上的路易斯堡(在今新斯科舍省)任军需官，可能由于未能认真巩固城防，致使英国人于1744年将其攻陷。1745年返回法国。1746年率军远征新斯科舍失败。同年掌握新法兰西监督官的大权后，即与数家公司和一些个人建立合伙关系，以控制殖民地的经济。1748年挟其凌驾总督的权势到达魁北克，大事欺诈行骗，他以假名向群众和政府机关零售商品，从中牟取暴利，并盗用军需物资及印第安人的补给品。1755年回法国，确保官职，后又返回新法兰西，为了肥己而推行一种不正当的玉米、面粉贸易政策。由于殖民地经济日趋混乱而严重削弱了抵抗英军袭击的力量，导致1760年的投降。同年回法国后被捕，在巴士底狱监禁11个月，并且被罚款和勒令赔偿损失。后被逐出法国，大概死于欧洲某地。

Bigsby, John Jeremiah　比格斯贝(1792-08-14，英格兰诺丁汉郡诺丁汉～1881-02-10，伦敦)　英国医生和地质学家。广泛研究了加拿大和纽约州地质，揭示了很多下伏岩层构造情况，并发现了许多史前生物的新种。比格斯贝早年在爱丁堡大学学习，1814年获医学博士学位。1818年转到加拿大，次年被委派就上加拿大地区地质情况提出报告。1822年起担任加拿大国际边界委员会英方秘书兼医官，1827年返英。后在纽瓦克、埃塞克斯行医至1846年，又到伦敦行医至1881年。著有：《志留纪全书》(1868)和《泥盆-石炭纪全书》(1878)。1877年他设立伦敦地质学会比格斯贝奖章，每两年一次授予46岁以下的地质学家。

Bihać　比哈奇　波斯尼亚和黑塞哥维那西北部城镇。临乌纳河。第二次世界大战期间，为民族解放军总参谋部驻地；1942年11月，南斯拉夫反法西斯民族解放委员会(战时国会)第一次会议在此举行。整个战争时期都是集会的重要地方。现经济以木材工业和纺织业为主；也是铁路枢纽和集市中心，有一水力发电厂。人口39 000(2003)。

Bihār　比哈尔　印度的一个邦，位于该国东北部。北界尼泊尔，东邻西孟加拉邦，南连奥里萨邦，西边是中央邦和北方邦。首府巴特那。比哈尔邦范围大致相当于古代恒河北面的维泰哈及恒河南面的摩揭陀两个王国的版图。公元前6世纪是摩揭陀王国政治势力鼎盛期，以后持续到难陀(公元前4世纪)与孔雀(公元前4～前2世纪)两王朝。一度衰落之后，笈多王朝(公元4～5世纪)复兴。接着，于13世纪初被穆斯林占领，持续500多年。18世纪60年代受英国统治后，比哈尔是几次反抗的基地，著名的有1855年的桑塔尔之变，这是1857年抗英兵变的预兆。还有圣雄甘地于1917年在坚巴兰发动的非暴力运动抗议当地欧洲木蓝农场主们对印度农民的剥削。比哈尔于1936年成为英属印度单独的一个省，1947年印度独立时成为新国家的一个邦。地形上，比哈尔包括两个主要地区：①南面的焦达讷格布尔高原，主要基底起源于前寒武纪(5.7亿年前)；②北面的恒河中游平原，被恒河切割，由新冲积层构成。高原大部分海拔150米以上，最高点是赫扎里巴克的花岗岩伯勒斯纳特峰，高1 365米。和缓倾斜的平原大部分海拔不到75米，雨季易遭受大规模的洪水，但其极度肥沃的土壤养育着稠密的农业人口。1934和1988年平原北部地区发生过强烈地震。该邦具有湿润型亚热带季风气候，有3个区别明显的季节：凉季，11月到翌年2月份；热季，3月到6月中旬；雨季，6月中到10月底。12月和1月份温度降到5 ℃以下，5月份升到40 ℃以上。邦内平均年雨量1 270毫米。比哈尔仅占印度5%的土地面积，却拥有全国人口的10%。该邦语言主要是印地语，这是4/5人口的母语，其他语言有乌尔都、孟加拉、桑塔尔、奥昂和蒙达诸语。比哈尔在印度各邦中识字率最低(40%以下)。主要宗教有印度教，约占人口的83%，其他重要宗教有伊斯兰教，14%；基督教，1%。20世纪后期只有1/8的人口住在城市区，使该邦成为印度城市化最低邦之一。比哈尔人口的3/4务农，邦内土地将近1/2种有作物。稻米是主要作物，其次是小麦、黍类、豆类、油籽、甘蔗、马铃薯和棉花。干季里广泛实行灌溉。

比哈尔，特别是焦达讷格布尔地区提供印度矿产年产量的1/3以上，比任何邦或中央直辖区都多，产值大部分来自煤矿。其他矿产有黄铁矿、云母、铝土、耐火黏土及铁矿石。焦达纳格布尔也是邦内非农产业的主要所在地：贾姆谢德布尔和波卡罗有钢铁业，兰契有重工业，辛德里有煤基肥料和化工业。

恒河中游平原有许多蔗糖、轧棉及碾米厂。达尔米阿纳加是水泥、石棉、化工、蔗糖、纸张和胶合板的生产中心。伯劳尼有一所小型石油化工综合企业。铁路网发达，公路网稍嫌不足。

邦政府有2个立法机构。上议院，即参议会，议员一部分从各选区选举产生，一部分由总督指定；而权力更大的下议院即众议会，由成年公民选出。总督由印度总统任命。真正的执行当局是首席部长，由众议会选举产生。司法是和行政-立法部门分离的。比哈尔文化很大程度上植根于古代雅利安印度的成分。农村地区焦达纳格布尔仍然保留很多原始生活方式，平原地区有许多富有宗教和文化色彩的地方。那烂陀是著名而古老的那烂陀佛学院的所在地。帕瓦布里是耆那教创始人大雄的涅槃之地。伽耶是印度教重要的朝圣地，附近的菩提伽耶（佛陀伽耶）是佛陀释迦牟尼悟道之处，佛教最神圣地之一。每年的宗教节日依然是农村生活的重要部分。教育系统提供10年基础教育，然后是两年制中学和3年学院教育。大学设在巴特那、达尔彭加、穆扎法尔布尔和帕格尔布尔，菩提伽耶有医学院。政府办的工程学院位于巴特那、辛德里、帕格尔布尔和丹巴德。达尔彭加还有一所梵文大学（建于1961年）。该邦面积173 877平方千米。人口约82 878 796(2000)。

Bihār (city, India) **比哈尔** 参阅 **Bihār Sharīf 比哈尔谢里夫**。

Bihār Sharīf 比哈尔谢里夫 又拼Bihār-sharif，又称比哈尔。印度东北部比哈尔邦中部城市，位于恒河的支流派马尔河以东。曾为巴拉王朝（公元10世纪）的都城，拥有一根公元5世纪的笈多立柱与几座穆斯林的清真寺和坟墓。附近有大型"维哈拉"（即佛教学院）欧丹塔普里（**Odantapurī**）遗址，"比哈尔"之名即来源于"维哈拉"。1869年设市，现为公路与铁路中心及农产品贸易中心。菩提伽耶的马加德大学附属的几个学院设在此地。人口约231 972(2001)。

Bihārī languages 比哈尔诸语言 属于印度-雅利安语东部语支。通行于印度比哈尔邦和尼泊尔德赖地区。主要有3种语言：弥湿罗语（帝那伏帝语）和马加希语通行于东部，博伊普里语通行于西部，并延及焦达纳格布尔南半部。弥湿罗语通用于弥湿罗古国（今蒂鲁德地区），以古代学者多使用它而著称，迄今仍保有许多古老语言形式。它是唯一留有真正文学作品的比哈尔方言，自1947年以来一直受到学术界的重视。马加希语为摩揭陀普拉克里特语之现代形式。比哈尔诸语言在谱系上与孟加拉语有关，但在文化渊源上却与印地语一致。大多数受过教育的操比哈尔语者，同时也通晓孟加拉语和印地语。

Bihor 比霍尔 罗马尼亚西部一县。西邻匈牙利，居民点散布在西喀尔巴阡山山间谷地与低地。黑克里什河及其支流向西流经该县。考古发现有新石器时代用具、罗马时期陶器和货币以及西哥特人和匈奴人的遗迹。县城奥拉迪亚有机械制造、化工、纺织和制鞋业。蒂莱亚格德和约安尼什有木材加工业。阿莱什德生产砖。湍克里什河上有一座水电站。罗希亚和泽切霍塔雷附近有铝矾土矿。贝尤什为纺织中心，并以生产红色和黑色的陶器闻名。伯伊莱因泰梅和伯伊莱维多利亚是温泉疗养地。阿普塞尼山脉的喀斯特地层有地下小溪和洞穴。奥拉迪亚是航空、公路和铁路枢纽。面积7 535平方千米。人口约600 246(2002)。

Bihor Massif 比霍尔山 罗马尼亚西部阿普塞尼山脉（属西喀尔巴阡山脉）最高部分。走向从西北至东南，长约25千米，宽14千米。山顶平坦，只有几座硬岩石顶峰；最高点是1 849米的库尔库伯塔峰。向北延伸的弗勒代亚萨山为一火山山脉，高达1 836米。这些山是几条重要河流的发源地。

Biisk (Russia) 参阅 **Biysk 比斯克**。

Bijagós Islands 比热戈斯群岛 Bijagós又拼Bissagos。几内亚比绍共和国群岛，距西非几内亚海岸48千米。由15个主要岛屿组成，包括卡拉韦拉岛、卡拉谢岛、福莫萨岛、乌诺岛、奥兰古岛、小奥兰古岛、布巴克岛和罗沙岛。植被茂密，沙滩很多。主要经济作物为棕榈产品。人口26 691(1991)。

Bijāpur 比贾布尔 印度南部卡纳塔克邦北部城市。前称维查耶布罗（意即"胜利城"）。有中世纪阿迭尔·沙赫王朝遗留下来的杰出伊斯兰建筑，具有从审美观点看最完美的德干风格。有主要公路和铁路设施。旅游经济日益增长。工业有轧棉、榨油、肥皂制造、化学药剂与染料制造等部门。设有卡纳塔克大学的几所学院。人口约186 846(1991)。

比贾布尔的古尔贡巴兹墓
美国不列颠百科全书公司供图

Bījār carpet 比贾尔地毯 伊朗西部比贾尔村附近的库尔德人手织铺地用品。以分量重、结实和异常挺硬而耐折著称。毛底，双经，拴土耳其吉奥狄斯式扣。双经指的是经线紧密排列，而相间的纬线抽得很紧，致使经线形成两层，一层几乎正在另一层的后面。许多比贾尔地毯具有略形粗笨的奎心图案，奎心和四角都有花饰，但大地为单一的红色。其他产品多为重复图案，包括赫拉特图案，有菱形格子自玫瑰花叶丛中隐约出现。比贾尔有大量供织工用的样品，用来织制具有各种图案和大边的大型地毯的标本。

比贾尔地毯
美国不列颠百科全书公司供图

Bijie 毕节 中国贵州省毕节地区县级市，地区行政公署驻地。位于黔西北边境，北隔赤水河与四川省叙永、古兰县相望，西北与云南省镇雄县毗连。面积3 412平方千米。境内海拔约1 500米，地势崎岖，高差悬殊，地理位置重要。古代属蜀国，是中原地区通往夜郎国、南诏国的重要交通孔道；近代亦是川、滇、黔三省公路交通要冲。西汉置平夷县。东晋改平蛮县，南朝梁末废。唐宋时为羁縻"禄州"。元改称平迟安德，为罗氏鬼国土著部落所据。明洪武十七年(1384)置毕节卫，始建城垣。城池完工之日时逢除夕，故名毕节。清康熙二十六年(1687)裁卫设县。乾隆时重建城垣。1935年4月和1936年2月，中国工农红军两次路过毕节，建立川滇黔革命委员会和毕节抗日救国会。1950年以来一直为毕节行署驻地。该市农产有稻谷、玉米、小麦、大豆、马铃薯、烟草、油菜籽、大蒜等。林木产品有松、杉、柏、桦以及生漆、油桐、杜仲等。该市的赤水河谷地盛产夏橙。矿产有煤、硫铁矿、大理石等。毕节市建有采矿、冶

毕节响水滩
中国大百科全书出版社供图

金、电力、化工、机械、水泥、卷烟、皮革、服装、纺织、食品和粮油加工等工业。当地的名胜有响水滩瀑布、灵峰寺,青场新石器时代遗址以及中国唐代古建筑龙场营土司庄园等。人口1 097 200(1994)。

Bijnor 比杰诺尔 印度北部北方邦比杰诺尔县县城。靠近恒河。位于德里东北方,有公路和铁路与德里相通。为农产品贸易中心。以生产棉线著称。比杰诺尔县位于恒河与喜马拉雅山山麓之间,属于拉姆根加河和科赫河流域。除东北部山麓外,地势一般平坦。面积4 852平方千米。部分地区覆盖森林。出产谷物、甘蔗和其他农产品,有些地方进行灌溉。为主要甘蔗产区之一。较大城市有比杰诺尔、讷吉纳和纳吉巴巴德。人口约66 486(1991)。

Bijsk (Russia) 参阅 **Biysk 比斯克**。

Bīkaner 比卡内尔 印度西北部拉贾斯坦邦中北部城市。始建于1488年。原为比卡内尔土邦首府,土邦于1949年并入拉贾斯坦邦。城堡内有不同历史时期的宫殿。为羊

驼队经过比卡内尔的皇陵
美国不列颠百科全书公司供图

毛、皮张、建筑石料、盐和谷物的贸易中心。以生产围巾、毛毯、地毯和糖果著称。有电工、机械、玻璃、陶器、毛毡、化学药剂、靴鞋和卷烟厂。还有牙雕和漆器等手工业及铁路工厂。设有拉贾斯坦大学的几所学院(包括一所医学院和一所教师培训学院)。周围为干旱起伏的沙质丘陵区。主要放养骆驼、马和绵羊。当地无河流,主要依靠深井水灌溉。御谷、高粱与豆类为主要农作物。人口:市约416 289(1991)。

bike wagon 轻轮马车 又作driving wagon或runabout。单马牵引的敞篷轻型四轮车,装有充气或实心的自行车轮胎,车轴装在滚珠轴承上。轻轮马车设计于19世纪90年代,是制造最晚的马车之一。

Bikini 比基尼 中太平洋马绍尔群岛拉利克(西)链中的一座环礁。分布于赤道以北,位于夸贾林环礁西北360千米、埃尼威托环礁以东305千米。它由一串环形小珊瑚岛屿组成,平均高度在低潮时仅露出海面约2.1米。环礁群分布于一长40千米、宽24千米的椭圆形潟湖边缘一带,其陆地总面积不多于5平方千米。比基尼和恩尤是其中最大的岛屿。第二次世界大战前比基尼原名埃肖尔茨环礁。二次大战后,1947年起美国对太平洋岛屿托管,比基尼是其中的一部分;1979年比基尼成为马绍尔群岛共和国的一部分。1946年比基尼成为研究原子弹对海军舰只影响的巨大军事科学试验场,进行过数次原子弹试验。在1954～1958年间进行进一步原子弹和热核试验中,比基尼和埃尼威托克一直是美国原子能委员会的太平洋试验场。1956年比基尼还是美国第一颗氢弹的试验场地。该环礁从这些试验中受到严重的放射性污染。1969年美国政府开始一项长期计划,以重新开垦比基尼的土地并遣返其居民。不过直到1978年比基尼的放射性仍很高,对人体有危害,60年代返回比基尼的人们又不得不迁至基利岛。美国政府于1991年开始该岛的清理工作。第一个清理工程于1998年完成。尽管被认为放射性已低至可以在岛上开展旅游业,但仍不适合定居。

Biko, Stephen 比卡(1946-12-18,南非威廉王城～1977-09-12,比勒陀利亚) 南非黑人觉醒运动创始人。高中时因参加政治活动被开除,但他仍设法进入自由主义的圣弗朗西斯学院,1966年毕业,接着进入纳塔尔大学医学院。在那里他参加了长期争取黑人权利的温和组织——多种族的南非全国学生联合会。在对该组织不再抱幻想后,于1968年成为纯黑人的南非学生组织的创建人之一和第一任主席。该组织的目的是促进黑人的觉悟、黑人自尊和克服白人对黑人的心理上的压迫。70年代,黑人觉醒运动从校园传播到南非各地城市的黑人社区。他还帮助中学生建立南非学生运动,并成为黑人大会的名誉主席,该会吸引了大量年轻的专业人员和知识分子。比卡参与的黑人社团活动以及政治杂志《黑人评论》的出版,最终引起了政府的检查,1973年2月对他下达禁令,活动受到严格的限制。他暗中活动,于1975年建立了济梅尔信托基金会以援助政治犯和他们的家属。比卡于1977年8月18日被捕后在被拘留期间因暴力身亡,成为南非黑人民族主义的国际烈士。

Bikol (people) 参阅 **Bicol 比科尔人**。

Bilāspur 比拉斯布尔 又称卡卢尔。印度西北部喜马偕尔邦比拉斯布尔县县城。位于戈温德湖(人工湖)湖畔。为地方农产品贸易中心。比拉斯布尔县地处喜马拉雅山山麓的南部边缘,面积1 167平方千米,大部为戈温德湖水域。主要农作物为小麦、玉米和水稻。产木材。有一些手工织布业。人口约10 609(1991)。

Bilāspur 比拉斯布尔 印度中部中央邦东部城市。位于阿尔帕河西岸。重要铁路枢纽。有大型铁路工厂。有农产品贸易,又是碾米、磨粉、锯木与紫胶制造的中心。设有音乐学院和拉维尚卡尔大学的几所学院。人口:市约179 833;大都会区约229 615(1991)。

Bilbao 毕尔巴鄂 西班牙北部巴斯克地区比斯开省省会和海港,巴斯克地区最大城市。濒临内尔维翁河口。初为航海居民点,输出铁矿和铁料。莎士比亚称当地出产的铁制宝剑为毕尔巴鄂剑。1300年成为自治城市。后为羊毛输出中心。1511年该市获得权利,使其商业法庭能以条例形式发布法令。1737年发布的最后一批法令在1829年构成第一部西班牙商业法典的基础。18世纪随西属美洲殖民地的贸易繁荣起来。1874年后逐步工业化。1890年将内尔维翁河左岸的几座城镇并入。现为该国最重要港口,最大冶金和化工中心之一,也为一金融中心。有捕鱼、造船和修船业。名胜古迹有14世纪所建哥特式教堂和巴罗克式市政厅等。设有许多博物馆,一所机械学校,一所天主教大学以及巴斯克地区大学(1968)。人口约349 972(2001)。

Bilbays 比勒拜斯 下埃及尼罗河三角洲东部省城镇。位于开罗东北,在通往伊斯梅利亚和塞得港的公路干线上。1163年被阿马里克一世率领的十字军占领。有纺织工业。城西北有哈迈勒铁路站。东南5千米处的比勒拜斯军事基地有一机场。人口113 608(1996)。

bilberry (*Vaccinium myrtillus*) **欧洲越橘** 又作whortleberry。杜鹃花科低矮落叶灌木。生于林地和丛生帚石南的荒地,主要分布于英国、北欧和亚洲的丘陵地带。株高15～60厘米,茎坚挺。叶小,卵形,叶缘齿裂。花小,球形,玫瑰色带淡绿色。浆果单生,7～8月份成熟,深蓝色,外覆一层蜡被,直径1厘米,是松鸡类的主要食物,也可做果馅饼和蜜饯。欧洲越橘易受霜害,部分自花不孕,可与葡萄状越橘(*V. vitisidaeus*)杂交。美国栽培的南方越橘树(*V. australe*)产量较高,总状花序,果成簇生长。

Bilbo, Theodore G(ilmore) 比尔博(1877-10-13,美国密西西比波普勒维尔附近～1947-08-21,新奥尔良) 美国政客,来自密西西比州的民主党参议员(1935～1947),以煽动性的种族歧视言论出名。出身贫寒,但设法进入皮博迪学院和纳什维尔大学,后又到范德比尔特大学攻读法律。1907年被选入密西西比州参议院。1911年当选密西西比州副州长,1916年被选为州长。1934年当选为美国参议员。后连选连任,直至去世。他在国会中抵制任何企图改善种族不公正的倡议,主张把黑人遣返非洲以保持"种族的纯洁"。

Bildad 比勒达 《圣经·旧约》中劝慰蒙受灾祸的约伯的三个主要人物之一。据介绍,比勒达是书亚人(《约伯记》2:11),可能是巴勒斯坦东南部的游牧部落成员。从他同约伯辩论时提出的论点看,他是推崇传统的一位圣人。他说,约伯子女暴卒是因为他们得罪于上帝。又说,根据列祖的教导,恶人必然灭亡。他描述恶人的可怕结局,颂赞上帝的超越性。

Bilderberg Conference 比尔德贝格会议 由欧洲和北美洲约100名最具影响力的银行家、经济学家、政治家以及政府官员出席的为

期3天的年会。会议每年在不同的西方国家召开，在采取严密安全措施的情况下举行，各与会代表对会议期间各项讨论情况宣誓保密。会议目的在于提供一个私下的、非正式的场合，使那些能够影响国家政策和国际事务的人士彼此了解，不受约束地讨论他们共同的问题。每次会议后，均有一份会议秘密报告，仅发给历届及本届与会者，报告中对发言者只标明国家。会议由荷兰贝恩哈德亲王发起，并以1954年首次会议地点荷兰奥斯特贝克一家旅馆的名字命名。通常每年由一国际指导委员会选择不同的代表与会。会议的小型秘书处设在海牙。

Bilderdijk, Willem　比尔德狄克（1756-09-07，阿姆斯特丹～1831-12-18，荷兰哈勒姆）荷兰诗人。其作品对荷兰诗坛、知识界和社会生活发生颇大影响。出身于加尔文教派和

美国不列颠百科全书公司供图

拥护君主制的家庭，跛足，自幼爱好读书。在莱顿大学攻读法律，毕业后，在海牙当律师至1795年。由于他属于奥伦治派，被迫逃亡德国和伦敦。在伦敦结识女诗人K.施韦克哈特，1802年结婚。1806年回国。他的作品大多枯燥无味，讲究辞章，承袭前一代的格调，但偶尔也有新的诗风。他在《诗歌艺术》(1809)中，主张写诗要有所感，但他本人却很少达到这一要求。他写了不少宗教色彩很浓的诗，对19世纪的神学诗人均有启发。最著名的是他未完篇的史诗《第一个世界的毁灭》(1810)。

Bildungsroman　教育小说　德国小说的一种，专门描写一个人的性格形成时期的生活。有时也称"性格发展小说"。在沃尔夫拉姆·封·埃申巴赫的中世纪史诗《帕尔齐法尔》和H.格里美豪森的传奇故事《痴儿历险记》(1669)中，一个笨学生出外见世面、冒险猎奇、艰苦求知的民间故事被提到文学作品的高度。第一部开辟这种小说主题的是歌德的《威廉·迈斯特的学徒时代》(1795～1796)，它至今仍是这种小说的典型范例。其他例子为施蒂弗特的《晚来的夏日》(1857)和凯勒的《绿衣亨利》(1854～1855)。教育小说尽管可能掺和着无奈与怀旧的情绪，但它总是以积极的调子结束全文。主人公年轻时代的宏伟梦幻结束的时候，许多荒谬的错误和痛苦的失望也随之结束，展现在面前的是一种能够有所作为的生活。教育小说的常见变体是*艺术家小说*（**Künstlerroman**）。

bile　胆汁　又作gall。能帮助脂肪消化的黄绿色液体。胆汁由肝细胞分泌，经各级胆管、胆总管进入胆囊，被浓缩5～18倍后贮存于此，最后进入十二指肠执行其生物功能。主要成分有胆汁酸、胆汁盐、磷脂、胆固醇、色素、水、多种电解质等，呈弱酸性(pH值5～6)。胆汁从胆囊向十二指肠的排放量受迷走神经和多种激素的调节，如肠促胰液素、促胃液素和缩胆囊素等。原始稀胆汁的日分泌量是800～1 000毫升。胆汁盐的酸根源于四种游离酸：胆酸、脱氧胆酸、鹅脱氧胆酸和石胆酸，这些游离酸还可和甘氨酸、牛黄酸结合成多种复合酸、复合盐。胆汁酸、胆汁盐可以由肝细胞经胆固醇合成，也可从循环血液中回收。在十二指肠，胆汁的功能类似去垢剂，可乳化脂肪、减小脂滴的表面张力，使之易受胰腺和小肠中各种脂肪酶的作用。胆汁盐都是些大型阴离子，不易被上段小肠所吸收。脂肪消化完成后，各种胆汁盐仍旧保留在小肠腔内，它和各种胆汁酸都是在下段小肠被重吸收入血的，然后再被肝细胞从血中回收。所谓肝肠循环，即指胆汁酸、胆汁盐成于肝细胞，后经小肠重吸收入血，最后又被肝细胞从血中回收的过程。为补充在肝肠循环中丢失的部分，肝细胞还能不断地直接从胆固醇合成胆汁酸、胆汁盐，而且，这一合成量的多少和丢失量呈正相关。在正常情况下，胆汁盐到不了结肠就已全部被重吸收。胆汁盐可抑制结肠对水、盐的吸收，故结肠中的胆汁盐可致水泻。除了胆汁酸、胆汁盐，肝细胞分泌的胆汁中还含有水、钠离子、氯离子、碳酸氢根离子，可以中和进入小肠的胃液中的盐酸。肝细胞从血中摄取的非水溶性代谢产物，如胆固醇、类固醇、药物、血红蛋白色素等也随胆汁进入消化道。血红蛋白色素的几种降解产物也是胆汁的构成成分，如*胆红素*（**bilirubin**），这种东西除了作为着色剂外，并无任何其他已知的功能。胆汁中还有一些微量成分，如黏液、血清、蛋白质、卵磷脂、中性脂肪、脂肪酸、尿素等，其功能均不明。

Bilecik　比莱吉克　土耳其西北部城市。临萨卡里亚河支流卡拉苏河。1298年被奥斯曼统治者奥斯曼一世从拜占廷帝国夺来。1919～1922年土耳其独立战争期间，为希腊军队占领，该城及著名丝绸业遭严重破坏。旧城位于小山高坡上，现代市区在安卡拉-伊斯坦布尔铁路线车站周围。人口约23 050 (1990)。

Bilfinger, Georg Bernhard　比尔芬格（1693-01-23，符腾堡坎斯塔特～1750-02-18，斯图加特）德国哲学家、数学家、政治家和有关天文学、物理学、植物学和神学论文的作者。因其莱布尼兹沃尔夫哲学而闻名。他使用此词，以示其立场处于两位德国哲学家哥特弗里德·威廉·莱布尼茨(1646～1716)和克里斯提安·沃尔夫(1679～1754)之间。在蒂宾根被任命为宫廷牧师，1721年在该地任大学哲学教授。1724年被任命为道德哲学教授和数学教授。同沃尔夫(1723年被逐出哈雷)的交往导致人们指控他宣传无神论，从而失去教学职务。1725年因沃尔夫之助，在圣彼得堡任逻辑、形而上学和道德哲学教授。论文《论重力的一般物理原因》(1728)在巴黎科学院发起的一次论文竞赛中获最高奖。声誉有所提高，1731年返回蒂宾根，任神学教授。为当时最多才多艺的思想家之一。曾撰写一部有关防御工事的书，政府授予一笔奖金。对哲学所做的最具特色之贡献(即可能性的学说)发表在他的有关上帝、人的灵魂和一般物质世界的论文(1725)中。

Bilge　毗伽（？～734）　又拼P'i-chia或Pi-jia。716～734年的东突厥可汗，《唐书》名默棘连。716年突厥宫廷政变后，毗伽成为突厥部落首领。他曾经要求唐玄宗与突厥结盟，玄宗不肯，毗伽便大量杀伤中国军队，迫使唐室于721年求和。毗伽曾告诫其后嗣：突厥的力量来自游牧生活，定居中国边境的农业地区会削弱他们。

bilharziasis（disease）　参阅 **schistosomiasis** *血吸虫病*。

bilin　胆色素　又作bilichrome。一类生物色素，是某些卟啉的代谢产物，为黄色、绿色、红色或褐色的非金属化合物。除见于哺乳类的胆汁色素中外，无脊椎动物、低等脊椎动物、红藻和绿色植物中也有这类色素。它不仅给动物体某些部位或其产物以不同的颜色，而且也是绿色植物光周期过程中不可缺少的，也是红藻光合作用过程中的辅助色素。

bilirubin　胆红素　脊椎动物胆汁中的棕黄色色素。粪便呈独特的黄色，即因含胆红素之故。胆红素由骨髓细胞产生，在肝内则作为红细胞(血红蛋白)的分解产物而释出。胆红素产生的数量与红细胞破坏的数量直接有关。每日约生成0.5～2克。未知胆红素有生理功能，但知它对胎儿脑组织有毒性。胆红素在血流中通常为游离状态，与白蛋白结合而运输，到达肝脏后即与由葡萄糖产生的葡萄糖醛酸结合，并浓缩1 000倍。然后多离开肝脏进入胆囊，被进一步浓缩并与其他胆汁成分相混合。胆石可来源于胆红素。胆囊为某些细菌所感染后，结合胆红素可还原为游离胆红素及酸。游离胆红素中的钙质可析出形成结石，并阻塞总胆管。若总胆管阻塞，则结合胆红素可被吸收进入血流，引起*黄疸*（**jaundice**）。正常情况下结合胆红素从肝或胆囊进入小肠，于此被细菌还原为中胆红素原及尿胆原。尿胆原部分被重吸收进入血流，其余部分返回肝脏或由粪、尿排出。据信，人的胆红素在入肝之前均为游离胆红素。狗、绵羊、大鼠的血液中无胆红素，而肝中则有之。

bill（zoology）　参阅 **beak** *喙*。

Bill, Max　比尔（1908-12-22，瑞士温特图尔～1994-12-09，德国柏林）　瑞士书画印刷

艺术家、工业设计家、建筑师、雕塑家和画家，他主要因精巧而规整的广告设计闻名于世。比尔早年曾想成为一名银匠，但他受到建筑师勒·科比西埃作品的影响，前往德国第一流

比尔 1944 年的招贴画
美国不列颠百科全书公司供图

的建筑学院包豪斯学习建筑。他同时又学习了金属加工、舞台美术设计和绘画。1930 年他在苏黎世创立自己的工作室，钻研雕塑、绘画和建筑，而以从事广告设计维持生活。1944 年后，他成为业务日益繁忙的工艺美术设计家，曾设计包括各种椅子和墙板链轮齿等多种多样的产品。他的作品正如其大理石雕塑"圆环构筑"(1942)那样，具有线条优美及造型生动的特色。比尔在其生涯的后期致力于各项设计及书画印刷艺术活动，并从事教学工作。他是西德乌尔姆设计学院(1951～1956)的创建人之一，并于此执教。他曾设计校内建筑、规划教学流程，担任建筑与产品设计系主任；还曾担任汉堡市立美术学院的环境设计教授(1967～1974)。

Billaud-Varenne, Jean-Nicolas　俾约-瓦伦(1756-04-23，法国拉罗谢尔～1819-06-03，海地太子港附近)　法国律师和小册子作家，法国大革命雅各宾俱乐部独裁时期(1793～1794)统治法国的救国委员会委员。律师之

美国不列颠百科全书公司供图

子。曾在大学任教。1785 年在巴黎业律师。1787 年写匿名小册子抨击教会和政府。1789 年法国大革命爆发后加入雅各宾俱乐部。作为革命公社成员，他曾参加筹划推翻君主的起义。1792 年当选为革命的国民公会议员。国民公会根据他的提议，宣布成立共和国。其后投身于反对稳健的吉伦特派议员的斗争，1793 年 6 月 2 日吉伦特派被逐出国民公会，雅各宾派控制了革命。此时，他与巴黎"无套裤汉"建立了紧密联系，在后者的坚持下，1793 年被选入救国委员会。霜月 14 日(1793-12-04)，在他积极推动下，国民公会通过一项关于救国委员会对外省官员有绝对控制权的法令。他与科洛·德布瓦等密谋，促使罗伯斯比尔在热月 9 日(1794-07-27)垮台。在热月反动时期，他被流放到法属圭亚那。1800 年他拒绝接受拿破仑的赦免。1816 年前往纽约，翌年定居海地。

billbergia　红苞凤梨　凤梨科红苞凤梨属(*Billbergia*)50 余种常绿附生植物，原产于南美。有几种叶片、花朵或苞片色彩艳丽而种作室内装饰植物。叶带状，坚韧带刺，莲座状

一种红苞凤梨属(*Billbergia*)植物
美国不列颠百科全书公司供图

从生于根部，叶丛直径可达 90 厘米。穗状或圆锥状花序自叶丛中央长出。

billbug　喙甲　鞘翅目象甲科昆虫。体粗壮，有短喙，体长达 50 毫米。有些种，如隐喙象属(*Rhynchophorus*)主要产于热带，钻透棕榈树嫩枝部分。凶猛象甲(*R. cruentatus*)的幼

非耳象属喙甲(*Diaprepes*)
美国不列颠百科全书公司供图

虫长 50 毫米，钻入菜棕的植株，钻树时发出咯咯声，热带美洲当地人油煎或生吃这种幼虫。椰棕象甲(*R. ferrugines*)危害椰子树及酒棕。其他喙甲有非耳象属(*Diaprepes*)、*Rhodobaenus* 属(苍耳象甲)、谷象属(*Sitophilus*，仓象甲和稻象甲)和 *Sphenophorus* 属(谷喙甲)。

Billetdoux, François　比耶杜(1927-09-07，法国巴黎～1991-11-26，巴黎)　法国剧作家。其作品与先锋派戏剧有联系，研究人与人之间的关系，结果发现人类彼此难以共处。青年时就读于夏尔·迪兰戏剧艺术学校及电影高级研究学院。1949～1950 年任马提尼克岛法语广播电台台长。第一部成名剧作《卿卿》写于 1959 年，描写由于各自配偶不忠而偶然邂逅的一对男女的故事，获得广泛欢迎。《布莱德比里夫妇的品性》(1960)描写一个妻子在报上登广告出卖丈夫。《去托尔普旅店》(1961)记载发生在小旅店的自杀案，小旅店店主坚持要破除她客人们的防御。其他剧本包括《必须穿出云层》(1964)、《世界怎么了，先生？还在转，先生！》(1964)。许多年来，比耶杜一直在电影电视领域工作，但他也确曾为舞台写过一出幻想剧《醒醒吧，费城》(1988)。比耶杜的剧本错综复杂，结构围绕着迅速而突然的感情变化而展开，强调社会的和哲学的论争。

billfish　喙鱼　多种长颌鱼类的统称，包括雀鳝(gar)。

billiards　台球　在一张长方形球台上使用规定数目的小球和一根长球杆进行的游戏。有多种形式。台面及拦住四周的橡皮垫均罩以绷紧的有毛毡感的布料。卡罗姆台球，或称法式台球，是在没有袋的球台上进行的，使用 3 枚球。其他主要的台球游戏是在一张带有 6 个球穴的球台上进行的，4 个球穴位于台角，2 个位于台的长边上。这些游戏包括：英式台球，有 3 枚球；落袋台球，有 21 枚球和 1 枚主球；以及有穴台球，或称普尔台球，有 15 枚球和 1 枚主球。每种游戏，特别是卡罗姆和有穴台球，都有多种不同玩法。许多国家——包括法国、英国、中国、意大利和西班牙——都曾被认为是台球的发明国，但事实上台球的起源已无从查考。可以说，它是从以滚球为主要特征的多种游戏演变而来的。欧洲最早提到这种游戏是在 15 世纪。各种台球游戏所需的基本设备是球台、球杆和球。传统的桃花心木台球台仍在使用，但现在球

台一般都用其他木料和合成材料制成。典型的长方形大球台的长度是宽度的两倍。通常用磨光的石板作台盘，上面罩以羊毛织品，有时称做毛毡。台面内缘用有方角的硬橡皮垫或合成橡皮垫拦住。球杆用磨光的木材或合成材料制成，一头渐细，长度约 100～150 厘米。用以击球的细头装上塑料、纤维或象牙制成的加固物，尖端胶合上皮革。小方块白垩粉用以擦在球杆顶端，便于打球者在击主球时有意偏离球心，使球旋转，这在英国称做"side"，在美国称做"English"。球以前用象牙或比利时黏土制作，现通常用塑料制成；球的直径约 5.7～6 厘米，卡罗姆台球使用较大的球。

世界上台球游戏的玩法因不同地域的国家或地区而异，但有许多方法是不分国界的。卡罗姆台球主要在法国和其他欧洲国家流行，在美国玩的人少一些，而在日本、菲律宾、中国台湾、韩国、中美洲、南美洲、非洲和中东则有许多爱好者。英式台球在英国及原英帝国的国家最流行。有穴台球或普尔台球有 6 个大球穴，主要流行于南北美洲大陆，近年来在日本也盛行。落袋台球主要在英国流行，南北美洲只有少数爱好者。

卡罗姆台球或法式台球 卡罗姆台球的球台通常长 3 米、宽 1.5 米，或长 2.7 米、宽 1.4 米。没有袋。有 3 枚球，两白一红，白球中一枚标有一小红点或斑块，以示区别。两个选手各用一个白球（全白或有斑点）为自己的主球，红球及另一白球为的球。玩球时要求触击主球，设法使其连续击中两个的球，记一个双球连击（carom 或 billiards），得 1 分；在有些卡罗姆游戏中，主球还必须一次或多次触及橡皮垫的一边或两边以上才算得分。得分者继续击球，直到失误时才终止这一回合，对方接过去击球。

英式台球 英式台球的球台相对较大，通常长 3.7 米、宽 1.9 米。和卡罗姆台球一样，也有 3 枚球，一枚全白，一枚白色带一斑点，一枚红色。有 3 种记分法：①主球触的球后落袋；②的球触另一的球后落袋；③主球次第或同时触两的球，连续得分。打球者必须掌握打出一个又一个得分球的技巧。只要继续得分，就可以继续打球。

落袋台球 落袋台球的球台和球的大小与英式台球一样。有 22 枚球：一枚白球为主球，15 枚红球，6 枚具有不同分值的彩色球（黄球 1 个，2 分；绿球 1 个，3 分；棕球 1 个，4 分；蓝球 1 个，5 分；粉红球 1 个，6 分；还有 1 个黑球，7 分）。打球者必须先击一红球落袋，接着任选一彩色球击其落袋，按其值记分。再交替击红球及彩色球落袋。红球落袋后留在袋中，彩色球落袋后只要台上还有红球，则放回各自的位置。球戏一直进行到台上只剩 6 个彩色球，这时必须按分值顺序将彩色球击落袋中，最后一球落袋后，一局结束。在球戏进程中，打球者如不能击中规则要求的球（被一个或多个球阻挡），为被击败（be snooked），失去这一回合，球戏由此得其英语名称（snooker）。

有穴台球或普尔台球 有穴台球球台一般长 2.7 米，宽 1.4 米，但在有些特定的锦标赛中球台长 3 米，宽 1.5 米；在南北美洲有些地区球台较小，只有 2.4 米长，1.2 米宽。球台上的球穴比英式台球和落袋台球的球穴要宽。有穴台球有一枚白球，15 枚分值不同的的球；的球中 1～8 号为单色，9～15 号带彩色条纹。开局前，15 枚的球摆放在球台一头，排列成三角阵，用木质或塑料三角框拦住。先击球者用主球击乱这种排列方式后，设法按规定的顺序或方法将的球击落袋中。如球未击落袋中，应让对方击球。主球落袋为失误，亦由对方击球。有穴台球或普尔台球可以有许多玩法，最流行的是轮番台球，又称芝加哥台球，要求从分值最低的的球开始，按分值顺序将的球击落袋中。分值积累多者为赢。在打所谓连续普尔球时，每一方设法以任意的顺序或组合将 14 个的球击落袋中。但每次击球前，打球者必须先报明球的分值和确定的球穴，如成功则得 1 分。

管辖机构 英式台球和英式落袋台球的世界性管辖机构是台球和落袋台球管理委员会，该机构成立于 1919 年，由原台球协会（成立于 1885 年）与原台球管理会（成立于 1908 年）合并而成。该管理委员会制定这两种球戏的要求与规则，并出版法定刊物《台球和落袋台球》。

美国的有穴台球，包括美式落袋台球的主要管辖机构是始于 1948 年的美国台球大会。它维护比赛规则并批准各项锦标赛，包括被认为是世界锦标赛的美国有穴台球锦标公开赛。参阅 **Sporting Record**：Billiards。

Billings 比灵斯 美国蒙大拿州中南部城市，黄石县县城（1883）。海拔 951 米，临黄石河。1882 年由北太平洋铁路公司建立，曾因通铁路而繁荣，1887 年后衰落，1900 年后因养牛业和灌溉农业的发展而复兴。周围是山地牧场和灌溉条件良好的河谷地区，盛产甜菜、蔬菜、羊毛和牲畜。工业主要有制糖、榨油、肉类加工和磨粉。旅游业对经济发展的重要性日益增加。市内有东蒙大拿学院（1927）、落基山学院（1947）和卡斯特国家森林管理局。林区有蝗虫冰川，冰中嵌有无数蝗虫。东南 11 千米处的州立石壁画洞穴古迹，收藏有史前人工制品。人口：市 89 847；比灵斯都会统计区 129 352（2000）。

Billings, Josh 比林斯（1818-04-21，美国马萨诸塞州恩斯伯勒～1885-10-14，加利福尼亚蒙特雷） 亨利·惠勒·肖的笔名。美国幽默作家。他的报刊文章、著作和富有风趣的演说，以朴素的语言作出富有哲理的评论，在美国内战以后受到广泛欢迎。他的特殊贡献是质朴的警句，以及对动物生活的滑稽描写。

美国不列颠百科全书公司供图

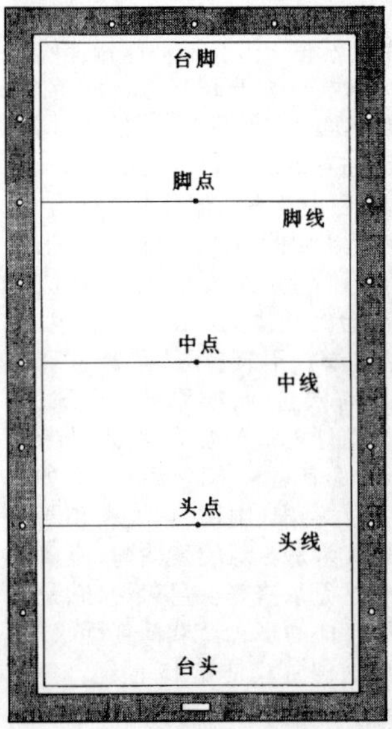

图 1 卡罗姆台球台盘

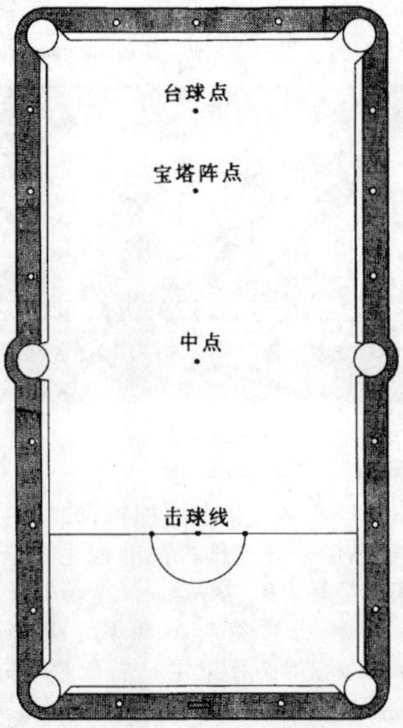

图 2 英式台球台盘

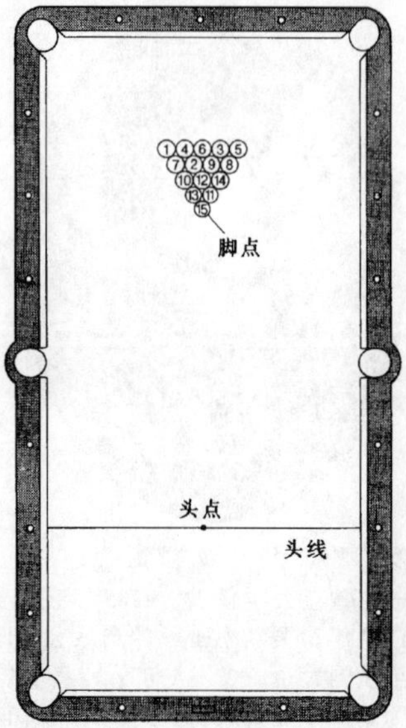

图 3 落袋台球台盘

大学二年级时因敢下学校教堂的钟舌而被纽约哈密尔顿学院开除后,在西部和中西部漂泊了几年,1858 年定居纽约州波基普西,当过拍卖商和地产商。45 岁时开始写作,只是在他赶潮流、故意使用误拼文字时才获得成功。《论骡》是他的成名之作。1867 年参加《纽约周刊》工作后,成为全国崇拜的人物。他的部分最佳作品见于《乔希·比林斯的农夫历书》。这部著作始于 1869 年并持续 10 年连载,是对《老农夫历书》的讽刺。

Billings, William　比林斯(1746-10-07,美国马萨诸塞波士顿～1800-09-26,波士顿)　美国早期原始音乐风格最重要作曲家,其作品已成为美国民间音乐传统一个主要部分。原为制革匠,自学音乐。友人中有许多美国革命杰出人物,如 S. 亚当斯和 P. 里维尔。作品有赞美诗、赞美歌、诗篇歌和赋格式的曲调。音乐以节奏有力、清新,和声简单易懂著称。其中蕴含的感情,从赞美歌《我主确已复活》的纵情赞颂和《大卫哀歌》的深刻悲痛,到世俗歌曲《现代音乐》的轻快幽默和卡农《当耶稣哭泣时》的严峻朴实,多种多样,丰富多姿。他的抒情性赞美歌《沙伦的玫瑰》是美国早期赞美歌中最流行的一首。比林斯是一位活跃的巡回歌唱大师,对促进美国民俗文化的歌唱传统起了巨大作用。出版歌集 6 册,包括《新英格兰诗篇歌手》(1770,这是第一本全由一位美国作曲家创作的歌集)、《歌唱大师的助手》(1778,人称"比林斯最佳曲集")和《大陆和声》(1794)。

Billingsgate　比灵斯盖特　伦敦最古老的集市。1982 年关闭。位于伦敦桥北端的 1666 年 9 月伦敦大火纪念碑下。16 世纪以来主要为鱼市。

Billiton　比利顿　又拼 Belitung, Belitoeng 或 Belitong。印度尼西亚邦加-勿里洞省的一个县,系一岛屿。此岛位于南海与爪哇海之间,婆罗洲西南,邦加岛以东。它还包括 135 个小岛。主要城镇和港口丹戎潘丹位于西海岸,有机场。比利顿面积为 4 800 平方千米。海滨多沙滩和沼泽,间杂有岩石和珊瑚礁海岸。织鲁土克河是定时涨落的河流,有一段 11 千米长的河道可以通航。大部分地区海拔低于 40 米。在平坦或略有起伏的地带有若干丘陵,而中央部分则为覆盖着茅草(可用于盖屋顶)的无树平原。该岛于 1851 年发现锡矿,遂使其占重要地位。初由一家私营荷兰公司开采,后有殖民政府参加,现由印度尼西亚政府经营。矿石绝大部分采自冲积矿床,但也有矿脉采矿。此岛于 1812 年被苏门答腊巨港的苏丹割让给英国,1824 年英国承认荷兰对该岛的所有权。2000 年,比利顿、邦加以及邻近的岛屿从南苏门答腊省分离出来,组建了邦加-勿里洞省。

Billy THE KID　比利小子(1859 或 1860-11-23,美国纽约州纽约～1881-07-14,新墨西哥萨姆纳)　小邦尼(William H. Bonney, Jr.)的绰号。原名亨利·麦卡蒂(Henry McCarty)。美国西部最臭名昭著的枪手之一。据说他 21 岁被击毙之前,至少枪杀过 27 人。比利出生于纽约市东区。幼年随双亲移居堪萨斯州;父亲在那里去世,母亲带了两个儿子搬到科罗拉多居住,再婚后,全家移居新墨西哥。比利早年染指偷窃及非法活动,常同犯罪团伙在墨西哥西南部和北部游荡。1880 年 12 月被擒,1881 年 4 月以谋杀定罪,判处绞刑。但他于 4 月 30 日越狱潜逃,逍遥法外多时,直到 7 月 14 日晚才被加雷特警长跟踪伏击,在马克思韦尔的牧场住宅中饮弹身亡。比利小子幼年用的名字叫麦卡蒂。对于他的真名到底是麦卡蒂还是如他后来受审时所用的小邦尼,学者们持有不同的意见。还有一个假设是比利小子事实上是"粗毛汉比尔"罗伯茨。此人潜逃后居住在墨西哥与美国西南部,骑着马出现在野蛮的西部地区展览会上,1950 年死于得克萨斯州海科市。

Biloxi　比洛克西　美国密西西比州东南部城市,与附近的格尔夫波特同为哈里森县县城。位于墨西哥湾沿岸的狭小半岛上。建于 1719 年。1720～1722 年为路易斯安那准州首府。1896年建为市。曾先后归法国、西班牙、英国、西佛罗里达共和国、南部邦联和美国管辖。经济以水产业为主,有旅游、造船、化肥生产等业。每年举行捕虾船队祝福节、4 旬斋前狂欢节等节庆活动。人口:市 50 644;比洛克西-格尔夫波特都会统计区 246 190 (2000)。

比洛克西市的 J. 戴维斯故居
美国不列颠百科全书公司供图

bimah　诵经台　又作 almemar。犹太教会堂设施,是一高台,上置诵经案。根据德系犹太人的礼仪,此台供在安息日或节日宣读摩西律法和先知经文之用,而根据西班牙系犹太人的礼仪,主持全部礼拜过程的人一直站在"厢"中。早年诵经台置于会堂中央,与约柜相距较远,会众的注意力分散。现代许多会堂将诵经台置于约柜之前。

bimetallism　复本位制　以两种金属(传统是用黄金和白银)而不是一种金属作为货币单位的货币制度。19 世纪典型的复本位制由法律规定国家货币单位的含金量和含银量,从而可自动确立两种金属间的兑换率。复本位制还为这两种金属提供自由而无限制的市场,即不限制金、银的使用和铸币,其他通货也可兑换金银。国际间采用复本位制所产生的主要问题之一是,由于各国自行规定两种金属间的兑换率,结果是各国的兑换率彼此差异很大。支持复本位制者理由有三:①可提供较多的货币储备金;②货币基础越大,价格越趋稳定;③确定和稳定采用金本位、银本位或复本位国家之间汇兑率,均较便利。反对复本位制的理由是:①单独一国采用复本位制而无国际上合作,实不可能;②金银的采掘、运输和铸造比较昂贵,因此采用复本位制浪费大;③物价稳定并不单纯取决于何种货币基础,故复本位制并不能对物价提供更大的稳定性;④尤其重要的是,复本位制实际上冻结了金银价格的比率,而未考虑二者供求条件的变化,这些变化能使维护双重本位的所有企图趋于瓦解。

Bimini Islands　比米尼群岛　又称比米尼斯。巴哈马西北部的一串岛屿。南北长 65 千米,位于美国佛罗里达海岸以东 80 千米,巴哈马首都拿骚以西 175 千米。主要岛屿北比米尼岛位于北端,内有许多游艇港和观光海滩,其主要城镇有艾丽斯镇、贝利镇和帕拉代斯岬。美国自然历史博物馆管理的勒纳海洋实验室也设在北比米尼岛。另一个附近的主要岛屿南比米尼岛基本上是农业岛。南面的一些小沙洲,包括卡特沙洲,有很高级的垂钓区。人口约 1 717(2000)。

bin Laden, Osama　本·拉登(1957,沙特阿拉伯利雅德～2011-05-02,巴基斯坦阿伯塔巴德)　又拼 Usāmah ibn Lādin。对美国等西方大国多次实施恐怖袭击的策划人。其父是沙特阿拉伯最富有的人之一,共有 50 多个孩子。1979 年苏联入侵阿富汗后不久,如同来自世界各地数以千计的其他穆斯林一样,拉登参加了阿富汗抵抗运动,把驱逐占领者看作是穆斯林的责任。1989 年苏联撤离后,拉登以英雄身份回到家乡,但很快地就对沙特阿拉伯政府以及他自己家族的腐化感到失望。在第一次海湾战争期间,他反对美军驻扎在沙特阿拉伯,这导致他与国家领导人之间的裂缝日益扩大。到 1993 年,他已经有目的地组织了一个称作基地组织的恐怖主义网,大部分成员为拉登在阿富汗结识的穆斯林好战分子。基地组织在世界各地出资制造了若干次袭击事件,包括引爆卡车炸弹来攻击沙特阿拉伯境内的美国目标(1996)、杀害埃及的旅游者(1997)以及同时引爆肯尼亚内罗毕和坦桑尼亚的达累斯萨拉姆的美国大使馆(1998),总共炸死了近300人。1994年沙特阿拉伯政府在指控他犯有颠覆罪后,没收了他的护照。他逃往苏丹,在那里组织恐怖分子训练营。1996年最终被苏丹驱逐出境。后来到阿富汗,受到统治阿富汗的塔利班军事政权的保护。1996～1998年自称是学者的拉登发布了一系列宗教主张,宣布对美国发动圣战。在他指责美国的罪行中包括掠夺穆斯林世界的自然资源,帮助和教唆伊斯兰的敌人。其目的显然是想把美国拖入穆斯林世界的一场大规模战争,推翻温和的穆斯林政府,并重建哈里发国家(即单一的伊斯兰教国家)。在世界各地,包括沙特阿拉伯、也门、利比亚、波黑、车臣以及菲律宾等地该组织有数以千计的追随者。9·11事件后,美国在2001年底率领联合部队推翻了塔利班政权,迫使拉登藏匿起来,但他仍多次通过录像带现身。

Bin Xian　宾县　又拼Pin-hsien。中国黑龙江省哈尔滨市辖县。在哈尔滨市以东70千米。明置蜚克图河卫。清初禁止垦殖,咸丰十一年(1861)开放,光绪六年(1880)置宾州厅,宣统三年(1911)升为宾州府,1913年改宾县。1934年属伪满滨江省,1945年属松江省,1954年属黑龙江省。1958年改隶哈尔滨市,1965年改隶松花江专区,1991年复隶哈尔滨市。辖宾州、宾安、新甸、居仁、摆渡、平坊、满井、常安、宾西、胜利、宁远、糖坊12镇和5个乡。面积3 846平方千米。为哈尔滨市粮食、蔬菜、肉蛋供应基地。工业有铜矿、酿酒、制糖、机械、纺织、造纸、印刷等。哈尔滨一同江高速公路及221国道经过境内。内河航运4～10月可沿松花江通航。人口620 000(2006)。

binary form　二段式　在音乐中许多歌曲和器乐曲所采用的结构型,主要用于17～19世纪。由两个长度相当、相互补充的部分组成。可用ab式表示。在18世纪的作品中,包括J. S. 巴赫的受舞曲启发的乐章及D. 斯卡拉蒂的键盘奏鸣曲,都用带有重复记号的复纵线将两部分分开,因此,实际演奏时就成了aabb的结构。二段式第1部分由大调开始者,通常转到全阶第5音结束,即将和声的重心移到其主音上方的第5级音上;小调乐曲则转到其关系大调,即重心移到其主音上方第3级音的大调上。第2部分以新调开始,通常经过一个阶段的和声发展后,回到原调结束。二段式结构虽然不一定是单主题,但往往以紧密相连的旋律-节奏素材为依据。

binary number system　二进制数系　数学中,仅使用两个不同的符号0和1的并以2为基数(**base**)的位值制数系(**number system**)。一般的十进制数系的数字0到9都能用二进制记数法表达。它在信息论和计算机技术中的重要性,主要是由于它便于表达两种状态或双稳态性质的系统,例如"开-关";"通-断"。

binary star　双星　又作double star。一对绕其公共重心作轨道运动的恒星。在地球所在的银河系内的所有恒星中,双星或更复杂的聚星占很高的比例,或许达到一半。某些双星是变星中的一个重要类型(参阅**eclipsing variable star**)。用望远镜能够观察到双星中的两个子星分开成两个星象的,称为目视双星。有的两个子星彼此的距离太近,目视方法已难以将之区分开来,往往用分光观测才能认出它是双星。因为这些分光双星的成员,交替地趋近地球和远离地球,所以在它们的光谱谱线中,就可观测到频率变化的多普勒效应。有的恒星带有称之为看不见的伴星,它们也是双星,其伴星可以根据自行的变化而检测出。自行就是可见恒星在更远距的恒星的背景上穿行的运动速率。

Binche　班什　比利时埃诺省城镇。位于蒙斯西南24千米,坐落在一座小山上,四周为12世纪建造的城堡,两侧共有27座塔楼。1545年匈牙利的玛丽下令拆毁部分班什城堡

班什忏悔日狂欢节时身穿节日服装的人群
中国大百科全书出版社供图

为其建筑宫殿。1554和1675年城堡及城镇遭法军破坏。现为糖果和时装业中心。当地的忏悔日狂欢节极为著名,狂欢节上的小丑服装在欧洲独具一格(可能是摹仿秘鲁印加人服装)。人口:城市区约32 190(2000)。

Binchois, Gilles　班舒瓦(约1400,埃诺蒙斯[今在比利时]～1460-09-20,蒙斯附近)　佛兰德斯的教堂音乐与世俗尚松作曲家,所作尚松属这一体裁的最优秀杰作之列,以其线条典雅、表情庄丽清新著称。1424年在巴黎任职于萨福克伯爵府,1425年随伯爵返回埃诺,1430年加入勃艮第腓力三世(善良的)教堂,直至去世,最后任副司铎和乐长之职。1437年已是蒙斯、苏瓦尼和卡塞尔等地的咏经司铎。所作圣乐与世俗音乐均采用他的英格兰同时代人的那种精妙和婉的节奏、优美文雅的旋律以及不协和音的平稳处理。他的某些教堂音乐与英格兰礼拜仪式音乐有关。

binding　参阅**bookbinding**装订。

binding energy　结合能　把一个粒子从一个粒子系统分出来或将系统的全部粒子分散开所需的能量。结合能特别适用于原子核中的亚原子粒子、受到原子核束缚的电子及晶体中结合在一起的原子和离子。核结合能是把原子核完全分解为质子和中子所需的能,或把这些单个的质子和中子结合成一个核时放出的能。例如,氘核由一个质子和一个中子构成,用2.23兆电子伏的能量就可以把它们完全分开;反之,当一个慢中子和质子结合成氘核时,就以γ辐射的形式放出2.23兆电子伏的能量。结合后粒子的总质量小于各单个粒子质量之和,差额如爱因斯坦质能方程所表示,等于结合能。电子结合能也称电离电势,是从一个原子、分子或离子去掉一个电子所需的能量。一般说来,原子核内一个质子或中子的结合能,约比原子内一个电子的结合能大100万倍。

bindweed　旋花类　近缘的打碗花属(*Calystegia*)和旋花属(*Convolvulus*)多年生植物的统称。茎多数缠绕,经常长成杂草。花美丽,色白、粉红或蓝,漏斗状。篱天剑(*Calystegia*

田旋花(*Convolvulus arvensis*)
美国不列颠百科全书公司供图

sepium)有匍匐的地下茎,通常缠绕在篱笆、树木上或生长在路旁;叶箭形;花白色至粉红色,花径5厘米;原产于欧亚大陆和北美,其分布区大致与为其传粉的天蛾的分布区相同。肾叶天剑(肾叶打碗花,*C. soldanella*)叶肉质,肾形,花深粉红色,花径5厘米,分布于欧洲沿海地区,匍匐生长在砂石地上。旋花属一些种分布广泛,惹人注目。田旋花(*C. arvensis*)是多年生草本,茎细弱;花簇具长梗,生于箭形叶丛中,花径2厘米,芳香,粉红色、白色或带条纹;原产欧洲,已在北美广泛归化,缠绕农作物上或野生路旁。东方旋花(*C. scammonia*)是多年生蔓生植物,花白色至粉红色,原产于亚洲西部,根状茎可制取泻药。旋花属的某些种可提取黄檀油。

Binet, Alfred　比奈(1857-07-08,法国尼斯～1911-10-18,巴黎)　法国心理学家。对法国实验心理学的发展起了决定性的作用,对智力测量做出重大贡献。1878年被J. 夏尔科关于催眠术的工作所吸引,放弃了法律生涯,转而从事医学科学研究直到1891年。1895～1911年他从事实验室研究工作。他认为德国实验室所作的感觉和知觉的研究价值不大,就试图用实验技术来测量推理能力和其他"高级心理过程",设计了用纸、笔、图画和其他便于携带的东西为工具的测量方法。1895年创办了第一份法文心理学杂志《心理学年报》。同时在巴黎创办了一个实验室,进行儿童研究和实验教学。因受英国心理学家F. 高尔顿用标准化测验记录个体差异研究思想的影响,比奈用这种方法研究了许多杰出作家、艺术家、数学家和棋手,并经常观察他们的体型、笔迹等特征,以补充正式试验。他调查了自己两个女儿的心理特征,写成重要著作《智力的实验研究》(1903)。1905～1911年与T. 西蒙设计出很有影响的测量儿童智力的量表。比奈还出版了关于暗

示感受性(1900)和癔病(1910)的著作。临终前还在修订他的量表。

Bing, Sir Rudolph 宾(1902-01-09,维也纳～1997-09-02,美国纽约州扬克斯) 英国歌剧演出经理人,作为总经理管理纽约市大都会歌剧院达22年(1950～1972)之久。奥地利工业家之子,自幼受家庭音乐环境熏陶,后在维也纳大学就读。他最初在剧院代理机构中工作。1928～1935年间他协助C.艾伯特在德国和英国管理歌剧团。1935年被任命为格林德包恩歌剧院的总经理。1947年他协助创办爱丁堡艺术节,并使之成为欧洲主要艺术节之一。3年后宾被委任以纽约市大都会歌剧院总经理之职,在任职期间他改善了表演与演出的水准,对布景设计的注重尤其获得佳评。他选择剧目以确保票房的成功为准则,意大利浪漫派歌剧成为主流,而巴罗克与20世纪的作品则鲜能登台,此举使其音乐鉴赏力经常受到抨击。他竭力罗致国际知名的歌唱家,但是却忽略了延聘同样才能的指挥家,致使有些演出显得黯淡无光。他在大都会歌剧院的成功有目共睹,在这期间发生的种种冲突形成了其独断专行的办事方法。1971年被封为爵士,曾撰有《歌剧院里的5 000个夜晚》(1972)和《歌剧院的爵士》(1981)两本回忆录。

Bingen 宾根 德国西南部莱茵兰-普法尔茨州城市,纳厄河与莱茵河汇合处港口。原为罗马宾吉姆城堡所在地,后为帝国自由城市。1254年加入汉萨同盟。市内博物馆展有罗马人外科手术用具。其他历史建筑物有圣马丁教堂和圣罗胡斯教堂。当地莱茵河中一块岩石上有著名的鼠塔,据传美因茨大主教哈托一世于913年因做错事在那里被老鼠咬死。作为铁路枢纽和重要旅游中心,有传统的葡萄酒贸易。人口约24 803(1998)。

Bingerville 班热维尔 科特迪瓦东南城镇。临埃布里耶潟湖。1900～1934年是法属象牙海岸殖民地首府。有油棕榈、咖啡、可可和牲畜等研究所。产菠萝和鳄梨。设有实验花园、农校、艺术学校、军事技术学校、孤儿中心和精神病医院。人口28 741(1988)。

Bingham, Amelia 宾厄姆(1869-03-02,美国俄亥俄希克斯维尔～1927-09-01,纽约州纽约) 婚前名Amelia Swilley。美国女演员。1890年离开俄亥俄卫斯理大学,开始演艺生涯。在美国西海岸积累了一些经验后,1893年在纽约市初次登台表演。当时她已和L.宾厄姆结婚。她在《金子的力量》、《流浪汉》、《村中邮递员》等剧中的表演深受欢迎。1897年到C.弗罗曼的剧院演出,4年间一直是首席女演员。1900年决定当制片人,接管了纽约市的珠宝剧院,招募演员,在1901年拍摄了《登山者》。显然,她是第一位成为制片人的美国女演员。随后又拍摄了《玛格丽特女士》、《现代妓女收容所》和《活泼的约翰逊夫人》。还自己主演了《奥丽普》和《玛尼小姐》,并在1909年到英国参加巡回演出。1913～1914年与D.范朋克和W.H.克莱恩合演《新汉丽塔》。1915年丈夫去世后,她的健康状况日益恶化,退出舞台。后重新登台,演出《特里劳尼源泉》(1925)和《无价之宝》(1926)。

Bingham, George Caleb 宾厄姆(1811-03-20,美国弗吉尼亚奥古斯塔县～1879-07-07,密苏里堪萨斯城) 美国边远地区政治家和画家,以风景画和肖像画,尤其是描写美国中西部生活的作品闻名于世。曾在宾夕法尼亚美术学院学习过3个月,主要凭自学。在费城短期逗留时,曾研究B.韦斯特、T.劳伦斯和T.萨利的绘画。后回故乡密苏里州从事政治活动。在《县选举》(1851～1852,圣路易斯艺术馆)和《人民的裁决》(1855,圣路易斯船工全国银行藏)之类作品中,生动地描绘了边疆的喧闹而富有生气的政治生活,体现出他刻画人物性格的熟练技巧以及构思人物众多的巨幅画面的才能。其最著名的作品是水上生活画,如《港口上的快乐船工》(1857,圣路易斯艺术馆),仍保持着用众多生动人物构图的特点。《打牌的筏运工》(1847,圣路易斯艺术馆)一画中,人物数量大大减少了,构图也较为静止,画出雾霭朦胧的河流风光,通过巧妙的处理空间和光线来加强画面意境;著名的《密苏里河上的皮毛商》(约1845,纽约大都会艺术博物馆)等也表现这一特点。1856年前往德国研究杜塞尔多夫画派名师的艺术,受此画派的影响而改变自己的风格,失去其早期作品中的直率和完整。1875年被任命为密苏里州副官署署长,此后作为画家的活动就减少了。一生中的最后两年在哥伦比亚密苏里大学任教。

宾厄姆绘《密苏里河上的皮毛商》(约1845)
美国不列颠百科全书公司供图

Bingham, George Charles 宾厄姆 参阅 **Lucan, George Charles Bingham, 3rd earl of** 卢肯伯爵(第三)。

Bingham, Hiram 宾厄姆(1875-11-19,美国檀香山～1956-06-06,华盛顿[哥伦比亚特区]) 美国考古学家,政治家。1911年曾勘定印加帝国的古城马丘比丘位于秘鲁安第斯山很难到达的地区。1909～1924年在耶鲁大学历史系任教。1911年领导耶鲁大学考古队出发,以寻找马丘比丘为主要任务。人们认为,这个地方可能在秘鲁库斯科附近,而安第斯山却是不可逾越的障碍。但由于宾厄姆坚韧不拔的信心和勇气,考古队取得很大成就。他考察过几处印加人遗址,有时甚至是冒着生命危险去探寻。同年7月24日,到达马丘比丘城,发现保存完好的石造物遗存,其中一处结构与库斯科太阳神庙极其相似,尤其引人注意。8月,发现另一重要印加遗址维特科斯。1912年他领导考古队发掘了马丘比丘。1922年起先后任康涅狄格州副州长、州长、美国参议员,1926年后从商。著有《印加国家》(1922)、《马丘比丘遗址》(1930)及《印加古城》(1948)等书。

1912年在马丘比丘遗址的宾厄姆
美国不列颠百科全书公司供图

Binghamton 宾厄姆顿 美国纽约州中南部城市、布鲁姆县县城(1806),位于希南戈河与萨斯奎汉纳河交汇处,锡拉丘兹以南121千米,邻宾夕法尼亚州边界。与约翰逊城和恩迪科特构成三位一体的城市。1787年始有居民。1834年设村,1867年设市。1837年希南戈至伊利运河开通,1848年伊利铁路建成后开始兴盛。交通便利,工业发达。主要产品有鞋类、纺织品、照相器材、机械、电子设备、计算机及化妆品。此外还有乳制品业、畜牧业、养禽业,以及滑雪和旅游业。设有布鲁姆社区学院和宾厄姆顿纽约州立大学(1946)。市内罗伯逊中心为一综合博物馆(艺术、科学、历史),包括一个天文馆和市立剧场。人口:市47 380;宾厄姆顿都会统计区252 320(2000)。

bingo 宾戈 又称洛托(lotto)。是一种靠碰运气取胜的游戏。它是世界上最流行的一种廉价赌博形式。宾戈实际上是一种彩票,玩者每人买一张或多张宾戈卡,其上画有许多方格,有的方格里有数字,有的方格空白。由庄家任意喊出若干号码(通常不超过75或90),凡先购得一张卡并把庄家喊出的号码全部凑齐者为优胜,即可囊括全部赌金或依照当地法律规定扣除其一部分。宾戈在美国大部分禁止其他赌博形式的州都是合法的,在日本也很流行,甚至传入蒙特卡洛的赌场。1960年英国颁行赌博法案,使为数众多的宾

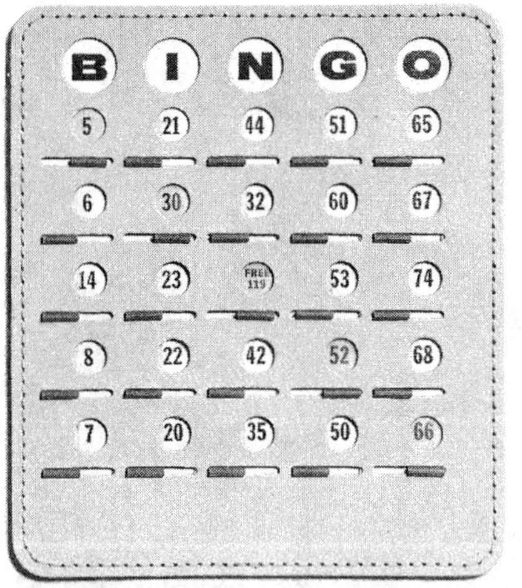

宾戈卡
马尔·马蒂艾销售有限公司供图

戈赌会得以成立,玩宾戈之风大盛。几年之内其盛况超过当年美国的情况。

Bingöl 宾格尔 旧称恰帕克丘尔。土耳其东部城市。临穆拉特河支流戈尼克苏尤河。为谷类、牲畜和畜产品市场。因东北面宾格尔山中小湖泊星罗棋布而得名,宾格尔即"千湖"之意。1966 年和 2003 年地震时遭到严重破坏。该城有公路干线东至埃拉泽,西至穆什。周围地区有穆拉特河及其支流流经。大部为山地,耕地稀少,主要经济活动是饲养牲畜。居民多为库尔德人。曾为亚述帝国一部分,16 世纪初期归属奥斯曼帝国。人口:城市68 876(2000)。

Bingxin 冰心(1900-10-05,中国福建闽侯~ 1999-02-28,北京) 又拼 Ping Hsin。中国作家。原名谢婉莹。祖籍福建长乐。父为海军军官,童年随父在烟台生活。1912年入

1923 年的冰心(摄于美国)
中国大百科全书出版社供图

福州女子师范学校,1914 年进北京贝满女中,接受基督教教义,这对她早期作品有较大影响。1918 年入协和女子大学(后并入燕京大学)。1919 年参加五四运动,任学生自治会文书,写有《两个家庭》、《斯人独憔悴》和《去国》等社会问题小说,通过对青年知识分子的描写,显示了反封建的倾向。1921 年,冰心经许地山介绍加入"文学研究会"。她在研究泰戈尔的诗文后,又写出《繁星》、《春水》两本文笔优美的诗集。这些泰戈尔式的哲理诗,被称为"冰心体"。同时又出版了她的短篇小说《超人》、《悟》等,显示了她的"爱"的人文思想。1923 年在燕京大学毕业后,冰心到美国韦尔斯利女子大学攻读英国文学。她写了《寄小读者》(1926)通信,赞美自然、祖国、母爱,文笔清丽、优雅,童心稚趣跃然纸上,是中国较早的现代儿童文学作品。1926 年回国,在燕京大学、清华大学任教。在此期间发表的小说《分》、《冬儿姑娘》等表明她加深了对中国社会的认识,成为她创作的转折点。抗日战争期间,冰心到昆明、重庆,主编《妇女文化》,曾用"男士"笔名撰写表达爱国热忱的散文,出版散文集《关于女人》。抗战胜利后,随丈夫吴文藻东渡日本。1949 ~ 1950 年间在东京大学讲授中国新文学史。1951 年回国,先后任中国文联副主席、人大代表、政协常务委员等职,写《再寄小读者》、《三寄小读者》。1957 年出版《小桔灯》,后出版有《冰心小说散文选》、《我们把春天吵醒了》(1960)、《樱花赞》(1962)、《空巢》(1980)等小说、散文集。在新诗、散文、儿童文学创作方面有很高成就与广泛影响。她还先后翻译出版过泰戈尔的《园丁集》、《吉檀迦利》、《泰戈尔剧作集》及叙利亚作家纪伯伦的《先知》。1983 年出版 5 卷本《冰心文集》。

Bini(people) **比尼人** 参阅 **Edo** 埃多人。

Binkis, Kazys 宾基斯(1893-11-04,俄罗斯立陶宛古杰利阿艾~ 1942-04-27,立陶宛苏维埃社会主义共和国考纳斯) 诗人,曾领导"四风"文学运动,将未来派引进立陶宛。1920 ~ 1923 年在柏林攻读文学和哲学,逐渐熟悉西欧文学中的最新流派。与"四风"运动有联系时所写诗歌,发表在《一百个春天》(1926)中,由于突破传统模式而轰动一时。最出色的作品主要写于第一次世界大战之前,收入他的第一卷《诗集》(1920)中。他是立陶宛文坛上罕见的天才诗人,抒情诗写来轻易流畅,具有崇高洒脱的气质。1927 年从未来派诗歌转向幽默诗,题材取自立陶宛农村生活,发表在地方报纸上,风行一时。也写过一些很成功的儿童读物,编过几本诗选,还写过两部成功的剧本:《青年一代》和《彩排》。

Binney, Horace 宾尼(1780-01-04,费城~ 1875-08-12,费城) 美国律师和政治家,为美国慈善信托事业争得合法地位。1797 年毕业于哈佛大学,1800 年取得律师资格。后成为海上保险和土地产权法专家。1809 ~ 1814 年将宾夕法尼亚州最高法院的重要案例编成 6 册权威性法庭报告出版,到 1820 年已成为宾州律师界公认的领袖,曾多次辞谢州和联邦法官的任命,1833 年起担任了一届美国众议员。他处理的两个重要案件之一是 1823 年的莱尔诉理查兹案,他所持见解成为美国不动产的普通法的基石;他的第 2 个里程碑式的案件是 1844 年的韦达尔等诉费城等地案,在美国最高法院成功地驳倒对手 D. 韦伯斯特,使费城有权使用吉拉德设立的慈善信托基金兴办孤儿学校。1850 年放弃法律工作而专心著述。南北战争期间著有 3 本具纪念价值的小册子,为林肯总统在那次战争期间中止人身保护法令提供辩护。

Binney, Thomas 宾尼(1798,英格兰诺森伯兰泰恩河畔纽卡斯尔~ 1874-02-24,伦敦) 英格兰基督教公理会牧师。他谋求公理会与圣公会重新合一。他在主持礼拜时带领信徒咏唱钦定本《圣经》中的诗篇,这种做法与圣公会十分接近。

Binnig, Gerd 宾尼希(1947-07-20,西德美因河畔法兰克福~) 德国出生的物理学家,与 H. 罗雷尔因发明扫描隧道显微镜而获得 1986 年诺贝尔物理学奖金的一半(另一半奖金由 E. 鲁斯卡获得)。1978 年获得法兰克福大学的博士学位。后进入瑞士苏黎世的国际商用机器公司研究所,他与罗雷尔设计并制出第一具扫描隧道显微镜(STM)。此仪器对导体或半导体的表面所产生的图像甚为精细,可清楚地认出单个的原子。量子力学效应使得一电流通过扫描隧道显微镜的钨探针特别细的针头与所研究的表面之间,通过测定所产生的电流并相应调节探针的高度来保持探针与表面间的距离恒定。记录探针的变更高度,便可获得一个表面的外形图,图上的等高线间隔甚小,以致可清楚地识别单个的原子。扫描隧道显微镜探针的针头宽度只约 1 埃(10^{-10} 米,约为一原子宽度),针头与所研究表面间的距离只有 5 或 10 埃左右。

Binnya Dala 频耶陀罗(?~1774) 下缅甸勃固的最后一代国王(1747 ~ 1757 在位)。1747 年继承斯弥陶佛陀吉帝的王位。他原是斯弥陶的宰相,能征善战,曾多次袭击上缅甸。1752 年 4 月夺取上缅甸首都阿瓦。两年后处死东吁王朝的最后一代国王。1757 年雍笈牙夺取勃固。1774 年频耶陀罗被雍笈牙之子孟驳杀死。

binocular 双目望远镜 两个相同的单目望远镜装在一个支架上,供两眼同时观察远方物体放大影像的光学仪器。用同一指旋螺丝可同时调节这两个单筒望远镜的焦距;有

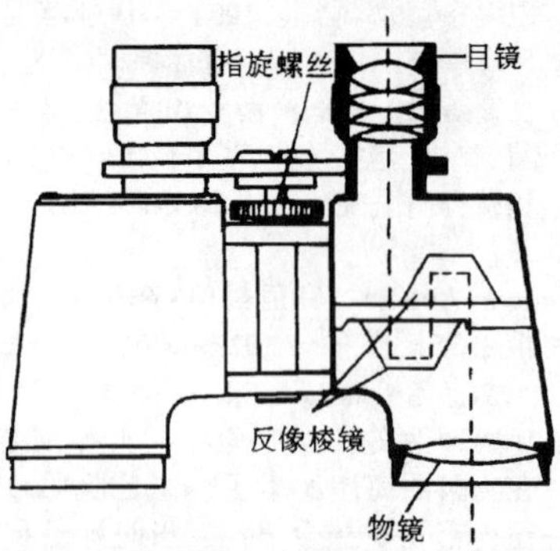

棱镜双目望远镜

的也可各自单独调节焦距,以适应两眼不同的视力。在多数双目望远镜中,每个单目望远镜都有两个棱镜,其用途是将目镜上出现的倒像再倒回成正像,并使光线沿曲折路线传播,以便缩短整个装置的长度;棱镜还使两个物镜之间的距离大于两个目镜之间的距离,因而能提供较好的立体感。双目望远镜的规格通常表示为 6 × 30、7 × 50、8 × 30;其中第一个数字表示放大倍数,第二个数字表示以毫米计的物镜直径,它是望远镜聚光能力

的量度。当景深无关紧要时可用单目望远镜。观剧镜是装有廉价的简单透镜系统的双目望远镜,视野较窄,放大倍数只有 2.5 ～ 5 倍。大多数双目望远镜用的都是镀膜透镜,以防止反光。

binomial nomenclature (biology) **双名法** 参阅 **nomenclature** 命名法。

binomial theorem 二项式定理 数学中的一个定理,它断言对于任意正整数 n,两个数 a 与 b 之和的 n 次幂可以表示为形如

$$\binom{n}{r}a^{n-r}b^{r}$$

的 $n+1$ 项之和;在这些项中指数 r 取值 0,1,2,…,n。系数$\binom{n}{r}$叫做二项式系数,可由公式

$$\binom{n}{r}=n!\ /(n-r)!\ r!$$

定义;式中 $n!$(称为 n 阶乘)是头 n 个自然数 1,2,3,… n 的积(而定义 0! 等于 1)。系数也可从常称为帕斯卡三角形的阵列

1

1 1

1 2 1

1 3 3 1

1 4 6 4 1

中第 n 行的第 r 个表值找到(n,r 都从 0 开始计数)。帕斯卡三角形内部的每一个表值是其上面两个表值之和。

I.牛顿在 1676 年没有证明地陈述了这项定理的一般形式(对于任一实数 n),虽然在他以前很久,许多数学家就已经知道一些简单的情况。伯努利(**Bernoulli, Jakob**)的证明发表于 1713 年,那时牛顿已经去世。

Binswanger, Ludwig 宾斯万格(1881-04-13,瑞士克罗伊茨林根～1966-02-05,克罗伊茨林根) 又译宾斯旺格尔。瑞士精神病学家和作家。将存在主义现象学的原则(特别是 M.海德格尔所表述的)用于心理疗法。鉴于他认为某些精神不正常现象(如病态的洋洋自得的固着、怪癖和作态)系源于病人被歪曲的自我形象和他同外界的不适当关系,据此,他提出一种精神分析法,目的是使病人建立起作为一个完整的人的意识,能按现实的具体世界的原本的情况独特地生存在其中并与之交往。重要著作有《人存在的基本形式和认识》(1962)和《回忆友人西格蒙德·弗洛伊德》(1956)。

binturong (*Arctictis binturong*) **熊狸** 灵

熊狸(*Arctictis binturong*)
美国不列颠百科全书公司供图

猫科猫形食肉动物。栖于亚洲南部、印度尼西亚和马来西亚的密林中。其毛长而粗,耳有毛簇,尾长而卷曲、具丛毛。体通常黑色,杂有一些白毛。体长约 60 ～ 95 厘米,尾长 55 ～ 90 厘米;体重约 9 ～ 14 千克。熊狸在夜间活动,树栖生活,尾能卷曲,有助攀缘。主要以果实为食,但也吃鸟卵和小动物。在某些地区熊狸被驯养,据说可以成为对人有依恋的宠物。

Binyon, (Robert) Laurence 比尼恩(1869-04-10,英格兰兰开夏郡兰开斯特～1943-03-10,伯克郡雷丁) 英国诗人、剧作家和艺术史家,是欧洲研究远东绘画的先驱。牧师家庭出身。在牛津大学三一学院上学时,因写《珀耳塞福涅》(1890)一诗获纽迪盖特奖。1893 年开始在不列颠博物馆工作,后来负责管理东方的书刊和绘画。所著《远东的绘画》(1908)一书至今仍为权威性著作。后来著有《龙的飞翔》(1911)、《从亚洲美术看人的精神》(1935)和关于英国水彩画的文章。比尼恩《诗集》于 1931 年出版。他还关心诗剧的振兴,著有诗剧《阿提拉》(1907)、《亚瑟》(1923)和《青年国王》(1934)。比尼恩翻译了但丁的《神曲》(3 卷),分别于 1933、1938 和 1943 年出版。

Bío-Bío 比奥比奥 智利中部一个区。东与阿根廷接壤,西濒太平洋。现边界在 1974 年划定。面积 36 939 平方千米,包括纽夫莱、康塞普西翁、阿劳科和比奥比奥 4 省。跨沿海山地、中央盆地和安第斯山区。北部有伊塔塔河及其主要支流纽夫莱河,南部有智利大河之一比奥比奥河及其主要支流拉哈河。16 世纪西班牙人企图征服该区南半部,遭到阿劳坎印第安人的激烈抵抗。19 世纪 60 年代起始有欧洲和智利人来此定居。人口多在农村。经济以农作物、木材林和矿产资源为基础。主要农作物有小麦、葡萄、甜菜、玉米、燕麦和蔬菜。灌丛和山林区广泛经营畜牧业。松林产木材和制革材料。沿海有渔场。地区首府康塞普西翁以有矿产资源和工业而具重要性。沿海煤和铜矿区与首府通铁路。塔尔卡瓦诺附近有大型钢厂。其他工业有纺织、磨粉、鱼罐头加工、制糖和酿酒等。泛美公路和南北铁路干线穿经该区中部。沿海有游览地。人口约 1 625 840(1987)。

Bío-Bío River 比奥比奥河 智利中南部河流。发源于智利东端的安第斯山区。西北流向,在康塞普西翁附近注入太平洋阿劳科湾,长 380 千米。穿过肥沃的中央谷地。为智利最长河流之一,但仅通行平底船。该河惯被视为智利中部地区的南界,全国 3/4 的人口居于此地。

biocenology 生物群落学 参阅 **synecology** 群体生态学。

biochemical oxygen demand(BOD) **生物化学耗氧量** 水体内有机物分解过程中微生物所消耗的氧量。水中(如污水中)有机物越多,微生物的数量就越多,用以维持它们生长的氧需要量就越大,结果能被高等动物(如鱼类)利用的氧就越少。因此生物化学耗氧量是水体有机物污染程度的可靠指标。使污水或废水重新成为可用水之前先要加以处理,主要理由之一就是降低其 BOD 值,即降低其对氧的需求,从而减少污水排入的河流的氧消耗量。

biochemical taxonomy 生物化学分类学 参阅 **chemotaxy** 化学分类学。

biochemistry 生物化学 研究发生在植物、动物、微生物体内的化学反应过程,以及参与这些反应的各种化学物质性质的学科领域。生物化学的主要研究目的旨在:①从定量、定性和结构分析的角度,对两大类有机化合物进行研究。它们是:构成细胞基本成分的有机化合物(如蛋白质、脂肪和碳水化合物等);在生命活动中关键性化学反应中的关键性化合物(如核酸、维生素和激素等)。②所有发生在细胞内的、复杂的和彼此之间相互密切关联的生物化学反应,如蛋白合成、能量转换、遗传性状的传递等。③能量储存和释放的分子反应过程;生化反应中的酶反应底物和催化酶的作用等。④所有生物化学反应的调控机制。

生物化学是一门涉及生物学和理、化科学等多种学科的边缘科学。因此,它的许多实用技术都与生物学、生理学、分析化学、有机化学和物理化学的实验技术相同。现代生物化学的学科领域宽阔,并已衍生出许多有重要意义的分支学科,分子生物学——以大分子(如蛋白质、核酸和碳水化合物)化学的研究为主要学科内容——就是典型一例。总的来说,现代生物化学已逐渐超越了它原来的纯实用学科的性质,并已在理论科学之林中占据了自己的一席之地。

bioclimatology 生物气候学 气候学的一个分支,研究自然环境对生物的长期影响。虽然 2 000 年前希波克拉底在他关于《空气、水和地点》的论文中已经提到这个问题,但生物气候学作为一门科学还是比较新的。20 世纪 60 年代由于人们日益关注环境恶化问题,它才成为重要的研究领域。因为气候和天气的每一方面都对生物有某些影响,因此,生物气候学的研究范围是非常广泛的。但其中某些领域比其他领域更为重要,包括研究天气和气候对造成植物、动物和人类疾病的小植物有机体和昆虫所产生的影响;天气和气候对健康正常的人的生理过程及其疾病产生的影响;房屋和城市小气候对人类健康的影响;过去的气候条件对植物、动物和人类发展和分布的影响。

bioecology 生物生态学 参阅 **ecology** 生态学。

bioelectricity 生物电 由活生物体产生或发生于生物体内的电势及电流。多种生物学过程都能产生生物电势,强度从 1 毫伏至数百毫伏。但电鳗产生的生物电,电流强度为 1 安培,电势为 600 ～ 1 000 伏特。

人们自古就知道尼罗河鲇及电鳗之类的电鱼。18世纪L. 伽伐尼及A. 伏打进行实验,研究蛙及其他动物肌肉收缩与电流之间的联系,这些实验对物理学及生理学等科学的发展起了重要作用。现代,电势测定在临床医学中已成为一个常规的检查方法。例如,心脏和脑的细胞在活动时可产生微弱的电流,临床上常将这些电效应记录下来进行分析以用于诊断。

生物电势与电池或发电机等装置产生的电势是相同的。但几乎在所有的情况下,生物电流均由离子流构成,而用以照明、通信及用作动力的电流是电子的流动。如果两份溶液分别含不同浓度的相同离子,用一张能阻止离子通过的膜将两份溶液隔开,则因为离子不能透过该膜而移动,两份溶液之间存在着浓度的不平衡,导致溶液间电势的差异。在大多数溶液中,含某一既定电荷的离子总伴随着带相反电荷的离子,因此溶液本身不带电荷。如果两种浓度不同的溶液被一层仅允许一种离子通过而不允许另一种离子通过的膜所隔开,那么能通过的离子就往往通过扩散达到均衡,最终使两种溶液中异号净电荷的数量相等。在活细胞中,这两种溶液即细胞内外的溶液。将细胞内外不同溶液分隔开的膜是半透性的,只允许某些离子通过而阻止另一些离子通过。尤其是神经细胞及肌肉细胞的细胞膜能允许细胞内带阳电荷的钾离子向细胞外渗透出极少一部分,于是细胞内呈负电势。

细胞膜内外的生物电势通常为50毫伏左右;这电势称为静止期电势。所有细胞均利用此生物电势来促进或控制代谢过程,但有些种类还将生物电势及电流用于某些特别的生理功能方面,这方面的实例见于神经细胞及肌肉细胞。沿着神经纤维传送的电脉冲携带着信息,这样的电脉冲称为动作电势。肌肉内相似的电脉冲伴随着肌肉的收缩。化学刺激或神经刺激可引起神经细胞和肌肉细胞细胞膜通透性的暂时改变,导致细胞内外电势的变化,由此产生的电流沿神经纤维传送或使肌肉纤维的收缩机制活化。细胞出现动作电势时钠离子便向细胞内移动。感受光、声和触觉的感受器细胞和分泌激素等物质的细胞,其特化的功能依赖于生物电势的维持。

多种鱼类,包括海水鱼及淡水鱼,演化出特别的能产生相当强大电流的器官,而另一些鱼类具有能感受水中微弱电场的组织。电鱼有200多种。它们发电的目的是自卫或捕食。水雷鱼(电鳐)和电鳗的发电器官效力强大,似乎用来麻痹及杀死猎物。电鳗具3对发电器官,构成全身体积的大部分,并为身长的4/5。电鳗以能产生强大到足以将人击倒的电流而著名。电鳐具两个巨大的盘状发电器官,分别位于身体两侧,从而使其身体亦呈盘状。

非洲的电鲇、拉丁美洲的长刀鱼和占星鱼可能将其生物电器官用作感觉器官,用以定位其他鱼类。

生物电器官的基本成分是一种扁平的细胞,称为电板。电板按顺序平行排列,从而使发电器官能产生电压和电流。使神经脉冲在恰当的时间激活各个电板,从而使整个发电器官内的电板同时采取行动,电鱼便能突然放电。

bioengineering 生物工程 将工程原理及设备应用于生物学及医学的学科。包括研制生命保障系统以完成水下或太空任务,研制治疗用机器(如心肺机)以及监视生物学过程的仪器等。生物工程虽然起步较晚,但已在医学上带来某些重大突破。如研制成能替代甚至增强原有功能的假肢,它能移动并可利用触压反馈进行操纵。在人造器官方面的进展尤其迅速;登峰造极的实例是1982年人工心脏已植入病人体内。人造器官中最常见的两种是人工肾脏及心肺机。人工肾脏又称血液透析机,用于有慢性肾功能障碍的病人;而心肺机则在病人的肺脏或心肌,或二者均不能使血液充氧时提高血液中的氧含量。此外,还有用来帮助心脏搏动及血液循环的机械装置,即起搏器。生物工程在生命保障系统的研制过程中起关键作用,这些系统能使人体在极端恶劣的环境(如无氧或极端高、低温和压力等)条件下维持正常功能。如航天员在出舱活动时所穿的航天服即是一种生命保障系统。该服设备齐全,能提供维持生命所需的一切。内有加压系统以防止航天员的血液在真空中沸腾。另外,航天服也提供氧气,排除呼吸所产生的二氧化碳和水蒸气,保护人体免受极端的高、低温及电离射线的侵害,又有暂时储存身体所排出废物的设备。

bioethics 生物伦理学 探讨生物学研究以及研究成果的应用(特别是在医学领域)的伦理学含义的学科。第一所研究生物伦理学的机构黑斯廷斯中心成立于1969年6月,现位于美国纽约州布赖尔克利夫马诺。1971年华盛顿(哥伦比亚特区)的乔治敦大学建立了约瑟夫和罗斯·肯尼迪伦理学研究所,其中设立了生物伦理学中心并资助发行了前4卷《生物伦理学百科全书》(1978)。至20世纪90年代,全世界已有100个以上的生物伦理学组织。生物伦理学的兴起可追溯到几个事件。首先,虽说自古代起医学和生物学就有过伦理学问题(证据可见《希波克拉底誓言》),但20世纪下半叶由于大规模引用生物医学以及其他技术,使老问题更为突出,同时还增添了新的问题:例如死亡的定义及生命支持系统的撤除等问题,产前诊断及流产问题,人胚的冷冻保藏问题,使用人、动物或胎儿组织作科学研究的问题,在人群中普查艾滋病或其他感染的问题,毒性废物的处置问题,基因工程的扩大问题,以及稀有卫生资源的分配问题。其次,人们对生物伦理以及其他道德问题的意识较前大为提高;专业人员和学生经常提出伦理问题。在这样的群众质疑的情况下,生物伦理学影响了哲学,促使哲学对实际问题给予更大的注意力。最后,在学术机构中的跨学科和多学科工作日益增加,这也便利了人们同时探讨生物学研究和人类行为的道德和社会问题。

biofeedback 生物反馈 即时提供的有关某个个体自身各种生理活动的信息。通常用电子仪器对一个人的心血管系统活动(如血压和心率)、体温、脑电活动和肌肉张力等进行监控。这样就可以通过仪表读数或光、声信号直接了解到这个人各种器官的即时活动情况——这就是所谓"反馈"。虽然一般认为,人不能自主地控制植物神经的功能活动,但通过生物反馈训练,人们可以学会如何利用这些生物信息来自主地控制机体反应,尤其是学会控制那些因环境压力和各种纠纷造成的情绪反应,并建立起相应的体内机制。生物反馈训练是一种行为疗法,目的是改变人的获得性应激反应行为模式。生物反馈能成功地缓解某些疾病症状(疼痛和肌肉紧张等);如果再佐以心理治疗以使病人能达观地面对压力,那么生物反馈就可获得极佳的疗效。生物反馈训练治疗的最佳适应症有偏头疼、胃肠痉挛、高血压、口吃和频繁出现的癫痫大发作。从理论上讲,很多心理学家都认为,任何可被监测和显示的生理过程都可能通过生物反馈加以部分地控制,其中包括边缘系统和其他内环境稳定机制中的电生理活动。用脑电图进行生物反馈训练可增进精神功能活动。"α波训练"可促进安静全面地思考问题;"θ波训练"可使注意力更为集中,避免在考试时有"智力停滞"现象发生,而且更能节制焦虑。

biogenetic law 生物发生律 又称重演律。1866年E.海克尔提出的假设:个体发育重演了种系发育,即动物胚胎和幼体的发育是沿着种系进化道路而发展的。该学说一时颇有影响并广为流传,但嗣后不论在解释进化方面或是在解释胚胎生长方面都没有起到多大作用。

biogeochemical cycle 生物地球化学循环 生物所必需的元素的自然循环途径。这些元素以各种形式由无生命物质(非生物)向生物圈的有生命(生物)物质连续转移,再返回无生命物质。为使一个较大范围的生态体系(例如一个湖泊或一片森林)中的生物得以生存,组成生物细胞的一切化学元素都必须不断循环。把每个循环都可以视为有一个储存(营养物)库和一个交换(循环)库。储存库较大且运动缓慢,通常是非生物部分;交换库是较小但有较大活性的部分,它参与生态体系中生命物质和非生命物质之间的快速交换。生物地球化学循环可分为气体循环(储存库是大气或海洋,经由蒸发)和沉积循环(储存库是地壳)。气体循环包括氮、氧、碳和水的循环,沉积循环包括铁、钙、磷和其他地面元素的循环。气体循环比沉积循环进行得更快,并由于大气贮存库很大,更易调节生物圈的变化。例如二氧化碳的局部累积,会很快被风吹散或被植物吸收。可是,反常而较频繁的局部干扰会严重影响自身的调节能力。沉积循环虽因元素而异,但基本上由溶液相和岩石(或沉积物)相组成。风化使地壳里的矿物以盐的形式释出,一些盐溶于水,通过一系列生物体,最后进入深海,沉积于其中,无限期脱离循环。另一些盐以浅海沉积物或岩石形式沉积下来,最终被风化而返回循环。植物和一些动物从环境中的一些溶液获取所需的营养物。其他动物从所消耗的植物和动物中获得大部分所需的营养物。生物死后，固定于其体内的元素在腐败微生物作用下返回环境，又可为其他生物所利用。

biogeography 生物地理学 研究动植物地理分布的学科。不仅研究动植物的栖居模式，也涉及影响动植物分布的各种因素。严格地说，生物地理学是生物学的一个分支。但自然地理学家也做出许多重要贡献，尤其在植物区系研究方面。在植被分类和植被地图绘制方面做出贡献的主要有F.施里夫、H.L.尚茨和H.M.芳普等人。生物地理学将地球表面(主要是大陆和岛屿)分为动物区系和植物区系组成的各不相同的几个区。今天各区动植物的分布模式是由过去和现今众多因素造成的，这些因素包括现今气候及地理条件、陆块的地质历史及气候，以及有关动植物分类单位(如属、种)的进化等。科学家已发现被研究的分类单位的散布速率、对占优势环境条件的适应能力，以及在地球上存在的时间，均会明显影响到动植物分布的模式及范围。

Biograph Company 比沃格拉夫影片公司 早期美国主要电影制片厂之一。它对电影事业最突出的贡献表现在D.W.格里菲思的作品上，这位最早的伟大电影导演在比沃格拉夫公司工作的5年间发展了电影艺术。1896年美国缪托斯柯甫和比沃格拉夫公司发行了它的第一部影片《帝国特别快车》。该公司很快成为主要的短片制作公司。1908～1914年，比沃格拉夫公司的大量影片都是由格里菲思导演、由摄影师G.W.(比利)皮采尔摄制的。格里菲思改进了特写镜头的运用，试验了各种拍摄角度，并培养了包括玛丽·璧克馥、麦克·森纳特等在内的一批演员。1914年格里菲思为该公司拍完最后一部影片，不到5年公司倒闭。

biographical literature 传记文学 传记文学是最古老的文学体裁之一，它以各种书面的、口头的、形象化的材料和回忆为依据，用文学再现作者本人或他人的生平。传记有时被认为是史学的一个分支，最早的传记常被人们当史料看待。现在举世公认，传记和史书是两种明显不同的文学形式。史书往往概述某个时期(如文艺复兴时期)、某个时期的某些人(如北美的英国殖民地居民)或某种制度(如中世纪的寺院制度)。而传记则往往集中描写一个人和他的生平特点。传记和史书也有相同之处，即都叙述过去的事。

传记文学可按其叙述对象的不同，分为两大类：传记和自传。传记又可分为两类，即依据第一手资料写成的传记和依据研究编写的传记。

传记 *依据第一手资料写成的传记* 这类传记的作者往往和传记主人公有某种关系。这种关系使撰写传记的两要素得以连接：一是作者有一种要使“某人在人世间的历程”得以流传的愿望；二是作者有一种觉得自己有承担此项工作的特殊资格(亲眼目睹和阅读私人书信)。最早的作品往往是宗教人物的门徒撰写的，如关于释迦牟尼的传记片断。这类传记往往被称为“原始传记”。鲍斯韦尔的《约翰逊传》是人们公认的这类传记中最出色的一部。

依据研究编写的传记 这类传记又分不少细类，首先是传记的两种特殊形式：参考文集和人物小传。

参考文集：自18世纪末起，西方世界出现越来越多的包含传记性史实的汇编。如多卷本的传记词典，收录世界名人资料的综合性百科全书，学者、科学家的传记手册和现代人名词典等。

人物小传：这类传记虽然较短，却是真正的传记文学作品，但早期宗教、政治人物的准传记性资料除外。这类传记最早出现在中国，司马迁的《史记》包容了生动的人物小传。两个世纪以后，它在罗马帝国成为一种全面发展的文体，如普卢塔克的《希腊罗马名人比较列传》和苏埃托尼乌斯的《凯撒传》。

依据研究编写而成的传记按作者写法的客观性，可进一步分为以下六个细类。

资料性传记：这类传记最客观，作者除了对资料作必不可少的选择以外，不作任何解释。作者通过提供与主人公有关的文字材料、各种证据，把主人公的生平展现在人们面前。如D.马森的《弥尔顿传》(7卷本，1859～1894)。

评传：这类传记具有学术性和评论性，都经过作者仔细研究，对于原始资料，作者总是在注解、附录和书目提要中审慎地加以说明，在进行推论或推测时，也加以适当的说明。这类传记不允许虚构材料，生平一般按年代顺序叙述，如L.马钱德的《拜伦》(1957)。

“标准”传记：这类传记在传记文学中占主导地位，它的主、客观性比较平衡。可称为主人公的“人生道路的真实写照”。作者通过不加歪曲的艺术处理，把事实的记录变为真实的、栩栩如生的人物写照。如特恩布尔的《斯科特·菲茨杰拉尔德》。

阐述性传记：这类传记具有主观性特点，但没有标准的特征。出色的作家常把原始材料改写成生动的叙述，并加以戏剧化，总有某种文字依据。作者不杜撰材料，但在艺术处理上往往十分自由。如D.鲍恩描写柴可夫斯基生平的《挚爱的朋友》(1937)。

小说化的传记：材料可以自由虚构，地点和对话也可凭想象而定。作者往往根据第二手资料，进行粗略研究之后，就开始动笔。他们把小说的感染力和含糊的真实性混杂在一起，创造了一种混合的文体。如欧文·斯通描写凡·高的《渴望生活》。

传记式小说：这类作品纯属虚构，是一种以传记和自传形式写就的小说，如格雷夫斯描写罗马皇帝克劳狄乌斯(又译克劳狄)一世的《克劳狄乌斯》。

自传 传记文学的另一大类，由作者自述生平。自传分非正式自传和正式自传两大类。非正式自传：这类传记是作者不准备发表的私人文稿。它又可分为书信、日记、日志和回忆录两类。前者反映作者的内心世界。后者则是作者用来追记本人和他人经历以及重要事件的一种文体。正式自传：这类传记在追述往事的过程中，经过作者有意或无意的遗漏、改动，只能称作“仅有几分真实的生平”，如G.格林1971年写的自传。

自从公元前5世纪希腊诗人希俄斯的伊翁开始为当时的名人撰写传略起，传记文学经历了漫长的进程。今天，文字虽说已不是唯一的或主要的叙事工具，但就目前来说，要展示人生的全过程，文字仍然是最好的工具。由于传记文学把基点放在事实真相的基础上，因此，它的地位比文学艺术的其他体裁更趋稳定。

biography 传记 以某人的生平为题材的一种纪实文学形式，一般也包括作者追叙自己一生的自传在内。可视为历史的一个分支，根据调查研究与个人回忆而得的口述或书面材料，加以选择性地编排与说明而成。传记亦可视为想象文学的一个分支，因其试图通过创造性的富于同情的洞察，以传达对于某种个性的感受和题材的意义。

最早的传记作品大概是赞美死者生前堪称楷模的言行的祭文或墓志铭。由此演变成颂扬与标榜性的传记，从而引致对已有的佐证不加判别甚至曲解的问题。这类传记产生了它的对立面，即谴责性或暴露性的传记。L.斯特雷奇的《维多利亚女王时代四名人传》(1918)即为近代著名的例子。在早期个人行为和品质成为大众讨论话题的时代，以上两类传记体现在历史著作及演说词中。传记往往被用来宣扬特定的哲学、宗教或政治思想。柏拉图和色诺芬借论述苏格拉底的一生和学说来为他鸣不平，福音书对于耶稣亦有大体相同的作用。斯多葛派为加图和布鲁图所作的传记，意在抨击古罗马早期帝政，犹如R.R.马登的《联合的爱尔兰人传》，隐晦地攻击19世纪英国对爱尔兰的统治。

近代传记并非起源于标榜圣贤、歌功颂德的传记，而是源出于普卢塔克的希腊罗马名人有益于世道人心的行述和苏埃托尼乌斯的罗马诸帝生平琐谈，两人皆以文献为根据。国王和领袖人物易为人注意而为其立传，因为他们的传记可以作为当时历史纪录的一部分。16世纪之前，少有人用口头语言为无权位的个人作传。英格兰的W.罗珀所著托马斯·莫尔传(1626)是一重要例子；18世纪时，I.沃尔顿与J.奥布里也为一些作家和名人作略传。英国传记写作的重要发展发生在18世纪，其时S.约翰逊写成了杂以评语的《英国诗人传》，J.鲍斯韦尔写成了巨著《约翰逊传》。两书将细致的言行记叙和诸多的心理洞察结合起来，这种写法为19世纪详尽无遗的、纪念碑式的传记，如A.P.斯坦利的《阿诺德传》和莫利爵士的《格拉德斯通》，提供了样板。到了近代，对维多利亚时代的缄默与恭顺开始感到不耐，加之心理分析的发展，有时导致对传主更为透彻与全面的理解，L.伊德尔的巨著《亨利·詹姆斯》即是一例。近代传记的另一种趋势是以家庭或一些关系密切的人为单位的集体传记。

传记作家并不是中立的，而是在记叙和介绍传主的过程中，显示出自己人格的某些方面，自传尤其如此。虽然写作自传的动机有时是自我辩解，但有时也会是自我鄙弃，尤其在心智、宗教信仰或感情面临危机而引起激变时。此类危机也许可以追溯至圣奥古斯丁在他的《忏悔录》中所描写的改宗，它为许多自传提供了一个焦点，但它可以造成下述的效果：作者在不知不觉中歪曲了先前的经历，因为读者读到的首先是一篇宣言，其次才是个人经历的记录。此外，有的自传部分怀有医治心灵创伤的目的，借此使自己和以往痛苦或紊乱的经历保持距离，并且探求其中的头绪和脉络。

写作传记或自传时，易由合理推断或臆测而变为凭借想象以改编过去甚至完全捏造；另一种情况是传主部分或全部是想象的产物。这两种情况都可使传记或自传作品化为小说。

bioherm　生物礁　多种海相无脊椎动物包括珊瑚、棘皮动物、腹足类及软体动物等所建造的像丘状的古代生物礁。钙藻化石在某些生物礁中占优势。由类似这些生物形成的构造，成层状而非丘状者，称为“生物层”。生物层和生物礁在所有地质时代的沉积岩层中都有分布，对它们所在位置附近地区的古环境提供了确凿的资料。

Bioko　比奥科　又称费尔南多波，1973～1979年称马西埃·恩圭马·比约戈。比夫拉湾（几内亚湾）中的岛屿。距尼日利亚南部海岸约100千米，在非洲西部大陆赤道几内亚西北160千米处。原为火山，面积2 017平方千米，最高峰圣伊莎贝尔峰海拔3 008米。赤道几内亚共和国首都马拉博在该岛一火山口附近。该岛最初是葡萄牙探险家（可能在1472年）发现的。最初名福莫萨（意为“美丽”）。西班牙在1858年首次控制了该岛。1827～1834年英国人以该岛为反对奴隶制度的基地。最初的居民布比人是来自大陆的讲班图语的移民的后裔。所谓的费尔南迪诺人是已获解放的奴隶的后裔，同前英属西非的移民混居一起。他们的地位已衰落，而从大陆赤道几内亚蜂拥来该岛的芳人担任大部分社会公职。以前还有许多来自尼日利亚的合同制种植园工人，20世纪70年代中期赤道几内亚政府实施压制法令，他们大多返回尼日利亚。比奥科是最早种植可可的非洲领地之一。其他重要产品有木材和咖啡。人口57 190（1983）。

biological community　生物群落　参阅 community 群落。

biological rhythm　生物节律　生物体内的周期性变动。与环境的周期变化相对应，也是对环境周期性变化的反应。环境的周期变化，如地球对太阳和地球对月亮的相对位置的周期性变化，以及这些变化的直接后果，如白天和黑夜的交替和高潮与低潮的交替。造成生物节律现象并使之得以维持（甚至在没有明显环境刺激的条件下）的内部机制称为生物钟。一个按这种生物钟发挥功能的动物，如果被迅速地转移到环境周期不再与动物周期同步的地点，则生物钟还能按与原来环境周期同步的节律继续作用一个时间。按类似方式作远距离迁徙的人常在几天之内感到疲劳，工作效率也降低，这种现象称为高速飞行综合征。以24小时为周期的节律称为近日节律（日节律、太阳日节律）。月球造成的潮汐节律（海洋和内陆巨大水体的有规则的潮水涨退）使海滨动植物经受节律性变化，典型情况下，一天（大约24.8小时）有两次高潮和两次低潮。多种海滨鸟类表现出这种节律，只在低潮暴露出海滩时才觅食。月节律平均约29.5天，反映在许多海洋动植物的生殖周期上。年节律则反映在温带大多数陆生动植物的生殖和生长上。

biological warfare　生物战　又称细菌战。军事上应用对人、畜、植物致病的物质（诸如细菌、病毒等），以及同这些致病物的斗争。古代就有生物战，但在现代已为人类所不齿，故各国均矢口否认曾使用这种战法。1972年70多个国家共同签署一项关于禁止生产、贮存和研究生物武器的条约，该条约还要求销毁现有的生物武器，但至今仍不断有从事这类研究的传闻，在这类实验中发生严重事故的消息也时有披露。1347年蒙古人在围攻克里米亚的卡法时将鼠疫患者的尸体投进热那亚人的城墙，热那亚人的船将细菌带回欧洲，造成鼠疫暴发流行。后来人们多次试图使敌军民造成细菌感染，但成效不大。第一次世界大战中，德国曾使罗马尼亚骑兵的战马和美国运往协约国的牲畜感染鼻疽病。朝鲜战争（1950～1953）期间，中国曾指控联合国军从事细菌战。20世纪还没有任何一个国家对敌方实施过成功的细菌战。1995年伊拉克承认海湾战争期间曾在炮弹和弹头上装有炭疽，那是一种剧毒、致命的病毒。但这种武器被使用。20世纪末，安全专家们开始警告人们恐怖组织或恐怖分子可能会在人口密集地点发动生物攻击，因为发展这类武器相对来说比较容易，成本也低。

biology　生物学　研究生物体及其生命过程的科学，涉及生命现象的所有物理化学方面。因为生物学研究的范围极广，为研究方便可进一步将其分为许多分支学科。尽管这些分支学科看来差异很大，但有一些作为所有生物学现象基础的基本原理将这些学科联系起来。当前研究生物的方法取决于所研究生物学组织的层次（分子、细胞、个体、群体）以及具体研究对象（结构和功能、类型和分类及生长和发育）等。在17世纪显微镜发明和后来细胞生物学兴起以前生物学主要研究完整的生物个体。因为上述各层次所涉及的范围依然太广泛，任何个人都不易把握，所以在各层次上陆续出现了许多分支学科。这些分支学科包括：①形态学，研究动植物的外形和结构；②生理学，研究生物细胞、组织、器官和器官系统的功能；③分类学，试图按照观察到的自然的和假定的关系将生物分为不同的类群；④胚胎学，研究动植物胚胎的形成和发育；⑤遗传学，研究生物的遗传和变异以及这些过程运作的机制；⑥生态学，研究生物体与其他生物体及与其环境的相互关系。这些分支学科又可以进一步分为更细的学科，例如形态学又可分为解剖学（研究肉眼看得到的结构）、组织学（研究显微镜下才能看到的结构）、细胞学（研究细胞的微细结构）。生物学的研究范围与其他学科有重叠，例如现代的化学和物理学原理被分别结合进生物学的分支学科生物化学和生物物理学。分子生物学在分子水平研究生物学现象的化学结构和过程，利用了其他几个学科的原理，已成为最重要的生物学分支学科之一。生物学还可作其他的分类：专门研究植物的学科称为植物学；专门研究动物的学科称为动物学；鸟类学研究鸟类；鱼类学研究鱼类；爬行类学研究两栖动物和爬行动物；昆虫学研究昆虫；真菌学研究真菌；微生物学研究微生物；原生动物学研究原生动物；细菌学研究细菌。

bioluminescence　生物发光　生物体自身发光或生物提取物在实验室中发光的现象。可表现为细菌在腐败的肉或鱼上发出幽光，热带海洋中的原生动物发出微光，或萤火虫发出闪光以为信号。生物发光现象散见于多种原生生物和动物，从细菌和真菌到昆虫、海生无脊椎动物以及鱼类；但未知真植物和两栖动物、爬行动物、鸟类及哺乳动物自然存在生物发光现象。生物发光现象由化学反应引起（化学发光），此时化学能直接转变为辐射能，转变的效率几乎为100%，在此过程中几无热量产生；因此这种现象又称冷光（参阅 **luminescence**）。

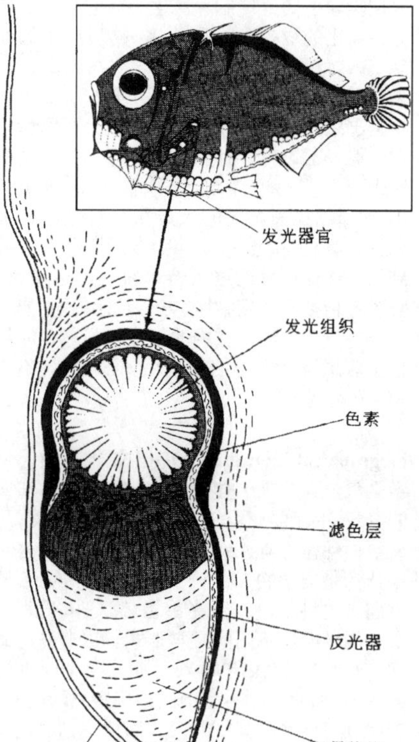

斧头鱼的发光器官

生物发光在行为中的意义　发光现象似乎与物种的保护和生存有关。某些乌贼能分泌出光雾以迷惑敌人并得以逃遁；许多深海鱼类有特化的能发光的结构用以引诱猎物，或有发光器官用以掩盖自身的外形逃避敌害，或仅用以在漆黑一片的洋底照明道路。许多物种用闪光作为种内互相辨认和交配的信号，生物发光现象对其物种保存的作用是无可置疑的。*Photinus pyralis* 是一种北美常见的萤火虫，雄体在飞行时便自发地发出闪

光，在气温为25 ℃时每隔5.5秒闪光一次，每次持续0.3秒。雌体栖于地面，等待雄体发出这些闪光，看到闪光后约2秒雌体亦闪光以为吸引雄体的应答。雌体不能靠雄体的闪光将其辨认出，而雄体能认出所期待的信号(即闪光之间的间隔)并找到雌体，因此雄体闪光与雌体应答闪光之间的间隔是最关键的。许多种类的萤火虫也使用类似的具体辨认密码。其他一些萤火虫的雌体和雄体发出的闪光可能颜色不同，借以互相辨认。

灯笼鱼、斧头鱼和许多其他深海鱼身上都有独特的发光器官，借此进行同种个体间和不同性别个体间的辨认。许多深海鱼的发光器官位于体表的腹部或侧面，光线向下向外发出。据信这可使发光器官发出的光与从上射下的日光相匹配，隐蔽鱼的影子，使之不为下方的掠食者所发现。此外，一些灯笼鱼还有一个很大的鼻器官；其他种类在尾部有一个斑块状的发光组织。鮟鱇栖于深海，其第一背鳍延长，特化成柔韧的钓竿，末端悬垂着发光器官，不能识别这一诱饵的猎物游近时，便被鮟鱇的大口吞食。

生物发光在代谢中的作用 对细菌、腰鞭毛虫、真菌等低等生物而言，生物发光的意义不易确定。一些原始类型的细菌于地球上还没有氧气或氧气极为罕见的时期开始出现，氧气对之有毒害作用，有人认为这些细菌的生物发光反应就是用来移去有毒的氧气，这种说法的部分根据是当氧气移去后细菌发出的光即熄灭。将氧气与一种还原物质(荧光素)结合的代谢反应可释放出足够的能量，可以激发生物体内的一个分子发出可见光。大部分发光的原始生物体随后又进化出能利用氧气的系统，但这些生物仍保留着发光的能力作为有关代谢途径的一部分，要不然就是发光现象有益于这些生物体的生存。

发光生物的分布和多样性 能发光的生物物种广泛地散布于不同的类群中，并没有一个明确的模式。已知许多虾能发光，但发光的蟹尚未发现。已知许多发光的乌贼，但只知道一种章鱼——日本的新川美蛸(*Callistoctopus arakawai*)会发光。此外，发光的蜈蚣类和倍足类并不少见，但似乎并不存在发光的蝎子和蜘蛛。许多植物样的原生生物(细菌、真菌)能发光，但发光的真植物尚未见到。

动物界所有的门中几乎一半有发光的物种，但与动物界已知的物种数量相比，发光种类的数目极小。原生生物中发光种的数目并不算多，但发光物种的个体数量却是最大，尤其在热带海洋中。事实上，大部分发光生物为海生。

热带许多地区的海洋表面密布能发光的单细胞浮游生物，主要是腰鞭毛虫，这些生物于受到机械刺激(如波浪的搅动)或冲上岸后被脚踩时，就会发光。有些发光生物所发的光显示出24小时的节律，其强度于夜间最高，昼间最低。

在甲壳动物中，发光种类主要见于桡足类、虾类和介形类。发光的桡足类广布于世界各地的水域，有些栖于水体的表面，有的栖于深海，乳点水蚤属(*Pleuromma*)和桶状水蚤属(*Metridia*)是桡足类中两个著名的发光属。有些虾类——*Hoplophorus* 属——能从发光器官中排出一种发光的分泌物，而另一些则有真正的发光器，由一个晶体、一个反射器和发光细胞组成。介形类海萤属(*Cypridina*)有3或4个种能发光，最著名的是希尔根多尔夫氏海萤(*C. hilgendorfii*)。该种见于日本沿海水域和沙地；体形微小，有壳瓣，受惊时将一种蓝色的发光分泌物排入水中；可将希尔根多尔夫氏海萤收集并干燥，用作发光成分，其效力可维持颇久。

其他能在海洋表面形成大片光斑的种类包括水母和其他腔肠动物以及栉水母。大部分身体透明、漂浮于海面的管水母和羽毛状、底栖的海鳃均能发光。许多水螅和水母也能发光。海鳃属(*Pennatula*)、海仙人掌属(*Cavernularia*)和海三色堇(*Renilla* 属)营群体生活，受刺激时产生波浪状的光线，向群体下方传送，此种发光现象似受神经控制。

环节动物、海生蠕虫和蚯蚓中均有发光种类。百慕大的火刺虫——齿裂虫属(*Odontosyllis*)，于满月后数日集成大群。雌体长约2厘米，日落后即浮到水面，绕圈游动，并排出一种发光的分泌物。雄体体形较小，此时游到雌体绕圈之处与之交配。雄体也能发光，但其光为间歇性，并且自细胞内发出。因为还有一些齿裂虫不会发光，而且其求偶行为与发光种类甚为相似，故齿裂虫的发光是否与其交配有关尚未明了。毛翼虫属(*Chaetopterus*)终生栖于两端均开口的具羊皮纸状膜的管中，受惊时也能发光，但不知其发光有无特殊目的。多鳞虫属(*Polynoe*)和 *Polycirrus* 属为发光的环节动物，通常栖于沙中或岩石中。发光的软体动物包括海笋属(*Pholas*，双壳类)、漂浮的波叶海牛属(*Phyllirrhoe*，裸鳃类)、平轴螺属(*Planaxis*，海生腹足类)、*Latia* 属(淡水帽贝)和乌贼(头足类)。

乌贼类和深海鱼类的发光器官最为复杂，由发光细胞、反射器、晶体等组成，某些种类还有滤色层。深海乌贼(开眼族)，如 *Lycoteuthis* 属、帆乌贼属(*Histioteuthis*)、武装乌贼属(*Enoploteuthis*)等，多达75%的种类自身即能发光，亦即其光并非来自与其共生的细菌，而是来自体内的生物化学反应。深海乌贼的发光器官通常位于眼睑或眼球本身之上，另一些种类，如闪光萤乌贼(*Watasenia scintillans*)的触手末端和体表其他部位也有发光器官。

深海的鮟鱇、斧头鱼和灯笼鱼类属于最著名的发光鱼类之列。这些种类的光多由特化的细胞(发光细胞)内发出。许多发光鱼类的发光器官与乌贼相似。深海发光鱼类的发光器位于体表、眼下，也常见于触须上或鳍条上。典型的发光器由晶体、发光体、滤色层和反射器等构成。鱼类的发光功能常受神经的控制。鱼死后发光能力迅速消失，鱼类的发光物质是自己制造抑或从外界摄入则未明。很可能鱼摄食了海萤之类甲壳动物后，将甲壳动物的发光物质用于自己发光。

少数几属深海鱼和几个科的浅水鱼的发光器官内生活着能发光的细菌，鱼类即借此发光。这种类型的发光器官有丰富的血液供应，借此向细菌提供营养，维持其生存。似乎不同种的鱼感染某一特别的细菌种类，充满细菌的器官持续地发出光线，但此种光线可由散布于器官表面的黑色素细胞或借机械力覆盖于发光器之上的黑色膜所控制。黑色素细胞或色素颗粒收缩或扩张，便可控制光线的强弱。黑色素细胞扩张，便阻挡了光线；而收缩时可让光线通过。印度尼西亚著名的闪光鱼(*Photoblepharon* 属)的眼下有巨大的发光器官，又有一层黑色的皮肤，可以向上牵拉，覆于发光器官之上从而使光线熄灭。

某些鱼类的发光器官系间接发光。这些器官通过一条短管与消化道相连，常埋于组织之中，发出的光线通过透明的脊棱和腹部肌肉透到体外，如鲾属(*Leiognathus*)、发光鲷属(*Acropoma*)和长鳍天竺鲷属(*Archamia*)。

脊索动物门被囊动物亚门也有发光的种类。火体虫属(*Pyrosoma*)的几个种为大型浮游生物，成群体，漂浮于远洋海面，体透明，其群体通常长达3～10厘米，每个个体长约5毫米，能发出明亮的光，故称为火体虫。

发光的毛翼虫属(*Chaetopterus*)
美国不列颠百科全书公司供图

能发光的植物样原生生物只有两个类群：细菌和真菌。发光细菌均为海生，广布于世界各大洋，其生长和发光均需盐分。最常见的种类为弧菌属(*Vibrio*)和发光菌属(*Photobacterium*)。发光细菌的形态各异，并不像其他细菌一样排列成簇或链状。当然肉眼难以看到单个细菌发出的光，但若液体培养基或琼脂培养基中包含数以十亿计的细菌，则其光线易于看到。这些细菌发出的光为淡蓝色，且持续不断。许多发光细菌栖于鱼类或乌贼的发光器官中，对寄主并不造成损害。

“狐火菌”是一种小型的白色发光真菌，常生长于森林中的朽木上，尤其是土壤潮湿之处，热带尤多。真菌发出的光呈蓝色到绿色或黄色，因种而异，大型的发光真菌有澳大利亚的火炬侧耳(*Pleurotus lampas*)和美国的橙磷光杯伞(*Clitocybe illudens*，直径可达13厘米左右)。

陆生动物的发光现象与具体生境无关，但几乎所有发光陆生动物均为夜出性。唇足纲 *Orphaneus* 属广布于热带亚洲，每个体节均能分泌出发光的分泌物。倍足纲的属见于加利福尼亚州内华达山脉，全身发光。发光的昆虫包括某些双翅目的种类，著名的是

Arachnocampa luminosa，其幼虫悬吊于新西兰洞穴顶部挂下的细丝末端，身体末端有一个瘤状突起，由此发出浅绿色的光。发光的甲虫包括萤火虫和金针虫科的 *Pyrophorus* 属（叩头虫）。萤火虫的幼虫和成虫均发光。*Diplocladon hasseltii* 雌体的每一体节有三个斑点，由此发出连续的排列成三纵列的浅绿蓝色光，故俗名"夜行列车"。*Phrixothrix* 属种类身上发出两列光，头上有一个红色的发光点，俗名火车虫。

Latia neritoides 见于新西兰奥克兰周围的小溪，为帽贝的一种，是唯一已知严格淡水产的发光种类。所谓萤虾见于日本诹访湖，为发光细菌感染后能发光，但细菌能于 24 小时以内使虾死亡。

发光的生物化学过程 在大部分能发光的生物体中，基本的发光成分为可氧化的有机分子荧光素和荧光素酶，这些成分有物种的特异性，现这些成分多按其存在于什么物种体内而命名——如萤荧光素和萤荧光素酶、海萤荧光素和海萤荧光素酶。荧光素-荧光素酶反应是酶-底物反应，其中荧光素是底物，为氧分子所氧化，此反应由荧光素酶催化，反应的结果是产生光。在所有的荧光素氧化尽之前，一直有光线发出。此种类型的反应见于萤火虫、海萤属、*Latia* 属及许多鱼类，如灯笼鱼、斧头鱼、天竺鲷属（*Apogon*）、*Parapriaeanthus* 属。

萤火虫的发光过程是这样的：三磷酸腺苷（ATP）先与萤荧光素酶、镁离子和萤荧光素反应，生成一种络合物（荧光素酶-荧光素基-腺苷酸）及焦磷酸，该络合物又与分子氧反应并发出光线。在最后一个步骤释出足够的能量，足以将荧光素酶-荧光素基-腺苷酸络合物的电子组态从低能的基态转变成高能的激发态。随后高能络合物辐射出一光子的可见光，恢复基态，并失去能量。

发光细菌则将还原型黄素单核苷酸（$FMNH_2$）进行酶促氧化。在此复杂的反应中细菌的荧光素酶与 $FMNH_2$ 和氧反应形成长寿命的中间络合物，该络合物又与长链脂肪族醛分子（如癸醛）反应并放出光线。

生物发光在科学研究中的意义 萤火虫的发光反应一直用于测定三磷酸腺苷（ATP，重要的代谢物质，所有生物均用之于种种贮藏能量或消耗能量的反应）。萤火虫发光器的特别混合提取物能发光，当其中的 ATP 耗尽，其光也渐渐变弱乃至消失。如果加入新鲜的 ATP（无论是纯的物质，还是组织提取物），发光现象立即恢复。从光线的强度即可测度提取物中所含 ATP 的量。此法广泛用于医学及生物学研究，以测定细胞和组织中的 ATP 含量。研究有 ATP 参与的反应后，人们即可对细胞内能量转换的机制有详细的了解。萤火虫反应是 ATP 直接参与发光现象的仅有的几种反应之一。所有其他生物发光反应都涉及化学结构上与 ATP 完全不同的化合物。

biomass 生物量 一个动物或植物物种的活生物体的总量或重量（称为物种生物量）或群落中所有物种的活生物体的总量或重量（称为群落生物量）。生物量一般以生境的单位面积（或单位容积）来表示。某一面积在一定时刻内的生物量就是现存量。某一具体面积在一定时期中由活生物体产出的有机物质总量称为生产力，生产力一般以能量单位［克·卡/（米^2·年）］来量度。

biome 生物群系 又作 major life zone。又称大生物带。最大的地理生物单位，具有类似生活型和环境条件的、大的植物和动物群落。包括各种生物群落和群落的各个发展阶段，并按植被的优势类型命名，例如草原或针叶林。若干类似的群系组成一个生物群系型，例如温带落叶林生物群系型，它包括亚洲、欧洲和北美洲的落叶林生物群系。在欧洲，大生物带一词相当于北美的生物群系概念。

biomechanics 有机造型术 一种反现实主义的戏剧演出体系。由先锋派导演 V.迈耶霍尔德于 20 世纪 20 年代在苏联创建和发展。他借鉴即兴喜剧和歌舞伎的传统，并从戈登·克雷格的著作中吸收养料。这种体系忽视演员本身的个性，要求他们完全服从导演的意志。像训练运动员和杂技演员那样，强调哑剧动作而不强调语言；演员就像一个木偶似地任由导演随意摆布。为达到这些演出的效果，舞台一直裸露到背景墙，然后再装上刺眼的灯光、供演员使用的布景，如台架、梯子和斜坡等。迈耶霍尔德强调的外部行动虽然确曾在苏联演员技巧训练中起过作用，但他的有机造型术到 20 世纪 20 年代晚期已失去其魅力。

Bion 彼翁（活动时期公元前100，生于小亚细亚吕底亚士麦那［今土耳其伊兹密尔］）次要的古希腊田园诗人。他的意大利学生所著作品《悼彼翁》提到他住在西西里。现存他的《田园诗》的 17 个片段，大多是有关爱情的主题，语调幽默，间或使用警喻。文艺复兴后人们认为《悼阿多尼斯》也出自他的手笔。此诗强烈和浓重的感情色彩可能反映了在诗人家乡盛行的对阿多尼斯的崇拜。

Biondo, Flavio 比翁多（1392，罗马涅弗利［意大利］～1463-06-04，罗马） 又作 Flavius Blondus。文艺复兴时期人文主义历史学家、第一部意大利史的作者，按编年次序写作，提供了对中世纪的初步概念。早年受过良好教育。1433 年去罗马，次年任罗马教皇秘书。著有《重建的罗马》（3 卷，1444～1446）、《胜利的罗马》（1459）、《意大利图说》（1474）和《罗马帝国衰亡后的几十年历史》（1483）。他的规模最大的著作是《历史》（32 卷），所包括的时代自公元 410 年哥特人洗劫罗马起至 1442 年止。这部著作取材极为可靠，有认真的分析和批判。

美国不列颠百科全书公司供图

bionics 仿生学 研究如何制造具有某些生物特征的人工系统的科学。仿生学算不得一门独立的专业学科，而是一门跨学科的边缘学科；可与控制论相比较。仿生学与控制论一直被称为一枚硬币的两面。两者都利用生命系统的模式，仿生学利用生命系统的模式来找到新的想法以制造有用的人造机械或系统；控制论用之对生物的行为作出解释。

因此，仿生学与生物工程（或生物技术）不同，后者是利用生物去完成某些工业任务，例如，在石油中培养酵母以提供食物蛋白质，利用微生物将低品位矿石中的金属浓缩，或借助生物化学电池中的细菌消化废物以产生电能。

模拟自然的想法很早就产生了。多少个世纪以来，发明家就仿照动物的模式设计机器。临摹自然的优点是不言而喻的。现在地球上的大多数生物都是 20 亿年进化的产物，制造机器并使之在与生物环境相似的环境中工作，便能从这长期的进化经验中得益。虽然人们可能会认为最容易的方法便是直接模拟自然，但因为规模相差很大（还有其他原因），要这样做常常是很困难的，即使不是不可能的。仿生学研究人员已经发现：了解为什么事情在自然界行得通比盲目照搬一切细微末节要优越得多。

下一步就是总览自然界以获取启示。生物可以从几个角度来研究。动物的肌肉是效率高的机动马达；太阳能被植物贮藏起来，效率接近 100%；信息在神经系统内传递，这过程比最大的电话交换机更复杂；人脑解决问题的能力远远超过功率最大的计算机。以上例子说明仿生学有两个重要领域：信息加工和能量转化及贮存。

动物的一般信息模式如下：环境的感觉信息为感觉器官接受，然后编码成为信号，再由神经传递到脑的加工和记忆中心。例如，蝮蛇亚科（Crotalinae，包括响尾蛇）的蝮蛇，在眼与鼻孔之间的一个小窝中有感受热的机制，此机制十分敏感，能感觉出数米以外的小鼠的存在。虽然人类已制成更为敏感的红外探测器，但仿生学依然能从对蝮蛇的研究中获益。首先，了解响尾蛇感受红外线的颊窝内能量是如何转换的，了解神经在无放大机构存在的情况下如何接受刺激，这些既有兴趣又具有潜在的价值。另一个突出的例子是蚕蛾（*Bombyx mori*），其雄体能察觉出雌体分泌的少至几个分子的化学物质。

信号在导体内传递的过程中会减弱，例如在电话线中传递时就是如此，因此沿着线路每隔一定距离要安装一个放大器，以将信号加强。但这种情况并不见于动物的神经轴突:感觉器官发出的神经冲动沿轴突传递时并不减弱。这种神经冲动只能沿着一个方向传递。神经轴突因为具有这样的特性,所以能进行逻辑运算。1960年设计出一种器件,称为类神经器件,能将信号沿一个方向传递(其强度在传递途中不发生减弱),又能进行数值运算和逻辑运算。类神经器件计算机是从自然模式中得到启示的,它模拟自然神经网络的能动行为;每一条电路能以类似于神经系统的方式相继地用于不同的操作。

与仿生学有关的另一问题是生物如何利用信息。人类生活在不断变化着的环境中,并对可供选择的行动过程作出评价。每一种情况都与以前经历过的某种情况有些相似。"模式辨认"是人类行动中的一个重要成分,与仿生学也有关系。设计具有模式辨认能力的人造机械的方法之一就是利用学习过程。已在实验室内设计出此种机械,这些机械能在通路网的大量可供选择的路线间建立和更改联系。

现存的电子计算机与人脑之间最基本的差别在于它们组织记忆的方式。对生物的记忆和机械的记忆而言,主要的问题都在于信息储存后如何将其检索出。计算机使用的方法称为"寻址"。计算机的存储器可比作一个巨大的文件架,每个文件格都有一个具体的地址号。如果已知某件信息的地址(即文件的号码),就有可能将它找到。人的记忆则以另一种方式——数据联想——来运作。检索根据的是其内容,而非其人为加上的外部地址。这些差异既是定性的又是定量的。现已利用联想原则建成记忆器件,在此领域中有很大潜力。

电子计算机与人脑之间的第二个主要差异在于处理信息的方式。计算机处理的是精确的信息,人脑能接受不明确的资料,并进行并不那么严格的运算。计算机进行的只是非常简单的基本的运算,并要以极高的速度进行极大量这样的简单运算之后方得出复杂的结果。反之,人脑是以低速度并且平行地而非顺序地进行运算,同时产生几个可以比较的结果。参阅 **artificial intelligence**。

在生物体内,能量以化合物的形式储存,能量利用总与化学反应相伴随。太阳能被植物通过复杂的化学过程储存起来。肌肉运动所需的能量由化学变化产生。蘑菇、萤火虫和某些鱼类等生物之所以能发光,也是通过化学变化。在这些实例中能量的转换效率极高,可与热机相比。

人类正开始研究生命物质中这些转换是如何发生的,以及生物膜所起复杂作用的本质。这些分子极为复杂,又过于脆弱,或许这些问题在人造的人工能量机中能得到解决,或许人造设计还能取得比自然生物膜更好的结果。

bionomics 参阅 **ecology** 生态学。

biophysics 生物物理学 应用物理科学的原理和方法研究生物学问题的学科。生物物理学的主要研究范围是:依赖物理因子的生物学功能,如电(在神经中)或机械力(在肌肉中);生物体与光、声和离子辐射(如X射线)等物理因子之间的相互作用;以及生物体与其环境之间的相互作用,如移动(游泳、飞行等)、导航和通信等。

在生物物理学研究中需要应用一些复杂的方法和仪器。例如在分子生物学研究中应用了X射线衍射,应用超速离心法来实现物质的沉降,并取得很大的成就。利用这些技术已经对动植物体内发现的大分子的结构和特征作出尽可能精确的解释。此外,借助于电子显微镜和核磁共振,已搞清细胞膜和染色体的主要成分的构型和结合方式。

自18世纪L.伽伐尼发现生物电以来,物理学家和生理学家已注意到电流的生物学效应,生物物理学研究了电脉冲在神经传递信息中的作用,电脉冲如何引起肌肉收缩等。

在感觉现象的生物物理学研究方面,对视觉和听觉的研究成果最多。生物物理学家也研究植物对光的利用过程,因为光合作用开始时也是一种物理学的相互作用,尽管后来的发展是一系列化学过程。对紫外线效应的研究是可见光研究的扩展。没有一种生物能适应于离子化辐射,但离子化辐射不断地冲击着生物体,其表现形式为宇宙射线和自然存在的辐射(如铀、镭等的射线)。

人造辐射源的发展,如X射线装置、核动力反应堆、用作示踪原子的同位素以及核武器等,都推动了人们对其生物物理效应进行广泛的研究。人们已经研究过低能电磁辐射(无线电波和雷达波)的生物学效应,以及红外线和可见光(可由激光产生)的强光束的生物学效应。

移动也包含较复杂的生物物理学问题。鸟类飞翔和鱼类游泳的方式分别涉及许多复杂的空气动力学和流体动力学原理。将人类和其他动物的移动方式以数学形式表示,则复杂得吓人。动物的运动也需要导航,这方面的研究揭示了意想不到的生物物理学模式,包括从蝙蝠利用超声波到某些鱼类利用低频雷达,从鸽子的利用磁场到蜜蜂利用日光偏振的作用等。

biopoiesis 生命产生 生物发生于非生命物质的过程,是地球上生命起源理论的基础。按照这一理论,在地球历史的一个时期,生命由非生命物质产生,这过程可能发生于含有必需的化学物质的海洋里。在这个过程中,分子慢慢地组合、再组合,这样就更有利于进行能量转换并能进行繁殖(参阅 **eobiont**)。有的科学家认为,在现代生物圈的条件下,新的生命形式不大可能发生于非生命物质,也有科学家认为生命是不断在产生,但是它们不如现有的生物能适应环境,因此在生存竞争中失败。

biopsy 活组织检查 从患者身上取下一些细胞和组织,然后进行观察(通常是用显微镜)的一种诊断方法。检查材料可通过不同的方法和借助不同的器械来获取:如用针吸取、用海绵拭取、用刮匙刮取或通过骨钻钻取,以及用钳或电勒除器摘取等。活组织检查是诊断恶性和良性肿瘤的一个常规步骤,亦用于肝、胰等器官疾病的诊断。

Biosatellite 生物卫星 美国的绕地球轨道科学卫星系列,共3颗。用以研究失重、宇宙辐射以及不存在地球上24小时昼夜节律时生物体(包括从微生物到灵长目动物的各种植物和动物)产生的生物反应。这种太空实验室装有遥测系统,用来监控实验生物的情况。生物卫星1号(1966)未能回收。生物卫星2号(1967)回收完全成功,它进行了一组生物试验,其中有一个试验是将昆虫暴露在太空离子化辐射中,研究其后代的变异。生物卫星3号(1969)携带一只受过训练的豚尾猴进入绕地球轨道,这次飞行计划为31天,但因猴生病而缩短。

biosociology 生物社会学 参阅 **synecology** 群体生态学。

biosphere 生物圈 地球表面上较薄的、维持生命的圈层,从大气圈中的几千米延伸到大洋的深海裂口。生物圈是一个全球生态系统,这生态系统由活着的生物及其赖以取得能量和营养物质的非生物因素所组成。

生物圈可以分解为非生物组分和生物组分,叫做生态系。大洋、湖泊和湿地是水域生态系统,而森林、沙漠和苔原是陆地生态系统。通过这些系统,对于生命来说,能量流和必需的化学物质进行循环。生物圈本身可以当成一个世界性的生态系统来研究,通过这个世界性的生态系统,地球上所有的生命和维持生命的系统之间的相互联系可以得到了解。

生物圈里的生物按营养级或食物关系来分类,这种食物关系构成食物链。初级的生产者,或自养性生物,把来自太阳的能量或来自无机物中的能量加以转化而生产出有机物,前者称为"光自养性生物",或者称"化学自养性生物"。绿色植物构成了第一级生产者的最大一类。下一个营养级是初级消费者生物,或称草食性生物(吃植物或藻类的生物)。次级消费者是吃草食性生物的肉食性生物,而第三级消费者又吃次级消费者,以此类推。食碎屑生物,或称为分解者,则是吃有机碎屑物的消费者。

通过营养级而出现能量流动的过程。能量通过太阳辐射而进入这一系统,初级生产者通过光合作用过程把太阳辐射能转化成化学能(有机化合物)。辐射到地球上的光能当中,只有大约1%在光合作用中被利用。能量通过食物链而单向地流动,在每一个相继的阶段都有损耗;大约10%的能量从一个营养级传递到下一个营养级。

与流进和流出这个系统的能量不同,化学物质在生物圈中是再循环的。生命所需的元素,如碳、氮、磷和硫来自地圈中或非生命世界,它们由大气圈(空气)、水圈(水)和岩石圈(陆地表面的岩石和土壤)组成。一旦有机物形成,在生物状态与非生物状态之间就有元素的循环,这种循环是依据它们的生物地球化学循环来进行的。水的循环对于维持生命来说,也是必需的。

生态系统的生物部分可以分解成群落,就是不同物种之种群的组合,这些物种亲密无间地生活在一起,并且彼此可以相互作用。

种群是更小的组织单元,它们是生活在特定地理区域的同一物种之个体的集群。诸如温度、水的可得性、光线和周期性扰动等环境条件,影响到生物的分布,物种本身之间的相互作用进一步影响到群落的成分。种间相互作用包括竞争、对抗与捕食。

它们的生态系统中生物组分和非生物组分之相互作用决定了物种的分布和演化,其结果导致生物的多种多样的系列。这些生物对于每一生态系统之稳定状态的环境有所贡献,并从而对生物圈作用过程的维持有所贡献。自然的和人为的这两方面的扰动,哪怕是对这个系统中似乎很小一部分的扰动,都可能具有意义重大的和深远的影响。

Biot, Jean-Baptiste　毕奥(1774-04-21,巴黎～1862-02-03,巴黎)　法国物理学家,参与制定关于磁场的毕奥-萨伐尔定律,并为量糖术——一种分析糖溶液的有用技术——奠定了基础。曾就读于巴黎综合工科学校,1797年任博韦大学数学教授,1800年任法兰西专科学院数理物理学教授,1803年被选为法国科学院院士。1804年和J.-L.盖-吕萨克作了第一次科学考察的气球飞行后指出,地球磁场随高度没有明显的变化,还检验了高层大气的成分。他又同著名的物理学家D.F.J.阿拉戈合作,研究了气体的折射性质。1820

美国不列颠百科全书公司供图

年,他和物理学家F.萨伐尔发现,流过导线的电流所产生的磁场强度,与离导线距离的平方成反比,即毕奥-萨伐尔定律,是现代电磁理论的基本部分。1835年,他在研究偏振光(光的所有波都处在同一平面里)时,发现当偏振光束穿过糖溶液时,偏振面就转动,转动的角度是溶液浓度的直接量度。这提供了一个测定糖浓度的非破坏性方法,在化学分析中很重要。毕奥因此项研究工作,在1840年由皇家学会授予朗福德奖章。他的大量著作中最重要的是《物理天文学初阶》(1805)。1856年成为法兰西学院院士。

Biot-Savart law　毕奥-萨伐尔定律　物理学中表示电流与它所产生的磁场之间基本数量关系的定律,由法国科学家J.-B.毕奥和F.萨伐尔于1820年根据实验提出。流过导体的电流或运动的电荷产生磁场,即在导体周围空间产生可检测到磁力的区域。在这周围空间内某点上的磁场值,可以看做是载流导体每一单元或每一小段作用的总和。毕奥-萨伐尔定律说明一小段载流导体在空间某点上的磁场值取决于影响该磁场的各种因素。首先,某点上的磁场值与导体中的电流值和所考察的载流导体段的长度成正比。磁场值还取决于该点相对于电流段的取向。若从该点到电流短段的连线与这电流段成90°时,磁场值为最大。角度减小,磁场也减弱,当这一点位于载流元(段)的线上时,磁场为零。此外,某点上的磁场还同该点离电流元的远近有关,距离加倍时,磁场减弱到1/4,即磁场值与产生此磁场的电流元的距离平方成反比。将毕奥-萨伐尔定律应用到某特定情况时,在某点处的磁场值取决于特定载流导体(无论导体的形状如何)的所有小段在该点处产生影响的总和。例如应用于很长的直载流导线时,其附近一点的磁场值正好与电流值成正比,而与导线到这给定点的垂直距离成反比。参阅 **Ampère's law**。

biotechnology　生物技术学　将生物科学研究技术和手段获得的进展应用于工业的学科。其成长与20世纪70年代遗传工程(定向改变遗传物质的技术)的发展有密不可分的关系。如今,借生物技术制造出来的物质已包括人类干扰素(一种抗病毒物质)、人类胰岛素和人类生长激素。遗传工程的技术使若干遗传性疾病的"治愈"成为可能。重组体DNA技术和单克隆技术对诊断和肿瘤学已产生明显影响。遗传工程的另一个重要的应用实例是制造出能生物降解油污和有毒废料的细菌。1980年,美国最高法院作出决定:"对人造的活微生物可拥有专利权",从而导致了许多生物技术公司的成立,如遗传技术公司、生物遗传公司、新英格兰生物实验公司、西特斯公司和基涅克斯公司,专门大量生产主要医用或生态学用的遗传工程产物。

biotic interaction　生物交互作用　生活在同一环境中的生物之间发生的相互交往。参阅 **amensalism; carnivore; commensalism; competition; food chain; herbivore; mutualism; parasitism; predation; symbiosis**。

biotic potential　生物潜能　生物在最适环境条件下的最大生殖能力。生物潜能的充分表现受环境阻力(抑制种群数量增加的一切条件)的限制。生境阻力包括不利的气候条件、空间不足、光或适宜基质的缺乏、必需的化合物或矿物质的缺少。生物阻力意味着掠食者、寄生物、致病生物或遗传性有害改变的抑制性影响。

biotin　生物素　维持动物及某些微生物健康生长所需要的一种水溶性含氮有机酸。在代谢过程中的功用是促使脂肪形成及二氧化碳的利用。生物素是相当稳定的一种物质,在自然界分布广泛,蛋黄、牛肝及酵母中含量尤其丰富。生物素最早作为酵母所需要的一种养分被发现,原名为维生素H。1935年分离出纯品,在证明它为动物所必需以后,于1942年确定了其结构。1927年发现在食物中加入生蛋清可引起中毒和疾病。这是因为蛋清中含有一种抗生物素蛋白,它能和生物素结合,从而阻止生物素发挥作用。

biotite　黑云母　又作black mica。常见的云母类硅酸盐矿物。大量产于区域变质岩和接触变质岩中,也产于伟晶岩、花岗岩和其他火成侵入岩中。化学式和物理性质参阅

产自墨西哥瓦哈卡州胡奇坦地区的黑云母
美国不列颠百科全书公司供图

mica(表)。黑云母被认为是钾、铁、镁、铝4种基性铝硅酸盐的不同比例的混合物:羟铁云母,铁叶云母,金云母,富镁黑云母。黑云母的镁铁比值小于2:1。铁黑云母是十分富含铁的黑云母。

Bioy Casares, Adolfo　维奥埃·卡萨雷斯(1914-09-15,阿根廷布宜诺斯艾利斯～1999-03-08,布宜诺斯艾利斯)　阿根廷作家、编辑。笔名哈维尔·米兰达和马丁·萨卡斯特鲁。因在他本人的著作以及他与博尔赫斯合著的作品中运用魔幻现实主义而著称。维奥埃·卡萨雷斯出身富裕家庭,写作受到家庭的鼓励,1929年(在其父帮助下)发表第一部作品。1932年初次见到博尔赫斯,这次会见导致了他们之间终生的友谊和文学合作。他们一起编辑文学刊物《不合时宜》(1936)。1940年之前,维奥埃·卡萨雷斯已发表多部作品,包括几个短篇小说集(如《混沌》[1934]和《死者路易斯·格雷维》[1937]),但直至其小说《莫雷尔的发明》(1940)发表之后才受到广泛重视。这是一部构思缜密的怪诞作品,讲述一个流亡者(即讲述者本人)爱上了一个女人,他竭力设法与她接触,而最后却发现那个女人只是电影机所投射的一个影像。这部小说构成了阿拉因·罗布-格里耶的电影剧本《在马林巴德的最后一年》(1961)的基本内容。小说集《逃跑计划》(1945)和《上天的计划》(1948)中的6个短篇对幻想中的世界作了进一步的探索,结构严谨,恪守一种怪诞的逻辑。在小说《英雄们的沉睡》(1954)中,维奥埃·卡萨雷斯通过小说中的人物研究了爱情的涵义及梦和回忆对未来行为的意义。小说《肮脏战争日记》(1969)集科幻小说和政治讽刺文为一体。其他作品包括短篇小说集《伟大的撒拉弗》(1967)、《爱情的故事》(1972)、《怪诞故事》(1972)和小说《睡在阳光下》(1973)、《一个摄影师在拉普拉塔的奇遇》(1985)。在他们合著的作品中,维奥埃·卡萨雷斯和博尔赫斯使用笔名奥诺里奥·布斯托斯·多梅克、B.苏亚雷斯·林奇和B.林奇·戴维斯。他们一起发表了《对唐·伊西德罗·帕罗迪的6个问题》(1942)和《布斯托斯·多梅克纪事》(1967),两书都对各式各样的阿根廷

知名人物进行了讽刺。两人还编有2卷集的《加乌乔诗集》(1955)、《最佳侦探故事》(1943)及其他一些著作。维奥埃·卡萨雷斯与其夫人、诗人西尔维娜·奥坎波和博尔赫斯合作,编有《怪诞文学选集》(1940)和《阿根廷诗选》(1941)。1990年,维奥埃·卡萨雷斯被授予西班牙语文学的最高奖塞万提斯文学奖。

biozone 生物带 在某一种特殊的生物生存期间堆积的,含有这种生物化石的全部岩层构成的地层单位。在一个特定地方的这种地层单位的范围,也就是关于所含植物化石与动物化石的地方性地层学延伸范围,称地方带。与生物带和地方带对应的地质时间单位分别称为生物时和地方时。在地层学上,生物带视为带和延限带的同义语。

biphenyl 联苯 又作diphenyl。一种芳烃。可单独或与二苯醚一起用作传热液。化学式 $C_6H_5C_6H_5$。可从煤焦油中分离。在美国,通过苯的热脱氢法大规模制造联苯。联苯的化学活性比苯稍低,工业上将它氯化生成多氯联苯(**polychlorinated biphenyl**,称PCB)混合物,鉴于多氯联苯的毒性现已禁止使用,但从前用于纸涂料、润滑剂以及传热液。纯联苯为无色晶体,具有令人愉快的气味。不溶于水,溶于普通有机溶剂。

biplane 双翼机 有上下两层机翼的飞机。19世纪90年代这种构型曾被某些载人的滑翔机采用。莱特兄弟的双翼机(1903～1909)开创了动力飞行的纪元。从第一次世界大战

1930年的双座双翼机
美国不列颠百科全书公司供图

至30年代初,双翼机在军用和商用航空中都占统治地位,双翼机虽有较好的机动性但不能抵消重量较轻的单翼机的速度优势。第二次世界大战后,双翼机仅用于特殊目的,如喷洒农药和特技表演。20世纪30年代中期A.布泽曼建议制造超音速双翼机,翼隔非常小,膨胀波和激波在翼隔间相互作用,使阻力减小。一翼(通常为下翼)较另一翼小得多的双翼机称为翼半式飞机。第一次世界大战期间有少数三翼机设计证明是成功的;至于设计四翼的或更多主升力面的动力飞机从来就只是出于好奇而已。

bipolar cell 两极细胞 眼睛视网膜中的一种神经细胞。它联结光敏细胞(视锥和视杆)和神经节细胞,神经节细胞的轴突构成视神经。有些两极细胞把神经冲动从视锥和视杆传给神经节细胞;另一些两极细胞向相反方向传导。

Biqāʿ, Al- 贝卡 又拼Bekaa或Beqaa。传统上称Coele Syria。黎巴嫩中部宽阔的山谷地带。在西面的黎巴嫩山脉和东面的前黎巴嫩山脉之间。由东北朝西南方向,沿利塔尼和奥龙特斯两河伸延120千米。山谷约占该国全部可耕土地的1/2,但因境内降雨少,温差大,农业集约程度不及该国沿海平原高。该区以旱地农作为主,种植谷类,水果和蔬菜占次要地位。主要城镇包括以出产葡萄和亚力酒(一种用椰枣制的酒精饮料)闻名的扎赫勒,有多处著名罗马时代遗迹的巴勒贝克和里亚格。20世纪后期,贝卡为叙利亚人与某些黎巴嫩人之间和巴勒斯坦解放组织军队与以色列人之间不断发生小规模战斗的地方。

Bīr (India) 参阅 **Bhir** 比尔。

Bīrah, Al- 比拉 西岸地区城镇,西接拉姆安拉(**Rām Allāh**)。

Birāk 比拉克 又拼Brach或Brak。利比亚西部的绿洲。在哈姆拉石漠东南部边缘。可能是传统上称为费赞地区的最肥沃的绿洲。有50多个灌溉用的自流井。阴暗狭窄的老城街道与棕榈林中新建的现代化开阔居住区形成鲜明对照。意大利1914和1929年占领时所筑碉堡至今尚存。物产包括椰枣、大麦、蔬菜、牲畜和家禽。有一政府经营的实验农场,并有航班与外地相连。人口约9 291(最新统计)。

Birāk, Tall 毕拉克 又拼Tell Brak。古代遗址,位于叙利亚哈塞克省肥沃的哈布尔河盆地。约公元前3200～约前2200年间有人居住。发掘出来的眼睛神庙(约公元前3000年)最为有趣。庙中有数千个用小块石头刻成的眼睛神像,故名。这些偶像几乎都有一个方型的躯体和一个有2～6个大眼睛的瘦脑袋。神庙本身的重要意义在于它使用了两

毕拉克出土的公元前4千纪晚期的眼睛神像
美国不列颠百科全书公司供图

河流域南部典型的装饰图案。阿卡德王那拉姆-辛(约公元前2254～约前2218在位)时期,毕拉克建有一座王室宅第,该地一度为杰齐拉沙漠所有道路的控制点。

Biran, Marie-François-Pierre Maine de 参阅 **Maine de Biran, Marie-François-Pierre** 曼恩·德·比朗。

Birātnagar 比拉德纳格尔 尼泊尔东南部市镇。主要工业中心与对外贸易中心。工业有黄麻制品、制糖和棉织。比拉德纳格尔黄麻厂(1936)是尼泊尔最大工厂,在国内工业中占有显著地位。在美国的帮助下,建立了鱼类养殖和销售中心。戈西河水电工程为尼泊尔东部提供电力。人口166 674(2001)。

Bīrbhūm 比尔普姆 印度东北部西孟加拉邦一县。面积4 550平方千米。西部地形起伏,属焦达纳格布尔高原,海拔达900米。东部属恒河冲积平原,人口密集。有多条河流,马尤勒戈希河建有水利工程,可灌溉24万公顷土地,发电2 000千瓦。稻米、豆类、小麦、玉米和芒果为东部主要农产品。西部开采煤、瓷土和铁矿。主要工业有棉纺织、丝织、碾米、榨油、金属器具与陶器等。县城苏里(**Siuri**)。人口2 555 664(1991)。

birch 桦木 桦木科桦木属(*Betula*)约40种观赏或材用乔木和灌木的通称。遍布于北半球凉爽地区。象牙桦(大戟科)和西印度桦(橄榄科)不是真正的桦木。英语中bog birch一词指具腺桦(沼泽桦,*B. glandulosa*),又指一种鼠李。桦木树皮平滑,含树脂,白色或杂色,有横走的皮孔,通常横向剥落成薄片(尤其在幼树),老树干的树皮厚而具深沟,开裂成不规则的片段。幼树短而纤细的枝条上举,呈窄金字塔形树冠,老树枝条水平而常下垂。叶卵形或三角形,先端通常尖,叶缘具齿,互生于小枝上,常亮绿色,秋天变黄。下垂的雄柔荑花序先叶出现,雌雄同株,雌柔荑花序较小而直立,形成球果状,成熟时裂开,散出细小的有翅小坚果。种子1枚。灰桦、纸皮桦(制纸桦)、香桦、黄桦和白桦最著名。在英国白桦通常叫做银桦,但纸皮桦和黄桦有时也称银桦。日本王桦(*B. maximowicziana*)是优秀的材用树,多用于胶合板工业。通常高30米,有剥落的灰色或橙灰色树皮,叶心形,长约15厘米,是耐寒的观赏植物。日本樱桦(粗桦,*B. grossa*)与之相似,木材可用。水桦(西方桦或泉桦,*B. occidentalis* 或 *B. fontinalis*)是一种灌木状乔木,原产于北美沿西部海岸的潮湿地方,有不剥落、深红色的树皮,皮群生长,茎从共同的根系长出,也称为红桦、黑桦或山桦。沼桦(矮毛桦,*B. pumila*)是类似的但较小的灌木,见于多沼泽的地方,直立或蔓延铺地。北美的沼泽桦(具腺桦)也叫冻原矮桦、树脂桦;矮桦或称矮北极桦(矮生桦,*B. nana*)原产世界远北地区;两者均为矮小的高山和冻原灌木,常称为地桦;叶近圆形,是鸟类和草食动物的食物来源;两个种均可栽培观赏。几种中国桦和日本白桦(日本宽叶桦,*B. platyphylla japonica*)也作观赏用。桦木属乔木和灌木间的自然杂交种,在欧洲和北美栽培作为观赏植物。桦木的木材淡褐色至红褐色,用作地板、家具、纸浆、内部装饰材料、车船设备、胶合板等。薄而不透水的树皮为北美印第安人和早期定居者盖屋顶,制

独木舟和做鞋的材料。桦木焦油用其树皮干馏而得。桦木啤酒用桦木树液制成。森林中居住的人会用湿的黄桦和纸皮桦的树皮点火。桦木为冰川退却后最早形成的树木之一。耐寒、速生，对病虫害较有免疫力，用于重新造林、控制水土流失、防护覆盖或作保育树木。多要求湿润、肥沃的砂土或壤土，播种和嫁接繁殖。许多观赏种类栽培以观赏其叶色、叶形或株形。

birch mouse　蹶鼠　啮齿目林跳鼠科蹶鼠属(*Sicista*)6种尾长、体小、通常为鼠型的哺乳动物的统称。栖息在欧亚大陆的林地、荒野、干草原和田野。体长约5～10厘米(不计尾长)，毛为褐或浅黄棕色。有些种有一黑色背纹。栖居地洞，以植物和昆虫为食，从秋到春在地下冬眠。它们跳而不跑，善于用尾巴支撑着攀登。

bird　鸟类　鸟纲(Aves)温血脊椎动物，特征为体被羽毛，前肢变为翼。因鸟类能飞，故几乎分布世界各地。一般说，任何地区鸟类的种数与生境的大小和多样性有关。人类很早就以鸟类及其卵为食物；农业社会开始出现后人类就开始将某些野生鸟类驯化为家禽。红原鸡、绿头鸭和灰雁分别是家鸡、家鸭和家鹅的祖先。现代的养殖业改变了人类对将野禽作为食物来源和狩猎对象的需求。鸟类的羽毛可用作装饰品或隔热材料。许多鸟类饲为宠物。尽管鸟类有这些用处，有些鸟类会毁坏作物或水果，故可以严重危害农业。

行为　不同种的鸟类有其许多固定的行为。几乎所有鸟类都有伸翅、伸腿和伸尾动作。在生殖季节鸟类会占据并保卫其领域。鸟类的鸣声是一种听觉信号，用以吸引配偶、警告对手离开、提醒同类危险临近，幼鸟可用鸣声求食。巢的形式各异，可为深洞，可为各种材料编成的悬吊物，或仅为沙上的一个凹陷、树中或岩石内的一个洞等。巢内可衬以枝条、叶子、藻类、小根、小石块、泥土以及动物性材料如马毛、蛇皮或羽毛等。除营冢雉外，所有鸟类均孵卵，孵化期11～80日。最早期的鸟类以昆虫为食，许多现代鸟类有特化的取食技术。在飞行中捕食的种类喙裂极宽，啄木鸟会将钻入木中的蛴螬挖出；鹟鸫用喙在地上挖掘；猛禽进化出锋利的爪和钩状的喙，以捕食其他动物。

形态和功能　鸟类的骨骼为气质骨，长骨中空，有气囊穿入；这是一种适应性变化，可减轻重量。因前肢变形为翅，鸟类演化出双足步态。羽毛为鸟类所特有，由称为角蛋白的蛋白质组成。廓羽使鸟类的身体呈流线型，又能防水；羽毛的基部有隔热作用。廓羽要季节性地脱换，这过程称为换羽。鸟羽的颜色由其中所含的色素及其结构或两者决定。鸟类其他结构上的变化包括足部覆以角质鳞；翅尖偶见退化的爪；喙上覆以角质鞘，具油脂腺，其分泌物用以润泽羽毛。鸟类的骨骼坚固而质轻(这是飞翔所必需)原因是有气囊，许多骨又互相愈合。鸟类的上喙和下喙均能活动(而哺乳动物不能活动上颚)。翅上覆飞羽，肘部活动有限，多数腕骨与掌骨愈合成腕掌骨；失去有功能的爪，翅部长骨有气囊。在会飞的大型鸟类，气质骨受力较大的部位被支撑结构加强。鸟类内脏和心脏的肌肉与哺乳动物和爬行动物相似。皮下肌(羽肌)收缩可使羽毛竖起。胸肌可将翅下降，而喙突上肌的长肌腱通过三骨孔，以滑车样的动作将翅上举。鸟类的血液循环与哺乳动物一样，为完全的双循环，与爬行动物不同。鸟类的心脏大小与体重相比，所占比例较大。鸟类的肺内，毛细血管包绕着微支气管，气体交换在此进行，这点与其他陆生脊椎动物均不同。食管下端膨大形成嗉囊，用以临时贮藏食物；这也是对飞行的适应。鸟类与爬行动物一样，雄性的睾丸位于体内。雌雄两性的生殖器官季节性地增大和缩小。鸟类为温血动物，体温约为41°C。鸟类有羽毛，某些水鸟有皮下脂肪，这些都有助于保持体温。在寒冷的温度条件下，热量可能从无羽毛的裸露的足部散失，此时流向该部位的血液减少，大腿的血管内又有一个热量交换网络；这些都使通过足部散失的热量降到最少。鸟类没有汗腺，需要时可通过急促的喘息来散失热量。

进化和古生物学　始祖鸟(*Archaeopteryx lithographica*)是已知最早的化石鸟类，发现于巴伐利亚上侏罗统的沉积物中；其结构与现存鸟类有许多不同，却与某些爬行动物相似。其上下颌的齿槽内有齿；骨骼非气质骨；前肢三指相互分离，可以移动，各具有功能的爪。与鸟类相似的特征表现于喙、眼、颚骨的关节形式和有羽毛等方面。始祖鸟的骨骼结构表明该种不能飞，只能滑翔。肢骨上的羽毛表明该种起源于三叠纪的槽齿龙目(Thecodontia)爬行类。三叠纪(2.25亿年前)有双足行走的小型爬行动物。其颅骨似始祖鸟，这些动物可能为树栖，以数量丰富的昆虫为食，并得以躲避大型的陆栖敌害。选择性进化带来一些鸟类的特征，如足能抓握，爪延长和前肢延长适于攀爬，视力更敏锐，而更重要的是内部体温控制的能力。最后一点有利于捕捉昆虫和在树上的轻风中保持体温。现代鸟类在进化过程中，运动翅膀的肌肉增大；用以掌握方向的尾部变短，运动更为方便；羽毛有功能特化；鸟类的各种散布到世界各地。

分类　鸟类属于脊椎动物亚门。分为两个亚纲。1.古鸟亚纲(Archaeornithes)，1目始祖鸟目(Archaeopterygiformes)，1属始祖鸟属(*Archaeopteryx*)，仅存化石。2.新鸟亚纲(Neornithes)，分为两个超目。(1)齿颚超目(Odontognathae)，包括黄昏鸟，已灭绝。(2)新颚超目(Neognathae)，含30个目。①䳍形目(Tinamiformes，䳍)；②美洲鸵目(Rheiformes，美洲鸵)；③鸵形目(Struthioniformes，鸵鸟)；④鹤鸵目(Casuariiformes，鸸鹋)；⑤象鸟目(Aepyornithiformes，象鸟，已绝灭)；⑥恐鸟目(Dinornithiformes，恐鸟、几维)；⑦䴙䴘目(Podicipediformes，䴙䴘)；⑧鹱形目(Procellariiformes，信天翁、鹱)；⑨企鹅目(Sphenisciformes，企鹅)；⑩鹈形目(Pelecaniformes，鹈鹕)；⑪雁形目(Anseriformes，鸭、天鹅)；⑫红鹳目(Phoenicopteriformes，红鹳)；⑬鹳形目(Ciconiiformes，鹭、鹳)；⑭隼形目(Falconiformes，隼、鹰、秃鹫)；⑮鸡形目(Galliformes，松鸡、鸡)；⑯鹤形目(Gruiformes，鹤、秧鸡)；⑰鱼鸟目(Ichthyornithiformes，鱼鸟，已绝灭)；⑱鸻形目(Charadriiformes，鸻、鸥)；⑲潜鸟目(Gaviiformes，潜鸟)；⑳鸽形目(Columbiformes，鸽)；㉑鹦形目(Psittaciformes，鹦鹉)；㉒鹃形目(Cuculiformes，杜鹃)；㉓鸮形目(Strigiformes，猫头鹰)；㉔夜鹰目(Caprimulgiformes，夜鹰)；㉕雨燕目(Apodiformes，雨燕)；㉖鼠鸟目(Coliiformes，鼠鸟)；㉗咬鹃目(Trogoniformes，咬鹃)；㉘佛法僧目(Coraciiformes，翠鸟)；㉙啄木鸟目(Piciformes，啄木鸟)；㉚雀形目(Passeriformes，雀类)。

Bird，(Cyril) Kenneth　伯德(1887-12-17，伦敦～1965-06-11，伦敦)　笔名福凯斯。英国漫画家，以火柴梗形人物在《笨拙》周刊上创作充满热情的社会喜剧。原是土木工程师，第一次世界大战期间在土耳其中弹，脊椎骨折，不能行动，决定以绘画为生。1916年将第一幅漫画投寄《笨拙》周刊。1937年为该杂志美术主任，1949年任编辑，直至1953年。他使用笔名是为避免与《笨拙》周刊上其他画家混同。第二次世界大战期间，因创作出一系列支持民族事业的招贴画而名声四扬。尤为著名的是题为《祸从口出》的组画，描绘了希特勒监听公共场所谈话的丑态。其20世纪20～50年代的作品都已收编成册。

Bird，Robert Montgomery　伯德(1806-02-05，美国特拉华纽卡斯尔～1854-01-23，费城)　美国小说家、戏剧家。他的作品是19世纪上半叶尚未成熟的美国文学的缩影。所著悲剧《斗士》极受欢迎，在伯德生前即上演1 000多场。20世纪文学史家对其作品深感兴趣。1827年毕业于宾夕法尼亚大学，获医学学位，但仅从医1年。第一个上演剧本《斗士》(1831)描写公元前73年罗马的奴隶起义，借以影射美国的奴隶制度。此剧是对罗马帝国权力的控诉，也是对殖民地时期英美两国关系的讽刺。伯德对西班牙-美洲历史作了认真研究，写出了《奥拉约萨》(1832)，这是一部关于西班牙征服美洲时期秘鲁的浪漫悲剧。以18世纪哥伦比亚为背景的《波哥大的经纪人》(1834)是一部家庭戏剧，被认为是他的最佳作品。第一部小说《卡拉瓦尔》(1834)，是描写在墨西哥的西班牙殖民者的故事，其续编为《异教徒》(1835)。其他小说均以美国为背景，大多写他在旅行中所熟悉的边疆地区。最受欢迎的是《林中的尼克》(1837)，作者用一种边地拓荒者经常表现出的轻视和憎恨眼光来描绘印第安人，企图以此来损害美洲印第安人作为高尚的未开化人的形象。由于无法以写作谋生，伯德自1841～1843年在宾夕法尼亚州费城医学院任教，兼营农业。逝世时，任费城《北美人》杂志的文学编辑。并拥有该杂志的部分财产。

bird flu　禽流感　又作 avian influenza。一种主要由家禽等鸟类(包括迁徙性水鸟、外来宠物鸟和鸵鸟)所引起的病毒性呼吸道疾病。首个直接传染给人类的病例发生在1997年，当时在香港导致18人感染，其中1/3死亡。人类的禽流感症状类似各种流行感冒症状，经过几天潜伏期才陆续发生。严重的可造成结膜炎或并发症威胁生命。禽流感病毒分为两类：一种为温和型，另一种为严重型。后者毒性高、传染性大，现已演变为家禽瘟疫。据认为，引发温和型禽流感的病毒突变会使引发严重型禽流感病毒的毒性增强。野鸭等水禽通常被视为所有禽流感亚型病毒的宿主，肠内病毒通过粪便散播在周围环境，传递给易感染的家禽。病毒经由病鸟之唾液、鼻腔分泌物和粪便传染给健康的鸟类。在一个地区内，禽流感病毒经由空气，受粪便污染的尘土，受污染的衣物、饲料和设备，或经由野生动物身上的病毒传染，很容易在农田间将病毒传播开来。经由候鸟的迁徙和国际间活禽贸易而将疾病蔓延至其他国家。凡有机会经常接触到病鸟的人，如家禽饲养员与屠宰场工作人员等，都是易受传染的高危人群。感染病毒的物体表面和中间宿主（如猪）也可能成为传染给人类的来源。最有效的控制禽流感爆发的方法不外乎对感染病毒的农场禽类进行快速筛选，并对农场及其设备消毒。

Bird Island　伯德岛　又称阿韦斯岛，一个珊瑚质沙洲，低潮时只高出水面4.5米，在加勒比海中，位于委内瑞拉以北560千米处，多米尼加以西110千米处。此岛不是委内瑞拉的同名岛屿阿韦斯群岛中的一个岛屿。无人居住，曾因有丰富鸟粪而具有经济价值。1492年被发现以后，西班牙、委内瑞拉、美国、荷兰、英国和多米尼加均宣称对此岛拥有主权或加以占领。20世纪70年代，该岛因控制着加勒比海的重要战略地位而有着巨大的政治意义，成为委内瑞拉与多米尼加激烈争议的对象。多米尼加认为该岛是海底沙洲，即阿韦斯海岭的隆起部分，显然与多米尼加连在一起。委内瑞拉则认为它在此驻有军队，并行使主权，1865年该岛判归委内瑞拉。21世纪关于该岛的归属问题的争议仍在继续，2001年委内瑞拉重申它对该岛的主权，并宣称计划在此建立小型军事基地。这些举动招致了其他加勒比海国家的反对。

bird louse　羽虱　又称鸟虱。寄生在鸟身上的食毛亚目昆虫。可能寄生于所有鸟类。取食羽毛、表皮，有时也吸血，但一般无害。若数量太多，可因瘙痒而影响家禽产蛋和育肥。若鸟嘴受损伤则无法清理羽毛，此时羽虱感染常较严重。鸡虱（*Menopon pallidum*）和鸽虱（鸽长圆羽虱，*Lipeurus baculus*）是两个重要种类。

bird-of-paradise　极乐鸟　又称风鸟、天堂鸟。雀形目风鸟科（Paradisaeidae）鸟类。约40种，小至中型，栖于森林中。其色泽和雄鸟的奇异羽衣形态只有少数雉和蜂鸟可与之相比。求偶的雄鸟在选中的栖木或林中空地上可表演几小时。雌鸟交配后独自营巢并育雏1或2只。栖于新几内亚高地及附近岛屿。辉风鸟和裙风鸟亦见于澳大利亚。卷冠辉风鸟（*Manucodia comrii*）是最大的辉风鸟，体长45厘米。小号鸟（*Phonygammus keraudrenii*）体长25～32厘米，有尖的颈羽，又有头羽簇。雄鸟鸣声洪亮，故得名。其他有特别名称的种类包括镰刀嘴鸟和旗翅鸟（幡羽风鸟）。极乐鸟属（*Paradisaea*）的种类俗称美羽风鸟，最著名，有7种，体长29～46厘米。中央尾羽像金属丝或卷曲的窄丝带，两胁的羽毛似薄膜，能竖起向前盖在背上，遮住翅膀。大极乐鸟（*P. apoda*）已引入委内瑞拉海岸以外属于特立尼达和多巴哥的小多巴哥岛。十二线天堂鸟（十二线风鸟，*Seleucidis melanoleuca*，有时称 *S. ignotus*）体长33厘米，尾短，胁羽像向前弯曲的金属丝。六线风鸟属（*Parotia*）4个种类和萨克森王天堂鸟（萨克森风鸟，*Pteridophora alberti*）归为一类，称为旗鸟。六线风鸟的头部向后伸出6根像金属丝的羽毛，末端呈旗状，并生有胁羽。萨克森王天堂鸟生有披肩状的羽毛和一对长的头带状羽毛，头带上约有40个似涂油彩的方形裂片。华美天堂鸟（华美风鸟，*Lophorina superba*）有开展的胸盾和变成头扇的宽披肩状羽毛。丽色天堂鸟（丽色风鸟，*Diphyllodes magnificus*）和威尔逊氏天堂鸟（*D. respublica*）都生有披肩，并有两根向外弯曲的金属丝状尾羽；后一种的头顶光秃，有"基督十字架"形的图案。王天堂鸟（王风鸟，*Cicinnurus regius*）体长仅13～17厘米，也有丝状尾羽（端部旗状）和扇形侧羽。长尾风鸟属（*Astrapia*）5个种类的雄鸟黑色，有光泽，有时有虹彩般的翎领，长的凸尾由黑色或黑白色相间的宽羽组成；全长80～115厘米。其他种风鸟的色彩差得多，例如镰冠天堂鸟（多冠风鸟，*Cnemophilus macgregorii*）、垂肉嘴（或金丝）天堂鸟（黄胸风鸟，*Loboparadisea sericea*）和洛里亚（或麦格雷戈女士）天堂鸟（鸦嘴风鸟，*Loria loriae*）；这3种以前

萨克森王天堂鸟（*Pteridophora alberti*）
美国不列颠百科全书公司供图

归入凉亭鸟一类。裙风鸟属（*Ptiloris*）的3种鸟俗称来福枪手鸟，因雄鸟的羽衣像从前英国步兵制服。维多利亚来福枪手鸟（维多利亚裙风鸟、小裙风鸟，*P. victoriae*）和天堂来福枪手鸟（大裙风鸟、天堂裙风鸟，*P. paradiseus*）的嗞嗞鸣声悠长，像子弹在空中穿过的声音，故得名。

bird-of-paradise flower（*Strelitzia reginae*）**鹤望兰**　又作 crane flower。旅人蕉科观赏植物。鹤望兰属共有5种，均原产非洲南部。高达1～1.5米，从地下茎发出。该属叶蓝绿色、挺立、革质、长圆形、下凹、中脉红色。该属的花多数具长梗，橙黄色或浅蓝色，

鹤望兰（*Strelitzia reginae*）
美国不列颠百科全书公司供图

有2枚直立而尖的花瓣，雄蕊5枚；外有一舟形佛焰苞，绿色，边缘红色。鹤望兰有一黄花的变种（*S. reginae citrina*）。

bird of prey　猛禽　猎捕动物为食的鸟类。分为隼形目和鸮形目两个目。白昼活动的猛禽有鹰、雕、鹫和隼（均属隼形目）。夜行性猛禽是鸮（鸮形目）。神鹰（鹫类）和雕是鸟类中体型最大和最强壮的。所有猛禽均有尖端钩状的喙和锐利而弯曲的爪（非掠食性鹫虽有爪但已退化）。尽管这两类猛禽有相似之处，许多学者认为它们没有密切的亲缘关系，只是演化出相似的猎食生活方式。

bird rug　禽毯　16～18世纪的土耳其手织地毯，白色作地，满地树叶图案，状似飞禽。一种是为数稀少但张幅较大而颜色鲜明的作品，好像制作于爱琴海沿岸的土耳其城市乌沙克。也有工艺粗劣、配色较为暗淡的小块地毯。曾在特兰西瓦尼亚的教堂内发现，也许由当地生产，或在土耳其的欧洲地区生产。

bird stone　鸟石　一种抽象的石刻。很多人认为这是美国密西西比河以东地区和加拿大东部史前印第安文化所遗留下来的工艺品中最美的一种。这些石刻像鸟，最长不过15厘米。大部分是用黑色、褐色或深绿色的石板刻成，少数用斑岩刻成，十分精美。鸟石的显著特征是呈对角线穿过基部的一对圆锥形小孔。对于鸟石的作用有很多说法，最可信的一说认为鸟石是用来投掷矛和箭的一种"弩"压锤或把手。

bird-watching　观鸟　在鸟的自然生境观察活鸟的活动，是很受欢迎的娱乐活动和科学体育活动，几乎完全起始于20世纪。在19世纪，几乎所有研究鸟类的学者都用枪将鸟猎杀，要鉴定不熟悉的种只能观察手中的鸟尸。现代观鸟之所以可能，主要因为发明了一些光学仪器，尤其是双目望远镜，使得人们

能在不伤害野生鸟类的情况下更好地观察它们。19世纪80年代以来掀起了一股观察野生鸟类的热潮。观鸟最先在英国流行，紧接着流行于美国，后在斯堪的纳维亚、荷兰、德国、瑞士及较早加入英联邦的国家内几乎同样地流行。有关鸟类的书一直刺激着人们对观鸟的兴趣，这类书籍可追溯到G.怀特的《塞尔伯恩博物志》(1788)、J.J.奥杜邦的《美洲鸟类图谱》(1827～1838)。其中最能激发人们兴趣的是H.F.威瑟比的5卷本《不列颠鸟类手册》(1938～1941)和R.T.彼得逊的《鸟类野外观察指南》(1947)。这些书对观鸟者来说是进行野外观察必不可少的参考书，最后一部说明了落基山脉以东所有北美鸟类的野外标志。还有适用于许多其他地区的类似的著作。《奥杜邦杂志》(美国)、《英国鸟类》(英国)、《地球与生命》(法国)等杂志以及广播媒介均有助于激发人们对观鸟的兴趣。观鸟活动花费不大，因此具有很大的吸引力。观鸟所需基本设备包括双筒望远镜，有助于鉴定鸟类的野外工作手册和一本用以记录观察时间、地点的笔记本；不一定需要旅行到外地。许多观鸟者建立了喂食站以招引鸟类。地方观鸟学会会员编集的观察记录大大有助于科学家鉴定各种鸟类的散布、生境和迁徙类型。约1930年以来，业余观鸟者进行了越来越多的野外观察活动，包括摄影。英国鸟类学托拉斯组织了多次合作调查，如鹭和凤头鸊鷉的数量调查、对海鸥冬季栖息地的调查等，大量业余爱好者参加了这些活动。国际野禽研究局协调组织在整个西欧进行的国际性研究、野禽数量的统计。

Bird Woman(Shoshone Indian) **鸟女** 参阅 **Sacajawea** 萨卡加维亚。

Birdman of Alcatraz 阿尔卡特拉斯的禽学家 参阅 **Stroud, Robert** 斯特劳德。

bird's-foot trefoil (*Lotus corniculatus*) **牛角花** 又称百脉根。豆科多年生铺散草本植物。原产于欧洲和亚洲，已引种于其他地区。常用作饲料，偶亦生长成为杂草。植株高约

牛角花(*Lotus corniculatus*)
美国不列颠百科全书公司供图

60厘米；叶由3个广椭圆形小叶组成，靠近顶端最宽。花黄色，有时带淡红色，花径约2厘米，5～10朵聚生成簇。

bird's-nest orchid (*Neottia nidus-avis*) **鸟巢兰** 一种兰科腐生植物，原产于欧洲。无叶绿素，从腐烂的有机物质吸取养分。花灰褐色，数量多，生于无叶的花轴上。地下茎短，块根鸟巢状，均用以贮藏食物，供植株生活到第9年开花。

Birdseye, Clarence 伯宰(1886-12-09，美国纽约市～1956-10-07，纽约市) 美国实业家和发明家。以研制适于零售的小包装冷冻食品而成名。曾在1912年和1916年两度作

美国食用品公司供图

为毛皮商前往拉布拉多。该地人民因为不易获得新鲜食品，常在冬季将食品冷冻保藏，这种方法使伯宰受到很大启发。回国后，他开始作这方面的实验。1924年协助创立综合海味公司。5年后开始出售速冻食品并因此而致富。其工艺过程是将包装好的食品在两片金属致冷板之间进行快速冷冻，此法效率高，能保持鱼、水果和蔬菜等各种食品的原有风味。伯宰拥有近300项专利权。除冷冻食品工艺之外，他还发明了红外线加热灯、捕鲸的无后座力鱼叉炮和一种食物脱水方法。在去世前几年，伯宰改善了用甘蔗渣制纸浆的方法。

birdsong 鸣啭 鸟的一种发声方式，是雄鸟在繁殖期为吸引配偶和防卫领域所表现出的特征性鸣叫。与在同种间起联络作用的鸟鸣相比，鸣啭往往更复杂而且延续的时间较长。鸣啭是人们最喜欢听的鸟叫声。从雄鸟在自身领域内的炫耀性鸣啭声中，其他雄鸟可得知它是属于哪一物种，判断出鸣啭者的情绪，甚至判断它是哪一个鸟。靛青鹀从同种鸟鸣啭声的各种细节中得知这一切，但是还不知道人类很注意的全部音符的顺序，能给鸟类传递什么信息。在一些鸟中，特征性的鸣啭不是后天学会的，而是遗传的。但在另外一些鸟如燕、雀中幼鸟必须听到成年雄鸟的鸣啭才能学会。

birefringence 参阅 **double refraction** 双折射。

Birendra Bir Bikram Shah Dev 比兰德拉(1945-12-28，尼泊尔加德满都～2001-06-01，加德满都) 尼泊尔国王，1972年即位，为沙阿·德瓦家族的第10代国王。比兰德拉是皇太子(1955年后为国王)马亨德拉的儿子，先后就学于圣约瑟学院(印度大吉岭)、伊顿公学(英格兰)、东京大学(1967)和哈佛大学(1967～1968)。1972年1月31日其父逝世。继承王位前(1975年2月24日接受加冕)，曾在世界各地广泛旅行。比兰德拉继承了其父的专制传统，后者在1960年曾解散选举产生的议会，并在1962年的宪法中取缔了政党。实际上，比兰德拉曾一度是世界上少数专制君王之一。尽管受到印度、中国和苏联的影响，他仍设法保持了尼泊尔在国际上的独立。他在位期间，尼泊尔的旅游业开始大规模发展。从1990年初开始，民众为支持民主运动举行游行示威，示威者与士兵和警察之间发生了流血冲突。迫于压力，比兰德拉终于在4月8日解除对政治活动的禁令，并于11月9日批准了一部保留其国家元首地位，但确认多党民主制度、三权分立和保护人权的新宪法。

biretta 四角帽 天主教神职人员以及基督教安立甘宗、欧洲信义宗若干教牧人员在宗教仪式和非宗教仪式中戴的硬壳帽。这种

17世纪中叶绘画中枢机主教黎塞留所戴红色四角帽
美国不列颠百科全书公司供图

帽子有三条圆脊，往往带有绒球。颜色因级别而异：枢机主教用红色，主教用紫色，司铎(牧师)用黑色。

Bīrganj 比尔根杰 尼泊尔南部市镇。位于肥沃的德赖平原，靠近印度边界。在加德满都的西南，为重要销售中心(稻米、小麦、大麦、玉米、黄麻)。有窄轨铁路向北通往阿姆莱克根杰，印度东北铁路也通到该镇。工业限于制糖以及卷烟、火柴制造。美国资助修建了一个养鱼和销售中心以及该镇以北16千米处的蒂拉韦纳迪灌溉水坝。人口112 484(2001)。

Birger Jarl 伯吉尔王公(?～1266-10-01，瑞典西约特兰) 从1248年至他逝世为瑞典实际上的统治者。1238年以前与国王埃里克松(1222～1250)的姊妹英厄堡(1254年卒)结婚，1248年受封伯爵。埃里克松死后无子，伯吉尔即选自己的儿子瓦尔德马为国王，因

其年幼,代为摄政。他在教会的支持下反对权贵(地方统治者)和地方议会。他与挪威和丹麦建立密切的关系,并以联姻为手段使其巩固。他把瑞典的势力扩至芬兰南部,鼓励波罗的海的吕贝克城扩大与瑞典的贸易。关于断言他建立斯德哥尔摩的说法仍有争论,但在其摄政时期,斯德哥尔摩成为瑞典的行政中心。

Birger MAGNUSSON **伯吉尔(芒努松)** (1280～1321-05-31) 瑞典国王(1290～1318)。芒努斯一世之子。1290～1302年他徒有国王名义,朝政实际由摄政王掌握。1302年加冕,后同他的兄弟们打内战(1306～1310)。1317～1318年他把兄弟们囚禁,然后处死,但他自己最后也被放逐,流亡到丹麦(1318)。

Birgit OF SWEDEN, SAINT 参阅 **Bridget of Sweden, Saint** 布里吉特(瑞典的),圣。

Biringuccio, Vannoccio 比林古乔(1480-10-20,锡耶纳[意大利]～约1539) 意大利冶金家和武器制造家。主要以所著《火法技艺》(1540)一书而闻名,这是冶金学方面第一部条理清楚的综合性著作。他在青年时受到锡耶纳的独裁者P.佩特鲁奇的庇护,被送往德国学技术。1513年返国,以武器制造家和冶金家身份在锡耶纳、帕尔马、费拉拉和威尼斯担任一系列职务,1530年回到锡耶纳,8年后任教皇保罗三世的教廷兵工厂厂长。《火法技艺》与当时模糊的炼金术著作形成鲜明的对比。书中载有大量木刻图,阐明当时所用的设备和工艺过程,对采矿、熔炼和金属加工的叙述清楚而实用,成为标准的参考资料,作为15和16世纪技术状况的信息资料,至今仍有价值。

Bīrjand 比尔詹德 伊朗东部城镇。建于贫瘠谷地中的丘陵上。海拔1 455米。胡斯夫河(通常干枯)穿过城镇。以前为商队中心,现仍部分保持其商业地位。当地羊毛品质优良,重要产业之一是地毯编织。人口127 608(1996)。

Birka 比尔卡 中世纪瑞典东南部城市,位于梅拉伦湖的比约克岛,建于9世纪,为西欧与东欧间一个繁荣的国际贸易中心。比尔卡是通过俄国前往拜占廷的水陆联运路线在波罗的海的中继站。进行交易的有俄罗斯、

比尔卡
中国大百科全书出版社供图

拜占廷、阿拉伯和西欧国家的商品。该城于975年以后逐渐衰败,因为波罗的海的哥得兰岛在俄国-拜占廷贸易方面处在更有利的战略地位。

Birkarlar 伯尔卡拉人 芬兰语拼作Pirkkalaiset。中世纪一群瑞典和芬兰的商人和捕兽者。他们在将近300年的期间里开发、垦殖和经营着从波的尼亚湾东岸起直至挪威北部的森林地区。1277年瑞典国王授予他们开发荒地权,可从事渔猎和向拉普族居民收税,但要向王室纳贡。挪威和俄罗斯也有这类边远地区居民,他们共同承担着驯服异教部落和开发河运的任务。他们大大促进了斯堪的纳维亚和东北欧城市商业发展,带来了巨大的财政收入。1552年古斯塔夫一世取消了伯尔卡拉人的收税权利,从此,他们就在历史舞台上销声匿迹。

Birkbeck, George 伯克贝克(1776-01-10,英国约克郡塞特尔[今在北约克郡]～1841-12-01,伦敦) 英国医生,伯克贝克学院第一任院长。首创工人学习班。1799年任格拉斯哥

美国不列颠百科全书公司供图

一所学校的自然哲学教授,创设科学讲座,技工可低费听讲。1823年协助建立伦敦机械工人学院,并任院长直至逝世。该学院于1907年改名伯克贝克学院,1920年被承认为伦敦大学的学院,招收夜读及非全日制学生。这所伦敦学院的成功导致全英各地纷纷建立类似的职业培训学校,其中有些发展为工学院。

Birkenau (German Nazi extermination camp) **比克瑙** 参阅 **Auschwitz** 奥斯威辛。

Birkenhead 伯肯黑德 英格兰默西赛德郡会郡威勒尔都会自治市海港,属柴郡历史郡。位于威勒尔半岛,隔默西河口与利物浦相望。1810年尚为小村落,居民只有106人。1824年因在默西河支流沃勒西普尔河上建锅炉厂和船坞而发展起来。这应归功于建造铁船的先驱者莱尔德。他还将城镇中心设计成格网形。1828年有人建议改造沃勒西普尔河。不到5年,第一个港区建成,并于1847年开放。1857年起约10千米长的码头设施一直由默西港区和海港公司管辖。该港市还外运英格兰中部地区的制造业产品并与东部地区进行贸易。作为欧洲最大面粉加工中心,濒河屠宰场经营大宗牲畜和肉的贸易,有修造船、机械、食品加工和服装等行业。默西至利物浦的渡船可追溯至1330年。河底铁路隧道于1886年竣工,默西行车隧道于1934年开放。1847年建伯肯黑德公园。伯肯墨德于1877年建市,在1974年前一直是郡自治市。人口93 087(1991)。

Birkenhead, Frederick Edwin Smith, 1st Earl of 伯肯黑德伯爵(第一)(1872-07-12,英国柴郡伯肯黑德～1930-09-30,伦敦) 1919年以前的别名为F.E.史密斯。英国政治家、律

美国不列颠百科全书公司供图

师和著名演说家。他在担任大法官时(1919～1922)首先对司法进行了重大改革,并协助缔结了1921年的《英国-爱尔兰条约》。伯肯黑德毕业于牛津大学沃德姆学院(1895),留校教法律至1899年。他在1899年取得律师资格后,在利物浦开业。1906年当选为下院议员,第一次在议会发表卓越的抨击性演说(03-12)即引起人们的注意,不久成为保守党领袖之一。H.H.阿斯奎斯的第一次世界大战联合政府组成后,他任副检察长(1915-06-02),后任检察总长(1915-11),在任期间以为爱尔兰革命派寻求德国援助为由将爱尔兰民族主义者罗杰·凯斯门特爵士定罪并处死(1916-08-03)。1917年他访问美国和加拿大,为协约国的事业发表演说。1919年2月4日就任大法官。他最大的成就是制定了财产法(1922)和不动产法规(1925)。改革司法的《郡法院法》(1924)和《最高法院(合并诉讼)法》(1925)也是他努力的结果。1924～1928年退休为止,他一直在斯坦利·鲍德温的第二届内阁中担任印度事务大臣。1922年被封为伯爵。

Birkenia 长鳞鱼属 早期鱼形脊椎动物的绝灭属。化石见于欧洲的晚志留世到早泥盆世(4.21亿年前至3.87亿年前)的地层中。为一原始的无颌脊椎动物,脊椎长仅约10厘米。它适应于游泳,吸着式的嘴位于顶端,而

长鳞鱼(*Birkenia*)
美国不列颠百科全书公司供图

不在腹部。与其亲属不同,头部骨甲不融合在一起而由小鳞片覆盖。

Birkhoff, George David 伯克霍夫(1884-03-21,美国密歇根欧弗里塞尔~1944-11-12,马萨诸塞剑桥) 20世纪前期美国最重要的数学家,表述了遍历(又称各态历经)定理,它把气体分子运动论中的麦克斯韦-玻耳兹曼各态历经假设通过应用勒贝格测度论变为严格的原理。伯克霍夫先后执教于威斯康星大学(1907~1909)、普林斯顿大学(1909~1912)和哈佛大学(1912~1944),是一个特别善于激励他人的教师和研究导师。20世纪中期,美国许多最多产的数学家,都在他的指导下写成博士论文,或同他一起从事更为高深的研究。他的主要研究领域是数学分析和分析学在动力学中的应用,学位论文以及许多稍后的工作都是研究常微分方程的解以及与之相关的任意函数的展开;还运用矩阵方法对差分方程论作出了具有基本意义的贡献。1913年他对拓扑学(研究曲面和空间的数学分支)中H.庞加莱的一条几何定理的证明,是极为杰出的成就。他关于遍历定理的表述(即所谓"强形式"),比J.冯·诺伊曼的"弱形式"的表述发表稍早,在现代分析中有重要应用,且在许多情形下比弱形式更为适用。在爱因斯坦发展了引力理论之后,他发展了自己的一套引力理论;还建立了美学的一种数学理论,并把它用于艺术、音乐和诗歌。所有这些具有国际声誉的创造性工作,促进了其他的科学发现。他曾任美国数学学会主席(1924~1926)、哈佛大学文理学院院长(1935~1939)、美国科学促进协会主席(1936~1937)。他的著作有《相对论与现代物理》(1923)、《动力系统》(1928)、《美学标准》(1933)、《基础几何》(1941,与R.比特利合著)等书。

美国不列颠百科全书公司供图

birling 滚木比赛 又称logrolling。北美伐木工人的户外运动。可追溯至19世纪伐木时代早期在加拿大东部和新英格兰一带,特别是缅因州举行的春天顺流运送木材的活动。比赛双方在水中踩一根原木,各自用脚力使之高速旋转、急停、转换方向或做其他动作,迫使对方失去平衡落水。使对手落水一次为胜一局,比赛为三局两胜制。有统一规则,先举行伐木场锦标赛,后举行场际比赛和地区赛,最后发展为全国比赛。比赛一般在木排漂到目的地后进行。选手身着工作服。最早的公开滚木比赛于1888年举行。首届世界锦标赛于1898年在内布拉斯加州奥马哈博览会上举行。20世纪比赛活动减少,但在一些河畔集市上仍举行滚木表演。

滚木比赛
美国不列颠百科全书公司供图

Birmingham 伯明翰 英国第二大城市,西米德兰都会郡的都会自治市。为英格兰中部主要工商业中心之一。1166年首次获得市场建立特许状。14世纪才发展成为一较为重要的中心。伯明翰缺少水路运输,因而发展受阻,18世纪后期成为领导英国产业革命的核心,情况才有了改变。当时,工程师J.瓦特(蒸汽机发明者)、M.博尔顿和W.默多克(改进蒸汽机的先驱)、化学家J.普里斯特利及印刷商J.巴斯克维尔都居住在这里,对伯明翰和整个英国的技术进步贡献很大。博尔顿的索霍制造厂生产的工业用蒸汽机名扬全欧洲。《1832年改革法》颁布后,伯明翰选举了自己的议员参加议会。1838年设市。同年,与利物浦和伦敦通铁路。伯明翰率先在英国实行城市规划(1911),试行单向交通(1933)和建设都市机场(1939)。1945年,由于战时工业行动和遭受猛烈轰炸,该市一时元气大伤,但迅即恢复。

伯明翰市的圣保罗教堂
美国不列颠百科全书公司供图

主要中心有维多利亚广场,古典风格的市政厅(1834,仿卡斯托尔和波勒克斯庙而建),文艺复兴式的议会厅(1874~1881),伯明翰博物馆和美术馆。该馆以其前拉斐尔时期的油画和英国水彩画闻名于世。圣菲力普教堂(1715)的绿色庭院形成另一中心,而圣保罗教堂(1779)周围的乔治风格地区亦自有其特色。环绕普金1841年设计的圣查德教堂(天主教)和漂亮的邮政大厦(1964)还形成了另外的中心。伯明翰现为英国轻工业和加工工业中心,主要工业有金属和机械制造。雇用人员最多的为机动车生产业。该地区生产自行车和摩托车,但自行车生产有些衰退。伯明翰还是主要的机床工业中心之一。该市的南部和西北部有运河网。文化机构有交响乐团、中央公共图书馆和美术馆。有伯明翰大学和阿斯顿大学。面积:城市和都会自治市264平方千米。人口:城市和都会自治市1 013 400;都会区2 623 200(1998)。

Birmingham 伯明翰 美国亚拉巴马州最大城市,南部主要工业中心。位于该州中北部。1813年设居民点。1870年沟通东—西和北—南的两条铁路在此交会。伯明翰市建立于1871年,当时为县城。该市的工业化主要依靠当地矿藏,如钢铁业必需的煤、石灰石和铁矿砂。还发现有大理石、石灰岩、重晶石、铝土、黄铁矿、石英、磨石、黏土及沙等。主要有铁、钢材和有关产品。工业发展现趋向多样化,其他产品有飞机、乙炔、虫胶、蜡、甘油、地板、灭火器、水泥、化工和棉织品等。教育、政府、银行、卫生保健为主要服务业。经附近的伯明翰港有运河向南通往墨西哥湾的港口莫比尔。有亚拉巴马大学、伯明翰-南方学院、萨姆福德大学等。还有伯明翰艺术博物馆、歌剧院、交响乐队和芭蕾舞团。每年举办卡梅利亚博览会、艺术节和州交易会。俯瞰全城的雷德山上耸立着罗马神话中火神伏尔甘的铁铸像,高17米,底座38米。20世纪60年代初期,M.L.金曾在该地领导黑人民权和选民登记运动。市政府形式的改变(1963年以市长会议形式替代政府委员会)有助于改善民权斗争中的种族关系。1979年,选民们选举R.阿林顿为该市第一任黑人市长。1971年,伯明翰成为在空气污染危机中,根据联邦法律关闭工厂的第一个美国城市。人口:市约242 820;伯明翰都会统计区约921 106(2000)。

Birney, James Gillespie 伯尼(1792-02-04,美国肯塔基丹维尔~1857-11-25,新泽西伊格尔斯伍德) 美国著名的废奴主义者,废奴主义者自由党的总统候选人。早年习法律,后在丹维尔执律师业,1816年选入肯塔基州议

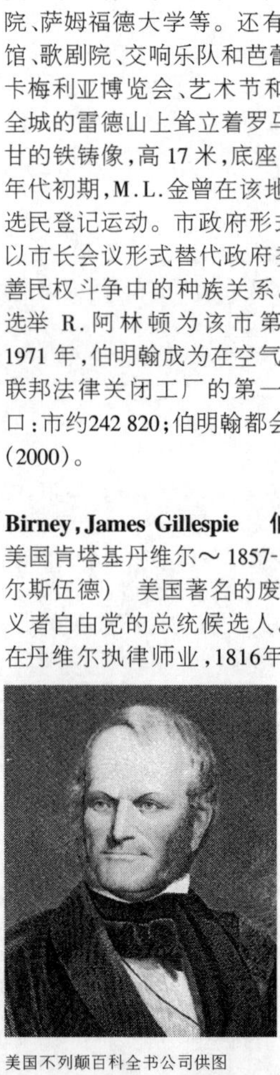
美国不列颠百科全书公司供图

会。1818年迁居亚拉巴马州，翌年进入亚拉巴马州议会。他参加制定州宪法中授权议会解放奴隶和禁止贩买进入本州的奴隶的条款。1837年当选为美国反奴隶制协会执行书记。不久协会内部分裂，一派支持W.L.加里森，另一派强调参加选举，后来成为自由党。该党于1840年和1844年两次提名伯尼为总统候选人。1840年，伯尼任世界反奴隶制大会副主席。著有《美国教会是美国奴隶制度的堡垒》。1845年因伤致残，退出政界。

Birnin Kebbi　比尔宁凯比　尼日利亚凯比州首府和城镇。临索科托(凯比)河。有公路通阿尔贡古、杰加和本扎，原为豪萨人分支克巴瓦人早期居民点。1516年被凯比王国占领。约1700年定为凯比王国都城。1805年在护教战争中遭富拉尼人焚毁，后被并入富拉尼人的关图酋长国。1827年阿尔贡古成为凯比王驻地后，该镇于1906年成为哈利鲁酋长驻地。1991年成为新成立的尼日利亚凯比州的首府。为烟草、花生、稻米的集散地，也是粟、高粱、稻米、鱼、牛、羊、皮革和棉花的主要销售中心。市内有州立工业学院、稻米研究站、师范学校、中学、医院等。其居民豪萨人和富拉尼人都是穆斯林。人口约54 680(1992)。

Birnin Kudu　比尔宁库杜　尼日利亚吉加瓦州城镇。公路枢纽。其哈布代山岩洞有著名的新石器时代的牛壁画(酷似中撒哈拉所发现的壁画)和石锣，被认为已有2 000多年历史。现为花生集散地。亦为粟、高粱、花生、豇豆、棉花和牲畜的销售中心。有中学和医院。人口约8 554(最新统计)。

Birobidzhan(region, Russia)　**比罗比詹**　参阅 **Yevreyskaya** 犹太自治州。

Birobidzhan　比罗比詹　又拼Birobidžan。俄罗斯远东哈巴罗夫斯克边疆区犹太民族自治州首府。位于阿穆尔河支流比拉河畔。在西伯利亚大铁路线上。1928年建为火车站，名吉洪卡亚。1934年设立以比罗比詹为首府的犹太自治州。1937年设市。有锯木和木材加工以及服装业、制鞋业等轻工业。还生产拖拉机挂车。有一所农学院。人口81 000(2000)。

Biron, BARONS AND DUKES OF　**比隆男爵和公爵**　法国贵族，按年代顺序分列于后，并各以●为标记。

● **Biron, Armand de Gontaut, Baron de　比隆男爵**(约1524～1592-07-26，法国埃佩尔奈)　16世纪法国宗教战争时期的军人和元帅。早年给纳瓦拉王后玛格丽特当侍从，受到布里萨克元帅的赏识。在1568～1569年战役中，他任炮兵总监。1573年，比隆男爵攻克拉罗谢尔。1577年晋升法国元帅，在南方统率军队与纳瓦拉的亨利作战，1581～1583年在阿图瓦指挥安茹公爵的军队。1589年任亨利四世的军队司令。后在埃佩尔奈围攻战中阵亡。

● **Biron, Charles de Gontaut, Baron and Duke (duc) de　比隆男爵和公爵**(1562～1602-07-31，法国巴黎)　阿尔芒·比隆元帅之子。因在阿尔克和伊夫里作战英勇，得到国王亨利四世的赏识。1592年其父死后，晋升法兰西和布列塔尼海军上将。1594年收复巴黎，晋升元帅。他奉派前去收复勃艮第。1597年攻克亚眠，结束了北方的战争。1598年受封公爵。他在布鲁塞尔执行外交使命(1598)时，与西班牙相勾结。1600年攻克布尔格的军队即由他指挥。敌方萨伏依公爵查理·伊曼纽尔一世秘密将其女儿许配给他。亨利于1601年发现他与以奥弗涅伯爵(参阅 **Angoulême, Charles de Valois, duc d'**)为首的不满分子勾结，乃下令将其逮捕。以向萨伏依公爵递送有关法国军队的详细情报而犯叛国罪，在巴士底狱被处斩刑。

● **Biron, Armand-Louis de Gontaut, duc de** (duke of)　**比隆公爵**(1747-04-15，法国巴黎～1793-12-31，巴黎)　又称洛赞公爵。美国独立战争中的法军指挥官。在拥护法国大革命的贵族当中，唯有他在恐怖时期被送上断头台。1788年继承叔父比隆公爵的爵位。曾招募殖民军队，1779年占领塞内加尔。在美国独立战争中，他在罗尚博伯爵麾下作战。在1792年的战争中，他在比利时率1万人开往蒙斯，但在基耶夫兰败于劣势之敌。后来又在西线指挥失利，1793年7月被解职。

Biron, Ernst Johann, Reichsgraf von　比龙(1690-11-23，库尔兰卡尔西姆斯[今在拉脱维亚]～1772-12-29，米陶[今叶尔加瓦])　Biron又拼Bühren。德意志冒险家，后来成为库尔兰公爵、俄国女皇安娜(1730～1740在位)的首席顾问；曾对俄国事务发挥了不寻常的作用。早年入柯尼斯堡学院求学，因行为不检被开除。1714年去俄国寻找出路，但无所获。后来到库尔兰女公爵安娜·伊凡诺夫娜的宫廷中谋得职务，1727年左右成为安娜的情夫和首席顾问。1730年安娜继承俄国皇位时，他随安娜到莫斯科，不久成为俄国政府中的要人。以他为首的一伙德国冒险家，操纵朝政，损公肥己，排斥俄国贵族，将反对他们的人充军西伯利亚或处死。因此，比龙为俄国人所不齿。1737年他当选为库尔兰公爵。1740年安娜指定他为伊凡六世的摄政王。但安娜死后仅3个星期，比龙就被掌握兵权的明尼希逮捕，流放到西伯利亚。1762年被赦还，在俄国宫廷中任职。1763年叶卡捷琳娜二世派俄国军队护送比龙重登库尔兰公爵的宝座。1769年其子袭爵。

Birrell, Augustine　比勒尔(1850-01-19，英国兰开夏郡韦夫特里～1933-11-20，伦敦)　英国政治家、文人，在任爱尔兰事务大臣(1907～1916)期间奉行的政策导致爱尔兰民族主义者1916年在都柏林的复活节起义。1875年起为律师。1889～1899年和1906～1918年为下院议员。因出版两部题为《余论》(1884～1887)的散文集而驰名英国文坛。1905～1907年任教育大臣。之后任爱尔兰事务大臣。1908年比勒尔向议会提出创办国

美国不列颠百科全书公司供图

立爱尔兰大学和贝尔法斯特女王大学的议案，得到通过。他对爱尔兰事务持漠不关心态度，过分听信爱尔兰爱国领袖约翰·雷德蒙的话。民族主义者在都柏林武装游行，他似乎都未意识到危险，结果在1916年4月24～29日都柏林发生骚乱时不知所措。他在一片谴责声中辞职，并坦率承担责任。

Birs(Iraq)　**比尔斯**　又作Birs Nimrud。参阅 **Borsippa** 博尔西珀。

birth　参阅 **parturition** 分娩。

birth control　节育　人类生殖活动的自愿节制措施，如避孕、节欲、手术绝育和人工流产。1914～1915年，美国女权主义者M.桑格首先使用此一词语。夫妇避孕是为了少生孩子，或是想拉大孩子之间的年龄差距。从医学角度讲，要求夫妇避孕或是因为生育对未来母亲的生理或精神有害，或是因为生产重残婴儿的可能性很大。从社会和经济角度讲，维持或提高家庭的生活水平恐怕是最主要的动机。实际上，这些限制家庭规模的理由，虽然看来十分现代化，有很多在几千年前就已付诸实施。很多宗教领袖现在同意应该以某种方式对人的生育能力进行调控，尽管对具体方法存有不同意见。除了这些个人的和伦理的原因之外，近几十年来节育的一个社会原因日益增强，那就是人口爆炸。第二次世界大战后，随着医学科学的发展，死亡率明显下降，世界人口增长率以每15年翻一番的速度膨胀。人口增长速度最快的国家主要是那些人均生产水平最低并跟不上人口增长速度的国家。比如印度，虽然该国想努力提高人民的生活水平，但又必须应付每天新生的至少35 000名小公民。控制家庭规模的历史总趋势是从杀婴向堕胎或避孕的方向发展。但这一变化在世界的不同地方、不同时代的发展极不平衡，还远没有完成。18世纪，欧洲各国普遍开始用弃婴代替杀婴，把不忍杀害、又不想要的婴儿一扔了事。伦敦的育婴堂就是在这一背景下建立的。今天，人工流产已经成为世界上应用最广的节育方法。但杀婴作为一种传统习俗，还是或明或暗地保留在某些原始民族和边远地区。最能反映这一历史进程的国家是日本。在该国的封建社会杀婴十分普遍。1948年立法后流产很快就成为日本主要的节育措施；进入60年代后，越来越多的日本人认为避孕比流产更好。在20世纪的欧洲、北美已由法律禁止节育改为法律允许避孕。虽然大

部分西方国家的立法或法院都准许人工流产，但同时都有内容广泛的限制条款。对限制的放宽大都是由妇女解放运动促成的。很多前苏联集团国家都允许避孕和流产。亚洲、非洲、拉丁美洲的许多发展中国家都把计划生育视为政府政策的一部分，尤其在中国，“只生一个孩子”是一项国策。参阅 **contraception**。

birth defect　先天性缺陷　婴儿出生时就带有因遗传或因各种创伤造成的畸形。参阅 **congenital disorder**。

birth rate　出生率　一定数量的人口中活产婴儿的频数。通常以每年每 1 000 名居民中活产的婴儿数来计算。参阅 **vital rates**。

birthmark　胎痣　新生儿皮肤上的独特的色素斑。参阅 **mole；nevus**。

birthroot（plant）　**催生根**　参阅 **Trillium** 延龄草属。

birthstone　诞生石　表示人们出生月份的宝石，一般认为戴它可带来好运气或使人健康。在古代，星卜家认为超自然的力量是由某种宝石造成的。现代这种代表月份的宝石（如表中所列）与古代信仰关系不大。因为该表所列搀和了可用性与价值的观念。在矿物学发展到化学分析的水平之前，比起其他物理性质来，颜色是较重要的，例如，在祖母绿与绿玉髓之间，或红宝石与石榴子石之间，或黄晶与黄玉之间只能发现很小的差别。当涉及到治愈疾病和带来幸运的能力时，真宝石和看去相似的东西被视为同样有效。甚至古代所使用的那些名称也不一定就是 20 世纪所称的那些宝石。《圣经》中提到的蓝宝石更可能是青金石而不是现代所指的蓝宝石，金刚石可能是白色的蓝宝石或白色的黄玉。原先，这些宝石被看做是犹太教高级牧师的法衣上所镶嵌的。在 20 世纪，表列的宝石补充了一系列合成宝石，这些合成宝石被推荐成为一些较罕见的、不太引人注意的或不太耐用的天然宝石的代用品。天然宝石表也扩大了范围，使其更能为男女两性所接受。

诞生石表

月份	传统的宝石	20 世纪扩大范围	合成补充物：商品名	合成宝石材料
1月	石榴子石		石榴子石	深红色合成刚玉
2月	紫晶		紫晶	紫色合成刚玉
3月	血滴石（鸡血石）	海蓝宝石	海蓝宝石	淡蓝色合成尖晶石
4月	金刚石		白色蓝宝石	无色合成尖晶石或刚玉
5月	祖母绿		祖母绿	合成祖母绿或合成绿色尖晶石
6月	珍珠	变石	人工养殖珍珠，变石	闪色的合成刚玉（合成尖晶石很少）
7月	红宝石		红宝石	红色合成刚玉
8月	缠丝玛瑙	贵橄榄石	贵橄榄石	绿色合成尖晶石
9月	蓝宝石		蓝宝石	蓝色合成尖晶石或刚玉
10月	蛋白石	电气石（粉红色或绿色）	罗锆石	粉红色合成刚玉或尖晶石
11月	黄玉（珍贵）	黄晶	黄玉	黄色合成刚玉
12月	绿松石	锆石	锆石	中等蓝色合成尖晶石

birthwort　马兜铃　俗名催生草。马兜铃科（Aristolochiaceae）植物。包括主要原产于热带的 5 个木质藤本属和少数温带种。花萼 3 裂；有些种无花瓣，另一些种花大，气味难

马兜铃（*Aristolochia*）
美国不列颠百科全书公司供图

闻。北美的马兜铃科植物包括野姜（加拿大野姜、加拿大细辛，*Asarum canadense*）、弗吉尼亚蛇根藤（蛇根马兜铃，*Aristolochia serpentaria*）、鹈鹕花（大花马兜铃，*A. grandiflora*）和烟斗藤（**Dutchman's-pipe**，美洲马兜铃、荷兰人烟斗，*A. durior*）。欧洲催生草（欧洲马兜铃、铁线莲状马兜铃，*A. clematitis*）和欧洲野姜（欧洲细辛，*Asarum europaeum*）亦属本科。欧洲催生草花淡黄色，2～8 朵簇生，喇叭状；叶心脏形，叶缘细齿裂；果梨形，下垂，长约 2～5 厘米；植株有毒，但其提取物用于催产（故英文名为 birthwort）和治疗毒蛇咬伤。

Birunga Mountains（Africa）　参阅 **Virunga Mountains** 维龙加山脉。

Bīrūnī, al-　比鲁尼（973-09，呼罗珊花剌子模～1048-12-13，伽色尼王朝阿富汗加兹纳［今阿富汗加兹尼］）　波斯学者、科学家。学识渊博，见解独到，不仅精通土耳其语、波斯语、梵语、希伯来语、叙利亚语，以及他用以写作的阿拉伯语，还通晓天文学、数学、年代学、物理学、医学和历史。与阿拉伯大哲学家伊本·西拿（阿维森纳）有书信往来。1017 年后前往印度，对印度文化进行了广泛研究。后定居阿富汗的加兹纳。在宗教信仰上，他是什叶派信徒，但有不可知论倾向。他最有名的著作为《古代遗迹》、《占星学入门解答》、《麦斯欧迪天文学和星占学原理》（一本献给加兹纳苏丹麦斯欧迪的重要天文学著作），以及《印度史》、《药学》等。他在天文学著作中以赞成的态度讨论了地球以地轴为中心自转的理论，并对经纬度作出精密的测量。他还用流体静力学原理对泉水的喷涌作出解释，测出 18 种宝石和贵金属的精确比重，大胆地指出印度河谷曾经是一个海盆。

Birzebbuga　比尔泽布贾　马耳他东南部一村庄。位于瓦莱塔东南，临马尔萨什洛克湾。原是渔民定居点，现为避暑胜地。附近多史前遗迹，著名的有阿尔达拉姆岩洞、一座巨石神庙和青铜器时代的卫城。人口约 5 869（1990）。

BIS　参阅 **International Settlements, Bank for** 国际结算银行。

bis pole（South Pacific religion）　参阅 **bisj pole** 比斯柱。

Bisaya　比萨扬人　又译米沙鄢人，又拼作 Bisayah。马来西亚婆罗洲西北部土著民族。聚居在沙巴州帕达斯河以北和波弗特镇以南之间的地区及沙捞越州北部。属马来人种，可能与菲律宾的比萨扬人是近亲。因为他们操穆鲁特语，使得有些学者认为他们是穆鲁特民族的一个分支。20 世纪末约有 5 000 人。他们的住房建于木柱顶端，沿河岸构筑，聚为村落。他们仍以传统的刀耕火种法种旱稻、西谷椰子、蔬菜及橡胶，现日渐开展种植水稻。比萨扬人的亲属关系是一种有等级的双系传宗群体关系，以婚礼的形式决定所生子女属父系或母系氏族。宗教是传统信仰和伊斯兰教的混合体，也有巫术。

Bisayas（Philippines）　参阅 **Visayas** 米沙鄢群岛。

Bisbee　比斯比　美国亚利桑那州东南部城市，科奇斯县县城。南距墨西哥边界 13 千米。地处峡谷陡坡。1877 年发现铜矿后，当地长期为重要产铜中心。1902 年设市。1975 年拉文德露天矿停止生产，其后成为旅游点。附近有国家纪念地和国家森林。人口 6 090（2000）。

Biscay（Spain）　参阅 **Vizcaya** 比斯开。

Biscay, Bay of　比斯开湾　法语作 Golfe de Gascogne（加斯科涅湾）。西班牙语作 Golfo de Vizcaya。北大西洋嵌入欧洲西部海岸的海湾。介于法国西海岸和西班牙北海岸之间，略呈三角形。海湾面积 223 000 平方千米。最深点在海区中部偏南处，深 4 735 米。在布列塔尼半岛海岸，大陆架宽 160 千米，在西班牙北部海岸，大陆架趋窄，不到 65 千米。深海平原水深约 4 500 米，约占海区总面积的一

半。注入海湾主要河流有阿杜尔河、多尔多涅河和加龙河。受北大西洋环流影响,湾内海流也作顺时针方向运动。春季在海湾北端法国海岸一带大潮高达6米,由此向南减弱,至海湾东南角比亚里茨附近,潮高3.5米。比斯开湾以多风暴著称。猛烈暴风的时速可超过113千米。一年中任何时候均可发生威胁航行的飑。沿海地带具有冬暖夏凉的海洋性气候。重要海港有法国的布雷斯特、南特、拉罗谢尔、波尔多、巴约讷;西班牙的毕尔巴鄂、桑坦德、希洪和阿维莱斯。度假胜地如拉博勒、比亚里茨、圣让-德吕兹皆在法国境内。渔业发达。沿法国海岸有牡蛎养殖。

Biscayne Bay　比斯坎湾　北大西洋浅海湾。在美国佛罗里达州东南部。长约64千米,宽约3～16千米。为大西洋沿岸水道的一部分。迈阿密在其西北岸。东北有迈阿密滩和数座岛屿,湾东其余部分迤逦排列者为佛罗里达群岛。经济以旅游为主。1968年海湾1/2以上水域和生物礁辟为国家保护地,面积逾3.9万公顷,有丰富多样热带海洋生物。1980年成为国家公园。

Biscayne National Park　比斯坎国家公园　在美国佛罗里达州东南沿海。位于迈阿密以南。1968年设立(1974年曾重新划定范围)。1980年成为国家公园。大部为礁石和拥有约33个岛屿的水域。岛屿形成南北岛链,将比斯坎湾和大西洋隔开。总面积70 026公顷。

Bisceglie　比谢列　意大利东南部普利亚区巴里省城镇和主教区。位于那不勒斯东北偏东约190千米的亚得里亚海畔。11世纪被诺曼人征服。1532年成为自由市。1861年归属意大利王国。在诺曼城堡旧址上有霍亨斯陶芬王朝修建的城堡遗迹。大教堂和圣玛格丽塔教堂代表了11～12世纪罗马-阿普利式建筑风格。亦有文艺复兴时代和巴罗克式宫殿。现为渔港和海滨游览地。生产葡萄酒、橄榄油和家具等。人口:城市区约48 314(1990)。

Bischop, Simon(Dutch theologian)　**比斯霍普**　参阅 **Episcopius, Simon** 埃比斯科比乌斯。

Biscop Baducing (7th-century British abbot) **比斯科普·巴杜辛**　参阅 **Benedict Biscop, Saint** 本尼狄克·比斯科普,圣。

bisexuality　两性现象　生物学术语,指一个生物体能产生雌雄两种配子(性细胞)的现象。在植物和微生物中这种现象常称 monoecism(中文也译作两性,或雌雄同花及雌雄同株)。在多细胞动物中,两性现象被称为雌雄同体(**hermaphroditism**)。

bisexuality　双性恋　一种人类性欲形态。指对同性和异性都有性兴趣,同时也渴望得到同性和异性的性吸引的现象。也就是说,一个双性恋者同时具有同性恋和异性恋欲望。临床调查显示,有双性恋欲望,同时有双性恋行为的人并不在少数。20世纪后期,同性恋行为已经被越来越多的社会所宽容,因此,自己承认是双性恋的人数也越来越多。参阅 **homosexuality**。

Bishamon　毗沙门　又称毗沙门天,日本神话中七福神之一。有人认为他就是佛教的北方多闻天王。他全身披挂,一手执长矛,一手托宝塔。他保佑义人,是四大护世天王之一。

华盛顿弗里尔美术馆供图

Bishandās　比尚达斯(活动时期约17世纪,印度)　印度莫卧儿画派贾汉季时代最杰出的肖像画家。生平不详,从其姓名推断是印度教徒。贾汉季皇帝称他是当代无与伦比的肖像画家。曾随使节派赴波斯,为波斯国王及其重臣画像。在波斯从1613年逗留至1620年。比尚达斯还为一本寓言集作过插图,并在为贾汉季皇帝制作的画册中画过一些工巧的肖像。

Bishkek　比什凯克　1862～1926年名皮什佩克,也称比什凯克,1926～1991年名伏龙芝。吉尔吉斯斯坦城市及首都。位于吉尔吉斯山附近楚河河谷,海拔750～900米。比什凯克沿阿拉尔却河和阿拉梅金河而建,大楚斯基运河横贯其北部。1825年乌兹别克的浩罕汗国在此建立比什凯克要塞,1862年要塞为俄罗斯人占领,误称此地为皮什佩克,但本地人仍称之为比什凯克。1913年居民有14 000人,主要是俄罗斯族。此处虽然为地区的行政中心,但基本上仍然是一座建筑散乱的、灰尘弥漫的乡村。1924年此地被选定为新设的吉尔吉斯自治州的行政中心。1926年成立吉尔吉斯苏维埃社会主义自治共和国,皮什佩克为其首都,更名伏龙芝以纪念1885年出生于该地的革命者和红军元帅米哈伊尔·瓦西里耶维奇·伏龙芝。其后迅速发展成为一座现代化城市。1991年复更名比什凯克。市内街道整齐、宽阔,两旁绿树成行,有公园及多处果园,向南遥望可见终年积雪的山岭。除各政府大楼外,有剧院、建于1954年的共和国科学院、建于1951年的吉尔吉斯国立大学以及农、医、工、师范等学院。该市的工业发展分两个阶段:1941年前,重点在利用本地原材料的食品加工及其他轻工业;第二次世界大战时重工业从俄罗斯西部疏散后,此地有了大量机器制造业和金属加工业。20世纪60年代该市发展特别迅速。人口:大都会区619 000(1999)。

Bishnupur　比什努布尔　又称维什努布尔。印度东北部西孟加拉邦中部历史名城。位于托莱索里河南岸。8世纪为印度教马拉布姆王国首都。16～17世纪成为德鲁帕德派音乐发源地。1863年设市,建有布德万大学的几所学院,是公路大干线和铁路的连接点。为农产品贸易与丝织中心。人口47 529(1981)。

bishop　主教　基督教一些教会中首席教牧人员和监督,负责主持若干堂会组成的主教区。此职的起源不详,但是似乎可以断定,主教制(**episcopacy**),或主教、司铎、助祭三级神长制在公元2世纪即已经在基督教会中确立下来。天主教、东正教和其他一些教会一向认为,主教都是使徒的继承人,这种教义称为使徒统绪论。1989年2月11日,美国圣公会按立哈里斯女士为主教,在此之前,坚持使徒统绪论的各教会都规定,只有男子才能担任主教。自从4世纪罗马帝国承认基督教直到16世纪宗教改革运动,主教是基督教一个主教区内全体信徒的首席牧师、司铎、行政首脑和统治者。他是各种礼仪的主要主持人:他施洗、祝福圣餐、任命神职人员或解除他们的职务、控制教会的财务、解决纠纷。在宗教改革运动过程中,新成立的一些新教教会放弃了主教一职,一部分原因是,他们认为,主教在欧洲中世纪取得了广泛的世俗民政权力,危及主教一职的灵性纯洁;另一部分原因是,他们在《新约》中找不到设置主教的依据。在宗教改革运动之后,基督教各教会中只有天主教、东正教、老公会、安立甘宗和另外少数教会保持主教一职和关于使徒统绪的教义。信义宗有些教会(主要在斯堪的纳维亚和德国),设有主教,但除瑞典的信义会外,都不再坚持使徒统绪论。新教大多数教会不设主教。在美国的循道宗教会中,主教是一些教会的监督,有权按立牧师。教皇、枢机、大主教、宗主教(牧首)和都主教,都是不同级别的主教。也可以设置副主教或助理主教协助主教管理主教区。只有主教才有权确认神职人员人选和任命神职人员,主教的主要职责是监督所管主教区中的神职人员。在天主教,主教由教皇选定,须经一名大主教和另外两名主教祝圣受职。在安立甘宗和其他一些教会,主教由主教区大教堂的教长和牧师会选举。在循道宗,主教由大会选出。根据传统,主教戴主教冠,执主教杖,挂主教十字架,佩主教环,着主教长袜及鞋,这些都是主教一职的象征物。

bishop　主教鸟　雀形目织布鸟科寡妇鸟属(*Euplectes*)几种小型非洲鸟类的俗称。繁殖期的雄鸟腹部黑色,上部淡红或黄色,有翎状头羽,蓬松的腰羽几乎遮住短粗的尾。雄鸟

红主教鸟(*E. orix*)
美国不列颠百科全书公司供图

守卫着一小块草地或沼泽,其带黄褐色条纹的配偶有6只或更多,在此领域内居住于各自的球形巢中。红主教鸟(*E. orix*)体长13厘米,又称掷弹兵织布鸟。其炫耀动作是来回飞行,拍打翅膀。有些已在澳大利亚南部定居。

Bishop, Billy (Canadian fighter pilot) **比利·毕晓普** 参阅 **Bishop, William Avery** 毕晓普。

Bishop, Elizabeth **毕晓普**(1911-02-08,美国马萨诸塞伍斯特~1979-10-06,马萨诸塞波士顿) 美国女诗人。她的诗以优美、风趣著称,她的短篇小说发表在《纽约人》等杂志上。在加拿大新斯科舍省及波士顿度过童年。1934年于瓦瑟学院毕业后出国旅行。1938~1942年在佛罗里达州基韦斯特居住,后移居墨西哥(1943)。20世纪50~60年代大部时间住在巴西里约热内卢附近的彼得罗波利斯。第一部作品《北方和南方》(1946),使人感到她虽是新英格兰人,但却对温暖国家极其喜爱。1955年增补重印,题为《北方和南方:寒冷的春天》。她的许多作品都表现温暖和寒冷,及一个新英格兰人在热带地区的感受。《旅行的问题》(1965)中的诗句雄浑有力,韵律优美,富有魅力。《诗歌全集》于1969

Straus & Giroux, Inc. 供图

年出版,《地理Ⅲ》于1977年出版。1970~1977年在哈佛大学教授写作。死后出版的著作有《诗歌全集:1927~1979》(1983)和《散文集》(1984)。著有游记《巴西》(1962)。她还将A.布兰特的巴西名著《海伦娜·莫利的日记》(1957)由葡萄牙文译成英文,编辑并翻译出版了《20世纪巴西诗选》(1972)。

Bishop, Hazel **毕晓普**(1906-08-17,美国新泽西霍博肯~1998-12-05纽约拉伊) 全名Hazel Gladys Bishop。美国化学家和女商人,以发明用自己名字作标牌的化妆品系列而为人称道。1929年毕业于巴纳德学院,曾入哥伦比亚大学夜校攻读研究生课程。1935~1942年间任皮肤病学实验室助理,后去美孚石油发展公司任化学师(1942~1945),继而在索科尼真空石油公司担任同样职务(1945~1950)。1949年经过在家中一系列长期试验,完善了一种能在嘴唇上长久不褪色的唇膏。次年,成立黑兹尔·毕晓普公司生产她的"持久唇膏"。这种"耐吻唇膏"在市场上大获成功,竞争者纷纷仿效,推出类似产品。毕晓普担任公司总裁直至1951年11月与大股东不和而辞去职务。1954年,该公司产品年销量已超过1 000万美元。后毕晓普组建黑兹尔·毕晓普实验室,研究面向消费者的化学产品。1955年推出皮革清洁剂,继而又推出其他个人护肤品和化妆品,并成立公司生产这些产品。1962年11月她成为贝奇经纪公司的注册代理。她在华尔街颇有成就,数年后成为埃文斯公司的金融分析师。

Bishop, Sir Henry Rowley **毕晓普**(1786-11-18,英国伦敦~1855-04-30,伦敦) 又译毕肖普。英国作曲家和指挥家。以歌曲《家,可爱的家》及《瞧!可爱的云雀》闻名。历任科文

美国不列颠百科全书公司供图

特加登剧院(1810)、草市国王剧院(1816~1817)、特鲁里街剧院(自1825年起)、沃克斯霍尔加登剧院(1830)等处指挥和爱丁堡大学(1841)、牛津大学(1848)音乐教授。1842年被封为爵士。作有轻歌剧和戏剧音乐,并改编著名作曲家的歌剧。写了一部歌唱对话形式的歌剧《阿拉丁》(1826),也写过清唱剧、主讲合唱曲及格利合唱曲。《家,可爱的家》是他的喜歌剧《米兰姑娘》的主题歌,剧本为J.H.佩恩所作。

Bishop, Isabel **毕晓普**(1902-03-03,美国俄亥俄辛辛那提~1988-02-19,纽约) 美国城市现实主义风格的画家,制图员和铜版画家。1918年进入纽约女子设计学院学习商业美术,1920年加入纽约艺术学生联盟学习绘画,发展了现实主义的绘画技巧和处理光与影的技法。1928年作为城市现实主义大师而名声大噪。两年后,首次在纽约举办个人作品展,以刻画工人妇女、流浪汉和学生最为著名。同时,她还是一位多才多艺的铜版画家。1934年,与神经学专家H.沃尔夫结婚,育有一子。1935年开始在艺术学生联盟任教,并于1937年成为该联盟首位专职女教师。1946年成为美国艺术与文学学会第一位女性高级工作人员(副会长)。72岁时曾在纽约惠特尼艺术博物馆举办第一次回顾展。

Bishop, J(ohn) Michael **毕晓普**(1936-02-22,美国宾夕法尼亚约克~) 美国病毒学家。同H.瓦尔默斯因帮助搞清癌瘤起源问题而共获1989年诺贝尔生理学或医学奖。1957年毕业于宾夕法尼亚州葛底斯堡学院,后于1962年在哈佛大学医学院取得医学学位。在波士顿马萨诸塞综合医院任实习医生和住院医生2年后入马里兰州贝塞斯达国立卫生研究院。1968年到旧金山加利福尼亚大学医学中心任职,1972年成为正教授。1981年起还担任加利福尼亚大学的G.F.胡珀研究基金会主席。1970年毕晓普同瓦尔默斯合作,着手验证这样一个假说——正常体细胞里也存在一些静止的病毒癌基因,一旦被激活,它们可以致癌。用已知可以在鸡中致癌的劳斯肉瘤病毒作为实验材料,他们发现,在健康细胞中也存在一个基因,其结构同病毒中的致癌基因相似。1976年毕晓普和瓦尔默斯会同另外两个同事——D.斯特赫林和P.沃格特——发表了他们的发现,声称病毒是由正常细胞得到这个致癌基因。病毒感染细胞并开始复制时,它把这个基因整合到自身的遗传材料中去。以后的研究还表明,这样的基因可通过几种方式致癌。甚至没有病毒的参与,这种基因也可被某些化学致癌物转化,成为造成细胞不受限制地增生的形式。因为毕晓普和瓦尔默斯发现的机制似乎为一切癌瘤的发生所共有,所以他们的工作对于癌瘤研究贡献极大。至1989年,科学家已在动物中鉴定出40个以上的具有致癌潜能的基因。

Bishop, John Peale **毕晓普**(1892-05-21,美国西弗吉尼亚查尔斯镇~1944-04-04,马萨诸塞海恩尼斯) 美国诗人、小说家和批评家,"迷惘的一代"成员和20世纪20年代移居巴黎的美国作家们的密友。在普林斯顿大学求学时,与未来的批评家E.威尔逊和小说家F.S.菲茨杰拉德结下终生友谊。1917年出版第一部诗集《绿果》。1920~1922年任纽约《名利场》杂志编辑。在法国居住至1933年,对法国文化深为钦佩。此后出版短篇小说集《逝者千万》(1931)和诗集《他的爱情》(1933)、《细微情节》(1935)以及长篇小说《盲目行动》(1935)。1940年为《民族》杂志写诗歌评论。同年发表他最杰出的诗作《祈祷》,是一首悼念菲茨杰拉德的挽诗。

Bishop, William Avery **毕晓普**(1894-02-08,加拿大安大略欧文桑德~1956-09-11,美国佛罗里达西棕榈滩) 别名比利·毕晓普。加拿大战斗机王牌飞行员,曾在第一次世界大战中击落72架德国飞机。曾在金斯顿的皇家军事学院学习,在第一次世界大战期间随加拿大骑兵出国。1915年奉调至皇家飞行

队,1917年调入驻法国的第60中队。他很快就精通空战,击落敌机总数达72架,其中有25架是在10天内击落的。他获得维多利亚十字勋章和其他几枚勋章,1918年晋升为中校,负责指挥第85中队。1918年8月毕晓普被任命为英国空军部官员,他在这个职位上帮助组建加拿大皇家空军,成为一个独立旅。大战结束后,他进入加拿大第一家商业航空公司,最后成为一名商人。1936年被委任为加拿大皇家空军荣誉副帅,第二次世界大战期间成为加拿大皇家空军荣誉元帅。著有《空中作战》(1917)及《飞行小队》(1926)。

Bishop Hill State Historic Site　毕晓普希尔历史纪念地　美国伊利诺伊州西北部亨利县历史纪念地。1846年由以E.詹森为首的瑞典移民创建。1853年设村。后为农业社区,居民曾达1 500人。社区内实行公有制,由詹森直接管理。1853年建制。后因经济问题和内部分歧而瓦解。1861年公共财产被分,居民纷纷离去。居民多一流木工和手艺人,存留有若干原先的建筑,其中部分已修复。老殖民教堂为希腊复兴式,建于1848年,斯蒂普尔大厦建于1854年。该村于1946年被辟为州立历史纪念地。1984年被辟为国家历史地标。

Bishop Museum　毕晓普博物馆　全名尼斯·帕瓦希-毕晓普博物馆。在美国檀香山,是夏威夷和波利尼西亚的考古、博物和文化研究中心。陈列夏威夷和波利尼西亚的艺术品、工艺品、人工制品及动植物标本或实物。夏威夷馆陈列有皇家珠宝、皇冠和宝座、兵器、羽饰披肩和斗篷、舷外装有桨叉托架的小艇、冲浪板、鲸骨和龟甲制品以及一条高架陈列的鲸标本。该馆系由夏威夷公主伯尼斯·帕瓦希的美国丈夫C.R.毕晓普于1889年创立。1961年增设了天象馆和天文台以着重表现天文学在太平洋诸岛人民文化史上的作用。

Bishop Rock Lighthouse　毕晓普岩灯塔　19世纪建于康沃尔锡利群岛的灯塔。是土木工程史上的一个里程碑,并可能是世界上受海上风涛冲击最严重的灯塔。1847年开始建第一个灯塔时,灯还未安装好,塔身就被风浪冲走。现在用花岗石建筑的灯塔是1858年建成的,以后又进行了加固。1883～1887年经J.N.道格拉斯之手,改进了结构,并增加了高度,灯比高潮水位高出146英尺。

建在锡利群岛上的毕晓普岩灯塔
美国不列颠百科全书公司供图

Bishops,Synod of　主教大会　天主教会定期会议,1965年由教皇保罗六世发起。根据第二次梵蒂冈会议关于主教职权的规定,主教大会由教皇召集。教皇决定大会议程,全体代表15%以内由教皇指定,其余由各国主教会议选举或根据职务当然充任。到目前为止,主教大会每两年召开一次,参加人数平均约200人。

bishop's cap cactus　(*Astrophytum*, or *Echinocactus*, *myriostigma*)　**僧帽掌**　仙人掌科的一个类群,原产墨西哥中部,有4～5条明显的肋,随植物的生长肋数增加,可达8条以上。圆球形,无刺,随着生长形状也渐成圆柱状,表面有鳞片形成的白色斑块。*Astrophytum* 属有4种,都是盆栽观赏种类,花黄色,颇大,夏季开放,有的种或变种的花略芳香。该属有时视为仙人球属(*Echinocactus*)的一个亚属。

僧帽掌(*Echinocactus myriostigma*)
美国不列颠百科全书公司供图

Bishops' Conference of the Chinese Catholic Church　中国天主教主教团　由中国天主教各教区正权主教组成的教务机构。由1980年5月31日至6月2日举行的中国天主教第3届代表会议根据《中国天主教教务委员会章程》建立。中国天主教主教团的任务是:研究、阐明当信当行的教义教规,交流传教经验,开展对外友好活动。主教团团长、副团长、秘书长由主教团全体成员选举产生。建立主教团是为了研究有关重大的教义教规问题。主教团对代表会议及教务委员会负责。1980年5月,张家树主教当选为第1届主教团团长;1988年张家树主教去世,由宗怀德主教代理主教团团长。1992年9月,在中国天主教第9届代表会议上,宗怀德主教当选为主教团团长。中国天主教自1958年开始实行自选自圣主教,到1988年,先后自选自圣主教90多位。

Bishop's Stortford　毕晓普斯托福德　英格兰赫特福德行政、历史郡东赫特福德区的堂区城镇。临斯托特河,位于伦敦大都会区的东北边缘。诺曼时代为伦敦主教属地。1769年斯托特河航线通航后发展成麦芽制造中心和粮食仓库。主要为住宅区。建有各种学校和学院。英国殖民主义者、南非金融家和政治家C.罗得斯出生的特斯威尔邸宅,现辟为纪念馆。人口28 403(1991)。

Bishops' Wars　主教战争　英国历史上查理一世和苏格兰人在1639和1640年两次短暂的战争。起因是查理一世强制苏格兰教会遵奉安立甘宗仪式,而苏格兰人则决心废止安立甘宗。1637年爱丁堡发生骚动,迅即引起苏格兰的全民抵制。1638年11月格拉斯哥大会置查理一世的命令于不顾,查理一世调集一支英军,在1639年进抵苏格兰边境。由于缺乏军费,并对其军队缺乏信任,查理同意订立《贝里克和约》,听任苏格兰人自行其是。第1次主教战争不战而终。后来对和约的解释又发生了分歧。查理发现苏格兰人与法国合谋,决定再度施用武力。1640年4月,他再次召开议会,要求拨款。这次称为短期议会的议会却坚持讨论对政府的不满,表示反对重启战端,查理一世遂解散了议会,自行出征。但在第2次主教战争中,苏格兰人节节获胜,攻克诺森伯兰和达勒姆全境。查理不得不召开长期议会(1640-11),导致英国内战的爆发。

Bishu Shanzhuang　避暑山庄　中国著名避暑胜地,现存最大的中国古代帝王宫苑。位于河北省承德市中心区以北,武烈河西岸一带狭长的谷地上。又名承德离宫或热河行宫,是清代皇帝避暑和处理政务的场所。始建于1703年,历经康熙、雍正、乾隆,耗时约90年建成。承德群山环绕,武烈河自北向南贯穿,兼山水之胜。山庄东南多水,西北多山,是中国自然地貌的缩影。分宫殿区、湖泊区、平原区、山峦区4部分。东、北面山麓分布着宏伟壮观的寺庙群,即外八庙。外八庙以汉式宫殿建筑为基调,吸收了蒙、藏、维等民族建筑艺术特征,创造了中国的多样统一的寺庙建筑风格。整体布局巧用地形,因山就势,分区明确,景色丰富。1994年避暑山庄及周围寺庙被列为世界遗产。

Bīsitūn　比索通　又拼Bīsotūn,历史上作Behistun。位于伊朗克尔曼沙阿区扎格罗斯山山麓的村庄和悬崖。地处古代米底的首都埃克巴坦那通往巴比伦的路上,阿契美尼德王朝的大流士一世(公元前522～前486在位)在这块悬崖上留下了著名的铭文,用巴比伦文、古波斯文和埃兰文写成,记载了大流士在冈比西斯二世去世后,杀死了篡位者高马塔,击溃了反抗者,并取得王位的经过。还记载了波斯全境分成各个道(或行省)的行政区划情况。在波斯工作的东印度公司官员亨利·罗林森首次临摹了铭文(1835～1847)。1849年,罗林森成功地解释和翻译了铭文。

以后经各个考古团体的努力,澄清了罗林森摹本中的一些异文,更准确地推定了铭文中的一些阙文,有助于确定事件发生的时间(约在公元前522秋～前520春)。

bisj pole 比斯柱 bisj又拼bis。南太平洋诸岛宗教礼仪中所用雕刻木柱。北美洲偶有所见,但新西兰、瓦努阿图群岛,尤其是新几内亚西南部阿斯马特地区及卡休厄赖纳沿岸更为普遍。柱高3.7～7.9米,刻有人像,据说是被敌人杀害的部族祖先之像,像上有像,层层叠置。人像尽处是饰有精美镂雕的伐木时所得之侧根。比斯柱有多种宗教功能,例如在阿斯马特地区,人们依照宗教礼仪砍伐代表敌人的红树,剥去树皮,白色木质中渗出

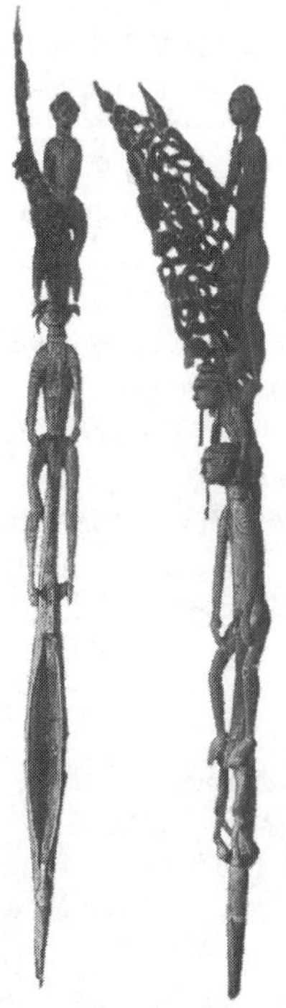

比斯柱
美国不列颠百科全书公司供图

红色树浆,即代表被打败的敌人之血。有人说,比斯柱是"灵船"的另一种形式,灵船是大型独木舟,上面置有大批雕像,这些雕像据说有魔法。灵船把新死者的亡灵载出村外,并在成丁礼上对受礼者发挥法力。使用比斯柱的礼仪表明,比斯柱也庇护亡灵,使他们离村,而且传输魔法。

Biskra 比斯克拉 1981年后称贝斯克拉(Beskra)。阿尔及利亚东北部城镇。在撒哈

比斯克拉城镇一角
美国不列颠百科全书公司供图

1940年服役不久的"俾斯麦"号
美国不列颠百科全书公司供图

拉沙漠北缘,是扎卜绿洲群的中心。9世纪为阿拉伯人占领后十分繁荣。12世纪成为扎卜地区的半自治都城。1552年被土耳其占据。1844年法国在此驻防。因地处君士坦丁一图古尔特铁路、公路线上,有机场,加之11月～4月气候温和,该地成为冬季休养地。西北5千米有可治疗关节炎和皮肤病的热矿泉。冬季用水库蓄水灌溉,出产小麦和大麦。1969年发生严重水灾。周围地区干旱。这一地区居民多住在比斯克拉地区内或苏夫绿洲。绿洲群沿比斯克拉河右岸向南伸展。面积1 300公顷。主要产品为椰枣,也种植无花果、石榴和杏。人口约129 611(1987)。

Bismarck 俾斯麦 美国北达科他州首府,伯利县县城(1873)。位于密苏里河东岸,该州中南部。19世纪30年代为一港口。1872年建格林利兵营以保护北太平洋铁路员工。

俾斯麦市的州议会大厦
美国不列颠百科全书公司供图

1873年村社命名为俾斯麦,以图吸引德国投资。随西南布莱克山金矿的发现成为勘探者的装备基地。1883年达科他准州首府从扬克顿迁此。后发展成为北达科他州商业、文化和金融中心。地处春小麦产区的中央,为谷物和牲畜集散地。州议会会堂为19层大厦,州立博物馆设于其底层。建有俾斯麦初级学院(1939)和玛丽学院(1959)。河对岸是曼丹市和州立林肯要塞公园。1875年建市。人口:市55 532;都会统计区94 719(2000)。

Bismarck "俾斯麦"号 第二次世界大战时德国的战列舰。1936年开始建造,1939年下水,排水量52 600吨,装有8门15英寸的炮,航速30节。1941年5月英国侦察机发现它在挪威卑尔根附近的海面,英国本土舰队几乎全部出动拦截。战列舰"威尔士亲王"号和战列巡洋舰"胡德"号很快就和它交火。它将"胡德"号击沉后逃进公海。30小时后(5月26日)它再次被飞机发现,并被一枚鱼雷击毁舵机,英舰对它彻夜轰击。5月27日晨"乔治五世国王"号和"罗德尼"号又攻击了一小时,使其失去战斗力,一个半小时后巡洋舰"多塞特郡"号用3发鱼雷将其击沉。

Bismarck, Otto von 俾斯麦(1815-04-01,普鲁士阿尔特马克申豪森[德国]～1898-07-30,汉堡附近腓特烈斯鲁) 全名奥托·冯·俾斯麦或奥托·爱德华·莱奥波德·冯·俾斯麦公爵,冯·俾斯麦-申豪森伯爵,冯·劳恩伯格公爵。普鲁士政治家,于1817年建立了德意志帝国并作为第一任首相任职19年。帝国一经建立后,他即积极巧妙地在外交上推行和平政策,成功地维护了欧洲近20年的和平。但在国内政策上,由于他未能克服他的有产地主阶层出身所具有的独裁主义倾向,他的施政有欠温和。

美国不列颠百科全书公司供图

早年生活 其父斐迪南·冯·俾斯麦-申豪森为容克贵族地主,是以庄园所有者身份最终定居于波美拉尼亚的斯瓦比亚家族的后裔。斐迪南是一位典型的普鲁士地主贵族。由于斐迪南经营农场的技能或许低于一般水平,他们家的经济状况并不富裕,因此,直到德意志统一完成之后奖赏接踵而至时,俾斯麦才体会到拥有大笔财富的滋味。

其母威廉海姆·门肯出身于一个出过很多高官和学者的有教养的资产阶级家庭。她在16岁时嫁给了斐迪南,发现乡村生活的天地过于狭窄,所以在奥托7岁时,她便将儿子送到柏林进步的普拉曼学校上学,并为了就近照看他而迁居柏林。年轻的俾斯麦在乡村过得轻松愉快,如今在大城市里过一种受拘束的生活,还要在学校里与柏林最有教养的子弟们竞争,他感到很不愉快。他在普拉曼学校上了5年学,接着又去腓特烈·威廉大学预科班就读3年。俾斯麦于1832年参加了大学入学考试。

在其母的鼓励下,俾斯麦开始在汉诺威王国格丁根大学攻读法律。俾斯麦显然是个二流学生,他花费了许多时间和贵族子弟群中的同道饮酒作乐。经过在柏林大学里短暂的学习后,俾斯麦进入了普鲁士的文官队伍。他为工作的枯燥乏味和无法恪守官僚等级机构的种种戒律所烦恼。1839年其母去世给了他一个为帮助在管理田庄方面遇到财政困难的父亲而辞职的机会。1839～1847年,俾斯麦过着普通的普鲁士乡村地主的生活。日后他曾将这几年的乡村生活加以浪漫化,并奇怪自己为何要放弃这种田园诗般的生活而投身于险恶的政治生涯。他后来几次三番表白的这种怀旧之情,或许是更多地故作矫饰而并非真情实感。

在这一时期,他结识了约翰娜·冯·普特卡默并和她结婚。约翰娜出身于一个以笃信宗教而知名的保守的贵族家庭。在向她求婚的过程中,俾斯麦经历了一种给予他内在力量和安全感的宗教皈依。一位后来的批评家评论说,俾斯麦信仰的只是一位在所有问题上都永远赞同他的上帝。这门婚姻无疑是非常美满的。1898年俾斯麦临终前表示遗愿时,还说他希望能再一次见到早几年已经去世的约翰娜。

在19世纪40年代,俾斯麦的政治观点和一个典型的乡间地主并没有什么大的分歧,如果说真有什么分歧的话,只是他的观点更加保守而已。俾斯麦赞成建立一个基督教国家,这个国家最终是从上帝那里得到认可的。现存的社会与政治秩序得以存在的理由,是为了防止"一切人反对一切人"的那种霍布斯式的大混乱发生。由于具有这种观点,俾斯麦被视为围绕在格拉赫兄弟会周围的宗教保守团体的成员而受到欢迎,这些成员坚定地维护贵族财产,反对中央官僚集权制对它的侵犯。对于那些将英格兰视为楷模要普鲁士向它学习的贵族自由主义者,俾斯麦嗤之以鼻。1847年他出席了普鲁士统一国会,作了反对解放犹太人和攻击当时的自由主义的讲演,这使人们认为他与他那个时代各种生机蓬勃的力量毫无接触,为他获得了一个来自边远地区的守旧者的声名。

俾斯麦对1848年席卷欧洲的自由革命的反应证实了他作为一个反动派成员的形象。他反对向自由主义者作任何妥协,并对国王愿与革命派讨价还价的做法表示蔑视。他甚至考虑组织自己田庄上的农民向柏林进军,帮助腓特烈·威廉四世摆脱造反派有害的影响。俾斯麦和包括E.L.冯·格拉赫在内的其他极端保守派一起,开始向反革命观点的喉舌《十字架报》投稿。

鉴于俾斯麦未来的重要作用,弄清楚他对革命所作的分析是重要的。像他的同代人卡尔·马克思一样,他认为变革的力量只能来自一个受过教育的有产者中产阶级。然而,绝大多数普鲁士人却是农民和工匠,而在俾斯麦看来,这些人都是君主制的忠诚支持者。维持现存秩序的社会力量的任务就是要借助于物质让步来巩固这两个集团的忠诚。俾斯麦坚持认为,城市中产阶级激进分子的经济政策是以纯粹的自我利益为出发点的。激进分子将会以牺牲中产阶级的下层和农村居民来刺激工业增长。最后,即使中产阶级自身也会因为统治阶层有策略的让步和外交政策上的成功而被争取过来。这种战略考虑和机会主义思想把俾斯麦和那些与官方传统观念联姻的意识形态上的保守分子拉开了距离。治国之道就在于通过奖赏顺从的集团来维护国家权力,此种观点贯穿于俾斯麦政治生涯的始终。

早期从政生涯 1849年俾斯麦被选入普鲁士国会的下院,举家迁往柏林。在这一阶段,他还不是一个德意志民族主义者。他告诉他的一位保守派同事说:"我们是普鲁士人,普鲁士人要永世长存……我们不愿意看到普鲁士王国被淹没在酒气熏人的南德意志那种自命不凡的感情上而被人遗忘。"1851年,腓特烈·威廉四世任命俾斯麦为普鲁士驻法兰克福联邦议会代表,这是对他忠诚于君主制的明显奖赏。

随着革命在中欧地区的失败,奥地利重新取得了它对德意志联邦称霸的地位。作为一个极端保守主义者,俾斯麦被认为是会支持包括保留奥地利霸权地位在内的政治现状的。俾斯麦在法兰克福居留8年,在那里他体验了一种与普鲁士田庄生活有很大差异的商业与文化环境。

正是在法兰克福,俾斯麦开始重新审视他的德意志民族主义观点和普鲁士对外政策的目标。他不仅感到在法兰克福人们总是自轻自贱,对奥地利人卑躬屈膝,更认识到维持现状就是意味着普鲁士只能做中欧的一个二流国家。1854年,俾斯麦反对与奥地利紧密合作,他认为这必然会"将我们那些用云杉木制造的搏风击浪的快船和奥地利百孔千疮的旧战舰捆绑在一起"。他逐渐开始思考起会使普鲁士成为德意志境内无可争议的强国的政策选择。一个由普鲁士来统治北欧并将奥地利势力引向斯拉夫地区的设想在俾斯麦的头脑中逐渐成形。如果有必要,一场旨在摧毁奥地利霸权地位的对奥战争也不被排除。实现这样一项政策将不会有一丝一毫保守主义的影子,因为该项政策必然会使欧洲版图发生激烈变化,就像奉行保守主义政策的列强1851年曾经在凡尔赛重划欧洲版图一样。

首相生涯 1859年,俾斯麦被派往俄国任普鲁士驻俄大使,此后不久(1862-05)他又调往巴黎任驻拿破仑三世宫廷的大使。这样,俾斯麦在他于1862年9月成为普鲁士首相兼外交大臣之前,就有了11年的外交工作经历。他亲身结识了法国、俄国和奥地利外交大政方针的决策人物。具有讽刺意味的是,俾斯麦被国王威廉一世(1861～1888在位)召回国去执掌大权,却是处在普鲁士内部发展的一个紧要关头。

有两年多时间,威廉一世一直和国会下院就军事改革问题陷于争执状态。这位在军队里度过其大部分成年生活的君主(与早期的历代普鲁士国王很相似)认为,扩大军队规模和延长服役期完全是在自己的权限之内。当自由主义多数派不批准为这些改革增加税收时,威廉一世拒绝就国家主权的基本问题与自由派政治家们谈判或和解。他两次命令国会休会,而每一次,自由主义多数派的人数都增加了。

对俾斯麦的任命是威廉一世为避免军队被国会控制而作的孤注一掷的最后努力。国会认为这是一项发出决斗信号的挑衅性命令,但是这位自巴黎返回柏林的俾斯麦已不再是1848年那个来自边远地区的保守分子了。先后在法兰克福和巴黎生活过一段时间以后,俾斯麦对有资产的和有文化的中产阶级日益增长的重要性已经开始有所认识了。在法国,他亲身体验了拿破仑三世的那种波拿巴主义的政权,那种依靠外交政策的成功和国内的公民投票相结合来维持皇帝的独裁主义的统治方式。这时的俾斯麦已经改变到这样一种程度,以致他回国时带回来的实际上是一种在军事问题上谋求妥协的思想。但是威廉一世拒绝了俾斯麦提出的合理建议,使他除了采取对抗政策之外别无选择。俾斯麦随后宣称宪法中有"漏洞",如果共同负责预算计划的国王和国会上下两院的议员们未能达成一致意见,此时政府不得不在未获各方一致核准的情况下执行预算计划。由于需要给公务人员发放薪金,政府也不能不继续履行其功能,因此,税收还得在旧预算的基础上予以征收(并支出)。这种从1863年到1866年一直使用的策略使得俾斯麦可以在没有国会认可的情况下实施军事改革。确实,这时的俾斯麦看上去真像一个和他那个时代的主调格格不入的、反动而喜欢对抗的贵族人物。

但是,若干迹象显示出,他这种形象在更大程度上只是一种表象而非其真实面目。俾斯麦说过:"普鲁士必须抓住时机蓄积和保持自己的力量,这种时机已经被错过去好几次了。由《维也纳条约》规定的普鲁士边界不利于一个国家茁壮成长。时代的重大问题是不能靠演说和多数表决的方式来决定的(1848和1849年的严重失误即在于此),而要靠血和铁去解决。"俾斯麦的这些话向反对派发出一个信息:他无意于动用普鲁士的武力来进行国内镇压,而是要把它用于实现国家统一这一自由主义派的目标。自由主义反对派没有理睬这些暗示,1863年5月22日,他们以239票对61票的投票表决告知威廉一世,他们不愿意再和他的首相打任何交道了。在当政8个月之后,俾斯麦未能与国会反对派达成任何协议。

俾斯麦于是转向外交政策方面,指望这一战线上的成功会削弱选民对政治改革明显的渴望。外交上的麻烦自1848年开始发生,从那时起石勒苏益格和荷尔斯泰因两个公国内的丹麦与德意志居民之间就在酝酿着麻烦(这两个公国都与丹麦结盟,但是石勒苏益格境内有数量庞大的德意志居民,而荷尔斯泰因则是德意志联邦的一员)。当丹麦国王粗暴行事时,俾斯麦确信代表德意志人利益的是普鲁士和奥地利而不是德意志联邦。自由派领导人,如R.菲尔绍仍视俾斯麦为一名死不改悔的反动分子,说他"已经不再是怀着他要以一项生机勃勃的对外政策来完成某种伟业的感情加入我们之中的那个人了"。

一场打败丹麦的速战速胜将石勒苏益格和荷尔斯泰因的命运交到了俾斯麦与奥地利人的手上。经过一番讨价还价,1865年8月20日签订了《加斯泰因条约》,规定石勒苏益格归普鲁士管辖,荷尔斯泰因归奥地利治理。然而自由主义者们不为普鲁士军队的英勇所动,于1865年1月再次否决了军事改革议案。

即便如此,俾斯麦在1866年仍继续努力使自由主义者的兴趣能从预算冲突上转向普鲁士军队取得成功的事实。他反复告知奥地利人,他们的未来在南边,他们应该明智地放弃对普鲁士的控制。但在这两件事上,他的话都被置若罔闻。俾斯麦早就明确决定为实现一个由普鲁士统治的德意志而打德意志民族主义这张牌。在确信俄国不会干预并与意大利结盟之后,他开始蓄意加剧与奥地利人的冲突。他挑起匈牙利人的民族主义反抗奥地利,这项政策表明,为了实现他自己的保守主义目的,他不惜运用的手段会达到多么激进的程度。1866年6月9日,普鲁士军队侵入荷尔斯泰因,几天之后,在较小的几个邦如萨克森、黑森-卡塞尔和汉诺威的支持下,奥地利投入了战争。6个星期之内,普鲁士军队在克尼格雷茨(萨多瓦)使奥地利人遭到惨败。随后,俾斯麦温和地发出劝解以便使奥地利不太丢脸。当时,普鲁士国王和将军们都想向维也纳进军,但俾斯麦与他们相反,他力主迅速停战,因为他认识到如果战争拖延下去,别的强国或许就会插手干预。在几个星期之内,普鲁士就改变了中欧的权力分配格局。奥地利,这个几世纪以来德意志境内的头号强国,如今降格成为二流国家。这一切使欧洲大为震惊。

此时的俾斯麦表现得既冷酷无情又有所节制。《尼科尔斯堡和约》几乎没有向奥地利索取任何东西。但是,令保守派们震惊的是,汉诺威、黑森-卡塞尔、拿骚和法兰克福这些和普鲁士作过战的邦都被普鲁士所兼并。汉诺威的国王交出了权力,黑森王室也命运相同。当保守派为德意志内战在两个反对过革命的强国之间展开而胆战心惊时,持自由主义观点的中产阶级则群起支持俾斯麦。他们统一德意志的目标似乎即将实现,而且俾斯麦这时又为他曾经在军事问题上施行的高压手段表示歉意,向自由派们伸出了和解的橄榄枝。反对派政党在如何对待俾斯麦的和解建议方面发生了分裂。俾斯麦至此已经达到了他的主要目标之一——使得很大一部分中产阶级把普鲁士君主当成他们的盟友看待了。

以普鲁士为核心的北德意志联邦于1867年建立。其宪法从表面上看是颇为进步的。作为开始,它建立了秘密投票的成人普选制。但这是由于俾斯麦深信,普鲁士人的绝大多数一旦被给予选举权,必定会投保守派的票。从这一点来考虑,实行有限制的选举制反而会帮自由派的忙(当然,在1867年,无论是社会主义者,还是天主教中央党人都尚未组建政党)。而且,虽然在理论上下院(国民议会)似乎是一个重要的权力策源地,它有权否决任何议案,然而在军事与外交领域,它的权力实际上受到了限制。各部大臣是由国王选定并对国王负责而不是对立法机关负责的。即使如此,宪法还是为向民主化方向演进提供了基础。

尽管俾斯麦对能否在他有生之年实现德意志的统一表示怀疑,实际上他还是几乎马不停蹄地立即着手使南方各邦和北方联合。一项建立全德意志关税同盟的建议被提出来了,有关各邦开始了关于进行联合军事训练的谈判,规定南方各邦承认威廉一世为整个德意志皇帝的计划也被大吹大擂。但所有这些努力都由于南方民众的反对而宣告失败。于是,俾斯麦想出了向法国挑起冲突来稍稍加快德国统一历史进程的主意。如果他不能依靠理性将南方各邦并入统一的德意志国家,那么他将依靠被战争激发起的狂热来实现这一目的。俾斯麦任何时候都是一位优秀的策略家,他悄悄工作着,设法确保俄国和奥地利两国都不会来干涉这样一次战争。另一方面,俾斯麦也用不着费心去制造与法国的纠纷,因为法国皇帝拿破仑三世已经对普鲁士的突然崭露头角感到愤怒,特别是因为他为自己没有获得他企望的酬报(让法国兼并卢森堡)而愤怒。

1869年,当西班牙的王位被传给国王的堂兄弟霍亨索伦-锡格马林根的利奥波德亲王时,拿破仑三世认为这是一个企图包围法国的举动。他两次派大使V.贝内德蒂去拜会在巴特埃姆斯河畔的普鲁士国王,第一次要求收回对该项王位继承的承认(7月12日收回了),第二次是要求霍亨索伦王室的成员将来在任何情况下都不继承西班牙王位。普鲁士国王礼貌地拒绝了拿破仑三世的第二个要求。俾斯麦收到了来自巴特埃姆斯的一份电报("埃姆斯电报")。电报详细描述了威廉一世与法国大使会晤的情况。俾斯麦立即对这份电报加以精心编辑和压缩,交付报纸刊载。经过他加工的电文给人以这样的印象:法国人似乎是故意要羞辱普鲁士君主,而普鲁士国王对拿破仑三世的要求作出的拒绝看起来也像是粗暴地羞辱了法国。法国于1870年7月19日以对普鲁士宣战作为回应。当法国在9月于色当决定性地战败以后,看上去俾斯麦已经能够取得他在7年之内获得的第3次战事的速战速胜。但是,游击战爆发了,尽管皇帝被俘,巴黎仍久攻不克。于是,俾斯麦挑起了反对法国的极端狂热,结果,1871年1月,有4个南部的邦加入北德意志联邦,组成了德意志帝国。这样,除了700万讲德语的奥地利人而外,俾斯麦发动3次战争的结果便解决了德意志的统一问题(虽然在较小的程度上)。他被授予许多荣誉并被称颂为民族英雄。

帝国首相 表明以下这一点是很重要的,即俾斯麦所创造的德国并不是广大民众强烈的民族主义感情洪流的产物,而是内阁外交与战争的成果。被包括在德意志版图之内的并不是欧洲所有讲德语的地区,而仅仅是普鲁士在保持自身霸主地位的同时得以尽可能多地联合起来的那些地区而已。新宪法是1867年普鲁士宪法的修正版,它包括了特别为俾斯麦设计的帝国首相一职。与此同时,除了在1872～1873年短期的离职外,俾斯麦还始终兼任普鲁士首相的职位,直至1890年。

与法国签订的和约是苛刻的。阿尔萨斯和洛林,两个有着大量讲德语居民的法国省份被兼并过来。此外,还向法国榨取了一笔50亿法郎的赔款。奥地利和丹麦很快就忘掉了他们的失败,然而法国没有忘记这个耻辱。不管俾斯麦吞并洛林和阿尔萨斯是为了服从德国舆论还是出于其他原因,法国的敌对情绪一直是德意志帝国的一块心病,直至1918年这两个省重又归属法国为止。

外交政策 直到1890年辞职时,在对外政策方面俾斯麦一直都拥有自由的处置权。经过3次成功的战争之后,俾斯麦将促进和平与争取时间视为自己的任务,以便使人们承认一个强大的德意志帝国的存在是自然的。俾斯麦关注着两个地区,一个是巴尔干地区,在那里,土耳其帝国的崩溃会自然地导致哈布斯堡王朝政府与俄国之间的冲突。另一个是法国,在那里,为色当惨败复仇的情绪一直十分强烈。在以上的每一个地区,一场欧洲的全面冲突随时都可能突然爆发并把德国卷入。1873年,俾斯麦在与俄国和奥匈帝国商讨缔结三帝同盟时,他执行了一条追求和平的外交方针。但是这一同盟到1877年的俄土战争爆发便宣告解体。当奥地利人和英国人对俄国胜利者强加给土耳其的迦太基式的和约发出战争威胁时,俾斯麦呼吁在柏林举行和会。这位德意志帝国的首相成功地使俄国人在提出的利益要求上有所节制,和平被保住了。

但是,一场欧洲大冲突也仅仅是一时被避免而已。和会举行后不久,俾斯麦就和奥匈帝国谈判结成防卫性的同盟关系,这项同盟关系一直保留到第一次世界大战期间。尽管俾斯麦在19世纪60年代中期曾将这样一种联盟视为有害而加以反对,但这时他却认为它是有利的。因为他担心哈布斯堡君主政府的垮台会使俄国人的势力扩张到中欧。所以,俾斯麦力求使这次结盟能在维也纳发挥影响。他坚定不移地利用这一结盟来防止在巴尔干爆发战争。另外,他也不希望接受一心要进入帝国的700万奥地利籍的德国天主教徒。

有了一个坚定的盟友之后,俾斯麦于1881年通过谈判使三帝同盟重获生机,从而再次显示了他在外交领域的精湛技艺。此时俾斯麦在圣彼得堡具有的影响就像他在维也纳的影响一样大,因而能阻止巴尔干战争的爆发。1882年,对法国的敌意感到惊恐的意大利加入了两国同盟,使之成为三国同盟。在表面上俾斯麦又获得了胜利。法国已没有一个在复仇之战中可以联合的盟友,因此,一场巴尔干战争暂时似乎不可能发生了。

但是所有这些结盟短命的本质很快就变得很明显了。保加利亚危机破坏了俄奥关系,导致刚刚复活的同盟的破产。在俾斯麦的干预下,战争再一次得以避免,但是他的努力并没有能重建同盟。随后,俾斯麦即与俄国谈判,缔结了一项单独的秘密条约,同时维持着与奥匈帝国在1879年缔结的协定。

1870～1890年,俾斯麦因其为维护和平所作的认真努力而赢得了欧洲各国领导人的尊敬。除去在19世纪80年代中期取得少数几块殖民地而外,德意志帝国一直扮演着一个已经心满意足的强国的角色。在其当政的第一个10年里,为了建立一个强大的德意志帝国,俾斯麦的很大一部分策略技巧都运用得很成功。这些同样的技巧又维持了此后两个10年里的和平。

国内政策　自1866年击败奥地利起直到1878年,俾斯麦主要的盟友是民族主义自由党人。他与他们一起为新帝国创造了一部民事和刑事法典,促成德国采用金本位制并转向自由贸易。正像他们早期把俾斯麦描绘成一个极端保守分子一样,现在自由党人又把他视为同志——一个已背弃其保守派出身的人。许多保守派领导人也同意这一论断。俾斯麦已抛弃了好几个国王,发动了反对保守主义政权的战争,并且推行了若干促进工业化的政策。当1873年俾斯麦在反对天主教干政("文化斗争")的运动中和自由党人站到一边时,他们的担心进一步增强。

俾斯麦并没有想到会出现像天主教中央党或社会民主党这类新的政党,这两个政党在19世纪70年代初期开始参加帝国和普鲁士的选举。和自由主义派左翼的进步党一道,这些政党都被俾斯麦称为"帝国之敌"。而它们当中的每一个党都站在其自身的立场上反对他统一德国的努力目标。进步党人认为帝国过于保守,其精英人物基本上都是封建派的;社会主义者则对帝国的资本主义性质提出质疑;而对天主教中央党来说,帝国则是由新教徒统治的并且过于中央集权。

俾斯麦的目标显然是要摧毁天主教中央党。他和自由派人士都担心教士政党对于占人口1/3的信奉罗马天主教的德国人所具有的号召力。在俾斯麦支持下,公共信仰与教育大臣A.法尔克在普鲁士提出了确立公证结婚礼、限制教士迁移、解散宗教教团等一系列法案。所有神职都需经国家批准。担任神职的公务人员纷纷从普鲁士行政部门中被清洗出去。几百个教区和好几个主教区都出现蓄意保持神职人员空缺的局面。

"文化斗争"未能实现它预定的目的,而且确实使天主教少数派相信他们对自己会遭受迫害的担心是有理由的。后来,俾斯麦在这场斗争运动中逐渐变得温和起来,特别是在积极活动的教皇庇护九世1878年辞世以后。但是俾斯麦从没有对他所深恶痛绝的中央党领导人L.温德霍斯特有丝毫宽容,而这个汉诺威人也早就在俾斯麦对其王国实行兼并时领教过他的手段。直到1890年下台为止,俾斯麦的历次演说都始终带有反对教权主义的锋芒。

1878～1879年,俾斯麦在经济政策方面作了一次重大的变动,这项变动和他以牺牲自由派利益为代价而与保守党派结成新联盟的步伐是一致的。对钢铁和大宗谷物实行了进口税。新政策是19世纪70年代中期席卷欧洲与美国的大萧条的结果。俾斯麦经济政策的转轨有着重大的政治影响:它表明他反对在走向政治民主化方面作任何进一步的变革。自由派大臣法尔克和L. von德尔布吕克宣布辞职,R. von帕特卡默于1879年成为宗教与教育大臣并于1881年担任内务大臣。征收谷物进口税是为向政治改革的主要反对者容克地主提供补贴,这在某种程度上使他们脱离了世界市场。自1879年起,地主贵族、大工业家、军方和高级公务人员结成同盟,以先发制人的方式遏制社会民主力量的兴起。

1871年出现巴黎公社,俾斯麦对社会主义者和无政府主义者产生了一种不可调和的憎恶。他对这两类人的抨击极其刻毒。他有一次曾这样写道:"他们是这个国家的老鼠,应该被斩尽杀绝。"另有一次他把这些人说成是"一大群醉心于劫掠和谋杀的敌人"。因此,他给德国的日常政治生活树立了一种今后长期存在的粗暴和相互辱骂的对话模式。虽然在1871年的德国国会中只有2名社会主义者,但他们的席位及其支持者随着每一次的选举而不断增长,到1890年,他们在国会中已占有35席。早在1876年,俾斯麦就谋求通过立法手段宣布社会主义政党为非法,但未能得到多数票的支持。在发生两起试图暗杀威廉一世的事件之后,他宣布国会休会并掀起一场(非常不公平地)攻击社会主义者是两次谋刺皇帝未遂事件主谋的宣传运动。保守派政党终于赢得了胜利,社会民主党于1878年被取缔。此后,这一禁令在1890年以前一直有效。

俾斯麦摧毁社会民主运动的战略的第2部分,是通过社会立法来软化工人,使他们远离政治激进主义。在19世纪80年代,由政府实行工伤事故和老年保险制度以及一种社会化的医疗制度。但是俾斯麦为保守主义政权争取工人的双管齐下的谋略并没有成功,对社会民主党的支持仍随着每一次的选举而增长。

对俾斯麦来讲,1890年的选举是一场灾难。天主教中央党、社会民主党、进步党以及被他称为"帝国之敌"的那些政党在新国会中赢得了半数以上的席位。年轻的新国王威廉二世(生于1859年,1888～1918为德意志帝国皇帝、普鲁士国王)并不想以国家发动一场血腥的政变开始其统治。1890年在他75岁高龄时,俾斯麦带着一种失败感辞职。反社会主义法未能重新获得通过,新政府着手争取工人对新政权的支持。俾斯麦满怀辛酸之情回到自己的庄园。他虽身为公爵并拥有巨大财富,但是这一切都不能使他的退休生活变得舒心。在随后的8年中,他不时对他的继任者发出尖锐的批评。他当国会议员,但不出席会议。他撰写的回忆录成了畅销书。在某种程度上,他自己编制了那个左右了以后半个世纪德国历史著作的"俾斯麦神话"。

评价　俾斯麦是一位给时代留下自己足迹的杰出人物,就像在他之前的马丁·路德和梅特涅一样。当1862年俾斯麦成为普鲁士首相时,这个王国还被普遍地视为欧洲5个强国中最弱的一个。在以后不到9年的时间里,普鲁士在3次战争中获胜,一个统一的德意志帝国在对手的一片妒嫉和恐惧中出现在欧洲的心脏地区。当1890年俾斯麦在作了28年普鲁士首相和19年德意志帝国首相之后离职时,欧洲版图已大为改观。几世纪内一直以若干小国和中等规模国家结成一个软弱混合体的欧洲中心地区,此刻变成了欧洲大陆上一个第一流的军事与工业大国的家乡。

然而,俾斯麦留给下一代的遗产是混杂的。在外交方面,他的手腕促成了欧洲20年的和平,这为他赢得温和与有节制感的当之无愧的声誉。俾斯麦最大的成就即德意志帝国,只比他长寿20年。尽管俾斯麦在某种意义上说统一了德国,但他并未能创造出一个内部统一的民族。在内政方面——就像在外交方面一样——俾斯麦在1871年以后始终谋求冻结现状。他的帝国是按保守的方向设计的。因此,他先在19世纪70年代反对天主教中央党,又在80年代反对社会主义者,因为这两者都对他创立的独裁主义统治构成难以预见其后果的威胁。他还将一种恶毒的辱骂式论战模式引入德国的政治,从而阻碍了一个民族共同命运感的形成。虽然在俾斯麦当政的20年中德国工业迅猛发展,他却不容许政治制度向扩大民众参与的方向演进。在这个意义上,俾斯麦又是古代政权和密室外交在世界上的最后一位代表人物。

Bismarck Archipelago　俾斯麦群岛　在太平洋西南部的俾斯麦海。属巴布亚新几内亚。位于新几内亚岛东北方。总陆地面积约48 200平方千米。包括新不列颠岛、新爱尔兰岛、阿德默勒尔蒂群岛和拉翁艾岛等较大岛屿以及约克公爵群岛、圣马赛厄斯群岛和维图群岛等较小岛屿。属火山岛或珊瑚岛。森林茂密。1884年属德国。1920年为澳大利亚托管地。第二次世界大战时被日军占领。1944年由盟军夺回。为联合国托管地。1975年归属巴布亚新几内亚。经济以椰干生产为主,有伐木业和可可、油棕榈种植业。主要城镇为新不列颠岛的拉包尔。人口约371 400(1989)。

Bismarck Range　俾斯麦岭　巴布亚新几内亚之新几内亚岛东部山脉。属中部高原的东北部分。是拉穆河和塞皮克、普拉里两河支流的发源地。山顶常有积雪。最高点威廉峰海拔4 509米,为该国最高峰。

Bismarck Sea　俾斯麦海　在太平洋西南部。为巴布亚新几内亚东北岸和俾斯麦群岛所围绕。总面积约4万平方千米。北接太平洋,东南经"勇士号"海峡、丹皮尔海峡和圣乔治海峡通所罗门海。一般水深2 000米,最深处近2 500米。海盆中部凹陷,边缘向上挠曲,被中部海岭分为新爱尔兰海盆(东)和新几内亚海盆(西)两部分。1875年由英国船"挑战者"号首次进行系统地勘查;1885～1914年

俾斯麦海中的马纳姆火山岛
美国不列颠百科全书公司供图

该海域由德国控制，并用德国政治家俾斯麦姓氏命名。

Bismāyah（Iraq） **比斯马亚** 参阅 **Adab** 阿达卜。

bismuth 铋（Bi） 周期表Va族（氮族）中金属性最强、丰度最小的元素。在所有金属中，铋的抗磁性最强。而且除汞外，铋的导热性最差。铋是硬的、脆的、有光泽的粗晶体。颜色灰白并带独特的浅红色彩。1450年德国修士B.瓦伦丁内首次描述了铋。在自然界，铋常以游离态存在，也以硫化物即辉铋矿（Bi_2S_3）、氧化物铋华（Bi_2O_3）和碱式碳酸盐泡铋矿（$(BiO)_2CO_3$）的形式存在。铋也常与锡、铅、铜矿伴生，冶炼时，铋作为副产品而被分离。纯铋可用碳还原铋的氧化物，或在木炭和金属铁存在下，焙烧铋的硫化物，脱硫而制得。常温下，铋在空气中不失光泽；受热时形成氧化层。这种氧化物的黄色可使它与其他金属形成的氧化物区分开来。灼热的铋与水蒸气反应，但与不含空气的冷水无作用；铋能跟硫、卤素（氟、氯、溴、碘）直接化合。元素铋不受盐酸腐蚀，在热硫酸中有轻微腐蚀，在稀或浓硝酸中迅速溶解。与锑和水相似，铋在固化时稍有膨胀，这种性质使铋合金特别适用于精密铸造。铋合金熔点低，可用作特种焊料、自动喷水灭火喷头、防火门的自动解锁装置、保险丝、压缩气瓶安全塞，以及其他许多火情检测装置等。冷冻机内的电热设备应用了碲化铋（Bi_2Te_3）和硒化铋（Bi_2Se_3）。铋的主要化学应用在于磷钼酸铋（$BiPMo_{12}O_{40}$），它是高效催化剂，可用于丙烯和氨空气氧化制丙烯腈的过程，丙烯腈用于制造丙烯酸类纤维、塑料和油漆等。在医学上，铋盐常用作治疗消化功能紊乱的镇静剂，在X射线检查中用于消化道造影，也用于治疗皮肤外伤和皮肤感染。氯氧化铋（BiOCl）已用于给唇膏、指甲油和眼睑膏具有珍珠般的光泽。铋产量和储量的统计表见*采矿*（**mining**）。铋原子序数83。原子量208.980。熔点271.3 °C。沸点1 560 °C。密度9.747克/厘米^3（20 °C）。氧化态+3、+5。电子组态2，8，18，32，18，5或$1s^2 2s^2 2p^6 3s^2 3p^6 3d^{10} 4s^2 4p^6 4d^{10} 4f^{14} 5s^2 5p^6 5d^{10} 6s^2 6p^3$。

bismutite 泡铋矿 一种颇为常见的矿物，成分为碱式碳酸铋$(BiO)_2CO_3$。它是原生铋矿物的蚀变产物，产于金属矿脉的氧化带中。著名产地有：英国的康沃尔及玻利维亚的塔兹纳区。关于详细的物理特性，参阅 **carbonate mineral**（表）。

bison（*Bison bison*） **美洲野牛** 偶蹄目牛科牛形草食动物。又常称野牛、平原野牛。比家牛大，前额突出，肩部隆肉明显。头部下垂，头部、颈部和肩部的粗毛极长。雌雄均有沉重弯曲的角，雌体的角较小。性成熟的雄体肩高约2米，体重超过900千克。毛深棕色，偶见白色者（从前印第安人对之极为尊重）。雌体可生育40年，妊娠期约9个月，在5月份分娩，每产一仔。身躯大，但敏捷，有时可容其他动物近前，但有时稍遇惊扰即行逃窜。群居，群体可能在一处停留多日，亦可能经常移动。欧洲野牛（*B. bonasus*）是林栖动物，体形比美洲野牛瘦长，体略大，角粗短而钝；16世纪前已很罕见，20世纪后期仅有受保护的小群。欧洲人到达美洲时，美洲野牛在北美洲大部分土地上曾多达6 000万头，是平原印第安人的经济的主要支柱，后向西部移动的白人任意屠杀美洲野牛为乐，或取用其皮、肉，或仅为取食其舌。一位猎人，W. F.科迪即以猎杀野牛著名，人称“野牛比尔”。许多印第安人与白人之间的矛盾即因野牛群数的减少而引起。到1900年前后，美洲野牛已趋绝迹。后来牧人和自然保护者采取一致行动，使美洲野牛在政府的禁猎区受到保护。现在，被保护的野牛群似乎能保持种的生存。而某些地区的种群数常增加过多，必须通过有控制的捕猎，使之减少。

美洲野牛（*Bison bison*）
美国不列颠百科全书公司供图

Bīsotūn（Iran） 参阅 **Bīsitūn** 比索通。

Bisrāmpur（India） **比斯然布尔** 参阅 **Ambikāpur** 安比加布尔。

Bissagos Islands（Guinea-Bissau） 参阅 **Bijagós Islands** 比热戈斯群岛。

Bissau 比绍 西非几内亚比绍港口城市和首都。1687年由葡萄牙人建为哨所和奴隶贸易中心。1941年成为首都。地处热巴运河形成的西北至东南的轴心线上。该运河可为最大船只提供极好的锚地。港口已扩建，并有大型冷冻设施。设有国际机场、大学和研究所。人口305 700（2004）。

比绍市内一条主要街道
中国大百科全书出版社供图

Bisschop, Simon（Dutch theologian） **比斯霍普** 参阅 **Episcopius, Simon** 埃比斯科比乌斯。

Bissell, Melville Reuben 比斯尔（1843-09-25，美国纽约哈特威克～1889-03-15，密歇根大急流城） 美国地毯清扫器发明家。年轻时在大急流城经营陶器业。1873年发生经济恐慌，他从经营工业和不动产中赚了一笔钱，然后集中精力生产当时有巨大潜在市场的地毯清扫器。1876年制造了一种带有中心轴承滚刷的清扫器，并取得专利。后来又增加了橡皮轮胎，并作了其他改进，使之更为适用。尽管他的第一座工厂在1884年遭到严重火灾，但他经营的企业却非常成功，在世界各地设有生产和销售网点。

Bissell, Richard (Pike) 比斯尔（1913-06-27，美国艾奥瓦迪比克～1977-05-04，迪比克） 美国小说家和剧作家。1936年毕业于哈佛大学。他根据在密西西比河和莫农加希拉河上航行的经验写成长篇小说《河上直航记》（1950）和《莫农加希拉河》（1952）。第一部真正成功的小说是《七分半美金》（1953），以他在迪比克一家睡衣工厂当监工的经历写成，1954年改编为歌剧，曾在百老汇连续演出很久，1957年又拍成电影。其他长篇小说有《说吧，亲爱的》（1957）、《再见吧，阿娃》（1960）等。最后一部小说《1776年及相关事件新议》（1975）是对美国独立战争的嘲讽。

Bisseni（Turkic people） 参阅 **Pechenegs** 佩切涅格人。

Bissorã 比索朗 西非几内亚比绍西北部奥约区城镇。临卡谢乌河支流，四周为卡萨芒斯林地。出产出口的硬木。有一发电站供电给镇内工业。有一锯木厂。附近地区以自给性农业为主。主要农作物为玉米、高粱、粟、甘薯、木薯和豆类。有公路与首都比绍连接。人口：城市区39 913（1979）。

Bistam（Iran） 参阅 **Basṭām** 巴斯塔姆。

bistre 比斯特褐色颜料 用木料炭黑煮成的深褐色颜料，透明而不黏稠，所以常用作钢笔画的薄涂层，均匀涂抹以成阴影。17及18

伦勃朗绘《梳妆的少妇》
美国不列颠百科全书公司供图

世纪应用普遍，尤为一些名画家如伦勃朗、克劳德·洛兰、科曾斯以及庚斯博罗等人所喜用。细密画画家也采用这种颜料。

Bistrița　比斯特里察　罗马尼亚北部城镇，比斯特里察-讷瑟乌德县县城。12世纪有日耳曼人定居，1353年成为自由市。当时每年举行博览会，在摩尔多瓦各地拥有广泛市场，其手艺人也到处漫游。1918年回归罗马尼亚，但1940～1945年属匈牙利。主要生产食品和建筑材料，周围的木材和葡萄酒也甚著名。人口约86 942(1997)。

Bistrița-Năsăud　比斯特里察-讷瑟乌德　罗马尼亚北部一县。面积5 305平方千米，居民点散布在东喀尔巴阡山（包括罗德纳山和克利曼山）山间谷地。克利曼山(2 096米)为罗马尼亚最大火山。大索梅什河及其支流如齐布莱什河和依利奥河向西南流经县境。县城比斯特里察曾发现新石器时代遗迹和青铜时代坟墓。瑟勒采尔有一座达契亚城堡的废墟。农业以种植葡萄和饲养牲畜为主。比斯特里察、讷瑟乌德和小依尔瓦有木材加工和纸浆业。比斯特里察和圣乔兹-伯伊有建材业。罗德纳附近自15世纪以来一直开采黄铁矿，现为风景优美的旅游中心，有拉拉湖、温楚卢伊谷和伊内乌山等景区。比尔格乌尔是民间艺术之乡。科什布克为著名诗人乔治-科什布克(1866～1918)诞生地。贝克良、讷瑟乌德和罗德纳有古教堂建筑。讷瑟乌德博物馆藏有中世纪武器、陶器和钱币。雷泰阿格有民间艺术收藏家雷泰阿格纪念馆。沿大索梅什河和比斯特里察河建有公路和铁路主干线。人口约311 657(2002)。

bit　位　通信和信息论里信息的单位，它等于在两个等可能的选择对象之间（正如一般的数字计算机所使用的二进制数系里1和0之间）选择其一的结果。bit(位)是词组二进制数位的英文词binary digit的缩写。它也被用作计算机存储器容量的单位，相当于对两个等可能的选择对象的选择结果的存储能力。

bit (hand tool)　**钻头**　参阅 **brace and bit** 手摇曲柄钻。

Bit-Adini　比特-阿迪尼　美索不达米亚古阿拉米人王国，在卡尔基米什以南，幼发拉底河中游两岸。约公元前10世纪建立，公元前856年被撒缦以色三世率领的亚述人征服。

Bitek, Okot (African writer)　参阅 **p'Bitek, Okot** 皮特克。

Bithūr　比图尔　印度北部北方邦市镇。位于坎普尔西北，临恒河。1857年英国人炸毁该地庙宇和宫殿，将市镇夷为平地，其遗迹为印度教圣地。主要崇拜物是一个被认为是梵天神的脚印。史诗罗摩衍那据传说也是在此著成。该镇每年举行一次盛大宗教节日。人口约7 444(1991)。

Bithynia　比希尼亚　安纳托利亚西北部古代行政区，靠近马尔马拉海、博斯普鲁斯海峡和黑海，在东西方之间占有重要地位。公元前2000年末，色雷斯血统的部族把希腊定居者赶走，占领这一地区。公元前6世纪以后，这些好斗的部族完全摆脱波斯的统治，他们也从未屈服于亚历山大大帝及其继承者。到公元前3世纪，这个小而强大的国家，从部族式政府发展成希腊化王国。公元前2世纪初，这个王国的势力达到顶峰。此后则迅速衰落。最后一代国王是尼肯米达斯四世，公元前74年他把王国拱手让给罗马人。

biting louse　咬虱　参阅 **chewing louse** 嚼虱。

biting midge　拟蚊蠓　俗称小咬。最小的双翅目吸血昆虫，长约1毫米，过去曾归入摇蚊科，但近来归入蠓科。分布在海边、河边或湖边，雌体常成群叮咬吸血，拟蚊蠓的叮咬使人极度不适。但其踪影却难以找到，故俗名“看不到”。幼虫生活在淡水、稍含盐分的水中、湿土中或树皮下。库蠓属(*Culicoides*)和细蠓属(*Leptoconops*)的种类侵袭人，但未发现传播疾病。后者又称白蛉(**sand fly**)。有许多种攻击其他昆虫，如螳螂、竹节虫和蜻蜓。

拟蚊蠓(*phasmidohelea wagneri*)
美国不列颠百科全书公司供图

Bitis　咝蝰属　有毒的蝰蛇科的一属，有咝蝰(*Bitis arietans*，参阅 **adder**)、加蓬蝰蛇(**Gaboon viper**, *B. gabonica*)和犀咝蝰(**rhinoceros viper**, *B. nasicornis*)3种。

Bitlis　比特利斯　土耳其东南部城市。位于凡湖西南，海拔1 400米。地处底格里斯河支流比特利斯河的狭长河谷，扼凡湖盆地至美索不达米亚平原的唯一通路，战略地位重要。古代亚美尼亚史书中常称为巴喀什。14世纪建立库尔德王朝前，曾受阿拉伯、拜占廷、波斯和蒙古统治，在奥斯曼宗主权下享有自治权。19世纪末亚美尼亚人的叛乱和第一次世界大战期间俄国的占领，使该城受到损失，人口减少，编织和染色工业亦遭破坏。名胜古迹有塞尔柱和奥斯曼帝国早期部分被毁的中世纪城堡、许多清真寺、神学院和客栈。比特利斯所在地区包括穆什平原东隅、凡湖以西高原，以及比特利斯城两侧的荒凉山区。山区气候严寒，冬季漫长，降雪量大。农产品有水果、谷物和烟草。工业限于制革、烟草生产和织染粗布。居民多库尔德人。主要港口为凡湖之滨的塔特万。人口44 923(2000)。

比特利斯市的古代客栈
美国不列颠百科全书公司供图

Bitola　比托拉　土耳其语称莫纳斯提尔。马其顿最南端的城市。距希腊边境仅数英里，位于比托拉平原西部边缘，临德拉戈河，海拔615米。在巴尔干战争(1912～1913)中被塞尔维亚人攻占，割断其500年穆斯林的历史。第二次世界大战后，比托拉成为马其顿的重要中心；它与斯科普里和希腊之间的交通往来极其便利。平原地区肥沃，出产各种谷物、经济作物（尤其是烟草），经营畜牧业。工业有榨糖、制革、纺织、织毯和制造冷冻设备等。20世纪70年代末开始建设的比托拉热电厂，将可供给马其顿（特别是奥赫里德湖和普雷斯帕湖游览地区）大部分电力之需要。市北10英里处有维索维巨大的圆形墓地，其文化历史价值堪与克里特岛上远古迈锡尼中心相比拟。人口86 408(2002)。

Biton and Cleobis　庇同和克勒奥庇斯　希腊传说中的人物，他们是阿戈斯城事奉众神之女王赫拉的女祭司西狄佩所生，以孝心和武艺及力气闻名。阿戈斯举行赫拉节，西狄佩受到召唤，无奈驾礼车之牛遍寻不得，于是兄弟二人负轭拉车将西狄佩送到典礼现场。西狄佩为他们向赫拉请赏，使他们能获得凡人所能得到的至宝。兄弟二人美餐之后，当夜睡在庙中，准备次日将母亲载回，不料一睡再也未醒。

Bitonto 比通托 意大利东南部普利亚区巴里省城镇和主教区。在巴里的西南偏西。此地曾发现许多公元前 6～前 3 世纪的钱币。以其精美的罗马式大教堂(1175～1200)而闻名。另有中世纪城墙遗迹和几座文艺复兴时期的宫殿。设有几所农业研究所。经济以生产葡萄酒、橄榄和杏仁为主。人口:城市区约 56 747(1999)。

bitter apple 苦苹果 又称苦黄瓜，参阅 **colocynth 药西瓜**。

Bitter Springs microfossils 苦泉微体化石 澳大利亚中部出露的、年龄约为 8 亿年的苦泉组地层中发现的具微观化石结构的组合。1965 年首次采集的标本中查明至少有 4 大类生物，可能都是在先寒武纪晚期(最晚约 5.7 亿年前)栖息于澳大利亚中部浅海中的。这几类生物类似细菌、丝状的蓝绿藻、绿藻和真菌。绿藻化石 *Glenobotrydion* 中的细胞分裂显示，证明已经达到向有性繁殖和遗传变异进化的阶段。

bitterling 鳑鲏 鲤科鳑鲏属(*Rhodeus*)几种似鲤的小鱼，以其繁殖方式著名。原产于欧洲中部和南部的清澈多石的溪流中。几无经济价值。体银白色，长约 5～7.5 厘米。每年 4～6 月为产卵期。此时，雄鱼腹部呈橘红色，鳍淡红色。雌鱼的输卵管延长成产卵管，可插入淡水蚌的入水管中，把卵产到鳃腔里。当软体动物呼吸时，把附近排有雄鱼精液的水流吸入鳃腔，精卵得以结合。卵在软体动物的鳃腔中发育，约一个月后，幼鱼离开寄主。鳑鲏与软体动物的繁殖期恰相

雄鳑鲏(*Rhodeus*)
美国不列颠百科全书公司供图

一致，软体动物也把幼体排在鳑鲏体上，埋入皮内发育一段时期。

bittern 麻鳽 鹳形目鹭科麻鳽亚科(Botaurinae)的 12 种独居的沼泽鸟类，与鹭亚科(Ardeinae)有亲缘关系，但颈较短，身体稍胖。大多数麻鳽具保护色(斑驳的褐色和浅黄色条纹)，站立时嘴尖朝上，整个身体与周围的芦苇和草融成一片，天敌难以发现。以尖利的喙捕捉鱼、蛙、蝌蚪和沼泽地的小动物为食。几乎分布全球。麻鳽属(*Botaurus*)有 4 种，而苇鳽属(*Ixobrychus*)有 8 种。麻鳽属的种类主要分布于温带地区，体大，两性外形相似；春天，雄鸟的鸣声低沉而响，很远就可听见；由雌鸟用植物材料在紧靠水面处筑粗糙的巢；每窝产4～6枚淡褐色卵。该属最大的种是欧亚麻鳽(大麻鳽，*B. stellaris*)，体长达 75 厘米，分布自不列颠群岛到东南亚，亦见于南非。美洲麻鳽(*B. lentiginosus*)体型稍小。其他种类还有澳大利亚麻鳽(褐麻鳽，

美洲麻鳽(*B. lentiginosus*)
美国不列颠百科全书公司供图

B. poiciloptilus)和南美洲麻鳽(长羽麻鳽，*B. pinnatus*)。苇鳽属的种类体形较小(30～40 厘米)，两性外形不相似，共同营巢；每窝产卵多至 10 枚，呈白、淡蓝或淡绿色。巢整洁，高出水面，有时在树上营巢。外表相似者有美洲的姬苇鳽(*I. exilis*)，欧亚大陆、非洲、澳大利亚的小苇鳽(*I. minutus*)，中国小苇鳽(或黄斑苇鳽，*I. sinensis*)。大致相似的有南美洲的杂色苇鳽(纹背苇鳽，*I. involucris*)、非洲的倭苇鳽(*I. sturmii*)、东南亚的施伦克氏小苇鳽(紫背苇鳽，*I. eurhythmus*)和栗苇鳽(*I. cinnamomeus*)。东南亚和澳大利亚的黑苇鳽(黄颈苇鳽，*I. flavicollis*)稍大，有颈羽和冠羽，有时另立为黑鳽属(*Dupetor*)。参阅 **heron**。

bittern 盐卤 盐水结晶出氯化纳(食盐)后的剩余液体。盐卤中含有镁化合物，是各种镁盐(硫酸镁、氯化镁、溴化镁)工业生产的原料。该词英文名称从 bitter(苦味)一词变来。参阅 **brine**。

bitterroot(*Lewisia rediviva*) **苦根** 马齿苋科肉质观赏植物。原产于北美西部，可种植于岩石园。主茎和根合为块茎状。叶仅长 2.5 厘米。花粉红色或白色，花梗短。根形似分叉的小萝卜，含淀粉，春季可食用，但到

苦根(*Lewisia rediviva*)
美国不列颠百科全书公司供图

夏季即带苦味。该属其他种亦因花鲜艳而栽于岩石园。

Bitterroot Range 比特鲁特岭 在美国落基山北段。沿爱达荷-蒙大拿州界向南延伸，绵亘 300 英里(480 千米)。山峰平均海拔 9 000英尺，最高峰斯科特 11 394 英尺。穿经比特鲁特等几个国家森林。东麓有哥伦比亚河与密苏里河支流，西麓有克利尔沃特河与萨蒙河。

bitters 苦味酒 芳香但味苦的含酒精液体，用作滋补剂、利口酒、开胃药、助消化药、调味剂及作为酒精饮料的配料增加其风味及滑润度。苦味成分是生物碱、糖苷等。苦味酒用苦味的草、叶、果、种子或根(有时加酒精或糖)配制，许多厂家有其秘密配方。其味来自橙皮、龙胆根、大黄根、酒花、苦树屑、香苦木油、金鸡纳树皮及奎宁等。芳香则因为含有杜松子、桂皮、藏茴香、茴香、肉豆蔻、春黄菊、丁香等调味剂。苦味酒各具不同的主要风味，通常按该相应配料而命名，如橙苦味酒、桃苦味酒等。酒精浓度各异，一般是 40%(容量)。少数药用苦味酒(如复方洋艾酊及芦荟酊)稍有医疗价值。香利口酒是法国人于 1533 年左右首创，并很快就传遍世界。古希伯来史书已记载，人们将香草或苦草加入葡萄酒中以改进或改变其口味。

bittersweet 苦甜藤 茄科欧白英(*Solanum dulcamara*)及卫矛科南蛇藤属(*Celastrus*)

美洲南蛇藤(*C. scandens*)
美国不列颠百科全书公司供图

几种植物的俗称。均为藤本植物。南蛇藤属的种类花鲜艳,包括美洲南蛇藤(*C. scandens*)及圆形南蛇藤(*C. orbiculatus*),均为木质藤本,栽作观赏植物。花白色,成簇,蒴果黄至橙色,后裂开,露出黄色至深红色的假种皮,包裹着种子。圆形南蛇藤较粗壮,藤可长达12米。美洲南蛇藤长7.5米,种群中有许多不育株。两个种均缠绕支持物上升。欧白英为草本藤,长4.5米;花紫罗兰色及黄色相间,星形;花谢后结绿色亮泽的浆果,后渐变成亮红色。

bitumen 沥青 除了煤和气态以外的一切天然烃类(碳和氢的化合物)的总称。在英国和欧洲大陆,地质术语 bitumen 或 asphaltic bitumen 只用于指类似石油的黑色或褐色物质,这种物质在美国称做 asphalts。各种形式的沥青是分布最广的物质之一。几乎或多或少地存在于世界各地,遍及一切地层。按现代术语,沥青也可包括人工合成的碳氢化合物。不同形式的沥青见附表。液体石油或原油是许多种碳氢化合物的混合物,由有机物逐渐分解而成。固态的或很致密的、黏度很大的沥青可能全来自液体石油,或由于挥发性高的轻组分在大气中挥发掉,或由于在地壳深处变质的结果。很致密的固态沥青是可熔的,并溶解于二硫化碳。它与焦沥青有关,但又完全不同。焦沥青是存在于油页岩、泥炭和包括烟煤、褐煤在内的各种煤中不熔化和不溶的烃类,它也来自可能由腐殖泥煤形成的沥青岩。但焦沥青加热时产生或变成与沥青相似的化合物。沥青和与沥青相似的化合物都用作燃料、铺筑路面和屋顶的材料,还能制成许多其他的产品。参阅 **pyrobitumens**。

- 沥青
  - 液体石油
    - 石蜡基
    - 混合基
    - 沥青基
  - 天然矿物蜡
    - 地蜡(炼制后称纯地蜡)
    - 褐煤蜡(从泥煤中抽提)
  - 天然沥青——从纯固体沥青到含高百分比砂、黏土等不纯的沥青
  - 沥青岩
    - 硬沥青
    - 辉沥青
    - 脆沥青
    - (特点是熔点比沥青高)

bituminous coal 烟煤 又称软煤(soft coal),界于亚烟煤和无烟煤之间的一级煤,储量最丰富。在欧洲,某些发热值高的烟煤算作硬煤,软煤则专指发热值低的褐煤。烟煤呈黑色,通常有条带状结构。含95%以上的镜质组,其显微组分产生于木质纤维组织。仅含15%～35%的挥发分,含水低于3%,发热量较高,且资源丰富,所以是各种煤中用途最广泛的。长期用于电厂和工业锅炉来产生蒸汽。此外,含硫量低并易于结块的烟煤是唯一适于炼焦的煤,焦炭是接近纯碳的硬物质,对熔炼铁矿石很重要。焦炭是烟煤在特殊设计的密封炉里加热到1 100 °C左右生产的。没有氧气,煤不会燃烧,但是强热将煤中大量的挥发分变为气体放出,剩下的是焦炭。炼焦过程中有些放出来的气体凝聚为煤焦油和液氨。烟煤的主要缺点是造成空气污染。各种烟煤含硫量为中至高不等,大量燃烧会放出大量二氧化硫到空气中,与水蒸气作用形成硫酸。这种腐蚀性物质与水滴混合成为酸雨落到地上,破坏农作物,污染水源。由于这种严重的污染问题,在美国越来越多用煤作燃料的电厂不用烟煤而改用含硫量低得多的亚烟煤。参阅 **subbituminous coal**。

Bituriges 比图里吉人 约公元前600年之际高卢最强大的凯尔特部落。到公元前500年分为两部分:库比人,首邑在阿瓦利库姆(今布尔日),位于后来称为贝里的地区;维维西人,首邑在布迪加拉(今波尔多),位于吉伦特湾滨海地带。公元前52年高卢之乱中,库比人保卫阿瓦里库姆,但凯撒摧毁其城堡,屠戮其居民。后来库比人及维维西人均被置于阿基塔尼亚(今阿基坦)罗马行政区统治之下。

Bitzer, Billy 皮采尔(1874-04-21,波士顿～1944-04-29,好莱坞) 戈特弗里德·威廉·皮采尔的别名。美国电影摄影师,与大导演D.W.格里菲思合作发展了摄影技术,这些技术为以后的电影摄影奉为规范。他在1896年拍摄的W.麦金利得知党内提名他为总统候选人时的镜头成为比沃格拉夫影片公司的首映节目。他为W.R.赫斯特报系拍摄美西战争,成为第一个实地报道战况的电影摄影师。格里菲思加入比沃格拉夫影片公司,他担任其摄影师,成功地把这位大导演富有创造性的视觉构想体现在银幕上,尤其是在构图和运用光来创造气氛方面。他为格里菲思拍摄了数百部影片,其中包括《贝斯利亚的朱蒂丝》(1913)、《一个国家的诞生》(1915)、《党同伐异》(1916)、《被摧残的花朵》(1919)、《走向东方》(1920)。早在1909年他就运用光的效果,如火光、烛光或晨曦等;他是第一个完全用人工光拍摄影片的摄影师,这一革新使好莱坞的技术专家最终摆脱了对自然光的依赖。在同格里菲思合作时,他发展了一些对电影业产生久远影响的常用摄影技术,例如,在摄影机镜头前面加一个散光罩的软焦点摄影;用淡出、在画面上用一个缩小到完全闭合的圈子或圈子逐渐扩大到整个画面的圈入圈出镜头来结束一个场面。他大大改进了特写和远景镜头的拍摄方法,善于有效地运用透视法。他一贯坚持要灵活运用摄影机。晚年在纽约现代艺术博物馆的电影资料馆从事旧影片修复工作。

Bitzius, Albert (Swiss writer) **比齐乌斯** 参阅 **Gotthelf, Jeremias 戈特赫尔夫**。

Biu 比乌 尼日利亚博尔诺州城镇、古王国和世袭酋长国名。比乌王国建于16世纪中叶。在19世纪初的圣战中击败富拉尼人。1870年建比乌镇,1878年定为国都。1918年该王国被划为一区。1920年承认为比乌酋长国。居民主要为布拉人、特拉人、马尔吉人、希纳人和富拉尼基塔库人。1957年沙尼和阿斯基拉并入比乌酋长国后,改称比乌联邦。居民大都饲养牛、羊、马、驴。比乌镇地处比乌高原,与达马图鲁、穆比和沙尼通公路。现为高原地区主要贸易中心(高粱、粟和花生)。镇内有酋长宫、公立保健站和师范学校。镇西南蒂拉湖(火山口湖)中的鳄鱼被历代酋长奉为神明。人口:城镇约43 050(1991)。

Biu Plateau 比乌高原 在尼日利亚东北部。面积近5 200平方千米。平均海拔700米。最高点维加山海拔821米。高原上多死火山锥。为贡戈拉河许多支流的发源地,有河流切割成的深谷。西、南两坡陡峻,北坡向包奇平原和乍得盆地缓缓倾斜。因土层浅薄、旱季缺水和交通不便,人口增长缓慢。19世纪初非穆斯林人为逃避圣战而在此定居,现居民为布拉人,几乎全是非穆斯林。高原上无采采蝇,为矮牛、马、驴和羊的牧场。自给性农民的主要作物为高粱和花生。比乌镇为最大居民点和主要农产品贸易中心。

bivalve 双壳类 双壳纲(Bivalvia)软体动物,包括蛤类、蚌类、乌蛤、牡蛎、竹蛏子和船蛆等。特征为身体侧扁,具有两片壳,壳由两瓣组成,两壳以一条有弹性的韧带相连,该韧带用以张开两壳;两壳之间尚联结着一或两片横行的闭壳肌,用以闭合两壳。身体一般全部包在壳内,亦有外套膜包裹身体。无头部;大部分感觉器官集中于外套膜的边缘。身体两侧有特化的鳃,形大,折叠成由鳃丝构成的鳃瓣,可用以滤食悬浮于水中的浮游植物。外套膜和鳃表面纤毛的摆动使大量水流经鳃部,食物颗粒被阻留并由特化的纤毛输送到口内。食物在消化以前由称为须的特别器官进一步分类。另一些以沉积物中的有机物质为食,少数种类为肉食性,食小型甲壳动物。许多双壳类在软质的底物上穴居;用其肌肉质的足插入并固定于沉积物中,然后迅速闭合双壳,这样使沉积物流态化。大多数穴居的双壳类有入水管和出水管,水通过这些管由沉积物的表面进出。水管有肌肉质的外套膜组织构成,两侧的外套膜愈合成可伸缩的管状结构。某些双壳类(如女神蛤)的水管可伸长达1米。另一些以足部分泌的坚韧、角质、线状的足丝附着于底物的表面。牡蛎和许多其他双壳类以一壳固着于底物上。有几类双壳类能钻入坚硬的底物内,这包括石蛏(石蛏属[*Lithophaga*],以化学方式钻入石灰岩)和海笋科(Pholadidae)种类(以机械刮削的方式钻入岩石)。船蛆(船蛆属[*Teredo*])可钻入木头并将它消化。少数双壳类,如某些海扇(扇贝属[*Pecten*]、栉孔扇贝属[*Chlamys*])和锉蛤(锉蛤属[*Lima*])能将两片壳猛地合上,从而得以游泳,以此作为躲开敌害的逃避反应。大部分双壳类为雌雄异体,少数种类为雌雄同体;还有一些在生活史中发生性别的变化。卵和精子均排入水中。幼体发育在大海中进行,幼体在浮游生物中漂游数周后沉入海底。双壳类共约8 500种,分布于海洋的大部分地区,从潮间带到深海。最大的双壳类为大砗磲(*Tridacna gigas*),长度可达137厘米。蚌蚌超科(Unionacea)极为多种多样,在北美东部非常丰富,有许多当地特有的种,栖于各具体的河流系统中。参阅 **clam**;

cockle；**mussel**；**oyster**；**scallop**；**shipworm**。

biwa 日本琵琶 一种同中国琵琶有渊源关系的日本短颈诗琴，约有 2 000 年历史。琴身雅致，呈梨形，琴背略圆，丝弦缠在两侧细长弦轴上。通常为 4 弦，按 4 度调音，旋律几乎全由最高音弦奏出。演奏者常同时拨奏 2 音以产生各种音程，特别是在歌唱者休止时。所有日本琵琶均用楔形大拨子演奏。

Biwa, Lake 琵琶湖 日本语作 Biwa-ko。日本最大淡水湖。在本州中西部滋贺县境内。南北长约 64 千米（40 英里），面积 672 平方千米。因形状似日本乐器琵琶而得名。湖

琵琶湖上的珍珠贝养殖工
美国不列颠百科全书公司供图

址为一地质凹陷构造，由四周山区小河补水。淀川为唯一出水渠道，由琵琶湖南端起，经过濑田，西南流入大阪湾。最深处 103 米，在西北角。沿西岸水深一般超过 60 米。春天由于融雪和春雨、秋天由于台风暴雨，湖面上升多达 3 米。琵琶湖是淡水鱼（包括鲑鱼）的繁殖场所，也是珍珠养殖业的生产基地。另外，既为京都和大津两市的蓄水库，又是附近纺织工业的宝贵水源。在日本古代历史中，琵琶湖是日本海与濑户内海之间的一个交通要道。晚近时期，它促进了阪神（大阪-神户）工业区的经济发展。它以湖区秀丽的风景和比睿山顶的庙宇知名于世，并成为日本大量诗歌的主题。现在是日本最主要的旅游胜地之一。

Biyidi, Alexandre 比伊迪 参阅 **Beti, Mongo** 贝蒂。

Biysk 比斯克 又拼 Biisk，Bijsk。俄罗斯中部阿尔泰边疆区城市。位于比亚河右岸，在比亚河与卡通河汇流处上游（汇流后称鄂毕河）。为比亚河航运的起点。通往巴尔瑙尔铁路的起点。有公路通往蒙古。1709 年建为要塞，1782 年设镇。有机械制造及日用消费品工业。人口约 234 600（1991）。

Biyun Si 碧云寺 英语作 Biyun Monastery。中国北京市古寺之一。位于北京市西山风景区，与香山公园为邻，东侧与樱桃沟、卧佛寺相望。寺院建于元至正二十六年

碧云寺罗汉堂
中国大百科全书出版社供图

（1366），明正德年间（1506 ～ 1521）扩建。有弥勒佛殿、508 尊塑像的罗汉堂、孙中山纪念堂、金刚宝座塔等。寺中建筑依山就势，层次分明，在山、林、泉、溪衬托下，更显得优美壮丽。

Bizen ware 备前陶器 又称伊部陶器。至少从 6 世纪起便在日本濑户内海边岗山县伊部及其附近地区生产的陶器，该地曾一度属于备前国。备前陶器的坯体为深灰色炻器，一般烧成砖红色、褐色或深青铜色。备前陶器的表面有的未上釉，无光泽，有的则光滑亮泽；年代的久远会使得一些制品表面产生青铜似的绿锈，又使得另一些制品像是经过打磨的木材。备前陶器分若干类型：备前红陶是一种状如青铜的陶器，其色调呈深紫铜色；备前青陶呈铁青或深蓝灰色，因其需加高热才能生产出来，成品数量有限，故现已罕有存世者；备前黄陶因其上有黄釉而得名；备前火烧斑纹陶器具有斑状花釉装饰和微红色的细绳痕，是在烧成之前用稻草绳将干坯体缠绕起来而形成的。在 13 世纪之前，兴旺的备前陶器生产曾遍及整个伊部地区，其后便只限于伊部村。有时无法从产地对器物进行区

约 1670 年的江户时期备前陶器——香炉
美国不列颠百科全书公司供图

分，因为各处的黏土中铁的含量都高，制造技术、器物形式和陶窑设计也都相同，而且，所有的品类都传递着一样的强悍的感觉和悠久的传统。一般讲，备前地区使用的黏土黏性很强。备前陶器的另一个与众不同的特点是容器的嘴部从开口处往回压出一个弧形，叫做球形口。镰仓时代（1192 ～ 1333）的器物，嘴部与器物的尺寸相比都偏小。到室町时代（1338 ～ 1573）后期，为使制品更为精雅，采用了地下采土场的黏土，不过一些个别的特点仍然保留了下来。早期的器物大多标有年代，而且多数制陶匠师的姓名和标记都是知道的，其中有些是被这里异常柔顺的黏土吸引来的京都的匠师；这种黏土诱发了奇特而富于创造性的造型。备前陶器描绘了日本的贤达、天神以及现实的和神话中的动物。正是这些精确、细微、生气勃勃的作品为备前陶器赢得了无与伦比的声誉。对雚、公鸡、鹳、公牛、鹡鸰和野兔的描绘出现于多种形式的实用和装饰器物上，包括茶道用具、香炉、大口水瓶、日本米酒壶、盆、碟、挂瓶，甚至某些赌具。18 世纪是备前陶器的巅峰时期。其后，产品就转而去适应欧洲市场。至 20 世纪，贸易项目就以当地黏土适于制造的砖和下水管道为主了。

Bizerta（Tunisia） 又拼 Bizerte。参阅 **Banzart** 比塞大。

Bizet, Georges 比才（1838-10-25，法国巴黎～ 1875-06-03，巴黎附近布日瓦尔） 原名亚历山大-塞萨尔-利奥波德·比才。法国作曲家。所作歌剧《卡门》（1875）最为脍炙人

美国不列颠百科全书公司供图

口。其现实主义笔法对 19 世纪末的“真实主义”歌剧乐派产生影响。其父为声乐教师，母为天赋颇高的业余钢琴家。自幼显露音乐才华，不到 10 岁便进入巴黎音乐学院，师从造诣高超的 C. 古诺和 F. 阿列维等作曲家，不久便连续获奖，1857 年以所作康塔塔《克洛维与克洛提尔达》获罗马大奖，该奖包含一项 5 年期的国家津贴，并规定获奖者须在罗马的法兰西学院学习两年。此时比才所表现的作曲才华已远不只是一个早熟的孩子所能表现的。他的第一部舞台作品、独幕轻歌剧《奇迹医生》于 1857 年在巴黎上演，标志着其高昂的情绪和对当时的轻歌剧语汇的运用自如。作于 1855 年、后来一度佚失直到 1935 年才重新发现并演出的《C 大调交响曲》，可与莫扎特或门德尔松同样作于 17 岁的任何作品媲美。流畅丰盈的对位、管弦乐的技能，以及维也纳古典风格和法国旋律的巧妙结合，使这部交响曲在比才的作品中占有较高地位。此时，年轻的作曲家已经意识到自己的才华，也意识到他的熟练技巧所必然带来的危险。他在罗马着手研习舒曼、韦伯、门德尔松和古诺的作品。比才没有按规定在德国度过第三年，而是决定继续留在罗马，积累观感，终于写成第二首 C 大调交响曲《罗马》，于 1869 年

首演。作于同一时期的意大利语歌剧《唐普罗科皮奥》有唐尼采蒂之风,而颂歌《瓦斯科·德·伽马》则主要仿效古诺和梅耶贝尔。1860年秋比才返回巴黎,与他同行的是日后(他去世后)着力推广他的作品的友人E.吉罗。这时比才虽已观点明确,但人生观尚不成熟,并受到艺术良心的责备,似乎自己不该偏爱轻盈动人的风格而不取崇高庄重的音乐。他甚至因为自己对同时代意大利作曲家威尔地歌剧的赞赏而感到羞愧,并切望有典型的浪漫派艺术家的信心和远见,但却始终未能如愿以偿。1866年10月他写信给友人兼学生E.加拉贝尔说:"如果我相信了许多实无其事的事情,我应该能写出更好的音乐。"事实上占优势的实证主义哲学的怀疑论和唯物论无休止地困扰着他。很可能是由于他无法使自己的才智和感情取得一致,才导致许多歌剧创作有始无终。当时法国歌剧观众所要求的戏剧也无法吸引他全身心地投入。回到巴黎后完成的头两部歌剧有其不足之处,但这不是因为作曲家过于想投观众之所好,而是由于他对戏剧的兴趣已有所衰减。无论是《采珠者》(1863年首演)还是《贝城丽珠》(1867),其台本均未让他有充分施展潜在音乐才能与戏剧才能的余地。《采珠者》的情趣主要在于其异国东方背景和合唱写作,这一作品要比他的尚未摆脱古诺影响的抒情音乐更具个性。《贝城丽珠》的故事梗概取自司各脱的小说,但性格刻画更为深刻(吉普赛人马勃和"波希米亚舞"预示了《卡门》)。甚至连夜间巡逻、饮酒合唱、舞厅场景和女主角发疯这些老一套的内容都表现出语言的清新典雅,从而使作品明显地突出于当时法国歌剧的一般水平之上。尽管柏辽兹、古诺、圣-桑和李斯特对比才倍加赞赏,但他在这些年中仍不得不写一些雇佣文人的陈词滥调。传闻他性格喜怒无常,动辄与人寻衅吵架,其实这正表明他内心深处的不平衡。青春期的愤世嫉俗和敏感脆弱依然存在,对待人生的感情尚未成熟,直到1869年6月3日与歌剧《犹太女》(1835)的作曲家之女G.阿列维结婚后才有所转变。从1867年订婚到1869年举行婚礼,这期间比才意识到自己"作为艺术家和人正经历着不平凡的变化。我正在净化自己,变得更好"。人们对《贝城丽珠》某些方面的抨击促使他彻底弃绝"喧闹的和声、颤音和弄虚作假的流派",而集中精力于他的音乐的最强特点的两个因素——营造异国情调和关心戏剧真实性。前一因素在独幕剧《贾米雷》(1872)中有出色表现,由于它的独辟蹊径,足以被人指责为"怪诞诡谲甚至超过瓦格纳"。后一因素则可在为都德的剧本《阿莱城的姑娘》所作配乐(1872)中找到例证,它显示出他的音乐中一种新的纤柔精致。从他的信件中可以得知,除了婚姻带来的欢乐、同年7月儿子的诞生使他的欢乐达到顶峰外,普法战争的事态也使他十分激动。巴黎被围期间他在国民警卫队服役。正是在这种新的感情成熟初露端倪、青春的激情和锐气尚未消退之际,他着手以当代法国作家梅里美的小说为依据创作出杰作《卡门》。作品的写实主义使它在1875年首场公演后便引起了流言蜚语,但正是这种写实主义将在歌剧史上开创新的篇章。灿烂的地方色彩和直截了当的感情冲击,加上精益求精的技艺和丰富多彩的旋律,使这部歌剧在音乐行家和广大群众中都极受喜爱。哲学家尼采认为它是一种足以抵消瓦格纳的"条顿音响"的"地中海"音乐。《卡门》所引起的流言蜚语刚刚开始转化为热情的赞扬,比才却溘然辞世。

Bizzozero, Giulio 比佐泽罗(1846-03-20,意大利皮埃蒙特瓦雷泽～1901-04-08,都灵) 意大利病理学家。在都灵大学任普通病理学教授时,使该校成为当时最重要的欧洲医学学术中心。完善了腹股沟疝手术的外科专家E.巴西尼、首次用人工气胸治疗肺结核的C.福拉尼尼、证明破伤风有传染性的A.卡莱和G.拉托内均曾在他的实验室学习或工作过。他对组织学及公共卫生学,尤其在疟疾及结核病的防治方面也曾做出贡献。

Bjarni Vigfússon Thórarensen(Icelandic poet) 参阅 **Thórarensen, Bjarni Vigfússon 索拉伦森**。

Bjerknes, Jacob (Aall Bonnevie) 皮叶克尼斯(1897-11-02,斯德哥尔摩～1975-07-07,洛杉矶) 挪威-美国气象学家。他发现的起源于隔离不同气团的锋面波的气旋(低压系统)

美国不列颠百科全书公司供图

是对近代天气预报的重大贡献。第一次世界大战期间,协助其父挪威物理学家、气象学家V.F.K.皮叶克尼斯在挪威全国建立天气观测台站网。从台站收集到的资料,使他们建立极锋理论。这个理论对了解中高纬度天气动力学极为重要。在20世纪20和30年代,皮叶克尼斯除了研究气旋外,还收集低气压结构的资料,进行大气对流动力学的研究。1939年,皮叶克尼斯移居美国。次年任加利福尼亚大学(洛杉矶)气象学教授。第二次世界大战后,主要从事大气环流的研究。1952年应用高空研究火箭拍摄的照片,进行天气分析和预报,是把空间技术用于气象研究的创始人之一。晚期的工作中发现太平洋温度与北美天气之间的相关性。

Bjerknes, Vilhelm F(riman) K(oren) 皮叶克尼斯(1862-03-14,挪威克里斯蒂安尼亚～1951-04-09,奥斯陆) 挪威气象学家和物理学家,近代天气预报科学奠基人之一。青年时曾从事流体动力学的研究。1890年赴德

美国不列颠百科全书公司供图

国,成为德国物理学家H.赫兹的助手和科学合作者,并对无线电发展的关键——电的谐振进行过广泛的研究。1895年任斯德哥尔摩大学应用力学和数学物理学教授。两年后发现了著名的环流定理,从而将流体动力学和热力学结合起来用于大气和海洋中的大范围运动的研究。这一研究终于导致对近代天气预报极为重要的气团理论的创立。1904年提出一个有远见的物理天气预报计划。卡内基基金会授予他年资助金(1905～1941),支持他的研究工作。1907年回到挪威接受克里斯蒂安尼亚一所大学的教授职务。5年后任莱比锡大学地球物理学教授,并组织和领导莱比锡地球物理研究所。1917年接受挪威卑尔根博物馆(现为卑尔根第一大学的一部分)的职务,并创建卑尔根地球物理研究所。他著作最多的年月是在卑尔根。在这期间,写成《环流涡旋动力学及其在大气涡旋和大气波动中的应用》(1921)一书。这一经典著作清楚地详述了他研究工作中最重要的几个方面。1926年在奥斯陆的一所大学任职,继续从事研究工作,直到1932年退休。

Björketorp Stone 比耶尔克托尔普石碑 瑞典布莱金厄一座保护完好的7世纪的纪念碑。高3.5米,上面刻有如尼文铭文。碑文是保护墓穴的咒语。对如何确切解读它,有很多争论。一种可能的解读是:"吾于此执掌

比耶尔克托尔普石碑

美国不列颠百科全书公司供图

神圣如尼文之奥秘。毁此碑者,必永罹魔难,不得善终。吾预言灾变。”

Björling, Jussi (Johan Jonaton) 比约林 (1911-02-05,瑞典大蒂纳～1960-09-09,斯德哥尔摩附近西阿勒) 瑞典男高音歌唱家,演唱中的乐感和技巧(特别是唱意大利与法国曲目时)令人赞叹。6岁时由父亲指导开始学习歌唱,父亲并率领他们兄弟3人在斯堪的纳维亚和美国巡回演出,表演四重唱。17岁就学于斯德哥尔摩皇家歌剧学校,1930年首次登台演唱莫扎特《唐·乔凡尼》中的唐·奥塔维欧一角。在欧洲多座歌剧院客串演出,1936年在伦敦科文特加登剧院演出获巨大成功。翌年访问美国,先在电台、后在芝加哥登台演唱。1938年首次在纽约市大都会歌剧院演唱普契尼《波希米亚人》中的鲁道夫。战争期间在瑞典度过,1946年重返大都会歌剧院演唱,直至去世。这期间也经常回瑞典演出。他的受人欢迎的音乐会和大量唱片录音使他名闻遐迩,成为一位著名独唱音乐会表演家和交响合唱曲中独唱演员。自传《我的行囊在喉部》于1945年出版。

Bjørneboe, Jens (Ingvald) 比约尔内博 (1920-10-09,挪威克里斯蒂安桑～1976-05-09,韦埃尔兰) 挪威小说家、剧作家、随笔作者和诗人。他的作品洋溢着对现代社会权力滥用的强烈的愤慨。主要有小说三部曲《自由时刻》(1966)、《火药塔》(1969)、《沉默》(1973),追述了“兽行的历史”,即列举国家对平民百姓变本加厉的暴力行为。最后一部小说《群鲨》(1974)是描写大海的寓意作品,最为出色。作为剧作家,他在讽刺音乐喜剧《祝您生日愉快》(1965)中批评了挪威的监狱制度。在《爱鸟者》(1966)中,他抨击了新纳粹主义。最后一部剧作《截肢》(1970)涉及范围更为广泛,是对权力的抗议。由于色情小说《一丝不挂》(1966)的发表,他受到法庭审讯,被判有罪。他的随笔和新闻文章颇受读者欢迎,有《警察与无政府》(1972)。死后出版的有《论布莱希特》(1977)。他受布莱希特的影响颇深。21世纪初,他被认为是挪威最重要的战后作家之一。

Björneborg(Finland) **比约讷堡** 参阅**Pori 波里**。

Bjørnson, Bjørnstjerne Martinius 比昂松 (1832-12-08,挪威克维克讷～1910-04-26,巴黎) 挪威诗人、剧作家、小说家、新闻工作者、编辑、演说家、戏剧导演,当时挪威家喻户晓的文化名人之一。1903年获诺贝尔文学奖。与易卜生、谢朗和约纳斯·李4人常被人称为19世纪挪威文坛四杰。诗作《是的,我们永远爱此乡土》被用作挪威国歌歌词。他的著作从一开始就明显地从教诲读者出发,试图激发人们对挪威历史及其成就的民族自豪感。在最初15年的文学生涯中,他从北欧英雄传说和对当代挪威农村的体验中汲取灵感。他轮流取用这两个领域的题材写作,戏称为“轮作制”。他用英雄传说材料写剧本,用当代题材写长篇小说或描写农民生活的短篇小说。两者都强调那些联系新旧挪威的纽带,目的是长国民的志气。作品有《阳光明媚的山丘》(1857)、独幕剧《战役之间》(1857)、《阿尔纳》(1859)、《一个快活的孩子》(1860)及

美国不列颠百科全书公司供图

剧本《瘸腿胡尔达》(1858)等。1857～1859年继易卜生之后任卑尔根剧院的艺术指导。1858年婚后任《卑尔根邮报》主编。部分地由于他的活动,保守党的代表在1859年选举中败绩,随之产生了自由党。在国外旅居3年后回国任克里斯蒂安剧院院长。1866～1871年再任报纸主编,出版《诗与歌》(1870)和一部史诗。由于政治斗争与文学论战占去他许多时间,他只得避居国外写作。剧本《破产》(1875)和《编辑》使他获得国际声誉。两剧实现了当时对文学的要求:提出问题,展开争论。随后的剧本《国王》(1877)和《新制度》(1879)也是如此。后期的作品中有两部长篇小说为人所不忘:《海港街道上的旗子》(1884)和《追随上帝行事》(1889)。前者对基督教进行批判,抨击对奇迹的信仰;后者讨论社会改革问题,认为变革应从学校开始。晚年,自认为社会主义者,为了和平以及国与国之间的谅解而不知疲倦地工作。

Björnsson, Sveinn 布扬松(1881-02-27,冰岛雷克雅未克～1952-01-25,雷克雅未克) 冰岛政治家、外交家,冰岛共和国第一任总统(1944～1952)。1912年为雷克雅未克市议会议员,后任议长(1918～1920)。1914～1916年和1920年两度为议会议员。在出使英国期间,他签订第一个《英国-冰岛贸易协定》。曾任驻丹麦公使(1920～1924,1926～1941),为出席若干国际会议的代表。虽然冰岛自1918年起即已独立,但直至第二次世界大战前,冰岛的外交事务一直由丹麦代理。1940年5月德国占领丹麦后,导致冰岛自治。1941～1943年,3次当选为执政,行使过去由丹麦国王掌握的有关冰岛事务的一切特权。1944年冰岛成立共和国,布扬松当选为总统,1945和1949年连选连任。

Bka'-brgyud-pa 噶举派 又拼Kagyupa。“噶举”藏语为“佛语传承”,中国藏传佛教的教派。因该派僧人穿白色僧衣,俗称白教。11世纪由玛尔巴创立。玛尔巴本人以翻译佛经著称,在印度曾从瑜伽大师那饶巴学法。此派强调按“哈他”瑜伽进行严格苦修。玛尔巴大弟子是米拉日巴,他在西藏历史上被尊为伟大诗圣。米拉日巴又将此派教法传授岗波巴。岗波巴门下弟子建立六个噶举派的支派,大多以其寺庙取名,但在教义上差别不大。其中噶玛派是15～17世纪初和格鲁派争夺西藏世俗权力的主要对手。另有主巴噶举一派,为不丹的主要教派。

Bka'-'gyur 《甘珠尔》 又拼Kagyur。藏语,意为直接记载佛语的佛经。藏文《大藏经》三部分之一。包含1 000多种作品,其中大部原是梵文,8世纪以后译为藏文,13世纪时编辑成集,刊行100卷。开头是律(毗奈耶)即寺院戒律。其后大部分是大乘各派经典,也有一些是说一切有部的作品和《出曜经》。最后有几百部密典,记载藏传佛教密宗(金刚乘)的特殊仪轨和修习禅定。

BL Public Limited Company BL公司 英国汽车公司,1968年通过合并英国汽车持股公司和利兰汽车公司而成立,名称为英国利兰汽车公司(1968～1975)或英国利兰公司(1975～1978)。1978年改名为BL公司。总部设于伦敦。其公司约占英国整个汽车工业的95%。所生产的汽车范围广泛,从商用卡车、公用汽车到私人小汽车、建筑设备和发动机。公司的沿革如下:①利兰公司是生产商用车辆的英国第一家厂商。其创始人萨姆纳1884年研制出蒸汽车。1896年成立兰开夏蒸汽车辆公司,1907年首次试用汽油发动机以后改名利兰汽车公司,以后还有数次兼并和扩张。②1952年莫里斯汽车公司和奥斯汀汽车公司合并,名为英国汽车公司。1966年英国汽车公司又与捷豹汽车公司合并,改名为英国汽车持股公司。③1968年利兰汽车公司与英国汽车持股公司合并,改名为英国利兰汽车公司;1984年将捷豹汽车公司售出。1979年英国利兰汽车公司改名为BL有限公司,1982年取现名。BL公司自20世纪80年代开始出售它的股权。捷豹公司在1990年由福特汽车公司购得。

Blabrang 拉卜楞 中国甘肃省夏河县辖镇。县府驻地。位于甘南高原北部大夏河上游谷地草原上。东北距临夏80千米。镇区东北往西南走向。面积1.5平方千米。清康熙四十九年(1710)第一世嘉木样活佛俄项宗哲建拉卜楞寺(藏语意喇嘛官邸)。全寺有大小佛殿84座,活佛府30院,印经院1处,讲经院2处,僧房500多院。寺院建筑雄伟高大,楼阁梵宇繁多华丽,仅次于布达拉宫。长期为甘肃、青海、四川边境佛教活动、政治、经济和文化中心,有“卫藏尼哇”(第二西藏)之称。1927年设拉卜楞设置局,翌年改夏河县。1968年称隆尔吉镇。1980年再改拉卜楞镇,镇以寺命名。经济以畜牧业为主,有藏族特色的皮革、民族用品、副食加工等工厂。附近的甘加滩、桑科滩草场平旷,马、牛、羊成群,是旅游好去处。公路沿大夏河在与喀河汇流处接兰州至郎木寺公路。拉卜楞寺系佛教格鲁派六大宗主寺之一,有佛学院,为国家级文物保护单位。居民中藏族最多,次为汉、回等民族。人口15 000(2003)。

Blaby 布莱比 英格兰中南部莱斯特郡一区。面积130平方千米,包括莱斯特市南郊

和西郊。区行政中心在纳巴勒。重要市镇有布劳恩斯通、格伦菲尔兹和柯比穆克斯洛埃。人口约 86 400(1998)。

Blache, Paul Vidal de La 白兰士 参阅 **Vidal de La Blache, Paul** 韦达·白兰士。

Black, Davidson 步达生(1884-07-25,加拿大安大略多伦多～1934-03-15,中国北平) 加拿大内科医生、体质人类学家。最早提出"北京人"这一命名。毕业于多伦多大学,后在美国俄亥俄州克利夫兰西部保留地大学任教,1917 年离职参加加拿大陆军医疗团。当他同 G.E.史密斯研究比较解剖时,对人的起源问题深感兴趣。第一次世界大战以后直到去世,步达生在中国北京任协和医学院胚胎学和神经学教授。先在热河省,后来又去泰国,寻找早期人类的化石遗存。1927 年在北京附近的周口店发现一颗形状异常的人类下臼齿。根据这颗牙齿,他断定曾有一种前所未知的人属或人种存在,并命名为"北京人"。1932 年他指出"北京人"与爪哇的直立猿人之间关系极近。后来发现的许多头盖骨都证明他的判断是正确的。

Black, Hugo (La Fayette) 布莱克(1886-02-27,美国亚拉巴马克莱县～1971-09-25,马里兰贝塞斯达) 美国律师、政治家,美国最高法院法官(1937 ～ 1971)。因他绝对相信《人权法案》为公民自由的一种保证而闻名。他对美国司法传统的最重要贡献可能是他坚持《第 14 修正案》,使《人权法案》同样限制各州剥夺个人自由的权力(原为限制联邦政府的权力)。在塔斯卡卢萨的州立大学法学院毕业。1906 年取得律师资格,在伯明翰开业。1926 ～ 1937 年为美国参议员。他坚决支持实行"新政"的立法。1937 年任最高法院法官。20 世纪 40 和 50 年代,常因其言论自由的绝对立场,同法院内多数意见相左。他谴责政府限制自由为违宪和危险举动。60 年代他在自由多数派内位居显要,挫败了学校内祈祷的规定,并保证向嫌疑犯提供法律咨询。他的最后重要意见是支持《纽约时报》在 1971 年公布五角大楼文件。

Black, Sir James (Whyte) 布莱克(1924-06-14,苏格兰阿丁斯通～) 英国药理学家。因其对合成心得安和甲氰咪胍二种重要药物所作贡献,与 G.H.希钦斯、G.B.埃利昂共获 1988 年诺贝尔生理学或医学奖。布莱克 1946 年毕业于苏格兰圣安德鲁斯大学。此后十年他先后在几座大学任教,1958 年以高级药理学家身份加盟帝国化学工业公司。1964 年任史密斯·克兰-弗伦奇实验室主任。1978 年任韦尔科姆研究实验室治疗学部主任。1981 年封爵。布莱克曾系统地研究了体内细胞受体和血流中结合受体的药物之间的相互作用。他想找到一种能阻断 β 受体的作用,从而缓解心绞痛的药物。肾上腺素和去甲肾上腺素对心肌的兴奋作用是通过它们和 β 受体结合实现的,可使心率加快、心肌收缩力增强、耗氧量增加。布莱克合成的心得安就是 β 受体阻滞剂,可拮抗肾上腺素和去甲肾上腺素的作用,以达到减少心肌耗氧量、缓解心绞痛的效果。后来问世的几种 β 受体阻滞剂主要用于治疗高血压、偏头痛和各种急性心脏病发作。布莱克以同样的思路又制成一种治疗消化性溃疡的药物甲氰咪胍,这是组织胺受体阻滞剂。甲氰咪胍是胃、十二指肠溃疡治疗学上的一场革命。

Black, Jeremiah Sullivan 布莱克(1810-01-10,美国宾夕法尼亚斯托尼克里克～1883-08-19,宾夕法尼亚布罗基) 美国 J.布坎南总统时期的司法部长。他建议联邦政府对分离活动持坚决的反对立场。布莱克于 1830 年获律师资格,同时参加民主党活动。1842 年任地方法院法官,1851 年被选为宾夕法尼亚州最高法院法官,1857 年任司法部长。任内最主要业绩是主张在必要时对脱离联邦的各州派军队去保护联邦财产。后任国务卿几个月。布坎南曾提名他为联邦最高法院法官,但遭否决。A.林肯总统就职后,布莱克在纽约重操律师业。

Black, Joseph 布莱克(1728-04-16,法国波尔多～1799-11-10,苏格兰爱丁堡) 英国化学家和物理学家。因重新发现"固定空气"(二氧化碳),提出潜热的概念和发现重碳酸

美国国会图书馆供图

盐而闻名。年轻时在贝尔法斯特的格拉斯哥大学学习医学和自然科学,当时 W.卡伦(1712 ～ 1790)正在那里教化学,布莱克不久就成为卡伦的助教。1751 年布莱克转到爱丁堡去完成他的医学研究。1756 年他继卡伦之后任格拉斯哥大学化学讲师,并成为解剖学教授。在拉瓦锡和现代化学建立之前,布莱克在碳酸镁的加热研究结果中指出:存在一种与空气不同的气体——二氧化碳。1756 年布莱克的研究结果以《镁石、石灰石和其他碱性物质的试验》论文发表,他指出,弱碱(碳酸盐)失去二氧化碳后可变成苛性碱;而苛性碱吸收了二氧化碳后又会重新变成弱碱。他还发现二氧化碳起酸的作用,在发酵、呼吸和木炭燃烧过程中均有生成,因而推想在大气中也应存在。在格拉斯哥大学的研究,使布莱克提出了潜热学说。他注意到冰融解时要吸收热量,但温度并不改变,因此他推论这一部分热量一定是和冰的质点相结合,成为潜热。1761 年他定量地证实了这一点,此后就讲授这一理论。虽然他从未发表过详细报告,但他的朋友 J.瓦特在对蒸汽机作出创造性改进时,无疑受到这一学说的影响。布莱克还认识到,质量相等的不同物体升到相同温度时需要的热量是不相同的,这一发现奠定了比热的概念。布莱克的讲稿是在他死后由其学生从他的笔记中整理出来并作了补充,由其朋友和同事 J.罗宾逊写了传记性的前言,题名为《化学原理讲义——已故布莱克在爱丁堡大学的讲稿》,于 1803 年出版。

Black, Max 布莱克(1909-02-24,俄国巴库[今在阿塞拜疆]～1988-08-27,美国纽约伊萨卡) 美国分析哲学家,因从事语言的明晰性与词义的研究工作而闻名。先后就学于剑桥大学(获文学士学位,1930)、格丁根大学(1930 ～ 1931)和伦敦大学(获哲学博士学位,1939)。1940 年移民美国,1948 年成为美国公民。1940 ～ 1946 年在伊利诺伊大学教授哲学,尔后在康奈尔大学执教,1977 年任名誉教授。布莱克早期热中数学,著有《数学的性质》(1933),阐述数学领域中各种历史概念。受哲学家 L.维特根斯坦的影响很深,潜心研究其《逻辑哲学论》,著有《维特根斯坦〈逻辑哲学论〉指南》(1964),这是一部论述全面和备受推崇的专著。布莱克注重语言的明晰与含义之性质,在他的几卷哲学论文中,曾对这些问题作出分析,其中最著名的是《语言的重要性》(1962)。

Black, Shirley Temple 参阅 **Temple, Shirley** 坦普尔。

Black, Winifred Sweet 布莱克(1863-10-14,美国威斯康星奇尔顿～1936-05-25,加利福尼亚旧金山) 婚前名 Winifred Sweet。美国记者,其追求轰动效应的揭露手法和新闻工作者的大胆行动,反映出黄色新闻时代的精神。青少年时就读于多所私立学校。曾向往在戏剧方面成名但未能如愿,遂转向新闻业。1890 年为家族生意前往西部,在 W.R.赫斯特的第一份报纸谋得一个记者职位。当时黄色新闻时代刚刚开始,而 E.西曼(笔名布莱)

美国不列颠百科全书公司供图

又为女记者的风格树立了榜样。布莱克用笔名 A.劳里发表了不少揭露文章、独家新闻和能增加发行量的宣传性噱头文字。她也热衷于慈善和社会福利事业,利用她在报纸的栏目引起社会关注。1892 年与同事 O.布莱克结婚,但 5 年后离异。1895 年,赫斯特派她到纽约市协助他新购得的《纽约晨报》与普利策的《纽约世界报》展开竞销战,但她并不喜欢这个城市,于 1897 年定居科罗拉多州的丹佛,加入《丹佛邮报》,并仍为赫斯特的报系写特稿。1898 年赫斯特发起反对摩门教多妻制时,她去犹他州作现场报道。1900 年 9 月 8

日发生水灾后，她化妆成男孩溜过警戒线，成为进入得克萨斯州加尔维斯顿的第一位也是唯一的外地女记者。1906年她在旧金山报道了4月18日的大地震。后再婚，终又离异。晚年仍以记者身份到处报道新闻。

Black and Tan　爱尔兰王室警吏团　1920年7月至1921年7月英国在爱尔兰雇用的镇压共和军的辅助警吏，因衣帽的颜色而得此英文名。第一次世界大战后，爱尔兰民族主义者大力展开宣传活动，许多爱尔兰籍警吏辞职，而由一批临时募集的英格兰人代替。这些人多为无业的退伍士兵，每天工资10先令。由于缺少警察制服，他们身穿黑与棕的杂色衣服。这群人对爱尔兰共和军采取血腥的镇压手段。在1920年11月21日的“血腥星期天”，爱尔兰共和军怀疑11名英格兰人为情报人员，将他们杀死。同日下午爱尔兰王室警吏团进行报复，在都柏林克罗克公园内袭击正在看足球赛的爱尔兰观众，打死12人，打伤60人。1921年7月英国和爱尔兰签订休战协定后，即将该组织解散。

Black Barty　黑巴蒂　参阅**Roberts, Bartholomew** 罗伯茨。

black basaltes（stoneware）　**黑炻器**　参阅**basaltes ware** 似玄武岩炻器。

black bass　黑鲈　北美东部约6种日鲈科黑鲈属（*Micropterus*）长形淡水鱼类的统称。其中大口黑鲈（*M. salmoides*）和小口黑鲈（*M.*

大口黑鲈（*M. salmoides*）
美国不列颠百科全书公司供图

dolomieui）已移殖到其他国家。黑鲈同太阳鱼一样，背鳍鳍棘部与鳍条部相连成一个鳍，而体型较太阳鱼大，体形较长，体色黯淡，性更凶猛。大口黑鲈最大长到约80厘米，重10千克，生活于多水草的静水湖泊和溪流中。以其背鳍的深凹刻以及相对较大的口（上颌骨伸达眼后）与小口黑鲈区分。体绿色至淡黑色，具一暗色纵带。与其他黑鲈一样主要以小鱼为食。小口黑鲈一般生活在清澈而较凉的湖泊和活水溪流中。体绿色至淡褐，一般具暗色斑纹。通常重达2～3千克，但能长到约70厘米，重5.5千克。

black bear（species *Ursus americanus*）　**美洲黑熊**　又称黑熊、美洲熊。熊科林栖动物。其数量和分布区业已缩小，但仍是最常见肉桂色熊和蓝灰（或蓝黑）冰川熊代表这个种的北美熊类。的一些颜色型。可驯养并学会演把戏，但成熟后会伤人。美洲黑熊可能仅有一种，而不像所描述的那样有80多“种”，这80多种可能仅仅是灰熊或棕熊的亚种变异体。成年者体长150～180厘米，体重90～270千克。其脸部棕色，且常有白色的胸斑，凭此即可辨认，而不论毛色如何。除

美洲黑熊（*Ursus americanus*）
美国不列颠百科全书公司供图

捕食兽类和鱼类外，还吃各种植物，如松果、浆果和根，常侵入营地觅食。一窝1～4仔，幼仔的毛色常不同。妊娠期100～215天，隔年繁殖一次。参阅**Asiatic black bear; sloth beer**。

Black Belt　黑土带　美国自然地理区。跨亚拉巴马州和密西西比州。以其黑色钙质土壤而得名。为平坦肥沃的平原，长480千米，宽40～50千米。南北战争前是南部最重要农业区之一。原主要种植棉花。20世纪初农业渐多样化。现也养牛和种植大豆。严格地讲，该词是自然地区之名，但也被社会科学家借用称为黑人聚居地带，指拥有大量黑人奴隶的种植园占支配地位的美国南部地区。

black birch　黑桦　参阅**sweet birch** 香桦。

Black Canyon of the Gunnison National Park　甘尼森布莱克峡谷国家公园　美国科罗拉多州西部自然区域，有一条深邃狭窄的峡谷。西距蒙特罗斯24千米。1933年作为国家保护区而建，1999年改成国家公园。面积122平方千米。由甘尼森河及其支流切割而成。峡谷峭壁最深一段长16千米，深525～740米，上缘宽400米，谷底宽12米。在峡谷南北两边的盘山车道可达2 400米的山顶，沿途辟有观景台和揽胜蹊径。峡谷是黑尾鹿、小狼、野猫、狐、松鼠以及鹫和秃鹰等各种鸟类的栖息地。大部分保护区有遍生栎属树和唐棣属植物的植被。

black cat　黑猫　参阅**fisher** 渔貂。

black code　黑人法令　指美国南北战争后，于1865年和1866年，在以前的南部邦联各州颁行的许多法律。这些法律旨在恢复“解放宣言”和宪法第13条修正案所废除了的社会对奴隶的控制，并保证“白种优越”得以继续下去。

黑人法令来源于早已实施的奴隶法令。在美国人中有一种维护动产奴隶制的哲学思想，这种普遍思想的根据是认为奴隶只是一种财产而不是人。因而法律不仅应该保护这种财产，还应保护财产所有人使其免于暴乱的危险。奴隶叛乱时有发生，这种暴动的可能性在移民地区以至在拥有大量奴隶人口的各州都经常是忧虑不安的根源。1780～1864年间，弗吉尼亚州计有1 418个奴隶被宣判有罪；其中91件暴乱罪，346件谋杀罪。还有奴隶逃亡的事发生。英国在美洲的属地中，殖民者可以自由制定他们认为适于管理其劳动力来源的任何规定。早在17世纪，弗吉尼亚和别的地区就施行一套法规，这些法规经常改变，以适应新的需要，因此各殖民地的法规，以至后来各州的法规也彼此不同。

所有关于奴隶的法令，都有一些共同的规定。在所有条款中都严格规定了种族划分，只要是有黑人血统的人，不论是奴隶还是自由民，就被视为黑种人。子女的身份随母亲而定，因此自由民父亲和奴隶母亲所生的儿童仍然是奴隶。奴隶几乎没有法律上的权利：凡涉及白人的诉讼，法院不采纳黑人的证言；奴隶不能订立契约，也不能拥有财产；就是在遭到白人袭击时，他们也不能还手。有许多限制性的规定，使社会对奴隶得以实行控制：奴隶未经许可不得擅自离开其主人的场所；没有白人在场，他们不得聚众集会；他们不得自备枪械；他们不得学习文化，或传送或持有“煽动性的”印刷品；他们不得结婚。而且采用各种方法迫使奴隶遵守这些法规，如有违犯，规定有许多刑罚，诸如鞭打、打火印或监禁；除强奸或谋杀白人等罕有的案件外，死刑很少使用，因为这意味着财产的毁灭。平日有白人巡逻人员监视奴隶，晚间更是如此。奴隶法令并非经常严格执行，但一旦发觉有任何骚动迹象，州的有关机关就戒备异常森严，而执行也就更为严酷。

在南北战争后立即颁行的这些黑人法令，虽然各州互不相同，其目的都在取得能长期供应的廉价劳动力，并且也都继续把获得了自由的奴隶当做劣等人。还有一些规定流浪罪的法律，这些法律宣布，黑人如果失业又没有固定的住址，就是流浪汉；对于被认定为流浪汉的人可予以逮捕，处以罚金；如果无力偿付罚金，就必须在一定期限内服劳役。对于“受雇”的黑人孤儿和其他依赖白人（而且常常是其过去的主人）为生的黑人青年则有学徒法令加以规定。有些州对黑人可以拥有的财产种类加以限制，而另一些州则不许可黑人从事某几种业务或从事技术性的行业。原来是奴隶的人不准携带枪械；除了在涉及其他黑人的案件中，也不得在法庭作证。法律规定黑人之间可以通婚，但不同种族之间的通婚则受到禁止。

美国北部各州对于黑人法令的反对（同时也由于对1866年发生在孟菲斯和新奥尔良的残酷的“反黑人暴乱”的反对），有助于促成激进的“重建”时期（参阅**Reconstruction**）和通过宪法第14、15条修正案。为帮助以前的奴隶，1865年建立了被解放黑奴事务管理局。“重建”时期废除了黑人法令。但“重建”时期过后又有许多过去的规定重新制订在种族隔离的法律中，直至1964年通过了“民权法案”以后，这种种族隔离法律才最后被废止。

black comedy 黑色喜剧 参阅 black humour 黑色幽默。

Black Country 黑乡 与英格兰米德兰行政区南斯塔福德郡小煤田相应的工业区，因工业污染严重而得名。在伯明翰城以西。18世纪大量开采煤、铁矿。现铁工厂已被金属制品厂取代，污染程度有所减轻。但仍可见过去工业的许多废弃场地。

Black Death 黑死病 大范围流行的鼠疫(plague)传染病。可能包括腺鼠疫和肺鼠疫两型，第一次袭击于1347至1351年间蹂躏了整个欧洲，所造成的死亡高于以前的任何一次已知的瘟疫或战争。鼠疫起源于中国和亚洲内陆。1347年，钦察军队围困克里米亚的一个热那亚贸易商埠时曾将带鼠疫的尸体弹射入该城镇。此病在地中海各港口间传播；1347年侵至西西里；1348年至北非、意大利大陆、西班牙、英国和法国；1349年至奥地利、匈牙利、瑞士、德国和低地国家；1350年至斯堪的纳维亚和波罗的海地区。在1361～1363年、1369～1371年、1374～1375年、1390年以及1400年又有几度流行。黑死病的病死率各地不同：有些地区如米兰公国、佛兰德和贝阿恩似乎逃过此劫，死亡轻微；而在其他地区如托斯卡纳、阿拉贡、加泰罗尼亚和郎格多克则深受其害。城镇受害大于农村；而在城镇中则以修道院中受害者最多。甚至有条件躲避的权势人物也未能得免：在皇室中，阿拉贡彼得四世的王后埃莉诺及卡斯蒂利亚国王阿方索十一世都死于鼠疫；而英王爱德华三世的女儿琼亦于出嫁阿方索王子的途中死于波尔多。坎特伯雷则相继失去两位大主教——J. de 斯特拉特福和T. 布雷德沃丁；佛罗伦萨诗人彼特拉克不仅失去了曾给予他多篇诗歌灵感的劳拉，而且还失去他的庇护人，枢机主教科隆纳。阿维尼翁的教皇法庭成员减少了1/4。有时整个社区或家族都死亡了。对当时文献的研究表明，各地区的死亡率可能在1/8至2/3之间，故法国编年史家J. 傅华萨所说欧洲人口死亡近1/3的说法可能是相当精确的。1400年的英国人口只有100年前的一半；仅在英国，黑死病就使近1 000个村庄人口荡然无存。现在粗估，欧洲可能有2 500万人在此期间死于鼠疫。西欧的人口直到16世纪初才恢复到1348年前的水平。这场浩劫的后果是多重的。出现大瘟疫后战争停止，贸易衰退，但都为暂时。而更为持久且更严重的后果却是因大量农民死去而致耕地锐减。这使许多地主倾家荡产。劳力的短缺迫使地主用工资或货币租金来偿付劳役，以图保住佃农。工匠和农民的工资都有升高。这给一向僵死的社会阶层关系带来一种新的流动性。黑死病的心理影响在阿尔卑斯山之北(不在意大利)表现为人们一心考虑死亡和来世，这充分反映在诗歌、雕刻和绘画中。随着人们转向神秘主义甚至有时追求暴力，天主教教会也失去了它在拯救人的灵魂方面的独占地位。

black duck(*Anas rubripes*) **黑鸭** 又称绿嘴黑鸭。产于北美东部的鸭科鸟类。极受欢迎的狩猎鸟类。栖息于咸水、半咸水和淡水沼泽以及湖、河和河狸塘中。越冬于内布拉斯加到得克萨斯一带以及从新斯科舍到佛罗里达的大西洋沿岸。喜食滨螺和贻贝等海生动物，所以能远到北方越冬。两性外形相似，躯体黑褐色，头棕色，似雌绿头鸭但脚色淡红。飞行时翅下的白色羽毛十分醒目。分布于非洲撒哈拉以南的非洲黑鸭(*A. sparsa*)不是绿嘴黑鸭的亲缘种，较其他潜水鸭潜水次数多，很少成群；或认为非洲黑鸭是与栖鸭相联系的一个环节。

black earth 黑土 参阅 chernozem 黑钙土。

Black Entertainment Television 黑人娱乐电视台 简称BET。美国的有线电视网和多媒体集团，主要为非洲裔美国人收视群提供新闻、娱乐和其他节目。还经营一家爵士乐电视网，主要播放以福音音乐和街舞音乐为主的当代音乐。也制作纪录片和电影在本台频道播放，并主办BET奖。1980年由传媒企业家R. 约翰逊创立，总部设在华盛顿哥伦比亚特区。开办之初每周只有两个小时的节目，音乐录影带是早期节目的主要内容。后来北美和加勒比地区的观众数量逐渐增加，收看者多为年轻人。随着电视网的扩展，增加了政治时事、专题探讨、喜剧表演、访谈和体育等五花八门的节目。1991年拓展为一个公开招股公司。1998年在纽约证券交易所上市，约翰逊和其他投资者获得控股权。约有7 000万家庭经常收看其节目。还出版图书。2000年，将BET以30亿美元的价格卖给维亚康姆公司。

black-eyed pea 黑眼豆 参阅 cowpea 豇豆。

black-figure pottery 黑彩陶器 约公元前700年起源于科林斯的希腊陶器的一种类型，持续流行至约公元前530年出现红彩陶

约公元前540年的黑彩陶双耳瓶
美国不列颠百科全书公司供图

器。在黑彩陶器中人物和装饰图案是以有光泽的黑色颜料绘画在瓶类的天然黏土坯体的表面上，到修整时再在黑色图案中刻画细部。约于公元前7世纪前半期黑彩技术首先应用在科林斯地区发展起来的最初的科林斯风格的陶器上。

科林斯画家最初的装饰图案是动物形象的装饰带。雅典人在公元前7世纪末开始采用这项技术，并沿用动物形象的装饰带；直至约公元前550年，包括埃克塞基亚斯和阿马西斯画家在内的一些伟大雅典画家发展了叙事场景装饰，才使黑彩风格得以完善。除了科林斯和雅典以外，生产黑彩陶器的最重要的工场在斯巴达和东希腊。

Black Flag 黑旗乐队 美国乐队，其密集的巡演和大量的唱片使硬核朋克乐得以普及。硬核朋克是20世纪80年代初产生于加利福尼亚州的一种朋克乐类型。乐队的最初成员为G. 吉恩、C. 杜科夫斯基、K. 莫里斯和B. 米格多。后来的成员有H. 罗林斯、C. 佩德拉斯特、D. 卡德纳、K. 勒斯勒尔和A. 马丁内斯。1977年成立于洛杉矶，以郊区生活的无聊与郁闷为主题。他们加快了朋克乐的速度，有时甚至到了疯狂的地步，为硬核朋克建立了许多规范。乐队吸引了许多白人男性观众，他们在乐队前跳相互冲撞的“荡舞”，这几乎成为现场演出的一个仪式。黑旗乐队的音乐中充满了愤怒和攻击情绪。在罗林斯担任主唱后，乐队发行了其硬核朋克经典唱片《毁坏》(1981)。乐队于1986年解散。

black fly 蚋 又作 buffalo gnat 或 turkey gnat。又称水牛蚋、火鸡蚋。双翅目蚋科昆虫，约300种，分布于全球。体小，黑或深灰色。隆背，触角和足粗壮，口器短，适于吸血，

蚋(Simuliidae)
美国不列颠百科全书公司供图

翅薄如纱罗。雌体吸血，有时数量多到可使鸡、鸟和其他家畜家禽死亡。有些能传播盘尾丝虫病，造成失明或皮下结节。幼虫和蛹生活在流水中。羽化时出蛹壳，随气泡升到水面而飞去。

春季密西西比河边的水牛蚋(*Cnephia pecuarum*)孳生，危害家畜严重。有记载，马、骡可因蚋的叮咬或因大群的蚋堵塞鼻孔而窒息死亡。南方蚋(*Simulium meridionale*)也在春天出现，叮咬鸟类的冠和垂肉。蚋的预防和控制一般用驱避剂。

Black Forest 黑林山 德语作 Schwarzwald。德国西南部巴登-符腾堡州山区。多

黑林山旅游区鸟瞰
中国大百科全书出版社供图

瑙河和内卡河的发源地。面积6 009平方千米。从莱茵河上游的塞京根向东北伸延100英里(160千米)达杜拉赫。宽10～25英里。在地形结构上,它同莱茵河以西的孚日山脉颇为相似。黑林山临莱茵河平原处山势陡峭,但其东部与内卡河谷及纳戈尔德河谷毗邻地带则较为平缓。大部为花岗岩高原。北部砂岩地区覆盖着森林。南部边缘为狭窄的石灰岩地区,地势较低,土壤肥沃。地势较高地区气候阴冷,只能种耐寒的谷类。山谷内气候温和,有优良的牧场。著名的冷杉林分布在海拔4 000英尺以下。

工业以伐木业,木材加工,钟表、机器玩具制造等为主。旅游业和冬季运动占重要地位。多矿泉和疗养地,如*巴登-巴登*(**Baden-Baden**)。主要城市有*布赖斯高地区弗赖堡*(**Freiburg im Breisgau**)、*奥芬堡*(**Offenburg**)、拉施塔特、拉尔等。

black fox 黑狐 参阅**fisher** *渔貂*。

Black Friar 黑衣兄弟会 参阅**Dominican** *多明我会*。

Black Friday 黑色星期五 美国历史上,因1869年9月24日黄金价格暴跌而造成的证券市场大恐慌。这次黄金暴跌是由于金融家J.古尔德和铁路大王J.菲斯克策划垄断黄金市场所造成。U.S.格兰特总统得悉他们的阴谋后,下令抛售价值400万美元的黄金储备,挫败了这一垄断阴谋。

Black Hand 黑手社 20世纪初期塞尔维亚的秘密组织。它使用恐怖手段,争取使居住国外的塞尔维亚人从哈布斯堡王朝和奥斯曼帝国的统治下解放出来。它策划暗杀奥地利大公弗兰兹·斐迪南(1914),这次事件触发了第一次世界大战。1911年建立,由D.迪米特里耶维奇上校领导。社员主要是军官,另有一些政府官员。他们以贝尔格莱德为据点,开展宣传战;在马其顿组织军队;并在全波斯尼亚建有基层革命组织网。他们控制塞尔维亚的军队,以对政府官员进行恐怖活动的手段,对本国政府施加巨大的压力。为了消灭这个对手,塞尔维亚流亡军总司令亚历山大大公于1917年在萨洛尼卡对黑手社的领导人进行审讯,处决迪米特里耶维奇及其他两名领导人,并把另外200余人监禁起来。

Black Hand 黑手帮 意大利语作Mano Nera。约1890～1920年间在美国纽约市、芝加哥、新奥尔良、堪萨斯城和其他城市中的意大利居民区内,西西里和意大利移民中的歹徒及其帮伙所进行的敲诈勒索行为。他们给当地商人和富人送去印有黑手、匕首或其他威吓记号的信件,以杀死他们和毁害他们的财产要挟,勒索金钱。禁酒令通过后,私酒贩运兴起,黑手帮活动有所收敛。最出名的黑手帮恶棍是I.萨耶塔,即曼哈顿"小意大利"区居民熟知的"豺狼"。他最后以伪造货币罪,于1920年被联邦当局逮捕,监禁30年。黑手帮的大敌是纽约警察局的J.彼得罗西诺中尉(1860～1909),他逮捕了数以百计的黑手帮歹徒,将他们监禁或放逐。1909年他访问西西里时,在巴勒莫被枪杀。

Black Hawk 黑鹰(1767,弗吉尼亚殖民地索克索特努克～1838-10-03,艾奥瓦得梅因河畔村庄) 印第安名马-卡-泰-梅-谢-基亚-基亚克。美国印第安人索克和福克斯部族一支的领袖。他反对侵占印第安人领土的白人。在1812年战争中站在英军一边。后来美国官员扶植与他敌对的首领基奥卡克,他勃然大怒,反对白人的意志更加坚决。当白人继续掠夺印第安人的土地和房屋时,索克和福克斯部族请求他带头进行抵抗。1832年

美国史密森学会供图

他率领被逐出家园的印第安人渡过密西西比河,回到伊利诺伊,打算一面进行耕作,一面抵御白人的进一步蚕食。虽然他们毫无敌意,但是州长J.雷诺兹却出动民兵,美国政府也调兵遣将。黑鹰所部乘民兵不备,予以重创。但后来印第安人弹尽粮绝,兵员大减,在撤退到威斯康星州的巴德阿克斯河畔时遭到大屠杀。黑鹰脱逃,但不久即被俘获。有自传《马-卡-泰-梅-谢-基亚-基亚克的生平》(1833)。

Black Hills 布莱克山 在美国南达科他州西部和怀俄明州东北部。大部处在布莱克山国家森林界内。山高约900米,最高处为哈尼峰(2 207米),为南达科他州最高点。该山原为西部苏族印第安人的狩猎场和神圣领地。1874年,美国远征军在此发现黄金。翌年成千上万白人淘金者和矿工涌入该地区,印第安人的反抗导致布莱克山战争(1876)。1877年美国政府迫使苏族人放弃该地,当时霍姆斯代克矿已成为美国的最大金矿。境内多国家纪念地和国家公园。

black hole 黑洞 引力极强的、理论上存在的宇宙体,任何东西、甚至光也不能从其中逃逸。黑洞能够在大质量恒星的死亡时形成。每当一个这样的恒星,在它的演化终端阶段已耗尽其内部的热核燃料之时,它变得不稳定并向内引力坍缩。死亡恒星的物质的重量从各个方向向内挤压,并压成一个体积为零、密度为无限大的称为奇点的一点。根据爱因斯坦广义相对论可计算出一个黑洞的结构细节。奇点是黑洞的中心,它被该天体的"表面"(即视界)所屏蔽。在视界以内,物质从其引力场中向外溢出所需的逃逸速度超过光速,所以任何光线也不可能逃离而进入空间。视界的半径称为史瓦西半径,它是因德国天文学家K.史瓦西于1916年预言存在发射不出辐射的坍缩恒星天体而得名的。史瓦西半径的大小和坍缩星的质量成正比。一个10倍于太阳质量的黑洞的半径应是30千米。只有质量超过3个太阳质量的大质量恒星在它们生命的末端才可能变成黑洞;质量较小的恒星则演变成压缩程度较小的白矮星或中子星。最有可能发现一个黑洞的天区似乎应在一个普通恒星附近,因为只能根据黑洞对邻近物质的引力效应,才能检测出它的存在。

如果一个黑洞是一个双星的成员天体,从其伴星中流向它的物质将被强烈地加热,并于进入黑洞的视界之前,辐射出大量的X射线,最后永远地消失不见。许多天文学家认为X射线双星天鹅座X-1的一个子星是黑洞。1971年在天鹅座发现的这个双星由一个蓝超巨星和一个看不见的伴星组成,二子星相互绕转的运动周期是5.6日。

有些黑洞被认为是非星起源的。理论上,当任何质量的物质被压缩到足够大的程度时,都可能形成黑洞。许多天文学家都推测,在类星体和有爆发活动的特殊星系的中心,大量的星际气体可以集聚并坍缩成超大质量黑洞。据估算,气体物质快速落入黑洞产生的能量,超过同等质量的物质在核聚变过程中释放的能量100倍。按照这一观点,几百万或几十亿个太阳质量的星际气体在引力作用下坍缩为一个巨型黑洞所产生的能量可以解释类星体和某些星系的巨大能量输出。20世纪80年代中期,已有越来越多的观

测证据支持银河系中心存在一个质量为400万个太阳质量的超大质量黑洞的说法。

英国天体物理学家S.霍京提出，还存在另一种类型的非星黑洞。根据霍京理论，在大爆炸期间，距今约200亿年前，当时的宇宙处在极高的温度和极大的密度状态，那时有可能产生为数众多的微型原生黑洞。这种所谓的微型黑洞和大质量黑洞不同，它们不断地损失质量直到消失。在一个微型黑洞的极近处，可以形成诸如质子和反质子这类的亚原子粒子。当一个质子和一个反质子从微型黑洞的引力中逃逸，它们将湮灭并产生能量，即从黑洞中带走能量。如果这一过程一再重复，微型黑洞则将耗损掉它的全部能量，也就是全部质量。这就是黑洞蒸发。

Black Hole of Calcutta　加尔各答黑洞 1756年6月20日一次偶然事件的发生场所。孟加拉的纳瓦布总督西拉吉-乌德-多拉攻占加尔各答，由东印度公司参事约翰·霍威尔率领驻军投降。据说把生存的守城官兵关在这里，之后有多人死亡。这里原是东印度公司对轻微犯罪者的拘留所，通称“黑洞”。它是一间长5.5米，宽4.5米的斗室，开有两扇小窗户。据霍威尔称，当时关押了146人，活着出来的仅23人。这一事件被用来作为英国人的英勇和纳瓦布的残忍的证据。1915年J.H.利特尔指出：霍威尔的话不可信，而且矛盾百出；纳瓦布的责任只是一时疏忽而已。因此，关于这次事件的详细情况成为一个疑团。根据1959年布里詹·古普塔的研究，这一事件确曾发生，但进入“黑洞”的约有64人，活着出来的为21人。

black humour　黑色幽默　又名黑色喜剧。这类作品把病态或恐怖的成分糅入到喜剧之中。1940年法国超现实主义作家勃勒东的《黑色幽默选集》一书问世，此书虽经常增订、重版，但此术语直到20世纪60年代才开始风行。尔后指小说家如N.韦斯特、V.纳巴科夫及J.海勒等人的作品。海勒的《第22条军规》(1961)是小说代表作：它描写空军上尉约萨索林在第二次世界大战期间与地中海空战中的种种恐怖作斗争，作者用可笑的不合理事件来讽刺军事制度的死板。电影剧本代表作是S.库勃里克的《斯特兰奇洛夫博士》(1963)，描写穷兵黩武最终导致世界性核战争的错误。善于辛辣讽刺的夜总会喜剧演员布鲁斯的表演也属此类。在戏剧方面，黑色幽默这一术语用来指荒诞派（参阅 **Absurd, Theatre of the**）剧作家特别是尤内斯库的戏剧作品，其中《上课》(1951年上演)和《椅子》(1952年上演)便是代表作。

Black Hundreds　黑帮分子　俄国1905年革命期间和以后成立的反革命和反犹太组织的成员。这类组织中最主要的有俄罗斯人民同盟，米哈依尔·阿尔汉格尔同盟和贵族联合会等。黑帮分子主要由地主、富农、官僚、商人、警官和教士组成，拥护正教、专制和俄罗斯民族主义的原则。在1906～1914年间特别活跃，他们袭击各种革命组织，并屠杀犹太人。

black knot　黑瘤病　由李属黑瘤病真菌(*Dibotryon morbosum*)引致的北美野生及栽培李、樱桃及杏的病害，受侵染小枝、枝及果实呈浅褐色肿大，于春末转为橄榄绿色，且具茸毛。秋季，硬而粗糙的炭黑色瘤环剥树皮而使受侵部死亡。较老的瘤常被昆虫穿孔，阻碍果树的发育并致死亡。黑瘤病的防治方法是于冬季修剪患部(剪去大枝上的瘤并治疗伤处)，毁灭附近可被侵袭的野生李及樱桃，用杀菌剂喷雾萌发的芽苞。日本的李属果树对黑瘤病不如大部分美洲及欧洲品种敏感。

black lead　黑铅　*石墨*(**graphite**)的旧称，石墨中并不含铅，故为误称。

black letter　黑体字　也叫哥特体字或古英语字体。从9世纪初在查理曼领导下的文艺改革运动衰落，到文艺复兴时期人文主义的复活，黑体字在整个拉丁语基督教世界中作

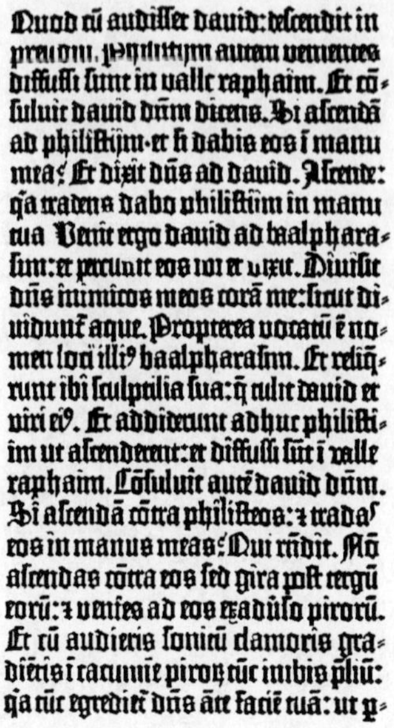
Quod cũ audisset dauid: descendit in
presidiũ. Philistiim autem venientes
diffusi sunt in valle raphaim. Et cõ-
suluit dauid dñm dicens. Si ascendã
ad philistiim· et si dabis eos ĩ manu
mea? Et dixit dñs ad dauid. Ascende:
q̃a tradens dabo philistiim in manu
tua. Venit ergo dauid ad baalphara-
sim: et percussit eos ibi et dixit. Diuisit
dñs inimicos meos corã me: sicut di-
uiduntur aque. Propterea vocatũ ẽ no-
men loci illi⁹ baalpharasim. Et reliq̃-
runt ibi sculptilia sua: q̄ iussit dauid et
uiri ei⁹. Et addiderunt adhuc philisti-
im ut ascenderent: et diffusi sũt ĩ valle
raphaim. Cõsuluit autẽ dauid dñm.
Si ascendã cõtra philisteos: ⁊ tradas
eos in manus meas? Qui rñdit. Nõ
ascendas cõtra eos sed gira post tergũ
eorũ: ⁊ venies ad eos e regione pirorũ.
Et cũ audieris sonitũ clamoris gra-
dientis ĩ cacumĩe piroꝝ tũc inibis pliũ:
q̃a tũc egredietur dñs ãte faciẽ tuã: ut p-

1456年美因茨出版的42行《圣经》中所用的黑体字样
美国不列颠百科全书公司供图

为手写体使用了大约500年。黑体字的特征是：垂直笔划整齐，下有基线，不用平滑曲线或圆周，笔划呈角状线条，突出地方往往重叠，颇有连绵之致。发明活字印刷后，在当时书写体基础上创造了黑体字，黑体活字和罗马体字是中世纪活字印刷工艺中两种主要字形。黑体活字印刷的现存唯一著作为古登堡印制的42行《圣经》。后来人文主义者认为罗马体更为适用，于是在全欧范围内罗马体代替了黑体字，黑体字只在德国继续使用，1940年希特勒下令废除。黑体字一直沿用到20世纪，如：证书奖状上的古英语字体，圣诞贺卡，以及某些宗教仪式的作品中。

几种中古黑体字由其法语或拉丁语名字可以认出，如：正体字母角楞最为明显，笔画较重，对照鲜明；圆体字母字形较丰满，广泛通行于南欧。法兰西体字母是一种书写连笔的草写黑体字，中世纪时流行于法国境内。文艺复兴时期，法兰西体字母成为印刷字型，由巴黎艺术家R.格朗容雕出。后来这一字体用于伊拉斯谟所著《少年礼仪》一书之印刷，流传甚广，又称为“礼仪”体字母。17世纪时，公文体字母成为官方批准的字体，因为它源于早期法国通行的法兰西体字母并有所发展而成。路易十四时期，公文体字母为王室所采用，字体更为典雅，并附以巴罗克风格的收笔及花饰，令人有眼花缭乱之感。

近体字母是意大利中古时期通用的黑体字。古体字母则是文艺复兴时期由人文主义者所创新的意大利字体。商贸体是另一种意大利黑体字，用于16世纪意大利各商业中心，属于中古晚期字体。公文草体字母又称简体字母，是15世纪由古草体发展而来，为罗马教廷文献秘书部门所采用。16世纪时，这种简体字母广泛流行，成为基督教世界新学的传播工具。公文正体字母由公文草体字母演变而成，是一种惯用字体，书写时前后紧密相连而不留字母间空隙。斜体字母是一种由16世纪一批书法大师们发展出来的草体，风格豪放，有笔走龙蛇之势。

最称正宗的黑体字是德国的大写正体字母，角楞分明，笔致浓重，典型例了可见于早期印刷品中，其中有1454年在德国美因茨印制的赎罪券。这种字体几乎以其全面发展的形式而为印刷业所采用，其后演变不大。另一种印刷字型是德意志斜体字母，角楞不太显著，笔划不甚厚重，圆润而有信笔直书之感；这一字体演进迟缓，一度曾是主要的半斜体草书黑体字。某些书家认为，一种更随意书写的草体德意志斜体字母是第三种形式。

15世纪中期，一些以L.瓦拉为首的“现代派”人文学家把黑体字叫做哥特字体。他们认为黑体字与中世纪相关，而中世纪又是一个漫长的离经叛道的年代，曾把他们所处时期与古典时期的传统隔开，因之予以贬斥。对黑体字的贬抑始于彼特拉克，而表现于书法字体取舍上的，则是15世纪初的C.萨卢塔蒂、波焦·布拉乔利尼及N.尼科利等人。

black lignite　黑褐煤　参阅 **subbituminous coal** *亚烟煤*。

black lung　黑肺　参阅 **anthracosis** *炭肺*。

black market　黑市　违反诸如配给法、禁止特定物品交易法、各种通货间的官定汇率等公共法规的交易活动。黑市活动还有：索取高于法定价格的价格；窃取或伪造定量配给票证；为取得一定量的货物，除按官价付款外还另付附加费用。自由外汇短缺，外汇管制严厉的国家多盛行外汇黑市活动。

black mass　黑弥撒　原是对天主教会中由司铎着黑色礼服主持的追思弥撒的俗称，现多指撒旦崇拜活动中模仿正式弥撒而举行的渎神海淫闹剧。届时命一女子裸背充作祭台，如把经过司铎正式祝圣的圣饼、圣酒置于其上则更为滑稽。黑弥撒中往往使用撒旦崇拜活动所用的其他物品，如春药、堕胎药等。法国作家于斯曼的小说《在那边》(1891)描写了19世纪末法国境内的一次黑弥撒。参阅 **Satanism**。

black mica (silicate mineral)　参阅 **biotite** *黑云母*。

black mold (plant disease) **黑霉** 参阅 **sooty mold** 煤污病斑。

black moss (plant) **黑藓** 参阅 **Spanish moss** 西班牙藓。

Black Mountain poet **黑山派诗人** 构成20世纪50年代美国诗坛先锋的一个松散的诗人团体的成员。他们在《黑山评论》(1954～1957)中发表有所创新而又工整严谨的诗作,使它成为实验诗的主要论坛。成员主要是R.克里利、R.邓肯和C.奥尔逊,这些人当时都在北卡罗来纳州黑山学院任教。该派诗人摒弃T.S.艾略特所崇奉的诗风,推崇W.C.威廉斯更自由的风格。奥尔逊1950年发表的"放射体诗歌"一文,成为该派宣言。奥尔逊强调创作的过程,在这种过程中诗人的活力通过诗传递给读者。黑山派新诗的特征是坚持使用美国口语化语言。该派早期的许多作品发表在《源泉》(1951～1956)杂志。

Black Mountains **布莱克山脉** 美国北卡罗来纳州西部扬西县和班库姆县山脉。自蓝岭山脉向北延伸,是阿巴拉契亚山脉的一部分。包括密西西比河以东最高点米切尔山(2 037米)。因未遭受冰蚀,所以除去悬崖、峭壁以外,土层覆盖至山顶,山坡林木茂密。属皮斯加国家森林。

Black Muslim movement **黑人穆斯林运动** 参阅 **Islam, Nation of** 伊斯兰民族组织。

black nationalism **黑人国家主义** 20世纪60年代和70年代初,在美国某些黑人中间兴起的一种政治和社会运动。这一运动可追溯到20世纪20年代M.贾维建立的全球黑人促进协会。它主张争取得到经济权力,并要在黑人当中传播社会意识和集体感情。许多黑人国家主义者认为最终应由美国黑人创立一个单独的黑人国家。他们还提出"黑人权力"和"黑人美丽"的口号,力图使美国黑人产生一种自豪感。

black oak (*Quercus velutina*) **黑栎** 北美洲的材用树种,属山毛榉科栎属的红栎组。分布于整个美国东部。高约25米,在肥沃土壤上能高到45米。多见于阳坡和山脊,不耐荫蔽。外树皮黑色,不规则地破裂而呈突脊状;内树皮橙黄色,可提丹宁和黄色染料栎皮粉。叶芽锐尖,黄灰色,被覆绒毛。叶常7裂,上面光滑,深绿色,下面颜色较暗,有时具微毛,秋天变为橙红或褐色。加利福尼亚黑栎(凯洛格氏栎,*Q. kelloggii*)是产于北美西部的落叶树,偶高30米。在海拔2 440米高处长成小灌木,茎干常弯曲。

Black Obelisk **黑方尖碑** 亚述国王撒缦以色三世(公元前858～前824年在位)的纪念碑。它是迄今发现的最完整的亚述方尖碑,高1.83米,饰有楔形文字的铭文和浮雕,记载其文治武功,包括以色列国王耶户(公元前842～前815年在位)称臣纳贡情景。方尖碑以黑色玄武岩制成,1845年由英国考古学家A.

公元前9世纪的黑方尖碑
美国不列颠百科全书公司供图

H.莱亚德在伊拉克的摩苏尔南方古代卡拉(今尼姆鲁德)发现。现藏于不列颠博物馆。

Black Panther Party **黑豹党** 1966年由休伊·牛顿和博比·西尔在加利福尼亚的奥克兰创建的美国黑人革命党。该党最初的宗旨是在黑人居住区进行巡逻,以保护居民免受警察野蛮行为的伤害。黑豹党人最后发展成为马克思主义的革命组织,要求武装所有黑人,免除黑人兵役和所谓"白人美国"施加的一切制裁,释放所有被关押的黑人,以及对黑人几个世纪以来所受到的美国白人的剥削支付赔偿。60年代末该党鼎盛时期,党员超过2 000人,在全国几个主要城市里建立了支部。60年代末和70年代初,黑豹党人与警察之间的冲突导致双方在加利福尼亚、纽约和芝加哥发生枪斗,在其中的一次交火中,牛顿因杀害一名巡警被投入监狱。70年代中期,黑豹党失去了大批党员,并失去了许多美国黑人领袖的支持,他们反对该党所采用的方法,该党遂从暴力行动转而集中致力于常规政治活动,并为黑人居住区提供社会服务。

black pepper (*Piper nigrum*) **黑胡椒** 又作pepper。又称胡椒。胡椒科多年生攀缘藤本,原产于印度马拉巴尔海岸。其果味辛辣,是人们最早使用的香料之一,可能是现在使用最为广泛的香料。医药上也小量用作驱风药和用于刺激胃分泌。胡椒在东南亚热带地区有悠久而广泛的栽培史,早就被视为优良的调味品。是印度和欧洲之间的重要贸易商品,又是交换的媒介。在古希腊和罗马还征集胡椒作为贡品。在中世纪,威尼斯人和热那亚人垄断了胡椒贸易,从而促使人们寻找到远东的航路。胡椒广泛栽培于东印度群岛,并引入非洲和西半球热带地区。植株为木质茎,借助气根可攀缘高达10米。叶互生,亮绿色,宽阔。花小而色淡,密生于细长的穗状花序上,每花序约有50朵花。浆果状果实近球形,直径约5毫米,成熟时黄红色,含1粒种子,芳香,味辛辣。胡椒生长要求较长的雨季,适当的高温,以及部分荫蔽。通常用枝插栽培,栽于树木或杆柱旁以得支持。也间种于茶园或咖啡园里。2～5年后开始结实,若条件良好,可连续收获40年。浆果转红时采摘,浸入沸水里约10分钟,1小时后

黑胡椒(*Piper nigrum*)
美国不列颠百科全书公司供图

变成暗褐或黑色。然后摊在席上或地上晾晒3～4天。晒干后经搓磨便得黑胡椒。再除去外皮,则是白胡椒。有的地区制备白胡椒的方法是将潮湿的浆果堆放2～3天;或者装袋沉入流水约7～15天,使外皮变软,再冲洗、磨擦或踩踏除去软皮,摊开晒干,也可用机械磨去外皮而制备完整的白胡椒。白胡椒的辣味稍逊于黑胡椒。胡椒含精油1%～3%,精油使胡椒芳香,辣味主要由含油树脂产生,成分有:胡椒碱、佳味碱、哌啶和胡椒亭等。还有许多其他科属的植物也有称为胡椒的,如:软毛肖乳香(*Schinus molle*)又称加利福尼亚胡椒树,乔木状蛇葡萄(*Ampelopsis arborea*)又称胡椒藤,桤叶山柳(*Clethra alnifolia*)又称甜胡椒灌木等,但都只作为观赏植物进行栽培而不作为香料以为食用或医药之用。参阅 **pepper**。

black pottery **黑陶** 中国原始社会晚期的黑色陶器。纹饰较少,只饰以弦纹、划纹或镂

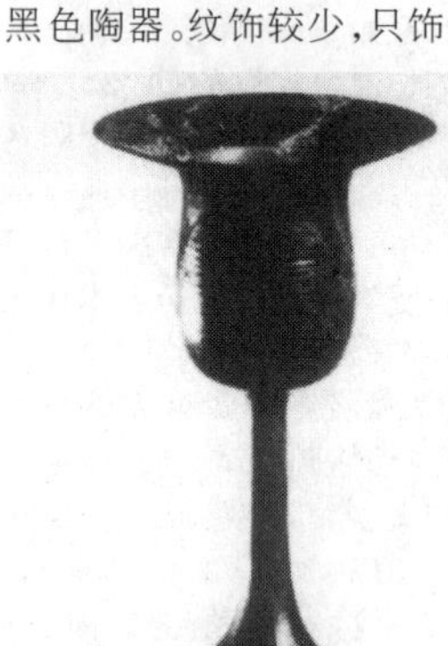

细柄高足镂孔黑陶杯(龙山文化),
山东日照出土
美国不列颠百科全书公司供图

黑陶杯
中国大百科全书出版社供图

孔。黑陶分两类。一类如“河姆渡文化”(约公元前4360)中常见的“夹炭黑陶”,是在黏土中掺入大量植物茎叶、谷壳等有机物质,在烧成过程中产生炭素黑色,故里外皆黑。由于烧制温度低(850～900 °C),胎质疏松,器壁粗厚,造型多不规整。另一类如“大汶口文化”(约公元前1705～前1530)和“龙山文化”(约公元前1708～前1530)中著名的细泥“黑陶”。用黏土含铁量在5%～6%以上,烧成温度达到1 000 °C左右。经烟熏、氧化而成黑色,胎体断面则呈灰、红色。表里不一,故又称“黑皮陶”。表面经打磨后乌黑光亮。因是“轮制”,造型规整。常见器形有杯、壶、豆等。其中“蛋壳黑陶”器壁厚仅0.5～1.5毫米,胎质十分轻巧,细致光亮而坚固,有的出土时仍完美如新。

black powder 黑色火药 最早发明用于枪炮和爆破的爆炸性混合物(参阅 **gunpowder**)。

Black Prince, The 黑太子 参阅 **Edward the Black Prince** 爱德华(黑太子)。

Black Prince's ruby 黑太子红宝石 英国国王王冠前部镶嵌着的呈马耳他十字的红色大宝石。它不是红宝石,而是世界上最大的具有宝石特征的红色尖晶石,琢磨后长5厘米,并被穿孔嵌入小红宝石。这块宝石是1367年在纳赫拉战役胜利时卡斯蒂利亚国王(残暴的)佩德罗赠予爱德华(黑太子)的。1415年阿金库尔特战役中亨利五世佩戴这块宝石时,宝石险些遭到毁坏。

Black River 黑水河 越南称沱江。红河主要支流之一。源出中国云南省,东南流入越南后,在河内西北35英里的越池附近与红河汇合。全程近500英里(800千米)。黑水河河宽水深,可通航至距河内45英里的则波,该处有急流不能通航。但在急流那一边又可通航,平底船和舢板可达莱州。

Black River 布莱克河 美国密苏里州东南部和阿肯色州河流,源出密苏里州雷诺兹县的欧扎克山。流向东南转西南,在阿肯色州的纽波特附近汇入怀特河。全长280英里(451千米)。下游15英里河段可航小船。主要支流为柯伦特河。布莱克河上有克利尔沃特水坝治洪工程(1948)。

Black Riveran Stage 布莱克河阶 北美奥陶纪(始于约5亿年前,延续约7000万年)的年代地层单元。早于特伦顿阶,而晚于尚普兰统的谢齐阶。因北美纽约布莱克河沿岸悬崖的露头命名。主要由海相灰岩组成,不过也有含笔石化石的页岩。布莱克河灰岩发现有几个火山灰夹层。

Black Rock Desert 布莱克罗克沙漠 美国内华达州西北部的火山岩床和盐碱滩干旱地区。位于洪堡县和珀欣县内,是盆地和山脉区的一部分。长70英里(110千米),宽20英里,面积约1 000平方英里(2 600平方千米)。古时为拉洪坦湖占据。现为奎恩河渗落区。有时大部为数英寸深的水覆盖,水分蒸发后形成表面一片盐碱的硬黏土层。

Black Rod 黑杖 全称黑杖侍从。1350年设立的英国上议院官职,由国王特许任命。因执行任务时执头上镶金狮的黑檀木杖,故名。他是国王在上院的侍从和卫士,最主要的职责是召集下议院议员到上议院去听国王训谕或由国王批准法案。在此场合,下院在黑杖到达前关门,他必须敲三下门才能进入。这一奇特仪式起源于1642年,当时查理一世企图逮捕约翰·汉普登、约翰·皮姆和另外3名下院议员,引起下院的愤怒。

black sand 黑砂 稳定重矿物(比重大于石英)碎屑的堆积体,一般为黑色。形成于河水和波浪的能量足以把比重小的矿物带走而留下重矿物的河床或海滩上。因此,抗风化和抗磨蚀的重矿物富集在这些地区,不过在内陆岩石中它们只是少量成分。这些沉积物的砂矿可以开采的有磁铁矿、锡石和锆石,还有金、铂和其他稀有金属。

罗马尼亚黑海海滨的旅馆
中国大百科全书出版社供图

Black Sea 黑海 俄语和保加利亚语作 Chernoye More,乌克兰语作 Chorne More,土耳其语作 Karadeniz,罗马尼亚语作 Marea Neagră。欧洲东南端大内陆海,北岸为乌克兰,东北岸为俄罗斯,格鲁吉亚在其东岸,土耳其在南岸,保加利亚、罗马尼亚和摩尔多瓦在其西岸。黑海经由其西南角的博斯普鲁斯海峡、马尔马拉海、达达尼尔海峡、爱琴海以及地中海与遥远的大西洋海域相通。克里米亚半岛从北面伸入黑海,东端狭窄的刻赤海峡通往面积较小的亚速海。黑海海面约461 000平方千米,最深处深于2 210米。黑海海岸很少低地,大部分低地都在北岸。注入黑海的大河流有多瑙河、第聂伯河、德涅斯特河和顿河。黑海是古地中海的残留海盆。目前的形状可能出现于5 800万年前。当时在古安纳托利亚的地壳上升,使里海盆地与地中海分裂开;新形成的黑海盆地逐渐与大洋分隔,其含盐量下降,又缓慢地和里海地区相分离。黑海海水含盐量几乎只有世界各大洋海水含盐量的一半。黑海海水有一个不同寻常的特点:只在海水的上层分解出氧,因此也只有在这些水层中有大量海洋生物存活。在海中央70～100米之下和海边附近100～150米的深度之下海水无氧,因被溶解于水中的高浓度硫化氢所污染,成为完全的“死”区,只有特别能适应的细菌能够生存。除上述反常现象之外,黑海上层的水面产大量鲟鱼、鲭鱼和鳀鱼。到20世纪后期,由多瑙河、第聂伯河和其他注入黑海的河水中带来的工业和城市废物,使海水的污染层增加,海中的鱼类减少。黑海是联系乌克兰、保加利亚、罗马尼亚、俄罗斯西南部与世界市场的航运要道。黑海北部沿岸,尤其是克里米亚半岛,是东欧人的度假、疗养胜地。

black shale 黑色页岩 又称碳质页岩,是页岩的变种,含有大量的有机物、黄铁矿,有时还含有碳酸盐结核或夹层,而有些产地还富集有铜、镍、铀和钒。化石少见,它或被黄铁矿取代,或是成为石墨薄膜保存下来。黑色页岩在许多地区的不同深度呈薄层出现。是在缺氧的条件下沉积的,但是其确切的生成方式还有争论。有些地质学家认为黑色页岩生成的条件是深处较轻较淡的稳定水层覆盖在盐度较高的停滞水层上,使它与大气隔绝。另外一些地质学家则认为这种停滞的条件是在浅海或潟湖中产生的。黑色页岩在地质历史和经济两方面都具有意义。已知最古老的页岩是南非32亿年前的无花果树统的含碳变种。格林河页岩建造(科罗拉多州、犹他州和怀俄明州的油页岩建造)是一个潜在的有价值的石油来源。在德国东部和波兰的含铜页岩（沥青质页岩）中，正在开采铜、铅和锌。

black shark 黑鲨 两种亚洲产河鱼的俗称。参阅 **labeo**。

Black Sheep (Turkmen tribal federation) 参阅 **Kara Koyunlu** 黑羊王朝。

black snake 黑蛇 几种全身黑色或接近黑色的蛇的统称。澳大利亚湿地的澳大利亚黑蛇（紫伊澳蛇，*Pseudeschis porphyriacus*）属眼镜蛇科。头小，体蓝黑色，腹部红色，平均体长1.5米。被激怒时扩张颈部（眼镜蛇的示威方式）。其毒液多引起出血，对神经毒害不大，很少致命。斑点黑蛇（*P. guttatus*）产于澳大利亚内地东部地区。背上有浅色斑点，腹部蓝灰色。内地蛇（南方伊澳蛇 *P. australis*）广布澳大利亚北部和南方内地的干旱地区，个别蛇体长可达2.4米，背部呈红褐色，腹部粉红色。北美洲称为黑蛇的有黑脊游蛇（*Coluber constrictor*）和黑锦蛇（*Elaphe obsoleta*）。参阅 **racer; rat snake**。

Black Sox Scandal 黑短袜丑闻 1919年在世界棒球系列赛上出现的一桩美国棒球丑闻。丑闻的中心内容是8名芝加哥白袜队队员受贿输给了辛辛那提印第安人队。受指控的运动员是投手E.西科特与“左撇子”C.威廉姆斯、一垒手“小孩儿”C.甘迪尔、游击手“瑞典人”C.里斯伯格、三垒手“花花公子”G.韦弗、外场手“赤脚乔”J.杰克逊和“快乐”O.费尔施以及关键时刻上场的替补击球员F.麦克马林。法庭记录表明，那8名运动员接受了7～10万美元以3:5的比分输了那场比赛。世界系列赛结束后，立即传出赛中有欺诈的猜疑，主要是从H.富勒顿等体育运动专栏作家那里传出的，但是对于这些说法的争议到1920年赛季开始时便平息下来了。那一年的9月，大陪审团召开会议，对于有关赌棍插手棒球运动的各种传说进行了调查。1920年9月28日，当西科特、威廉姆斯、杰克逊和费尔施对大陪审团承认他们故意输掉1919年世界系列赛以便接受贿赂以后，白袜队老板C.科米斯基便下令7名队员停止参加比赛（甘迪尔由于薪水纠纷已经停赛）。1921年夏被指控的运动员出庭受审。但由于证据不足而于8月3日被宣判无罪，这主要是因为那些关键的证据，包括运动员原来交待的材料，都已从大陪审团的档案中消失了（很可能是被窃）。8月4日，新任棒球行政长官K.M.兰迪斯下令终生禁止那8名球员参加比赛。尽管在听证会上有人提到臭名远扬的纽约诈骗者A.罗思坦可能是这件贿赂案的主谋，但是没有几个被指控为赌棍的人出庭作证，而且谁也没有在白袜队贿赂案中接受过审判。

black spot 黑斑病 又作blackspot。一种常见的植物病害，由星盾炱属（*Asterina*）、小星盾炱属（*Asterinella*）、星壳孢属（*Asteroma*）、小丛壳属（*Glomerella*）、日规壳属（*Gnomonia*）、裂盾菌属（*Microthyriella*）、扁壳霉属（*Placosphaeria*）及疵霉属（*Stigmea*）等许多种真菌所引致。侵染发生在潮湿季节，出现圆形或不规则形黑色叶斑，有时发生在叶柄、茎和花部。黑斑病一词常指蔷薇双壳菌（*Diplocarpon*

玫瑰叶上的黑色叶斑
美国不列颠百科全书公司供图

rosae）引致的蔷薇黑斑病而言，是干旱地区外全世界广泛分布的严重病害。在蔷薇叶上出现圆斑，直径1厘米以上，具蓬边。黑斑病染病植株的叶变黄色，早落叶。受侵株在生长季中可落叶两次，严重衰弱，花少而差，易罹溃疡病，易因冬害而死亡。分生孢子盘中形成无数孢子，借溅起的雨滴、露、从株顶浇的水及园丁在潮湿植株中进行的操作传播。孢子萌发并侵入蔷薇组织约需9～18小时或更长时间，新叶斑在3～16天后出现，孢子在10～18天后形成。这个循环于生长季中可重复发生。喷洒足量的药液或药粉可控制黑斑病。

black state 黑人邦 前称“班图家园”或“班图斯坦”。指以前白人统治的南非政府为境内黑人居民的民族家园指定的地区，共10个。是在种族隔离政策条件下企图将黑人完全排除于南非政治体系之外的一个主要行政措施。是根据种族和语言条件设置的黑人区，如，夸祖卢为祖鲁人家园，特兰斯凯和西斯凯是科萨人家园，等等。没有一个外国政府给予任何一个黑人邦以外交承认。1913和1936年制定的土地法，把一些零散的地区定为黑人保留区；后来，有些保留区扩展了，有些巩固了，有的移位了。1959年制订一项黑人自治方案，对指定地区（“家园”）内的某些种族予以承认。1970年一项《家园公民法》规定，住在南非全境的黑人只是为其种族划定的地区内的合法公民，从而剥夺了他们的南非国籍和已有的公民权和政治权利。南非政府进而宣布4个黑人邦“独立”：特兰斯凯（1976），博普塔茨瓦纳（1977），文达（1979）和西斯凯（1981）；另外6个黑人邦保持自治，但并不独立：加赞库卢，夸祖卢，莱博瓦，宽德贝莱，卡恩格瓦尼及夸夸。只有2个黑人邦（西斯凯和夸夸）的土地是完整的，其余各邦分别为2～30块分散的土地，其中有些相距甚远。黑人邦均有某些自治权，如在教育、保健、执法、道路等方面。邦的政府机关名义上对部分民选的立法会议负责，但在一些邦内通过内部政变建立了军人政权。黑人邦均为农业地区，工业不发达，过于依赖自给农业，并靠其公民在南非的城镇、矿山和农场做临时工，还严重依赖南非政府给予的财政援助。南非黑人只有约1/3住在上述6个自治的黑人邦中，1/4黑人住在上述4个名义上独立的黑人邦中：特兰斯凯（**Transkei**）、博普塔茨瓦纳（**Bophuthatswana**）、文达（**Venda**）和西斯凯（**Ciskei**）。20世纪80年代后期南非白人对种族隔离主义的支持开始发生动摇，白人政府放弃了让其余6个黑人邦独立的意图。后来，南非通过一部宪法，放弃了种族隔离主义，1994年10个黑人邦全部重新并入南非，居民获得完全的公民身份。黑人邦全部解散，融入重组的分省体系。

Black Stone of Mecca 黑石 伊斯兰教用语。指镶嵌在麦加天房克尔白（麦加大清真寺内的一座小殿）东墙里的黑色方石。它是穆斯林圣物，其历史可追溯到伊斯兰教兴起以前的阿拉伯宗教。今为三大块和若干小

麦加黑石
美国国会图书馆供图

块，周围环以银框和石环。据说此石是阿丹从天园坠落时蒙真主授予他的，原为白色，后经朝圣者亲吻抚摸，吸收他们的罪恶而变为黑色。

black-tailed deer 黑尾鹿 骡鹿（**mule deer**）的一个太平洋西北部亚种。

black theatre 黑人戏剧 美国戏剧运动，以黑人作家为黑人写作关于黑人生活的戏剧为其宗旨。但也有人认为黑人戏剧源出19世纪白人扮黑人的黑人歌曲演唱表演，这种表演最初全由白人编写歌曲，由白人扮演黑人并为白人观众演出。美国南北战争后，黑人也开始举行黑人歌曲演出。至20世纪初，已有黑人音乐剧的演出，这些音乐剧有许多是黑人所写，并由黑人主持演出，演员全系黑人。黑人戏剧是在20世纪20年代和30年代“哈勒姆文艺复兴”时期兴盛起来的。实验性剧团和黑人剧团在芝加哥、纽约市和华盛顿（哥伦比亚特区）纷纷出现，其中著名的有埃塞俄比亚艺术剧团，它培养了罗伯逊这位美国第一流的黑人演员。G.安得森的《外表》（1925）是第一部由黑人作家编剧、在百老汇得以上演的戏剧。但使黑人戏剧风靡百老汇的是休斯的《混血儿》（1935）。第二次世界大战后，黑人戏剧逐渐变得更进步、更激烈和更富有战斗性，反映了黑人革命的理想，试图创立不同于白人文化的神话和象征主义文学。

他们组织了黑人戏剧协会，以废除戏剧中带有种族偏见的旧风俗，并使黑人剧作家与美国戏剧艺术的主流结合起来。L.汉斯贝里《阳光下的葡萄干》(1959)和50年代其他成功的黑人剧本描写了黑人在这个对他们缺乏平等的社会里要维护人身尊严时所面临的困境。20世纪60年代，出现了新黑人戏剧，它比以前的黑人戏剧更愤怒、更富有反抗性，巴拉卡(原名琼斯)是其最有力的倡导者。他的获奖剧《荷兰人》(1964)以及其他作品都描写了白人对黑人的剥削。1965年他在哈勒姆区建立黑人艺术轮演剧目剧院，推动了布林斯和其他一些剧作家在美国戏剧中努力创立一种强有力的"黑人美学"。

black titi 参阅 **buckwheat tree** 荞麦树。

black varnish 黑漆 又称日本漆。用沥青(似石油沥青的烃类混合物)代替清漆中的天然树胶或树脂作硬化剂而得到的一类油漆的总称。广泛用作铁器如铁管、铁罐、火炉、屋顶、船舶附件等内部及外部的保护性涂层，这种保护层耐大气腐蚀。所用的沥青包括石油沥青、天然沥青(如硬沥青)以及由煤焦油而得的沥青。最廉价的黑漆是布仑司维克黑，是沥青溶于石油溶剂中而得的一种溶液。轿车制造者使用的黑漆，只使用最纯的沥青，并配合使用玷吧脂等硬质树胶。柏林黑是一种无光漆或半光面漆，由加入一定量的植物炭黑或其他炭黑制得。参阅 **japanning**。

Black Volta River 黑沃尔特河 布基纳法索(前上沃尔特)、加纳和科特迪瓦(象牙海岸)的河流，沃尔特河源头河。发源于布基纳法索西南博博迪乌拉索附近低矮丘陵(称巴乌莱河)，注入加纳的沃尔特湖。先向北流，然后转向东，流约320千米，再向南流550千米并形成加纳-布基纳法索和加纳-科特迪瓦边界。至加纳的班博伊转向北，继而又向东流约经130千米，最后注入沃尔特湖。全长约1 160千米。最干旱季节可断流。沿河主要城镇是加纳的劳拉。班博伊有一处渡口。

black walnut (*Juglans nigra*) **黑胡桃** 高大乔木，原产北美东部，木材有装潢价值。参阅 **walnut**。

Black War 黑色战争(1804～1830) 澳大利亚塔斯马尼亚岛上的土著居民与欧洲士兵和移民不断发生冲突的时期，结果导致该岛土著居民实际上灭绝。这个词有时只用于指冲突的最后一年。1804年5月，一群殖民军向打猎的土著居民开火，"战争"由此开始。由于欧洲移民强占岛上的猎场和大量捕猎袋鼠，使土著居民无法生存。后来，他们更变本加厉，对土著居民经常进行绑架、强奸和杀害。土著居民出于无奈，开始袭击单个的或小批的欧洲人。1830年秋，代理总督G.阿瑟决定把土著居民隔离在塔斯马尼亚岛的东南半岛上。数千名移民组成一道"黑线"，要把土著居民逐出丛林。但遭到失败。1831～1835年，人道主义者G.A.鲁宾逊劝说躲避起来的土著(约200人)定居巴斯海峡的弗林德斯岛。土著人数剧减，到19世纪下半叶实际上不复成为单独群体。

Black Warrior River 黑沃里尔河 在美国亚拉巴马州西部。由洛卡斯特河和马尔伯里河在伯明翰以西约30千米处汇合而成。向西南流，在迪莫波利斯附近注入汤比格比河，全长290千米。可通航，与汤比格比河形成莫比尔和伯明翰之间的内陆水道。在迪莫波利斯和塔斯卡卢萨之间有时称沃里尔河。

black widow 黑寡妇 蜘蛛目球腹蛛科(Theridiidae)寇蛛属(*Latrodectus*)动物，尤指毒蜘蛛(*L. mactans*)。其他分布于世界各地的种名称各异，如寡妇蛛(widow spiders)、黑寡妇蛛(black widow spiders)等等。已知约6种，均有毒，但其螯咬很少致人死命。几何寇蛛

毒蜘蛛(*Latrodectus mactans*)及其卵袋
美国不列颠百科全书公司供图

(*Latrodectus geometricus*)分布于非洲。库拉卡维寇蛛(*L. curacaviensis*)分布于南、北美洲。豪猪寇蛛(*L. hystrix*)、*L. dahli* 及苍白寇蛛(*L. pallidus*)分布于南欧、北非和西南亚。毒蜘蛛分布于全世界温暖地区。毒蜘蛛、库拉卡维寇蛛及几何寇蛛见于美国。在其分布范围的北部，毒蜘蛛常见于垃圾堆及住宅附近。库拉卡维寇蛛生活于原木、石头下面和林地、田野。在美国东南部，库拉卡维寇蛛生活于地面的乔木或灌木上；毒蜘蛛生活于地面。毒蜘蛛的雌体是北美最常见的寇蛛，黑色，有光泽，球形腹部的腹面有一个红色沙漏形的图纹，有时有两个小红斑而无沙漏形图纹。体长约2.5厘米。雄体的体形仅为雌体的1/4，因交配后雄体常为雌体所食，故很少见到。除沙漏形图纹外，雄体腹部的侧面另有4对浅红色条纹。黑寡妇的网大，中部漏斗形。雌蛛在夏季产几群卵，卵袋挂在网上，白或棕黄色，质地似纸，直径可达12毫米，含卵250～750个。14～30天孵出幼蛛，橙色或白色。雌蛛活1.5年以上。同大多数蜘蛛一样，黑寡妇以昆虫为食。在虫体咬一小洞以吸其体液。天敌有泥蜂、寄主虫和掠食动物。人被咬后剧痛、恶心及膈轻度麻痹，但多能恢复而无严重的并发症。

Blackbeard (pirate) **黑胡子** 参阅 **Teach, Edward** 蒂奇。

blackberry 黑莓 蔷薇科悬钩子属(*Rubus*)灌木，主要原产于新旧大陆北温带，北美东部和太平洋沿岸尤为丰富；在不列颠群岛和西欧为常见矮林和绿篱植物。茎直立、半直或攀缘，通常二年生，有刺，也有的栽培种无刺。叶为三出或掌状复叶，小叶宽，广椭圆形，有柄，叶缘粗齿裂，多数叶宿存越冬。花

黑莓(*Rubus*)
美国不列颠百科全书公司供图

序顶生，花白色、粉红色或红色。果为聚合果，黑色或红紫色小核果着生于多汁的花托上。悬钩子属一些蔓生的种类茎上无木质纤维，称为露莓。现在黑莓的杂交品种和变种(包括主要表现单方亲本性状的品种)有上万个，种植面积在美国达4 000公顷，英国有405公顷。黑莓果含有丰富的铁和维生素C，可鲜食，也可做蜜饯、果酱和果子冻，或做馅饼。

blackberry lily (*Belamcanda chinensis*) **射干** 又作leopard lily。一种常见的庭园花卉，属鸢尾科，原产于东亚，在北美一些地区归化。茎分枝，叶似禾草而宽。根茎粗大。种子

射干(*Belamcanda chinensis*)的花
美国不列颠百科全书公司供图

黑色，似黑莓。花被片6枚，花瓣状，红色，具橙色斑点。扇形射干(*B. flabellata*)是该属另一种东亚观赏植物，花淡黄色，花冠较短。

blackbird 乌鸫 新大陆雀形目拟黄鹂科鸟类以及旧大陆乌鸫(*Turdus merula*)的俗名。乌鸫体长25厘米。雄鸟黑色，雌鸟褐色，嘴和眼眶橙色。常见于欧亚大陆温带地区的树林和花园，在澳大利亚和新西兰已定居，其一般行为与美洲鸫相似。最著名的称为黑鹂的

拟黄鹂是红翅黑雀(红翅黑鹂,*Agelaius phoeniceus*),分布自加拿大到西印度群岛和中美洲。体长20厘米,雄鸟的黑色羽衣衬着红肩斑。北美全黑的拟黄鹂是锈色黑雀(卡罗来

雄性红翅黑雀(*Agelaius phoeniceus*)
美国不列颠百科全书公司供图

纳黑鹂,*Euphagus carolinus*)和布鲁尔氏黑雀(蓝头黑鹂,*E. cyanocephalus*)。红胸黑雀(*Leistes militaris*)常见于南美洲的大部分地区,是所谓军黑雀(又误称为椋鸟)或沼泽雀的一种。参阅 **meadowlark**;**grackle**。

blackbirding 绑架奴隶 19世纪~20世纪初,绑架南太平洋岛民到澳大利亚昆士兰以及斐济和萨摩亚群岛的棉花和甘蔗种植园中强制从事奴隶劳动的行为。被绑架的岛民通称卡纳卡人(参阅 **kanaka**)。这种绑架活动在1847～1904年特别盛行。到1868年昆士兰政府通过《波利尼西亚劳工法案》时才开始加以控制,但实际并未能执行。英国政府在19世纪70年代通过法令,特别是1872年的《太平洋岛民保护法案》,使英国臣民的绑架活动得以减少。但由于昆士兰严重缺乏劳力,绑架活动依然猖獗。1901年澳大利亚联邦制定法律,要求在1906年后放逐所有卡纳卡人。1904年绑架奴隶活动始告停止。

blackbody 黑体 在物理学中,能将射在其表面上的电磁辐射能量全部吸收的物体。这一名词源于入射的可见光完全被吸收而不反射,因此表面看起来是黑的。这个能量的完美吸收体的概念在研究辐射现象时极为有用。最实用的黑体是内层涂黑的盒子上的一个小孔,因为实际上进入小孔的辐射将在盒内被吸收,不能再度逸出。涂覆烟黑的表面能吸收约97%的入射光,在大多数情况下均可视为黑体。另一种极端情况是,抛光的金属表面只能吸收入射辐射的约6%,其余全被反射掉。

blackbuck(*Antilope cervicapra*) **印度羚** 偶蹄目牛科行动快速、目力锐利的羚羊,成群栖息在印度的草原。雄体肩高约80厘米。角长,环状,螺旋盘扭。皮毛褐色,随年龄加深至黑色,腹部、腿的内侧和眼的周围为纯白

印度羚(*Antilope cervicapra*)
美国不列颠百科全书公司供图

色。雌体通常无角,浅黄褐色,有白色的与雄体相同的花纹。

Blackburn, Gideon 布莱克本(1772-08-27,弗吉尼亚奥古斯塔县～1838-08-23,美国伊利诺伊卡林维尔附近) 美国基督教长老会牧师和教育家。1794年起在今田纳西州的军队中任牧师。在1800～1803年流行于美国东南部地区的第二次福音大觉醒运动中发挥积极作用。1804年为印第安人儿童开办学校,以后7年在易洛魁族切罗基人中间传教,办教育,推广农业新技术。1833年到伊利诺伊州,为杰克逊维尔伊利诺伊学院筹措基金,其后在卡林维尔附近购置土地,1857年在该处创办布莱克本神学院。后来该院停授神学,改名布莱克本学院。

Blackburn, Helen 布莱克本(1842-05-25,爱尔兰瓦伦西亚岛～1903-01-11,伦敦) 英国早期妇女解放运动的领导者。1874年担任全国妇女选举权协会(1867年成立)秘书。著有《女工状况与工厂法》(1896)、《妇女参政权:不列颠岛女权运动纪实》(1902)及《工厂法管理下的女工》(1903)等书。1881～1890年主编《英国妇女评论》。

Blackburn, Joseph 布莱克本(约1730,英格兰～1774以后,英格兰) 巡回肖像画家。原在百慕大工作(约1752～1753),后到新英格兰(约1753～1764),把洛可可肖像画的装饰性引进美洲殖民地,受到富裕的美洲殖民者欢迎。在《西奥多·阿特金逊》肖像中,表现了某种程度的个性;但大多数作品,特别是妇女肖像,只着重姿势和服装,从而损害个性的表达。大约在1764年返回英格兰。

Blackburn, Thomas 布莱克本(1916-02-10,英国坎伯兰亨辛哈姆～1977-08-13,威尔士) 英国诗人和批评家。早期作品显示出在一定程度上受到叶芝的影响,但他以后的诗在韵律上较为松散,并更加口语化。牧师之子,在达勒姆大学接受教育。在他的自传体小说《钢夹子》(1969)中,描写了他备受严父折磨的童年,20多岁时精神上的崩溃,以及他的成功的精神分析。布莱克本的第一部著名的诗集是《神圣的石头》(1954)。以后的诗集有《糊味》(1961)、《喘息的时间》(1964)和《诗选》(1976)等。他的散文作品有《罗伯特·布朗宁》(1967),评论选集《一只眼睛的代价》(1961),以及音乐剧《南欧紫荆》(1967)等。布莱克本是一位令人鼓舞的教师,先后在伦敦马里勒本中学、利兹大学、伦敦切尔西圣马可和圣约翰学院、伦敦怀特兰斯学院执教。

Blackburn and Darwen 布莱克本-达温 英格兰兰开夏地理、行政郡单一政区。东南距曼彻斯特37千米。面积137平方千米。当地传统纺织业始于13世纪的羊毛贸易。现纺织业仍重要,亦有电子、机械和酿酒等工业。刘易斯纺织博物馆记载着纺织业的发展。在工业革命后,达温发展迅速,有棉纺、采煤、造纸等工业。该市内一所16世纪建筑土尔东塔内辟有家具和武器博物馆。人口140 000(1998)。

blackcap(*Sylvia atricapilla*) **黑顶林莺**

雄性(下)与雌性(上)黑顶林莺(*Sylvia atricapilla*)
美国不列颠百科全书公司供图

布莱克本绘《温斯洛一家》(1755)
美国不列颠百科全书公司供图

雀形目莺科鸟类,欧洲、西北非到中亚的常见莺类。体长14厘米,上体淡褐色,下体和面部灰色,头顶黑色(雄鸟)或红褐色(雌鸟)。黑顶林莺常见于林区边缘和未修剪的树篱,鸣声圆润。

Blackett, Patrick M(aynard) S(tuart), Baron Blackett of Chelsea 布莱克特(1897-11-18,伦敦～1974-07-13,伦敦) 英国物理学家,因在宇宙辐射领域的发现获1948年诺贝尔物理学奖。发现主要是从云室照相取得的。云室照相揭示了稳定原子核受α粒子(氦核)的轰击而蜕变的方式。虽然过去已经观察到这样的核蜕变,但是他的数据第一次解释了这种现象,并对解释其他方法造成的蜕变也有用。1921年从剑桥大学毕业后,在卡文迪什实验室作了10年研究工作。在该室开始发展威尔孙云室这种探测电离粒子径迹的设备,使它成为研究宇宙辐射的自动仪器,因解释了从这种设备取得的数据,而获得诺贝尔奖。1933年任伦敦大学物理学教授,1937年任曼彻斯特大学兰沃西席位物理学教授。创立一个宇宙线研究学派,促进了其他研究部门的发展,在曼彻斯特大学设立第一个射电天文学讲座,并建造了焦德雷尔·班克射电天文学实验站。1953年,他就任伦敦帝国理工学院教授和物理学系主任,1965年任该院高级研究员。1969年布莱克特受封为终身贵族。

blackfish 黑鱼 多种黑色鱼类的统称,包括蚝隆头鱼(参阅 **wrasse**)、弓鳍鱼(**bowfin**)、阿拉斯加黑鱼(**Alaska blackfish**)和黑海鲈(参阅 **sea bass**)。英语中其他亦被称为黑鱼的动物有巨头鲸(**pilot whale**),是一种哺乳类;直齿鱼(*Orthodon microlepidotus*),是加利福尼亚的一种米诺鱼;黑长鲳(*Centrolophus niger*),是一种欧洲产深海追船鱼,还有若干澳大利亚食用鱼。

Blackfoot 黑脚人 由3个操阿尔冈昆语、彼此关系相近的印第安人组成的居民集团,居住在加拿大艾伯塔省和美国蒙大拿州,包括:皮库尼人,或皮埃甘人;凯纳人,或布卢德人;西克西恰人,或正统黑脚人(也常被称为北部黑脚人)。他们是阿尔冈昆人里从林地西迁大草原的第一批人,大概是徒步迁徙,用狗拖木橇运载财物。18世纪初期,徒步猎取水牛,住在落基山以东约400英里的萨斯喀彻温谷地。1750年前,便获得了马匹和火器。他们将一些弱小部落驱走,向西推进到落基山脉,向南则深入到现在的蒙大拿州。19世纪初势力达于鼎盛,疆土辽阔,由萨斯喀彻温北部至密苏里河最南部源头。黑脚人是西北平原上力量最强大、最富于侵略精神的一支武装。1806年后,他们认为白人是来抢占印第安人土地的,就阻止白人在密苏里河上游各支流盛产河狸的河边空旷地区设置陷阱来捕杀这类动物,同时也与邻近诸部落作战,俘获马匹及猎取敌人头皮。这一阶段足有1/4世纪之久。黑脚人每一部落都分为若干狩猎群组,由一名或多名首领领导。这些群组在可藏身的河谷,分散居住,度过冬天;夏天则聚集在一个大型宿营地点,举行太阳舞,太阳舞是主要的部落宗教仪式。许多个人都持有精致的药袋,相信药袋能使他们在战争或狩猎时得到胜利,有所收获,并能保护他们免于疾病和灾难。黑脚人最初于1855年与美国政府签订条约,此后30年间不愿弃猎就农。19世纪80年代初,野牛几乎绝迹,1/4的皮埃甘人死于饥饿。此后他们逐渐改业农、牧。20世纪末,有6 000多人(大多数为皮埃甘人后裔)居住在蒙大拿州黑脚印第安人保留地,其中纯血统者不足20%;另有2 600人居住在艾伯塔的黑脚人、布卢德人及皮埃甘人等保留地。

黑脚人
美国不列颠百科全书公司供图

Blackfoot 布莱克富特 美国爱达荷州东南部城市,宾厄姆县县城(1885)。靠近斯内克河和布莱克富特河汇合处。1878年建于犹他北方铁路线上,位于霍尔堡印第安人保留地(1869)北缘,发展成为农业灌溉区(主要种植马铃薯)中心。1949年城西北建立国家核反应堆试验站(现为爱达荷国家工程实验室)后进一步发展。人口10 419(2000)。

Blackfriars 布莱克弗赖尔 伦敦市内小区,位于泰晤士河畔,圣殿教堂以东,圣保罗大教堂西南。1221～1538年河边建有黑衣修士修道院。政府议会常借用其大厅召开会议。玫瑰战争爆发前的数年所谓的"黑暗议会"曾在此开会。16世纪修道院遭解散后,其原址改建为剧院。17世纪初此地成为时尚居住区。布莱克弗赖尔桥(1860～1869)取代了18世纪60年代的公路桥。布莱克弗赖尔有两座铁路桥,即1862～1864年修建的西桥和1884～1886年修建的东桥。1886年布莱克弗赖尔车站开通,当时名为圣保罗站,1937年改现名。该车站1977年重建,与萨瑟克的伦敦桥车站相连。

Blackfriars Theatre 黑衣修士剧院 两个不同的黑衣修士剧院中的任意一个。其名称均源于其所处位置,坐落在伦敦城内一个13世纪的黑衣修士隐修院之中。1608年之后,第二个黑衣修士剧院以国王供奉剧团的冬季之家闻名,莎士比亚曾是该剧团的主要剧作者和演员。莎士比亚晚期剧作曾在这里上演。1642年内战爆发,被清教派强迫关闭,1655年拆毁。现在在黑衣修士剧院的旧址建立了剧院区,以示纪念。

Blackheath 布莱克希思 大伦敦刘易斯哈姆和格林尼治两自治市间的开放公用地和住宅区。在伦敦中心东南10千米左右。是英国W.泰勒(1381年去世)领导的起义和J.凯德(1450年去世)领导的起义的聚众地,也以作为英格兰首次高尔夫球赛举行地而闻名。现在为娱乐公用地(108公顷)。

Blackjack 二十一点 最流行的作庄纸牌游戏。玩者力争取得21点的总牌点,或比发牌人更接近21点,但绝不能超过。一般使用52张一副的纸牌。由庄家宣布压赌注的极限。A计为1或11,由持牌者选定;K、Q、J每张计为10,其他牌按其牌点数计算。庄家负责洗牌,各家都有权切牌。发牌前,庄家翻第一张牌,将其牌面朝上放进全副牌底下。如果第一张牌为A,庄家应重新洗牌。发牌时庄家发给各家一张牌,牌面朝下,各家都盯住自己的牌押赌注。如果某家所得前两张牌点数的和为21(其中必须有A,另一张可为10或K、Q、J),则赢得两倍于他所下赌注的钱。如果庄家有21点,则从各家收取双倍于赌注的钱。若各家中也有21点的,则庄家只收此人所下的赌注。

Blackmore, Sir Richard 布莱克默(1654,英格兰威尔特郡科舍姆～1729,埃塞克斯博克斯特德) 英国作家、医生。因是英王威廉三世的御医而于1697年受封爵士,后又为女王安妮的御医。虽认为自己做诗仅为消遣,但写了4部史诗,篇幅达10卷以上:《亚瑟王子》(1695)、《亚瑟王》(1697)、《伊莱扎》(1705)和《艾尔弗雷德》(1723)。每首诗均有序,批评现代才智之士的荒淫与邪恶。曾引起亚历山大·蒲柏等人的反驳。

Blackmore, Richard Doddridge 布莱克默(1825-06-07,英国伯克郡朗沃思～1900-01-20,特丁顿) 英国维多利亚时代小说家。所著《洛纳·杜恩》(1869)一书为英国历史小说名著。一生共发表过14部长篇小说。布莱克默曾就读牛津大学埃克塞特学院。曾教授古典文学5年。后接受一笔遗产在特丁顿购置房产,定居下来开始写作。

Blackmun, Harry Andrew 布莱克门(1908-11-12,美国伊利诺伊纳什维尔～1999-03-04,弗吉尼亚阿灵顿) 美国最高法院大法官

(1970 ～ 1994)。1929 年毕业于哈佛大学数学系，1932 年获该校法学学位，1934 年加入明尼苏达州明尼阿波利斯一家法律事务所，并于圣保罗法学院任教(1935 ～ 1941)。1950 年起受托为该州罗切斯特梅奥诊所常驻法律顾问，直至 1959 年艾森豪威尔总统任命他为美国上诉法院法官之职为止。1970 年时，在先前两位候选人遭参议院以不合格为由否决后，尼克松总统提名布莱克门为美国最高法院大法官，获参议院一致通过，他于同年 6 月就职，并与其自幼之挚友首席大法官 W.E. 伯格共事。布莱克门常被认为是一位温和主义者，在若干问题上稍倾向于保守主义。1973 年在创先例的"罗诉韦德案"中，法院的多数意见判决书由他撰写。判决书中说，妇女自行决定是否终止不需要的妊娠的权利，受宪法关于隐私权的规定的保障，该判决确定妇女有人工流产的权利，而不应受到政府方面不应有的限制性干预。

blackpoll warbler 黑顶白颊林莺 一种森莺(**woodwarbler**)。

Blackpool 布莱克浦 英格兰兰开夏地理、历史郡的城镇和单一政区。濒临爱尔兰海。面积 35 平方千米，为国内最大和最闻名的游览地。18世纪末发展成为高级海水浴中心。

布莱克浦海滩处的仿埃菲尔铁塔式样的铁塔
美国不列颠百科全书公司供图

19 世纪因靠近本郡各工业城镇和引入快速铁路而迅速发展起来。1895 年按巴黎埃菲尔铁塔式样建造的布莱克浦塔(158米)引人瞩目。码头、高尔夫球场、游泳池、冰场、动物园、娱乐场每年吸引游人达数百万，许多人来自英格兰北部工业地区的工人家庭。该自治市也发展成了英国主要会议中心。人口约 150 500(1998)。

Blackrock 布莱克罗克 爱尔兰语作 Carraig Dubh，都柏林东南郊区和邓莱里市的一个行政区。临都柏林湾。18 世纪已成为时髦的海滨浴场，1834 年都柏林—金斯敦铁路通车更促进了它的发展。现为海滨胜地。名胜古迹有 18 世纪的马拉蒂莫和夫拉斯凯蒂的房屋。男生学校布莱克罗克学院建于 1860 年。人口：布莱克罗克选区 27 971 (1996)。

Blackshirt 黑衫党 泛指墨索里尼手下的任何意大利法西斯武装队伍。着黑色衬衫为制服。第一支组建于 1919 年 3 月的黑衫党称战斗队。它袭击和破坏社会党、共产党、共和党以及其他组织。1922 年 10 月 24 日法西斯党在那不勒斯召开大会，它集中全国各地的黑衫党武装，举行有名的向罗马进军，把墨索里尼捧上台。1923 年 2 月这支私人武装正式改组为国家民兵(保卫国家安全志愿法西斯民兵队)。1943 年墨索里尼倒台后，黑衫党人亦即销声匿迹。

Blackshirts(Nazi corps) **黑衫队** 参阅**SS 党卫军**。

blacksmith 铁匠 又称锻工或蹄铁匠，给马或其他有蹄类动物安装铁掌，并用热锻、冷锻和锻接等方法制造其他铁器的工匠。这种手艺随着农业和运输中马的使用越来越少而趋于消失。钉马掌的铁匠先用粗锉和刀将蹄底和蹄边清理整型，然后选择大小适当的 U 形铁掌，放在锻炉里烧红，锻修成适合马蹄的形状，浸入水中淬火冷却，再用钉子钉在蹄上。铁匠也修理农具和其他机具。

Blackstone, Sir William 布莱克斯通(1723-07-10，伦敦～1780-02-14，英国牛津郡沃灵福德) 著名的英国法学家，也是法官、议员和大学行政人员。早年在牛津彭布罗克学院接受经典文学、逻辑及数学等方面的训练，1741 年开始学习法律。1746 年从事律师事务，但不很成功。1750 年获得了民法学博士学位。1753 年辞去律师事务，集中力量于教学及牛津和附近地区的法律工作。1749 年起任沃灵福德的记录官，1751 年任大法官法庭的陪审推事(即法官)。他对英国的普通法极感兴趣，从 1753 年起开始讲授这一科目。这是大学中第一次对英国法的讲授。他的讲授目的在于：描述英国法一般的及全面的图景，追究其历史，强调并阐释其主要的规则及基本原则，把它们和自然法及其他国家的法律加以比较。1756年他发表了他的讲稿摘要《英

美国不列颠百科全书公司供图

国法律分析》。1758 年 10 月，他当选为第一位普通法教授。他的讲稿成了 1765 ～ 1769 年陆续分 4 卷出版的《英国法释义》的基础。在这时期中，有几年他把学术生涯与政治活动结合在一起，1761 年被选为代表威尔特郡欣顿区的国会议员，但他对此并不热衷。1761 年和萨拉结婚，同年 7 月被任命为牛津新律师学院院长，1763 年任皇家副总检察长。但不久他感到把伦敦的政治生涯和牛津的学术生涯结合在一起有不少困难，而在学术生涯中这时也不很顺利，1766 年辞去学院的讲座和院长的职务。他在下议院共当了 9 年的议员。先是代表欣顿(1761 ～ 1768)，后来代表韦斯特伯里地区(1768 ～ 1770)。他自称是一个温和派。他不是一个成功的政治家。1751 年及 1754 年，他在选举中支持托利党，但在议院中他仅对一些宪法及法律问题发言。他最典型的行动是在 1769 年支持把一位改革家约翰·威尔克斯赶出议院。1770 年他被任命为民事法院法官，并且被授予爵士称号，这是他功名的顶点。这时他最重要的贡献是参加起草了在 1779 年成为法律的英国劳役法。

他是一位好法官，同时是一位很好的法律阐释家。他的主要著作《英国法释义》是对 18 世纪中叶英国法律有系统的、明晰的和出色的阐述，在英、美都曾被采用作为大学法律教育的课本。

布莱克斯通不是一位科学的法学家。他只有最模糊的初步的法律概念。他显然把英国的法律看成是由一种至高无上的权力施加于其臣民的行动或行为准则。他提倡这样一种理论：国内法的效力来源于它符合所谓的自然法或上帝的法律。他说："人类的法律如果违反这一点就没有任何效力"。他对人的权利和物的权利的基本的区分意味着物和人一样具有权利，这就导致对罗马法的一些专门术语的误解。在区分对私人和对公众的错误行为(民事损害和犯罪)时，他未能理解这种区分的真正的原则。由于他倾向于用松散的、文学的词语代替精确的和严格定义的术语，他往往陷入不可调和的矛盾中。即使在讨论衡平法这样非常重要的题目时，他也几乎不能区分这个词的法律意义和一般意义，而且从衡平法法学在他的论著中所处的不重要的地位来看，他似乎没有认识到它在英国法中的真正的位置。他作为一位法学家的缺点在他对待法律的基本原则和根本区分的态度上比在他论述法律的实质性原则上表现得更为明显。

布莱克斯通并不把自己局限在法律注释者的工作上。特别是当他谈到社会的结构时，他的任务就是要为所有最具特色的英国制度找到历史的和理性的基础。在他的这部分工作中既没有什么哲理，也没有什么公正性。他一般把自己表现为一个对现存的政治和社会秩序的貌似有理的辩护者。

《英国法释义》这部著作的一些论点曾受到批评，特别关于不信国教这一点，因为他认为，在法律上说，不信国教是犯罪。批评他最厉害的人是边沁，认为他是反改革的。其实他是从事实或历史的观点来阐释法律；他在议会中曾提倡过重要的法律改革，并且也承认宪法是有缺点的。边沁的批评无非是迎合了 19 世纪初期英国要求改革的潮流。由于美国并无这种情况，所以他在美国没有受到同样的批评。

Blackstone River 布莱克斯通河 源出美国马萨诸塞州伍斯特县中南部。东南流，至

罗得岛州的波塔基特改称锡康克河(**Seekonk River**)。长80千米。为沿河高度工业化地区提供电力。

blackthorn(*Prunus spinosa*) **黑刺李** 又作sloe。蔷薇科具刺灌木,原产于欧洲,已引种于其他地区。植株通常低于3.6米。生长密集,宜栽作围篱。叶小,数多。花呈白色,花径约2厘米,先叶开放。果为蓝黑色,味酸,

黑刺李(*Prunus spinosa*)
美国不列颠百科全书公司供图

直径2厘米,常用做黑刺李酒。英语中blackthorn一词也常用来指梨山楂(被绒毛山楂,*Cratageus calopendron*)——蔷薇科的灌木或小乔木。

blacktip shark **黑尖鲨** 数种真鲨科鱼类的统称。参阅 **carcharhinid**。

Blackton, J(ames) Stuart **布莱克顿**(1875-01-05,英国约克郡设菲尔德～1941-08-13,好莱坞) 英国出生的美国导演兼制片人。引进动画片和采用其他重要电影技术,促进了电影艺术的形成和发展。他1895年访问T.A.爱迪生时,对电影产生了浓厚兴趣,第二年,便同E.史密斯成立了维太格拉夫公司。他们的第一部影片是《屋顶上的窃贼》(1897),随后所拍一系列影片都获得成功,使他成为百万富翁。1926年该公司出售给华纳兄弟影片公司。布莱克顿根据莎士比亚的戏剧改编的影片是美国在这方面的首次尝试。他的其他影片主要表现一些著名人物,如S.福尔摩斯、O.特威斯特、S.黎塞留、摩西以及扫罗和大卫等。

Blackwater **布莱克沃特** 澳大利亚昆士兰州中部城镇,位于坎普里科恩公路上,东距罗克汉普顿160千米。1844～1845年,探险家L.莱希哈特注意到该地区有煤;镇的范围在1886年就划定了,并因当地水坑的颜色暗黑而定了这个意为"黑水"的地名。但一直到1962年,居民人口始终在25名左右。同年发现了第一个可炼焦的煤层,于是犹他开发公司就在镇南约24千米处着手开采。该区域内也放养肉牛。人口5 931(1996)。

Blackwater, River **布莱克沃特河** 爱尔兰语作An Abhainn Mhór。爱尔兰河流。源出科克郡和凯里郡交界处高地。长167千米。在科克郡的约尔入海。大部分为东西流向,至卡波昆才折向南。在卡波昆以上,广阔河谷中分布着牧场、森林和田庄。卡波昆以下,河水流过一连串峡谷和洼地。以盛产鳟鱼和鲑

科克郡约尔附近的布莱克沃特河段
美国不列颠百科全书公司供图

鱼著称。

Blackwater, River **布莱克沃特河** 在北爱尔兰。源出弗马纳区与邓甘嫩区交界附近的高地地区,流向东北转东南,形成与爱尔兰共和国的界河,然后折向东北,穿莫伊卡利登低地和中央低地注入内伊湖,全长80千米。在内伊河以南洪水经常泛滥的地区,只有一些鼓丘是干地。

blackwater fever **黑尿热** 又称疟疾性血红蛋白尿症。疟疾最危险的合并症之一。恶性疟原虫感染者几乎无一例外地都合并此症,死亡率高。主要症状有速脉、高热、寒战、严重虚脱、急性溶血性贫血、黄疸,以及因此而出现的大量血红蛋白随尿排出,致使尿色黑红(此病因此而得名)。黑尿热并不多见,只在非洲和中、远东地区较为常见。疫区中未经免疫的客籍移民是黑尿热的高发人群,而当地土著人和至少得过4次疟疾的人很少患黑尿热。治疗措施为输血、绝对卧床。即便如此,本病死亡率仍为25%～50%。

Blackwell, Alice Stone **布莱克韦尔**(1857-09-14,美国新泽西奥兰治～1950-03-15,马萨诸塞剑桥) 女权倡导者、美国主要女权报纸编辑。她是H.布莱克韦尔和L.斯通的独生女,双亲均为废奴主义者和女权提倡者。1881年毕业于波士顿大学。1882～1917年任《妇女报》编辑。曾任全美妇女选举权协会书记,为时近20年。其著作包括《露西·斯通——女权运动之先锋》(1930),并有译自亚美尼亚语、俄语、依地语等10种语言的诗集传世。

Blackwell, Antoinette Brown **布莱克韦尔**(1825-05-20,美国纽约亨里埃塔～1921-11-05,新泽西伊丽莎白) 美国第一位受任为一个公认教派的牧师的妇女。曾在奥伯林学院攻读神学,与L.斯通共同组织了第一个女大学生辩论会。1853年受任为纽约州韦恩县公理会牧师,成为美国第一位女牧师,引起了全国性的论战。还以废奴、禁酒及女权等为题的演说而闻名。1856年与支持其活动的S.C.布莱克韦尔结婚。著述甚丰,曾为女权刊物《妇女杂志》撰稿;并就进化、男女平等主义及宗教等方面著书多种,包括《我们的社会制度之阴影》(1855)、《自然界的性别》(1875)及《宇宙之形成》(1914)等书。

Blackwell, Elizabeth **布莱克韦尔**(1821-02-03,英格兰格洛斯特郡布里斯托尔康特斯利普～1910-05-31,萨塞克斯黑斯廷斯) 英裔美国第一个现代医学的女医生,也是第一个在医学院获得医学博士学位的妇女。1832年随家移民纽约。1849年毕业于纽约杰尼瓦医学院(霍巴特学院的前身)。她所受的医学教育从阅读医书开始,后从私人学医,曾申请正式入学,但遭到纽约和宾夕法尼亚的医学院的拒绝,直到1847年,才被杰尼瓦医学院录取,虽然受到同学和社会的排斥,她还是以全班第一名的成绩于1849年毕业。在伦敦和欧洲学完研究生课程后,就在纽约行医。1857年力排众议,在纽约开办全部录用女职工的医院。后在该院举办为妇女开设全部医学课程的训练班。1869年移居英国,创办伦敦女子医学院。

Blackwell, Emily **布莱克韦尔**(1826-10-08,英国布里斯托尔～1910-09-07,美国缅因约克-克利夫斯) 英裔美国医生和教育家。她和姐姐伊丽莎白·布莱克韦尔一起,为美国的教育事业和争取对女性医务人员的认同做出了巨大贡献。出生在一个富裕而有教养的家庭,从小受过良好教育。1848年,开始学医。但几次都被医学院拒之门外,其中包括她姐姐所在的纽约日内瓦医学院。1852～1853年,进入芝加哥的拉什医学院,但学校迫于外界压力,还是将其除名。最后,她被美国俄亥俄州克利夫兰西方储备大学医学院录取,1854年3月毕业。后又在英国爱丁堡师从J.Y.辛普森爵士;在伦敦追随W.詹纳;后又去了法国巴黎、德国柏林和德累斯顿。1856年定居纽约,在姐姐开设的一家诊所里工作。这家诊所于次年扩建为纽约妇幼保健院。姐妹二人合作以后,艾米丽全面担负起医院的行政工作,主要是负责筹款。从此以后,这家妇幼保健院便开始稳步发展。1858年开设护士培训班和家庭病房服务等社会工作。1868年又开办了一家全日制女子医学院。1869年姐姐移居英国后,艾米丽便成为这家医院和医学院的独立法人。作为校长和妇产科教授,她终于在1893年将这所医学院发展成为四年制大学,并扩大了原有的课程设置。到

1899年,这所医学院已拥有364名女性毕业生。同年,将其学生悉数转让给男女同校的科内尔大学医学院,而自己则专心经营她的妇幼保健院直到去世。

Blackwell, John 布莱克韦尔(1797,威尔士弗林特郡莫尔德～1840-05-19,卡迪根郡卡迪根) 笔名阿伦。威尔士诗人,散文作家。被认为是现代威尔士世俗抒情诗之父。当鞋匠学徒时就开始参加凯尔特语学会会议,该学会是伦敦的威尔士侨民组织的团体,其宗旨是保存古代威尔士文学;他还参加一些赛诗会。1828年,毕业于牛津大学。同年,他悼念赫勃主教的挽歌在登比赛诗会上获奖。1833年任彭布罗克郡的校长,1834～1835年任一家威尔士杂志的编辑,1851年出版作品选集。

Blackwood, Algernon Henry 布莱克伍德(1869-03-14,英格兰肯特舒特斯希尔～1951-12-10,伦敦) 英国神怪故事作家。早年在加拿大从事农业,经营旅馆,在阿拉斯加开采

美国不列颠百科全书公司供图

金矿,在纽约当新闻记者。所著《30岁前生活片断》(1923)是对这些生活的回忆。1899年回国。7年后出版第一部短篇小说集《空房子》(1906),成为职业作家。此后出版的小说集有《沉默的约翰》(1908)和《神怪故事集》(1951)。晚年在英国的电台和电视台讲鬼怪故事,很受欢迎。

Blackwood, Frederick Temple Hamilton-Temple- 布莱克伍德 参阅 **Dufferin and Ava, Frederick Temple Hamilton-Temple-Blackwood, 1st marquess of** 达费林和阿瓦侯爵(第一)。

Blackwood, William 布莱克伍德(1776-11-20,爱丁堡～1834-09-16,爱丁堡) 英国威廉·布莱克伍德出版公司创办人。曾学习古书销售业,1804年在爱丁堡开店营业。一面作为伦敦出版商在苏格兰的代理商,一面自己出版书籍。1816年出版司各特著作《我的房东的故事》。1817年创办《爱丁堡月刊》,后改名《布莱克伍德爱丁堡杂志》。该刊早期撰稿人有司各特、霍格和德昆西等名作家。他

美国不列颠百科全书公司供图

的事业由子孙继承,1840年在伦敦设办事处,1847年在爱丁堡开办印刷所。19世纪中期后,刊物定期刊登G.艾略特、A.特罗洛普等名家之作,后又以书本形式发行他们的作品。

bladder 囊 动物体内容纳液体或气体的膜质袋状物。如胆囊(**gallbladder**)、鳔(**swim bladder**)与膀胱(**urinary bladder**)。

bladder cancer 膀胱癌 膀胱内生长恶性细胞的疾病,其中膀胱是排尿前贮存尿液的器官。也可能与肾、输尿管、尿道的癌症有关。真正病因还不清楚,但已知起于遗传和环境两方面因素。在美国,男性发生膀胱癌的几率是女性的3倍,而白人发病的机率是黑人的2倍。关于膀胱癌最重要的危险因素是抽烟。环境方面的危险因素是一类有机化学物品,称为芳基胺。在皮革、橡胶、印刷、纺织工业里工作或大量接触油漆的人们常接触这类化学物品。和许多癌症一样,年龄增长是一个危险因素,而大部分膀胱癌在60岁以后才诊断出来。慢性膀胱炎(如因膀胱一再受到感染而引起)是一个危险因素,与膀胱发育有关的遗传性罕见缺陷亦然。膀胱癌的症状几乎跟尿道感染等泌尿系统疾病相同,包括血尿、排尿困难、尿频,至于尿痛则比较少见。在疑似的癌症病例中,尿液取样或膀胱清洗的检查过程能让异常细胞现形,而膀胱可以使用细胞镜进行目视检查。细胞镜也用来取得膀胱或尿道的活组织样品,以进行实验分析。还可以使用所谓静脉内肾盂造影术的X射线方法。此外,实验测试能够检测出癌的特定化学标记。为了确定癌细胞转移的程度,可以使用几种影像方法,例如传统的X射线、计算机断层(CT)扫描、磁共振成像(MRI)。膀胱癌的治疗和大部分癌症一样,外科手术常是治疗的第一种方法。放射疗法通常用于外科手术之后。化学疗法也可以用来治疗膀胱癌。膀胱癌可用生物疗法(或称免疫疗法)加以治疗。膀胱癌无法完全预防,但不抽烟和尽量避免接触芳基胺,致病危险能够大大减低。

bladdernose seal 囊鼻海豹 参阅 **hooded seal** 兜帽海豹。

bladdernut 省沽油 省沽油科省沽油属(*Staphylea*)植物。灌木或乔木,有10～15个已知种,均产于北温带。最常见的几种高

一种省沽油属(*S. colchica*)植物
美国不列颠百科全书公司供图

3.5～4.5米,花白色、绿白色或粉红色,不显著,远不如枝叶美观。果为膨大膜质蒴果,膀胱状,通常三棱。

bladderwort 狸藻 玄参目狸藻科狸藻属(*Utricularia*)植物。约120种,广泛分布,陆生或水生。具有小囊,能捕获和消化微小的动物,如昆虫的幼虫、水蚤和水生蠕虫等。狸藻的茎通常水平附生或漂浮。单叶或裂叶。花两性,两侧对称(二唇形),5枚合生花瓣,萼片2枚;雄蕊2,子房上位,2心皮。种子多数。捕虫囊中空,有一入口,由柔韧的瓣膜遮盖。依靠某种生理机制使囊内的水排出,致使囊壁变扁或向内弯曲,但门仍然紧闭,因而囊内压强小于外界水压。当小动物接近或触及开口处的刚毛时,门便突然开启,小动物随急速的水流被吸入囊内,最终被消化。在约1/35秒内门即重新关闭,15～30分钟内囊内的水排出,囊又恢复原状。与狸藻近缘的捕虫堇属(*Pinquicula*)约35种,陆生,靠叶表的腺体粘捕昆虫,其特化的叶缘能将捕获物

狸藻(*Utricularia*)的花、叶(上)及捕虫囊(下)
美国不列颠百科全书公司供图

包卷起来,将其消化后方再展开。狸藻科植物除供观赏外,没有什么经济价值。狸藻科尚有 *Polypompholyx* 属(2种)及 *Genlisea* 属(15种)。

blady grass　参阅 cogon grass 白茅。

Blaenau Gwent　布莱奈格温特　威尔士东南部郡级自治市。地处南威尔士煤田东部边缘的深谷及高原高地。几乎完全位于蒙默思历史郡内。但东北部的布林莫尔属布雷克诺克历史郡。11～12世纪该地区受诺曼人的影响很大，许多城堡的特色同附近的威尔士边界地带的城堡相似。该市是传统的煤矿及钢铁产区，20世纪中叶曾出现过严重的经济衰退，因为资金和工业已转向南面的布里斯托尔湾沿海地区。市首府为埃布韦尔，18世纪已首先发展为采煤中心，后来转向钢铁。1935年风雨飘摇的钢铁业受到政府补贴，以便在经济衰退地区维持就业机会。然而1978年钢铁厂还是倒闭了。该区南部的阿伯蒂莱里城亦同样经历了煤矿业的兴衰，20世纪30年代以来它也得到了政府的经济援助。这一地区新引进的工业包括尼龙、纺织、电子设备、食品等制造业。布雷肯比肯斯国家公园为人们提供各种娱乐的机会。面积109平方千米。人口约72 000(1998)。

Blagoevgrad　布拉戈耶夫格勒　保加利亚西南部城镇。在斯特鲁马河谷地区。当地温矿泉处的古色雷斯聚落现仍为矿泉疗养地。该镇原名朱马亚、后称上朱马亚，1950年用保加利亚共产党创建者D.布拉戈耶夫名字命名。作为保加利亚马其顿地区主要中心，主要经营东方烟草贸易。有木材、罐头、纺织和手工艺工业。人口约71 361(2001)。

Blagoveshchensk　布拉戈维申斯克　又译海兰泡。俄罗斯远东阿穆尔州的城市及首府。在阿穆尔河与结雅河汇流处。建于1856年。是俄罗斯远东地区的中心。水陆交通便利。有食品加工，木材加工，采金机械、电器设备和毛料织物制造，以及内河船舶修造业。人口约220 900(1999)。

Blaine, James G(illespie)　布莱恩(1830-01-31，美国宾夕法尼亚西布朗斯维尔～1893-01-27，华盛顿[哥伦比亚特区])　美国共和党37年间(1859～1893)的一位主要政治家和外交家，在和拉丁美洲国家开展泛美运动中是一个特别有影响的人物。布莱恩1854年迁往缅因州奥古斯塔，成为共和党主张改革运动的《克内贝克报》的编辑和部分产权所有人。1856年参加新成立的共和党第一次全国代表大会。1858年起在州议会中任职，直到1862年被选入美国众议院。南北战争后，他虽然极力拥护黑人的投票权，但比之于他的党内的激进派，却主张采取一种比较温和的重建政策。1868年当选为众议院议长。他的雄辩口才和领导能力，使他在众议院中赢得了一批热情的追随者。1876年竞争共和党总统候选人提名失败后任参议员。1880年他竞争总统候选人提名再次失败。J.A.加菲尔德当选后，他辞去参议院的职务，出任国务卿。他在担任该职时，设计出一个消除紧张关系并加强门罗主义的美洲内部仲裁制。1881年他重提20世纪初就有人倡议的召开一次泛美会议来考虑一个旨在于防止西半球战争的仲裁计划的主张。这一主张标志着泛美运动的开端。但1881年加菲尔德总统遇刺后，他辞去职务，泛美会议计划被搁置起来。布莱恩终于在1884年总统候选人提名中获胜，但在激

美国国会图书馆供图

烈地相互揭底的竞选运动后，布莱恩以极微小的票差败于民主党候选人G.克利夫兰。1889年共和党重新执政，布莱恩再任国务卿。第一次泛美会议召开时，他任主席，但他提出的关于关税同盟和仲裁的建议却被拒绝。会议的唯一积极行动只是建议分别经过谈判缔结互惠条约。1892年6月他辞去国务卿职务。

Blainey, Geoffrey (Norman)　布莱奈伊(1930-03-11，墨尔本～　)　澳大利亚历史学家、教师和作家，以所编澳大利亚经济史和社会史权威性教材著称。曾就读于墨尔本卫斯理学院。从墨尔本大学女王学院毕业后，作为自由撰稿人被派往塔斯马尼亚的芒特莱尔矿区。1954年出版第一部著作《莱尔的山峰》。第二部作品《墨尔本大学100周年写照》(1956)使他回到校园，1961年开始在墨尔本大学讲授经济史。1968年成为教授，1977年成为恩斯特·斯科特讲座历史教授。他的作品明快而富于想象。曾在许多社会机构任职，包括澳大利亚委员会(主要的艺术委员会)主席(1977～1981)和澳大利亚-中国委员会主席(1979～1984)。后来发表的著作有《战争的根源》(1973)、《游牧民族的胜利》(1975)和《一个不完全成功的国家》(1980)。

Blair, Bonnie　布莱尔(1964-03-18，美国纽约康沃尔～　)　全名Bonnie Kathleen Blair。美国速滑运动员，是奥林匹克运动史上最成功的美国女运动员。雄踞女子短道速滑冰坛8年，在三次奥运会(1988、1992和1994)中获5金1铜。4岁就参加比赛，1986年在法国沙莫尼获世界短道冠军。一年后两次创500米世界纪录。1988年获500米金牌和1 000米铜牌。1992、1994和1995年三度获500米和1 000米世界杯冠军。她体格虽小但速滑技术炉火纯青，全程的跨步能保持极度蹲伏和均衡的节奏。

Blair, Francis P(reston)　布莱尔(1791-04-12，美国弗吉尼亚阿宾登～1876-10-18，马里兰银泉)　美国新闻记者和民主党政治家。19世纪50年代帮助组建共和党，努力阻止奴隶制的扩展。是民主党领袖A.杰克逊的忠诚支持者。1830年创办民主党机关报《华盛顿世界报》。同时发行《国会环球报》。他是第一流的政治记者，精明的政党组织者，杰克逊总统(1829～1837)的智囊团成员之一。虽然是奴隶主，却反对奴隶制的扩大。1848年支持自由土壤党的总统候选人M.范布伦。后参加创建共和党，1860年大力支持A.林肯的提名。林肯上台后，他成为一名很有影响的顾问。总统同意布莱尔于1865年2月出席弗吉尼亚州汉普顿锚地的会议，但和谈没有成功。战后支持A.约翰逊总统的重建方案，反对激进的共和党人，重新加入民主党。

Blair, Francis Preston, Jr.　布莱尔(小)(1821-02-19，美国肯塔基列克星敦～1875-07-09，密苏里圣路易斯)　美国南北战争以前、战争期间和战后南方重建时期密苏里州政治

美国不列颠百科全书公司供图

家，反对奴隶制、反对脱离联邦，但后来却起来反对激进的南方重建计划和黑人选举权。他与父亲同名，父亲是报纸政治记者。他1841年毕业于普林斯顿大学后，进入肯塔基州列克星敦的特兰西瓦尼亚大学法学院学习。1842年与其兄弟蒙哥马利一起在圣路易斯当律师。墨西哥战争期间，曾短期任被征服的新墨西哥领地的检察长。后返回圣路易斯重操旧业，不久创办密苏里州自由土壤党机关报《焚毁谷仓者》。尽管他是奴隶主，却反对扩展奴隶制，主张逐步解放奴隶，然后将获得自由的黑人移居别处拓殖。他因组织自由土壤党而成为一个有争议的人物，曾两次被选入密苏里州议会。1856年被选入国会，成为来自奴隶州的唯一的自由土壤党议员。1858年竞选连任失败，但1860年以共和党人身份重返国会。在1860年的总统竞选中，他为A.林肯竞选。他担任众议院军事委员会主席，并在密苏里州组织秘密的亲联邦的民兵组织“清醒者”。主要由于布莱尔的努力，密苏里州脱离联邦的倾向受到遏制，使该州未参加南部邦联。1862年密苏里州召募新兵，组成7个团，布莱尔被任命为准将。在维克斯堡等战役后，晋升为少将。他与谢尔曼将军一起指挥军队横扫佐治亚州。1864年重返国会，批评激进共和党人，支持林肯总统重建南部的计划。他反对给予黑人选举权，反对剥夺南方白人的选举权，并反对在被打败了的南部邦联各州设立军事政权。他试图操纵密苏里州共和党失败后，于1865年转入民主党，1868年成为民主党副总统候选人。此后，布莱尔极力促进密苏里州民主党人与自由主义共和党人联合，致使激进分子不能再控制州政府。与此同时，布莱尔被选入州议会，1870年补选为参议员。1872年竞选连任

失败，旋因患麻痹症而不再担任重要公职。

Blair, James **布莱尔**（1656，爱丁堡？～1743-04-18） 牧师。1693年创建弗吉尼亚州威廉和玛丽学院——美国第二所最古老的大学。1679年任英国圣公会牧师；1681年因拒绝宣誓支持信奉天主教的约克公爵为王位继承人而被剥夺爱丁堡教职。1685年离英赴北美，被选为弗吉尼亚州瓦里纳教区牧师。1689年任主教代表。1691年建议创办学院；经州议会批准后，回英国争取国王威廉三世及王后玛丽二世颁发特许状并拨给经费。任第一任院长，以精明干练著称，募得各阶层人民的捐款。在职50年，是大学校长中任职最久者之一。

Blair, John **布莱尔**（1732，美国弗吉尼亚威廉斯堡～1800-08-31，威廉斯堡） 美国最高法院法官（1790～1796）。他是弗吉尼亚州最显赫的地主家族的成员，而且是华盛顿的密友。曾在伦敦中殿律师学院学习法律，1766年被选入弗吉尼亚州议会。1776年，他参加了为新成立的弗吉尼亚州起草宪法和政府规划的会议，并被选入该州的枢密院。1778年，当选为州刑事法院的法官，后来成为首席法官。随后他担任了高级衡平法院法官，并于1782年在上诉法院审理"弗吉尼亚州诉卡顿"一案时担任该院的法官。他参加了1787年的制宪会议，1789年由华盛顿总统任命为美国最高法院法官。他是司法界的保守主义者，在最高法院任职到1796年退休。

Blair, Robert **布莱尔**（1699，爱丁堡～1746-02-04，苏格兰东洛锡安阿瑟尔斯坦福） 苏格兰诗人，仅因一首诗《墓》而为人们所怀念。该诗影响并导致了**墓园诗歌**（**graveyard school**）的产生。曾在爱丁堡和荷兰受教育，1731年被授予神职。《墓》（1743）是一首格律不严谨的无韵长诗，以描述死亡的形象来反映人类必死的命运。虽然它比E.扬格的《哀怨，或关于生命、死亡和永生的夜思》晚发表一年，但显然不曾受该诗的影响，而是反映了那种与18世纪理性主义和平共存的竭力激发敏感和悲怆情绪的一般倾向。《墓》诗没有《夜思》那种令人难以忍受的自怜和自负。

Blair, Tony **布莱尔**（1953-05-06，苏格兰爱丁堡～　　） 全名Anthony Charles Lynton Blair。英国工党领袖，1997年起任首相。律师之子。1975年毕业于牛津大学圣约翰学院，翌年执律师业。作为劳工与商法专家，他逐步涉足工党政治。1983年布莱尔首次被选入下院。布莱尔是在保守党长期处于政治优势地位（1979年起）和工党连续在4次大选中失利（1979～1992）的情况下进入政坛的。1988年布莱尔进入工党的影子内阁，成为该党领导层中最直率的发言人，他呼吁工党改变政策，放弃对某些经济部门实行国家控制和公有制的传统主张。1994年5月J.史密斯逝世，7月布莱尔当选为工党新领袖。1995年年中，他修改工党的政纲，作出空前的许诺：自由企业制度、反通货膨胀、积极防止犯罪、支持英国与欧洲经济一体化。虽屡遭同党党员反对，布莱尔仍统称他的改革为"新工党"的改革。在他的领导下，1995年5月在国内多次选举中重挫保守党；1997年5月大选获得压倒性胜利。成为自1812年以来最年轻的英国首相。

布莱尔带领政府实现工党宣言中承诺的几项改革，但也接受18年以前便开始实行的保守党政策。他率先提出可能是他执政时期最大胆的决定，即允许英格兰银行无需经过政府决议即可决定利率，这是一项过去未曾在政党政纲中出现的决定。他带领的政府也很快签署欧盟的《社会宪章》条约，并将心力转投于协调北爱尔兰共和军与统一党签订和平协议。布莱尔也开始改革下议院，让首相在回答国会议员问题的"首相答询时间"更切合时宜。执政的第一年间，布莱尔举办公投，在苏格兰和威尔士地区创立移交议会，并成立一个联合委员会，与在野的自由民主党协商宪政和其他政策。1998年5月布莱尔又一次赢得为伦敦争取新议会的公民投票，产生第一个民选市长。同年协助签署《贝尔法斯特协定》（又称《受难日协议》），爱尔兰和北爱尔兰双方签署了这项协议，并首次在1972年后于北爱尔兰成立一个民选的、移交权力的议会。他也缩减上议院规模，但保留92席世袭的席位，为日后的国会改革做好准备。2001年带领工党在下议院取得167席，为英国选举史上执政党连任席次最多的一回。

2001年美国9·11事件之后，布莱尔与美国总统布什联手向恐怖主义宣战。2003年年初，联合国安理会通过准许武器核查人员回到伊拉克后，布莱尔和布什试图游说其他理事会成员，表示持续武器核查也无法成功找到伊拉克萨达姆·侯赛因政府拥有大规模杀伤性武器的证据，但游说没有成功。尽管工党内部发生严重的分裂，导致多位部长辞职，国会里也有139位工党议员倾向反对政府政策，且民间也反对向伊拉克宣战，但在2003年3月布莱尔仍与布什共组联军攻击伊拉克。联军胜利后武器核查人员仍未能在伊拉克境内找到大规模杀伤性武器，布莱尔政府被控在伊拉克问题上歪曲情报信息。尽管民众对布莱尔政府在伊拉克的政策上有很多不满，布莱尔还是领导工党在2005年5月的大选中获得了胜利，至此工党已连续3次赢得大选。2007年6月卸任首相职务。

Blais, Marie-Claire **布莱**（1939-10-05，魁北克市～　　） 加拿大法语女小说家、诗人。她的作品反映了那些生来就前途无望、在没有特色的无名之地耗尽一生的人们的凄凉的内心世界。笔下的社会弃儿、流浪者、妓女、同性恋者，特别是母亲和孩子们，因缺乏人际间的爱都无法摆脱内心的寂寞和世态凄凉之感。她冷静地再现了一种极端贫困的严酷环境，生活在其中的人们由于愚昧而被束缚于委琐的事务。从她早期的两部小说《美丽的野兽》（1959）和《白首》（1960）中，可以看到她总是写那些注定要永远感到痛苦和压抑的下层社会的人。在后期的《埃马纽埃尔生命中的一季》（1965）、《波利娜·阿尔尚日的手稿》（1968）、《生活，生活》（1969）等小说里，她把人物放到可辨认的加拿大的环境中去写。她曾就读于魁北克拉伐尔大学，1966年获法国梅迪西斯奖。

Blaise, Saint **布莱斯，圣**（？，小亚细亚卡帕多西亚塞巴斯蒂亚～约316，塞巴斯蒂亚？） 拉丁语拼作Blasius。又称Blazey。早期基督教主教和殉教士、中世纪最重要的圣徒之一。据传出身贵族，受基督教教育后任塞巴斯蒂亚主教。罗马皇帝李锡尼迫害基督教时，布莱斯被捕。在狱中行神迹治愈窒息将死的男童。布莱斯经受酷刑后被斩。据外典《圣布莱斯行传》载，布莱斯任主教前行医，有起死回生之术。又传他在避难时曾医治病兽，因此又是野兽的主保圣人。对布莱斯的崇敬始于东方，后传至西方，到8世纪已风行于基督教世界。自16世纪至今在圣布莱斯节都要举行宗教仪式。

Blake, Eubie **布莱克**（1883-02-07，美国马里兰巴尔的摩～1983-02-12，纽约布鲁克林） 美国钢琴家，雷格泰姆音乐和流行曲调作曲家。少年时在咖啡馆、妓院等场所弹奏钢琴。1915年起与抒情诗人、声乐家N.西斯尔长期搭档演出，是第一批登台的黑人演员。他们的歌舞喜剧《曳步舞》（1921）是专由黑人作曲、演出、指挥的第一批音乐剧之一。其中有他最著名的歌曲《我就是迷上了哈里》。1925年同西斯尔分手后与抒情诗人A.拉扎夫合作，为《1930年的黑鸟》谱曲，内有流行歌曲《怀念你》。其熟练、诙谐、优美的演奏始终受人欢迎。1982年6月举行最后一次公开音乐会。以他作的乐曲为主的音乐剧《尤比》在百老汇上演（1978）时，声名大振。1973年R.金布尔和W.博尔科姆合著有插图的传记《回忆西斯尔和布莱克》出版。

Blake, Eugene Carson **布莱克**（1906-11-07，美国密苏里圣路易斯～1985-07-31，康涅狄格斯坦福） 美国基督教长老会牧师和普世教会运动领袖，20世纪50～60年代美国基督教重要人物。1948年参加世界基督教协进会第一次会议。1954～1957年任美国基督教协进会主席。1951～1966年任美国长老会总会常务秘书。他是主张教会联合的重要人物，1960年曾号召基督教的几个教派联合成一个教会。他还争取吸收俄罗斯正教会和其他几个东正教教派加入世界基督教协进会。60年代参加美国民权运动并明确表示反对越南战争。

Blake, Lillie Devereux **布莱克**（1833-08-12，美国北卡罗来纳罗利～1913-12-30，新泽西恩格尔伍德） 婚前名Elizabeth Johnson Devereur。美国作家，早年从事小说写作，后来成为争取妇女选举权的积极活动家。幼年成长于罗利和纽黑文。1855年6月与一律师结婚移居密苏里州圣路易斯和纽约市，直至1859年5月丈夫去世。时因身无分文，只能以写作维持生计。其实她原已尝试过写作，并有一篇小说刊登于1857年11月的《哈珀周刊》。其后又发表过其他小说和诗歌以及相当不错的小说《南高地》（1859）。不久又以不同笔名为报刊写过数十篇文章。另外还完

美国不列颠百科全书公司供图

成了其他四部小说，其中两部在《纽约信使报》连载，另两部成书出版。1866年与G.布莱克结婚。1869年前后渐对为妇女争取选举权运动感兴趣。从那以后她的许多小说即反映出这方面的兴趣，特别是收人《大胆的试验》(1892)中的那些作品。成为受人欢迎的讲演者，并于1879～1890年任纽约州妇女选举权协会会长，1886～1900年任纽约市妇女选举权联盟主席。经过她的努力，争取到妇女在学校选举中有投票权(1880)，通过立法规定精神病院中必须有女医生，警察局必须有女看守，必须为女售货员提供座椅，使用妇女担任人口调查员，父母同为子女监护人，南北战争时期的女护士有权享受养老金，并在1894年争取到妇女有权出席州立宪会议。1883年发表《当今妇女的地位》，作为对M.迪克斯牧师《女基督徒的职业》(1883)演讲的回应。她在全国妇女选举权协会(1890年后为全美妇女选举权联合会)中工作积极，但她的干劲、雄心和吸引力，以及她对选举权以外的改革的兴趣，引起会长S.B.安东尼的疑心。1895～1899年布莱克在该联合会中主持一个立法咨询委员会，后安东尼将其取消。1900年竞选联合会会长失利后退出该会，创办自己的全国立法联盟。1905年后因病退休。

Blake, Robert　布莱克(1599-08，英格兰萨默塞特布里奇沃特～1657-08-07，德文普利茅斯外海上)　海军上将，O.克伦威尔的英伦三岛共和国海军总司令，英国历史上最有名望的海员之一。富商之子。1625年毕业于牛津大学。1640年被选入短期议会。作为虔诚的清教徒，他在1642年内战爆发时加入了议会军，反对查理一世。作为将军，他因

美国不列颠百科全书公司供图

1644年保卫多塞特郡的莱姆和1644～1645年坚守萨默塞特郡陶顿达一年之久而扬名。1649年2月被任命为“海上三将军”之一，指挥海军。两个月后他出发去歼灭鲁珀特亲王的舰队。当后者避难于葡萄牙里斯本时，布莱克俘获了几艘葡萄牙舰艇。然后他将鲁珀特赶入地中海并于1650年11月在西班牙卡塔赫纳摧毁了他的舰队。翌年5月从保王派手中夺取英国西南方的锡利群岛。不久之后他开始任职于枢密院。1652年英荷战起，他在英吉利海峡与荷兰海军上将M.特龙普4次激战，三胜一负。1654年英荷言和，克伦威尔命令布莱克在地中海炫耀英国海军势力。据此，他于1655年4月在突尼斯湾法里纳港击毁一支海盗舰队。一年后英国与西班牙爆发战争，1657年4月，在加那利群岛的特内里费圣克鲁斯湾，布莱克袭击了西班牙一支运财宝的舰队。他把西班牙舰队和沿海防御设施全部摧毁，自己却没有损失一艘船。同年夏因病回国，他在那支胜利的舰队进入普利茅斯湾之前一小时病逝。布莱克详细讲述海上各类战术的《战斗指南》及其他论述一直为英国海军所采用，成为海军训练的基础。

Blake, William　布莱克(1757-11-28，伦敦～1827-08-12，伦敦)　英国诗人、画家、版画家。艺术有独创性，具有新颖、简练、表达思想感情率直而有力量的特色。生前不受重视，死

美国不列颠百科全书公司供图

后一百多年影响才日渐明显。幼时随母学习，阅读兴趣十分广泛。10岁入素描学校，立志当画家。后随一版画家当学徒。1779年入皇家学院学画。不喜院长雷诺兹的教学，私下苦练水彩，并为出版商刻版画。这期间同新知识阶层结交，形成自由与共和的政治观点，同情美国独立战争。1783年出版诗集《诗的素描》，收入了12～20岁的诗作。1784年与版画家帕克合开版画店，制作出售版画，并继续作诗。1789年出版诗集《天真之歌》，1794年出版诗集《经验之歌》，并亲自为诗集作铜版插图、装饰和手工着色。布莱克同情和支持法国1789年的资产阶级革命，歌颂人道和社会主义。靠版画为生，1793年后常常每日不停地工作，因此较了解人民困苦，在其诗歌和绘画中都有所表现。1790～1793年间，布莱克写了不足30页的散文《天堂与地狱的婚姻》，目的是有意反驳斯维登堡学派对这两个象征性领域的划分，他企图扭转那些被颠倒了的善与恶、天使与魔鬼的区别。这时期他开始了叙事诗的写作，叙事长诗《法国革命》十分直接地反映了他的政治倾向，其中的版画插图都是自己制作的。1804年开始写长篇《弥尔顿》(完成于1808以后)和《耶路撒冷》(完成于1820)，表达了他对理想的人类生活的见解：人必须从传统势力下解放出来，好的社会不能单独靠政治和社会改良，还要有美的精神、人类的尊严感以及人与人之间的相互尊重等。布莱克把这种理想的社会叫做《新耶路撒冷》。1809年举办展览，其16幅油画和水彩画得以同公众见面。约1818年，一些年轻画家开始与布莱克结交，请他为书籍作版画和水彩画插图。晚年患胆结石，不再写作，但仍卧床为其书籍着色。70岁时病逝。主要着色凸刻铜版插图的著作有：《不存在自然宗教》、《一切宗教都是一个》、《天真之歌》、《天堂与地狱的婚姻》、《亚美利加》、《弥尔顿》、《耶路撒冷》等。其他诗作有：《诗的素描》(1783)、《永恒的福音》等。主要套色版画与独幅版画有：《远古时代》(1794)、《历史与诗歌的主题》(1795)、《愉快的日子》(1800年后)等。主要插图有：为《圣经》绘制的两套共100多幅油画和水彩画、为《弥尔顿》诗集绘制的两套水彩画、为但丁的《神曲》绘制的120幅水彩画等。

Blakelock, Ralph Albert　布莱克洛克(1847-10-15，美国纽约州纽约～1919-08-09，纽约州伊丽莎白敦附近)　美国画家。常用明亮的色块描绘月照风景，表现出浪漫主义的神秘色调。1867年毕业于纽约市立学院，自学成

布莱克洛克绘《月色》(约1885)
美国不列颠百科全书公司供图

为画家。其作品题材主要是森林，往往包含他1869年去西部旅行时观察到的印第安人的露营生活。失败的打击和赤贫的生活使得他于1899年精神失常，停止绘画而在精神病院度过余生。而当他被关进精神病院期间，名声大噪，作品也被高价买卖。在20世纪早期他的声望持续增高，作品得到广泛承认。

Blakeslee, Albert Francis　布莱克斯利(1874-11-09，美国纽约杰纳西奥～1954-11-16，马萨诸塞北安普顿)　美国杰出的植物学家和遗传学家。1896年以优异成绩毕业于康涅狄格州米德尔敦韦斯里安大学，获文学学士学位，后在一所预备学校教数学和科学3年。1899年入哈佛大学，1900年获文学

硕士学位,1904 年获博士学位。同年他的博士论文《毛霉属的有性繁殖》发表,因发现并阐明低等真菌的有性繁殖而一举成名。1915 年以前他一直在斯托尔兹的康涅狄格州农业学院任植物学教授,并研究高等植物。1915 年在长岛科尔德斯普林港卡内基研究所实验室任植物遗传学研究员。1936 年任该所所长。1941 年从卡内基研究所退休,任马萨诸塞州北安普顿的史密斯学院植物学教授,在该院建立遗传学实验站,扩大了研究项目,发表了很多关于曼陀罗的遗传学和细胞学方面的论文。他又证明秋水仙碱可增加染色体的数目,为人工产生多倍体开创了一个新领域。

Blakey, Art　布莱基(1919-10-11,美国宾夕法尼亚匹兹堡～1990-10-16,纽约州纽约)　又名阿卜杜拉·伊卜恩·布哈伊纳。美国鼓演奏家和乐队领队,以其出类拔萃的鼓独奏而著称。他的鼓独奏帮助确定了所谓的"硬性博普爵士乐"(比博普的旁支)的特色,并使鼓成为一种重要独奏乐器。演奏风格特点是雷鸣般的压式滚奏、交替鼓点,以及开始如平静颤抖继而逐渐发展成疯狂爆炸的滚奏。少年时代即开始自学钢琴;白天在钢厂打工,晚上在爵士乐俱乐部弹琴(后来也演奏鼓)。自 1939 年起他作为鼓手曾与多家乐队合作,其中尤以与 B. 埃克斯坦的乐队合作(1944～1947)最为引人瞩目。他在这一时期认识并与之联袂演出的艺术家有 D. 吉莱斯皮、S. 沃恩、C. 帕克、D. 戈登和 B. 霍利德。埃克斯坦的乐队解散后,布莱基去非洲旅行,此行导致他皈依伊斯兰教。回美国后他即受雇与爵士乐钢琴家 T. 蒙克一起为蓝音唱片社录制数套唱片,由他击鼓。1954 年与 H. 西尔弗携手创办爵士乐信使社,在欧洲巡回演出,并录制一套精彩的蓝音商标唱片系列(1955～1961)。他鼓励青年音乐家加入爵士乐信使社,使之在爵士乐演奏方面取得可贵经验。许多年来该社罗致的著名爵士音乐家有 C. 布朗、D. 伯德、B. 戈尔森、J. 格里芬、J. 麦克莱恩、L. 摩根和 W. 肖特。

Blakistone Island　布莱基斯通岛　参阅 **Saint Clement's Island** 圣克莱芒岛。

Blalock, Alfred　布莱洛克(1899-04-05,美国佐治亚卡洛登～1964-09-15,马里兰巴尔的摩)　美国外科医生。曾和小儿心脏病学家 H.B.陶西格合作,设计了一种治疗法洛氏四联症("蓝婴"综合征)的外科手术。1918 年自佐治亚大学毕业后,入约翰斯·霍普金斯大学医学院,1922 年获医学博士学位。1925～1941 年任范德比尔特大学医学院外科住院医师,并研究创伤和出血性休克,得出结论:导致这两类休克的直接原因是失血过多,因此,治疗原则就应该是补充血容量。这一研究成果在第二次世界大战期间曾挽救无数生命。1941 年,回约翰斯·霍普金斯大学医学院任教授、外科学系主任和约翰斯·霍普金斯医院外科主任。曾与陶西格合作,创锁骨下动脉与肺动脉吻合法以矫正"蓝婴"综合征患者的先天性心脏缺损,使患儿能过接近正常的生活,1944 年他做了首例这种手术,其后即推广于全世界,取得很大成功。晚年致力于创建巴尔的摩儿童内外科中心。

Blanc, Louis　勃朗(1811-10-29,西班牙马德里～1882-12-06,法国戛纳)　法国空想社会主义者,他的社会理想是"各尽所能,按需分配",并以主张设立"社会工厂"的理论著称。

美国不列颠百科全书公司供图

1813 年随父母回国,在罗德兹和巴黎学习。毕业后到共和派的报馆工作。1837 年任选举改革委员会委员。1839 年创办《进步评论》,连续发表他的最重要著作《劳动组织》。这篇文章所提出的一般原则成为他日后事业的基础。他认为资本主义会妨碍个性的成长,引起人与人的对立,使弱者无路可走。要想进入理想的社会,首先必须保证人人都有工作。只要由国家资助创办"社会工厂",就可以达到这个目的。"社会工厂"由工人自己掌握,当这种工厂已经接管大部分的生产时,就会出现社会主义社会。他不相信人人平等,也不同意社会主义者圣西门的"按劳分配"的原则。他指出:每个人按自己的能力进行生产,按自己的需要进行消费,这才符合公正的原则。勃朗于 1843 年成为极左派共和党人的《改革报》的编辑委员,1847 年他在所谓"选举改革宴会运动"中极负盛名,以雄辩赢得大批听众。最后一次"宴会"原定 1848 年 2 月 22 日在巴黎举行,但遭到禁止。23 日的骚动发展成为起义,推翻了君主制度。这时勃朗成为第二共和国临时政府的成员。1848 年 2 月 25 日临时政府赞同勃朗所提出的"以工作保障工人生活"的建议。但是政府内部产生了分化,大多数人认为革命就是变化——以普选权为基础的民主共和国取代君主制;而包括勃朗在内的少数派则认为,革命应是社会和经济的改造。尽管在政府内他们是少数派,但在街头却拥有大量的支持者。后来勃朗任调查劳工问题的常设委员会主席。随着失业工人的急剧增加,他领导的卢森堡委员会成为仲裁劳资纠纷和社会主义宣传的中心,然而他关于改组劳工和工业的建议未能被采纳。1848 年 6 月工人起义失败后,勃朗逃亡英国。直到 1870 年第二帝国垮台才返回法国。在流亡期间以教书和演讲为生,曾著有《1848 年革命史》和《法国革命史》等书。流亡 22 年后回国,仍享盛誉,并当选为国民议会议员。1871 年拒绝参加巴黎公社,但公社失败后曾努力为公社社员争取大赦。

Blanc, Mel　布兰克(1908-05-30,美国加利福尼亚圣弗朗西斯科～1989-07-10,加利福尼亚洛杉矶)　原名梅尔文·杰罗姆·布兰克(Melvin Jerome Blanc)。美国演员,曾设计 400 余个独特角色的嗓音,塑造许多广受欢迎的广播剧、电视剧和电影角色的性格,包括胖猪、啄木鸟、笨鸭子、约塞米蒂谷的山姆、叽叽喳喳的喜鹊、小猫西尔维斯特、法国黄鼠狼勒·珀爷爷以及疯狂的小兔子(它以那句令人发噱的"出什么岔子啦,大夫?"而著名)等动画角色的嗓音。布兰克自幼爱好音乐,精通低音提琴、小提琴和苏萨大号。1933 年参加一项每天播出的无线电广播节目,在演出中用多种嗓音"一人搭起一台戏"。迁居洛杉矶后加入利昂·施莱辛格演出公司,即后来制作华纳兄弟公司"疯狂曲调与快乐旋律"的动画工场。布兰克为华纳兄弟公司配音的第一个角色是 1936 年的醉酒的公牛。次年他配了胖猪和笨鸭子的声音,1940 年疯狂的小兔子(原名快乐的兔子)首次亮相。在 50 余年演出生涯中,布兰克为约 3 000 部动画片提供配音。20 世纪 40～50 年代华纳兄弟公司动画世界中 90% 角色的配音均由他负责。60 年代以"疯狂曲调角色"为主角的星期六早晨电视剧《疯狂的小兔子》问世,他是制片人之一。他还曾为第一部情景动画电视喜剧《弗林特斯通一家》中的巴尼·鲁布尔以及弗雷德·弗林特斯通的宠物恐龙黛诺配音。1988 年在为动画动作片《谁陷害兔子罗杰》所编的节目中复活了疯狂的兔子、笨鸭子、胖猪和其他角色的声音。同年,布兰克的自传《不尽如此,亲人们:我的生命在动画与无线电的黄金时代中》出版。

Blanc, Mont　勃朗峰　意大利语作 Monte Bianco(比安科峰)。欧洲的山岳和最高峰(4 807 米)。山岳位于阿尔卑斯山,沿法意边界延伸,进入瑞士。自瑞士的马蒂尼起,西南绵亘 40 千米左右,最大宽度为 16 千米,最高峰在法国境内。山岳四周是格雷晏阿尔卑斯山(南),沙莫尼山谷和萨瓦山(西),彭尼内山(东北)和库马约尔山谷(东)。山岳内其他主要山峰有塔古尔勃朗峰、莫迪峰、若昂峰、大若拉斯山、多朗山和南峰。勃朗峰的大约 100 平方千米覆盖着冰川(因而其名的意思是"白山"),一些冰河自中央冰丘泻下至 1 490 米以下处。阿尔卑斯山第二大冰川*冰海冰川*(**Mer de Glace**)在 1930 年海拔达 1 250 米。在 17 世纪初,冰川前移到沙莫尼山谷底部,摧毁或掩埋了耕地和住房。此后,冰川不时前移和后退。科学家 P. 马泰尔于 1742 年,J.A. 德吕克于 1770 年,及以后的 H.B.de 索绪尔最早使人们注意到勃朗峰是西欧最高的山。这种指定促使一些探险家去攀登此峰,沙莫尼的一位医生 M.-G. 帕卡德及其脚夫 J. 巴尔马特于 1786 年征服了这座最高峰。帕卡德的成就为登山史上的一件大事,但第二年索绪尔也登上此峰,超过了他的成就。M.-T. 布里特登山没有成功,他出于嫉妒心理,出版了一本书对第一次登山大肆歪曲,捏造谎言说登山之举归功于农民巴尔马特。除了登山者之外,沙莫尼的观光客人数也不断增加,1870 年经过改建的公路开通,在此之前此处一直是一个交通极不方便的胜地。勃朗峰地

意大利一侧的勃朗峰
美国不列颠百科全书公司供图

区现已是阿尔卑斯山最大的观光中心，有架空索道和冬季运动设施，其传统的畜牧经济已经完全衰退。

Blanchard, Jean-Pierre-François 布朗夏尔（1753-07-04，法国莱桑德利～1809-03-07，巴黎） 法国气球飞行家，曾和美国医生J.杰弗里斯第一次飞越英吉利海峡，并最先在英

美国国会图书馆供图

国、北美、德国、比利时和波兰作气球飞行。18世纪70年代他从事重于空气飞行机的设计，其中著名的一种是根据用桨和舵柄在气流中划桨的原理制造的。1783年蒙戈尔费埃兄弟在法国阿诺奈进行热气球飞行表演后，他改为研究气球。1784年3月2日他在巴黎首次升空。1785年1月7日他和杰弗里斯在英国的多佛尔升空后，被迫把所有的货物都扔掉，只留下一个邮包，在法国的费尔莫雷斯森林安全降落，第一次成功地运送了国际航空邮件。他曾把一条带有实验性降落伞的狗从气球上投下，后来并亲自作跳伞试验。他试图用帆增加气球的机动性和在气球上采用推进装置，但都没有成功。他在欧洲进行多次飞行表演后，又在北美进行了首次气球飞行表演，1793年1月3日从费城升空，在新泽西州的格洛斯特安全降落。华盛顿总统目睹了这次飞行，在美国激发起人们对气球飞行的兴趣。返回欧洲后又同妻子玛丽一起进行了许多次表演。1808年8月他在海牙的一次飞行中（因心脏病发作，从50余英尺处坠落，重伤致死。其妻继续进行气球飞行，1819年在巴黎烟火表演时她的氢气球被点燃，坠落而死。

Blanchard, Thomas 布兰查德（1788-06-24，美国马萨诸塞萨顿～1864-04-16，马萨诸塞波士顿） 美国发明家。曾对机床的发展有巨大贡献。开始，他是一名自学成才的白铁工。还在少年时代，就发明了苹果削皮器和造图钉的机器，后来设计出一种能车削规则和不规则断面枪管的车床。1818年，他发明了一种仿形车床，其方法是用一摩擦轮在靠模上滚动，然后把这种运动传递给刀具。这种车床是发展大量生产技术的一个重要步骤。1825年，他设计了一辆蒸汽车，后来又成功地设计了几种浅吃水蒸汽船。

Blanche of Castile 布朗歇（1188，卡斯蒂利亚帕伦西亚［西班牙］～1252-11-12，法国巴黎） 法国路易八世的王后，路易九世的母后，曾两度担任法国摄政王（1226～1234，1248～1252），对法国领土的统一做出很大贡献。她是西班牙卡斯蒂利亚的阿方索八世之女，11岁许配法国国王腓力二世的幼子路易。婚后竭力促进法国的统一。1214年生下未来的路易九世。英格兰国王约翰死后，她图谋夺取英格兰王位，未能成功。1223年路易八世登基，1226年病死，由路易九世即位，布朗歇出任法国摄政王。在大贵族进行叛乱时，她亲自前去讨伐。她果断地撤换不忠诚的贵族，并在各地建立护国民兵。1229年签订《巴黎条约》，安抚法国南部。法国从此进入稳定时期。她始终全力扶持路易九世。1248年路易九世起兵讨伐穆斯林，她再任摄政王。不久，路易九世在埃及战败被俘。她四出奔走，筹集赎金，逐渐对十字军东征失去兴趣。晚年患心脏病，但仍主持朝政。死后葬在莫比松隐修院，心脏置于利斯隐修院。

Blanchet family 布朗歇家族 法国乐器制作者家族，定居巴黎。弗朗索瓦-艾蒂安·布朗歇（即弗朗索瓦［大］，约1700，法国巴黎～1761，巴黎）是巴罗克时期（约1600～1750）最优秀拨弦键琴制作人之一。尼古拉·布朗歇（约1660，法国兰斯～1731，巴黎）是这一乐器制作家族中的第一代。1722年起尼古拉与其子弗朗索瓦（大）合伙制作乐器，主要以著名佛兰德斯拨弦键琴制作家族吕克斯的琴为蓝本。弗朗索瓦之子弗朗索瓦（小）（约1730，巴黎～1766，巴黎）继承父业，英年早逝，其遗孀再醮另一杰出制作商P.塔斯金（大），（1723，法国特克斯～1793，巴黎），他使这一家族的事业得以延续。布朗歇家族的产品留存至今者颇多，为法国拨弦键琴制作技巧提供了珍贵的资料。他们的业绩大部分在于重造和扩大早期的乐器，尤以吕克斯所作乐器为多。此外，布朗歇与塔斯金家族对拨弦键琴的构造做出重大改进，因此他们的工场生意兴隆。弗朗索瓦（大）的曾孙尼古拉从事钢琴制作以适应19世纪的需要；1855年由其子P.-A.-C.布朗歇继承。20世纪中叶拨弦键琴重新流行，于是，为了满足人们对可靠性和超级音质的要求，一些知名制作家开始将布朗歇和塔斯金的乐器用作新乐器的模型。

Blanchfield, Florence A. 布兰奇菲尔德（1884-04-01，美国西弗吉尼亚谢泼兹敦～1971，华盛顿［哥伦比亚特区］） 美国护士、军官。她成功地为美国陆军护士兵团赢得了所有级别军衔及其相关待遇的权利，并成为被美国正规军任命的该军兵种的首位女性。先后在宾夕法尼亚州匹兹堡商学院、加利福尼亚大学和哥伦比亚大学就读。1906年毕业于匹兹堡南方护士培训学校，后又在约翰·霍普金斯大学进修。1913年先后在宾夕法尼亚州和巴拿马运河区就职。1917年应征入伍，进入陆军护士兵团赴法国服务直至1919年。随后被派往密歇根等多个州及菲律宾和中国。1942年被任命为中校，以副官身份辅佐主管军队护士兵种的J.弗里克上校。但因当时美军在军衔权益上男女并不平等，女性军衔有名无实，实授给她们的工资分别只相当于少校和中校。于是她1943年接替弗里克出任兵种首长时，就把为护士兵种争取女性的军衔权益视为自己的重要任务之一，以对抗所谓“同等军衔制”，即只有身份，而不享有与军衔相应的工资待遇。第二次世界大战期间，她统帅了全世界抗战前线上约6万名护士。1944年，她的军衔权益提案获得通过。1947年4月，美国海军和陆军都对相关法案做了修订，满足了女性所有的军衔权益。因此，美国D.D.艾森豪威尔将军将正规军任命状授予布兰奇菲尔德。她成为获此任命的第一位女性。同年退休。

Blanco, Antonio Guzmán 参阅 **Guzmán Blanco, Antonio** 古斯曼·布兰科。

Blanda, George (Frederick) 布兰达（1927-09-17，美国宾夕法尼亚扬伍德～2010-09-27，加利福尼亚阿拉梅达） 美国职业橄榄球运动员，著名中卫和踢手。共参加26个赛季比赛的340场比赛；得2 002分；球触底线959次，成功943次；直接射门638次，得分

335 次，均为当时最高纪录。1949 年加入全国橄榄球联盟芝加哥熊队。1954 年受伤，1960 年加入美国橄榄球联盟休斯顿加油工队。1967 年与他人对调转至全国橄榄球联盟奥克兰袭击者队。1976 年退休。1981 年入选橄榄球名人堂。

Blandford, John Churchill, Marquess of　布兰德福德侯爵　参阅 **Marlborough, John Churchill, 1st Duke of** 马尔伯勒公爵。

Blanding's turtle (*Emys blandingi*)　**布兰丁氏龟**　又作 semibox turtle。又称半箱龟。水龟科淡水龟。产于加拿大南部和美国中北部至东北部。背甲平均长约 20 厘米，光滑，圆形或长圆形，稍黑而带黄色斑纹。颏鲜黄色。腹甲在身体中央处铰合并可松开以保护头、四肢和尾。通常生活在池塘、静水河川及其他浅水区域。适应水栖生活，但亦常上陆活动。以昆虫、甲壳动物和某些植物为食。

Blane, Sir Gilbert, 1st Baronet　布兰（1749-08，苏格兰艾尔布兰菲尔德～1834-06-26，英国伦敦）　英国医师。因改良海军的卫生和医疗状况（包括用柑橘预防坏血病）而闻名。布兰毕业于爱丁堡大学医学院，1778 年获格拉斯哥大学医学博士学位。曾任海军上将罗德尼的私人医生，1779 年随之到西印度群岛考察，途中坚持在饮食中采用柠檬汁和其他新鲜食物。回到伦敦之后，布兰在圣托马斯医院行医（1783～1795），后任乔治四世和威廉四世的侍医。1812 年受封男爵。著有《海员疾病的观察》（1785）和《医学逻辑基础》（1819）。

Blang　布朗族　中国少数民族。分布在云南西南部西双版纳、临沧、思茅一带，人口 91 882（2000）。语言属南亚语系孟高棉语族佤德昂语支，部分人会讲傣语、佤语或汉语。无文字，部分人会汉文、傣文。原是沿澜沧江

布朗族姑娘
中国大百科全书出版社供图

南下的古代"濮人"的一支，据勐海县章朗寺关于布朗人接受小乘佛教的记载，布朗人南迁定居应在 12～13 世纪。主要从事农业。种旱稻、棉、茶。各地社会经济发展不一。受西双版纳傣族封建领主统治的村寨多具农村公社特点。村社土地按家族定期分配，各家使用，不能买卖。受土司册封的头人为领主征收贡赋劳役。与汉族杂居的地区村社已解体。未婚青年男女在 15 岁左右以炭灰相互染齿，作为成丁礼。婚后一般有为期 3 年的望门居，女子生育后才从夫居，男子文身，女子以嚼槟榔染黑齿为美，人死用竹棺土葬，村寨均有公共墓地。住干栏式竹楼。主要信仰原始宗教，也有信仰小乘佛教的。1985 年建立双江拉祜族佤族布朗族傣族自治县。

Blang language　布朗语　中国布朗族语言。属南亚语系孟高棉语族佤德昂语支。主要分布中国云南省西双版纳傣族自治州以及临沧地区、澜沧拉祜族自治县等地。使用人口约 5.8 万。分布朗和阿佤两个方言。此外还分布缅甸东北部山区。布朗语（勐海）语音特点：有 25 个单辅音：其中包括双唇、舌尖中和舌根 3 个部位的清、清送气塞音 6 个和小舌送气塞音、喉门塞音各 1 个；舌面塞擦音 2 个；双唇、舌尖中、舌面前、舌根鼻音各分清浊共 8 个；唇齿、舌尖前、舌面前、舌根、喉门擦音共 5 个；边音分清浊 2 个。有 17 个复辅音：其中鼻音加塞音、塞擦音构成的二合复辅音 9 个，塞音加边音构成的复辅音 4 个，三合复辅音 4 个。有 150 个韵母。其中单元音韵母 9 个，复元音韵母 16 个，带鼻音韵尾的韵母 40 个，带塞音韵尾的韵母 54 个，带擦音韵尾的韵母 9 个，带边音（包括清、浊）韵尾的韵母 22 个。有高平、中平和低降 3 个声调。以虚词和词序表示句子成分的关系，有少量形态变化。如动词有态（自动态、他动态、交互态）；代词有单数、双数、复数的区别；形容词重叠表示程度加深；数词有固定数词和借用傣语的数词两套：1～10 固有数词和借用傣语的数词并用，11 以上使用借用傣语的数词；句子主语在前，谓语在后；宾语、补语在谓语后；修饰语在中心词后；状语有的在中心词前，有的在后。

blank verse　无韵诗　指不押韵的抑扬五音步诗行，是英语中卓越的戏剧诗和叙事诗形式，又是意大利语和德语戏剧诗的标准形式。这种诗体的丰富多彩在于诗人改变每行诗中重音和"停顿"的位置技巧，把握变动的音调质和语言的感情色彩，并把诗句组成意群和章节。无韵诗于 16 世纪和其他古典诗律一起被引入意大利，从无韵的希腊和拉丁英雄诗变通而来。鲁切拉伊首先使用 *versi sciolti* 这一术语，它后来被译成英语的 blank verse，并很快就成为意大利文艺复兴时期诗剧的标准格式。16 世纪初期，霍华德伯爵把无韵诗和十四行诗以及其他意大利人文主义的韵文格式介绍到英国来。莎士比亚就用无韵诗写出英国最伟大的诗体戏剧。在他早期的剧作中，他把无韵诗同散文和 10 音节押韵对句结合起来，后来他在使用无韵诗时，更多地依靠重音而不是音节的长度。在他晚期剧作《哈姆雷特》、《李尔王》、《奥瑟罗》、《麦克白》和《冬天的故事》中，他的诗写得灵活自如，接近于人说话的节奏，却又能传达出最细微的悲欢或困惑。无韵诗一度受到贬低，后又因弥尔顿的《失乐园》（1667）而恢复其先前的宏伟气派。从才智运用上来说，弥尔顿的诗歌是繁复的，却又是灵活的，他使用了倒置、拉丁化词和各种重音、句长、停顿变异和分段法，以取得描写和戏剧的效果。在 18 世纪，J. 汤姆逊用无韵诗写描述性长诗《四季》，而 E. 扬格在《夜思》中则把无韵诗写得既有力量，又有激情。华兹华斯（《序曲》，1805）、雪莱（《钦契一家》，1819）和济慈（《许佩里翁》，1820）也都有用无韵诗写出的作品。从莎士比亚动人心魄的悲剧到弗罗斯特在《理性的假面舞会》（1945）中的浅吟低唱这样一个广阔范围就可以看到无韵诗的极端灵活性。在德国戏剧中，无韵诗的奠基人是莱辛（《智者纳旦》，1779）。在歌德、席勒和霍普特曼的作品中，都可以找到运用无韵诗体的范例。无韵诗在瑞典、俄罗斯和波兰的诗体戏剧中也使用得很普遍。

Blanqui, (Louis-) Auguste　布朗基（1805-02-01，法国皮热泰涅～1881-01-01，巴黎）　革命社会主义者，献身法国激进主义的传奇式殉道者。在他一生中，有33年以上是在监

美国不列颠百科全书公司供图

狱中度过的。父亲多米尼克是当地的副镇长。1818～1824 年在巴黎学习法律和医学。1827 年起开始参加学生示威，反对复辟后的波旁王朝。作为人民之友社成员，他遭到追捕，曾经两度入狱（1831 和 1836）。他研究法国大革命时期民众起义的情况，愈益相信阶级斗争的不可避免性。他认为如要建立民众政府，首先必须组成纪律极端严格的秘密团体。他创立家族社，后又组织四季社。1839 年 5 月 12 日四季社试图举行起义，结果遭到惨重的损失。有 500 名武装革命者攻占巴黎市政厅，但由于脱离群众，经过两天战斗后遭到惨败。布朗基逃跑后又被捕，先被判死刑，后改判终生监禁，流放到诺曼底海边的圣米歇尔山。1848 年革命开始后，他返回巴黎，建立中央共和社。他要求临时政府实行更加社会主义的政策。同年 5 月 15 日，他因参加民众示威而被判处 10 年徒刑。1859 年获释。1861 年再次被捕，1865 年逃往比利时。他开始研究政治经济学和社会主义，并写了一些这方面的著作。1865 年以后，他经常从布鲁塞尔秘密前往巴黎，在学生和工人之间组织布朗基主义的团体。他还写过城市游击战的手册《武装起义教程》（1867～1868）。1870 年普法战争爆发。正当敌军向巴黎挺进的时候，他表现出自己是一个爱国者和革命者。他建立一个俱乐部，创办一家报纸，两者全都采用雅各宾派的名称——《祖国在危急中》。他呼吁巴黎人民团结起来共同反对入侵者，并提出保卫巴黎所应采取的措施。布朗基主义者两次尝试推翻政府（1870-10-03；1871-01-

22)，均告失败。布朗基1871年3月17日被捕，次日即发生巴黎公社的起义，布朗基主义者在这次起义中扮演了十分重要的角色，布朗基本人被选为公社主席。起义失败后，他在1879年被波尔多选为法国议会议员。1880年末突然中风，几天后逝世。布朗基及其学说在他死后的工人运动史上发挥了重要作用。和其他社会主义者相比，布朗基既不能算作经济学家，也不能算作哲学家。他实际上是个革命理论家和起义实践家。他认为夺取政权只能是极少数人的行动。他的主要思想是：不实行一个阶段的专政，就不能对社会进行社会主义的改造；而这种专政首先要解除资产阶级的武装，没收教会和大产业主的财产以及对大工商企业实行国家监督；然后建立工业的和农业的生产联合组织，并且发展教育，使人民有组织国家经济的能力。

blanquillo(fish)　**小白鱼**　参阅 **tilefish** 方头鱼。

Blantyre　布兰太尔　马拉维最大城市。位于布兰太尔区(4 175平方千米)的希雷高原。海拔1 039米，使其热带性气候得以缓和。雨季12～3月，凉季4～8月，热季9～11月。1876年苏格兰长老会建为传教据点，并以D.利文斯敦的苏格兰出生地命名。1883年为英国领事馆所在地，1895年设市，是马拉维最早的市。殖民时代因象牙贸易所建立的交通网，是它成为今日重要的商业和供销中心的基础。1956年与林贝合并。林贝建于1909年，环马拉维(当时称尼亚萨兰)铁路总部而发展，马拉维铁路有支线通往莫桑比克的贝拉和津巴布韦的哈拉雷。合并后的城市有时称为布兰太尔，有时称为林贝。境内有两所大教堂和马拉维大学的工艺校区。有制鞋、磨粉、酿造、软性饮料制造、烘焙、印刷、烟草制造等多种轻工业。布兰太尔为地区性购物和行政中心，而林贝是批发商业中心，多为南亚人所经营，同时也是马拉维烟草贸易中心。人口：市646 235(2003)。

Blarney　布拉尼　爱尔兰语作An Bhlarna。爱尔兰科克郡村庄。因布拉尼城堡(约建于1446)而著名。城堡南墙城垛下有一块布拉尼石，传说谁吻了它就会得到雄辩口才。布拉尼处在森林地带。生产花呢和聚丙烯口袋。人口2 146(2002)。

布拉尼城堡
美国不列颠百科全书公司供图

Blaschka glass　布拉施卡玻璃模型　由L.布拉施卡(？～1895)及其子鲁道夫(？～1939)按照自然史标本制作的玻璃模型。布拉施卡父子生于波希米亚(或捷克)，在德国工作。他们最著名的作品是1887～1936年在德累斯顿制作的数千件植物玻璃模型，作品精细入微地再现了植物形态，达到了最初植物研究的目的。这些作品也是精美绝伦的玻璃艺术品。他们还为哈佛比较动物学博物馆制作了海洋生物模型。

Blaschke, Wilhelm Johann Eugen　勃拉希克(1885-09-13，奥匈帝国格拉茨～1962-03-17，汉堡)　德国数学家，对涉及运动学的几何、微分几何、积分几何做出了重要贡献。1913年，任布拉格的德意志工科大学特约教授，嗣后先后任莱比锡大学(1915)、柯尼斯堡大学(1917)和汉堡大学(1919)教授。他发现了运动映射，这后来对各种几何的公理基础至为重要，并把它作为运动学中的基本技巧。他开创了研究不变可微映射的拓扑微分几何。最重要的著作有《圆和球》(1916)、《微分几何讲义》(3卷，1921～1929)、《积分几何讲义》(2卷，1935～1937)、《爱因斯坦相对论基础》(1921～1923)、《解析几何》(1948)等。

Blasco Ibáñez, Vicente　布拉斯科·伊巴内斯(1867-01-29，西班牙巴伦西亚～1928-01-28，法国芒通)　西班牙作家、政治家。以描写第一次世界大战的小说获得世界声誉。最

美国不列颠百科全书公司供图

著名的《启示录四骑士》(1916)曾被改编为两部美国影片。他与九八年一代('98, **Generation of**)有联系。18岁时在马德里学法律，同时为政治报刊写稿。由于写了一首反对君主制度的诗被捕入狱，这是他因为政治信仰而受到的许多惩罚的第一次。1891年创办共和派报刊《人民报》。1901年，首次被选举为议会议员。以后曾7次当选，直至1923年流亡国外，定居里维埃拉。早期作品主要是地区性小说，在描写巴伦西亚的生活时，以生动而强烈的现实主义和充沛的戏剧性力量为特色。后期小说写严肃的社会问题，因过分强调思想意识，使作品逊色。

Blasis, Carlo　布拉西斯(1803-11-04，那不勒斯王国那不勒斯[意大利]～1878-01-15，意大利切尔诺比奥)　意大利芭蕾教师，舞蹈技巧、历史和理论书的作者。曾发表《舞蹈艺术理论与实践概论》(1820)，是编纂和出版古典芭蕾技巧书籍的第一人。他是J.多贝瓦尔

美国不列颠百科全书公司供图

的学生，曾为巴黎歌剧院、米兰拉斯卡拉剧院、伦敦国王剧院舞蹈演员，并为后者编过舞。1837年被任命为拉斯卡拉芭蕾学校校长，培养出19世纪许多最卓越的舞蹈家，当时已经成名的芭蕾明星C.格里西和F.切里托也拜他为师。据认为，他从詹博洛尼亚所作的墨丘利神的雕像上得到启发而创造了阿蒂丢德(attitude)的舞姿；在这个舞姿中，舞蹈者一腿抬起，向后伸出，膝盖弯曲。他还发明了一种防止旋转时晕眩的叫做"定点"的技术，舞蹈者运用头部比身体转得更快的技术，从而使目光保持在一个"定点"上而不致晕眩。布拉西斯的传统和革新已直接通过他的学生传下来，同时也记载在他的第二本书《歌舞女神法典》(1830)中，这本书现在仍然是古典舞蹈训练的基础。

Blasius, Saint　参阅 **Blaise, Saint** 布莱斯，圣。

Blasko, Béla(actor)　**布洛什科**　参阅 **Lugosi, Bela** 卢戈希。

Blaskowitz, Johannes　布拉斯科维茨(1883-07-10，德国彼得斯瓦尔德～1948-02-05，纽伦堡)　德国陆军元帅、坦克专家。第二次世界大战期间在几个战场上指挥德国军队，但憎恨并反对纳粹的暴行。他作为职业军人参加了第一次世界大战。第三帝国时期他晋升很快。作为战场指挥官参加了对奥地利和捷克苏台德的入侵，在波兰战役中任第8军司令官。1939年10月22日任德国驻波兰占领军军事长官，曾向上级呈交两份记录党卫军和纳粹其他准军事警察强奸、屠杀并抢劫犹太人和波兰人商店案件的材料，指责他们无法无天，不听约束。希特勒在盛怒之下解除了他的职务。后又恢复军职。1944年他在G.冯·伦德施泰特将军指挥下任集团军司令，协助防御盟军在法国北部登陆。1945年初在荷兰率军投降。在纽伦堡受审时跳楼自杀(一说是党卫军特务推他坠楼致死)。

blasphemy　亵渎　指不敬神明，引伸意为使用不圣洁的语言。按照基督教的说法，亵渎与异端有某些共同之处，但不同的是，异端指

抱有反对正统教义的信仰。如果否认上帝的存在或怀疑基督教某些公认的信条而并不以嘲笑讽刺的态度表达这种思想，就不是亵渎。基督教道德神学家认为，亵渎是犯罪。圣托马斯·阿奎那把亵渎说成是反对诚信之罪。伊斯兰教认为，出语对真主不敬，当然是亵渎；对穆罕默德不敬，也是亵渎。许多社会中对某种形式的亵渎一直认为是犯罪，应受法律惩处。摩西律法规定，犯亵渎罪者应以乱石打死。在拜占廷皇帝查士丁尼一世统治时期(527～565)，亵渎罪判死刑。美国一些州都有法律规定对亵渎罪的处罚。苏格兰在18世纪以前规定亵渎罪应处死。英格兰法令和习惯法认为亵渎是犯罪。17世纪时，英格兰把亵渎列为习惯法犯罪行为；其基本概念显然是反教必然要叛国。这一概念大概就是为什么一些非宗教法典也规定亵渎为犯罪应予惩罚的理由。

Blass, Bill　布雷斯(1922-06-22，美国印第安纳韦恩堡～2002-06-12，康涅狄格普雷斯顿)　美国时尚设计师。17岁离家进入位于纽约市的帕尔森斯设计学院。第二次世界大战期间在美国陆军服役，战后回到纽约，1959年成为莫瑞斯·润特纳公司的首席设计师。基于对欧洲设计师如C.夏内尔的革新设计，布雷斯设计的服装让女性穿得轻松舒适，又能展现帅气的现代感。他的作品在纽约上流社会女性之间受到欢迎。1970年布雷斯成为润特纳公司的老板，并将公司名称改为自己的名字。他是运用授权商业策略的先驱，即把他的设计与名字运用在大量的流行服饰配件上。

blast furnace　高炉　又称鼓风炉(冶炼有色金属)。用以生产液体金属的一种竖式筒形炉。其方法是向炉底通入加压的空气，以便同从炉顶加进的由矿石、焦炭和熔剂组成的混合料发生反应。高炉可用来从铁矿石生产生铁并随后送去炼钢，也可用于生产铅、铜和其他金属。通过加压空气流来维持迅速的燃烧。高炉在高温和加入熔剂(如石灰石)的条件下，通过碳(如焦炭)的还原作用从铁矿石生产生铁。生产铁的高炉有下列几个区域：在炉底有一坩埚状的炉缸，炉缸和炉身之间的中间区域叫炉腹，竖直的炉身从炉腹延伸到炉顶，炉顶装有炉子的加料装置。由含铁材料(即由铁矿石加工成的球团或烧结块)、焦炭和熔剂(即石灰石)组成的炉料通过炉身下移，在炉身中和上升的还原气体发生反应，变成铁水和炉渣流入炉缸。预热到900～1 250 °C的空气和喷入炉内的燃料(如油或天然气)一起经过风口鼓进炉内。风口的位置靠近炉缸的顶部并沿炉子周边排列，数量从12个到大炉子的40个不等。预热空气由围绕炉子的大口径热风管输送。预热空气和预热焦炭发生剧烈反应，生成还原气体(一氧化碳)沿炉子上升，高达1 650 °C的高温把炉料变成铁水和渣。炉腹是炉子最热的部位，因为它靠近空气和焦炭反应之处。铁水聚集在炉缸内，炉缸装有出铁水的口，排出由杂质和熔剂组成的渣子的出渣口位于出铁口上方。为了保护炉子的外壳，炉缸和炉腹是厚壁结构，由大块炭质耐火材料砌衬，炉身则由优质黏土砖砌衬；在它们内部嵌有可供冷水循环的冷却壁、冷却板或喷水装置，以保护这些耐火材料不致烧毁。

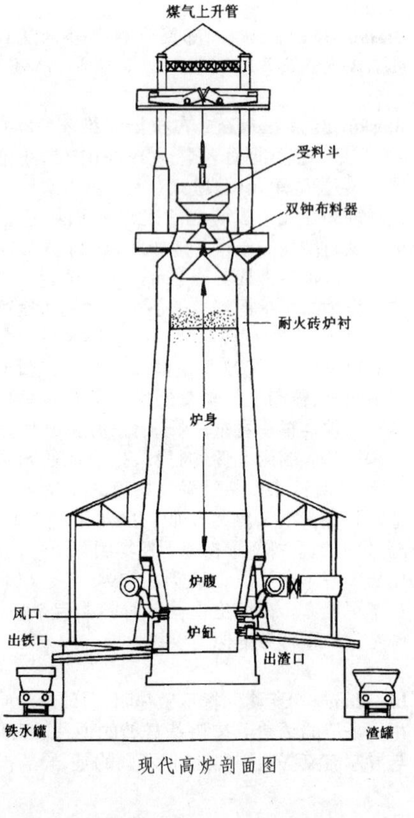

现代高炉剖面图

高炉为连续作业，炉身内装满了由炉顶按层次加入的焦炭、矿石和石灰石。焦炭在炉底点燃，与从风口鼓入的空气迅速燃烧。矿石中的氧化铁被碳和焦炭产生的一氧化碳还原成铁水。形成的炉渣含有石灰石熔剂、焦炭灰分以及矿石中的杂质和熔剂反应的产物，炉渣呈熔融状态浮在铁水上面。炽热煤气从燃烧区上升，加热炉身中的新炉料，通过靠近炉顶的煤气管导出。

高炉具有下列设施：准备炉料的库房，炉料在由翻斗车或皮带运输机提升到炉顶之前在此制备；炉顶装料系统，它包含有两个一组的料钟(锥形体)或旋转料槽，以防加料时煤气从炉内逸出；热风炉，用高炉煤气预热送往风口的空气；出铁场，通过沟槽将铁水或渣分送到各自的罐内，运往炼钢炉或堆渣场。

在欧洲，高炉是经过几个世纪从古罗马人操作的小炉子发展起来的。古罗马人在小高炉内用木炭把矿石还原成半固态状的铁，此种铁含有少量的碳和渣子，经过锤打除去渣子后获得熟铁。加大炉子的高度并配备以能把大量空气鼓进炉内的鼓风装置，极大地提高了炉温，从而得以生产出叫做铸铁或生铁的高碳铁。此种生产方法14世纪中叶在中欧得到了使用并于1500年左右传入英国。17世纪以前，木炭是唯一的高炉燃料；当提供木炭的森林消耗殆尽时，在英国进行了使用焦炭(由煤制造)的试验，18世纪中叶，焦炭已被广泛用于高炉。19世纪初，空气在进入炉子前加热的原理被引进了高炉生产。

现代高炉的高度20～35米不等，炉缸直径为6～14米，每天能生产1 000～10 000吨生铁。

Blastares, Matthew　布拉斯塔雷斯(活动时期14世纪)　希腊正教修士、神学著作家、拜占廷法律权威。1335年综合前人材料编纂教会法和民法手册《法律汇编》。影响了后来斯拉夫法典的发展。到18世纪该书已成为东正教会法的正典。该书主张政权单位超越个人或阶级利益，受一位君主统治，服从该君主所颁行的法律。他还著有批判罗马教会关于圣餐礼的教义的小册子。

blastema　芽基　又作 regeneration bud。又称再生芽。动物学术语，指能形成一个器官或附肢的一群未分化细胞。在低等脊椎动物中，芽基对断肢再生极为重要。如蝾螈断肢残基的组织发生反分化并回复胚胎状态，在再生神经纤维的影响下形成芽基，形似胚胎期的肢芽，由此逐渐长出代换肢。某些无脊椎动物(如扁虫)，散布全身的补充细胞可提供芽基细胞。在脊椎动物中，伤口的反分化皮肤细胞和肌肉细胞组成发育芽基。再生神经纤维受损或破坏时，芽基便不能发育，于是形成瘢痕组织。

blasting　爆破　把像岩石之类的固体破碎成碎片的过程。爆破常用炸药，有时也可用压缩空气。传统的爆破作业步骤是：①钻出收缩型炮眼；②在每个炮眼内放置炸药和雷管；③将炸药填实，压紧，用泥土或碎石将炮眼的其余部分填满；④点燃或引爆装药；⑤清除破碎物。在一次爆破(从原岩体上炸下石块)时，炸药通常封闭在炮眼内，以便更有效地利用爆炸能量。在二次爆破(把石块炸成小块)时，炸药通常是放在炮眼内，或放在石块表面上，用封泥盖上。爆破的冲击力在靠近炸药处最强。由于压缩空气无火灾危险，在烟煤矿中常用来将煤破成大块。黑火药和烈性炸药可在炮眼周围立即引起破碎，但在破碎带的边缘，应变波沿径向扩展，强度迅速减弱。核爆炸的冲击可使最邻近的岩石熔化和气化，然后产生破碎带。最后，如炸药非常靠近自由面，就会产生断裂带。表面爆破使用大直径(7.5厘米以上)炮眼，其平均直径约15厘米，平均深度约9米。地下爆破则用较浅较小的炮眼。炮眼的位置应使破碎每单位体积岩石所需的炸药量(称为炸药系数)最小。大多数炮眼分布的依据是：如果炸药装在距岩石暴露面特定距离之内，破碎就最均匀。要破碎大岩体，就要把炸药装入分成几组的炮眼，使最接近暴露面的一组炮眼被点燃时，爆破在距点燃稍晚的下一组炮眼的适当距离处产生新的暴露面。以千分之几秒的时间间隔，按预定次序点燃这几组炮眼。每份炸药都由雷管起爆。用引信时，起爆时间由引信的长度决定；而用电雷管时，起爆时间则由雷管内的定时元件决定。

blasting cap　起爆筒　又称雷管。使高速炸药受冲击波击发而引起爆炸的装置。严格地说，雷管一词是指产生冲击波的一种易燃低速炸药，而发火机或起爆药一词是指产生突发火焰以点燃雷管的一种物质。发火机可以用短时加热(来自燃烧的导火索或电热丝)、摩擦或机械冲击(像枪上撞针的撞击)来引燃。起爆筒可以只装发火机或兼有发火机和雷管,视选定的引爆方法而定。

blastocyst 胚泡 又称囊胚泡。哺乳动物胚胎的一个阶段。囊胚的一个类型。桑椹胚内出现充满液体的空腔,即成囊胚。胚泡与囊胚不同之处在于胚泡细胞已分化为内细胞群和包膜层两型。内细胞群进一步分层,产生一薄层细胞,称为下胚层,位于内细胞群与卵黄囊之间,参与胚胎内胚层的形成,而呼吸道和消化道即起源于此。胚泡的包膜层即滋养层,不直接参与胚胎的形成,是胎盘的前身,用以建立胚胎与母体子宫间的联系。

blastoid 海蕾 已绝灭的棘皮动物海蕾纲(与现代的海星、海百合相关的动物)的任一成员。生长在中奥陶世到晚二叠世(4.78亿年前至2.45亿年前)。为固着生活的动物,借一圆片组成的柱状茎固定于海底。与其他棘皮动物不同,以构造规则为特征。萼部有13块碳酸钙骨板,在其周围排列成3圈。有些海蕾类可作为标准化石,用于地层单位的对比,五角海蕾属(*Pentremites*)尤其著名和常见。

blastomycosis 芽生菌病 芽生菌属真菌引起的皮肤和内脏感染,可分两型:①北美型,由皮炎芽生菌所致,病变最常见于皮肤和肺部。肺内病变大小不等,从肉芽肿样结节到弥散的融合性化脓性炎症,累及整个肺叶;表皮下有微小的脓肿,周围皮肤伴肉芽肿样外观。②南美型,由巴西芽生菌所致,病原常从鼻咽部侵入。口腔或鼻腔形成肿胀、溃疡,感染可蔓延到附近淋巴结;原发性病变亦可发生于下腹部的淋巴组织。两型感染不仅可扩散至淋巴结,还可扩散至大脑、骨、肝、脾和肾上腺等器官。治疗包括应用抗生素、抗真菌药及磺胺药。参阅 **chromoblastomycosis; cryptococcosis**。

blastopore 胚孔 又称原口。动物原肠胚的腔(原肠腔)通向外界的开口。在某些动物的成熟过程中,胚孔发育为肛门或口;在另外一些动物胚胎发育过程中,原口被遮盖,参与形成连接原肠和神经管腔的管道。

blastula 囊胚 动物胚胎发育的一个阶段,由桑椹胚细胞继续分裂而成,是细胞(分裂球)组成的空心球体。分裂细胞构成上皮层(囊胚皮),包围着一个充满液体的腔(囊胚腔)。囊胚发育为*原肠胚*(**gastrula**),即原肠胚形成。哺乳动物之类的*桑葚胚*(**morula**)发育成*胚泡*(**blastocyst**),形状与上述者略有不同。

Blatch, Harriot Eaton Stanton 布拉奇(1856-01-20,美国纽约塞尼卡福尔斯～1940-11-20,康涅狄格格林尼治) 美国妇女参政运动领袖。1878年毕业于瓦瑟学院,在其母S.B.安东尼及M.J.盖奇合编的重要著作《妇女参政史》(1881～1887)中写了很长的一章。其后20年间,在英国从事教育工作、社会改革和妇女参政运动。1902年返美,使濒于消灭的妇女参政运动有了新的活力。布拉奇曾组织美国的第一批妇女参政游行(1910)及多次露天会议,后参加国会联盟(后改为妇女党),促使一项联邦平等权利修正案获得通过。著作有《一个女人的观点》(1920)、《挑战的年代》(1940)等4部书。

Blatchford, Samuel 布拉奇福德(1820-03-09,纽约市～1893-07-07,美国罗得岛纽波特) 美国最高法院法官(1882～1893)。1837年毕业于哥伦比亚学院(后为哥伦比亚大学)。1842年获律师资格,开始与其父亲一起开业。后来在纽约市设立了他自己的律师事务所,成为国际法和海商法的著名权威。1867年被任命为纽约南部地区的地方法官,5年以后,任第2司法区的巡回法官。1882年被阿瑟总统擢升为最高法院大法官,并且获得了最勤奋的大法官的声誉,先后在430个案件中发表了意见。最著名的是在"坎宁安诉尼格尔"案中代表多数派大法官发表的意见,这是一个扩大联邦权力的案件。此外,他所作的关于设计专利地位的判决和关于侵犯设计的裁决,构成了国会于1887年通过的关于侵犯专利应予赔偿的立法的基础。

Blaue Reiter, Der 青骑士 英语作The Blue Rider。艺术家团体,1911年12月成立于慕尼黑,对抽象艺术的发展有重大影响。创始人F.马尔克和W.康定斯基合编了一卷美学论

F.马尔克绘油画《林中鹿》(1913～1914)
美国不列颠百科全书公司供图

文集,书名为《青骑士》,原是康定斯基一幅画的名称,后来便成为这个团体的名称。青骑士既不是一个运动,也不是一个学派,没有明确的纲领,只是一个由众多艺术家组成的松散团体,在1911～1914年间一起展出他们的作品。与略早一些的德国艺术团体"桥社"一样以表现主义为方向;但与桥社不同的是他们的表现主义采用抒情抽象的形式,而且也不像桥社那样表现出许多共同的风格特征。他们对不可见的世界比对可见的世界更感兴趣,希望赋予神秘的感情以形式,把艺术同深刻的精神内容融于一体。青骑士的画家们不同程度地受到青年派、立体主义和未来主义绘画风格以及纯朴的民间艺术的影响。第一次世界大战爆发后,青骑士解散。1924年,法宁格、康定斯基、克利和亚夫伦斯基组成青骑士四人团(Die Blaue Vier),并在1925～1934年间共同举办展览。

Blavatsky, Helena Petrovna 勃拉瓦茨基(1831-08-12,俄罗斯帝国乌克兰叶卡捷琳诺斯拉夫～1891-05-08,伦敦) 母家姓Hahn。俄国招魂术者、著述家,与他人共同创建神智学会,宣扬基于泛神论的哲学-宗教体系的神智学。17岁与俄国军官、副省长勃拉瓦茨基结婚,几月后离异,研究神秘主义和招魂术,多年来遍历亚洲、欧洲许多国家及美国。她自称曾在印度和西藏居住数年,拜印度教诸大圣为师。1873年她在纽约市遇见奥尔科特,两人结成亲密伴侣。1875年两人会同其他知名人士创立神智学会。1879年两人到印度,3年后在马德拉斯附近阿迪亚尔建立神智学总部,创办该会杂志《神智学家》,勃拉瓦茨基夫人1879～1888年任该刊主编。神智学会在印度发展迅速。1885年勃拉瓦茨基夫人因体弱离印度,先后在德国和比利时,最后在伦敦过安闲生活,从事写作。主要著作为《秘密教义》(1888)、《神智学解答》(1889)。

Blazejowski, Carol 布瓦热约夫斯基(1956-09-29,美国新泽西伊丽莎白～　　) 美国篮球运动员。少年即在校队打球,1975年参加蒙特克莱州立学院队。她是极具竞争力的球员,长期保持女子最高得分记录(平均每场31.7分,单季每场平均38.6分)。3次被评选为全美最佳选手(1976、1977和1978)。1978年获年度最佳女子篮球选手的韦德杯。1977年3月6日在对昆斯学院队的一场比赛中独得52分。1979年参加美国女子篮球队,获世界大学生运动会篮球比赛金牌。在历次比赛中都得分最高。1980和1981年代表新泽西宝石队参加女子篮球联赛,1981年得分最多,被评为最有价值球员。1990年参加美国全国篮球协会,致力于创立全国女子篮球协会。1997年夏,签约任纽约自由队副董事长兼总经理。1994年成为为数不多的几名入选奈史密斯纪念馆篮球名人堂的女球员之一。

Blazey, Saint 参阅**Blaise, Saint布莱斯,圣**。

bleach 漂白剂 固体或液体化学药品,用于漂白或除去纤维、纱线、纸张和织物品的天然颜色。在织物精加工中,漂白过程用于生产白布、为其他成品制备纤维品或除去在其他过程中产生的污染。氯气、次氯酸钠、次氯酸钙和过氧化氢通常用作漂白剂。在1774年瑞典化学家K.W.舍勒发现氯气、1785年法国化学家C.贝托莱证明氯的漂白性能之前,日光是主要的漂白剂。漂白粉是一种氯气与熟石灰的固体化合物,1799年由苏格兰化学家C.坦南特发明,以后就大量生产用来漂白衣服和纸张。它与氯气有相同的效用,而且便于使用与运输;但是它不稳定,并含有大量惰性物质。直到20世纪20年代它仍保持着标准漂白剂的地位。随后就逐渐被液氯和次氯酸钠溶液所取代。漂白粉的生产方法是将熟石灰撒在大的长方形铅(或混凝土)室的底板上,通入氯气供其吸收;或将石灰推过充有氯气的卧式管里。目前,常用过氧化氢

漂白棉布衣服，亚氯酸钠和次氯酸钠作为替换物。木料和动物纤维用酸性还原剂（如二氧化硫）漂白。造纸工业中常用二氧化氯、过氧化氢、过氧化钠、二氧化硫、亚硫酸氢钠和次硫酸钠。合成纤维的漂白决定于它们的化学组成，可用氧化剂亦可用还原剂。光学漂白剂，荧光白化学药品发出蓝白色光，不是真正的漂白剂。

bleak（*Alburnus alburnus*）　**欧白鱼**　鲤科细长小型鱼，产于欧洲和英国的江河、湖泊中。体银绿色，最长达约20厘米。在近水面

欧白鱼（*Alburnus alburnus*）
美国不列颠百科全书公司供图

处成群游动，以水生无脊椎动物为食。欧白鱼可食用但多刺。在东欧其鳞用于制造人造珍珠。

Bled, Lake　**布莱德湖**　塞尔维亚－克罗地亚语作 Bledsko Jezero。斯洛文尼亚最西北部冰川湖。在卢布尔雅那西北。是尤利安山脚消夏、度假和冬季运动胜地。附近有特里格拉夫峰国家公园。湖畔布莱德镇有历史名胜。湖岛上有圣马利亚古教堂。湖岸峭壁上有布莱德城堡。

bleeding heart　**荷包牡丹**　紫堇科荷包牡丹属（*Dicentra*）几个种的通称。草本。日本荷包牡丹（*D. spectabilis*）茎高约 60 厘米，弓形下垂，悬挂着玫瑰红色或白色的心形小花，

日本荷包牡丹（*D. spectabilis*）
美国不列颠百科全书公司供图

广泛栽培以观其花。白色类型（*D. spectabilis alba*）的叶较其他种类大，具深缺刻。东方（或野生、缕毛）荷包牡丹（*D. eximia*）较矮，在北美东部的阿勒格尼山区4～9月长出有粉红色小花的花枝。从加利福尼亚至不列颠哥伦比亚山地森林分布着太平洋（或西方、美丽）荷包牡丹（*D. formosa*），有几个庭园栽培的变种。

Bleeding Kansas　**堪萨斯内战**（1854～1859）美国蓄奴论者和反对蓄奴论者之间为争夺对堪萨斯的控制权而进行的一场小规模内战。1855年12月，一个废奴主义者遭到杀害，因而引起暴乱。1856年5月21日，又发生洗劫劳伦斯事件，终于导致堪萨斯内战。先是一群拥护奴隶制的暴徒拥入劳伦斯市内，捣毁并放火烧掉旅馆和报社。3天后，J.布朗率领一支反对奴隶制的部队进行反击，是为*波塔沃托米枪杀事件*（**Pottawatomie Massacre**）。于是两派不断火并，争城夺地，在堪萨斯的边境地区扰攘经年。至 1861 年 1 月，堪萨斯成为联邦的自由州之后才告解决。

Bleek, Wilhelm（Heinrich Immanuel）　**布列克**（1827-03-08，柏林～1875-08-17，开普敦）比较语言学家。因对南非诸语言所作的开创性研究而赢得“班图语语文学之父”的称号。约在 1855 年，为研究科萨人语言和习俗，赴南非纳塔尔，写有《莫桑比克语》（1856）一书。次年，被任命为开普殖民地英国总督乔治·格雷爵士的译员，约从 1860 年起，任图书馆馆长，开始著述，作品有《非洲、澳洲和波利尼西亚语语文学手册》（3 卷，1858 ～ 1863）、《南非诸语言比较语法》（1862 ～ 1869）和《霍屯督寓言故事集》（1864）等书。

Blegen, Carl（William）　**布利根**（1887-01-27，美国明尼苏达明尼阿波利斯～ 1971-08-24，雅典）　美国考古学家，曾对荷马史诗《伊利亚特》中描写的特洛伊城陷落时间予以确定，1939 年发现用欧洲早期文字（约公元前 1250）刻印的泥板，在伯罗奔尼撒进行的考古发掘为重建希腊史前史做出贡献。1927 ～ 1957 年任辛辛那提大学考古学教授。1932 ～1938 年指导特洛伊遗址的研究工作，发现原来证实的特洛伊建城、毁城及重建等 9 个主要时期，各分两个以上的阶段，根据地层研究，可得出 46 个阶段；还提出，普里阿摩斯王所建特洛伊城遗址可溯至Ⅶa 主要时期（约公元前 1250）。

详况具载于布利根主编的《特洛伊城：1932 ～ 1938 年辛辛那提大学考古发掘调查报告》（4 卷，1950 ～ 1958）；布利根另著有《特洛伊城与特洛伊人》（1963）。1939 年他再度去希腊考查，确定麦西尼亚的安纳·盎格利安诺斯山顶为内斯特王宫的遗址，出土大量建筑物，重要发现是希腊早期文字，与前此克里特岛发现的线形文字 B 相似。1952 年起继续发掘，又出土雕刻泥板 1 000 余块和一座公元前 13 世纪的迈锡尼宫殿。布利根在派罗斯一直逗留到 1964 年，继续发掘许多墓葬，出土大量珍贵文物。布利根和罗森主编了《西迈锡尼的派罗斯的内斯特王宫遗址》（3 卷，1966 ～1973）。

Blekinge　**布莱金厄**　瑞典南部一省和行政区。区面积 2 919 平方千米，为仅大于厄兰行政区的小行政区。根据《罗斯基勒条约》（1658），丹麦将此地割让给瑞典。农业实行精耕细作，有瑞典花园之称。主要农作物是马铃薯。钢铁、纺织、采石、制造业为重要工业。卡尔斯港为主要商业和工业中心。省会卡尔斯克鲁纳（1680 年后为瑞典海军基地）。人口约 151 692（1997）。

blende（mineral）　参阅 **sphalerite** *闪锌矿*。

blended whiskey　**勾兑威士忌酒**　一种用纯威士忌酒（由单一谷糠煮料蒸馏而成）同杂谷酿成的威士忌酒或中性烈酒勾兑混合的酒。勾兑的纯威士忌酒仅为多种纯威士忌酒的混合物。勾兑威士忌酒是一种烈性较纯威士忌酒为低且稍有不太明显味道的酒精饮料。参阅 **whiskey**。

blending　**混合**　在纺纱生产中，把不同来源、长短、粗细或颜色的纤维进行混配的工艺过程。混合在纺纱工序之前完成，赋予纱线所需要的特性如强度和耐用性等，或加入部分廉价纤维以降低成本，或获得特殊的颜色或结构效应。制成的织物称混纺织物。混合也指从不同批号的同类纤维中各取出少量进行混配，以达到均匀的效果。

Blenheim　**布莱尼姆**　新西兰南岛东北部城市。1847 年设居民点。1864 年发现金矿后迅速发展。1866 年设镇。1869 年设市。现为几大公路和南岛铁路干线的交通枢纽，并以 27 千米以北的皮克顿为港口。是周围农牧区的服务中心。有轻型机械、汽车车体、食品加工等工厂。人口约 23 800（1992）。

Blenheim, Battle of　**布伦海姆战役**（1704-08-13）　西班牙王位继承战争中第一代马尔伯勒公爵约翰·丘吉尔和萨瓦的欧根获得大捷之役。是法国军队 50 年来遭到的第一次重大失败。它从法国－巴伐利亚联军的威胁中拯救了维也纳，维护了英国、奥地利和联合省的反法联盟并迫使巴伐利亚退出战争。战役发生在巴伐利亚多瑙沃特西南 16 千米多瑙河上的布伦海姆。交战双方是由马尔伯勒和欧根统率的 5.2 万人的英奥联军与法国塔拉尔伯爵统率的 6 万人的法国和巴伐利亚军队。马尔伯勒和欧根在 8 月 12 日会师，第二天对毫无准备的法军发动进攻。法军在内贝尔巴赫河背后集结两翼，而中路薄弱，由几乎孤立无援的骑兵据守。联军最初的进攻迫使塔拉尔将其后备兵力调到两侧，中路更显单薄。于是马尔伯勒渡过内贝尔巴赫河和沿河的沼泽地带，发起主攻，法国企图阻止进攻未果，英奥联军最后突破塔拉尔的中路。塔拉尔被俘，其军队有许多人淹死在多瑙河。巴伐利亚选帝侯马克西米连二世·埃马努埃尔撤出了战斗，但在布伦海姆附近的法军右翼所有步兵投降。此役联军损失 1.2 万人；1.3 万名法国－巴伐利亚士兵被俘，死伤或淹死约 1.8 万人。

Blenheim Palace　**布伦海姆宫**　位于英格兰牛津郡伍德斯托克附近的宅邸。建于 1705 ～1724 年。由英国议会赠送给第一代马尔伯勒公爵 J.丘吉尔，以纪念他在 1704 年西班牙王位继承战争中的布伦海姆战役中，统率联军在德国战胜法国和巴伐利亚军队的业绩。由约翰·范布勒爵士设计，是英格兰正统巴罗克式建筑的最好范例。18 世纪初由英国女王安妮的园艺师 H.怀斯仿照法国 A.勒诺特尔设计的维克姆特别墅和凡尔赛宫花园作了风格严谨的庭园布置。18 世纪中叶由于欣赏趣味的改变，由L.布朗改建成田园

布伦海姆宫
美国不列颠百科全书公司供图

风格的自然式庭园。温斯顿·丘吉尔爵士在布伦海姆宫出生。

blenny 鳚 鲈形目鳚亚目许多种鱼类的统称。大多体型小,海产,广布于热带到寒带海域。体修长。某些热带种体长中等,北部水域的锦鳚(**gunnel**)和狼鳚(**wolffish**)细长如鳗。共同的特征是背鳍长;腹鳍存在时,位近

常见于欧洲的大头鳚(*Blennius pholis*)
美国不列颠百科全书公司供图

喉部,有一棘和2～4鳍条。生活于各种生境,包括岩潭、沙滩、礁盘和生长褐藻的海床。多数生活于浅水,但有些可深至水下约450米处。有些主要为草食性,有些则部分或完全为肉食性。一般为底栖,不引人注意。没有多少经济价值。鳚亚目可分为几个科,最大的两个科是约有180种的胎鳚科和约300种的鳚科。胎鳚科鱼又称鳞鳚,肉食性,一般长不到30厘米,背鳍长而多棘,吻突出,头和吻上生有很多穗状触须。鳚科鱼一称梳齿鳚,体小,吻钝,无鳞,生活在热带和温带海中,背鳍一个,有时具凹刻,由若干较软的鳍棘及位于其后方的数目相同或更多的鳍条组成。牙细长,呈梳状,两颌后部常具一对大尖牙。广布全世界。夏威夷的岩鲑鳚(*Istiblennius zebra*)体小,是几个生活于沿岸且能在陆上跳来跳去的种的代表。夏威夷的戈斯林氏蠕鳚(*Runula goslinei*)和太平洋的蠕鳚(*R. tapeinosoma*)都是小型鱼,以能伤害游泳者而闻名。

blepharitis 睑炎 又称睑缘炎。眼睑的炎症,多与皮脂溢有关。脂溢性睑炎亦称鳞屑性睑炎。患者睑缘充血刺痒,睫毛根部有油性鳞屑黏附,炎症可蔓延到眼睑内面;治疗其原发病后即痊愈。过敏性睑炎表现为眼睑皮肤增厚、充血和睑组织含水肿胀,有时表现酷似早期的突眼性甲状腺肿;病因可能为对指甲油、肥皂、生发油或眼药过敏。葡萄球菌感染所致睑炎的临床表现为:睑缘可见溃疡,睫毛根部有干性鳞屑。治疗可冷敷或使用抗生素、磺胺软膏。

blepharochalasis 睑皮松垂症 上睑皮肤松垂,覆于眼前,遮挡视线的眼病。有时见于老人。病因为形成皮肤支架组织的两种纤维蛋白异常:弹性硬蛋白的数量减少,胶原纤维的交接则增多。本症亦见于阿舍尔综合征。该综合征罕见,可能为遗传性,伴有甲状腺肿大及上唇肿胀增厚。

Blériot, Louis 布莱里奥 (1872-07-01,法国康布雷～1936-08-02,巴黎) 法国飞行家,用重于空气的飞行器进行世界上第一次越洋飞行。因发明汽车灯和配件而致富,并对航

美国不列颠百科全书公司供图

空发生了兴趣。最初在塞纳河上试验牵引式滑翔机。当轻型发动机出现后,他研制出从箱式风筝双翼到鸭式单翼一系列构型不同的飞机。1909年确定了几种比较常规的设计。同年7月25日驾驶布莱里奥Ⅺ型飞机(装有28马力发动机的单翼机)飞越英吉利海峡,从加来到多佛尔。这次飞行使他长期享有盛誉,并获得伦敦《每日邮报》的1 000英镑奖金。第一次世界大战期间积极为法国政府制造飞机,最初生产他自己设计的教练机,后又参加制造著名的斯巴德式战斗机。大战结束后,他自己设厂研制商用飞机。

blesmol 隐鼠 某几种鼹形鼠(**mole rat**)的统称。

Blessing Way 祝福式 纳瓦霍人为使宇宙恢复和谐而举行的一系列复杂典礼中的主要仪式。纳瓦霍人按照不同的目的划分许多种仪式,其中规模最大的是歌咏仪式。它涉及治病,分为3个部分。第1部分是圣歌(包括祝福式和风式;在大多数仪式过程中都可以看到祝福式中的若干部分),全都用于治疗一些疾病;这些疾病的根源是由于人类对超自然领域内的圣人或超自然生物的某种侵犯。这些仪式又进一步分类为和平式(祈求圣人行善)和伤害式(主要是驱魔)。第2部分是鬼式(或邪恶式)歌咏,其中最著名的为上升到达式,用以驱除妖魔和医治鬼魂及巫术所造成的疾病。第3部分是生活式,专治由于意外事故所造成的创伤,其中最著名的为火石式。除歌咏仪式外,其他主要仪式涉及战争胜利(敌人式)和狩猎(猎物式),但这些仪式大多已经废弃不用了。同所有这些具有特定目的的仪式不同的是祝福式,它是一种比较简短的仪式(举行这一仪式只需用两天)。举行祝福式是为了祈求全社区的幸福而不是具体的治疗,所以它不带任何治病仪式的典型特征(如沙画、祈祷棒、治病歌和草药)。为了求得好运——如在婴儿出生时,或在为新屋(新家)祈福时,或在女孩发身典礼上——传统的纳瓦霍家庭一年至少要唱两次祈福歌。几乎在其他所有的歌咏仪式中都包含有祝福式中的某些部分。祝福式的故事包括有纳瓦霍人在开创中的大地上传奇般地出现后所发生的一些神秘事件的种种细节。这些事件为组织宇宙统一体系、重要的纳瓦霍仪式和中心文化制度提供了范本。

Blessington, Marguerite Gardiner, Countess of 布莱辛顿伯爵夫人(1789-09-01,爱尔兰蒂珀雷里郡克朗梅尔附近诺克布里特～1849-06-04,法国巴黎) 母家姓鲍尔。爱尔

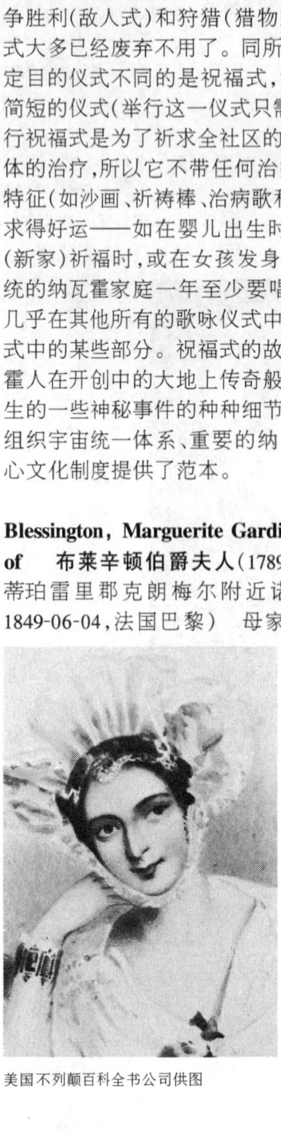

美国不列颠百科全书公司供图

兰女作家,以《拜伦谈话录》和她在伦敦的沙龙出名。15 岁时被父亲卖给一个虐待狂患者,3 个月后逃走。她聪慧美丽。18 岁时,著名画家劳伦斯曾为她画像。后来嫁给布莱辛顿伯爵查尔斯·加德纳。她在伦敦布置了一个华丽的沙龙,开始动笔描写伦敦的生活。1822 年布莱辛顿夫妇出国旅行。他们在热那亚同拜伦在一起住了两个月,然后又到意大利和法国直到 1829 年伯爵死去。她回到伦敦后靠写作维持生活。第一部长篇小说《格雷斯·卡西迪》,又名《废止论者》(1833)获得成功。她根据自己的日记写出《拜伦谈话录》(1834)、《意大利闲游》(1839～1840)和《法国闲游》(1841)。为躲避债务,她于 1849 年逃往巴黎,客死异国。

Blest Gana, Alberto　布莱斯特·加纳(1830-05-04,智利圣地亚哥～1920-11-09 或 11,法国巴黎)　智利小说家和智利社会小说的奠基人。在巴黎学习军事工程时,受法国现实主义作家特别是巴尔扎克的影响。早期小说如《爱情的数学》(1860)、《马丁·里瓦斯》(1862)、《一个傻瓜的思想》(1863)等,对圣地亚哥中上层阶级生活作了现实主义的描写。这些小说一般比较僵化,由于作者注意揭露追求物质享受的弊害,人物和情节往往受其影响。其后 30 多年未发表作品,致力于写作《在光复时期》(1897)和《移居者》(1905)。它们虽具有道德说教的色彩,然而却是他的杰作。他曾担任智利驻英国和法国的大使达50年之久。

Bleuler, Eugen　布洛伊勒(1857-04-30,瑞士措利孔～1939-07-15,措利孔)　当时最有影响的精神病学者之一。因采用"精神分裂症"一词描述以前称为早发性痴呆的疾病,并因

美国不列颠百科全书公司供图

对精神分裂症患者的研究至今仍享有盛名。曾在伯尔尼大学学医,后任苏黎世大学精神病学教授,并在 1898～1927 年间任苏黎世布尔格赫尔茨利精神病院院长。1908 年,他根据对该院 647 名精神病患者的研究写成论文,首先提出精神分裂症一词,后在《精神分裂症中的早发性痴呆群》(1911)一书中又对此作了详细论述。他指出,早发性痴呆不是一种单一的疾病,并非绝对不可治愈,而且也不总是发展成完全痴呆。这些结论与当时所公认的观点不一致。他将精神分裂症描述为一组疾病,基本症状是联想的系列失调。他认为多数病例是隐伏的,患者只是在某些情况下,对特定的问题有思维过程的混乱。有人认为孤独症的概念亦是由他提出,他曾将孤独症列为精神分裂症的表现之一。他又将矛盾情绪描述为互相排斥的矛盾在精神中的并存,并将其视为精神分裂症的一种症状。他是 S.弗洛伊德理论的早期支持者,并试图证明弗洛伊德在神经病人身上发现的各种机制,也能在精神病患者身上得到确认。他对精神病是因为大脑受到器质性损害引起的流行观点提出异议,而坚决主张有其心理学上的原因。所著《精神病教科书》(1916)成为标准的教科书,多次再版。

Blicher, Steen Steensen　布利高(1782-10-11,丹麦日德兰维乌姆～1848-03-26,日德兰斯彭楚普)　丹麦诗人,短篇小说作家。他以幽默和讽刺的笔法描写日德兰的居民,他的

美国不列颠百科全书公司供图

现实主义远远超越了他所处的时代。他是一个婚姻不如意的贫困的乡村牧师,乡村生活使他精通日德兰方言,且积累了写作许多短篇小说的素材。1814 年出版第一部诗集,其后的诗歌表现了他对生活的感受既幽默又忧伤。在他最佳诗集《候鸟》(1838)的《序曲》里,他把自己比作一只渴望自由的笼中鸟。他的盛誉主要来自他的短篇小说。他的《教区执事日记片段》(1824)显示了他对日德兰人性格的心理洞察力。他的短篇小说中既有无奈又有幽默乃至讽刺。他的叙事风格是现实主义的:生活似乎从来不会实现自己的诺言,总是粉碎人们的幻想。

Blida　卜利达　又作el-Boulaida(1981年后)。阿尔及利亚北部城镇。在米提贾平原南缘。位于阿尔及尔西南 48 千米。城市建筑具有法国风格。四周果园环绕。有柑橘、面粉市场和轻工业。故城为古罗马兵站旧址,原有 6 个城门;现城由逃离安达卢西亚的摩尔人建于 1553 年。镇内清真寺按巴尔巴罗萨(红胡子)指示建造。卜利达在 1825、1867 年地震中遭严重破坏。人口 170 935(1987)。

Bligh, William　布莱(1754-09-09,英格兰康沃尔郡～1817-12-07,伦敦)　英国海军将领。1770 年加入海军。1787 年任"邦蒂"号船长,赴塔希提岛运面包果树以便移植到西印度群岛。该船从塔希提岛载树前往牙买加途中航行到友爱(汤加)群岛时,1789 年 4 月 28 日被大副克里斯琴强行劫持。布莱和另外 18 名忠于他的船员被赶到救生艇中随波逐流。哗变原因众说不一,反对布莱的人归咎于他的暴虐。他们所乘的救生艇航行 5 800 千米,终于在 1789 年 6 月 14 日抵达东印度群岛的帝汶岛。这次哗变对布莱的事业影响不大,他曾经重访塔希提岛,多次运面包果树到西印

美国不列颠百科全书公司供图

度群岛。他在任"指导者"号船长时,船员们参加了诺雷兵变(1797),把他丢到海岸上。然而,1797 年他指挥该船参加坎佩顿之战,1801 年指挥"格拉顿"号参加哥本哈根之战均立有战功。1805 年他被任命为新南威尔士省长。由于他的"暴虐行为",1808 年又引起一次哗变。新南威尔士军队代理指挥乔治·约翰斯顿将他逮捕,后来哗变者被定罪。1811 年布莱晋升海军少将,1814 年晋升海军中将。

blight　疫病　又称枯萎病。由真菌或细菌引致的植物病害,发病突然,症状包括严重的发黄,变褐,点斑,凋萎或叶、花、果、茎或整株植物的死亡。生长迅速的幼嫩组织常被侵袭。在凉爽潮湿的条件下疫病容易发生。大多数重要经济作物均受一种或多种疫病感染。防治法包括毁灭罹病部分;轮作;植株修剪及疏植以利通风;采用无病种子或砧木以及抗病品种;控制带真菌害虫以免在植株间传播疫病;避免从株顶浇水或在潮湿植株间操作;需要时施用杀真菌剂或抗生素。注意环境卫生阻止疾病蔓延是主要的预防措施。对细菌性疫病(如火疫病)于潮湿季节枝、叶正伸展时每周施用不易挥发的铜素剂或链霉素有效。参阅 **botrytis blight; chestnut blight; fire blight; late blight**。

Blijdorp Zoo　布利伊多普动物园　参阅 **Royal Rotterdam Zoological Garden Foundation 鹿特丹动物园**。

blimp　软式飞艇　依靠内部气体压力来保持外形的非硬式飞艇或半硬式飞艇。软式飞艇在第一次世界大战期间曾被海军用于护航及反潜巡逻,后来为交易会和展览会招揽游

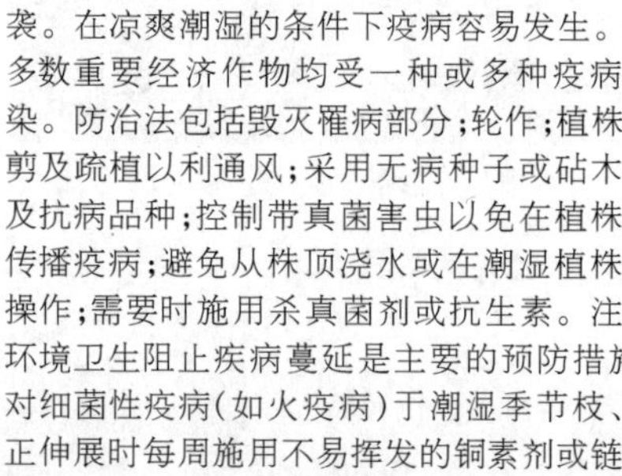

美国海军 ZPG-3W 型飞艇
古德伊尔航空和航天公司供图

人并用于广告宣传。美国海军的 ZPG-3W 型飞艇全长 150 米(403 英尺),直径 85 英尺,体积超过 42 450 立方米,是世界上最大的软式飞艇。1958 年有 4 艘软式飞艇服役。2 年后,一艘爆炸,一艘坠毁,其余到 1962 年退役。

blind fish 盲鱼 各种无眼鱼的统称,包括非近缘的洞鲈科、脂鲤科与其他科的穴居鱼类。参阅 **cave fish**。

Blind Harry 盲哈里 参阅**Harry the Minstrel** 吟游诗人哈里。

blind snake 盲蛇 盲蛇科约150种小型、营洞穴生活的蛇类。眼退化,隐藏于头部鳞下。多属盲蛇属(*Typhlops*),分布于大部分热带地区。捕食小型无脊椎动物,主要是蚁和

细长盲蛇(*Leptotyphlops*)
美国不列颠百科全书公司供图

白蚁。有的种类体长达 75 厘米,但多不到 20 厘米。头钝;体躯圆柱形,光滑,发亮;尾圆钝,末端通常有短刺;牙细小,通常仅见于上颌。盲蛇科动物有时被称为蠕蛇,但蠕蛇(**worm snake**)之名用于某些游蛇科种类似为更妥。近缘的细盲蛇科种类俗称线蛇或称细长盲蛇;产于非洲和热带美洲;外貌似盲蛇,共 60 多种;具发达的骨盆和内股骨;有些种类的肛门两侧具外爪。委内瑞拉的大鳞细盲蛇(*Leptotyphlops macrolepis*)体型最大,体长达 30 厘米,多数蠕蛇则体长 10 ～ 17 厘米。蠕蛇以昆虫(主要是蚁和白蚁)的幼虫为食。有的种类在白蚁洞内产卵,白蚁洞可保护蛇卵,并为幼蛇提供食物。

blind spot 盲点 又称视神经乳头(视盘)。视网膜上视神经进入眼球处的一个小区域,不能感受光线。在双眼视物时,一眼的盲点所覆盖的视野被另一眼敏感区域的视野所覆盖,故盲点不被觉察。参阅 **visual-field defect**。

blind staggers 晕倒症 几个无关的动物病的症状。表现为患病动物走路不稳、步态蹒跚,似瞎眼一般。其病因可能是由于采食了含硒很多的植物或能致霉菌病的草(如麦角)而发生中毒。缺镁或钙也可引起如脑炎或脑膜炎样的晕倒症。

blindman's buff 捉迷藏 儿童游戏。2000 年前即流行于希腊。蒙住一人双眼,把他转得不辨方向,然后大家一面向他这个"瞎子"呼喊取乐,一面来回躲闪,不让他捉住。捉迷藏在中世纪是一种成年人游戏。

blindness 盲 单眼或双眼一时性或持久性不能视物的病理现象。飞行员或航天员在受到由头至脚方向的加速度,其力量达到重力的 5 ～ 6 倍时,即出现短暂的盲,称一时性黑蒙。肾小球肾炎亦可引起暂时性盲。外伤或疾病损害了视网膜前方光线所通过的结构或物质,可引起持续性盲;视网膜本身、视神经或大脑视中枢的外伤与疾病也造成持久性盲。许多传染性疾病(包括性病)可以致盲。如在给新生儿用硝酸银点眼成为常规之前,孕妇体内的淋病菌可致婴儿眼盲;孕妇患梅毒未经治疗,或在妊娠头 3 个月内罹患风疹,均可使婴儿因眼球发育不全而致盲;沙眼及麻风在流行地区也时常致盲;其他可以致盲的传染病包括结核病、脑膜炎、麻疹、白喉和猩红热。患盘尾丝虫病时虫体偶可侵入眼内而致盲。有些非传染性全身性疾病可以致盲,如糖尿病可损害视网膜或引起白内障。动脉粥样硬化阻断血液供应时,可引起视网膜组织和视神经的萎缩。营养缺乏性疾病可引起角膜软化混浊而致盲。此外,还有眼球本身的致盲疾病,其中包括白内障(**cataract**)和青光眼(**glaucoma**)。参阅 **visual-field defect**。

blindworm(*Anguis fragilis*) **盲蛇蜥** 又作 slowworm。又称盲缺肢蜥、慢缺肢蜥。蜥蜴亚目蛇蜥科(缺肢蜥科,Anguidae)无腿爬行动物。生活在大不列颠和整个欧洲向东至高加索山脉的多草地区和开阔林地。成体体长约 30 厘米,有的个体长达 50 厘米。通常为棕色、栗色、灰色、青铜色、砖红色或铜色,雌性腹部通常为黑色。以蜗牛、蛞蝓及其他软体动物为食。牙尖,形如毒牙。四肢退化,仅遗留内腰带。

Bliss, Sir Arthur (Edward Drummond) 布利斯(1891-08-02,伦敦～1975-03-27,伦敦) 20 世纪前半叶英国杰出作曲家之一。早年试验性作品及后期更富有个性的作品均著

美国不列颠百科全书公司供图

名。曾师从 R.V. 威廉斯与 G.霍尔斯特。直到 20 世纪 20 年代初期,作品经常是试验性的,如 1919 年为独唱和室内重奏创作的《狂想曲》,在曲中人声起乐器的作用,唱练声的元音(即没有意义的音节)。又如《颜色交响乐》(1922,1932 年修订)中的 4 个乐章暗示紫、红、蓝、绿 4 色。以后虽未放弃试验,但也开始以古典形式进行创作,例如为双簧管与弦乐器和为单簧管与弦乐器而作的五重奏、《钢琴协奏曲》以及为室内乐队而作的《交谈》。曾为 3 部电影配乐,包括《未来事物》(1935,取材于 H.G.威尔斯作品)。其他作品有电视歌剧《多比亚斯与天使》(1960)和合唱交响乐《早晨英雄》(1930)等。芭蕾舞剧有《将台》(1937)、《在高伯斯的奇迹》(1944)和《亚当·齐罗》(1946)。他的最后一部作品合唱曲《信仰的盾牌》,于他去世数周后在温莎圣乔治教堂 500 周年庆典上首演。1950 年被封为爵士,1953 年成为女王王室乐队指导。

Bliss, Gilbert Ames 布利斯(1876-05-09,芝加哥～ 1951-05-08,伊利诺伊哈维) 美国数学家和教育家,以研究变分学著称。1897 年获芝加哥大学理学士学位,后留校随 F.R.莫尔顿研究数学天文学。1898 年获理学硕士学位,两年后获博士学位。1900 ～ 1902 年任明尼苏达大学数学助理教授,后陆续在芝加哥大学任教 2 年、密苏里大学任教 1 年,在普林斯顿大学任教 3 年期间(1905 ～ 1908),他还担任该校《数学年鉴》的编辑。1908 年再回母校任副教授,并继续其基础数学研究。5 年后升任教授,1927 年任系主任,1941 年退休。第一次世界大战后期,他用微积分学研究弹道学,为炮兵设计一套改进的发射表。此后他根据此项研究写成《外弹道学中的数学》(1944)。他将在代数函数方面的研究结果写成论文《代数函数及其因子》,后在《代数函数》(1933)一书中有更深入的探讨。他在 1946 年出版的主要著作《变分学讲义》,是他研究整数或函数极值的最高成就。1921 ～ 1922 年担任美国数学学会会长。

Bliss, Tasker Howard 布利斯(1853-12-31,美国宾夕法尼亚刘易斯堡～ 1930-11-09,华盛顿[哥伦比亚特区]) 美国军事指挥官和政治家。1875 年从西点军校毕业。历任各种军职,如西点军校教官、驻马德里公使馆军事参赞等。1898 年美西战争期间,在波多黎各任 J.H.威尔逊将军的参谋长。他获陆军准将衔后,通过谈判达成《美-古互惠条约》(1902)。1903 ～ 1905 年任陆军作战学院院长,1905 ～ 1909 年在菲律宾任职,随后又担任许多参谋部职务。1915 年晋升陆军少将。1917 年美国参加第一次世界大战时,他成为上将和总参谋长。他参加协约国最高军事会议,并为美国出席凡尔赛和会的代表。他热诚倡导 W.威尔逊总统关于美国参加国际联盟和国际军备控制的《十四点和平纲领》。

Bliss, William D(wight) P(orter) 布利斯(1856-08-20,君士坦丁堡[今伊斯坦布尔]～1926-10-08,纽约) 美国社会改革家和美国基督教社会主义协会的组织者。原为公理会信徒,后转入圣公会。1882 年毕业于哈佛大学,先后在数地担任牧师。19 世纪 80 年代末开始研究基督教社会主义。1889 年在美国成立第一个基督教社会主义协会,主编该会刊物《黎明》。此后周游世界,就劳工问题和社

会改革发表演说。编书多种，最著名的是《社会改革百科全书》(1897)。1887 年作为劳工党候选人竞选马萨诸塞州副州长失败，还当过劳工局监查员。第一次世界大战期间，在瑞士负责教育被拘留的法国和比利时军人。战后返回美国，在纽约市传教终生。

Bliss Classification　布立斯分类法　又名书目分类法，由纽约市立学院的 H.E.布利斯所创制，于 1935 年以《书目分类法体系》为题所发表的分类法。1940 ～ 1953 年出版足本第二版。这种体系在英国图书馆中广泛使用。它以互见条目为特点，因而主要是一种书目工具，有助于组织各主题领域的书刊资料。它共分 35 大类：计 9 个数字类和 26 个字母类。它有一个标记体系，用大写和小写的罗马字母作符号，而以阿拉伯数字作主要的固定类目或通用复分类目；用逗号和表示所有格的撇号来间隔临近的字母或字母组，以便在组成一个类号时，可以读成整体。它们也可避免把字母错认作数字的混乱，如把 S 认作 5，2 认作 Z 等。

blister　水疱　表皮各层或表皮与真皮之间分离并充满澄清液体而形成的皮肤圆形隆起。直径小于或等于 0.5 厘米者称小疱，大于 0.5 厘米者称大疱。水疱常常因压力或摩擦而出现在手掌或足底，摩擦使皮肤的浅层在深层上来回移动，其间形成一个小裂隙并充满液体。水疱也可以是接触性皮炎、病毒感染或某种自身免疫性疾病的症状，此时水疱可出现在全身任何部位。水疱常发生于皮肤最浅层（表皮）之内，形成脆弱、易破的水疱；表皮下的水疱张力较大，不易破裂。水疱液通常澄清无色，水疱液带黄色意味着疱内积脓，红色表示有血。摩擦形成的水疱一般能自行消退，有时留下胼胝；疾病性水疱可留下疤痕，特别是当水疱位于表皮深层时。

blister beetle　芫菁　鞘翅目芫菁科昆虫，约 2 000 种，其中一种见图 1。斑蝥属（*Mylabris*）和欧洲的西班牙芫菁（*Lytta vesicatoria*）能分泌刺激性的斑蝥素，可作药用，用以除去皮肤上

图 1　芫菁（*Lytta magister*）
美国不列颠百科全书公司供图

的疣，又是所谓春药饮剂的主要成分。幼虫食蝗卵，成虫危害作物。成虫色鲜艳，长 3 ～ 20 毫米。因能分泌斑蝥素，故不用保护色。体细长，革质，上覆金属绿或蓝色鞘翅，常有带纹。雌虫产卵约 3 000 ～ 4 000 粒，但因生活史复杂（复变态）而仅少数存活。蜂芫菁（*Sitaris muralis*）的卵块产在独栖的蜂巢附近，幼虫孵出后在整个冬季进行休眠；春季，细小的三爪幼虫附在蜂体上，被称为蜂虱，吃蜂卵和贮藏在蜂房中的食物，经几个发育阶段，从幼虫变成无足的蛴螬型；蛹期结束后，羽化的成虫落到地上，开始取食栽培作物。有些

图 2　油芫菁（*Meloe proscarabaeus*）
美国不列颠百科全书公司供图

种类如横带芫菁（*Epicauta vittata*）的雌虫将卵块产在地上或土中；三爪幼虫吃蝗卵，经几次蜕皮，以假蛹越冬，最后化为真蛹，才变为成虫。与多数芫菁不同，油芫菁（地胆亚科）无后翅，左右鞘翅也不在背中线相对，鞘翅很短并部分重叠；能分泌一种有恶臭的油质，有保护作用；有几种雄虫的触角铗状，交配时用以握住雌虫。欧洲及北美常见的地胆亚科属为油芫菁属（*Meloe*），其中一种见图 2。

Blitar　勿里达　印度尼西亚爪哇东爪哇省城市和县。城市位于省会泗水西南 113 千米处。海拔高度 161 米。有公路和铁路连接东面的玛琅和西面的图隆阿贡。市内和周围有古老的寺庙和历史名胜。该市是咖啡、稻、食糖、橡胶、花生和木薯等商品的贸易和转运中心，生产铁器、铜器、木制品、砖瓦和石板、加工过的橡胶、鞋、轮胎和纺织品。居民主要是爪哇人。附近有印度尼西亚革命英雄和第一任总统苏加诺以及他母亲的墓地。市南有格多佛塔和阿朱佛塔。韦林至玛琅的公路沿途有萨拉拉贾佛塔的遗迹。市南 11 千米处有洛多约的神圣铜锣；60 千米处是西冷海滩。人口：市 112 986(1990)。

blitzkrieg　闪击战　利用突然性、速度以及物质或火力上的优势，对敌军造成心理上的震动并导致其瓦解的战术。德国人在 1938 年的西班牙内战中和 1939 年对波兰的战争中试验过闪击战，它是难以对付的地面和空中的联合行动。其实质是用机动性、突击和局部集中的火力，进行巧妙协同的进攻，使敌人丧失协调防御的能力，然后突入敌后方，打乱敌整个交通运输和行政体系。德国人的战术，是集中使用大批坦克、俯冲轰炸机和机械化炮兵的战斗群对一个狭小的正面发动快速猛攻，在进攻点攻破敌人的主要作战阵地。接着用装甲车辆横扫过去，使大批敌人陷入各个包围圈。采用这种战术，由于战役进行得快，持续时间短，可以大大减少进攻者和受害者的伤亡和物资的消耗。德国在 1940 年入侵比利时、荷兰和法国时使用闪击战术很成功。德国指挥官隆美尔在北非的沙漠战役中使用了闪击战术，美国的巴顿将军 1944 年在欧洲作战时也使用了闪击战术，较近时期进行闪击战的例子是以色列军队在 1967 年 6 月对叙利亚和埃及发动的陆空联合进攻，以及以色列在 1973 年 10 月对叙利亚和埃及进行的反击和最后的反攻。

Blitzstein, Marc　布利茨坦（1905-03-02，美国宾夕法尼亚费城～ 1964-01-22，马提尼克岛法兰西堡）　美国钢琴家、剧作家和作曲家。因其歌剧和戏剧离经叛道而出名。5 岁开始表演，7 岁即会作曲，15 岁时被介绍给费城管弦乐队当独奏演员。20 世纪 20 年代，他先后在巴黎和柏林学钢琴。第一部歌剧《摇篮将摇起来》(1937) 讲一个资本家反对组织工会的故事。他的作品在主题方面进行试验，有着意想不到的音调，因而大部分作品引起争议。他认为，应当用艺术同法西斯主义进行斗争。他有音乐天赋，善于写具有悲剧内容的、意味隽永的音乐作品。1949 年，他根据海尔曼的《小狐狸》写出歌剧《里贾纳》。他最有名的是把韦尔和布莱希特合写的《三分钱歌剧》译成英文并谱写音乐（1952 年首次上演）。他的音乐作品因其政治内容一直引人注目，但它并没有得到群众的赞赏。逝世前还在创作一部大型歌剧《萨柯和万泽蒂》。

Blixen, Karen,　BARONESSE　(Baroness)　BLIXEN-FINECKE（Danish writer）　**布利克森**　参阅 **Dinesen, Isak 迪内森**。

blizzard　大风雪　又称雪暴、布冷风（buran）、布加风（burga 或 purga）。以低温、强风和大雪为特征的恶劣天气。美国气象局将大风雪定为风速大于 51 千米/小时、雪足以使能见度降到 150 米或以下的一种风暴。强烈大风雪中风速大于 72 千米/小时，能见度接近于零，气温在 -12 ℃以下。英文 blizzard 一词源出美国中部，在那里当冬季低气压过境后西北风常常引起大风雪。在美国和英国，该术语通用于强烈的大风雪。在南极地区，大风雪是指从冰盖边缘溢出的平均风速为 160 千米/小时的强风。

Blobel, Günter　布洛贝尔（1936-05-21，德国西里西亚瓦尔特斯多夫[今波兰涅戈斯瓦维米]～　）　美国细胞与分子生物学家。获德国埃伯哈德卡尔大学医学学位，美国威斯康星大学博士学位。他与其他研究团队合作研究，证明每个蛋白质携带一个信号序列，导引它到细胞内的正确位置。推断蛋白质是通过小孔的管道进入细胞。当正确的蛋白质到达细胞时，胞器外膜就打开。他因此获 1999 年诺贝尔奖。他的研究使治疗囊肿性纤维化等遗传性疾病露出一线曙光，并为生物工程药物，包括胰岛素的压制提供了基础。

Bloc National　民族集团　第一次世界大战末期，在民族主义情绪高涨中被选入法国众议院中的右翼联盟，控制法国政府直至 1924 年。在 1919 年的选举中，该集团取得 3/4 席位，成为第三共和国（1870 ～ 1940）历史上最大的保守派多数党之一。许多新议员原希望反教权主义的第三共和国与天主教会和解，但在战后时期，他们不得不把注意力转向外交政策方面。为了对付德国以保证法国的安

全,他们严格执行《凡尔赛和约》。集团的领袖,如战时总统 R.普恩加来,力图通过侵入德国领土(1923 年 1 月占领鲁尔区),迫使德国支付战争赔款。强硬的外交政策失去了公众支持,当法郎贬值、政府税收不足时,财政地位变得恶化。1924 年 5 月,民族集团在议会选举中被击败。

Bloc Québécois 魁北克集团 加拿大的地区性政党,支持以法语为主的魁北克独立。在联邦政府一级代表讲法语的魁北克人的利益,与 20 世纪 70 年代中期控制魁北克省议会的魁北克人党有非正式联系。进步保守党的前部长和驻法大使 L.布沙尔在《米奇湖协议》(根据《米奇湖协议》,正式承认魁北克是一个不同的社会,并在宪法的改变上享有否决权)失败后,为在联邦选举中进行竞选而成立。虽然该集团不在魁北克以外竞选,但在 1993 年的联邦众议院中占有 54 个席位,成为加拿大自由党的正式反对党。1995 年魁北克就分离问题举行公民投票,分离的主张以微弱之差落败。布夏尔出任魁北克省省长而离开联邦政坛后,魁北克集团在联邦选举中的支持度下降。1997 年在众议院只有 44 个席位,2000 年跌至 38 个席位。2004 年由于自由党在该省的支持度下降,该集团赢得魁北克将近一半的选票和众议院的 54 个席位。

Bloch, Ernest 布洛克(1880-07-24,瑞士日内瓦～1959-07-15,美国俄勒冈波特兰) 作曲家,所作音乐反映犹太文化和礼拜仪式的主题,也表现出欧洲后浪漫主义传统。塞欣

美国不列颠百科全书公司供图

斯、汤普森和卡特均为其弟子。布洛克师承著名瑞士作曲家雅克-达尔克罗兹,又曾在比利时受业于小提琴家伊萨伊。1911 ～ 1915 年任教于日内瓦音乐学院。1916 年随舞蹈家艾伦在美国巡回演出;演出公司破产后,他定居纽约。历任克利夫兰音乐学院(1920 ～ 1925)和圣弗朗西斯科(旧金山)音乐学院(1925 ～ 1930)院长。1930 年去瑞士,但 1939 年又返回美国,1943 年在俄勒冈定居。多次于暑期中在伯克利加利福尼亚大学教授作曲。他的音乐反映出许多后浪漫主义影响,包括德彪西、马勒及施特劳斯风格。从音诗《冬与春》(1905)中可看到他对印象派的兴趣。曾根据犹太主题创作一组值得注意的作品,其中有《以色列交响曲》(1916)、管弦乐《3 首犹太诗》(1913)、大提琴与管弦乐队的《所罗门》(1916)和小提琴与钢琴(或管弦乐队)的组曲《美名大师》(1923)。为男中音、合唱与管弦乐队而作的礼拜乐《阿沃达特·哈科德许》表明他运用与犹太主题和仪式相称的音乐已臻炉火纯青之境。布洛克的许多作品表现出强烈的新古典主义倾向,把古老音乐形式与 20 世纪技巧融为一体,例如第 1 首《大协奏曲》(1925)和《钢琴与弦乐五重奏》(1923),其中采用 1/4 音来渲染和增加音乐的感情强度。其他杰出作品还有管弦乐队的"史诗性狂想曲"《亚美利加》(1926)、《中提琴与钢琴组曲》(1919)和 5 首弦乐四重奏。

Bloch, Ernst 布洛赫(1885-07-08,德国路德维希港～1977-08-04,斯图加特) 德国马克思主义哲学家,提出"希望的哲学",旨在完成他认为马克思主义对实在的不完善观点。1918 年在莱比锡大学开始学术生涯,1933 年逃离纳粹德国去瑞士,后到美国,在美国写了他最主要著作《希望的原理》三卷中的前二卷(1954 ～ 1959)。1948 年回到莱比锡大学,但他对马克思主义思想的发展表示异议,遭到执政的共产党官员的非难,于是他主编的杂志被封,1957 年他的著作遭到批判。1961 年逃到德意志联邦共和国,在蒂宾根大学任教授。

Bloch, Felix 布洛赫(1905-10-23,瑞士苏黎世～1983-09-10,苏黎世) 瑞士出生的美国物理学家,因发现核磁共振法测量原子核磁场,与 E.M.珀塞耳共获 1952 年诺贝尔物理学奖。他在博士论文(1928)中所确立的固体量子论,迄今仍为理解固体电传导的基础。1934 年在加州帕洛阿尔托的斯坦福大学任教,提出一种方法,把一中子束分为两部分,它们对应于磁场内中子的两种可能取向。1939 年与 L.阿耳瓦雷茨共同用这种方法测量了中子的磁矩。第二次世界大战中,他在洛斯阿拉莫斯研究原子能并在哈佛大学研究反雷达装置。1945 年与物理学家 W.W.汉森和 M.E.帕卡德发展了核感应原理,该原理帮助确立了核磁场与各种物质的结晶性和磁性之间的关系,后成为确定分子的成分和结构的有用方法。核磁共振已成为医学诊断的重要手段。1954 ～ 1955 年,布洛赫是欧洲核研究委员会的首任主席。

Bloch, Joseph Samuel 布洛赫(1850-11-20,奥地利帝国加利西亚杜克拉[今在波兰]～1923-10-01,奥地利维也纳) 奥地利拉比、政治家、记者和反排犹主义的斗士,尤其反对所谓犹太教徒在逾越节祭礼时用基督徒血的对犹太人的这种诽谤。曾在几个地方任拉比,后定居于维也纳郊区弗洛里斯多夫村。当时奥地利排犹活动正盛,1882 年 15 名犹太人被控杀害信奉基督教的 14 岁女子而用她的血代替羊血行逾越节祭礼。当时布拉格大学天主教神学教授罗林力证确有其事,布洛赫撰写多篇论文斥罗林无知和狡诈,罗林以诽谤罪名控告布洛赫,但此案终于未能成立。1893 年,布洛赫对制造一群拉比以人血献祭假案的三个人提出刑事诉讼,使他们以合谋罪受徒刑。

Bloch, Konrad (Emil) 布洛赫(1912-01-21,德国尼斯～2000-10-15,美国马萨诸塞伯灵顿) 德国出生的美国生物化学家,与吕南因有关胆固醇及脂肪酸生物合成的发现而共获 1964 年诺贝尔生理学或医学奖。1934 年在慕尼黑工科大学获化学工程学位,

美国不列颠百科全书公司供图

1938 年获哥伦比亚大学哲学博士学位。后协助 R.舍恩海默进行细胞代谢的同位素分析研究。1946 ～ 1954 年在芝加哥大学任教,后任哈佛大学生物化学教授,继续研究脂类,尤其是不饱和脂肪酸。1942 年与 D.里顿伯格一起发现:胆固醇(在动物细胞内发现的蜡状醇)的生物合成(自然形成)可分 30 余步,而乙酸(含两个碳的化合物)是基本原料。后慕尼黑的吕南等也参加关于乙酸如何在此过程中结合的研究。此项发现促进了有关血液胆固醇含量与动脉硬化症间关系等生理学方面的研究及萜类、橡胶和其他异戊二烯衍生物的化学研究。

Bloch, Marc (Léopold Benjamin) 布洛克(1886-07-06,法国里昂～1944-06-16,里昂附近) 法国历史学家,他对历史的广泛的、跨学科的探讨使 20 世纪的史学研究工作发生了革命性变化。布洛克是一位古代史教授的儿子。1904 ～ 1908 年就读于高等师范学校,1908 ～ 1909 年在莱比锡大学和柏林大学求学,此后任教师,仍继续自己的学业。1914 ～ 1919 年在法国步兵中服役,以勇敢被接纳入荣誉军团,得十字军功章。第一次世界大战后获博士学位(1920),并在斯特拉斯堡大学任教(1919 ～ 1936)。第 1 部重要著作《能演奇术的国王们:对特别是法英两国赋予王权的超自然性质之研究》(1924)是探讨中世纪认为国王能够治病的信仰。布洛克和他的同事 L.费夫尔创办(1929)并共同编辑(1929 ～ 1938)《经济和社会历史年报》,这是一个刊登研究现代历史的文章的很有影响的杂志。布洛克的第 2 部重要著作《法国农村历史的基本特征》(1931)是法国农村的社会史,他考察比较传统的文件和史料来源,研究收成制度和耕作方法之类的问题。1936 年,他被任命为巴黎大学经济史教授。《封建社会》(1939)是他的第 3 部重要研究著作,导致重新检查关于欧洲封建制度的各种假说。1939 年布洛克再度从军,服役至 1940 年法国向德国投降。他参加了法国抵抗运动,1944 年被捕后遭处决。死后出版的著作有《莫名其妙的败北:1940 年写下的证词》(1946)和《为历史家的技艺辩护》(1949)。

Block, Herbert Lawrence 布洛克 参阅 **Herblock 赫布洛克**。

block and tackle　滑轮组　柔性的钢缆和滑轮的组合，通常用于增大拉力，这种滑轮组可用来提升重物或沿任意方向施加大力。图中有四个可自由转动的滑轮，上面的两个固定不动，下面的两个可提升荷重W，钢缆的一端

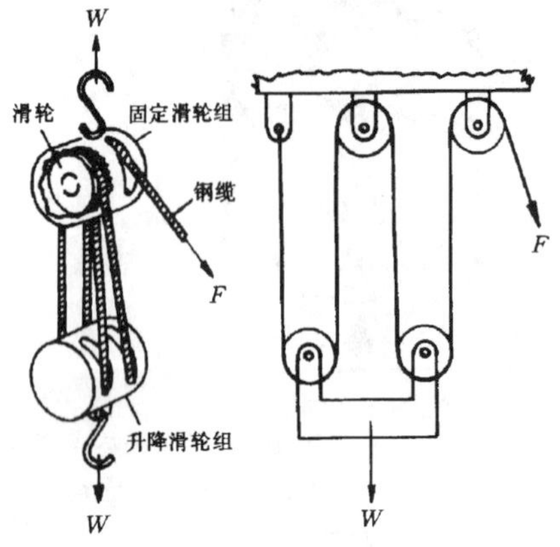

滑轮组

系于上面的固定支点上。如果把荷重提升1米，四根钢缆链环中的每一股都将缩短1米，因而力 F 必须拉出4米钢缆；不计摩擦，则力的放大率和机械利益为4。用的滑轮越多，所得到的力比率也越高；但摩擦也会增大，从而抵消了一些机械利益。参阅 **wheel and axle**。

block book　木版图书　用木版印成的图书，书中每一页正文和插图都必须用手来煞费苦心地雕制。木版图书的印刷术，几乎可肯定地说，是于6世纪左右起源于中国。最

约1470～1480年的木版书图页
美国不列颠百科全书公司供图

早的一些书是用手在木版上拓印的。这种方法，至少是在15世纪传播到欧洲。15世纪之初，很可能用简陋的印刷设备，从较精细的图文木版上压印书籍。木版图书印制起来非常麻烦，因为每个字母在一页上每次出现都得单刻一次；所以这种方法常用于印制短小简单的作品，主要是宗教著作，其中文字长短要能服从于插图。在欧洲几乎没有16世纪初以后印制的木版书。

Block Island　布洛克岛　美国罗得岛州南部华盛顿县岛屿。呈梨状。在布洛克岛海峡和大西洋之间。新肖勒姆镇（1672年设）占据全岛面积。1524年意大利航海家G.D.韦拉扎诺首次发现。1614年荷兰探险家A.布洛克访问该岛并以自己名字命名。1661年始有移民。1664年并入罗得岛殖民地。经济一度靠渔业和农业。现以旅游业为主。南岸的莫希干布拉夫斯白垩峭壁（高56米）甚为壮观。与朱迪丝角、纽波特和新伦敦通轮渡。两年举行一次布洛克岛赛船会。人口1 010（2000）。

blockade　封锁　指交战国阻止进入或离开敌国某一段海岸线的战争行动。封锁受国际习惯法和国际条约法的约束。宣布封锁之前必须预先通知所有中立国，而且必须对所有国家的船只适用。18世纪和19世纪初经常发生的单纯宣布封锁或"纸上封锁"，在法律上是无效的。封锁国必须在封锁地区保持足够强大的海军或空军，以阻止敌方港口船只的进出。一旦封锁不能有效地维持，封锁的合法状态即告消失，只能由及时的通知和执行封锁才能重新确立封锁状态。对破坏封锁的惩罚是扣押船只和货物，也可能实行没收，但不得摧毁破坏封锁的中立国船只。同其他战争法规一样，封锁法规也是为满足大国的需要而在历史上逐渐形成的。由于潜艇和飞机的发展，就不可能长期派驻战舰对敌国海岸线的外沿进行严密的封锁。因此，长距离封锁（即在远离敌人海岸线的地方派驻海军力量）在法律上也认为有效，如果这种封锁能够有效地阻止船只进入或驶出敌方港口的话。然而，在现代海战的条件，没有什么合法的权威能够精确地界定"有效的封锁"的含义。权威的看法是，试图闯过封锁线的船只要冒被拦截的实际危险，它会导致巡逻舰只的出现。

Blocksberg（Germany）　参阅 **Brocken** 布罗肯山。

Blocksidge, Charles William　布洛克西奇　参阅 **Baylebridge, William** 贝尔布里奇。

Bloemaert, Abraham　布卢马尔特（1564-12-25，荷兰霍林赫姆～1651-01-27，乌得勒支）　荷兰重要风格主义油画家和版画家，建筑家之子，从良师学画。在巴黎3年后返回乌得勒支定居。作品包括历史画、寓言画、风景画、静物画以及动物和花卉等。4个儿子亨德里克、弗雷德里克、科内利斯和阿德里安也是油画家和版画家。曾受过卡拉瓦乔的影响，而他又影响了J.博特、A.J.克伊普、洪特霍斯特、H.泰尔布吕亨和J.B.威尼克斯等人。

布卢马尔特绘《施洗约翰布道》
美国不列颠百科全书公司供图

Bloembergen, Nicolaas　布洛姆伯根（1920-03-11，荷兰多德雷赫特～　）　荷兰出生的美国物理学家。他和美国的A.L.肖洛及瑞典的K.M.B.西格班一起，因为对电磁辐射与物质的相互作用进行了革命性的光谱学研究，共获1981年诺贝尔物理学奖。其中布洛姆伯根和肖洛因研究那些不用激光器就无法探测的现象而共获他们的奖金。他从乌得勒支大学获学士学位和硕士学位。1946年接受哈佛大学的一个研究职位，攻读博士学位。1948年在莱顿大学获哲学博士学位。重返哈佛大学后，于1951年任副教授，1980年成为杰哈德·加迪大学教授。1958年入美国籍。40年代末在哈佛大学读博士学位时，曾专攻微波激射器和激光器的基本原理。1953年C.汤斯演示了微波激射器。其后两年内，布洛姆伯根就一种改进型微波激射器提出了详细说明，该仪器已成为最广泛应用的微波放大器。

Bloemfontein　布隆方丹　城市，南非共和国奥兰治自由邦首府，全国最高司法机关所在地。1846年建立，曾是英属奥兰治河领地（1848～1854）和奥兰治自由邦（独立的布尔人共和国，形成于1854年）所在地。1899年布隆方丹会议的失败导致南非战争的爆发。20世纪以后发展成为南非交通枢纽。1948年后奥兰治自由邦金矿的开发和1962年后奥兰治河上综合水利工程的兴建促进了城市的发展。由于该市位于海拔1 392米的高原上，大气特别透明，因此建有两个著名天文台——拉蒙特-赫西天文台（属密歇根大学，1928年建立，1972年关闭）和博伊登天文台（1927年建立，1955年以前由哈佛大学管理）。城市宽广，延伸于山丘之上，风景秀丽，

布隆方丹城貌

美国不列颠百科全书公司供图

素有"花泉城"之称，另有国王公园和富兰克林野生动物保护地。市内有上诉法院、古老的荷兰基督教堂、省议会和旧省议会（1849）原址（现为国家纪念馆）。设有自由邦大学（1904）。人口379 000（2005）。

Bloemfontein Convention 《布隆方丹公约》 参阅 **Sand River and Bloemfontein conventions** 《桑德河公约》和《布隆方丹公约》。

blog 博客 全称 Web log 或 Weblog（网络博客）。个人、团体、公司记录各种活动、想法和观点的网络在线日记。一些博客作为新闻过滤器，收集网上资料，加入简短评论和互联网链接。另一些博客主要提供原创材料。很多博客为访问者提供了进行评论的论坛，与博客作者进行交流。博客材料主要是文字，但照片、视频、音频材料也是很多博客的重要组成部分。万维网和博客的概念是同时出现的。万维网发明人蒂姆·伯纳斯-李在 1992 年创立了第一个博客，用来说明万维网的发展进度。但 blog 一词在 1999 年才出现。博客的发展速度相当快，据称，到 2005 年 10 月，共有1 960万个博客，每 5 个月翻一番。大约每天有 7 万个新博客诞生，也就是说几乎每秒产生一个新博客。使用英语以外语言的博客，特别是中文博客，增长尤其迅速。但是，很少有人靠创作博客赚钱。博客为普通人提供了在网上建立自己的数字身份或"个人品牌"的机会。博客数量迅速增长的一个原因在于博客的建立和维护都很容易，有很多服务和软件系统能够帮助个人在一个小时内就建立起一个博客。而不断更新博客对于博客的维护是非常重要的。有不少博客建立了起来，但没有得到更新。博客区别于一般网页的特点在于更新频率和互动性。2004 年的美国总统选举中，两党都将互联网和博客作为辩论、对话、筹资的平台。虽然有"一人一博客"的说法，但博客不大可能代替主流媒体，而主要是作为现有新闻媒体的补充。

Blois 布卢瓦 法国旧伯爵领地。在中世纪的法国，布卢瓦这一领地十分重要。约 940 年，老蒂博一世（？～约 977）承袭伯爵称号，创立了世袭的布卢瓦家族，扩大家族的领地，使之从安德尔一直延伸到厄尔河。从 987 年起，布卢瓦伯爵成为国王的近臣。蒂博一世的直接继承者继续扩大伯爵领地，有时触犯卡佩王室的利益。1125 年蒂博四世（？～1152）把香槟与布卢瓦合并。蒂博四世与国王路易六世和路易七世时敌时友，时合时离。1230 年，布卢瓦转入夏蒂荣家族手中。14 世纪末期布卢瓦被卖给奥尔良公爵（法兰西的路易）。1498 年路易的孙子成为法国国王路易十二，法国大革命之前，布卢瓦就一直归属王室。

Blois 布卢瓦 法国中部中央大区城市，卢瓦尔-谢尔省省会。位于图尔东北，临卢瓦尔河。中世纪初为布卢瓦伯爵住地。1429 年贞德从此出发前往奥尔良解围。1498年，在此

布卢瓦城堡，建有弗兰西斯一世屋外楼梯

美国不列颠百科全书公司供图

出生的查理公爵之子继承法国王位，称路易十二；从此到 16 世纪末，布卢瓦几为法国第二都城。当地城堡为集中 13 ～ 17 世纪各种建筑风格的杰作。第二次世界大战中许多古建筑遭到破坏。战后一些建筑得到修复。城镇内有数条雅致的街道及许多哥特式和文艺复兴式建筑。是卢瓦尔河谷区的主要旅游中心和重要玉米、龙须菜、葡萄酒贸易市场。生产巧克力和鞋靴。巴黎地区工业的分散促进了该市及卢瓦尔流域其他城市工业的新发展。人口 46 925（1982）。

Blois, François-Louis de 参阅 **Blosius, Franciscus Ludovicus** 布洛修斯。

Blok, Aleksandr Aleksandrovich 勃洛克（1880-11-28，俄罗斯圣彼得堡～ 1921-08-07，彼得格勒） 诗人和戏剧家，俄国象征派主要

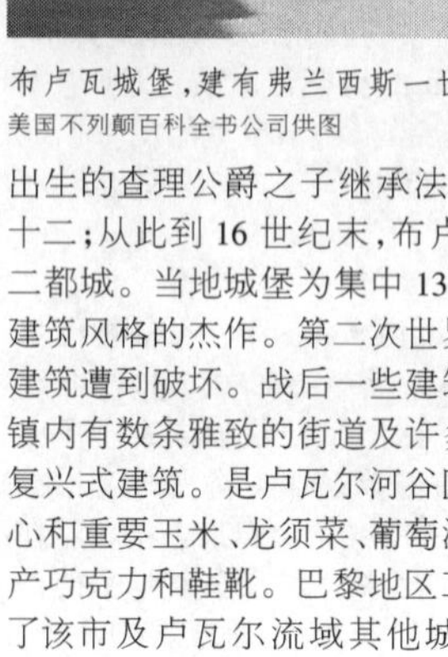

美国不列颠全科全书公司供图

代表人物。俄国象征派是现代派文学运的一支，受到西欧相应运动的影响，但又充满了本土东正教和神秘主义的成分。出生于知识分子家庭，自幼受艺术气氛的熏陶。1903年和著名化学家门捷列夫之女结婚。他的早期诗歌反映了他从恋爱经历中所获得的兴奋与精神上的满足。他推崇普希金 19 世纪初的浪漫主义诗歌以及俄国诗人和神秘主义者 V. 索洛维约夫（1853 ～ 1900）的基督教启示哲学，并通过创造性地运用韵律方面的创新，发展了他们的观念。对于勃洛克来说，声调是至高无上的，悦耳的音调是其诗歌的基本特征。他的第一部诗集——组诗《美女诗草》（1904），反映了他最初接受柏拉图的理想主义，他将神的智慧人格化为女性的"世界之灵"。在他以后的创作中，否定了资产阶级象征派的唯理智论，接受了布尔什维克运动，把它看作为拯救俄国人民所必不可少的巨变。然而，他感受到了双重的背弃。首先是他的文学界同行的冷落，然后是布尔什维克对他的作品和美学理想的嘲弄。随之而来的孤立使他陷入忧郁的隐退生活，导致了他的早亡。晚期诗歌反映了他相互交错的希望心理和绝望情绪。未完成的叙事诗《报应》（1910 ～ 1921），暴露出他对新制度的幻想的破灭，而《祖国》（1907 ～ 1916），尤其是《西徐亚人》（1918），却赞扬俄国在新世界秩序中的救世主作用。他最后在革命动乱中写成的谜一般的歌谣《十二个》（1918），是卓越的印象主义诗歌作品。诗歌写一支由 12 个衣衫褴褛的红军军人组成的队伍在 1917 ～ 1918 年圣彼得堡暴动期间穿越暴风雪行进的情景。而他们的头顶上则是基督的形象。虽然评论家认为《十二个》的意思含糊不清，但它和作者的其他作品一样是不朽的。人们普遍认为，是他开始了俄国文学的革命后时期。

Blom, Frans Ferdinand 布罗姆（1893-08-09，哥本哈根～ 1963-06-23，墨西哥圣克里斯托瓦尔） 丹麦考古学家、马雅文化研究的权威。毕业于哥本哈根大学，1919 年移居美国，1925 年获哈佛大学文学硕士学位。他在恰帕斯州（与危地马拉接壤）丛林中度过其大半生，通过考察，发现几座久已湮没的城市，多属于中部马雅低地史上的"古典时期"（公元 300 ～ 900）。作为墨西哥政府考古学家（1922 ～1923），随后又作为美国考察队和丹麦-美国联合考察队的成员，在帕伦克、瓦哈克通（危地马拉）和韦拉克鲁斯发现极其珍贵的马雅艺术品和古建筑。1948 年在拉坎顿丛林的一次考察，又发现拉坎顿民族的最后一批遗民，这些人是原始马雅人的后裔。布罗姆与其妻格特鲁德 1950 年在墨西哥定居，在圣克里斯托瓦尔建立一所研究中心、一所博物院和一所图书馆，专门从事马雅文化的研究。著有《部落与庙宇》（1926 ～ 1927）、《征服尤卡坦》（1936）等。

Blomberg, Werner (Eduard Fritz) von 布洛姆贝格（1878-09-02，德国施塔加德～1946-03-22，纽伦堡） 德国将军、纳粹政府的作战部长（1933 ～ 1938）。第一次世界大战期间，

在德国总参谋部任职。1921年任斯图加特军区参谋长，1925年任军训部部长，1929年为东普鲁士驻军总司令。1933～1938年任希特勒政府的国防部长（1935年后为作战部长），兼任德国武装部队总司令。他唯希特勒之命是从，绰号"橡皮狮子"。1934年强制军队向希特勒个人宣誓效忠。1936年任陆军元帅。1938年因家庭丑闻辞职。

blonde lace 本色丝花边 原来是指18世纪在法国用未经漂染的淡米色中国蚕丝织成的线轴编织花边（棒槌花边），后来"本色"一词的涵义扩大到包括由经过漂白的丝（原白

19世纪中叶的法国本色丝花边
美国不列颠百科全书公司供图

色）和染成黑色的丝（原黑色）织成的花边。18世纪中叶法国的拜约、卡昂和尚蒂伊，以及约1754～1780年英国的多塞特均生产这种花边。

Blondel DE NESLE 布隆代尔·德·内斯莱（活动时期12世纪末） 法国北部早期说唱抒情诗人，或行吟诗人。布隆代尔身世不详，此名可能非真名，传闻属他所作的25首诗歌中不知有多少确为他的作品。他的诗作依从俗例，描写闺怨，但未写明不知名女主人公与作者关系。风格与行吟诗人时常惯用晦涩语言不同，十分轻快、简洁。他的诗歌主题因同时代人广为采用故甚流行。最早的有13世纪的传奇故事《兰斯行吟诗人说词》，叙述诗人发现并解救被神圣罗马帝国皇帝亨利六世所囚（1192～1194）英王理查一世的故事。

Blondel, André-Eugenè 布隆代尔（1863-08-28，法国肖蒙～1938-11-15，巴黎） 法国物理学家，因发明示波器和发展光度学而闻名。曾任巴黎桥梁与道路工程学院和矿业学院的电工学教授。1893年发明电磁示波器，它使电学研究人员能观测到交流电流的强度。1894年他以米和维奥尔烛光为基础提出了光度学新的计量单位制，1896年经国际电学会议认可一直沿用多年。他对发展无线电报、声学、力学都有所贡献，还提出了感应电机的理论及交流发电机的耦合理论。

Blondel, Georges 布隆代尔（1856-03-08，法国第戎～1948-07-31，巴黎） 法国历史学家和法学家。1881年获博士学位，1883年取得最高级教师衔，1884年任里昂大学法学教授，10年后担任里尔大学文学教授，后又在巴黎高等商业学校和法兰西学院任教。他作为熟悉德奥教育和劳工组织问题的专家，曾参加许多学会，经常为学术刊物撰稿，并在欧洲各地讲学。著有《德国工人》（1899）、《德国人民在工商业方面的飞跃发展》（1898）、《德国人民的经济教育》（1908）和《泛日耳曼主义的胜利》（1934）。

Blondel, Jacques-François 布隆代尔（1705-01-17，鲁昂～1774-01-09，巴黎） 法国建筑师。以教学和著作闻名，对建筑理论及形成其时代良好的建筑艺术审美情趣，具有重大贡献。他在巴黎设的艺术学院是教授建筑学的第一所学院。出身于名建筑师家庭。早年倾向于前期洛可可装饰，后来转而反对这种风格。1737～1738年出版所著《别墅布局及建筑装饰概论》2卷。18世纪30年代设计的作品有：佛罗伦萨附近的柑橘园、布列塔尼附近一所别墅的平台、他在贝桑松的小住宅。他先后在自己创立的学院和皇家建筑学院任教，苏格兰建筑师W.钱伯斯、法国建筑师R.米克、荷兰建筑师P.德斯瓦尔特，以及德国建筑师C.魏因利希等，均出自他的门下。他还设计了梅斯的市中心区（1764）和市政厅（1765）。

Blondel, Maurice (Édouard) 布隆代尔（1861-11-02，法国第戎～1949-06-04，普罗旺斯地区艾克斯） 法国辩证法哲学家。提出"行为哲学"，在基督教哲学中将古典新柏拉图主义与现代实用主义结合起来。1893年在《行为》一书中首次系统阐述了其哲学。他认为，行为一词含义丰富，指生命显现的能力，包括促成怀孕、生产、扩大行动自由。其他重要著作有：《思想》（1934），以及《基督教的哲学要求》（1950）。

Blondin 布隆丹（1824-02-28，法国埃丹～1897-02-22，英国伦敦附近小伊灵） 让-弗朗索瓦·格拉沃莱的艺名。法国走索杂技演员。因在一条长1 100英尺（335米）、距水面160英尺的横跨尼亚加拉瀑布的绳索上走过的绝技而赢得声誉和财富。5岁被送至里昂学艺，受训半年后初次演出，被誉为"神童"。他多次走过尼亚加拉瀑布上空的绳索，第一次是在1859年，而且不断变换戏剧性的新花样，如蒙上眼睛、全身套在口袋里、推独轮车，踩高跷、驮人或中途坐下炒食鸡蛋。1861年，他还在伦敦水晶宫中一条离地170英尺高的绳索上，踩着高跷翻筋斗。1896年他在贝尔法斯特作了最后一次表演。

Blondus, Flavius 参阅 **Biondo, Flavio** 比翁多。

blood 血液 由心血管系统驱动的、承担运送氧气、营养物质、代谢废物、二氧化碳，以及各种免疫抗体和激素的液态组织，主要由各种有特殊功能的血细胞和血浆构成。进化水平在无脊椎动物以下的低等动物没有血液，它们的各种物质交换是通过细胞、组织和环境水之间的直接弥散完成的。从生物进化来看，最原始的血液是海水；除了各种蛋白成分以外，高级动物的血浆成分和海水相似。物种不同，血液细胞成分的差异极大。大部分无脊椎动物的血细胞种类少，只有阿米巴样运动、吞噬和少量物质运输的功能。脊椎动物有各种功能的血细胞，如白细胞、红细胞、血小板等。决定血液成分和循环结构进化水平的关键因素是动物对氧气的需求。这一进化的特征性标志是含有能同时携带好几个氧原子的金属原子的呼吸色素。脊椎动物和某些无脊椎动物的血红蛋白分子中含有铁；而某些甲壳动物和软体动物血色素中含有铜，故呈蓝色；血绿蛋白也是一种含铁色素，见于某些环节动物。很多无脊椎动物的呼吸色素直接溶解在血浆中；但在高等脊椎动物，血红素都集中在红细胞中，以防血液黏稠度太高而阻碍正常血液循环。昆虫、蜘蛛、甲壳类等节肢动物和大部分软体动物的循环系统是开放型的，它们所有的脏器都直接浸泡在血液中；这种循环方式的效率不高。只有乌贼、鱿鱼、章鱼等头足纲动物是例外，它们和脊椎动物一样，都有一个闭合的循环系统，通过毛细血管进行物质交换。脊椎动物的循环方式有单循环和双循环两种。前者见于鱼类，血液从心脏出来，经由腮、全身毛细血管后，直接返回心脏。而两栖类、爬行类、鸟类和哺乳动物都有肺循环和体循环两部分，肺循环专门用来吸收氧气。当然，这些动物的心脏结构也相应地进化得更为完善。

哺乳动物的血液成分 哺乳动物的血液由血浆和血细胞构成，血细胞有红细胞、白细胞和血小板三大类。人血血浆为草黄色液体，其中水分占90%～92%、各种蛋白质占6%～8%，其余是糖、无机盐、脂肪、氨基酸、二氧化碳、各种激素、含氮代谢废物等。血浆功能有：①各种营养物质、代谢产物和各种血细胞的载体和反应介质；②维持血压；③保持均匀体温；④保持体液和血液的酸碱平衡。除了血浆蛋白，血浆中的其他溶质都可以自由通过毛细血管，所以血浆蛋白（尤其是占半数以上的白蛋白）的一个重要功能就是维持血液胶体渗透压，保证正常的血容量。血浆纤维蛋白原是重要的凝血因子之一。血管破裂等因素会激活一套复杂的凝血反应，结果是纤维蛋白原转变为粗大的纤维蛋白，并交织成网。这种纤维蛋白网是凝血块的基本结构骨架，可将破裂的血管堵住。去除了纤维蛋白原的血浆即为血清，血清不会凝固。第三大血浆蛋白家族是球蛋白。γ球蛋白，即抗体，是机体免疫系统的重要组成成分。α和β球蛋白则是脂类（如胆固醇）、类固醇、糖元、铁、铜等金属离子和游离血红蛋白等的运输载体。有些凝血因子也以α和β球蛋白的形式存在。红细胞的主要成分是血红蛋白——有效的携氧载体。哺乳动物红细胞没有细胞核，这也是一种功能适应。动物种属之间，红细胞体积的

差异极大,而且和动物躯体大小无关。红细胞来源于骨髓。白细胞的功能主要是防卫和组织修复。可分为三类:粒细胞(有嗜酸、嗜碱和嗜中性三种粒细胞,又称小噬细胞,可吞噬微生物)、单核细胞(又称巨噬细胞)和淋巴细胞(免疫成分,可产生抗体和致敏淋巴细胞)。粒细胞和单核细胞来源于骨髓,淋巴细胞来源于脾、淋巴结和胸腺。血小板是骨髓巨核细胞的胞浆裂片,在凝血过程中发挥重要作用。血小板能黏附在血管内膜裂口处,形成一沉积斑,并释放二磷酸腺苷(ADP)、启动凝血致活酶,形成凝血块。

人类的血型 即指正常人红细胞的细胞膜表面抗原差异的分型。如果输入异型血,机体就会产生异型抗体,导致红细胞凝集。1900年,兰斯泰纳根据A、B二种红细胞表面抗原的表达,将人血分成四型:A型、B型、AB型和O型。此后,人们又相继确定了MN、Rh等血型系统。

血液病 临床血液病的概念包括血细胞本身和造血组织的各种疾病。正常人的红细胞计数可随年龄、性别、环境的不同有很大变异,但各种情况都有相应的正常值,过高或过低都是病态,如*贫血*(**anemia**)和红细胞增多症。严格来讲,贫血只是一种症状,很多疾病都可表现贫血,须严格对病因治疗。白细胞计数的变异更大,运动、月经、妊娠、分娩、情绪变化,甚至一个人的一天中白细胞计数都有变化。不过,白细胞计数的异常,包括总数和分类计数,有重要的临床诊断意义。粒细胞增多示有细菌感染,淋巴细胞增多示有病毒感染。*白血病*(**leukemia**)是一种造血组织的恶性肿瘤。外周血中可见大量幼稚白细胞,主要症状有肝、脾、淋巴结肿大,贫血、出血、发热等。急性白血病患者可在几周或几个月内不治而亡;慢性白血病可存活十几年。和白血病有关的实体恶性肿瘤有网织细胞肉瘤、恶性淋巴瘤、霍奇金氏病等。出血性疾病的病因复杂。*坏血病*(**scurvy**)、血小板减少性紫癜、过敏性紫癜等的病因相去甚远。实际上,凡是能损害血管内皮、导致血小板的数量减少和质量的下降、导致各种凝血因子的缺乏的各种因素都可致出血性疾病。*血友病*(**hemophilia**)、*封·维勒布兰德氏病*(**von Willebrand's disease**)是遗传性疾病。维生素K缺乏症则是源于营养不良。

Blood, Council of 血腥法庭 参阅 **Troubles, Council of** *戡乱委员会*。

blood analysis 血液分析 指对血液标本进行的化验检查,用以获取有关血液理化性质及其组成部分的情况。血液化验项目目前已达数百种,而且取一次血液标本可利用自动分析器一类的器械做越来越多的化验项目。血液分析包括:①测定红细胞和白细胞的数量、红细胞的容积、沉降率及血红蛋白含量(参阅 **blood count**);②血型(参阅 **blood typing**);③查明血细胞的形状及其微细结构;④研究血红蛋白和血中其他蛋白质的构造;⑤测定与血细胞结合的、或游离在血浆中的各种酶的活性;⑥研究血液的化学成分。此外可检查血液总容量、循环时间、黏度、凝血时间及凝血异常、pH值以及各种物质的清除率(参阅 **kidney function test**)。血液分析所用血液标本多从臂部、手指或耳垂静脉抽取;有时还检查骨髓中的红细胞。此外,在某些特异性感染时血中存在一些特异性物质,据此可进行一些特殊试验,如梅毒时的乏色曼氏反应等。参阅 **serological test**。

blood bank 血库 采集、贮存、处理血液及输血的机构。第一次世界大战时证实:输入贮存的血液是安全的。第一个血库建立前,医生要测定患者亲友的血型,找到合适的血型后再进行交叉配血,再从供血者抽取血液,输给患者。随后,发现了许多对输血有重要影响的新血型系统,发明了几种交叉配血的新技术。到20世纪40年代,血库管理这门专业迅速发展起来,输血的技术操作也逐渐从主管医师的职责转变为技术员及临床病理医师的职责。做到了贮存新鲜血液以供日后之需,这就有可能改进人工肾、用心肺泵做直视心脏手术,以及给胎儿成红细胞增多症患儿换血。新鲜全血难于长期保存,但各种血液成分(如红细胞、血浆等)却能冷冻保存一年或者更长的时间。大部分血库都有血液分馏和保存血液成分的业务。成分输血可解决不同的临床问题,如:血小板用于止血,浓缩红细胞用于纠正贫血,血浆多种因子如纤维蛋白原可促进凝血,γ球蛋白可预防多种传染病或减轻病情,白蛋白用于休克时扩充血容量。这样,0.5公升血液即可满足5个以上患者的不同需要。为了扩大血源,很多国家都制定了血液互助制度:凡参加公民义务献血450毫升者(或交付等值的款项),在一定时期内,若参加者需要输血,则有权从该血库接受血液,数量不限。尽管如此,很多血库仍面临着血源严重不足的问题。血液分馏技术有望解决这一问题。所谓血液分馏是指献血者只提供某一血液成分,其余成分马上被回输给献血者。参阅 **blood transfusion**。

blood brotherhood 血盟兄弟 一种特殊联盟关系。将人们联系在一起,与亲属相似,但又不同。这种关系的名称是因参与人的歃血礼仪而得。由此而形成的联盟的特殊性质,是结盟人必需相互支援、忠实、友爱。血盟兄弟的关系如果在集团与集团间建立时,经常是为了团结潜在的敌对势力,在战争中结盟或缔结和约。血盟兄弟关系常见于古典作品的记述,希罗多德(公元前5世纪)是此类作者的鼻祖。其他有关血盟兄弟的记载,亦见于中欧、斯堪的纳维亚和亚洲的神话与传说中。晚近以来,血盟兄弟的风俗也常在非洲出现,偶见于北美印第安人中间,且常常在作品中有所描述。

blood cell formation 血细胞形成 又称血生成或造血。按机体需要补充血液细胞成分的持续过程。主要的血液细胞成分为红细胞、白细胞和血小板。白细胞又分为粒细胞、淋巴细胞和单核细胞三类。正常成人的全部红细胞、血小板和60%～70%的白细胞都来自造血组织骨髓;淋巴细胞(白细胞总数的20%～30%)来自淋巴组织,如胸腺、脾和淋巴结;单核细胞(白细胞总数的4%～8%)来自肝、脾、淋巴结和其他组织中的网状内皮组织。血小板实际上是骨髓巨核细胞的胞浆裂片。人类的第一个胚胎造血器官是卵黄囊;而后,红细胞生成主要在胚胎肝脏完成;但骨髓很快就取代肝脏,成为人体内最主要的、成人唯一的、红细胞和颗粒性白细胞的造血器官。干细胞是各种骨髓血细胞的共同祖先。干细胞首先分化为各类原(红、粒、淋巴、巨核)细胞,从原(红、粒、淋巴、巨核)细胞到各种类型的成熟血细胞之间,都有各自的、一系列复杂的、连续的、逐级的演变过程。各种原(红、粒、淋巴、巨核)细胞被认为是有特殊分化方向的干细胞。一个正常成人一周的红细胞生成量约为半升血液中的红细胞数量;每天的红细胞更新量约为1%,也就是说每天新生的和死亡的红细胞都是总量的1%,用以保持一种动态平衡。血细胞形成速率随个体和即时需要而变化,但平均每天可生成红细胞2 000亿个,白细胞100亿个,血小板4 000亿个。

blood count 血细胞计数 测定一定容积血液内红细胞和白细胞数量的实验诊断方法。血细胞的数值因性别、年龄、生理状态和全身健康状况而异,但正常人1立方毫米血液中含500万个红细胞和7 000个白细胞。白细胞分类计数是指分别列举所计算的100个白细胞中每种类型白细胞的数量及其百分比。正常情况下,嗜中性粒细胞约占白细胞总数的55%,淋巴细胞约占30%,嗜酸性粒细胞、嗜碱性粒细胞和单核细胞所占的比例不大。贫血时常见红细胞数减少,白血病和大多数传染病时则出现白细胞数增加。血细胞计数还包括测定血小板数、红细胞压积(红细胞在全血中的容积比)、红细胞沉降率及红细胞中血红蛋白的含量。

blood feud 血亲复仇 参阅 **feud** *世仇*。

blood fluke 血吸虫 寄生在宿主静脉中的扁形动物。参阅 **fluke**。

blood money 赎罪金 指犯罪分子(通常是杀人犯)或其亲族给受害者的亲族支付的赔偿金。在很多社会中,赎罪金的作用在于阻止以*世仇*(**feud**)形式出现的敌对情况的继续。有些习俗允许受害当事人可选择用血亲复仇或用赎罪金的方法来惩罚杀人犯。在盎格鲁撒克逊的部落中,杀人者的亲族成员应向受害者的亲属支付抵偿金或赎罪金。亲族成员的捐献则根据他和杀人犯的近亲程度而定,而在受害者的亲属中间也按照同样的标准来分配这笔钱。在北美北部太平洋沿岸的许多印第安人中,杀人后偿付赎罪金是强迫性的,以便有可能保持和平,甚至在也要求进行实际流血报复时情况也是如此。在多数地方,赎罪金并没有固定的标准,每一亲族都尽量要求大数额的赎罪金。凡达不成协议的,就导致世仇。

Blood of Isis(Egyptian religion) **女神伊希斯之血** 参阅 **girdle tie** *环结*。

blood pressure 血压 血液作用于血管壁的压强。产生于心脏的泵作用。血管受压舒张，继之收缩，这对维持血液在血管内的流动十分重要。人的血压通常在臂动脉处或股动脉处间接测得：最高压强（收缩压）为心室收缩时的压强，正常约为120（100～140）毫米汞柱；最低压强（舒张压）为心室舒张时的压强，正常约为80（60～100）毫米汞柱。毛细血管血压一般为20～30毫米汞柱，大静脉的血压可为负值。动脉血压随个体不同而异，且在同一个体亦时时变化。儿童血压较成人低，且随年龄而增加。过重的人其血压多较高。睡眠时血压轻度降低而运动和情绪激动时则增高。参阅 **hypertension**；**hypotension**。

Blood River, Battle of 血河战役（1838-12-16） 南非祖鲁人与从开普殖民地向德兰士瓦迁移的布尔人之间的战役。战场在布法罗河一条支流的两岸。这条支流被战死的3 000名祖鲁人的鲜血染红，故称为血河。布尔人只有4人受伤。此后，布尔人在纳塔尔站稳了脚跟，直至1843年被英国人吞并。南非白人每年庆祝这次胜利，称之为"丁冈日"。

blood serum 血清 血液凝固后所剩液体部分。人或动物感染过某种疾病后，其血清中可产生特异性抗体。这种血清称为免疫血清或抗毒素，可用于预防该疾病。

blood transfusion 输血 一种治疗方法。用于严重失血、烧伤或创伤后恢复血容量；用于贫血时改善血红蛋白降低引起的血液携氧能力减退；用以抗休克。为目前常用的可以挽救生命的措施。但直到血型被发现后，输血才成为有效而安全的措施。为输血成功，供者和受者应作常规血型分析。早在1628年，意大利医师G.科莱就在欧洲试验输血，但许多受血者因血型不合反应而死亡，17世纪末，英、法、意等国禁止使用这种方法。有证据表明印加人早就在成功地使用输血，因为几乎全部南美洲印第安人的血型均为O-Rh阳性，血型不合反应极少。血液抽出后，加入特殊防腐剂，并予冷藏，可保存35天而仍能安全使用，将血液中各成分分离可用于特殊需要。下列情况可采用输全血或成分输血治疗：①急性失血时输全血；②慢性贫血输塞实红细胞；③因多次成分输血引起变态反应的患者输洗涤红细胞；④因血小板缺乏而引起的出血输血小板；⑤白细胞计数降低伴感染的患者输白细胞；⑥非失血性休克患者输血浆；⑦血友病出血患者输冷冻新鲜血浆、新鲜血浆或浓缩抗血友病因子血浆；⑧营养不良、慢性低白蛋白血症及休克患者输血浆白蛋白；⑨预防病毒性肝炎及保护麻疹接触或为减轻麻疹患者症状用血浆γ球蛋白；⑩纤维蛋白原缺乏症引起的出血状态输纤维蛋白原。换血是将患者的血液全部或大部分放出同时输入新鲜血，用于治疗胎儿成红细胞增多症、消除血液中某些毒物以及暂时缓解白血病。输血的不良反应常见，原因甚多，如变态反应，对供者白细胞过敏或未查出的红细胞血型不合。有许多反应原因不明，罕见的原因有血液污染、血液中气泡、输血过量致循环系统负担过重或对供者血浆、血小板过敏。

blood typing 血型分类 根据红细胞由遗传决定的抗原特异性对血液进行分类的方法。临床上最常考虑的是ABO血型系统（**ABO blood group system**）和Rh血型系统（**Rh blood group system**）。血型分类是临床输血过程中必不可少的步骤，因为受者和供者的血型必须相同或者相容，否则由于一方红细胞的抗原与另一方的血清凝集素相互作用，可导致溶血或凝血的发生。此外，血型分类亦是因母婴血型不合所致胎儿成红细胞增多症的快速诊断方法。由于血型决定簇按遗传规律遗传，因此血型分类有时能为解决父权问题提供帮助。有人认为某些血型组合对胎儿的存活可能有很大的影响，如不育、早产、死产的部分原因可能就是配偶间某种未能明了的血型不合。

blood vessel 血管 人类或动物体内供血液循环的管道。运送血液离开心脏的血管称为动脉，其分枝称为小动脉。收集身体各器官、各部位血液的小血管称为小静脉，小静脉汇合成静脉，将血液运回心脏。毛细血管细如毛发，连接小动脉和小静脉，机体组织和血液之间的各种物质交换过程都是在这里完成的。参阅 **artery**；**capillary**；**vein**。

bloodfin 血鳍鱼 脂鲤（**characin**）的一种，为淡水鱼。

bloodhound 寻血猎狗 又称大警犬。嗅觉最灵敏的狗品种。许多借嗅觉寻猎物的猎狗由此品种育成。该品种于基督教创立以前的时代已在地中海地区育成，但当时的个体外

寻血猎狗
美国不列颠百科全书公司供图

形与今者不同。性安稳温顺。常用于追踪人兽。体大而壮，体高58～69厘米，体重36～50千克。被毛短，黑棕相间，或呈红棕色、棕色或茶色。耳长，头和颈部皮松有皱褶。

Bloodless Revolution（England） **不流血革命** 参阅 **1688, Revolution of** 1688年革命。

bloodlily 血百合 参阅 **Cape tulip** 网球花。

bloodroot（*Sanguinaria canadensis*） **血根草** 又作red puccoon。又称加拿大血根草。罂粟科植物，原产于北美东部和中西部。主要生长于落叶林。早春开花，花杯状，亮白色，有八枚花瓣，中央有亮黄色雄蕊，花径4～6厘米，生在20厘米的浅红色花梗上。叶柄红色，叶大而多脉，半张开地包住花茎，花开之后叶方张开成具多数浅裂片的蓝绿色圆形叶。根状茎含橙红色汁液（从前印第安

加拿大血根草（*Sanguinaria canadensis*）
美国不列颠百科全书公司供图

人用作染料）及血根碱（可药用）。本种及其开美观重瓣花的变种 *S. canadensis* "Multiplex" 可栽于野生植物园。

bloodstone 血滴石 又作heliotrope。又称鸡血石。硅氧矿物玉髓的深绿色变种，其中普遍分布有鲜红色的碧玉结核。所以抛光面在深绿色底面上出现红色斑点，由于这些斑点类似血滴，故名为血滴石。在中世纪为人们所珍藏。用于制作雕刻品以象征受苦受难和牺牲。著名产地包括印度的卡提阿瓦半岛。其物理性质与石英同，参阅 **silica mineral**（表）。

bloodworm 血虫 几种体色鲜红的水生环节动物的俗称。包括寡毛纲颤蚓科颤蚓属（*Tubifex*）动物，亦称管作虫或泥虫，可用来饲热带鱼。多毛纲吻沙蚕科吻沙蚕属（*Glycera*）

二腮吻沙蚕（*G. dibranchiata*）
美国不列颠百科全书公司供图

的种有时亦称血虫。二腮吻沙蚕（*G. dibranchiata*）产于北美东海岸，可长达 37 厘米。某些摇蚊科摇蚊属（*Chironomus*）昆虫的水生幼虫体色血红，亦称血虫。

Bloody Assizes 血腥的巡回裁判 英格兰历史上英王查理二世的私生子蒙默思公爵于 1685 年 6 月反对其信仰罗马天主教的叔父詹姆斯二世的叛乱失败之后，由首席法官乔治·杰弗里斯和其他 4 名法官所进行的裁判。约 320 人被处绞刑，800 多人流放到巴巴多斯，另有数百人被罚款、杖责或监禁。近代的研究虽认为杰弗里斯在处理案件时不无法律根据，但其残暴程度已使他成为遗臭万年的人物。

Bloody Mary 血腥的玛丽 参阅 **Mary** (England and Great Britain) 玛丽（英格兰和大不列颠）项下的 **Mary Ⅰ** 玛丽一世。

bloody shirt 血衬衫 美国历史上，南北战争以后吸引选民的政治战略，手段是使人们回忆战争时期的感情和困难。激进派共和党人经常利用它来引起选民注意战后重建问题，说"挥舞血衬衫"即呼吁不要忘记战争的苦难。在 1868、1872 和 1876 年的总统选举中广为使用，特别在北方，以此争取退伍军人的选票。

Bloody Sunday 流血星期日 1905年1月22 日（旧历 1 月 9 日）沙俄政府在圣彼得堡对和平示威群众的大屠杀。它标志着俄国 1905 年革命暴力阶段的开始。19 世纪末，俄国的产业工人开始组织起来。1905 年 1 月，圣彼得堡工人掀起了罢工的浪潮。俄国工厂工人大会的领导人 G.加邦神父组织和平的群众游行，企图将工人们要求改革的请愿书直接呈交沙皇。但沙皇尼古拉二世不在城里。保安警察头子弗拉基米尔公爵下令向示威群众开枪，打死 100 多人，打伤几百人。这次大屠杀引起一系列其他城市的工人罢工、农村中的农民暴动和军队中的士兵哗变，形成 1905 年革命。

Bloody Sunday 流血星期日 1972 年 1 月 30 日星期日，争取民权的天主教徒在北爱尔兰伦敦德里举行示威游行，遭到英国伞兵射击，死亡 13 人，受伤 14 人（其中一人后来死亡）。流血星期日促使民族主义的爱尔兰共和军发展壮大，以暴力反抗英国，强迫英国撤出北爱尔兰。示威游行起初是和平的，但不合法，有近 1 万人参加，由北爱尔兰民权协会组织，反对英国政府不经审讯拘押爱尔兰民族主义者。游行队伍前进到市中心的市政厅广场，英国军队封锁了大部地区，大部分游行者转往弗里德里角。但有部分示威者与军队对峙，并投掷石块等物品。英国军队发射橡皮子弹和高压水炮，并下令逮捕示威者，军队向前推进与示威游行者对抗，于是引发暴动。首先开枪的是哪一方一直是争论的焦点——军方称是遭到射击后才开枪的，而天主教会则声称是军队狙击手向徒手的抗议者开枪射击——然而结果很明显：不到 30 分钟的射击之后，就有 13 名游行者被击毙。英国首相希思立即下令调查，领导调查的大法官威杰里断定是示威者首先开枪；但被害者显然都没有佩带武器。伦敦德里的法医毫不含糊地称这些死亡是"十足的谋杀"。民族主义者的斗争持续了 20 多年。1998 年，首相布莱尔命令重新调查；2004 年，调查委员会确认死者中无人携有武器。

Bloom, Claire 布卢姆（1931-02-15，伦敦～ ） 英国戏剧女演员。以塑造莎士比亚戏剧女主人公而闻名，同时在舞台、电视和电影中演出。曾在伦敦市政厅音乐戏剧学校学习。14 岁时在埃文河畔斯特拉特福莎士比亚纪念剧院（即后来的皇家莎士比亚剧院）剧团尝试饰演朱丽叶。1948 年在斯特拉特福饰《哈姆雷特》中的奥菲莉娅、《约翰王》中的布兰奇和《冬天的故事》中的帕迪塔。曾在电影《舞台生涯》（1952）中同卓别麟配戏，所演芭蕾舞演员一角赢得赞誉。她不断取得新的成就，1952～1953 年曾参加老维克剧团。随后又成功地将舞台生涯与影视事业结合起来，她较知名的影片有《理查三世》（1955）、《查利》（1968）等。1982 年出版自传《舞台生涯及其后》一书。

bloom, marine (biology) **海华** 参阅 **water bloom** 水华。

Bloomer, Amelia Jenks 布卢默（1818-05-27，美国纽约荷马～ 1894-12-30，艾奥瓦康瑟尔布拉夫斯） 美国女改革家。曾为禁酒和争取女权而斗争。1849～1854 年出版双周刊《百合花》，以倡明其宗旨。布卢默的兴趣之一是改革服装，她的名字因而成了一种她穿着的女式长裤的名字——布卢默女裤（**bloomers**）。因这种长裤很流行，许多人去纽约听她讲课。

bloomers 布卢默女裤 1850年A.J.布卢默（**Bloomer, Amelia Jenks**）提倡的一种妇女"合理服装"中的裤子。全套服装包括一件短上衣，一条裙子和一条布卢默女裤。后者是一种在踝部扎紧的"土耳其式"宽大裤子。这种创新虽未获成功，但名称保留了下来，用以指褶裤、妇女在骑自行车穿的灯笼裤和宽松的内衣。

布卢默女裤
美国不列颠百科全书公司供图

Bloomfield 布卢姆菲尔德 美国康涅狄格州西北部哈特福德县城镇（镇区）。有沃什和法明顿两河流经。1660 年始有人定居。1835 年设镇。20世纪40年代后期始有工业。现

布卢姆菲尔德的康涅狄格人寿保险总公司
美国不列颠百科全书公司供图

生产工具、螺丝车床产品、飞机零件、直升飞机等。设有康涅狄格人寿保险总公司。面积 67 平方千米。人口约 19 587(2000)。

Bloomfield 布卢姆菲尔德 美国新泽西州北部埃塞克斯县城镇，纽瓦克西北郊区。1660 年建居民点。1812 年设镇。有汽车装配、纺织、医药、化学制品、铝及电器等工业。布卢姆菲尔德学院（长老会办）建于 1868 年。人口 47 683(2000)。

Bloomfield, Leonard 布卢姆菲尔德（1887-04-01，美国芝加哥～ 1949-04-18，康涅狄格纽黑文） 美国语言学家。所著《语言》（1933）一书，是 20 世纪前半叶普通语言科学最重要论述之一，美国语言学此后的发展道路，几乎完全是由这部书确立的。布卢姆菲尔德先后就学于哈佛大学、威斯康星大学及芝加哥大学。1909～1927 年，曾在一些大学任教，后任芝加哥大学日耳曼语语文学教授（1927～1940）和耶鲁大学语言学教授（1940～1949）。起初研究印欧语（特别是日耳曼语）语音和构词法，后来在所著《语言研究导论》（1914）一书中，转向语言科学更广泛的课题。1917 年着手于马来波利尼西亚诸语言（南岛诸语言）的研究。20 世纪 20 年代初，又从事关于北美印第安诸语言的调查工作，对阿尔冈昆语系的描写和比较研究方面，做出了开创性的贡献。《布卢姆菲尔德文选》（1970）由哈克特主编。

Bloomfield, Robert 布卢姆菲尔德（1766-12-03，英国萨福克霍宁顿～ 1823-08-09，贝德福德郡谢福德） 英国诗人。以写田园诗名噪一时。在伦敦当鞋匠时写成第一首诗《农夫之子》（1800），融合 18 世纪末的牧歌意境和早期浪漫主义对大自然的感情，为人们喜爱。以后写有《乡间故事、民谣和歌曲》（1802）、

美国不列颠百科全书公司供图

《怀河两岸》(1811)等,都很成功。

Bloomfield Hills　布卢姆菲尔德希尔斯 美国密歇根州东南部奥克兰县城市。在庞蒂亚克东南和底特律西北。1819 年建居民点。1932 年设市。1927 年由 E.S.布思和 G.C.布思(《底特律新闻》社长)创办克兰布鲁克基金会,成为著名的文化中心。有克兰布鲁克艺术学院和博物馆、克兰布鲁克科学研究所、克兰布鲁克园林、都铎式克兰布鲁克大厦和哥特式基督教堂(圣公会)。耶稣基督后期圣徒教会(摩门教)教区中心(1959)亦在该市。设有奥克兰社区学院(1964)。人口 4 288(1990)。

Bloomgarden, Kermit　布卢姆加登(1904-12-15,美国纽约布鲁克林～1976-09-20,纽约市)　美国戏剧和音乐剧的演出人。其戏剧和音乐剧在文艺评论和商业赢利两方面均获得成功。1926 年毕业于纽约大学,曾担任注册会计多年。独立演出的第一部戏是《根深蒂固》(杜索和高的剧作),1945 年上演,演出 477 场。此后演出的戏剧有海尔曼的《森林的另一边》(1946)和米勒的《推销员之死》(1949)等,《推销员之死》演出 742 场。获奖剧目有《考验》(1953)、《安妮·弗兰克日记》(1955)、《最快乐的菲拉》(1956)、《天使,遥望家乡》(1957)、《音乐家》(1957)、《顶楼里的娱乐》(1960)和《罗马骑士》(1975)等。

Bloomington　布卢明顿 美国伊利诺伊州中部城市,麦克莱恩县县城,南面毗连诺默尔(Normal)。1822 年设居民点。1850 年设市。1856 年林肯在市内的老梅杰斯厅发表著名的"失望的演说"。经济以农业(主要是玉米和大豆)、畜牧业和种子培育为主,另有糖果加工、吸尘器制造业和保险业。设有伊利诺伊卫斯理大学(1850),伊利诺伊州立大学则设于诺默尔(1857)。每年春季演出美国风格的耶稣受难复活剧。美国副总统 A.E.史蒂文森(1893～1897)及其孙——政治家,伊利诺伊州州长 A.E.史蒂文森(第二)——均埋葬于市属埃弗格林公墓内。人口:市 64 808;布卢明顿-诺默尔都会统计区 150 433(2000)。

Bloomington　布卢明顿 美国印第安纳州南部城市,门罗县县城(1818)。1818年兴建,

布卢明顿市印第安纳大学内的图书馆
美国不列颠百科全书公司供图

1877 年设市。地处印第安纳石灰岩地带中心,附近有大规模的采石场和加工场。印第安纳大学(1820)建于此地,它对布卢明顿的发展起了重要作用。目前经济以多样化工业特别是冷冻机、电子设备和电视机的制造为基础。人口:市约 61 921;布卢明顿都会统计区约 111 293(1992)。

Bloomington　布卢明顿 美国明尼苏达州东南部城市,亨内平县县城。靠近明尼苏达河。1843 年设居民点。1960 年设市。第二次世界大战后工业扩展,人口迅速增加。现为明尼阿波利斯郊区。毗连明尼阿波利斯-圣保罗国际机场。市内有大都会体育场和诺曼代尔社区学院(1965)。人口约 85 175(2000)。

Bloomsburg　布卢姆斯堡 美国宾夕法尼亚州中东部城镇,哥伦比亚县县城(1846)。临萨斯奎汉纳河和菲兴河。建于 1802 年,1870 年设镇,因是州内唯一获准组建的镇而闻名(其余准建社区均为自治村镇或市)。19 世纪 70 年代,爱尔兰矿工社团莫利社为改善工作条件而发动围攻宾夕法尼亚煤田,布卢姆斯堡是为结束暴乱而举行审判凶杀案的地点之一。生产纺织品、建筑用铝材、食品和电子产品。1839 年建立州立布卢姆斯堡学院。附近有卡罗尔公园、西部铁路和玛吉交通博物馆。人口 12 439(1990)。

Bloomsbury　布卢姆斯伯里 英格兰伦敦卡姆登自治市内城的住宅和学术区。位于泰晤士河北岸。建有伦敦大学、不列颠博物馆和英国医学协会等文化机构。布卢姆斯伯里团体在此聚会,提高了这一地区作为艺术和知识分子活动中心的知名度。

Bloomsbury group　布卢姆斯伯里团体 1907～1930 年间经常在位于伦敦不列颠博物馆附近的布卢姆斯伯里区的克莱夫·贝尔和瓦尼萨·贝尔夫妇家中以及瓦尼萨的兄妹艾德里安·斯蒂芬和弗吉尼亚·斯蒂芬(出嫁后为弗吉尼亚·吴尔夫)家中聚会的一些英国作家、哲学家和艺术家。他们以不可知论的精神,讨论美学和哲学问题,深受穆尔的《伦理原则》(1903)与怀特黑德和罗素的《数学原理》(1910～1913)的影响。根据上述著作,他们寻求真善美的定义,并且以"完全鄙视"一切虚假的态度,对已为人们所接受的观念提出疑问。几乎所有被称为布卢姆斯伯里团体成员的人都和莱斯利·斯蒂芬之子索比一起就读于剑桥的三一学院或国王学院。索比将他们介绍给自己的姐姐瓦尼萨和弗吉尼亚。他们大多是"传道者",即是一个入会严格的、半公开的大学俱乐部"协会"的成员,该俱乐部于 19 世纪 20 年代后期由莫里斯和斯特林在剑桥创立。布卢姆斯伯里团体的成员有小说家福斯特、传记作家斯特雷奇、美术评论家克莱夫·贝尔、画家瓦尼萨·贝尔和格兰特、经济学家凯因斯、费边社作家伦纳德·吴尔夫和小说家兼评论家弗吉尼亚·吴尔夫等。罗素、赫胥黎和艾略特以及经济学家肖夫有时也同该团体来往。经过第一次世界大战后,它仍保留了下来,但至 30 年代初期即不再以原来的方式存在,而融化于伦敦、牛津和剑桥知识分子总的活动之中。虽然其成员具有某些共同的思想和价值观,但他们并不构成一个流派。

Bloor, Ella Reeve　布卢尔(1862-07-08,美国纽约斯塔滕岛～1951-08-10,宾夕法尼亚里奇兰敦)　原名 Ella Reeve,别名 Mother Bloor。美国政治组织者和作家。曾积极参加各种改革运动,主要有基督教妇女禁酒联合会和妇女权利运动。她给许多期刊写政论文章,还出版了《天生的三个小情人》(1895)和《论作家及其作品》(1899)。1897 年参加 E.V.德布斯和 V.L.伯杰成立的社会民主党,1898 年转入激进的社会主义工党,1902 年又回到德布斯已改名的美国社会党。她卓有成效地从事该党的组织工作 17 年。在宾夕法尼亚、密歇根、科罗拉多、俄亥俄、纽约等州的矿工、制帽工、炼钢工、缝纫工等工人中组织罢工和从事罢工工人救济工作。1906 年参加由总统指派的一个委员会调查芝加哥牲畜围场的情况。她在芝加哥工作时化名理查德·布卢尔太太,自那以后工人和社会主义者都充满深情地称她为"布卢尔大妈"。1910 年参加组织社会党的全国妇女委员会。1918 年竞选纽约州副州长。她在社会党内属激进派,1919 年被开除,另组共产主义工党。继续不懈地从事新党的组织工作,1921 和 1922 年被选派参加红色工会国际在莫斯科举行的第一和第二次大会。1922～1948 年任美国共产党中央委员会委员。30 年代积极筹组农民联合会。她在自传《我们是多数》中自豪地说曾经"多次"被捕,最后一次是 1936 年在内布拉斯加,当时她 74 岁。

Blosius, Franciscus Ludovicus　布洛修斯(1506,尼德兰栋埃蒂纳～1566,法兰西列谢)　法语作 Blois, François-Louis de。天主教本笃会隐修院改革家、奥秘神学著作家。1520 年在列谢加入本笃会,1530 年任隐修院院长。法兰西国王弗兰西斯一世入侵列谢,他被迫于 1537 年前后避居阿特。1545 年返回列谢。1556 年神圣罗马帝国皇帝查理五世表示要任命他为康布雷大主教,他辞而不就,仍留在列谢。其著作主要是论述整顿隐修院的问题。在神学上继往开来,秉承早期低地奥秘神学(但不那么重视默修),又为圣方济各·撒肋爵的理论奠定了基础。

blot drawing　墨渍画法 利用纸上偶然的墨渍或随意泼洒的墨斑作画的技法。达·芬

奇最早阐述过这种偶然效果的价值，特别谈到壁上斑痕的意义，认为是一种激发画家构思的手段，同时也提供画家构图的依据。1786年英格兰画家A.科曾斯根据墨渍画法

A.科曾斯绘《虚构的远山近树风景》(1785～1786)
美国不列颠百科全书公司供图

的发展写成一本教材，题为《提高风景画构图创造力的新方法》。近年来，这种技法已为超现实主义画家们所采用，如M.恩斯特将它用到自动绘画中。

blotch(plant disease)　参阅**sooty mold**煤污病斑。

Blount, Charles　布朗特　参阅**Mountjoy, Charles Blount, 8th Lord**蒙乔伊勋爵(第八)。

Blount, Edward　布朗特(约1565～1632以后)　Blount又拼Blunt。英国出版商和翻译家。早年曾为伦敦出版商学徒，1588年在伦敦开办书店。他的早期出版物包括弗洛里奥的意英字典(1595)和弗洛里奥的蒙田散文集译本(1603)及马洛的《英雄和勒安得耳》(1598)。1612年出版T.谢尔顿翻译的《唐吉诃德》第一部英译本。1623年出版第一部对开本莎士比亚戏剧，书名《莎士比亚喜剧、历史剧和悲剧。据真正原抄本出版》。此书由莎氏在环球剧院的同事所编，他本人可能也是编者之一。

Blount, William　布朗特(1749-03-26，美国北卡罗来纳伯蒂县～1800-03-21，美国田纳西诺克斯维尔)　美国田纳西准州的首任州长(1790～1796)，后为田纳西州最早的两位美国参议员之一(1796～1797)。美国独立战争期间，布朗特在北卡罗来纳当民兵。18世纪80年代当选6任北卡罗来纳州议员。根据《邦联条例》代表该州出席国会，为出席1787年费城制宪会议的代表，后为北卡罗来纳州批准宪法会议的成员。1789年竞选美国参议员失败，充任阿勒格尼山脉以西田纳西准州州长。当这一准州成为田纳西州时，布朗特当选为该州最早的两位参议员之一。不久，布朗特因从事西部土地投机生意导致财务困难，从而参加一项计划：目的在于将边境居民和印第安人组成武装力量，在英国舰队的支援下，把西班牙人赶出佛罗里达与路易斯安那，而将控制权转与英国。J.亚当斯总统知悉这一密谋后，布朗特被逐出参议院，并开始进行弹劾程序，但次年终止了这些程序。布朗特返回田纳西州，在那里声望依然很高。1798年当选为田纳西州参议员，担任议长直到逝世。

Blountian orogeny　布朗特造山幕　大约4.6亿年前在美国阿巴拉契亚中部发生的一次中奥陶世的造山幕；证据是田纳西州东部的碎屑沉积物楔状体。这很可能是标志塔康造山幕早期的事件。

Blow, John　布洛(1649-02-23受洗，英格兰诺丁汉郡特伦特河畔纽瓦克～1708-10-01，伦敦威斯敏斯特)　管风琴家和作曲家。因所作教堂音乐和《维纳斯与阿多尼斯》一剧而

美国不列颠百科全书公司供图

名垂后世，该剧被认为是第一部真正的英国歌剧。布洛可能曾就读于诺丁汉郡马格纳斯歌唱学校，1660年成为皇家教堂唱诗班歌手，1668年被任命为威斯敏斯特教堂管风琴师，1669年成为王室维金纳琴师。1674年3月任儿童唱诗班教师，担任此职直至去世。对唱诗班歌手和学生H.普赛尔有很大影响。1676或1677年任皇家教堂管风琴师，1677年坎特伯雷大主教与教会授予他音乐博士学位，这是后来著名的兰贝斯音乐学位的第一例。1679年普赛尔接替布洛而担任威斯敏斯特教堂管风琴师。普赛尔于1695年去世后，布洛又复任此职。1680～1700年是布洛一生中最多产也是最顺利的年代。1687年起任圣保罗教堂儿童唱诗班教师，持续16年之久。1699年接受他的最后一项任命，担任皇家教堂首席作曲家。布洛的官职要求他写作大量宗教的和世俗的典礼音乐。传世作品有14套礼拜乐曲和100余首赞美诗歌谱，其中不少现仍经常采用。他最擅长以简单的和声或对位风格写成完整赞美诗，旋律在固定低音上方发展，雄浑有力而又恬美清新。所作礼拜乐曲出类拔萃，以《G大调礼拜乐》最为杰出。作于1680与1685年间的供宫廷中演出之用的《维纳斯与阿多尼斯》，他称之为《供国王娱乐用的假面剧》，是英国歌剧发展中的一大巨作。它是第一部将整部歌词都谱曲的戏剧作品，既无对白，又无额外的音乐表演。所作单、二、三和四声部歌曲被收入当时的许多曲集和他自己的《英国安菲翁》(1700)中，这些作品皆以其旋律优美动人而著称。

Blow, Susan Elizabeth　布洛(1843-06-07，美国密苏里圣路易斯～1916-03-26，纽约市)　美国教育家。热心提倡德国教育思想，并创办美国第一所公立幼儿园。她出身于宗教思想很深的家庭，因而很容易接受德国唯心主义者的神秘哲学观点，尤其是福禄培尔的教育格言。在德国短期居留后，带着在圣路易斯创办一所幼儿园的设想回美国。1872年与福禄培尔的信徒M.克劳斯-贝尔特同赴纽约求学。1873年回到圣路易斯，创建幼儿园。1874年创建一所培训幼儿园教师的学校。曾译有福禄培尔的《妈妈游戏》一书(1844)，其中包括幼儿园每周使用的歌曲和游戏。1895年从圣路易斯移居美国东部，开始讲授《圣经》和古典文学。晚年与纽约幼儿园协会及国际幼儿园联合会建立联系，用大部分时间从事写作。作品有：《但丁研究》(1877)、《符号教育》(1894)、《诗歌和绘画》(1895)、《与一位母亲讨论福禄培尔哲学的信件》(1899)、《幼儿园教育》(1900)和《幼儿园的教育问题》(1908)。此外她还翻译了福禄培尔的一些著作：《福禄培尔母亲游戏的警句和评论》(1895)和《福禄培尔母亲游戏的歌曲和音乐》(1895)。

blow fly　丽蝇　双翅目丽蝇科昆虫，蓝色、绿色或古铜色，有金属光泽。飞行时发声，大小和习性像家蝇，幼虫食腐败的肉，有时栖于伤口上。在第一次世界大战时，曾利用消毒过的丽蝇幼虫放在伤口上以除去腐败组织，防止细菌感染，但也可能破坏健康组织。还

螺旋虫(*Callitroga*)
美国不列颠百科全书公司供图

曾用来治疗过骨髓炎和坏疽。一些种类的幼虫身上有小刺，排列成环，故俗名螺旋虫。羊旋皮蝇(真螺旋虫，*Cochliomyia hominivorax*，前称*Callitroga americana*)和肉丽蝇(第二螺旋

蓝丽蝇(*Calliphora*)
美国不列颠百科全书公司供图

虫，*Callitroga macellaria*)在家畜(偶尔也见于人)伤口表面的腐肉中发育，幼虫也侵袭活组织。每个雄蝇在开放伤口附近产200～400个卵。幼虫钻入组织，成熟后掉在地上，化蛹而羽化为成虫。侵染严重时(蛆病)可使动物死亡。曾用雄蝇绝育的方法防治螺旋虫。绿

丽蝇属(*Lucilia*)一般感染绵羊,澳大利亚有几种蓝丽蝇属(*Calliphora*)常使绵羊死亡。大头金蝇(*Chrysomyia megacephala*)在粪便和腐败物中繁育,在太平洋和东方地区是痢疾(还

粗野粉蝇(*Pollenia rudis*)
美国不列颠百科全书公司供图

可能是肝炎和炭疽)的重要携带者。原丽蝇属(*Protocalliphora*)的种类吸雏鸡的血。欧洲和北美洲的粗野粉蝇(*Pollenia rudis*)的幼虫是蚯蚓的寄生虫;成虫体大,深褐色,不爱活动,通常在动物尸体上繁殖,是炭疽病的带菌者。侵染活组织时产生剧痛。秋天,嗡嗡作响的巨大蝇群集中在隐蔽处(如顶楼)越冬。

blow molding 吹模法 玻璃生产中,把熔融玻璃吹入铸模,加工成玻璃制品的方法。这种操作借助一根末端带有吹口的空心金属管进行。把聚集在金属管另一端的熔融玻璃黏块向下吹入铸模内,并将其吹胀成所设计的形状或样式。铸模可以做成一个整块,切开后取出玻璃制品;也可由两部分组合而成,打开移走的前部分铸模还可再用。公元前1世纪,叙利亚的玻璃工似乎就应用了吹模法。已知的最早用吹模法制成的玻璃器皿上有叙利亚技师的署名,他们采用的是一种可塑的钠玻璃,这种玻璃特别适合于用这种加工方法使玻璃器皿成形。

公元1～3世纪,古罗马的玻璃工匠主要采用这种方法制造豪华的和家用玻璃器皿。用这种玻璃成形技术能以低成本生产精致的装饰性玻璃器皿。现在的吹模玻璃制品用机器生产,通过压缩空气将玻璃黏块吹入铸模。参阅 **glassblowing**。

blowfish 参阅 **puffer** 河豚。

blowgun 吹箭筒 一种管状武器,靠人的呼气将管内发射物用力吹出。主要用于狩猎,极少用于战争。使用者有马来西亚人和其他东南亚土著,印度南部、斯里兰卡、马达加斯加(马尔加什共和国)、南美洲西北部和中美洲墨西哥北部至中部等地居民,以及美国东南部印第安人和少数美拉尼西亚人。史前时期可能已使用于安的列斯。吹箭筒可能是马来西亚人发明的,哥伦布发现新大陆前已出现在两半球。至于吹箭筒在新大陆出现是重复发明,还是从外面引进的,至今尚未确定。

吹箭筒长度从45厘米到7米以上不等。有四种基本类型:最简单的一种是用一段甘蔗或竹子制成的单管。如竹节过短,可将中隔烧去或打通,再磨平内壁。单管竹吹箭筒分布广泛,在使用地区的附近这种武器也当玩具使用。第二种具有内外两管,旧大陆一带(特别是马来亚)多属竹制。内管一般用两段竹子,插入一短竹内,外管也可以是这种复合形式的。在南美的最北端一带,外管常以棕榈树干(内部木髓挖空)制成,内管偶而也是用棕榈树干来做的。第三种的制法是将木条劈为两半,每一剖面各凿半个筒膛,再将这两半捆绑在一起。此类吹箭筒散见于各地,除马来亚、婆罗洲、菲律宾、日本、印度南部、南美太平洋海岸以及内格罗河与马代拉河之间外,美国路易斯安那州亦有发现。第四种可能是新大陆工匠不知道的,制作过程最困难,是由约2.5米长的木块制成的。将凿子固定在长杆的末端,然后用此凿子在木块上仔细地钻眼,等钻成筒膛后,将木块刨成圆筒状。此类型在婆罗洲一带最常见,并多与矛一起使用。整块木头做成的吹箭筒从巴厘到西里伯斯都有;在马达加斯加一带,多以炽热的铁条烧出筒膛。

箭是最常见的吹箭筒发射物,通常这些箭用棕榈树叶的中脉或用木头或竹子尖片制成。有些人也用黏土制的弹丸和骨片。为有效地对付比小鸟大一点的猎物,箭上涂上毒液,并开有槽口,使毒尖能在猎物体内断裂。旧大陆最普遍的毒液是以见血封喉(*Antiaris toxicaria*)的树液制成,可使猎物心脏受害而死亡。此外亦使用马钱子(*Strychnos strychnos*)与羊角拗属(*Strophanthus*)等藤本植物的毒汁。南美一带则广泛使用具麻痹作用的箭毒,此种毒液只能从少数部落取得,他们大多从具毒马钱子(*Strychnos toxifera*)的藤蔓提炼毒液。其他的毒物取自蛇毒、昆虫毒和腐肉。北美诸民族没有使用箭毒的记录。

blowpipe 吹管 将空气或其他气体喷射到火焰中以集中和提高火焰热量的小型管状装置。吹管通常通过喷嘴来直接操作,但也可使用小的手用吹风器。在矿物学中,瑞典矿物学家A.F.克龙斯泰特发展了用吹管分析矿物的技术。瑞典化学家J.J.贝采利乌斯和德国矿物学家J.豪斯曼将其用于定性分析。将物质放入吹管火焰中,根据其在加热过程中发生的变化和残留物就能获得其一般性能的资料。用某些试剂处理残留物并重新加热,可以获得某些有关元素的具体资料。

Bloy, Léon 布洛瓦(1846-07-11,法国佩里格～1917-11-02,雷讷堡) 狂热信奉天主教的法国小说家、评论家和论辩家。其著作集中宣传人可以从痛苦与贫困中求得圣灵的救赎而领悟宇宙的玄机的观点。布洛瓦在自传体小说《绝望》(1886)和《贫妇》(1897)中表现神秘主义观念,以女人为圣灵,以爱为吞没一切的烈火。

Blücher, Gebhard Leberecht von 布吕歇尔(1742-12-16,梅克伦堡罗斯托克[德国]～1819-09-12,普鲁士西里西亚克里布洛维茨[今波兰弗罗茨瓦夫省]) 普鲁士陆军元帅,拿破仑战争中的指挥官,在滑铁卢大捷中曾起重要作用。1756年加入瑞典骑兵,1760年参加普鲁士军队。在1793～1794年对法国战争中功勋卓著,在1806年耶拿战役中曾指挥普鲁士后卫部队。约在此时他结识G.J.D.von沙恩霍斯特,此人在1813年6月逝世之前是布吕歇尔的主要参谋之一。1807年《蒂尔西特和约》签订后,他一度在陆军部工作,不久退休。1813年普法战争再度爆发,他以71岁高龄恢复现役;5月参加吕岑战役和包岑战役,8月在卡恰瓦河畔瓦尔施塔特战役中,重创由J.-A.麦克唐纳元帅统率的法军,俘获法军1.8万人、火炮100余门。由于在莱比锡战役(1813-10)中立功,晋升陆军元帅。经过激烈的战斗,他和其他获胜的联军指挥官于1814年5月进入巴黎。此后,他获得瓦尔施塔特亲王封号,退役。1815年拿破仑卷土重来时,布吕歇尔重任驻比利时的普军指挥官,以A.von格奈泽瑙为参谋长,开始使他的军队配合威灵顿公爵统率的英军和联

美国不列颠百科全书公司供图

军作战。1815年6月16日在利尼败于拿破仑,但为了保持以后与威灵顿协同作战,他将部队撤往瓦夫尔,而不顾自己的交通受到威胁。他的部队没有参加滑铁卢战役(1815-06-18)的早期战斗,但是他采纳了格奈泽瑙的建议,普军进行了一次反方向的强行军,在战役的关键时刻出现于法军的右翼。这一行动配合英军的全面进攻,使拿破仑一败涂地。布吕歇尔不大通晓高深的战争技术和科学,他需要一位良好的参谋长来指导他。他在战场上的果断、勇敢和身先士卒的精神是无比可贵的。

Bludenz 布卢登茨 奥地利西部福拉尔贝格州城镇。濒伊尔河。830年首见记载。1296年设镇。1394年归属哈布斯堡家族。名胜古迹有圣劳伦蒂乌斯教堂(1514)、施皮塔尔斯教堂(15世纪)和盖因霍芬城堡(1228～1245;1746年改建)。作为国际避暑胜地和阿尔卑斯山冬季运动中心,也生产纺织品、手表、巧克力、建筑材料和化工产品。人口13 579(1991)。

blue-and-white porcelain 青花瓷 中国瓷器的名贵品种。用钴作颜料在白釉下绘花纹烧成。从传世器物看,青花瓷在元至正年间即已成熟。英国戴维爵士所藏的元至正十一年(1351)铭青花大瓶和近年在江苏镇江出土的元青花云龙纹罐(1314年烧成)都是闻名世界的精品。中国历代青花瓷因用料不同,色调各有特色。大体元代青花多灰暗不鲜。明

永乐、宣德(1403～1435)时期青料多用苏麻离青(又译苏泥勃青),这种颜料从国外输入,因其为含钴的玻璃质,易熔化,烧成的青色中常带有黑褐色斑点,故画面渲染生动,酷似水墨画,成为珍品。明嘉靖、万历(1522～1620)

元代青花瓷松竹梅纹高足杯
中国大百科全书出版社供图

时期,青料改用价格较低的回青。这种青料传其来自西域,蓝中泛紫,色泽浓艳。明清两代的青花瓷则以宣德(1426～1435)、康熙(1662～1722)时期的产品最为名贵,青花用料为含钴量较高的云南珠明料,色呈纯蓝而层次丰富。

blue baby syndrome　蓝婴综合征　参阅 Fallot, tetralogy of 法洛氏四联症。

Blue Book, The　《蓝皮书》　伦敦出版的一种关于英国、爱尔兰、澳大利亚、新西兰、加拿大和美国名人的人名录,列入名录的都是英语世界中文艺、科学、商界、政府及各行各业的领袖人物。每年修订一次。它着重列出所列名人的目前状况(包括个人的与职业的)。每个条目也包括所获得的荣誉、奖状、学位(博士)、国籍、年龄、直系亲属姓名、过去职业、社会活动、学术职务和行政职位。个人的住址和(或)工作地址经本人同意也可载入。对画家、音乐家、作家等还需列出其作品以及刊载其作品的出处。

blue butterfly　蓝蝶　又称蓝灰蝶。鳞翅目灰蝶科(有广泛分布)蓝灰蝶亚科蝶类。体纤小型,翅展一般18～38毫米。飞行迅速,翅有金属光泽。雄蝶前足短,雌蝶前足充分发

尾蓝蝶(*Everes comyntas*)
美国不列颠百科全书公司供图

育。幼虫粗短,蛞蝓状。有几种能分泌蜜露以诱蚁。蚁用足轻拍幼虫,刺激蜜露的分泌。成虫翅面呈蓝色,一般雌性的翅色较深;一些种的翅白色或褐色。倭蓝蝶(*Brephidium exilis*)最小,翅展不足12毫米;尾蓝蝶(紫灰蝶属[*Everes*])后翅后端延长如尾状。欧洲蓝蝶(蚁蓝灰蝶,*Maculinea arion*)幼虫及蛹期在蚁巢中度过,春天成虫羽化钻出。

blue cheese　蓝干酪　有蓝色或绿色大理石霉纹的干酪。名牌产品有英国的斯第尔顿上等干酪、法国的罗克福尔干酪和意大利的戈尔贡佐拉干酪等。多数蓝干酪用牛奶制作,但罗克福尔干酪是羊奶做的。青霉芽孢与牛奶或凝乳混合,霉菌经过3～6个月成熟,在干酪中产生天然的不规则小气孔,然后用机器加工成形。罗克福尔干酪和戈尔贡佐拉干酪是在窑洞内成熟,洞内稳定湿润的空气赋予干酪显著的特征。蓝干酪质地可以是软而稠,或易碎,具有浓郁的刺激香味;它们相当咸但不过分,也不苦。其他有名的蓝干酪有法国的布雷斯青纹干酪和奥弗涅青纹干酪,丹麦的丹纳蓝干酪,英国的紫郡蓝干酪,以及美国制造的几种蓝干酪。

blue coat school　蓝衣学校　参阅 charity school 慈善学校。

blue crab　蓝蟹　甲壳类十足目*Callinectes*属的动物,尤指*C. sapidus*及*C. hastatus*。为大西洋西岸常见的食用蟹,味鲜美。常栖息在泥岸、港湾和河口。头胸甲约长7.5厘米、

蓝蟹(*C. sapidus*)
美国不列颠百科全书公司供图

宽15～18厘米,背面淡绿色,腹面暗白色,足淡蓝。特点是两侧各伸出一根大尖刺,在大刺和眼之间又各有8根短刺。螯大,左右不等大。第5对足扁平,用以游泳。食动物尸体。产卵期,雌蟹腹部隆起,内含卵。受精卵经两周孵出幼蟹,幼蟹在雌蟹身上停留一个短时期。

blue-eyed grass　蓝眼草　鸢尾科豚鼻花属(庭菖蒲属,*Sisyrinchium*)植物。75种以上。原产于美洲和加勒比地区。植株禾草状。花星形,黄色、白色、蓝色或紫罗兰色,花冠裂片6枚。初生根纤维质,线状。百慕大豚鼻花(*S. bermudiana*)原产于西印度群岛;窄叶豚鼻花(*S. angustifolium*)原产北美,均已在欧洲部分地区归化。前者花葶高50厘米,花径2厘米,黄色,形似眼睛;后者花较小。条纹豚鼻花(*S. striatum*)原产智利,穗状花序高达90厘米,花排列稠密,乳白色。

blue-eyed soul　白人灵歌　由忠诚地模仿20世纪60年代黑人灵歌的白人音乐家创造的音乐,其中一些人的音乐既受黑人听众喜爱,也受白人听众喜爱。一些白人音乐家对当代黑人音乐十分热衷,也投入到灵歌的创作和演唱。最早的白人灵歌乐队有正义兄弟乐队(其中包括B.梅德利和B.哈特菲尔德)和淘气鬼乐队(主要成员有F.卡瓦利埃、G.科尼什、E.布里加蒂和D.达内利)。正义兄弟乐队的《你失去了爱的感觉》(1964)和《无尽的旋律》(1965)获得了极大的商业成功。淘气鬼乐队的热门歌曲《美好爱情》(1966)和《尽情享受》(1967)显示出他们具有创新能力,并非单纯地模仿。

blue flower, the　蓝色花　在文学作品中象征神秘的渴望。蓝色花首次出现在诺瓦利斯生前未完成的小说《海因里希·冯·奥弗特丁根》(1802)中主人公的梦境。主人公将蓝色花与他那身在远方的爱人联系在一起。蓝色花在浪漫主义诗人中间成了广泛被接受的神秘渴望的象征。

blue-green algae　蓝绿藻　又称蓝菌(cyanobacteria)。大型、主要营光合作用的原核生物,各种之间差异甚大。蓝菌在许多方面似真核的藻类,这包括形态特征和小生境,有一段时间内被视为藻类,故俗名蓝绿藻。后来新的分类系统将藻类归入原生生物。蓝绿藻为原核生物,故与细菌一同归入无核原生物界。

与其他所有原核生物一样,蓝菌没有围以膜的细胞核,亦无线粒体、戈尔吉氏器、叶绿体和内质网。在真核生物中,许多功能由被膜包围的细胞器完成,但在原核生物中,这些功能由细胞的各个部分,包括细胞膜来完成。某些蓝菌,尤其是浮游的类型,具有气泡,有助于其漂浮。无核原生物界内各类群的进一步分类依据化学、遗传及生理学特征。蓝菌可为单细胞,亦可为丝状。许多种类有鞘,可将其他细胞或丝状体连结成群落。

蓝菌仅包含一种形式的叶绿素——叶绿素*a*,为一种绿色的色素。此外,又包含各种黄色的类胡萝卜素和蓝色的色素藻胆素,某些种具红色的色素藻红蛋白。因具有藻胆素及叶绿素,所以具有特征性的蓝绿色,故俗名蓝绿藻。许多种类具有其他色素,故实际上为绿色、褐色、黄色、黑色或红色。

大部分蓝菌不能生活于无光的环境中(也就是说,它们是光能自养生物)。但某些种类能生活于黑暗的环境中,只要该处有充足的葡萄糖可提供碳和能源。

许多蓝菌种类除能进行光合作用外,又能"固定"大气中的氮——也就是说,能将空气中气态的氮转变成能为活细胞利用的化合物。丝状的蓝菌固氮能力最强,它们具有特

化的细胞，称为异形细胞。异形细胞为厚壁细胞包含体，氧气不能穿透其厚壁细胞包含体，可提供固氮酶活动所需的缺氧环境。在东南亚，固氮蓝菌常生长于稻田中，因此这种农田无须施用氮肥。

蓝菌的大小从0.5微米至60微米，后者是最大的原核生物。蓝菌分布广泛，淡水中极为常见，既为浮游生物，又是底栖生物。在潮湖、珊瑚礁、浪花带等生境中亦十分丰富。少数种类亦见于海洋浮游生物中。在陆地上，蓝菌于深达1米乃至更深的土壤中亦常见。在岩石和树木的潮湿表面亦有蓝菌生长成层或形成垫状。

蓝菌可大量生长于某些已知最不适于生物生存的环境中。可见于温泉、寒冷的湖泊内5米厚的浮冰底下、许多荒漠岩石下部的表面等处。蓝菌常是在裸露的岩石及土壤上最先生长繁殖的生物物种之一。蓝菌与其他生物之间形成各种各样的相互关系。例如，某些蓝菌与真菌形成互惠共生关系，共同构成复合的生物体——地衣。

蓝菌营无性生殖，二分裂或复分裂，形成单细胞的个体或群体，丝状的种类则借断裂或孢子形成的形式进行繁殖。在有利的环境条件下，蓝菌繁殖极快，短期内即形成稠密的大群，可使水体变色，这称为水华。例如，许多池塘因蓝菌生长过多而变成混浊的绿色，富含藻红蛋白的蓝菌繁殖过多可使红海有时变成红色。被含氮废物污染的水中，蓝菌特别容易形成水华；此时，繁殖过多的蓝菌耗掉大量水中溶解的氧，使鱼类及其他水生生物死亡。

blue ground **蓝地** 参阅**kimberlite**金伯利岩。

blue jay **蓝松鸦** 北美洲松鸦(**jay**)的一种。

blue jeans(apparel) **蓝色牛仔裤** 参阅**jeans**紧士裤。

Blue Lake(China) **青海湖** 参阅**Qinghai Hu**青海湖。

blue law **蓝色法规** 美国历史上，严守《圣经》律法的清教徒社团所颁行的禁止星期日世俗活动的法规，其名源出于1781年印在蓝色纸上的一份报道(上列康涅狄格州纽黑文关于安息日的规定)。法规禁止在星期日进行正规工作，以及买、卖、旅行、社会娱乐或运动。类似的法规存在于所有美洲殖民地，美国独立战争后趋于消失。但迟至20世纪90年代，它在某些州仍作为法规保留，并且对星期日的公众活动产生影响。

Blue Mountains **蓝山山脉** 在澳大利亚新南威尔士州，大分水岭之一段。地貌为切割较深的砂岩高原。高度从东部陡崖的370～550米上升到西部陡崖伯德岩的1 180米。交通便利，多风景区，为著名旅游地。蓝山山脉国家公园占地1 989平方千米，为以格罗斯河谷为中心的自然保护区。山区生长各种桉树，空中弥散着桉树油细滴，经光线漫射，呈现浅蓝色，故有蓝山之称。蓝山市是由20多个乡于1947年组成的联合体。主要城镇有卡通巴、卢拉、芒特维多利亚、布莱克希思、斯普林伍德、文特沃思福尔斯和黑泽尔布鲁克，均在悉尼至利斯戈的铁路线和大西部公路线上。蓝山市人口72 506(1996)。

Blue Mountains **蓝山** 牙买加东部山脉。从金斯敦以北13千米处的斯托尼希尔向东延伸约50千米到加勒比海。最高点蓝山峰海拔2 256米。山上长着茂密的蕨类植物。面向信风的山坡年均降雨量5 000毫米。冬季温度可降至7 °C。从前在大种植园种植咖啡，现由小农在谷地种植。

Blue Mountains **蓝山** 从美国俄勒冈州中部向东北延伸至华盛顿州东南部，绵亘190英里(310千米)，宽达68英里，平均高度约6 500英尺(2 000米)，为隆起、弯曲、分成几部分的火山岩高原，最高峰罗克里克比尤特海拔9 105英尺。有哥伦比亚河的一些支流。较低的盆地或平地可耕种，部分有灌溉。山坡上松林和冷杉林郁郁葱葱。畜牧业和野外旅游为当地主要经济活动。境内有尤马蒂拉、怀特曼和马卢尔国有森林的一部分。

Blue Nile River **青尼罗河** 尼罗河(**Nile River**)的源流。在喀土穆为干河提供近70%的流量。发源于埃塞俄比亚西北部塔纳湖附近海拔1 800米处，称为阿贝河，出塔纳湖流经一系列急滩，先向东南流经深谷，向西绕乔凯山脉，再折向西北流入苏丹，在喀土穆与白尼罗河汇合。长约1 460千米。主要支流有丁德尔河和拉海德河。青尼罗河上建有鲁赛里斯水坝和森纳尔水坝，以灌溉青、白尼罗河之间的杰济拉平原，灌溉面积40万公顷。森纳尔水坝有水电站。

青尼罗河上的森纳尔水坝
美国不列颠百科全书公司供图

Blue Peter **布卢彼得**(1936年出生) 英国的纯种赛马。1939年赛季中从未败北，在英国三王冠赛中取胜两项：纽马基特举行的两千畿尼赛和埃普瑟姆-唐斯举行的德比马赛。驯马师为贾维斯。

blue-ribbon jury **蓝绶带陪审团** 又称专设陪审团(special jury)，选定陪审团(Struck jury)，指从一个地区选出具有特殊条件参加复杂或重大案件审理的一批公民。普通的陪审团在解释复杂的技术或商业问题方面会遇到许多困难，设立蓝绶带陪审团就是为了解决这个问题。例如有一件反托拉斯的诉讼涉及诸如兼并、取得、控股公司、限制贸易等问题，那么就可以找来一批有资格的经济专家。在美国，蓝绶带陪审团是由制定法规定的，其任期因权限而异。按照有些州的制定法，蓝绶带陪审团仅用于民事案件；而按照另一些州的制定法，也可以用于刑事案件。不论是民事案件还是刑事案件，蓝绶带陪审团是由法庭根据诉讼一方的提议用命令召集的。按某些州的制定法，要求设蓝绶带陪审团是一种绝对的权利。蓝绶带陪审团的选择与普通陪审团的选择相同，不过它的候选人名单包括的全是具备特殊资格的人。蓝绶带陪审团的起源如何虽然无从确定，但显然它在英国威廉三世(1689～1702年在位)时就已使用。案情复杂并不是设立蓝绶带陪审团的唯一原因。当人们怀疑县司法行政长官(他召集陪审团)带有偏见时，就会要求设这种专设陪审团作为一种保护。因为在陪审团中有重要人物，法庭就可以避免受威胁。现在蓝绶带陪审团已很少使用。这种审判形式有一个问题，那就是陪审官的专门知识可能给他们自己带上有色眼镜。譬如让医学家去审理涉及一位医生的案件，他很可能会自觉或不自觉地偏袒医生，所以现在对付日益复杂的诉讼，较通常的办法是多采用聘请专家当证人，并将案件移送给准司法的行政机关去处理。

Blue Rider, The(group of artists) 参阅**Blaue Reiter, Der**青骑士。

Blue Ridge **蓝岭** 美国阿巴拉契亚山脉的一部分。从宾夕法尼亚州的卡莱尔向西南延伸，经马里兰、弗吉尼亚、北卡罗来纳和南卡罗来纳诸州，止于佐治亚州的奥格尔索普山，绵亘615英里(990千米)，宽5～65英里，平

蓝岭山脉远眺
美国不列颠百科全书公司供图

均高度2 000～4 000英尺(600～1 200米)，米切尔山(6 684英尺)为密西西比河以东地区最高峰。山区被许多小河错综地分割，三条大河——罗阿诺克河、詹姆斯河、波托马克河——冲成峡谷。

山区分属查特胡奇、切罗基、楠塔哈拉、皮斯加、杰斐逊和乔治·华盛顿国有森林，有已经分类的植物700多种。多小农场，以蔬菜、烟草种植和养牛为主要农事。有硬木材资源并开发少量矿产。

Blue Ridge Parkway　蓝岭公路　由美国国家公园管理局经管的非商业用汽车路。1936年修建。穿越弗吉尼亚和北卡罗来纳州的阿巴拉契亚山脉，全长755千米。沿山脊修筑，海拔180～1 800米。连接谢南多厄国家公园、大雾山国家公园和乔治·华盛顿、杰斐逊、皮斯加国有森林。沿路可观赏秀丽山景，路旁设有露天游憩场所(露宿、徒步旅行、野餐)。

blue shark(*Prionace glauca*)　**蓝鲨**　又作great blue shark。又称大青鲨。真鲨科鱼类。数量多。见于从暖温带到热带的所有大洋。体深蓝色，与纯白色的腹部对比鲜明。体细

蓝鲨(*Prionace glauca*)
美国不列颠百科全书公司供图

长，吻尖，牙具锯齿缘，胸鳍细长。最大体长约4米。主要以鱼为食，但也食腐肉，有时长时间地追踪船只。能迅速出现在被屠杀的鲸身边，贪婪地掠食其尸体。一般认为蓝鲨有伤人的危险。

Blue Shirt　蓝衫团　前爱尔兰总统W.科斯格雷夫所创立的一个20世纪法西斯运动的组织。1936年，前爱尔兰国民警卫队长E.奥达菲将军把600名蓝衫团成员带到西班牙。他们在卡塞雷斯受训，在西班牙内战期间与叛军协同作战。

blue vitriol　胆矾　水合硫酸铜，一种铜化合物，呈亮蓝色大型晶体存在(参阅 **copper**)。

blue whale(*Balaenoptera*, or *Sibbaldus*, *musculus*)　**蓝鲸**　又作sulfur-bottom或sulfur-bottom whale。一种带有淡色斑点的蓝灰色须鲸，属鳁鲸科。有些个体的身上长有浅黄色的硅藻，而带硫黄色。蓝鲸是已知最大

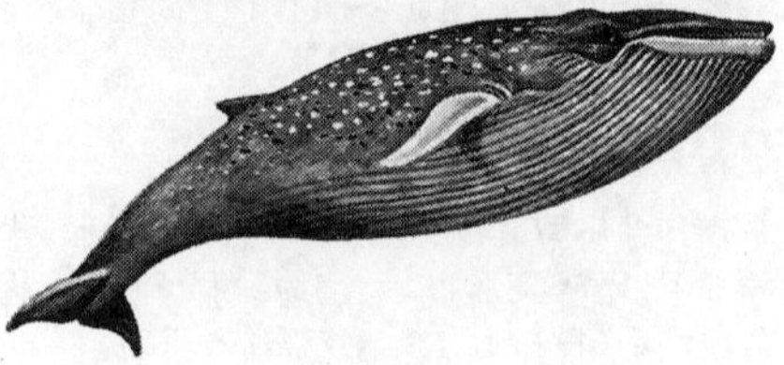

蓝鲸(*Balaenoptera musculus*)
美国不列颠百科全书公司供图

的动物，最大长度达约30米，最大重量达150吨。在尾附近有一个小背鳍。在喉及胸部有80～100条纵向长沟。在上腭两侧还有黑色的短鲸须，用以筛食浮游生物。蓝鲸单独或以小群栖息在所有大洋中。在南极和北极度夏，以磷虾为食，冬季游向赤道繁殖。蓝鲸曾经是最重要的商业性捕鲸对象，在19世纪末和20世纪上半叶遭到大量的捕杀。现在蓝鲸受到保护。《红皮书》中已将蓝鲸列为濒危种。

blue wren(bird)　**蓝鹪莺**　参阅**fairy wren 细尾鹪莺**。

blueback　蓝背鱼　若干体呈蓝色的鱼类的统称，尤指湖鲱(加拿大白鲑，一种**白鲑**[**whitefish**])、夏西鲱(参阅 **herring**)及**红大麻哈鱼**(**sockeye salmon**)。

Bluebeard　蓝胡子　夏尔·佩罗的童话故事集《鹅妈妈的故事》(1697)中"蓝胡子"一篇里的谋杀妻妾的丈夫。欧洲、非洲以及东方的民间故事中也有类似的故事。基本的情节是：房门紧锁、禁止出入，妻子的好奇和对她最后时刻的营救。

佩罗关于蓝胡子的故事可能源自布列塔尼，也可能以15世纪法国元帅吉尔·德·雷和6世纪时的布列塔尼首领，十恶不赦的科莫尔两人的事迹为蓝本，两人所犯的罪行均与

G.多雷绘蓝胡子插图
美国不列颠百科全书公司供图

蓝胡子类似。有些类似蓝胡子的故事中有魔鬼和作为地狱入口处的锁着的门可能是后来加上的。

bluebell　蓝钟花　百合科蓝钟花属(*Endymion*)植物。该属植物原产于欧亚。欧洲蓝钟花(*E. nonscriptus*)和西班牙蓝钟花(*E. hispanicus*)花钟状，蓝色，簇生；花葶直立，高约30厘米；均庭园栽培供观赏。某些专家认为，蓝钟花属应并入同科的绵枣儿属(*Scilla*)。在英语中，bluebell一词又常指风铃草属(*Campanula*)、草原龙胆属(*Eustoma*)、花荵属

欧洲蓝钟花(*E. nonscriptus*)
美国不列颠百科全书公司供图

(*Polemonium*)和铁线莲属(*Clematis*)植物。在美国，bluebell一词常指弗吉尼亚滨紫草(*Mertensia virginica*)。

blueberry(*Vaccinium australe*)　**南方越橘**　杜鹃花科灌木。原产于北美。果甜，富含铁和维生素C，常加奶油作为水果鲜食及做糕点馅。仅生长于酸度大、排水良好、湿润的土壤内。在美国，高灌木品种的栽培面积约14 500公顷，主要在缅因、新泽西、密歇根

南方越橘
美国不列颠百科全书公司供图

西南部和北卡罗来纳东部。参阅 **bilberry**。

bluebill（duck） **蓝嘴鸟** 参阅 **scaup** 捻贝潜鸭。

bluebird **蓝鸲** 北美产雀形目鹟科鸭鹟类蓝鸲属（*Sialia*）鸟类，3 种。东部蓝鸲（*S. sialis*）体长 14 厘米，胸红；西部蓝鸲（墨西哥蓝鸲，*S. mexicana*）胸亦红，分别分布于落基山

墨西哥蓝鸲（*S. mexicanus*）
美国不列颠百科全书公司供图

脉的东部和西部。山蓝鸲（*S. currucoides*）亦分布于西部，全身蓝色。蓝鸲一开春就从南方飞来，生活在开阔地或林间空地，在树洞或篱笆桩的洞中筑巢，如果不被椋鸟或家雀赶跑，也在巢箱中筑巢。鸣声轻软含混。

bluebonnet **小蓝帽** 豆科几种植物的俗名，尤指得克萨斯羽扇豆（*Lupinus subcarnosus*）。得克萨斯羽扇豆原产得克萨斯平原，高约 30 厘米；复叶，小叶 5 枚，被丝状毛；花簇生，紫蓝色，中心白色或黄色。该植物是得克萨斯最常见的一种野花，在春天，像蓝色的地毯一样覆盖着得克萨斯南部和西部的广大地区。在苏格兰，"小蓝帽"又称矢车菊（*Centaurea cyanus*）和 *Succisa pratensis*。

bluebuck 参阅 **nilgai** 蓝牛。

bluecap **蓝细尾鹩莺** 细尾鹩莺（**fairy wren**）的一种。

Bluefield **布鲁菲尔德** 美国西弗吉尼亚州最南端默瑟县城市。位于蓝岭山区伊斯特里弗山麓，海拔 796 米，是美国落基山脉以东最高的城市之一。1777 年始有人居住。波卡洪特斯煤矿开发后大批矿工迁入。1889 年设市并通铁路。现经济仍以铁路运输和采煤为主。其他资源有铁、石灰石、硅石和木材。设有州立布鲁菲尔德学院（1895）。人口 11 541（2000）。

Bluefields **布卢菲尔兹** 尼加拉瓜东部城市。在埃斯孔迪多河河口南岸，自外港埃尔布拉夫向内陆扩展。原为英属莫斯基托海岸保护领地的首府，1850 年归还尼加拉瓜。应尼加拉瓜总统要求，美国海军陆战队曾于 1912 ～ 1925 年、1927 ～ 1932 年两度驻此镇压革命。80 年代初布卢菲尔兹曾爆发反对桑地诺分子军事统治的骚乱。现为全国最重要的加勒比海港口，主要出口细工家具木料，冷冻鱼、虾、龙虾和香蕉等。亦为商业中心。有轻工业。埃斯孔迪多河可通航 100 千米；自河港拉马有公路西通首都马那瓜。有国内航空线。人口约 17 721（1985）。

bluefish（*Pomatomus saltatrix*） **鯥** 又作 tailors 或 snapper。又称呫鱼。鲈形目鯥科唯一行动迅敏的海产食用和游钓鱼。遍布于大西洋和印度洋的暖水及热带海域，集群生活，

鯥（*Pomatomus saltatrix*）
美国不列颠百科全书公司供图

贪食其他小型动物，尤其是鱼类。体长形，背鳍 2 个，尾鳍叉形，口大且具尖利牙齿，体蓝色或淡绿，长约 1.2 米，重达 11.5 千克。

bluegill（*Lepomis macrochirus*） **蓝鳃鱼** 鲈形目日鲈科鱼类。在原产地为最著名的太阳鱼之一。原产美国中部和南部的淡水，现已引进美国西部及世界各地的许多淡水环境中。在不同的地区又分别称为蓝色太阳鱼、铜头鱼、铜腹鱼等。是常见的形体最小的食用鱼及游钓鱼之一，一般体长仅 15 ～ 23 厘米，体重常不及 0.25 千克。特征为背鳍后部有一深色点，以及鳃盖后部有一深色边。体色不一，但基本上带蓝色或绿色。虽然体小，但在上钩时挣扎剧烈，被视为北美最常见的垂钓鱼。常放养于小农场的池塘中。

bluegrass **早熟禾** 俗名蓝草。早熟禾科早熟禾属（*Poa*）植物统称，分布温暖和凉爽地带，约 250 种，为纤细的一年生或多年生禾草。通常小穗小，无刚毛，排列成簇，较稀疏。叶片狭窄，顶端船形。美国有 50 余种。最为熟知的肯塔基早熟禾（草原早熟禾、六月禾，*P. pratensis*）由欧亚大陆引入，北部几州常种作草坪草和牧草，亦常见于开阔地及路边；株高 30 ～ 100 厘米，叶柔软，蓝绿色，根茎匍匐，结成很好的草皮。加拿大早熟禾（压扁早熟禾，*P. compressa*）原产欧洲，现遍见于北美，坚韧，茎扁平，外形和用途与六月禾相似。得克萨斯早熟禾（*P. arachnifera*）、羊肉草（芬德勒早熟禾，*P. fendleriana*）和平原早熟禾（干旱

肯塔基早熟禾（*P. pratensis*）
美国不列颠百科全书公司供图

熟禾，*P. arida*）是西部重要的饲草。一年生早熟禾（*P. annua*）植株较小，淡绿色，从欧洲引入，现遍布整个北美，对草坪有害。

bluegrass **蓝草音乐** 第二次世界大战后在美国出现的一种乡村与西部音乐风格，直接从 20 世纪 20 年代末卡特家族等演奏组广泛演出和录音的旧时弦乐队音乐发展而来。与旧时弦乐队音乐相比，蓝草音乐具有更强烈的切分节奏、调门较高的男高音歌声、密集的和声与强烈的爵士和布鲁斯影响。它同乡村与西部音乐的其他品种的不同之处在于其充满活力的节奏和它的曲目，也在于它给于班卓琴的突出地位（总是用斯克鲁格斯的三指风格演奏，这是蓝草音乐所特有的）。曼多林琴和提琴一般也用得更多。传统的方阵舞曲调、传统的宗教歌曲和叙事歌在其曲目中所占比例也大得多。蓝草风格是 B.门罗所创，他在 40 年代中期之前，已在表现弦乐队音乐的手法方面作了大量新的试验。在与两个兄弟一起演奏时他开始逐步形成一种极富特色的曼多林琴风格。这一小组解散后，他又另行组织"蓝草男童组"。1945 年，班卓琴革新技巧创始人 E. 斯克鲁格斯参加该组。蓝草风格于 1945 ～ 1948 年间得到充分体现，至 40 年代末，许多乐队都演奏这种音乐。它从 40 年代南方小社区的电台转移到 50 年代的电视台和山区酒吧间，60 年代又转到大学音乐会、咖啡屋和民间音乐节；至 70 年代，随着一批醉心于蓝草音乐的年轻乐人的涌入，又带来了摇滚乐的影响。

blueprint **晒蓝图** 复制工程图纸和类似资料的技术，分蓝图法和白图法两种。蓝图法是较旧的方法，其过程是先将要复制的图样画在半透明的描图布或描图纸上，然后覆盖在涂有用柠檬酸铁铵和铁氰化钾混合物的感光纸上曝光。在未被图上线条挡住的那部分感光纸，光线把正铁盐还原为亚铁态，亚铁态与铁氰化钾起反应，生成不溶解的普鲁士蓝。曝过光的纸经过水洗，即得到图样的负像，图纸上的线条在深蓝底色上呈现白色。在白图法中，将重氮盐、与重氮盐作用生成偶氮染料

的偶联剂和防止偶联的酸三种物质的混合物涂在纸上,使纸能感光。曝光使重氮盐破坏,最后用氨气之类的碱性剂处理,把酸中和,从而引起偶联反应。因为它在白底或浅色底上产生深色线条,所以人们乐于采用。

blues　布鲁斯　美国黑人世俗民间音乐。可能于20世纪初起源于南方黑人,其简朴但却富于表情的形式在60年代已成为对美国流行音乐的发展最重要的影响之一。作为一种音乐风格,布鲁斯的特征是其富于表情的音高抑扬变化(即"布鲁斯音符")、AAB形式的3行1诗节的歌词和12小节的曲式。通常每1行的前2个半小节是唱的,最后1个半小节包含1个器乐的"即兴独奏华彩段",它重复、回答或补充声乐线条。按照欧洲传统的功能和声手法,最简单的布鲁斯和声进行可描述如下(Ⅰ、Ⅳ和Ⅴ分别指音阶的第1音即主音、第4音即下属音、第5音即属音):第1句(第1～4小节)Ⅰ-Ⅰ-Ⅰ-Ⅰ,第2句(第5～8小节)Ⅳ-Ⅳ-Ⅰ-Ⅰ,第3句(第9～12小节)Ⅴ-Ⅴ-Ⅰ-Ⅰ。布鲁斯调性中的非洲影响十分明显:布鲁斯诗节的重复迭句结构中的呼叫与应答模式;声乐风格中的假声换声点;乐器模仿声乐语汇,特别是吉他和口琴。虽然在布鲁斯中器乐伴奏几乎无往而不在,但它基本上是声乐曲。布鲁斯歌曲属抒情性而非叙述性,歌手表达自己的感情而不是讲故事。所表达的情感通常是悲伤或忧郁的,往往是起因于爱情纠纷。为了用音乐表达这种感情,布鲁斯表演者运用一些声乐技巧(如"花唱"和"切分音")和器乐技巧(如"梗阻"或弯曲吉他琴颈上的弦或是用吉他的瓶颈压弦滑奏法以发出人声般的呜咽声)。

布鲁斯的起源几乎无案可稽。它在美国南北战争后在南方发展起来,受到劳动号子、田间劳动哼唱、黑脸歌唱团表演音乐、雷格泰姆、教堂音乐以及白人的民间与流行音乐的影响。最早提到布鲁斯是19世纪90年代和20世纪初。1912年黑人管乐队领队W.C.汉迪的作品《孟菲斯布鲁斯》出版后流行一时,接着廷潘胡同的许多其他以"布鲁斯"为题的歌曲相继问世。农村布鲁斯在3个主要地区发展:佐治亚和南北卡罗来纳、得克萨斯和密西西比。佐治亚和卡罗来纳的布鲁斯以发音清晰和节奏匀称著称。它们受雷格泰姆和白人民间音乐的影响,比后两种风格更加优美动听。得克萨斯布鲁斯的特点是高亢清朗的歌唱伴以流畅的吉他线条。密西西比三角洲布鲁斯是3种风格中最强烈,也是最有影响的,在声乐上最像讲话,吉他伴奏富于节奏性而有叩击力,常常运用瓶颈压弦滑奏法。最早的布鲁斯唱片于20世纪20年代由**雷尼(Rainey, Ma)**和**史密斯(Smith, Bessie)**等黑人妇女录制。她们主要是戏剧演唱家,由爵士乐队伴奏。她们的风格称为古典布鲁斯。

大萧条和两次世界大战期间,数百万黑人离开南方而奔向北方城市,于是布鲁斯在地域上有所扩展,开始适应比较错综复杂的都市环境。歌词开始采用都市主题。独唱的布鲁斯乐师和钢琴演奏者或口琴吹奏者结合起来,后来又加入由低音乐器和鼓组成的节奏组,形成了布鲁斯重奏团。

布鲁斯影响了其他许多音乐风格。布鲁斯与爵士乐密切相关。杰出的爵士乐师如J.R.莫顿和L.阿姆斯特朗等都在自己的音乐中应用布鲁斯因素。灵乐和"节奏与布鲁斯"亦表现出明显的布鲁斯调性与形式。布鲁斯对摇滚乐的影响极大。

bluestem　须芒草　又作beard grass。俗称蓝茎草。早熟禾科须芒草属(*Andropogon*)植物,近200种多年生禾草,有时簇生,遍布温带和热带。叶片平展或折叠,茎实心或有髓。小穗状花序生于茎顶或叶腋。茎常有毛,有时淡红或淡绿色。有几种具地下茎。大须芒草(杰勒德氏须芒草,*A. gerardii*)常高达2米以上,是北美高草草原的代表植物,花簇分叉,似火鸡的脚,故有时称为火鸡足草。小须芒草(帚须芒草,*A. scoparius*)高0.5～1.5米,生于较干旱草原。上述两种都是优良的干草和牧草。沙地须芒草(霍尔氏须芒草,*A. hallii*)小穗状花序黄色,生长于美国中部和西部沙岗。银花须芒草(甘蔗样须芒草,*A. saccharoides*)高0.6～1.3米,花簇银白色,

大须芒草(*A. gerardii*)
美国不列颠百科全书公司供图

长7～15厘米,美国西南部用作饲草。扫帚草(弗吉尼亚须芒草,*A. virginicus*)及灌木状须芒草(团聚须芒草,*A. glomeratus*)均被毛,不适于用作饲草,在北美东部和南部种于贫瘠的土壤中。

Bluestocking　蓝袜　18世纪中叶,英国有些上层社会妇女时常邀请文人和有文学兴趣的贵族举行"闲谈会",她们想用更有意义的活动来代替打牌社交。这些妇女被称为"蓝袜"("蓝袜"一词现已用来嘲讽那些附庸风雅的妇女)。这个名称大概来源于一位贵妇维齐夫人。一次她邀请学问渊博的B.斯蒂林弗里特参加她的晚会。斯蒂林弗里特因为没有合适的礼服,谢绝了她的邀请。于是,她告诉斯蒂林弗里特可以穿"他的蓝袜",即他平时穿的普通毛绒袜前往。他照办了,从此蓝袜就成了这群妇女的别名。她们中最知名的是日记体小说和长篇小说家F.伯尼。"蓝袜"不是一个正式的团体。维齐夫人的第一次聚会似乎是在巴斯举行。她移居伦敦后与E.蒙塔古夫人发展了另一个与之匹敌的蓝袜社。其他成员有H.沙蓬、E.卡特、M.蒙克顿、H.莫尔。她们邀请的客人包括D.约翰逊、D.加里克、巴思伯爵、L.利特尔顿和H.沃波尔。

bluethroat　(*Erithacus svecicus* or *Luscinia svecica*)　**蓝点颏**　雀形目鹟科鸭鹟的一种。分布欧亚大陆。体长约14厘米,喉鲜蓝色,有一新月形的红斑或白斑(因亚种而异)。从

蓝点颏(*Erithacus svecicus*)
美国不列颠百科全书公司供图

西欧向东一直分布到阿拉斯加西部。主要生活于山区潮湿的灌丛中,但在西欧亦见于低地。鸣声为圆润、多变的颤音。

Bluford, Guion S(tewart), Jr.　布吕福特　(1942-11-22,美国宾夕法尼亚费城～　　)　美国航天员。在越南战争时,曾飞行144次执行战斗任务,回国之后在空军技术研究所

美国不列颠百科全书公司供图

获得航天工程博士学位。1978年加入美国国家航空和航天局的航天员计划,执行多次的航天飞机飞行任务,第一次任务是"挑战者"号的第三次飞行(1983),这是航天飞机首次在夜间发射与着陆。他也是第一位飞入太空的非洲裔美国人。

Blum, Léon　布鲁姆(1872-04-09,巴黎～1950-03-30,法国茹伊昂若萨)　法国第一位社会党总理(也是第一位犹太人总理),领导1936～1937年人民阵线联合政府。出身于阿尔萨斯的犹太人家庭。在高等师范学院接受教育后,继续深造学习法律。1894年以最优秀的成绩毕业于巴黎大学。此后以一个才华横溢的文学和戏剧批评家而知名。德雷福斯

事件使他积极投身政坛，站在共和主义的德雷福斯派一边。1904 年加入法国社会党。1919 年第一次当选众议员。1920 年 12 月，社会党在图尔代表大会上分裂后，他为重建

美国不列颠百科全书公司供图

社会党而努力。他被视为现代法国社会党及其主要报纸《人民报》的缔造者。他是 A. 米勒兰政府和 R. 普恩加莱政府反对派的领导人。1924 年支持 E. 赫里欧的激进党联合政府，但拒绝参加内阁。1928 年大选中，社会党赢得 104 个席位，但他本人却被击败。一年后，他代表纳博讷市重返众议院，并于 1932、1936 年连选连任。1934 年 2 月右翼在巴黎举行示威游行后，布鲁姆努力促进社会党人、激进党人和其他反法西斯主义派别之间的团结。1932 年，他提出社会党的和平主义和工业国有化纲领，以及反失业措施。这些努力促成竞选联盟——人民阵线——成立。该阵线在 1936 年 4 月和 5 月的大选中赢得巨大胜利。它的主要设计师布鲁姆作为人民阵线政府 (1936-06) 的领导人出任总理。他的政府不顾强烈的反对，实行每周工作 40 小时制，带薪休假，给工人以集体交涉的权利；将主要军火工业和法兰西银行国有化，以及实行其他社会改革。它最棘手的问题是如何使国防能力能对付日益增长的罗马-柏林轴心力量。它对西班牙内战持"不干涉"立场被谴责为绥靖政策。布鲁姆对私营工业和资金确立有效的国家控制的计划，引起实业界的强烈敌意，他们拒绝与政府合作。在参议院保守派多数拒不授予他解决国家财政困难的紧急法令权力之后，布鲁姆于 1937 年 6 月辞职。在 C. 肖当领导的经过改组的人民阵线政府中，布鲁姆任副总理，接着于 1938 年 3 月再度任总理。他拒绝在其继任人 E. 达拉第的政府中任职。1940 年 10 月，法国在第二次世界大战中崩溃后，维希政府以战争罪起诉布鲁姆。布鲁姆及同案被告在里米法庭审讯中所作的有力辩护，使维希当局极为狼狈，并深深刺痛了德国人。审讯于 1942 年 4 月无限期中止，布鲁姆被重新投入监狱。1945 年 5 月他在德国集中营里为美军所解放。此后，布鲁姆以法国政界元老之一的面貌出现。1946 年春与美国谈判，为法国取得了战后重建所需的 13.7 亿美元贷款。在选举新的第四共和国首任总统前，布鲁姆于 1946 年 12 月组成历时一月的"看守政府"，这是法国第一个清一色的社会党政府。1947 年 1 月布鲁姆退出政治生活，但在 1948 年 8 月的 A. 马里政府中又出任副总理。此后在茹伊昂若萨息影家园。

Blumberg, Baruch S(amuel)　布卢姆伯格(1925-07-28，纽约市～2011-04-05，加利福尼亚莫菲特菲尔德，芒廷维尤附近)　美国研究医师。曾发现一种乙型肝炎抗原，从而促进了乙型肝炎疫苗的研制。与 D. 盖达塞克因对传染病的起源及传播的研究而共获 1976 年诺贝尔生理学或医学奖。曾获哥伦比亚大学内科及外科医师学院医学博士学位、牛津大学生物化学博士学位。1960 年出任设在马里兰州的美国国家卫生研究所地理医学和遗传研究室主任；1964 年任费城肿瘤研究所临床研究部副主任；60～70 年代任宾夕法尼亚大学医学、人类遗传学和人类学教授。他研究过血液的遗传性多形变态现象，检查了各种人群的血液样品，以确定遗传变异如何影响人体对疾病(尤其是肝炎)的感受性。1963 年在一名澳大利亚土著人的血清中发现一种抗原，1967 年证明这是乙型肝炎病毒的一部分，后称澳大利亚抗原，能刺激机体产生抗肝炎抗体。这一发现使人们能对供血者进行筛选，以免传播肝炎。进一步的研究表明：机体产生的抗澳大利亚抗原抗体可以免疫乙肝病毒的再感染。1982 年，一种利用澳大利亚抗原制造的安全、有效的疫苗研制成功，并在美国投放市场。

Blumenau　布卢梅瑙　巴西南部圣卡塔琳娜州东部城市。在伊塔雅伊河畔，海拔 14 米。1852 年德国殖民者所建。经济以纺织业为主。设有布卢梅瑙地区大学(1968)。有公

伊塔雅伊河畔的布卢梅瑙市
美国不列颠百科全书公司供图

路和飞机航班通州首府。亦有水路、铁路和公路通伊塔雅伊河口港。人口约 256 400 (2003)。

Blumenbach, Johann Friedrich　布鲁门巴赫(1752-05-11，德国哥达～1840-01-22，格丁根)　德国生理学家和比较解剖学家，常被称为体质人类学之父。曾提出最早的一项人种分类法。1776 年起任教于格丁根大学，出版了《生理学原理》(1787) 和一本比较解剖学和生理学手册 (1824)。他最先揭示了比较

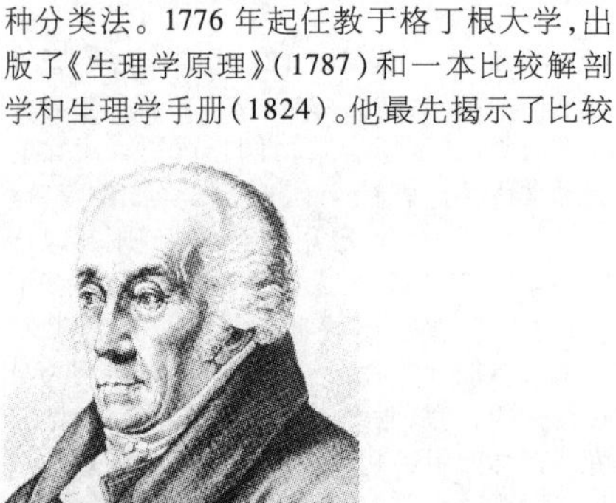

美国不列颠百科全书公司供图

解剖学在研究人类历史中的价值，根据颅骨大小，把人类分成五大种系——高加索人种，蒙古人种，马来亚人种，埃塞俄比亚人种，亚美利加人种。他在人类学方面最重要的工作，便是收藏 60 块人类颅骨并在所著《不同种族颅骨图录》一书中详加描述。

Blumenthal, Leonhard, Graf von　布卢门塔尔伯爵(1810-07-30，勃兰登堡奥得河畔施韦特～1900-12-22，德国安哈尔特克伦多夫)　普鲁士陆军元帅，积极参加导致创建德意志帝国的各次战争。1827 年进入皇家警卫军任少尉，1848 年参与镇压柏林暴动。1849 年在冯·博宁将军的参谋部供职，在石勒苏益格-荷尔斯泰因战役中崭露头角；后任驻石勒苏益格-荷尔斯泰因陆军参谋长。1858 年任腓特烈·查理亲王的私人副官。1864 年丹麦战争爆发，在任对丹麦作战部队参谋长时建立功勋，同年升任第 3 军团参谋长。在 1866 年对奥地利的七星期战争中，他任普鲁士王储的参谋长，指挥第 2 军作战。1866～1870 年他指挥驻杜塞尔多夫的第 14 师。1870～1871 年普法战争期间，他任王储腓特烈·威廉属下的第 3 军的参谋长，主要由于他大胆的决策，王储才取得许多胜利。1873 年升任陆军上将。10 年后封伯爵。1888 年晋升陆军元帅。

Blunden, Edmund Charles　布伦登(1896-11-01，英国伦敦～1974-01-20，萨福克朗梅尔福德)　诗人、评论家、学者、作者。他用传统的格律吟咏英国的乡村生活，词藻富丽，意境幽深。曾长期在远东执教，因此晚期作品如《香港的一所房子》(1962) 带有东方色彩。成名之作《战争的低调》(1928，新版 1956) 是关于第一次世界大战的最畅销书之一。战争中断了他在牛津大学的学习，但他 1919 年返校，次年去伦敦任《文艺俱乐部》副主编。20 世纪 20 年代开始发表诗作。20 世纪 20 年代的大部分时间在日本教书，后在牛津大学执教并任《泰晤士报文学副刊》编辑，20 世纪 40 年代又回日本。1953～1964 年任香港大学英语教授，1966～1968 年任牛津大学诗学教授。诗集有《布伦登 1914～1930 诗集》(1930) 和《1930～1940 诗集》(1940)。《漫长岁月的诗》出版于 1957 年。作为学者的一项重要成就是发现和出版了 19 世纪农民诗人 J. 克莱尔未曾印刷过的诗。

blunderbuss　大口径前膛枪　由枪口装填之短枪，多为燧发枪。大口径、滑膛；枪口逐渐加大，最大处直径约 10 厘米。原为使霰弹丸在近距离内散射，但试验证明无此作用。此枪系霰弹枪或猎枪的前身，18 世纪时盛行。

Blundeville, Ranulf de　布伦德维尔　Ranulf 又拼 Randulf 或 Ralph。参阅 **Chester, Ranulf de Blundeville, 6th earl of** 切斯特伯爵(第六)。

Blunt, Anthony (Frederick)　布伦特(1907-09-26，英国汉普郡伯恩茅斯～1983-03-26，伦敦)　英国美术史学家，晚年被揭露曾充当

苏联间谍。20世纪30年代在剑桥三一学院求学时，即参与为苏联收集情报的间谍工作。他的学术活动很有成就，1937年起发表了几十篇学术论文和著作，由此奠定了美术史研究在英国的地位。他是关于17世纪绘画的权威，特别是对N.普桑的画很有研究。第二次世界大战期间，他在英国军情5处服役，因此能向苏联人提供机密；更重要的是，能及时向搞间谍活动的同伙通报可能危及他们的情况。1945年任英王（后为女王）的绘画鉴定人，1947年任世界培训和研究美术史的重要中心之一的考陶尔德学院院长。后来几年里主要著作有《1500～1700年法国的艺术和建筑》（1953）和《尼古拉斯·普桑》（1966～1967）。虽然他在1945年就洗手不干间谍活动了，但仍同苏联情报人员有接触，故能在1951年安排伯吉斯和D.麦克莱恩两人逃离英国。1964年，苏联间谍菲尔比（Philby，Kim）叛变后，他被英国当局召去对质，私下供出他同苏联的关系，但直到1979年他退休7年后，才予以公开。他是这一间谍网中被追查已久的"第四号人物"，揭穿后引起轰动，1956年册封他为爵士的荣誉旋即被取消。

Blunt，Edward 参阅 **Blount，Edward** 布朗特。

Blunt，Wilfrid Scawen 布伦特（1840-08-17，英国苏塞克斯佩特沃思豪斯～1922-09-12，苏塞克斯纽比尔丁斯） 英国诗人。其作品以反对帝国主义，同情弱小或被压迫民族著称。1858年进入外交界，1869年同诺埃尔夫人结婚后退职，经营繁殖阿拉伯马的种马场，常去北非、阿拉伯和小亚细亚挑选马匹。他对穆斯林深表同情，在《伊斯兰的未来》（1882）一书中注意到发动泛伊斯兰教及马赫迪派运动的力量。他坚决反对英国在苏丹的政策，并支持埃及的民族党。他两次访问印度，写出《关于印度的想法》（1885），反对殖民制度。诗集《海神情歌》（1880）是其代表作。1914年出版《诗歌全集》，1919～1920年出版《我的日记》，共2卷。

Bluntschli，Johann Kaspar 布伦奇利（1808-03-07，苏黎世～1881-10-21，德国卡尔斯鲁厄） 德国国际法著作家，其著作《现代战争法》（1866）是1899、1907年在海牙会议上通过的战争法典的基础。布伦奇利在苏黎世、柏林和波恩研习法律，并在苏黎世、慕尼黑（从1848）和海德堡（从1861）讲授法律。他于1873年协助创建了国际法学会。《现代战争法》大部分取材于F.利伯（1863）在美国南北战争时期为美国联邦军队编制的法典。布伦奇利的另一部主要著作《现代国际法》（1868），提供了一部显然是包罗万象的法典，被译成很多种文字，成为外交人员广为使用的参考书。《现代国家教程》3卷（1875～1876）被译成英语和法语，被某些人认为是他最好的著作。

美国不列颠百科全书公司供图

Bly，Nellie 布莱（1867-05-05，美国宾夕法尼亚科克伦斯米尔斯～1922-01-27，纽约市） 美国报纸文章作家，笔名伊丽莎白·科克伦。她环绕全球的旅行打破了理论上的记录，因而声名远扬，成为女明星记者。18岁担任《匹兹堡电讯报》的特写撰稿人，开始用笔名写一系列文章，内容包括离婚、贫民窟生活和墨西哥情况报道。1887年参加纽约《世界报》，佯装发疯，进入疯人院，揭发黑暗内幕，引起当局改革。后来陆续写出揭发社会种种内幕的报道。1889年11月14日从纽约出发，环绕全球，扬言要打破凡尔纳小说《八十天环游全球》中主角福格的记录。《世界报》为此发起猜测她的旅行日程的有奖比赛。布莱乘过轮船和火车，坐过人力车和舢舨，骑过马和驴，在旅行的最后一段，《世界报》用专列火车将她从旧金山送到纽约，沿途受到热烈欢迎。她用72天6小时11分14秒赛完全程。1895年她与百万富翁西曼结婚；西曼去世后她生活拮据，1920年又为《纽约日报》工作。

美国不列颠百科全书公司供图

Blyth Valley 布莱斯谷 英格兰诺森伯兰行政、历史郡的自治市（区）。在纽卡斯尔东北，临北海。面积70平方千米，早为盐业中心。现为衰落中诺森伯兰煤田的输出港。有修造船工业。人口约80 700（1998）。

Blytheville 布莱斯维尔 美国阿肯色州东北部城市，密西西比县北县城（南县城为奥西奥拉）。在密西西比河谷。1891年设镇。1907年与奇克索韦合并，成为棉花、大豆、小麦产区的中心。1915年设市。1962年布莱斯维尔空军基地划入该市后人口增加。该基地于1992年关闭，现为商用机场和工业区。工业有钢铁、汽车组件、仪器设备制造业。市内有密西西比县社区学院（1974）。市西19千米有比格莱克国家野生动物保护区。人口18 272（2000）。

Blytt-Sernander system 布利特-谢尔南德尔层序 由19世纪瑞典地质学家A.布利特制定、20世纪瑞典植物学家J.R.谢尔南德尔修改的斯堪的纳维亚沼泽泥炭堆积层的年代排列顺序。根据植物化石（如保存在沼泽中的树枝、树叶遗体）的层序，将地球历史中最近1万年的全新统地层分为较小的单位。这一化石层序反映了大约1万年前盛行的大陆冰川后退以来所发生的气候变化。后来的研究对这个层序作了修改，加进了孢粉研究的成果，并在很大程度上证实了它的可靠性。这个层序虽然首先是为北欧制定的，后来则经修改后应用到全世界。

BMR 参阅 **basal metabolic rate** 基础代谢率。

BMW 参阅 **Bayerische Motoren Werke AG** 拜恩汽车厂。

B'nai B'rith 圣约之子会 世界上历史最悠久、规模最大的犹太人服务组织，在世界许多国家设有男、女及青年的分支组织。该组织1843年成立于纽约市，其活动包括保卫人权、增进国际文化关系、满足犹太大学生的宗教和文化要求（特别是通过希勒尔基金会）、主办犹太成人和青年教育、支援医疗慈善机关、提供职业辅导、在以色列国内兴办福利事业、赈济灾民，以及在各地广泛开展社区服务和福利工作。圣约之子会与各国政府首脑协商人权、移民、极权国家对自由的侵犯、以色列国的地位以及有关全世界犹太人的其他问题。该会于1913年成立反侮辱联盟。联合国犹太组织协调局内有圣约之子会代表。该会领导者为主席，每3年由最高组织（由各地区总分会代表组成）总会选举产生，还有一个理事会和一个行政委员会。1990年国际圣约之子会投票赞成接受妇女为正式委员，圣约之子会妇女会仍继续存在，作为一个自治的附属组织，处理有关妇女的各项问题。

BND 西德联邦情报局 Bundesnachrichtendienst的缩写。西德政府的对外情报机构。成立于1956年4月，它吸收了"格伦组织"的秘密情报人员，该组织由莱因哈特·格伦少将于第二次世界大战后创建，并与美国情报机构协作。格伦曾经领导过德军总参谋部情报局外军东方科。他掌管联邦情报局的工作直至1968年，后被熟悉苏联事务和组织机构的著名专家格哈特·韦塞尔将军接任。联邦情报局直接向西德总理提供情报。它下设颠覆、反情报和国外情报搜集等部门，总部设在西德慕尼黑。除了搜集国外情报外，该局还负责电信情报侦察以及与北大西洋公约组织及其他友好国家的情报部门交换情报。

BNP Paribas 法国巴黎银行 法国经营银行业、金融业和保险业的公司。1999年通过合并巴黎国家银行（BNP）和巴黎巴银行（Paribas）而成立。总部设在巴黎。公司的历史可追溯至几个法国银行，如国民工商银行（1932）、巴黎国民贴现银行（1848）、荷兰信贷储蓄银行（1863）和巴黎银行（1869）。1999年巴黎国家银行为了阻止其竞争对手兴业银行对巴黎巴银行的兼并而敌意并购巴黎巴银行。

Bo 博城 西非塞拉利昂中南部城镇。位于弗里敦通往马克尼道路交叉点附近，一度是塞拉利昂保护领地首府(1930～1961)。内地商业中心。棕榈油、棕榈仁、生姜、咖啡、可可和稻米的集散地。这些物资主要通过公路运到该城西北174千米的弗里敦。自从1906年为门德人等部族首领子弟开设一所中学后，博城就一直是内地教育中心。现在这里有一所主要图书馆，有政府、基督教和伊斯兰教开办的小学和一所师范学院。出版数种期刊。有仅次于弗里敦的全国最大的公立医院。人口约56 797(1985)。

Bo Hai 渤海 中国最浅的半封闭性内海。在辽宁省、河北省、天津市、山东省之间，基本上为陆地所环抱，仅东部以渤海海峡与黄海相通。南北长约556千米，东西宽约236千米，面积7.7万平方千米，平均水深18米。沉积物以淤泥和粉沙淤泥为主。渤海周围有三个主要海湾：北面的辽东湾、西面的渤海湾、南面的莱州湾。入海的主要河流有辽河、滦河、海河、黄河等，并带来大量泥沙。海底平坦，饵料丰富，是中国大型海洋水产养殖基地。盛产对虾、黄鱼。沿岸盐田较多，以西岸的长芦盐场最著名。主要岛屿有庙岛群岛、长兴岛、西中岛、菊花岛等。近年在渤海海底发现丰富的石油，已大规模开采。

Bo tree 菩提树 又作bodhi tree。树名，榕属，学名*Ficus religiosa*。据佛教传说，佛陀在印度菩提迦耶地方一棵菩提树下坐禅而证得觉悟成佛。早期佛教艺术作品往往以菩提树

约公元前2世纪的菩提树石浮雕
美国不列颠百科全书公司供图

象征佛陀。斯里兰卡境内阿努拉德普勒城有一株菩提树，据说是公元前3世纪用阿育王所赠枝条扦插成活的。参阅**Ficus**。

boa 蚺 蟒科蚺亚科(Boinae)爬行动物。有10余属，60余种。新旧大陆皆有分布，主要见于温暖地区。长20厘米至7.6米。体粗壮，尾短。多为地栖或半水栖，有些种为树栖。体褐色、绿色或淡黄色，并有不连续的斑纹和菱形花纹。多为卵胎生。捕食方法是先咬住猎物，然后收缩身体将其缢死。许多种具热敏性的唇窝，用以发现热血动物。事实与民间传说相反，蟒不危害人类。

巨蚺(缢缩蟒，*Boa constrictor*)能适应多种生境，分布于墨西哥北部沿海和小安的列斯

翠绿树蚺(*Corallus caninus*)
美国不列颠百科全书公司供图

群岛至阿根廷一带；体长一般不足3.3米，但最长纪录为5.55米。有几种蚺营树栖生活，具有适于捕鸟的长牙。如南美热带地区的翠绿树蚺(亚马孙树蚺，*Corallus caninus*)体长1.8米，背部绿色，带白色纵条和横纹，腹部黄色。哥斯达黎加至阿根廷一带的虹蚺(*Epicrates cenchria*)花纹并不鲜明，但有显著的彩虹般的光泽。北美西部的橡皮蚺(两头沙蟒，*Charina bottae*)为分布最北的蚺类，体褐色，穴居，外观或手接触的感觉均似橡皮。玫瑰蚺(舐尾沙蟒，*Lichanura trivirgata*)产于加利福尼亚南部和亚利桑那至墨西哥一带，体长90厘米，带褐色或粉红色条纹。

北非至印度和中亚的干旱地区有10种穴居的沙蚺(沙蟒属[*Eryx*])。林蚺亚科的种常称为林蛇：硬鳞蚺属(*Trachyboa*)有两种，产于南美；林蚺属(*Tropidophis*)10余种，产于西印度群岛。参阅**anaconda**。

Boa Vista 博阿维斯塔 巴西罗赖马州城市和首府，位于巴西西北部内格罗河支流布朗库河西岸。博阿维斯塔于1926年设市，1943年该地区(1990年后为州)创立时成为首府。该市及其都会区资源丰富，但交通闭塞。金刚石、金、铝矾土和锡石矿在该地业已开采，林、畜产品亦为收入来源。工业产品有石油及从甘蔗和木薯中提炼的酒精燃料、冶金产品和建筑材料。博阿维斯塔有一座热电厂为该市供电。1975年安装了一座卫星电话通信天线。去博阿维斯塔可乘吃水浅的内河轮船或飞机，有公路与卡拉卡拉伊及马瑙斯两河港相通。博阿维斯塔作为重要的边境前哨，有铺路面的道路通向罗赖马东北部地区。该市有通圭亚那的航空运输。人口约66 357(1985)。

Boa Vista Island 博阿维斯塔岛 佛得角共和国最东端岛屿，在大西洋，距西非海岸500千米。面积620平方千米，海拔387米。主要市镇是西北海岸的萨尔雷。产食盐和海石蕊。人口约3 457(1990)。

Boabdil(sultan of Granada) **巴布迪尔** 参阅**Muḥammad**(Granada)穆罕默德(格拉纳达)项下的**Muḥammad XI**穆罕默德十一世。

Boaco 博阿科 尼加拉瓜中部城市。在中央高地西侧。农牧业的商业和制造中心。最主要的活动是乳品业和畜产品加工业。也生产肥皂、砖瓦、矿泉水和巴拿马草帽，有几处锯木厂。周围是重要农业地区，生产牛、猪、皮革、乳制品、稻米、玉米和豆类。农业人口集中在博阿科四周的高地山谷中。无铁路，但有公路可通往泛美公路和首都马那瓜。人口约15 645(1985)。

Boadicea (ancient British queen) 参阅**Boudicca**布狄卡。

boar 野猪 又作wild boar或wild pig。猪科动物猪(*Sus scrofa*)野生种类的统称。英语中boar一词也指家猪、豚鼠及其他许多兽类的雄体。英语中wild boar或wild pig有时用来指任何猪属(*Sus*)的野生种类。野猪，有时称欧洲野猪，为最大的一种野猪，原产于从西

欧洲野猪(*Sus scrofa*)
美国不列颠百科全书公司供图

欧、北欧、北非到印度、安达曼群岛和中国一带的森林中，已引入新西兰及美国的一些地区(在该处已与原产于该处的未驯服种类混合)。毛短而硬，灰、浅黑或褐色，肩高达90厘米。除年老雄体独居外，营群居生活。行动迅速，夜间活动，杂食，善游泳，有獠牙，虽不经常主动攻击人，但对人仍是一种危险。野猪力大，奔跑快，性凶猛，自古以来就是人类最喜爱追猎的野兽之一。在欧洲和印度的一些地区，人们还带狗追猎，只是所使用的矛大部分已为枪所代替。在欧洲，野猪是欧洲纹章上的4种被追猎的兽类之一，是英格兰国王理查三世的标志。野猪头曾长期被视为一种美味。

Board of Trade 参阅**Trade, Board of**谷物交易所。

Boardman, Mabel Thorp 伯德曼(1860-10-12，美国俄亥俄克利夫兰～1946-03-17，华盛顿哥伦比亚特区) 美国红十字会领导人，重建了该组织的筹款总部，极大地扩展了红十字会的资源和服务。出生于小康之家，从小就开始接受教育，志愿投身于各种社会慈善事业。1898年美西战争期间，她热衷于招募护士的工作。1900年，其名字以合作法人之一的身份出现在报请国会批准的美国红十字会的申请报告上。虽然事先并没有征得她同意，但事后她却认同，并在红十字会执行委员会中取得一席，开始投入工作。很快就发现领导人C.巴顿的糊涂和专制是使美国红十字会缺乏公众魅力的根本原因。于是开始四处活动，寻求变革。1903年，鼓动政府撤消对红十字会的支持。1904年巴顿辞职后，伯德曼就重新制定红十字会章程，并成为红十字会的实际领导人。但她坚持认为，要想保证

美国不列颠百科全书公司供图

公众对红十字会的信心,男权是十分必要的,故拒绝主席的正式身份。为此,她还努力在社会名流中间寻求支持。由于她的勤奋,美国红十字会获得了大量捐助,分支机构遍布美国大陆,红十字会在救生、急救和其他服务项目上的功能(部分工作是通过与美国护理学会合作完成的)也获得了极大的改善,应对灾难或军事需求的快速反应机制也开始付诸实施。1915年,发表了《在红十字的旗帜下》一书。1917年,红十字会战争理事会成立,并取代常设机构执行委员会的功能,伯德曼只得交出部分权力。1919年红十字会执行委员会重建时,没能赢得连任。次年9月,被W.威尔逊总统任命为哥伦比亚地区行政机关首位女性成员。1921年,重返红十字会,任中央委员会委员兼秘书。从1922年开始,全身心地投入到传统的志愿者服务工作中。组织了志愿者服务队,即后来的志愿者特殊服务队,包括护理帮助、汽车队、小卖部、家政服务等。1923年出任志愿者特殊服务队主任,1940年辞主任职,1944年辞红十字会中央委员委员职。其间,在编志愿者超过270万人。

boarfish 方鲷 海鲂目方鲷科(Caproidae)鱼类的统称。全身红色,侧扁,高度几可与长度相等。共6种,栖于深海,见于大西洋、太平洋与印度洋。分隶于两属:菱鲷属(*Antigonia*)与方鲷属(*Capros*),分别置于两亚科内。典型种高体红鲷(*A. capros*)长约18厘米。方鲷臀鳍有3条棘,与软鳍条完全分离。因背部轮廓棱角分明,从侧面看其身体几呈偏菱形或菱形。

Boas, Franz 博厄斯(1858-07-09,普鲁士威斯特伐利亚明登[德国]~1942-12-22,美国纽约市) 20世纪初德国出生的美国人类学家,20世纪占主导地位的人类学相对论文化中心学派的创始人。研究北美印第安人文化和语言的专家。出生于一个犹太商人的家庭,从5岁起就对自然科学发生浓厚兴趣。在明登读大学预科时,又深深地爱上了文化史。先后在海德堡、波恩和基尔大学求学,1881年获基尔大学物理学和地理学博士学位。1883～1884年参加巴芬岛科学考察,开始专心研究人类文化。1886年对不列颠哥伦比亚的夸扣特尔人和其他部落进行研究,归途中决定定居纽约,任《科学》周刊编辑。1889年在克拉克大学任教,次年赴芝加哥,筹备1893年哥伦比亚博览会人类学展览。1896年在哥伦比亚大学任体质人类学讲师,1899年任人类学教授。曾主编关于西伯利亚人与北美土著居民间之关系的研究报告集。博厄斯是富于创见而且著作宏富的学者,对统计体质人类学、描述与理论语言学、美洲印第安人种学以及民俗和艺术研究,都有巨大贡献。其研究成果奠定了他在人类学史上的重要地位,成为极有影响的教授。他创办了《国际美洲语言学杂志》季刊,并且是美国人类学协会创始人之一,1931年任美国科学促进协会主席。1911年出版《原始人的心灵》一书,30年代遭纳粹德国焚毁,并取消了他的博士学位。1937年博厄斯予以增订再版。其他著作有《原始艺术》(1927)和《人种,语言和文化》(1940)。博厄斯著作的革命意义只能以这样的措辞来理解,即人类学家对于"人"各有不同的看法,但几乎所有人类学家都相信人种只有一个,但当时许多人并不相信人种能相

美国不列颠百科全书公司供图

等地发展文化形式,这种观念由于博厄斯的影响,现在几乎普遍接受的命题是每一现存下来的、大到足以有独特差别的居民群都同等地表现出人类发展文化方式的能力,并且人类学家把作为后果的差别归因于历史文化因素而不是遗传因素。博厄斯和一些人类学家常被称为文化相对论者,认为进化论的观点是民族优越感的观点,并认为现存的各人类群体都同等地经过进化,但进化道路不同。他主张必须发现文化因果律,而不要假设这规律。博厄斯要求人类学家能够理解影响人类历史的全部因素。因为假使说文化差别不是生物性差别的结果,就必须懂得生物学;假使要考察人类与环境的关系,就必须懂得各种事物,诸如人类迁徙,营养学、儿童养育习惯、疾病以及诸民族的迁移及其文化上的相互关系。因此,人类学要涉及所有科学或学术领域。

boat people 乘船出逃者 靠船只逃离的人。原指1975年南越政府垮台时逃离国家的成千上万越南人,他们挤在小船上,成为海盗的猎物,饱受脱水、饥饿、溺水之苦。后来指从古巴及海地试图乘船来到美国的难民潮,也指在澳大利亚寻求庇护的阿富汗人及其他难民。

Boateng, Paul 博阿滕(1951-06-14,英国伦敦～) 全名Paul Yaw Boateng。英国政治人物。幼年在加纳上学,1966年加纳发生军事政变后移居英国。在布里斯托尔大学获法律学位,成为诉状律师,主要处理住房、治安和妇女案件。1981年入选大伦敦市政会。1987年当选下院议员。1997年工党当政后先后任非内阁阁员的卫生与内政大臣和财政部财务次官。2002年5月任财政部常务次官,成为英国首位黑人内阁大臣。2005年从内阁和下院退职。

bob and wheel 短叠句 在押头韵的诗中,指跟随在一节不押韵诗行后面的五行押韵诗句,常位于古希腊颂歌第一诗节末尾。bob一词指这五行中的第一行,短于其他四行;wheel一词则是指跟随其后的四行诗。

Bobadilla, Francisco de 博瓦迪利亚(?～1502-06,伊斯帕尼奥拉岛附近海上) 西班牙军人。在哥伦布和其部下发生纠纷后,在圣多明各(伊斯帕尼奥拉岛)逮捕了哥伦布。他是一位贵族,在重新征服摩尔人的战争中为西班牙王室作战。被认为是卡拉特拉瓦骑士团的指挥官。1500年被派往圣多明各,赋有王室专员和首席法官的权力。当他发现哥伦布吊死了5个西班牙人时非常愤怒,立即逮捕哥伦布的兄弟迭戈(哥伦布不在时,由他负责西班牙的这块殖民地),接管圣多明各城。哥伦布投降后被戴上镣铐送回西班牙。但博瓦迪利亚未能恢复圣多明各的秩序,被召回西班牙,同时哥伦布的一切荣誉和头衔得到恢复。在返回西班牙途中,博瓦迪利亚的船队遭飓风袭击而遇难。

bobbin furniture 旋木家具 又称spool furniture。17世纪末期用车床制作腿脚和其他部分装饰的一种沉重的家具。也指19世纪的一种较轻的、用车床略为加工而成的乡

17世纪中叶的英国胡桃木旋木椅

美国不列颠百科全书公司供图

村家具(参阅**cottage furniture**)。用车床做成的旋木制件是一种饰物,由一系列形似线轴状的小的球形突出物组成,用于桌椅的腿脚和横档,并用作椅背竖框的顶饰,偶尔也用来装饰扶手的前端。

bobbin lace 梭结花边 又作pillow lace或bone lace。与针织花边一起,是两种主要的花边。梭结花边由许多纱线织成,每根纱线缠牢在加长的线轴(梭子)上。图案画在羊皮纸或普通纸上,在编织花边需落针走线的位置

17 世纪初期的佛兰德梭结花边
美国不列颠百科全书公司供图

上刺孔以作标示。将羊皮纸放在枕垫或垫子上，然后缀上挂有梭子的纱线，双手各握一对梭子，使其来回移动织成绞状、辫子或布状织物构成图案。这项技术的兴起比针织花边晚，起源于结形缘饰。线轴编织花边大概始于 16 世纪初，其发祥地是意大利还是佛兰德，迄今尚无定论。

Bobbio　博比奥　意大利北部艾米利亚-罗马涅区皮亚琴察省城镇。位于皮亚琴察西南、特雷比亚河谷。612 年前后，爱尔兰传教士圣科隆班在此建隐修院后，该城开始出名。隐修院后成为中世纪文化和教育中心，尤以图书馆著名。15 世纪隐修院衰落，藏书分散到梵蒂冈、米兰、都灵等地。隐修院内现有 15～17 世纪的建筑和圣科隆班墓。博比奥在中世纪时曾先后隶属于伦巴第国王、法兰西皇帝，1748 年成为萨伏依的一部分。著名建筑有罗马-巴罗克式大教堂、14 世纪的马拉斯皮纳宫和 17 世纪的阿伊乌托圣马利亚教堂等。现为艾米利亚平原至热那亚间的商业和旅游中心。人口：城市区约 4 215（1981）。

bobcat（*Felis rufa*）　**短尾猫**　又作 bay lynx 或 wildcat。又称野猫、栗色猞猁、红猫。猫科。北美动物，分布于加拿大南部到墨西哥南部一带。与猞猁和狞猫近缘，以前曾同

短尾猫（*Felis rufa*）
美国不列颠百科全书公司供图

列入猞猁属（*Lynx*）。腿长，爪大，身躯稍短，耳具丛毛。尾短，故名。体长 60～100 厘米，尾长 10～20 厘米；肩高 50～60 厘米；体重约 7～15 千克。毛硬，色淡褐到浅红带黑斑。腹面白色。尾尖上面黑色，下面白色。有时见于郊区，一般独居森林和荒漠，夜出活动。不像猞猁那样喜爱爬树或游水。以啮齿动物、穴兔、野兔和鸟类为食。春季繁殖（有时当年再繁殖一次）；妊娠期约 50 天，每产 1～6 仔，毛皮具有一些经济价值，短尾猫是控制保持啮齿类及兔类数量的重要因素。

Bobo　博博人　布基纳法索（原上沃尔特）民族，20 世纪 70 年代约有 25 万人。操尼日尔-刚果语系古尔语支的语言。为定居农民，种植粟、高粱及其他多种农作物。运用轮作、灌溉，并饲养少量牛和其他牲畜，渔、猎、采集为食品辅助来源。氏族群居，一夫多妻比率很高，同时实行转房婚（即遗孀须嫁其亡夫之弟）和填房婚（即妹妹须嫁亡姐之夫或不育姐之夫）。社会结构比较平等，尽管偶尔还有奴隶。传统上相信万物有灵，有些人已改信伊斯兰教和基督教。

Bobo Dioulasso　博博迪乌拉索　布基纳法索（原上沃尔特）西南部城市。全国第二大城市、工商业中心和交通枢纽。始建于 15 世纪。18 世纪曾是孔王国首都。1897 年被法国占领。工业有自行车装配厂、卷烟厂、轧棉厂和食品加工厂。传统珠宝工艺和牙雕、铜器及铁器等手工艺品颇负盛名。产水果和蔬菜。公路四通八达，铁路通科特迪瓦首都阿比让和布基纳法索首都瓦加杜古。西郊有博尔古国际机场。市内有清真寺、西非经济与社会研究中心、地质和采矿研究所以及棉花和纺织研究所。人口 228 668（1985）。

Boboli Gardens　博博利花园　意大利语作 Giardino di Boboli。佛罗伦萨皮蒂宫后的一片园林。建于 1550 年，占地 45 公顷，是一所豪华富丽、规划严谨、作几何形布置的意大利文艺复兴式园林。原供梅迪契家族使用，现辟为公园。由于缺乏天然水源，专门建立了复杂的引水管道。园内有各种风格的雕像，多取材于古典神话。著名的风景有洋蓟泉、瓷器博物馆、一座洛可可风格的咖啡厅以及布置着埃及方尖碑的马蹄铁形的露天剧场。

bobolink（*Dolichonyx oryzivorus*）　**长刺歌雀**　美洲产雀形目拟黄鹂科鸟类。在北美北部繁殖，多在南美中部越冬。雄鸟体长 18 厘米。雄鸟在繁殖期体下侧黑色，后颈黄色，背

长刺歌雀（*Dolichonyx oryzivorus*）
美国不列颠百科全书公司供图

和腰白色，翅上有白块斑。鸣声似水冒泡声，其英文名即为拟声词。冬季雄鸟亦为褐色，与雌鸟相似。长刺歌雀于成群迁徙时会啄食稻粒，这种肥“稻雀”曾被射杀充作佳肴。

Bobone, Giacinto　波波纳　又称 Giacinto Bobo-Orsini。参阅 **Celestine III 切莱斯廷三世**。

Bobriki（Russia）　**博布里基**　参阅 **Novomoskovsk 新莫斯科斯克**。

Bobrikov, Nikolay (Ivanovich)　博布里科夫（1839-01-27［旧历-02-08］，俄罗斯圣彼得堡附近的斯特列利纳～1904-06-17［旧历-06-04］，赫尔辛基）　俄国驻芬兰总督（1898～1904），冷酷的极端民族主义分子。原为俄国陆军将官，1898 年任芬兰大公国总督。在他的统治时期，芬兰第一次被俄罗斯化，包括强制推行俄国的风俗习惯，剥夺芬兰人的公民权利，解散芬兰的军队。1903 年沙皇尼古拉二世授予他独断专行的权力。他以逮捕、流放、撤职等手段，镇压芬兰人的消极抵抗。后被芬兰一参议员之子暗杀。

Bobruysk　博布鲁伊斯克　又拼作 Bobrujsk。白俄罗斯中东部莫吉廖夫州城市。在别列津纳河右岸。建于 16 世纪。曾被立陶宛、波兰、俄罗斯轮番争夺控制，第二次世界大战中当地曾发生重大战斗。古迹有 1769 年建的要塞。工业有工程、机器制造、化工、木材加工及生产轮胎、服装、靴鞋和食品。人口约 223 000（1991）。

Bobrzyński, Michał　博布任斯基（1849-09-30，波兰克拉科夫～1935-07-03，波兰波兹南）　波兰历史学家、保守派政界人士。他认为中央政府的虚弱是导致18世纪波兰被瓜

美国不列颠百科全书公司供图

分的主要原因，据此重新评价波兰历史。1877 年任克拉科夫大学法律史教授。1873～1885 年研究中世纪波兰社会史。1879 年出版《波兰史》，成为波兰史学界“悲观主义”（或克拉科夫）学派的主要代表人物，严厉抨击前波兰的政治和社会制度。1885 年进入政界，曾任加利西亚议会和维也纳帝国议会议员。1908～1913 年任加利西亚总督。1917 年任驻维也纳公使。

bobsledding　滑雪橇运动　双人或 4 人乘坐装有 4 个滑行器的雪橇在天然冰或人造冰滑道上进行滑降的运动。1890 年前后作为一

种与瑞士的平底雪橇滑雪截然不同的运动而兴起。首次比赛(1898)在瑞士圣莫里茨的克里斯泰滑道举行。1923年国际雪橇和平底雪橇联合会成立,这项运动始为国际所承认。

正在急弯道上比赛的4人雪橇

美国不列颠百科全书公司供图

1957年国际雪橇联合会从国际雪橇和平底雪橇联合会分离出去成为独立的组织。雪橇运动于1924年列为冬季奥运会项目。国际比赛滑道长度最少1 500米,平均坡度8%～15%,有15～20个弯道,最急转弯在180°以上。多数滑道有用混凝土或石板铺成的永久性基础,覆盖几英寸湿雪,用水浸透使其冻结即成。直滑道两侧冰墙高46厘米。急弯道上冰墙陡峭,高6米,并有探出的冰檐,以防雪橇飞出滑道。早期雪橇多为木制,几年后即采用钢制滑行器,到20世纪中叶整个橇都用钢和铝制造。雪橇分双人和4人两种。自1931年起(第二次世界大战期间除外),双人和4人雪橇世界锦标赛每年举行一次。每队作4次滑降,将4次滑行所用时间相加,时间少者胜。使用电子计时器,计时精度可达1/100秒。比赛开始时须先从起滑线后面几英尺的某一固定点预跑。4人雪橇滑行时速可达160千米,双人雪橇滑行时速略低。

bobwhite　山齿鹑　北美洲的鹑类。参阅quail。

Boca Raton　博卡拉顿　美国佛罗里达州东南部棕榈滩县城市。位于大西洋岸罗德代尔堡正北。它最早见于16世纪的地图。1925年设镇。1957年设市。当地博卡拉顿饭店及俱乐部以会议业兴隆,四周有水道环绕的豪华住宅供退休和旅游者使用。1960年后发展轻工业。佛罗里达大西洋大学(1961)建在前空军基地上,附近有美国拜布尔敦会场。博卡拉顿学院建于1963年。人口:市74 764;西棕榈滩-博卡拉顿都会统计区1 131 184(2000)。

bocage　树围地　法国西部使用的名词。指多林木地区。和主要从事旧式野外农业的无树篱农场地不同,树围地面积小,形状不规则,四周为树篱和林带围绕。曾有人试图砍掉这些树篱和树林以扩大农业,结果事与愿违,反而证明树围地这一传统形式对放养乳牛、肉牛有益。

Bocage, Manuel Maria Barbosa du　博卡热(1765-09-15,葡萄牙塞图巴尔～1805-12-21,里斯本)　葡萄牙新古典主义抒情诗人。出身于律师家庭。14岁时离开学校参加陆军,16岁转入里斯本皇家海军学院学习时,热衷于恋爱与写诗,生活豪放不羁。1786年被派往印度,1790年回到里斯本。后参加一个带有自由、平等色彩的文学团体新阿卡迪亚诗社。由于他写诗讽刺社友,被逐出社,随即引起一场长时间的诗战,大部分里斯本诗人均被卷入。1797年,他因被控宣传共和主义和无神论而入狱。在狱中翻译了维吉尔和奥维德的作品。获释后的几年中,以翻译为生,译过塔索、卢梭、拉辛、伏尔泰的作品。他写得最好的是14行诗。出版有《韵诗集》3卷(1791,1799,1804)。

Bocas del Dragón(Caribbean Sea)　**龙口海峡**　参阅**Dragon's Mouths**德拉贡海峡。

Boccaccio, Giovanni　薄伽丘(1313,巴黎～1375-12-21,意大利托斯卡纳切塔尔多)　意大利诗人、学者。他所著《十日谈》是一部世俗故事集,最为人所称道。他与彼特拉克一起为文艺复兴时期的人文主义奠定了基础;他并把本地语言的文学提高到了古典作品的水平与地位。童年在佛罗伦萨度过。父亲是个商人,1328年左右,他被送往那不勒斯学习经商。在这种环境里,他对商界的贵族气派以及存在于宫廷中的骑士排场与封建制度的豪华有了体验。他又曾研读教会法,与宫廷中的学者以及彼特拉克的朋友与崇拜者过从甚密,从而有机会欣赏彼特拉克本人的作品。他对菲娅美达的爱情成为他在《十日谈》以前的作品的主要内容。约1340年,被其父召回佛罗伦萨,并带回很多已经完成的作品,如最早的短诗《狄安娜的狩猎》,以及根据中世纪恋爱故事写成的散文作品《菲洛柯洛》(约1336)、短诗《菲洛斯特拉托》(约1338)。史诗《苔塞伊达》(1340～1341)大概开始写于那不勒斯,到佛罗伦萨后完成。这些早期作品的主题都是骑士精神和骑士爱情,但是由于对现实生活观察敏锐,并且讲究气魄和辞藻,因而很快就在意大利国内外产生影响,使他笔下的意大利文能与拉丁文学巨著中的文字相比拟。他还使行吟歌者口叙的八行体诗提高到文学水平,成为意大利诗歌的通行体制。英国大诗人乔叟的一些作品曾取材于薄伽丘的诗作。薄伽丘在佛罗伦萨的其后十余年生活坎坷,然而在创作上已完全成熟。1341～1342年间完成诗歌散文合集《亚梅托的女神们》;1342～1343年,完成寓言诗集《爱情的幻影》;1343～1344年,完成具有心理洞察力的散文小说《菲娅美达的哀歌》;也许在1344～1345年,还完成长诗《菲埃索勒的女神》。1348～1353年,写成他的巨著《十日谈》,其中交替出现他对生活的悲剧观点和喜剧观点;从风格上说,是意大利古典散文完美的典范,对欧洲文艺复兴文学的影响至深且巨。作品描写1348年佛罗伦萨瘟疫,10名青年男女避于乡郊,每日轮流讲故事以资消遣,仿东方的或中世纪的传统结构,共讲100个故事,每天以一首伴以舞蹈的歌结尾,其中有些是薄伽丘所写的最为出色的抒情诗。全书表现的总的主题是高雅资产阶级的生活方式,他们既尊重习俗,又对个人行为采取开放的态度。全书的开场白交代发生的瘟疫以及随之而来的道德和社会混乱,风格肃穆凝重,与第一天的故事的紧凑生动,以及第二第三天描写惊险故事中的纠葛和诈骗时那种嬉笑气氛形成鲜明的对比。到了第四天所讲的凄惨的恋爱故事时,语调又趋阴郁。第五天又有所改变;它虽并未完全消除肃穆庄重的气氛,讲的恋爱故事开始固然并不顺利,结局却是皆大欢喜。第六天回到了第一天那种欢乐气氛,为其后三天的欢笑、诈骗和放纵的精彩喜剧场面事先作了铺垫。到了最后的第十天,所有前九天的各个主题都上升到一个新的高度,不纯洁的变为纯洁,庸碌平常的变得英勇高大。

美国不列颠百科全书公司供图

19世纪有影响的评论家D.桑克蒂斯把《十日谈》称为但丁的《神曲》之后的《人曲》,把薄伽丘看成替代欧洲中世纪的道德秩序的新道德秩序的先驱。这种看法至今已经难以成立。薄伽丘的全部作品,其题材、形式、趣味基本上是中世纪的,至少其出发点是如此。新的只是薄伽丘用来处理他的种种内容和形式的精神。《十日谈》有意表现人们与命运抗争并学会去征服命运。它指出:要真正成为一个高贵的人,人必须没有怨恨地、如实地接受生活,首先是要接受自己的所作所为的后果,不管这种后果如何与他的预期相反,甚至不管后果如何悲惨。为了求得人世间的幸福,他必须使自己的愿望限于人能做得到的,毫不可惜地放弃那些绝对的要求。现代评论界已经阐明:在《十日谈》中那些轻佻甚至放荡至极的篇章背后表现的是一个精神世界的存在以及对道德价值的大力肯定。因此,今天再不能把薄伽丘看作一个淫猥的嘲弄者或是伤风败俗的犬儒主义者。

薄伽丘一生中又一大事是与彼特拉克交往。后者直到晚年才知道有《十日谈》这部作品。在他影响之下，薄伽丘转而用拉丁文写了一些人文主义的学术著作，其中《异教诸神谱系》大概就是在初见彼特拉克那一年开始写的。此书结构是中世纪的，其精神则是人文主义的。薄伽丘生前对之不断修改更正。他还曾为一些男女名人，用拉丁文写他们的传记若干篇，各编成一集。

薄伽丘在佛罗伦萨结交的圈子作为早期人文主义者的核心，有其极大重要性。他推荐他的门客L.彼拉图到学院（佛罗伦萨大学的前身）任希腊文讲师，薄伽丘和彼特拉克通过他的粗糙的译文接触到荷马的史诗，这是人文主义者研读希腊经典的开始。拉丁文的经典著作——瓦罗、马提雅尔、阿普列乌斯、塞内加、奥维德，特别是塔西佗的作品——也是薄伽丘注意赞赏的对象。虽然如此，他并没有忽略意大利文诗歌，尤其重视在他之前不久的前辈，首先是但丁；这是他与彼特拉克的不同之处。他写出了《但丁赞》以纪念这位大诗人。

薄伽丘晚境凄凉，有时简直一贫如洗，不得不以抄写他自己及他人的著作度日。1373年10月，他开始在佛罗伦萨一教堂讲授但丁的《神曲》，至1374年初因病体不支而终止。他的《神曲》评注全文至今尚存。

薄伽丘其人其文几乎在任何意义上都是文艺复兴时期的大家。他的人文主义不仅在于向古典学习，努力去重新发现阐释古代文献，而且在于努力将近代语文的文学提高到经典文学的水平。没有薄伽丘，意大利文艺复兴的文学峰巅便是不可理解的。

Boccalini, Traiano　博卡利尼（1556，意大利洛雷托教皇国～1613-11-29，威尼斯）　意大利讽刺散文家和反西班牙的政论家。他的《文坛报道》在当时欧洲广为流传，因而成为一位有影响的人物。博卡利尼之父为一建筑师。本人攻读法律，在罗马为教廷工作多年（1584～1612），从而结识了当时许多显要。1612年以后，移居威尼斯。他与当地教皇使者过从甚密，可能从事外交活动。他的政治方面的感受在《文坛报道》中反映得最为明显。这些对他同时代人的行为与文章语多讥刺的新闻通讯为数共201篇，文字轻松活泼，构思异想天开，写各个世纪的哲人相聚一堂，在主诗和音乐的太阳神阿波罗主持下，共议艺术、文学和政治。另一系列文章，《政治试金石》于死后1614年出版，文章激烈抨击西班牙在欧洲的霸权。它们被译成各种文字，第一种英文译本由蒙默思伯爵第二亨利·凯里译出。这些英文与其他欧洲文字译本对塞万提斯、艾迪生和斯威夫特都有影响。他的一部更有分量的作品是《评科内利乌斯·塔西佗》，论及政治与政府治理，向公候们提出一些马基雅弗利式的权术建议。《宗教与国法》最初出版于1933年，是议论神圣罗马帝国皇帝查理五世对德国新教徒的态度的一场对话。

Boccanegra FAMILY　博卡纳拉家族　热那亚的富豪家族，曾在两次"平民"革命中发挥重要作用。古列莫·博卡纳拉（1274卒）1257年在反旧贵族政府的暴动中成为民众领袖。1261年，他与拜占廷皇帝缔结《尼姆费翁条约》，结成攻守同盟，并为热那亚的贸易打开门户。同年，他的兄弟马里诺统率热那亚舰队，帮助拜占廷人夺取君士坦丁堡。1262年古列莫被热那亚的贵族们推翻，被终身流放。1339年发生平民革命，古列莫的兄弟兰弗朗科的后代西蒙（1301～1363）当选为热那亚执政官，5年后被免职，1356年复职。据传说他于1363年被毒死。西蒙的兄弟埃吉迪奥（1367卒）为卡斯蒂利亚阿方索十一世的海军大将，曾于1344年打败摩洛哥舰队。1371年，其子安布罗焦击败葡萄牙舰队和英国舰队，生俘英国舰队司令彭布罗克伯爵。

Boccherini, Luigi　波凯利尼（1743-02-19，卢卡［意大利］～1805-05-28，西班牙马德里）全名Luigi Rodolfo Boccherini。意大利作曲家和大提琴家。曾推动弦乐四重奏这一曲式的发展，并创作第一首弦乐五重奏曲和弦乐与钢琴五重奏曲。所作近500首作品中也包括圣乐、交响曲和协奏曲。

美国不列颠百科全书公司供图

早期生活　波凯利尼是低音提琴手莱奥波尔多·波凯利尼和玛丽亚·圣普罗斯佩里的第三个孩子，早年即托付当地大教堂音乐总监抚育，至13岁被送往罗马，师从圣彼得大教堂音乐总监、著名大提琴家科斯坦齐。在罗马他受到起源于帕莱斯特里纳作品的复调传统（即有两个或更多交错旋律声部的音乐）和科莱利的器乐的影响。1757年波凯利尼父子应邀在维也纳帝国剧院管弦乐队演出。1760年第二次访问维也纳时，17岁的波凯利尼以作曲家身份首次亮相，作品是《为两把小提琴和一把大提琴而写的三重奏六首》G77-82。在第三次寓居该城时（1764），他的公开音乐会受到热烈欢迎。虽然功成名就，他却日益怀念故乡卢卡。他在当地的教堂和剧院管弦乐队找到一份固定工作，便于1764年8月返回故园。翌年曾去伦巴第参加萨马尔蒂尼的管弦乐队演出。通过与这位米兰作曲家的交往，22岁的波凯利尼强化了四重奏的新"会话"风格：大提琴的线条现在像小提琴和中提琴的对位旋律（指独立旋律线的盘根错节）一样重要。他有机会请一组由杰出的托斯卡纳演奏大师组成的第一流弦乐四重奏团把这一成果付诸实践。父亲去世后（1766），他决定永远离开卢卡，目的地是巴黎——法国欢迎意大利音乐家。在巴黎，格朗热、韦尼耶和谢瓦迪埃尔等法国出版商出版了波凯利尼前几年的作品（《弦乐四重奏六首》G159-164、《小提琴二重奏六首》G56-61，均作于1761年）和几首新作（《小提琴和大提琴三重奏六首》G83-88、《D大调交响曲》G500，分别作于1766年和1766年前后）。巴黎音乐界对这位来自卢卡的年轻人趋之若鹜。由于他和拨弦键琴演奏家茹伊的布里永夫人的交往，美妙的《拨弦键琴和小提琴奏鸣曲六首》G25-30问世。波凯利尼的风格在全欧洲广为传播，《D大调第六大提琴协奏曲》G479（约1768?）成为莫扎特《D大调小提琴协奏曲》K218（1775）的范本。

后期生活　在西班牙驻巴黎大使说服波凯利尼移居马德里后，这类重要交往和热忱欢迎宣告中辍。大使的这个建议使他受宠若惊，他于是开始了在查理三世的阴谋四伏的王宫中的长期居留。国王的兄弟唐路易斯王子聘他为大提琴手和作曲者，年俸30 000雷阿尔。在此期间波凯利尼创作他名闻遐迩的《弦乐四重奏六首》G177-182（1772）。马德里成为他第二故乡。在那里与佩利乔结婚，并生育5个孩子。波凯利尼接受奥苏娜公爵夫人的延聘，指挥她在马德里的普埃塔·德·拉·维加宫中的私人乐队。继大量器乐曲之后又创作一些声乐作品：《圣母悼歌》G532（1781）、萨苏埃拉《克莱门蒂娜》G540（1786，台本系克鲁斯所作）和圣诞题材的《维良西科》G539（1783）。第一位妻子去世后，波凯利尼于1787年和波雷蒂结婚。1798年普鲁士新国王撤销波凯利尼的津贴，奥苏娜公爵夫人又迁居巴黎；他在经济上的拮据困顿由于羸弱多病而愈益恶化。接着妻子和两个女儿在一场流行病中丧生，更加深他生活的痛苦。此后他大部分时间都是在穷困中度过。到1804年竟不得不和3个幸免于死的孩子偏居于一间斗室。他的最后一部完整作品《F大调弦乐四重奏，No.90》G248作于这一年。不久后便与世长辞。

评价　1969年法国学者热拉尔的《路易吉·波凯利尼作品目录，按主题、有关文献与各家评注编排》一书问世。波凯利尼主要是一位室内乐作曲家，作有五重奏和四重奏各100余首、三重奏50余首、其他形式的室内乐曲50余首。他最著名的完整作品《降B调大提琴协奏曲》，实际上是19世纪作曲家兼大提琴家格吕茨马赫尔根据他的两首协奏曲改编而成。他那首名闻遐迩的小步舞曲取自《E大调弦乐五重奏》G275。人们常把作为作曲家的波凯利尼同海顿相比，结果通常使他相形见绌。但是他们的特点是属于不同类型的。诚然，他的音乐往往缺乏海顿典型的那种冲力和阳刚之气（这些特点来自作曲家对曲式和交响乐发展的灵敏感觉）。因此，如果说海顿的第一乐章通常以其发展部的缜密推理的辩论为中心的话，那么波凯利尼的第一乐章则取决于其主题素材及这一素材的表现和再表现的方式，他的发展部每每缺乏坚定的方向感和目的性。与二位作曲家的这一差异紧密相关的是他们对织体的迥然不同的态度。在海顿的布局中协奏式写作无足轻重，

而对波凯利尼来说它却是至关重要的。对器乐织体的丰富多姿的处理是他的音乐的最典型特征之一。如果说海顿强调奏鸣曲式的戏剧性本质而处于音乐发展的主流,那么波凯利尼可说是代表一股回水。他所关心的是创作流畅雅致的音乐。他的温情脉脉和极端的精美典雅——就在那表面之下还往往带有一丝伤感色彩——正是他最富特性的贡献所在。

Bocchus I　博库斯一世(活动时期公元前2世纪末～前1世纪初)　毛里塔尼亚国王(约公元前118～前91在位)。毛里塔尼亚以东努米底亚国王朱古达的岳父。公元前111年～前105年朱古达与罗马人战争初期,博库斯企图同罗马人缔结和约,但没有成功。公元前106年,他半心半意地给朱古达提供军事援助。后来他帮助罗马人俘获朱古达,拥护L.C.苏拉(公元前82～前81年的罗马独裁者),成为罗马的臣藩。

Bocchus II　博库斯二世(约公元前33卒)北非毛利塔尼亚东半部国王(约公元前49～前38在位),到公元前38年时,他已成为毛利塔尼亚全境的国王。他可能是博库斯一世之子。博库斯二世在位时,他只管辖毛利塔尼亚马拉查河(摩洛哥东北部叫穆卢耶河)以东领土。而他的兄弟博古德则控制了毛利塔尼亚的西部。弟兄两人都拥护罗马大将凯撒反对庞培大帝的非洲支持者的战争(公元前49～前45)。公元前46年凯撒在塔普苏斯(在今突尼斯沿海)战胜庞培后,博库斯受权管理大部分努米底亚领土。公元前44年凯撒遇刺后,毛利塔尼亚两位统治者在后来凯撒部队的分裂中分别支持对立的一派。博古德支持安东尼,而博库斯则站在屋大维(即后来的奥古斯都皇帝)一方。约在公元前38年,博库斯趁博古德在西班牙作战时夺占了博古德的领土,迫使他逃往东方去投靠安东尼。这样博库斯就成了毛利塔尼亚的唯一统治者,并得到屋大维的承认。博库斯去世后,他的王国成为罗马一个行省。

boccie　地掷球　意大利式地滚球。流行于意大利皮埃蒙特和利古里亚以及居住在美国、澳大利亚和南美的意大利人中间。管理该项运动的机构为意大利地掷球联合会。1951年在意大利热那亚举行首届世界锦标赛。场地长约23米,宽2.4米。四周有木板围着,端线板约45厘米高,边线板约30厘米高。每名队员或每队轮流向小靶球滚动或抛掷4个直径为10～13厘米用木头、金属或人造合成材料制成的球。一轮完毕,要看谁的球最靠近靶球,凡较对方之球更为靠近者,每球得1分,通常以任何一方得满12分时为一局。

Boccioni, Umberto　波丘尼(1882-10-19,意大利雷焦卡拉布里亚～1916-08-16,维罗纳)意大利雕刻家、画家和未来派美术运动的重要理论家。1898～1902年在画家巴拉的画室学点彩派绘画。1907年移居米兰,逐渐受未来派诗人F.马里内蒂的影响,并把马里内蒂的思想运用于视觉艺术,成为未来派美术的卓越理论家。1910年与其他画家一起发表《未来派画家宣言》。其第一幅未来派绘画《画廊里的骚动》(1909,E.耶西收藏),在主题多取材于剧烈运动的物体和构图有力方面接近未来派。他的《城市的兴起》(1910～1911)是一幅未来派的典范作品。1912年制定《未来派雕刻宣言》,提倡在雕刻中使用玻璃、木材、水泥、布和电灯等材料,主张使用电动机使雕刻的某些部分能够活动,并主张为雕刻品创造环境,使艺术品和环境统一起来。最有名的雕刻为《空间连续的唯一形体》(1913)。

波丘尼自画像,1908年
美国不列颠百科全书公司供图

Bochart de Saron, Jean-Baptiste-Gaspard　博沙尔(1730-01-16,巴黎～1794-04-20,巴黎)　法国律师和以精通天文学而闻名的自然科学家。博沙尔在大路易学院学习之后,历任巴黎大理院的法律顾问(1748)、诉愿庭庭长(1750)、总辩护律师(1753)、审判长(1755),以及巴黎大理院院长(1789,法国大革命爆发之前几个月)。博沙尔是一位富有的科学事业赞助人。他出资出版了L.拉普拉斯的专著"行星运动和椭圆轨道的理论",研制了一批欧洲最大又是结构最佳的反射望远镜和其他天文仪器,供自己和他的科学朋友使用。博沙尔本人的天文研究项目中有运用他多年合作者C.梅西耶提供的观测数据进行彗星轨道计算。1779年,博沙尔被接受为法国科学院的名誉院士。博沙尔抗议解散大理院,并在恐怖时期被送上断头台。

Bocher, Joan　波彻(?～1550-05-02,英格兰伦敦史密斯菲尔德)　Bocher又拼Boucher或Butcher,别名琼(肯特的)或琼·奈尔。英格兰基督教再洗礼派女信徒,她于信奉新教的国王爱德华六世在位期间以异端罪受火刑而死。波彻于1540年前后亨利八世在位期间在宫女中间分发廷德尔所译而为当局所禁的英文《新约》,开始受人注意。其后,由于她的信仰与天主教和新教正统教义抵触,于1543年被指控为信奉异端邪说,但由于高层权威人士(可能是亨利八世本人)的干预,这项指控被撤销。1548年在新君主体制之下,以坎特伯雷大主教克兰麦为首的一批教会人物审讯波彻,判处她开除教籍,并移交行政当局惩处。克兰麦等人在一年多时间里劝告她声明放弃原有信仰,未能成功,于是大法官判处她死刑,她遂在史密斯菲尔德受火刑而死。

Bôcher, Maxime　博彻尔(1867-08-28,美国马萨诸塞波士顿～1918-09-12,马萨诸塞剑桥)　美国数学家和教育家,其教学和著作影响了许多数学研究者。1888年毕业于哈佛大学,1891年获格丁根大学博士学位,在获博士学位后的几个月内,应聘参加哈佛大学数学讲师行列,此后即一直留在哈佛。1894年成为助理教授,10年后,升任教授。他将微分方程、级数和高等代数的研究与教学结合起来而获得相当高的声誉。博彻尔发表了将近100篇论文及评论,其中发表于1907年的关于代数的著作中,提出了一些新的见解。他在哈佛大学举办的专题讨论会往往座无虚席,并成为培训许多数学研究与教学领导人物的基本场所。

Bochner, Salomon　博赫纳(1899-08-20,奥匈帝国克拉科夫[今在波兰]～1982-05-02,美国得克萨斯休斯敦)　加利西亚出生的美国数学家和教育家,发展了正定函数的博赫纳定理和博赫纳积分。毕业于柏林大学,1921年获该校博士学位。在慕尼黑大学任教数年,1933年应邀去普林斯顿大学任助理教授,1938年入美国籍,1946年晋升为教授并任教于普林斯顿,直到1968年。同年离开普林斯顿,任赖斯大学数学教授。著有:《多复变数》(1948)、《傅里叶变换》(1949)、《调和分析与概率论》(1956)、《傅里叶积分》(包含正定函数的定理,1959)和《数学的作用与科学的兴起》(1966)。

Bocholt　博霍尔特　德国西北部北莱茵-威斯特伐利亚州城市,位于荷兰边境的阿河上,在韦塞尔正北。1222年建立。保存有哥特式圣乔治教堂、尼德兰复兴时期市政厅等古建筑。为纺织业中心,也有炼铁厂和机床厂。20世纪70年代与其他城镇合并,范围扩大1/3以上。人口67 565(1989)。

Bochum　波鸿　德国西北部北莱茵-威斯特伐利亚州城市。在鲁尔工业区中心。该市于1298年和1321年两次获得特许状。19世纪中叶发展起钢铁和煤炭工业。现为鲁尔区商业和文化中心。波鸿市现存唯一古迹是教区教堂(1599),但在郊区有13世纪的布兰肯施泰因城堡和在波鸿-斯蒂佩尔的11世纪教堂。建有鲁尔大学(1965)、卫星和空间研究机构、天文馆(1964)和行政、工业、外贸学院。

1975年将邻近城市瓦滕沙伊德并入。20世纪50年代末以前经济以采矿业为支柱。1973年最后一处矿井关闭。新兴工业有汽车制造、冶金及相关工业为重点,其他有化工、纺织、啤酒、烟草和电器等制造业。人口约387 283(2003)。

Bock, Fedor von 博克(1880-12-03,德国柏林附近的屈斯特林～1945-05,荷尔斯泰因伦萨恩) 德国陆军元帅。波茨坦军官学校毕业。1897年进入陆军近卫团。第一次世界大战爆发时为少校。1920年任第3军团司令。1938年希特勒任命他为第1军团司令。1940年指挥下索姆军团入侵比利时和法国。1940年7月19日希特勒授予他帝国陆军元帅衔。1941年他指挥俄国战场中线的德军,先后在比亚韦斯托克、明斯克、斯摩棱斯克和维亚济马击败苏军。1941年秋对莫斯科发动6次大规模进攻,但未能获胜。后调至南方战线。在1942年德军的夏季攻势中,他率部猛攻斯大林格勒。后因反对同时进攻斯大林格勒和高加索而被解职。死于空袭中。

Bock, Hieronymus (Tragus) 博克(1498,德国海德斯巴赫～1554-02-21,霍恩巴赫) 德国牧师、医生、植物学家。他把中世纪植物学的烦琐表述变为以对自然观察和描述为基础

《新草药志》插图——樱桃树
美国不列颠百科全书公司供图

的现代科学。生平很少为人所知。1523～1533年在茨韦布吕肯工作,后在霍恩巴赫接受了基督教教规,成为路德的信徒,1550年被迫离开霍恩巴赫后短期担任拿骚公爵的私人医生,于1551年又回霍恩巴赫。他的主要著作《新草药志》(1539)描述详尽,并打破常规,根据相似结构,对约700种植物进行了分类。1546年再版中,他又增加详细插图。

Böcklin, Arnold 勃克林(1827-10-16,瑞士巴塞尔～1901-01-16,意大利菲耶索莱) 画家。其情调忧郁的风景画和不祥的寓意画对19世纪末德国艺术家有很大影响,开20世纪形而上学画派和超现实主义画派之先河。曾在北欧许多地方学画和从事创作,常到意大利旅游,并在那里度过了晚年。最早的成名之作是《树丛中的潘神》(约1857)。1858～1861年曾在魏玛美术学校任教,在为巴塞尔国立美术陈列馆作了神话题材的装饰壁画后

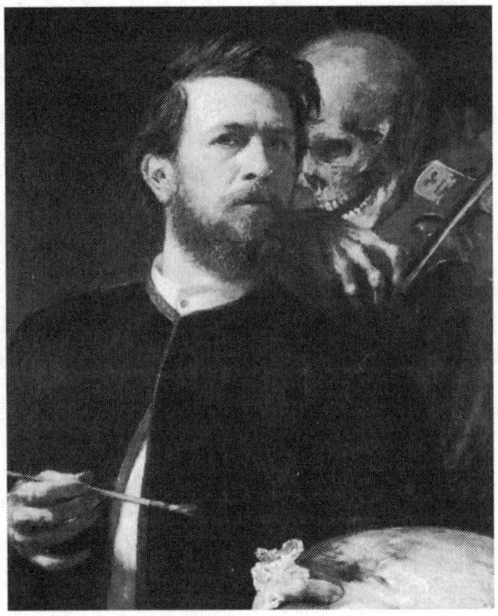

勃克林自画像,1872年
美国不列颠百科全书公司供图

移居意大利。最后20年作品愈来愈带主观色彩,常常描写神话中的动物,或神秘寓意的题目,如《死亡岛》(1880)。这件作品曾给俄罗斯作曲家S.拉赫玛尼诺夫的交响乐《死亡岛》以创作灵感。还有《奥德修斯与卡吕普索》(1883)和《怪物沛斯特》(1898)都启示了即将称为20世纪艺术的弗洛伊德形象的病态象征主义。

Bocskay, István 博奇考伊(1557,特兰西瓦尼亚科洛斯堡[今罗马尼亚克卢日-纳波卡]～1606-12-29,斯洛伐克卡萨[今科希策]) 特兰西瓦尼亚公爵。当奥斯曼帝国和哈布斯

美国不列颠百科全书公司供图

堡在匈牙利划分势力范围时,他保护了匈牙利人的利益。在巴托里宫廷中长大,并受到特兰西瓦尼亚公爵西吉斯孟德·巴托里的信任。他主张同神圣罗马帝国皇帝结盟。但在1599年,巴托里的继承者夺取了他的领地。于是,他去寻求土耳其人的支援,并协助土耳其人把哈布斯堡的军队赶出特兰西瓦尼亚。1605年匈牙利国会选举他为特兰西瓦尼亚公爵,奥斯曼苏丹艾哈迈德一世赠予一顶波斯珠冠。1606年与神圣罗马帝国皇帝鲁道夫缔结《维也纳和约》,恢复和保证了匈牙利人在特兰西瓦尼亚和匈牙利王国内的宪法、宗教权利和优惠。不久又与土耳其签署条约,确认《维也纳和约》的规定。1606年被大臣M.卡陶伊毒死。

Bocuse, Paul 博居斯(1926-02-11,法国科隆日～) 法国名厨、餐馆老板。因首创并推行清淡式烹调而闻名。祖辈都经营餐馆,自己曾随几位杰出的厨师学艺,1959年接管他家在科隆日濒于倒闭的旅店餐馆。他采用创新的烹调法,着重于以清淡法烹调蔬菜,少用调料及由低脂肪材料制成的酱汁,菜肴形式素简。他抛弃传统的大菜烹调技法,在年轻一代厨师中出现了许多追随者。新烹调法迅速出现了许多流派,在法国和美国尤其盛行。著有《商业烹饪》(1976,英译本《博居斯的法国菜》)和《厨师一日》(1980)。

BOD 参阅 **biochemical oxygen demand 生物化学耗氧量**。

Bodawpaya 孟云(1740或1741～1819,缅甸阿马拉布拉) 缅甸雍笈牙王朝第6代国王。雍笈牙(1752～1760在位)之子,1782年即位。1784年进攻下缅甸以西的沿海王国若开。1785年进攻暹逻,战败。因在若开实行暴政,当地人民忍无可忍,于1794年举行起义。他虔信佛教,自称阿利蜜帝耶(即大乘弥勒),是普渡众生的佛,注定要征服世界。曾修建许多佛塔,他计划中最大的敏贡宝塔如建成可高达150米。

Bode, Wilhelm von 博德(1845-12-10,普鲁士萨克森卡尔弗德[德国]～1929-03-01,德国柏林) 艺术评论家、使柏林博物馆具有世界规模的馆长。1872年在柏林博物馆工作,1906年任普鲁士皇家博物馆总馆长,直到1920年退休。写过有关装饰艺术的著作和文章。他研究并撰写了关于17世纪荷兰画家伦勃朗的书。对美国收藏家J.P.摩根、H.C.弗里克有重大影响。

Bodel, Jehan 博代尔(约1167,法国阿图瓦阿拉斯～1210,阿拉斯) 行吟诗人、叙事诗诗人、韵文故事作家、剧作家。他的《圣尼古拉之剧》是法国的第一部奇迹剧。他原拟参加第4次十字军远征,但因患麻疯病,被收容并死于麻疯病院。《圣尼古拉之剧》采用伊拉里于斯(创作时期1125)用拉丁文描述过的题材,以描写十字军远征,赋予这一题材以新的形式和含义。在博代尔的剧中,圣人的偶像变成奇迹的化身,基督大军的孤独幸存者正向着他祷告。偶像放在萨拉森王的宝库顶部时,一帮盗贼前来窃取,他们停止掷骰子、喝酒与争吵,把偶像运走(酒馆的一幕,通过对阿拉斯风土人情的表现,给人以强烈的地方色彩)。然而,圣人显现了,迫使他们送还偶像,国王及其臣民因此信奉基督。在描写十字军的狂热、虔诚及富于机智的讽刺语言方面,《圣尼古拉之剧》是一部杰出的作品;又因介绍了以当时的生活为基础的喜剧场面,并很可能是第一部被译成法语的拉丁剧,所以显得更为重要。《撒克逊之歌》是一部较成功的晚期诗作,把查理大帝对撒克逊的战争历史事实加进了传奇的惊险故事。他还写过5

部描写牧羊人的文学作品,9部韵文故事。

Bodenheim, Maxwell 博登海姆(1893-05-26,美国密西西比赫曼维尔～1954-02-06,纽约州纽约) 原名博登海默(Maxwell Bodenheimer)。美国诗人。对美国诗歌的现代派运动有过贡献,然而最使人难忘的是他作为一个文艺界豪放不羁人士的长期经历。自学成才,1913年芝加哥文艺复兴时期崭露头角。他和赫克特一起创作剧本,并帮助他编辑短命的《芝加哥文学时报》(1923～1924)。后来他们不和,互相把对方写成自己小说中的人物。《明纳和我自己》(1918)是他的第一本诗集。《1914～1944年诗选》出版于1946年。他使用了许多意象主义者的描写技巧。20世纪20年代后半期定居于纽约州格林尼治村。经常发表小说和诗歌。第二次世界大战后,他生活日益放荡,作品锐减,被迫在酒吧间兜售他的诗歌。有一天他和他的第3个妻子在住所被一个患过精神病的人杀害。赫克特出资把他安葬,并在自己的剧本《温克尔伯格》(1958)中热情地描绘了博登海姆的形象。博登海姆未完成的自传《我在格林尼治村的生活和爱情》(1954)在他死后不久出版。其他较好的小说有《流氓》(1923)、《狂人》(1924)、《乔吉·梅》(1927)、《60秒》(1929)和《裸体滑冰者》(1930)。

Bodensee(Europe) **博登湖** 参阅 **Constance, Lake** 康斯坦茨湖。

Bodenstedt, Friedrich Martin von 博登施泰特(1819-04-22,德国汉诺威派讷～1892-04-18,威斯巴登) 德国著名作家、翻译家和评论家。他的诗在生前已享有盛名。年轻时

美国不列颠百科全书公司供图

研究过波斯文学。以东方风格写成诗集《米尔扎·沙菲的歌谣》(1851),很快获得成功。1854年,任慕尼黑大学斯拉夫语教授。在此期间,翻译了许多俄国作家如普希金、屠格涅夫和莱蒙托夫等的作品。1858年,改任早期英国文学教授,从此专门研究莎士比亚。他同别人合作翻译莎士比亚的作品(1866～1872),以后又独力翻译14行诗。1866年,任迈宁根宫廷剧院经理。其他作品有《东方的一千零一夜》(1850)、《莎士比亚的同时代人及其作品》(1858～1860)等。

Bodenstein von Karlstadt, Andreas Rudolf 博登施泰因·冯·卡尔施塔特 参阅 **Karlstadt, Andreas Rudolf Bodenstein von** 卡尔施塔特。

Bode's law 波得定则 又称提丢斯-波得定则。表示行星到太阳近似距离的经验规则。该定则是德国天文学家J.D.提丢斯于1766年最早公布的,但直到1772年,经他的同胞J.E.波得的推广才为公众所熟知。这一定则可表述如下:写出数列0,3,6,12,24,……,在每个数上加上4,并把所得的结果除以10,若用天文单位(即日地距离)表示,则前面的7个答案(0.4,0.7,1.0,1.6,2.8,5.2,10.0)有6个非常接近提丢斯时代所知的6颗行星(水星、金星、地球、火星、木星和土星)到太阳的距离。在距太阳约2.8个天文单位处(也就是火星和木星之间),后来又发现了小行星,这一规则对位于距太阳约19个天文单位的第7颗大行星——天王星——也成立。波得定则对第8颗行星海王星失效,但第9颗大行星——冥王星——到太阳的距离(39天文单位),则大约等于用波得定则从第8颗行星算出的距离。

Bodh Gayā 菩提伽耶 又拼 Buddh Gayā。印度东北部的比哈尔邦中部村庄,位于恒河支流珀尔古河西岸,佛教最重要的圣地之一。在该地神圣的菩提树下,乔答摩(悉达多王

菩提伽耶的摩诃菩提神庙
美国不列颠百科全书公司供图

子)获彻悟而成为佛陀。为标明这一历史遗迹,阿育王(公元前3世纪)在此建立了一简易神庙,后又以石柱将神庙围起(公元前1世纪),其中部分石柱留存至今。这些石柱象征着吠陀神因陀罗和苏利耶,饰有图案的石柱上还刻有想象的野兽图案。到了贵霜时期(公元2世纪),该神庙被今存的摩诃菩提神庙所代替。摩诃菩提神庙在帕拉-塞纳时期(公元750～1200年)被修饰一新,在19世纪后半叶又经亚历山大·甘宁汉爵士大大修缮了一番,最后一次,于1882年由缅甸佛教徒们进行了修缮。神庙中央的塔高54米,博物馆内收藏着各种各样的佛教及其圣徒的遗物。菩提伽耶还设有马加德大学(建于1962年)。人口约21 686(1991)。

bodhi 菩提 佛教名词,指结束生死轮回和导致涅槃的究竟觉悟。它相当于日本禅宗所讲的"证"。悉达多·乔答摩因为具有这种觉悟而成为佛陀,修成菩提是佛教徒的最终理想。参阅 **Eightfold path**。

bodhi tree(Buddhism) 参阅 **Bo tree** 菩提树。

Bodhidharma 菩提达摩(活动时期公元6世纪) 日语拉丁字母转写作 Daruma。简称达摩,印度僧人。他于520年到中国广州。后受到梁武帝萧衍的接见。萧衍以善行著称,但达摩却说,行善不能积聚功德,因而也不能获得解脱,引起萧衍不悦。其后前往洛阳,据说在少林寺内面壁9年。又据说他是印度的乔答摩佛陀以下第28代祖师,中国禅宗以他为始祖。传说有一回他在参禅时昏昏欲睡,一怒之下割下自己的眼睑。眼睑落地后长出第一棵茶树。因此,禅宗僧人坐禅饮茶以解困倦。

bodhisattva 菩萨 全称为菩提萨埵。佛教用语,指成佛以前的乔答摩和在今生或来世将要成佛的人。大乘佛教推崇菩萨,因为菩萨为减轻他人痛苦而决定延缓进入究竟涅槃。菩萨慈悲,把自己的功德转让虔信他的人。人一经发愿要修成菩萨就进入十地中的初地,以后只转生于人间或天界。有志为菩萨者必须是男性,但根据日本佛教各派的说法,这种人不一定出家为僧。菩萨这一名称常常加之于大学者和导师。在东南亚菩萨则是对佛教君王的称号。天界菩萨是永恒佛陀的化身。最高的天界菩萨是观世音。中国内地普遍崇敬的菩萨是文殊师利、地藏、普贤和观世音。在西藏,观世音、文殊师利和金刚手共为最受崇敬的三菩萨。上座部和大乘佛教共同崇敬的菩萨只有弥勒。

Bodin, Jean 博丹(1530,法国昂热～1596-06,拉昂) 法国政治哲学家。他关于稳定的政府诸原则的阐述对欧洲产生广泛的影响,当时中世纪体制正让位于中央集权制国家。博丹1551年入图鲁兹大学习法律,后留校任教,1561年赴巴黎任国王律师,1571年任阿朗松公爵弗朗索瓦的顾问,1576年任布卢瓦三级会议的第三等级代表。后因反对恢复对胡格诺派的宗教战争,反对亨利三世转让或出售王室领地以损害君主制的计划而失宠于王室,1583年去拉昂任法院检察官直至患鼠

美国不列颠百科全书公司供图

疫去世。其主要著作《共和六书》(1576)使他名声鹊起,对17世纪的西欧产生影响。内战的苦难及随之而来的无政府状态使他关注如何保障国家的秩序和权威问题。他认为秘诀在于承认国家至高无上的权力。按他的说

法，至高无上的权力是国家特有的标志。这种权力是唯一的、绝对的，在时间或管辖权上没有限制，它依靠自己的力量而存在，它的有效性无需臣民的认可。他设定政府受命于神权，因为政府因天意而设立以便造福于人。政府基本是管辖权，通过制定法律而行使。在一个秩序良好的国家，这种权力实施的是教规和自然法；换言之“十诫”是强制执行的，而某些基本权利，特别是自由和财政权是扩展及臣民的。即使这些权利受到侵犯，君主仍然统治，不应受到臣民的拒绝，臣民的全部义务是遵从他们的统治者。博丹按统治权执掌于一人之手、少数人之手或多数人之手而把政治制度划为3类：君主制、贵族制和民主制。博丹本人则推崇一种由议会或三级会议传达人民需要的君主制。

Bodleian Library　博德利图书馆　牛津大学图书馆。是英国历史最悠久、最重要的、藏书只供参考概不外借的图书馆之一。由于它是一个法定贮书馆，有权免费接受所有英国出版的书籍，所以收藏丰富，特别是东方手稿、英国文学、地方历史和早期印刷品。托马斯·戴·科巴姆（1327卒）在牛津大学建馆，但在1410年以前尚不完全属于牛津大学。后来格洛斯特公爵汉弗莱于1411～1447年间，除向此馆捐赠图书外，还捐款增建一图书室。但后来图书馆一度衰落，1550年爱德华六世诏令收回藏书，继而拆架。事隔50年之后，托马斯·博德利爵士重建该馆，并于1602年开放。他增建新藏书室，增加新藏书。19世纪建成新馆与旧馆以地道相连，1946年新馆亦开放。该馆现藏420万多册印本书和5万件手稿本。博德利图书馆现拥有旧馆、拉德克利夫摄影馆、新馆以及4座附属图书馆。

Bodmer, Johann Georg　博德默尔（1786-12-06，苏黎世～1864-05-30，苏黎世）　瑞士机械师和发明家，在机床和纺织机械方面有大量发明。其生平不详，但知他曾在瑞士、英国、法国和奥地利居住过。由于他的许多见解超越了时代，他在制造上的大胆尝试往往不是一帆风顺的。1803年在黑林山的圣布莱斯开办小型武器制造厂，用成套的专用设备制造可互换的零件。他后来3次访问英国，1816年第一次访问中参观了炼铁厂、加工车间和纺织厂。1824年他在英国兰开夏博尔顿开办小型工厂，制造从梳毛到纺毛的流水作业机器。这种机器在英国而后在美国得到广泛使用，据称彻底改革了毛纺工业，但发明者似乎并未获利，因为那次大胆尝试也归失败。此后他曾一度返回欧洲大陆。1833年他又在曼彻斯特开办机械厂，装备由他自己设计与制造的机床。1839～1841年，他获得专利的专用机床就达40种以上，他把这些机床按工艺要求精心组装，生产钢铁零件。其中最重要的是齿轮机，它能按照预定的齿距、形状和深度在金属坯件上进行切削。他还取得了几项蒸汽机的专利。装有对置活塞的汽缸也是他发明的。

Bodmer, Johann Jakob　博德默尔（1698-07-19，瑞士格赖芬湖～1783-01-02，苏黎世附近）瑞士历史学家、教授和批评家，对瑞士早期德语文学的发展做过贡献。1725～1775年在苏黎世大学任瑞士史教授。1737年起任州议会议员。同别人合作出版（1721～1723）《画

美国不列颠百科全书公司供图

家言论》周刊。最重要的作品是论文《论想象力的影响与运用》（1727）、《论诗之奇异》（1740）等。博德默尔还从事莎士比亚、塔索、但丁和塞万提斯的研究，译过荷马的作品；重新发现中世纪德国诗（《爱情歌》、《尼贝龙根之歌》、《帕尔齐法尔》）的重要性；支持过孟德斯鸠和卢梭的事业，从而在欧洲文学中起到了J.G.von赫尔德的先行者的作用。他在本国是一位有影响的国民教育家。

Bodmin　博德明　英格兰康沃尔行政、历史郡北康沃尔区的堂区和城镇。地处博德明沼地（面积207平方千米）边缘。通向兰兹角的公路干线使博德明得以发展。古罗马时代开采锡矿，中世纪发展铸币业。大部分建筑用当地石料筑成。建有圣彼得罗克垂直式教堂。人口12 553（1991）。

Bodo　博多人　居住在印度东北部阿萨姆邦、梅加拉亚邦及孟加拉国操藏缅语的民族群体。博多人是阿萨姆邦最大的少数民族集团，主要住在布拉马普特拉河流域北部。其西部部落有库蒂亚人、草原卡查里人、拉巴人、加罗人、梅奇人、科奇人、迪马尔人和海琼人，东部部落有迪马萨人（或山地卡查里人）、加龙人、霍贾伊人、拉隆人、蒂佩拉人和莫兰人。大约在1825年前，博多人在阿萨姆邦曾占主导地位。20世纪末在印度操博多语的人数估计约有220万人。各部落在文化上并不一致。有些部落如加罗人的社会制度是母系的，而其他部落的则是父系的。有些部落受印度社会和宗教观念影响很大，因而近代博多人自认是印度的种姓。科奇人（Koch）便以高等印度身份刹帝利自居。卡查里部落分为若干氏族，以自然界的各种形态命名（如天、地、河流、动物、植物）。世系和财产继承沿父系。部落宗教信仰村神、家神等多神。婚嫁多由父母安排。

Bodø　博德　挪威中北部诺尔兰郡首府和港口城镇。位于萨尔特峡湾北面入口处一个伸入挪威海的半岛上。建于1816年，是一个专门晾鳕鱼干的渔业中心，另有修船厂和酿酒业。该镇许多地方在第二次世界大战中被德军破坏，战后重建，扩建。拥有一大型机场和北挪威铁路支线。著名建筑有13世纪的博丁教堂和1956年建成的博德大教堂。每年约有一个月有极昼现象（6月初～7月初）。人口：城市区约40 388（1998）。

Bodø Affair　博德港事件（1818～1821）　瑞典-挪威（二元君主制）与英国之间的外交丑闻。事件的起因是：由于设在挪威博德港的一家英国商行有进行非法贸易活动的嫌疑，1818年挪威官员在博德港截获英国商行一大船货物，并拘留了一名货主。主管挪威外交事务的斯德哥尔摩外交部接受了英国对这一事件的无理要求。1821年又不顾挪威人的反对，向英国商行赔偿损失。事件虽小，却引起挪威人争取分立的爱国斗争，直至1905年二元君主制解体为止。

Bodoni, Giambattista　博多尼（1740-02-16，皮埃蒙特萨卢佐［意大利］～1813-11-29，法兰西帝国塔罗省帕尔马）　印刷家。曾设计几种现代活字字体，其中以其姓命名的铅字至

美国不列颠百科全书公司供图

今仍在通用。印刷家之子，早年离家学艺。1768年在帕尔马公爵经营的皇家印刷厂工作，印刷意大利文、希腊文和拉丁文书籍和其他印刷品，供宫廷使用。最初，他印刷书籍使用旧式铅字，有很多繁琐的花饰，后来逐渐赞同法国印刷家P.迪多的印刷理论，到1787年他的印刷版面已几乎没有花饰，而且使用自行设计的现代铅字，博多尼铅字在1790年问世。这一时期他印刷的许多图书中，最著名的是他的《活字大全》（1788），这是一部对开本的集子，收集了291种罗马体和斜体字样，并附有俄文字母、希腊字母和其他字母的字样。1818年，这本书由他的遗孀发行了第2版。到1790年，他已远近闻名，一些显要的旅行家都来他的印刷厂参观，收藏家乐于搜购他的刊本。他的图书装帧美观、印刷精致，但不是以校勘准确著称。他印制了许多重要著作，最著名的有贺拉斯诗集（1791）、维吉尔诗集（1793）和荷马的《伊利亚特》（1808）。晚年获得国际声誉，受到教皇的祝贺，并由拿破仑一世批准授予年金。

Bodrum　博德鲁姆　土耳其西南部城镇。位于希腊科斯岛对面，临爱琴海凯尔梅湾的北端。由1402年占领这一地区的医院骑士团在哈利卡纳苏斯（Halicarnassus）废墟上所建立。宏丽的圣彼得堡是该镇的主要标志。1919～1921年，博德鲁姆为意大利短期占领。今日的博德鲁姆背靠苍翠的丘陵，周围风景如画，为发展中的旅游胜地。人口约21 273（1990）。

body, human 参阅 **human body** 人体。

body armour 又拼 body armor。参阅 **armour** 盔甲。

body building 健美运动 为促进人体肌肉发达而设计的一种锻炼方法。作为一项竞赛活动,健美运动的目的是为了展示十分结实的肌肉和异常健壮的体形以达到总体的美的效果。锻炼的工具有杠铃和哑铃等。关于体育训练、身体素质训练和一般性的赛前训练所使用的类似锻炼方法,参阅 **weight training**。自从古巴比伦时代起人们就从事健美运动,但是现代的竞赛形式主要是从19世纪欧洲男性大力士的戏剧和马戏表演中产生的。体育学家B.麦克法登(1868～1955)于1903年在纽约市举办了美国的第一次体格比赛,优胜者被誉为"发育最完美的美国男性"。此后,许多赞助者举办了健美赛。其中最重要的每年一次的活动是由国际健美联合会组织的宇宙先生比赛(始于1947年),以及后来举办的更负盛名的奥林匹克先生比赛。20世纪20～60年代期间,1922年获麦克法登优胜头衔的C.阿特拉斯通过在全世界范围内推行通讯讲学活动大力推动了健美运动的开展。在这项体育(也可称为艺术)史上首屈一指的人物是奥地利出生的美国健美运动员A.施瓦岑格尔,他曾7次(1970～1975,1980)夺得奥林匹克先生桂冠。女子比赛始自20世纪70年代。

body heat 体热 高等动物新陈代谢过程的副产品。体热在鸟类和哺乳类中最为明显,它们能在外界温度波动的情况下控制住本身的体温。鸟兽能蓬松其羽绒或竖起毛发并减少流向体表和四肢的血液来保存体热。他们通过颤抖和运动增加体热。排除过量体热则主要靠增加流向体表和四肢的血液、排汗或喘息以及尽量扩大暴露于外界的体表面积。人类可调节体热使正常体温维持在37℃。人的脑干,特别是下丘脑的恒温区是体温调节中枢。体温调节中枢功能受到干扰(如在感染时),热量积累过多,体温可能超出正常范围。参阅 **fever**。

body modifications and mutilations 改形及毁损 因宗教、美容或社会等原因,对身体有意识进行永久或暂时改形。改形与毁损的方法有切割、刺穿、移除、烧炙、磨损、黏附、插入异物、压迫、膨大、转移、增大与染色等。有意识地改变形体的动机有多种,通常是出于巫术和医术动机,美容动机亦同样普遍。美容改形因文化不同而式样迥异。这表明美的观念的相对性。出于礼仪的需要而改变形体的,其动机与宗教(如献身、禁欲苦修)、巫术护身、哀悼、表明等级地位或群体归属、炫耀勇敢以及惩罚等有关。就礼仪性毁损而言,通常用以表明个人的社会地位有所变动,此种仪式应当众施行,以表示获得他人承认。此外,毁损可为入会、结婚、哀悼等仪式的一部分,或是惩治重罪及一般犯罪的手段。

头部 头部施行改形以及毁损的部位包括有头颅、唇、齿、舌、鼻、眼或耳等。在人体的改形及毁损中,施于头颅者证据最充分,主要因为考古发掘出的残遗骸骨清楚地显示了这种情形的存在。平板变形头是用平板或平滑表面物长期压迫婴儿头部(参阅 **head flattening**)。环状变形头则是长期用带子压缩而使孩子头颅改形的。每类变形因为其头部最后形状不同而可进一步加以区别,但往往与正常颅形大不一样。头颅变形散见于各大陆,亦见于大洋洲,只有澳大利亚例外。撒哈拉沙漠以南的非洲很少见,印度南部则显然无此风气。下唇或上唇(较少见)以装饰栓穿过,流行于非洲和南美低地印第安人间,以前北美西北部海岸印第安人、爱斯基摩人间也很普遍;其中最引人注意的是非洲中部萨拉族(在P.T.巴纳姆的广告宣传讹用此名后,一般称为乌邦吉人)的妇女。她们把唇部划成豁口再用碟状装饰栓穿入其中以拉紧。面颊凿洞嵌入饰物的作法则极为少见。改变牙齿形状的方法有拔除1或2颗门牙(见于古代秘鲁,多数澳大利亚土著部落,非洲、美拉尼西亚及其他地区诸部落);切成各种尖状(非洲)或锉成尖状(古墨西哥及中美洲);磨平齿面有时锉出各种浮雕式图案(印度尼西亚);镶嵌宝石或金属(东南亚,印度,古墨西哥、厄瓜多尔);于齿间插入木栓(印度);染黑牙齿(印度南部,缅甸山地诸民族,一些马来部落)等。古阿兹特克及马雅族印第安人以有刺细绳穿过舌头以表献祭,部分澳洲部落以切开舌背歃血为入会的仪式。穿刺鼻中隔以及1或2侧的鼻翼以穿戴装饰物,可见于南美印第安人、美拉尼西亚人及印度和非洲居民中;其他地区则偶有所见(例如,波利尼西亚人和北美印第安人)。古马雅印第安人认为对视眼很美,故于婴儿两眼间悬物以诱导之。至于在耳垂穿洞以戴饰物则很普遍。有时穿孔是逐渐拉长以承受较大饰物或形成一个较为扩张的垂饰容纳空间。比较少见的是把饰物插入沿外耳边缘的孔洞中(见于北美印第安人东部诸部落以及某些非洲和南美热带部落)。

生殖器 割礼(**circumcision**)是生殖器改形最为人们所悉和最普遍的一种。阴茎下切开术沿阴茎下部将尿道切开以改变尿道和阴囊间的距离。在澳洲土著举行成年仪式时须接受此术。斐济人、汤加人以及亚马孙河流域的印第安人则视此为一种治疗法。单侧阉割在阿尔及利亚中部以及在埃及的贝贾人中、埃塞俄比亚的锡达莫人中、南非的桑人及科伊科伊人中、澳大利亚某些土著部落中、密克罗尼西亚的波纳佩岛居民中,都已成习俗。双侧阉割除了普遍施行于伊斯兰教中服侍主人妻妾的阉仆身上外,好几世纪以来,也常见于天主教中担任圣歌演唱男高音或男低音的**阉人歌手**(**castrato**)身上,直到教皇利奥十三世于19世纪末下令禁止。另外,非洲中部的阿赞德人、巴比伦人、古埃及人、古代中国人以及其他地区的人们,则都把双侧阉割的毁损法作为男女私通的惩罚。在苏拉威西岛上的托拉查人和萨当人中,以及婆罗洲的某些达雅克人中,许多成年男子都带有阴茎针,针长约4公分,穿过龟头,长期固定于阴茎两端,以便性交时增加对方快感。苏拉威西岛上的阿尔富尔人则是把小圆石埋入龟头皮下以达同一效果。至于女性生殖器的改形则包括:施行部分或全部的阴蒂切除——所谓女子割礼——有时也把阴唇、阴阜或两者一同切除,见于非洲大部地区,古埃及、印度、马来西亚、澳大利亚以及俄罗斯一个基督教阉割派教徒中间;切开,即将外阴部切开而不去掉任何部分,见于墨西哥的托托纳克人及热带南美印第安人中;扣锁,即通过手术使小阴唇粘连,只留一小孔,以防止性交,小孔可用切开术再度恢复性生活条件,见于东非及某些阿拉伯人中;扩张,即将阴道口扩大,常同切开术同时进行,见于澳大利亚某些土著部落中;阴唇拉长,据传非洲南部及加罗林群岛有此风习;撕裂处女膜,见于澳大利亚土著居民及其他群体。

四肢 以带束缚手足可以造成未束缚部的膨大,此习俗见于东非、热带南美各地以及尼日利亚、东南亚、美拉尼西亚之部分地区。从唐代(618～907)到20世纪,曾有许多中国妇女自幼缠足使成为"金莲",以达到美足的标准。阿拉斯加的库钦印第安人也有类似的做法。切除一指节或整支手指作为一种奉献,或表示悲哀,可见于北美印第安人、澳洲土著、布须曼人及霍屯都人以及尼科巴群岛、汤加群岛、斐济群岛、新几内亚、南美等地居民。欧洲旧石器时期洞穴绘画中曾显示出失掉全部或部分手指的轮廓,可以说明当时已有类似风习。截去脚趾之习不常见,但斐济人以此作为致哀手段。

皮肤 皮肤的毁损与改形最常见的有文身、瘢疤或划痕(参阅 **tattoo**)。前者是指著色于皮肤下,后者则指以切割或烧炙的装饰性图案来使疤痕隆起。划痕大多见于深肤色人种如非洲、澳洲和塔斯马尼亚土著、美拉尼西亚及新几内亚等地居民,多半为了美容或象征地位或血统而做。另一种形式的皮肤改形是将物体植入皮下,如南非矿工走私钻石;云南旅客把珠宝首饰藏于胸部或颈部的皮下;缅甸人则把护身符也植入皮下。

上半身 躯干毁损及改形多集中在颈部、胸部及乳房。缅甸巴洞族的妇女以长颈著称,她们利用螺旋状黄铜颈环将四五根胸椎拉上颈部,可使颈部伸长达38厘米。乳房的形状有时习惯上为了美观而加以压迫(如见于高加索及16～17世纪的西班牙)或加以扩大(如巴拉圭的帕亚瓜人)。毁损有切除右乳(为传说中的亚马孙族女武士们)、切除两个乳头(如俄罗斯阉割派基督教徒)以及去双乳刑罚(见于汉穆拉比法典)。某些非洲民族(如埃菲克人、干达人、尼奥罗人等)的女孩子在青春期时均须隔离几个月并喂以特殊食物使其发胖。这种为美容而增肥的现象亦可见于近东伊斯兰教国家中的妻妾眷属。相反地,在欧洲却有许多女子为美感而穿上紧身褡,这足以造成胸腔及其内部器官永久性而且往往是损伤性的畸形。

Boé 博埃 原作Madina do Boé(博埃城)。西非几内亚比绍东南部城镇。临科鲁巴尔河。为1973年几内亚和佛得角非洲独立党发表独立宣言的地方。1974年几内亚比绍独立时,比绍城市长曾宣布博埃将替代比绍成为几内亚比绍的首都作为抗葡斗争的象征,但由于经济原因未能实现。政府计划20世纪80年代初期开发附近的博埃丘陵铝土矿，利用科鲁巴尔河上建造的水力发电站发展铝工业。博埃丘陵蕴藏有铁矿。人口9 010（1979）。

Boë, Franz de le 博埃 参阅**Sylvius, Franciscus** 西尔维乌斯。

Boé, Jacques 博埃 参阅 **Jasmin, Jacques** 雅斯曼。

Boece, Hector 博伊斯（约1465，苏格兰安格斯邓迪～约1536） 拉丁文作Boethius。苏格兰人文主义历史学家。巴黎大学毕业后，留校任哲学教授，并成为D.伊拉斯谟的朋友。阿伯丁大学建立后，他出任校长。所著《苏格兰史》（1526）文字生动活泼，富有传奇色彩并被译成法语。莎士比亚名剧《麦克白》即取材于此。

Boegoebergdam 布胡山水库水坝 混凝土灌溉水坝，位于南非开普省奥兰治河中游。该坝建于1931年，其蓄水能力可灌溉沿河两岸240千米约17 000公顷的土地。该地区棉花产量约占南非总产量的一半。

boehmite 软水铝石 碱性氧化铝矿物［AlO(OH)］。色白，质地较软，是铝土矿（**bauxite**）中的常见矿物。在铝土矿中，它成浸染状颗粒或豆状团块。在欧洲的铝土矿中，软水铝石特别丰富，有时成为主要成分；西半球的铝土矿一般仅含百分之几的软水铝石。此种矿床产于匈牙利的甘特、巴拉特卡，德国的施唐根罗德、苏格兰的艾尔及法国的勒库、佩雷伊尔和卡达尔塞特。软水铝石与硬水铝石（**diaspore**）成同质异象。其晶体为斜方晶系。有关详细的物理特性，参阅 **oxide mineral**（表）。

Boeing Company 波音公司 美国航空公司（世界上最大的），一流的商业喷气式运输机制造商，也是军用飞机、直升机、航天运载工具和导弹的重要生产商。1996年公司收购了罗克韦尔国际公司的航天和国防部门，1997年与麦道公司合并，使它如虎添翼。旧称波音飞机公司，1961年因业务已超越飞机制造业的范围而改用现名。公司总部设在华盛顿州西雅图，2001年宣布在年内迁往芝加哥的决定。波音公司源于1916年W.E.波音创建的航空产品公司。1917年改名为波音飞机公司。第一次世界大战期间为美国海军建造水上飞机。20世纪20年代和30年代，这家公司成功地出售多种飞机给美国军方。20年代末公司将业务扩展到空运邮件服务领域。1928年W.E.波音组建波音飞机与运输公司，业务包括了飞机制造与航线运作。随后又改名为联合飞机与运输公司，并收购了几家飞机制造商。1934年根据美国新的反托拉斯法，要求飞机制造与航空运输业务分离，于是联合飞机与运输公司分解成3家公司，新合并的波音飞机公司为其中之一。其余两家是联合飞机公司和联合航空公司。第二次世界大战之前和战争期间，波音飞机公司制造了几种著名的商用飞机和带有传奇色彩的轰炸机，包括B-17飞行堡垒和B-29超级空中堡垒，在第二次世界大战中发挥了显著的作用。战后该公司开发出B-52喷气式轰炸机，它是20世纪90年代以前美国战略空中力量的支柱。而且开发出第一架美国喷气式商用飞机，波音707（1958年投入使用）。公司继续成功研发喷气式商用飞机系列，到21世纪初已研发出7种不同系列：窄体737、757，宽体747、767和777，以及717（旧称麦道MD-95）和MD-11客机。20世纪80年代初波音公司同其他公司合伙建造了多种军用飞机，如B-2隐形轰炸机（与诺斯罗普-格鲁曼公司合作）、V-22鹗式倾斜旋翼机（与贝尔直升机德克斯特隆公司合作）、F-22猛禽空中优势隐形战斗机（与洛克希德-马丁公司合作）。1960年波音公司购买了当时世界上最大的直升机独立制造商韦尔托公司。波音直升机公司开发出CH-47奇努克和CH-46海上骑士军用运输直升机。波音公司于1945年开始发展导弹，制造出如从地下发射井发射的义勇兵洲际弹道导弹和空中发射的巡航导弹这类武器。20世纪60年代，波音公司的航天部门建造了月球轨道环行器（一个绕月球飞行的航天器）和为美国阿波罗计划所制造的“土星V号”的第一级火箭。随后波音公司研制出惯性上节火箭，这是一种二级的有效负载运送载体，可以用航天飞机或一次性使用运载火箭送入太空。1993年以来，波音公司是美国国家航空航天局（NASA）的国际太空站（ISS）的主要承包商。

Boémia, Martinho de 参阅 **Behaim, Martin** 贝海姆。

Boeotia 比奥蒂亚 现代希腊语作Voiotía（维奥蒂亚）古代希腊一具有独特军事、艺术和政治历史的地区。范围大致相当于今维奥蒂亚州。比奥蒂亚州面积3 211平方千米，西北部还包括古代福基斯的一部分。比奥蒂亚州东南界阿提卡州，南临科林西亚湾，西接福基斯州，东濒埃维亚湾，北连弗西奥蒂斯州。首府莱瓦贾。州内有两大片富庶平原。平原之间有埃利孔山（1 748米）余脉的低山岭，岭上有古城第比斯（锡韦）。北部平原过去是希腊最大湖泊科帕伊斯湖流域，现为肥沃的平原，出产谷物、棉花和纯种牛。南部平原有阿索波斯河流经。在古代，比奥蒂亚防御同盟在雅典和斯巴达的对抗中有突出作用。虽然气候不佳（山岭阻挡了海风吹入），但今比奥蒂亚肥沃的土地却出产小麦、玉米、烟草、油橄榄和葡萄。开采铝土矿。公路和铁路深入本州泽尔菲以东谷地并经过第比斯，然后公路转向北面到哈尔基斯，铁路则绕过山岭到阿提卡，与来自雅典的新高速公路平行。人口134 108（1991）。

Boeotian League 比奥蒂亚同盟 比奥蒂亚是希腊中东部的一个地区，公元前550年左右这个地区的主权国家在第比斯领导下组成比奥蒂亚同盟。希腊人在温泉关战败后，第比斯和比奥蒂亚的大部分在公元前480和479年波斯人入侵时站在波斯人一边。后来胜利的希腊人解散比奥蒂亚同盟作为惩罚。直到公元前446年，比奥蒂亚人始终处于弱小者的地位。后来，他们起来反对雅典的统治，并和斯巴达联合起来重建同盟。在科林斯战争（公元前395～前387）中同盟反对斯巴达，被打败，再度被解散。在科林斯战争前，同盟已发展成组织严密的联盟，到公元前431年已拥有11个地区。每个地区至少有一个城市。每个地区向联盟政府选派1名将领、几名法官和60名议员。拥有660名议员的联邦议会分成4组，每组负责召集会议一年。只有有产阶级才有投票权。会址所在地第比斯在同盟中居于统治地位，因为它控制着4个地区，而且向联邦军队提供最好的部队。公元前379年，第比斯联合雅典成功地推翻了斯巴达在希腊的霸主地位，于是同盟便在原先成功的民主基础上重建起来。所有的比奥蒂亚人，无论其财产状况如何，都是在第比斯召开的公民大会的成员。他们投票决定涉及政策的一切事务。7人执行组（由7个地区的代表构成，其中第比斯控制着3个）对公民大会直接负责。在联邦制度下，其他各地区与比奥蒂亚联合。它们是：埃维亚、阿卡纳尼亚、福基斯、色萨利、阿卡迪亚和亚该亚。但是这个巨大的军事强国集团很快便因侵略扩张的野心而分裂了。比奥蒂亚同盟摧毁了奥尔霍迈诺斯（公元前364）并且干预亚该亚同盟（公元前366）和阿卡迪亚同盟（公元前362）的事务。当福基斯在神圣战争（公元前355～前346）中利用雇佣军蹂躏维奥蒂亚的时候，衰落的迹象便迅速地出现了。腓力在公元前338年镇压了第比斯和雅典力图维护希腊独立的企图时，比奥蒂亚同盟再度瓦解。在一次反对马其顿的亚历山大大帝的流产叛乱（公元前335）后，第比斯和比奥蒂亚其余的地方便永远处于外部势力的统治之下。

Boer 布尔人 荷兰裔南非人，或法国胡格诺派教徒后裔南非人，尤指德兰士瓦和奥兰治自由邦的早期居民。现在，布尔人的后裔多称为阿非利堪人。1707年开普殖民地的白人约有1 779人，其中大多属于荷兰或德国血统，间有一些法国胡格诺派教徒的后裔。今天大部分的阿非利堪人即为这些人的子孙。在20世纪70年代，阿非利堪人近220万，占白人总数60%左右。1652年荷属东印度公司派出一队官兵，由里贝克领导在好望角设船运站。起初，该公司鼓励移民，但至1710年之后，开普殖民地的人口大部是自然增长的。虽然此时殖民地繁荣了，可是，半数以上的白人却转向游牧布尔人的生活。由于开普敦的农产品市场趋于饱和，又有奴隶为殖民地的农田劳作，这样白人在殖民地西南部就无法维持其人口的增加，而不得不向外迁移，并成为自给自足的牧人。布尔人对非洲本地人及开普政府皆怀敌意，因为，非洲本地人经常与布尔人为争夺草地而发生激烈战争，开普政府则企图限制其迁移和商业活动。布尔人有其以自给自足的父系社会为基础的特殊文化，习于游牧而不务农，几乎没有什么家产之累，而将自己的生活方式比为《旧约》所记载的希伯来人祖先们的生活方式。布尔人信奉加尔文宗教义，自视为荒野中的上帝之子，是基督徒中的上帝选民,注定要统治这片土地和其中落后的土著居民。尤有甚者,到18世纪末,他们也像其他开普殖民地的白人一样,使用由荷兰语发展而来的阿非利堪斯语了。

拿破仑战争之后,开普殖民地于1806年成为英国领地。布尔人最初虽接受英国的统治,但不久即不满英国人的自由政策,尤其是关于边界政策和释放奴隶的措施。1835～1843年间,约12 000名布尔人离开殖民地向空旷的大草原和纳塔尔南部大迁徙。1852年英国政府同意德兰士瓦的居民独立(后为南非共和国),1854年同意瓦尔-奥兰治河流域的居民独立(后为奥兰治自由邦)。这两个国家在宗教和政治上都实行黑人和白人不平等的种族隔离政策。1867年至19世纪末之间,钻石和黄金的发现,成为日后南非战争(1899～1902)的导火线。这场战争的起因是英国宣称对富有的南非共和国具有宗主权,并且不满意布尔人拒绝承认外方人(大多为德兰士瓦黄金、钻石矿区的英国移民)的公民权。由于受到奥兰治自由邦和开普殖民地荷兰人的支持,南非共和国与英国发生战争,历时2年多。布尔人虽然是久经锻炼的游击战士,但最终于1902年向英军投降,结束了布尔人所建各共和国的独立状态。但阿非利堪人仍保留他们固有的语言和文化,并最终也以政治方式取得以前未能以军事手段取得的国家政权。

Boer War　布尔战争　参阅 **South African War** 南非战争。

Boerhaave, Hermann　布尔哈夫(1668-12-31,荷兰福尔豪特～1738-09-23,莱顿)　荷兰医师、医学教授,第一位著名的临床医学教师。毕生在莱顿工作,任植物学和内科学教

美国不列颠百科全书公司供图

授、大学校长、实用医学和化学教授。他提高了莱顿大学(特别是作为一个医学学派)的声誉,吸引了来自欧洲各地的学生。他通过他的学生,对日后爱丁堡、维也纳和德国的医学教育产生影响,人们公认他创立了新的医学教育体制。主要著作有《医学原理》(1708)、《疾病的识别和治疗要点》(1709)及《化学基础》(1724)。

Boerhaave Museum　布尔哈夫博物馆　又称皇家自然科学史与精密科学史博物馆,馆址在荷兰莱顿。自然科学史博物馆,也是欧洲一流的同类博物馆之一。藏有精密的古老科学仪器,其中有原来属于列文虎克(1632～1723)的显微镜和华伦海特(1686～1736)收藏的温度计。该馆于1928年开放,以内科医生H.布尔哈夫(1668～1738)的名字而命名,他的一些仪器也陈列在这里。阿姆斯特丹医学博物馆的资料,包括一部分古老的外科手术仪器及使用这些仪器的照片,均于1979年移交给布尔哈夫博物馆。还有关于牛顿和伽利略这样一些科学家的文献和书籍。

Boesak, Allan (Aubrey)　布萨克(1946-02-23,南非卡卡马斯～　)　南非基督教神职人员,为南非反对该国种族隔离政策运动的主要代言人之一。布萨克的父母信奉基督教。他年少时即有志于传教,17岁入西开普大学,开始学习神学。布萨克不满于这一所全有色人种大学中白人教师的态度,最后还是接受诺德的劝告,继续留在荷兰归正宣教会(即荷兰归正会的有色人种支会)——诺德是白人牧师,曾因反对种族隔离而受排斥。布萨克于1968年在荷兰归正会被授以圣职,成为神职人员。1970～1976年在荷兰及美国求学。返回南非后,积极从事政治活动,教学传教之余,进行组织工作,反对南非政府的政策。1982年,经过他的建议,世界归正会联盟的成员教会宣布种族隔离制度为异端,吊销南非各白人教会的会员身份,布萨克当选为联盟的主席。1983年,他参与组织统一民主阵线(UDF)——团结一切反种族隔离组织的多种族联盟。1984年他与其他人士一道,组织大众,抵制全国选举。他屡次因参加示威游行而被捕。布萨克的博士论文《告别无知:关于黑人神学及黑人权力的社会-伦理学研究》发表于1977年。其他著作有《上帝的手指:关于信仰及社会-政治义务的布道词》(1982)和《黑人与归正宗:种族隔离、解放与加尔文传统》(1984)。1999年被判盗窃和欺诈罪,2000～2001年被监禁。2005年受总统姆贝基豁免。

Boesmanland　布须曼兰　又作 Bushmanland。纳米比亚东北部一个历史地区,历来为桑族即布须曼族居住地。为卡拉哈里大沙漠西北部的一部分。属于半干旱地带,沙层深而疏松,植被为多年生牧草、低矮灌木和荆棘林莽。布须曼兰的桑族人以及卡拉哈里的其他桑族人在卡拉哈里地区引进牛群放养,因地下水位降低,不得不逐渐迁往如楚姆奎这样零散孤立的居民点中,靠深钻井和蓄水池为生。政府鼓励桑人学习农业基本技术和饲养牲畜。20世纪后期,许多桑人都在居住区当劳工和担任追踪工作。

Boethius, Anicius Manlius Severinus　波伊提乌(470至475?,罗马?[意大利]～524,帕维亚?)　古罗马学者、基督教哲学家、政治家。5世纪末6世纪初蛮族入侵西罗马帝国时,他是上层社会中努力将古代文献传诸后世的少数人之一。波伊提乌将亚里士多德的著作译成拉丁文并加注释,并译出柏拉图全部的著作(可能有注释)。约在520年,为解决由于阿里乌主义异端所引起的争论,他运用亚里士多德哲学阐述基督教的三位一体教义和基督的本性。他虽为首席大臣,却不赞同狄奥多里克的统治。在520年罗马和君士坦丁堡教会之争暂时休止后,波伊提乌和其他官员被怀疑与拜占廷皇帝有联系,以通敌罪名被判死刑,524年被处死。在狱中写了有名的《哲学的慰藉》,基本上以柏拉图思想

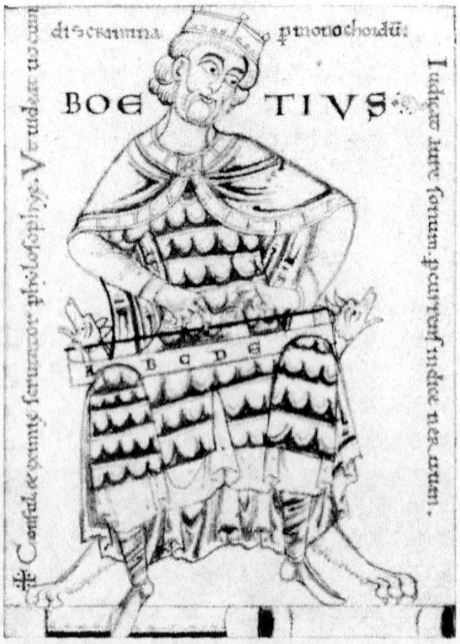

12世纪手抄卷中的波伊提乌细密画像
美国不列颠百科全书公司供图

为立论根据。他认为确实存在着最高的善,它严格而亲切地控制着全宇宙。幸与不幸都从属于天道,恶实际上不存在。人有自由意志,但并不影响神的安排和预见。不论表面现象如何,德行不会没有报偿。这部书将柏拉图主义的主要学说传给中世纪。其逻辑学著作对中世纪教士的训练起支配作用。其翻译和注释,特别是对《范畴篇》、《解释篇》的翻译和注释是经院哲学的基本教材。对波菲利的一段注释引起唯名论和唯实论的大论战。由于他的学术活动,古希腊细密精确的学术用语得以用拉丁文保存,而希腊文本身则知者甚少。

Boethius, Hector　参阅 **Boece, Hector** 博伊斯。

Boethusian　波埃都斯派　犹太教的一派。该派于公元70年耶路撒冷城被毁以前一直兴旺发达了100年。该派起源不详,其创始人波埃都斯生平也不详。与撒都该派有明显的相似之处,因此有的学者认为它无非是撒都该派的一个支派。两派都同贵族有关系,都不相信灵魂不死和肉体复活之说。波埃都斯派生活奢侈,嘲笑法利赛人虔修禁欲。另有一些学者提出,波埃都斯派就是艾赛尼派和死海派。

Boetoeng (Indonesia)　又拼 Boeton。参阅 **Butung** 布通。

Boeuf River　贝夫河　源出美国阿肯色州东南部。向西南流经巴塞洛缪湖与梅森湖之间,进入路易斯安那州,在卡塔胡拉县汇入沃希托河。全长370千米,部分河段可通航。

Boeyens, Adrian Florensz (pope)　**布延斯**　参阅 **Adrian VI** 阿德里安六世。

Boffa 博法 几内亚西部渔港。位于大西洋岸法塔拉河形成的庞戈河口湾。居民主要为巴加和苏苏族。博法镇是鱼业、水稻、香蕉和棕榈产品集散地。曾是奴隶市场所在地。19世纪60年代成为法国商港，1870～1914年为野生橡胶重要出口地，可泊吃水5米深的货轮。后因东南80千米的科纳克里港口的发展及河口沙洲移动、红树林繁殖，博法港的重要性日益降低。它还是几内亚第一个天主教传教团（1877）和第一所法语学校（1778）的所在地。人口28 885（1983）。

Boffrand, (Gabriel-) Germain 布弗朗（1667-05-07，法国南特～1754-03-18，巴黎） 法国建筑师，以其建筑的种类多、数量大、质量优异而著称。1681年到巴黎，随F.吉拉尔东学雕塑，后入J.H.芒萨尔的建筑师工作室学习。1690年接受皇家设计任务。1709年承担苏比斯王宫各房间内部装饰（1732年开始）。1710年受孔代公主委托扩建波旁宫，以他增设的大楼梯著称。他因著《建筑之书》（1745）而享有盛名，在把法国的建筑风尚传遍18世纪的欧洲中曾起过作用。他曾负责建造大量的大型和小型建筑物，其中有南特新宫和教堂的圣坛。他还在南特和巴黎建造了几所私人住宅。1718～1728年间负责巴黎军械厂工程，1722年重建最高法院的法庭。在国外，他还在巴伐利亚选帝侯马克西米连二世·埃马努埃尔心爱的别墅花园中建造了喷水池，并在1724年协助B.诺伊曼设计在维尔茨堡的主教宅邸（1719～1744）。1725～1727年，他修复了巴黎圣母院耳堂的大圆窗。1727年为综合医院建造了儿童病房。1728年任该院的总建筑师。1732年任法国道路和桥梁总监。最著名的作品有圣埃斯普里教堂的修复工程（1746）和巴黎圣母院的修道院大门（1748）。还著有《路易十四青铜骑像一次浇铸技术》（1743）。

布弗朗装饰的苏比斯王宫内部
美国不列颠百科全书公司供图

bog 酸沼 湿地生态系统的一种类型。特征是土壤潮湿，呈海绵状，排水不良，具泥炭质。可分为3种类型：①寒冷地区的典型酸沼，主要生长着属于酸沼型苔藓的泥炭藓、欧石楠，尤其是地桂（长有树木的北方酸沼往往称为厚苔沼）；②低位沼泽，以草状植物、草类、薹、芦苇为主；③热带森林酸沼，泥炭可能几乎完全由树木残体组成。典型的酸沼，即泥炭藓沼泽，酸性很高，酸碱度指标pH值小于5（7为中性）；水中所含的矿物质，比雨水中的还要少。浸淹低位沼泽的水，含有一些溶解矿物质，pH值大于5，即中酸性的地下水。低位沼泽和酸沼通常与泛称为酸沼地的地区有关。热带的酸沼仅仅发育在水中矿物质含量很低的地区。它们比森林沼泽少见，但是在马来亚、印度尼西亚、南美热带地区和非洲仍有大片分布。

典型的酸沼，植物简单，除了泥炭藓和欧石楠，只有少量薹类和草类，例如棉菅、食虫的毛毡苔、猪笼草和多种兰花。有一种可分裂为对称的两半的单细胞绿藻，即鼓藻，为酸沼所特有。酸沼中的动物不常见。

泥炭藓是大型苔藓，具有大型空腔细胞，叶子上含叶绿素的细胞之间有向外张开的毛孔。这些空腔细胞容易吸收和保持水分，使苔藓呈海绵状。泥炭藓从水中吸收矿物质（阳离子），代换以酸（氢离子），使其周围的水更具酸性。苔藓为水饱和后，阻碍了空气的流通，以致一部分泥炭藓在沼泽表面数英寸以下即处于缺氧状态。缺少氧气、缺少矿物质和强酸性环境，这三者相结合，大大地阻碍了细菌和真菌的活动以及有机体的正常腐烂。随着死亡苔藓的分解作用延缓，泥炭藓所成的泥炭便在活植物的下部发育。在年平均温度低于10°C（这样低温度阻碍了腐烂）的地区，尤其如此。

酸沼在更新世（250万年前至1万年前）冰川作用过的地区，最为常见。它们占据着加拿大、北欧和俄罗斯的苔原、北方森林区的广大地域。在更往南的高降雨区，例如不列颠群岛的潮湿地区，也有大片酸沼。冰川通过刨蚀下伏的岩石和在地表散布起伏不平的堆积物，而形成许多局部洼地。它们随着冰川融化而积水。如果水中矿物质的含量低，由此而形成的池塘就会被泥炭藓占据，从而转变成酸沼。

酸沼一旦形成，即通过阻滞水的运动和减缓其下部土壤与岩石的侵蚀作用，而阻碍有效排水系统的发育。因此，如果温度低而降雨量超过蒸发量，阻碍酸沼变干，酸沼往往能长期存在。如果酸沼变干，其位置将被陆上植物所占据。

冰川作用过的地区的小湖泊，如果没有被河床溯源侵蚀所排干、或者没有被陆上沉积物所完全充填，也常常发育成酸沼。湖泊开始被发育在岸边的漂浮植物层所填盖。如果湖水含有足够的矿物质，则可转变成主要生长着草类和薹类的低位沼泽。抗蚀岩石上、矿物质贫乏的湖泊，可发育有泥炭藓和地桂的酸沼型漂浮植物层。在大湖中，波浪作用阻碍了漂浮植物层的发育。当这植物层伸展到水中时，因被植物组织中的空气支持而漂浮在水面。向上增长的部分，遮盖其下部，使之死亡，形成愈益变厚的漂浮植物层。其顶部位于湖面以上仅数英寸。缓慢的腐烂和机械扰动，撕裂开植物层底部被浸淹的部分。它们下沉后聚集在湖底，使湖泊从湖底往上和湖面往下被充填。聚集在湖底的物质很细，仅比湖水稍稠。它们并不是压实的层，而是形成假湖底层。沉重物体可以穿过该层而沉没到原始的坚硬湖底。从湖面往下有下述各层：①漂浮酸沼；②清水；③假湖底；④真湖底。随着植物层连续加厚，湖水对植物生长影响越来越小，通常泥炭藓开始侵入植物层表面，即使该层从前曾以草类占优势。真正的酸沼，随着苔藓的增长而形成。各种欧石楠，尤其地桂进入植物层。随着植物层连续加厚，树木可以开始生长。最先生长的，通常是落叶松。黑云杉可以加入到酸沼发育的最后阶段。陆地和已被充填的湖泊之间的原始界限，从远处难以察觉。

植被在大部分的过程中是漂浮的。这种酸沼称为活动酸沼，以表明其表面不稳定，稍有重量即轻微下沉，甚至有可能穿过植物而下沉到水底。无论是人或动物，都可以因此而溺没。如果泥炭厚而且呈海绵状，不漂浮的酸沼也可能是活动的。

酸沼通过向上和向中心增长而最终将湖泊完全填满。原始的冰川盆地将具有一层由无机质沉积物与来自湖泊产物和湖泊周围陆源有机残屑混合而成的湖底层。其上是假底层被上覆泥炭的重量压紧。酸沼泥炭则充填着盆地的其余部分。酸沼的生长，不一定停止在这个阶段。因为，如果降雨充足，泥炭藓的滞水特性足以在湖面代表的原始水面上维持一种潮湿的停滞水环境。酸沼植物继续向上生长，形成上升的酸沼。它与通常的酸沼类似，差别只是并不位于洼地中，而是上升到周围地面以上。在从上升酸沼和周围高地有水排出的地方，形成一种典型地环绕上升酸沼的围沟，具有不同程度的裸露水面。围沟由于接受高地的排水，而可能形成低位沼泽。

上升酸沼只接受雨水。由于雨水中矿物质含量很低,比起漂浮酸沼来,更完全以泥炭藓占优势。在漂浮酸沼上生长得很好的欧石楠、落叶松和黑云杉,作为生长受阻的标本,只能存活于上升酸沼边缘的周围。位于泥炭藓酸沼之下的泥炭,主要由局部分解的苔藓植物组成。也可能夹杂一些风吹来的颗粒——花粉和尘埃。泥炭的水分可能高达90%。变干泥炭的灰分在2%～20%之间,较常见的是比较低的值,因为较高的灰分机质是来自当泥炭位居表面时吹进它里面的砂子和黏土。位于酸沼之下的泥炭的其他化学特性是:缺乏自由氧;在高压下存在CO_2(虽然数量少);电解质浓度低;酸度高。

一般说来,在低地热带地区,温度高得足以使有机物腐烂过快,以致大量泥炭不能聚集起来。但是,在降雨量很高、地下水矿物质含量很低的地区,酸沼还是能存在。和较寒冷地区的情况一样,酸沼可以充填低的盆地,或者它们可以发育成上升酸沼。这些酸沼的植物主要是阔叶常绿树,其高度可达30米。棕榈树和露兜树也可以存在。这些酸沼植物种类数量比起周围的森林来是很有限的,正如较寒冷酸沼中的情形一样。朝着这上升酸沼的中心,树木变得较矮或缺失。草和薹覆盖着较多地面,开阔的水池也可存在。泥炭藓在热带酸沼中不以任何程度生长,泥炭由种子植物的残体构成。物种数量有限的造成,完全是由于缺乏地下水的矿物质补给及很快流失以及很高的降雨量,这些物种中一些死去了。

bog iron ore　沼铁矿　参阅 **goethite** 针铁矿。

bog manganese　沼锰矿　参阅 **wad** 锰土。

bog moss　参阅 **peat moss** 泥炭藓。

bog pink (orchid)　参阅 **dragon's-mouth** 龙口泽兰。

bog rosemary (*Andromeda polifolia*)　**多叶缬木**　又作moorwort。俗名沼树。杜鹃花科常绿低矮灌木。原产北美东北部、欧洲北部、中部及亚洲北部等处沼泽地。株高30～60厘米;有匍匐根茎;叶绿色,长3厘米;花小,白色,簇生于枝顶。

多叶缬木(*Andromeda polifolia*)
美国不列颠百科全书公司供图

Bogalusa　博加卢萨　美国路易斯安那州东南部城市。近密西西比州边界,在珀尔河航道运河北端。1906年由大南方木材公司建立。现为伐木业中心。1914年设市。生产黄松木、纸、桐油(产自1902年由中国移栽的桐树)。设有路易斯安那州立大学林业学校和联邦、州的农业实验站。人口13 365(2000)。

Bogan, Louise　博根(1897-08-11,美国缅因利弗莫尔福尔斯～1970-02-04,纽约市)　美国女诗人、评论家。1931～1969年任《纽约人》杂志的诗歌评论员。诗人M.穆尔认为博根的诗"洗练而又洗练",她的诗酷似英国玄学派诗人的作品,风格严谨,思想深邃,尽量使用传统写作技巧。然而它又植根于现代生活,富有深刻的个人特点,着眼于眼前的现实。她的诗首次刊登于《新共和》周刊,《尸体》发表于1923年。她后来给《纽约人》、《诗歌》、《大西洋月刊》和《民族》等刊物撰写诗歌和文艺评论。1930年获约翰·里德纪念奖,两次获古根海姆研究基金。她的《1923～1953年诗选》(1954)曾获博林根诗歌奖。作为一名评论家,她以公正和大度著称。

Boganda, Barthélemy　波冈达(1910-04-04,法属赤道非洲中央刚果博班吉[今属中非共和国]～1959-03-29,班吉附近)　中非共和国(旧称乌班吉-沙里)20世纪50年代非殖民化运动的重要的民族主义领袖。他在法属赤道非洲的4个领地中深受民众的拥护。他坚决反殖民主义,并讲求实际,能够同殖民政府和欧洲商人"打交道",以达到他的目的。农民出身。原为乌班吉-沙里地区天主教第一位非洲人司铎。1946年当选为法国国民议会议员。不久,他强烈谴责法国殖民当局,脱离法国天主教党,并且摈弃司铎的职位。1949年创立黑非洲社会发展运动党。在1951年大选中,法国行政长官以"危害和平"罪名将他拘捕,旋即开释。1956年他同法国商人达成协议,他们向他提供财政支持,交换条件是将欧洲代表列入市及领地选举的名单。波冈达主张整个法属赤道非洲(包括乍得、加蓬和法属刚果)要由非洲人自己管理,建成包括安哥拉、比属刚果、卢旺达-布隆迪和喀麦隆在内的"拉丁非洲合众国"。这一理想破灭后,他于1958年底回到中非共和国。数月后因飞机失事逝世。

Bogardus, James　博加德斯(1800-03-14,美国纽约卡茨基尔～1874-04-13,纽约市)　发明家和建筑师,推广了1850～1880年在美国工商业建筑物中普遍采用的铸铁结构。为了推广这种结构,他把预制件从他设在纽约市的工厂运到建筑工地,还在1858年撰写了《铸铁建筑物的建造和优点》一书。这种用立柱而不用墙壁承重的方法,是向后来骨架结构和摩天楼发展的重要步骤。1848年他在纽约市建筑自己的5层楼厂房时首次采用这种方法。在其他方面,他发明了一种雕版印制邮票的方法,曾为英国政府采用;他还发明了多年来应用于纺纱机的环状锭翼以及橡胶切割、玻璃压制、深海探测和钻井机器中的环状飞轮。

Bogart, Humphrey　博加特(1899-12-25,纽约市～1957-01-14,好莱坞)　原名亨弗莱·德福雷斯特·博加特,旧译鲍嘉。美国著名电影演员,以在银幕上饰硬汉角色而闻名。在20世纪40～50年代,他的电影的票房卖座率达到顶峰。他所创造的饱经风霜的个人主义冒险家形象,外表冷漠,却内藏理想。他在生活上是一个愤世嫉俗、性情孤独的人,对好莱坞的传统习俗只肯作一些小小让步,然而却成为美国影坛上受崇拜的英雄。第一次世界大战期间曾在美国海军服役。在一次意外事故中,木屑刺入他上唇,从此上唇部位僵硬,给他造成一个外形特征,后来就变成他银幕形象的一个标志。银幕生涯以1930年的《如此百老汇》这一影片为开端。在《化石林》(1936)中对杀人凶手芒特公爵的刻画,成为他艺术事业的转折点。整个20世纪30年代后期,博加特以在影片中扮演匪徒角色闻名。1941年因塑造《高高的山岭》(1941)中一个上年纪的强盗和《马耳他之鹰》(1941)中一个不动感情的私人侦探而获得明星地位。随后又在许多影片中塑造各种人物形象,获得好评,如《卡萨布兰卡》(1942)中流亡的卡巴莱餐馆业主里克。在《非洲皇后》(1951)一片中,他饰演爱喝杜松子酒的船夫,获奥斯卡最佳男演员奖。他后来的影片有和劳伦·白考尔(他的第四个妻子)合作的《有的和没有的》(1944)、《沉睡》(1946)和《缓广调》(1948)。

博加特在影片《撒哈拉》(1943)中的剧照
美国不列颠百科全书公司供图

bogatyr　勇士　俄罗斯民间史诗中的英雄,其职责是保卫俄罗斯国土,抗击外来侵略者,尤其是鞑靼侵略者。其中最著名的勇士是穆罗姆的伊利亚。N.卡拉姆津曾写诗《伊利亚·穆罗梅茨》(1795)歌颂他。

Boğaziçi (Turkey)　参阅 **Bosporus** 博斯普鲁斯海峡。

Boğazköy　博阿兹柯伊　土耳其语意为峡谷村庄。现代名博阿兹卡莱,又拼Boghazkeui。土耳其中北部村庄，位于约兹加特西北27千米处，为公元前2千纪赫梯帝国（在安纳托利亚和叙利亚北部）首都遗址。古城建在小平原南端一块山坡上，两侧有深谷。当地最早居民点出现于公元前3千纪青铜器时代早期。在此发现的最早文字资料是以楔形文字刻在泥板上的古亚述语。泥板书表明当地古时称哈图斯并住有亚述商人。公元前17世纪中期，古赫梯王国创始人之一哈图希利斯一世在此建都（古城墙痕迹至今仍依稀可辨）。新王国时期（约公元前1400～前1190），城市向南扩展，纳入一些山丘，加强了城市的防护系统。修建带有雕饰的城门，国王门（东南面）和狮子门（西南面）保存至今。旧王国时便有关于庙宇的记载，但现存庙宇遗迹均属新王国时期，包括下城（北部）的一座和上城（南部）的四座。公元前13世纪，城墙跨过峡谷向东扩建，将峡谷东侧比于克卡亚高地包括在内。考古挖掘表明，城区大部为庙宇和行政建筑，住宅区仅有少量出土，故无法估算当时人口。约公元前1190年赫梯帝国崩溃，城市被毁，火焚痕迹到处可见。经过长期荒废，公元前8世纪再次出现居民点。公元前3～前1世纪欧洲凯尔特人到此定居。罗马时期和公元初年留下的遗迹稀少。之后无人居住，直到18世纪建立博阿兹卡莱村。1834年古城遗址被法国人发现。1892～1893年首次发现泥板。1906年发掘出2 500块泥板，表明当地曾是赫梯诸王都城。此后又经多次发掘，已发现赫梯后、赫梯帝国和赫梯前三个不同历史时期的文物层。人口：博阿兹卡莱2 097（最新统计）。

Bogda Shan　博格达山　中国新疆维吾尔自治区中部山脉，为天山支脉。在乌鲁木齐市东。山地隆起在准噶尔盆地和吐鲁番盆地之间，呈东西走向，最高峰博格达峰位于山脉西端，海拔5 445米。常年覆盖积雪，雪线在

博格达山天池
中国大百科全书出版社供图

3 900米左右，四周有冰川辐射。山地北坡湿润。1 500～2 800米的中山带分布有雪岭云杉与草甸。三工河上游海拔1 900米处有天池，云杉环绕，雪影辉映，是新疆著名风景区，也是山麓阜康绿洲的重要灌溉水源。山地南坡干旱，河网较稀。涓涓细流顺坡而下，经过低山带达山麓，渗入砾石带而成伏流，是吐鲁番盆地坎儿井的水源。博格达山西端有达坂城山口，为天山南北主要交通孔道，兰新铁路由此经过。山地东端山口七角井亦为天山南北通道。占地21.7万公顷的博格达峰生物圈自然保护区，已纳入国际生物圈保留地网。

Bogdan　参阅 **Moldavia** 摩尔多瓦。

Bogdanovich, Peter　波格丹诺维奇（1939-07-30，美国纽约金斯顿～　　）美国电影导演，以复兴美国30和40年代类型电影所作的种种努力而知名。他在小型舞台演出中担任作家、演员和导演获得经验，并在若干刊物上撰写评论和学术文章。他的第一部影片是《靶子》（1968），由他本人编剧、制片、导演并主演。他的第二部影片《最后一场电影》（1971）轰动一时，由于描绘50年代得克萨斯州一个沉闷小城里的性爱习俗和社会变化而获得评论界的赞扬。他后来拍的影片有《纸月亮》（1973）、《黛西·米勒》（1974）、《最终的爱情》（1975）等。

Boghari（Algeria）　参阅 **Ksar el-Boukhari** 布哈里堡。

Boghazkeui（Turkey）　参阅 **Boğazköy** 博阿兹柯伊。

boghead coal　藻煤　参阅 **torbanite** 藻烛煤。

Bognor Regis　博格诺里吉斯　英格兰西萨塞克斯行政郡阿伦区一堂区。属萨塞克斯历史郡。位于伦敦西南。濒临英吉利海峡。1929年该堂区庆祝乔治五世在此地康复。18世纪末摄政时代建成霍瑟姆住宅和多米住宅（现今是师范学院）之时已成为游览地，有沙滩和中世纪留下的小渔村。人口约56 744（1991）。

Bogolyubsky, Andrey Yuryevich　博戈柳布斯基　参阅 **Andrew**（Vladimir）安德列（弗拉基米尔）项下的 **Andrew I** 安德列一世。

Bogomil　鲍格米勒派　10～15世纪盛行于巴尔干地区的基督教教派。该派在10世纪中叶兴起于保加利亚，是糅和新摩尼教二元教义（来源于亚美尼亚和小亚细亚的保罗派）与福音派的保加利亚正教会的教义而成。由司祭鲍格米勒所创建，故名。该派中心教义从二元宇宙论出发，认为有形的物质世界为魔鬼所创造。因此，该派否认道成肉身之说，反对关于上帝通过物质施恩于人的基督教教义。他们反对洗礼、圣餐礼以及正教会的全部组织体系。鲍格米勒派的伦理观也是二元论：凡是使人密切接触物质的活动，特别是婚姻、饮酒、食肉，他们一概反对。事实上，即使反对该派最激烈的人，也承认该派信徒严以律己，俭朴端方。

Bogong, Mount　博贡山　澳大利亚维多利亚州最高峰，在澳大利亚阿尔卑斯山区墨尔本东北240千米，海拔1 986米。以冬季运动闻名。1981年起成为博贡山国家公园的一部分。此峰名称源自土著词，意为“高处平地”。在奥尔伯里附近修建基沃水电站（1958年竣工）期间设置博贡市区。

Bogor　茂物　前称Buitenzorg（伯伊滕佐尔格）。印度尼西亚西爪哇省城市和县。位于格德山和萨拉山丘陵，海拔265米。建于1745年。以1817年建植物园闻名。茂物农业学院即国立印度尼西亚大学农学系。还有森林研究所、化学研究实验所和橡胶研究所。

典型的茂物农舍和稻田
美国不列颠百科全书公司供图

原荷兰总督住宅（建于1856年）现为总统别馆。主要为住宅城镇，气候宜人。生产轮胎、纺织品和机械。茂物县面积11 611平方千米，主要农作物有水稻、茶叶、金鸡纳、橡胶和咖啡。人口：市约285 114（1995）。

Bogoraz, Vladimir Germanovich　博戈拉兹（1865-04-27，俄罗斯奥夫鲁奇～1936-05-10，去顿河畔罗斯托夫的途中）　笔名N.A.坦和V.G.坦。俄罗斯人类学家，他对西伯利亚东北部蒙古人种楚克奇人的研究成果可列为人种志经典著作之一。1886年博戈拉兹因从事革命的民意党活动被捕，被流放西伯利亚东北部雅库特地区，与难友V.乔切尔森一起研究该地区的人种学和语言学。1895～1897年为俄罗斯地理学会继续在西伯利亚东北部从事研究。1900～1901年为纽约市美国自然历史博物馆杰塞普北太平洋考察队工作，负责西伯利亚东北部边缘阿纳德尔地区的考察研究，同时为楚克奇人种志收集材料。因政治原因逃离俄国后，1901～1904年定居美国纽约，任美国自然历史博物馆馆长，著有《楚克奇人》（1904～1909）和《楚克奇人的神话》（1910）。1904年回俄国后，继续从事科研工作，1918年任彼得格勒（圣彼得堡）大学教授兼人类学和人种志博物馆馆长。20世纪20～30年代，他负责指导列宁格勒北方民族研究所的亚洲研究工作。曾发表语法书、词典、楚克奇儿童教科书、民间故事集、人种志及历史研究论文以及有关楚克奇人的一部小说。

BIN TRAVERLER FORM

Cut By: Mellmay # A Qty 14 Date 11 18

Scanned By:__________ Qty_____ Date_______

Scanned Batch ID's

Notes / Exceptions